आर. गुप्ता® कृत

पॉपुलर मास्टर गाइड

HTET

हरियाणा शिक्षक पात्रता परीक्षा

LEVEL-I

Primary Teacher (PRT)

(Class 1–5)

RPH संपादक मंडल

द्वारा संपादित

2026
EDITION

रमेश पब्लिशिंग हाउस, नई दिल्ली

प्रकाशक

ओ.पी. गुप्ता, **रमेश पब्लिशिंग हाउस**

प्रशासनिक कार्यालय

12.H, न्यू दरियागंज रोड, ऑफिसर्स मेस के सामने,

नई दिल्ली.110002, ✆ 23275224, 23245124

E-mail: info@rameshpublishinghouse.com

For Online Shopping: www.rameshpublishinghouse.com

विक्रय केन्द्र

• बालाजी मार्किट, नई सड़क, दिल्ली.110006 ✆ 23282525 📱 9354373464

• 4457, नई सड़क, दिल्ली.110006

पुस्तक कोडः R-1460

ISBN: 978-93-5477-935-0

मूल्यः ₹ 640

मुद्रकः दीपक ऑफसेट, दिल्ली

अनुक्रमणिका

सामान्य अध्ययन (General Studies)

❑❑❑

Scheme of Exam

Level-I: For becoming Teacher of Classes I-V : Primary Teacher (PRT)

There shall be only one paper. All questions will be Multiple Choice Questions (MCQs) each carrying one mark with four alternatives out of which one answer will be correct.

S.No.	Subjects	No. of Questions	Marks
1.	Child Development and Pedagogy	30	30
2.	**Languages** (Hindi 15 MCQs and English 15 MCQs)	30	30
3.	**General Studies** (Quantitative Aptitude 10 MCQs, Reasoning Ability 10 MCQs and Haryana G.K. and Awareness 10 MCQs)	30	30
4.	Mathematics	30	30
5.	Environmental Studies	30	30
	Total	**150**	**150**

NATURE AND STANDARD OF QUESTIONS

- The test items on Child Development and Pedagogy will focus on educational psychology of teaching and learning relevant to the age group of 6-11 years. They will focus on understanding the characteristics and needs of diverse learners, interaction with learners and the attributes and qualities of a good facilitator of learning.
- The test items for Languages (Hindi & English) will focus on the proficiencies related to the medium of instruction.
- The test items for Quantitative Aptitude, Reasoning Ability and Haryana G.K. and Awareness will focus on the elements of Mental and Reasoning ability and General Knowledge regarding Haryana State.
- The test items in Mathematics and Environmental Studies will focus on the concepts, problem solving abilities and pedagogical understanding of the subjects. In all these subject areas, the test items shall be evenly distributed over different divisions of the syllabus of that subject prescibed for classes I-V by the Education Department, Govt. of Haryana.

NEGATIVE MARKING

- There shall be no negative marking.

LANGUAGE OF QUESTION PAPERS

- All questions except those concerning language subjects, will be bilingual *i.e.* Hindi and English.

पिछले प्रश्न-पत्र

हरियाणा शिक्षक पात्रता परीक्षा (HTET)

Level-I, प्राथमिक शिक्षक (PRT), 2024

(Exam held on 31-07-2025)

भाग-I : बाल विकास व शिक्षाशास्त्र

1. सामाजिक-सांस्कृतिक विकास सिद्धांत किसके द्वारा प्रतिपादित किया गया?

A. कोह्लबर्ग B. एरिक्सन

C. पियाजे D. वायगोत्स्की

2. निम्नलिखित में से कौन केवल पर्यावरण से प्रभावित होता है?

A. मानसिक क्षमताएँ B. संवेग

C. अभिवृत्ति D. अभिरुचि

3. निम्नलिखित में से कौन-सी एक उपयुक्त शिक्षण-अधिगम व्यूहरचना **नहीं** हैं?

A. सहकारी अधिगम B. आनंदपूर्ण सीखना

C. रटन्त अधिगम D. बहुसंवेदी शिक्षण

4. निम्नलिखित में से कौन-सा कथन उत्तर बाल्यावस्था की दल-क्रियाओं का उनके अधिगम पर सकारात्मक प्रभाव सुनिश्चित **नहीं** करता है?

A. अनुरूप व्यवहार सीखते हैं

B. सामाजिक मानदण्डों का पालन करना सीखते हैं

B. सामाजिक अंतर्दृष्टि विकसित करते हैं

D. पूर्वाग्रही मनोवृत्ति धारण करते हैं

5. सतत एवं व्यापक मूल्यांकन में कौन-सा सह-शैक्षणिक आकलन के अन्तर्गत **नहीं** आता?

A. गृहकार्य B. सौन्दर्यात्मक गतिविधियाँ

C. अभिवृत्ति D. मूल्य

6. निम्नलिखित में से कौन-सा कथन समावेशी शिक्षा को सही रूप में परिभाषित करता है?

A. यह केवल अशक्त बच्चों के लिए है

B. यह केवल अशक्त एवं सामाजिक रूप से पिछड़े बच्चों के लिए है

C. यह केवल आर्थिक रूप से वंचित बच्चों के लिए है

D. यह सभी बच्चों के लिए है

7. निम्नलिखित में से कौन-सा विकल्प बच्चों में होने वाले शारीरिक परिवर्तनों से संबंधित **नहीं** है?

A. ऊँचाई B. परिधि

C. आंतरिक अंग D. प्रत्यक्षण

8. निम्नलिखित में से कौन-सा कथन वैयक्तिक भिन्नता के संबंध में सही **नहीं** है?

A. वैयक्तिक भिन्नता संज्ञानात्मक क्षेत्रों में होती है।

B. वैयक्तिक भिन्नता मनोगत्यात्मक क्षेत्रों में नहीं पाई जाती है।

C. वैयक्तिक भिन्नता परिपक्वता से भी प्रभावित होती है।

D. वैयक्तिक भिन्नता का एक प्रमुख कारण आनुवंशिकता है।

9. निम्नलिखित में से कौन-सा कारक वर्नन के पदानुक्रगिक वुद्धि सिद्धांत से संबंधित **नहीं** है?

A. प्रमुख (मुख्य) कारक

B. व्यक्तिगत कारक

C. लघु कारक

D. विशिष्ट कारक

10. निम्नलिखित में से कौन-सा अभिप्रेरक अधिगम को सकारात्मक रूप से प्रभावित **नहीं** करता है?

A. प्रगति की अनभिज्ञता B. लक्ष्य निर्धारण व्यवहार

C. सामाजिक अनुमोदन D. प्रशंसनीय व्यवहार

11. लैंगिक पक्षपातहीन शिक्षण-अधिगम प्रक्रिया के लिए निम्नलिखित में से कौन-से कार्य को प्रोत्साहित किया जाना चाहिए?

A. समरूप समूहन B. लिंग तटस्थ उदाहरण

C. रूढ़िबद्ध विषयवस्तु D. पक्षपातपूर्ण भाषा

1. D	**2.** C	**3.** C	**4.** D	**5.** A	**6.** D
7. D	**8.** B	**9.** B	**10.** A	**11.** B	

12. निम्नलिखित में से कौन-सा चिंतन उपकरण अधिगम को बढ़ावा देता है?

(*a*) प्रतिमाएँ (*b*) भाषा
(*c*) संप्रत्यय (*d*) प्रतिज्ञप्ति

सही कूट का चयन कीजिए:

A. (*a*) एवं (*b*) B. (*b*) एवं (*c*)
C. (*a*), (*b*) एवं (*d*) D. (*a*), (*b*), (*c*) एवं (*d*)

13. निम्नलिखित में से कौन-सा सीखने को प्रभावित करने वाला अधिगमकर्ता से संबंधित एक व्यक्तिगत कारक **नहीं** है?

A. महात्वाकांक्षा B. विषयवस्तु
C. अभिक्षमता D. तत्परता

14. किस मनोवैज्ञानिक ने अपने विकासात्मक सिद्धांत में 'आंतरिक संभाषण' प्रत्यय को प्रस्तुत किया?

A. ब्रूनर B. वायगोत्स्की
C. हल D. पियाजे

15. CWSN का अर्थ है:

A. चिल्ड्रन विद सोशल नीड्स (सामाजिक आवश्यकता वाले बच्चे)
B. चिल्ड्रन विद सिमिलर नीड्स (समान आवश्यकता वाले बच्चे)
C. चिल्ड्रन विद स्पेशल नीड्स (विशिष्ट आवश्यकता वाले बच्चे)
D. चिल्ड्रन विद सेपरेट नीड्स (पृथक् आवश्यकता वाले बच्चे)

16. 'करके सीखना' किस प्रकार की शिक्षा का प्रमुख सिद्धांत है?

A. समावेशी शिक्षा B. प्रगतिशील शिक्षा
C. प्रतिगामी शिक्षा D. संचारी शिक्षा

17. 'ज्ञानेन्द्रियों से प्राप्त अनुभूति' किस प्रकार का संज्ञान है?

A. संवेदना B. प्रत्यक्षीकरण
C. संवेग D. कल्पना

18. बच्चों के संवेगों के संदर्भ में निम्नलिखित में से कौन-सा कथन सही **नहीं** है?

A. संवेगों की प्रकृति व्यक्तिपरक होती है
B. संवेगों में विस्थापन का गुण नहीं होता
C. संवेग उद्दीपक का उत्पाद है
D. संवेगों की अभिव्यक्ति समान नहीं होती

19. निम्नलिखित में से कौन-सा विकल्प सृजनशील बालक की सही व्याख्या **नहीं** करता?

A. मौलिक विचार B. साहसिक मनोवृत्ति
C. विचार प्रवाहशीलता D. अभिसारी चिंतन

20. पियाजे ने अपने संज्ञानात्मक विकास सिद्धांत में किस अवधारणा पर चर्चा **नहीं** की है?

A. आत्मसातीकरण B. पृथक्करण
C. समायोजीकरण D. संतुलनीकरण

21. किस मनोवैज्ञानिक का मानना है कि सभी प्रकार के संवेग मूल प्रवृत्ति से उत्पन्न होते है?

A. वुडवर्थ B. आइजेक
C. वाटसन D. मैक्डूगल

22. 'सीखने का मूल्यांकन' को इस नाम से भी जाना जाता है :

A. योगात्मक मूल्यांकन B. निदानात्मक मूल्यांकन
C. रचनात्मक मूल्यांकन D. उपचारात्मक मूल्यांकन

23. कोहलबर्ग के अनुसार, निम्नलिखित में से कौन-सी अवस्थाएँ पूर्व-पारंपरिक नैतिकता के अंतर्गत **नहीं** आती हैं?

(*a*) सजा से बचने हेतु आज्ञापालन की अवस्था
(*b*) पुरस्कार प्राप्त करने के लिए अनुरूपता की अवस्था
(*c*) वैयक्तिक अधिकार की अवस्था
(*d*) अच्छे अन्तःवैयक्तिक संबंध की अवस्था

सही कूट का चयन कीजिए :

A. (*a*) एवं (*c*) B. (*b*) एवं (*d*)
C. (*c*) एंव (*d*) D. केवल (*c*)

24. निम्नलिखित में से कौन-सा 'पुराने लक्षणों के लुप्त होने' के अन्तर्गत विकासात्मक परिवर्तनों का उदाहरण **नहीं** है?

A. थायमस ग्रंथि B. बाल-केश
C. अस्थायी दाँत D. प्राथमिक लैंगिक विशेषताएँ

25. शिक्षण-अधिगम परिस्थितियों में विद्यार्थियों को दण्ड देना किस प्रकार का अभिप्रेरक है?

A. जैविक B. आंतरिक
C. बाह्य D. शारीरिक

26. निम्नलिखित में से कौन-सी गति बाधित विद्यार्थियों की विशिष्ट आवश्यकता **नहीं** है?

A. व्यावसायिक प्रशिक्षण B. ढ़ाँचागत व्यवस्थाएँ
C. आश्रित व्यवहार D. गतिविधियों में अनुकूलन

27. निम्नलिखित लक्षण किस प्रकार की अधिगम कठिनाई को इंगित करते हैं?

(*a*) अंकों एवं प्रतीकों को लिखने की अक्षमता
(*b*) आधारभूत अंकगणितीय गणना में कठिनाई

A. डिस्कैल्कुलिया B. डिस्मैथेमेटिशिया
C. डिस्प्रेक्सिया D. डिसअरिथ्मेटिशिया

12. D	**13.** B	**14.** B	**15.** C	**16.** B	**17.** A	**18.** B	**19.** D
20. B	**21.** D	**22.** A	**23.** C	**24.** D	**25.** C	**26.** C	**27.** A

28. विद्यार्थियों को अधिगम अनुभव प्रदान करने का कौन-सा तरीका उपयुक्त **नहीं** है?

A. नवीन ज्ञान को पूर्व ज्ञान से संबंधित करना
B. एक संवेदी के प्रयोग पर बल देना
C. एक विषय का दूसरे विषय से सहसंबंधित करना
D. प्रतिपुष्टि को प्रोत्साहन देना

29. निम्नलिखित में से कौन-सा बच्चों के सामाजीकरण की प्रक्रिया को प्रभावित करने वाला एक धनात्मक कारक **नहीं** है?

A. उपयुक्त भाषा
B. सामाजिक वचन
C. लोकतांत्रिक वातावरण
D. सामाजिक मनोवृत्ति

30. बच्चे का विकास किस मार्ग का अनुसरण करता है?

A. सर्पिल
B. रेखीय
C. वृत्तीय
D. सीधा

भाग-II : भाषा - हिन्दी

31. 'सभी अशुद्व शब्द समूह वाला विकल्प चुनिएः

A. मंत्रीमण्डल, लब्धप्रतिष्ठित, स्पष्टिकरण
B. औदार्य, ओपन्यासिक, फैंकना
C. जडमति, उत्पीड़ित, गरुड
D. प्रेरणास्पद्, सहस्र, प्रत्याशी

32. समास की दृष्टि से **असंगत** विकल्प चुनिएः

A. कूपमंडूक - अधिकरण तत्पुरुष
B. मधुमक्खी - लुप्तपद तत्पुरुष
C. काजल - कर्मधारय
D. हीन-भावना - अपादान तत्पुरुष

33. सर्वनाम की दृष्टि से **असुमेलित** को छाँटिएः

A. लड़के <u>आप</u> ही चले जाएँगे – निजवाचक सर्वनाम
B. <u>आप</u> एक प्रतिष्ठित समाजसेवी है – पुरुषवाचक सर्वनाम
C. दाल में <u>कुछ</u> काला है – प्रश्नवाचक सर्वनाम
D. मेरी वह पुस्तक खो गई, जिसे मैंने कल ही खरीदा था – संबंधवाचक सर्वनाम

34. प्रत्यय एवं प्रत्यययुक्त शब्दों के संदर्भ में असमीचीन विकल्प चुनिएः

A. 'ईला' – नुकीला, पनीला, हठीला
B. 'ल' – वत्सल, कुशल, आँचल
C. 'य' – लावण्य, चैतन्य, सादृश्य
D. 'इ' – सारथि, दाशरथि, सौमित्रि

35. निम्न में से सर्वाधिक **उचित** विकल्प चुनिएः

A. भाषा एवं साहित्य को संरक्षित, व्यवस्थित व मानकता प्रदान करने वाला रूप ही भाषा का मौखिक रूप है।
B. स्वर एवं स्वर सहित व्यंजन 'अक्षर' कहलाते हैं।
C. 'पद' को वाक्य में प्रयुक्त होने योग्य बना लेने पर उसे 'शब्द' कहा जाता है।
D. स्वरों के उच्चारण में हवा अवरुद्ध होकर घर्षण खाते हुए निकलती है।

36. संज्ञाओं का सही सुमेलन किस विकल्प में **नहीं** है?

A. ऋग्वेद, कावेरी, पृथ्वी – व्यक्तिवाचक संज्ञा
B. भूकंप, हथेली, कृषक – जातिवाचक संज्ञा
C. क्रोध, सत्य, रोग – स्वतंत्र भाववाचक संज्ञाएँ
D. ऐश्वर्य, कौमार्य, उपयोगिता – अयौगिक भाववाचक संज्ञाएँ

37. पर्यायवाची शब्दों के संदर्भ में **असंगत** विकल्प चुनिएः

A. विष्णु – पद्मनाभ, श्रीश, कमलेश
B. सूर्य – तरणि, आदित्य, मित्र
C. यमुना – अद्रिजा, देवापगा, देवाश्रिता
D. बिल्ली – शालावृक, दीप्तलोचन, मार्जारी

38. किस विकल्प में एकवचन से बहुवचन बना युग्म **असंगत** है?

A. डाकू – डाकुओं
B. साधु साधूओं
C. पत्नी – पत्नियों
D. कागज – कागजात

39. उपसर्ग की दृष्टि से कौन-सा विकल्प सुमेलित **नहीं** है?

A. अनसूया, अनवकाश – 'अन' उपसर्ग
B. उपाश्रय, उपासक – 'उप' उपसर्ग
C. अपरिग्रह, अपरीक्षित – 'अ' उपसर्ग
D. प्रत्यर्पण, प्रत्यंचा – 'प्रति' उपसर्ग

40. विलोम युग्म की दृष्टि से **अनुचित विकल्प** चुनिएः

A. अघ – अनघ
B. ऋत – अनृत
C. ऋजु – सरल
D. दुष्कर – सुकर

28. B	**29.** B	**30.** A	**31.** A	**32.** D	**33.** C	**34.** B
35. B	**36.** D	**37.** C	**38.** B	**39.** C	**40.** C	

निर्देशः (प्रश्न संख्या 41 से 43): *नीचे दिए गए गद्यांश को पढ़कर दिए गए प्रश्नों के उत्तर दीजिएः*

भारत के नैतिक और बौद्धिक विकास के कार्य में अंग्रेजी को आवश्यकता से अधिक महत्त्व देना व्यर्थ है। उसका जरूरत से ज्यादा भरोसा करना भी अनावश्यक है। भारतीयों की शिक्षा के क्रम में अंग्रेजी केवल विषय और विचार की संवाहिका मात्र हो सकती है, वह हमारी सांस्कृतिक शिक्षा का समुचित माध्यम नहीं बन सकती है। जिस भाषा के माध्यम से जनता को शिक्षित किया जा सकता है, वह भाषा जनता की मातृभाषा ही हो सकती है, अंग्रेजी नहीं। संस्कृत को मैं उस महान् भांडार के रूप में देखता हूँ, जिससे आधुनिक भाषाएँ शक्ति और सौंदर्य ग्रहण कर पुष्पित-पल्लवित हो रही हैं।

41. उपर्युक्त गद्यांश का समुचित शीर्षक चुनिएः

A. अंग्रेजी की महत्ता
B. मातृभाषा का वैशिष्ट्य
C. सांस्कृतिक शिक्षा
D. संस्कृत शब्द भांडार

42. किस भाषा से आधुनिक भाषाएँ शक्ति एवं सौंदर्य को ग्रहण करती हैं?

A. अंग्रेजी से   B. हिंदी भाषा से
C. संस्कृत भाषा से   D. मातृभाषा से

43. गद्यांश में प्रयुक्त शब्दों की व्याकरणिक विवेचना के संदर्भ में **असंगत** कथन चुनिएः

A. नैतिक, बौद्धिक – गुणवाचक विशेषण
B. आवश्यकता – 'आ' उपसर्ग एवं 'ता' प्रत्यय से निर्मित शब्द
C. अनावश्यक – नञ् तत्पुरुष समास
D. सौंदर्य – भाववाचक तद्धित 'य' प्रत्यय से निर्मित

44. उपचारात्मक शिक्षण किया जाता हैः

A. वैयक्तिक
B. सामूहिक
C. विकल्प (A) एवं (B) दोनों
D. इनमें से कोई नहीं

45. संधि की दृष्टि से **असंगत** विकल्प चुनिएः

A. स्वाध्याय, विक्रमाब्द – दीर्घ स्वर संधि
B. हतोत्साह, नेति – गुण स्वर संधि
C. स्त्र्युपयोगी, तन्वंगी – यण् स्वर संधि
D. गवीश, नदीश – दीर्घ स्वर संधि

भाग-II : LANGUAGE – ENGLISH

Direction: *Answer the following questions by selecting the most appropriate option.*

46. Which one of the following is **not** true of the role of grammar in language learning?

A. Grammar should be taught deductively followed by inductive application.
B. Knowledge of grammar is a means and not an end in itself.
C. Unless absolutely necessary, grammatical terminology is to be avoided.
D. Examples that support the rule are to be taught; exceptions are to be avoided.

47. Which one of the following is **not** an advantage of multi-media materials?

A. improved learning and retention
B. cost and technical issues
C. good learning outcomes
D. increased interactivity

Direction (Qs. No. 48 to 57): *Read the following passage and answer the questions that follow:*

The third great defect of our civilization is that it does not know what to do with its knowledge. Science has given us powers fit for the gods, yet we use them like small children. For example, we do not know how to manage our machines. Machines were made to be man's servants; yet he has grown so dependent on them that they are in a fair way to become his masters. Already most men spend most of their lives looking after and waiting upon machines. And the machines are very stern masters. They must be fed with coal, and given petrol to drink, and oil to wash with, and they must be kept at the right temperature. And if they do not get their meals when they expect them, they grow sulky and refuse to work, or burst with rage, and blow up, and spread ruin and destruction all round them. So, we have to wait upon them very attentively and do all that we can to keep them in a good temper. Already we find it difficult either to work or play without the machines, and a time may come when they will rule us altogether, just as we rule the animals.

And this brings me to the point at which I asked, "What do we do with all the time which the machines have saved for us, and the new energy they have given us?" On the whole, it must be admitted, we do very little. For the most part we use our time and energy to make more and better machines; but more and better machines will only give us still more time and still more energy, and what are we to do with them? The answer,

41. B	**42.** C	**43.** B	**44.** C	**45.** D	**46.** A	**47.** B

I think, is that we should try to become mere civilized. For the machines themselves, and the power which the machines have given us, are no civilization but aids to civilization. But you will remember that we agreed at the beginning that being civilized meant making and linking beautiful things, thinking freely, and living rightly and maintaining justice equally between man and man. Man has a better chance today to do these things than he ever had before; he has more time, more energy, less to fear and less to fight against. If he will give his time and energy which his machines have won for him to making more beautiful things, to finding out more and more about the universe, to removing the causes of quarrel between nations, to discovering how to prevent poverty, then I think our civilization would undoubtedly be the greater, as it would be the most lasting that there has ever been.

48. Fill in the blank with the **correct** option:

The third defect of our civilization is that it is at a loss to understand what to do with ______.

A. its machines
B. science
C. god and small children
D. its knowledge

49. Fill in the blank with the **correct** option:

According to the author, our dependence on machines will make us _____.

A. the masters of machines
B. the slaves of machines
C. more uncivilized
D. gods

50. What have machines saved for us?

A. time and energy
B. petrol and coal
C. science and knowledge
D. riches and poverty

51. What is the author's advice for the use of leisure?

A. to make better machines
B. to rule the animals
C. to become more civilized
D. to study science and gain knowledge

52. According to the passage, what does being civilized mean?

A. love of art, making more machines, use of scientific knowledge
B. love of beautiful things, freedom in thinking, righteous living, maintaining justice
C. saving time and energy, being more machine based
D. minimizing needs, being scientific, right use of knowledge

53. Which word in the passage means "strict"?

A. temper B. rage
C. stern D. sulky

54. Find the closest antonym of "cheerful" in the passage:

A. sulky B. ruin
C. refuse D. fear

55. Fill in the blank with the **correct** option:
"Yet we use them like small children" is an example of _____.

A. metaphor B. irony
C. simile D. climax

56. Fill in the blank with the **correct** option:

"To manage", "to become", "to work" are _____.

A. finites B. main verbs
C. present participle D. infinitives

57. Fill in the blank with the **correct** option:

The first two sentences in the passage are in the _____.

A. simple present tense
B. simple present & present perfect
C. past perfect
D. simple present & simple future

58. Match the following **correctly**:

(*a*) Behaviourist	(*i*) Piaget
(*b*) Innateness	(*ii*) Bruner
(*c*) Cognitive	(*iii*) Skinner
(*d*) Interaction	(*iv*) Chomsky

A. (*a*)-(*i*), (*b*)-(*iii*), (*c*)-(*ii*), (*d*)-(*iv*)
B. (*a*)-(*iv*), (*b*)-(*i*), (*c*)-(*iii*), (*d*)-(*ii*)
C. (*a*)-(*iii*), (*b*)-(*iv*), (*c*)-(*i*), (*d*)-(*ii*)
D. (*a*)-(*ii*), (*b*)-(*iii*), (*c*)-(*iv*), (*d*)-(*i*)

59. Which one of the following is **not** a principle of teaching English?

A. Principle of linking life
B. Substitution table method
C. Habit formation
D. Gradation

60. Which one of the following is **not** a result to multilingualistic resource?

A. it increases learner participation
B. the teacher's role is that of the facilitator
C. students learn to observe, deduce and formulate
D. the emphasis is on language structure rather than on the message

48. D	**49.** B	**50.** A	**51.** C	**52.** B	**53.** C	**54.** A
55. C	**56.** D	**57.** B	**58.** C	**59.** B	**60.** D	

भाग-III : सामान्य अध्ययन

मात्रात्मक योग्यता, तार्किक अभिक्षमता तथा सामान्य ज्ञान एवं अभिज्ञान

61. यदि 1 जुलाई को रविवार है, तो 1 अगस्त को होगा:

A. रविवार B. बुधवार
C. मंगलवार D. गुरुवार

62. सुधीर उत्तर दिशा की ओर जा रहा है। वह दायीं ओर मुड़ता है फिर दायीं ओर और फिर बायीं ओर जाता है। वह अब किस दिशा में जा रहा है?

A. उत्तर B. पूर्व
C. पश्चिम D. दक्षिण

63. सबसे छोटी संख्या, जो 9, 12, 28 और 30 से पूर्णतया विभाजित है, है :

A. 630 B. 1260
C. 2520 D. 5040

64. एक कक्षा में कुल 60 विद्यार्थी इस प्रकार हैं कि लड़कियों की संख्या लड़कों की संख्या से दुगुनी है। नितिन ने अंतिम परीक्षा में सत्रहवाँ स्थान अर्जित किया। यदि नितिन के आगे 9 लड़कियाँ हैं, तो उसके बाद कक्षा में कितने लड़के हैं?

A. 7 B. 9
C. 12 D. 31

65. एक परीक्षा में, एक अभ्यर्थी को उत्तीर्ण होने के लिए 40% अंक चाहिये। अभ्यर्थी ने 210 अंक प्राप्त किये और 90 अंकों से अनुत्तीर्ण हो गया। अधिकतम अंक है :

A. 600 B. 700
C. 750 D. 900

66. यदि $\tan\theta = \frac{p}{q}$, तो $\frac{p\sin\theta - q\cos\theta}{p\sin\theta + q\cos\theta}$ बराबर है:

A. $\frac{p^2 - q^2}{p + q^2}$ B. $\frac{p^2 - q^2}{p^2 + q^2}$

C. $\frac{p - q^2}{p^2 + q^2}$ D. $\frac{p^2}{q^2}$

67. जब एक पेड़ की छाया पेड़ की ऊँचाई की $\sqrt{3}$ गुना हो, तो सूर्य का उन्नयन कोण है:

A. 30° B. 45°
C. 60° D. 75°

68. यदि नारंगियाँ 100 रुपये में 11 नग की दर से खरीदी जाती हैं और 110 रुपये में 10 नग की दर से बेची जाती है, तो लाभ प्रतिशत है:

A. 10% B. 11%
C. 20% D. 21%

69. एक वर्ग का परिमाप 24.5 सेमी त्रिज्या वाले वृत्त की परिधि के बराबर है। वर्ग की भुजा है :

A. 36.5 सेमी B. 37.5 सेमी
C. 28.5 सेमी D. 38.5 सेमी

70. एक बेलनाकार स्तम्भ का वक्राकार पृष्ठीय क्षेत्रफल 264 मीटर^2 है और इसका आयतन 924 मीटर^3 है। स्तम्भ का व्यास है:

A. 7 मीटर B. 14 मीटर
C. 21 मीटर D. 3.5 मीटर

71. 8 सेमी त्रिज्या वाले एक ठोस गोले से 1 सेमी त्रिज्या की कितनी छोटी गेंदे बनायी जा सकती हैं?

A. 64 B. 256
C. 512 D. 1024

72. सरल ब्याज दर पर एक राशि 4 वर्षों में 1120 रुपये और 5 वर्षों में 1200 रुपये हो जाती है। मूलधन है

A. 800 रुपये B. 1000 रुपये
C. 1050 रुपये D. 1080 रुपये

73. यदि B के पुत्र का पुत्र का भाई A है, तो A, B से किस प्रकार सम्बन्धित है?

A. पुत्र B. भाई
C. पौत्र D. चचेरा भाई

74. निम्न संख्या श्रेणी का लुप्त पद ज्ञात कीजिए :
1, 4, 27, 16, ?, 36, 343, 64

A. 25 B. 125
C. 625 D. 64

75. अखबार : छापाखाना : : कपड़ा : ?

A. दर्जी B. दुकान
C. रेशा D. मिल

76. निम्न वर्ण श्रेणी का अगला पद होगा :
AD, HK, OR, ...

A. UX B. UY
C. VY D. VX

61. B	**62.** B	**63.** B	**64.** C	**65.** C	**66.** B	**67.** A	**68.** D
69. D	**70.** B	**71.** C	**72.** A	**73.** C	**74.** B	**75.** D	**76.** C

77. एक निश्चित कूट भाषा में, FIRE को QHOE तथा MOVE को ZMWE लिखा जाता है। समान कूट-भाषा में OVER को लिखा जायेगा :

A. MWEO B. MWOE
C. WMEO D. WMOE

78. असंगत को ज्ञात कीजिये :

A. जुलाई B. जनवरी
C. नवम्बर D. अगस्त

79. दूरभाष निर्देशिका में कौन-सा नाम सबसे आखिरी में आयेगा?

A. Mahendra B. Mahender
C. Mahindra D. Mahinder

80. एक संख्या 351 को 2 : 7 के अनुपात में दो भागों में बाँटा जाता है। छोटा भाग है :

A. 39 B. 78
C. 117 D. 273

81. हरियाणा का नवीन प्रस्तावित 23वाँ जिला कौन-सा है?

A. गोहाना B. तोशाम
C. महम D. हाँसी

82. हरियाणा में कितने जिला प्राथमिक कृषि एवं ग्रामीण विकास बैंक हैं?

A. 22 B. 24
C. 19 D. 06

83. हरियाणा के प्रथम राज्यपाल कौन थे?

A. बीरेन्द्र नारायण चक्रवर्ती B. धर्म वीर
C. रणजीत सिंह नरूला D. हरचरण सिंह बरार

84. निम्नलिखित में से कौन-सा वन्य जीव अभयारण्य यमुनानगर में अवस्थित है?

A. बीर शिकारगाह अभयारण्य
B. अबूबशहर अभयारण्य
C. कलेसर अभयारण्य
D. भिण्डावास अभयारण्य

85. 1857 के दौरान विद्रोही मेवातियों का नेता कौन था?

A. रहमत अली B. बिसारत अली
C. सदरूधीन D. बाबर खान

86. हरियाणा का नगर जिसका महाभारत में उल्लेख है :

A. सुग B. पानीपत
C. जींद D. सिरसा

87. स्वर्णजयंती हरियाणा वित्तीय प्रबंधन संस्थान के चेयरमैन कौन है?

A. नायब सिंह सैनी B. पंकज
C. अनुराग रस्तोगी D. विकास गुप्ता

88. 37वें सूरजकुण्ड अन्तर्राष्ट्रीय शिल्प मेले में भागीदार राष्ट्र था:

A. जर्मनी B. फ्रांस
C. जापान D. तंजानिया

89. हरियाणा में कितने प्रशासनिक उप-मंडल हैं?

A. 80 B. 74
C. 143 D. 154

90. हरियाणा में कहाँ बलदेव छठ का मेला आयोजित होता है?

A. गोहाना B. पलवल
C. रोहतक D. रेवाड़ी

भाग-IV : गणित

91. पृष्ठीय क्षेत्रफल 384 वर्ग मीटर वाले घन का आयतन होगा:

A. 216 मीटर^3 B. 256 मीटर^3
C. 484 मीटर^3 D. 512 मीटर^3

92. यदि एक गोले का आयतन, दूसरे के आयतन का दो गुना है, तब उनकी त्रिज्याओं का अनुपात है

A. 2 : 1 B. 4 : 1
C. $\sqrt{2}$: 1 D. $2^{1/3}$: 1

93. $\left(\dfrac{2^n + 2^{n-1}}{2^{n+1} - 2^n}\right)$ का मान होगा:

A. 1/2 B. 3/2
C. $2^{(n-1)/(n+1)}$ D. इनमें से कोई नहीं

94. गणित की वह कौन-सी शाखा है जिसमें स्थान, आकृतियों और स्थानिक सम्बन्धों का अध्ययन किया जाता हैं, जिसमें बिन्दु, रेखाएँ और समतल इसके निर्माण खण्ड होते हैं?

A. बीजगणित B. ज्यामिति
C. त्रिकोणमिति D. सांख्यिकी

95. यदि a, b, c विमाओं वाले घनाभ का आयतन V है तथा पृष्ठीय क्षेत्रफल S है, तब 1/V बराबर है :

A. $\dfrac{S}{2}(a+b+c)$ B. $\dfrac{2}{S}\left(\dfrac{1}{a}+\dfrac{1}{b}+\dfrac{1}{c}\right)$

C. $\dfrac{2S}{(a+b+c)}$ D. $2S(a+b+c)$

78. C	79. C	80. B	81. A	82. C	83. B	84. C	85. C	86. B
87. A	88. D	89. A	90. B	91. D	92. D	93. B	94. B	95. B

--

96. गणितीय पाठ्यक्रम को व्यवस्थित करने के लिए किस दृष्टिकोण का उल्लेख तार्किक और मनोवैज्ञानिक संतुलन के संयोजन के रूप में किया गया है?

A. विषय दृष्टिकोण
B. सर्पिल दृष्टिकोण
C. सकेन्द्रीय दृष्टिकोण
D. मनोवैज्ञानिक दृष्टिकोण

97. किस भारतीय गणितज्ञ ने 19वीं सदी की शुरुआत में संख्या सिद्धान्त, अंशात्मक अवकलन तथा दीर्घवृतीय फलनों में महत्त्वपूर्ण योगदान दिया

A. ब्रह्मगुप्त
B. श्रीनिवास रामानुजन
C. आर्यभट्ट
D. बोधायन

98. निम्नलिखित में से कौन-सा आगमनात्मक पद्धति का दूसरा चरण है?

A. सामान्यीकरण
B. सत्यापन
C. अवलोकन
D. विशिष्ट उदाहरणों की प्रस्तुति

99. कौन-सा गणितीय सूत्र अक्सर गणित में सबसे असाधारण और सुन्दर परिणामों में से एक माना जाता है, क्योंकि यह असंबंधित लगने वाली संख्याओं को आपस में जोड़ता है?

A. पाइथागोरस प्रमेय
B. आयलर सर्वसमिका
C. फर्मा का अन्तिम प्रमेय
D. न्यूटन का गुरुत्वाकर्षण नियम

100. एक निश्चित राशि पर जो दो साल बाद देय है, बैंकर्स की छूट, वास्तविक छूट का 11/10 है। दर प्रतिशत होगी :

A. 11%
B. 10%
C. 5%
D. $5\frac{1}{3}\%$

101. एक 50 मीटर लम्बी ट्रेन, 100 मीटर लम्बे प्लेटफॉर्म को 10 सेकण्ड में पार करती है। ट्रेन की गति/चाल (किलोमीटर/घंटा) में होगी :

A. 10
B. 15
C. 54
D. 100

102. A एक दीवार को 12 दिनों में बना सकता है जबकि B उसी दीवार को 15 दिनों में बना सकता है। यदि वे दोनों मिलकर दीवार बनाएँ, तो उन्हें कितना समय लगेगा?

A. 20/3 दिन
B. 3/20 दिन
C. 20 दिन
D. 3 दिन

103. एक विवृत वाक्य p_x के निषेध का सत्य समूह क्या दर्शाता है?

A. सार्वभौमिक समूह U तथा p_x का संघ
B. p_x तथा U का सर्वनिष्ठ
C. p_x के सत्य समूह का पूरक
D. p_x के स्वयं का सत्य समूह

104. यदि 3 पुरुष या 5 महिलाएँ या 8 लड़के एक कार्य को 38 दिन में सम्पन्न करते हैं, तब उस कार्य को 6 पुरुष, 10 महिलाएँ तथा 6 लड़के कितने दिन में सम्पन्न करेंगे?

A. 4
B. 6
C. 8
D. 10

105. इकाई को सम्मिलित करते हुए 120 के भाजकों की संख्या होगी:

A. 8
B. 16
C. 14
D. 12

106. हिल्डा टाबा के अनुसार, अवधारणा निर्माण प्रक्रिया में पहला चरण कौन-सा है?

A. वर्गीकरण
B. समूहों के लिए लेबल विकसित करना
C. अवलोकन तथा प्रासंगिक डाटा की पहचान करना
D. निष्कर्ष निकालना

107. "गणित वह भाषा है जिससे भगवान ने ब्रह्मांड की रचना की", यह किसका कथन है?

A. आइजैक न्यूटन
B. अल्बर्ट आइन्सटीन
C. गैलीलियो गैलीली
D. पायथागोरस

108. यदि ABC एक समबाहु त्रिभुज है तथा AD, BC पर लम्बवत है। तो $(AD)^2$ बराबर है :

A. $3/2(DC)^2$
B. $2(DC)^2$
C. $3(DC)^2$
D. $4(DC)^2$

109. CLA कक्षा में, शिक्षक की कौन-सी जिम्मेदारी नहीं है?

A. कार्यों की संरचना और लक्ष्यों का निर्धारण।
B. समूहों का आकार व चयन तय करना।
C. व्यक्तिगत व समूह कार्य के लिए पुरस्कृत करना।
D. छात्रों को बिना किसी संरचना के स्वतंत्र रूप से काम करने देना।

110. निम्नलिखित में से कौन-सी विधि गणितीय सामग्री के शिक्षण में शामिल **नहीं** है?

A. क्रियाकलाप आधारित विधि
B. अन्वेषणात्मक विधि
C. रटने की विधि
D. आगमनात्मक तथा निर्गमनात्मक विधि

111. यदि $\sqrt{1+\frac{25}{144}} = \left(1+\frac{x}{12}\right)$, तब x का मान है :

A. 1
B. 2
C. 3
D. 4

96. B	**97.** B	**98.** C	**99.** B	**100.** C	**101.** C	**102.** A	**103.** C
104. C	**105.** B	**106.** C	**107.** C	**108.** C	**109.** D	**110.** C	**111.** A

112. कौन-सी मूल्यांकन विधि शिक्षण प्रक्रिया के दौरान छात्रों को उनकी समझ में सुधार के लिए प्रतिक्रिया प्रदान करने पर केन्द्रित होती है?

A. संकलनात्मक मूल्यांकन B. पूर्वानुमानात्मक मूल्यांकन
C. प्रारूपिक मूल्यांकन D. नैदानिक मूल्यांकन

113. यदि A, B, C तीन स्वेच्छ बिन्दु हैं, तब इन बिन्दुओं से गुजरने वाले समतलों की संख्या होगी :

A. 1 B. 2
C. 3 D. 4

114. O केन्द्र वाले वृत्त के बिन्दु A पर AC एक स्पर्श रेखा है। त्रिभुज OAC एक समद्विबाहु त्रिभुज है, तब $\angle OCA$ का मान होगा:

A. 30° B. 45°
C. 60° D. 90°

115. निम्नलिखित में से कौन-सा एक उदाहरण है जो निहितार्थ के रूप में गणितीय प्रमेय को दर्शाता है?

A. यदि एक अभाज्य संख्या *ab* को विभाजित करती है, तो वह या तो *a* या *b* को विभाजित करेगी।
B. एक चतुर्भुज के विकर्ण एक-दूसरे को समद्विभाजित करते हैं।
C. एक त्रिभुज के आन्तरिक कोणों का योग 180° होता है।
D. एक आयत के विकर्ण बराबर होते हैं।

116. $\dfrac{1+3+5+\ldots+3983}{1992}$ बराबर है :

A. 1992 B. 1991
C. 1990 D. 1989

117. निम्न में अगली संख्या क्या होगी?
10, 17, 36, 73, 134, ?

A. 125 B. 217
C. 225 D. 117

118. पहली बार तर्कशास्त्र के नियमों को किसने लिखा था?

A. मिलीटस के थेल्स B. पायथागोरस
C. यूक्लिड D. अरस्तु

119. गणितीय कथन की सत्यता स्थापित करने की विधि को क्या कहा जाता है?

A. अनुमान B. परिकल्पना
C. प्रमाण D. धारणा

120. 1 तथा 31 के मध्य स्थित सम संख्याओं का योगफल है :

A. 16 B. 128
C. 240 D. 512

भाग-V : पर्यावरण अध्ययन

121. देश के किस भाग में 'झूम खेती' प्रसिद्ध है?

A. उत्तरी B. पश्चिमी
C. उत्तर-पूर्वी D. दक्षिणी

122. निम्नलिखित में से कौन-सा ईवीएस (पर्यावरण अध्ययन) में मूल्यांकन के लिए विद्यार्थियों के अनुभवों की अभिव्यक्ति का संकेतक **नहीं** है?

A. चित्रकला B. शारीरिक गतियाँ
C. रचनात्मक लेखन D. अनुमान

123. "सीखने की प्रक्रिया जितना संभव हो सके, आनंददायक होनी चाहिए और कठिन नहीं।"
यह वाक्य दिया गया था :

A. फ्रेडरिक फ्रोएबेल द्वारा B. महात्मा गाँधी द्वारा
B. जॉन डीवी द्वारा D. मारिया मॉन्टेसरी द्वारा

124. पेट्रोलियम को उसके विभिन्न घटकों में अलग करने की प्रक्रिया को क्या कहा जाता है?

A. शोधन B. तलछटीकरण
C. निस्पंदन D. आसवन

125. बाँस नृत्य, जिसे आमतौर पर 'चेराव' कहा जाता है, किस भारतीय राज्य का पारंपरिक नृत्य है?

A. असम B. मणिपुर
C. मिजोरम D. नागालैंड

126. खाद्य श्रृंखला के किस स्तर पर आमतौर पर छोटे मांसाहारी होते हैं?

A. प्रथम पोषी स्तर B. द्वितीय पोषी स्तर
C. तृतीय पोषी स्तर D. चतुर्थ पोषी स्तर

127. किस इतालवी मधुमक्खी प्रजाति को शहद की पैदावार बढ़ाने के लिए पुरःस्थापित किया गया है और यह आमतौर पर वाणिज्यिक शहद उत्पादन के लिए उपयोग की जाती है?

A. ऐपिस सेरना इंडिका B. ऐपिस डोरसेटा
C. ऐपिस मेलीफेरा D. ऐपिस फ्लोरी

112. C	**113.** A	**114.** B	**115.** A	**116.** A	**117.** C	**118.** D	**119.** C	**120.** C
121. C	**122.** D	**123.** B	**124.** A	**125.** C	**126.** C	**127.** C		

128. केंचुआ के बारे में क्या सत्य **नहीं** है?

A. ये मृदा में पोषक तत्त्व घटाते हैं

B. ये मृदा को नरम करने में सहायता करते हैं

C. ये मृत पत्तियाँ व पौधे खाते हैं

D. इनके मल से मृदा उर्वरक बनती है

129. अंडमान द्वीपों के जंगलों में कुछ जनजातियों ने जानवरों के असामान्य व्यवहार से सुनामी का अनुमान लगाया। यह सुनामी भारत में कब आई थी?

A. जनवरी, 2004 B. दिसम्बर, 2004

C. दिसम्बर, 2010 D. जनवरी, 2010

130. निम्नलिखित में से कौन-सा कौशल EVS (पर्यावरण अध्ययन) में मूल्यांकन के लिए व्यापक संकेतक के रूप में उल्लिखित **नहीं** है?

A. प्रयोग B. व्याख्या

C. विश्लेषण D. स्मरण

131. किस प्रकार की सिंचाई प्रणाली विधि घास के मैदान, कॉफी बागानों आदि के लिए अधिक उपयोगी होती है, जहाँ भूमि असमान होती है और पर्याप्त पानी उपलब्ध नहीं होता?

A. धेकली B. रहट

C. ड्रिप सिंचाई D. स्प्रिंकलर सिंचाई

132. "वन अधिकार अधिनियम, 2006" के अनुसार, वन की रक्षा के लिए जिम्मेदार वन अधिकार समिति का गठन किसके द्वारा किया जाता है?

A. जिला विकास परिषद् B. राज्य सरकार

C. केन्द्र सरकार D. ग्राम सभा

133. कौन-सा अंग भोजन के पाचन में, पाचक रस का उत्पादन कर सहायता करता है?

A. हृदय B. यकृत

C. वृक्क D. मस्तिष्क

134. कक्षा में CCE को लागू करने का पहला चरण क्या है?

A. बच्चों की प्रगति की रिपोर्टिंग

B. अधिगम स्थितियों का निर्माण

C. अपेक्षित सीखने के बिन्दुओं/उद्देश्यों की पहचान

D. आकलन करना

135. चार चरण जिनका पालन करके गतिविधि-आधारित अधिगम का अभ्यास किया जाता है, वे है:

(*a*) योजना बनाना (*b*) गतिविधि कराना

(*c*) प्रक्रिया पर विचार करना (*d*) सुधार करना

सही क्रम है:

A. (*a*), (*b*), (*c*) और (*d*)

B. (*a*), (*c*), (*d*) और (*b*)

C. (*a*), (*c*), (*b*) और (*d*)

D. (*a*), (*b*), (*d*) और (*c*)

136. प्राथमिक स्तर पर EVS सामग्री को व्यवस्थित करने के लिए किस प्रकार की विषय-वस्तु का उपयोग किया जाता है?

A. विषय-विशिष्ट विषय-वस्तु

B. केवल ऐतिहासिक घटनाएँ

C. पाठ्यक्रम आधारित विषय-वस्तु जैसे भोजन, आवास, पानी आदि

D. केवल वैज्ञानिक विषय-वस्तु

137. निम्नलिखित में से कौन-सी प्राथमिक स्तर पर EVS शिक्षा की भूमिका **नहीं** है?

A. बच्चों को अपने आस-पास के पर्यावरण से जुड़ने में सहायता प्रदान करना।

B. बच्चों को अपने पर्यावरण की समग्र समझ विकसित करने में सहायता प्रदान करना।

C. केवल सैद्धांतिक ज्ञान प्रदान करना और व्यावहारिक अनुप्रयोगों से बचना।

D. बच्चों के कक्षा के पाठों को उनके वास्तविक जीवन के अनुभवों से जोड़ने में सहायता करना।

138. निम्नलिखित में से कौन-सी विधि पर्यावरण अध्ययन के संदर्भ में विस्थापन और पुनर्वास पर बच्चों से चर्चा के लिए उपयुक्त **नहीं** है?

A. बच्चों से विस्थापन और स्थानांतरण में अंतर पूछना।

B. बच्चों को बड़ी विकासीय परियोजनाओं के मानव बसावट पर प्रभावों के बारे में बताना।

C. बच्चों को विस्थापित लोगों द्वारा सामना की जाने वाली समस्याओं को नजर अंदाज करने के लिए कहना।

D. बच्चों को इस विषय पर समाचार-पत्रों से संबंधित रिपोर्ट एकत्रित करने के लिए पूछना।

139. 12 साल के बच्चों को समुद्र के नीचे जीवन को समझाने के लिए कौन-सा मल्टी मीडिया संसाधन सबसे उपयुक्त है?

A. फोटोग्राफ B. मॉडल

C. एनीमेशन D. समाचार पत्र

140. पुराने अचार पर कभी-कभी दिखाई देने वाले सफेद रूई जैसे पदार्थ का कारण क्या है?

A. अधिक नमक B. नमी के कादण कवक वृद्धि

C. अति-शुष्कता D. अति-शर्करा मात्रा

128. A	**129.** B	**130.** D	**131.** D	**132.** D	**133.** B	**134.** C
135. A	**136.** C	**137.** C	**138.** C	**139.** C	**140.** B	

141. सीखने की प्रक्रिया में 'स्केफोल्डिंग' का क्या अर्थ है?

A. सभी बच्चों के लिए निरंतर निगरानी प्रदान करना
B. बच्चों को उन कार्यों में सहायता देना जो वे स्वतंत्र रूप से नहीं कर सकते
C. अवधारणाओं का रट्टा लगाने के लिए प्रोत्साहित करना
D. सही उत्तरों के लिए पुरस्कार देना

142. निम्नलिखित में से कौन-सी एक खरीफ फसल है?

A. गेहूँ B. चावल
C. चना D. सरसों

143. निम्नलिखित में से कौन-सी EVS (पर्यावरण अध्ययन) की विशेषता **नहीं** है?

A. यह शिक्षक-केन्द्रित है
B. यह शिक्षार्थी-केन्द्रित है
C. यह संदर्भात्मक है
D. यह कई विषयों को एकीकृत करता है

144. शिक्षा के संदर्भ में 'CCE' का क्या अर्थ है?

A. सतत पाठ्यक्रम शिक्षा
B. समग्र बाल मूल्यांकन
C. सतत एवं व्यापक मूल्यांकन
D. बाल-केन्द्रित शिक्षा

145. संयुक्त राष्ट्र पर्यावरण कार्यक्रम (U.N.E.P.) ने किस वर्ष के स्तर पर अपने समझौते में क्लोरोफ्लोरोकार्बन (CFC) के उत्पादन को स्थिर करने का निर्णय लिया?

A. 1980 B. 1984
C. 1986 D. 1990

146. निम्नलिखित में से कौन-सी EVS कक्षाओं की अनुशंसित विशेषता **नहीं** है?

A. सीखने में सहायता के लिए दृश्य सामग्री का उपयोग
B. प्रत्यक्ष जानकारी और परिभाषाओं पर जोर
C. ज्ञान के निर्माण में बच्चों की सक्रिय भागीदारी
D. विद्यालय के ज्ञान को बच्चे के स्थानीय ज्ञान से जोड़ना

147. निम्नलिखित में से कौन-सी 'सार्वजनिक सुविधा' का उपयोग छात्रों के भ्रमण के लिए एक प्रभावी स्थानीय अधिगम संसाधन की तरह किया जा सकता है?

A. सार्वजनिक पुस्तकालय B. संग्रहालय
C. स्थानीय मेला D. बिजली घर इकाई

148. डॉल्फिन एक-दूसरे को संदेश किस माध्यम से देती है?

A. ध्वनि B. गंध
C. विद्युत प्रवाह D. फीरोमोन्स

149. निम्नलिखित में से कौन-सा मीडिया संसाधन EVS शिक्षा के लिए प्रभावी माना जा सकता है?

A. मॉडल (नमूना) B. नदी
C. नेशनल ज्योग्राफिक चैनल D. कैमरा

150. शिक्षण-अधिगम प्रक्रिया में अधिगम संकेतकों की पहचान करने का उद्देश्य क्या है?

A. बच्चों की स्मरण शक्ति का परीक्षण करना
B. प्रगति को समझने के लिए माता-पिता, शिक्षकों और बच्चों को एक संदर्भ प्रदान करना
C. उपस्थिति दर्ज करना
D. शिक्षकों के प्रदर्शन का मूल्यांकन करना

व्याख्यात्मक उत्तर

1. सामाजिक-सांस्कृतिक विकास सिद्धांत (Socio-Cultural Theory of Cognitive Development) का प्रतिपादन रूसी मनोवैज्ञानिक लेव वायगोत्स्की (Lev Vygotsky) ने किया। उन्होंने कहा कि संज्ञानात्मक विकास केवल व्यक्तिगत मानसिक प्रक्रिया नहीं है, बल्कि यह सामाजिक अंतःक्रिया, भाषा और संस्कृति से गहराई से प्रभावित होता है। उनके अनुसार, बच्चे 'सामाजिक प्राणी' होते हैं जो ज्ञान दूसरों के साथ संवाद से प्राप्त करते हैं।

2. अभिवृत्ति (Attitude) वह तत्व है जो व्यक्ति के अनुभवों और वातावरण के प्रभाव से निर्मित होता है। यह किसी वस्तु, व्यक्ति या विचार के प्रति व्यक्ति की भावनात्मक प्रवृत्ति है। जबकि मानसिक क्षमताएँ (जैसे बुद्धि) में वंशानुगत कारक भी भूमिका निभाते हैं, अभिवृत्ति पूरी तरह से सामाजिक और पर्यावरणीय प्रभावों से निर्मित होती है।

3. रटन्त अधिगम (Rote Learning) एक अनुचित या कम प्रभावी शिक्षण-अधिगम व्यूहरचना है क्योंकि इसमें विद्यार्थी केवल तथ्यों को याद करते हैं बिना अर्थ या समझ विकसित किए। इसके विपरीत सहकारी अधिगम, आनंदपूर्ण सीखना और बहुसंवेदी शिक्षण विद्यार्थियों में सक्रिय भागीदारी, गहन समझ और स्थायी अधिगम को बढ़ावा देते हैं।

4. उत्तर बाल्यावस्था (Late Childhood) में दल-क्रियाओं (Group Activities) से बच्चे सामाजिक व्यवहार, सहयोग, नियम पालन और सामूहिक कार्य के मूल्य सीखते हैं। लेकिन यदि वे पूर्वाग्रही मनोवृत्ति (Prejudiced Attitude) धारण करते हैं, तो यह उनके अधिगम पर सकारात्मक नहीं बल्कि नकारात्मक प्रभाव डालता है क्योंकि इससे भेदभाव और असहिष्णुता बढ़ती है।

141. B	**142.** B	**143.** A	**144.** C	**145.** C	**146.** B	**147.** A	**148.** A	**149.** C	**150.** B

5. सतत एवं व्यापक मूल्यांकन (CCE) में सह-शैक्षणिक आकलन (Co-scholastic Assessment) में विद्यार्थियों की अभिवृत्ति, मूल्य, रचनात्मकता, सौन्दर्यबोध और सामाजिक कौशल का मूल्यांकन किया जाता है। जबकि गृहकार्य (Homework) शैक्षणिक कार्य के अंतर्गत आता है, इसलिए यह सह-शैक्षणिक क्षेत्र का हिस्सा नहीं माना जाता।

6. समावेशी शिक्षा (Inclusive Education) का उद्देश्य प्रत्येक बच्चे को समान शिक्षण अवसर प्रदान करना है, चाहे वह किसी भी प्रकार की भिन्नता—शारीरिक, मानसिक, सामाजिक, भाषाई या आर्थिक—से संबंधित हो। यह शिक्षा प्रणाली भेदभाव रहित वातावरण में सभी बच्चों को एक साथ सीखने का अवसर देती है। इसमें विशेष आवश्यकता वाले बच्चों सहित हर छात्र को समान रूप से स्वीकारा जाता है।

7. प्रत्यक्षण (Perception) एक मानसिक प्रक्रिया है जिसके माध्यम से व्यक्ति अपने इन्द्रिय अनुभवों की व्याख्या करता है। जबकि ऊँचाई, परिधि (वजन या शरीर की चौड़ाई), और आंतरिक अंगों का विकास – ये सभी शारीरिक परिवर्तन हैं। अतः प्रत्यक्षण बच्चों में होने वाले शारीरिक परिवर्तनों से संबंधित नहीं है।

8. यह कथन गलत है क्योंकि वैयक्तिक भिन्नता (Individual Differences) संज्ञानात्मक (Cognitive), भावात्मक (Affective), मनोगत्यात्मक (Psychomotor) सभी क्षेत्रों में पाई जाती है। प्रत्येक व्यक्ति की सोच, व्यवहार, शारीरिक दक्षता, और भावनाएँ भिन्न होती हैं। ये भिन्नताएँ आनुवंशिकता, पर्यावरण, अनुभव और परिपक्वता से प्रभावित होती हैं।

9. वर्नन (Philip E-Vernon) का पदानुक्रमिक बुद्धि सिद्धांत (Hierarchical Theory of Intelligence) चार स्तरों पर आधारित है–

   1. प्रमुख कारक (g factor),
   2. लघु कारक (major group factors – जैसे भाषाई, यांत्रिक),
   3. विशिष्ट कारक (specific factors), और
   4. उप-विशिष्ट कारक।

   इस सिद्धांत में ''व्यक्तिगत कारक'' (Personal Factor) का उल्लेख नहीं है, इसलिए यह इससे संबंधित नहीं है।

10. अधिगम (Learning) को प्रभावित करने वाले अभिप्रेरक (Motivational) कारकों में लक्ष्य निर्धारण, सामाजिक अनुमोदन, और प्रशंसा जैसे तत्व सकारात्मक प्रभाव डालते हैं। लेकिन यदि विद्यार्थी अपनी प्रगति से अनभिज्ञ रहता है, तो उसकी सीखने की प्रेरणा घट जाती है। अतः ''प्रगति की अनभिज्ञता'' अधिगम को सकारात्मक रूप से प्रभावित नहीं करती।

11. लैंगिक पक्षपातहीन (Gender-neutral) शिक्षण-अधिगम प्रक्रिया का उद्देश्य यह सुनिश्चित करना है कि शिक्षण में किसी भी लिंग के प्रति भेदभाव या रूढ़िबद्ध दृष्टिकोण न हो। लिंग तटस्थ उदाहरणों का प्रयोग (जैसे– ''डॉक्टर'' के लिए केवल पुरुष या ''नर्स'' के लिए केवल महिला का उदाहरण न देना) विद्यार्थियों को समान अवसर और सम्मान का संदेश देता है, जिससे शिक्षण वातावरण निष्पक्ष और समानतामूलक बनता है।

12. अधिगम को बढ़ावा देने वाले सभी चिंतन उपकरण–प्रतिमाएँ (Images), भाषा (Language), संप्रत्यय (Concepts) और प्रतिज्ञप्तियाँ (Propositions)–महत्वपूर्ण हैं।
    - प्रतिमाएँ सीखने को दृष्टिगत रूप से सशक्त बनाती हैं।
    - भाषा विचारों की अभिव्यक्ति और समझ को संभव बनाती है।
    - संप्रत्यय (Concepts) ज्ञान को वर्गीकृत करने और तुलना करने में सहायता करते हैं।
    - प्रतिज्ञप्तियाँ (Propositions) तर्क और निर्णय प्रक्रिया का आधार बनती हैं।

    ये सभी उपकरण मिलकर गहन समझ और रचनात्मक चिंतन को विकसित करते हैं।

13. सीखने को प्रभावित करने वाले व्यक्तिगत कारक (Personal Factors) जैसे– महात्वाकांक्षा (Ambition), अभिक्षमता (Aptitude), तत्परता (Readiness) व्यक्ति की अपनी विशेषताएँ हैं। जबकि विषयवस्तु (Content) शिक्षक या पाठ्यक्रम से संबंधित बाह्य कारक है, जो शिक्षार्थी की अंतःप्रेरणा का हिस्सा नहीं होती। इसलिए यह व्यक्तिगत कारक नहीं है।

14. लेव वायगोत्स्की ने अपने सामाजिक-सांस्कृतिक विकास सिद्धांत में 'आंतरिक संभाषण' (Inner Speech) की अवधारणा दी। उनके अनुसार, बच्चे पहले सामाजिक स्तर पर बाहरी संवाद (Social Speech) करते हैं, जो धीरे-धीरे आत्म-संवाद (Private Speech) में परिवर्तित होता है, और अंततः आंतरिक संभाषण (Inner Speech) बन जाता है जो सोचने और समस्या समाधान में सहायक होता है।

15. CWSN का पूर्ण रूप "Children With Special Needs" है। इस श्रेणी में वे बच्चे आते हैं जिन्हें शारीरिक, मानसिक, बौद्धिक, भावनात्मक या व्यवहारिक कारणों से सामान्य शिक्षण प्रणाली में अतिरिक्त सहायता या अनुकूलन की आवश्यकता होती है, ताकि वे भी समान रूप से शिक्षा प्राप्त कर सकें।

16. 'करके सीखना' (Learning by Doing) प्रगतिशील शिक्षा (Progressive Education) का प्रमुख सिद्धांत है, जिसका प्रतिपादन अमेरिकी शिक्षाशास्त्री जॉन डेवी (John Dewey) ने किया। उनके अनुसार, विद्यार्थी तब सबसे अच्छा सीखते हैं जब वे अनुभव के माध्यम से कार्य करते हैं। यह शिक्षा विद्यार्थी-केंद्रित होती है और अनुभवात्मक अधिगम, समस्या समाधान तथा चिंतनशील क्रिया पर आधारित होती है।

17. ज्ञानेन्द्रियों से प्राप्त अनुभूति (Sensation) वह प्रक्रिया है जिसमें हमारी इन्द्रियाँ बाहरी उद्दीपकों से सूचना ग्रहण करती हैं। जैसे आंखों से देखना, कानों से सुनना, त्वचा से छूना आदि। यह संज्ञान का प्रारंभिक चरण है, जिसके बाद प्रत्यक्षीकरण (Perception) द्वारा उसका अर्थ समझा जाता है।

18. यह कथन गलत है क्योंकि संवेग (Emotion) में विस्थापन (Displacement) का गुण पाया जाता है। व्यक्ति कभी-कभी अपने संवेग को मूल उद्दीपक पर व्यक्त नहीं कर पाता और किसी अन्य वस्तु या व्यक्ति पर अभिव्यक्त करता है। उदाहरण के लिए, क्रोध बॉस पर है लेकिन व्यक्ति घर आकर बच्चों पर झुंझलाता है। अतः संवेगों में विस्थापन का गुण होता है।

19. सृजनशील बालक (Creative Child) में मौलिकता, प्रवाहशीलता, लचीलापन और जोखिम लेने की प्रवृत्ति होती है। वह विचारों में विविधता और नवीनता लाता है, जो अपसारी चिंतन (Divergent Thinking) से जुड़ी होती है। अभिसारी चिंतन (Convergent Thinking) केवल एक निश्चित उत्तर या दिशा पर केंद्रित होता है, अतः यह सृजनशीलता की सही व्याख्या नहीं करता।

20. पियाजे (Jean Piaget) ने अपने संज्ञानात्मक विकास सिद्धांत (Cognitive Development Theory) में आत्मसातीकरण (Assimilation), समायोजीकरण (Accommodation) और संतुलनीकरण (Equilibration) की अवधारणाओं पर चर्चा की। इनसे यह समझाया गया कि बच्चे नए अनुभवों को अपने मौजूदा मानसिक ढाँचे में कैसे समाहित करते हैं। लेकिन 'पृथक्करण' (Differentiation) उनकी अवधारणाओं में शामिल नहीं है।

21. विलियम मैक्डूगल (William McDougall) का मत था कि सभी प्रकार के संवेग (Emotions) मूल प्रवृत्तियों (Instincts) से उत्पन्न होते हैं। उन्होंने कहा कि प्रत्येक प्रवृत्ति एक विशिष्ट संवेग से जुड़ी होती है—जैसे आत्मरक्षा प्रवृत्ति से भय, संतान रक्षा से स्नेह, और प्रतिस्पर्धा प्रवृत्ति से क्रोध। इस प्रकार संवेग प्रवृत्तियों की अभिव्यक्ति का माध्यम हैं।

22. योगात्मक मूल्याकनः "अधिगम मूल्यांकन" से तात्पर्य शिक्षण अवधि के अंत में पूर्वनिर्धारित मानकों के आधार पर छात्रों की उपलब्धि को मापने के लिए किए जाने वाले मूल्यांकन से है। यह प्रकृति में योगात्मक होता है, जो ग्रेडिंग या प्रमाणन पर केंद्रित होता है, जबकि रचनात्मक या निदानात्मक मूल्यांकन प्रक्रिया के दौरान अधिगम में सुधार लाने के लिए होते हैं।

23. कोह्लबर्ग (Lawrence Kohlberg) ने नैतिक विकास की तीन अवस्थाएँ बताई—पूर्व-पारंपरिक (Pre-conventional), पारंपरिक (Conventional) और उत्तर-पारंपरिक (Post-conventional)।
(*a*) सजा से बचने हेतु आज्ञापालन की अवस्था और
(*b*) पुरस्कार प्राप्त करने के लिए अनुरूपता की अवस्था – दोनों पूर्व-पारंपरिक स्तर की हैं।
जबकि
(*c*) वैयक्तिक अधिकार की अवस्था और
(*d*) अच्छे अन्तःवैयक्तिक संबंध की अवस्था – ये पारंपरिक और उत्तर-पारंपरिक स्तरों से जुड़ी हैं।
अतः (*c*) और (*d*) पूर्व-पारंपरिक नैतिकता के अंतर्गत नहीं आतीं।

24. विकासात्मक परिवर्तनों में 'पुराने लक्षणों के लुप्त होने' (Disappearance of Old Traits) के उदाहरण हैं—थायमस ग्रंथि का सिकुड़ना, बाल-केश (Lanugo hair) का झड़ना, और अस्थायी दाँतों का गिरना। परंतु प्राथमिक लैंगिक विशेषताएँ (Primary Sex Characteristics) जैसे जननांगों की संरचना लुप्त नहीं होती; वे परिपक्वता के साथ विकसित होती हैं। इसलिए यह उदाहरण नहीं है।

25. शिक्षण-अधिगम में दण्ड (Punishment) को बाह्य अभिप्रेरक (External Motivator) कहा जाता है क्योंकि यह विद्यार्थी के बाहर से नियंत्रित प्रेरक शक्ति है। यह अनुशासन बनाए रखने या अवांछित व्यवहार को रोकने के लिए प्रयुक्त होता है। इसके विपरीत, आंतरिक अभिप्रेरक (Intrinsic Motivation) में विद्यार्थी स्वयं सीखने के आनंद या जिज्ञासा से प्रेरित होता है।

26. गति-बाधित (Physically Disabled) विद्यार्थियों की विशिष्ट आवश्यकताएँ होती हैं जैसे- व्यावसायिक प्रशिक्षण (Vocational Training) ताकि वे आत्मनिर्भर बन सकें, ढाँचागत व्यवस्थाएँ (Structural Facilities) जैसे रैम्प, रेलिंग आदि, और गतिविधियों में अनुकूलन (Adaptation in Activities) जिससे वे सहजता से भाग ले सकें। परंतु "आश्रित व्यवहार" (Dependent Behaviour) उनकी आवश्यकता नहीं बल्कि एक अवांछनीय स्थिति है जिसे शिक्षा के माध्यम से कम किया जाना चाहिए।

27. अंकों और गणितीय प्रतीकों को समझने या लिखने में असमर्थता तथा मूल अंकगणितीय क्रियाओं (जैसे जोड़, घटाना, गुणा, भाग) में कठिनाई—ये लक्षण डिस्कैल्कुलिया (Dyscalculia) के होते हैं। यह एक विशिष्ट अधिगम कठिनाई (Specific Learning Disability) है जो गणितीय समझ और गणना कौशल को प्रभावित करती है।

28. विद्यार्थियों को अधिगम अनुभव देने का उद्देश्य अधिकतम संवेदी सहभागिता (Multi-sensory Involvement) है। यदि केवल एक संवेदी (Single Sense) जैसे केवल श्रवण या दृष्टि का प्रयोग किया जाए, तो सीखने की प्रभावशीलता घट जाती है। अतः एक संवेदी पर बल देना उचित तरीका नहीं है।

29. बच्चों के सामाजीकरण (Socialization) की प्रक्रिया में उपयुक्त भाषा, लोकतांत्रिक वातावरण और सकारात्मक सामाजिक मनोवृत्ति (Social Attitude) सहायक होते हैं। लेकिन "सामाजिक वचन" (Social Promise/Contract) जैसी अवधारणा सामाजीकरण की प्रत्यक्ष प्रभावकारी प्रक्रिया नहीं है; यह सामाजिक अनुशासन या व्यवस्था से संबंधित विचार है, न कि बाल विकास का प्रत्यक्ष कारक। इसलिए यह धनात्मक कारक नहीं माना जाता।

30. बाल विकास (Child Development) सर्पिल (Spiral) मार्ग का अनुसरण करता है। इसका अर्थ है कि विकास क्रमिक और चक्रीय दोनों होता है–बच्चा किसी कौशल को एक बार सीखता है, फिर उसका विस्तार और परिष्करण करता है। विकास में कुछ दोहराव होते हैं पर हर बार उच्चतर स्तर पर प्रगति होती है, जो सर्पिल गति जैसी होती है।

31. यह विकल्प सभी अशुद्ध शब्दों का समूह है। मंत्रीमण्डल का शुद्ध रूप मंत्रिमंडल है – जब 'मंत्री' के साथ 'मंडल' या 'परिषद्' जैसा प्रत्यय जुड़ता है तो 'ई' की मात्रा छोटी हो जाती है। लब्धप्रतिष्ठित का शुद्ध रूप लब्धप्रतिष्ठ है – 'लब्ध' के साथ 'प्रतिष्ठ' का प्रयोग होता है, न कि 'प्रतिष्ठित'। स्पष्टिकरण का शुद्ध रूप स्पष्टीकरण है – यहाँ 'ई' की मात्रा दीर्घ होती है। अन्य विकल्पों (B, C, D) के सभी शब्द शुद्ध हैं।

32. यह असंगत है क्योंकि 'हीन-भावना' में 'हीन' विशेषण और 'भावना' विशेष्य है, जिससे यह कर्मधारय समास बनता है, न कि अपादान तत्पुरुष। अन्य विकल्प सही हैं – कूपमंडूक (अधिकरण तत्पुरुष), मधुमक्खी (लुप्तपद तत्पुरुष), और काजल (कर्मधारय) समुचित रूप से वर्गीकृत हैं।

33. यहाँ 'कुछ' शब्द प्रश्नवाचक नहीं बल्कि अनिश्चितवाचक सर्वनाम है, जो अनिश्चितता को प्रकट करता है। अतः यह विकल्प असुमेलित है क्योंकि प्रश्नवाचक सर्वनाम जैसे– 'कौन', 'क्या', 'कहाँ' आदि होते हैं।

34. इस विकल्प में 'ल' प्रत्यय नहीं है। ये सभी शब्द मूल शब्द हैं जिनमें प्रत्यय की दृष्टि से व्युत्पत्ति नहीं होती। जबकि अन्य विकल्पों में 'ईला', 'य', 'इ' प्रत्यय सही रूप से प्रयुक्त हैं, जैसे– नुकीला, लावण्य, सारथि आदि।

35. यह सर्वाधिक उचित कथन है। संस्कृत व्याकरण के अनुसार 'अक्षर' वह इकाई है जिसमें एक स्वर या स्वर सहित एक या अधिक व्यंजन होते हैं, जैसे– 'का', 'ति', 'गु' आदि। यह भाषा की ध्वन्यात्मक इकाई का सही परिभाषित रूप है।

36. यह सुमेलन गलत है। 'अयौगिक (स्वतंत्र) भाववाचक' वे संज्ञाएँ हैं जो बिना किसी प्रत्यय-रचना के मूल रूप में भाव व्यक्त करती हैं, जैसे– क्रोध, प्रेम, दुख। जबकि ऐश्वर्य (ईश्वर-ऐश्वर्य), कौमार्य (कुमार-कौमार्य), उपयोगिता (उपयोग-उपयोगिता) सभी व्युत्पन्न/यौगिक भाववाचक हैं–ये प्रत्ययों से बने रूप हैं, अतः इन्हें अयौगिक नहीं कहा जा सकता। अन्य विकल्पों में सुमेलन ठीक हैः 'ऋग्वेद, कावेरी, पृथ्वी' व्यक्तिवाचक; 'भूकंप, हथेली, कृषक' जातिवाचक; 'क्रोध, सत्य, रोग' स्वतंत्र भाववाचक।

37. यह विकल्प असंगत है क्योंकि इन तीनों पर्यायवाची शब्दों का संबंध यमुना से नहीं है। 'अद्रिजा' का अर्थ है पर्वत से उत्पन्न, जो पार्वती का पर्यायवाची है। 'देवापगा' और 'देवाश्रिता' का अर्थ है देवताओं द्वारा पूजित या उनके द्वारा प्रवाहित नदी, जो गंगा के पर्याय माने जाते हैं। अतः यमुना के साथ ये असंगत हैं। यमुना के सही पर्यायवाची हैं–कालिंदी, अर्कजा, कृष्णा, रविजा, जमुना। अन्य विकल्प सही हैं–

A में विष्णु के पद्‌मनाभ, श्रीश, कमलेश;

B में सूर्य के तरणि, आदित्य, मित्र;

D में बिल्ली के शालावृक, दीप्तलोचन, मार्जारी सभी उचित पर्यायवाची हैं।

38. यह युग्म वर्तनी की दृष्टि से गलत है। 'साधु' एक उकारांत पुल्लिंग शब्द है, जिसका बहुवचन कारक रूप 'साधुओं' होता है, न कि 'साधूओं'। जब 'उ' पर मात्रा लगती है तो 'ऊ' नहीं रह जाता। अतः 'साधूओं' अशुद्ध है। अन्य विकल्प शुद्ध हैं–

A: डाकू → डाकुओं (सही रूप),

C: पत्नी → पत्नियों (यहाँ 'ई' का 'इ' में रूपांतरण होता है),

D: कागज → कागजात (उर्दू/फारसी स्रोत से बहुवचन रूप के रूप में स्वीकृत)।

39. यह असुमेलित है। यहाँ उपसर्ग 'अप-' है, 'अ-' नहीं–अप + परिग्रह → अपरिग्रह (ग्रहण न करना), अप + परीक्षित → अपरीक्षित (जो परखा न गया हो)। अन्य सुमेलन सही हैं: अन- (अनसूया, अनवकाश), उप- (उपाश्रय, उपासक), प्रति- (प्रत्यर्पण, प्रत्यंचा)।

40. यह विलोम नहीं, पर्याय युग्म है–दोनों का अर्थ 'सीधा/सरल स्वभाव/रेखा' के निकट आता है। विलोम युग्मों के सही उदाहरण अन्य विकल्पों में हैं: अघ–अनघ (पापी–निर्दोष), ऋत–अनृत (सत्य–असत्य), दुष्कर–सुकर (कठिन–सुगम)।

41. इस गद्यांश का सार यह है कि लेखक ने अंग्रेजी भाषा को भारतीय शिक्षा का मुख्य माध्यम मानने का विरोध करते हुए मातृभाषा के महत्व को रेखांकित किया है। उन्होंने कहा कि जनता को शिक्षित करने का वास्तविक माध्यम केवल मातृभाषा हो सकती है, जबकि अंग्रेजी केवल विषय-विचार की संवाहिका है। अतः उपयुक्त शीर्षक ''मातृभाषा का वैशिष्ट्य'' है।

42. गद्यांश में स्पष्ट रूप से कहा गया है कि ''संस्कृत को मैं उस महान् भंडार के रूप में देखता हूँ, जिससे आधुनिक भाषाएँ शक्ति और सौंदर्य ग्रहण कर पुष्पित-पल्लवित हो रही हैं।'' इससे स्पष्ट है कि आधुनिक भारतीय भाषाएँ अपनी शक्ति और सौंदर्य संस्कृत से प्राप्त करती हैं।

43. यह कथन असंगत है। 'आवश्यकता' शब्द का सही निर्माण इस प्रकार है – 'अवश्य' (अव्यय) + क (प्रत्यय) = आवश्यक, तत्पश्चात् उसमें 'ता' प्रत्यय जोड़ने पर 'आवश्यकता' बनता है। अतः यह 'आ' उपसर्ग और 'ता' प्रत्यय से नहीं, बल्कि 'अवश्य' मूल शब्द से व्युत्पन्न रूप है। अन्य कथन सटीक हैं–'नैतिक' व 'बौद्धिक' गुणवाचक विशेषण हैं; 'अनावश्यक' नञ् तत्पुरुष समास है (न + आवश्यक); 'सौंदर्य' शब्द 'सुंदर' में 'य' तद्धित प्रत्यय लगने से बना एक भाववाचक संज्ञा है।

44. उपचारात्मक शिक्षण (Remedial Teaching) का उद्देश्य विद्यार्थियों की सीखने की कठिनाइयों को पहचानकर उनका समाधान करना है। यह शिक्षण वैयक्तिक रूप में तब किया जाता है जब किसी एक विद्यार्थी की विशिष्ट समस्या हो, जैसे उच्चारण दोष या गणना में त्रुटि। वहीं सामूहिक रूप में यह तब किया जाता है जब अनेक विद्यार्थियों में समान कठिनाइयाँ हों, जैसे किसी पाठांश या अवधारणा को न समझ पाना। अतः उपचारात्मक शिक्षण वैयक्तिक और सामूहिक—दोनों रूपों में किया जा सकता है।

45. यह विकल्प संधि की दृष्टि से असंगत है। "गवीश" और "नदीश" दोनों में एक समान संधि नहीं होती।

- गवीश = गवि + ईश – यहाँ 'गवि' के 'इ' और 'ईश' के 'ई' के मेल से अयादि संधि होती है, क्योंकि 'इ' का रूप 'ई' में परिवर्तित हो जाता है। यह दीर्घ स्वर संधि नहीं है।
- नदीश = नदी + ईश – यहाँ 'इ + ई = ई' होने से दीर्घ स्वर संधि बनती है।

अन्य विकल्प सही हैं–

- स्वाध्याय, विक्रमाब्द – दीर्घ स्वर संधिः दोनों शब्दों में स्वर दीर्घ होने के नियम से बने हैं।
- हतोत्साह, नेति – गुण स्वर संधिः 'हत + उत्साह = हतोत्साह' और 'न + इति = नेति' में गुण संधि होती है।
- स्त्र्युपयोगी, तन्वंगी – यण स्वर संधिः 'स्त्री + उपयोगी' और 'तनु + अंगी' में 'इ/उ' के बाद स्वर आने से 'य/व' की वृद्धि होती है, जो यण संधि का उदाहरण है।

अतः त्रुटिपूर्ण सुमेलन विकल्प D है क्योंकि इसमें "गवीश" को दीर्घ स्वर संधि में रखना गलत है।

46. This statement is not true of the role of grammar in modern language learning. Contemporary approaches emphasize inductive learning, where learners first observe examples and derive grammatical rules themselves through usage and context. Grammar is seen as a means to achieve communicative competence, not a rigid set of rules to memorize. Moreover, grammar terminology and exceptions are minimized to focus on fluency and understanding rather than rote learning.

47. This is not an advantage of multimedia materials. While multimedia (audio, video, interactive visuals) enhances learning outcomes, interactivity, and retention, it often involves high cost, maintenance, and technical challenges, which are its limitations rather than benefits. The actual advantages include improved comprehension, learner engagement, and better memory retention through multisensory experiences.

48. The author explicitly states that "The third great defect of our civilization is that it does not know what to do with its knowledge." Thus, the problem lies not in science or machines themselves but in our inability to use our vast knowledge wisely and purposefully.

49. The passage explains that machines, originally meant to serve mankind, have instead made humans so dependent on them that they now dominate human life. Hence, man risks becoming the slave of machines rather than their master.

50. The author says, "What do we do with all the time which the machines have saved for us, and the new energy they have given us?" Therefore, machines have saved both time and energy for humankind.

51. The author advises that the time and energy saved by machines should be used "to become more civilized" — that is, to make beautiful things, think freely, and promote justice and peace among nations rather than only making more machines.

52. According to the author, civilization means creating and linking beautiful things, thinking freely, living rightly, and ensuring equal justice between man and man. These elements define true civilization.

53. The word "stern" in the sentence "the machines are very stern masters" means "strict" or "harsh." It conveys the idea that machines are demanding and unforgiving if not properly maintained.

54. The antonym of "cheerful" found in the passage is "sulky," used to describe the machines when they refuse to work — showing moodiness or gloominess, which is opposite of cheerful.

55. The phrase "we use them like small children" compares our use of science to the behavior of small children using divine powers. The comparison using "like" makes it a simile.

56. The forms "to manage," "to become," and "to work" are all infinitives. They express actions in a non-finite form and are preceded by the particle "to."

57. The first sentence — "The third great defect of our civilization is..." — is in the simple present tense, while the second — "Science has given us powers fit for the gods..." — is in the present perfect tense.

58. The correct matches are—

- (*a*) Behaviourist — (*iii*) Skinner: B.F. Skinner's Behaviorist Theory emphasizes language learning through stimulus-response and reinforcement.
- (*b*) Innateness — (*iv*) Chomsky: Noam Chomsky proposed the Innateness Hypothesis and the concept of the Language Acquisition Device (LAD), suggesting humans are born with an inherent ability to learn language.

- (*c*) Cognitive — (*i*) Piaget: Jean Piaget's Cognitive Theory relates language development to stages of cognitive growth and mental structuring.
- (*d*) Interaction — (*ii*) Bruner: Jerome Bruner's Interactionist Approach highlights social interaction and scaffolding in language learning.

59. The Substitution Table Method is not a principle of teaching English; it is a technique used for practice within structural or situational methods. The principles of teaching English include the principle of linking life with learning, habit formation through practice, and gradation from simple to complex. Hence, this option does not represent a guiding principle.

60. In a multilingual classroom, the focus shifts from rigid grammar and structure toward meaningful communication and comprehension across multiple languages. It encourages learners to use linguistic resources flexibly, increasing participation and self-expression. Therefore, emphasizing "language structure rather than message" contradicts the very purpose of multilingual pedagogy and is not a result of multilingualistic resources.

61. जुलाई में 31 दिन होते हैं। यदि 1 जुलाई = रविवार, तो 1 अगस्त = 31 दिन बाद।

31 ÷ 7 = 4 सप्ताह शेष 3 दिन ⇒ दिन 3 आगे खिसकेगा।

रविवार → (1) सोमवार → (2) मंगलवार → (3) बुधवार।

62. प्रारंभ दिशा: उत्तर

1. दाएँ मुड़ा ⇒ पूर्व
2. फिर दाएँ ⇒ दक्षिण
3. फिर बाएँ ⇒ (दक्षिण से बाएँ) पूर्व

अतः वर्तमान दिशा = पूर्व।

63. आवश्यकः ऐसी सबसे छोटी संख्या जो 9, 12, 28, 30 से पूर्णतः विभाजित हो ⇒ LCM निकालें।

अभाज्य गुणनखंड:

$$9 = 3^2$$
$$12 = 2^2 \times 3$$
$$28 = 2^2 \times 7$$
$$30 = 2 \times 3 \times 5$$

LCM के लिए प्रत्येक अभाज्य का उच्चतम घात लें:

$2^2, 3^2, 5^1, 7^1$

गुणनः $2^2 \times 3^2 \times 5 \times 7 = 4 \times 9 \times 5 \times 7 = 1260$

त्वरित जाँच:

$1260 \div 9 = 140$, $1260 \div 12 = 105$, $1260 \div 28 = 45$, $1260 \div 30 = 42$ – सभी पूर्णांक।

इसलिए वांछित सबसे छोटी संख्या 1260।

64. कक्षा में कुल 60 छात्र हैं और लड़कियों की संख्या लड़कों से दोगुनी है।

मान लें, लड़के = b, लड़कियाँ = $2b$.

तब $b + 2b = 60$

⇒ $3b = 60 \Rightarrow b = 20$,

अतः लड़कियाँ = 40।

नितिन की रैंक 17वीं है, यानी उसके आगे 16 विद्यार्थी हैं। इनमें 9 लड़कियाँ हैं, तो उसके आगे लड़के = 16 – 9 = 7।

कुल लड़के 20 हैं; नितिन स्वयं एक लड़का है। इसलिए नितिन के बाद लड़के = 20 – 7 – 1 = 12।

65. उत्तीर्ण होने हेतु 40% आवश्यक हैं। अभ्यर्थी को 210 अंक मिले और वह 90 अंकों से अनुत्तीर्ण रहा, अतः उत्तीर्णांक = 210 + 90 = 300।

यदि 300 अंक अधिकतम अंकों के 40% हैं, तो

$0.40 \times$ अधिकतम अंक $= 300$

⇒ अधिकतम अंक $= \dfrac{300}{0.40} = 750.$

66. दिया है: $\tan\theta = \dfrac{p}{q}$

अब $\tan\theta = \dfrac{\sin\theta}{\cos\theta}$ से

$$\frac{\sin\theta}{\cos\theta} = \frac{p}{q} \Rightarrow q\sin\theta = p\cos\theta$$

अब हल करें:

$$\frac{p\sin\theta - q\cos\theta}{p\sin\theta + q\cos\theta}$$

$$\sin\theta = \frac{p}{\sqrt{p^2+q^2}}, \cos\theta = \frac{q}{\sqrt{p^2+q^2}}$$

(क्योंकि $\tan\theta = \dfrac{p}{q} \Rightarrow \sin\theta = \dfrac{p}{\sqrt{p^2+q^2}}, \cos\theta = \dfrac{q}{\sqrt{p^2+q^2}}$)

अब उपरि और अधोभाग में मान रखिए–

उपरि $= p\sin\theta - q\cos\theta$

$$= p\left(\frac{p}{\sqrt{p^2+q^2}}\right) - q\left(\frac{q}{\sqrt{p^2+q^2}}\right) = \frac{p^2-q^2}{\sqrt{p^2+q^2}}$$

अधोभाग $= p\sin\theta + q\cos\theta$

$$= p\left(\frac{p}{\sqrt{p^2+q^2}}\right) + q\left(\frac{q}{\sqrt{p^2+q^2}}\right) = \frac{p^2+q^2}{\sqrt{p^2+q^2}}$$

अब भिन्न बनाएँ–

$$\frac{\text{उपरि}}{\text{अधोभाग}} = \frac{\dfrac{p^2-q^2}{\sqrt{p^2+q^2}}}{\dfrac{p^2+q^2}{\sqrt{p^2+q^2}}} = \frac{p^2-q^2}{p^2+q^2}.$$

67. जब किसी पेड़ की छाया उसकी ऊँचाई की $\sqrt{3}$ गुना होती है, तब

$$\tan\theta = \frac{\text{ऊँचाई}}{\text{छाया}} = \frac{h}{\sqrt{3}h} = \frac{1}{\sqrt{3}}$$

और जिसका $\tan\theta = \frac{1}{\sqrt{3}}$ होता है, वह कोण 30° होता है।

68. प्रति नारंगी क्रय मूल्य = ₹ $\frac{100}{11}$

प्रति नारंगी विक्रय मूल्य = ₹ $\frac{110}{10} = 11$

लाभ प्रति नारंगी = $11 - \frac{100}{11} = \frac{21}{11}$

लाभ प्रतिशतः $\frac{\frac{21}{11}}{\frac{100}{11}} \times 100 = \frac{21}{100} \times 100 = 21\%$.

69. वृत्त की परिधि = $2\pi r = 2\pi \times 24.5 = 49\pi$

वर्ग का परिमाप = $4a$

दोनों बराबर होने से,

$$4a = 49\pi \Rightarrow a = \frac{49\pi}{4}$$

अब $\pi = \frac{22}{7}$ रखने पर–

$$a = \frac{49 \times 22}{7 \times 4}$$

$$= \frac{7 \times 22}{4} = \frac{154}{4} = 38.5 \text{ सेमी.}$$

अतः वर्ग की भुजा 38.5 सेमी. है।

70. दियाः बेलन का वक्र पृष्ठीय क्षेत्रफल $2\pi rh = 264$

और आयतन $\pi r^2 h = 924$

दोनों का अनुपात लें:

$$\frac{\pi r^2 h}{2\pi rh} = \frac{924}{264}$$

$$\Rightarrow \frac{r}{2} = 3.5 \Rightarrow r = 7 \text{ मी.}$$

अतः व्यास = $2r$ = 14 मीटर।

71. बड़ी त्रिज्या R = 8 सेमी., छोटी r = 1 सेमी.।

$$\text{संख्या} = \frac{\text{बड़े गोले का आयतन}}{\text{छोटे गोले का आयतन}} = \left(\frac{R}{r}\right)^3 = \left(\frac{8}{1}\right)^3 = 512.$$

72. सरल ब्याज में राशि रैखिक बढ़ती है।

$$P + 4I = 1120$$
$$P + 5I = 1200$$

$\Rightarrow$ वार्षिक ब्याज I = 1200 – 1120 = 80

मूलधन P = 1120 – 4 × 80

= 1120 – 320 = ₹ 800।

73. यह प्रश्न रक्त संबंध (Blood Relation) पर आधारित है। इसे क्रमिक रूप से समझें–

- "B के पुत्र का पुत्र" का अर्थ है– B का पुत्र (B का बेटा) और उसके आगे "उसका पुत्र" अर्थात् B का पौत्र (Grandson)।
- अब "B के पुत्र के पुत्र का भाई A है"– तो यह स्पष्ट है कि B के पौत्र का भाई भी पौत्र ही होगा, क्योंकि दोनों उसी पुत्र (B के बेटे) के बच्चे हैं।

अतः A, B से पौत्र (Grandson) के रूप में संबंधित है।

74. दी गई श्रेणी– 1, 4, 27, 16, ?, 36, 343, 64

पैटर्न देखा जाए तो विषम स्थानों (1st, 3rd, 5th, 7th, ...) पर घनों का क्रम है:

$$1^3 = 1,\ 3^3 = 27,\ 5^3 = 125,\ 7^3 = 343$$

सम स्थानों (2nd, 4th, 6th, 8th, ...) पर वर्गों का क्रम है:

$$2^2 = 4,\ 4^2 = 16,$$
$$6^2 = 36,\ 8^2 = 64$$

अतः लुप्त पद = 5^3 = 125।

75. संबंध– "अखबार : छापाखाना" → अखबार छापाखाने में बनता है।

इसी प्रकार "कपड़ा : ? → कपड़ा मिल में बनता है।

इसलिए सही युग्म है– कपड़ा : मिल।

76. दी गई वर्ण श्रेणी– AD, HK, OR, ___

इसे दो अलग-अलग श्रेणियों में विभाजित करें–

पहले अक्षरः A, H, O, ?

A का स्थान = 1, H = 8, O = 15 ⇒ हर बार +7 का अंतर।

O(15) + 7 = 22 ⇒ V।

दूसरे अक्षरः D, K, R, ?

D = 4, K = 11, R = 18 ⇒ हर बार +7 का अंतर।

R(18) + 7 = 28 ⇒ Y।

अतः अगला पद VY होगा।

77. दी गई कूट भाषा में–

MOVE → ZMWE तथा FIRE → QHOE।

MOVE में अक्षर परिवर्तन देखें– O → M, V → W, E → E;

FIRE में R → O, E → E।

इन्हीं समान नियमों को "OVER" पर लागू करें–

$O \rightarrow M, V \rightarrow W, E \rightarrow E, R \rightarrow O$।

इस प्रकार "OVER" का कूट रूप MWEO होगा।

78. जुलाई, जनवरी और अगस्त– इन तीनों महीनों में 31 दिन होते हैं,

जबकि नवम्बर में केवल 30 दिन होते हैं।

अतः नवम्बर अन्य से भिन्न (असंगत) है।

79. शब्दों का वर्णक्रमानुसार क्रम (Dictionary order) इस प्रकार होगा–

Mahender < Mahendra < Mahinder < Mahindra

क्योंकि "Mahindra" में "...r a" क्रम "...e r" के बाद आता है।

अतः दूरभाष निर्देशिका में सबसे अंत में आने वाला नाम Mahindra होगा।

80. दी गई संख्या = 351

अनुपात = 2 : 7

कुल भाग = 2 + 7 = 9

छोटा भाग = $\frac{2}{9} \times 351 = 78$

बड़ा भाग = $\frac{7}{9} \times 351 = 273$

अतः छोटा भाग 78 है।

81. प्रदेश सरकार ने गोहाना (जिला सोनीपत) को हरियाणा का 23वाँ जिला बनाने की घोषणा/मंशा सार्वजनिक रूप से व्यक्त की है; मुख्यमंत्री ने स्पष्ट कहा था कि निर्धारित मानदंड पूरे होते ही गोहाना को अलग जिला घोषित किया जाएगा। 2025 में आई रिपोर्टों में भी गोहाना प्रस्तावित नए जिलों की अग्रिम सूची में है। इसलिए दिए गए विकल्पों में ''नवीन प्रस्तावित 23वाँ जिला'' के रूप में गोहाना ही उपयुक्त है।

82. हरियाणा में दीर्घ-कालीन ऋण देने वाली जिला प्राथमिक कृषि एवं ग्रामीण विकास बैंक (DPCARDBs) की संख्या वर्तमान संरचना में 19 है–इसी संख्या का उल्लेख हरियाणा स्टेट कोऑपरेटिव एग्रीकल्चर एंड रूरल डेवलपमेंट बैंक (HSCARDB) के आधिकारिक विवरण और NABARD के राज्य पत्र में है।

83. हरियाणा के गठन (1 नवम्बर, 1966) पर धर्म वीर राज्य के प्रथम राज्यपाल नियुक्त हुए और 14 सितम्बर 1967 तक पद पर रहे। यह विवरण राजभवन हरियाणा के आधिकारिक पृष्ठ सहित मानक संदर्भों में दर्ज है।

84. कलेसर वन्यजीव अभयारण्य/राष्ट्रीय उद्यान स्पष्ट रूप से जिला यमुनानगर में स्थित है (शिवालिक की तराई में, यमुना नदी से सटा क्षेत्र)। अतः दिए गए विकल्पों में यमुनानगर के लिए सही अभयारण्य ''कलेसर'' है।

85. 1857 के समय मेवात के विद्रोही मेवातियों का नेतृत्व करने वाले प्रमुख व्यक्ति के रूप में ऐतिहासिक स्रोत सदरुद्दीन (Sadruddin) का उल्लेख करते हैं–वह मेवातियों के दल के अग्रणी के रूप में वर्णित हैं; जबकि बिसारत अली/बाबर खान मुख्यतः रोहतक के रंगड़ों के संदर्भ में आते हैं। इसलिए यहाँ सही विकल्प सदरुद्दीन है।

86. महाभारत काल में पानीपत का उल्लेख ''पांडुप्रस्थ'' नाम से हुआ है। यह पांडवों द्वारा स्थापित पाँच प्रस्थों (नगरों) में से एक था–इसी से इसका नाम ''पांडुप्रस्थ'' पड़ा, जो समय के साथ ''पानीपत'' कहलाया। इस नगर का ऐतिहासिक और पौराणिक महत्व अत्यंत प्राचीन है, और यह कुरुक्षेत्र के सांस्कृतिक क्षेत्र का अभिन्न अंग रहा है।

87. स्वर्णजयंती हरियाणा वित्तीय प्रबंधन संस्थान (Haryana Institute of Public Administration & Financial Management) के चेयरमैन श्री नायब सिंह सैनी हैं। वे वर्तमान में हरियाणा के मुख्यमंत्री भी हैं। संस्थान का उद्देश्य प्रशासनिक और वित्तीय प्रबंधन प्रणाली को सुदृढ़ बनाना है ताकि राज्य की नीतियों का कार्यान्वयन अधिक पारदर्शी और दक्षतापूर्वक हो सके।

88. 37वें सूरजकुंड अंतरराष्ट्रीय शिल्प मेला का भागीदार राष्ट्र (Partner Nation) तंजानिया था। यह मेला हरियाणा के फरीदाबाद जिले में आयोजित किया गया था और इसमें तंजानिया के कलाकारों ने पारंपरिक नृत्य, हस्तशिल्प और सांस्कृतिक प्रस्तुतियाँ दीं। इस वार्षिक आयोजन का उद्देश्य वैश्विक स्तर पर कला, संस्कृति और हस्तशिल्प के आदान-प्रदान को बढ़ावा देना है।

89. वर्तमान आधिकारिक प्रशासनिक आँकड़ों (2022-2025 तक) के अनुसार हरियाणा राज्य में कुल 74 प्रशासनिक उप-मंडल (Sub-Divisions) हैं। पहले इनकी संख्या 73 थी, परंतु हाल के प्रशासनिक पुनर्गठन में एक नया उप-मंडल जोड़ने से यह संख्या 74 हो गई है।

हर उप-मंडल का नेतृत्व एक उप-मंडल अधिकारी (Sub-Divisional Magistrate — SDM) करता है, जो अपने अधिकार क्षेत्र में राजस्व, कानून-व्यवस्था, विकास कार्यों और सरकारी योजनाओं के क्रियान्वयन का दायित्व निभाता है।

ये उप-मंडल राज्य प्रशासन की रीढ़ माने जाते हैं क्योंकि यही स्तर जनता से प्रत्यक्ष संवाद, शिकायत निवारण और योजनाओं की निगरानी का केंद्र है। इस प्रकार हरियाणा में वर्तमान में 74 प्रशासनिक उप-मंडल कार्यरत हैं।

90. बलदेव छठ का मेला हरियाणा के पलवल जिले में अत्यंत धूमधाम से मनाया जाता है। यह पारंपरिक लोक पर्व भगवान बलदेव (बलराम) के सम्मान में मनाया जाता है और विशेष रूप से कृषि से जुड़ी समृद्धि के प्रतीक के रूप में प्रसिद्ध है। मेले में धार्मिक

अनुष्ठानों, झाँकियों और लोक-सांस्कृतिक प्रस्तुतियों का आयोजन किया जाता है, जो हरियाणा की सांस्कृतिक धरोहर को उजागर करता है।

91. घन (Cube) का पृष्ठीय क्षेत्रफल $= 6a^2 = 384$

$$a^2 = \frac{384}{6} = 64 \Rightarrow a = 8 \text{ मीटर}$$

$$\text{आयतन} = a^3 = 8^3 = 512$$

अतः घन का आयतन 512 घन मीटर है।

92. गोले का आयतन सूत्रः

$$V = \frac{4}{3}\pi r^3$$

यदि एक गोले का आयतन दूसरे के आयतन का दोगुना है,

तो $\frac{V_1}{V_2} = \frac{r_1^3}{r_2^3} = 2 \Rightarrow \frac{r_1}{r_2} = \sqrt[3]{2}:1$

अतः उनकी त्रिज्याओं का अनुपात $2^{1/3} : 1$ है।

93. दिया गया है: $\frac{2^n + 2^{n-1}}{2^{n+1} - 2^n}$

अब इसे सरल करें–

ऊपरी भाग (Numerator):

$$2^n + 2^{n-1} = 2^{n-1}(2 + 1) = 3 \times 2^{n-1}$$

निचला भाग (Denominator):

$$2^{n+1} - 2^n = 2^n(2 - 1) = 2^n$$

अब पूरे भिन्न को सरल करें–

$$\frac{3 \times 2^{n-1}}{2^n} = \frac{3}{2}$$

अतः मान $= \frac{3}{2}$.

94. ज्यामिति (Geometry) गणित की वह शाखा है जिसमें स्थान, आकृतियों और स्थानिक संबंधों का अध्ययन किया जाता है। इसमें बिंदु (Point), रेखा (Line), कोण (Angle), समतल (Plane) और ठोस आकृतियाँ (Solids) इसके मूल तत्व हैं। ज्यामिति का अध्ययन वस्तुओं के आकार, क्षेत्रफल, आयतन तथा उनके परस्पर संबंधों की समझ विकसित करता है।

95. मान लें कि a, b, c आयामों वाले घनाभ (cuboid) का आयतन V तथा पृष्ठीय क्षेत्रफल S है।

हम जानते हैं–

$$V = a \times b \times c$$

$$S = 2(ab + bc + ca)$$

अब $\frac{1}{V}$ निकालना है।

पहले S को 2 से विभाजित करें:

$$\frac{S}{2} = ab + bc + ca$$

अब इसको abc से विभाजित करें:

$$\frac{S}{2abc} = \frac{ab+bc+ca}{abc} = \frac{1}{a}+\frac{1}{b}+\frac{1}{c}$$

अब $\frac{1}{V} = \frac{1}{abc}$ का उपयोग करते हुए:

$$\frac{S}{2} \times \frac{1}{V} = \frac{S}{2} \times \frac{1}{abc} = \frac{S}{2abc}$$

इसलिए:

$$\frac{1}{V} = \frac{2}{S}\left(\frac{1}{a}+\frac{1}{b}+\frac{1}{c}\right).$$

96. गणितीय पाठ्यक्रम के संगठन में सर्पिल दृष्टिकोण को तार्किक (Logical) और मनोवैज्ञानिक (Psychological) संतुलन का संयोजन माना गया है। इस दृष्टिकोण में विषय-वस्तु को क्रमिक रूप से प्रस्तुत किया जाता है ताकि विद्यार्थी पहले सरल रूप में किसी अवधारणा को समझे और फिर अगले स्तरों पर उसी अवधारणा का गहन और व्यापक रूप से अध्ययन करे। इस प्रकार यह दृष्टिकोण विद्यार्थियों की संज्ञानात्मक क्षमता के अनुरूप प्रगतिशील अधिगम सुनिश्चित करता है।

97. श्रीनिवास रामानुजन (1887-1920) ने 19वीं सदी के उत्तरार्ध और 20वीं सदी के प्रारंभ में गणित के कई क्षेत्रों में अमूल्य योगदान दिया। उन्होंने विशेष रूप से संख्या सिद्धांत (Number Theory), अंशात्मक अवकलन (Fractional Calculus) तथा दीर्घवृत्तीय फलनों (Elliptic Functions) में उल्लेखनीय कार्य किया। उनका कार्य आधुनिक गणितीय विश्लेषण और अनंत श्रेणियों (Infinite Series) के अध्ययन में आधारभूत सिद्ध हुआ।

98. आगमनात्मक पद्धति (Inductive Method) एक ऐसी शिक्षण विधि है जिसमें सामान्य सिद्धांत या नियम तक पहुँचने के लिए विशेष उदाहरणों, घटनाओं या अनुभवों से शुरुआत की जाती है। यह प्रक्रिया विद्यार्थियों की सोचने, विश्लेषण करने और निष्कर्ष निकालने की क्षमता को विकसित करती है।

इस पद्धति के मुख्य चरण इस प्रकार हैं–

1. **विशिष्ट उदाहरणों की प्रस्तुति (Presentation of Specific Examples):** शिक्षक विद्यार्थियों के सामने कई ठोस उदाहरण या समस्याएँ प्रस्तुत करता है।
2. **अवलोकन और विश्लेषण (Observation and Analysis):** विद्यार्थी इन उदाहरणों का ध्यानपूर्वक अध्ययन और तुलना करते हैं तथा समानताएँ या नियम खोजते हैं।
3. **सामान्यीकरण (Generalization):** अवलोकन के आधार पर विद्यार्थी स्वयं एक सामान्य नियम या सिद्धांत बनाते हैं।

4. **सत्यापन (Verification)**: बनाए गए नियम को नए उदाहरणों पर लागू कर उसकी सत्यता की जाँच की जाती है।

इन चरणों के अनुसार, "अवलोकन" आगमनात्मक पद्धति का दूसरा चरण होता है क्योंकि इस स्तर पर विद्यार्थी प्रस्तुत किए गए उदाहरणों के माध्यम से तार्किक रूप से सोचते हैं और सिद्धांत तक पहुँचने की प्रक्रिया आरंभ करते हैं।

99. गणित में सबसे सुन्दर और असाधारण परिणामों में से एक है–

$$e^{i\pi} + 1 = 0$$

इसे आयलर सर्वसमिका (Euler's Identity) कहा जाता है। यह पाँच मौलिक गणितीय स्थिरांकों– e, i, π, 0 – को एक ही समीकरण में जोड़ता है। यह समीकरण गणित की गहराई, सौंदर्य और एकता का प्रतीक माना जाता है।

100. मान लें:

वास्तविक छूट (TD) = ₹ 1

तो बैंकर्स की छूट (BD) = ₹ 1.10

अब राशि (Face Value) निकालने का सूत्र:

$$\text{Face Value} = \frac{\text{BD} \times \text{TD}}{\text{BD} - \text{TD}}$$

मान रखने पर:

$$\text{Face Value} = \frac{1.10 \times 1}{1.10 - 1} = \frac{1.10}{0.10} = 11$$

अर्थात् राशि (Face Value) ₹ 11 है।

अब दर प्रतिशत (R%) ज्ञात करें:

बैंकर्स की छूट (BD) = ₹ 1.10,

समय (T) = 2 वर्ष,

मूलधन (P) = ₹ 11

साधारण ब्याज सूत्र:

$$\text{SI} = \frac{\text{P} \times \text{R} \times \text{T}}{100}$$

$$1.10 = \frac{11 \times \text{R} \times 2}{100}$$

$$\text{R} = \frac{1.10 \times 100}{11 \times 2} = \frac{110}{22} = 5\%.$$

101. ट्रेन द्वारा प्लेटफॉर्म पार करते समय चली दूरी

= ट्रेन की लंबाई + प्लेटफॉर्म की लंबाई

= 50 + 100 = 150 मी

समय = 10 सेकंड

$\Rightarrow$ गति = $\frac{150}{100}$ = 15 मी/से।

किमी/घं में: $15 \times \frac{18}{5}$ = 54 किमी/घं।

102. A की दर = $\frac{1}{12}$, B की दर = $\frac{1}{15}$ कार्य/दिन।

मिलकर दर = $\frac{1}{12} + \frac{1}{15}$

$= \frac{5+4}{60} = \frac{9}{60} = \frac{3}{20}$ कार्य/दिन

समय = $\frac{1}{\frac{3}{20}} = \frac{20}{3}$ दिन।

103. यदि px एक विवृत वाक्य है और U सार्वभौतिक समुच्चय है, तो $\neg px$ (निषेध) का सत्य-समूह U में px के सत्य-समूह का पूरक होता है।

104. दिया: 3 पुरुष = 5 महिलाएँ = 8 लड़के मिलकर 38 दिन में काम पूरा करते हैं

$\Rightarrow$ उनकी संयुक्त दर = $\frac{1}{38}$ कार्य/दिन।

तभी:

1 पुरुष की दर = $\frac{1}{38 \times 3}$, 1 महिला = $\frac{1}{38 \times 5}$,

1 लड़का = $\frac{1}{38 \times 8}$

टीम 6M + 10W + 6B की दर:

$$\frac{6}{114} + \frac{10}{190} + \frac{6}{304} = \frac{1}{19} + \frac{1}{19} + \frac{3}{152}$$

$$= \frac{16}{152} + \frac{3}{152} = \frac{19}{152}$$

समय = $\frac{1}{\frac{19}{152}} = \frac{152}{19}$ = 8 दिन।

105. $120 = 2^3 \times 3^1 \times 5^1$।

भाजकों की संख्या = (3 + 1) (1 + 1) (1 + 1)

= 4 × 2 × 2 = 16 (इकाई सहित)।

106. हिल्डा टाबा के अवधारणा-निर्माण मॉडल में प्रथम चरण वास्तविक उदाहरण/डेटा को देखना, पहचानना और छाँटना है; यहीं से आगे वर्गीकरण और लेबलिंग संभव होती है।

107. कथन "गणित वह भाषा है जिससे भगवान ने ब्रह्मांड की रचना की" गैलीलियो से सम्बद्ध है; वे गणित को प्रकृति/ब्रह्मांड की सार्वभौमिक भाषा मानते थे।

108. समबाहु ΔABC में AD $\perp$ BC $\Rightarrow$ D मध्यबिंदु। यदि भुजा $= a$, तो $\text{DC} = \frac{a}{2}$ और ऊँचाई $\text{AD} = \frac{\sqrt{3}}{2}a$।

$$\text{AD}^2 = \left(\frac{\sqrt{3}}{2}a\right)^2 = \frac{3}{4}a^2,$$

$$DC = \left(\frac{a}{2}\right)^2 = \frac{1}{4}a^2$$

$$\Rightarrow \quad AD^2 = 3\ DC^2.$$

109. CLA (Cooperative Learning Approach) में शिक्षक की भूमिकाएँ–कार्य रचना, लक्ष्य निर्धारण, समूह आकार/चयन, उचित प्रतिफल–शामिल हैं; बिना संरचना के छोड़ देना CLA के विरुद्ध है।

110. गणित शिक्षण में क्रियाकलाप-आधारित और अन्वेषणात्मक विधियाँ अर्थपूर्ण अधिगम को बढ़ाती हैं; रटने की विधि विषय-वस्तु के समझ-आधारित शिक्षण का अंग नहीं मानी जाती।

111. दिया गया समीकरण है–

$$\sqrt{1+\frac{25}{144}} = \left(1+\frac{x}{12}\right)$$

चरण 1: बाएँ पक्ष को सरल करें–

$$\sqrt{1+\frac{25}{144}} = \sqrt{\frac{144+25}{144}} = \sqrt{\frac{169}{144}} = \frac{13}{12}$$

चरण 2: अब समीकरण बनेगा–

$$1+\frac{x}{12} = \frac{13}{12}$$

चरण 3: दोनों ओर से 1 घटाएँ–

$$\frac{x}{12} = \frac{13-12}{12} = \frac{1}{12}$$

चरण 4: अब x का मान–

$$x = 1.$$

112. यह मूल्यांकन शिक्षण के दौरान त्वरित प्रतिपुष्टि देने पर केन्द्रित होता है, ताकि छात्र अपनी समझ को उसी समय सुधार सकें। इसमें क्विक क्विज, एग्जिट-टिकिट, कक्षा चर्चा, ड्राफ्ट-जाँच आदि शामिल होते हैं।

113. तीन स्वेच्छ (गैर-समरैखिक) बिन्दु एक ही समतल को uniquely निर्धारित करते हैं। अतः ऐसे A, B, C से होकर केवल एक समतल गुजरेगा।

114. वृत्त केन्द्र O तथा बिन्दु A पर स्पर्श रेखा AC दी है। त्रिभुज OAC समद्विबाहु है और $OA \perp AC$ (त्रिज्या स्पर्श रेखा पर लम्ब)। समद्विबाहु समकोण त्रिभुज में समकोण के आस-पास की दोनों भुजाएँ बराबर होती हैं (OA = AC), अतः शेष दोनों कोण 45° – 45° होते हैं। इसलिए $\angle OCA = 45°$।

115. यह कथन स्पष्ट रूप से ''यदि-तो'' (implication) रूप में है, जो प्रमेय को निहितार्थ के रूप में व्यक्त करता है। अन्य विकल्प सामान्य कथन हैं, पर "if–then" रूप नहीं।

116. दी गई श्रेणी है–

$$\frac{1+3+5+\ldots+3983}{1992}$$

चरण 1: यह विषम संख्याओं की एक समान्तर श्रेणी(A.P.) है, जहाँ प्रथम पद $a = 1$ सामान्य अन्तर $d = 2$, तथा अंतिम पद $l = 3983$ है।

चरण 2: पदों की संख्या ज्ञात करें–

$$l = a + (n-1)d$$

$$3983 = 1 + (n-1) \times 2$$

$$\Rightarrow \quad 3982 = 2n - 2$$

$$\Rightarrow \quad 2n = 3984 \Rightarrow n = 1992$$

चरण 3: विषम संख्याओं के पहले n पदों का योग सूत्र से–

$$S = n^2 \Rightarrow S = (1992)^2$$

चरण 4: अब दिए गए अनुपात का मान–

$$\frac{1+3+5+\ldots+3983}{1992} = \frac{(1992)^2}{1992} = 1992.$$

117. अन्तरों का क्रम देखें:

$$17 - 10 = 7,\ 36 - 17 = 19,$$

$$73 - 36 = 37,\ 134 - 73 = 61।$$

इन अंतरों के बीच के अंतर: 12, 18, 24 – हर बार +6 की वृद्धि।

अगला अंतर = 61 + 30 = 91

⇒ अगला पद = 134 + 91 = 225।

118. तर्कशास्त्र के औपचारिक नियमों का प्रथम व्यवस्थित प्रतिपादन अरस्तु ने किया (संगतियाँ, नियम, त्रिक आदि), इसलिए उन्हें औपचारिक तर्क का जनक माना जाता है।

119. किसी गणितीय कथन की सत्यता को कठोर तर्क के आधार पर स्थापित करने की विधि प्रमाण (Proof) कहलाती है; अनुमान/परिकल्पना सत्य स्थापित नहीं करते, केवल प्रस्तावित करते हैं।

120. 1 और 31 के बीच सम संख्याएँ: 2, 4, ..., 30।

यह ए.पी. है: प्रथम पद 2, अंतिम 30, पदों की संख्या 30/2 = 15।

$$\text{योग} = \frac{n}{2}(a+l) = \frac{15}{2}(2+30) = 15 \times 16 = 240.$$

121. 'झूम खेती' (Shifting Cultivation) भारत के उत्तर-पूर्वी राज्यों – जैसे मिजोरम, नागालैंड, मेघालय, मणिपुर, त्रिपुरा और अरुणाचल प्रदेश – में प्रचलित है। इस पद्धति में जंगल की भूमि को जलाकर खेती की जाती है और कुछ वर्षों बाद जमीन बदल दी जाती है ताकि भूमि की उर्वरता पुनः लौट सके।

122. ईवीएस (पर्यावरण अध्ययन) में मूल्यांकन का उद्देश्य विद्यार्थियों की अभिव्यक्ति को देखना है – जैसे चित्रकला, लेखन, शारीरिक

गतिविधि आदि। 'अनुमान' अनुभव की अभिव्यक्ति का संकेतक नहीं है क्योंकि यह केवल मानसिक प्रक्रिया है, प्रत्यक्ष प्रस्तुति नहीं।

123. यह कथन – "सीखने की प्रक्रिया जितना संभव हो सके, आनंददायक होनी चाहिए और कठिन नहीं" – महात्मा गांधी के शैक्षिक दर्शन का प्रतिपादन है।
गांधीजी ने अपनी शिक्षा पद्धति को 'नई तालीम' या 'बुनियादी शिक्षा' (Basic Education) कहा, जिसका उद्देश्य शिक्षा को जीवन से जोड़ना था। उनके अनुसार, शिक्षा केवल पुस्तकीय न होकर अनुभवात्मक, उत्पादक और आनंददायक होनी चाहिए।
उन्होंने बच्चों की स्वाभाविक रुचि और रचनात्मकता को ध्यान में रखते हुए कहा कि शिक्षा श्रम और आनंद का संगम होनी चाहिए, ताकि विद्यार्थी कार्य करते हुए सीखें और सीखते हुए कार्य करें। इस प्रकार गांधीजी ने शिक्षा को बोझ नहीं, बल्कि आत्म-विकास और सामाजिक उपयोगिता का साधन माना।

124. पेट्रोलियम को उसके विभिन्न घटकों (जैसे गैसोलीन, डीजल, केरोसिन आदि) में अलग करने की प्रक्रिया शोधन (Refining) कहलाती है। यह आमतौर पर आसवन (Fractional Distillation) की विधि द्वारा किया जाता है, पर सम्पूर्ण प्रक्रिया को सामूहिक रूप से "शोधन" कहा जाता है।

125. 'चेराव' (Cheraw Dance) या बाँस नृत्य (Bamboo Dance) मिजोरम राज्य का पारंपरिक लोकनृत्य है। इस नृत्य में दो पंक्तियों में रखे बाँसों को लय के साथ खोला और बंद किया जाता है, और नर्तक-नर्तकियाँ उनके बीच ताल के साथ नृत्य करते हैं। यह मिजो संस्कृति का प्रमुख अंग है।

126. खाद्य शृंखला में–
- **प्रथम पोषी स्तरः** उत्पादक (हरे पौधे)
- **द्वितीय पोषी स्तरः** शाकाहारी (प्राथमिक उपभोक्ता)
- **तृतीय पोषी स्तरः** छोटे मांसाहारी (द्वितीयक उपभोक्ता)
- **चतुर्थ पोषी स्तरः** बड़े मांसाहारी (तृतीयक उपभोक्ता)

इसलिए छोटे मांसाहारी जीव सामान्यतः तृतीय पोषी स्तर पर पाए जाते हैं।

127. ऐपिस मेलीफेरा (Apis mellifera) यूरोपीय या इतालवी मूल की मधुमक्खी प्रजाति है जिसे भारत में उच्च शहद उत्पादकता के लिए पुरःस्थापित (introduced) किया गया। यह शांत स्वभाव, अधिक शहद संग्रहण और बड़े छत्तों की विशेषताओं के कारण वाणिज्यिक शहद उत्पादन में सबसे अधिक प्रयोग की जाती है।

128. केंचुए (Earthworms) मृदा के लिए अत्यंत उपयोगी जीव हैं। वे मृत पौधों-पत्तियों को खाकर ह्यूमस बनाते हैं, जिससे मृदा की उर्वरता बढ़ती है। वे मिट्टी को भुरभुरी बनाकर जल निकास और वायु प्रवाह को भी सुधारते हैं। इसलिए "ये मृदा में पोषक तत्त्व घटाते हैं" कथन असत्य है।

129. 26 दिसम्बर 2004 को भारत सहित दक्षिण-पूर्व एशिया में विनाशकारी सुनामी आई थी, जिसका कारण इंडोनेशिया के समीप समुद्र के नीचे 9.1 तीव्रता का भूकंप था। अंडमान-निकोबार द्वीपों की कुछ जनजातियों (विशेषकर ओंगे और जरावा) ने पशुओं के असामान्य व्यवहार से इस आपदा का पूर्वानुमान लगा लिया था।

130. EVS (पर्यावरण अध्ययन) में मूल्यांकन का उद्देश्य समझ, विश्लेषण, प्रयोग और व्याख्या जैसे उच्च-स्तरीय कौशलों का आकलन करना होता है। "स्मरण (Recall)" केवल रटकर याद करने की प्रक्रिया को दर्शाता है, जिसे व्यापक मूल्यांकन संकेतक के रूप में नहीं माना गया है।

131. स्प्रिंकलर सिंचाई प्रणाली उन क्षेत्रों के लिए उपयुक्त होती है जहाँ भूमि असमान हो तथा जल की उपलब्धता सीमित हो। इसमें पाइपों और छिद्रों द्वारा पानी को वर्षा की तरह छिड़का जाता है, जिससे जल का समान वितरण होता है। यह प्रणाली घास के मैदानों, कॉफी बागानों तथा बागवानी में विशेष रूप से उपयोगी है।

132. वन अधिकार अधिनियम, 2006 के अनुसार, वन की रक्षा और प्रबंधन के लिए वन अधिकार समिति (Forest Rights Committee) का गठन ग्राम सभा द्वारा किया जाता है। यह समिति स्थानीय वनवासियों के अधिकारों के संरक्षण, वनों की निगरानी और सतत उपयोग को सुनिश्चित करती है।

133. यकृत एक प्रमुख अंग है जो पाचन प्रक्रिया में सहायता के लिए पित्त रस (Bile Juice) उत्पन्न करता है। पित्त रस वसा (fats) के इमल्सीकरण में सहायक होता है, जिससे वे छोटी आँत में पचने योग्य बनते हैं।

134. CCE (Continuous and Comprehensive Evaluation) को कक्षा में लागू करने का पहला चरण है अपेक्षित अधिगम बिन्दुओं या सीखने के उद्देश्यों की पहचान। इन्हीं उद्देश्यों के आधार पर अधिगम गतिविधियाँ और मूल्यांकन प्रक्रिया की रूपरेखा तैयार की जाती है।

135. गतिविधि-आधारित अधिगम (Activity-Based Learning) का क्रम इस प्रकार है–
1. योजना बनाना (Planning)
2. गतिविधि कराना (Implementation-Doing the Activity)
3. प्रक्रिया पर विचार करना (Reflection)
4. सुधार करना (Improvement)

इसलिए सही क्रम है– *(a)*, *(b)*, *(c)* और *(d)*।

136. प्राथमिक स्तर पर EVS (पर्यावरण अध्ययन) सामग्री को बच्चों के जीवन अनुभवों से जोड़ने के लिए थीम-आधारित विषय-वस्तु जैसे भोजन, आवास, जल, यात्रा, परिवार, पौधे और जानवर आदि का उपयोग किया जाता है। इससे बच्चे अपने परिवेश के साथ वास्तविक संबंध स्थापित करते हुए व्यावहारिक रूप से सीखते हैं।

137. EVS शिक्षा का उद्देश्य बच्चों को पर्यावरण से जोड़ना और उसमें सक्रिय भागीदारी के माध्यम से समग्र समझ विकसित करना है। केवल सैद्धांतिक ज्ञान देना EVS की भावना के विपरीत है क्योंकि यह अधिगम को यांत्रिक और उबाऊ बना देता है।

138. विस्थापन और पुनर्वास जैसे सामाजिक मुद्दों पर चर्चा का उद्देश्य बच्चों में सहानुभूति, संवेदनशीलता और सामाजिक समझ विकसित करना है। बच्चों को ऐसी समस्याओं की उपेक्षा करने को कहना EVS की शिक्षण-प्रक्रिया के मूल उद्देश्य – संवेदनशील नागरिकता निर्माण – के विरुद्ध है।

139. समुद्र के नीचे का जीवन वास्तविक रूप से देखने में कठिन होता है। इसलिए 12 वर्ष के बच्चों के लिए एनीमेशन (Animation) सबसे उपयुक्त मल्टीमीडिया संसाधन है क्योंकि यह समुद्री जीवों, पौधों, प्रवाल भित्तियों आदि को सजीव रूप में दिखाकर बच्चों की कल्पना और समझ को समृद्ध करता है।

140. पुराने अचार पर दिखाई देने वाला सफेद, रूई जैसा पदार्थ कवक (Fungus) होता है, जो नमी के कारण बढ़ता है। अचार में यदि पर्याप्त सूखापन न हो या नमक की मात्रा कम हो जाए, तो कवक का संक्रमण होता है, जिससे अचार खराब होने लगता है।

141. 'स्कैफोल्डिंग (Scaffolding)' सीखने की वह प्रक्रिया है जिसमें शिक्षक या अधिक अनुभवी व्यक्ति बच्चों को उस कार्य में अस्थायी सहायता प्रदान करता है जिसे वे अकेले नहीं कर सकते। धीरे-धीरे सहायता घटाकर उन्हें स्वतंत्र रूप से कार्य करने योग्य बनाया जाता है। यह अवधारणा वायगोत्स्की के "निकटवर्ती विकास क्षेत्र (Zone of Proximal Development)" सिद्धांत पर आधारित है।

142. धान (Paddy) एक प्रमुख खरीफ फसल है, जिसकी बुवाई बरसात के मौसम (जून-जुलाई) में की जाती है और कटाई अक्टूबर-नवंबर में होती है। अन्य खरीफ फसलों में मक्का, बाजरा, मूंगफली और कपास शामिल हैं। जबकि गेहूँ, चना और सरसों रबी फसलें हैं।

143. EVS (पर्यावरण अध्ययन) की विशेषताएँ हैं – यह शिक्षार्थी-केन्द्रित, संदर्भात्मक और अन्तर्विषयी (integrated) विषय है। इसका उद्देश्य बच्चों के जीवन-पर्यावरण से सीखने को जोड़ना है। अतः "शिक्षक-केन्द्रित" होना इसकी विशेषता नहीं है।

144. CCE का अर्थ है Continuous and Comprehensive Evaluation (सतत एवं व्यापक मूल्यांकन)। इसमें छात्रों की शैक्षणिक (cognitive) एवं सह-शैक्षणिक (co-scholastic) दोनों क्षेत्रों में निरंतर प्रगति का मूल्यांकन किया जाता है।

145. संयुक्त राष्ट्र पर्यावरण कार्यक्रम (UNEP) ने 1986 में किए गए अपने वैश्विक समझौते में यह निर्णय लिया कि क्लोरोफ्लोरोकार्बन (CFC) के उत्पादन को 1986 के स्तर पर स्थिर रखा जाएगा। इसका उद्देश्य ओजोन परत के ह्रास को रोकना था, जो बाद में 1987 के मॉन्ट्रियल प्रोटोकॉल का आधार बना।

146. EVS कक्षाओं में अधिगम अनुभव अन्वेषण, सहभागिता और समझ पर आधारित होते हैं। यहाँ बच्चे स्वयं ज्ञान का निर्माण करते हैं, इसलिए केवल प्रत्यक्ष जानकारी और परिभाषाएँ रटवाने पर जोर देना EVS की अनुशंसित विशेषता नहीं है। इसका उद्देश्य जिज्ञासा, अवलोकन और अनुभव-आधारित अधिगम को प्रोत्साहित करना है।

147. सार्वजनिक पुस्तकालय (Public Library) एक सुलभ एवं समृद्ध स्थानीय अधिगम संसाधन है, जहाँ छात्र भ्रमण के माध्यम से विविध ज्ञान-स्रोतों से परिचित हो सकते हैं। यहाँ उन्हें पुस्तकों, पत्रिकाओं, समाचार-पत्रों, अभिलेखों और डिजिटल माध्यमों के जरिए जानकारी प्राप्त करने का अवसर मिलता है।

पुस्तकालय भ्रमण छात्रों में जिज्ञासा, अनुसंधान कौशल और सूचना-साक्षरता (Information Literacy) विकसित करता है। यह न केवल पाठ्यक्रम से जुड़ा होता है बल्कि सभी आयु के छात्रों के लिए सुरक्षित, सार्वभौमिक और सहज शिक्षण-संसाधन भी है। इस प्रकार, प्राथमिक स्तर के EVS अध्ययन में सार्वजनिक पुस्तकालय सबसे उपयुक्त स्थानीय अधिगम संसाधन माना जाता है।

148. डॉल्फिनें (Dolphins) एक-दूसरे से ध्वनि तरंगों (Sound Waves) के माध्यम से संवाद करती हैं। वे क्लिक, सीटी और विभिन्न ध्वनियों का उपयोग संदेश देने, दिशा जानने और शिकार पहचानने के लिए करती हैं। यह प्रक्रिया Echolocation कहलाती है।

149. नेशनल ज्योग्राफिक चौनल EVS शिक्षा में एक अत्यंत प्रभावी मीडिया संसाधन है क्योंकि यह प्रकृति, वन्यजीवन, पर्यावरण संरक्षण और पृथ्वी के विभिन्न पहलुओं से जुड़ी प्रामाणिक दृश्य सामग्री प्रस्तुत करता है। यह बच्चों की पर्यावरणीय समझ को रोचक और सजीव बनाता है।

150. अधिगम संकेतकों की पहचान का उद्देश्य यह सुनिश्चित करना है कि सीखने की प्रक्रिया में बच्चे किस हद तक अपेक्षित लक्ष्यों की ओर बढ़ रहे हैं। इससे शिक्षक, माता-पिता, और बच्चे सभी को प्रगति की दिशा और आवश्यक सुधारों का स्पष्ट संकेत मिलता है, जिससे सीखना अधिक उद्देश्यपूर्ण और सतत बनता है।

YOUR SPACE

पिछले प्रश्न-पत्र

हरियाणा शिक्षक पात्रता परीक्षा (HTET)

Level-I, प्राथमिक शिक्षक (PRT), 2023

(Exam held on 03-12-2023)

भाग-I : बाल विकास व शिक्षाशास्त्र

1. निम्नलिखित में से कौन-सा कथन अधिगम के संबंध में सही नहीं है?

A. अधिगम अभ्यास द्वारा व्यवहार में परिवर्तन है।

B. अधिगम अनुभवों के परिणामस्वरूप होता है।

C. अधिगम व्यवहार में अपेक्षाकृत स्थायी परिवर्तन है।

D. अधिगम परिपक्वता के कारण व्यवहार में परिवर्तन है।

2. निम्नलिखित में से कौन-सा कथन सीखने की विराम विधि के महत्व को इंगित **नहीं** करता?

A. सीखने में थकान नहीं होती

B. स्मृति चिह्न समेकित नहीं होते

C. सीखने में अभिरुचि बनी रहती है

D. मानसिक ऊबता नहीं होती

3. शिक्षक का निम्नलिखित में से कौन-सा कार्य सर्जनशील बच्चे की क्षमता को अवरुद्ध करता है?

A. अपसारी चिंतन के लिए प्रोत्साहन

B. दूसरों के विचारों की अनुरूपता के लिए जोर

C. विचारों की अभिव्यक्ति की स्वतंत्रता

D. नवप्रवर्तन के लिए प्रेरणा

4. निम्नलिखित में से कौन-सा कथन अर्जित प्रेरकों की सही व्याख्या **नहीं** करता?

A. वे जन्मजात नहीं होते

B. वे सार्विक होते हैं

B. वे जीवित रहने के लिए आवश्यक नहीं होते

D. वे अधिगम को प्रभावित करते हैं

5. 'किसी कार्य का संतोषजनक प्रभाव उस कार्य के सीखने को प्रभावित करता है।' सीखने का यह नियम किसके द्वारा प्रतिपादित किया गया?

A. पैवलॉव   B. थॉर्नडाइक

C. स्किनर   D. वॉटसन

6. श्रवण-बाधित विद्यार्थियों के शिक्षण-अधिगम हेतु कौन-सा प्रशिक्षण आवश्यक **नहीं** है?

(*a*) ओष्ठ पठन   (*b*) संकेत भाषा

(*c*) ब्रेल लिपि   (*d*) गामक प्रशिक्षण

A. (*a*) एवं (*b*)   B. (*b*) एवं (*c*)

C. (*c*) एवं (*d*)   D. (*a*) एवं (*c*)

7. एक बच्चा किसी पाठ को अपनी सुविधानुसार कई भागों में बाँटकर सीखता है। यह सीखने की कौन-सी विधि है?

A. पूर्ण विधि   B. अविराम विधि

C. अंश विधि   D. प्रासंगिक विधि

8. विभिन्न आवश्यकताओं वाले विद्यार्थियों की समावेशी कक्षा के लिए कौन-सी शिक्षण-अधिगम व्यूह रचनाएँ महत्वपूर्ण होंगी?

(*a*) बहुसंवेदी शिक्षण   (*b*) सहयोगी अधिगम

(*c*) साथी शिक्षण   (*d*) दल शिक्षण

A. (*a*), (*b*) एवं (*d*)   B. (*b*) एवं (*c*)

C. (*a*) एवं (*d*)   D. (*a*), (*b*), (*c*) एवं (*d*)

9. किस अधिगम निर्योग्यता में निम्नलिखित हस्तक्षेप कार्यक्रम सुझाए गए हैं?

(*a*) भाषायी समझ के लिए प्रयास

(*b*) वर्तनी सुधार के लिए अभ्यास

A. डिस्लेक्सिया   B. डिस्मैग्निशिया

C. डिस्ग्राफिया   D. डिस्कैलकुलिया

10. किस मनोवैज्ञानिक ने अपने संज्ञानात्मक विकास सिद्धांत में 'वस्तु स्थायित्व' का संप्रत्यय प्रस्तुत किया?

A. पियाजे   B. वायगोट्स्की

C. ब्रूनर   D. कोह्लबर्ग

11. अनुदेशनात्मक कार्यक्रम के दौरान प्रतिपुष्ठि द्वारा सुधार के उद्देश्य से किया गया मूल्यांकन कहलाता है :

A. योगात्मक   B. निदानात्मक

C. व्यवस्थात्मक   D. निर्माणात्मक/रचनात्मक

1. D   **2.** B   **3.** B   **4.** B   **5.** B   **6.** C   **7.** C   **8.** D   **9.** A   **10.** A   **11.** D

12. निम्नलिखित में से कौन-सा एक बाह्य अभिप्रेरक **नहीं** है?
A. अनुमोदन B. सत्ता
C. उपलब्धि D. विश्राम

13. 'मानसिक आयु' का प्रत्यय किसने दिया?
A. बिनेट B. स्टर्न
C. टर्मन D. वेश्लर

14. गैग्ने के अधिगम प्रतिमान के अनुसार किसी संप्रत्यय अधिगम के पूर्व किस प्रकार के अधिगम की आवश्यकता **नहीं** होगी?
A. श्रृंखला अधिगम B. नियम अधिगम
C. संकेत अधिगम D. विभेदन अधिगम

15. निम्नलिखित में से कौन-सा बुद्धि परीक्षण एक अशाब्दिक बुद्धि परीक्षण है?
A. आर्मी-अल्फा परीक्षण
B. रैवेन का प्रोग्रेसिव मेट्रीसेज परीक्षण
C. बिनेट-साइमन परीक्षण
D. जलोटा सामान्य मानसिक योग्यता परीक्षण

16. वायगोट्स्की के अनुसार, वह भाषण जो स्वयं की ओर निर्देशित होता है, कहलाता है :
A. सामाजिक भाषण B. निजी भाषण
C. बाह्य भाषण D. अंतःक्रिया भाषण

17. कौन-सी शिक्षण-अधिगम पद्धति बाल-केन्द्रित एवं प्रगतिशील शिक्षा में सम्मिलित **नहीं** है?
A. प्रायोजना B. समस्या समाधान
C. भाषण D. प्रयोगात्मक

18. निम्नलिखित में से कौन-सा कारक वैयक्तिक भिन्नताओं को प्रभावित करने वाले वंशानुगत कारकों में सम्मिलित **नहीं** है?
A. शारीरिक संरचना B. बुद्धि
B. अभिक्षमता D. अभिवृत्ति

19. थॉर्नडाइक के बिल्ली पर सीखने के प्रयोग में एक विशिष्ट व्यवहार सीखने के लिए किस प्रकार के अभिप्रेरक का उपयोग किया गया था?
A. जैविक अभिप्रेरक B. सामाजिक अभिप्रेरक
C. बाह्य अभिप्रेरक D. वातावरणीय अभिप्रेरक

20. प्रतिभाशाली विद्यार्थियों के लिए निम्नलिखित में से कौन-सी शैक्षिक व्यवस्था की जानी चाहिए?
A. त्वरण B. उपचारात्मक शिक्षण
C. वाचन अभ्यास D. वाक्-उपचार

21. निम्नलिखित में से कौन-सी उत्तर बाल्यावस्था के बच्चों की उपयुक्त सामाजिक व्यावहारिक विशेषता **नहीं** है?
A. सहयोग B. सहानुभूति
C. परानुभूति D. अहं-केन्द्रितता

22. निम्नलिखित में से कौन-सा निबंधात्मक प्रकार के प्रश्नों का एक रूप **नहीं** है?
A. वर्णनात्मक B. विश्लेषणात्मक
C. प्रत्याभिज्ञानात्मक D. आलोचनात्मक

23. पैवलॉव के अधिगम सिद्धान्त का आधार किस प्रकार का सीखना है?
A. संप्रत्ययात्मक B. अनुबंधित
C. सूझपूर्ण D. अनुकरणात्मक

24. 'समीपस्थ विकास का क्षेत्र' यह संप्रत्यय किस मनोवैज्ञानिक द्वारा प्रस्तुत किया गया है?
A. एरिक्सन B. वायगोट्स्की
C. कोह्लबर्ग D. पियाजे

25. निम्नलिखित में से कौन-सा कारक अधिगम को नकारात्मक रूप से प्रभावित करता है?
A. अभ्यास B. इच्छा शक्ति
C. अभिप्रेरणा D. थकान

26. जब एक बच्चे का नैतिक विकास एक अच्छा लड़का या अच्छी लड़की घोषित होने की इच्छा पर आधारित होता है, तो इस नैतिकता का संबंध किससे है?
A. व्यक्तिवाद एवं विनिमय B. आज्ञाकारिता एवं दण्ड
C. सामाजिक अनुबंध D. अच्छे अन्तर्वैयक्तिक संबंध

27. विकास की प्रक्रिया प्रारंभ होती है :
A. गर्भाधान से परिपक्वता तक B. जन्म से परिपक्वता तक
C. गर्भाधान से मृत्यु तक D. जन्म से मृत्यु तक

28. 90-110 बुद्धि लब्धि प्रसार किस बौद्धिक श्रेणी का प्रतिनिधित्व करता है?
A. औसत B. औसत से कम
C. औसत से अधिक D. श्रेष्ठ

29. सामाजीकरण की प्रक्रिया में साथियों का प्रभाव उत्तर बाल्यावस्था के किस नाम को संदर्भित **नहीं** करता है?
A. दल-आयु B. अनुरूपता की आयु
C. खेल आयु D. संक्रमण आयु

30. निम्नलिखित में से कौन-सा कथन विकास के संदर्भ में सही **नहीं** है?
A. विकास में प्रकार्यात्मक परिवर्तन होते हैं।
B. विकासात्मक प्रतिमान (पैटर्न) पूर्वानुमेय होता है।
C. सभी बच्चों का विकास एक समान होता है।
D. विकास सामान्य से विशिष्ट की ओर बढ़ता है।

12. D	**13.** A	**14.** B	**15.** B	**16.** B	**17.** C	**18.** D	**19.** A	**20.** A	**21.** D
22. C	**23.** B	**24.** B	**25.** D	**26.** D	**27.** C	**28.** A	**29.** D	**30.** C	

भाग-II : भाषा - हिन्दी

31. किस शब्द में 'इत्' प्रत्यय 'कृदन्त' के रूप में प्रयुक्त हुआ है?

A. पूजित B. कलंकित
C. कुसुमित D. फलित

32. किस विकल्प में 'क्षमा-क्ष्मा' शब्द-युग्म का क्रमशः **सही** अर्थ है?

A. तप्त - धूप B. माफी - तलवार
C. कत्था - माफी D. माफी - पृथ्वी

33. तत्पुरुष समास का कौन-सा युग्म **असंगत** है?

A. आशातीत – कर्म तत्पुरुष
B. तुलसीकृत – संबंध तत्पुरुष
C. रसोईघर – संप्रदान तत्पुरुष
D. गृहस्थ – अधिकरण तत्पुरुष

34. किस विकल्प का शब्द 'मछली' का पर्यायवाची **नहीं** है?

A. मत्स्य B. शलकी
C. झष D. मकरी

35. कंपाउंडर बीमार को दवा पिलाता है। उक्त वाक्य में रेखांकित पद है :

A. पूर्वकालिक क्रिया B. नामधातु क्रिया
C. प्रेरणार्थक क्रिया D. कृदन्त क्रिया

36. निम्न में से कौन-सा युग्म संगत **नहीं** है?

A. य, व – नासिक्य वर्ण
B. ड़, ढ़ – उत्क्षिप्त वर्ण
C. र – लुंठित वर्ण
D. ल – पार्श्विव वर्ण

37. निम्न में से गुणवाचक विशेषण का उदाहरण **नहीं** है :

A. अच्छा B. आधा
C. बुरा D. लाल

38. किस विकल्प के शब्द तत्सम **नहीं** हैं?

A. बयार, काज B. आज्ञा, राजा
C. स्वामी, पक्ष D. कर्ण, वत्स

39. 'दूसरे के काम में दखल करना' वाक्यांश के लिए उचित एकल शब्द चुनिए :

A. उन्मूलन B. षोडशी
C. हस्तक्षेप D. अध्यूढा

40. निम्न में से कौन-सा शब्द व्यंजन संधि का उदाहरण है?

A. वागीश B. देवीच्छा
C. कपीश D. विधूदय

41. किस विकल्प के शब्दों में प्रत्यय संबंधिनी अशुद्धि है?

A. विवाहेतर, चिह्न B. माननीय, नाइन
C. प्रत्याशी, प्रमुदित D. पांडित्यता, बाहुल्यता

42. निम्न में से कौन-सा भेद 'पुरुषवाचक सर्वनाम' का **नहीं** है?

A. व्यक्तिवाचक B. उत्तम पुरुष
C. मध्यम पुरुष D. अन्य पुरुष

43. किस विकल्प में विलोमार्थी युग्म संगत **नहीं** है?

A. आज्ञा - अनुज्ञा B. आचार - अनाचार
C. आच्छन्न - निराच्छन्न D. आलसी - उद्यमी

44. किस विकल्प के शब्द 'अभि' उपसर्ग से निर्मित **नहीं** हैं?

A. अभिराम, अभ्यागत B. अभीष्ट, अभीप्सित
C. अभ्युदय, अभिषेक D. आधिकारिक, आध्यात्मिक

45. किस विकल्प का शब्द व्यक्तिवाचक संज्ञा का उदाहरण **नहीं** है?

A. नगर B. रामायण
C. आगरा D. ताजमहल

भाग-II : LANGUAGE – ENGLISH

46. Choose the **correct** option to fill in the blank:

He ______ sleep after reading at least 20 pages every night, when he lived in hostel.

A. will B. would
C. might D. shall

47. Choose the **correct** prepositions for the blanks:

He has been living ______ Calcutta ______ last three years.

A. in, since B. in, for
C. at, for D. into, since

31. A	**32.** D	**33.** B	**34.** D	**35.** C	**36.** A	**37.** B	**38.** A	**39.** C	**40.** A
41. D	**42.** A	**43.** A	**44.** D	**45.** A	**46.** B	**47.** B			

48. I met Mr. Shah at ______ U.S. airport.
A. a B. an
C. the D. zero

49. Choose the **correct** option to fill in the blank:

You are ______ among criminals.
A. meaner B. meanest
C. meanly D. most meaner

50. Choose the **correct** one word substitutions:

A disease that spreads over a large area.
A. effeminate B. germicide
C. epidemic D. illicit

51. Choose the **correct** option for the underlined word:

She is <u>likely</u> to come today.
A. Adverb B. Adjective
C. Pronoun D. Conjunction

52. The antonym of 'adversity' is:
A. discord B. prosperity
C. scarcity D. misery

53. Choose the **correct** option to fill in the blank:

You will fail ______ you work very hard.
A. nevertheless
B. howsoever
C. unless
D. beside

54. The synonym of 'Filthy' is:
A. weak B. fluffy
C. dirty D. strong

55. The idiom—"To pay off old scores" means:
A. To return capital without interest
B. To have revenge
C. To live within one's initial income
D. To refuse to pay one's loan

56. Choose the **correct** option:

'Misanthrop' is:
A. Something imaginary
B. Something not based on facts
C. One who hates mankind
D. A calf for sacrifice

57. The word 'pious' means:
A. religious and moral B. Worthless
C. liberal D. traitor

58. Choose the **correct** sentence:
A. He break her heart by turning down her proposal.
B. He breaked her heart by turning down her proposal.
C. He has breaked her heart by turning down her proposal.
D. He broke her heart by turning down her proposal.

59. Choose the **correct** option to fill in the blank:

He ______ his sister more than anyone else.
A. love B. is loving
C. was loving D. loves

60. Choose the **correct** tense form:

Look! Here ______ the director of the drama.
A. had come B. have come
C. come D. comes

भाग-III : सामान्य अध्ययन

मात्रात्मक योग्यता, तार्किक अभिक्षमता तथा सामान्य ज्ञान एवं अभिज्ञान

61. यदि $\tan\alpha + \sin\alpha = m$ तथा $\tan\alpha - \sin\alpha = n$, हो, तो $(m^2 - n^2)$ बराबर है :

A. $\sqrt{mn}$ B. $\sqrt{\frac{m}{n}}$
C. $4\sqrt{mn}$ D. $2\sqrt{mn}$

62. दो संख्याओं A व B का औसत 20, B तथा C संख्याओं का औसत 19 तथा C व A का औसत 21 हो, तो A का मान है :
A. 24 B. 22
C. 20 D. 18

63. यदि किसी कूट भाषा में 'ACE' को 1925 तथा 'BIG' को '48149' लिखा जाता है, तो 'DOG' को उसी कूट भाषा में क्या लिखा जाएगा?
A. 41549 B. 162259
C. 1622549 D. 1622249

64. निम्न संख्या श्रेणी का अगला पद ज्ञात कीजिए :

5, 10, 26, 50, 122, ?
A. 154 B. 162
C. 170 D. 178

48. C	**49.** B	**50.** C	**51.** A	**52.** B	**53.** C	**54.** C	**55.** B	**56.** C	**57.** A
58. D	**59.** D	**60.** D	**61.** C	**62.** B	**63.** C	**64.** C			

65. **असंगत** को ज्ञात कीजिए :

A. मेजर B. कर्नल
C. एडमिरल D. ब्रिगेडियर

66. यदि A, B से भारी, C, D से हल्का, E, D से भारी परन्तु B से हल्का है, तो इनमें से सबसे भारी कौन है?

A. B B. D
C. E D. A

67. एक निश्चित कूट भाषा में, 'PAGES' को 'RDIHU' तथा 'WRITE' को 'YUKWG', लिखा जाता है, तो 'OTHER' को उसी भाषा में किस प्रकार से लिखा जाएगा?

A. QWJHT B. QWHJT
C. QWHTJ D. QWTHJ

68. निम्नलिखित श्रेणी का अगला पद है :

G4T, J9R, M20P, P43N, ?

A. S88L B. S90L
C. S90M D. S88M

69. A, B का पुत्र है, B की बहन C के एक पुत्र D तथा एक पुत्री E है, F, D का मामा है, तो A का D से क्या संबंध है?

A. कजिन B. भाई
C. चाचा D. पिता

70. यदि 15 पुस्तकों के क्रय मूल्य, 20 पुस्तकों के विक्रय मूल्य के बराबर हो, तो हानि प्रतिशत है :

A. 20% B. 25%
C. 30% D. $33\frac{1}{3}\%$

71. 'BRAKES' शब्द के अक्षरों को अंग्रेजी वर्णमाला के अनुसार जमाने में कितने अक्षरों के स्थान में परिवर्तन **नहीं** होगा?

A. 1 B. 2
C. 3 D. 4

72. एक राशि 7 वर्षों में चक्रवृद्धि ब्याज की दर से 3 गुना हो जाती है, तो वह राशि 27 गुना कितने वर्षों में होगी (जबकि दर समान हो)?

A. 18 वर्षों में B. 19 वर्षों में
C. 20 वर्षों में D. 21 वर्षों में

73. यदि P, + को, Q, – को, R, ÷ को तथा S, × को इंगित करता है, तो 18 S 36 R 12 Q 6 P 7 का मान है :

A. 115 B. 85
C. 55 D. 35

74. यदि A पूर्व दिशा की ओर है, तब वह घड़ी की सूई की दिशा में 100° घूम जाता है तथा पुनः वह 145° पर घड़ी की विपरीत दिशा में घूम जाता है, तो अब A किस दिशा की ओर है?

A. उत्तर B. पूर्व
C. दक्षिण-पश्चिम D. उत्तर-पूर्व

75. यदि y का $x\%$ का मान 100 तथा z का $y\%$ का मान 200 हो, तो x तथा z में संबंध है :

A. $z = x/2$ B. $z = 3x$
C. $z = 2x$ D. $z = 4x$

76. यदि $\sqrt{0.05 \times 0.5 \times a} = 0.5 \times 0.5 \times \sqrt{b}$ हो, तो $\frac{a}{b}$ का मान है :

A. 0.0025 B. 0.025
C. 0.25 D. 2.50

77. 10 भुजाओं वाले एक नियमित बहुभुज के सभी अन्तःकोणों का योग है :

A. 6π B. 8π
C. 10π D. 12π

78. एक आदमी 80 किमी. दूरी को 7 घंटे में तय करता है, वह आंशिक दूरी 8 किमी/घं. की दर से पैदल चल कर तथा 16 किमी./घं. की दर से आंशिक दूरी साइकिल से तय करता है, तो वह पैदल कितनी दूरी चलता है?

A. 28 किमी. B. 30 किमी.
C. 32 किमी. D. 33 किमी.

79. एक समबाहु त्रिभुज की भुजा एवं ऊँचाई का अनुपात है :

A. 2 : 1 C. $\sqrt{3} : 2$
B. 1 : 1 D. $2 : \sqrt{3}$

80. एक चक्रीय चतुर्भुज के कोणों के अर्धकों से निर्मित चतुर्भुज होता है :

A. चक्रीय चतुर्भुज B. आयत
C. वर्ग D. समान्तर चतुर्भुज

81. आयरिश सैनिक, जिसने 18वीं सदी के अंतिम दशक में हरियाणा में स्वयं का राज्य स्थापित किया :

A. चार्ल्स एलियट B. आर. हडसन
C. जे. थॉमस D. जॉर्ज थॉमस

82. भिराना, एक सिंधु-सरस्वती घाटी स्थल, अवस्थित है :

A. रोहतक में B. हिसार में
C. फतेहाबाद में D. अम्बाला में

83. एशियाई खेल 2023 में व्यक्तिगत स्पर्धा में स्वर्ण पदक जीतने वाली पलक गुलिया हरियाणा के किस जिले से हैं?

A. झज्जर B. जींद
C. अम्बाला D. गुरुग्राम

65. C	**66.** D	**67.** A	**68.** B	**69.** A	**70.** B	**71.** B	**72.** D	**73.** C	**74.** D
75. C	**76.** D	**77.** B	**78.** C	**79.** D	**80.** A	**81.** D	**82.** C	**83.** A	

84. हरियाणा के निम्नलिखित राज्यपालों में से कौन संविधान सभा का सदस्य भी था?

A. सरदार हरचरण सिंह बरार
B. श्री जयसुख लाल हाथी
C. श्री महाबीर प्रसाद
D. श्री बाबू रामानन्द

85. हरियाणा का वह जिला, जहाँ एक राष्ट्रीय उद्यान स्थित है :

A. रेवाड़ी   B. जींद
C. गुरुग्राम   D. सोनीपत

86. हरियाणा का वह कस्बा, जो कृषि उपकरणों के निर्माण के लिए प्रसिद्ध है :

A. कलानौर   B. बलाना
C. दादरी   D. समालखा

87. करोह चोटी की ऊँचाई है :

A. 1400 मीटर से अधिक   B. 1500 मीटर से अधिक
C. 1600 मीटर से अधिक   D. 1700 मीटर से अधिक

88. निम्नलिखित में से किस सूफी संत ने हरियाणा क्षेत्र में चिश्ती सिलसिले की स्थापना की थी?

A. मोहम्मद बख्तियार काकी   B. बाबा फरीदुद्दीन
C. नसीरुद्दीन महमूद   D. गेसू दराज

89. हरियाणा में कितने उपखण्ड हैं?

A. 95   B. 49
C. 143   D. 74

90. शिवालिक विकास एजेन्सी का मुख्यालय है :

A. पंचकुला में   B. अम्बाला में
C. यमुनानगर में   D. कुरुक्षेत्र में

भाग-IV : गणित

91. यदि 10 सेमी. त्रिज्या वाले एक वृत्त में एक समबाहु त्रिभुज ABC बनाया जाता है, तो त्रिभुज ABC की एक भुजा की लम्बाई है :

A. 10 सेमी.   B. $10\sqrt{3}$ सेमी.
C. $10\sqrt{2}$ सेमी.   D. $\frac{10}{\sqrt{3}}$ सेमी.

92. अभिगृहीत (Axiom) के लिए निम्नलिखित में से कौन-सा सर्वाधिक उचित है?

A. अभिगृहीत कथन बीजीय सर्वसमिकाओं से संबंधित कथन होते हैं?
B. अभिगृहीत गणित के ऐसे तथ्य होते हैं जिन्हें सिद्ध या असिद्ध नहीं किया जा सकता है।
C. अभिगृहीत साध्य हैं जो प्रमेय के समान होते हैं।
D. अभिगृहीत केवल परिभाषाएँ होती हैं।

93. किसी लम्बवृत्तीय बेलन के आधार का परिमाप 44 सेमी. है तथा ऊँचाई 8 सेमी. है, तब इस बेलन का आयतन है : ($\pi = 22/7$ लीजिए)

A. 1212 सेमी.^{3} B. 1232 सेमी.^{3}
C. 1412 सेमी.^{3} D. 1432 सेमी.^{3}

94. गणित पढ़ाते हुए एक अध्यापिका इस कथन पर पहुँचती है : "A का निहितार्थ B है।" इसका अर्थ है :

A. B होने के लिए A आवश्यक प्रतिबन्ध है।
B. A होने के लिए B आवश्यक प्रतिबन्ध है।
C. B होने के लिए A पर्याप्त प्रतिबन्ध है।
D. B होने के लिए A आवश्यक और पर्याप्त प्रतिबन्ध दोनों है।

95. यदि $x = \frac{3}{4} \div \frac{5}{6}$, $y = 3 \div [(4 \div 5) \div 6]$, $z = [3 \div (4 \div 5)] \div 6$ और $w = 3 \div 4\,(5 \div 6)$, तो :

A. x और w बराबर हैं।   B. सभी बराबर हैं।
C. x और y बराबर हैं।   D. x और z बराबर हैं।

96. यदि एक चतुर्भुज के सभी कोण 180° से कम हों, तो वह चतुर्भुज है :

A. उत्तल चतुर्भुज   B. अवतल चतुर्भुज
C. समान्तर चतुर्भुज   D. समलम्ब चतुर्भुज

97. 20 वस्तुओं का क्रय मूल्य x वस्तुओं के विक्रय मूल्य के बराबर है। यदि लाभ 25% है, तो x का मान है :

A. 15   B. 16
C. 18   D. 25

98. एक गणित की कक्षा में पढ़ाते हुए अध्यापक कहता है, "दो पूर्णांकों का सर्वनिष्ठ भाजक (सार्वभाजक) वह संख्या है जो कि दोनों दिए गए पूर्णांकों को विभाजित करती है।" तो यह है एक:

A. प्रस्ताव   B. परिभाषा
C. स्वयंसिद्ध   D. मुक्त वाक्य

99. प्रेक्षणों 15, 50, 120, 6, 80, 100, 10, 8, 10, 15, 15 के परिसर, बहुलक और माध्यिका का माध्य है :

A. 48   B. 39
C. 52   D. 51

84. B	**85.** C	**86.** D	**87.** A	**88.** B	**89.** D	**90.** B	**91.** B	**92.** B	**93.** B
94. C	**95.** A	**96.** A	**97.** B	**98.** B	**99.** A				

100. दो संख्याओं a ओर b का म.स.प. और ल.स.प. क्रमशः 6 और 210 हैं। यदि $a + b = 72$, तो $\frac{1}{a}+\frac{1}{b}=$

A. $\frac{1}{35}$ B. $\frac{3}{35}$
C. $\frac{5}{37}$ D. $\frac{2}{35}$

101. यदि $x^2 + x - 12$ और $2x^2 - ax - 9$ का म.स.प. $(x - a)$ हो, तो 'a' का मान है :

A. 3 B. –3
C. –4 D. 4

102. 15 मीटर 17 सेमी. लम्बे और 9 मीटर 2 सेमी. चौड़े एक कमरे के फर्श को पक्का करने के लिए आवश्यक वर्गाकार टाइलों की न्यूनतम संख्या कितनी है?

A. 814 B. 820
C. 840 D. 841

103. गणित अध्यापन का कौन-सा तरीका इनमें से सबसे अच्छा है?

A. केवल कमियाँ देखकर उतना ही पढ़ाना
B. शिक्षार्थियों को उनकी क्षमताओं को विकसित करने के लिए प्रोत्साहित करना
C. केवल गैप्स देखकर उन्हें दूर करना
D. हर शिक्षार्थी को एक ही तरह से पढ़ाना

104. यदि किसी विद्यार्थी को ज्यामिती के प्रमेयों पर आधारित प्रश्न हल करने में कठिनाई होती है, तो निम्नलिखित में से किस विधि को शिक्षक को अपनाना चाहिए?

A. विद्यार्थी को दण्डित करना ताकि वह गलती न दोहराए।
B. विद्यार्थी को प्रमेय रटने के लिए कहना।
C. बहुसंवेदी मॉडल और शिक्षण सामग्री के उपयोग से विभिन्न ज्यामितीय प्रमेयों को समझने में और उनके अनुप्रयोग में विद्यार्थी की सहायता करना।
D. विद्यार्थी को हल की गई समस्याओं के चरणों को श्यामपट्ट से देखकर लिखने के लिए और इस प्रणाली का अनुप्रयोग समान प्रकार की समस्याओं में करने के लिए कहना।

105. यदि $2^x = 5^y = (10)^{-z}$, तो $\frac{1}{x}+\frac{1}{y}+\frac{1}{z}=$

A. $\frac{7}{32}$ B. 0
C. $\frac{7}{16}$ D. $\frac{7}{48}$

106. यदि $\frac{9^n \times 3^2 \times \{(3)^{-n/2}\}^{-2} - (27)^n}{3^{3m} \times 2^3} = \frac{1}{27}$, तो $m - n$ का मान ज्ञात कीजिए :

A. –2 B. 1
C. –1 D. 2

107. "गणित, तर्क प्रवृत्ति को मन में व्यवस्थित करने का/बसाने का एक तरीका है", यह परिभाषा दी गई है :

A. लॉक द्वारा B. गैलीलियो द्वारा
C. ब्रूनर द्वारा D. नेपोलियन द्वारा

108. यदि $4m^2 + 10mn - 8m + 9n^2 - 12n = (am + bn)(am + bn - 4)$, तो $a^3 + b^3$ का मान है :

A. 13 B. 25
C. 35 D. 10

109. यदि किसी संख्या में से 35 घटा दिया जाए, तो वह 80% रह जाती है। संख्या का $\left(\frac{4}{5}\right)$वाँ भाग क्या है?

A. 70 B. 90
C. 120 D. 140

110. निम्नलिखित में से कौन-सा गणितीय प्रमेय के सन्दर्भ में सही **नहीं** है?

A. ये कुछ निश्चित गणितीय तथ्यों के बारे में सत्यता के सामान्यीकृत कथन हैं।
B. इन्हें गणितीय रूप से सिद्ध किया जा सकता है।
C. किसी भी प्रमेय को सिद्ध करने का एकमात्र तरीका होता है।
D. अप्रमाणित प्रमेयों को अनुमान (Conjectures) कहते हैं।

111. एक त्रिभुज जिसकी तीनों भुजाएँ बराबर हैं, का क्षेत्रफल $4\sqrt{3}$ वर्ग सेमी. है। इस त्रिभुज की परिमाप क्या होगी?

A. 10 सेमी. B. 12 सेमी.
C. 14 सेमी. D. 16 सेमी.

112. एक शिक्षक एक वृत्ताकार कागज को पतले-पतले त्रिज्यखण्डों में काटता है और उन्हें आयत बनाने के लिए संरेखित करता है। यह एक गतिविधि है, जो ______ व्युत्पन्न करने के तरीके को दर्शाती है।

A. वृत्त की परिधि B. वृत्त के क्षेत्रफल का सूत्र
C. वृत्त का व्यास D. वृत्त का आयत में रूपान्तरण

113. 10 के गुणनखण्डों का माध्य है :

A. 4 B. 4.5
C. 5 D. 5.5

100. D **101.** A **102.** A **103.** B **104.** C **105.** B **106.** B **107.** A **108.** * **109.** D
110. C **111.** B **112.** B **113.** B

114. शिक्षिका छात्रों को कागज पर पैमाने (ruler) और पेंसिल की सहायता से कुछ चतुर्भुज बनाने को कहती है। फिर वे उन्हें चाँदे (प्रोट्रैक्टर) से चतुर्भुजों के कोणों को ज्ञात कर, प्रत्येक चतुर्भुज के कोणों का योग करने को कहती है। छात्र यह पाते हैं कि प्रत्येक चतुर्भुज के कोणों का योग लगभग 360° या पूरा 360° है। यह उदाहरण किस शिक्षण-विधि को दर्शाता है?

A. सामान्यीकरण विधि B. शिक्षक-केन्द्रित विधि
C. निगमनात्मक विधि D. आगमनात्मक विधि

115. माना $y = 597 \times 10^{22} + 73.5 \times 10^{21}$, जब y को मानक रूप 6.0435×10^{n} में व्यक्त किया जाए, तो n का मान है :

A. 22 B. 23
C. 24 D. 21

116. निम्नलिखित में से कौन-सा गणित प्रयोगशाला का उद्देश्य **नहीं** हो सकता?

A. मूर्त शिक्षण-अधिगम सामग्री के उपयोग द्वारा छात्रों को गणितीय अवधारणाओं को समझने में सहायता करना।
B. छात्रों को गणित की परीक्षा की तैयारी के लिए एक स्थान सुनिश्चित करवाना।
C. छात्रों की गणित अधिगम के प्रति रुचि और उत्साह बढ़ाना।
D. खेल, पहेलियों और निदर्श (मॉडल) का उपयोग करते हुए गणितीय समस्या-समाधान पर केन्द्रित गतिविधियाँ करवाना।

117. यदि $a - \frac{1}{a} = \sqrt{21}$, जहाँ $a > 0$, तो $\left(a^2 + \frac{1}{a^2}\right)\left(a + \frac{1}{a}\right)$ का मान है :

A. 113 B. 115
C. 114 D. 110

118. भुजाओं 24 सेमी., 25 सेमी. और 7 सेमी. वाले एक त्रिभुज का क्षेत्रफल 14 सेमी. लम्बाई वाले एक आयात के क्षेत्रफल के बराबर है, तब उस आयत का परिमाप है :

A. 20 सेमी. B. 18 सेमी.
C. 36 सेमी. D. 40 सेमी.

119. ABCD एक समचतुर्भुज है, जिसमें $\angle BAC = 50°$ है, तब $3\angle D - 2\angle DAC$ बराबर है :

A. 120° B. 140°
C. 150° D. 160°

120. A और B की आय 3 : 2 के अनुपात में है और उनका व्यय 5 : 3 के अनुपात में है। यदि प्रत्येक ₹ 2500 बचाता है, तो B का व्यय है :

A. ₹ 8000 B. ₹ 7500
C. ₹ 8500 D. ₹ 7000

भाग-V : पर्यावरण अध्ययन

121. शिक्षक EVS शिक्षण में स्वदेशी ज्ञान और दृष्टिकोण को समग्र रूप से कैसे एकीकृत कर सकते हैं?

A. पाठ्यक्रम डिजाइन में एकरूपता के लिए स्वदेशी दृष्टिकोण की उपेक्षा करके।
B. सीखने के अनुभव को समृद्ध करने के लिए स्वदेशी ज्ञान, सांस्कृतिक प्रथाओं और दृष्टिकोणों को सक्रिय रूप से खोजने और एकीकृत करने में।
C. मुख्य धारा के वैज्ञानिक दृष्टिकोणों को विशेष रूप से प्राथमिकता देकर।
D. विविधता का सम्मान करने के बजाय आत्मसात करने की वकालत करके।

122. कई ताप विद्युत संयंत्र आमतौर पर कोयले या तेल क्षेत्रों के पास क्यों स्थापित किए जाते हैं?

A. जीवाश्म ईंधन के जलने से होने वाले वायु प्रेषण को कम करना।
B. विद्युत प्रेषण की दक्षता में सुधार करना।
C. बिजली उत्पादन में पानी की आवश्यकता को कम करना।
D. कोयला या पेट्रोलियम का अधिक आसानी से परिवहन करना।

123. EVS शिक्षण के सन्दर्भ में मापन का तात्पर्य क्या है?

A. छात्रों को अत्यधिक सहायता प्रदान करना।
B. जैसे-जैसे छात्र कौशल और ज्ञान प्राप्त करते हैं, समर्थन धीरे-धीरे कम होता जाता है।
B. निर्धारित पाठ्यक्रम का कठोरता से पालन करना।
D. छात्रों को उनके साथियों से अलग करना।

124. कॉलम-अ और कॉलम-ब के पदों पर विचार करें :

कॉलम-अ	**कॉलम-ब**
प्रोटीन	विटामिन B_1, B_2, B_6, B_{12}
चीनी	कैल्सियम
कार्बोहाइड्रेट	ऊर्जा
विटामिन	दाल (पल्स)
खनिज	ग्लूकोज

कॉलम-ब में कौन-सी परिभाषा कॉलम-अ में 'खनिज' से मेल खाती है?

A. विटामिन B_1, B_2, B_6, B_{12} B. कैल्सियम
C. ऊर्जा D. दाल (पल्स)

114. D **115.** C **116.** B **117.** B **118.** D **119.** B **120.** B **121.** B **122.** D **123.** B **124.** B

125. एक पारिस्थितिकी तंत्र में :

(*i*) ऊर्जा का प्रवाह एक दिशात्मक होता है।

(*ii*) सामग्री का प्रवाह एक दिशात्मक होता है।

(*iii*) सामग्री का प्रवाह चक्रीय होता है।

(*iv*) ऊर्जा का प्रवाह चक्रीय होता है।

A. (*i*) एवं (*ii*) B. (*ii*) एवं (*iii*)

C. (*i*) एवं (*iv*) D. (*i*) एवं (*iii*)

126. NEP 2020 के सन्दर्भ में EVS शिक्षण में अनुभवात्मक शिक्षा की क्या भूमिका है?

A. EVS शिक्षण में अनुभवात्मक शिक्षा को हतोत्साहित किया जाता है।

B. अनुभवात्मक शिक्षा केवल विज्ञान विषयों के लिए प्रासंगिक है।

C. अनुभवात्मक शिक्षा को प्रोत्साहित किया जाता है और यह EVS शिक्षण का अभिन्न अंग है।

D. अनुभवात्मक शिक्षा कक्षा में चर्चा तक ही सीमित है।

127. किसी स्थिति के लिए ऊर्जा का स्रोत चुनते समय कौन-से कारक निर्णय को सबसे अधिक प्रभावित करते हैं?

A. स्रोत के कारण होने वाली पर्यावरण क्षति

B. स्रोत से ऊर्जा निकालने में आसानी

C. प्रौद्योगिकी की दक्षता

D. ऊर्जा निष्कर्षण का अर्थशास्त्र

128. बादल निर्माण, वर्षा और खारे पानी से ताजे पानी के निर्माण जैसी प्राकृतिक प्रक्रियाओं के संबंध में कौन-सी अवधारणा पेश की गई है?

A. ऑक्सीकरण और अपचयन प्रक्रियाएँ

B. समाधानों की संतृप्त और अति-संतृप्त

C. धातु, काँच और लकड़ी का व्यवहार

D. पदार्थों में अपरिवर्तनीय परिवर्तन

129. NEP 2020, EVS शिक्षण में मूल्यांकन विधियों को कैसे प्रभावित करता है?

A. यह विशेष रूप से मानकीकृत मूल्यांकन लागू करता है।

B. यह पर्यावरणीय अवधारणाओं के बारे में छात्रों की समझ को मापने के लिए प्रामाणिक मूल्यांकन को बढ़ावा देता है।

C. यह EVS शिक्षण में किसी भी प्रकार के मूल्यांकन को हतोत्साहित करता है।

D. यह स्मरण-आधारित मूल्यांकन पर केन्द्रित है।

130. यदि आप वस्तुओं को वर्गीकृत करने के लिए चुम्बकीय आकर्षण के गुण का उपयोग करते हैं, तो लकड़ी और लोहे की मेजों के लिए परिणाम क्या होगा?

A. लकड़ी और लोहे की मेजें दोनों एक समूह में होंगी।

B. लकड़ी की मेज आकर्षित होगी जबकि लोहे की नहीं।

C. लकड़ी और लोहे की मेजें अलग-अलग समूहों में होंगी।

D. लकड़ी और लोहे की दोनों मेजें चुम्बक द्वारा प्रतिकर्षित होंगी।

131. पर्यावरण संरक्षण के बारे में पढ़ाते समय सीखने की प्रक्रिया में सहानुभूति क्या भूमिका निभाती है?

A. सहानुभूति EVS शिक्षण के लिए प्रासंगिक नहीं है।

B. सहानुभूति पर्यावरणीय समस्याओं के वस्तुनिष्ठ विश्लेषण में बाधा डालती है।

C. सहानुभूति छात्रों को कार्यवाही करने से हतोत्साहित करती है।

D. पर्यावरणीय मुद्दों में सभी हितधारकों के दृष्टिकोण को समझने के लिए सहानुभूति आवश्यक है।

132. सीवरेज में पाई जाने वाली अशुद्धियों की मुख्य श्रेणियाँ क्या हैं?

A. बैक्टीरिया और वायरस

B. कार्बनिक और अकार्बनिक अशुद्धियाँ

C. ठोस और तरल पदार्थ

D. लवण और खनिज

133. विभिन्न क्षेत्रों में अद्वितीय पर्यावरणीय चुनौतियों और अवसरों का समाधान करने के लिए शिक्षक EVS शिक्षण को कैसे अपना सकते हैं?

A. पर्यावरण शिक्षा के लिए सभी के लिए उपयुक्त दृष्टिकोण का उपयोग करके।

B. पाठ्यक्रम में स्थिरता बनाए रखने के लिए क्षेत्रीय मतभेदों को दरकिनार करते हुए।

C. पर्यावरणीय मुद्दों में छात्रों को स्थानीय सन्दर्भ, केस अध्ययन में शामिल करके।

D. क्षेत्रीय पर्यावरणीय चिंताओं पर चर्चा से बचकर।

134. निम्नलिखित में से कौन-सा विटामिन किसी बीमारी या स्थिति से सही ढंग से मेल **नहीं** खाता है, जो इसे रोकने या कम करने में मदद कर सकता है?

A. विटामिन C - स्कर्वी B. विटामिन D - रिकेट्स

C. विटामिन A - रतौंधी D. विटामिन K - क्षय रोग

135. वायु का निम्नलिखित में से कौन-सा घटक वायुमण्डल में सबसे बड़ी मात्रा में मौजूद है?

A. नाइट्रोजन B. ऑक्सीजन

C. जलवाष्प D. कार्बन डाइऑक्साइड

136. EVS रोल-प्ले गतिविधि में इसकी सफलता सुनिश्चित करने के लिए शिक्षकों को क्या करना चाहिए?

A. छात्रों के कार्यों और निर्णयों पर अप्रत्यक्ष प्रभाव डालना।

B. छात्रों के अनुसरण करने के लिए एक कठोर स्क्रिप्ट प्रदान करना।

C. छात्रों को विभिन्न भूमिकाएँ तलाशने और अपने निर्णय स्वयं लेने की अनुमति देना।

D. छात्रों को सक्रिय रूप से भाग लेने से हतोत्साहित करना।

125. D **126.** C **127.** A **128.** B **129.** B **130.** C **131.** D **132.** B **133.** C **134.** D
135. A **136.** C

137. सद्भाव और समझ को बढ़ावा देने के लिए विभिन्न खाद्य प्राथमिकताओं की सराहना करने की अवधारणा को दैनिक जीवन में कैसे लागू किया जा सकता है?

A. इस बात पर जोर देकर कि सभी की पसंद और नापसंद एक जैसी होनी चाहिए।

B. विभिन्न व्यंजकों की खोज और साझा करके और दूसरों के भोजन विकल्पों का सम्मान करके।

C. खाने को लेकर होने वाले झगड़ों से बचने के लिए परिवार और दोस्तों के साथ खाना न खाना।

D. भोजन विकल्पों में सांस्कृतिक और क्षेत्रीय विविधताओं को नजरअंदाज करके।

138. पौधों, जानवरों और सूक्ष्मजीवों की सभी प्रजातियों सहित पृथ्वी पर जीवन की विविधता को क्या कहा जाता है?

A. जैव विविधता B. पारिस्थितिकी तंत्र
C. जलवायु परिवर्तन D. प्रदूषण

139. ऊर्जा स्थानांतरण का दस प्रतिशत नियम लिंडरमैन द्वारा किस वर्ष में दिया गया था?

A. 1924 B. 1942
C. 1956 D. 1842

140. स्कूल के रास्ते में घने जंगल से गुजरते समय वर्णित प्राथमिक संवेदी अनुभव क्या है?

A. पेड़ों से छनकर आती तेज धूप
B. बिना किसी प्राकृतिक ध्वनि के पूर्ण मौन
C. पैरों के नीचे पत्तों की सरसराहट
D. विभिन्न पक्षियों और प्राणियों की आवाजें

141. EVS में रचनावादी शिक्षण का प्रमुख सिद्धान्त निम्नलिखित में से कौन-सा है?

A. शिक्षक केन्द्रित शिक्षण
B. सीखने की प्रक्रिया में निष्क्रिय छात्र की भूमिका
C. समस्या समाधान और अन्वेषण में सक्रिय संलग्नता
D. रटकर याद रखना

142. आलोचनात्मक सोच और पूछताछ आधारित शिक्षा को प्रोत्साहित करने के लिए EVS में कौन-सा शिक्षण दृष्टिकोण सबसे प्रभावी है?

A. व्याख्यान आधारित निर्देश
B. शिक्षक केन्द्रित दृष्टिकोण
C. अनुभवात्मक शिक्षा और चर्चाएँ
D. मानकीकृत परीक्षण

143. पत्तियों की विशेषताओं की पहचान करते समय निम्नलिखित में से कौन-सी इन्द्रिय सबसे अधिक प्रासंगिक है?

A. सुनवाई B. गंध
C. दृष्टि D. स्वाद

144. असमान भोजन वितरण के सन्दर्भ में, सुपोषित बच्चों की तुलना कुपोषण, बीमारी और भूख से पीड़ित बच्चों से करते समय किस मुद्दे पर चर्चा होने की सबसे अधिक संभावना है?

A. स्वास्थ्य सुविधाओं तक पहुँच
B. सामाजिक-आर्थिक कारक
C. जलवायु परिवर्तन के प्रभाव
D. तकनीकी प्रगति

145. विश्व के वनों और उनके महत्व के बारे में जागरूकता बढ़ाने और जश्न मनाने के लिए 21 मार्च को कौन-सा पर्यावरण जागरूकता दिवस मनाया जाता है?

A. विश्व पर्यावरण दिवस B. विश्व वेटलैण्ड दिवस
C. भोपाल त्रासदी दिवस D. विश्व वन दिवस

146. निम्नलिखित में से कौन-सा पानी का स्रोत जल स्रोतों के सन्दर्भ में 'परिवार के सदस्य' की अवधारणा से सबसे अधिक निकटता से संबंधित है?

A. नदी B. तालाब
C. समुद्र D. कुआँ

147. पानी की अनोखी विशेषता क्या है?

A. जल प्रकृति का मुख्य और अपरिवर्तनीय तत्व है।
B. जल के विभिन्न रूप हैं और यह जीवन के लिए आवश्यक है।
C. पानी केवल नदियों और झरनों में मौजूद है।
D. पानी मुख्य रूप से दुनिया में दुर्भाग्य का कारण बनता है।

148. निम्नलिखित में से कौन-सी सामग्री आमतौर पर जंगलों से प्राप्त लकड़ी से प्राप्त **नहीं** होती है?

A. कागज B. थर्मोकोल
C. माचिस की तीलियाँ D. प्लाईवुड

149. EVS शिक्षण में क्षेत्र भ्रमण और व्यावहारिक गतिविधियों का क्या महत्व है?

A. तार्किक चुनौतियों के कारण उनकी अनुशंसा नहीं की जाती है।
B. वे छात्रों को व्यावहारिक अनुभव और पर्यावरणीय अवधारणाओं की गहरी समझ प्रदान करते हैं।
C. उन्हें सैद्धांतिक चर्चा तक ही सीमित रखा जाना चाहिए।
D. वे केवल उन्नत शिक्षार्थियों के लिए उपयोगी हैं।

150. निम्नलिखित में से कौन-सा पशु स्रोत से प्राप्त नहीं होता है और पौधे आधारित उत्पाद माना जाता है?

A. दूध B. सोयाबीन
C. पनीर D. अण्डे

137. B **138.** A **139.** B **140.** D **141.** C **142.** C **143.** C **144.** B **145.** D **146.** D
147. B **148.** B **149.** B **150.** B

व्याख्यात्मक उत्तर

1. (D): अभ्यास और अनुभवों के कारण व्यवहार में अपेक्षाकृत स्थायी परिवर्तन के रूप में अधिगम को परिभाषित किया गया है। इसमें प्रशिक्षण, शिक्षा और पर्यावरण के साथ अंतःक्रिया के माध्यम से होने वाले परिवर्तन शामिल हैं। विकल्प D गलत है क्योंकि परिपक्वता प्राकृतिक वृद्धि और विकास को संदर्भित करती है जो सीखने के अनुभवों से स्वतंत्र, उम्र के साथ आती है। इस प्रकार, परिपक्वता के कारण सीखने में अनुभव या अभ्यास के माध्यम से नए ज्ञान या कौशल प्राप्त करने की सक्रिय प्रक्रिया शामिल नहीं होती है।

2. (B): सीखने की अंतराल विधि में समय के साथ अध्ययन सत्रों को विस्तृत करना शामिल है, जो मानसिक थकान को रोकने और सामग्री में रुचि बनाए रखने में मदद करता है। यह बेहतर स्मृति समेकन की अनुमति देता है और थकान और बोरियत के जोखिम को कम करता है। विकल्प B गलत है क्योंकि अंतराल विधि वास्तव में स्मृति निशानों के समेकन में सहायता करती है, जिससे सीखना अधिक प्रभावी और टिकाऊ हो जाता है।

3. (B): दूसरों के विचारों का अनुकरण करने पर जोर देने वाला शिक्षक बच्चे की रचनात्मकता को कुंठित कर देता है। रचनात्मक बच्चे ऐसे वातावरण में पनपते हैं जहाँ अलग-अलग सोच, अभिव्यक्ति की स्वतंत्रता और नवाचार को प्रोत्साहित किया जाता है। अनुकरण पर जोर देने से उनकी अपनी परिधि के बाहर सोचने और अद्वितीय समाधान तलाशने की क्षमता सीमित हो जाती है, जिससे उनकी रचनात्मक क्षमता अवरुद्ध हो जाती है।

4. (B): अर्जित प्रेरणा जन्मजात नहीं होते हैं; वे व्यक्तिगत अनुभवों और सामाजिक अंतःक्रियाओं के माध्यम से विकसित होते हैं। वे सार्वभौमिक नहीं होते हैं क्योंकि वे व्यक्तियों और संस्कृतियों में भिन्न-भिन्न होते हैं। ये प्रेरणा जीवित रहने के लिए आवश्यक नहीं हैं, लेकिन सीखने और व्यवहार को महत्वपूर्ण रूप से प्रभावित कर सकते हैं। इसलिए, विकल्प B गलत है क्योंकि यह गलत तरीके से सुझाव देता है कि अर्जित प्रेरणा सार्वभौमिक होते हैं।

5. (B): एडवर्ड थॉर्नडाइक ने प्रभाव के नियम को प्रतिपादित किया, जिसमें कहा गया है कि संतोषजनक परिणामों के बाद होने वाले व्यवहारों के दोहराए जाने की संभावना अधिक होती है, जबकि अप्रिय परिणामों के बाद होने वाले व्यवहारों के दोहराए जाने की संभावना कम होती है। यह सिद्धांत थार्नडाइक के सीखने के सिद्धांत की आधारशिला है और सीखने की प्रक्रिया में सुदृढ़ीकरण के महत्व पर प्रकाश डालता है।

6. (C): श्रवण बाधित छात्रों के शिक्षण-अधिगम के लिए ब्रेल-लिपि और मोटर प्रशिक्षण आवश्यक नहीं है। ब्रेल को विशेष रूप से दृष्टिबाधित व्यक्तियों को पढ़ने और लिखने के लिए डिजाइन किया गया है, जबकि मोटर प्रशिक्षण शारीरिक या मोटर कौशल विकास के लिए अधिक प्रासंगिक है। श्रवण बाधित छात्रों को लिपरीडिंग और सांकेतिक भाषा जैसी सीखने की तकनीकों से अधिक लाभ होता है, जो सीधे उनकी श्रवण चुनौतियों को पूरा करते हैं और प्रभावी संचार में मदद करते हैं।

7. (C): अंश विधि में पाठ को छोटे, प्रबंधनीय खंडों में विभाजित करना शामिल है, जिन्हें छात्र अलग-अलग सीख सकता है। यह विधि बच्चे को एक बार में एक खंड पर ध्यान केंद्रित करने की अनुमति देती है, जो समझ और अवधारणा को बढ़ा सकती है। यह विशेष रूप से तब उपयोगी होता है जब सामग्री जटिल या लंबी होती है, जिससे छात्रों के लिए इसे संसाधित करना और चरण-दर-चरण सीखना आसान हो जाता है।

8. (D): समावेशी कक्षाएँ विभिन्न आवश्यकताओं वाले छात्रों की आवश्यकताएँ पूरी करने के लिए विभिन्न प्रकार की शिक्षण-अधिगम रणनीतियों से लाभान्वित होती हैं। बहु-संवेदी शिक्षण कई इंद्रियों को शामिल करता है, सहकारी शिक्षण टीमवर्क को बढ़ावा देता है, सहकर्मी शिक्षण एक-पर-एक सहायता प्रदान करता है, और टीम शिक्षण कई शिक्षकों के अनुभव का लाभ उठाता है। ये रणनीतियाँ मिलकर सभी छात्रों के लिए एक सहायक और प्रभावी शिक्षण वातावरण बनाती हैं।

9. (A): डिस्लेक्सिया एक सीखने की अक्षमता है जो मुख्य रूप से पढ़ने और भाषा प्रसंस्करण को प्रभावित करती है। डिस्लेक्सिया के लिए हस्तक्षेप कार्यक्रमों में अक्सर पढ़ने के कौशल को बेहतर बनाने के लिए भाषाई समझ के प्रयास और सामान्य वर्तनी कठिनाइयों को दूर करने के लिए वर्तनी सुधार के लिए अभ्यास शामिल होते हैं। ये हस्तक्षेप डिस्लेक्सिक छात्रों को भाषा और साक्षरता से संबंधित विशिष्ट चुनौतियों को दूर करने में मदद करते हैं।

10. (A): जीन पियाजे ने अपने संज्ञानात्मक विकास सिद्धांत में 'वस्तु स्थायित्व' की अवधारणा पेश की। यह अवधारणा इस समझ को संदर्भित करती है कि वस्तुएं तब भी मौजूद रहती हैं जब वे दिखाई नहीं देती हैं। यह एक बच्चे के संज्ञानात्मक विकास में एक महत्वपूर्ण मील का पत्थर है, जो आमतौर पर संवेदी चरण के दौरान उभरता है, और स्मृति और पहचान कौशल के विकास को दर्शाता है।

11. (D): शिक्षण प्रक्रिया के दौरान रचनात्मक मूल्यांकन किया जाता है ताकि निरंतर फीडबैक प्रदान किया जा सके जिसका उपयोग शिक्षण और सीखने को बेहतर बनाने के लिए किया जा सके। यह उन क्षेत्रों की पहचान करने में मदद करता है जहाँ छात्र संघर्ष कर रहे हैं और समय पर हस्तक्षेप की अनुमति देता है।

योगात्मक मूल्यांकन के विपरीत, जो एक निर्देशात्मक अवधि के अंत में समग्र सीखने का आकलन करता है, रचनात्मक मूल्यांकन निरंतर होता है और इसका उद्देश्य सीखने की प्रक्रियां को बढ़ाना होता है।

12. (D): विश्राम को एक बाह्य अभिप्रेरक नहीं माना जाता है। बाह्य अभिप्रेरक बाहरी पुरस्कार या प्रोत्साहन जैसे अनुमोदन, शक्ति और उपलब्धि हैं जो व्यवहार को प्रेरित करते हैं। दूसरी ओर, विश्राम एक बुनियादी जरूरत है और इसे बाहरी प्रेरक के बजाय शरीर की स्वस्थता और तंदुरुस्ती के लिए प्राकृतिक जरूरत से जुड़ी एक आंतरिक आवश्यकता माना जा सकता है।

13. (A): अल्फ्रेड बिनेट ने बुद्धि परीक्षण पर अपने काम के हिस्से के रूप में 'मानसिक आयु' शब्द गढ़ा। बिनेट ने अपने सहयोगी थियोडोर साइमन के साथ मिलकर बिनेट-साइमन स्केल विकसित किया, जिसे बच्चों के बौद्धिक विकास को मापने के लिए डिजाइन किया गया था। मानसिक आयु की अवधारणा एक बच्चे के बौद्धिक प्रदर्शन की तुलना उसी आयु वर्ग के बच्चों के औसत प्रदर्शन से करती है।

14. (B): गैग्ने के सीखने के मॉडल के अनुसार, नियम सीखना एक उच्च-क्रम सीखने की प्रक्रिया है जिसमें सम्बन्धों और सिद्धांतों को समझना शामिल है। अवधारणा सीखने के लिए आमतौर पर सिग्नल लर्निंग, चेन लर्निंग और भेदभाव सीखने जैसे बुनियादी कौशल की आवश्यकता होती है, लेकिन नियम सीखना अधिक उन्नत है और अक्सर व्यक्तिगत अवधारणाओं की समझ के बाद होता है, न कि उससे पहले।

15. (B): रैवेन का प्रोग्रेसिव मैट्रिसेज टेस्ट एक अशाब्दिक बुद्धि परीक्षण है जिसे अमूर्त तर्क को मापने के लिए डिजाइन किया गया है और अक्सर भाषा कौशल पर भरोसा किए बिना संज्ञानात्मक क्षमताओं का आकलन करने के लिए उपयोग किया जाता है। इसमें दृश्य पैटर्न होते हैं जिन्हें परीक्षार्थियों को पूरा करना होता है, जो इसे व्यक्तियों के लिए उनकी भाषा पृष्ठभूमि या मौखिक क्षमताओं की परवाह किए बिना उपयुक्त बनाता है।

16. (B): वायगोत्स्की के अनुसार, निजी भाषण स्वयं के लिए निर्देशित भाषण है, जिसका उपयोग अक्सर बच्चे अपने कार्यो और विचारों को निर्देशित करने के लिए करते हैं। इस प्रकार का भाषण संज्ञानात्मक विकास का एक महत्वपूर्ण हिस्सा है, क्योंकि यह बच्चों को गतिविधियों की योजना बनाने, समस्याओं को हल करने और उनके व्यवहार को विनियमित करने में मदद करता है। यह बाह्य सामाजिक भाषण और आंतरिक विचार के बीच एक मध्यवर्ती चरण का प्रतिनिधित्व करता है।

17. (C): भाषण बाल-केंद्रित और प्रगतिशील शिक्षा विधियों में शामिल नहीं है, जो सक्रिय सीखने और छात्र जुड़ाव पर जोर देते हैं। प्रोजेक्ट-आधारित सीखने, समस्या-समाधान और प्रयोगात्मक सीखने जैसी विधियाँ प्रगतिशील शिक्षा सिद्धांतों के साथ अधिक संरेखित हैं, क्योंकि उनमें व्यावहारिक गतिविधियाँ, आलोचनात्मक सोच और छात्र सहयोग शामिल हैं। भाषण अधिक पारंपरिक और शिक्षक-केंद्रित होते हैं, जो सूचना के निष्क्रिय ग्रहण पर ध्यान केंद्रित करते हैं।

18. (D): अभिवृत्ति को आमतौर पर व्यक्तिगत अंतर को प्रभावित करने वाला वंशानुगत कारक नहीं माना जाता है। वंशानुगत कारकों में शारीरिक संरचना, बुद्धिमत्ता और योग्यता शामिल हैं, जो आनुवंशिक विरासत से प्रभावित होते हैं। दूसरी ओर, अभिवृत्ति व्यक्तिगत अनुभवों, पर्यावरण और सामाजिक अंतःक्रियाओं से आकार लेता है, जो इसे विरासत में मिली विशेषता के बजाय सीखी गई विशेषता बनाता है।

19. (A): थॉर्नडाइक द्वारा बिल्ली पर किए गए सीखने के प्रयोग में जैविक अभिप्रेरकों का उपयोग शामिल था। उनके प्रयोगों में, बिल्लियों को भूख, एक जैविक प्रेरणा, द्वारा एक पहेली बॉक्स से बाहर निकलने और भोजन प्राप्त करने के लिए विशिष्ट व्यवहार सीखने के लिए प्रेरित किया गया था। इसने प्रभाव के नियम को प्रदर्शित किया, जहाँ संतोषजनक परिणामों के बाद व्यवहारों के दोहराए जाने की अधिक संभावना होती है।

20. (A): त्वरण प्रतिभाशाली छात्रों के लिए बनाई गई एक शैक्षिक व्यवस्था है, जो उन्हें सामान्य से अधिक तेज गति से पाठ्यक्रम के माध्यम से प्रगति करने की अनुमति देती है। यह दृष्टिकोण उनकी उन्नत सीखने की जरूरतों को पूरा करने में मदद करता है और उन्हें बौद्धिक रूप से उत्तेजित रखता है। उपचारात्मक शिक्षण, पढ़ने का अभ्यास और भाषण चिकित्सा जैसे अन्य विकल्प उन छात्रों के लिए अधिक उपयुक्त हैं जिन्हें अतिरिक्त सहायता की आवश्यकता है, न कि उन छात्रों के लिए जो प्रतिभाशाली हैं।

21. (D): अहं-केंद्रितता उत्तर बाल्यावस्था के बच्चों की एक उपयुक्त सामाजिक व्यवहार विशेषता नहीं है। उत्तर बाल्यावस्था के दौरान, बच्चे आमतौर पर सहयोग और सहानुभूति जैसे सामाजिक कौशल विकसित करते हैं। ये कौशल उन्हें साथियों के साथ सकारात्मक रूप से अंतःक्रिया करने और दूसरों के दृष्टिकोण को समझने की अनुमति देते हैं। अहं-केंद्रितता, जो बचपन में अधिक आम है, एक बच्चे की अपने और दूसरों के दृष्टिकोण के बीच अंतर करने में असमर्थता को संदर्भित करती है, और यह आमतौर पर बड़े होने और अधिक उन्नत सामाजिक अनुभूति विकसित करने के साथ कम हो जाती है।

22. (C): प्रत्याभिज्ञानात्मक निबंध-प्रकार के प्रश्न का एक रूप नहीं है। निबंध-प्रकार के प्रश्नों के लिए छात्रों को ऐसे उत्तर बनाने की आवश्यकता होती है जो उनके ज्ञान और तर्क को प्रदर्शित करते हैं। वर्णनात्मक, विश्लेषणात्मक और आलोचनात्मक निबंध प्रश्न सामान्य रूप हैं, जो छात्रों से किसी विषय का विस्तार से वर्णन, विश्लेषण या आलोचना करने के लिए कहते हैं।

हालाँकि, मान्यता इस प्रारूप में फिट नहीं होती है और इसे निबंध प्रश्न के प्रकार के रूप में मान्यता नहीं दी जाती है।

23. (B): कंडीशन्ड लर्निंग पैवलॉव के प्रमुख सिद्धांत का आधार है। इवान पैवलॉव को शास्त्रीय कंडीशनिंग पर उनके काम के लिए सबसे ज्यादा जाना जाता है, एक सीखने की प्रक्रिया जो एक पर्यावरणीय उत्तेजना और एक स्वाभाविक रूप से होने वाली उत्तेजना के बीच संबंधों के माध्यम से होती है। कुत्तों के साथ पैवलॉव के प्रयोगों ने प्रदर्शित किया कि कैसे एक तटस्थ उत्तेजना (घंटी) एक बिना शर्त उत्तेजना (भोजन) के साथ जुड़कर एक कंडीशन्ड प्रतिक्रिया (लार) प्राप्त कर सकती है।

24. (B): 'जोन ऑफ प्रॉक्सिमल डेवलपमेंट' (ZPD) की अवधारणा लेव वायगोत्स्की द्वारा गढ़ी गई थी। ZPD का तात्पर्य है कि एक शिक्षार्थी बिना मदद के क्या कर सकता है और एक कुशल साथी के मार्गदर्शन और प्रोत्साहन से वह क्या हासिल कर सकता है। वायगोत्स्की का सिद्धांत संज्ञानात्मक विकास में सामाजिक संपर्क और मचान के महत्व पर जोर देता है।

25. (D): थकान सीखने को नकारात्मक रूप से प्रभावित करती है। जबकि अभ्यास, इच्छाशक्ति और प्रेरणा ऐसे कारक हैं जो सीखने को बढ़ाते हैं, थकान एकाग्रता, स्मृति और समग्र संज्ञानात्मक कार्य को खराब कर सकती है। जब कोई शिक्षार्थी थका हुआ होता है, तो उसकी जानकारी को अवशोषित करने और बनाए रखने की क्षमता कम हो जाती है, जिससे सीखने के परिणाम कम प्रभावी होते हैं।

26. (D): जब किसी बच्चे का नैतिक विकास एक अच्छा लड़का या एक अच्छी लड़की घोषित होने की इच्छा पर आधारित होता है, तो यह अच्छे पारस्परिक संबंधों से संबंधित होता है। लॉरेंस कोहलबर्ग के नैतिक विकास के चरणों के अनुसार, यह चरण 'पारंपरिक स्तर' के अंतर्गत आता है, जहाँ बच्चे सामाजिक मानदंडों के अनुरूप होते हैं और अच्छे व्यवहार के माध्यम से अच्छे दिखने और संबंध बनाए रखने के द्वारा दूसरों से अनुमोदन प्राप्त करते हैं।

27. (C): विकास एक ऐसी प्रक्रिया है जो गर्भाधान से लेकर मृत्यु तक चलती है। यह दृष्टिकोण पूरे जीवनकाल को शामिल करता है, यह मानते हुए कि विकास एक सतत प्रक्रिया है जिसमें जन्म-पूर्व अवस्था से लेकर बुढ़ापे तक होने वाले शारीरिक, संज्ञानात्मक और मनोसामाजिक परिवर्तन शामिल हैं। यह समग्र दृष्टिकोण स्वीकार करता है कि किसी व्यक्ति के सम्पूर्ण जीवन में महत्वपूर्ण विकासात्मक परिवर्तन होते हैं।

28. (A): IQ की 90-110 रेंज औसत बौद्धिक श्रेणी का प्रतिनिधित्व करती है। इस रेंज को सामान्य लोगों के लिए आदर्श माना जाता है, यह दर्शाता है कि इस रेंज में IQ वाले व्यक्तियों में संज्ञानात्मक क्षमताएँ होती हैं जो उनके आयु वर्ग के लिए विशिष्ट और अपेक्षित होती हैं। यह IQ वितरण में घंटी वक्र के मध्य भाग को कवर करता है।

29. (D): संक्रमणकालीन आयु विशेष रूप से उत्तर बाल्यावस्था में समाजीकरण की प्रक्रिया में साथियों के प्रभाव को संदर्भित नहीं करती है। 'गैंग-एज', 'अनुरूपता की उम्र' और 'खेलने की उम्र' जैसे शब्द बचपन के अंत में साथियों के रिश्तों और समूह की गतिशीलता के महत्व को उजागर करते हैं। 'संक्रमणकालीन आयु', हालांकि, अधिक सामान्य है और साथियों के प्रभाव पर जोर दिए बिना संक्रमण की किसी भी अवधि को संदर्भित कर सकती है।

30. (C): विकास के संदर्भ में 'सभी बच्चे एक जैसे विकसित होते हैं' कथन सही नहीं है। जबकि विकास में कार्यात्मक परिवर्तन शामिल होते हैं, एक पूर्वानुमानित पैटर्न का पालन होता है, और आम तौर पर सामान्य से विशिष्ट की ओर बढ़ता है, व्यक्तिगत अंतर का मतलब है कि बच्चे आनुवंशिक, पर्यावरणीय और सांस्कृतिक कारकों के कारण अलग-अलग दरों और अलग-अलग तरीकों से विकसित होते हैं। यह परिवर्तनशीलता मानव विकास का एक प्रमुख पहलू है।

31. (A): 'पूजित' शब्द में 'इत्' प्रत्यय 'कृदन्त' के रूप में प्रयुक्त हुआ है। कृदन्त वह शब्द होते हैं जो क्रिया धातु से प्रत्यय लगाकर बनाए जाते हैं। 'पूजित' शब्द में 'पूज' धातु से 'इत्' प्रत्यय लगाकर यह शब्द बना है।

32. (D): 'क्षमा' का अर्थ 'माफी' है और 'क्ष्मा' का अर्थ 'पृथ्वी' है। ये दोनों शब्द अलग-अलग अर्थ रखते हैं और इन्हें सही क्रम में समझने से अर्थ स्पष्ट होता है। 'क्षमा' का प्रयोग 'माफी' के लिए और 'क्ष्मा' का प्रयोग 'पृथ्वी' के लिए होता है।

33. (B): 'तुलसीकृत' शब्द संबंध तत्पुरुष समास का उदाहरण नहीं है। सही समास प्रकार 'कर्म तत्पुरुष' है। तुलसीकृत का अर्थ है तुलसी द्वारा किया गया, जो कर्म तत्पुरुष समास है।

34. (D): 'मकरी' शब्द मछली का पर्यायवाची नहीं है। 'मकरी' का अर्थ मकड़ी होता है। मछली के पर्यायवाची शब्दों में मत्स्य, शलकी, और झष आते हैं।

35. (C): उक्त वाक्य में 'पिलाता' प्रेरणार्थक क्रिया है। प्रेरणार्थक क्रिया वह होती है जिसमें किसी को कुछ करने के लिए प्रेरित किया जाता है। यहां कंपाउंडर बीमार को दवा पीने के लिए प्रेरित कर रहा है, इसलिए यह प्रेरणार्थक क्रिया है।

36. (A): 'य, व'—नासिक्य वर्ण संगत नहीं है। नासिक्य वर्ण वे होते हैं जिनके उच्चारण में नासिका से स्वर निकलता है, जैसे 'ङ, ण, न, म'। 'य, व' नासिक्य वर्ण नहीं हैं, बल्कि अर्धस्वर माने जाते हैं।

37. (B): 'आधा' गुणवाचक विशेषण का उदाहरण नहीं है। गुणवाचक विशेषण वे होते हैं जो किसी वस्तु या व्यक्ति की गुण या विशेषता बताते हैं। 'अच्छा', 'बुरा', और 'लाल' गुणवाचक विशेषण हैं जबकि 'आधा' परिमाणवाचक विशेषण है।

38. (A): 'बयार' और 'काज' तत्सम शब्द नहीं हैं। तत्सम शब्द वे होते हैं जो संस्कृत से बिना परिवर्तन के हिंदी में लिए गए होते हैं। 'बयार' और 'काज' तद्भव शब्द हैं। 'आज्ञा', 'राजा', 'स्वामी', 'पक्ष', 'कर्ण', और 'वत्स' तत्सम शब्द हैं।

39. (C): 'हस्तक्षेप' शब्द 'दूसरे के काम में दखल करना' वाक्यांश के लिए उचित एकल शब्द है। इसका अर्थ है किसी अन्य व्यक्ति के कार्यों में अनधिकृत या अवांछित हस्तक्षेप करना।

40. (A): 'वागीश' शब्द व्यंजन संधि का उदाहरण है। इसमें 'वाक्' और 'ईश' शब्दों के मिलने से संधि बनी है, जहां व्यंजन 'क' और स्वर 'ई' का मेल हुआ है। इस प्रकार यह व्यंजन संधि का उदाहरण है।

41. (D): 'पांडित्यता' और 'बाहुल्यता' शब्दों में प्रत्यय संबंधिनी अशुद्धि है। सही रूप 'पांडित्य' और 'बाहुल्य' हैं। 'पांडित्य' का अर्थ विद्वत्ता होता है और 'बाहुल्य' का अर्थ अधिकता होता है।

42. (A): 'व्यक्तिवाचक' भेद 'पुरुषवाचक सर्वनाम' का नहीं है। पुरुषवाचक सर्वनाम के भेद उत्तम पुरुष, मध्यम पुरुष, और अन्य पुरुष होते हैं। व्यक्तिवाचक सर्वनाम नहीं होता बल्कि संज्ञा होता है।

43. (A): 'आज्ञा - अनुज्ञा' विलोमार्थी युग्म संगत नहीं है। 'आज्ञा' का अर्थ आदेश होता है और 'अनुज्ञा' का अर्थ अनुमति होता है। सही विलोमार्थी युग्म 'आज्ञा - अवज्ञा' है। अन्य विकल्प सही विलोमार्थी युग्म हैं।

44. (D): 'आधिकारिक' और 'आध्यात्मिक' शब्द 'अभि' उपसर्ग से निर्मित नहीं हैं। 'आधिकारिक' और 'आध्यात्मिक' शब्दों में 'आधि' और 'आत्मा' क्रमशः उपसर्ग और मूल शब्द हैं। अन्य विकल्प 'अभि' उपसर्ग से बने हैं।

45. (A): 'नगर' व्यक्तिवाचक संज्ञा का उदाहरण नहीं है। व्यक्तिवाचक संज्ञा किसी विशेष व्यक्ति, स्थान या वस्तु के नाम को दर्शाती है, जैसे 'रामायण', 'आगरा', और 'ताजमहल'। 'नगर' जातिवाचक संज्ञा है जो किसी भी सामान्य नगर को सूचित करता है।

46. (B): He **would** sleep after reading at least 20 pages every night, when he lived in the hostel. The use of "would" is correct here as it describes a habitual action in the past.

47. (B): He has been living **in, for** the last three years. "In" is used to indicate location, and "for" is used to indicate the duration of time.

48. (C): I met Mr. Shah at **the** U.S. airport. "The" is used here because it specifies a particular airport, which is understood to be a specific one.

49. (B): You are **meanest** among criminals. "Meanest" is the superlative form of "mean," which is used to compare one person to all others in a group.

50. (C): Epidemic is a disease that spreads over a large area. An epidemic refers to the widespread occurrence of an infectious disease in a community at a particular time.

51. (A): The word "likely" in the sentence "She is likely to come today" functions as an **Adverb**. It describes the likelihood of her coming.

52. (B): The antonym of 'adversity' is **prosperity**. While adversity refers to difficult or unfavourable conditions, prosperity denotes a state of success or good fortune.

53. (C): You will fail **unless** you work very hard. "Unless" is a conjunction used to indicate the condition under which something will happen.

54. (C): The synonym of 'Filthy' is **dirty**. Both words describe something that is unclean or covered with dirt.

55. (B): The idiom "To pay off old scores" means to **have revenge**. It refers to settling past grievances or conflicts.

56. (C): 'Misanthrop' is **one who hates mankind**. The term "misanthrop" refers to a person who has a general dislike or distrust of humankind.

57. (A): The word 'pious' means **religious and moral**. It describes someone who is devoutly religious and adheres to moral principles.

58. (D): He broke her heart by turning down her proposal. This sentence is correct because "broke" is the past tense of "break."

59. (D): He loves his sister more than anyone else. "Loves" is the correct form of the verb to match the subject "He" and the present tense.

60. (D): Look! Here **comes** the director of the drama. "Comes" is the correct present tense form for this sentence, indicating the current arrival of the director.

61. (C): दिया गया है,

$$\tan\alpha + \sin\alpha = m$$

तथा $\tan\alpha - \sin\alpha = n$,

$$\therefore m^2 - n^2 = (\tan\alpha + \sin\alpha)^2 - (\tan\alpha - \sin\alpha)^2$$

$$= \tan^2\alpha + \sin^2\alpha + 2\tan\alpha\sin\alpha - \tan^2\alpha - \sin^2\alpha + 2\tan\alpha\sin\alpha$$

$$\Rightarrow m^2 - n^2 = 4\tan\alpha\sin\alpha \quad \ldots(i)$$

तथा $4\sqrt{mn} = 4\sqrt{(\tan\alpha + \sin\alpha)(\tan\alpha - \sin\alpha)}$

$$= 4\sqrt{\tan^2\alpha - \sin^2\alpha}$$

$$= 4\sqrt{\frac{\sin^2\alpha}{\cos^2\alpha} - \sin^2\alpha}$$

$$= 4\sqrt{\frac{\sin^2\alpha(1-\cos^2\alpha)}{\cos^2\alpha}}$$

$$= 4\sqrt{\frac{\sin^4\alpha}{\cos^2\alpha}} = 4\frac{\sin^2\alpha}{\cos\alpha}$$

$$= 4\tan\alpha\sin\alpha$$

$$\Rightarrow \quad 4\sqrt{mn} = 4\tan\alpha\sin\alpha \qquad \ldots(ii)$$

समीकरण (*i*) तथा (*ii*) से हम पाते हैं, $m^2 - n^2 = 4\sqrt{mn}$.

62. (B): दो संख्याओं का योग

$$A + B = 2 \times 20 = 40 \qquad \ldots(i)$$
$$B + C = 2 \times 19 = 38 \qquad \ldots(ii)$$
$$C + A = 2 \times 21 = 42 \qquad \ldots(iii)$$

समीकरण (*i*), (*ii*) तथा (*iii*) को जोड़ने पर हम पाते हैं

$$2(A + B + C) = 40 + 38 + 42$$
$$\Rightarrow \quad A + B + C = 60 \qquad \ldots(iv)$$

समीकरण (*iv*) में से (*ii*) को घटाने पर हम पाते हैं

$$A = 60 - 38 \Rightarrow A = 22.$$

63. (C): दिया गया है, ACE = 1925

$\Rightarrow$ A^2 C^2 E^2 → 1 9 25

तथा BIG = 48149

$\Rightarrow$ B^2 I^2 G^2 → 4 81 49

इसी प्रकार, DOG = 1622549

$\Rightarrow$ D^2 O^2 G^2 → 16 225 49

अतः 'DOG' को उसी भाषा में 1622549 लिखा जाएगा।

64. (C): 5 10 26 50 122 ?

$\Rightarrow$ 2^2+1 3^2+1 5^2+1 7^2+1 11^2+1

दिए गए विकल्प से,

$$13^2 + 1 = 169 + 1 = 170$$

$\therefore$? = $\boxed{170}$

अतः अगला पद 170 होगा।

65. (C): मेजर, कर्नल तथा ब्रिगेडियर ये आर्मी में होते हैं जबकि एडमिरल नेवी में होता है। अतः एडमिरल भिन्न है।

66. (D): दिया गया है, A > B > E > D > C

यहाँ पर, A सबसे भारी है।

67. (A): दिया गया है P A G E S → (+2, +3, +2, +3, +2) → R D I H U

तथा W R I T E → (+2, +3, +2, +3, +2) → Y U K W G

इसी प्रकार, O T H E R → (+2, +3, +2, +3, +2) → Q W J H T

अतः OTHER को उसी भाषा में OWJHT लिखा जाएगा।

68. (B):

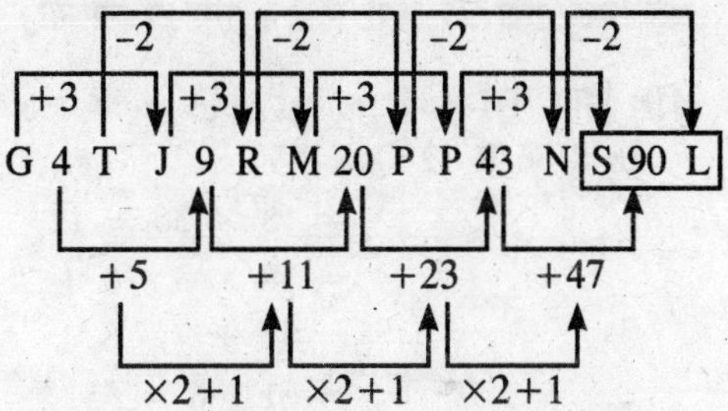

अतः श्रेणी का अगला पद = S90L.

69. (A):

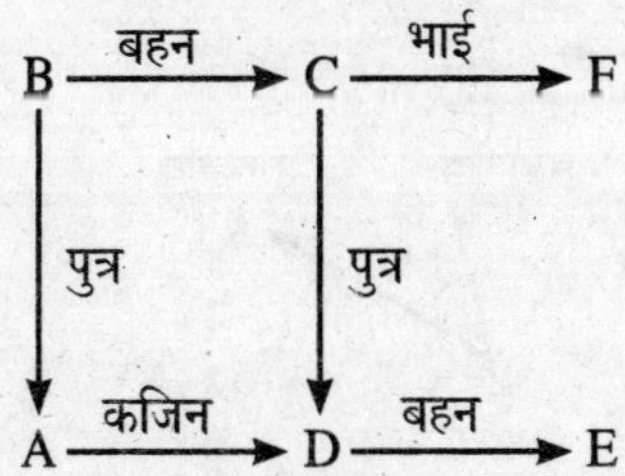

यहाँ A, D की कजिन है।

70. (B): माना कि 1 पुस्तक का क्रय मूल्य = ₹ 1

तब 20 पुस्तकों का क्रय मूल्य = ₹ 20

तथा 20 पुस्तकों का विक्रय मूल्य = 15 पुस्तकों का क्रय मूल्य = ₹ 15

हानि = क्रय मूल्य – विक्रय मूल्य = 20 – 15 = ₹ 5

$$\therefore \quad \text{हानि \%} = \frac{\text{हानि} \times 100}{\text{क्रय मूल्य}} = \frac{5 \times 100}{20} = 25\%$$

अतः हानि 25% है।

71. (B): दिया गया शब्द : BRAKES

वर्णमाला के क्रमानुसार : A B E [K] R [S]

अतः 2 अक्षरों के स्थान में परिवर्तन नहीं होगा।

72. (D): माना कि राशि = P

तब, $$3P = P\left(1+\frac{r}{100}\right)^7$$

$$\Rightarrow \quad 3 = \left(1+\frac{r}{100}\right)^7$$

$$\Rightarrow \quad (3)^3 = \left[\left(1+\frac{r}{100}\right)^7\right]^3$$

$$\Rightarrow \quad 27 = \left(1+\frac{r}{100}\right)^{21}$$

$$\Rightarrow \quad 27P = P\left(1+\frac{r}{100}\right)^{21}$$

अतः यह राशि 21 वर्षों में 27 गुना हो जाएगी।

73. (C): दिया गया है, P = +, Q = –, R = ÷, S = ×

∴ 18 S 36 R 12 Q 6 P 7

$= 18 \times 36 \div 12 - 6 + 7$
$= 18 \times 3 - 6 + 7$
$= 54 + 7 - 6$
$= 61 - 6 = 55.$

74. (D): दिया गया है, A पूर्व दिशा की ओर है

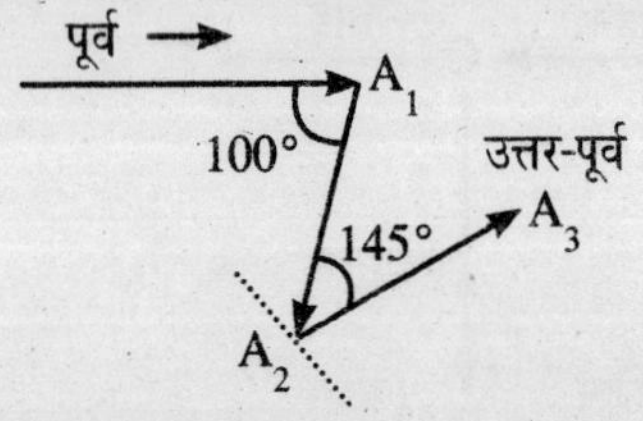

अतः A अब उत्तर-पूर्व दिशा की ओर है।

75. (C): दिया गया है, y का $x\%$ = 100

$$\Rightarrow \quad y \times \frac{x}{100} = 100$$

$$\Rightarrow \quad xy = 10000 \quad \ldots(i)$$

$$z \text{ का } y\% = 200$$

$$\Rightarrow \quad \frac{yz}{100} = 200$$

$$\Rightarrow \quad yz = 20000 \quad \ldots(ii)$$

समीकरण (i) तथा (ii) से हम पाते हैं कि

$$\frac{10000}{x} = \frac{20000}{z}$$

$$\Rightarrow \quad \frac{1}{x} = \frac{2}{z}$$

$$\Rightarrow \quad 2x = z$$

$$\Rightarrow \quad z = 2x.$$

76. (D): दिया गया है,

$$\sqrt{0.05 \times 0.5 \times a} = 0.5 \times 0.5 \times \sqrt{b}$$

दोनों तरफ वर्ग करने पर हम पाते हैं,

$$0.05 \times 0.5 \times a = \left(0.5 \times 0.5 \times \sqrt{b}\right)^2$$

$$\Rightarrow \quad 0.05 \times 0.5 \times a = 0.5 \times 0.5 \times 0.5 \times 0.5 \times b$$

$$\Rightarrow \quad \frac{a}{b} = \frac{0.5 \times 0.5 \times 0.5 \times 0.5}{0.05 \times 0.5}$$

$$\Rightarrow \quad \frac{a}{b} = \frac{0.25 \times 0.5}{0.05} = \frac{25 \times 0.5}{5}$$

$$= 5 \times 0.5 = 2.5$$

$$\Rightarrow \quad \frac{a}{b} = 2.50.$$

77. (B): दिया गया है, नियमित बहुभुज की भुजाओं की संख्या = 10

$$\Rightarrow \quad n = 10$$

∴ बहुभुज के सभी अन्तःकोणों का योग

$= (n - 2)\pi = (10 - 2)\pi = 8\pi.$

78. (C):

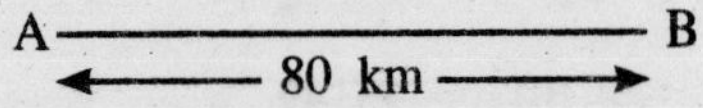

कुल लिया गया समय = 7 घंटे

माना कि पैदल तय की गई दूरी = x किमी.

∴ साइकिल द्वारा तय की गई दूरी = $(80 - x)$ किमी.

प्रश्नानुसार,

$$\frac{x}{8} + \frac{80 - x}{16} = 7$$

$$\Rightarrow \quad \frac{2x + 80 - x}{16} = 7$$

$$\Rightarrow \quad x + 80 = 112$$

$$\Rightarrow \quad x = 32$$

अतः पैदल तय की गई दूरी = 32 किमी.।

79. (D): माना कि समबाहु ΔABC तथा $AD \perp BC$

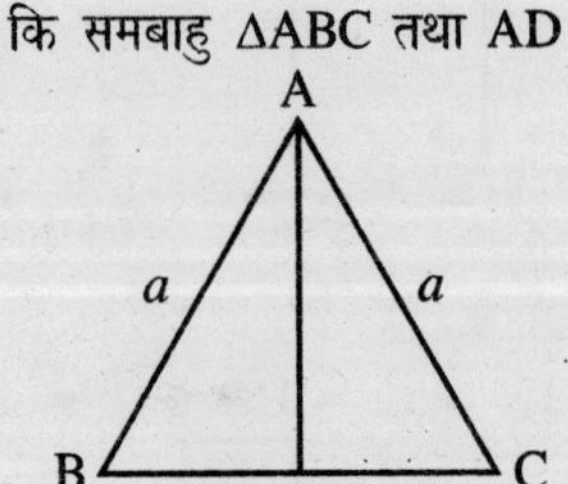

तब AD, त्रिभुज की ऊँचाई है

$$\therefore \quad AD = \sqrt{AC^2 - DC^2}$$

$$= \sqrt{a^2 - \frac{a^2}{4}} = \sqrt{\frac{3a^2}{4}} = \frac{\sqrt{3}}{2}a$$

∴ समबाहु त्रिभुज की भुजा एवं ऊँचाई का अनुपात

$$= a : \frac{\sqrt{3}}{2}a = 2 : \sqrt{3}$$

अतः अभीष्ट अनुपात = $2 : \sqrt{3}$.

80. (A): चक्रीय चतुर्भुज के कोण द्विभाजकों द्वारा निर्मित चतुर्भुज स्वयं एक चक्रीय चतुर्भुज होता है। यह परिणाम चक्रीय चतुर्भुज के गुणों और कोण द्विभाजकों के उन बिंदुओं पर मिलने से उत्पन्न होता है जो एक अन्य चक्रीय चतुर्भुज बनाते हैं। चक्रीय चतुर्भुज के गुण और समरूपता यह सुनिश्चित करती है कि कोण द्विभाजक भी एक ऐसी आकृति बनाते हैं जो चक्रीय प्रकृति को बनाए रखती है।

81. (D): जॉर्ज थॉमस एक आयरिश सैनिक थे जिन्होंने 18वीं शताब्दी के अंतिम दशक में हरियाणा में अपना राज्य स्थापित किया था। उन्हें इस क्षेत्र में एक गढ़ बनाने और खुद को शासक घोषित करने के लिए जाना जाता है। थॉमस ने उस अवधि के दौरान हरियाणा के इतिहास में एक महत्वपूर्ण भूमिका निभाई, इसके विकास और रक्षा में पर्याप्त योगदान दिया।

82. (C): भिराना, एक सिंधु-सरस्वती घाटी स्थल, हरियाणा के फतेहाबाद जिले में स्थित है। यह स्थल इस क्षेत्र के सबसे पुराने स्थलों में से एक है, जो प्रारंभिक हड़प्पा संस्कृति के महत्वपूर्ण पुरातात्विक साक्ष्य प्रदान करता है। भिराना में उत्खनन से पूर्व हड़प्पा काल से लेकर परिपक्व हड़प्पा काल तक निरंतर निवास का पता चला है।

83. (A): पलक गुलिया, जिन्होंने एशियाई खेलों 2023 में एक व्यक्तिगत स्पर्धा में स्वर्ण पदक जीता, हरियाणा के झज्जर जिले से हैं। उनकी उपलब्धि ने जिले को गौरवान्वित किया और क्षेत्र से उभरती खेल प्रतिभाओं को उजागर किया। पलक की सफलता खेल के क्षेत्र में हरियाणा की बढ़ती प्रमुखता का प्रमाण है।

84. (B): हरियाणा के राज्यपालों में से एक श्री जयसुख लाल हाथी भारत की संविधान सभा के सदस्य भी थे। उन्होंने भारतीय संविधान के प्रारूपण में महत्वपूर्ण भूमिका निभाई। राज्यपाल के रूप में उनका कार्यकाल हरियाणा के राजनीतिक और प्रशासनिक ढांचे में उनके योगदान के लिए जाना जाता है।

85. (C): हरियाणा के गुरुग्राम जिले में सुल्तानपुर राष्ट्रीय उद्यान स्थित है। यह अपनी समृद्ध जैव विविधता और प्राकृतिक सुंदरता के कारण असंख्य आगंतुकों और पक्षी देखने वालों को आकर्षित करता है।

86. (D): हरियाणा का वह शहर जो कृषि उपकरणों के निर्माण के लिए प्रसिद्ध है, समालखा है। पानीपत जिले में स्थित समालखा कृषि उपकरणों और मशीनरी के उत्पादन के लिए प्रसिद्ध है। इस शहर में एक महत्वपूर्ण औद्योगिक आधार है जो क्षेत्र और उसके आसपास के किसानों की जरूरतों को पूरा करने के लिए कृषि उपकरणों की एक विस्तृत शृंखला के निर्माण के लिए समर्पित है।

87. (A): करोह चोटी की ऊंचाई 1400 मीटर से अधिक है। करोह चोटी वास्तव में हरियाणा की सबसे ऊँची चोटी है, और यह समुद्र तल से लगभग 1,467 मीटर (4,813 फीट) की ऊँचाई पर स्थित है। इसलिए, सही उत्तर यह है कि करोह चोटी की ऊँचाई 1400 मीटर से अधिक है।

88. (B): बाबा फरीदुद्दीन सूफी संत थे जिन्होंने हरियाणा क्षेत्र में चिश्ती सिलसिले की स्थापना की थी। बाबा फरीद, जिन्हें फरीदुद्दीन गंजशकर के नाम से भी जाना जाता है, चिश्ती संप्रदाय के एक प्रमुख सूफी संत थे और उन्हें हरियाणा के कुछ हिस्सों सहित भारतीय उपमहाद्वीप में इस संप्रदाय की शिक्षाओं और प्रथाओं को फैलाने का श्रेय दिया जाता है।

89. (D): हरियाणा में 74 उप-मंडल हैं। जिलों को अधिक प्रभावी ढंग से प्रबंधित और संचालित करने के लिए राज्य को प्रशासनिक रूप से कई उप-मंडलों में विभाजित किया गया है। ये उप-मंडल प्रशासन को विकेंद्रीकृत करने और राज्य में स्थानीय शासन को बेहतर बनाने में मदद करते हैं।

90. (B): शिवालिक विकास एजेंसी का मुख्यालय अंबाला में है। हरियाणा सरकार ने मार्च 1993 में क्षेत्र-केंद्रित विकास की सुविधा के लिए कार्यान्वयन विंग के रूप में शिवालिक विकास बोर्ड (SDB) के साथ एक स्वतंत्र बोर्ड का गठन किया। एसडीबी के अंतर्गत आने वाला क्षेत्र संपूर्ण पंचकूला, अंबाला और यमुना नगर जिला है। 1993 में अपनी स्थापना के समय, एसडीए के मुख्य लक्ष्य और उद्देश्य, जैसा कि इसके एसोसिएशन के ज्ञापन (एमओए) में कहा गया था, ये थे :

- तकनीकी-आर्थिक और अन्य विस्तृत सर्वेक्षणों के आधार पर शिवालिक क्षेत्र के सर्वांगीण विकास के लिए विशेष व्यापक सर्वेक्षण करना।
- सामान्य रूप से लोगों और विशेष रूप से चिन्हित लाभार्थियों के जीवन स्तर को ऊपर उठाने के लिए विशिष्ट योजनाएं तैयार करना।
- एजेंसी द्वारा निर्धारित लक्ष्य को प्राप्त करने के लिए आवश्यक क्षेत्र में ढांचागत सुविधाओं को और मजबूत करने के लिए अन्य बातों के साथ-साथ क्षेत्र विकास योजनाएं शुरू करना।
- एजेंसी द्वारा शुरू की गई योजनाओं और राज्य और केंद्र सरकार और अन्य संस्थानों द्वारा कार्यान्वित की जा रही सभी अन्य चल रही योजनाओं/कार्यक्रमों की प्रगति की समीक्षा करना ताकि उन्हें एजेंसी द्वारा शुरू की गई विशेष योजनाओं के साथ जोड़ा जा सके।

- अपने कार्यक्रमों को क्रियान्वित करने के लिए, एजेंसी सीधे या एजेंसी द्वारा तय किए गए स्वैच्छिक संगठनों सहित अन्य स्रोतों के माध्यम से कार्य कर सकती है।

91. (B): $\because$ एक वृत्त के अन्दर a भुजा वाले समबाहु त्रिभुज की त्रिज्या $= \dfrac{a}{\sqrt{3}}$

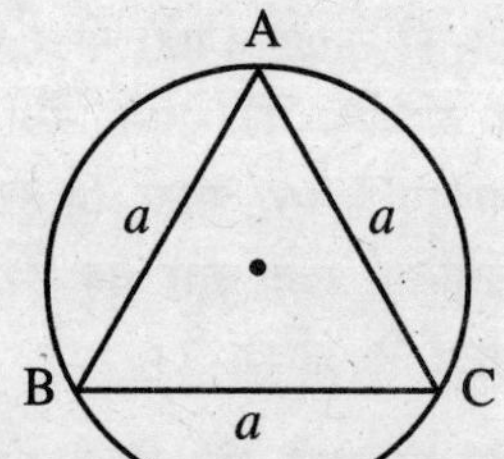

$$\Rightarrow \quad r = \frac{a}{\sqrt{3}}$$

$$\Rightarrow \quad 10 = \frac{a}{\sqrt{3}}$$

$$\Rightarrow \quad a = 10\sqrt{3}$$

अतः समबाहु त्रिभुज ABC की एक भुजा की लम्बाई $= 10\sqrt{3}$ सेमी.।

92. (B): एक स्वयंसिद्ध एक मौलिक सिद्धांत या कथन है जिसे बिना प्रमाण के सत्य के रूप में स्वीकार किया जाता है। यह अन्य सत्यों को निकालने और अनुमान लगाने के लिए एक प्रारंभिक बिंदु के रूप में कार्य करता है। स्वयंसिद्धों को तर्क या गणित की एक विशेष प्रणाली के भीतर स्वयं-स्पष्ट और सार्वभौमिक रूप से स्वीकृत सत्य माना जाता है। प्रमेयों के विपरीत, जिन्हें प्रमाण की आवश्यकता होती है, स्वयंसिद्धों को दिए गए रूप में स्वीकार किया जाता है और गणितीय प्रणाली की नींव बनाने के लिए उपयोग किया जाता है। इसलिए, एक स्वयंसिद्ध का सबसे उपयुक्त वर्णन यह है कि वे गणितीय सत्य हैं जिन्हें सिद्ध या असिद्ध नहीं किया जा सकता है।

93. (B): दिया गया है,

एक लम्बवृत्तीय बेलन के आधार का परिमाप = 44 सेमी.

$$\Rightarrow \quad 2\pi r = 44$$

$$\Rightarrow \quad 2\times\frac{22}{7}r = 44$$

$$\Rightarrow \quad r = 7 \text{ सेमी. तथा } h = 8 \text{ सेमी.}$$

$$\therefore \quad \text{बेलन का आयतन} = \pi r^2 h = \frac{22}{7}\times 7\times 7\times 8 = 22 \times 56 = 1232 \text{ सेमी.}^3.$$

94. (C): गणितीय तर्क के संदर्भ में, कथन 'A का तात्पर्य B से है' का अर्थ है कि यदि A सत्य है, तो B भी सत्य होना चाहिए। यह संबंध दर्शाता है कि A, B के लिए पर्याप्त शर्त है। इसका अर्थ है कि A की सत्यता B की सत्यता की गारंटी देती है। हालाँकि, इसका यह अर्थ नहीं है कि A ही B के सत्य होने का एकमात्र तरीका है, न ही इसका यह अर्थ है कि B, A के लिए एक आवश्यक शर्त है।

95. (A): दिया गया है,
$$x = \frac{3}{4}\div\frac{5}{6} = \frac{3}{4}\times\frac{6}{5} = \frac{3}{2}\times\frac{3}{5} = \frac{9}{10}$$

$$\text{तथा } y = 3 \div [(4 \div 5) \div 6] = 3\div\left[\left(\frac{4}{5}\right)\div 6\right] = 3\div\left[\frac{4}{5}\times\frac{1}{3}\right] = 3\div\left[\frac{4}{15}\right] = 3\times\frac{15}{4} = \frac{45}{4}$$

$$\Rightarrow \quad y = \frac{45}{4}$$

$$\text{तथा } w = 3 \div 4\,(5 \div 6) = 3\div 4\left(\frac{5}{6}\right) = 3\div\frac{10}{3} = 3\times\frac{3}{10} = \frac{9}{10}$$

$$\Rightarrow \quad w = \frac{9}{10}$$

$\therefore x = w.$

96. (A): उत्तल चतुर्भुज को एक चतुर्भुज के रूप में परिभाषित किया जाता है, जिसके सभी आंतरिक कोण 180° से कम होते हैं। यह गुण सुनिश्चित करता है कि चतुर्भुज के सभी शीर्ष बाहर की ओर इंगित करते हैं, और कोई भी विकर्ण चतुर्भुज के बाहर नहीं होता है। यह अवतल चतुर्भुज के विपरीत है, जहाँ कम से कम एक आंतरिक कोण 180° से अधिक होता है।

97. (B): माना कि 1 वस्तु का विक्रय मूल्य = ₹ 1

तब 20 वस्तुओं का क्रय मूल्य = ₹ x

20 वस्तुओं का विक्रय मूल्य = ₹ 20

$$\therefore \quad \text{लाभ} = \text{वि.मू.} - \text{क्र.मू.} = ₹\,(20 - x)$$

$$\Rightarrow \quad \text{लाभ \%} = \frac{\text{लाभ}\times 100}{\text{क्रय मूल्य}}$$

$$\Rightarrow \quad 25 = \frac{(20-x)\times 100}{x}$$

$\Rightarrow \quad 25x = (20 - x) \times 100$
$\Rightarrow \quad x = (20 - x) \times 4$
$\Rightarrow \quad x = 80 - 4x$
$\Rightarrow \quad x + 4x = 80$
$\Rightarrow \quad 5x = 80 \Rightarrow x = 16.$

98. (B): गणित में परिभाषा एक सटीक कथन है जो किसी शब्द या अवधारणा का अर्थ बताता है। इस मामले में, शिक्षक द्वारा दिया गया कथन परिभाषित करता है कि एक सर्वनिष्ठ भाजक क्या है : 'दो पूर्णांकों का सर्वनिष्ठ भाजक वह संख्या है जो दिए गए दोनों पूर्णांकों को विभाजित करती है।' यह 'सर्वनिष्ठ भाजक' शब्द की एक औपचारिक परिभाषा है।

99. (A): प्रेक्षणों को बढ़ते क्रम में व्यवस्थित करने पर,
6, 8, 10, 10, 15, 15, 15, 50, 80, 100, 120

परासर = अधिकतम – न्यूनतम
= 120 – 6 = 114

बहुलक = महत्तम आवृत्ति = 15

तथा माध्यिका के लिए, $n = 11$ (विषम संख्या)

माध्यिका $= \frac{n+1}{2}$ वाँ पद

$= \frac{11+1}{2}$ = 6वाँ पद = 15

अब परासर, बहुलक तथा माध्यिका का माध्य

$$= \frac{114+15+15}{3} = \frac{144}{3} = 48.$$

100. (D): $\because$ दो संख्याओं का गुणनफल = ल.स. × म.स.

$\therefore \quad a \times b = 6 \times 210$

$\Rightarrow \quad ab = 6 \times 210 \quad \ldots(i)$

दिया गया है, $\quad a + b = 72 \quad \ldots(ii)$

समीकरण (i) तथा (ii) से हम पाते हैं,

$$\frac{a+b}{ab} = \frac{72}{ab}$$

$$\Rightarrow \quad \frac{1}{a}+\frac{1}{b} = \frac{72}{6\times 210} = \frac{12}{210}$$

$$\Rightarrow \quad \frac{1}{a}+\frac{1}{b} = \frac{2}{35}.$$

101. (A): $\because$ म.स. $= x - a$

$\therefore \quad x - a = 0 \Rightarrow x = a$

$x^2 + x - 12 = 0$
$\Rightarrow \quad a^2 + a - 12 = 0$
$\Rightarrow \quad a^2 + 4a - 3a - 12 = 0$
$\Rightarrow \quad a(a + 4) - 3(a + 4) = 0$
$\Rightarrow \quad (a + 4)(a - 3) = 0$

या तो $a = -4$ या $a = 3$

$2x^2 - ax - 9 = 0$
$\Rightarrow \quad 2a^2 - a^2 - 9 = 0$
$\Rightarrow \quad a^2 = 9 \Rightarrow a = 3$

अतः a का मान = 3.

102. (A): दिया गया है, फर्श की लम्बाई = 15 मी. 17 सेमी.
= 1517 सेमी. = 41 × 37

तथा फर्श की चौड़ाई = 9 मी. 2 सेमी.
= 902 सेमी. = 41 × 22

$\because$ 1517 और 902 का म.स. = 41

$\therefore$ वर्गाकार टाइल की भुजा की लम्बाई = 41 सेमी.

अतः अभीष्ट टाइलों की संख्या = 37 × 22 = 814.

103. (B): गणित पढ़ाने का सबसे अच्छा शैक्षणिक दृष्टिकोण शिक्षार्थियों को उनकी मौजूदा क्षमताओं को विकसित करने के लिए प्रेरित करना है। यह दृष्टिकोण छात्रों को जो वे पहले से जानते हैं, उसी को आगे विकसित करने के लिए प्रोत्साहित करता है, एक गहरी समझ और विकास की मानसिकता को बढ़ावा देता है। छात्रों को प्रेरित करके और उनकी व्यक्तिगत सीखने की जरूरतों को संबोधित करके, शिक्षक छात्रों को गणित में आत्मविश्वास और क्षमता विकसित करने में मदद कर सकते हैं।

104. (C): जब किसी छात्र को समस्याओं को हल करने के लिए ज्यामितीय प्रमेयों को लागू करने में कठिनाई होती है, तो शिक्षक के लिए सबसे उपयुक्त रणनीति बहु-संवेदी मॉडल और शिक्षण सहायक सामग्री का उपयोग करना है। यह दृष्टिकोण छात्रों को कई इंद्रियों को शामिल करके और ठोस उदाहरण प्रदान करके विभिन्न प्रमेयों और उनके अनुप्रयोगों को समझने में मदद करता है। दृश्य सहायता, भौतिक मॉडल और इंटरैक्टिव टूल का उपयोग करके अमूर्त अवधारणाओं को अधिक मूर्त और सुलभ बनाया जा सकता है, जिससे छात्रों की समझ और प्रमेयों को प्रभावी ढंग से लागू करने की क्षमता में सुधार होता है।

105. (B): माना कि $2^x = 5^y = 10^{-z} = k$,

तब $\quad k^{\frac{1}{x}} = 2,\ k^{\frac{1}{y}} = 5,\ k^{-\frac{1}{z}} = 10$

अब, $\quad 2 \times 5 = 10$

$$\Rightarrow \quad k^{\frac{1}{x}} \times k^{\frac{1}{y}} = k^{-\frac{1}{z}}$$

$$\Rightarrow \quad k^{\left(\frac{1}{x}+\frac{1}{y}\right)} = k^{-\frac{1}{z}}$$

$$\Rightarrow \quad \frac{1}{x}+\frac{1}{y} = -\frac{1}{z}$$

$$\Rightarrow \quad \frac{1}{x}+\frac{1}{y}+\frac{1}{z} = 0.$$

106. (B): $\frac{9^n \times 3^2 \times \left\{(3)^{-n/2}\right\}^{-2} - (27)^n}{3^{3m} \times 2^3} = \frac{1}{27}$

$\Rightarrow \quad \frac{3^{2n} \times 3^2 \times \{3^n\} - 3^{3n}}{3^{3m} \times 2^3} = \frac{1}{3^3}$

$\Rightarrow \quad \frac{3^{2n+2+n} - 3^{3n}}{3^{3m} \times 2^3} = \frac{1}{3^3}$

$\Rightarrow \quad \frac{3^{2n+2} - 3^{3n}}{3^{3m} \times 2^3} = \frac{1}{3^3}$

$\Rightarrow \quad \frac{3^{3n+2} - 3^{3n}}{3^{3m} \times 2^3} = \frac{1}{3^3}$

$\Rightarrow \quad \frac{3^{3n}(8)}{3^{3n} \times 8} = \frac{1}{3^3}$

$\Rightarrow \quad \frac{3^{3n}}{3^{3m}} = \frac{1}{3^3}$

$\Rightarrow \quad 3^{3n - 3m} = 3^{-3}$

$\Rightarrow \quad 3n - 3m = -3$

$\Rightarrow \quad n - m = -1$

$\Rightarrow \quad m - n = 1.$

107. (A): 'गणित, तर्क प्रवृत्ति को मन में व्यवस्थित करने का/बसाने का एक तरीका है' की परिभाषा जॉन लॉक द्वारा दी गई है। लॉक एक प्रमुख दार्शनिक थे जिन्होंने तर्क कौशल और तार्किक सोच विकसित करने के महत्व पर जोर दिया। यह परिभाषा शिक्षा और मानव मन के विकास पर उनके विचारों से मेल खाती है।

109. (D): माना कि संख्या x है

तब, $\quad x - 35 = x \times \frac{80}{100}$

$\Rightarrow \quad x - 35 = \frac{4}{5}x$

$\Rightarrow \quad x - \frac{4}{5}x = 35$

$\Rightarrow \quad \frac{1}{5}x = 35$

$\Rightarrow \quad x = 175$

$\therefore \quad x$ का $\frac{4}{5} = 175 \times \frac{4}{5}$

$= 35 \times 4 = 140$

अतः संख्या का $\left(\frac{4}{5}\right)$वाँ भाग $= 140$.

110. (C): गणितीय प्रमेय एक कथन है जिसे पहले से स्थापित कथनों, जैसे कि अन्य प्रमेयों और स्वयंसिद्धों के आधार पर सत्य सिद्ध किया गया है। गणितीय प्रमेयों के बारे में निम्नलिखित मुख्य बिंदु हैं :

- वे कुछ गणितीय तथ्यों के बारे में सत्य के सामान्यीकृत कथन हैं।
- उन्हें गणितीय रूप से सिद्ध किया जा सकता है।
- किसी प्रमेय को सिद्ध करने के कई तरीके हो सकते हैं।
- अप्रमाणित प्रमेयों को तब तक अनुमान कहा जाता है जब तक कि वे सिद्ध न हो जाएं।

इस प्रकार, यह कथन कि 'किसी भी प्रमेय को सिद्ध करने का केवल एक ही तरीका है' गणितीय प्रमेयों के बारे में सत्य नहीं है।

111. (B): दिया गया है, एक त्रिभुज जिसकी तीनों भुजाएँ बराबर हैं

$\Rightarrow$ एक समबाहु त्रिभुज

$\therefore$ समबाहु त्रिभुज का क्षेत्रफल $= \frac{\sqrt{3}}{4} \times (\text{भुजा})^2$

$\therefore \quad 4\sqrt{3} = \frac{\sqrt{3}}{4} \times (\text{भुजा})^2$ वर्ग सेमी.

$\Rightarrow \quad (\text{भुजा})^2 = 16 = (4)^2$

$\Rightarrow \quad (\text{भुजा}) = 4$ सेमी.

$\therefore$ त्रिभुज का परिमाप $= 3 \times (\text{भुजा})$

$= 3 \times 4 = 12$ सेमी.।

112. (B): जब कोई शिक्षक एक वृत्ताकार कागज को पतले-पतले त्रिज्यखण्डों में काटता है और उन्हें एक आयत बनाने के लिए संरेखित करता है, तो यह वृत्त के क्षेत्रफल के सूत्र को दर्शाने वाली एक गतिविधि है। त्रिज्यखण्डों को पुनर्व्यवस्थित करके, शिक्षक यह प्रदर्शित कर रहा है कि वृत्त का क्षेत्रफल एक आयत के क्षेत्रफल से अनुमानित किया जा सकता है जिसकी एक भुजा त्रिज्या के बराबर और दूसरी भुजा परिधि के आधे के बराबर हो।

113. (B): 10 के गुणनखण्ड : 1, 2, 5, 10

$\therefore$ गुणनखंडों का माध्य $= \frac{1+2+5+10}{4}$

$= \frac{18}{4} = \frac{9}{2} = 4.5.$

114. (D): वर्णित गतिविधि में छात्रों द्वारा विशिष्ट उदाहरणों के माध्यम से एक सामान्य नियम की खोज करना शामिल है। वे चतुर्भुज बनाते हैं, उनके कोण मापते हैं, और देखते हैं कि कोणों का योग 360 डिग्री के करीब या ठीक 360 डिग्री है। विशिष्ट अवलोकनों से सामान्य निष्कर्ष तक जाने की यह प्रक्रिया शिक्षण के लिए आगमनात्मक दृष्टिकोण का एक उदाहरण है।

115. (C): $y = 597 \times 10^{22} + 73.5 \times 10^{21}$

$$\Rightarrow \quad 6.0435 \times 10^n = 597 \times 10^{22} + 73.5 \times 10^{21}$$
$$\Rightarrow \quad 6.0435 \times 10^n = 10^{21}(597 \times 10 + 73.5)$$
$$\Rightarrow \quad 6.0435 \times 10^n = 10^{21}(5970 + 73.5)$$
$$\Rightarrow \quad 6.0435 \times 10^n = 10^{21}(6043.5)$$
$$\Rightarrow \quad 10^n = \frac{10^{21}(6043.5)}{6.0435}$$
$$\Rightarrow \quad 10^n = 10^{21} \times 1000$$
$$= 10^{21} \times 10^3$$
$$\Rightarrow \quad 10^n = 10^{24}$$
$$\Rightarrow \quad n = 24.$$

116. (B): गणित प्रयोगशाला को छात्रों को व्यावहारिक गतिविधियों और ठोस शिक्षण सामग्री के माध्यम से गणितीय अवधारणाओं को समझने में मदद करने के लिए डिजाइन किया गया है। प्राथमिक उद्देश्यों में शामिल हैं :

- मूर्त शिक्षण अधिगम सामग्री का उपयोग करके छात्रों को गणितीय अवधारणाओं को प्रभावी ढंग से समझने में मदद करना।
- गणित सीखने में छात्रों की रुचि और प्रेरणा को बढ़ाना।
- खेल, पहेलियाँ और मॉडल का उपयोग करके गणितीय समस्या-समाधान पर केंद्रित गतिविधियाँ आयोजित करना।

117. (B): दिया गया है, $a - \frac{1}{a} = \sqrt{21}$

दोनों तरफ वर्ग करने पर, हम पाते हैं,

$$\left(a - \frac{1}{a}\right)^2 = \left(\sqrt{21}\right)^2$$
$$\Rightarrow \quad a^2 + \frac{1}{a^2} - 2 = 21$$
$$\Rightarrow \quad a^2 + \frac{1}{a^2} = 2 + 21$$
$$\Rightarrow \quad a^2 + \frac{1}{a^2} = 23$$
$$\Rightarrow \quad \left(a^2 + \frac{1}{a^2}\right) + 2a.\frac{1}{a} = 23 + 2$$
$$\Rightarrow \quad \left(a + \frac{1}{a}\right)^2 = 25 = (5)^2$$
$$\Rightarrow \quad a + \frac{1}{a} = 5$$
$$\therefore \quad \left(a^2 + \frac{1}{a^2}\right)\left(a + \frac{1}{a}\right) = 23 \times 5 = 115.$$

118. (D): माना कि $a = 24$ सेमी., $b = 25$ सेमी. तथा $c = 7$ सेमी. एक त्रिभुज की भुजाएँ हैं

तब, $$S = \frac{a+b+c}{2}$$
$$= \frac{24+25+7}{2} = \frac{56}{2} = 28 \text{ सेमी.}$$
$$\Rightarrow \quad S = 28 \text{ सेमी.}$$

त्रिभुज का क्षेत्रफल $= \sqrt{S(S-a)(S-b)(S-c)}$
$$= \sqrt{28(28-24)(28-25)(28-7)}$$
$$= \sqrt{28 \times 4 \times 3 \times 21}$$
$$= \sqrt{7 \times 4 \times 4 \times 3 \times 3 \times 7}$$
$$= \sqrt{7^2 \times 4^2 \times 3^2}$$
$$= 7 \times 4 \times 3 = 84 \text{ सेमी.}^2$$

$\because$ त्रिभुज का क्षेत्रफल = आयत का क्षेत्रफल

$$\therefore \quad 84 = l \times b$$
$$\Rightarrow \quad 84 = 14 \times b$$
$$\Rightarrow \quad b = 6 \text{ सेमी.}$$

अतः आयत का परिमाप
$$= 2(l + b)$$
$$= 2(14 + 6)$$
$$= 2 \times 20 = 40 \text{ सेमी.।}$$

119. (B): दिया गया है, ABCD एक समचतुर्भुज है

$$\angle BAC = 50°$$
$$\angle DAC = 50°$$
$$\therefore \quad \angle BAD = \angle BCD = 100°$$

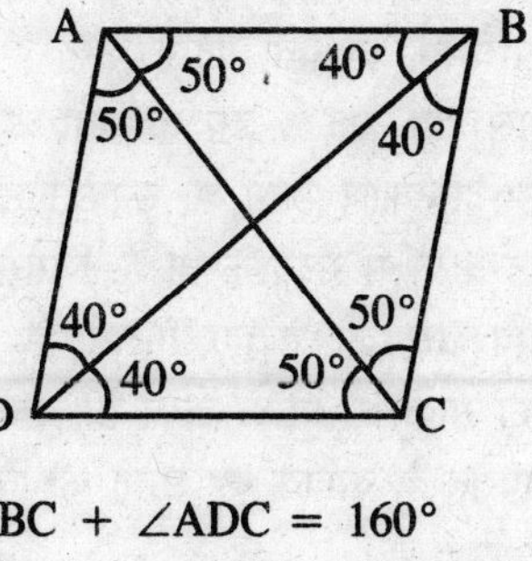

तथा $\angle ABC + \angle ADC = 160°$
$$\Rightarrow \quad \angle ABC = \angle ADC = 80°$$

अब, $3\angle D - 2\angle DAC = 3 \times 80° - 2 \times 50°$
$$= 240° - 100° = 140°.$$

120. (B): माना कि A तथा B की आय क्रमशः $3x$ तथा $2x$ है तथा उनके खर्च $5y$ तथा $3y$ हैं

तब, $3x - 5y = ₹\ 2500$ ...(*i*)

तथा $2x - 3y = ₹\ 2500$ ...(*ii*)

समीकरण (*i*) तथा (*ii*) से, हम पाते हैं

$$3x - 5y = 2x - 3y$$

$$\Rightarrow \quad 3x - 2x = 5y - 3y$$

$$\Rightarrow \quad x = 2y \quad \ldots(iii)$$

समीकरण (*i*) तथा (*iii*) हम पाते हैं कि

$$3 \times 2y - 5y = 2500$$

$$\Rightarrow \quad 6y - 5y = 2500 \Rightarrow y = 2500$$

अतः B का खर्च = $3y = 3 \times 2500 =$ ₹ 7500.

121. (B): ईवीएस शिक्षण में स्वदेशी ज्ञान और दृष्टिकोणों को एकीकृत करने में स्वदेशी समुदायों की समृद्ध सांस्कृतिक प्रथाओं, पारंपरिक पारिस्थितिक ज्ञान और विश्वदृष्टि को सक्रिय रूप से तलाशना और शामिल करना शामिल है। यह दृष्टिकोण पाठ्यक्रम को समृद्ध करता है, विविध शिक्षण अनुभव प्रदान करता है, और सांस्कृतिक विविधता के प्रति सम्मान को बढ़ावा देता है। इन दृष्टिकोणों को स्वीकार करके और उनका मूल्यांकन करके, शिक्षक एक अधिक समावेशी और समग्र शैक्षिक वातावरण बना सकते हैं जो स्वदेशी लोगों के योगदान का सम्मान करता है।

122. (D): कई थर्मल पावर प्लांट आमतौर पर कोयला या तेल क्षेत्रों के पास स्थापित किए जाते हैं ताकि इन जीवाश्म ईंधनों के आसान और अधिक लागत प्रभावी परिवहन की सुविधा मिल सके। बिजली संयंत्रों को उनके प्राथमिक ईंधन के स्रोत के करीब स्थापित करके, रसद लागत को कम किया जाता है, और ईंधन आपूर्ति श्रृंखलाओं की समग्र दक्षता में सुधार होता है। यह रणनीतिक प्लेसमेंट कोयले या पेट्रोलियम को ले जाने की दूरी को कम करता है, जिससे परिवहन लागत और संबंधित रसद चुनौतियों में कमी आती है।

123. (B): ईवीएस शिक्षण के संदर्भ में स्कैफोल्डिंग उस पद्धति को संदर्भित करता है, जिसमें शिक्षक छात्रों को नई अवधारणाएँ सीखने के दौरान प्रारंभिक सहायता प्रदान करते हैं और जैसे-जैसे छात्र अधिक कुशल होते जाते हैं, इस सहायता को धीरे-धीरे कम करते जाते हैं। यह दृष्टिकोण छात्रों को उनके पिछले ज्ञान और कौशल को विकसित करने में मदद करता है, जिससे सीखने में स्वतंत्रता और आत्मविश्वास को बढ़ावा मिलता है। यह एक निर्धारित पाठ्यक्रम का सख्ती से पालन करने या अत्यधिक सहायता प्रदान करने के विपरीत है, क्योंकि यह छात्रों की विकसित होती जरूरतों के अनुकूल होता है।

124. (B): कॉलम-बी में, कैल्शियम कॉलम-ए में खनिजों के अनुरूप है। कैल्शियम जैसे खनिज आवश्यक पोषक तत्व हैं जिनकी शरीर को हड्डियों के निर्माण और रखरखाव, तंत्रिका कार्य और मांसपेशियों के संकुचन सहित विभिन्न कार्यों को करने के लिए आवश्यकता होती है। कैल्शियम, एक खनिज के रूप में, कंकाल प्रणाली की वृद्धि और विकास और समग्र स्वास्थ्य को बनाए रखने के लिए महत्वपूर्ण है।

125. (D): एक पारिस्थितिकी तंत्र में, ऊर्जा का प्रवाह एकतरफा होता है, जिसका अर्थ है कि यह सूर्य से उत्पादकों और फिर उपभोक्ताओं तक एक दिशा में चलता है। दूसरी ओर, सामग्रियों का प्रवाह चक्रीय होता है। पोषक तत्वों के अपघटन और पौधों द्वारा पोषक तत्वों के अवशोषण जैसी प्रक्रियाओं के माध्यम से पारिस्थितिकी तंत्र के भीतर पुनर्नवीनीकरण किया जाता है, जिससे पारिस्थितिकी तंत्र की स्थिरता सुनिश्चित होती है।

126. (C): NEP 2020 के संदर्भ में अनुभवात्मक शिक्षा को प्रोत्साहित किया जाता है और यह ईवीएस शिक्षण का अभिन्न अंग है। इस दृष्टिकोण में प्रत्यक्ष अनुभवों और व्यावहारिक गतिविधियों के माध्यम से सीखना शामिल है, जो छात्रों को सैद्धांतिक ज्ञान को वास्तविक दुनिया के अनुप्रयोगों से जोड़ने में मदद करता है। यह महत्वपूर्ण सोच, समस्या-समाधान और पर्यावरणीय अवधारणाओं की गहरी समझ को बढ़ावा देता है, जिससे सीखना अधिक आकर्षक और प्रभावी हो जाता है।

127. (A): किसी दिए गए परिस्थिति के लिए ऊर्जा के स्रोत का चयन करते समय, स्रोत से होने वाली पर्यावरणीय क्षति निर्णय को प्रभावित करने वाला एक महत्वपूर्ण कारक है। सौर, पवन और जल विद्युत जैसे नवीकरणीय ऊर्जा स्रोतों को अक्सर जीवाश्म ईंधन की तुलना में उनके कम पर्यावरणीय दुष्प्रभाव के कारण पसंद किया जाता है, जो प्रदूषण और जलवायु परिवर्तन में योगदान करते हैं। ऊर्जा स्रोत की स्थिरता और पारिस्थितिक फुटप्रिंट इस निर्णय लेने की प्रक्रिया में महत्वपूर्ण भूमिका निभाते हैं।

128. (B): बादल निर्माण, बारिश और खारे पानी से ताजे पानी के निर्माण जैसी प्राकृतिक प्रक्रियाओं के संबंध में पेश की गई अवधारणा समाधानों की संतृप्ति और अति-संतृप्ति है। इन प्रक्रियाओं में वायुमंडल में जल वाष्प का संघनन और उसके बाद होने वाली वर्षा शामिल है, जो जल चक्र के आवश्यक घटक हैं और मौसम के पैटर्न और मीठे पानी की उपलब्धता को समझने के लिए महत्वपूर्ण हैं।

129. (B): NEP 2020 ईवीएस शिक्षण में पर्यावरण अवधारणाओं के बारे में छात्रों की समझ को मापने के लिए प्रामाणिक मूल्यांकन को बढ़ावा देता है। प्रामाणिक मूल्यांकन में व्यावहारिक, वास्तविक दुनिया के कार्यों और परियोजनाओं के माध्यम से छात्रों का मूल्यांकन करना शामिल है जो ज्ञान को सार्थक संदर्भों में लागू करने की उनकी क्षमता को दर्शाते हैं। यह दृष्टिकोण मानकीकृत या स्मृति-आधारित मूल्यांकन के विपरीत है, क्योंकि यह अवधारणाओं की गहरी समझ और अनुप्रयोग पर केंद्रित है।

130. (C): यदि आप वस्तुओं को वर्गीकृत करने के लिए चुंबकीय आकर्षण के गुण का उपयोग करते हैं, तो लकड़ी और लोहे की मेज अलग-अलग समूहों से संबंधित होंगी। लोहे की मेज अपने फेरोमैग्नेटिक गुणों के कारण चुंबक की ओर आकर्षित होगी,

जबकि लकड़ी की मेज चुंबकीय क्षेत्र से प्रभावित नहीं होगी। यह वर्गीकरण पदार्थों के बीच चुंबकीय गुणों में अंतर पर प्रकाश डालता है।

131. (D): पर्यावरण के मुद्दों में सभी हितधारकों के दृष्टिकोण को समझने के लिए सहानुभूति आवश्यक है। पर्यावरण संरक्षण के बारे में पढ़ाते समय, सहानुभूति को बढ़ावा देने से छात्रों को विभिन्न समुदायों, वन्यजीवों और पारिस्थितिकी तंत्रों पर पर्यावरण क्षरण के प्रभाव से भावनात्मक रूप से जुड़ने में मदद मिलती है। यह समझ छात्रों को सार्थक कार्रवाई करने और संधारणीय प्रथाओं की वकालत करने के लिए प्रोत्साहित करती है, क्योंकि वे पर्यावरणीय चुनौतियों के व्यापक मानवीय और पारिस्थितिक निहितार्थों की सराहना करते हैं।

132. (B): सीवरेज में पाई जाने वाली अशुद्धियों की मुख्य श्रेणियाँ कार्बनिक और अकार्बनिक अशुद्धियाँ हैं। कार्बनिक अशुद्धियों में मानव अपशिष्ट, खाद्य अवशेष और पौधों की सामग्री जैसे पदार्थ शामिल हैं, जबकि अकार्बनिक अशुद्धियों में खनिज, धातु और रासायनिक यौगिक शामिल हैं। इन श्रेणियों को समझने से सार्वजनिक स्वास्थ्य और पर्यावरण की रक्षा के लिए सीवेज के उपचार और प्रबंधन में मदद मिलती है।

133. (C): शिक्षक स्थानीय संदर्भ, केस स्टडी और स्थानीय पर्यावरणीय मुद्दों में छात्रों को शामिल करके विभिन्न क्षेत्रों में अद्वितीय पर्यावरणीय चुनौतियों और अवसरों को संबोधित करने के लिए ईवीएस शिक्षण को अनुकूलित कर सकते हैं। यह दृष्टिकोण छात्रों के लिए सीखने को अधिक प्रासंगिक और आकर्षक बनाता है, क्योंकि वे सामग्री से संबंधित हो सकते हैं और अपने आस-पास के वातावरण पर इसका सीधा प्रभाव देख सकते हैं। यह क्षेत्रीय पर्यावरण संबंधी चिंताओं को संबोधित करने के लिए जिम्मेदारी और सशक्तीकरण की भावना को भी बढ़ावा देता है।

134. (D): विटामिन K का तपेदिक से सही मिलान नहीं किया गया है। जबकि विटामिन K रक्त के थक्के और हड्डियों के स्वास्थ्य के लिए आवश्यक है, यह तपेदिक को रोकता या कम नहीं करता है। तपेदिक एक जीवाणु संक्रमण है जो मुख्य रूप से फेफड़ों को प्रभावित करता है और इसके लिए विशिष्ट चिकित्सा उपचार की आवश्यकता होती है, न कि विटामिन K के साथ पूरकता की।

135. (A): नाइट्रोजन वायुमंडल में सबसे बड़ी मात्रा में मौजूद है, जो वायुमंडलीय हवा का लगभग 78% हिस्सा बनाती है। इसके बाद ऑक्सीजन है, जो लगभग 21% है। नाइट्रोजन की उच्च सांद्रता कई जैविक प्रक्रियाओं के लिए आवश्यक है, हालांकि यह निष्क्रिय है और वायुमंडल में अधिकांश रासायनिक प्रतिक्रियाओं में सीधे भाग नहीं लेती है।

136. (C): ईवीएस रोल-प्ले गतिविधि में, शिक्षकों को छात्रों को विभिन्न भूमिकाओं का पता लगाने और अपने स्वयं के निर्णय लेने की अनुमति देनी चाहिए। यह दृष्टिकोण रचनात्मकता, आलोचनात्मक सोच और सक्रिय भागीदारी को प्रोत्साहित करता है, जिससे सीखने का अनुभव अधिक आकर्षक और प्रभावी हो जाता है। एक कठोर स्क्रिप्ट के बजाय एक लचीला ढांचा प्रदान करने से छात्रों को सिखाई जा रही अवधारणाओं को आंतरिक रूप से समझने में मदद मिलती है।

137. (B): विभिन्न खाद्य वरीयताओं की सराहना करना दैनिक जीवन में सद्भाव और समझ को बढ़ावा देने के लिए विभिन्न व्यंजनों की खोज और साझा करके और अन्य खाद्य विकल्पों का सम्मान करके लागू किया जा सकता है। विविध खाद्य संस्कृतियों के लिए यह खुलापन आपसी सम्मान को बढ़ावा देता है, सामाजिक संपर्कों को समृद्ध करता है, और सांस्कृतिक बाधाओं को तोड़ने में मदद करता है, जिससे अधिक समावेशी और सामंजस्यपूर्ण समाज को बढ़ावा मिलता है।

138. (A): जैव विविधता पृथ्वी पर जीवन की विविधता को संदर्भित करती है, जिसमें पौधों, जानवरों और सूक्ष्मजीवों की सभी प्रजातियाँ शामिल हैं। इसमें प्रजातियों के भीतर आनुवंशिक विविधता, पारिस्थितिकी तंत्र में प्रजातियों की विविधता और स्वयं पारिस्थितिकी तंत्र की सीमा शामिल है। पारिस्थितिकी तंत्र के स्वास्थ्य, लचीलेपन और मानव जीवन को बनाए रखने वाली पारिस्थितिकी तंत्र सेवाओं के प्रावधान के लिए जैव विविधता महत्वपूर्ण है।

139. (B): ऊर्जा हस्तांतरण का दस प्रतिशत नियम लिंडमैन द्वारा वर्ष 1942 में दिया गया था। यह नियम बताता है कि, एक ट्रॉफिक स्तर से दूसरे में ऊर्जा के हस्तांतरण के दौरान, केवल लगभग 10% ऊर्जा ही हस्तांतरित होती है, जबकि शेष 90% गर्मी के रूप में खो जाती है। यह सिद्धांत पारिस्थितिकी तंत्र की संरचना और गतिशीलता को समझाने में मदद करता है, खाद्य श्रृंखलाओं में ऊर्जा हस्तांतरण की अक्षमता को उजागर करता है।

140. (D): स्कूल जाते समय घने जंगल से गुजरते समय वर्णित प्राथमिक संवेदी अनुभव विभिन्न पक्षियों और जीवों की आवाजें हैं। जंगल जैव विविधता से समृद्ध हैं और जीवन से भरे हुए हैं, जो प्राकृतिक ध्वनियों की एक प्रकार की संगीत रचना बनाते हैं जो सुखदायक और स्फूर्तिदायक दोनों हो सकती हैं। यह संवेदी अनुभव व्यक्तियों को प्रकृति से जोड़ता है और प्राकृतिक दुनिया के प्रति उनकी प्रशंसा को बढ़ाता है।

141. (C): ईवीएस में रचनावादी शिक्षण का एक प्रमुख सिद्धांत समस्या समाधान और अन्वेषण में सक्रिय भागीदारी है। रचनावादी शिक्षण छात्रों पर ध्यान केंद्रित करता है जो अनुभवों और अंतःक्रियाओं के माध्यम से सक्रिय रूप से अपनी समझ और ज्ञान का निर्माण करते हैं। यह दृष्टिकोण छात्रों को व्यावहारिक गतिविधियों में शामिल होने, वास्तविक दुनिया की समस्याओं का पता लगाने

और साथियों के साथ सहयोग करने के लिए प्रोत्साहित करता है, जिससे पर्यावरणीय अवधारणाओं की गहरी समझ और अवधारणा को बढ़ावा मिलता है।

142. (C): प्रायोगिक शिक्षण और चर्चाएँ EVS में आलोचनात्मक सोच और पूछताछ-आधारित सीखने को प्रोत्साहित करने के लिए सबसे प्रभावी शिक्षण दृष्टिकोण हैं। यह विधि छात्रों को प्रयोगों में सक्रिय रूप से भाग लेने, पर्यावरणीय मुद्दों का पता लगाने और उन चर्चाओं में शामिल होने की अनुमति देती है जो प्रश्न पूछने, विश्लेषण करने और जानकारी के संश्लेषण को बढ़ावा देती हैं। यह व्याख्यान-आधारित निर्देश या मानकीकृत परीक्षण जैसे अधिक निष्क्रिय दृष्टिकोणों के विपरीत है, जो समान स्तर की आलोचनात्मक भागीदारी को बढ़ावा नहीं देते हैं।

143. (C): पत्तियों की विशेषताओं की पहचान करते समय दृष्टि की भावना सबसे अधिक प्रासंगिक होती है। दृश्य अवलोकन छात्रों को पत्तियों के आकार, रंग, बनावट और शिरा पैटर्न की जांच करने की अनुमति देता है, जो विभिन्न पौधों की प्रजातियों की पहचान और वर्गीकरण में उपयोग की जाने वाली प्रमुख विशेषताएं हैं। जबकि पौधों का अध्ययन करने में कभी-कभी अन्य इंद्रियाँ शामिल हो सकती हैं, विस्तृत परीक्षण के लिए दृष्टि प्राथमिक है।

144. (B): कुपोषण, बीमारी और भूख से पीड़ित बच्चों के साथ अच्छी तरह से खिलाए गए बच्चों की तुलना करते समय सामाजिक-आर्थिक कारकों पर चर्चा होने की सबसे अधिक संभावना है। गरीबी, पौष्टिक भोजन तक पहुँच की कमी, शिक्षा और आर्थिक असमानताएँ जैसे मुद्दे खाद्य वितरण और स्वास्थ्य परिणामों में महत्वपूर्ण भूमिका निभाते हैं। खाद्य असुरक्षा और कुपोषण को समझने और हल करने के लिए इन कारकों को संबोधित करना महत्वपूर्ण है।

145. (D): विश्व वन दिवस 21 मार्च को दुनिया के वनों और उनके महत्व के बारे में जागरूकता बढ़ाने और मनाने के लिए मनाया जाता है। यह दिन पारिस्थितिक संतुलन बनाए रखने, जैव विविधता का समर्थन करने और वैश्विक स्तर पर लोगों के लिए संसाधन और आजीविका प्रदान करने में वनों के महत्व पर प्रकाश डालता है। यह वन पारिस्थितिकी प्रणालियों के संरक्षण और सतत प्रबंधन को बढ़ावा देता है।

146. (D): जल स्रोतों के संदर्भ में एक कुआँ सबसे अधिक संभावना 'परिवार के सदस्य' की अवधारणा से संबंधित है। कुएँ अक्सर निजी स्वामित्व वाले होते हैं या एक छोटे समुदाय द्वारा साझा किए जाते हैं और दैनिक घरेलू उपयोग के लिए पानी का एक विश्वसनीय स्रोत प्रदान करते हैं। उन्हें परिवार और सामुदायिक जीवन का एक अभिन्न अंग माना जाता है, खासकर ग्रामीण क्षेत्रों में।

147. (B): पानी की अनूठी विशेषता यह है कि इसके विभिन्न रूप हैं और यह जीवन के लिए आवश्यक है। पानी ठोस, तरल और गैसीय अवस्थाओं में मौजूद है, जो इसे प्राकृतिक दुनिया का एक बहुमुखी और महत्वपूर्ण घटक बनाता है। यह सभी जीवित जीवों के लिए महत्वपूर्ण है, जैविक प्रक्रियाओं का समर्थन करता है, पारिस्थितिकी तंत्र को बनाए रखता है, और पीने, कृषि और स्वच्छता के माध्यम से मानव जीवन को बनाए रखता है।

148. (B): थर्मोकोल आमतौर पर जंगलों से प्राप्त लकड़ी से नहीं बनता है। थर्मोकोल, जिसे विस्तारित पॉलीस्टाइन फोम के रूप में भी जाना जाता है, पेट्रोलियम आधारित उत्पादों से बना एक सिंथेटिक पदार्थ है। इसके विपरीत, कागज, माचिस और प्लाईवुड सभी लकड़ी और वन संसाधनों से प्राप्त उत्पाद हैं।

149. (B): ईवीएस शिक्षण में फील्ड विजिट और व्यावहारिक गतिविधियाँ छात्रों को व्यावहारिक अनुभव और पर्यावरणीय अवधारणाओं की गहरी समझ प्रदान करती हैं। ये गतिविधियाँ छात्रों को प्राकृतिक पर्यावरण का अवलोकन, अन्वेषण और अंतःक्रिया करने की अनुमति देती हैं, जिससे सीखना अधिक आकर्षक और सार्थक हो जाता है। वे छात्रों को सैद्धांतिक ज्ञान को वास्तविक दुनिया के अनुप्रयोगों से जोड़ने और महत्वपूर्ण सोच और अवलोकन कौशल विकसित करने में मदद करते हैं।

150. (B): सोयाबीन किसी पशु स्रोत से नहीं बनता है बल्कि इसे पौधा आधारित उत्पाद माना जाता है। सोयाबीन फलियाँ हैं जो प्रोटीन और अन्य पोषक तत्वों का एक महत्वपूर्ण स्रोत हैं, जो उन्हें पौधे आधारित आहार में मुख्य बनाती हैं। इसके विपरीत, दूध, पनीर और अंडे सभी पशु-व्युत्पन्न उत्पाद हैं।

पिछले प्रश्न-पत्र (हल सहित)

हरियाणा शिक्षक पात्रता परीक्षा (HTET)

Level-I, प्राथमिक शिक्षक (PRT), 2022

(Exam held on 4 December, 2022)

भाग-I

बाल विकास व शिक्षाशास्त्र

निर्देशः *निम्नलिखित प्रश्नों के उत्तर देने के लिए* **सबसे उचित** *विकल्प चुनिए।*

1. निम्नलिखित में से कौन-सा बुद्धि लब्धि गणना का **सही** सूत्र है?

A. $\frac{C.A.}{M.A.} \times 100$ B. $\frac{M.A.}{C.A.} \times 100$
C. $\frac{C.A.}{100} \times M.A.$ D. $\frac{100}{C.A.} \times M.A.$

2. शृंखलन-सम्प्रत्यय आधारित है :
A. शास्त्रीय अनुबंधन सिद्धांत पर
B. क्रियाप्रसूत अनुबंधन सिद्धांत पर
C. सामाजिक संज्ञानात्मक सिद्धांत पर
D. प्रयास एवं त्रुटि सिद्धांत पर

3. उपलब्धि अभिप्रेरणा सिद्धान्त किसने प्रतिपादित किया था?
A. मैक्लिलैण्ड B. मास्लो
C. कुर्ट लेविन D. हर्जबर्ग

4. 'अधिगम अक्षमता' शब्द का सर्वप्रथम प्रयोग किसके द्वारा किया गया?
A. कैनर B. डाउन
C. सैमुअल किर्क D. सिगमंड फ्रायड

5. बुद्धि का त्रिआयामी सिद्धान्त किसके द्वारा प्रतिपादित किया गया है?
A. थॉर्नडाइक B. गिलफर्ड
C. स्फीयरमैन D. थर्सूटन

6. निम्नलिखित में से कौन-सी पुनर्बलन की अनुसूची **नहीं** है?
A. चर अनुपात B. अभिप्रेरणा
C. स्थिर अन्तराल D. स्थिर अनुपात

7. निम्नलिखित में से कौन-सा एक सकारात्मक पुनर्बलक के रूप में प्रयोग नहीं हो सकता है?
A. टॉफी B. बिस्किट
C. कड़वी दवा D. पैसा

8. डिसकैल्कुलिया एक प्रकार है :
A. चलन अक्षमता का B. मानसिक रुग्णता का
C. मानसिक मंदता का D. अधिगम अक्षमता का

9. मनोविज्ञान की प्रथम प्रयोगशाला के खोजकर्ता/प्रतिपादक थे :
A. विलियम वुण्ट B. एल्डर अल्फ्रेड
C. सिरील वर्ट D. जीन पियाजे

10. भय संवेग किस मूल प्रवृत्ति से जुड़ा है?
A. पलायन B. निवृत्ति
C. लड़ाई D. जिज्ञासा

11. निम्नांकित में से कौन-सी पियाजे के संज्ञानात्मक विकास की अवस्था **नहीं** है?
A. मूर्त संक्रियात्मक अवस्था B. पूर्व संक्रियात्मक अवस्था
C. गुप्तावस्था D. संवेदात्मक गामक अवस्था

12. कोहलबर्ग के अनुसार, दण्ड से बचने हेतु नैतिकता का विकास किस स्तर के अन्तर्गत आता है?
A. पूर्व-रूढ़िवादी अवस्था B. रूढ़िवादी अवस्था
C. उत्तर-रूढ़िवादी अवस्था D. इनमें से कोई नहीं

13. 'एक बालक का उसकी माता के प्रति आकर्षण' को फ्रायड ने कहा है :
A. इलेक्ट्रा ग्रंथि B. ओडिपस ग्रंथि
C. नैतिक द्वंद्व D. मौखिक ग्रंथि

14. सिगमंड फ्रायड जाने जाते हैं :
A. सामाजिक विकास सिद्धान्त के लिए
B. मनोलैंगिक विकास के सिद्धान्त के लिए
C. संज्ञानात्मक विकास के सिद्धान्त के लिए
D. नैतिक विकास के सिद्धान्त के लिए

15. ब्रॉनफेनब्रेनर के जैव पारिस्थितिकीय सिद्धांत के अनुसार नियम और कानून उदाहरण हैं :
A. सूक्ष्म तंत्र के B. मेसो तंत्र के
C. बृहत् तंत्र के D. समय तंत्र के

16. निम्नलिखित में से कौन-सा कथन विकास के सन्दर्भ में **सही** नहीं है?
A. यह एक सतत प्रक्रिया है।
B. यह एकआयामी होता है।
C. इसकी संचयी प्रवृत्ति होती है।
D. इसमें वैयक्तिक विभिन्नता पाई जाती है।

17. निम्नांकित में से कौन-सी तकनीक दृष्टिबाधित बालक के शिक्षण हेतु प्रयोग की जाती है?
A. पी.ई.सी.एस. B. संकेत भाषा
C. टेलर फ्रेम D. इनमें से कोई नहीं

18. निम्नांकित में से किसका अध्ययन मनोविज्ञान एवं बाल विकास के प्रतिच्छेद बिन्दु पर स्थित है?
A. सामाजिक मनोविज्ञान B. औद्योगिक मनोविज्ञान
C. संगठनात्मक मनोविज्ञान D. विकासात्मक मनोविज्ञान

19. निम्नांकित में से किसने नैतिक विकास का सिद्धांत दिया है?
A. पियाजे ने B. वायगोट्स्की ने
C. फ्रायड ने D. बंडुरा ने

20. निम्नांकित में से कौन-सा निरीक्षणात्मक अधिगम का तत्व है?
A. बुद्धिमत्ता B. थर्स्टन
C. अनुबंधन D. व्यक्तित्व

21. बालक अन्तर्बोध परीक्षण किसके द्वारा विकसित किया गया?
A. बैलक B. संग्रहण
C. थॉर्नडाइक D. ऑलपोर्ट

22. तृतीयक चक्रीय प्रतिक्रियाएँ विकसित होती हैं?
A. संवेदात्मक गामक अवस्था के दौरान
B. पूर्व संक्रियात्मक अवस्था के दौरान
C. मूर्त संक्रियात्मक अवस्था के दौरान
D. औपचारिक संक्रियात्मक अवस्था के दौरान

23. एक बच्चा कहता है कि 'चाँद हँस रहा है'। यह निम्न में से किस विशेषता को इंगित करता है?
A. आत्मकेन्द्रण B. एनिमिज्म
C. सकारात्मकता D. नकारात्मकता

24. 'निकटता के सिद्धांत' की संकल्पना किसके द्वारा दी गई है?
A. थॉर्नडाइक द्वारा B. पावलॉव द्वारा
C. स्किनर द्वारा D. वर्दीमर द्वारा

25. बोबो डॉल पर किया गया अनुसंधान अधिगम के किस सैद्धांतिक दृष्टिकोण की पुष्टि करता है?
A. अंतर्दृष्टि अधिगम B. गुप्त अधिगम
C. स्थान अधिगम D. सामाजिक अधिगम

26. उत्क्रमणीय योग्यता विकसित होने की अवस्था है :
A. मूर्त संक्रियात्मक अवस्था
B. पूर्व संक्रियात्मक अवस्था
C. औपचारिक संक्रियात्मक अवस्था
D. संवेदी गामक अवस्था

27. 90-110 बुद्धि लब्धि प्रसार बुद्धि की किस श्रेणी को दर्शाता है?
A. प्रखर बुद्धि B. औसत बुद्धि
C. अल्प बुद्धि D. मूर्ख

28. क्रियाप्रसूत अनुकूलन के अनुसार कौन-सा कथन **सही** है?
A. नकारात्मक पुनर्बलन वांछनीय व्यवहार बढ़ाता है।
B. एक बार सीखा गया व्यवहार कभी भूला नहीं जा सकता।
C. दंड एक सकारात्मक पुनर्बलन है।
D. नकारात्मक पुनर्बलन अवांछनीय व्यवहार को बढ़ाता है।

29. अन्तर्दृष्टि का सिद्धान्त किसके द्वारा दिया गया?
A. व्यवहारवादी द्वारा B. गेस्टाल्टवादी द्वारा
C. संरचनावादी द्वारा D. प्रकार्यवादी द्वारा

30. 'काल्पनिक दर्शक/श्रोता' किस अवस्था से संबंधित है?
A. पूर्व बाल्यावस्था से B. उत्तर बाल्यावस्था से
C. वयस्कावस्था से D. किशोरावस्था से

भाग-II

भाषा : हिन्दी

निर्देशः *निम्नलिखित प्रश्नों के उत्तर देने के लिए* ***सबसे उचित*** *विकल्प चुनिए।*

31. "पिताजी बहुत देर से टहल रहे हैं।" वाक्य में कौन-सी क्रिया प्रयुक्त हुई है?
A. सजातीय क्रिया B. पूर्वकालिक क्रिया
C. सकर्मक क्रिया D. अकर्मक क्रिया

32. 'के लिए' और 'को' किस कारक के चिह्न हैं?
A. संबंध B. सम्प्रदान
C. अपादान D. करण

33. 'कवि' शब्द का स्त्रीलिंग रूप होगा :
A. कवियित्री B. कवयित्री
C. कवियीत्रि D. कवित्री

34. निम्न में से कौन-सा शब्द पुल्लिंग है?
A. आशा B. व्यवहार
C. सुन्दरता D. मनोहारिणी

35. निम्न में से कौन-सी ध्वनि ओष्ठ्य **नहीं** है?
A. 'उ' B. 'व'
C. 'ब' D. 'ज'

36. किस विकल्प में 'अंबुज-अंबुद' शब्द-युग्म का **सही** अर्थ-भेद है?
A. जल – बादल B. कमल – बादल
C. बादल – कमल D. पृथ्वी – आकाश

37. वार्तनिक दृष्टि से **सही** शब्द चुनिए :
A. सौहाद्र B. अतिश्योक्ति
C. तदोपरांत D. आजीविका

38. निम्न में से कौन-सा शब्द तद्भव **नहीं** है?
A. सूरज B. आग
C. पुत्र D. चितेरा

39. 'वाङ्मय' शब्द में कौन-सी संधि है?
A. यण् स्वर संधि B. व्यंजन संधि
C. विसर्ग संधि D. अयादि स्वर संधि

40. निम्न में से **शुद्ध** वाक्य कौन-सा है?
A. असत्य बोलना उसकी आदत था।
B. मैंने तो गलत काम करना ही नहीं है।
C. बच्चे को काटकर फल खिलाओ।
D. तुम, सीता और मैं आज खेलेंगे।

41. इनमें से किस शब्द में उपसर्ग **नहीं** जुड़ा है?
A. विनम्रता B. स्वच्छ
C. कुलीन D. कुसंग

42. 'मधुरिमा' शब्द में कौन-सा प्रत्यय जुड़ा है?
A. रिमा B. इमा
C. मा D. आ

43. 'जंगल (वन) की अग्नि' के लिए सही शब्द चुनिए :
A. दावाग्नि B. बड़वाग्नि
C. कामाग्नि D. जठराग्नि

44. 'वज्रदेह' शब्द में कौन-सा समास है?
A. अव्ययीभाव B. तत्पुरुष
C. कर्मधारय D. द्वन्द्व

45. "अरे! जरा इधर तो आ।" वाक्य में अव्यय का भेद इंगित करें :
A. समुच्चयबोधक अव्यय
B. संबंधसूचक अव्यय
C. कालवाचक क्रियाविशेषण
D. विस्मयादिबोधक

PART-II

Language : English

Directions: *Answer the following questions by selecting the* ***most appropriate*** *option.*

46. Choose the ***correct*** option to fill in the blank:
Amartya Sen Gupta is ________ NRI.
A. a B. an
C. the D. ×

47. She sang a 'sweet' song.
'sweet' here is:
A. Adverb B. Adjective
C. Noun D. Pronoun

48. One word for 'A child whose parents are dead' is:
A. Sibling B. Orphan
C. Bigot D. Bastard

49. Choose the grammatically ***correct*** sentence:
A. John has been living in Egypt for 1942.
B. John had lived in Egypt for 1942.
C. John has been living in Egypt since 1942.
D. John have lived in Egypt since 1942.

50. Antonym of 'Cool' is:
A. Cold B. Colder
C. Hot D. Warmer

51. Fill in the blanks with the ***correct*** prepositions.
The boy fell _____ the well _____ 10 O'clock.
A. in, on
B. into, at
C. into, on
D. in, at

52. The superlative degree of 'Far' is:
A. Farther
B. Farthest
C. Most far
D. Most farther

53. Match the following:

(*a*) Ass		(*i*) quack	
(*b*) Duck		(*ii*) hum	
(*c*) Fly		(*iii*) bray	
(*d*) Bee		(*iv*) buzz	

	(*a*)	(*b*)	(*c*)	(*d*)
A.	(*i*)	(*ii*)	(*iii*)	(*iv*)
B.	(*iii*)	(*i*)	(*ii*)	(*iv*)
C.	(*iii*)	(*i*)	(*iv*)	(*ii*)
D.	(*iii*)	(*ii*)	(*iv*)	(*i*)

54. <u>Harish</u> <u>himself</u> wrote the poem.
The underlined words are:
A. Noun, Pronoun B. Noun, Adjective
C. Noun, Adverb D. Noun, Noun

55. Fill in the blanks with the ***correct*** forms of the Verb:
What ______ you ______ with this knife yesterday?
A. do, did B. do, do
C. did, do D. did, did

56. The milk has turned <u>sour</u>.
The underlined word is:
A. Noun B. Pronoun
C. Adjective D. Adverb

57. Choose the part of the sentence that is ***incorrect***:
Keats is (A)/ a quiet (B)/ good poet (C)/ among the romantic poets. (D)

A. A B. B
C. C D. D

58. Choose the ***correct*** spelling of the given word:

A. bungalowe B. bangalow
C. bangelow D. bungalow

59. Synonym of 'hate' is:

A. docile B. creep
C. anger D. dislike

60. The young one of a bear is:

A. calf
B. cub
C. fawn
D. foal

भाग-III

सामान्य अध्ययन : मात्रात्मक योग्यता, तार्किक अभिक्षमता तथा सामान्य ज्ञान एवं अभिज्ञान

निर्देशः *निम्नलिखित प्रश्नों के उत्तर देने के लिए* ***सबसे उचित*** *विकल्प चुनिए।*

61. एक कस्बे की जनसंख्या 5% वार्षिक दर से बढ़ती है, यदि कस्बे की वर्तमान जनसंख्या 4410 हो, तो 2 वर्ष पहले जनसंख्या कितनी थी?

A. 3600 B. 3800
C. 4000 D. 4200

62. निम्नलिखित वर्ण श्रेणी का अगला पद ज्ञात कीजिए :
KTE, SBM, AJU, IRC, ?

A. QZL B. QZM
C. QZN D. QZK

63. निम्न संख्या श्रेणी का अगला पद ज्ञात कीजिए :
4, 10, 23, 50, 105, ?

A. 215 B. 216
C. 218 D. 220

64. यदि P, Q से लम्बा, R, P से छोटा, S, T से लम्बा लेकिन Q से छोटा है, तो इनमें सबसे लम्बा कौन है?

A. P B. Q
C. S D. T

65. एक वर्ग के चारों ओर फेंसिंग करने के क्रम में 36 खम्भों को स्थायी किया गया। यदि दो क्रमागत खंभों के मध्य दूरी 6 मीटर हो, तो इस वर्ग का क्षेत्रफल है :

A. 2500 वर्ग मीटर B. 2601 वर्ग मीटर
C. 2809 वर्ग मीटर D. 2916 वर्ग मीटर

66. यदि $\sqrt{2^n} = 64$ हो, तो n का मान है :

A. 8 B. 10
C. 6 D. 12

67. यदि एक निश्चित कूट भाषा में, 'CERTAIN' को 'XVIGZRM' में तथा 'SEQUENCE' को 'HVJFVMXV' में लिखा जाता है, तो 'MUNDANE' को समान कूट भाषा में लिखा जाएगा :

A. NFMWZMX B. NFMXZMV
C. NFMWZMV D. NFMWZXM

68. निम्न वर्ण श्रेणी का अगला पद ज्ञात कीजिए :
AZ, GT, MN, SH, ?

A. YC B. ZC
C. ZB D. YB

69. कुछ समीकरण एक विशेष प्रणाली के आधार पर हल किए गए हैं। इसी आधार पर, अनुत्तरित समीकरण का **सही** उत्तर ज्ञात कीजिए :
यदि 6241 = 9, तथा 3732 = 20 हो, तो 4523 बराबर है :

A. 18 B. 23
C. 21 D. 26

70. यदि M एक वर्ग संख्या है, तो उसकी अगली तत्काल वर्ग संख्या है :

A. $M + 4$ B. $M + 2\sqrt{M} + 1$
C. $M + 2\sqrt{M} - 1$ D. $M^2 + 2M$

71. A तथा B भाई हैं, C तथा D बहनें हैं, A का पुत्र D का भाई है, तो B, C से किस प्रकार संबंधित है?

A. पिता B. चाचा
C. भाई D. दादा

72. दिए गए शब्दों को अर्थपूर्ण अनुक्रम में व्यवस्थित कीजिए :

(*i*) वाक्यांश (*ii*) अक्षर
(*iii*) शब्द (*iv*) वाक्य

A. (*ii*), (*iii*), (*i*), (*iv*) B. (*ii*), (*iii*), (*iv*), (*i*)
C. (*i*), (*iii*), (*ii*), (*iv*) D. (*i*), (*ii*), (*iii*), (*iv*)

73. $6 - x - 2x^2$ के गुणनखंड हैं :

A. $(x + 2)(2x - 3)$ B. $(x + 2)(3 - 2x)$
C. $(x - 2)(2x - 3)$ D. $(x - 2)(3 - 2x)$

74. यदि $\sqrt{1+\sqrt{\left(1-\frac{2176}{2401}\right)}} = 1+\frac{x}{7}$ हो, तो x का मान है :

A. 1 B. 3
C. 5 D. 7

75. $\sqrt{6+\sqrt{6+\sqrt{6+}}}\ldots\infty$ बराबर है :

A. 3 B. 4
C. 5 D. 6

76. ₹ 4,000 पर चक्रवृद्धि एवं साधारण ब्याज का अन्तर क्या होगा, जबकि दर 5% वार्षिक एवं 2 वर्ष का समय हो?

A. ₹ 8.75 B. ₹ 9.00
C. ₹ 10.00 D. ₹ 11.25

77. यदि 12 वस्तुओं का विक्रय मूल्य, 15 वस्तुओं के क्रय मूल्य के बराबर हो, तो लाभ प्रतिशत है :

A. 20%	B. 25%
C. 30%	D. 36%

78. यदि $\frac{80 \text{ का } 30\%}{x} = 24$ हो, तो 'x' का मान क्या होगा?

A. $\frac{3}{10}$	B. $\frac{3}{17}$
C. 1	D. 2

79. सरल कीजिए :

$2 \div [2 + 2 \div \{2 + 2 \div (2 + 2 \div 3)\}]$ बराबर है :

A. $\frac{13}{15}$	B. $\frac{17}{15}$
C. $\frac{11}{15}$	D. $\frac{19}{15}$

80. असंगत को ज्ञात कीजिए :

A. लेख	B. कहानी
C. कविता	D. उपन्यास

81. हरियाणा के राज्य चुनाव आयुक्त कौन हैं?

A. अनुराग अग्रवाल	B. धनपत सिंह
C. वी. उमाशंकर	D. नितिन यादव

82. हरियाणा लोक सेवा आयोग के बारे में अधोलिखित कथनों को पढ़िए :

(*i*) आयोग में एक अध्यक्ष तथा अधिकतम आठ सदस्य होते हैं।

(*ii*) अध्यक्ष तथा अन्य सदस्यों की नियुक्ति हरियाणा के राज्यपाल द्वारा की जाती है।

सही कूट का चयन कीजिए :

A. केवल कथन (*i*) सत्य है।
B. केवल कथन (*ii*) सत्य है।
C. न (*i*) और न ही (*ii*) सत्य है।
D. (*i*) और (*ii*) दोनों सत्य हैं।

83. हरियाणा के मुख्य सूचना आयुक्त कौन हैं?

A. श्री नरेन्द्र सिंह यादव	B. श्री चन्द्र प्रकाश
C. श्री विजय वर्धन	D. श्री जयसिंह बिश्नोई

84. हरियाणा की सबसे ऊँची पहाड़ी शृंखला 'मोरनी हिल्स' अवस्थित है?

A. पंचकुला में	B. अम्बाला में
C. यमुनानगर में	D. जींद में

85. गुरुग्राम महानगरीय विकास प्राधिकरण की स्थापना कब की गई थी?

A. वर्ष 2015 में	B. वर्ष 2017 में
C. वर्ष 2016 में	D. वर्ष 2018 में

86. केन्द्रीय भेड़ प्रजनन फार्म स्थित है :

A. अम्बाला में	B. हिसार में
C. पानीपत में	D. करनाल में

87. 1857 का नायक, जिसकी मृत्यु काबुल में हुई :

A. गोपाल दास	B. राव तुलाराम
C. सद्रूदीन	D. हुकुमचंद

88. 'परिवार पहचान पत्र योजना' के बारे में अधोलिखित कथनों को पढ़िए :

(*i*) योजना के तहत हरियाणा के समस्त परिवारों का अधिकृत एवं विश्वसनीय डेटाबेस तैयार किया जा रहा है।

(*ii*) समस्त मौजूदा योजनाएँ जैसे : विभिन्न छात्रवृत्तियाँ तथा सब्सिडी परिवार पहचान पत्र से जोड़ी जाएँगी।

सही कूट का चयन कीजिए :

A. केवल कथन (*i*) सत्य है।
B. केवल कथन (*ii*) सत्य है।
C. न (*i*) और न ही (*ii*) सत्य है।
D. (*i*) और (*ii*) दोनों सत्य हैं।

89. निम्नलिखित में से कौन-सा मन्दिर कैथल में स्थित है?

A. सर्वेश्वर महादेव मंदिर	B. बिरला मंदिर
C. अम्बकेश्वर महादेव मंदिर	D. पंचमुखी मंदिर

90. 'खोड़िया नृत्य' हरियाणा में किस अवसर पर किया जाता है?

A. होली के अवसर पर	B. शादी के अवसर पर
C. तीज के अवसर पर	D. गोगा नवमी के अवसर पर

भाग-IV

गणित

नर्देशः *निम्नलिखित प्रश्नों के उत्तर देने के लिए* **सबसे** *उचित विकल्प चुनिए।*

91. किसी भिन्न के अंश और हर में वृद्धि करने पर अंश 450% तथा हर 400% हो जाते हैं। अब नई भिन्न $\frac{15}{16}$ हो, तो मूल भिन्न है :

A. $\frac{5}{6}$	B. $\frac{7}{8}$
C. $\frac{9}{11}$	D. $\frac{7}{12}$

92. रवि घर से 20 किमी./घं. की स्थिर चाल से चलते हुए ठीक समय पर विद्यालय पहुँच जाता है। यदि वह 30 किमी./घं. की स्थिर चाल से चले, तो 18 मिनट पहले विद्यालय पहुँच जाता है। घर से विद्यालय की दूरी है :

A. 18 किमी.	B. 12 किमी.
C. 16 किमी.	D. 24 किमी.

93. $\dfrac{986 \times 986 \times 986 - 742 \times 742 \times 742}{986 \times 986 + 986 \times 742 + 742 \times 742}$ का मान है :

A. 1044 B. 344
C. 144 D. 244

94. रमेश और उसकी पुत्री की वर्तमान आयु का अनुपात 8 : 5 है, 8 वर्ष पश्चात् उनकी आयु का अनुपात 3 : 2 होगा, तो पुत्री की वर्तमान आयु है :

A. 40 वर्ष
B. 64 वर्ष
C. 56 वर्ष
D. ज्ञात नहीं कर सकते, आँकड़े अपर्याप्त

95. एक थैले में ₹ 1, 50 पैसे और 25 पैसे के सिक्के क्रमशः 7 : 8 : 12 के अनुपात में हैं। यदि थैले में कुल धन ₹ 560 है, तो थैले में 25 पैसे के सिक्कों की संख्या है :

A. 120 B. 240
C. 480 D. 360

96. एक थैले में 4 नीली, 3 काली तथा 5 पीली गेंदें हैं। थैले में से यादृच्छिक रूप से कोई भी दो गेंदें निकाली जाती हैं, दोनों गेंद एक ही रंग की होने की प्रायिकता है :

A. $\frac{19}{66}$ B. $\frac{29}{66}$
C. $\frac{1}{6}$ D. $\frac{17}{66}$

97. एक विद्यार्थी अपने गणितीय संक्रियाओं के ज्ञान के आधार पर एक सब्जी विक्रेता को गणना करके कुल राशि का भुगतान करता है। इस परिस्थिति में निम्नलिखित में से कौन-से शिक्षण उद्देश्य का प्रयोग हुआ है?

A. ज्ञानात्मक B. अवबोध
C. ज्ञानोपयोग D. सर्जनात्मकता

98. एक संख्या का 30% दूसरी संख्या के $\frac{1}{6}$ के बराबर है तथा इन संख्याओं का योग 140 है, तो बड़ी संख्या का मान है :

A. 110 B. 50
C. 60 D. 90

99. दो शंकुओं के आयतन का अनुपात 1 : 4 है और उनके व्यास क्रमशः 4 : 5 के अनुपात में हैं, तो उनकी ऊँचाई का अनुपात है :

A. 5 : 16 B. 25 : 64
C. 3 : 4 D. 64 : 25

100. एक वृत्त में व्यासों की संख्या हो सकती है :

A. 1 B. 2
C. 4 D. अनन्त

101. निम्नलिखित में से कौन-सा गणित के ज्ञान को **नहीं** दर्शाता है?

A. सटीकता B. अस्पष्टता
C. व्यवस्थित D. तार्किक

102. निरीक्षणों के प्रकारों के विषय में निम्नलिखित में से कौन-सा कथन **सत्य** है?

A. निबन्धात्मक प्रकार के प्रश्न सम्पूर्ण पाठ्यचर्या पर आधारित होते हैं।
B. वस्तुनिष्ठ प्रकार के प्रश्न अनिश्चित और असीमित होते हैं।
C. वस्तुनिष्ठ प्रकार के प्रश्न अधिक विश्वसनीय एवं वैध होते हैं।
D. निबन्धात्मक प्रकार के प्रश्नों द्वारा विचार अभिव्यक्ति का आकलन नहीं होता है।

103. यदि त्रिभुज की दो भुजाएँ असमान हों, तो बड़ी भुजा के सामने का कोण होता है :

A. बड़ा B. छोटा
C. बराबर D. आधा

104. निम्नलिखित में से कौन-सी संख्या परिमेय संख्या **नहीं** है?

A. $\frac{15}{4}$ B. $\frac{10}{3}$
C. $\sqrt{2}$ D. $\frac{21}{4}$

105. यदि 10 वस्तुओं का विक्रय मूल्य 6 वस्तुओं के क्रय मूल्य के बराबर है, तो लाभ अथवा हानि है :

A. 40% हानि B. 20% हानि
C. 10% लाभ D. न लाभ और न ही हानि

106. A एक कार्य को 20 दिन में पूर्ण कर सकता है और B उसी कार्य को 10 दिन में पूर्ण कर सकता है, दोनों ने मिलकर 4 दिन कार्य किया और उसके पश्चात् B ने कार्य छोड़ दिया, तो शेष कार्य को पूर्ण करने में A को कितने दिन लगेंगे?

A. 12 दिन B. 4 दिन
C. 6 दिन D. 8 दिन

107. एक सप्तभुज के सभी अन्तःकोणों का योग होता है :

A. 1200° B. 1050°
C. 720° D. 900°

108. यदि $\sqrt{7 + \sqrt[3]{x}} = 4$ हो, तो x का मान है :

A. 27 B. 729
C. 512 D. 216

109. यदि किसी धन का समान ब्याज दर पर 2 वर्ष का साधारण ब्याज ₹ 600 और चक्रवृद्धि ब्याज ₹ 612 है, तो ब्याज की वार्षिक दर है :

A. 3% B. 6%
C. 4% D. 8%

110. शब्द "ASSESSMENT" के सभी अक्षरों से कितने शब्द बन सकते हैं?

A. 21600 B. 30240
C. 151200 D. 75600

111. वर्तमान में एक शहर की जनसंख्या 12 लाख है, यदि यह 4% की दर से बढ़ती है, तो 2 साल बाद शहर की जनसंख्या होगी :

A. 12,92,970 B. 12,97,920
C. 12,02,990 D. 12,20,990

112. निम्न व्यंजक का गुणनखंड होगा :

$(x^2 - 6xy + 9y^2) - 16$

A. $(x - 4)(x + 4)$

B. $(x - y - 4)(x - y + 4)$

C. $(x - 3y + 4)(x - 3y - 4)$

D. $(x + 3y - 4)(x + 3y + 4)$

113. यदि $a * b = a^2 + b^2 - ab$, तो $8 * 7 - 3 * 5$ का मान है :

A. 41 B. 58

C. 64 D. 38

114. 8 जून, 2007 को कौन-सा दिन था?

A. शनिवार B. बुधवार

C. बृहस्पतिवार D. शुक्रवार

115. किसी घड़ी की मिनट की सूई को $\frac{3\pi}{2}$ रेडियन कोण की रचना में समय लगेगा :

A. 30 मिनट B. 45 मिनट

C. 60 मिनट D. 20 मिनट

116. यदि $x^3 + kx + 12$, $(x + 3)$ से पूर्णतः विभाजित है, तो k का मान है :

A. 5 B. 4

C. –5 D. 3

117. एक खंभे की ऊँचाई 15 मीटर है इसके ऊपरी सिरे से एक तार बंधा हुआ है, जो भूमि के साथ 60° का कोण बनाता है। तार की लम्बाई है :

A. 30 मीटर B. $20\sqrt{3}$ मीटर

C. $10\sqrt{3}$ मीटर D. $30\sqrt{3}$ मीटर

118. यदि $27^{x-\frac{2}{3}} = 81$, तो 2^{3x+1} का मान है :

A. 64 B. 128

C. 256 D. 512

119. एक समलम्ब चतुर्भुज का क्षेत्रफल, जिसकी समान्तर भुजाएँ क्रमशः 22 सेमी. और 27 सेमी. हैं तथा समान्तर भुजाओं के मध्य दूरी 10 सेमी. हो, है :

A. 152 वर्ग सेमी.

B. 245 वर्ग सेमी.

C. 490 वर्ग सेमी.

D. 560 वर्ग सेमी.

120. यदि एक बंटन का माध्य और बहुलक क्रमशः 74 और 29 हैं, तो बंटन की माध्यिका है :

A. 49 B. 59

C. 62 D. 63

भाग-V

पर्यावरण अध्ययन

निर्देशः *निम्नलिखित प्रश्नों के उत्तर देने के लिए* **सबसे उचित** *विकल्प चुनिए।*

121. निम्नलिखित में से कौन-सा महाद्वीप केवल दक्षिणी गोलार्द्ध में स्थित है?

A. यूरोप B. दक्षिणी अमेरिका

C. अफ्रीका D. ऑस्ट्रेलिया

122. वायु प्रदूषण के प्राकृतिक स्रोत हैं :

(*a*) ज्वालामुखी विस्फोट

(*b*) जंगल की आग

(*c*) वनस्पति का विघटन

(*d*) ऑटोमोबाइल निकास

नीचे दिए गए कूटों में से सर्वाधिक **सही** उत्तर का चयन कीजिए :

A. (*a*) एवं (*b*) B. (*a*) एवं (*d*)

C. (*a*), (*b*) एवं (*c*) D. (*a*), (*b*) एवं (*d*)

123. निम्नलिखित दोनों कॉलमों के **सही** सुमेल का चयन कीजिए :

कमी	रोग
(*a*) विटामिन A की कमी	(*i*) घेंघा (गलगण्ड)
(*b*) आयरन की कमी	(*ii*) रतौंधी
(*c*) कैल्सियम की कमी	(*iii*) हड्डियों की कमजोरी
(*d*) आयोडीन की कमी	(*iv*) रक्ताल्पता

	(*a*)	(*b*)	(*c*)	(*d*)
A.	(*ii*)	(*iv*)	(*iii*)	(*i*)
B.	(*ii*)	(*iv*)	(*i*)	(*iii*)
C.	(*iv*)	(*ii*)	(*iii*)	(*i*)
D.	(*i*)	(*ii*)	(*iii*)	(*iv*)

124. निम्नलिखित में से कौन-सा एक कृत्रिम पारिस्थितिकी तन्त्र है?

A. जंगल B. झील

C. मछलीघर D. तालाब

125. निम्नलिखित में से सही समूह का चुनाव कीजिए जिसमें जीवाश्म ईंधन **नहीं** है :

A. हवा, लहरें एवं सूर्य B. हवा, लहरें एवं कोयला

C. पेट्रोल, लकड़ी एवं सूर्य D. हवा, सी.एन.जी. एवं सूर्य

126. वायुमंडल की विभिन्न परतों (कॉलम-I) को उनके गुणधर्म (कॉलम-II) से सुमेलित कीजिए एवं नीचे दिए गए कूटों से **सही** उत्तर का चुनाव कीजिए :

कॉलम-I (वायुमंडल की परतें)	कॉलम-II (परतों के गुणधर्म)
(*a*) क्षोभमंडल	(*i*) ओजोन की उपस्थिति
(*b*) समतापमंडल	(*ii*) सारे बादल यहाँ बनते हैं

(*c*) मध्यमंडल		(*iii*) यहाँ उच्च ऊर्जा युक्त UV एवं X-किरणों का अवशोषण होता है	
(*d*) बाह्य वायुमंडल		(*iv*) अधिकतर उल्कापिण्ड यहीं जलकर नष्ट होते हैं	

कूट :

	(*a*)	(*b*)	(*c*)	(*d*)
A.	(*ii*)	(*i*)	(*iii*)	(*iv*)
B.	(*i*)	(*ii*)	(*iii*)	(*iv*)
C.	(*ii*)	(*i*)	(*iv*)	(*iii*)
D.	(*ii*)	(*iv*)	(*i*)	(*iii*)

127. निम्नलिखित में से कौन-सा जैव-विघटनीय बहुलक है?

A. पॉलीथीन B. नाइलॉन-6

C. पॉली विनाइल क्लोराइड D. सेल्यूलोज

128. निम्नलिखित तीन तथ्यों के आधार पर ग्रह की पहचान कीजिए :

(*i*) यह सौरमंडल का दूसरा सबसे बड़ा ग्रह है।

(*ii*) इसके चारों ओर बर्फ का वलय है।

(*iii*) इसका सबसे बड़ा उपग्रह टाइटन है।

A. बुध (मर्करी) B. शनि (सैटर्न)

C. बृहस्पति (जूपिटर) D. मंगल (मार्स)

129. निम्नलिखित पोषकों (कॉलम-I) को उनके मुख्य स्रोत (कॉलम-II) से सुमेलित कीजिए एवं नीचे दिए गए कूटों में से सही उत्तर का चयन कीजिए :

कॉलम-I (पोषक तत्व)	**कॉलम-II (स्रोत)**
(*a*) कार्बोहाइड्रेट	(*i*) हरी पत्तेदार सब्जियाँ
(*b*) कैल्सियम	(*ii*) दालें
(*c*) प्रोटीन	(*iii*) दूध
(*d*) आयरन/लोहा	(*iv*) गेहूँ

कूट :

	(*a*)	(*b*)	(*c*)	(*d*)
A.	(*iv*)	(*iii*)	(*ii*)	(*i*)
B.	(*i*)	(*iii*)	(*ii*)	(*iv*)
C.	(*ii*)	(*iii*)	(*i*)	(*iv*)
D.	(*iv*)	(*iii*)	(*i*)	(*ii*)

130. निम्नलिखित में से SO_2 प्रदूषण का सबसे उत्तम सूचक कौन-सा है?

A. ब्रायोफाइट B. टेरिडोफाइट

C. लाइकेन D. एल्गी (शैवाल)

131. हड्डी खाद के रूप में प्रयुक्त की जाती है क्योंकि इसमें पौधों के लिए निम्नलिखित पोषक तत्व उपलब्ध हैं :

A. ऑक्सीजन B. सोडियम

C. कार्बन D. फॉस्फोरस

132. जब एक प्रिज्म में से श्वेत प्रकाश को गुजारा जाता है, तो सबसे कम झुकाव (मुड़ने) वाला रंग है :

A. जामुनी B. लाल

C. बैंगनी D. नारंगी

133. तिथियों (कॉलम-I) को उनके दिवस (कॉलम-II) से सुमेलित कीजिए एवं नीचे दिए गए कूटों से **सही** उत्तर का चयन कीजिए :

कॉलम-I (तिथि)	**कॉलम-II (दिवस)**
(*a*) 2 फरवरी	(*i*) विश्व वानिकी दिवस
(*b*) 21 मार्च	(*ii*) विश्व आर्द्र भूमि दिवस
(*c*) 5 जून	(*iii*) भोपाल त्रासदी दिवस
(*d*) 2 दिसम्बर	(*iv*) विश्व पर्यावरण दिवस

कूट :

	(*a*)	(*b*)	(*c*)	(*d*)
A.	(*ii*)	(*i*)	(*iv*)	(*iii*)
B.	(*ii*)	(*i*)	(*iii*)	(*iv*)
C.	(*ii*)	(*iv*)	(*i*)	(*iii*)
D.	(*i*)	(*ii*)	(*iv*)	(*iii*)

134. निम्न में से कौन-सा एक जीवाश्म ईंधन **नहीं** है?

A. सम्पीडित प्राकृतिक गैस (सी.एन.जी.)

B. तरल हाइड्रोजन (एल.एच.)

C. पॉली एथिलीन टरथैलेट (पी.ई.टी.)

D. द्रवित पेट्रोलियम गैस (एल.पी.जी.)

135. टैडपोल के कायान्तरण हेतु पानी में निम्नलिखित में से कौन-सा तत्व उपलब्ध होना चाहिए?

A. सल्फर B. क्लोरीन

C. आयोडीन D. कार्बन

136. उच्चतम भेदन क्षमता की विकिरण है :

A. अवरक्त तरंगें B. γ-किरणें

C. पराबैंगनी तरंगें D. X-किरणें

137. वायुमंडल की विभिन्न परतों को उनकी लगभग दूरी से सुमेलित कीजिए एवं नीचे दिए गए कूटों में से **सही** कूट का चयन कीजिए :

(*a*) क्षोभमंडल	(*i*) 20 से 60 किमी.
(*b*) समतापमंडल	(*ii*) 60 से 120 किमी.
(*c*) मध्यमंडल	(*iii*) पृथ्वी की सतह से 20 किमी.
(*d*) बाह्यमंडल	(*iv*) 120 से 600 किमी.

कूट :

	(*a*)	(*b*)	(*c*)	(*d*)
A.	(*iii*)	(*ii*)	(*i*)	(*iv*)
B.	(*iii*)	(*i*)	(*ii*)	(*iv*)
C.	(*iv*)	(*i*)	(*ii*)	(*iii*)
D.	(*i*)	(*ii*)	(*iii*)	(*iv*)

138. कॉलम-I में दिए गए बायोस्फियर रिजर्व को कॉलम-II में दी गई उनकी भौगोलिक स्थिति के साथ सुमेलित कीजिए एवं निम्नलिखित कूटों की सहायता से **सही** उत्तर का चयन कीजिए :

कॉलम-I	**कॉलम-II**
(*a*) नीलगिरी रिजर्व	(*i*) उत्तराखंड
(*b*) सुन्दरबन रिजर्व	(*ii*) तमिलनाडु तटीय क्षेत्र के 20 द्वीप
(*c*) मन्नार की खाड़ी	(*iii*) तमिलनाडु, कर्नाटक एवं केरल का क्षेत्र
(*d*) नन्दा देवी रिजर्व	(*iv*) पश्चिम बंगाल

कूट :

	(a)	(b)	(c)	(d)
A.	(iv)	(iii)	(i)	(ii)
B.	(iv)	(i)	(ii)	(iii)
C.	(iii)	(iv)	(ii)	(i)
D.	(iii)	(ii)	(iv)	(i)

139. जब मुँह से हवा को चूने के पानी युक्त एक परखनली में प्रवाहित किया जाता है, तो चूने का पानी दूधिया हो जाता है। यह दूधियाषन किस गैस की उपस्थिति का सूचक है?

A. नाइट्रोजन B. ऑक्सीजन
C. जलवाष्प D. कार्बन डाइऑक्साइड

140. क्या होगा यदि निम्न खाद्य शृंखला में से ऐन्टीलोप (मृग) अनुपस्थित हो?

घास $\rightarrow$ ऐन्टीलोप (मृग) $\rightarrow$ बाघ

A. बाघ की समष्टि में वृद्धि हो जाएगी।
B. घास की समष्टि में कमी हो जाएगी।
C. बाघ घास खाने लग जाएगा।
D. बाघ की समष्टि में कमी होगी तथा घास की समष्टि बढ़ जाएगी।

141. संतुलित आहार से आप क्या समझते हैं?

(i) इसका अर्थ है कि विभिन्न भोजन समूहों से पर्याप्त मात्रा में भोजन एवं पेय पदार्थों का चयन करना।
(ii) इसका अर्थ है कि कुछ चीजों को कम मात्रा में खाना जैसे संतृप्त वसा, कोलेस्टेरॉल, सामान्य शर्करा आदि।
(iii) इसका अर्थ है कि सभी आवश्यक पोषकों को वांछनीय स्तर तक ग्रहण करना।
(iv) इसका अर्थ है कि संतुलन प्राप्त करने हेतु लम्बे समय तक भूखे रहना।

नीचे दिए गए कूटों के आधार पर **सही** उत्तर का चयन कीजिए :

A. (i) एवं (ii) B. (i), (ii) एवं (iii)
C. (ii) एवं (iii) D. (i), (ii), (iii) एवं (iv)

142. कॉलम-I में वैज्ञानिकों के नाम दिए गए हैं और कॉलम-II में कुछ खोज दी गई हैं :

कॉलम-I	कॉलम-II
(a) अलेक्जेन्डर फ्लेमिंग	(i) एन्थ्रेक्स जीवाणु
(b) एडवर्ड जेनर	(ii) किण्वन
(c) लुईस पाश्चर	(iii) पेनिसिलीन
(d) रॉबर्ट कोच	(iv) चेचक का टीका

वैज्ञानिकों के नाम का उनकी खोजों के साथ **सही** मिलान है :

	(a)	(b)	(c)	(d)
A.	(iii)	(iv)	(ii)	(i)
B.	(i)	(iii)	(ii)	(iv)
C.	(iii)	(ii)	(iv)	(i)
D.	(iii)	(iv)	(i)	(ii)

143. वायुमंडल के किन क्षेत्रों में ऑक्सीजन एवं ओजोन महत्वपूर्ण भूमिका अदा करते हैं?

A. मध्यमण्डल, समतापमण्डल B. क्षोभमण्डल, समतापमण्डल
C. आयनमण्डल, मध्यमण्डल D. बहिर्मण्डल, बाह्यमण्डल

144. डिस्पोजेबल (प्रयोज्य) प्लास्टिक प्लेटों एवं गिलासों का उपयोग नहीं करना चाहिए क्योंकि :

A. वे जैव-अविघटनीय पदार्थ से बने होते हैं।
B. वे हल्के भार वाले पदार्थ से बने होते हैं।
C. वे जैव-विघटनीय पदार्थ से बने होते हैं।
D. वे आविषि पदार्थ से बने होते हैं।

145. कॉलम-I में दी गई वैश्विक पर्यावरण समस्याओं को कॉलम-II में दिए गए उनके कारण से सुमेलित कीजिए एवं निम्नलिखित कूटों की सहायता से **सही** उत्तर का चयन कीजिए :

कॉलम-I	कॉलम-II
(a) ओजोन परत क्षय	(i) CO_2, SO_2 एवं N_2O का उत्सर्जन
(b) हरित गृह प्रभाव	(ii) वनस्पति एवं प्राणी समूह का समाप्त होना
(c) अम्लीय वर्षा	(iii) CFC एवं क्लोरीन युक्त यौगिकों का उत्सर्जन
(d) जैव-विविधता में कमी	(iv) नाइट्रोजन एवं सल्फर ऑक्साइड का उत्सर्जन

कूट :

	(a)	(b)	(c)	(d)
A.	(iv)	(i)	(iii)	(ii)
B.	(iii)	(i)	(ii)	(iv)
C.	(iii)	(iv)	(i)	(ii)
D.	(iii)	(i)	(iv)	(ii)

146. निम्नलिखित में से कौन-से जीवधारियों का समूह एक विशिष्ट खाद्य शृंखला का घटक **नहीं** है?

A. घास, खरगोश, भेड़िगा, शेर
B. प्लैंक्टन, मानव, मछली, टिड्डा
C. घास, मृग, बाघ, गिद्ध
D. मेंढक, साँप, उकाब, घास, टिड्डा

147. जल जनित रोग निम्नलिखित में से कौन-सा है?

A. डिफ्थीरिया B. टिटेनस
C. हेपेटाइटिस D. खाँसी

148. निम्नलिखित में से कौन-सा महासागर ऑस्ट्रेलिया के पश्चिम और अफ्रीका के पूर्व में स्थित है?

A. प्रशान्त महासागर B. हिंद महासागर
C. अटलांटिक महासागर D. दक्षिणी महासागर

149. काँटेदार पत्तियाँ किस प्रकार के पौधों का अभिलाक्षणिक गुण हैं?

A. स्थलीय B. जलीय
C. अधिपादप D. मरुस्थलीय

150. टार्टरिक अम्ल **नहीं** पाया जाता है :

A. नींबू में B. आँवला में
C. कच्चे आम में D. अंगूर में

उत्तरमाला

1. (B)	2. (B)	3. (A)
4. (C)	5. (B)	6. (B)
7. (C)	8. (D)	9. (*)
10. (A)	11. (C)	12. (A)
13. (B)	14. (B)	15. (C)
16. (B)	17. (C)	18. (D)
19. (A)	20. (B)	21. (A)
22. (A)	23. (B)	24. (D)
25. (D)	26. (A)	27. (B)
28. (A)	29. (B)	30. (D)
31. (D)	32. (B)	33. (B)
34. (B)	35. (D)	36. (B)
37. (D)	38. (C)	39. (B)
40. (D)	41. (C)	42. (B)
43. (A)	44. (C)	45. (D)
46. (B)	47. (B)	48. (B)
49. (C)	50. (C)	51. (B)
52. (B)	53. (B)	54. (A)
55. (C)	56. (C)	57. (B)
58. (D)	59. (D)	60. (B)

61. (C): 2 वर्ष पहले जनसंख्या $= \dfrac{P}{\left(1+\dfrac{r}{100}\right)^2}$

$$= \frac{4410}{\left(1+\dfrac{5}{100}\right)^2} = \frac{4410}{\left(\dfrac{21}{20}\right)^2}$$

$$= \frac{4410}{\dfrac{441}{400}} = \frac{4410}{441} \times 400$$

$$= 10 \times 400 = 4000.$$

62. (D):

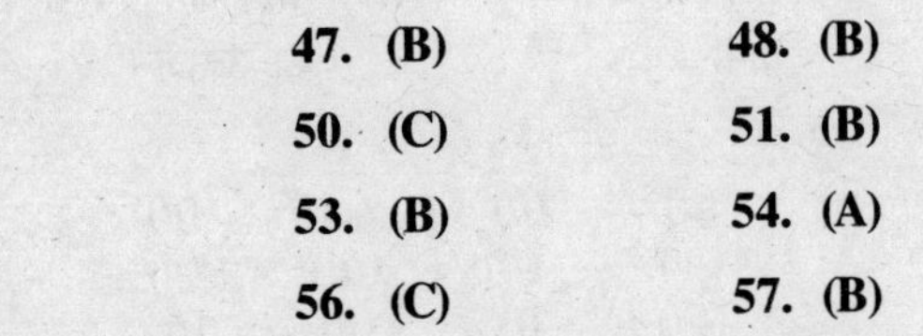

यहाँ, अगला पद = ? = QZK.

63. (B):

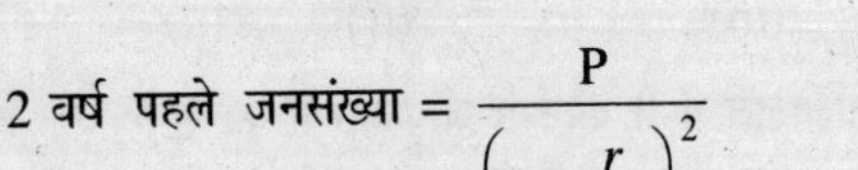

∴ ? = अगला पद = 216.

64. (A): दिया है, P > Q, P > R, Q > S > T

∴ P > Q > R > S > T

यहाँ, इनमें सबसे लम्बा P है।

65. (D): दिया है, एक वर्ग के चारों ओर फेंसिंग के लिए 36 खम्भों को स्थापित किया गया।

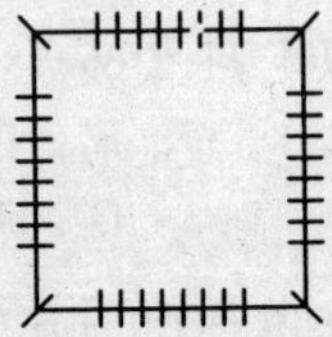

2 खंभों के बीच की दूरी = 6 मी.

∴ प्रत्येक भुजा में खंभों की संख्या = 10

∴ प्रत्येक भुजा की लम्बाई = $(10 - 1) \times 6 = 9 \times 6$

= 54 मी.

∴ वर्ग का क्षेत्रफल = $(\text{भुजा})^2$

$= (54)^2 = 2916$ वर्ग मी.।

66. (D): दिया है, $\sqrt{2^n} = 64$

$\Rightarrow \left(\sqrt{2^n}\right)^2 = (64)^2$

$\Rightarrow 2^n = \left(2^6\right)^2$

$\Rightarrow 2^n = 2^{12} \Rightarrow n = 12.$

67. (C): दिया है, C E R T A I N और S E Q U E N C E

C E R T A I N → X V I G Z R M

S E Q U E N C E → H V J F V M X V

शब्द के अक्षरों को कूटबद्ध करने के लिए वर्णमाला के विपरीत क्रम में समान स्थान वाले अक्षरों को लिया गया है।

A B C ..... Y Z → वर्णमाला के सीधे क्रम में अक्षर

Z Y X .... B A → वर्णमाला के विपरीत क्रम में समान स्थान वाले अक्षर

| | | | |

पहला दूसरा तीसरा 25वां 26वां → वर्णमाला में अक्षरों का स्थान

इसी प्रकार, M U N D A N E → N F M W Z M V

∴ MUNDANE को समान कूट भाषा में NFMWZMV लिखा जाएगा।

68. (D):

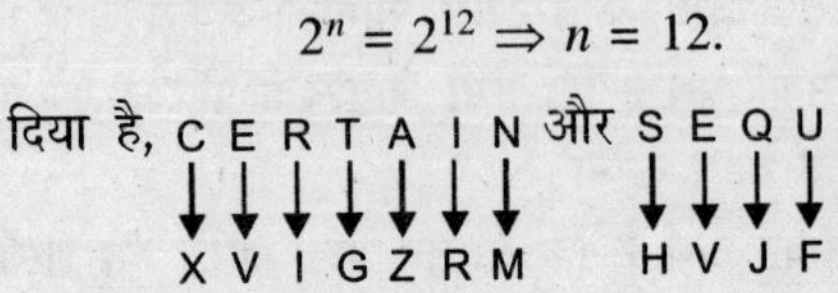

∴ ? = अगला पद = YB.

69. (C)

70. (B): दिया है, M एक वर्ग संख्या है

तब, उसकी अगली तत्काल वर्ग संख्या

$$= \left(\sqrt{M}+1\right)^2 = M + 2\sqrt{M} + 1$$

$\because \quad M = 4$

$\therefore \quad \left(\sqrt{M}+1\right) = M + 2\sqrt{M} + 1$

$\Rightarrow \quad (2 + 1)^2 = 4 + 2 \times 2 + 1$

$\quad = 4 + 4 + 1$

$\Rightarrow \quad (3)^2 = 9.$

71. (B):

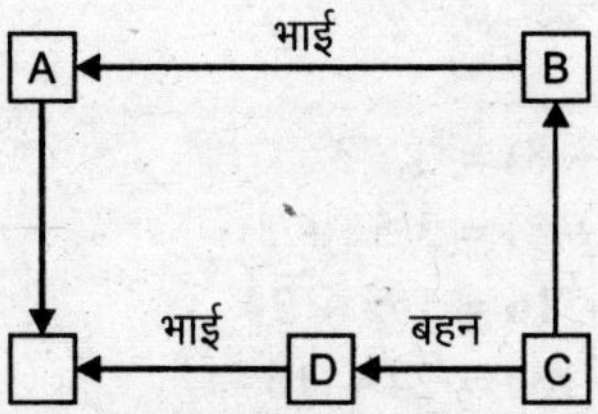

यहाँ, B, C का चाचा है।

72. (A): शब्दों का अर्थपूर्ण अनुक्रम :

अक्षर → शब्द → वाक्यांश → वाक्य

73. (B): $6 - x - 2x^2 = 6 + 3x - 4x - 2x^2$

$= 3(2 + x) - 2x(2 + x)$

$= (3 - 2x)(2 + x)$

$= (x + 2)(3 - 2x)$

जो कि अभीष्ट गुणनखंड हैं।

74. (A): दिया गया है, $\sqrt{1+\sqrt{\left(1-\frac{2176}{2401}\right)}} = 1+\frac{x}{7}$

$\Rightarrow \quad \sqrt{1+\sqrt{\frac{225}{2401}}} = 1+\frac{x}{7}$

$\Rightarrow \quad \sqrt{1+\frac{15}{49}} = 1+\frac{x}{7}$

$\Rightarrow \quad \sqrt{\frac{49+15}{49}} = 1+\frac{x}{7}$

$\Rightarrow \quad \sqrt{\frac{64}{49}} = 1+\frac{x}{7}$

$\Rightarrow \quad \frac{8}{7} = 1+\frac{x}{7}$

$\Rightarrow \quad \frac{x}{7} = \frac{8}{7}-1$

$\Rightarrow \quad \frac{x}{7} = \frac{1}{7}$

$\Rightarrow \quad x = 1.$

75. (A): माना $x = \sqrt{6+\sqrt{6+\sqrt{6+}}}\ldots\infty$

तब, $\quad x = \sqrt{6+x}$

$\Rightarrow \quad x^2 = 6 + x$

$\Rightarrow \quad x^2 - x - 6 = 0$

$\Rightarrow \quad x^2 - 3x + 2x - 6 = 0$

$\Rightarrow \quad x(x - 3) + 2(x - 3) = 0$

$\Rightarrow \quad (x - 3)(x + 2) = 0$

$\Rightarrow \quad x = 3$ या $x = -2$

अभीष्ट उत्तर = $x = 3, x \neq -2.$

76. (C): चक्रवृद्धि ब्याज = $P\left(1+\frac{r}{100}\right)^n - P$

$= P\left[\left(1+\frac{r}{100}\right)^n - 1\right]$

$= 4000\left[\left(1+\frac{5}{100}\right)^2 - 1\right]$

$= 4000\left[\left(1+\frac{1}{20}\right)^2 - 1\right]$

$= 4000\left[\left(\frac{21}{20}\right)^2 - 1\right]$

$= 4000\left[\frac{441}{400} - 1\right] = 4000\left[\frac{41}{400}\right]$

$= 10 \times 41 =$ ₹ 410

और साधारण ब्याज = $\frac{Prt}{100} = \frac{4000 \times 5 \times 2}{100}$

$= 40 \times 10 =$ ₹ 400

∴ अब, चक्रवृद्धि ब्याज – साधारण ब्याज

= ₹ 410 – ₹ 400 = ₹ 10.

77. (B): माना 1 वस्तु का क्रय मूल्य = ₹ 1

तब, 12 वस्तुओं का क्रय मूल्य = ₹ 12

और 12 वस्तुओं का विक्रय मूल्य

= 15 वस्तुओं का क्रय मूल्य

= ₹ 15

∴ लाभ = विक्रय मूल्य – क्रय मूल्य

⇒ लाभ = 15 – 12 = ₹ 3

∴ लाभ % = $\frac{\text{लाभ} \times 100}{\text{क्रय मूल्य}}$

$= \frac{3 \times 100}{12} = 25\%.$

78. (C): दिया गया है, $\frac{80 \text{ का } 30\%}{x} = 24$

$\Rightarrow \quad 80 \text{ का } 30\% = 24x$

$\Rightarrow \quad 80 \times \frac{30}{100} = 24x$

$\Rightarrow \quad 24 = 24x$

$\Rightarrow \quad x = 1.$

79. (C): $2 \div [2 + 2 \div \{2 + 2 \div (2 + 2 \div 3)\}]$

$= 2 \div \left[2 + 2 \div \left\{2 + 2 \div \left(2 + \frac{2}{3}\right)\right\}\right]$

$= 2 \div \left[2 + 2 \div \left\{2 + 2 \div \frac{8}{3}\right\}\right]$

$= 2 \div \left[2 + 2 \div \left\{2 + 2 \times \frac{3}{8}\right\}\right]$

$= 2 \div \left[2 + 2 \div \left\{2 + \frac{3}{4}\right\}\right]$

$= 2 \div \left[2 + 2 \div \frac{11}{4}\right]$

$= 2 \div \left[2 + 2 \times \frac{4}{11}\right]$

$= 2 \div \left[2 + \frac{8}{11}\right]$

$= 2 \div \frac{30}{11} = 2 \times \frac{11}{30} = \frac{11}{15}.$

80. (C) **81. (B)** **82. (D)**
83. (C) **84. (A)** **85. (B)**
86. (B) **87. (B)** **88. (D)**
89. (C) **90. (B)** **91. (*)**

92. (A): माना घर से विद्यालय की दूरी = x किमी.

तब, $\frac{x}{20} = \frac{x}{30} + \frac{18}{60}$

$\Rightarrow \quad \frac{x}{20} - \frac{x}{30} = \frac{18}{60}$

$\Rightarrow \quad \frac{3x - 2x}{60} = \frac{3}{10}$

$\Rightarrow \quad x = \frac{3}{10} \times 60 = 18$

$\Rightarrow \quad x = 18$ किमी.

93. (D) : $\because a^3 - b^3 = (a - b)(a^2 + ab + b^2)$

$\therefore \frac{986 \times 986 \times 986 - 742 \times 742 \times 742}{986 \times 986 + 986 \times 742 + 742 \times 742}$

$= \frac{(986)^3 - (742)^3}{(986)^2 - 986 \times 742 + (742)^2}$

$= \frac{(986 - 742)\left[(986)^2 - 986 \times 742 + (742)^2\right]}{\left[(986)^2 - 986 \times 742 + (742)^2\right]}$

$= 986 - 742 = 244.$

94. (A): माना रमेश और उसकी पुत्री की वर्तमान आयु $8x$ वर्ष और $5x$ वर्ष है।

तब, 8 वर्ष बाद

$(8x + 8) : (5x + 8) = 3 : 2$

$\Rightarrow \quad 2(8x + 8) = 3(5x + 8)$

$\Rightarrow \quad 16x + 16 = 15x + 24$

$\Rightarrow \quad 16x - 15x = 24 - 16$

$\Rightarrow \quad x = 8$

$\therefore$ पुत्री की वर्तमान आयु = $5x = 40$ वर्ष।

95. (C): माना एक थैले में ₹ 1, 50 पैसे और 25 पैसे के सिक्कों की संख्या $7x$, $8x$ और $12x$ है।

तब, $\frac{7x}{1} + \frac{8x}{2} + \frac{12x}{4} = 560$

$\Rightarrow \quad 7x + 4x + 3x = 560$

$\Rightarrow \quad 14x = 560 \Rightarrow x = 40$

$\therefore$ थैले में 25 पैसे के सिक्कों की संख्या

$= 12x = 12 \times 40 = 480.$

96. (A): माना S प्रतिदर्श समष्टि है।

तब, $n(S) = (4 + 3 + 5 = 12)$ गेंदों में से 2 गेंद निकालने के तरीकों की संख्या = ${}^{12}C_2$

$= \frac{\lfloor 12}{\lfloor 2 \lfloor 10} = \frac{12 \times 11 \times \lfloor 10}{2 \lfloor 10} = \frac{12 \times 11}{2} = 66$

माना E = दोनों गेंद एक ही रंग की होने की घटना

तब, $n(E)$ = (4 में से 2) या (3 में से 2) या (5 में से 2) दो गेंद निकालने के तरीके

$= {}^4C_2 + {}^3C_2 + {}^5C_2$

$= \frac{\lfloor 4}{\lfloor 2 \lfloor 2} + \frac{\lfloor 3}{\lfloor 2 \lfloor 1} + \frac{\lfloor 5}{\lfloor 2 \lfloor 3}$

$= 3 \times 2 + 3 + \frac{5 \times 4}{2}$

$= 6 + 3 + 10 = 19$

$\therefore \quad P(E) = \frac{n(E)}{n(S)} = \frac{19}{66}.$

97. (C)

98. (D): माना संख्याएँ x और y हैं।

तब, x का $30\% = \frac{1}{6} \times y$

$\Rightarrow \quad x \times \frac{30}{100} = \frac{1}{6} y$

$\Rightarrow \quad \frac{3}{10} x = \frac{1}{6} y$

$\Rightarrow \quad x = \frac{1}{6} y \times \frac{10}{3} = \frac{5}{9} y$

और $x + y = 140$

$\Rightarrow \quad \frac{5}{9} y + y = 140$

$\Rightarrow \quad \frac{5y + 9y}{9} = 140$

$\Rightarrow \quad 14y = 140 \times 9$

$\Rightarrow \quad y = 90$

$\therefore \quad x = \frac{5}{9} y = \frac{5}{9} \times 90 = 50$

$\therefore$ बड़ी संख्या का मान $= y = 90$.

99. (B): माना दो शंकुओं का व्यास $4x$ और $5x$ हैं

तब, इसकी त्रिज्या हैं $r_1 = 2x$ और $r_2 = \frac{5}{2} x$

अष, दो शंकुओं के आयतन का अनुपात = 1 : 4

$\Rightarrow \quad \frac{1}{3} \pi r_1^2 h_1 : \frac{1}{3} \pi r_2^2 h_2 = 1 : 4$

$\Rightarrow \frac{1}{3} \pi (2x)^2 h_1 : \frac{1}{3} \pi \left(\frac{5}{2} x\right)^2 h_2 = 1 : 4$

$\Rightarrow \quad \left(\frac{1}{3} \pi \times 4x^2 \times h_1\right) \times 4 = \left(\frac{1}{3} \pi \times \frac{25}{4} x^2 \times h_2\right) \times 1$

$\Rightarrow \quad 4h_1 \times 4 = \frac{25}{4} h_2$

$\Rightarrow \quad 16h_1 = \frac{25}{4} h_2$

$\Rightarrow \quad \frac{h_1}{h_2} = \frac{25}{64}$

$\Rightarrow \quad h_1 : h_2 = 25 : 64$

$\therefore$ उनकी ऊँचाई का अनुपात $= h_1 : h_2 = 25 : 64$.

100. (D) **101. (B)** **102. (C)**

103. (A)

104. (C): A. $\frac{15}{4}$ = परिमेय संख्या

B. $\frac{10}{3}$ = परिमेय संख्या

C. $\sqrt{2}$ = अपरिमेय संख्या

D. $\frac{21}{4}$ = परिमेय संख्या

105. (A): माना 1 वस्तु का विक्रय मूल्य = ₹ 1

$\therefore$ 6 वस्तुओं का क्रय मूल्य

= 10 वस्तुओं का विक्रय मूल्य

= ₹ 10

और 6 वस्तुओं का विक्रय मूल्य = ₹ 6

$\therefore$ हानि = क्रय मूल्य − विक्रय मूल्य

= 10 − 6 = ₹ 4

$\therefore$ हानि % $= \frac{\text{हानि} \times 100}{\text{क्रय मूल्य}}$

$= \frac{4 \times 100}{10} = 40\%.$

106. (D): A का 1 दिन का कार्य $= \frac{1}{20}$

B का 1 दिन का कार्य $= \frac{1}{10}$

$\therefore$ (A + B) का 1 दिन का कार्य $= \frac{1}{20} + \frac{1}{10} = \frac{1+2}{20} = \frac{3}{20}$

$\Rightarrow$ (A + B) का 4 दिन का कार्य $= 4 \times \frac{3}{20} = \frac{3}{5}$

$\therefore$ शेष कार्य $= 1 - \frac{3}{5} = \frac{2}{5}$

अब शेष कार्य को पूरा करने में A को दिन लगेंगे

$= \frac{2/5}{1/20}$

$= \frac{2}{5} \times \frac{20}{1} = 8$ दिन।

107. (D): $\because$ समबहुभुज के सभी अन्तःकोणों का योग

$= (2n - 4) \times 90°$

$\therefore$ एक सप्तभुज के सभी अंतःकोणों का योग

$= (2 \times 7 - 4) \times 90°$

$= (14 - 4) \times 90°$

$= 10 \times 90 = 900°.$

108. (B): दिया गया है, $\sqrt{7+\sqrt[3]{x}} = 4$

दोनों ओर वर्ग करने पर,

$$\left(\sqrt{7+\sqrt[3]{x}}\right)^2 = (4)^2$$

$$\Rightarrow \quad 7+\sqrt[3]{x} = 16$$

$$\Rightarrow \quad \sqrt[3]{x} = 16 - 7$$

$$\Rightarrow \quad \sqrt[3]{x} = 9$$

$$\Rightarrow \quad (x)^{1/3} = 9$$

$$\Rightarrow \quad x = 9^3 = 9 \times 9 \times 9$$

$$\Rightarrow \quad x = 81 \times 9$$

$$\Rightarrow \quad x = 729.$$

109. (C): माना मूलधन = P

और समान ब्याज दर = $r\%$

तब, साधारण ब्याज = $\frac{\text{P}rt}{100}$

$$\therefore \quad 600 = \frac{\text{P}\times r\times 2}{100}$$

$$\Rightarrow \quad \text{P}r = 30000$$

चक्रवृद्धि ब्याज = $\text{P}\left(1+\frac{r}{100}\right)^2 - \text{P}$

$$\Rightarrow \quad 612 = \text{P}\left[1+\left(\frac{r}{100}\right)^2+\frac{2r}{100}\right]-\text{P}$$

$$\Rightarrow \quad 612 = \text{P}+\text{P}\left(\frac{r}{100}\right)^2+\frac{2\text{P}r}{100}-\text{P}$$

$$\Rightarrow \quad 612 = \text{P}\left(\frac{r}{100}\right)^2+\frac{\text{P}r}{50}$$

$$\Rightarrow \quad 612 = \frac{\text{P}r}{100}\left(\frac{r}{100}\right)+\frac{\text{P}r}{50}$$

$$\Rightarrow \quad 612 = \frac{30000}{100}\left(\frac{r}{100}\right)+\frac{30000}{50}$$

$$\Rightarrow \quad 612 = 300\left(\frac{r}{100}\right)+600$$

$$\Rightarrow \quad 612 = 3r + 600$$

$$\Rightarrow \quad 3r = 612 - 600$$

$$\Rightarrow \quad 3r = 12$$

$$\Rightarrow \quad r = 4\%$$

$\therefore$ ब्याज की वार्षिक दर = r = 4%.

110. (D): शब्द 'ASSESSMENT' में अक्षर हैं

= 1A, 4S, 2E, 1M, 1N और 1T हैं

$\therefore$ शब्दों की अभीष्ट संख्या

$$= \frac{\lfloor 10}{\lfloor 1\lfloor 4\lfloor 2\lfloor 1\lfloor 1\lfloor 1}$$

$$= \frac{\lfloor 10}{\lfloor 4\lfloor 2}$$

$$= \frac{10\times 9\times 8\times 7\times 6\times 5\times \lfloor 4}{2\lfloor 4}$$

$$= 10 \times 9 \times 8 \times 7 \times 3 \times 5$$

$$= 75600.$$

111. (B): n वर्ष बाद शहर की जनसंख्या

$$= \text{P}\left(1+\frac{r}{100}\right)^n$$

$\therefore$ 2 वर्ष बाद शहर की जनसंख्या

$$= 1200000\left(1+\frac{4}{100}\right)^2$$

$$= 1200000\left(\frac{26}{25}\right)^2$$

$$= 1200000\times\frac{676}{625}$$

$$= 1920 \times 676 = 1297920.$$

112. (C): $(x^2 - 6xy + 9y^2) - 16$

$= (x - 3y)^2 - 4^2$

$= (x - 3y + 4)\,(x - 3y - 4).$

113. (D): दिया है, $a * b = a^2 + b^2 - ab$

$\therefore \quad 8 * 7 = 8^2 + 7^2 - 8 \times 7$

$= 64 + 49 - 56$

$= 113 - 56 = 57$

और $\quad 3 * 5 = 3^2 + 5^2 - 3 \times 5$

$= 9 + 25 - 15$

$= 34 - 15 = 19$

$\therefore \quad 8 * 7 - 3 * 5 = 57 - 19 = 38.$

114. (D): हमें ज्ञात करना है, 8 जून, 2007 का दिन

2000 वर्ष में अतिरिक्त दिन 0 है।

5 साधारण वर्ष (2001, 2002, 2003, 2005, 2006) में 5 अतिरिक्त दिन हैं।

और 1 लीप वर्ष (2004) में 2 अतिरिक्त दिन हैं।

$\therefore$ 2001 से 2006 तक अतिरिक्त दिन

= 5 + 2 = 7

अब, 31 (जनवरी) + 28 (फरवरी) + 31 (मार्च) + 30 (अप्रैल) + 31 (मई) + 8 (जून)

= 159 दिन

= 22 सप्ताह + 5 दिन

$\therefore$ अतिरिक्त दिनों की कुल संख्या

$= 7 + 5$

$= 12$ दिन

$= 1$ सप्ताह $+ 5$ दिन

$= 5$ अतिरिक्त दिन

$\therefore$ 8 जून को शुक्रवार था।

115. (B): मिनट की सुई द्वारा 60 मिनट में बना कोण

$= 360°$

$\because \quad 360° = 60$ मिनट

$\therefore \quad 90° \times 4 = 60$ मिनट

$\Rightarrow \quad 90° = 15$ मिनट

$\Rightarrow \quad 90° \times 3 = 3 \times 15$

$= 45$ मिनट

$\Rightarrow \quad 270° = 45$ मिनट

$\Rightarrow \quad \frac{3}{2}\pi$ रेडियन $= 45$ मिनट।

116. (C): दिया है, $x^3 + kx + 12$, $(x + 3)$ से पूर्णतः विभाजित है।

$\therefore \quad x + 3 = 0$

$\Rightarrow \quad x = -3$ समीकरण $x^3 + kx + 12$ का शून्य है

$\therefore \quad (-3)^3 + kx - 3 + 12 = 0$

$\Rightarrow \quad -27 - 3k + 12 = 0$

$\Rightarrow \quad -15 - 3k = 0$

$\Rightarrow \quad 3k = -15$

$\Rightarrow \quad k = -5.$

117. (C): माना AB एक खंभा है और AC तार की लंबाई है।

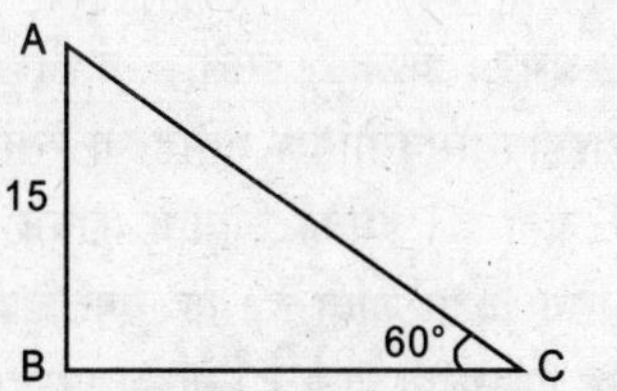

तब, $\quad AB = 15$ मी.

$\angle ACB = 60°$

ΔABC में, $\quad \sin 60° = \frac{AB}{AC}$

$\Rightarrow \quad \frac{\sqrt{3}}{2} = \frac{15}{AC}$

$\Rightarrow \quad AC = \frac{15 \times 2}{\sqrt{3}} = 5\sqrt{3} \times 2$

$\Rightarrow \quad AC = 10\sqrt{3}$ मी.

$\therefore$ तार की लंबाई $= AC = 10\sqrt{3}$ मीटर।

118. (B): दिया है, $\quad 27^{x-\frac{2}{3}} = 81$

$\Rightarrow \quad (3^3)^{x-\frac{2}{3}} = (3)^4$

$\Rightarrow \quad (3)^{3x-2} = (3)^4$

$\Rightarrow \quad 3x - 2 = 4$

$\Rightarrow \quad 3x = 2 + 4$

$\Rightarrow \quad 3x = 6$

$\Rightarrow \quad x = 2$

$\therefore \quad 2^{3x+1}$ का मान $= 2^{3 \times 2 + 1}$

$= 2^{6+1} = 2^7$

$= 128.$

119. (B): एक समलम्ब चतुर्भुज का क्षेत्रफल

$= \frac{1}{2} \times$ (समान्तर भुजाओं का योग) $\times h$

$= \frac{1}{2} \times (22 + 27) \times 10$ सेमी.^{2}

$= \frac{1}{2} \times 49 \times 10$

$= 49 \times 5 = 245$ सेमी.^{2}.

120. (B): दिया है, $\quad$ माध्य $= 74$ और बहुलक $= 29$

$\because \quad 3$ माध्यिका $- 2$ माध्य $=$ बहुलक

$\therefore \quad 3$ माध्यिका $=$ बहुलक $+ 2$ माध्य

$\Rightarrow \quad$ माध्यिका $= \frac{1}{3}$ (बहुलक $+ 2$ माध्य)

$= \frac{1}{3}(29 + 2 \times 74)$

$= \frac{1}{3}(29 + 148)$

$= \frac{1}{3} \times 177 = 59$

$\therefore \quad$ माध्यिका $= 59.$

121. (D): भूमध्य रेखा पृथ्वी को उत्तरी गोलार्ध और दक्षिणी गोलार्ध में विभाजित करती है। दक्षिणी गोलार्ध में उत्तरी गोलार्ध की तुलना में अधिक महासागर और कम भूमि हैं। ऑस्ट्रेलिया और अंटार्कटिका दो महाद्वीप हैं जो पूरी तरह से दक्षिणी गोलार्ध में स्थित हैं। अफ्रीका, दक्षिण अमेरिका और एशिया दोनों गोलार्धों में आंशिक रूप से स्थित हैं।

122. (C) **123. (A)**

124. (C): कृत्रिम पारिस्थितिक तंत्र मानव निर्मित संरचनाएं हैं जहां जीवित रहने के लिए जैविक और अजैविक घटक एक दूसरे के साथ

अंतःक्रिया करते हैं। यह आत्मनिर्भर नहीं होता है और मानव सहायता के बिना नष्ट हो सकता है। कृत्रिम पारिस्थितिक तंत्र के उदाहरणों में एक्वैरियम, कृषि क्षेत्र, चिड़ियाघर आदि शामिल हैं।

125. (A) **126. (C)**

127. (D): प्राकृतिक बायोडिग्रेडेबल पॉलिमर बायोपॉलिमर कहलाते हैं। पॉलीसेकेराइड, स्टार्च और सेल्युलोज के रूप में, इन प्राकृतिक पॉलिमर के सबसे विशिष्ट परिवार का प्रतिनिधित्व करते हैं।

प्रोटीन के रूप में अन्य प्राकृतिक पॉलिमर का उपयोग बायोडिग्रेडेबल सामग्री के उत्पादन के लिए किया जा सकता है। ये बायोपॉलिमर के दो मुख्य नवीकरणीय स्रोत हैं।

128. (B)

129. (A)

130. (C):

लाइकेन वातावरण में सल्फर डाइऑक्साइड की सांद्रता का सबसे अच्छा संकेतक हैं। लाइकेन ऐसे जीव हैं जो अनावृत क्षेत्रों या आधार-तल जैसे पेड़ की छालों या चट्टानों पर उगते हैं। वे अधःस्तर के ऊपर एक आवरण बनाते हैं। लाइकेन पानी और पोषक तत्वों को अवशोषित करने में बहुत कार्यक्षम होते हैं जो उन्हें जीवित रहने में मदद करते हैं। उन्हें जीवित रहने के लिए स्वच्छ और प्रदूषण मुक्त हवा की आवश्यकता होती है। हालांकि, कुछ पत्तेदार लाइकेन थोड़ी मात्रा में प्रदूषण से बच सकते हैं और परतदार लाइकेन अधिक प्रदूषित क्षेत्रों में जीवित रह सकते हैं। सल्फर डाइऑक्साइड वर्षा के पानी में घुल जाता है और लाइकेन को नुकसान पहुंचाता है और उसे बढ़ने से रोकता है। लाइकेन कठोर जीव हैं जो सल्फर डाइऑक्साइड प्रदूषण के लिए उपयोगी संकेतक हैं क्योंकि वे अपना पानी और पोषक तत्व मुख्य रूप से वातावरण से प्राप्त करते हैं और वातावरण में कोई भी परिवर्तन उन्हें प्रभावित करता है।

131. (D): बोन ऐश/बोन मील का उपयोग आमतौर पर एक जैविक उर्वरक के रूप में किया जाता है क्योंकि इसमें कैल्शियम और फास्फोरस होते हैं जो पौधों के लिए पोषक तत्व होते हैं। बोनमील कुचली हुई और मोटे तौर पर पिसी हुई हड्डियों का मिश्रण होता है जिसका उपयोग पौधों के लिए जैविक उर्वरक के रूप में और पशु आहार में किया जाता है। धीमी गति से उत्सर्जित उर्वरक के रूप में, बोन मील मुख्य रूप से फास्फोरस के स्रोत के रूप में उपयोग किया जाता है। यह जैविक उर्वरक पौधों को ऊर्जा को संचित और स्थानांतरित करने में सक्षम बनाता है, जड़, फूल और फलों के विकास को बढ़ावा देता है और जल्दी परिपक्व बनाता है।

132. (B): जब एक कांच के प्रिज्म पर श्वेत प्रकाश आपतित होता है तो इसका प्रत्येक रंग एक अलग कोण पर अपवर्तित होता है, जिसमें से लाल रंग का विचलन सबसे कम और बैंगनी रंग का सबसे अधिक होता है।

133. (A) **134. (B & C)**

135. (C): टैडपोल के कायांतरण के लिए आयोडीन तत्व जल में पर्याप्त मात्रा में उपलब्ध होना चाहिए।

136. (B): विकिरण के विभेदन के दौरान अवशोषित ऊर्जा की मात्रा विकिरण या कण के प्रकार और अवशोषित सामग्री के प्रकार पर निर्भर करती है। छात्रों को यह भी याद रखना चाहिए कि विभिन्न विकिरणों में अल्फा कणों की भेदन क्षमता सबसे कम होती है। उन्हें कागज की मोटी चादर या कपड़ों की एक परत से भी रोका जा सकता है। दूसरी ओर, गामा किरणें उच्च ऊर्जा विद्युत चुम्बकीय विकिरण हैं और विभिन्न विकिरणों की अपेक्षा अधिकतम भेदन क्षमता युक्त होती है।

137. (B) **138. (C)** **139. (D)**

140. (D) **141. (B)** **142. (A)**

143. (B) **144. (A)** **145. (D)**

146. (B) **147. (C)** **148. (B)**

149. (D)

150. (A & B): टार्टरिक अम्ल मुख्यतः कुछ फलों में पाया जाता है जैसे—अंगूर, केला, इमली, कच्चे आम आदि। इसे 2, 3-डीहाइड्रोक्सीसक्सीनिक एसिड या रेसेमिक एसिड के रूप में भी जाना जाता है। इसका उपयोग कार्बन डाइऑक्साइड उत्पन्न करने के लिए किया जाता है। यह एक डिप्रोटिक एल्डेरिक एसिड है जो सफेद क्रिस्टलीय होती है। बेकिंग पाउडर सोडियम बाइकार्बोनेट और टार्टरिक एसिड का मिश्रण है। यह फार्मास्यूटिकल्स के क्षेत्र में व्यापक रूप से उपयोग किया जाता है। टार्टरिक एसिड की उच्च खुराक से पक्षाघात या मृत्यु हो सकती है।

पिछले प्रश्न-पत्र (हल सहित)

हरियाणा शिक्षक पात्रता परीक्षा (HTET)

Level-I, प्राथमिक शिक्षक (PRT), 2021

(Exam held on 19 December, 2021)

भाग-I

बाल विकास व शिक्षाशास्त्र

निर्देशः *निम्नलिखित प्रश्नों के उत्तर देने के लिए* ***सबसे उचित*** *विकल्प चुनिए।*

1. निम्नलिखित कारकों में से कौन-सा बच्चों के शारीरिक विकास को प्रभावित करता है?

A. भौगोलिक वातावरण B. पौष्टिक भोजन
C. अन्तःस्रावी ग्रंथियाँ D. इनमें से सभी

2. डिस्ग्राफिया है एक :

A. पठन अक्षमता B. लेखन अक्षमता
C. गणितीय अक्षमता D. अभिव्यंजक अक्षमता

3. सजा से बचने के लिए आज्ञाकारिता की अवस्था को कोहलबर्ग के नैतिक विकास के सिद्धांत में नैतिकता के किस स्तर में सम्मिलित किया गया है?

A. पूर्व-पारम्परिक नैतिकता B. पारम्परिक नैतिकता
C. उत्तर-पारम्परिक नैतिकता D. इनमें से कोई नहीं

4. रोर्शा स्याही-धब्बा परीक्षण में 'काले एवं सफेद' कार्ड कितने हैं?

A. दो B. तीन
C. चार D. पाँच

5. ब्रूनर के संज्ञानात्मक विकास के सिद्धांतानुसार, निम्नलिखित में से कौन-सी चिंतन की एक विधि ***नहीं*** है?

A. सक्रियता B. आंकिक
C. दृश्य प्रतिमा D. सांकेतिक

6. 'एक छोटी बालिका प्रतिदिन अपनी गुड़िया के कपड़े बदलती है।' पियाजे के संज्ञानात्मक विकास के सिद्धांतानुसार, यह कहलाता है :

A. व्यवहारवाद (बिहेवियरिज़्म)
B. रचनावाद (कंस्ट्रक्टिविज़्म)
C. मानववाद (ह्यूमनिज़्म)
D. जीववाद (एनिमिज़्म)

7. 'बेसल आयु' .... के मापन से संबंधित है।

A. अभिरुचि B. बुद्धि
C. अभिक्षमता D. अभिवृत्ति

8. एक शिक्षक ने विद्यार्थियों को पढ़ाया कि 'गर्ल' का बहुवचन 'गर्ल्स' होता है। इस अधिगम के साथ विद्यार्थी 'वूमैन' का बहुवचन 'वूमैन्स' बनाते हैं। यह किस प्रकार के अधिगम/हस्तांतरण का एक उदाहरण है?

A. धनात्मक B. ऋणात्मक
C. शून्य D. इनमें से कोई नहीं

9. एक शिक्षक द्वारा विद्यार्थियों के एक समूह पर प्रशासित 'बालक अंतर्बोध परीक्षण' से किसका मापन किया जाएगा?

A. उपलब्धि B. अभिवृत्ति
C. अभिक्षमता D. व्यक्तित्व

10. निम्नलिखित में से कौन-सा मनोवैज्ञानिक व्यवहारवाद से संबंधित ***नहीं*** है?

A. वाटसन B. स्किनर
C. हल D. फ्रॉयड

11. निम्नलिखित में से कौन-सा विकास का एक सिद्धांत ***नहीं*** है?

A. अन्तर्संबंधों का सिद्धांत B. भिन्नता का सिद्धांत
C. पृथकूकरण का सिद्धांत D. दिशा का सिद्धांत

12. 'प्रेरणा प्रबलन ह्रास सिद्धांत' के प्रदाता हैं :

A. हल B. मैस्लो
C. एटकिन्सन D. रिचर्डसन

13. प्रतिक्रियाएँ जो किसी विशेष स्थिति में संतोषजनक प्रभाव उत्पन्न करती हैं, उस स्थिति में उनके फिर से होने की अधिक संभावना होती है। सीखने का यह नियम किसके द्वारा दिया गया?

A. स्किनर B. थार्नडाइक
C. पावलॉव D. वाटसन

14. बुद्धि का समूह-कारक सिद्धांत किस मनोवैज्ञानिक द्वारा दिया गया है?

A. थार्नडाइक B. थर्स्टन
C. स्पीयरमैन D. थॉमसन

15. एरिक्सन के मनोसामाजिक विकास के सिद्धांतानुसार, कौन-सी अवस्था 6 से 12 वर्ष की आयु से संबंधित है?

A. विश्वास बनाम अविश्वास
B. पहल बनाम अपराधबोध
C. स्वायत्तता बनाम लज्जा एवं शंका
D. अध्यवसाय बनाम हीनता

16. 'बुद्धि का आर्मी-अल्फा परीक्षण' एक प्रकार है :

A. शाब्दिक समूह परीक्षण का

B. अशाब्दिक समूह परीक्षण का

C. शाब्दिक वैयक्तिक परीक्षण का

D. अशाब्दिक वैयक्तिक परीक्षण का

17. निम्नलिखित में से कौन-सा युग्म सही ***नहीं*** है?

	मूल प्रवृत्ति	**संवेग**
A.	पलायन	भय
B.	अपकर्षण	क्रोध
C.	जिज्ञासा	आश्चर्य
D.	शरणागति	विषाद

18. निम्नलिखित में से कौन-सा सहकारी अधिगम का तत्व ***नहीं*** है?

A. बड़ा समूह

B. विद्यार्थियों की अंतःक्रिया

C. अन्योन्याश्रितता

D. वैयक्तिक एवं सामूहिक जिम्मेदारी

19. शैल्डन ने सभी मनुष्यों को शारीरिक आयाम पर विभिन्न श्रेणियों में विभक्त किया है। व्यक्तित्व अध्ययन की यह कौन-सी विधि है?

A. शीलगुण विधि B. मनोविश्लेषण विधि

C. प्रारूप (प्रकार) विधि D. मूल प्रवृत्ति विधि

20. निम्नलिखित में से कौन-सी व्यक्तित्व मापन की एक प्रक्षेपी तकनीक है?

A. खेल एवं ड्रामा B. साक्षात्कार

C. आत्मकथा D. अवलोकन

21. मोहन का व्यक्तित्व एवं बुद्धि लब्धि सोहन से भिन्न है। ये भिन्नताएँ क्या कहलाती हैं?

A. अंतर्वैयक्तिक भिन्नताएँ

B. अपेक्षित भिन्नताएँ

C. अन्तःवैयक्तिक भिन्नताएँ

D. निरीक्षित भिन्नताएँ

22. निम्नलिखित में से कौन-सा एक जन्मजात अभिप्रेरक ***नहीं*** है?

A. भूख B. नींद

C. दर्द परिहार D. उपलब्धि

23. बच्चों में सृजनात्मकता का विकास करना, विकास के किस आयाम से संबंधित है?

A. शारीरिक B. मानसिक

C. सामाजिक D. नैतिक

24. 'संकेत भाषा' किस प्रकार के दिव्यांग बच्चों के लिए प्रयोग में लायी जाती है?

A. श्रवण असमर्थ B. दृश्य असमर्थ

C. चलन असमर्थ D. भाषा असमर्थ

25. निम्नलिखित में से कौन-सी अधिगमकर्ता केन्द्रित शिक्षण-अधिगम व्यूहरचना ***नहीं*** है?

A. सहकारी अधिगम B. समस्या समाधान

C. व्याख्यान D. प्रायोजना

26. 'बुद्धि का त्रिविमीय सिद्धांत' किसके द्वारा प्रतिपादित किया गया?

A. स्टेनफोर्ड B. स्टर्नबर्ग

C. स्पीयरमैन D. गिलफोर्ड

27. वृद्धि एवं विकास उत्पाद हैं :

A. आनुवंशिकता के

B. वातावरण के

C. आनुवंशिकता एवं वातावरण दोनों के

D. इनमें से कोई नहीं

28. अधिगमकर्ता की अभिवृत्ति, अभिरुचि, उपलब्धि एवं अधिगम शैली में अंतर कौन-सी विभिन्नताओं की द्योतक हैं?

A. सामाजिक विभिन्नताएँ B. अधिगम विभिन्नताएँ

C. संवेगात्मक विभिन्नताएँ D. वैयक्तिक विभिन्नताएँ

29. निम्नलिखित में से कौन-सा कार्य 'टॉरेन्स के सृजनात्मक परीक्षण' से संबंधित ***नहीं*** है?

A. असाधारण उपयोग संबंधी कार्य

B. युग्मों के मध्य नवीन संबंध से संबंधित कार्य

C. उत्पाद उन्नति संबंधी कार्य

D. 'पूछो एवं अनुमान लगाओं' संबंधी कार्य

30. अधिगम का अन्तर्दृष्टि सिद्धांत अन्य किस नाम से भी जाना जाता है?

A. रचनात्मक सिद्धांत B. सामाजिक अधिगम सिद्धांत

C. गेस्टाल्ट सिद्धांत D. अभिप्रेरणा सिद्धांत

भाग-II

भाषा : हिन्दी

निर्देशः *निम्नलिखित प्रश्नों के उत्तर देने के लिए* ***सबसे उचित*** *विकल्प चुनिए।*

31. निम्न में से कौन-सा शब्द 'गुण स्वर संधि' का उदाहरण है?

A. हिमोपल B. नभोमण्डल

C. रजोदर्शन D. यशोवर्मन

32. किस विकल्प के सभी शब्द 'रात' के पर्याय हैं?

A. बयार, निशा, ग्रामिनी B. शर्वरी, रैन, विभावरी

C. क्षमा, रजनी, दैत्य D. राका, रात्रि, तनु

33. किस विकल्प में मिश्रवाक्य का प्रयोग ***नहीं*** हुआ है?

A. वह थोड़ी देर बाद तुरन्त लौट गया।

B. मैं चाहता हूँ कि आप यहीं रहें।

C. जब मैं स्टेशन पहुँचा, तभी ट्रेन आई।
D. जिन छात्रों ने परिश्रम किया वे उत्तीर्ण हो गए।

34. किस विकल्प में तद्भव शब्द प्रयुक्त हुआ है?
A. ताम्र B. भौंरा
C. ज्येष्ठ D. श्रावण

35. किस विकल्प का शब्द 'अव' उपसर्ग से निर्मित ***नहीं*** है?
A. अवाप्य B. अवेक्षण
C. अवधूत D. अवधी

36. निम्न में से कौन-सी क्रिया 'कर्म' की अपेक्षा रखती है?
A. दौड़ना B. पीना
C. हँसना D. रेंगना

37. किस समस्त पद का विग्रह ***अनुचित*** है?
A. निरामिष – आमिष से रहित
B. अतीन्द्रिया – इन्द्रियों के अनुभव से परे
C. अत्यावश्यक – आवश्यकता से परे
D. प्रत्याशा – आशा के बदले की गई आशा

38. 'चोर की दाढ़ी में तिनका' लोकोक्ति का उचित भावार्थ चुनिए :
A. अपराधी सदैव शंकित रहता है।
B. छोटे लोगों का बढ़-चढ़कर बोलना।
C. विजातीय स्वभाव जीवन भर रहता है।
D. अपराध करके निरपराध बनाना।

39. विलोम शब्द की दृष्टि से ***संगत*** विकल्प चुनिए :
A. विलास – प्रलास B. विहित – परहित
C. विपदा – आपदा D. वैमनस्य – सौमनस्य

40. निम्न में से किस विकल्प में 'दन्त्य' वर्ण प्रयुक्त हुए हैं?
A. ज, य, श B. न, ल, स
C. ट, ड, र D. ह, क, ख

41. किस विकल्प के सभी शब्द व्यक्तिवाचक संज्ञाएँ हैं?
A. आम, साधना, ऊँचाई
B. गाय, मूर्खता, चालाकी
C. राधेश्याम, पन्नालाल, हिमालय
D. ममता, बैल, लम्बाई

42. अर्थ की दृष्टि से ***असंगत*** मुहावरे का चयन कीजिए :
A. आँख का पानी गिर जाना – बेशर्म हो जाना
B. आँखों पर बिठाना – बहुत आदर-सत्कार करना
C. आँख का काजल चुराना – सफाई से चुराना
D. अरमान निकालना – अपनी ही बात करते रहना

43. कौन-सा विशेषण शब्द भाववाचक संज्ञा से निर्मित है?
A. नागरिक B. चलता
C. ऊँचा D. प्यारा

44. निम्न में से कौन-सा शब्द कृत् प्रत्यय के योग से निर्मित ***नहीं*** है?
A. कमाई B. पढ़ाई
C. लड़ाई D. चतुराई

45. 'मैं चुप नहीं बैठ सकती।' उक्त वाक्य भाववाच्य में होगा
A. मेरे द्वारा चुप नहीं बैठा जाता।
B. मैं चुप नहीं बैठ सकूँगी।
C. मुझसे चुप नहीं बैठा जाता
D. मैं चुप रह सकती थी।

PART-II

Language : English

Directions: *Answer the following questions by selecting the* ***most appropriate*** *option.*

46. The synonym of 'Ugly' is:
A. Single B. Hideous
C. Desire D. Polite

47. Choose the ***correct*** Preposition for the blanks:
He goes ______ Church ______ Sundays.
A. for, at B. from, or
C. in, an D. to, on

48. Select the ***correct*** option for the blanks:
I have ______ hour and ______ half for lunch.
A. a, the B. an, a
C. an, an D. a, a

49. Fill in the ***correct*** option in the blank:
Karim is tall, ______ Abdul is taller.
A. so B. but
C. than D. before

50. Choose the ***correct*** one-word substitution:
A study of living things.
A. Biology B. Chemistry
C. Ecology D. Botany

51. Choose the ***correct*** option for the underlined word:
This is the boy <u>who</u> works hard.
A. Adverb B. Pronoun
C. Adjective D. Noun

52. Choose the ***correct*** option to fill in the blank:
The bird ______ away.
A. is fly B. way fly
C. has flown D. had flied

53. The antonym of 'Copy' is:
A. Verify B. Cunning
C. Produce D. Original

54. Choose a suitable option:

We ______ keep our promise (obligation).

A. may B. can
C. should D. might

55. Choose the ***correct*** sentence:

A. Six people lost their life in the accident.
B. Six people lost their lives in the accident.
C. Six people loss their life in the accident.
D. Six people loose their life in the accident.

56. Choose the ***correct*** option:

Tendulkar is the ______ batsman in the world.

A. good B. better
C. much better D. best

57. Choose the ***correct*** tense form:

I'm sure she ______ the examination.

A. will pass B. has been passed
C. is being pass D. had been passed

58. The word 'noisy' means:

A. Reveal B. Spoken
C. Loud D. Clear

59. The idiom 'To wash one's hands of' means:

A. To make money very rapidly
B. To live within his income
C. To not to do as told
D. To refuse to accept responsibility

60. Choose the ***correct*** option:

'Espresso' is

A. A passing fashion
B. Something imaginary
C. Strong coffee brewed by steam pressure
D. A female goat

भाग-III

सामान्य अध्ययन : मात्रात्मक योग्यता, तार्किक अभिक्षमता तथा सामान्य ज्ञान एवं अभिज्ञान

निर्देश: *निम्नलिखित प्रश्नों के उत्तर देने के लिए* **सबसे उचित** *विकल्प चुनिए।*

61. यदि किसी गोले का पृष्ठीय क्षेत्रफल 616 वर्ग सेमी. हो, तो उसकी त्रिज्या क्या होगी?

A. 5 सेमी.
B. 6 सेमी.
C. 7 सेमी.
D. 8 सेमी.

62. यदि $x=\sqrt{3018+\sqrt{36+\sqrt{169}}}$, तो x का मान क्या होगा?

A. 42 B. 44
C. 55 D. 45

63. $(0.\bar{7}+0.\bar{6}-0.\bar{5})$ का मान क्या होगा?

A. $\frac{7}{9}$ B. $\frac{8}{9}$
C. $\frac{1}{3}$ D. $\frac{4}{9}$

64. $\frac{5}{6},\frac{10}{18},\frac{25}{36}$ का म.स.प. क्या है?

A. $\frac{5}{36}$ B. $\frac{25}{6}$
C. $\frac{25}{36}$ D. $\frac{5}{18}$

65. निम्न शृंखला में अगला पद क्या होगा?

ZB, YD, XF, WH, VJ, UL, TN, ____.

A. ST B. SP
C. UT D. CT

66. उस शब्द का चयन कीजिए जो अन्य तीन से भिन्न है :

A. पिस्तौल B. तलवार
C. गन D. राइफल

67. कितने प्रतिशत वार्षिक सरल ब्याज की दर से कोई धन 8 वर्ष में स्वयं का दुगुना हो जाएगा?

A. 10% B. 12½%
C. 12% D. 11½%

68. किसी निश्चित कूट भाषा में 24685 को 33776 लिखा जाता है, तो उसी कूट भाषा में 35791 को क्या लिखा जाएगा?

A. 44826 B. 44882
C. 44682 D. 44680

69. संख्याओं के प्रथम जोड़े के मध्य एक विशेष प्रकार का संबंध है। उसी प्रकार का संबंध द्वितीय जोड़े में ढूँढकर छूटे हुए स्थान पर संख्या ज्ञात कीजिए :

35 : 6 :: 120 : ?

A. 11 B. 10
C. 9 D. 12

70. निम्न संख्या श्रेणी का अगला पद ज्ञात कीजिए :

10, 12, 16, 24, 40 ____.

A. 60 B. 56
C. 70 D. 72

71. एक रेलगाड़ी जो 700 मीटर लम्बी है, 72 किमी./घण्टा की रफ्तार से चल रही है। यदि वह एक गुफा को 1 मिनट में पार कर लेती है, तो गुफा की लम्बाई होगी :

A. 505 मीटर B. 510 मीटर
C. 500 मीटर D. 515 मीटर

72. निम्नलिखित संख्या श्रृंखला में ऐसे कितने 7 हैं जिनसे पहले कोई सम संख्या है, किन्तु ठीक बाद में कोई विषम संख्या नहीं है?

437523721367542742712276572

A. 3 B. 4
C. 1 D. 2

73. यदि 'NIGHT' का कोड 58 हो, तो उसी पैटर्न पर 'ANGER' का कोड क्या होगा?

A. 40 B. 42
C. 41 D. 45

74. एक व्यक्ति 400 आम के क्रय मूल्य पर 320 आम बेच देता है, तो उसका लाभ प्रतिशत होगा :

A. 10% B. 15%
C. 20% D. 25%

75. A किसी कार्य को 24 दिन में कर सकता है। यदि B की कार्यक्षमता A से 60% अधिक है, तो उसी कार्य को करने में B को कितने दिन लगेंगे?

A. 18 B. 17
C. 15 D. 12

76. किसी वर्ग की लम्बाई और चौड़ाई को क्रमशः 30% एवं 20% बढ़ा दिया जाये, तो बनने वाले नये आयत का क्षेत्रफल वर्ग के क्षेत्रफल से कितने % ज्यादा होगा?

A. 56% B. 54%
C. 42% D. 46%

77. यदि एक वृत्त का क्षेत्रफल A, त्रिज्या r तथा परिधि C हो, तो निम्न में से कौन-सा ***सत्य*** है?

A. $rC = 2A$ B. $\frac{C}{A} = \frac{r}{2}$

C. $AC = \frac{r^2}{4}$ D. $\frac{A}{r} = C$

78. मैं अपने घर से पूर्व की ओर 10 मीटर चला, इसके बाद उत्तर की ओर मुड़ा तथा 15 मीटर चला, इसके बाद पश्चिम की ओर मुड़ा और 12 मीटर चला, इसके बाद दक्षिण की ओर मुड़ा और 15 मीटर चला। अब मैं अपने घर से कितनी दूर खड़ा हूँ?

A. 2 मीटर B. 3 मीटर
C. 4 मीटर D. 5 मीटर

79. (281 × 15 × 16 × 18) के गुणनफल का इकाई अंक होगा :

A. 8 B. 6
C. 5 D. 0

80. यदि पानी को भोजन, भोजन को पेड़, पेड़ को आकाश, आकाश को दीवार कहा जाए, तो फल किस पर उगेंगे/बढ़ेंगे?

A. पानी B. भोजन
C. आकाश D. दीवार

81. जिला, जिसमें सर्वाधिक वनक्षेत्र है :

A. रोहतक B. हिसार
C. यमुनानगर D. चरखी-दादरी

82. नाथ सम्प्रदाय के साधु बाबा चतुरंगी नाथ/चौरंगी नाथ जाने जाते थे :

A. सिद्ध पुरुष के नाम से
B. पूर्ण भगत के नाम से
C. महामण्डलेश्वर के नाम से
D. संत कवि के नाम से

83. वह खिलाड़ी, जिसने टोक्यो ओलम्पिक 2020 में कुश्ती में रजत पदक जीता :

A. बजरंग पूनिया B. रवि कुमार दहिया
C. दीपक पूनिया D. विनेश फोगाट

84. निम्नलिखित में से किसने अधिकतम अवधि तक हरियाणा के मुख्यमंत्री के रूप में काम किया?

A. बंसीलाल B. भजनलाल
C. देवीलाल D. भूपिन्दर सिंह हुड्डा

85. निम्नलिखित कथनों को ध्यानपूर्वक पढ़िए :

(*i*) भिवानी क्षेत्रफल की दृष्टि से सबसे बड़ा जिला है।
(*ii*) हिसार जनसंख्या की दृष्टि से सबसे बड़ा जिला है।

सही विकल्प का चयन कीजिए :

A. केवल कथन (*i*) सही है
B. केवल कथन (*ii*) सही है
C. न ही (*i*) और न ही (*ii*) सही है
D. दोनों कथन सही हैं

86. हरियाणा की 14वीं विधानसभा में विपक्ष के नेता कौन हैं?

A. श्री बिशन लाल सैनी
B. श्री भूपिन्दर सिंह हुड्डा
C. श्री अनूप धानक
D. श्री रणजीत सिंह

87. हरियाणा में 'राष्ट्रीय पशु आनुवंशिकी संस्थान' किस जिले में स्थित है?

A. हिसार B. करनाल
C. यमुनानगर D. रोहतक

88. निम्नलिखित को सुमेलित कीजिए :

मण्डल	जिला
(*a*) हिसार	(*i*) पंचकुला
(*b*) गुरुग्राम	(*ii*) सोनीपत
(*c*) अम्बाला	(*iii*) महेन्द्रगढ़
(*d*) रोहतक	(*iv*) सिरसा

कूट :

	(*a*)	(*b*)	(*c*)	(*d*)
A.	(*iv*)	(*ii*)	(*i*)	(*iii*)
B.	(*iii*)	(*i*)	(*iv*)	(*ii*)
C.	(*iv*)	(*iii*)	(*i*)	(*ii*)
D.	(*ii*)	(*iv*)	(*iii*)	(*i*)

89. निम्नलिखित में से कौन-सा जोड़ा सही ***नहीं*** है?

झील	स्थान
A. बड़खल झील	– फरीदाबाद
B. भिंडावास झील	– झज्जर
C. चंदेली झील	– गुरुग्राम
D. बुलबुल झील	– जींद

90. हरियाणा का निम्नलिखित में से कौन-सा शहर राष्ट्रीय राजधानी क्षेत्र का हिस्सा ***नहीं*** है?

A. हिसार
B. सोनीपत
C. फरीदाबाद
D. गुरुग्राम

भाग-IV

गणित

निर्देशः *निम्नलिखित प्रश्नों के उत्तर देने के लिए* **सबसे उचित** *विकल्प चुनिए।*

91. गणित की प्रकृति है :

A. आलंकारिक
B. कठिन
C. तार्किक
D. अव्यवस्थित

92. एक समबहुभुज के प्रत्येक अन्तःकोण का मांन 150° हो, तो बहुभुज में भुजाओं की संख्या है :

A. 72 B. 7
C. 12 D. 36

93. चार अंकों की बड़ी-से-बड़ी संख्या जो 15, 25, 40 और 75 से विभाजित हो, है :

A. 9400 B. 9900
C. 9600 D. 9800

94. यदि $y+\frac{1}{z}=1$ तथा $x+\frac{1}{y}=1$, तो xyz का मान है :

A. –1 B. 1
C. 2 D. ज्ञात नहीं कर सकते

95. एक छात्र ने एक परीक्षा में 65% अंक प्राप्त किये। यदि उसने पाँच विषयों में से चार विषयों में क्रमशः 78%, 70%, 62% और 65% अंक प्राप्त किये, तो पाँचवें विषय में कितने प्रतिशत अंक प्राप्त किये?

A. 52% B. 48%
C. 50% D. 54%

96. एक कार्यालय में कुल कर्मचारियों का $\frac{3}{5}$ भाग महिलाएँ हैं तथा शेष पुरुष हैं। यदि महिलाओं का $\frac{2}{9}$ भाग तथा पुरुषों का $\frac{1}{4}$ भाग अनुपस्थित हो, तो कुल कर्मचारियों का कौन-सा भाग अनुपस्थित है?

A. $\frac{17}{30}$ B. $\frac{23}{30}$
C. $\frac{7}{30}$ D. $\frac{19}{30}$

97. पाँच बच्चे जो प्रत्येक 4 वर्ष के अन्तराल में पैदा हुए हैं, की आयु का योग 55 वर्ष है, तो सबसे बड़े बच्चे की आयु है :

A. 15 वर्ष B. 21 वर्ष
C. 16 वर्ष D. 19 वर्ष

98. किसी संख्या के एक-तिहाई के $\frac{3}{4}$ का $\frac{1}{5}$ भाग 24 हो, तो उस संख्या का 20% है :

A. 66 B. 72
C. 96 D. 48

99. निम्नलिखित में से कौन-सी वस्तुनिष्ठ प्रकार के परीक्षण की विशेषता ***नहीं*** है?

A. आकलन के लिए अधिक मेहनत/प्रयास की आवश्यकता
B. अधिक विश्वसनीयता
C. अधिक वैधता
D. मानकों के निर्धारण में सुगमता

100. यदि एक त्रिभुज में एक कोण 50° का है तथा शेष दोनों कोणों का अंतर 30° है, तो दोनों में से छोटे कोण का मान है :

A. 40° B. 80°
C. 50° D. 60°

101. तीन वर्ष पूर्व रमेश और सुरेश की आयु का अनुपात 5 : 9 था। पाँच वर्ष पश्चात् यह अनुपात 3 : 5 होगा। सुरेश की वर्तमान आयु है :

A. 75 वर्ष B. 43 वर्ष
C. 72 वर्ष D. 40 वर्ष

102. A एक कार्य को 25 दिन में पूरा कर सकता है और B उसी कार्य को 15 दिन में पूरा कर सकता है। दोनों ने मिलकर 5 दिन कार्य किया और उसके पश्चात् A ने कार्य छोड़ दिया। शेष रहे कार्य को पूरा करने में B को कितना समय लगेगा?

A. 7 दिन B. 17 दिन
C. 9 दिन D. 6 दिन

103. दो संख्याओं के महत्तम समापवर्त्य और लघुत्तम समापवर्त्य का योग 504 है तथा लघुत्तम समापवर्त्य, महत्तम समापवर्त्य का 55 गुणा है। यदि एक संख्या 99 है, तो दूसरी संख्या है :

A. 45
B. 81
C. 56
D. ज्ञात नहीं कर सकते

104. रमेश ने दो मोटरसाइकल में से प्रत्येक को ₹ 54,500 में बेचा। उसे एक पर 8% लाभ और दूसरे पर 8% हानि हुई, तो इस सौदे में हानि अथवा लाभ प्रतिशत है :
A. न लाभ और न ही हानि
B. 6.4% हानि
C. 0.64% लाभ
D. 0.64% हानि

105. यदि एक बंटन का माध्य और माध्यिका क्रमशः 60 और 48 है, तो बंटन का बहुलक है :
A. 50
B. 36
C. 24
D. 18

106. बारह टिकटों को 1 से 12 तक क्रमांकित किया गया है। यदि उनमें से एक टिकट का यादृच्छिक चयन किया जाये, तो टिकट पर अंकित संख्या के 2 या 3 के गुणज होने की प्रायिकता है :
A. $\frac{1}{3}$
B. $\frac{2}{3}$
C. $\frac{5}{8}$
D. $\frac{1}{2}$

107. 9 सेमी. त्रिज्या वाले एक धातु के गोले को पिघलाकर 0.6 सेमी. त्रिज्या की छोटी गोलियाँ बनाई जाती हैं, छोटी गोलियों की संख्या है :
A. 3345
B. 3275
C. 3375
D. 3475

108. यदि एक संख्या $8^{10} \times 9^7 \times 7^8$ के रूप में है, तो दी गई संख्या के अभाज्य गुणनखण्डों की संख्या है :
A. 36
B. 46
C. 52
D. 55

109. एक समबाहु त्रिभुज जिसकी भुजा 6 सेमी. है, की ऊँचाई होगी :
A. $3\sqrt{3}$ सेमी.
B. 3 सेमी.
C. $\sqrt{3}$ सेमी.
D. $9\sqrt{3}$ सेमी.

110. यदि $\sqrt{5}x-3=3\sqrt{5}+2$ हो, तो x का मान है :
A. $3+\sqrt{5}$
B. $3+3\sqrt{5}$
C. $2\sqrt{5}+3$
D. $3\sqrt{5}+2$

111. एक थैली में ₹ 2, ₹ 1 और 50 पैसे के सिक्के क्रमशः 6 : 7 : 15 के अनुपात में हैं। यदि थैली में कुल धन ₹ 1590 हैं, तो थैली में ₹ 1 के सिक्कों की संख्या है :
A. 360
B. 420
C. 900
D. 600

112. निम्नलिखित जोड़ों में से कौन-सा युग्म सह अभाज्य संख्या का है?
A. (7, 49)
B. (17, 25)
C. (8, 52)
D. (13, 91)

113. $11^2 + 12^2 + 13^2 +$ ____ $+ 20^2$ का मान है :
A. 2685
B. 2585
C. 2870
D. 2485

114. 12, 15, 18 से विभाजित होने वाली सबसे छोटी पूर्ण वर्ग संख्या है:
A. 400
B. 900
C. 2500
D. 1600

115. गणित शिक्षण के उद्देश्यों के वर्गीकरण के अनुसार निम्नलिखित में से कौन-सा भावात्मक पक्ष से संबंधित है?
A. समन्वय
B. संश्लेषण
C. क्रियान्वयन
D. संगठन

116. शब्द 'ENGINEER' के अक्षरों से कितने शब्द बनाये जा सकते हैं?
A. 3360
B. 40320
C. 20160
D. 6720

117. यदि $x+\frac{1}{x}=4$ हो, तो $x^4+\frac{1}{x^4}$ का मान है :
A. 194
B. 174
C. 144
D. 154

118. यदि $a * b = a + b + ab$ हो, तो $8 * 7 - 5 * 6$ का मान है :
A. 56
B. 45
C. 40
D. 30

119. यदि $2^{2x-3}=\frac{1}{8^{x-4}}$ हो, तो x का मान है :
A. –1
B. 1
C. 0
D. 3

120. 13 परिणामों का औसत 65 है, यदि प्रथम सात परिणामों का औसत 62 हो तथा अंतिम सात परिणामों का औसत 67 हो, तो सातवाँ परिणाम है :
A. 54
B. 58
C. 60
D. 52

भाग-V

पर्यावरण अध्ययन

निर्देशः *निम्नलिखित प्रश्नों के उत्तर देने के लिए* **सबसे उचित** *विकल्प चुनिए।*

121. निम्नलिखित में से कौन-सा वन उत्पाद ***नहीं*** है?
A. गोंद
B. प्लाइवुड
C. लाख (लाह)
D. कैरोसिन

122. CO_2 प्रमुख ग्रीन हाउस गैसों में से एक है। निम्नलिखित में से कौन-सी अन्य गैसें ग्रीन हाउस प्रभाव का कारण बनती हैं?
A. मीथेन, नाइट्रस ऑक्साइड
B. मीथेन, क्लोरीन

C. आर्गन, नाइट्रस ऑक्साइड
D. मीथेन, फ्लोरीन

123. सीसमोग्राफ का उपयोग किया जाता है :
A. चक्रवात की गति को मापने के लिये
B. भूकंप मापने के लिये
C. वर्षा मापने के लिये
D. किसी धातु की छड़ पर आवेश मापने के लिए

124. अम्लीय वर्षा .... तथा .... के ऑक्साइडों के कारण होती है।
A. कार्बन, फॉस्फोरस   B. सल्फर, नाइट्रोजन
C. कार्बन, नाइट्रोजन   D. नाइट्रोजन, फ्लुओरीन

125. समुद्र के पानी का शुद्धिकरण किया जा सकता है :
A. निस्यंदन के द्वारा   B. विपरीत परासरण द्वारा
C. यू.वी. विकिरण द्वारा   D. परासरण द्वारा

126. पादपों और जंतुओं के मृत शरीर को ह्यूमस में परिवर्तित करने वाले सूक्ष्मजीव कहलाते हैं :
A. वनोन्मूलन   B. वन शिखर
C. केनोपी   D. अपघटक

127. निम्नलिखित में से कौन-सा ***विषम*** है?
A. कोयला   B. पेट्रोलियम
C. प्राकृतिक गैस   D. पवन ऊर्जा

128. हवा क्या है?
A. एक पदार्थ   B. एक यौगिक
C. एक तत्त्व   D. एक मिश्रण

129. निम्नलिखित में से कौन-सा पारिस्थितिकी तंत्र पृथ्वी पर सर्वाधिक क्षेत्र को आच्छादित करता है?
A. समुद्री पारिस्थितिकी तंत्र
B. घास का मैदान पारिस्थितिकी तंत्र
C. रेगिस्तानी पारिस्थितिकी तंत्र
D. पर्वतीय पारिस्थितिकी तंत्र

130. कुछ शहरों तथा नगरों में नगरपालिकाएँ दो प्रकार के कचरे को एकत्र करने के लिये दो पृथक कूड़ेदान प्रदान करती हैं। प्रायः एक का रंग नीला तथा दूसरे का रंग हरा होता है। हरा कूड़ादान निम्नलिखित पदार्थ के लिये उपयोग में लाया जाता है :
A. प्लास्टिक की पानी की बोतल
B. काँच
C. आयरन छड़
D. पेड़ की पत्तियाँ (सूखी)

131. 'भारतीय प्राणी सर्वेक्षण' की स्थापना किस वर्ष में की गई थी?
A. 1814   B. 1875
C. 1916   D. 1969

132. MCBT क्या है?
A. मल्टिपल कॉम्बिनेशन बिहेवियरल थेरेपी
B. मेटल केस बोट टैल
C. मेडिकल कैनेबिस बाइक टूर
D. मद्रास क्रोकोडाइल बैंक ट्रस्ट

133. वर्मीकम्पोस्ट प्राप्त होती है :
A. गोल कृमि से   B. केंचुए से
C. अमीबा से   D. प्लाजमोडियम से

134. निम्नलिखित में कौन-से जानवर में निम्नलिखित अनुकूलन है?
(*i*) इसमें सूंघने की शक्ति (घ्राण शक्ति) तीव्र होती है।
(*ii*) इसके नखर मुड़े हुए लंबे और पैने होते हैं।
(*iii*) इसके शरीर पर बालों की दो मोटी परतें होती हैं।
(*iv*) इसकी त्वचा के नीचे वसा की एक परत होती है।
A. पेंगुइन   B. पोलर भालू
C. न्यू वर्ल्ड मंकी   D. टूकेन पक्षी

135. एक अमेरिकी वैज्ञानिक ने यह दर्शाया कि तड़ित तथा आपके वस्त्रों में उत्पन्न चिंगारी वास्तव में एक ही परिघटना है। उस वैज्ञानिक का नाम क्या है?
A. बेन्जामिन होबार्ट   B. बेन्जामिन केओफ
C. बेन्जामिन फ्रैंकलिन   D. बेन्जामिन वैन लीर

136. भारत में, निम्नलिखित में से कौन-सा पुरस्कार ग्रामीण समुदायों और व्यक्तियों को दिया जाता है, जिन्होंने वन्य जीव की रक्षा में अत्यधिक साहस और समर्पण का प्रदर्शन किया है?
A. पंत राष्ट्रीय पुरस्कार
B. अमृता देवी बिश्नोई पुरस्कार
C. मेदिनी पुरस्कार योजना
D. इंदिरा गाँधी पर्यावरण पुरस्कार

137. प्रथम विश्व पर्यावरण दिवस (डब्ल्यू.ई.डी.) किस वर्ष में मनाया गया था?
A. 1974   B. 1972
C. 1971   D. 1981

138. निम्नलिखित में से कौन-सा यंत्र वर्षा मापन हेतु प्रयुक्त होता है?
A. रेन फेडर   B. संघीय मौसम
C. वर्षा मीनार   D. वर्षामापी

139. निम्नलिखित में से कौन-सा पिरामिड प्राकृतिक पारिस्थितिकी तंत्र में कभी भी उल्टा नहीं हो सकता है?
A. संख्या का पिरामिड
B. सभी उल्टे हो सकते हैं
C. जैवभार का पिरामिड
D. ऊर्जा का पिरामिड

140. पानी को कीटाणु रहित करने के लिए कौन-सी विधि उपयुक्त ***नहीं*** है?
A. फिटकरी द्वारा स्कंदन
B. निस्यंदन
C. क्लोरीन की गोलियों से शुद्धिकरण
D. उबालना

141. निम्नलिखित में से कौन-से जानवर के पैरों के तलवे चिपचिपे होते हैं, जो उन्हें वृक्षों पर चढ़ने में सहायता करते हैं?

A. टूकेन पक्षी B. ध्रुवीय भालू
C. पेंगुइन D. लाल आँखों वाला मेंढक

142. विद्युत उत्पन्न करने के लिये प्रयोग किया जाने वाला उपकरण है :

A. वात दिग्दर्शक B. पवन चक्कियाँ
C. पवन कटर D. हवा का गोला

143. A तथा B कॉलमों का सही मिलान कर नीचे दिए गए कूटों की सहायता से ***सही*** उत्तर का चयन कीजिए :

कॉलम-A	**कॉलम-B**
(*a*) अस्थमा	(*i*) स्मॉग के कारण
(*b*) स्मॉग	(*ii*) प्रदूषणकारी गैस
(*c*) सल्फर डाइऑक्साइड	(*iii*) पारा
(*d*) मिनामाता बीमारी	(*iv*) फॉग तथा स्मोक

कूट :

	(*a*)	(*b*)	(*c*)	(*d*)
A.	(*i*)	(*ii*)	(*iii*)	(*iv*)
B.	(*iv*)	(*iii*)	(*ii*)	(*i*)
C.	(*i*)	(*iv*)	(*ii*)	(*iii*)
D.	(*i*)	(*iii*)	(*ii*)	(*iv*)

144. प्रकृति के लिये विश्वव्यापी कोष (डब्ल्यू.डब्ल्यू.एफ.) के अनुसार निम्नलिखित में से कौन-सी नदी विश्व में दस संकटग्रस्त नदियों में से एक है?

A. गोदावरी B. यमुना
C. गंगा D. सरयू

145. कविता "दि राइम ऑफ दि एन्शिएंट मैरिनर" किसके द्वारा लिखी गई है?

A. जॉन विलियम्स B. जॉन रोज
C. एस.टी. कॉलरिज D. स्टुअर्ट फायरस्टीन

146. ओजोन परत के क्षय का कारण है :

A. एफ.एफ.सी. B. एफ.सी.सी.
C. सी.सी.एफ. D. सी.एफ.सी

147. निम्नलिखित में से कौन एक बौना ग्रह है?

A. पृथ्वी B. बुध
C. शुक्र D. प्लूटो

148. 'दि जियोग्राफिकल डिस्ट्रीब्यूशन ऑफ एनीमल्स' पुस्तक किसके द्वारा लिखी गई थी?

A. अल्फ्रेड रसल वालैस B. अल्फ्रेड रसल टिओरिया
C. अल्फ्रेड रसल मैलर D. अल्फ्रेड रसल फ्रांसिस

149. विश्व ओजोन दिवस मनाया जाता है :

A. 18 अक्टूबर B. 16 सितम्बर
C. 17 नवम्बर D. 16 अगस्त

150. 'वन महोत्सव' किस महीने में मनाया जाता है?

A. सितम्बर B. फरवरी
C. जुलाई D. मार्च

उत्तरमाला

1	**2**	**3**	**4**	**5**	**6**	**7**	**8**	**9**	**10**
D	B	A	D	B	D	B	B	D	D
11	**12**	**13**	**14**	**15**	**16**	**17**	**18**	**19**	**20**
C	A	B	B	D	A	B	A	C	A
21	**22**	**23**	**24**	**25**	**26**	**27**	**28**	**29**	**30**
A	D	B	A	C	D	C	D	B	C
31	**32**	**33**	**34**	**35**	**36**	**37**	**38**	**39**	**40**
A	B	A	B	D	B	C	A	D	B
41	**42**	**43**	**44**	**45**	**46**	**47**	**48**	**49**	**50**
C	D	D	D	C	B	D	B	B	A
51	**52**	**53**	**54**	**55**	**56**	**57**	**58**	**59**	**60**
B	C	D	C	B	D	A	C	D	C
61	**62**	**63**	**64**	**65**	**66**	**67**	**68**	**69**	**70**
C	C	B	A	B	B	B	B	A	D
71	**72**	**73**	**74**	**75**	**76**	**77**	**78**	**79**	**80**
C	D	D	D	C	A	A	A	D	C
81	**82**	**83**	**84**	**85**	**86**	**87**	**88**	**89**	**90**
C	B	B	B	D	B	B	C	C	A
91	**92**	**93**	**94**	**95**	**96**	**97**	**98**	**99**	**100**
C	C	C	A	C	C	D	C	A	C

101	102	103	104	105	106	107	108	109	110
A	A	A	D	C	B	C	C	A	A
111	**112**	**113**	**114**	**115**	**116**	**117**	**118**	**119**	**120**
B	B	D	B	D	A	A	D	D	B
121	**122**	**123**	**124**	**125**	**126**	**127**	**128**	**129**	**130**
D	A	B	B	B	D	D	D	A	D
131	**132**	**133**	**134**	**135**	**136**	**137**	**138**	**139**	**140**
C	D	B	B	C	B	A	D	D	B
141	**142**	**143**	**144**	**145**	**146**	**147**	**148**	**149**	**150**
D	B	C	C	C	D	D	A	B	C

व्याख्यात्मक उत्तर

61. दिया है, गोले का पृष्ठ क्षेत्रफल = 616 वर्ग सेमी.

$\Rightarrow \quad 4\pi r^2 = 616$

$\Rightarrow \quad 4\times\frac{22}{7}r^2 = 616 \Rightarrow r^2 = 616\times\frac{7}{4\times22}$

$= 56\times\frac{7}{4\times2} = 7\times7$

$r^2 = 7^2 \Rightarrow r = 7$ सेमी.

62. दिया है, $x = \sqrt{3018+\sqrt{36+\sqrt{169}}}$

$= \sqrt{3018+\sqrt{36+13}} = \sqrt{318+\sqrt{49}}$

$= \sqrt{3018+7} = \sqrt{3025} = 55.$

63. $(0.\overline{7}+0.\overline{6}+0.\overline{5})$

$= \frac{7}{9}+\frac{6}{9}-\frac{5}{9} = \frac{13}{9}-\frac{5}{9} = \frac{13-5}{9} = \frac{8}{9}.$

64. $\frac{5}{6},\frac{10}{18},\frac{25}{36}$ का म.स. = $\frac{5, 10 \text{ और } 25 \text{ का म.स.}}{6, 18 \text{ और } 36 \text{ का ल.स.}} = \frac{5}{36}.$

65. 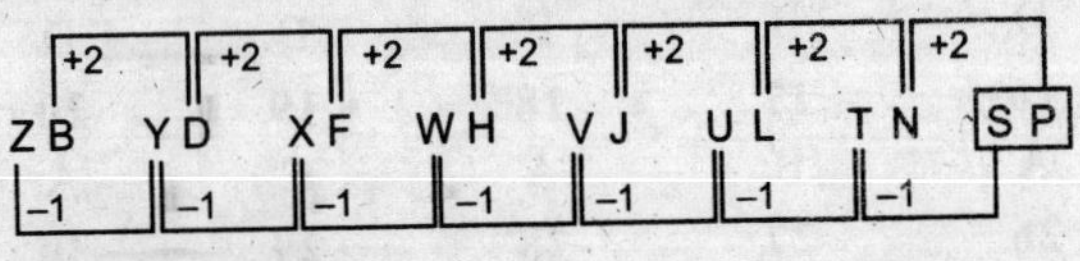

अगला पद = SP.

67. माना मूलधन की राशि = P

तब, मिश्रधन = 2P

$\therefore$ ब्याज = 2P – P = P, t = 8 वर्ष

$\therefore \quad r = \frac{\text{ब्याज}\times100}{P\times t}$

$= \frac{P\times100}{P\times8} = \frac{25}{2} = 12\frac{1}{2}\%.$

68. दिया है, निश्चित कूट भाषा में

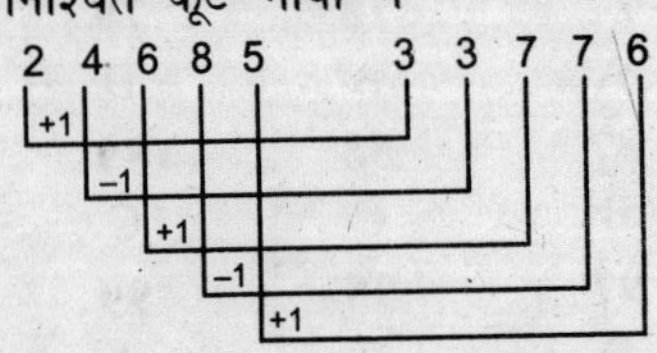

इसी प्रकार,

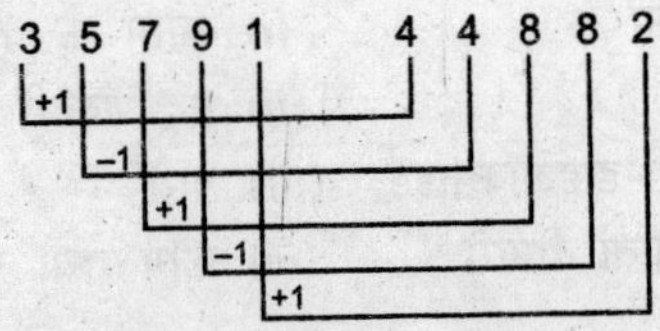

अतः 35791 को 44882 लिखा जाएगा।

69. 35 : 6 :: 120 : ?

$35 + 1 = 36 = 6^2 \Rightarrow \sqrt{6^2} = 6$

इसी प्रकार,

$120 + 1 = 121 = 11^2 \Rightarrow \sqrt{11^2} = 11$

अतः लुप्त संख्या = 11.

70. 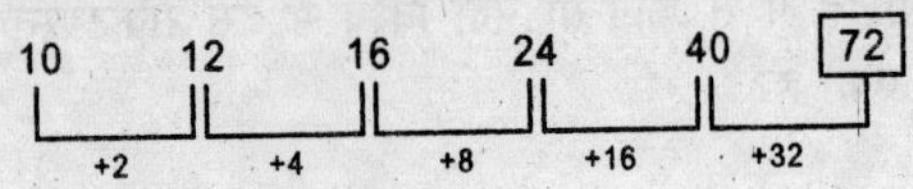

$\therefore$ अगला पद = 72.

71. माना टनल की लंबाई = x मी.

दिया है, ट्रेन की लंबाई = 700 मी.

ट्रेन की चाल = 72 किमी/घंटा

$= 72\times\frac{5}{18}$ मी/से.

= 4 × 5 = 20 मी/से.

$\because \quad \frac{\text{दूरी}}{\text{चाल}}$ = समय

$\Rightarrow \quad \frac{700+x}{20}$ = 1 मिनट

$\Rightarrow \quad \frac{700+x}{20}$ = 60 सेकण्ड

$\Rightarrow \quad 70 + x = 1200$

$\Rightarrow \quad x = 1200 - 700 = 500$

अतः टनल की लंबाई = 500 मी.

73. दिया है, कूट में

'NIGHT' = 58

$\Rightarrow$ 14 + 9 + 7 + 8 + 20 = 58

इसी प्रकार,

ANGER = 1 + 14 + 7 + 5 + 18 = 45

अतः ANGER का कोड 45 होगा।

75. कार्य की क्षमता का अनुपात

$$A : B = 100 : 160 = 5 : 8$$

$\therefore$ दिन का अनुपात $A : B = 8 : 5$

$\because$ A का 1 दिन का कार्य = $\frac{1}{24}$

$\therefore \quad \frac{1}{8x} = \frac{1}{24}$

$\Rightarrow \quad 8x = 24 \Rightarrow x = 3$

अतः B, 1 कार्य को $5x = 5 \times 3 = 15$ दिन में कर सकता है।

76. आयत का क्षेत्रफल बढ़ा है वर्ग के क्षेत्रफल से

$$= 3 + 20 + \frac{30 \times 20}{100}\%$$

$$= 50 + \frac{600}{100}\% = 50 + 6\% = 56\%.$$

77. $A = \pi r^2$ और $C = 2\pi r$

A. $rC = 2A \Rightarrow r \times 2\pi r = 2A$

$\Rightarrow \quad 2\pi r^2 = 2A$ (सत्य)

B. $\frac{C}{A} = \frac{r}{2} \Rightarrow \frac{2\pi r}{\pi r^2} = \frac{r}{2}$

$\Rightarrow \quad \frac{2}{r} = \frac{r}{2}$ (सत्य नहीं है)

C. $AC = \frac{r^2}{4} \Rightarrow \pi r^2 \cdot 2\pi r = \frac{r^2}{4}$

$\Rightarrow \quad 2\pi 2r^3 = \frac{r^2}{4}$ (सत्य नहीं है)

D. $\frac{A}{r} = C \Rightarrow \frac{\pi r^2}{r} = C$

$\Rightarrow \quad \pi r = C$ (सत्य नहीं है)

78. यहाँ, A = मेरा घर

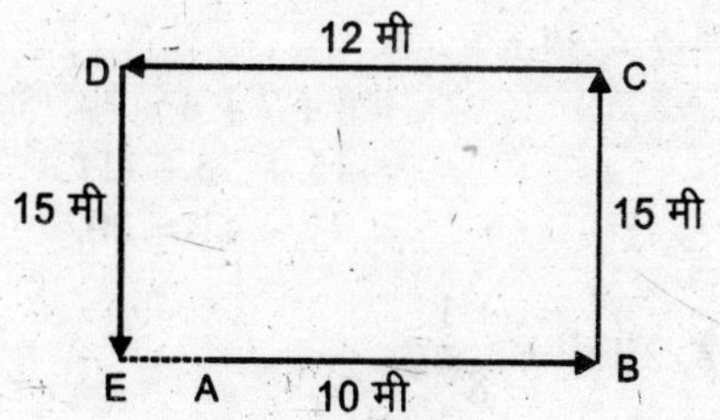

AB = 10 मी.

BC = DE = 15 मी.

CD = 12 मी. = EB

$\therefore \quad$ AE = EB − AB = 12 − 10 = 2 मी.

अतः मैं अपने घर से 2 मी. दूर हूँ।

79. $281 \times 15 \times 16 \times 18 = ... 240$

$\therefore$ इकाई अंक = 0.

80. दिया है,

पानी $\Rightarrow$ भोजन

भोजन $\Rightarrow$ पेड़

पेड़ $\Rightarrow$ आकाश

आकाश $\Rightarrow$ दीवार

अतः फल आकाश में उगता है।

92. $\because \theta = \left(\frac{n-2}{n}\right)180°$

$\therefore \quad 150° = \left(\frac{n-2}{n}\right)180°$

$\Rightarrow \quad \frac{n-2}{n} = \frac{150}{180}$

$\Rightarrow \quad \frac{n-2}{n} = \frac{5}{6}$

$\Rightarrow \quad 6n - 12 = 5n$

$\Rightarrow \quad 6n - 5n = 12 \Rightarrow n = 12$

अतः बहुभुज में भुजाओं की संख्या = 12.

95. माना पाँचवे विषय में अंकों का प्रतिशत = x

तब, $\quad 500 \times \frac{65}{100} = 78 + 70 + 62 + 65 + x$

$\Rightarrow \quad 325 = 275 + x$

$\Rightarrow \quad x = 325 - 275$

$\Rightarrow \quad x = 50\%.$

96. माना कर्मचारियों की संख्या = x

तब, $\quad$ महिला = $\frac{3}{5}x$

$\therefore \quad$ पुरुष = $\frac{2}{5}x$

$\because \quad$ अनुपस्थित महिला = $\frac{2}{9} \times \frac{3}{5}x = \frac{2}{15}x$

और अनुपस्थित पुरुष = $\frac{1}{4} \times \frac{2}{5}x = \frac{1}{10}x$

$\therefore$ अनुपस्थित कर्मचारियों की कुल संख्या

$$= \frac{2}{15}x + \frac{1}{10}x$$

$$= \frac{4x + 3x}{30} = \frac{7x}{30}.$$

97. माना 5 बच्चों की उम्र क्रमशः $x, x + 4, x + 8, x + 12$ और $x + 16$ वर्ष

तब, $x + x + 4 + x + 8 + x + 12 + x + 16 = 55$

$\Rightarrow \quad 5x + 40 = 55$

$\Rightarrow \quad 5x = 55 - 40$

$\Rightarrow \quad x = \frac{15}{5} = 3$

अतः सबसे बड़े बच्चे की उम्र

$= x + 16 = 3 + 16 = 19$ वर्ष।

100. माना ABC एक त्रिभुज है

$\angle A = 50°, \angle B - \angle C = 30°$

$\Rightarrow \quad \angle B = 30° + \angle C$

तब, $\angle A + \angle B + \angle C = 180°$

$\Rightarrow 50° + 30° + \angle C + \angle C = 180°$

$\Rightarrow 80° + 2\angle C = 180°$

$\Rightarrow 2\angle C = 180° - 80° = 100°$

$\Rightarrow \angle C = 50°$

अतः सबसे छोटे कोण का मान = $\angle C = 50°$.

101. माना 3 वर्ष पहले रमेश और सुरेश की आयु $5x$ वर्ष और $9x$ वर्ष थी

तब 5 वर्ष बाद

रमेश की आयु = $5x + 3 + 5 = 5x + 8$ वर्ष

और सुरेश की आयु = $9x + 3 + 5 = 9x + 8$ वर्ष

प्रश्नानुसार,

$(5x + 8) : (9x + 8) = 3 : 5$

$\Rightarrow 5(5x + 8) = 3(9x + 8)$

$\Rightarrow 25x + 40 = 27x + 24$

$\Rightarrow 27x - 25x = 40 - 24$

$\Rightarrow 2x = 16$

$\Rightarrow x = 8$

सुरेश की वर्तमान आयु = $9x + 3$

$= 9 \times 8 + 3 = 72 + 3 = 75$ वर्ष

104. यहाँ, विक्रेता हमेशा हानि पाता है

$\therefore$ हानि = $\left(\frac{\text{उभयनिष्ठ हानि और लाभ}}{10}\right)^2 \%$

$= \left(\frac{8}{10}\right)^2 \% = (0.8)^2\% = 0.64\%$.

105. दिया है, माध्य = 60, और माध्यिका = 48

$\therefore$ बहुलक = 3 माध्यिका − 2 माध्य

$= 3 \times 48 - 2 \times 60$

$= 144 - 120 = 24$.

106. यहाँ,

सेम्पल स्पेस = $S = \{1, 2, 3, 4, 5, 6, 7, 8, 9, 10, 11, 12\}$

$n(s) = 12$

A = 2 का गुणक = $\{2, 4, 6, 8, 10, 12\}$, $n(A) = 6$

B = 3 का गुणक = $\{3, 6, 9, 12\}$, $n(B) = 4$

$(A \cap B) = \{6, 12\}$, $n(A \cap B) = 2$

$P(A \cup B) = P(A) + P(B) - P(A \cap B)$

$= \frac{n(A)}{n(S)} + \frac{n(B)}{n(S)} - \frac{n(A \cap B)}{n(S)}$

$= \frac{6}{12} + \frac{4}{12} - \frac{2}{12} = \frac{1}{2} + \frac{1}{3} - \frac{1}{6}$

$= \frac{3+2-1}{6} = \frac{4}{6} = \frac{2}{3}$

अतः P(2 और 3 का गुणक) = $\frac{2}{3}$.

110. दिया है, $\sqrt{5}x - 3 = 3\sqrt{5} + 2$

$\Rightarrow \sqrt{5}x = 3 + 3\sqrt{5} + 2$

$\Rightarrow \sqrt{5}x = 5 + 3\sqrt{5}$

$\Rightarrow x = \frac{5 + 3\sqrt{5}}{\sqrt{5}} = \sqrt{5} + 3$

$\Rightarrow x = 3 + \sqrt{5}$.

113. $\left[\because 1^2 + 2^2 + 2^3 + ... + n^2 = \frac{1}{6}n(n+1)(2n+1)\right]$

$\therefore 11^2 + 12^2 + 13^2 + ... + 20^2$

$= (1^2 + 2^2 + 3^2 + ... + 20^2) - (1^2 + 2^2 + 3^2 + ... 10^2)$

$= \frac{1}{6} \times 20(20+1)(40+1) - \frac{1}{6} \times 10(10+1)(20+1)$

$= \frac{1}{6} \times 20 \times 21 \times 41 - \frac{1}{6} \times 10 \times 11 \times 21$

$= \frac{1}{6} \times 10[2 \times 21 \times 41 - 11 \times 21]$

$= \frac{1}{6} \times 10 \times 21[2 \times 41 - 11]$

$= \frac{5}{3} \times 21[82 - 11]$

$= 5 \times 7[71] = 35 \times 71 = 2485$.

114. 12, 15 और 18 का ल.स. = 180

$\because 180 = 2 \times 2 \times 3 \times 3 \times 5$

अतः 180 से विभाजित सबसे छोटी पूर्ण संख्या = $2 \times 2 \times 3 \times 3 \times 5 \times 5 = (2 \times 3 \times 5)^2$

$(30)^2 = 900$.

118. दिया है, $a * b = a + b + ab$

$\therefore 8 * 7 - 5 * 6$

$= 8 + 7 + 8 \times 7 - (5 + 6 + 5 \times 6)$

$= 15 + 56 - (11 + 30)$

$= 71 - 41 = 30$.

119. दिया है, $2^{2x-3} = \frac{1}{8^{x-4}}$

$\Rightarrow 2^{2x-3} = \frac{1}{2^{3(x-4)}} = 2^{-3(x-4)}$

$\Rightarrow 2x - 3 = -3(x - 4)$

$\Rightarrow 2x - 3 = -3x + 12$

$\Rightarrow 2x + 3x = 3 + 12$

$\Rightarrow 5x = 15 \Rightarrow x = 3$.

120. 13 परिणाम का योग = $13 \times 65 = 845$,

प्रथम 7 परिणाम का योग = $7 \times 62 = 434$,

और अंतिम 7 परिणाम का योग = $7 \times 67 = 469$

$\therefore$ 14 परिणाम का योग = $434 + 469 = 903$

अतः 7वें परिणाम = $903 - 845 = 58$.

पिछले प्रश्न-पत्र (हल सहित)

हरियाणा शिक्षक पात्रता परीक्षा (HTET)

Level-I, प्राथमिक शिक्षक (PRT), 2020

(Exam held on 3 January, 2021)

भाग-I

बाल विकास व शिक्षाशास्त्र

निर्देशः *निम्नलिखित प्रश्नों के उत्तर देने के लिए* ***सबसे उचित*** *विकल्प चुनिए।*

1. यदि पहले सीखा गया कार्य नए सीखे जा रहे कार्य में बाधा उत्पन्न करता है; तो अधिगम का यह स्थानांतरण होगा :

A. सकारात्मक B. नकारात्मक
C. शून्य D. प्राथमिक

2. निम्नांकित में से कौन-सी फ्रायड के मनो-लैंगिक विकास की अवस्था ***नहीं*** है?

A. मुखावस्था B. पूर्व संक्रियात्मक अवस्था
C. गुप्तावस्था D. गुदावस्था

3. पुनर्बलन की कौन-सी अनुसूची सबसे ज्यादा प्रभावी है?

A. चर अनुपात B. सतत पुनर्बलन
C. स्थिर अन्तराल D. स्थिर अनुपात

4. यह तथ्य कि 'मछली उड़ नहीं सकती और उल्लू तैरना नहीं सीख सकते' का निहितार्थ है :

A. उपयुक्त पुनर्बलन की कमी
B. उनके अनुभव की कमी
C. इन जीवों की सुस्ती
D. अधिगम पर जैविक सीमाओं का प्रभाव

5. 'शेपिंग' की संकल्पना दी गयी है :

A. थॉर्नडाइक द्वारा B. पावलोव द्वारा
C. स्किनर द्वारा D. इनमें से कोई नहीं

6. शैल्डन के अनुसार निम्नलिखित में से कौन-सा व्यक्तित्व का प्रकार ***नहीं*** है?

A. एण्डोमॉर्फी B. मेसोमॉर्फी
C. एक्टोमॉर्फी D. एस्थोमॉर्फी

7. निम्नलिखित में से कौन-सी व्यक्तित्व मापन की मनोविश्लेषणात्मक विधि ***नहीं*** है?

A. मुक्त साहचर्य B. साक्षात्कार
C. शब्द साहचर्य D. स्वप्न विश्लेषण

8. एक पूर्व संक्रियात्मक स्तर के बच्चे की वह प्रवृत्ति जिसमें वह किसी परिस्थिति के सिर्फ एक पहलू पर ध्यान देता है और अन्य पहलुओं की उपेक्षा करता है, को पियाजे ने कहा :

A. संरक्षण B. केन्द्रीकरण
C. क्रमबद्धता D. अनुकूलन

9. निम्नांकित में से कौन-सी स्वलीनता युक्त बालक के शिक्षण की एक विधि है?

A. PECS B. ब्रेल
C. टेलर फ्रेम D. इनमें से कोई नहीं

10. निम्नलिखित में से क्या प्राथमिक पुनर्बलक के रूप में प्रयोग हो सकता है?

A. प्रशंसा B. एक बिस्किट
C. बहुत अच्छा कहना D. इनमें से कोई नहीं

11. डिस्ग्राफिया एक प्रकार है :

A. चलन अक्षमता का B. दृष्टि दोष का
C. मानसिक मंदता का D. अधिगम अक्षमता का

12. निम्नलिखित में से किसने सर्वप्रथम नैतिक विकास का सिद्धान्त दिया था?

A. पियाजे B. कोहलबर्ग
C. गिलिगन D. कोई विकल्प सही नहीं है

13. वर्ग समूहन की योग्यता का विकास होता है :

A. संवेदी गामक अवस्था के दौरान
B. पूर्व संक्रियात्मक अवस्था के दौरान
C. मूर्त संक्रियात्मक अवस्था के दौरान
D. औपचारिक संक्रियात्मक अवस्था के दौरान

14. एक बच्चा कहता है कि 'माँ आज सूरज उदास है' वह निम्नलिखित में से पूर्व संक्रियात्मक 'चिंतन की किस सीमा की ओर संकेत कर रहा है?

A. आत्मकेन्द्रण B. एनिमिज्म
C. आदर्शवाद D. प्रकृतिवाद

15. पियाजे द्वारा दिए गए संज्ञानात्मक विकास सिद्धान्त के अनुसार निम्नांकित में से किस प्रक्रिया में बच्चे अपने स्कीमा में संशोधन अथवा नए स्कीमा का निर्माण करते हैं?

A. आत्मसातीकरण B. समंजन
C. अभ्यांतरीकरण D. अनुबंधन

16. वाइगोत्स्की के अनुसार एक बच्चा जिन कार्यों को अपने से दक्ष व्यक्ति की सहायता से पूरा कर सकता है उसकी ऊपरी सीमा कहलाती है :
A. संभावित विकास का स्तर B. वास्तविक विकासात्मक स्तर
C. समीपस्थ विकास का क्षेत्र D. सभी विकल्प सही हैं

17. निम्नांकित में से कौन-से पद का तात्पर्य एक विद्यार्थी के सही उत्तर की सम्भावना को बढ़ाने वाले संकेतों से है?
A. मस्तिष्क उद्वेलन B. प्रोम्प्ट
C. सलाह D. इनमें से कोई नहीं

18. मॉडलिंग आधारित है :
A. शास्त्रीय अनुबंधन के सिद्धान्त पर
B. क्रिया प्रसूत अनुबंधन के सिद्धान्त पर
C. सामाजिक संज्ञानात्मक सिद्धान्त पर
D. प्रयास एवं त्रुटि के सिद्धान्त पर

19. अल्बर्ट बंडुरा जाने जाते हैं :
A. सामाजिक अधिगम सिद्धान्त के लिए
B. मनोलैंगिक विकास सिद्धान्त के लिए
C. संवेगात्मक विकास सिद्धान्त के लिए
D. नैतिक विकास सिद्धान्त के लिए

20. ऑटिज्म की सर्वप्रथम व्याख्या की थी :
A. कैनर ने B. डाउन ने
C. स्किनर ने D. सिगमंड फ्रायड ने

21. निम्नांकित में से कौन-सा निरीक्षणात्मक अधिगम का तत्व ***नहीं*** है?
A. ध्यान B. संग्रहण
C. उत्पादन D. तैयारी

22. ब्रोंफेनब्रेनर के जैव पारिस्थितिकीय मॉडल के अनुसार बच्चे के माता-पिता, उसके भाई-बहन आदि उदाहरण हैं :
A. सूक्ष्म तंत्र के B. बाह्य तंत्र के
C. बृहत् तंत्र के D. समय तंत्र के

23. निम्नलिखित में से कौन-सी ब्रूनर की संज्ञानात्मक विकास सिद्धान्त की अवस्था ***नहीं*** है?
A. ऐक्रिलिक अवस्था B. क्रियात्मक अवस्था
C. प्रतिबिम्बात्मक अवस्था D. संकेतात्मक अवस्था

24. मेयर एवं सलोवे के अनुसार निम्नांकित में से कौन-सी प्रक्रिया भावनात्मक बुद्धि के संप्रत्यय में शामिल ***नहीं*** है?
A. समझ B. प्रत्यक्षण
C. प्रबंधन D. रचना

25. सुल्तान पर किया गया कोहलर का अनुसंधान अधिगम के किस सैद्धांतिक दृष्टिकोण की पुष्टि करता है?
A. अंतर्दृष्टि अधिगम B. गुप्त अधिगम
C. स्थान अधिगम D. मॉडलिंग

26. 'दृष्टि से हटने के बाद मस्तिष्क से हट जाना', किसकी उपयुक्त व्याख्या है?
A. आरंभिक संवेदी गामक अवस्था
B. आरंभिक पूर्व संक्रियात्मक अवस्था
C. आरंभिक किशोरावस्था
D. किशोरावस्था

27. निम्नांकित में से किसका अध्ययन मनोविज्ञान एवं शिक्षण शास्त्र के प्रतिच्छेद बिन्दु पर स्थित है?
A. सकारात्मक मनोविज्ञान B. औद्योगिक मनोविज्ञान
C. संगठनात्मक मनोविज्ञान D. शिक्षा मनोविज्ञान

28. स्कैफोल्डिंग की संकल्पना दी गयी है :
A. थॉर्नडाइक द्वारा B. पावलोव द्वारा
C. वाइगोत्स्की द्वारा D. स्किनर द्वारा

29. 'एक बालिका के उसके पिता के प्रति आकर्षण' को फ्रायड ने कहा है :
A. इलेक्ट्रा ग्रंथि B. ओडिपस ग्रंथि
C. नैतिक द्वंद्व D. मौखिक ग्रंथि

30. किसने शिशुओं के मस्तिष्क को 'खाली स्लेट' माना था?
A. जॉन लॉक B. डार्विन
C. स्पिनोजा D. वाट्सन

भाग-II

भाषा : हिन्दी

निर्देशः *निम्नलिखित प्रश्नों के उत्तर देने के लिए* ***सबसे उचित*** *विकल्प चुनिए।*

31. 'स्नान-वनान' पद में कौन-सा समास है?
A. अव्ययीभाव समास B. द्वन्द्व समास
C. तत्पुरुष समास D. कर्मधारय समास

32. विलोम की दृष्टि से **असंगत** चुनिए :
A. निषिद्ध - विहित B. निर्भीक - शूरवीर
C. पदारूढ़ - पदच्युत D. प्रवृत्ति - निवृत्ति

33. अपादान कारकयुक्त वाक्य चुनिए :
A. बच्चे बंदर से डरते हैं।
B. मै उसे अपने हाथों सजा दूँगा।
C. महिला आँखों से अंधी है।
D. वह सब ओर से सैनिकों द्वारा घेर लिया गया था।

34. 'अनुपम' शब्द में कौन-सा उपसर्ग जुड़ा है?
A. अन B. अन्
C. अनु D. अनुप

35. शुद्ध वाक्य चुनिए :
A. मैं मेरे घर जाऊँगा।
B. तुम तुम्हारा काम करो।
C. हम हमारे धर्म का पालन करना चाहिए।
D. यह वाकई एक गंभीर समस्या है।

36. 'आंजनेय' शब्द में प्रयुक्त प्रत्यय है :
A. एय
B. य
C. नेय
D. ऐय

37. चौथा, पाँचवां कैसे विशेषण हैं?
A. आवृत्तिसूचक
B. समुदायबोधक
C. क्रमवाचक
D. परिमाणवाचक

38. 'अभ्युदय' शब्द में संधि का प्रकार बताइए :
A. वृद्धि संधि
B. व्यंजन संधि
C. गुण संधि
D. यण् संधि

39. किस शब्द में 'इन' प्रत्यय का प्रयोग सही ***नहीं*** हुआ है?
A. कुँजड़िन
B. नागिन
C. नाईन
D. ईसाइन

40. संबंधसूचक सर्वनाम पद छाँटिए :
A. कुछ
B. जो
C. कितना
D. कैसा

41. किस विकल्प में नित्य बहुवचनान्त शब्द ***नहीं*** है?
A. आँसू
B. व्याख्याता
C. अक्षत
D. दर्शन

42. भाववाचक संज्ञा पद है :
A. भूकंप
B. विधायक
C. बचपन
D. परस्पर

43. कौन-सा शब्द 'इन्द्रधनुष' का पर्याय ***नहीं*** है?
A. सुरचाप
B. सप्तवर्ण
C. घनकोदंड
D. अमरेश्वर

44. "राम ने किसान की जमीन हथिया ली।" रेखांकित शब्द में प्रयुक्त क्रिया चुनिए :
A. प्रेरणार्थक क्रिया
B. संयुक्त क्रिया
C. नामधातु क्रिया
D. अकर्मक क्रिया

45. विशेषण पद चुनिए :
A. ऐश्वर्य
B. कण्ठोष्ठ
C. गुणशाली
D. उन्नति

Language : English

Directions: *Answer the following questions by selecting the* ***most appropriate*** *option.*

46. Choose the ***correct*** spelling of the given word:
A. vacumm
B. vacuum
C. vacume
D. vaccum

47. How .... you .... there?
A. do, got
B. are, get
C. does, get
D. did, get

48. The comparative form of 'useful' is:
A. Usefuller
B. Usefuler
C. The most useful
D. More useful

49. Choose the part of the sentence that is ***incorrect***:
We've seen Leela in town the other day.
A. We've seen
B. Leela
C. in town
D. the other day

50. A Kennel is a place where:
A. Horses are kept
B. Dogs are kept
C. Pigs are kept
D. Cats are kept

51. Shivaji was a great King.
The underlined words are:
A. Nouns
B. Pronouns
C. Interjections
D. Adjectives

52. Choose the ***correct*** option to fill the blank:
.... dog is a faithful animal.
A. An
B. A
C. The
D. Some

53. The word which is ***not*** a synonym of 'Foe' is:
A. Enemy
B. Opponent
C. Friend
D. Adversary

54. One word for 'that is sure to happen' is:
A. Inevitable
B. Oblivious
C. Illusion
D. Relevant

55. He was fined .... parking his car ..... a no-parking area.
A. about, at
B. for, in
C. from, in
D. in, at

56. He came late.
'Late' here is:
A. An Adjective
B. An Adverb
C. A Conjunction
D. A Noun

57. The synonym of 'cold' is:
A. hot
B. rainy
C. pleasant
D. chilly

58. That is your house.
The underlined word is:
A. Noun
B. Pronoun
C. Preposition
D. Adverb

59. Choose the grammatically ***correct*** sentence:
A. Shachi goes abroad last year.
B. Shachi will go abroad last year.
C. Shachi will be going abroad next year.
D. Shachi will be go abroad next year.

60. Match the following:

(*a*) Dogs	(*i*) mew
(*b*) Cows	(*ii*) neigh
(*c*) Cats	(*iii*) croak
(*d*) Frogs	(*iv*) bark
(*e*) Horses	(*v*) moo

	(*a*)	(*b*)	(*c*)	(*d*)	(*e*)
A.	(*ii*)	(*iv*)	(*v*)	(*i*)	(*iii*)
B.	(*iv*)	(*v*)	(*i*)	(*iii*)	(*ii*)
C.	(*ii*)	(*iv*)	(*v*)	(*iii*)	(*i*)
D.	(*v*)	(*iii*)	(*iv*)	(*ii*)	(*i*)

भाग-III

सामान्य अध्ययन : मात्रात्मक योग्यता, तार्किक अभिक्षमता तथा सामान्य ज्ञान एवं अभिज्ञान

निर्देशः *निम्नलिखित प्रश्नों के उत्तर देने के लिए* ***सबसे उचित*** *विकल्प चुनिए।*

61. $9\frac{67}{121}$ का वर्गमूल है :

A. $\frac{68}{11}$ B. $\frac{23}{11}$

C. $\frac{20}{11}$ D. $\frac{34}{11}$

62. $44(x^4 - 5x^3 - 24x^2)$ में $11x(x - 8)$ का भाग दीजिए :

A. $4x(x - 8)$ B. $4x(x + 8)$

C. $4x(x - 3)$ D. $4x(x + 3)$

63. यदि 11 मीटर कपड़ा ₹ 100 में खरीदा गया तथा 10 मीटर ₹ 110 की दर से बेचा गया, तो लाभ प्रतिशत है :

A. 12% B. 17%

C. 19% D. 21%

64. निम्न संख्या श्रेणी का अगला पद ज्ञात कीजिए :

1, 4, 10, 22, 46 ....

A. 70 B. 86

C. 94 D. 122

65. ₹ 12,000 पर 10% वार्षिक चक्रवृद्धि ब्याज की दर से $1\frac{1}{2}$ वर्ष में कितनी राशि चुकानी पड़ेगी जबकि चक्रवृद्धि की गणना अर्धवार्षिक हो?

A. ₹ 13,891.50 B. ₹ 19,831.50

C. ₹ 31,918.50 D. ₹ 13,230.50

66. एक भवन में 24 बेलनाकार खम्भे हैं। प्रत्येक खम्भे की त्रिज्या 28 सेमी. तथा ऊँचाई 4 मी. है। ₹ 25 प्रति मी.^{2} की दर से सभी खम्भों के वक्राकार पृष्ठों पर रंग करने की कुल लागत ज्ञात कीजिए :

A. ₹ 2424 B. ₹ 4242

C. ₹ 4224 D. ₹ 4424

67. मनीष, रोहन, विकास और नवीन के मध्य, मनीष रोहन से बड़ा है और विकास नवीन और रोहन से छोटा है। मनीष नवीन से उम्र में बड़ा है, तो इनमें कौन सबसे छोटा है?

A. मनीष B. रोहन

C. विकास D. नवीन

68. दिये गये शब्दों को अर्थपूर्ण अनुक्रम में व्यवस्थित कीजिए :

1. पुस्तक 2. लकड़ी 3. जंगल 4. कागज 5. लुगदी

A. 2, 3, 5, 1, 4 B. 3, 2, 4, 5, 1

C. 3, 5, 2, 4, 1 D. 3, 2, 5, 4, 1

69. एक पुरुष की ओर इंगित करते हुए, एक महिला बोली, "इसकी माता, मेरी माता की एकमात्र पुत्री है।" महिला उस पुरुष से किस प्रकार सम्बन्धित है?

A. माता B. दादी

C. बहन D. पुत्री

70. एक ऐसी संख्या ज्ञात कीजिए जिसका एक-चौथाई 7 से 3 अधिक है :

A. 40 B. 60

C. 80 D. 100

71. यदि 264 * 2 = 6, 870 * 3 = 11, तो 735 * 5 = ?

A. 16 B. 12

C. 5 D. 3

72. 5 मी. चौड़ी दो समकोणिक सड़कें 70 मी. लम्बे तथा 45 मी. चौड़े आयताकार उद्यान के केन्द्र से गुजरती हैं तथा उद्यान की दीवारों के समान्तर हैं। ₹ 100 प्रति मी.^{2} की दर से सड़कें बनाने की लागत ज्ञात कीजिए।

A. ₹ 57,750 B. ₹ 55,500

C. ₹ 55,000 D. ₹ 50,500

73. एक मानचित्र में पैमाना 1 : 30000000 दिया है। मानचित्र में दो शहर 4 सेमी. दूरी पर हैं। उनके मध्य वास्तविक दूरी ज्ञात कीजिए।

A. 12×10^2 किमी. B. 12×10^3 किमी.

C. 12×10^5 किमी. D. 12×10^7 किमी.

74. एक विद्यालय टीम ने गत वर्ष में 4 जीते खेलों के मुकाबले में इस वर्ष 6 खेल जीते। प्रतिशत वृद्धि क्या है?

A. 25% B. 33%

C. 50% D. 66%

75. यदि एक निश्चित कूट भाषा में, 'MIND' को 'KGLB' लिखा जाता है और 'ARGUE' को 'YPESC' लिखा जाता है, तो इसी समान कूट भाषा में 'DIAGRAM' को लिखा जायेगा :

A. BGYEYPK B. BGYEPYK

C. GLPEYKB D. BGEPYLK

76. दी गई श्रेणी में निम्न में से कौन-सा अक्षर 3 और 1 के एकदम मध्य में स्थित है?

B E 6 D A U & 3 T I Q 8 9 C # 2 M % U 1 M W 7 5 J 8 L

A. 9 B. C

C. # D. 2

77. असंगत को ज्ञात कीजिए :

A. जनवरी B. मई

C. जुलाई D. नवम्बर

78. आप दक्षिण की ओर जाएँ, फिर दाएँ मुड़ें, फिर दोबारा दाईं ओर मुड़ें और फिर बाईं ओर जाएँ। अब आप किस दिशा में हैं?

A. पश्चिम B. दक्षिण

C. पूर्व D. उत्तर

79. सरल कीजिए :

$6 \div [6 + 6 \div \{6 + 6 \div (6 + 6 \div 12)\}]$

A. $\frac{101}{15}$ B. $\frac{90}{103}$

C. $\frac{90}{130}$ D. $\frac{72}{13}$

80. निम्न वर्ण श्रेणी का अगला पद ज्ञात कीजिये :

DEF, HIJ, MNO, ...

A. RTV B. STU

C. RST D. SRQ

81. 2019 में सम्पन्न हुए विधानसभा चुनाव में प्रत्याशी/उम्मीदवार के लिए व्यय की अधिकतम सीमा थी :

A. 18 लाख B. 25 लाख

C. 28 लाख D. 30 लाख

82. किस वर्ष हरियाणा विधानसभा की अधिकतम कुल संख्या 90 की गई?

A. 1967 B. 1971

C. 1977 D. 1985

83. निम्नलिखित में से कौन-सा सबसे छोटा वन्य अभयारण्य है?

A. छिलछिला B. खोल ही-रेतान

C. बीर शिकारगढ़ D. खपरवास

84. सुश्री सोनिया लाठेर किस खेल से सम्बन्धित हैं?

A. कुश्ती B. कबड्डी

C. एथलेटिक्स D. मुक्केबाजी

85. निम्नलिखित में से कौन-सा एक सही युग्म नहीं है?

A. सूरजकुंड झील – कुरुक्षेत्र

B. दमदमा झील – गुरुग्राम

C. तिलयार झील – रोहतक

D. बड़खल झील – फरीदाबाद

86. स्वतन्त्रता सेनानी 'नवाब अहमद अली खाँ' हरियाणा के किस शहर से सम्बन्धित थे?

A. बल्लभगढ़ B. झज्जर

C. रानिया D. फरुखनगर

87. हरियाणा का निम्नलिखित में से कौन-सा जिला अपनी सीमा किसी अन्य राज्य के साथ साझा ***नहीं*** करता?

A. गुरुग्राम B. पलवल

C. जींद D. चरखी दादरी

88. हरियाणा के नवगठित छठे राज्य वित्त आयोग के सदस्य सचिव कौन हैं?

A. डॉ. अमित अग्रवाल B. पंकज यादव

C. पी. राघवेन्द्र राव D. विकास गुप्ता

89. 'मनोहर ज्योति' योजना सम्बद्ध है :

A. हरियाणा सरकार द्वारा निःशुल्क मोतियाबिंद ऑपरेशन।

B. जरूरतमंद घरों को एक लघु सौर ऊर्जा प्रणाली उपलब्ध करवाए जाने से।

C. कमजोर वर्गों की बालिकाओं हेतु निःशुल्क आवासीय विद्यालयों से।

D. एक स्थायी अग्नि ज्योति, जो कि कुरुक्षेत्र में स्थापित की जा रही है।

90. द्रोणाचार्य पुरस्कार-2020 के लिए हरियाणा के निम्नलिखित में से किस प्रशिक्षक को चुना गया है?

A. विकास मलिक B. महावीर फोगाट

C. रामबीर सिंह खोखर D. कृष्ण कुमार हुड्डा

भाग-IV

गणित

निर्देशः *निम्नलिखित प्रश्नों के उत्तर देने के लिए* ***सबसे उचित*** *विकल्प चुनिए।*

91. एक वर्गाकार मैदान 50 मीटर लम्बाई का है, इसके अन्दर चारों ओर 6 मीटर का मार्ग बना हुआ है। मार्ग पर ₹ 30 प्रति वर्ग मीटर की दर से लाल मिट्टी डलवाने का व्यय होगा :

A. ₹ 75000

B. ₹ 58080

C. ₹ 31680

D. ₹ 1080

92. वर्ग की प्रत्येक भुजा की लम्बाई में 20% की वृद्धि करने पर उसके क्षेत्रफल में कितने प्रतिशत वृद्धि होगी?

A. 44% B. 40%

C. 20% D. 22%

93. सबसे छोटी अभाज्य संख्या है :

A. 0 B. 1

C. 2 D. 3

94. छः लगातार आने वाली प्राकृत संख्याओं में से यदि पहली तीन प्राकृत संख्याओं का योग 36 है, तो अंतिम तीन संख्याओं का योग होगा :

A. 45 B. 52

C. 56 D. 55

95. निम्न में से कौन-सी, अधिगमकर्त्ता के सामयिक ज्ञान के परीक्षण के लिए सर्वाधिक उपयुक्त है?

A. उपचारात्मक B. संकलनात्मक

C. निदानात्मक D. प्रभावात्मक

96. यदि $(125)^x = 3125$ हो, तो x का मान है :

A. $\frac{3}{2}$　　B. 3

C. $\frac{3}{5}$　　D. $\frac{5}{3}$

97. $\frac{2}{3}, \frac{3}{5}, \frac{4}{7}, \frac{9}{13}$ का लघुत्तम समापवर्त्य है :

A. $\frac{20}{3}$　　B. $\frac{18}{7}$

C. 42　　D. 36

98. निम्न में से कौन-सा कथन/विकल्प गलत है?

A. मूल्यांकन प्रभावी पाठ्यक्रम निर्माण करने में मदद करता है।

B. मूल्यांकन उद्देश्य केन्द्रित होता है।

C. मूल्यांकन शिक्षण-अधिगम प्रक्रिया में बौद्धिक मार्गदर्शन प्रदान करता है।

D. मूल्यांकन की प्रक्रिया केवल विषयवस्तु पर केन्द्रित होती है।

99. 14 विद्यार्थियों के प्राप्तांकों का औसत 71 था परन्तु जाँच करने पर पता चला कि एक छात्र के प्राप्तांक 56 की बजाय 42 और दूसरे के 32 की जगह 74 अंकित हो गये थे, सही औसत है :

A. 69　　B. 71

C. 74　　D. 68

100. एक हौज 15 मीटर लम्बा, 10 मीटर चौड़ा एवं 3 मीटर गहरा है। उसकी चारों दीवारों व पेंदे की मरम्मत करने का व्यय ₹ 24 प्रति वर्ग मीटर दर से होगा :

A. ₹ 9600　　B. ₹ 4800

C. ₹ 3600　　D. ₹ 7200

101. एक फल विक्रेता ने ₹ 750 की दर से दो पेटी आम बेचे। उनमें से एक पेटी पर 25% लाभ व दूसरी पर 25% हानि हुई। इस सौदे में कितने प्रतिशत लाभ अथवा हानि हुई?

A. 5% लाभ　　B. न लाभ न हानि

C. 6.25% लाभ　　D. 6.25% हानि

102. यदि $x - \frac{1}{x} = 4$ हो, तो $x^3 - \frac{1}{x^3}$ का मान है :

A. 60　　B. 76

C. 64　　D. 72

103. गणित की प्रकृति है :

A. अमूर्त　　B. अतार्किक

C. अविशिष्ट　　D. अव्यवस्थित

104. किसी घड़ी की मिनट की सुई को $\frac{3\pi}{2}$ रेडियन कोण की रचना करने में कितना समय लगेगा?

A. 30 मिनट　　B. 45 मिनट

C. 15 मिनट　　D. 20 मिनट

105. यदि $3^{x-y} = 81$ तथा $5^{x+y} = 625$ हो, तो x, y का मान है :

A. $x = 5, y = 1$　　B. $x = 2, y = 0$

C. $x = 3, y = 1$　　D. $x = 4, y = 0$

106. यदि एक समबाहु त्रिभुज की भुजा की लम्बाई 6 सेमी. है, तो इसकी ऊँचाई है :

A. $3\sqrt{3}$ सेमी.　　B. $9\sqrt{3}$ सेमी.

C. 3 सेमी.　　D. $5\sqrt{3}$ सेमी.

107. यदि किसी त्रिभुज में AB = AC तथा ∠B, ∠A का दोगुना है, तो ∠C का मान होगा :

A. 36°　　B. 72°

C. 60°　　D. 48°

108. 364, 455 का कितने प्रतिशत है?

A. 75%　　B. 60%

C. 80%　　D. 58%

109. बहुपदों $20x^2 - 9x + 1$ तथा $5x^2 - 6x + 1$ का महत्तम समापवर्तक (H.C.F.) है :

A. $x - 1$　　B. $5x - 1$

C. $4x - 1$　　D. $5x + 1$

110. यदि एक समबहुभुज के प्रत्येक अन्तःकोण का मान 175° हो, तो भुजाओं की संख्या है :

A. 54　　B. 72

C. 60　　D. 15

111. दो अंकों की एक संख्या में इकाई का अंक दहाई के अंक का दोगुना है। यदि संख्या में 27 जोड़ दें, तो अंकों का स्थान आपस में बदल जाता है। वह संख्या है :

A. 24　　B. 12

C. 36　　D. 48

112. "यह न केवल संभव है वरन् गणित का मनोविज्ञान में प्रयोग आवश्यक भी है।" यह कथन किसका है?

A. मार्शल　　B. हरबर्ट

C. किलपैट्रिक　　D. बेलार्ड

113. यदि एक छात्रावास में 40 छात्रों के लिए 30 दिन की भोजन सामग्री है, तो 60 छात्रों के लिए यह सामग्री कितने दिनों के लिए पर्याप्त होगी?

A. 20 दिन　　B. 24 दिन

C. 18 दिन　　D. 15 दिन

114. एक विद्यार्थी को किसी संख्या को $\frac{3}{8}$ से गुणा करने को कहा परन्तु उसने उस संख्या को $\frac{3}{8}$ से भाग कर दिया। इस प्रकार प्राप्त उत्तर सही उत्तर से 55 अधिक था, तो सही उत्तर है :

A. 18　　B. 24

C. 9　　D. 27

115. $3(x + 2)^2 + 5(x + 2) + 2$, के गुणनखण्ड हैं :

A. $(3x + 5)(x + 2)$　　B. $(3x + 8)(x + 3)$

C. $(3x + 8)(x + 5)$　　D. $(3x + 1)(x + 2)$

116. राम तथा श्याम की वर्तमान आयु क्रमशः 34 वर्ष तथा 14 वर्ष है, कितने वर्ष पश्चात राम की आयु श्याम की आयु की दोगुनी हो जायेगी?

A. 4 वर्ष B. 5 वर्ष
C. 6 वर्ष D. 8 वर्ष

117. निम्नलिखित आँकड़ों की माध्यिका है :
25, 34, 31, 23, 22, 26, 35, 28, 20, 32

A. 27 B. 28
C. 26 D. 25

118. $\sqrt{0.000576}$ का मान है :

A. 0.012 B. 0.024
C. 0.24 D. 0.0024

119. यदि किसी साधारण ब्याज की वार्षिक दर से कोई धन 4 वर्ष में ₹ 1237.50 और 6 वर्ष में ₹ 1443.75 हो जाता है, तो मूलधन है :

A. ₹ 860.50
B. ₹ 870
C. ₹ 825
D. आँकड़े अपर्याप्त हैं

120. $\dfrac{\frac{5}{3}\times\frac{7}{51} \text{ का } \frac{17}{5}-\frac{1}{3}}{\frac{2}{9}\times\frac{5}{7} \text{ का } \frac{28}{5}-\frac{2}{3}}$ का मान है :

A. 4 B. 5
C. 3 D. 2

भाग-V

पर्यावरण अध्ययन

निर्देशः *निम्नलिखित प्रश्नों के उत्तर देने के लिए* **सबसे उचित** *विकल्प चुनिए।*

121. प्राणियों की संकटाग्रस्त जातियाँ वे हैं :

A. जो अन्य जातियों के लिए खतरनाक हैं।
B. जो विशिष्ट क्षेत्रों में पायी जाती हैं।
C. जिनकी संख्या कम हो गई है।
D. जिनके लुप्त होने का खतरा है।

122. पृथ्वी पर मौसम परिवर्तन होने का होना इस तथ्य पर आधारित है कि :

A. पृथ्वी का अक्ष झुका हुआ है।
B. वर्ष में पृथ्वी की परिक्रमण गति बदलती है।
C. वर्ष में पृथ्वी के अक्ष बिन्दु भिन्न दिशाओं में होते हैं।
D. गर्मियों में पृथ्वी सूर्य के निकट होती है।

123. विटामिन B_{12} में उपस्थित धातु है :

A. सोडियम B. कोबाल्ट
C. मैग्नीशियम D. लोहा

124. सीएनजी व बायोगैस के मुख्य घटक हैं :

A. प्रोपेन B. हाइड्रोजन सल्फाइड
C. मेथेन D. एथेन

125. निम्नलिखित में से कौन-सा पेट्रोलियम का उपउत्पाद ***नहीं*** है?

A. कोक B. बिटुमेन
C. स्नेहक तेल D. पैराफिन मोम

126. जैवमण्डल रिजर्व के बारे में निम्नलिखित में से कौन-सा एक कथन ***सत्य*** है?

A. इसकी सीमा के अन्दर अन्य कोई संरक्षित क्षेत्र नहीं है।
B. इस संरक्षित क्षेत्र में केवल समाप्त होने वाली प्रजातियाँ रहती हैं।
C. यह केवल पादपों व जानवरों के संरक्षण के लिए है।
D. यह क्षेत्र जैव विविधता व वहाँ की संस्कृति दोनों के संरक्षण के लिए है।

127. पारिस्थितिक तंत्र में ऊर्जा प्रवाह होता है :

A. चार दिशाओं में B. तीन दिशाओं में
C. दो दिशाओं में D. एक दिशा में

128. ओजोन के बारे में निम्न में से ***सत्य*** है :

(*a*) यह जानवरों व पादपों के श्वसन के लिए अनिवार्य है।
(*b*) यह पराबैंगनी किरणों का अवशोषण करती है।
(*c*) वायु में इसका प्रतिशत लगभग 3% है।
(*d*) इसका उपयोग जल को रोगाणु रहित करने में करते हैं।

A. (*a*), (*b*) और (*c*) B. (*b*) और (*d*)
C. केवल (*b*) D. (*a*) और (*d*)

129. ग्लोबल वार्मिंग (वैश्विक गर्माहट) में तापमान :

A. क्षोभमण्डल का बढ़ता है B. आयनमण्डल का बढ़ता है
C. मध्यमण्डल का बढ़ता है D. समतापमण्डल का बढ़ता है

130. तिब्बत की सांगपो नदी भारत में किस नाम से जानी जाती है?

A. गंगा B. यमुना
C. ब्रह्मपुत्र D. सिन्धु

131. जल प्रदूषण से होने वाले रोगों का सही समूह है :

A. हैजा, पेचिस, पोलियो, टाइफॉइड
B. हैजा, पीलिया, टाइफॉइड, एनीमिया
C. एनीमिया, स्कर्वी, वातस्फीति, टाइफॉइड
D. हैजा, पीलिया, टाइफॉइड, स्कर्वी

132. वन पारिस्थितिकी तंत्र में पाई जाने वाली खाद्य श्रृंखला का चयन कीजिए :

A. पादपप्लवक → जल पिस्सु → छोटी मछली → टूना
B. घास → टिड्डा → मेंढक → सांप → बाज
C. पर्णकरकट → शैवाल → केंकड़ा → छोटी मांसाहारी मछली → बड़ी मांसाहारी मछली
D. मृत कार्बनिक पदार्थ → कवक → जीवाणु

133. निम्न में से कौन-सी प्रक्रिया में होने वाले जल चक्र का एक चरण ***नहीं*** है?

A. वाष्पीकरण B. वाष्पोत्सर्जन
C. अवक्षेपण D. प्रकाश संश्लेषण

134. बायोडीजल के लिए किस पौधे की खेती की जाती है?

A. सोयाबीन B. मूँगफली
C. रतनजोत D. सूरजमुखी

135. भूपर्पटी में सबसे अधिक प्रचुरता में पाया जाने वाला तत्व है :

A. कार्बन B. नाइट्रोजन
C. ऑक्सीजन D. सिलिकॉन

136. निम्नलिखित में से कौन-सा कथन सही ***नहीं*** है?

A. वन मृदा को अपरदन से बचाते हैं।
B. वन में पादप व जन्तु एक-दूसरे पर निर्भर होते हैं।
C. वन जलवायु व जल चक्र को प्रभावित नहीं करते हैं।
D. मृदा वनों की वृद्धि व पुनर्जनन में सहायक होती है।

137. विश्व पर्यावरण दिवस 2019 का विषय था :

A. जल प्रदूषण को हराना B. ध्वनि प्रदूषण को हराना
C. वायु प्रदूषण को हराना D. मृदा संरक्षण

138. निम्नलिखित में से ऊर्जा के गैर-पारंपरिक स्रोतों का समूह है :

A. खनिज तेल, प्राकृतिक गैस, कोयला
B. कोयला, पवन ऊर्जा, बायोगैस
C. सौर ऊर्जा, परमाणु ऊर्जा, पवन ऊर्जा
D. भू-तापीय ऊर्जा, प्राकृतिक गैस, पेट्रोलियम

139. निम्न में से कौन-सा भारत के चार जैव विविधता युक्त हॉट स्पॉट में से एक है?

A. अरावली पहाड़ियाँ B. खासी पहाड़ियाँ
C. हिमालय D. विन्ध्याचल पहाड़ियाँ

140. वन्य जीव संरक्षण अधिनियम भारत सरकार द्वारा कब लागू किया गया?

A. 1982 B. 1974
C. 1972 D. 1981

141. कौन-सा सही सुमेलित ***नहीं*** है?

	कपड़ों का प्रकार	**राज्य**
A.	फिरन	जम्मू और कश्मीर
B.	पानो-भाजू	पश्चिम बंगाल
C.	राहिदे	हिमाचल प्रदेश
D.	फुलकारी	पंजाब

142. चन्द्र ग्रहण होता है, जब :

A. पृथ्वी, सूर्य एवं चन्द्रमा के बीच होती है।
B. चन्द्रमा, पृथ्वी एवं सूर्य के बीच होता है।
C. सूर्य, पृथ्वी एवं चन्द्रमा के बीच होता है।
D. पृथ्वी, सूर्य और चन्द्रमा सीधी रेखा में होते हैं।

143. पारिस्थितिक तंत्र एवं प्राकृतिक अधिवासों का संरक्षण तथा उनके प्राकृतिक वातावरणों में, प्रजातियों का जीवनक्षम जनसंख्या का रखरखाव एवं पुनः प्राप्ति के लिए प्रयुक्त पद है :

A. आन्तरिक संरक्षण B. परिधीय संरक्षण
C. अपस्थाने संरक्षण D. स्वस्थाने संरक्षण

144. कुछ वर्षों पहले तक गिद्ध आमतौर पर दिखाई देते थे लेकिन वर्तमान में गिद्ध कभी-कभार ही नजर आते हैं, इसका कारण है :

A. नवीन प्रवासी जातियों द्वारा उनके आवास स्थलों का विनाश
B. पशुपालकों द्वारा बीमार पशुओं के इलाज में प्रयुक्त औषधियाँ
C. गिद्धों के भोजन में आयी कमी
D. गिद्धों में फैली महामारी

145. निम्न में से कौन-से क्रियाकलाप जंगलों के विनाश के लिए उत्तरदायी हैं?

(*a*) खनिजों की खुदाई (*b*) बाँस से टोकरी बनाना
(*c*) बाँध का निर्माण करना (*d*) पत्तों से पत्तल बनाना
(*e*) कृषि के लिए भूमि तैयार करना

A. केवल (*a*) B. (*b*), (*d*) और (*e*)
C. (*a*), (*c*) और (*e*) D. (*b*), (*d*) और (*a*)

146. प्राकृतिक संसाधनों को लम्बे समय तक उपयोग करने के लिए संरक्षण में सहायक तीन R हैं :

A. पुनः चक्रण, पुनः उत्पादन, पुनः उपयोग
B. कम उपयोग, पुनः उत्पादन, पुनः उपयोग
C. कम उपयोग, पुनः उपयोग, पुनः वितरण
D. कम उपयोग, पुनः चक्रण, पुनः उपयोग

147. 'भारत जल सप्ताह' 2019 कब मनाया गया था?

A. 15 जनवरी से 21 जनवरी
B. 22 मार्च से 26 मार्च
C. 2 अक्टूबर से 8 अक्टूबर
D. 24 सितम्बर से 28 सितम्बर

148. संगमरमर कैंसर की घटना का कारण है :

A. कज्जल कण B. अम्लीय वर्षा
C. CFCs D. कोहरा

149. सूची-I (राष्ट्रीय उद्यान) व सूची-II (महत्त्वपूर्ण वन्य जीव) को सुमेलित कीजिए तथा नीचे दिये गये कूट की सहायता से उत्तर का चयन कीजिए :

सूची–I	**सूची–II**
(*a*) गिर राष्ट्रीय उद्यान	(*i*) हाथी
(*b*) रणथम्भौर	(*ii*) भारतीय शेर
(*c*) काजीरंगा	(*iii*) बाघ
(*d*) बांदीपुर	(*iv*) एक सींग वाला गेंडा
(*e*) कंचनजंगा पार्क	(*v*) कस्तूरी मृग

	(*a*)	(*b*)	(*c*)	(*d*)	(*e*)
A.	(*v*)	(*iii*)	(*iv*)	(*ii*)	(*i*)
B.	(*ii*)	(*iii*)	(*iv*)	(*i*)	(*v*)
C.	(*ii*)	(*iii*)	(*v*)	(*iv*)	(*i*)
D.	(*iii*)	(*v*)	(*iv*)	(*ii*)	(*i*)

150. भारत के किस क्षेत्र में स्थानांतरित खेती की जाती है?

A. उत्तर-पश्चिमी क्षेत्र में B. दक्षिणी-पूर्वी क्षेत्र में
C. उत्तर-पूर्वी क्षेत्र में D. दक्षिणी क्षेत्र में

उत्तरमाला

1	2	3	4	5	6	7	8	9	10
B	B	B	D	C	D	B	B	A	B
11	**12**	**13**	**14**	**15**	**16**	**17**	**18**	**19**	**20**
D	A	C	B	B	A	B	C	A	A
21	**22**	**23**	**24**	**25**	**26**	**27**	**28**	**29**	**30**
D	A	A	D	A	A	D	C	A	A
31	**32**	**33**	**34**	**35**	**36**	**37**	**38**	**39**	**40**
B	B	A	B	D	A	C	D	C	B
41	**42**	**43**	**44**	**45**	**46**	**47**	**48**	**49**	**50**
B	C	D	C	C	B	D	D	A	B
51	**52**	**53**	**54**	**55**	**56**	**57**	**58**	**59**	**60**
A	B & C	C	A	B	B	D	B	C	B
61	**62**	**63**	**64**	**65**	**66**	**67**	**68**	**69**	**70**
D	D	D	C	A	C	C	D	A	A
71	**72**	**73**	**74**	**75**	**76**	**77**	**78**	**79**	**80**
B	C	A	C	B	B	D	A	B	B
81	**82**	**83**	**84**	**85**	**86**	**87**	**88**	**89**	**90**
C	C	A	D	A	D	D	D	B	D
91	**92**	**93**	**94**	**95**	**96**	**97**	**98**	**99**	**100**
C	A	C	A	B	D	D	D	A	D
101	**102**	**103**	**104**	**105**	**106**	**107**	**108**	**109**	**110**
D	B	A	B	D	A	B	C	B	B
111	**112**	**113**	**114**	**115**	**116**	**117**	**118**	**119**	**120**
C	B	A	C	B	C	A	B	C	D
121	**122**	**123**	**124**	**125**	**126**	**127**	**128**	**129**	**130**
D	A	B	C	A	D	D	B	A	C
131	**132**	**133**	**134**	**135**	**136**	**137**	**138**	**139**	**140**
A	B	D	A, C, D	C	C	C	C	C	C
141	**142**	**143**	**144**	**145**	**146**	**147**	**148**	**149**	**150**
B	A	D	B	C	D	D	B	B	C

व्याख्यात्मक उत्तर

61. $9\frac{67}{121}$ का वर्गमूल $= \sqrt{\frac{1156}{121}} = \sqrt{\left(\frac{34}{11}\right)^2} = \frac{34}{11}$

62.
$$\begin{aligned}44(x^4 - 5x^3 - 24x^2) &= 44(x^4 + 3x^3 - 8x^3 - 24x^2)\\ &= 44[x^3(x+3) - 8x^2(x+3)]\\ &= 44(x+3)(x^3 - 8x^2)\\ &= 44x^2(x+3)(x-8)\end{aligned}$$

$$\therefore \frac{44(x^4 - 5x^3 - 24x^2)}{11x(x-8)} = \frac{44x^2(x+3)(x-8)}{11x(x-8)} = 4x(x+3)$$

63. दिया है, 1 मीटर कपड़े का क्रय मूल्य = ₹ $\frac{100}{11}$

और 1 मीटर कपड़े का विक्रय मूल्य $= \frac{110}{10}$ = ₹ 11

$\therefore$ लाभ = वि.मू. – क्र.मू. $= 11 - \frac{100}{11}$

$$= \frac{121-100}{11} = \frac{21}{11}$$

$$\text{लाभ \%} = \frac{\text{लाभ} \times 100}{\text{क्र.मू.}} = \frac{\frac{21}{11}\times 100}{\frac{100}{11}}$$

$$= \frac{21}{11} \times 100 \times \frac{11}{100} = 21\%$$

64. दिया है, संख्या श्रेणी

1 4 10 22 46 [94]

अंतर: 3 6 12 24 48 (×2, ×2, ×2, ×2)

अतः अगला पद = 94.

65. दिया है, $p =$ ₹ 12000, $n = 3$ (ब्याज का अर्द्ध-वार्षिक संयोजन)

$r = 5\%$

$$A = p\left(1+\frac{r}{100}\right)^n = 12000\left(1+\frac{5}{100}\right)^3$$

$$= 12000\left(1+\frac{1}{20}\right)^3 = 12000\left(\frac{21}{20}\right)^3$$

$$= 12000 \times \frac{9261}{8000}$$

$$= \frac{3 \times 9261}{2} = \frac{27783}{2} = 13891.50$$

अतः कुल राशि = ₹ 13891.50

66. दिया है, बेलनाकार खंभे के लिए,

$r = 28$ से.मी. = .28 मी.

$h = 4$ मी.

बेलनाकार खंभे का वक्र पृष्ठीय क्षेत्रफल $= 2\pi rh$

$$= 2 \times \frac{22}{7} \times (.28) \times 4$$

$\therefore$ 24 बेलनाकार खंभों का वक्र पृष्ठीय क्षेत्रफल

$$= 24 \times \frac{44}{7} \times (0.28) \times 4$$

₹ 25 प्रति मी.^{2} की दर से सभी खंभों के वक्राकार पृष्ठों पर रंग करने की कुल लागत

$$= ₹\, 24 \times \frac{44}{7} \times (0.28) \times 4 \times 25$$

$$= 24 \times \frac{44}{7} \times 0.28 \times 100 = 24 \times \frac{44}{7} \times 28$$

$$= 24 \times 44 \times 4 = ₹\, 96 \times 44 = ₹\, 4224$$

69. प्रश्न से

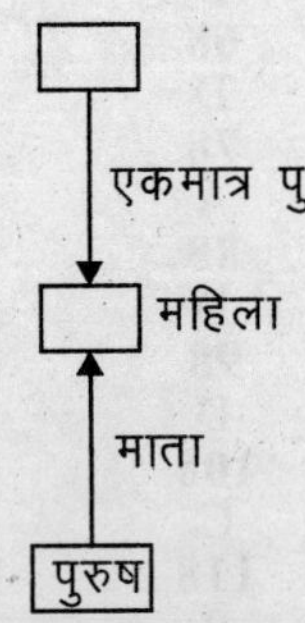

यहाँ, महिला उस पुरुष की माता है।

70. माना संख्या = x

तब, $\frac{1}{4}x - 7 = 3$

$\Rightarrow \quad \frac{1}{4}x = 7 + 3 \Rightarrow \frac{1}{4}x = 10$

$\Rightarrow \quad x = 40$

अतः संख्या = 40

71. दिया है, 264 * 2 = 6

$\therefore \quad \frac{264}{2} = 132 \therefore 1 + 3 + 2 = 6$

870 * 3 = 11

$\therefore \quad \frac{870}{3} = 29 \therefore 2 + 9 = 11$

इसी प्रकार, 735 * 5

$\therefore \quad \frac{735}{5} = 147 \therefore 1 + 4 + 7 = 12$

अतः 735 * 5 = 12

72. दिया है, एक आयताकार उद्यान

l = 70 मी. और b = 45 मी.

दो समकोणिक सड़कें, प्रत्येक की चौड़ाई = 5 मी.

$\therefore$ दोनों समकोणिक सड़कों का क्षेत्रफल

$= l \times 5 + b \times 5 - 5 \times 5$
$= 70 \times 5 + 45 \times 5 - 25$
$= 350 + 225 - 25$
$= 575 - 25 = 550$ मी.^{2}

₹ 100 प्रति मी.^{2} की दर से सड़कें बनाने की लागत
$= ₹\, 100 \times 550 = ₹\, 55000$

74. प्रतिशत वृद्धि $= \frac{6-4}{4} \times 100\% = \frac{2}{4} \times 100\% = 50\%$

75. दिया है, एक निश्चित कूट भाषा में

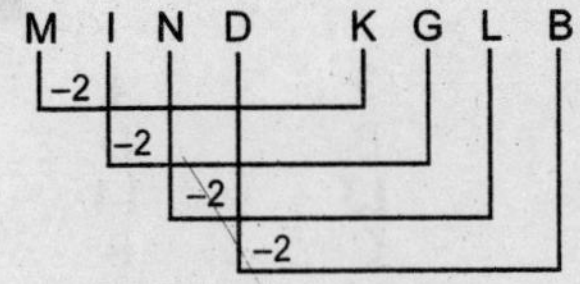

और

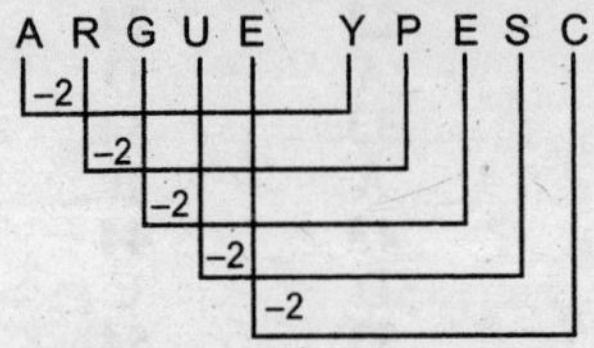

इसी प्रकार,

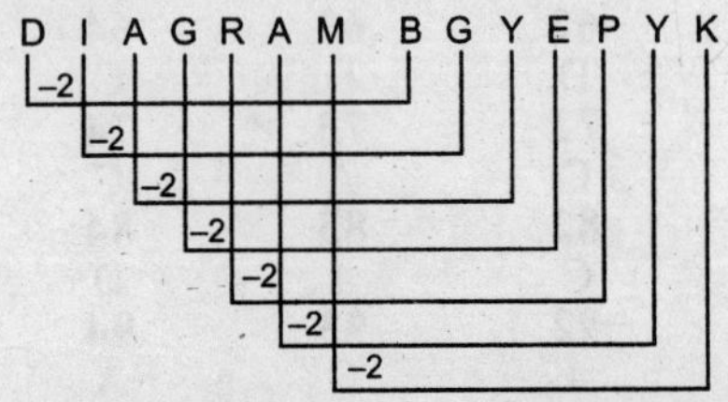

अतः 'DIAGRAM' को 'BGYEPYK' लिखा जाएगा

78. प्रश्नानुसार,

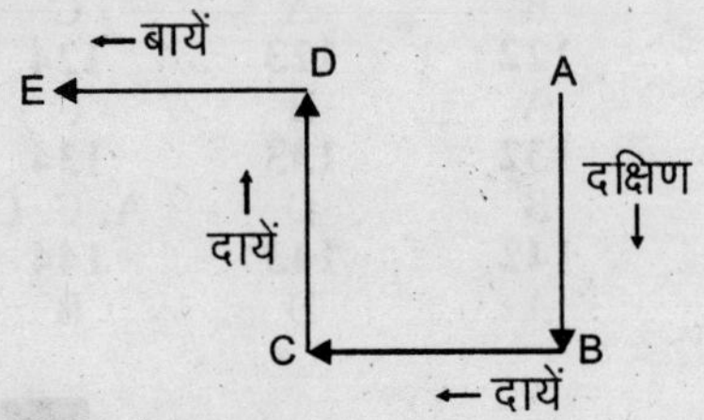

यहाँ, प्रारंभिक बिन्दु = A

अब, अंततः तुम पश्चिम दिशा में हो।

79. 6 ÷ [6 + 6 ÷ {6 + 6 ÷ (6 + 6 ÷ 12)}]

$$= 6 \div \left[6 + 6 \div \left\{6 + 6 \div \left(6 + \frac{1}{2}\right)\right\}\right]$$

$$= 6 \div \left[6 + 6 \div \left\{6 + 6 \div \frac{13}{2}\right\}\right]$$

$$= 6 \div \left[6 + 6 \div \left\{6 + 6 \times \frac{2}{13}\right\}\right]$$

$$= 6 \div \left[6 + 6 \div \left\{6 + \frac{12}{13}\right\}\right] = 6 \div \left[6 + 6 \div \left\{\frac{90}{13}\right\}\right]$$

$$= 6 \div \left[6 + 6 \times \frac{13}{90}\right] = 6 \div \left[6 + \frac{13}{15}\right] = 6 \div \left[\frac{90 + 13}{15}\right]$$

$$= 6 \div \frac{103}{15} = 6 \times \frac{15}{103} = \frac{90}{103}$$

80.

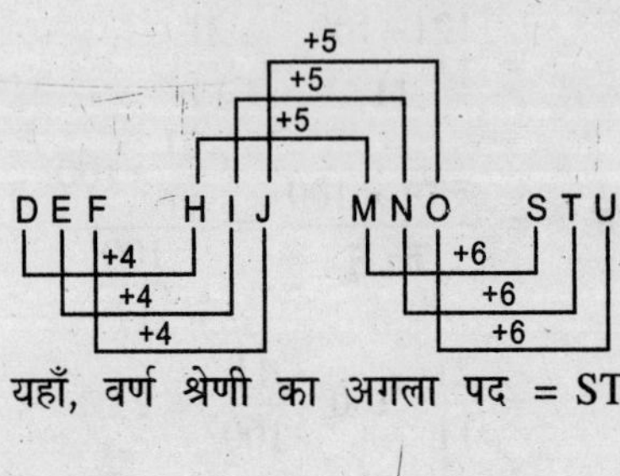

यहाँ, वर्ण श्रेणी का अगला पद = STU.

91. दिया है, एक वर्गाकार मैदान के

भुजा की लम्बाई = 50 मी.

मार्ग की चौड़ाई = 6 मी.

मार्ग का क्षेत्रफल = 50 × 50 − (50 − 12) (50 − 12)

= 2500 − 38 × 38

= 2500 − 1444 = 1056 वर्ग मी.

मार्ग पर ₹ 30 प्रति वर्ग मीटर की दर से लाल मिट्टी डलवाने का व्यय = ₹ 30 × 1056 = ₹ 31680

92. माना वर्ग के प्रत्येक भुजा की लंबाई = x

तब, क्षेत्रफल = x^2 वर्ग इकाई

पुनः भुजा में वृद्धि = $\frac{x \times 120}{100} = \frac{6}{5}x$

∴ नया क्षेत्रफल = $\left(\frac{6}{5}x\right)^2 = \frac{36}{25}x^2$ वर्ग इकाई

अतः क्षेत्रफल में % वृद्धि

$$= \frac{\frac{36}{25}x^2 - x^2}{x^2} \times 100\% = \frac{\frac{11}{25}x^2}{x^2} \times 100\%$$

= 11 × 4% = 44%

94. माना छः लगातार आने वाली प्राकृतिक संख्याएं हैं x, $x + 1$, $x + 2$, $x + 3$, $x + 4$ और $x + 5$

पहली तीन प्राकृतिक संख्याओं का योग = 36

∴ $x + x + 1 + x + 2 = 36$

⇒ $3x + 3 = 36 \Rightarrow 3x = 36 - 3$

⇒ $3x = 33 \Rightarrow x = 11$

अतः अंतिम तीन संख्याओं का योग

$= x + 3 + x + 4 + x + 5$

$= 3x + 12 = 3 \times 11 + 12$

$= 33 + 12 = 45$

96. दिया है, $(125)^x = 3125$

⇒ $(5)^{3x} = (5)^5 \Rightarrow 3x = 5$

⇒ $x = \frac{5}{3}$

97. $\frac{2}{3}, \frac{3}{5}, \frac{4}{7}, \frac{9}{13}$ का ल.स.

$$= \frac{2, 3, 4 \text{ और } 9 \text{ का ल. स.}}{3, 5, 7 \text{ और } 13 \text{ का म. स.}} = \frac{36}{1} = 36$$

99. 14 विद्यार्थियों के प्राप्तांकों का योग

= 14 × 71 = 994

14 विद्यार्थियों के प्राप्तांकों का सही योग

= 994 + (56 − 42) − (74 − 32)

= 994 + 14 − 42

= 994 − 28 = 966

अतः सही औसत = $\frac{966}{14} = 69$

100. दिया है, एक हौज के लिए

l = 15 मी., b = 10 मी., और h = 3 मी.

चारों दीवार और पेंदे का क्षेत्रफल

$= 2(lh + bh) + lb = 2h(l + b) + lb$

$= 2 \times 3(15 + 10) + 15 \times 10$

$= 6(25) + 150 = 150 + 150 = 300$ मी.^{2}

₹ 24 प्रति वर्ग मीटर की दर से चारों दीवारों व पेंदे की मरम्मत करने का व्यय = ₹ 24 × 300 = ₹ 7200

101. ऐसे व्यापार में हमेशा हानि होती है

$$\text{हानि \%} = \left(\frac{\text{उभयनिष्ठ लाभ तथा हानि}}{10}\right)^2$$

$$= \left(\frac{25}{10}\right)^2 \% = (2.5)^2 \% = 6.25\%$$

102. दिया है, $x - \frac{1}{x} = 4$

∴ $x^2 + \frac{1}{x^2} = \left(x - \frac{1}{x}\right)^2 + 2x.\frac{1}{x} = \left(x - \frac{1}{x}\right)^2 + 2$

$= (4)^2 + 2 = 16 + 2 = 18$

∵ $a^3 - b^3 = (a - b)(a^2 + ab + b^2)$

∴ $x^3 - \frac{1}{x^3} = \left(x - \frac{1}{x}\right)\left(x^2 + x.\frac{1}{x} + \frac{1}{x^2}\right)$

$= \left(x - \frac{1}{x}\right)\left(x^2 + \frac{1}{x^2} + 1\right)$

$= 4(18 + 1) = 4 \times 19 = 76$

104. घड़ी की मिनट की सूई 60 मिनट में 2π रेडियन कोण की रचना करती है।

∵ 2π = 60 मिनट

∴ $\frac{3\pi}{2} = \frac{60}{2\pi} \times \frac{3\pi}{2} = \frac{60}{4} \times 3 = 15 \times 3 = 45$ मिनट

105. दिया है, $3^{x-y} = 81$

⇒ $3^{x-y} = 3^4 \Rightarrow x - y = 4$ ...(i)

और $5^{x+y} = 625$

⇒ $5^{x+y} = 5^4 \Rightarrow x + y = 4$ ...(ii)

(i) और (ii) को जोड़ने पर हम पाते हैं

$2x = 8 \Rightarrow x = 4$

x का मान समी. (i) में रखने पर हम पाते हैं,

$4 - y = 4$

⇒ $y = 4 - 4 \Rightarrow y = 0$

अतः $x = 4$ और $y = 0$

106. दिया है, समबाहु त्रिभुज की भुजा की लम्बाई = 6 मी.

∴ क्षेत्रफल = $\frac{\sqrt{3}}{4}$ (भुजा)^2 = $\frac{\sqrt{3}}{4}(6)^2$ वर्ग सेमी.

$= \frac{\sqrt{3}}{4} \times 36 = 9\sqrt{3}$ वर्ग सेमी.

त्रिभुज का क्षेत्रफल = $\frac{1}{2}bh$

$9\sqrt{3} = \frac{1}{2} \times 6 \times h$

⇒ $9\sqrt{3} = 3h \Rightarrow h = 3\sqrt{3}$ सेमी.

107. दिया है ΔABC में,

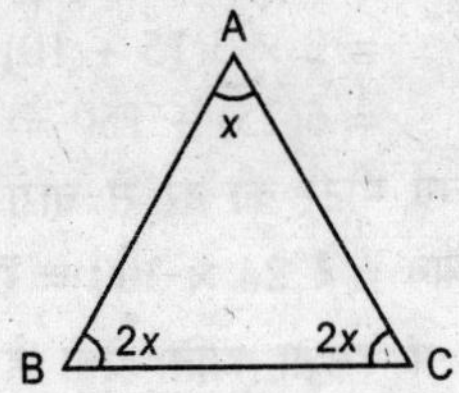

$$AB = AC$$

माना, $\angle A = x$, तब $\angle B = 2x \therefore \angle C = 2x$

$\because$ त्रिभुज के तीनों कोणों का योग $= 180°$

$\therefore \quad x + 2x + 2x = 180°$

$\Rightarrow \quad 5x = 180° \Rightarrow x = 36°$

अतः $\quad \angle C = 2x = 2 \times 36 = 72°$

108. $455 \times \dfrac{x}{100} = 364$

$\Rightarrow \quad x = \dfrac{364 \times 100}{455} = \dfrac{364 \times 20}{91} = 4 \times 20 = 80$

$\Rightarrow \quad x = 80\%$

109. माना, $\quad p(x) = 20x^2 - 9x + 1$

$= 20x^2 - 5x - 4x + 1$

$= 5x\,(4x - 1) - 1(4x - 1)$

$= (5x - 1)\,(4x - 1)$

और $\quad q(x) = 5x^2 - 6x + 1$

$= 5x^2 - 5x - x + 1$

$= 5x\,(x - 1) - 1(x - 1)$

$= (x - 1)\,(5x - 1)$

$\because$ $p(x)$ और $q(x)$ में उभयनिष्ठ $(5x - 1)$ है।

अतः दिये गए बहुपदों $p(x)$ और $q(x)$ का म.स

$= (5x - 1)$

110. n भुजा वाले समबहुभुज के लिए प्रत्येक अंतःकोण का मान θ हो, तो

$$\theta = \left(\frac{n-2}{n}\right) \times 180° \Rightarrow 175° = \left(\frac{n-2}{n}\right) \times 180°$$

$\Rightarrow \quad \dfrac{175}{180} = \dfrac{n-2}{n} \Rightarrow \dfrac{35}{36} = \dfrac{n-2}{n}$

$\Rightarrow \quad 36n - 72 = 35n$

$36n - 35n = 72 \Rightarrow n = 72$

अतः भुजाओं की संख्या 72 है।

111. माना दहाई का अंक x है तब इकाई का अंक $= 2x$

$\therefore$ संख्याएं $= 10x + 2x = 12x$

$\therefore \quad 10x + 2x + 27 = 10(2x) + x$

$\Rightarrow \quad 12x + 27 = 21x \Rightarrow 9x = 27 \Rightarrow x = 3$

अतः संख्या $= 12x = 12 \times 3 = 36$.

113. अधिक छात्र, कम दिन $\rightarrow$ विलोमानुपात

$\therefore$ छात्र $\quad$ दिन

$40 : 60 :: x : 30$

$\Rightarrow \quad 40 \times 30 = 60x$

$\Rightarrow \quad x = \dfrac{40 \times 30}{60} = 20$

अतः अभीष्ट दिनों की संख्या = 20

114. माना संख्या x है

तब, $\quad \dfrac{\frac{x}{3}}{8} - x \times \dfrac{3}{8} = 55$

$\Rightarrow \quad \dfrac{8x}{3} - \dfrac{3x}{8} = 55 \Rightarrow \dfrac{64x - 9x}{24} = 55$

$\Rightarrow \quad 55x = 55 \times 24 \Rightarrow x = 24$

अतः सही उत्तर है $= x \times \dfrac{3}{8} = 24 \times \dfrac{3}{8} = 9$

115. $3(x + 2)^2 + 5(x + 2) + 2$

$= 3(x^2 + 4 + 4x) + 5x + 10 + 2$

$= 3x^2 + 12 + 12x + 5x + 12$

$= 3x^2 + 17x + 24$

$= 3x^2 + 9x + 8x + 24$

$= 3x(x + 3) + 8(x + 3)$

$= (x + 3)\,(3x + 8)$

अतः अभीष्ट गुणनखंड $(3x + 8)\,(x + 3)$ हैं।

116. माना x वर्ष पश्चात राम की आयु श्याम की आयु की दोगुनी हो जाएगी।

तब, $\quad 34 + x = 2(14 + x)$

$\Rightarrow \quad 34 + x = 28 + 2x \Rightarrow 34 - 28 = 2x - x$

$\Rightarrow \quad 6 = x \Rightarrow x = 6$ वर्ष

117. आंकड़ों को बढ़ते क्रम में व्यवस्थित करने पर

20, 22, 23, 25, 26, 28, 31, 32, 34, 35

यहाँ, $n = 10$ (सम संख्या है)

$\therefore \quad$ माध्यिका $= \dfrac{1}{2}\left[\dfrac{n}{2}\text{वाँ पद} + \left(\dfrac{n}{2}+1\right)\text{वाँ पद}\right]$

$= \dfrac{1}{2}\left[\dfrac{10}{2}\text{वाँ पद} + \left(\dfrac{10}{2}+1\right)\text{वाँ पद}\right]$

$= \dfrac{1}{2}$ [5वाँ पद + 6वाँ पद]

$= \dfrac{1}{2}\,[26 + 28] = \dfrac{1}{2}[54] = 27$

118. $\quad \sqrt{0.000576} = \sqrt{(0.024)^2} = 0.024$

120. $\dfrac{\dfrac{5}{3} \times \dfrac{7}{51} \text{ का } \dfrac{17}{5} - \dfrac{1}{3}}{\dfrac{2}{9} \times \dfrac{5}{7} \text{ का } \dfrac{28}{5} - \dfrac{2}{3}} = \dfrac{\dfrac{5}{3} \times \left(\dfrac{7}{51} \times \dfrac{17}{5}\right) - \dfrac{1}{3}}{\dfrac{2}{9} \times \left(\dfrac{5}{7} \times \dfrac{28}{5}\right) - \dfrac{2}{3}}$

$= \dfrac{\dfrac{5}{3} \times \left(\dfrac{7}{15}\right) - \dfrac{1}{3}}{\dfrac{2}{9} \times 4 - \dfrac{2}{3}} = \dfrac{\dfrac{7}{9} - \dfrac{1}{3}}{\dfrac{8}{9} - \dfrac{2}{3}} = \dfrac{\dfrac{7-3}{9}}{\dfrac{8-6}{9}} = \dfrac{4}{9} \times \dfrac{9}{2} = \dfrac{4}{2} = 2$

पिछले प्रश्न-पत्र (हल सहित)

हरियाणा शिक्षक पात्रता परीक्षा (HTET)

Level-I, प्राथमिक शिक्षक (PRT), 2019

(Exam held on 17 November, 2019)

भाग-I

बाल विकास व शिक्षाशास्त्र

निर्देशः *निम्नलिखित प्रश्नों के उत्तर देने के लिए* **सबसे उचित** *विकल्प चुनिए।*

1. ''सीखना विकास की प्रक्रिया है'', कथन किसके द्वारा कहा गया है?

A. वुडवर्थ B. योकम
C. सिम्पसन D. डॉ. मैके

2. कितनी आयु पर बच्चों में लिंग पहचान स्थापित होती है?

A. 2 वर्ष B. 4 वर्ष
C. 6 वर्ष D. 7 वर्ष

3. विद्यार्थी द्वारा प्रत्येक इकाई की समाप्ति पर मानदण्ड संदर्भित ऐसे परीक्षण जिसमें विविध प्रकार की मूल्यांकन तकनीकी के द्वारा लिए गए परीक्षण में प्रदर्शन किया जाता है, किस प्रकार का मूल्यांकन कहलाता है?

A. अविरत मूल्यांकन
B. नियतकालिक मूल्यांकन
C. उपरोक्त (A) एवं (B) दोनों
D. उपरोक्त (A) एवं (B) दोनों नहीं

4. ''शिक्षा मनोविज्ञान, मनोविज्ञान की वह शाखा है, जो शिक्षण एवं सीखने से संबंधित है।'' यह कथन दिया गया है :

A. वुडवर्थ द्वारा B. स्किनर द्वारा
C. सिम्पसन द्वारा D. पावलॉव द्वारा

5. नीचे अधिगम सिद्धान्तों और उनके प्रतिपादकों के जोड़े दिए गए हैं। इंगित कीजिए कि किस जोड़े का मिलान सही ***नहीं*** है?

A. अनुकूलन/अनुबन्ध अनुक्रिया – वुल्फ एवं रीड
B. अन्तःदृष्टि-सूझ का सिद्धान्त – वर्दीमर एवं कोहलर
C. उद्दीपन-अनुक्रिया सिद्धान्त – थॉर्नडाइक, गेट्स, स्टीफेन
D. पुनर्बलन सिद्धान्त – हल एवं स्किनर

6. एक विद्यार्थी ने शैक्षिक के अन्तर्गत किसी विषय में 100 में से 47 अंक प्राप्त किए। इन अंकों को सी.सी.ई. योजना के अन्तर्गत किस ग्रेड में बदला जा सकता है?

A. B_2 B. C_1
C. C_2 D. B_1

7. वाइगोत्स्की के अनुसार निम्न में से कौन-सी संकल्पना सीखने के लिए केन्द्रीय होती है?

A. समीपता B. अनुकूलन
C. आत्मसातन D. संस्कृति एवं भाषा

8. 3 वर्ष की आयु में बालक लगभग कितने शब्द सीख लेता है?

A. लगभग 200 B. लगभग 300
C. लगभग 500 D. लगभग 1000

9. डिस्लेक्सिया संबंधित है :

A. मानसिक विकार से B. पठन विकार से
C. व्यवहारिक विकार से D. गणितीय विकार से

10. निम्नलिखित में से कौन-सा उपकरण संरचनात्मक आकलन के लिए उपयुक्त प्रतीत ***नहीं*** होता है?

A. प्रश्नोत्तरी B. समूह परिचर्चा
C. मानदण्ड संदर्भित परीक्षण D. वार्तालाप

11. 4 से 5 वर्ष की आयु में बालक में कौन-से विकास की वजह से वह अपने माता के प्रति प्रेम तथा पितृ विरोधी भावना दर्शाने लगता है?

A. पियूष ग्रंथि B. थाइराइड ग्रंथि
C. एलेक्ट्रा ग्रंथि D. ओडिपस ग्रंथि

12. जब एक ही विषय के विकास का अध्ययन अधिक समयावधि तक किया जाता है, इस अध्ययन को कहते हैं :

A. जीवन वृत्तान्त अध्ययन
B. सर्वे अध्ययन
C. अनुप्रस्थ-काट अध्ययन
D. अनुदैर्घ्य अध्ययन

13. निम्नलिखित में से कौन-सा सृजनात्मकता का तत्त्व ***नहीं*** है?

A. धारा प्रवाहिता B. लचीलापन
C. मौलिकता D. स्मृतिकरण

14. निम्नलिखित में से कौन-सा मिलर तथा डोलार्ड द्वारा प्रदत्त अनुकरणात्मक व्यवहार का प्रकार ***नहीं*** है?

A. समान व्यवहार B. सहसंबंधात्मक व्यवहार

C. प्रतिलिपि व्यवहार D. सुमेलित-आश्रित व्यवहार

15. निम्नलिखित में से कौन-सा आन्तरिक अभिप्रेरणा का उदाहरण ***नहीं*** है?

A. प्रशंसा B. चिन्ता

C. उपलब्धि की आवश्यकता D. आकांक्षा स्तर

16. किसने 'मानसिक आयु' शब्द से सबसे पहले परिचित कराया?

A. अल्फ्रेड बिने B. थर्स्टन

C. थॉर्नडाइक D. गिलफर्ड

17. रॉस के अनुसार विकास की कौन-सी अवस्था को 'मिथ्या परिपक्वता काल' कहा गया है?

A. शैशवावस्था B. बाल्यावस्था

C. किशोरावस्था D. वयस्कावस्था/प्रौढ़ावस्था

18. कौन-सा व्यक्तिगत भिन्नताओं का कारण ***नहीं*** है?

A. वंशानुक्रम B. वातावरण

C. परिपक्वता D. निर्देशन

19. किसी बच्चे में सृजनशीलता विकसित करने के लिए अध्यापक को ***नहीं*** करना चाहिए :

A. बच्चे की क्रियाओं को प्रतिबंधित करना।

B. बच्चे के विचारों का सम्मान करना।

C. बच्चे की उत्कण्ठा/जिज्ञासा को सन्तुष्ट करना।

D. बच्चे को अपूर्व चिन्तन की दिशा में ले जाना।

20. निम्नलिखित में से कौन-सा वृद्धि एवं विकास के सन्दर्भ में सही ***नहीं*** है?

A. पैर से सर

B. निकट से दूर

C. सर से पैर

D. वंशानुक्रम एवं वातावरण की अंतर्क्रिया

21. बहु बुद्धि सिद्धान्त के प्रवर्तक कौन थे?

A. अल्फ्रेड बिने B. गिलफर्ड

C. हावर्ड गार्डनर D. थॉर्नडाइक

22. फ्रायड द्वारा दिये गये मनोलैंगिक विकास की एक अवस्था, निम्नांकित में से कौन-सी ***नहीं*** है?

A. मुखीय अवस्था

B. गुदा अवस्था

C. गुप्त अवस्था

D. आइकॉनिक (प्रतिभा) अवस्था

23. एक बालक "जो अपने स्कूल जीवन के बीच (यानी लगभग साढ़े दस साल में) अपनी आयु के समकक्ष से नीचे की कक्षा का कार्य करने में असमर्थ हो" को किस प्रकार का बालक कहते हैं?

A. मानसिक रूप से मंदित बालक

B. शैक्षिक रूप से पिछड़ा

C. मूर्ख/बेवकूफ

D. जड़

24. एक विद्यार्थी नये ज्ञान को इस तरह से सीखता है कि वह पहले से सीखे हुए सम्प्रत्यय एवं नियमों का परिमार्जन तथा विवर्धन करता है। इस प्रकार का अधिगम कहलाता है :

A. संयोगात्मक सीखना

B. अधीनस्थ सीखना

C. महाकोटि सीखना

D. सहसम्बंधात्मक सीखना

25. 'जेण्डर स्कीमा थ्योरी' किसने प्रस्तावित की थी?

A. अल्बर्ट बण्डुरा

B. जीन पियाजे

C. एस.एल. बेम

D. आर.ए. बैरन

26. निम्नलिखित में से कौन-सा प्रतिभाशाली बालकों के लिए संवृद्धि कार्यक्रम ***नहीं*** है?

A. पाठ्यक्रम में समृद्धि B. वर्ग उन्नति

C. विशिष्ट कक्षा का प्रबंध D. विशिष्ट आवासीय विद्यालय

27. कुछ मामलों में बच्चे अपने माता-पिता की तुलना में कुछ कम मानसिक योग्यता दिखलाते हैं तथा ठीक उल्टा दृश्य भी दिखाई पड़ता है, वंशानुक्रम का यह नियम क्या कहलाता है?

A. प्रत्यागमन का नियम

B. चयनित गुणों का सिद्धान्त

C. मातृ एवं पितृ पक्षों का नियम

D. संयोग का नियम

28. आरम्भिक बाल्यकाल का आयु समूह काल क्या होता है?

A. 0 से 2 वर्ष

B. 2 से 4 वर्ष

C. 2 से 6 वर्ष

D. 4 से 7 वर्ष

29. एएएमडी तथा एपीए के अनुसार गंभीर मानसिक मंदता युक्त बालकों का बुद्धिलब्धि परास क्या होता है?

A. 52 से 67 B. 36 से 51

C. 20 से 35 D. 20 से नीचे

30. 'अहम केन्द्रिकता' का गुण जीने पियाजे द्वारा प्रदत्त बौद्धिक विकास की कौन-सी अवस्था में दिखाई पड़ता है?

A. संवेदात्मक गामक अवस्था

B. पूर्व संक्रियात्मक अवस्था

C. मूर्त संक्रियात्मक अवस्था

D. औपचारिक संक्रियात्मक अवस्था

भाग-II

भाषा : हिन्दी

निर्देशः *निम्नलिखित प्रश्नों के उत्तर देने के लिए* **सबसे उचित** *विकल्प चुनिए।*

31. निम्न में से 'प्रारब्ध' का विलोम है :
A. अनारब्ध B. आरब्ध
C. अपौरुष D. उपलब्ध

32. निम्न में से कौन-सा शब्द 'ल' प्रत्यय से युक्त ***नहीं*** है?
A. श्यामल B. कुशल
C. रोमल D. आँचल

33. निम्न में से किस व्यंजन का उच्चारण 'दन्त्य' ***नहीं*** है?
A. त B. थ
C. ल D. श

34. असंगत विकल्प बताइए :
A. नै + स्थिक = नैष्ठिक
B. वि + साद = विषाद
C. सु + स्मिता = सुष्मिता
D. निः + सन्न = निषण्ण

35. 'अव्ययीभाव समास' का उदाहरण ***नहीं*** है :
A. द्वार-द्वार B. आजकल
C. कुशलतापूर्वक D. हाथोंहाथ

36. निम्न में से किस भाववाचक संज्ञा शब्द की निर्मिति व्यक्तिवाचक संज्ञा से हुई है?
A. मातृत्व B. आवश्यकता
C. ऐश्वर्य D. कैशोर्य

37. किस शब्द में 'परा' उपसर्ग का प्रयोग ***नहीं*** हुआ है?
A. पराजय B. पराश्रित
C. पराभव D. पराकाष्ठा

38. वार्तनिक दृष्टि से अशुद्ध विकल्प चुनिए :
A. धोबिन B. पक्षीगण
C. स्वामिभक्त D. अगुणी

39. संधि की दृष्टि से असंगत चुनिए :
A. खग + ईश = खगेश
B. वि + अभिचार = व्याभिचार
C. देवी + एकता = देव्येकता
D. धातु + इक = धात्विक

40. अनेकार्थक शब्द के अर्थ-समूह की दृष्टि से कौन-सा विकल्प संगत ***नहीं*** है?
A. ऋत – आदित्य, ऋतु, सत्य
B. ऐरावत – इन्द्र का हाथी, एक नाग जाति का नाम, विद्युत मेघ
C. ऋषभ – बैल, श्रेष्ठ, संगीत के सात स्वरों में दूसरा
D. ओघ – ढेर, प्रवाह, बाढ़

41. अशुद्ध विकल्प चुनिए :
A. जो कम बोलने वाला हो – अल्पभाषी
B. जो प्रमाण से सिद्ध न हो – प्रमाण्य
C. जो किसी पर अभियोग लगाए – अभियोगी
D. वर्षा का बिल्कुल न होना – अनावृष्टि

42. किस विकल्प में 'अनु' उपसर्ग का प्रयोग हुआ है?
A. अन्वेषक B. अनुष्ण
C. अनुत्सेक D. अनुद्धत

43. निम्न में से 'अतिथि' शब्द का सही विलोम शब्द बताइए :
A. आतिथ्य B. अनातिथि
C. आतिथेय D. ज्ञानी

44. निम्न में से भाववाचक शब्द छाँटिए :
A. युवक B. चिकित्सक
C. किसानी D. ज्ञानी

45. निम्न शब्द-युग्मों में गलत अर्थ वाले विकल्प का चयन कीजिए:
A. अविरोध-अवरोध – विरोध रहित, रुकावट
B. अगद-अंगद – रोगी, बालिपुत्र
C. अनंग-अनग – अशरीर, बिना नग का
D. उभय-अभय – दोनों, निर्भीक

Language : English

Directions: *Answer the following questions by selecting the* ***most appropriate*** *option.*

46. Choose one word for the given sentence.

One who believe in the existence of God.
A. Atheist B. Ascetic
C. Theist D. Egotist

47. I expect <u>that I shall get a prize</u>.

The underlined words are :
A. Noun clause
B. Adjective clause
C. Adverb clause
D. None of the above

48. Which of the word is correctly spelt?
A. Guaranty B. Guarantee
C. Gurantee D. Gurrantee

49. They decided to cooperate.

The underlined words are used as a :
A. Verb B. Gerund
C. Infinitive D. Adjective

50. Choose the appropriate option in the blank.

The Collector and Director ______ coming in the building.
A. is B. are
C. have been D. has

51. Choose the most appropriate modal for the blank.

______ you like a cup of coffee?
A. Can B. Would
C. Must D. Will not

52. Change into passive voice.

Everybody laughed at Rohit.
A. Everybody was laughed at by Rohit.
B. Rohit was laughed at by everybody.
C. Rohit had laughed by everybody.
D. Rohit was laughed by everybody.

53. Choose the most appropriate prepostion.

There was a footpath that went ______ the road till the railway station.
A. Over B. Along
C. Around D. Across

54. Choose the correct one.

I was tired because I ______ for a long time.
A. was working B. have been working
C. had been working D. am working

55. Fill in the blank by choosing the correct option.

He's busy. He's got ______ work to do.
A. some B. any
C. something D. few

56. Choose the most appropriate form of Indirect speech for the given sentence.

He said, "Her sister will arrive from Mumbai today."
A. He said that her sister will arrived from Mumbai that day.
B. He said that her sister will be arrived from Mumbai today.
C. He said that her sister would arrive from Mumbai that day.
D. He said that her sister would arrived from Mumbai that day.

57. Choose the correct antonym.

Abandon
A. Quit B. Resign
C. Surrender D. Acquire

58. Choose the most appropriate preposition.

He died ______ Cancer.
A. by B. from
C. of D. at

59. Amusement is a noun with "ment" as a suffix, which of the following option will become a noun if we add the suffix "ment" to it?
A. Correct
B. Entertain
C. Colour
D. Extort

60. They had to cancel the match as the ground was too wet to play on.

Replace the underlined word with an appropriate phrasal verb :
A. call off B. call out
C. call up D. call in

भाग-III

सामान्य अध्ययन : मात्रात्मक योग्यता, तार्किक अभिक्षमता तथा सामान्य ज्ञान एवं अभिज्ञान

निर्देशः *निम्नलिखित प्रश्नों के उत्तर देने के लिए* ***सबसे उचित*** *विकल्प चुनिए।*

61. अमित ने एक परीक्षा में 175 अंक प्राप्त किए और वह 35 अंक से अनुत्तीर्ण हो गया। यदि परीक्षा में उत्तीर्ण होने के लिए 35% अंक की आवश्यकता हो, तो पूर्णांक ज्ञात करें :
A. 650 B. 700
C. 750 D. 600

62. 15 व्यक्तियों के एक समूह में, 7 हिन्दी पढ़ते हैं, 8 अंग्रेजी पढ़ते है और 3 इनमें से कोई भी भाषा नहीं पढ़ते हैं। कितने व्यक्ति हिन्दी और अंग्रेजी पढ़ते हैं?
A. 0 B. 3
C. 4 D. 5

63. एक पुरुष की ओर इंगित करते हुए, एक महिला बोली, "इसकी माता, मेरी माता की एकमात्र पुत्री है"। महिला उस पुरुष से किस प्रकार सम्बन्धित है?
A. माता
B. दादी
C. बहन
D. पुत्री

64. यदि पूर्व दिशा उत्तर-पश्चिम हो जाए, पश्चिम दिशा दक्षिण-पूर्व हो जाए और इसी तरह सभी दिशाएँ आपस में अपना स्थान बदल लें, तो उत्तर दिशा कौन-सी दिशा हो जाएगी?

A. दक्षिण B. उत्तर-पूर्व
C. पूर्व D. दक्षिण-पश्चिम

65. यदि किसी भिन्न के अंश में 200% की वृद्धि कर दी जाए तथा उसके हर में 350% की वृद्धि कर दी जाए, तो 5/12 प्राप्त होता है। मूल भिन्न ज्ञात करें।

A. 5/9 B. 5/8
C. 7/12 D. 11/12

66. किसी सांकेतिक भाषा में 'BEAT' को 'UBFC' कहा जाए, तथा 'CALM' को 'NMBD' कहा जाये तो उसी भाषा में 'SORE' को क्या कहा जाएगा?

A. FSPT B. DQNR
C. FQPR D. DSNT

67. निम्नलिखित शृंखला को पूरा करें :

DG, HK, LO, PS, ?

A. QT B. SV
C. UX D. TW

68. एक कार 690 किमी. की दूरी 30 घण्टे में तय करती है। तो उसकी औसत चाल क्या होगी?

A. 21 किमी. प्र. घं. B. 25 किमी. प्र. घं.
C. 23 किमी. प्र. घं. D. 20 किमी. प्र. घं.

69. 5 क्रमागत सम संख्याओं क्रमशः A, B, C, D तथा E का औसत 74 है। तब संख्या C तथा E का गुणनफल क्या होगा?

A. 5538 B. 5616
C. 5928 D. 5772

70. एक व्यक्ति तथा उसके पुत्र की औसत आयु 40 वर्ष है। इनकी आयु का अनुपात क्रमशः 11 : 5 है। तो पुत्र की आयु क्या होगी?

A. 25 वर्ष B. 20 वर्ष
C. 28 वर्ष D. 14 वर्ष

71. घड़ी की दोनों सुईयाँ एक दिन में कितनी बार अतिव्यापन करेंगी?

A. 22 बार B. 24 बार
C. 12 बार D. 11 बार

72. यदि शब्द "FRIEND" के प्रत्येक अक्षर को उसके वर्ण क्रम अनुसार जमाया जाए, तो कितने अक्षरों के स्थान अपरिवर्तित रहेंगे?

A. 4 B. 3
C. 1 D. 2

73. एक कैण्टीन में सात दिनों के लिए 56 किग्रा. चावल की आवश्यकता होती है, तो अप्रैल तथा मई माह में कुल मिलाकर कितने किग्रा. चावल की आवश्यकता होगी?

A. 488 किग्रा. B. 476 किग्रा.
C. 498 किग्रा. D. 490 किग्रा.

74. एक तस्वीर की ओर इशारा करते हुए विशाल ने कहा, यह मेरे दादाजी के इकलौते पुत्र की बहन है। तो बताइए तस्वीर वाली महिला विशाल से किस प्रकार सम्बन्धित है?

A. मौसी B. बुआ
C. बहन D. माता

75. दी गई शृंखला को उसके क्रम के आधार पर पूरा करें :

20, 21, 25, 34, 50, ?

A. 60 B. 70
C. 75 D. 100

76. एक व्यक्ति ₹ 8,000, 15% वार्षिक दर से 3 वर्ष के लिए उधार लेता है। उसे कितना साधारण ब्याज चुकाना होगा?

A. ₹ 4,000 B. ₹ 3,600
C. ₹ 2,400 D. ₹ 3,200

77. यदि $\sqrt[3]{19683} = ? \times 3$, तब "?" का मान होगा :

A. 27 B. 3
C. 81 D. 9

78. एक आयत की लम्बाई उसकी चौड़ाई की तीन गुनी है। यदि इस आयत का क्षेत्रफल 147 वर्ग मीटर हो, तो इसका परिमाप ज्ञात करें :

A. 56 मी. B. 28 मी.
C. 48 मी. D. 49 मी.

79. दिये गये चार विकल्पों में से तीन किसी प्रकार से समान हैं तथा अपना एक समूह बनाते हैं। वह एक विकल्प कौन-सा है जो इस समूह में ***नहीं*** आता?

A. सितार B. गिटार
C. वायलिन D. बाँसुरी

80. नारियल का जो संबंध कवच से है वही संबंध पत्र से किसका होगा?

A. कलम B. लिफाफा
C. लेखन D. डाकिया

81. साहिबी नदी निम्नलिखित में से किस जिले में ***नहीं*** बहती है?

A. रोहतक B. रेवाड़ी
C. झज्जर D. गुरुगाम

82. हरियाणा के प्रथम गैर-कांग्रेसी मुख्यमंत्री कौन थे?

A. चौधरी देवीलाल B. चौधरी बंसीलाल
C. राव बीरेन्द्र सिंह D. भगवत दयाल शर्मा

83. प्रसिद्ध गजल गायिका जोहराबाई संबंधित थी :

A. अंबाला से B. सोनीपत से
C. रेवाड़ी से D. यमुनानगर से

84. सुल्तानपुर नेशनल पार्क के बारे में अधोलिखित कथनों पर विचार कीजिए:

(*a*) इसे वर्ष 1991 में राष्ट्रीय उद्यान के रूप में क्रमोन्नत किया गया था।

(*b*) यह अपने प्रवासी पक्षियों के लिए प्रसिद्ध है।

उपर्युक्त में से कौन-सा/कौन-से कथन सत्य है/हैं?

A. केवल (*a*) सत्य है।
B. केवल (*b*) सत्य है।
C. न तो (*a*) और न ही (*b*) सत्य है।
D. (*a*) और (*b*) दोनों सत्य हैं।

85. अभी हाल ही में तिरुपति बालाजी मंदिर कहाँ बनाया गया है?

A. कुरुक्षेत्र में
B. गुरुग्राम में
C. अंबाला में
D. पंचकुला में

86. नाहर वन्यजीव अभयारण्य कहाँ अवस्थित है?

A. अंबाला
B. सोनीपत
C. यमुनानगर
D. रेवाड़ी

87. सुमेलित कीजिए :

स्मारक	**स्थान**
(*a*) शेख चिल्ली का मकबरा	(*i*) थानेसर
(*b*) गूजरी महल	(*ii*) हिसार
(*c*) इब्राहिम लोदी का मकबरा	(*iii*) पानीपत
(*d*) शीश महल	(*iv*) फर्रुखनगर

सही कूट चुनिए :

	(*a*)	(*b*)	(*c*)	(*d*)
A.	(*iii*)	(*ii*)	(*i*)	(*iv*)
B.	(*iv*)	(*ii*)	(*i*)	(*iii*)
C.	(*i*)	(*ii*)	(*iii*)	(*iv*)
D.	(*iv*)	(*iii*)	(*ii*)	(*i*)

88. हरियाणा साहित्य अकादमी की पत्रिका है :

A. हरिगंधा B. हरियाणा संवाद
C. हरियाणा संदेश D. पाञ्चजन्य

89. तिलयार झील कहाँ अवस्थित है?

A. गुरुग्राम B. रोहतक
C. जींद D. फरीदाबाद

90. हरियाणा की तेरहवीं विधान सभा के अध्यक्ष कौन थे?

A. संतोष यादव B. कँवर पाल
C. अभय सिंह D. एम.एल. खट्टर

भाग-IV

गणित

निर्देशः *निम्नलिखित प्रश्नों के उत्तर देने के लिए* **सबसे उचित** *विकल्प चुनिए।*

91. ₹ 1,60,000 का 2 वर्ष में 10% वार्षिक दर से छमाही देय चक्रवृद्धि ब्याज कितना होगा?

A. ₹ 34,846 B. ₹ 34,481
C. ₹ 19,448 D. ₹ 37,946

92. एक त्रिभुजाकार प्लॉट की भुजाओं का अनुपात 3 : 5 : 7 है और इसका परिमाप 300 मी है, तो इसका क्षेत्रफल होगा :

A. 150 मी^{2} B. $900\sqrt{3}$ मी^{2}
C. $1500\sqrt{3}$ मी^{2} D. 1500 मी^{2}

93. बिन्दु $P(x_1, y_1)$ और $Q(x_2, y_2)$ के बीच की दूरी बराबर है :

A. $\sqrt{(x_2-x_1)^2+(y_2-y_1)^2}$

B. $\sqrt{(x_2+x_1)^2-(y_2+y_1)^2}$

C. $\sqrt{(x_2-y_2)^2+(x_1-y_1)^2}$

D. $\sqrt{(x_1-x_2)^2+(y_1+y_2)^2}$

94. राम एक पुस्तक का 1/5वाँ भाग पढ़ता है। यदि फिर भी 60 पृष्ठ पढ़ने को शेष हैं, तो पुस्तक में कुल कितने पृष्ठ हैं?

A. 75 B. 90
C. 105 D. 120

95. $\frac{128352}{238368}$ का सरलतम रूप क्या है?

A. 3/4 B. 5/13
C. 7/13 D. 9/13

96. $2\frac{1}{2}+3\frac{1}{4}+x+2\frac{1}{3}=13\frac{5}{12}$, तो '$x$' का मान होगा :

A. $5\frac{1}{3}$ B. $3\frac{1}{5}$
C. $2\frac{1}{5}$ D. $5\frac{1}{7}$

97. एक माचिस के डिब्बे का नाप 4 सेमी. × 2.5 सेमी. × 1.5 सेमी. हो, ऐसे 12 डिब्बे के एक पैकेट का आयतन क्या होगा?

A. 180 सेमी^{3} B. 140 सेमी^{3}
C. 120 सेमी^{3} D. 100 सेमी^{3}

98. यदि वर्ग की प्रत्येक भुजा की लम्बाई में 15% की वृद्धि कर दी जाए, तो इसके क्षेत्रफल में कितने प्रतिशत वृद्धि होगी?

A. 15% B. 22.5%
C. 56.25% D. 32.25%

99. शांति ने रोमा और टीना के बीच 1 : 3 के अनुपात में 40 डाक टिकट बाँटे। टीना को कितने डाक टिकट मिले?

A. 10 B. 30
C. 20 D. 25

100. एक बेलनाकार जार के आधार की परिधि 132 सेमी है और उसकी ऊँचाई 25 सेमी है, तो उसमें कितने लीटर पानी आ सकता है?

A. 33.64 लीटर B. 34.65 लीटर
C. 69.34 लीटर D. 22.35 लीटर

101. दो संपूरक कोणों का अनुपात 2 : 3 है, तो कोणों का माप होगा:

A. 30°, 45° B. 36°, 54°
C. 72°, 108° D. 66°, 114°

102. यदि दो घनों के आयतनों का अनुपात 27 : 64 है, तो उनके सम्पूर्ण पृष्ठीय क्षेत्रफलों का अनुपात होगा :

A. 27 : 64 B. 3 : 4
C. 9 : 16 D. 3 : 8

103. यदि $\frac{x}{5}=\frac{y}{8}$ हो, तो $\frac{x+5}{y+8}$ का मान क्या होगा?

A. $\frac{7}{8}$ B. $\frac{3}{5}$
C. $\frac{5}{8}$ D. $\frac{8}{5}$

104. 8 सेमी लम्बाई और 6 सेमी चौड़ाई की एक कागज की शीट पर 2 सेमी भुजा वाले कितने वर्ग बनाये जा सकते हैं?

A. 24 B. 18
C. 12 D. 8

105. यदि A की आय B की आय से 20% कम हो, तो B की आय A की आय से कितने प्रतिशत अधिक है?

A. 20% B. 25%
C. 30% D. 35%

106. 11 प्रेक्षणों का औसत 60 है। यदि प्रथम 6 प्रेक्षणों का औसत 59 हो तथा अंतिम 6 प्रेक्षणों का औसत 62 हो, तो छठे प्रेक्षण का मान है :

A. 63 B. 64
C. 66 D. 68

107. दो पूर्ण संख्याओं का अंतर 66 है और उनका अनुपात 5 : 2 है, तो वो दो संख्याएँ हैं:

A. 110 : 34 B. 34 : 100
C. 110 : 44 D. 100 : 34

108. $\sqrt{0.01+\sqrt{0.0064}}$ का मान होगा :

A. 0.03 B. 0.3
C. $0.3\sqrt{2}$ D. 3

109. श्रेणी 3, 8, 13, 18, ..., में कौन-सा पद 78 है?

A. 18 B. 76
C. 16 D. 74

110. $\frac{1}{\sqrt{2}}$ का मान है :

A. $\sqrt{2}$ B. 2
C. $\frac{\sqrt{2}}{2}$ D. $\frac{2}{\sqrt{2}}$

111. दो संख्याएँ 3 : 4 के अनुपात में हैं तथा इनका लघुत्तम समापवर्त्य 84 है, इनमें से बड़ी संख्या कौन-सी होगी?

A. 21 B. 24
C. 28 D. 84

112. एक समबहुभुज के आंतरिक कोणों का योग 1440° है, भुजाओं की संख्या कितनी है?

A. 8 B. 10
C. 12 D. 6

113. $\frac{(225)^{0.2}\times(225)^{0.3}}{(225)^{0.8}\times(225)^{0.2}}=?$

A. 15 B. 1.5
C. $\frac{1}{15}$ D. $\frac{1}{25}$

114. 15 वर्षों में रवि की उम्र वर्तमान उम्र की 4 गुनी होगी, तो रवि की वर्तमान उम्र क्या है?

A. 15 वर्ष B. 5 वर्ष
C. 10 वर्ष D. 4 वर्ष

115. 11 के गुणज ज्ञात कीजिए यदि तीन क्रमागत संख्याओं (11 गुणज संख्या) का योग 363 है :

A. 110, 121, 132
B. 11, 22, 33
C. 121, 132, 143
D. 132, 143, 154

116. $\frac{0.41\times0.41\times0.41+0.69\times0.69\times0.69}{0.41\times0.41-0.41\times0.69+0.69\times0.69}$ का मान होगा :

A. 0.28 B. 11
C. 1.1 D. 2.8

117. एक द्विघात समीकरण के मूल $\frac{2}{3}$ और $-\frac{1}{2}$ हैं, तो द्विघात समीकरण होगा :

A. $6x^2 + x + 2 = 0$
B. $6x^2 - x - 2 = 0$
C. $16x^2 - x + 2 = 0$
D. $16x^2 + x - 2 = 0$

118. किसी आयत के एक विकर्ण तथा क्षेत्रफल की माप क्रमशः 25 सेमी तथा 168 सेमी^{2} हो, तो आयत की लम्बाई कितनी होगी?

A. 31 सेमी B. 24 सेमी
C. 17 सेमी D. 9 सेमी

119. एक स्कूटर 54 किमी. प्रति घण्टा की चाल से 1 मिनट में कितनी दूरी तय करेगा?

A. 900 मी B. 1000 मी
C. 115 मी D. 90 मी

120. एक शंकु की ऊँचाई और तिर्यक ऊँचाई क्रमशः 21 सेमी और 28 सेमी हैं। इसका आयतन होगा :

A. 7456 सेमी^{3} B. 7654 सेमी^{3}
C. 7546 सेमी^{3} D. 7746 सेमी^{3}

भाग-V

पर्यावरण अध्ययन

निर्देशः *निम्नलिखित प्रश्नों के उत्तर देने के लिए* **सबसे उचित** *विकल्प चुनिए।*

121. निम्न में से किसे कोशिकीय प्रक्रम में ऊर्जा मुद्रा के रूप में जाना जाता है?

A. माइटोकॉन्ड्रिया B. डी.ए.पी.
C. कुपिकाएँ D. ए.टी.पी.

122. किस धातु का उपयोग सोलर सेल बनाने में करते हैं?

A. सोना B. लोहा
C. एलुमिनियम D. सिलिकॉन

123. 'सुनहरा रेशा' से अभिप्राय है :

A. कपास B. पटसन
C. नायलॉन D. रेशम

124. धावन सोडा का रासायनिक नाम है :

A. सोडियम क्लोराइड
B. सोडियम हाइड्रोजन कार्बोनेट
C. सोडियम कार्बोनेट
D. सोडियम हाइड्रॉक्साइड

125. कमरे के ताप पर कौन-सी अधातु द्रव अवस्था में पायी जाती है?

A. मर्करी B. आयोडीन
C. ब्रोमीन D. क्लोरीन

126. जीवाणुओं को मारने के लिए जल में कौन-सी गैस प्रवाहित करते हैं?

A. ब्रोमीन B. क्लोरीन
C. आयोडीन D. नाइट्रोजन

127. वयस्क व्यक्ति में R.B.C. का निर्माण होता है :

A. यकृत में B. अस्थिमज्जा में
C. वृक्क में D. अग्न्याशय में

128. किस/किन उद्योग/उद्योगों को "सनराइज उद्योग" के रूप में जानते हैं?

(*a*) लौह और इस्पात उद्योग (*b*) सूचना प्रौद्योगिकी
(*c*) सीमेन्ट उद्योग (*d*) सूती वस्त्र उद्योग

A. (*a*), (*b*) और (*c*) B. (*c*) और (*d*)
C. केवल (*b*) D. केवल (*d*)

129. निम्न में से कौन-सा वर्ग जैव निम्नीकरण का है?

(*a*) घास, पुष्प और चमड़ा
(*b*) घास, काष्ठ और काँच
(*c*) फलों के छिलके, केक और नींबू रस
(*d*) केक, काष्ठ और प्लास्टिक

A. (*a*), (*b*) और (*c*) B. (*a*), (*b*), (*c*) और (*d*)
C. (*a*) और (*c*) D. (*b*) और (*d*)

130. निम्नलिखित को सुमेलित कीजिए :

कॉलम–I (राज्य)	**कॉलम–II (जल संरक्षण विधि)**
(*a*) राजस्थान	(*i*) एरिस
(*b*) महाराष्ट्र	(*ii*) पाइन
(*c*) केरल	(*iii*) बंधारस
(*d*) तमिलनाडु	(*iv*) खड़ीन
(*e*) बिहार	(*v*) सुरंगम

कूटः

	(*a*)	(*b*)	(*c*)	(*d*)	(*e*)
A.	(*iv*)	(*ii*)	(*v*)	(*iii*)	(*i*)
B.	(*i*)	(*iv*)	(*ii*)	(*iii*)	(*iv*)
C.	(*iv*)	(*iii*)	(*v*)	(*i*)	(*ii*)
D.	(*i*)	(*iv*)	(*v*)	(*ii*)	(*iii*)

131. नवीकरणीय ऊर्जा स्रोत है :

A. पेट्रोल B. कोयला
C. वन D. प्राकृतिक गैस

132. रॉकेट किसके संरक्षण के सिद्धान्त पर कार्य करता है?

A. बल B. संवेग
C. वेब D. द्रव्यमान

133. पूर्ण विश्वव्यापी उष्णता के लिए विविध ग्रीन हाउस गैसों का सापेक्षिक योगदान बढ़ते हुए क्रम में है :

A. $CO_2 > CFC > CH_4 > NO_2$
B. $CO_2 > CH_4 > CFC > NO_2$
C. $CH_4 > CFC > CO_2 > NO_2$
D. $CFC > CH_4 > CO_2 > NO_2$

134. विश्व जल दिवस मनाया जाता है :

A. 22 मार्च B. 22 अप्रैल
C. 23 नवम्बर D. 23 मार्च

135. नई प्रजातियाँ बन जाती हैं यदि :
(*a*) जनन कोशिका के DNA में महत्त्वपूर्ण परिवर्तन होता है।
(*b*) युग्मक में गुणसूत्रों की संख्या में परिवर्तन हो।
(*c*) आनुवांशिक पदार्थों में परिवर्तन नहीं हो।
A. केवल (*a*) B. (*a*) और (*b*)
C. (*a*) और (*c*) D. (*a*), (*b*) और (*c*)

136. स्थानांतरित कृषि को ब्राजील में कहते हैं :
A. मिल्पा B. झूमिंग
C. रोका D. लदांग

137. नाभिकीय रिएक्टर में ईंधन के लिए किस तत्व का उपयोग करते हैं?
A. यूरेनियम B. कैडमियम
C. ल्यूटेटियम D. सोडियम

138. ***सही*** विकल्प का चयन कीजिए :
A. विश्व की सभी झीलों व नदियों में जल की कुल मात्रा नियत रहती है।
B. भूमिगत जल की कुल मात्रा नियत रहती है।
C. विश्व के समुद्रों और महासागरों में जल की कुल मात्रा नियत है।
D. विश्व में जल की कुल मात्रा नियत है।

139. कौन-सा पद कार्बन चक्र में सम्मिलित ***नहीं*** है?
A. प्रकाश संश्लेषण B. वाष्पोत्सर्जन
C. श्वसन D. जीवाश्म ईंधन का जलना

140. लेंस क्षमता की SI इकाई है :
A. हर्ट्ज B. ल्यूमेन
C. ओम D. डाइऑप्टर

141. सूक्ष्म जीवों द्वारा मृत पादपों पर क्रिया करने से बनता है :
A. मशरूम B. रेत
C. ह्यूमस D. काष्ठ

142. कौन-सा कोशिकांग स्वयं का DNA रखता है?
A. लाइसोसोम B. माइटोकॉन्ड्रिया
C. लवक D. दोनों (B) व (C)

143. बायोगैस का मुख्य घटक है :
A. प्रोपेन B. ब्यूटेन
C. मेथेन D. एथेन

144. निम्नलिखित को सुमेलित कीजिए :

कॉलम–I	कॉलम–II
(*a*) CFC	(*i*) हरित गृह प्रभाव
(*b*) CO_2	(*ii*) सर्वाधिक उपलब्ध गैस
(*c*) N_2	(*iii*) जहरीली गैस (विषैली गैस)
(*d*) CO	(*iv*) ओजोन क्षय

कूट:

	(*a*)	(*b*)	(*c*)	(*d*)
A.	(*i*)	(*ii*)	(*iii*)	(*iv*)
B.	(*iii*)	(*i*)	(*iv*)	(*ii*)
C.	(*iii*)	(*iv*)	(*ii*)	(*i*)
D.	(*iv*)	(*i*)	(*ii*)	(*iii*)

145. अमरबेल उदाहरण है :
A. स्वयंपोषी B. परजीवी
C. मृतजीवी D. परपोषी

146. किस जीव के द्वारा वर्मीकम्पोस्ट बनाया जाता है?
A. चपटे कृमि B. हुक कृमि
C. पिन कृमि D. केंचुआ

147. किस हॉर्मोन के निर्माण के लिए आयोडीन आवश्यक है?
A. ऑक्सिन B. इन्सुलिन
C. थायरॉक्सिन D. एड्रेनलीन

148. निम्न में से कौन-सी बीमारी जीवाणु जनित ***नहीं*** है?
A. हैजा B. तपेदिक (क्षय) रोग
C. एन्थ्रेक्स D. इन्फ्लुएंजा

149. अफाई, करैत, दुबईया प्रजातियाँ हैं :
A. जहरीला साँप की B. मछली की
C. जहरविहीन साँप की D. मेंढक की

150. क्लोरोफिल में कौन-सी धातु पायी जाती है?
A. मैग्नीशियम B. कोबाल्ट
C. लोहा D. निकिल

उत्तरमाला

1	2	3	4	5	6	7	8	9	10
A	A	B	B	A	C	D	D	B	C
11	**12**	**13**	**14**	**15**	**16**	**17**	**18**	**19**	**20**
D	D	D	B	A	A	B	D	A	A
21	**22**	**23**	**24**	**25**	**26**	**27**	**28**	**29**	**30**
C	D	B	D	C	D	A	C	C	B
31	**32**	**33**	**34**	**35**	**36**	**37**	**38**	**39**	**40**
A	D	D	D	B	C	B	B	B	A

41	42	43	44	45	46	47	48	49	50
B	A	C	C	B	C	A	B	C	B
51	**52**	**53**	**54**	**55**	**56**	**57**	**58**	**59**	**60**
B	B	B	C	A	C	D	C	B	A
61	**62**	**63**	**64**	**65**	**66**	**67**	**68**	**69**	**70**
D	B	A	D	B	A	D	C	D	A
71	**72**	**73**	**74**	**75**	**76**	**77**	**78**	**79**	**80**
A	C	A	B	C	B	D	A	D	B
81	**82**	**83**	**84**	**85**	**86**	**87**	**88**	**89**	**90**
A	C	A	D	A	D	C	A	B	B
91	**92**	**93**	**94**	**95**	**96**	**97**	**98**	**99**	**100**
B	C	A	A	C	A	A	D	B	B
101	**102**	**103**	**104**	**105**	**106**	**107**	**108**	**109**	**110**
C	C	C	C	B	C	C	B	C	C
111	**112**	**113**	**114**	**115**	**116**	**117**	**118**	**119**	**120**
C	B	C	B	A	C	B	B	A	C
121	**122**	**123**	**124**	**125**	**126**	**127**	**128**	**129**	**130**
D	D	B	C	C	B	B	C	C	C
131	**132**	**133**	**134**	**135**	**136**	**137**	**138**	**139**	**140**
C	B	B	A	B	C	A	D	B	D
141	**142**	**143**	**144**	**145**	**146**	**147**	**148**	**149**	**150**
C	D	C	D	B	D	C	D	A	A

व्याख्यात्मक उत्तर

61. माना पूर्णांक $= x$

तब, $x \times \frac{35}{100} = 175 + 35$

$\Rightarrow \frac{35x}{100} = 210$

$\Rightarrow \frac{7x}{20} = 210$

$\Rightarrow 7x = 210 \times 20$

$\Rightarrow x = \frac{210 \times 20}{7}$

$= 30 \times 20 = 600$

62. माना हिन्दी पढ़ने वाले = H तथा अंग्रेजी पढ़ने वाले = E

$n(\text{H}) = 7$, $n(\text{E}) = 8$, कोई भी भाषा नहीं पढ़ने वाले = 3

$n(\text{H} \cup \text{E})$ = पढ़ने वालों की संख्या

$= 15 - 3 = 12$

$\because n(\text{H} \cup \text{E}) = n(\text{H}) + n(\text{E}) - n(\text{H} \cap \text{E})$

$\therefore 12 = 7 + 8 - n(\text{H} \cap \text{E})$

$\Rightarrow n(\text{H} \cap \text{E}) = 15 - 12 = 3$

अतः हिन्दी और अंग्रेजी दोनों पढ़ने वालों की संख्या

$= n(\text{H} \cap \text{E}) = 3$

63. महिला उस पुरुष की माता है।

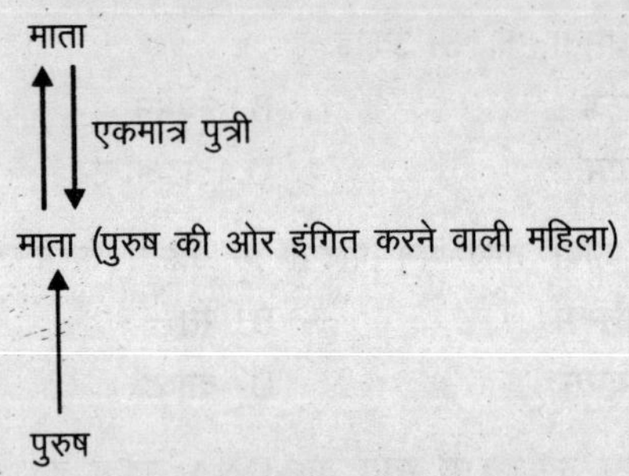

64.

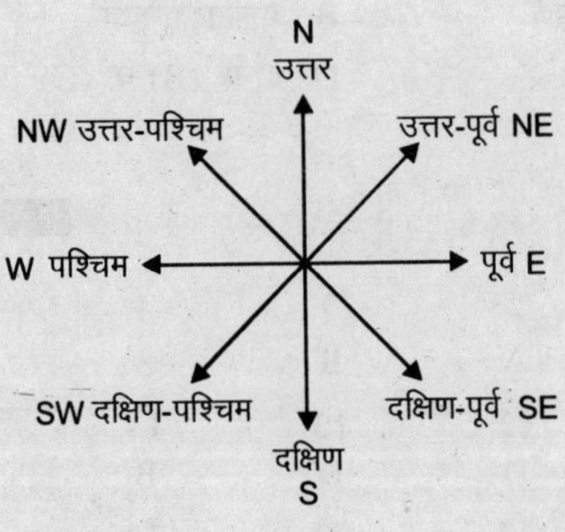

प्रश्नानुसार,

उत्तर दिशा, स्थान बदलने पर दक्षिण-पश्चिम हो जाएगा। हर दिशा 135° वामावर्त अपना स्थान बदलती है।

65. माना मूल भिन्न = $\frac{x}{y}$

तब, $\frac{x \times \frac{100+200}{100}}{y \times \frac{100+350}{100}} = \frac{5}{12}$

$\Rightarrow \frac{\frac{300}{100}x}{\frac{450y}{100}} = \frac{5}{12}$

$\Rightarrow \frac{300}{100} x \times \frac{100}{450y} = \frac{5}{12}$

$\Rightarrow \frac{2}{3}\frac{x}{y} = \frac{5}{12}$

$\Rightarrow \frac{x}{y} = \frac{5}{12} \times \frac{3}{2} = \frac{5}{4 \times 2} = \frac{5}{8}$

अतः मूल भिन्न = $\frac{x}{y} = \frac{5}{8}$

66.

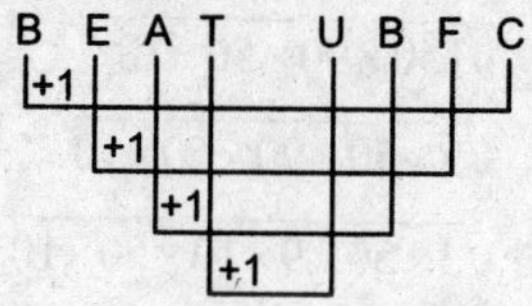

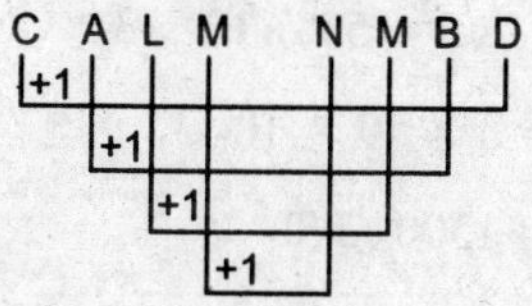

इसी प्रकार

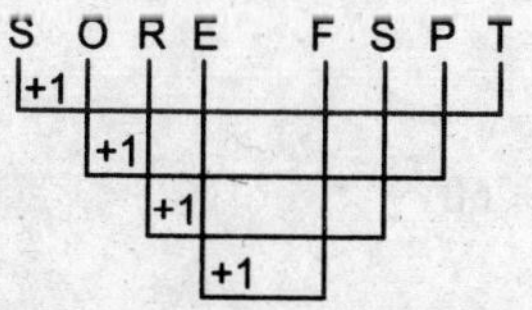

दिए गए शब्द के अक्षरों को उलटे क्रम में +1 चरण आगे क्रम में लिखकर शब्द को कूटबद्ध किया गया है।

67.

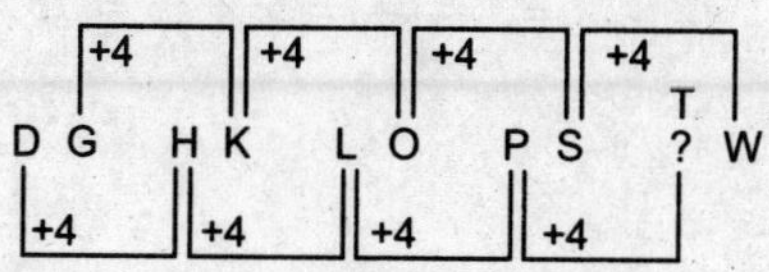

शृंखला में अक्षर वर्णमाला के सीधे क्रम में +4, +4 स्थान आगे की ओर बढ़ते हैं।

68. औसत चाल = $\frac{\text{दूरी}}{\text{समय}} = \frac{690 \text{ किमी.}}{30 \text{ घण्टे}}$

= 23 किमी. प्रति घण्टे

69. माना 5 क्रमागत सम संख्याएँ क्रमशः $A = 2x + 2$, $B = 2x + 4$, $C = 2x + 6$, $D = 2x + 8$ तथा $E = 2x + 10$

तब, $A + B + C + D + E = 5 \times 74$

$\Rightarrow 2x + 2 + 2x + 4 + 2x + 6 + 2x + 8 + 2x + 10 = 370$

$\Rightarrow 10x + 30 = 370$

$\Rightarrow 10x = 370 - 30 = 340$

$\Rightarrow x = 34$

अतः $C \times E = (2x + 6) \times (2x + 10)$

$= (2 \times 34 + 6) \times (2 \times 34 + 10)$

$= (68 + 6) \times (68 + 10)$

$= 74 \times 78 = 5772$

70. माना एक व्यक्ति तथा उसके पुत्र की आयु क्रमशः $11x$ तथा $5x$ वर्ष हैं।

तब, $11x + 5x = 2 \times 40$

$\Rightarrow 16x = 80$

$\Rightarrow x = 5$

अतः पुत्र की आयु = $5x = 5 \times 5 = 25$ वर्ष

72. "FRIEND"

प्रत्येक अक्षर को उसके वर्णक्रम अनुसार व्यवस्थित करने पर DEFINR

यहाँ एक अक्षर N का स्थान अपरिवर्तित है।

73. माना अभीष्ट चावल = x किग्रा.

अधिक चावल, अधिक दिन (सीधा अनुपात)

दिन चावल

$7 : 61 :: 56 : x$

[अप्रैल + मई = 30 + 31 = 61 दिन]

$\Rightarrow x = \frac{61 \times 56}{7} = 61 \times 8 = 488$ किग्रा.

74. यहाँ, तस्वीर वाली महिला विशाल की बुआ है।

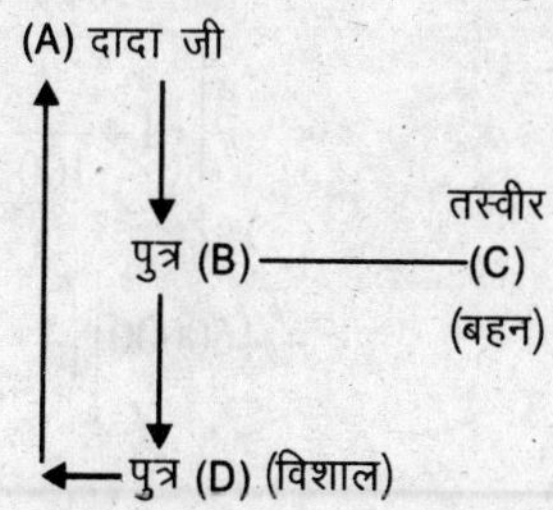

75.

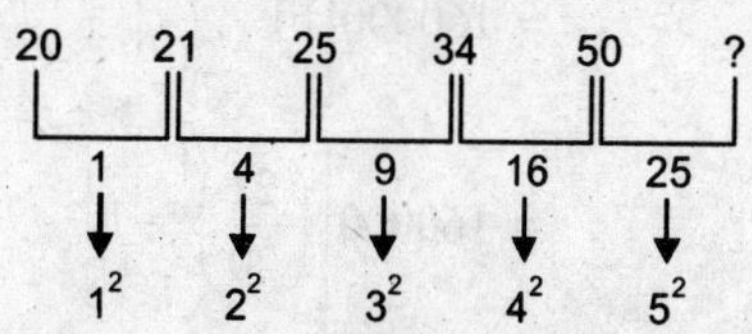

शृंखला में अगली संख्या = 50 + 25 = 75

76. यहाँ मूलधन (P) = ₹ 8000, दर $(r) = 15\%$

तथा, समय (t) = 3 वर्ष

$\because$ साधारण ब्याज = $\frac{P \times r \times t}{100}$

$$= ₹\ \frac{8000 \times 15 \times 3}{100}$$
$$= ₹\ 80 \times 15 \times 3$$
$$= ₹\ 1200 \times 3 = ₹\ 3600$$

77. दिया है,

$$\sqrt[3]{19683} = ? \times 3$$
$$\Rightarrow (19683)^{1/3} = ? \times 3$$
$$\Rightarrow (27 \times 27 \times 27)^{1/3} = ? \times 3$$
$$\Rightarrow (27^3)^{1/3} = ? \times 3$$
$$\Rightarrow 27 = ? \times 3$$
$$\Rightarrow ? = \frac{27}{3} = 9$$
$$\Rightarrow ? = 9$$

78. माना कि आयत की चौड़ाई = x मीटर

तब लम्बाई = $3x$

आयत का क्षेत्रफल = लम्बाई × चौड़ाई

$$147 = 3x \times x$$
$$\Rightarrow 3x^2 = 147$$
$$\Rightarrow x^2 = 49 \Rightarrow x = 7 \text{ मीटर}$$

अतः आयत का परिमाप = 2 (लम्बाई + चौड़ाई)

$$= 2(3x + x) = 2(4x) = 8x$$
$$= 8 \times 7 = 56 \text{ मीटर}$$

79. यहाँ, सितार, गिटार तथा वायलिन तार यंत्र वाद्य है।

91. यहाँ, मूलधन (P) = ₹ 1,60,000

समय (t) = 2 वर्ष = 4 छमाही, $\therefore n = 4$

दर (r) = 10% वार्षिक = 5% छमाही

$$\text{चक्रवृद्धि ब्याज} = P\left(1+\frac{r}{100}\right)^n - P$$
$$= P\left[\left(1+\frac{r}{100}\right)^n - 1\right]$$
$$= 160000\left[\left(1+\frac{5}{100}\right)^4 - 1\right]$$
$$= 160000\left[\left(1+\frac{1}{20}\right)^4 - 1\right]$$
$$= 160000\left[\left(\frac{21}{20}\right)^4 - 1\right]$$
$$= 160000\left[\frac{194481}{160000} - 1\right]$$
$$= 160000\left[\frac{194481-160000}{160000}\right]$$
$$= 34481$$

92. माना त्रिभुजाकार प्लॉट की भुजाएँ $a = 3x$, $b = 5x$ तथा $c = 7x$ मी. है।

तब, परिमाप = भुजाओं का योग = $a + b + c$

$$\Rightarrow 300 = 3x + 5x + 7x$$
$$\Rightarrow 15x = 300 \text{ मी.}$$
$$\Rightarrow x = 20 \text{ मी.}$$

$\therefore$ भुजाएँ, $a = 3x = 3 \times 20 = 60$ मी.

$b = 5x = 5 \times 20 = 100$ मी.

तथा $c = 7x = 7 \times 20 = 140$ मी.

$$\because \quad S = \frac{a+b+c}{2}$$
$$= \frac{60+100+140}{2}$$
$$= \frac{300}{2} = 150 \text{ मी.}$$

$$\Delta \text{ का क्षेत्रफल} = \sqrt{S(S-a)(S-b)(S-c)}$$
$$= \sqrt{150(150-60)(150-100)(150-140)}$$
$$= \sqrt{150 \times 90 \times 50 \times 10}$$
$$= \sqrt{3 \times 50 \times 90 \times 50 \times 10}$$
$$= \sqrt{3 \times 50 \times 9 \times 10 \times 50 \times 10}$$
$$= \sqrt{3^2 \times 50^2 \times 10^2 \times 3}$$
$$= 3 \times 50 \times 10\sqrt{3}$$
$$= 1500\sqrt{3} \text{ मी.}^2$$

94. माना पुस्तक में कुल पृष्ठों की संख्या = x

$$\text{तब,} \quad \frac{1}{5}x + 60 = x$$
$$\Rightarrow x - \frac{1}{5}x = 60$$
$$\Rightarrow \frac{4x}{5} = 60$$
$$\Rightarrow x = \frac{5 \times 60}{4} = 5 \times 15 = 75$$

95. $\frac{128352}{238368}$

$$= \frac{8 \times 16044}{8 \times 29796}$$
$$= \frac{16044}{29796} = \frac{3 \times 5348}{3 \times 9932}$$
$$= \frac{5348}{9932} = \frac{4 \times 1337}{4 \times 2483} = \frac{1337}{2483}$$
$$= \frac{7 \times 191}{13 \times 191} = \frac{7}{13}$$

96. $2\frac{1}{2}+3\frac{1}{4}+x+2\frac{1}{3} = 13\frac{5}{12}$

$\Rightarrow \quad \frac{5}{2}+\frac{13}{4}+x+\frac{7}{3} = \frac{161}{12}$

$\Rightarrow \quad \frac{30+39+28}{12}+x = \frac{161}{12}$

$\Rightarrow \quad \frac{97}{12}+x = \frac{161}{12}$

$\Rightarrow \quad x = \frac{161}{12}-\frac{97}{12} = \frac{161-97}{12}$

$= \frac{64}{12} = \frac{16}{3} = 5\frac{1}{3}$

97. $\because$ घनाभ का आयतन = लम्बाई × चौड़ाई × ऊँचाई

$\therefore$ माचिस के डिब्बे का आयतन

= 4 सेमी. × 2.5 सेमी. × 1.5 सेमी.

= 15 सेमी.^{3}

अतः 12 डिब्बे के एक पैकेट का आयतन

= 12 × 15 सेमी.^{3}

= 180 सेमी.^{3}

98. वर्ग के क्षेत्रफल में अभीष्ट % वृद्धि $= 15+15+\frac{15\times15}{100}\%$

$= 30+\frac{225}{100}\%$

$= (30 + 2.25)\% = 32.25\%$

99. टिकटों की संख्या = 40

$\therefore$ टीना को मिलने वाले टिकटों की संख्या

$= 40\times\frac{3}{1+3}$

$= 40\times\frac{3}{4} = 10 \times 3 = 30$

100. $\because$ बेलनाकार जार के आधार की परिधि = 132 सेमी.

$\therefore \quad 2\pi r = 132$

$\Rightarrow \quad 2\times\frac{22}{7}r = 132 \Rightarrow r = 132\times\frac{7}{44}=\frac{12\times7}{4}$

त्रिज्या (r) = 3 × 7 = 21 सेमी.

ऊँचाई (h) = 25 सेमी.

बेलनाकार जार का आयतन $= \pi r^2h = \frac{22}{7}\times21\times21\times25$

= 22 × 3 × 21 × 25 सेमी.^{3}

= 34650 सेमी.^{3}

$= \frac{34650}{1000}$ लीटर

= 34.650 लीटर

101. $\because 2x + 3x = 180°$

$\therefore \quad 5x = 180°$

$\Rightarrow \quad x = \frac{180}{5} = 36°$

$\therefore \quad 2x = 2 \times 36 = 72°$

और $\quad 3x = 3 \times 36 = 108°$

अतः $\quad 2x : 3x = 72° : 108°$

102. दो घनों के आयतनों का अनुपात = 27 : 64

$= \frac{27}{64} = \frac{3^3}{4^3}$

$\Rightarrow \quad \left(\frac{x_1}{x_2}\right)^3 = \left(\frac{3}{4}\right)^3$ [घन का आयतन = भुजा^{3}]

$\Rightarrow \quad \frac{x_1}{x_2} = \frac{3}{4}$

उनके पृष्ठीय क्षेत्रफलों का अनुपात

$= \frac{6\times x_1^2}{6\times x_2^2} = \frac{x_1^2}{x_2^2}=\frac{3^2}{4^2}$

$= \frac{9}{16} = 9 : 16$

103. दिया है, $\frac{x}{5} = \frac{y}{8}$

$\frac{x+5}{y+8} = \frac{5\left(\frac{x}{5}+1\right)}{8\left(\frac{y}{8}+1\right)}$

$= \frac{5\left(\frac{y}{8}+1\right)}{8\left(\frac{y}{8}+1\right)}=\frac{5}{8}$

104. कागज की शीट का क्षेत्रफल = 8 सेमी. × 6 सेमी. = 48 सेमी.^{2}

वर्ग का क्षेत्रफल = 2 सेमी. × 2 सेमी. = 4 सेमी.^{2}

शीट पर बनने वाले वर्ग की संख्या $= \frac{48}{4} = 12$

105. अभीष्ट प्रतिशत $= \frac{20}{100-20}\times100\%$

$= \frac{20}{80}\times100\% = \frac{1}{4}\times100\% = 25\%$

106. 11 प्रेक्षणों का योग = 11 × 60 = 660

प्रथम 6 प्रेक्षणों का योग = 6 × 59 = 354

तथा अंतिम 6 प्रेक्षणों का योग = 6 × 62 = 372

$\therefore$ छठे प्रेक्षण का मान = 354 + 372 − 660

= 726 − 660 = 66

107. माना दो संख्याएँ $5x$ तथा $2x$ हैं

तब, $5x - 2x = 66$

$\Rightarrow$ $3x = 66$

$\Rightarrow$ $x = 22$

अतः संख्याएँ $5x = 5 \times 22 = 110$

तथा $2x = 2 \times 22 = 44$

108. $\sqrt{0.01+\sqrt{0.0064}} = \sqrt{0.01+\sqrt{(.08)^2}}$

$= \sqrt{0.01+.08}$

$= \sqrt{0.09} = 0.3$

109. यहाँ, प्रथम पद $= a = 3$,

उभयनिष्ठ अंतर $= d = 8 - 3 = 5$

nवाँ पद $= t_n = 78$

$\therefore$ पदों की संख्या $= n = ?$

हम जानते हैं, समानान्तर श्रेणी में

$t_n = a + (n - 1)d$

$\Rightarrow$ $78 = 3 + (n - 1)^5$

$\Rightarrow$ $5(n - 1) = 78 - 3 = 75$

$\Rightarrow$ $n - 1 = \frac{75}{5} = 15$

$\Rightarrow$ $n = 15 + 1 = 16$

$\therefore$ 16वाँ पद 78 है।

110. $\frac{1}{\sqrt{2}} = \frac{1}{\sqrt{2}}\times\frac{\sqrt{2}}{\sqrt{2}} = \frac{\sqrt{2}}{2}$

111. माना दो संख्याएँ $3x$ तथा $4x$ हैं

तब, लघुत्तम समापवर्त्य $= 12x$

$\Rightarrow$ $84 = 12x$

$\Rightarrow$ $x = 7$

$\therefore$ बड़ी संख्या $= 4x = 4 \times 7 = 28$

112. समबहुभुज के आंतरिक कोणों का योग $= 1440°$

$\Rightarrow$ $(n - 2)\pi = 1440°$

$\Rightarrow$ $(n - 2)\pi = 180 \times 8 = 8\pi$

$\Rightarrow$ $n - 2 = \frac{8\pi}{\pi} = 8$

$\Rightarrow$ $n = 8 + 2$

$\Rightarrow$ $n = 10$

अतः भुजाओं की संख्या $= 10$

113. $\frac{(225)^{0.2}\times(225)^{0.3}}{(225)^{0.8}\times(225)^{0.2}} = \frac{(225)^{0.2+0.3}}{(225)^{0.8+0.2}} = \frac{(225)^{0.5}}{(225)^{1.0}}$

$= \frac{1}{(225)^{1-0.5}} = \frac{1}{(225)^{0.5}}$

$= \frac{1}{\sqrt{225}} = \frac{1}{15}$

114. माना रवि की वर्तमान उम्र $= x$ वर्ष

तब, 15 वर्षों में

$x + 15 = 4x$

$\Rightarrow$ $4x - x = 15$

$\Rightarrow$ $3x = 15$

$\Rightarrow$ $x = 5$

अतः रवि की वर्तमान उम्र $= 5$ वर्ष

115. माना 11 के तीन क्रमागत गुणज $11x$, $11(x + 1)$ तथा $11(x + 2)$ हैं।

तब, $11x + 11(x + 1) + 11(x + 2) = 363$

$\Rightarrow 11x + 11x + 11 + 11x + 22 = 363$

$\Rightarrow$ $33x + 33 = 363$

$\Rightarrow$ $33x = 363 - 33 = 330$

$\Rightarrow$ $x = \frac{330}{33} = 10$

अतः संख्याएँ $11x = 11 \times 10 = 110$,

$11(x + 1) = 11(10 + 1) = 11 \times 11 = 121$

तथा $11(x + 2) = 11(10 + 2) = 11 \times 12 = 132$

116. $\frac{0.41\times0.41\times0.41+0.69\times0.69\times0.69}{0.41\times0.41-0.41\times0.69+0.69\times0.69}$

$= \frac{(0.41)^3+(0.69)^3}{(0.41)^2-0.41\times0.69+(0.69)^2}$

$= \frac{(0.41+0.69)[(0.41)^2-0.41\times0.69+(0.69)^2]}{[(0.41)^2-0.41\times0.69+(0.69)^2]}$

$= 0.41 + 0.69 = 1.10$

117. माना समीकरण के मूल α तथा β हैं

तब, $\alpha = \frac{2}{3}$ तथा $\beta = -\frac{1}{2}$

द्विघात समीकरण,

$x^2 - (\alpha + \beta)x + \alpha\beta = 0$

$\Rightarrow x^2 - \left(\frac{2}{3} - \frac{1}{2}\right)x + \frac{2}{3} \times -\frac{1}{2} = 0$

$\Rightarrow$ $x^2 - \left(\frac{1}{6}x\right) + -\frac{1}{3} = 0$

$\Rightarrow$ $\frac{6x^2 - x - 2}{6} = 0$

$\Rightarrow$ $6x^2 - x - 2 = 0$

118. माना आयत की लम्बाई $= x$ सेमी. तथा चौड़ाई $= y$ सेमी.

तब, विकर्ण $= \sqrt{x^2 + y^2} = 25$

$\therefore$ $x^2 + y^2 = 625$

तथा क्षेत्रफल $= xy = 168$ सेमी.^{2}

$(x + y)^2 = x^2 + y^2 + 2xy$

$= 625 + 2 \times 168$

$$= 625 + 336 = 961$$

$\Rightarrow \quad (x + y) = 31 \quad ...(i)$

तथा $\quad (x - y)^2 = x^2 + y^2 - 2xy$

$$= 625 - 2 \times 168$$
$$= 625 - 336$$
$$= 289$$

$\Rightarrow \quad (x - y) = 17 \quad ...(ii)$

(*i*) तथा (*ii*) से, $x = 24$ सेमी., $y = 7$ सेमी.

अतः आयत की लम्बाई $= x = 24$ सेमी.

119. दूरी = चाल × समय

= 54 किमी प्रति घण्टा × 1 मिनट

$= 54 \times \frac{5}{18}$ मीटर/सेकण्ड. × 60 सेकण्ड.

= 15 × 60 मीटर

= 900 मीटर

120. दिया है, शंकु की ऊँचाई (h) = 21 सेमी.

तथा तिर्यक ऊँचाई (l) = 28 सेमी.

त्रिज्या $= \sqrt{l^2 - h^2} = \sqrt{(28)^2 - (21)^2}$

$= \sqrt{(28+21)(28-21)}$

$= \sqrt{49 \times 7}$

$= 7\sqrt{7}$ सेमी.

$\therefore$ शंकु का आयतन $= \frac{1}{3}\pi r^2 h$

$= \frac{1}{3} \times \frac{22}{7} \times (7\sqrt{7})^2 \times 21$ सेमी.^{3}

$= \frac{1}{3} \times \frac{22}{7} \times 49 \times 7 \times 21$ सेमी.^{3}

$= 22 \times 49 \times 7$ सेमी^{3}

$= 7546$ सेमी^{3}

YOUR SPACE

पिछले प्रश्न-पत्र (हल सहित)

हरियाणा शिक्षक पात्रता परीक्षा (HTET)

Level-I, प्राथमिक शिक्षक (PRT), 2018*

भाग-I

बाल विकास व शिक्षाशास्त्र

निर्देशः *निम्नलिखित प्रश्नों के उत्तर देने के लिए* **सबसे उचित** *विकल्प चुनिए।*

1. निम्नलिखित में से कौन-सा प्रश्न चिन्तन की गहन प्रकार की शैली को प्रोत्साहित करता है?
A. आधा (½) का प्रतिलोम क्या होता है?
B. न्यूनतम (छोटी से छोटी) अभाज्य संख्या क्या है?
C. आधी मात्रा में चाय बनाने के लिए कितना दूध प्रयोग करेंगे?
D. योग (जोड़), व्यवकलन (घटाव) का विलोम होता है कहने का क्या तात्पर्य है?

2. अधिगम हैः
A. जो कुछ हम जानते हैं वह सब अधिगम किया हुआ है।
B. व्यवहार, ज्ञान और कौशल पर तुलनात्मक स्थायी प्रभाव है।
C. प्रत्यक्ष रूप से अवलोकन और मापन योग्य है।
D. विशिष्ट आयु स्तर तक सीमित है।

3. कोहलबर्ग के अनुसार, एक बालक के नैतिक विकास के कौन से स्तर में वह नैतिक मूल्यों का आन्तरीकरण (आभ्यंतरीकरण) प्रदर्शित नहीं करता है और बालक के नैतिक तर्क बाह्य पुरस्कार और दंड से नियन्त्रित रहते हैं?
A. पूर्वपरम्परागत
B. परम्परागत
C. पश्चपरम्परागत
D. सार्वभौमिक नैतिक सिद्धान्त

4. "बालक की विवेचना (तर्क) तार्किक नहीं है और यह अन्तर्ज्ञान (अन्तर्बोध) पर आधारित है न कि व्यवस्थित तर्क पर।" पियाजे के अनुसार संज्ञानात्मक विकास की यह अवस्था कहलाती हैः
A. संवेदी गामक काल B. पूर्व-क्रियात्मक काल
C. मूर्त क्रियात्मक काल D. औपचारिक क्रियात्मक काल

5. अधिगमकर्ताओं की व्यक्तिगत विभिन्नताओं की पूर्ति के लिए निम्नलिखित में से कौन-सा चरण (पद) वाँछनीय ***नहीं*** है?
A. व्यक्तियों की योग्यताओं का सही आकलन करना
B. व्यक्तिपरक अनुदेशन देना
C. सामाजिक आर्थिक स्तर की पहचान करना
D. विशिष्ट प्रतिभाओं की पहचान करना

6. निम्नलिखित में से कौन-सा कथन चिन्तन के विषय में ***गलत*** है?
A. चिन्तन में प्रतिमाएँ और भाषा प्रयुक्त होती हैं।
B. चिन्तन एक प्रकार की सूचना प्रक्रमण (प्रक्रिया) है।
C. चिन्तन संज्ञानात्मक प्रक्रिया का समुच्चय (सेट) है।
D. चिन्तन और भाषा असम्बन्धित हैं।

7. निम्नलिखित में से कौन-सा पूरक अधिगम नियम थॉर्नडाइक द्वारा प्रतिपादित किया गया?
A. तत्परता का नियम
B. बहु अनुक्रिया का नियम
C. अभ्यास का नियम
D. प्रभाव का नियम

8. निम्नलिखित में से बुद्धि की कौन-सी श्रेणी हॉवर्ड गार्डनर द्वारा उनके बहु-बुद्धि सिद्धान्त में ***नहीं*** सुझायी गई है?
A. गणितीय कौशल B. संगीत कौशल
C. अंतर्वैयक्तिक कौशल D. व्यावहारिक कौशल

9. निम्नलिखित में से अधिगम की कौन-सी परिस्थिति बाल-केन्द्रित शिक्षा पर आधारित ***नहीं*** है?
A. समस्या आधारित
B. अन्वेषण (खोज)
C. निर्देशित अन्वेषण (खोज)
D. प्रदर्शन

10. निम्नलिखित में से कौन-सा आन्तरिक अभिप्रेरणा का उदाहरण ***नहीं*** है?
A. दुश्चिन्ता
B. उपलब्धि की आवश्यकता
C. आकांक्षा स्तर
D. प्रशंसा

***Exam held on 6 January, 2019.**

11. बहु-बुद्धि (मन के फ्रेम (ढाँचे)) सिद्धान्त के प्रवर्तक कौन थे?

A. हॉवर्ड गार्डनर B. अल्फ्रेड बिने
C. ई.एल. थॉर्नडाइक D. जे.पी. गिलफोर्ड

12. सतत और व्यापक मूल्यांकन के विषय में निम्नलिखित में से कौन-सा कथन ***गलत*** है?

A. यह विद्यालय आधारित मूल्यांकन है।
B. इसमें विद्यार्थियों के सभी पक्ष सम्मिलित होते हैं।
C. इसमें निदानात्मक मूल्यांकन सम्मिलित नहीं है।
D. इसके लिए औपचारिक और अनौपचारिक दोनों प्रविधियाँ प्रयोग की जाती हैं।

13. निम्नलिखित में से कौन-सी शिक्षण-अधिगम व्यूहरचना (कौशल) सृजनात्मकता के विकास में बाधा पहुँचाती है?

A. विद्यार्थियों को लचीले ढंग से चिन्तन में सहायता करना।
B. विद्यार्थियों को जोखिम (खतरा) उठाने के लिए प्रोत्साहित करना।
C. शिक्षण-अधिगम के दौरान विद्यार्थियों को अतिनियन्त्रित करना।
D. विद्यार्थियों को अध्यवसायी और विलम्ब संतुष्टि हेतु मार्गदर्शन प्रदान करना।

14. एक बालक जिसे मानव सम्पर्क से पृथक बड़ा किया गया है, प्रायः दीर्घकाल तक अत्यधिक भाषा की कमी को दर्शाता है जो बाद के भाषा उद्भाषन अनुभवों द्वारा पूर्ण रूप से बिरले ही पूरी होती है। यह साक्ष्य भाषा विकास के कौन-से पक्ष को बल देता है?

A. वातावरणीय B. जैविकीय
C. अंतःक्रियावादी D. व्यावहारिक

15. बालकों की सामाजिक दक्षता के विकास के लिए निम्नलिखित में से कौन-सी परवरिश शैली अधिकतम प्रभावी है?

A. अधिनायकवादी B. लापरवाह
C. प्राधिकारिक D. कृपालु

16. निम्नलिखित में से कौन-सा उपकरण संरचनात्मक (निर्माणात्मक) आकलन के लिए उपयुक्त प्रतीत ***नहीं*** होता है?

A. प्रश्नोत्तरी B. मानदण्ड संदर्भित परीक्षण
C. समूह परिचर्चा D. वार्तालाप

17. अधिगमकर्ताओं के सतत और व्यापक मूल्यांकन के विषय में निम्नलिखित में से कौन-सा कथन ***सही*** है?

A. संकलित (योगात्मक) आकलन औपचारिक आकलन कहलाता है।
B. संकलित आकलन अनौपचारिक आकलन कहलाता है।
C. संकलित आकलन अनुदेशन प्रक्रिया के दौरान होता है।
D. संकलित आकलन विद्यार्थियों की कठिनाइयों के निदान पर बल देता है।

18. अधिगम अयोग्यता (निर्योग्यता) उपयुक्त रूप में परिभाषित की जा सकती है:

A. यह बाह्य है और शैक्षिक और सांस्कृतिक वंचना से होती है।
B. यह आन्तरिक है और केन्द्रीय तन्त्रिका तन्त्र के दुष्क्रिया से होती है।
C. यह बाह्य है और सांवेगिक विक्षोभ (बाधा) से होती है।
D. यह आन्तरिक है और मानसिक मंदता से होती है।

19. विकास के सम्बन्ध में निम्नलिखित में से कौन-सा सार्थक तथ्य है?

A. यह पूर्वानुमान प्रारूप के अनुसार नहीं होता है।
B. यह अनुवांशिकी और वातावरण की अन्तःक्रिया का परिणाम है।
C. सभी व्यक्ति समान दर से विकास करते हैं।
D. विकास विशिष्ट से सामान्य की ओर अग्रसर होता है।

20. अधिगम के सामाजिक निर्मितिवादी (कन्सट्रक्टीविस्ट) उपागम की विशेषता है:

A. अधिगम के लिए बालक के संज्ञान पर बल देना।
B. अधिगम के लिए सूचना-प्रक्रम पर बल देना।
C. अधिगम के लिए दूसरों से सहयोग पर बल देना।
D. अधिगम के लिए अनुभवों पर बल देना।

21. 'समावेशन' का तात्पर्य है एक विशेष आवश्यकता वाले बालक को नियमित (सामान्य) कक्षा में शिक्षित करना:

A. कुछ समय के लिए
B. अधिकांश समय के लिए
C. पूरे समय के लिए
D. विद्यालय में सामाजिक गतिविधियों के दौरान

22. चॉम्स्की के अनुसार, भाषा अर्जित करने की एक अंतर्जात क्षमता जो मानव को जैविक वंशागति के फलस्वरूप प्राप्त हमारी अद्वितीय क्षमता है, को कहते हैं:

A. भाषा अनुकूलन श्रेणी
B. भाषा अर्जन साधन
C. भाषा स्वीकार्य इच्छा
D. भाषा अर्जन क्षेत्र (पक्ष)

23. निम्नलिखित में से कौन-सी व्यावहारिक विशेषता (गुण) व्यक्ति के अभिप्रेरित व्यवहार से सम्बन्धित ***नहीं*** है?

A. ऊर्जित B. निर्दिष्ट (निर्देशित)
C. पृथक D. सतत (लगातार)

24. गैने द्वारा प्रस्तावित अधिगम का पदानुक्रमिक उच्चतम स्तर है:

A. समस्या समाधान अधिगम
B. सिद्धान्त अधिगम
C. सम्प्रत्यय अधिगम
D. कौशल अधिगम

25. निम्नलिखित में से कौन-सी विशेषता वंचित बालक की ***नहीं*** है?

A. जीवन की आधारभूत आवश्यकताओं की अपर्याप्तता को झेलना।

B. आधारभूत और सार्वभौमिक अधिकार प्रदान कराना।

C. भावी मनो-शैक्षिक समस्याओं का संकट (खतरा)।

D. उसकी स्वाभाविक दर से विकास के अवसरों से वंचित रखना।

26. एक बालक जो किसी एक विशेषता (लक्षण) (जैसे दुश्चिंता या सामाजिकता) में उच्च और निम्न है, बाद के वर्षों में भी इसी तरह का रहता है। यह कथन निम्न के महत्व को बल देता है:

A. अनुवांशिकी के

B. वातावरण के

C. अनुवांशिकी और वातावरण के

D. परिपक्वता के

27. विकास के पक्ष (क्षेत्र) जैसे कि शारीरिक, संज्ञानात्मक, सामाजिक और संवेगात्मक निम्नलिखित में से कौन-सी प्रक्रिया से विकसित होते हैं?

A. पृथकता से

B. आंशिकता से

C. यादृच्छिकता से

D. समग्रता और साकल्यता (सम्पूर्णता) से

28. वाइगोट्स्की के अनुसार, वह कार्य (कृत्य) जो बालक अकेले के लिए अत्यधिक कठिन है, परन्तु किसी प्रौढ़ और अधिक कुशल साथी की सहायता से करना संभव हो, कहलाता है:

A. निर्देशित सहभागिता

B. स्कैफोल्डिंग (पाड़ या ढाँचा)

C. आसन्न विकास क्षेत्र

D. अन्तः व्यक्तिनिष्ठता

29. संवेग की प्रकृति निम्नलिखित में से कौन-से कथन से सही रूप में प्रकट होती है?

A. कुछेक संवेगों का ही व्यवहारात्मक पक्ष होता है।

B. संवेग जीव की स्थायी अवस्था है।

C. संवेगात्मक प्रकटीकरण को अधिगम द्वारा परिवर्तित नहीं कर सकते हैं।

D. प्रत्येक संवेग के साथ एक भावना निहित रहती है।

30. समस्या समाधान में निम्नलिखित में से कौन-सा पद सम्मिलित ***नहीं*** है?

A. आँकड़ों का एकत्रीकरण करना

B. परिकल्पनाओं का निर्माण करना

C. सत्यापन और सामान्यीकरण करना

D. उद्दीपक के प्रति अनुक्रिया करना

भाग-II

भाषा-I: हिन्दी

निर्देशः *निम्नलिखित प्रश्नों के उत्तर देने के लिए* ***सबसे उचित*** *विकल्प चुनिए।*

31. एक कर्मक क्रिया वाला वाक्य है:

A. महर्षि वेदव्यास ने जयसंहिता लिखी।

B. उसने हमें पुस्तकें दी।

C. बहन ने भाई को राखी बाँधी।

D. मैंने पिताजी को पत्र लिखा।

32. 'गुण स्वर सन्धि' का उदाहरण चुनिए:

A. यमुनोर्मि　　B. दध्योदन

C. मनोदशा　　D. शिरोरेखा

33. 'यावज्जीवन' पद में समास है:

A. अव्ययीभाव　　B. तत्पुरुष

C. कर्मधारय　　D. बहुव्रीहि

34. गलत सन्धि विच्छेद वाला विकल्प चुनिए:

A. उद् + डयन = उड्डयन

B. पद् + हति = पद्धति

C. तत् + टीका = तट्टीका

D. शरद् + उल्लास = शरदोल्लास

35. मोहन '<u>सातवीं</u>' कक्षा में '<u>पहले</u>' स्थान पर रहा। रेखांकित पदों में विशेषण का भेद इंगित करें:

A. क्रमवाचक निश्चित संख्यावाचक विशेषण।

B. पूर्णांकबोधक निश्चित संख्यावाचक विशेषण।

C. समुदायवाचक निश्चित संख्यावाचक विशेषण।

D. आवृत्तिवाचक निश्चित संख्यावाचक विशेषण।

36. निम्न में से किस विकल्प में अपत्यवाचक प्रत्यय का प्रयोग हुआ है?

A. दाम्पत्य　　B. पाशविक

C. दाशरथि　　D. आस्तिक

37. '<u>ऊँचाइयाँ</u>' नापनी हैं तो पर्वतों की सैर करो। रेखांकित पद का संज्ञाभेद इंगित कीजिए:

A. भाववाचक संज्ञा　　B. समूहवाचक संज्ञा

C. व्यक्तिवाचक संज्ञा　　D. जातिवाचक संज्ञा

38. वार्तनिक दृष्टि से ***अशुद्ध*** विकल्प चुनिए:

A. दुरावस्था　　B. मातृभक्त

C. मनःकामना　　D. अन्तर्धान

39. योगी शिवेन्द्र '<u>कुशासन</u>' पर विराजमान हैं। रेखांकित पद में समास है:

A. मध्यम पद लोपी तत्पुरुष
B. कर्मधारय
C. बहुव्रीहि
D. द्वन्द्व

40. *अशुद्ध* विलोम युग्म है:
A. संश्लेषण – विश्लेषण
B. श्लील – अश्लील
C. सति – कुलटा
D. ससीम – असीम

41. विशेषण से निर्मित भाववाचक संज्ञापद ***नहीं*** है:
A. आत्मीयता B. नैपुण्य
C. धैर्यवत्ता D. सारल्य

42. 'उत्कोच' शब्द का ***सही*** अर्थ है:
A. घूस लेने वाला B. घूस देने वाला
C. घूस D. रिश्वत लेने का इच्छुक

43. निम्न में से किस विकल्प में अविकारी पद ***नहीं*** है?
A. संबंधसूचक B. सर्वनाम
C. समुच्चयबोधक D. क्रिया-विशेषण

44. यह समस्या मैं आप ही हल कर लूँगा। रेखांकित पद का सर्वनामभेद बताइए:
A. संबंधवाचक B. पुरुषवाचक
C. निजवाचक D. निश्चयवाचक

45. किस शब्द में 'अव' उपसर्ग का प्रयोग ***नहीं*** हुआ है?
A. अवनद्ध B. अवलेह
C. अवेक्षण D. अवधी

भाग-II

Language-II (English)

Directions: *Answer the following questions by selecting the* ***most appropriate*** *option.*

46. Fill in the blank space with ***correct*** article in the following sentence:

My brother is in ________ Indian army.
A. a B. an
C. the D. zero article

47. Fill in the blank with appropriate modal from the options given below:

_________ you mind opening the window?
A. Can B. Could
C. Would D. May

48. Fill in the blank space with ***correct*** adjective in the following sentence:

He didn't make ________ mistakes.
A. Many B. Good
C. Much D. Most

49. Write the antonym of the word 'Praise':
A. Criticize B. Worship
C. Favour D. Ignore

50. Choose the ***correct*** preposition from the given options in the following sentence:

There is a label ________ the bottle.
A. on B. in
C. at D. into

51. Which one of these options has the words arranged in proper order to form a ***correct*** sentence?
A. Lies the / wears a / uneasy / head that / crown.
B. Uneasy / lies the / head / that wears / a crown.
C. A crown / lies the / uneasy / head that wears.
D. Head / uneasy / a crown / that wears / lies the.

52. Fill in the blank with the ***correct*** option:

The plane _______ from Delhi at 3.00 clock tomorrow afternoon.
A. left B. will have left
C. leaves D. leaving

53. Identify the conjunction in the following sentence from the options given below:

Answer the first question before you proceed further.
A. First B. Before
C. Further D. Proceed

54. Choose the ***correct*** past tense of the verb "Bring":
A. Brought B. Buy
C. Buying D. Broughted

55. Choose the ***correct*** option for underlined phrase:

The doctor told her to carry on with the treatment.
A. Continue B. Délay
C. Stop D. Postpone

56. Fill in the blank space with ***correct*** adverb in the following sentence:

The soldiers fought __________.
A. Partly B. Luckily
C. Bravely D. Clearly

57. Fill in the blank with the ***correct*** option:

The milk ________ sour.
A. has turned B. will be turning
C. had turn D. is turn

58. Identify the word with a different Sound represented by the underlined letter at the initial level in one of the following words:

A. Chest B. Cheap
C. Catch D. Chin

59. What are the positive and comparative degrees of the adjective "Best"?

A. Good, Better B. Ok, Good
C. Better, Good D. Best, Best

60. Choose the ***correct*** form of the verb "Read" in the following sentence:

I _________ a play by Bernard Shaw.

A. had reading B. am reading
C. are reading D. has read

भाग-III

सामान्य अध्ययन : मात्रात्मक योग्यता, तार्किक अभिक्षमता तथा सामान्य ज्ञान एवं अभिज्ञान

निर्देशः *निम्नलिखित प्रश्नों के उत्तर देने के लिए* **सबसे उचित** *विकल्प चुनिए।*

61. यदि एक समबाहु त्रिभुज की भुजा 20% कम कर दी जाती है, तो इस त्रिभुज के क्षेत्रफल में कितनी कमी हो जायेगी?

A. 8% B. 16%
C. 36% D. 20%

62. श्रेणी का अगला पद ज्ञात कीजिए:
0, 6, 24, 60, 120, ?

A. 180 B. 210
C. 216 D. 240

63. 'X' और 'Y' भाई हैं, 'B', 'A' की पुत्री है। 'A', 'Y' की पत्नी है। 'B', 'X' से किस प्रकार सम्बन्धित है?

A. साली B. भतीजी
C. पुत्री D. बहन

64. यदि 'PURE' का कूट शब्द 'QVQD' तथा 'COPE' का कूट शब्द 'DPOD', लिखा जाता है, तो 'WHEN' का कूट शब्द है:

A. XIFO B. XDIM
C. XIDM D. XIMD

65. निम्न में से कौन-सा ***सही*** है?

A. $\frac{3}{5}<\frac{4}{7}<\frac{8}{9}$ B. $\frac{4}{7}<\frac{8}{9}<\frac{3}{5}$
C. $\frac{3}{5}<\frac{8}{9}<\frac{4}{7}$ D. $\frac{4}{7}<\frac{3}{5}<\frac{8}{9}$

66. असंगत ज्ञात कीजिए:

A. बुध B. शुक्र
C. सूर्य D. शनि

67. पाँच दोस्तों में, A, C से ज्यादा परन्तु D से कम रन बनाता है, B, D से ज्यादा, किन्तु E से कम रन बनाता है, तो इनमें से सबसे ज्यादा रन कौन बनाता है?

A. C B. B
C. D D. E

68. यदि $2 = x + \cfrac{1}{1+\cfrac{1}{3+\cfrac{1}{4}}}$ हो, तो x का मान है:

A. $\frac{18}{17}$ B. $\frac{21}{17}$
C. $\frac{16}{17}$ D. $\frac{20}{17}$

69. एक रेलगाड़ी 180 किमी/घंटे की गति से चल रही है, तो उसकी गति मीटर/सेकण्ड में कितनी है?

A. 50 मीटर/सेकण्ड B. 40 मीटर/सेकण्ड
C. 30 मीटर/सेकण्ड D. 25 मीटर/सेकण्ड

70. यदि $\sqrt{18 \times 14 \times x} = 84$ हो, तो x बराबर है:

A. 22 B. 24
C. 28 D. 32

71. $\sqrt{0.0025}+\sqrt{2.25}$ बराबर है:

A. 1.55 B. 1.50
C. 0.155 D. 15.5

72. स्कूल बस A को उसके घर से लेती है और स्कूल पहुँचने के लिए दो बार बायें मुड़ती है और फिर दाहिने मुड़ती है। यदि बस स्कूल पहुँचते समय पूर्व दिशा की ओर है, तो घर पर वह किस दिशा की ओर थी?

A. उत्तर B. दक्षिण
C. पूर्व D. पश्चिम

73. यदि $\left(\frac{9}{4}\right)^x \cdot \left(\frac{8}{27}\right)^{x-1} = \frac{2}{3}$, तो x का मान है:

A. 1 B. 2
C. 4 D. 3

74. यदि किसी सांकेतिक भाषा में "pul ta nop" का अर्थ "fruit is good", "nop ko tir" का अर्थ "tree is tall" तथा "pul ho sop" का अर्थ "eat good food" है, तो fruit शब्द का उस भाषा में क्या अर्थ होगा?

A. pul B. ho
C. nop D. ta

75. पेड़ों की एक पंक्ति में, एक पेड़ पंक्ति में बायीं ओर से 11वें स्थान पर है और दायीं ओर से 16वें स्थान पर है। तो पंक्ति में कुल कितने पेड़ हैं?

A. 25 B. 26
C. 27 D. 28

76. यदि a, b से 2 अधिक है और b, c से 10 अधिक है, तथा $a + b + c = 130$ हो, तो $(b + c) - a$ का मान है:

A. 28 B. 32
C. 34 D. 44

77. $666 \div 6 \div 3$ का मान बराबर है:

A. 37 B. 111
C. 333 D. 38

78. यदि $\frac{x}{16} = \frac{196}{x}$, तो $|x|$ का मान है:

A. 28 B. 36
C. 52 D. 56

79. निम्न श्रेणी में ***गलत*** पद को ज्ञात कीजिये:

445, 221, 109, 46, 25, 11, 4

A. 221 B. 46
C. 109 D. 25

80. निम्न में से कौन-सी भिन्न सबसे छोटी है?

A. $\frac{13}{16}$ B. $\frac{17}{21}$
C. $\frac{15}{19}$ D. $\frac{7}{8}$

81. नीरज चोपड़ा ने एशियाई खेल – 2018 में स्वर्ण पदक जीता। वह किस खेल से संबद्ध हैं?

A. जैव्लिन थ्रो B. टेबिल टेनिस
C. तीरंदाजी D. निशानेबाजी

82. 2001 से 2011 के मध्य हरियाणा की दशकीय जनसंख्या वृद्धि है:

A. 28.43% B. 22.62%
C. 44.59% D. 19.9%

83. महाराणा प्रताप बागवानी विश्वविद्यालय अवस्थित है:

A. अंबाला जिले में
B. सोनीपत जिले में
C. गुरुग्राम जिले में
D. करनाल जिले में

84. पानीपत में 1857 की क्रान्ति का नेता कौन था?

A. इमाम अली कलंदर
B. अकबर अली
C. बिसारत अली
D. सद्रुद्दीन

85. पंचकुला जिले में कितने वन्यजीव अभयारण्य हैं?

A. एक B. दो
C. तीन D. चार

86. हरियाणा में कितने प्रशासनिक उपखण्ड हैं?

A. 73 B. 93
C. 49 D. 62

87. यौधेय गण की राजधानी थी:

A. रोहतक B. हिसार
C. कुरुक्षेत्र D. अंबाला

88. हरियाणा केसरी के रूप में कौन जाना जाता है?

A. सर छोटू राम
B. लाला लाजपत राय
C. पं. नेकी राम
D. लाला मुरलीधर

89. उस समूह को चिन्हित कीजिए जिसके समस्त शहर मैट्रो परियोजना से जुड़े हैं:

A. गुरुग्राम, फरीदाबाद और सोनीपत
B. गुरुग्राम, पलवल और बहादुरगढ़
C. गुरुग्राम, फरीदाबाद और बहादुरगढ़
D. गुरुग्राम, मानेसर और फरीदाबाद

90. निम्नलिखित में से कौन-सा सुमेलित ***नहीं*** है?

A. बड़खल झील – फरीदाबाद
B. खलीलपुर झील – गुरुग्राम
C. चंदलाई झील – झज्जर
D. करण झील – करनाल

भाग-IV

गणित

निर्देशः *निम्नलिखित प्रश्नों के उत्तर देने के लिए* ***सबसे उचित*** *विकल्प चुनिए।*

91. एक दुकानदार ₹ 18 प्रति दर्जन की दर से पेंसिल खरीदता है तथा इन्हें 20% लाभ की दर से बेच देता है। पेंसिल का विक्रय मूल्य ज्ञात कीजिए:

A. ₹ 1.50 B. ₹ 1.80
C. ₹ 2.50 D. ₹ 2.60

92. 140 मी. लम्बाई वाली दीवार को 36 आदमी, 21 दिन में बना लेते हैं। इसी तरह की 50 मी. लम्बाई वाली दीवार को 15 आदमी कितने दिनों में बना लेंगे?

A. 20 दिन B. 22 दिन
C. 22.5 दिन D. 18 दिन

93. 212°F को सेल्सियस स्केल में लिखिए:
A. 424°C B. 106°C
C. 112°C D. 100°C

94. यदि $x+\frac{1}{x}=6$, तो $x^2+\frac{1}{x^2}$ का मान ज्ञात कीजिए:
A. 36 B. 30
C. 34 D. 32

95. किसी आयताकार खेत के चारों ओर बाड़ लगाने का खर्चा ₹ 7.50 प्रति मीटर की दर से ₹ 600 होता है। यदि इसकी लम्बाई 24 मी. है, तो उसकी चौड़ाई ज्ञात करें:
A. 16 मी. B. 16.8 मी.
C. 20 मी. D. 20.8 मी.

96. यदि $x = 1$ तथा $y = 2$, समीकरण $a^2x + ay = 3$ का हल हो, तो a का मान ज्ञात कीजिए:
A. $a = 1, -3$ B. $a = 1, 2$
C. $a = -3, 2$ D. $a = -1, -2$

97. मान ज्ञात कीजिए:

$$0.25 \div 32$$

A. 0.078125 B. 0.78
C. 0.72185 D. 0.0078125

98. यदि a तथा b दोनों परिमेय संख्याएँ हैं, तो a तथा b का मान निम्न समिका के लिए ज्ञात कीजिए:

$$\frac{\sqrt{3}-1}{\sqrt{3}+1}=a+b\sqrt{3}$$

A. $a = -1, b = 2$ B. $a = 1, b = 2$
C. $a = 2, b = -1$ D. $a = -2, b = 1$

99. 30, 17, 43, 39, 18, 40 की माध्यिका ज्ञात कीजिए:
A. 34.5 B. 30
C. 39 D. 43

100. ₹ 41 की राशि को 50 लड़कों एवं लड़कियों के मध्य बाँटा गया। प्रत्येक लड़के को 90 पैसे तथा लड़की को 65 पैसे प्राप्त हुए। लड़कों एवं लड़कियों की संख्याओं का अनुपात ज्ञात कीजिए:
A. 18 : 13 B. 17 : 8
C. 13 : 8 D. 17 : 13

101. 527, 1020 तथा 11594 का HCF ज्ञात कीजिए:
A. 13 B. 14
C. 17 D. 19

102. समबाहु त्रिभुज का क्षेत्रफल, होता है:
A. $\frac{\sqrt{3}}{4}a^2$ वर्ग इकाई B. $2a^2$ वर्ग इकाई
C. $\sqrt{3}a^2$ वर्ग इकाई D. $\frac{\sqrt{3}}{2}a^2$ वर्ग इकाई

103. राजू ने दो पंखों को बेचा, जिनमें प्रत्येक पंखे का मूल्य ₹ 990 है। एक पंखे को बेचने पर उसे 10% का लाभ होता है, तथा अन्य पंखे को बेचने पर उसे 10% की हानि होती है। इस लेन-देन में राजू को कितना प्रतिशत लाभ या हानि हुई?
A. 1% हानि B. 1% लाभ
C. 2% हानि D. 2% लाभ

104. किसी मिश्र धातु में ताँबे तथा जस्ता का अनुपात 5 : 3 है। यदि मिश्र धातु में ताँबे का भार 30.5 ग्राम है, तो मिश्र धातु में जस्ता का भार ज्ञात कीजिए:
A. 20.5 ग्राम B. 20.8 ग्राम
C. 15.8 ग्राम D. 18.3 ग्राम

105. एक परीक्षा में, A को B से 10% अधिक अंक प्राप्त होते हैं तथा B को C से 15% अधिक अंक प्राप्त होते हैं। A को C से कितने अधिक प्रतिशत अंक प्राप्त हुए?
A. 25% B. $26\frac{1}{2}\%$
C. $28\frac{1}{2}\%$ D. $28\frac{3}{4}\%$

106. मोना के पिताजी की आयु, मोना की आयु से तीन गुनी है। 12 वर्ष बाद, मोना के पिताजी की आयु, मोना की आयु के दुगुनी के बराबर होगी। मोना की वर्तमान आयु ज्ञात कीजिए:
A. 36 वर्ष B. 24 वर्ष
C. 12 वर्ष D. 18 वर्ष

107. एक कमरे की लम्बाई, उसकी चौड़ाई का $1\frac{1}{2}$ गुना है। यदि उसकी ऊँचाई 3.3 मी तथा आयतन $123\frac{3}{4}$ मी^{3} है, तो कमरे की लम्बाई ज्ञात कीजिए:
A. 7.5 मी B. 7.2 मी
C. 8.2 मी D. 8.4 मी

108. एक समचतुर्भुज के विकर्णों की माप 16 सेमी तथा 30 सेमी है। इसका परिमाप ज्ञात कीजिए:
A. 63.5 सेमी B. 65 सेमी
C. 68 सेमी D. 70.2 सेमी

109. मान ज्ञात कीजिए:

$$\left[3\frac{1}{4}\div\left\{1\frac{1}{4}-\frac{1}{2}\left(2\frac{1}{2}-\overline{\frac{1}{4}-\frac{1}{6}}\right)\right\}\right]$$

A. 75 B. 78
C. $72\frac{3}{4}$ D. $75\frac{2}{3}$

110. A तथा B एक कार्य को 10 दिनों में पूर्ण करते हैं। B तथा C उसी कार्य को 15 दिनों में पूर्ण करते हैं। C तथा A उसी कार्य

को 20 दिनों में पूर्ण करते हैं। उसी कार्य को अकेले C, कितने दिनों में पूर्ण करेगा?

A. 120 दिन B. 118 दिन
C. 115 दिन D. 110 दिन

111. 13 घण्टे 1 मिनट 30 सेकण्ड में 6 का भाग देने पर प्राप्त होता है:

A. 2 घण्टे 1 मिनट 10 सेकण्ड
B. 2 घण्टे 15 मिनट 10 सेकण्ड
C. 2 घण्टे 10 मिनट 15 सेकण्ड
D. 2 घण्टे 12 मिनट 20 सेकण्ड

112. 10 सेमी लम्बाई तथा 8 सेमी चौड़ाई वाला घनाभ, 4 सेमी तथा 6 सेमी आकार वाले दो घनों को गलाकर बनाया जाता है। इस तरह बनाए गए घनाभ की ऊँचाई ज्ञात कीजिए:

A. 4.5 सेमी B. 3.8 सेमी
C. 3.5 सेमी D. 2.5 सेमी

113. 120 मी. लम्बी ट्रेन की गति 50 किमी प्रति घंटा है। इस ट्रेन को 600 मी. लम्बे प्लेटफॉर्म से गुजरने में कितना समय लगेगा?

A. 50.5 सेकण्ड B. 51.84 सेकण्ड
C. 52.75 सेकण्ड D. 58 सेकण्ड

114. एक फल विक्रेता ₹ 5 के 6 आम की दर से कुल 600 आम खरीदता है तथा ₹ 6 के 5 आम की दर से बेच देता है। लाभ या हानि प्रतिशत ज्ञात कीजिए:

A. लाभ 44% B. हानि 44%
C. लाभ 22% D. हानि 22%

115. 12 मी ऊँचाई तथा 3.5 मी त्रिज्या, वाले खुले बेलनाकार टैंक को बनाने के लिए कितने क्षेत्रफल वाली धातु की चद्दर की आवश्यकता होगी?

A. 305 मी^{2} B. 285 मी^{2}
C. 292.7 मी^{2} D. 302.5 मी^{2}

116. निम्नलिखित का गुणनखण्ड कीजिए:
$(x^2 - 6xy + 9y^2) - 25$

A. $(x - 5)(x + 5)$
B. $(x - y - 5)(x - y + 5)$
C. $(x + 3y + 5)(x - 3y - 5)$
D. $(x - 3y - 5)(x - 3y + 5)$

117. आधार त्रिज्या 7 सेमी तथा 24 सेमी ऊँचाई वाले शंकु (आधार सहित) को बनाने के लिए आवश्यक लोहे की चद्दर का क्षेत्रफल ज्ञात कीजिए:

A. 625 सेमी^{2} B. 690 सेमी^{2}
C. 704 सेमी^{2} D. 729 सेमी^{2}

118. x का मान ज्ञात कीजिए, यदि $5^{x-3}. 3^{2x-8} = 225$:

A. 3 B. 5
C. 6 D. 7

119. $\sqrt{36.1 \times 102.4}$ का मान ज्ञात कीजिए:

A. 58.8 B. 60.8
C. 60.2 D. 62.2

120. एक दुकान में तीन घड़ियाँ हैं, जो क्रमशः 15, 20 तथा 30 मिनट के अंतराल पर झंकार करती हैं। ये तीनों घड़ियाँ सुबह 10 बजे एक साथ झंकार करती हैं। पुनः तीनों घड़ियाँ किस समय पर एक साथ झंकार करेंगी?

A. सुबह 10 : 45 बजे
B. सुबह 10 : 50 बजे
C. सुबह 11 : 15 बजे
D. सुबह 11 बजे

भाग-V

पर्यावरण अध्ययन

निर्देशः *निम्नलिखित प्रश्नों के उत्तर देने के लिए **सबसे उचित** विकल्प चुनिए।*

121. वनोन्मूलन के फलस्वरूप निम्नलिखित में से किस वायुमंडलीय गैसीय संगठक के स्तर में वृद्धि होती है?

A. कार्बन-डाइ-ऑक्साइड B. ओजोन
C. जल-वाष्प D. ऑक्सीजन

122. निम्नलिखित में से कौन-सा जल प्रसारित रोग ***नहीं*** है?

A. हैजा B. टाइफॉइड
C. हिपैटाइटिस D. ट्यूबरकुलोसिस

123. प्रदूषण द्वारा उत्पन्न होने वाले रोगों के युग्म का चयन कीजिए:

A. कैट-क्राई-सिन्ड्रोम एवं मिनामाता
B. उच्च रक्तचाप (हाइपरटेंशन) एवं मैरास्मस
C. मैरास्मस एवं क्वाशियोरकॉर
D. मिनामाता एवं फ्लुओरोसिस

124. क्लोरोफिल में पाई जाने वाली धातु है:

A. मैग्नीशियम B. कोबाल्ट
C. लोहा D. निकिल

125. "किसी परिभाषित भौगोलिक अवस्थिति में ही विशिष्ट उपस्थिति" की पारिस्थितिकीय अवस्था को कहते हैं:

A. संकटग्रस्त B. पैन्डेमिक
C. संधारणीय D. एन्डेमिक

126. कार्बनिक पदार्थ के अपघटन के समय, मृदा में, निम्नलिखित में से कौन उत्पादित ***नहीं*** होता है?

A. जल B. पोषक-तत्त्व
C. कार्बन-डाइ-ऑक्साइड D. ऑक्सीजन

127. विश्व पर्यावरण दिवस 2018 की थीम थी:
A. प्रकृति से लोगों को जोड़ना
B. अपनी आवाज उठाइये, समुद्र तल नहीं
C. प्लास्टिक प्रदूषण को पराजित करना
D. सावधानीपूर्वक उपभोग करें

128. ओजोन के सम्बन्ध में ***सही*** कथन का चयन कीजिए:
A. हमारे वायुमंडल में ओजोन का प्रतिशत 7.8% है।
B. क्षोभमंडल में उपस्थित ओजोन "उत्तम ओजोन" है।
C. ओजोन पराबैंगनी किरणें अवशोषित कर ऑक्सीजन निर्मित करता है।
D. ओजोन समताप मंडल में क्लोरो-फ्लोरो-कार्बन की मात्रा में वृद्धि करता है।

129. 1992 के रियो शिखर सम्मेलन का 'एजेण्डा 21' सम्बन्धित है:
A. संधारणीय विकास से
B. प्रदूषक कीमत देगा का सिद्धान्त से
C. पर्यावरण शिक्षा से
D. ओजोन परत के संरक्षण से

130. निम्नलिखित में से कौन एक से अधिक पौष्टिकता स्तर का सदस्य है?
A. साँप B. टिड्डा
C. प्लवक D. मानव

131. निम्नलिखित में से कौन-सा एक "ग्रीन गुड डीड" ***नहीं*** है?
A. लाल बत्ती पर गाड़ी का इंजन बन्द कर दें।
B. कचरे को जला दें।
C. पक्षियों के लिए दाना-पानी रखें।
D. आहार में विभिन्न अनाज खाएँ।

132. सबसे छोटी से सबसे बड़ी तरंगदैर्ध्य का ***सही*** क्रम है:
A. दृश्य, अवरक्त, पराबैंगनी
B. पराबैंगनी, दृश्य, अवरक्त
C. अवरक्त, दृश्य, पराबैंगनी
D. पराबैंगनी, अवरक्त, दृश्य

133. निम्नलिखित में से कौन-सा एक मुर्दाखोर ***नहीं*** है?
A. मशरूम B. गिद्ध
C. दीमक D. केंचुआ

134. केन्द्रीय प्रदूषण नियंत्रण बोर्ड (CPCB) के अनुसार रिहायशी इलाकों के लिए ध्वनि की ऊपरी सीमा है:
A. 45 डेसिबल B. 55 डेसिबल
C. 75 डेसिबल D. 90 डेसिबल

135. जैव निम्नकरणीय ठोस अपशिष्ट फेंकने के लिए 'A' रंग के कचरेदान का उपयोग करते हैं जबकि पुनः चक्रित करने योग्य अपशिष्ट 'B' रंग के कचरेदान में फेंके जाते हैं। 'A' एवं 'B' को पहचानिए:
A. A $\rightarrow$ नीला B $\rightarrow$ हरा
B. A $\rightarrow$ हरा B $\rightarrow$ काला
C. A $\rightarrow$ नीला B $\rightarrow$ काला
D. A $\rightarrow$ हरा B $\rightarrow$ नीला

136. वन्य जीव रक्षा के क्षेत्र में उल्लेखनीय योगदान के लिए भारत सरकार द्वारा स्थापित पुरस्कार है:
A. गार्गी पुरस्कार
B. इन्दिरा गाँधी पर्यावरण पुरस्कार
C. अमृता देवी बिश्नोई पुरस्कार
D. प्रियदर्शनी पुरस्कार

137. वायुमण्डलीय हरित गृह प्रभाव मुख्यतः किसके अवशोषण एवं पुनः उत्सर्जन द्वारा उत्पन्न होता है?
A. वायुमण्डल द्वारा प्रकाश के
B. वायुमण्डल द्वारा अवरक्त विकिरणों के
C. भूतल द्वारा पराबैंगनी किरणों के
D. वायुमण्डल द्वारा पराबैंगनी विकिरणों के

138. निम्नलिखित में से कौन भौम जलस्तर को कम ***नहीं*** करता है?
A. अपर्याप्त वर्षा
B. बढ़ती बर्फबारी
C. नल-कूपों की बढ़ती संख्या
D. बढ़ता वनोन्मूलन

139. भारत का, वैश्विक धरोहर स्थल जो एक से अधिक राज्य में अवस्थित है:
A. वैली ऑफ फ्लावर्स नेशनल पार्क
B. भारत की माउंटेन रेलवे
C. सुन्दरवन नेशनल पार्क
D. कालका-शिमला रेलवे

140. बायोमास के अवायवीय किण्वन द्वारा निम्नलिखित में से कौन-सी गैस उत्पादित होती है?
A. बायोगैस
B. गैस ऑयल
C. प्राकृतिक गैस
D. सम्पीडित प्राकृतिक गैस (CNG)

141. ***गलत*** कथन का चयन कीजिए:
A. पावर पेट्रोल का ऑक्टेन नम्बर साधारण पेट्रोल से अधिक होता है।
B. कार्बन फुट-प्रिन्ट किसी उत्पाद द्वारा उत्सर्जित हरित गृह गैसों का माप है।
C. वनीकरण एवं वनरोपण एक ही प्रक्रिया के लिए प्रयुक्त दो शब्द हैं।
D. वायुमण्डल की चार परतों का सही क्रम (नीचे से ऊपर) है: क्षोभमण्डल, समताप मण्डल, मध्य मण्डल, आयन मण्डल

142. भारतीय वन (संशोधन) अधिनियम 2017 में वृक्षों की सूची में से निकाल दिया जाने वाला पौधा है:

A. सरकण्डा B. गन्ना
C. खजूर D. बांस

143. निम्नलिखित में से एक पारिस्थितिक तंत्र के जैविक संघटक को चुनिएः
A. क्लोरोफिल B. प्लवक
C. सूर्य का प्रकाश D. मृदा

144. यूरिया को लेपित करने हेतु प्रयुक्त हो रहा तेल किस पौधे के बीज का है?
A. कपास B. नीम
C. अरण्डी D. होहोबा

145. घरों में, जलाऊ लकड़ी के अपूर्ण दहन से एक जहरीली गैस 'X' उत्पादित होती है। सांस द्वारा, खींचे जाने पर गैस 'X' रक्त में उपस्थित पदार्थ 'Y' से संयोजित हो जाती है और रक्त की गैस 'Z' को वहन करने की क्षमता को कम कर देती है जिससे श्वसन सम्बन्धित समस्या उत्पन्न होती है। 'X', 'Y' एवं 'Z' को पहचानिएः

	'X'	'Y'	'Z'
A.	कार्बन-मोनो ऑक्साइड;	ऑक्सीजन;	कार्बन-डाइ-ऑक्साइड
B.	कार्बन-डाइ-ऑक्साइड;	जल;	कार्बोनिक अम्ल
C.	कार्बन-मोनो ऑक्साइड;	हीमोग्लोबिन;	ऑक्सीजन
D.	कार्बन-डाइ-ऑक्साइड;	रक्त प्लेटलेट्स;	ऑक्सीजन

146. जलवायु परिवर्तन एक्शन प्लान जारी करने वाला भारत का प्रथम राज्य हैः
A. उत्तराखण्ड B. हरियाणा
C. दिल्ली D. केरल

147. एक दूसरे से जुड़ी जटिल खाद्य शृंखला कहलाती हैः
A. खाद्य जाल
B. खाद्य नेटवर्क
C. जैवभार का पिरामिड
D. पौष्टिकता स्तर

148. **कॉलम I** में दिए गए दिवसों को **कॉलम II** में दी गई तिथियों से सुमेलित कीजिए और निम्नलिखित कूटों की सहायता से **सही** उत्तर का चयन कीजिएः

कॉलम-I	कॉलम-II
(*a*) विश्व जल दिवस	(*i*) 5 जून
(*b*) ओजोन दिवस	(*ii*) 22 अप्रैल
(*c*) विश्व पर्यावरण दिवस	(*iii*) 22 मई
(*d*) अंतराष्ट्रीय जैव-विविधता दिवस	(*iv*) 22 मार्च
(*e*) पृथ्वी दिवस	(*v*) 16 सितम्बर

कोडः

	(*a*)	(*b*)	(*c*)	(*d*)	(*e*)
A.	(*iv*)	(*v*)	(*i*)	(*iii*)	(*ii*)
B.	(*i*)	(*iii*)	(*ii*)	(*v*)	(*iv*)
C.	(*iii*)	(*iv*)	(*v*)	(*i*)	(*ii*)
D.	(*v*)	(*i*)	(*iii*)	(*ii*)	(*iv*)

149. पारम्परिक ऊर्जा स्रोत का एक उदाहरण हैः
A. ज्वारीय ऊर्जा
B. भूतापीय ऊर्जा
C. सौर ऊर्जा
D. नाभिकीय ऊर्जा

150. ***गलत*** युग्म का चयन कीजिएः
A. नीलगिरी बायोस्फीयर रिजर्व – तमिलनाडु, केरल और कर्नाटक
B. नोकरेक बायोस्फीयर रिजर्व – मिजोरम
C. सिमलीपाल बायोस्फीयर रिजर्व – ओडिशा
D. देहांग-देबांग बायोस्फीयर रिजर्व – अरुणाचल प्रदेश

उत्तरमाला

1	2	3	4	5	6	7	8	9	10
D	B	A	B	C	D	B	D	D	D
11	**12**	**13**	**14**	**15**	**16**	**17**	**18**	**19**	**20**
A	C	C	A	C	B	A	B	B	C
21	**22**	**23**	**24**	**25**	**26**	**27**	**28**	**29**	**30**
C	B	C	A	B	A	D	C	D	D
31	**32**	**33**	**34**	**35**	**36**	**37**	**38**	**39**	**40**
A	A	A	D	A	C	D	A	A	C
41	**42**	**43**	**44**	**45**	**46**	**47**	**48**	**49**	**50**
A	C	B	C	D	C	C	A	A	A
51	**52**	**53**	**54**	**55**	**56**	**57**	**58**	**59**	**60**
B	C	B	A	A	C	A	C	A	B
61	**62**	**63**	**64**	**65**	**66**	**67**	**68**	**69**	**70**
C	B	B	C	D	C	D	B	A	C

71	72	73	74	75	76	77	78	79	80
A	B	C	D	B	C	A	D	B	C
81	**82**	**83**	**84**	**85**	**86**	**87**	**88**	**89**	**90**
A	D	D	A	B	*	A	C	C	C
91	**92**	**93**	**94**	**95**	**96**	**97**	**98**	**99**	**100**
B	D	D	C	A	A	D	C	A	B
101	**102**	**103**	**104**	**105**	**106**	**107**	**108**	**109**	**110**
C	A	A	D	B	C	A	C	B	A
111	**112**	**113**	**114**	**115**	**116**	**117**	**118**	**119**	**120**
C	C	B	A	D	D	C	B	B	D
121	**122**	**123**	**124**	**125**	**126**	**127**	**128**	**129**	**130**
A	D	D	A	D	D	C	C	A	D
131	**132**	**133**	**134**	**135**	**136**	**137**	**138**	**139**	**140**
B	B	*	A,B	D	C	B	B	B	A
141	**142**	**143**	**144**	**145**	**146**	**147**	**148**	**149**	**150**
*	D	B	B	C	C	A	A	*	B

* Error in question/options.

व्याख्यात्मक उत्तर

61. माना समबाहु त्रिभुज की प्रारम्भिक भुजा = 'a' इकाई

$\therefore$ प्रारम्भिक क्षेत्रफल = $\frac{\sqrt{3}}{4}a^2$ इकाई^2

समबाहु त्रिभुज की नई भुजा = $a \times 80\% = \frac{4}{5}a$ इकाई

$\therefore$ नया क्षेत्रफल = $\frac{\sqrt{3}}{4}\left(\frac{4}{5}a\right)^2 = \frac{4\sqrt{3}}{25}a^2$ इकाई^2

$$\text{अभिष्ट प्रतिशत} = \frac{\frac{\sqrt{3}}{4}a^2 - \frac{4\sqrt{3}}{25}a^2}{\frac{\sqrt{3}}{4}a^2} \times 100$$

$$= \frac{\frac{25\sqrt{3}a^2 - 16\sqrt{3}a^2}{100}}{\frac{\sqrt{3}}{4}a^2} \times 100$$

$$= \frac{9 \times 4}{100} \times 100$$

= 36% (कमी).

62.

0	6	24	60	120	210
↑	↑	↑	↑	↑	↑
$1^3 - 1$	$2^3 - 2$	$3^3 - 3$	$4^3 - 4$	$5^3 - 5$	$6^3 - 6$

63.

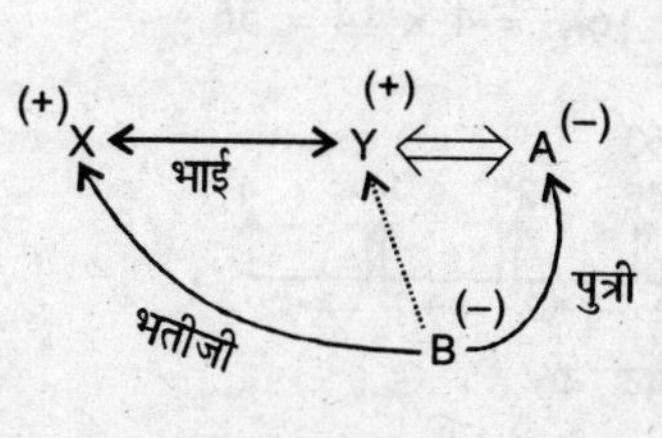

64. जिस प्रकार,

P U R E → (+1, +1, –1, –1) → Q V S D

C O P E → (+1, +1, –1, –1) → D P O D

उसी प्रकार,

W H E N → (+1, +1, –1, –1) → X I D M

65. ल.स.प. (5, 7, 9) = 315

$\therefore$ $\frac{3}{5} = \frac{3 \times 63}{5 \times 63} = \frac{189}{315}$

$\frac{4}{7} = \frac{4 \times 45}{7 \times 45} = \frac{180}{315}$

$\frac{8}{9} = \frac{8 \times 35}{9 \times 35} = \frac{280}{315}$

$\frac{180}{315} < \frac{189}{315} < \frac{280}{315}$

$\frac{4}{7} < \frac{3}{5} < \frac{8}{9}$

66. सूर्य एक तारा है जबकि अन्य सभी सौर परिवार के ग्रह का नाम है।

67. E > B > D > A > C

↑

सबसे ज्यादा अंक

68. $$2 = x + \cfrac{1}{1 + \cfrac{1}{3 + \cfrac{1}{4}}}$$

$$2 = x + \cfrac{1}{1 + \cfrac{4}{13}}$$

$$2 = x + \frac{13}{17}$$

$$\therefore \quad x = 2 - \frac{13}{17} = \frac{21}{17}.$$

69. गति = 180 किमी/घंटे

$$= \frac{180 \times 1000 \text{ मीटर}}{60 \times 60 \text{ सेकण्ड}}$$

= 50 मी/घंटे

70. $$\sqrt{18 \times 14 \times x} = 84$$

दोनों ओर का वर्ग करने पर

$$18 \times 14 \times x = 84 \times 84$$

$$x = \frac{84 \times 84}{18 \times 14} = 28.$$

71. $\sqrt{0.0025} + \sqrt{2.25}$

$$= \sqrt{\frac{25}{10000}} + \sqrt{\frac{225}{100}}$$

$$= \frac{5}{100} + \frac{15}{10}$$

$$= 0.05 + 1.5 = 1.55$$

72. बस घर पर दक्षिण दिशा की ओर है।

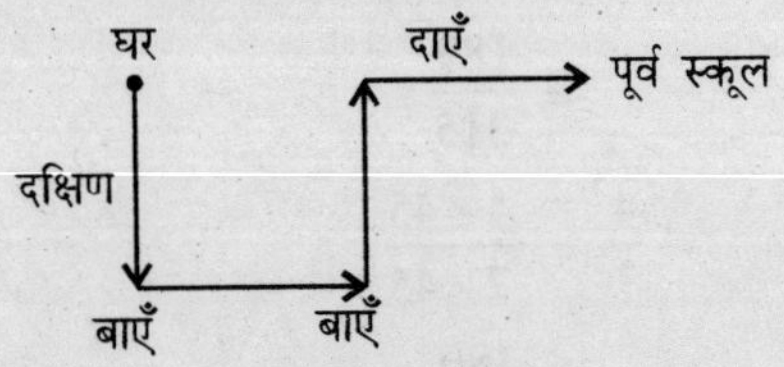

73. $$\left(\frac{9}{4}\right)^{x} \left(\frac{8}{27}\right)^{x-1} = \frac{2}{3}$$

$$\left(\frac{3}{2}\right)^{2x} \left(\frac{2}{3}\right)^{3(x-1)} = \frac{2}{3}$$

$$\left(\frac{2}{3}\right)^{-2x} \left(\frac{2}{3}\right)^{3x-3} = \frac{2}{3}$$

$$\left(\frac{2}{3}\right)^{3x-3-2x} = \frac{2}{3}$$

$$\left(\frac{2}{3}\right)^{x-3} = \left(\frac{2}{3}\right)^{1}$$

दोनों ओर की तुलना करने पर

$$x - 3 = 1$$

$$x = 4.$$

74. "pul ta nop" → "fruit is good" ...(1)

"nop ko tir" → "tree is tall" ...(2)

"pul ho sop" → "eat good food" ...(3)

समीकरण (1) और समीकरण (2) से

nop → is

समीकरण (1) और समीकरण (3) से

pul → good

समीकरण (1) से

ta → fruit.

75. पंक्ति में कुल पेड़ों की संख्या = L + R − 1

= 11 + 16 − 1

= 27 − 1 = 26.

76. दिया है,

$$a = b + 2 \quad ...(1)$$

$$b = c + 10 \quad ...(2)$$

$$a + b + c = 130 \quad ...(3)$$

समीकरण (1) + समीकरण (2),

$$a = c + 12 \quad ...(4)$$

a और b का मान समीकरण (2) और समीकरण (4) से समीकरण (3) में रखनें पर

$$c + 12 + c + 10 + c = 130$$

$$3c + 22 = 130$$

$$3c = 108$$

$$c = 36$$

समीकरण (4) से,

$$a = c + 12$$

$$= 36 + 12 = 48$$

समीकरण (2) से,

$$b = c + 10$$

$$= 36 + 10 = 46$$

तब, $(b + c) - a = (46 + 36) - 48$

$$= 82 - 48 = 34.$$

77. $666 \div 6 \div 3 = \dfrac{666}{6 \times 3} = 37.$

78. $$\frac{x}{16} = \frac{196}{x}$$

$$x^2 = 16 \times 196$$

$$x = \sqrt{16 \times 196} = 4 \times 14 = 56.$$

79.

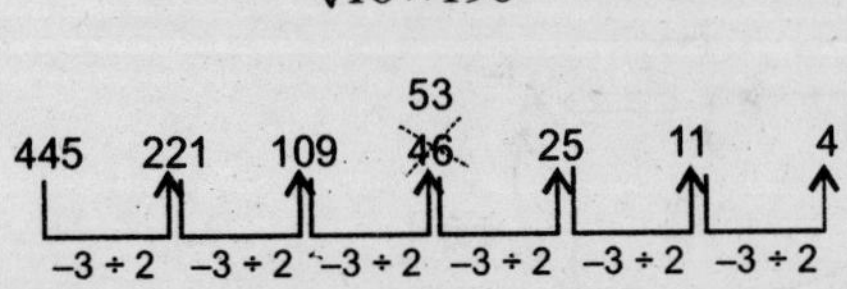

अतः श्रेणी में गलत पद 46 है।

80. A. $\frac{13}{16} = 0.8125$

B. $\frac{17}{21} = 0.8095$

C. $\frac{15}{19} = 0.7894$

D. $\frac{7}{8} = 0.875$

अतः सबसे छोटी भिन्न $\frac{15}{19}$ है।

91. 12 पेंसिल का क्रय मूल्य = ₹ 18

1 पेंसिल का क्रय मूल्य = ₹ $\frac{18}{12}$ = ₹ 1.5

$\because$ विक्रय मूल्य = $\left(\frac{100+\%\text{लाभ}}{100}\right)$ क्रय मूल्य

$$= \frac{(100+20)}{100} \times 1.5$$

$$= \frac{120 \times 1.5}{100} = \frac{180}{100} = ₹\ 1.80.$$

92. $\because \quad \frac{M_1 \times D_1}{W_1} = \frac{M_2 D_2}{W_2}$

$$\frac{36 \times 21}{140} = \frac{15 \times x}{50}$$

$$\therefore \quad x = \frac{36 \times 21 \times 50}{140 \times 15}$$

= 18 दिन

93. $\frac{°C}{5} = \frac{°F - 32}{9}$

$$\frac{°C}{5} = \frac{212 - 32}{9}$$

$$\frac{°C}{5} = \frac{180}{9}$$

$$°C = 100.$$

94. $x + \frac{1}{x} = 6$

दोनों ओर का वर्ग करने पर,

$$\left(x + \frac{1}{x}\right)^2 = 6^2$$

$$x^2 + \frac{1}{x^2} + 2 \times x \times \frac{1}{x} = 36$$

$$x^2 + \frac{1}{x^2} + 2 = 36$$

$$x^2 + \frac{1}{x^2} = 34.$$

95. आयताकार खेत का परिमाप

$$= \frac{600}{7.5} = 80 \text{ मीटर}$$

$\because$ आयत का परिमाप = $2(l + b)$

$\therefore$ $2(24 + b) = 80$

$24 + b = 40$

$b = 16$ मीटर

अतः आयताकार खेत की चौड़ाई 16 मीटर है।

96. $\because x = 1, y = 2$ दिये गये समीकरण के हल हैं अतः वे समीकरण को सन्तुष्ट करेंगे।

अतः $x = 1, y = 2$ दिये गये समीकरण में रखने पर,

$$a^2x + ay = 3$$

$$a^2 \times 1 + 2a - 3 = 0$$

$$a^2 + 2a - 3 = 0$$

$$a^2 + 3a - a - 3 = 0$$

$$a(a + 3) - 1(a + 3) = 0$$

$$(a - 1)(a + 3) = 0$$

$$a = 1, -3.$$

97. $0.25 \div 32 = 0.0078125.$

98. $\frac{\sqrt{3}-1}{\sqrt{3}+1} = a + b\sqrt{3}$

L.H.S. के हर का परिमेयकरण करने के बाद हम पाते हैं

$$= \frac{\sqrt{3}-1}{\sqrt{3}+1} \times \frac{\sqrt{3}-1}{\sqrt{3}-1}$$

$$= \frac{(\sqrt{3}-1)^2}{(\sqrt{3})^2 - (1)^2} = \frac{(\sqrt{3})^2 + (1)^2 - 2\sqrt{3}}{3-1}$$

$$= \frac{3+1-2\sqrt{3}}{2} = \frac{4-2\sqrt{3}}{2}$$

$$= \frac{2(2-\sqrt{3})}{2} = 2 - \sqrt{3}$$

R.H.S से तुलना करने पर

$$a = 2, b = -1.$$

99. डाटा को आरोही क्रम में लिखने पर,

17, 18, 30, 39, 40, 43

$\because$ $n = 6$ (सम)

$$\therefore \quad \text{माध्यिका} = \frac{\frac{n}{2}\text{ वाँ पद} + \left(\frac{n}{2}+1\right)\text{ वाँ पद}}{2}$$

$$= \frac{3\text{रा पद} + 4\text{था पद}}{2}$$

$$= \frac{30+39}{2} = \frac{69}{2} = 34.5.$$

100. माना लड़कों की संख्या = x

तब,

लड़कियों की संख्या = $50 - x$

प्रश्नानुसार,

$$90x + 65(50 - x) = 41 \times 100$$
$$90x + 3250 - 65x = 4100$$
$$25x = 850$$
$$x = 34$$

लड़कों की संख्या = $x = 34$

लड़कियों की संख्या = $50 - x$

$= 50 - 34 = 16$

अभिष्ट अनुपात = 34 : 16 = 17 : 8.

101.

17	527
31	31
	1

2	1020
2	510
3	255
5	85
17	17
	1

2	11594
11	5797
17	527
31	31
	1

$527 = \mathbf{17} \times 31$

$1020 = 2 \times 2 \times 3 \times 5 \times \mathbf{17}$

$11594 = 2 \times 11 \times \mathbf{17} \times 31$

HCF (527, 1020, 11594) = 17.

102. $\because$ समबाहु त्रिभुज की सभी भुजाएँ बराबर होती हैं।

$$\therefore \quad s = \frac{a+a+a}{2} = \frac{3a}{2}$$

हेरो के सूत्र से

त्रिभुज का क्षेत्रफल = $\sqrt{s(s-a)(s-b)(s-c)}$

$$= \sqrt{\frac{3a}{2}\left(\frac{3a}{2}-a\right)\left(\frac{3a}{2}-a\right)\left(\frac{3a}{2}-a\right)}$$

$$= \sqrt{\frac{3a}{2} \times \frac{a}{2} \times \frac{a}{2} \times \frac{a}{2}}$$

$$= \sqrt{\frac{3}{16} \times a^4}$$

$$= \frac{\sqrt{3}}{4}a^2 \text{ वर्ग इकाई}$$

103. दिया है,

प्रत्येक पंखे का विक्रय मूल्य = ₹ 990

$\because$ क्रय मूल्य = $\frac{100}{100 \pm \text{P/L}\%} \times$ विक्रय मूल्य

पहले पंखे का क्रय मूल्य = $\frac{100}{100+10} \times 990$

= ₹ 900

दूसरे पंखे का क्रय मूल्य = $\frac{100}{100-10} \times 990$

$= \frac{100}{90} \times 990$

= ₹ 1100

$\therefore$ कुल विक्रय मूल्य = 2×990

= ₹ 1980

कुल क्रय मूल्य = ₹ 900 + ₹ 1100

= ₹ 2000

$\because$ विक्रय मूल्य < क्रय मूल्य

$\therefore$ हानि प्रतिशत = $\frac{\text{क्रय मूल्य} - \text{विक्रय मूल्य}}{\text{विक्रय मूल्य}} \times 100$

$$= \frac{2000-1980}{2000} \times 100$$

$$= \frac{20}{2000} \times 100$$

= 1% हानि

104. माना मिश्र धातु में ताँबे और जस्ते का भार क्रमशः $5x$ ग्राम और $3x$ ग्राम है।

प्रश्नानुसार,

$$5x = 30.5$$
$$x = 6.1$$

$\therefore$ अतः मिश्र धातु में जस्ते का भार = $3x$

$= 3 \times 6.1$

= 18.3 ग्राम

105. माना, C का प्राप्तांक = x

B का प्राप्तांक = x का 115% = $\frac{23}{20}x$

A का प्राप्तांक = 110% × $\frac{23}{20}x$

$= \frac{506}{400}x$

C की तुलना में A के प्राप्तांक की प्रतिशतता अधिकतम

$$= \frac{\frac{506}{400}x - x}{x} \times 100$$

$$= \frac{106}{400} \times 100$$

$$= \frac{106}{4} = \frac{53}{2}$$

$$= 26\frac{1}{2}\%.$$

106. माना, मोना की वर्तमान आयु = x वर्ष

मोना के पिताजी की वर्तमान आयु = $3x$ वर्ष

प्रश्नानुसार,

12 वर्ष पश्चात्

मोना के पिता की आयु = 2 × मोना की आयु

$$(3x + 12) = 2 \times (x + 12)$$
$$3x + 12 = 2x + 24$$
$$x = 12$$

अतः मोना की वर्तमान आयु 12 वर्ष है।

107. माना, कमरे की चौड़ाई = x मीटर

तब,

कमरे की लम्बाई = $1\frac{1}{2}x = \frac{3}{2}x$ मीटर

कमरे की ऊँचाई = 3.3 मीटर

कमरे का आयतन = ल. × चौ. × ऊँ

$$x \times \frac{3}{2}x \times 3.3 = 123\frac{3}{4}$$
$$4.95 \times x^2 = \frac{495}{4}$$
$$4.95 \times x^2 = 123.75$$
$$x^2 = 25 \Rightarrow x = 5$$

अतः कमरे की लम्बाई = $\frac{3}{2}x = \frac{3}{2} \times 5$

= 7.5 मीटर

108. दिया है,

$d_1 = 16$ सेमी, $d_2 = 30$ सेमी

हम जानते हैं

$$d_1^2 + d_2^2 = 4a^2$$
$$4a^2 = (16)^2 + (30)^2$$
$$4a^2 = 256 + 900$$
$$4a^2 = 1156$$
$$a^2 = 289$$

$a = 17$ सेमी

समचतुर्भुज का परिमाप = $4a = 4 \times 17 = 68$ सेमी

109. $\left[3\frac{1}{4} \div \left\{1\frac{1}{4} - \frac{1}{2}\left(2\frac{1}{2} - \overline{\frac{1}{4} - \frac{1}{6}}\right)\right\}\right]$

BODMAS नियमानुसार,

$$= \left[\frac{13}{4} \div \left\{\frac{5}{4} - \frac{1}{2}\left(\frac{5}{2} - \frac{1}{12}\right)\right\}\right]$$
$$= \left[\frac{13}{4} \div \left\{\frac{5}{4} - \frac{1}{2} \times \frac{29}{12}\right\}\right]$$
$$= \left[\frac{13}{4} \div \left\{\frac{5}{4} - \frac{29}{24}\right\}\right]$$
$$= \left[\frac{13}{4} \div \left\{\frac{1}{24}\right\}\right]$$
$$= \frac{13}{4} \times 24 = 13 \times 6 = 78.$$

110. (A + B) का एक दिन का कार्य = $\frac{1}{10}$

(B + C) का एक दिन का कार्य = $\frac{1}{15}$

(C + A) का एक दिन का कार्य = $\frac{1}{20}$

2(A + B + C) का एक दिन का कार्य = $\frac{1}{10} + \frac{1}{15} + \frac{1}{20}$

$= \frac{6+4+3}{60} = \frac{13}{60}$

(A + B + C) का एक दिन का कार्य = $\frac{13}{120}$

C का एक दिन का कार्य = (A + B + C) का एक दिन का कार्य – (A + B) का एक दिन कार्य

$$= \frac{13}{120} - \frac{1}{10}$$
$$= \frac{13-12}{120} = \frac{1}{120}$$

अतः C अकेले 120 दिन में कार्य पूर्ण करता है।

111. 13 घण्टे 1 मिनट 30 सेकण्ड

= 13 × 60 × 60 + 60 + 30

= 46,800 + 90

= 46890 सेकण्ड

6 से भाग करने पर

= $\frac{46890}{6}$ = 7815 सेकण्ड

$\frac{7815}{60 \times 60}$ = 2 घण्टे + 615 सेकण्ड (शेषफल)

$\frac{615}{60}$ = 10 मिनट + 15 सेकण्ड (शेषफल)

∴ 7815 सेकण्ड = 2 घण्टे 10 मिनट 15 सेकण्ड

112. माना, घनाभ की ऊँचाई = h सेमी

∵ आयतन समान रहेगा,

∴ दोनों घनों का कुल आयतन = $(4)^3 + (6)^3$

$= 64 + 216$

$= 280$ सेमी^{3}

घनाभ का आयतन = ल. × चौ. × ऊँ.

$= 10 \times 8 \times$ ऊँ.

$= 80 \times$ ऊँ. सेमी^{3}

$\therefore$ $80 \times$ ऊँ. $= 280$

ऊँ. $= 3.5$ सेमी

113. $\because$ गति = $\dfrac{\text{दूरी}}{\text{समय}}$

$$\frac{120+600}{t} = 50 \times \frac{1000}{60 \times 60}$$

$$\frac{720}{t} = \frac{500}{36}$$

$$t = \frac{720 \times 36}{500}$$

$= 51.84$ सेकण्ड

114. 600 आम का क्रय मूल्य $= 600 \times \dfrac{5}{6} =$ ₹ 500

600 आम का विक्रय मूल्य $= 600 \times \dfrac{6}{5} =$ ₹ 720

चूँकि, विक्रय मूल्य > क्रय मूल्य

$\therefore$ लाभ प्रतिशत $= \dfrac{\text{SP} - \text{CP}}{\text{CP}} \times 100$

$$= \frac{720-500}{500} \times 100$$

$$= \frac{220}{5} = 44\%.$$

115. दिया है

बेलनाकार टैंक की त्रिज्या $(r) = 3.5$ मी.

बेलनाकार टैंक की ऊँचाई $(h) = 12$ मी.

धातु की चद्दर का अभिष्ट क्षेत्रफल $= 2\pi rh + \pi r^2$

$$= 2 \times \frac{22}{7} \times 3.5 \times 12 + \frac{22}{7}(3.5)^2$$

$= 264 + 38.5 = 302.5$ मी^{2}

116. $(x^2 - 6xy + 9y^2) - 25$

$= (x^2 - 2 \times x \times 3y + (3y)^2) - (5)^2$

$= (x - 3y)^2 - (5)^2$ $\quad [\because a^2 - b^2 = (a + b)(a - b)]$

$= (x - 3y + 5)(x - 3y - 5).$

117. दिया है,

शंकु की त्रिज्या $(r) = 7$ सेमी

शंकु की ऊँचाई $(h) = 24$ सेमी

शंकु की तिर्यक ऊँचाई $(l) = \sqrt{r^2 + h^2}$

$$= \sqrt{(7)^2 + (24)^2}$$

$$= \sqrt{49 + 576}$$

$= \sqrt{625} = 25$ सेमी

शंकु को बनाने के लिए आवश्यक लोहे की चद्दर का क्षेत्रफल

$$= \pi rl + \pi r^2$$

$$= \frac{22}{7} \times 7 \times 25 + \frac{22}{7} \times (7)^2$$

$= 550 + 154 = 704$ सेमी^{2}.

118. $5^{x-3}.3^{2x-8} = 225$

$5^{x-3}.\ 3^{2x-8} = (5)^2 \times (3)^2$

दोनों ओर की तुलना करने पर,

$x - 3 = 2$	$2x - 8 = 2$
$x = 5$	$2x = 10$
	$x = 5$

अतः x का मान 5 है।

119.
$$\sqrt{36.1 \times 102.4} = \sqrt{\frac{361}{10} \times \frac{1024}{10}}$$

$$= \frac{19 \times 32}{10}$$

$$= \frac{608}{10} = 60.8.$$

120. तीनों घड़ियों का एक साथ झंकार करने का अभिष्ट समय

= LCM (15, 20, 30) मिनट

= 60 मिनट

= 1 घण्टे

$\therefore$ अभिष्ट समय = 10 a.m. + 1 h

= 11 a.m.

पिछले प्रश्न-पत्र (हल सहित)

हरियाणा शिक्षक पात्रता परीक्षा (HTET)

Level-I, प्राथमिक शिक्षक (PRT), 2017*

भाग-I

बाल विकास व शिक्षाशास्त्र

निर्देशः *निम्नलिखित प्रश्नों के उत्तर देने के लिए **सबसे उचित** विकल्प चुनिए।*

1. निम्नलिखित में कौन-सा लक्षण अन्तर्मुखी व्यक्तित्व का ***नहीं*** है?
A. आत्मकेन्द्रित B. रूढ़िवादी
C. सामाजिकता D. दब्बू

2. अधिगम के नियम के तहत तत्परता का नियम प्रतिपादित किया है :
A. एडवर्ड एल. थॉर्नडाइक ने
B. जॉन बी. वाटसन ने
C. इवान पेट्रोविच पावलव ने
D. मैक्स-वर्देमर ने

3. निम्न में से कौन-सी विधि प्राथमिक स्तर पर शिक्षण के लिए उपयुक्त ***नहीं*** है?
A. समस्या समाधान विधि B. गतिविधि उपागम
C. व्याख्यान विधि D. प्रोजेक्ट विधि

4. वह गत्यात्मक बल जो बालक के व्यवहार को ऊर्जा देता है और वह सीखने की क्रिया करता है, वह है :
A लक्ष्य B. प्रबल प्रेरणा
C. अवरोध D. सभी विकल्प सही हैं

5. निम्न में से किसे व्यक्तित्व की नैतिकता वाली भुजा कहेंगे?
A. उपाह (इड) B. आत्मा (इगो)
C. पराह (सुपर-इगो) D. इड तथा सुपर-इगो

6. शिक्षा मनोविज्ञान की विषयवस्तु निम्न में से किन मुख्य कारकों के ओत-प्रोत घूमती है?
A. शिक्षार्थी एवं अधिगम अनुभव
B. शिक्षक एवं अधिगम प्रक्रिया
C. अधिगम परिस्थितियाँ
D. सभी विकल्प सही हैं

7. निम्नलिखित में से कौन-सा कथन ***सही*** है?
A. परिपक्वता में अभ्यास का महत्व होता है
B. परिपक्वन एक शारीरिक क्रिया है
C. परिपक्वता मृत्युपर्यन्त चलती है
D. परिपक्वता में केवल मात्रात्मक बदलाव सम्मिलित होते हैं

8. शिक्षा मनोविज्ञान अधिक बल देता है :
A. शिक्षक केन्द्रित शिक्षा पर
B. छात्र केन्द्रित शिक्षा पर
C. पाठ्यचर्या केन्द्रित शिक्षा पर
D. विद्यालय केन्द्रित शिक्षा पर

9. निम्नलिखित में से कौन-सा उत्तर बाल्यावस्था का लक्षण है?
A. हठी
B. समय की संकल्पना
C. सामाजिक संकल्पना
D. वीर पूजा

10. जीन पियाजे ने संज्ञानात्मक विकास की कितनी अवस्थाओं की व्याख्या की है?
A. आठ अवस्थाएँ B. पाँच अवस्थाएँ
C. छह अवस्थाएँ D. चार अवस्थाएँ

11. निम्नलिखित में से कौन-सा कथन सही ***नहीं*** है?
A. मेधा एवं सर्जनात्मकता एक-दूसरे के पर्यायवाची हैं
B. एक मेधावी बालक हो सकता है सर्जनात्मक न हो
C. एक सर्जनात्मक बालक ऊँचे दर्जे का मेधावी हो सकता है
D. सर्जनात्मकता का पोषण किया जा सकता है

12. विद्यालयों में सह-पाठ्येत्तर गतिविधियाँ क्यों आयोजित की जानी चाहिए?
A. ये संस्था की प्रसिद्धी में सहायक हैं
B. ये छात्र के समग्र विकास में सहायक हैं
C. ये शुल्क लेने को न्यायोचित ठहराने में सहायक हैं
D. ये उन विद्यार्थियों के लिए महत्वपूर्ण हैं जो अध्ययन में रुचि नहीं रखते

13. निम्नलिखित में से कौन-सा आयाम मानसिक विकास के तहत आता है?
A. भाषा B. आकार
C. अनुराग D. ईमानदारी

14. किस बुद्धिलब्धि स्तर का बालक सामान्य बुद्धि वाला कहलाता है?
A. 70-79 B. 80-89
C. 90-109 D. 110-119

*Exam was held on 24-12-2017.

15. मानसिक वृद्धि एवं विकास निम्न में से किस कारक द्वारा नियन्त्रित है?
A. आनुवंशिकता
B. आनुवंशिकता एवं पर्यावरण कारक
C. केवल पर्यावरण कारक
D. इनमें से कोई नहीं

16. निम्नलिखित में से कौन बालक में नैतिक मूल्यों के विकास में महत्वपूर्ण भूमिका निभाता है?
A. प्रार्थना सभा B. सही सामाजीकरण
C. बुद्धि D. सभी विकल्प सही हैं

17. कक्षा में शिक्षण सहायक सामग्री का उपयोग किया जाता है :
A. विशिष्ट अधिगम परिस्थितियाँ निर्माण के लिए
B. शिक्षक के बोझ को कम करने के लिए
C. कक्षा में अनुशासन बनाए रखने के लिए
D. शिक्षण में आवश्यक होने के नाते

18. निम्नलिखित में से कौन-सा आन्तरिक अभिप्रेरणा का उदाहरण है?
A. विद्यालय फुटबाल टीम में चयन होना
B. स्वयं के लिए समस्या का समाधान करना
C. जन्मदिन पर पोशाक मिलना
D. सभी विकल्प सही हैं

19. गैने ने अपनी पुस्तक ''दी कंडिशन्स ऑफ लर्निंग'' में सीखने के कितने प्रकार बताए हैं?
A. पाँच प्रकार B. आठ प्रकार
C. सात प्रकार D. दस प्रकार

20. वह अवस्था जब बालक अपने अभिभावकों के साथ कम आनन्दित होता है, सम्बन्धित है उसके :
A. शारीरिक विकास से B. मानसिक विकास से
C. भाषा विकास से D. सामाजिक विकास से

21. निम्नलिखित में से कौन-से पर्यावरणीय कारक व्यक्तित्व को प्रभावित करते हैं?
A. सामाजिक कारक B. सांस्कृतिक कारक
C. आर्थिक कारक D. सभी विकल्प सही हैं

22. निम्नलिखित में से कौन-सा कथन सही ***नहीं*** है?
A. वृद्धि एवं विकास दो अलग आयाम हैं
B. वृद्धि जीवनपर्यन्त चलती है
C. वृद्धि विकास की प्रक्रिया का ही एक भाग है
D. विकास सतत प्रक्रिया है

23. 'समानान्तर खेल' क्या है?
A. समूह में खेलना B. छोटे समूह में सहभागीत्व
C. रोल प्ले D. अलग-अलग खेलना

24. निम्नलिखित में से कौन-सी कार्य सूचक क्रिया भावात्मक पक्ष की ***नहीं*** है?
A. स्वीकारना B. आज्ञा पालन
C. फर्क करना D. प्रभावित करना

25. स्मृति स्तर के शिक्षण प्रतिमान के प्रतिपादक हैं :
A. जॉन एफ. हरबर्ट B. एच.सी. मोरिसन
C. नेड ए. फ्लेन्डर्स D. इनमें से कोई नहीं

26. निम्नलिखित में से कौन-सा अनौपचारिक शिक्षा का स्रोत ***नहीं*** है?
A. माता-पिता द्वारा दी गई शिक्षा
B. पास-पड़ोस द्वारा दी गई शिक्षा
C. साथियों के समूह में प्राप्त शिक्षा
D. कक्षा-कक्ष शिक्षण द्वारा

27. शिक्षार्थी की अभिरुचि एवं अभिक्षमता के बारे में वैध एवं विश्वसनीय निष्कर्ष पर पहुँचने की विधि है :
A. वस्तुनिष्ठ प्रेक्षण विधि B. अन्तर्निरीक्षण विधि
C. प्रयोगात्मक विधि D. सभी विकल्प सही हैं

28. निम्नलिखित में से कौन-सी शिक्षण व्यूह रचना संज्ञानात्मक, भावात्मक एवं मनोगत्यात्मक पक्षों के तहत अधिगम उद्देश्यों को पूरा करती है?
A. व्याख्यान B. समूह चर्चा
C. भूमिका निर्वहन D. अभिक्रमित अनुदेशन

29. पुनर्बलन निम्नलिखित में से किस प्रक्रिया का भाग है?
A. शिक्षण B. अधिगम
C. अनुदेशन D. उपरोक्त में से कोई नहीं

30. बालकों में व्यक्तिगत भिन्नता के लिए निम्न में से कौन-सा कारक जिम्मेदार है?
A. माता-पिता की मनोवृत्ति B. बुद्धि
C. नस्ल D. स्थान

भाग-II

भाषा-I: हिन्दी

निर्देशः *निम्नलिखित प्रश्नों के उत्तर देने के लिए **सबसे** उचित विकल्प चुनिए।*

31. ड़ और ढ़ ध्वनियाँ ***नहीं*** आती हैं :
A. शब्द के पहले B. शब्द के बीच में
C. शब्द के अन्त में D. विकल्प B व C दोनों

32. संधि प्रक्रिया में किन्हीं दो स्वरों के स्थान पर एक स्वर होना 'एकादेश' कहलाता है। किस विकल्प में इस प्रक्रिया का पालन ***नहीं*** हुआ है?
A. सागरोर्मि B. एकैव
C. द्वारकेश D. अध्यादेश

33. वाक्य में एक ही प्रकार के पद या पदबन्धों को पृथक् दर्शाने के लिए प्रयोग किया जाता है :

A. उपविराम B. पूर्ण विराम
C. अल्पविराम D. विवरण चिह्न

34. किस शब्द का संधि-विच्छेद ***अशुद्ध*** है?

A. शक + अन्धु = शकन्धु
B. पतत् + अंजलि = पतंजलि
C. प्रभू + दयाल = प्रभुदयाल
D. नव + रात्रि = नवरात्र

35. 'वह दूध पी रहा है'—वाक्य में रेखांकित है :

A. व्यक्तिवाचक संज्ञा, कर्ताकारक
B. व्यक्तिवाचक संज्ञा, कर्मकारक
C. जातिवाचक संज्ञा, कर्ताकारक
D. जातिवाचक संज्ञा, कर्मकारक

36. गुणवाचक तद्धित प्रत्यय का उदाहरण ***नहीं*** है :

A. मानसिक B. प्यारा
C. तापसिक D. सान्निध्य

37. सामासिक पदों में निहित समास के विषय में **अनुपयुक्त** विकल्प है :

A. यश प्राप्त – कर्म तत्पुरुष
B. मदमाता – अपादान तत्पुरुष
C. आनंदमग्न – अधिकरण तत्पुरुष
D. सत्याग्रह – संप्रदान तत्पुरुष

38. किस विकल्प में 'इया' प्रत्यय का प्रयोग हुआ है?

A. कटैया B. धुनिया
C. चरवाई D. दर्शनीया

39. किस शब्द में 'तद्भव' उपसर्ग जुड़ा हुआ है?

A. अपशकुन B. अनधिकार
C. अनमोल D. अनंग

40. किस शब्द में 'प्रति' उपसर्ग का प्रयोग ***नहीं*** हुआ है?

A. प्रत्यक्ष B. प्रत्याहार
C. प्रत्यंग D. प्रस्थान

41. 'यह घर मेरा है'—वाक्य में रेखांकित पद है :

A. निश्चयवाचक सर्वनाम
B. निश्चयवाचक सार्वनामिक विशेषण
C. अन्यपुरुष सर्वनाम
D. गुणवाचक विशेषण

42. 'राधिका बहुत तेज चलती है'—वाक्य में 'तेज' का पद परिचय होगा :

A. क्रियाविशेषण 'चलती है' की विशेषता
B. क्रियाविशेषण 'राधिका' की विशेषता
C. विशेषण 'राधिका' की विशेषता
D. प्रविशेषण

43. सामासिक पद व विग्रह वाक्य की दृष्टि से ***असंगत*** विकल्प को चुनिए :

A. कुशासन – कुश से निर्मित है जो आसन
B. हिमालय – हिम के लिए आलय
C. विद्यालय – विद्या के लिए आलय
D. बलिपशु – बलि के लिए पशु

44. हलन्त का प्रयोग किया जाता है :

A. व्यंजन को द्वित्व रूप में लिखने के लिए
B. स्वर व व्यंजन को अलग करने के लिए
C. व्यंजन और स्वर को जोड़ने के लिए
D. व्यंजन को स्वर रहित लिखने के लिए

45. मुहावरे की विशेषता है :

A. रूढ़ अर्थ में प्रयोग किया जाना।
B. इनकी रूप रचना का अपरिवर्तित रहना।
C. वाक्य में लिंग, वचन तथा कारक में परिवर्तन होना।
D. वाक्य में क्लिष्टता उत्पन्न करना।

भाग-II

Language-II (English)

Directions: *Answer the following questions by selecting the* ***most appropriate*** *option.*

Directions (Qs. No. 46-49): *Read the following passage carefully and answer the questions on the basis of the passage:*

Passage : An elder sister came to visit her younger sister in the country. The elder was married to a tradesman in town, the younger to a peasant in the village. As the sisters sat over their tea talking, the elder began to boast of the advantages of town life; saying how comfortably they lived there, how well they dressed, what fine clothes her children wore, what good things they ate and drank, and how she went to the theatre, promenades, and entertainments.

The younger sister was piqued, and in turn disparaged the life of a tradesman, and stood up for that of a peasant. 'I would not change my way of life for yours; said she. 'We may live roughly, but at least we are free from anxiety. You live in better style than we do, but though you often earn more than you need, you are very likely to lose all you have. You know the proverb, "Loss and gain are brothers twain." It often happens that people who are wealthy one day are begging their bread the next. Our way is safer. Though a peasant's life is not a fat one, it is a long one. We shall never grow rich, but we shall always have enough to eat.'

The elder sister said sneeringly: 'Enough? Yes, if you like to share with the pigs and the calves! what do you know of elegance of manners! However much your goodman may slave, you will die as you are living—on a dung heap—and your children the same.'

'Well, what of that?' replied the younger. 'Of course our work is rough and coarse. But, on the other hand, it is sure, and we need not bow to anyone. But you, in your towns, are surrounded by temptations; today all may be right, but tomorrow the Evil one may tempt your husband with cards, wine or women, and all will go to ruin. Don't such things happen often enough?'

46. Which one of the following is ***not*** an advantage of the town life according to the writer?
A. Comfortable life
B. Fine clothes for the children
C. Good things to eat and drink
D. Living on a dung heap

47. "Though a peasant's life is not a fat one, it is a long one." What does fat and long, underlined in this sentence respectively mean in the light of the entire passage?
A. poor; sufficient B. rich; safe and sure
C. enough; anxious D. comfortable; rough

48. What is ***not*** true of village life according to the passage?
A. Rough and coarse life
B. Life surrounded by temptations
C. Life without elegance of manners
D. Life free from anxiety

49. Match the following and choose the correct option given below:

Part-1	***Part-2***
(*a*) Elder sister	1. lived in country
(*b*) Younger sister	2. wealthy
(*c*) Tradesman's life	3. free from anxiety
(*d*) Peasant's life	4. lived in town

Options:
A. (*a*)-(1); (*b*)-(2); (*c*)-(3); (*d*)-(4)
B. (*a*)-(4); (*b*)-(3); (*c*)-(2); (*d*)-(1)
C. (*a*)-(4); (*b*)-(1); (*c*)-(2); (*d*)-(3)
D. (*a*)-(1); (*b*)-(4); (*c*)-(3); (*d*)-(2)

50. Identify the adjective in the following sentence from the options given below:
She is watching an interesting programme on wildlife on National Geographic Channel.
A. Watching B. Interesting
C. Programme D. Wildlife

51. Which one of these options has the words arranged in proper order to form a correct sentence?
A. Already/I have/paid/the bill.
B. I have/already/paid/the bill.
C. The bill/I have/paid/already.
D. I have/paid/already/the bill.

52. In which one of the following sentences punctuation mark has been correctly used at the end of the sentence?
A. What a beautiful picture it is!
B. What a beautiful picture it is?
C. What a beautiful picture it is;
D. What a beautiful picture it is.

53. Choose the correct preposition from the given options in the following sentence:
She is sitting next .... her brother in the second row.
A. By B. Towards
C. To D. On

54. Fill in the blank space with correct article in the following sentence:
This is .... best place to visit during summer vacations.
A. a B. an
C. zero article D. the

55. Choose the ***correct*** option for the underlined phrase:
Why did you turn down such a good proposal?
A. Refuse B. Postpone
C. Reply D. Accept

56. Fill in the blank space with correct adverb in the following sentence:
It is .... cold today; please don't go out for a walk.
A. very B. some
C. much D. little

57. Which one of the following word groups is used as nouns in framing sentences?
A. Advice, Practice, Admiration
B. Advise, Practise, Admire
C. Advisable, Practicable, Admirable
D. Advisedly, Practically, Admirably

58. Identify the word with a different sound represented by the two underlined alphabets at the final level in one of the following words:
A. catch B. watch
C. match D. patriarch

59. Identify the word with a different sound represented by the underlined letter at the initial level in one of the following words:
A. under B. universe
C. union D. unity

60. Choose the correct form of the verb in the following sentence:
It was a clear night and the stars ....
A. is twinkling B. were twinkling
C. has twinkled D. are twinkling

भाग-III

सामान्य अध्ययन : मात्रात्मक योग्यता, तार्किक अभिक्षमता तथा सामान्य ज्ञान एवं अभिज्ञान

निर्देशः *निम्नलिखित प्रश्नों के उत्तर देने के लिए* ***सबसे उचित*** *विकल्प चुनिए।*

61. निम्न शब्दों को तर्कसंगत अनुक्रम में व्यवस्थित करें :
I. काटना, II. पहनना, III. निशान लगाना, IV. मापना, V. सिलना
A. I, III, II, IV, V B. IV, III, I, V, II
C. III, I, V, IV, II D. II, IV, III, I, V

62. एक घड़ी में 4 बजकर 30 मिनट हुए हैं। यदि मिनट की सुई पूर्व दिशा की ओर है, तो घंटे की सुई किस दिशा में है?
A. उत्तर B. दक्षिण-पूर्व
C. दक्षिण-पश्चिम D. उत्तर-पूर्व

63. यदि (1, 2, 3) "These are boys", प्रदर्शित करता है, (1, 3, 4) "Boys are naughty" प्रदर्शित करता है, और (1, 4, 5) "Naughty boys play" प्रदर्शित करता है, तो कौन-सी संख्या "Naughty" प्रदर्शित करती है?
A. 1 B. 3
C. 4 D. 5

64. A ने B से कहा : "तुम्हारे पिता मेरे पिता के एकमात्र पुत्र हैं।" तो A का B से क्या सम्बन्ध है?
A. दादा B. पौत्र
C. पौत्री D. पिता

65. यदि VICTORY का कूट शब्द YLFWRUB और WAR का कूट शब्द ZDU है, तो SUCCESS का कूट शब्द है :
A. VXFFHWW B. VXFFHVV
C. VYEEHVV D. YYEEHWW

66. यदि D, L बन जाता है और E, M बन जाता है, तो A क्या बन जाएगा?
A. J B. I
C. K D. H

67. श्रेणी में लुप्त पद ज्ञात कीजिए :
$\frac{1}{2}, \frac{3}{4}, \frac{5}{8}, \frac{7}{16}, ?, \frac{11}{64}$
A. $\frac{8}{24}$ B. $\frac{9}{32}$
C. $\frac{9}{24}$ D. $\frac{9}{36}$

68. यदि किसी वृत्त की त्रिज्या 50% कम कर दी जाती है, तो वृत्त के क्षेत्रफल में कितनी कमी हो जाएगी?
A. 100% B. 75%
C. 50% D. 25%

69. 1 किमी. लम्बी रेलगाड़ी 60 किमी./घंटा की चाल से दौड़ रही है। रेलगाड़ी 1 किमी. लम्बी एक सुरंग में प्रवेश करती है। रेलगाड़ी को सुरंग से पूर्णतः बाहर आने में कितना समय लगेगा?
A. 1 मिनट B. 2 मिनट
C. 1 घंटा D. 2 घंटे

70. $\frac{0.96}{4.8}$ बराबर है :
A. 0.2 B. 0.02
C. 0.012 D. 2

71. यदि $\frac{x}{28} = \frac{63}{x}$, तो x का मान है :
A. 14 B. 21
C. 28 D. 42

72. $1+\cfrac{1}{1+\cfrac{1}{1+\cfrac{1}{2}}}$ बराबर है :
A. $\frac{5}{8}$ B. $\frac{3}{5}$
C. $\frac{8}{5}$ D. $\frac{5}{3}$

73. निम्न में से कौन-सी भिन्न सबसे बड़ी है?
A. $\frac{1}{3}$ B. $\frac{2}{5}$
C. $\frac{4}{7}$ D. $\frac{5}{9}$

74. श्रेणी का अगला पद ज्ञात कीजिए : 0, 3, 8, 15, 24, ?
A. 33 B. 34
C. 35 D. 36

75. निम्न में से कौन-सी अभाज्य संख्या है?
A. 117 B. 147
C. 149 D. 159

76. निम्न में से कौन-सा ***सही*** है?
A. $\frac{3}{4} > \frac{3}{5} > \frac{2}{3}$ B. $\frac{3}{4} > \frac{2}{3} > \frac{3}{5}$
C. $\frac{2}{3} > \frac{3}{5} > \frac{3}{4}$ D. $\frac{3}{5} > \frac{2}{3} > \frac{3}{4}$

77. मैं दक्षिण दिशा में 3 मी. चलता हूँ। फिर मैं दायीं ओर मुड़कर 5 मी. चलता हूँ। इसके बाद मैं दायीं ओर मुड़कर 7 मी. चलता हूँ। अन्त में मैं किस दिशा में चल रहा हूँ?
A. उत्तर B. दक्षिण
C. पूर्व D. पश्चिम

78. $\sqrt{0.02+\sqrt{0.0049}}$ बराबर है :
A. 0.03 B. 0.3
C. $\sqrt{0.27}$ D. $\sqrt{0.72}$

79. पाँच दोस्तों में, A, B से छोटा है परन्तु E से लम्बा है। C सबसे लम्बा है और D, A से थोड़ा छोटा है। सबसे छोटा कौन है?
A. A B. E
C. C D. D

80. कौन-सा वर्ष अधि वर्ष (लीप वर्ष) है?
A. 1704 B. 2002
C. 1982 D. 1994

81. उस युग्म को चुनिए, जिसके दोनों ही खिलाड़ियों ने रियो ओलंपिक-2016 में भाग लिया हो :
A. संदीप कुमार और इंदरजीत सिंह
B. मोनिका मलिक और गीता फोगाट
C. साक्षी मलिक और सुशील कुमार
D. विनेश फोगाट और संजीव राजपूत

82. 2011 की जनगणना के अनुसार हरियाणा में लिंगानुपात (प्रत्येक 1000 पुरुषों पर महिलाओं की संख्या) है :
A. 861 B. 961
C. 879 D. 858

83. निवेशक सम्मेलन "हैपनिंग हरियाणा-2016" का आयोजन किया गया था :
A. पंचकुला में B. हिसार में
C. सूरजकुंड में D. गुरुग्राम में

84. पुरातात्विक स्थल मिताथल है :
A. रोहतक जिले में B. हिसार जिले में
C. भिवानी जिले में D. सिरसा जिले में

85. निम्नलिखित में से कौन 1857 की क्रांति से संबंधित ***नहीं*** है?
A. सद्रूद्दीन B. राव तुला राम
C. गोपाल देव D. सर छोटू राम

86. हरियाणा की तेरहवीं विधान सभा के अध्यक्ष हैं :
A. संतोष यादव B. अभय सिंह
C. कँवर पाल D. आर.के. नांदल

87. हरियाणा की सबसे ऊँची पर्वत चोटी है :
A. करोह B. मोरनी
C. भिलसा D. खुदाना

88. कलेसर राष्ट्रीय उद्यान अवस्थित है :
A. कुरुक्षेत्र जिले में B. अंबाला जिले में
C. पंचकुला जिले में D. यमुनानगर जिले में

89. फल्गु मेले का आयोजन होता है :
A. कुरुक्षेत्र में B. कैथल में
C. जींद में D. यमुनानगर में

90. निम्नलिखित में से कौन-सा शहर "स्मार्ट शहर परियोजना" हेतु चुना गया है?
A. गुरुग्राम B. पानीपत
C. करनाल D. पंचकुला

भाग-IV

गणित

निर्देश: *निम्नलिखित प्रश्नों के उत्तर देने के लिए **सबसे उचित** विकल्प चुनिए।*

91. समीकरण $\frac{24}{18-x}-\frac{24}{18+x}=1$ में x का धनात्मक मान है :
A. 5 B. 6
C. 9 D. 11

92. यदि बिन्दुओं $(a, 0)$ तथा $(-a, 0)$ की बिन्दु (x, y) से दूरी के वर्गों का योग $2b^2$ है, तो :
A. $x^2 + a^2 = b^2 + y^2$ B. $x^2 + a^2 = 2b^2 - y^2$
C. $x^2 - a^2 = b^2 + y^2$ D. $x^2 + a^2 = b^2 - y^2$

93. हरि तथा श्याम की आयु का अनुपात 5 : 7 है। चार वर्ष बाद उनकी आयु का अनुपात 3 : 4 होगा। हरि की वर्तमान आयु ज्ञात कीजिए :
A. 20 वर्ष B. 28 वर्ष
C. 30 वर्ष D. 33 वर्ष

94. यदि 3 वर्ष के लिए, 5% प्रतिवर्ष की दर से चक्रवृद्धि ब्याज ₹ 1261 है, तो मूलधन ज्ञात कीजिए :
A. ₹ 8500 B. ₹ 8000
C. ₹ 7550 D. ₹ 7500

95. 8 मी. लम्बाई, 6 मी. ऊँचाई तथा 23 सेमी. मोटाई वाली दीवार के निर्माण करने हेतु 25 सेमी. × 11.5 सेमी. × 6 सेमी. नाप वाली कितनी ईंटों की आवश्यकता होगी?
A. 3200 B. 4800
C. 6400 D. 7200

96. 15 भुजाओं वाले नियमित बहुभुज के प्रत्येक अन्तःकोण की माप ज्ञात कीजिए :
A. 106° B. 156°
C. 206° D. 256°

97. द्विघात बहुपद ज्ञात कीजिए जिसके मूलों का योग तथा गुणनफल क्रमशः –3 तथा 2 है :
A. $x^2 - 3x - 2$ B. $x^2 + 3x + 2$
C. $x^2 - 5x + 2$ D. $x^2 + 5x + 2$

98. एक घनाभ की नाप 64 सेमी. × 54 सेमी. × 30 सेमी. है। 6 सेमी. भुजा वाले कितने छोटे घन, दिए गए घनाभ में रखे जा सकते हैं?
A. 380 B. 480
C. 520 D. 525

99. दो अंकीय संख्या, उन अंकों के योग का चार गुणा है, तथा उन अंकों के गुणन का तिगुना है। संख्या को ज्ञात कीजिए :
A. 12 B. 22
C. 14 D. 24

100. 28 सेमी. त्रिज्या के पहिये को, 352 मी. चलने के लिए, कितनी बार घुमाना चाहिए?
A. 200 B. 205
C. 245 D. 255

101. किसी चतुर्भुज के शीर्ष A(–5, 7), B(–4, –5), C(–1, –6) तथा D(4, 5) हों, तो चतुर्भुज का क्षेत्रफल ज्ञात कीजिए :
A. 72 वर्ग मात्रक B. 75 वर्ग मात्रक
C. 80 वर्ग मात्रक D. 82 वर्ग मात्रक

102. श्रेणी 21, 18, 15, ..., में कौन-सा पद –81 है?

A. 35 B. 38
C. 40 D. 41

103. ₹ 2,200 कीमत की साड़ी पर सुनीता कितना मूल्य अंकित करे ताकि 12% की छूट देने के बाद भी 26% का लाभ हो?

A. ₹ 3,050 B. ₹ 3,075
C. ₹ 3,150 D. ₹ 3,175

104. किसी कार्य को 25 व्यक्ति, 36 दिनों में पूर्ण कर लेते हैं, तो 15 व्यक्ति कितने दिनों में इसी कार्य को पूर्ण करेंगे?

A. 40 B. 50
C. 52 D. 60

105. यदि A की आय, B की आय से 25% अधिक है, तथा B की आय, C की आय से 20% अधिक है, तो A की आय C की आय से कितना प्रतिशत अधिक है?

A. 15% B. 25%
C. 33% D. 50%

106. किसी वस्तु को ₹ 110 में बेचने पर व्यक्ति को 12% का नुकसान होता है। 8% का लाभ लेने हेतु व्यक्ति को वह वस्तु कितने में बेचनी चाहिए?

A. ₹ 145 B. ₹ 120
C. ₹ 135 D. ₹ 130

107. 46656 का घनमूल ज्ञात कीजिए :

A. 26 B. 36
C. 34 D. 46

108. दो बेलनों की त्रिज्याओं का अनुपात 2 : 3 है तथा उनकी ऊँचाइयों का अनुपात 5 : 3 है। इन बेलनों के आयतनों का अनुपात है :

A. 27 : 20 B. 20 : 27
C. 4 : 9 D. 9 : 4

109. दो संख्याएँ 3 : 5 के अनुपात में हैं। यदि प्रत्येक संख्या में से 9 घटाया जाए, तो इनका अनुपात 12 : 23 हो जाता है। दूसरी संख्या ज्ञात कीजिए :

A. 52 B. 53
C. 54 D. 55

110. यदि $2^x = 4^y = 8^z$ तथा $\frac{1}{2x}+\frac{1}{4y}+\frac{1}{4z}=4$, तो x का मान है :

A. $\frac{7}{16}$ B. $\frac{9}{16}$
C. $\frac{7}{32}$ D. $\frac{9}{48}$

111. वह न्यूनतम पूर्ण वर्ग जो 3, 4, 5, 6, 8 से विभाज्य है :

A. 4900 B. 1600
C. 2500 D. 3600

112. एक सिक्के को 130 बार उछाला जाता है तथा उस पर चित 75 बार प्राप्त होता है। यदि यादृच्छिक रूप से एक सिक्के को उछाला जाता है, तो उस पर पट प्राप्त होने की प्रायिकता ज्ञात कीजिए :

A. $\frac{75}{130}$ B. $\frac{130}{75}$
C. $\frac{55}{130}$ D. $\frac{130}{55}$

113. मान ज्ञात कीजिए : $\sqrt[4]{81}+\sqrt[3]{216}+\sqrt[5]{32}$

A. 10 B. 11
C. 12 D. 32

114. त्रिभुज का क्षेत्रफल ज्ञात कीजिए जिसकी दोनों भुजाएँ 8 सेमी. तथा 11 सेमी. हैं एवं परिमाप 32 सेमी. है :

A. 42 सेमी.^{2} B. 30 सेमी.^{2}
C. $8\sqrt{30}$ सेमी.^{2} D. $5\sqrt{30}$ सेमी.^{2}

115. ABCD एक चतुर्भुज है, जिसमें ∠BAD = 60° तथा ∠CBD = 70° है। ∠BDC का माप ज्ञात कीजिए :

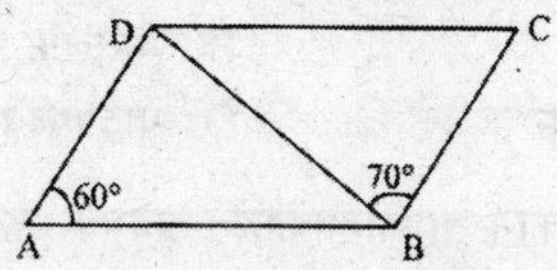

A. 120° B. 70°
C. 60° D. 50°

116. दिए गए चित्र में, यदि $x = 3y$, तो x, y तथा z का मान ज्ञात कीजिए :

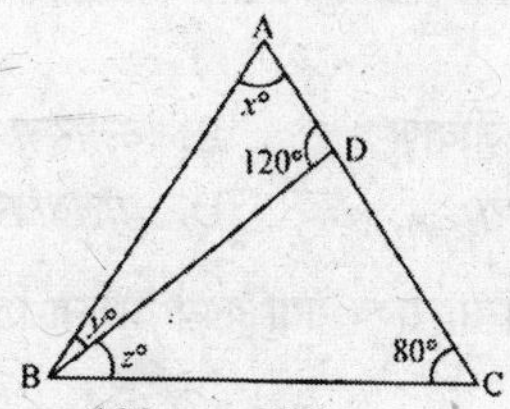

A. $x = 15°, y = 40°, z = 60°$
B. $x = 45°, y = 15°, z = 70°$
C. $x = 45°, y = 15°, z = 40°$
D. $x = 45°, y = 25°, z = 40°$

117. आयत का परिमाप ज्ञात कीजिए, जिसकी लम्बाई 40 सेमी. तथा विकर्ण 41 सेमी. है :

A. 90 सेमी. B. 96 सेमी.
C. 98 सेमी. D. 108 सेमी.

118. निम्न का मान ज्ञात करें :

$$\left[\left(3^{-7} \div 3^{-10}\right) \times 3^{-5}\right] \Big/ \left[\left(\frac{-2}{3}\right)^{-2}\right]^2$$

A. $\frac{742}{16}$ B. $\frac{729}{16}$
C. $\frac{16}{729}$ D. $\frac{16}{829}$

119. किसी वस्तु की कीमत ₹ 15,500 तथा उसका रख-रखाव मूल्य ₹ 450 है। यदि इस वस्तु को 15% के लाभ पर बेचा जाता है, तो वस्तु का विक्रय मूल्य ज्ञात कीजिए :

A. ₹ 18342.50 B. ₹ 18142.50
C. ₹ 17395.75 D. ₹ 17345.75

120. 19 छात्रों का औसत भार 25 किग्रा. है। एक नए छात्र के प्रवेश लेने पर औसत भार कम होकर 24.8 किग्रा. हो जाता है। नए छात्र का भार है :

A. 24.8 किग्रा. B. 20.8 किग्रा.
C. 20.6 किग्रा. D. 21 किग्रा.

PART-V

पर्यावरण अध्ययन

निर्देशः *निम्नलिखित प्रश्नों के उत्तर देने के लिए* ***सबसे उचित*** *विकल्प चुनिए।*

121. नाइट्रोजन स्थिरीकरण के विपरीत नाइट्रोजन चक्र का भाग है :
A. विनाइट्रीकरण B. अमोनीकरण
C. नाइट्रीकरण D. कार्बोनीकरण

122. एक झील में द्वितीय पोषण स्तर होता है :
A. कवक B. नितलक (बेन्थॉस)
C. जंतुप्लवक D. पादपप्लवक

123. निम्न में से कौन-सा वाहनकारित प्रदूषक ***नहीं*** है?
A. कणकीय पदार्थ B. कार्बन मोनो ऑक्साइड
C. सल्फर डाइऑक्साइड D. कार्बन डाइऑक्साइड

124. जल में किस रोगजनक सूक्ष्मजीव की उपस्थिति संदूषण की सूचक है?
A. कोलिफार्म जीवाणु B. *क्लोरेला*
C. *स्पाइरोगायरा* D. *वॉलवॉक्स*

125. निम्न में से कौन-सा राज्य गंगा कार्य योजना द्वितीय-चरण में सम्मिलित ***नहीं*** है?
A. झारखंड B. उत्तराखंड
C. मध्य प्रदेश D. हरियाणा

126. कोयला, लाइमस्टोन, पेट्रोलियम, जंतुकवच सभी संबंधित हैं :
A. ऑक्सीजन चक्र से B. फॉस्फोरस चक्र से
C. नाइट्रोजन चक्र से D. कार्बन चक्र से

127. निम्नलिखित में से कौन-सा अपवर्ज्य खरपतवार है?
A. सोयाबीन B. बाजरा
C. लोबिया D. *पार्थीनियम*

128. निम्नलिखित में से कौन-सा अजैव कारक ***नहीं*** है?
A. सूर्य का प्रकाश B. जल
C. अपघटक D. ताप

129. असत्य कथन का चयन करें :
A. पारितंत्र के विभिन्न घटक अन्योन्याश्रित होते हैं।
B. ऊर्जा का ह्रास एक पारितंत्र में पोष स्तरों की संख्या को सीमित करता है।
C. ओजोन क्षरण में CFC का प्रमुख योगदान है।
D. मानव क्रियाकलापों द्वारा उत्पन्न कचरा सदैव जैव निम्नीकरणीय है।

130. निम्नलिखित में से किस क्षेत्र में जैव-विविधता अधिकतम होगी?
A. शीतोष्ण वर्षा वन B. टैगा
C. उष्ण कटिबंधीय वर्षा वन D. मैंग्रोव

131. वायु प्रदूषण के संदर्भ में असंगत को पहचानें :
A. सुपोषिता
B. स्मॉग
C. अम्ल वर्षा
D. निलम्बित कणिकीय पदार्थ (SPM)

132. विश्व वन्य जीव सप्ताह मनाया जाता है :
A. सितम्बर के प्रथम सप्ताह में
B. अक्टूबर के प्रथम सप्ताह में
C. सितम्बर के अन्तिम सप्ताह में
D. अक्टूबर के अन्तिम सप्ताह में

133. पृथ्वी की सतह के निकट मुख्य वायुमण्डलीय परत है :
A. क्षोभमण्डल B. मध्यमण्डल
C. आयन मण्डल D. समताप मण्डल

134. निम्नलिखित देशों में से किसकी जैव विविधता सर्वाधिक है?
A. ब्राज़ील B. दक्षिण अफ्रीका
C. रूस D. भारत

135. फॉस्फोरस चक्र अप्रायिक होता है क्योंकि यह पूर्णरूपेण होता है :
A. जलीय पारिस्थितिक तंत्र के अन्दर
B. स्थलीय पारिस्थितिक तंत्र के अन्दर
C. अवसादी
D. गैसीय

136. स्थलीय हरे पादपों की पत्तियों द्वारा उपलब्ध सौर ऊर्जा का कितना भाग खाद्य ऊर्जा में परिवर्तित किया जाता है?
A. 45% B. 10%
C. 1% D. 99%

137. निम्न में से कौन-सा एक जल प्रदूषक ***नहीं*** है?
A. उर्वरक B. ऐरोसोल
C. पारा लवण D. पीड़कनाशी

138. CFC प्रमुख रूप से उत्तरदायी है :
A. ओजोन क्षरण के लिए B. हरित गृह प्रभाव के लिए
C. अम्ल वर्षा के लिए D. स्मॉग के लिए

139. अमृता देवी बिश्नोई के त्याग के लिए प्रसिद्ध खेजडली गाँव अवस्थित है :
A. जालौर में B. जोधपुर में
C. चित्तौड़गढ़ में D. बांसवाड़ा में

140. निम्नलिखित को सुमेलित कीजिए :

(*a*)	पराबैंगनी किरणें	(*i*)	जैव आवर्धन
(*b*)	जैव अपघटनीय कार्बनिक पदार्थ	(*ii*)	सुपोषण
(*c*)	डी.डी.टी. (DDT)	(*iii*)	हिमान्धता
(*d*)	फॉस्फेट	(*iv*)	BOD

A. (*a*)-(*ii*), (*b*)-(*i*), (*c*)-(*iv*), (*d*)-(*iii*)
B. (*a*)-(*iii*), (*b*)-(*ii*), (*c*)-(*iv*), (*d*)-(*i*)
C. (*a*)-(*iii*), (*b*)-(*iv*), (*c*)-(*i*), (*d*)-(*ii*)
D. (*a*)-(*iii*), (*b*)-(*i*), (*c*)-(*iv*), (*d*)-(*ii*)

141. प्रमुख संसाधन जो स्थल पर जीवन का निर्धारण करता है :
A. मृदा की प्रकृति B. जल
C. तापक्रम D. मृदा का pH

142. नहर सिंचाई की स्थानीय प्रणाली 'कुल्ह' लोकप्रिय है :
A. केरल में B. आंध्र प्रदेश में
C. कर्नाटक में D. हिमाचल प्रदेश में

143. एक स्थलीय पारिस्थितिकी तंत्र में निम्नलिखित में से सर्वाधिक संख्या किसकी होती है?
A. अपघटक B. उत्पादक
C. प्राथमिक उपभोक्ता D. द्वितीयक उपभोक्ता

144. बायोगैस (जैव गैस) का मुख्य घटक है :
A. H_2S B. N_2O
C. CO_2 D. CH_4

145. हरित गृह प्रभाव किससे संबंधित ***नहीं*** है?
A. सुपोषण
B. पृथ्वी का औसत तापमान बढ़ता है।
C. त्वचा कैंसर प्रेरित करता है।
D. पृथ्वी सतह से ऊष्मा की निकासी को रोकता है।

146. अपशिष्ट से मुक्ति पाने से सम्बन्धित तीन 'R' में सम्मिलित ***नहीं*** है :
A. कम उपयोग B. पुनः उपयोग
C. पुनरुद्भवन D. पुनःचक्रण

147. निम्नलिखित में से कौन SO_2 प्रदूषण का सर्वोत्तम सूचक है?
A. शैवाल B. लाइकेन
C. ब्रायोफाइट D. टेरिडोफाइट

148. ***असत्य*** कथन को चुनें :
A. लाइकेन व मॉस मृदा निर्माण में सहायक हैं।
B. मृदा संरचना को सुनिश्चित करने वाला प्रमुख कारक ह्यूमस है।
C. सूर्य, जल तथा वायु का मृदा निर्माण में कोई योगदान नहीं है।
D. मृदा में पाये जाने वाले खनिज तत्व उसकी पैतृक चट्टान पर निर्भर करते हैं जिससे उसका निर्माण हुआ है।

149. स्मॉग है :
A. ओजोन एवं धुआँ B. वाहनकारित प्रदूषक
C. कोहरा एवं धुआँ D. कोहरा एवं ओजोन

150. निम्नलिखित में से कौन-सा प्राकृतिक पारितंत्र ***नहीं*** है?
A. वन B. तालाब
C. बगीचा D. झील

उत्तरमाला

1	2	3	4	5	6	7	8	9	10
C	A	C	B	C	D	B	B	C	D
11	**12**	**13**	**14**	**15**	**16**	**17**	**18**	**19**	**20**
A	B	A	C	B	D	A	B	B	D
21	**22**	**23**	**24**	**25**	**26**	**27**	**28**	**29**	**30**
D	B	D	C	A	D	A	C	B	*
31	**32**	**33**	**34**	**35**	**36**	**37**	**38**	**39**	**40**
A	D	C	C	D	D	B	B	C	D
41	**42**	**43**	**44**	**45**	**46**	**47**	**48**	**49**	**50**
B	A	B	D	A	D	B	B	C	B
51	**52**	**53**	**54**	**55**	**56**	**57**	**58**	**59**	**60**
B	A	C	D	A	A	A	D	A	B
61	**62**	**63**	**64**	**65**	**66**	**67**	**68**	**69**	**70**
B	D	C	D	B	B	B	B	B	A
71	**72**	**73**	**74**	**75**	**76**	**77**	**78**	**79**	**80**
D	C	C	C	C	B	A	B	B	A
81	**82**	**83**	**84**	**85**	**86**	**87**	**88**	**89**	**90**
A	C	D	C	D	C	A	D	B	C
91	**92**	**93**	**94**	**95**	**96**	**97**	**98**	**99**	**100**
B	D	A	B	C	B	B	B	D	A
101	**102**	**103**	**104**	**105**	**106**	**107**	**108**	**109**	**110**
A	A	C	D	D	C	B	B	D	A
111	**112**	**113**	**114**	**115**	**116**	**117**	**118**	**119**	**120**
D	C	B	C	D	C	C	C	A	D
121	**122**	**123**	**124**	**125**	**126**	**127**	**128**	**129**	**130**
A	C	*	A	C	D	D	C	D	C
131	**132**	**133**	**134**	**135**	**136**	**137**	**138**	**139**	**140**
A	B	A	A	C	C	B	A	B	C
141	**142**	**143**	**144**	**145**	**146**	**147**	**148**	**149**	**150**
B	D	A	D	A	C	B	C	C	C

व्याख्यात्मक उत्तर

61. तर्कसंगत अनुक्रम : IV–मापना, III–निशान लगाना, I–काटना, V–सिलना, II–पहनना।

63.
(1) 2 3 → These are (boys)
(1) 3 [4] → (Boys) are [naughty]
(1) [4] 5 → [Naughty] (boys) play

संख्या '4', 'Naughty' को प्रदर्शित करती है।

64. ∵ B का पिता, A के पिता का एकमात्र पुत्र है। इसका अर्थ है A, B का पिता है।

65. जिस प्रकार V I C T O R Y तथा W A R
+3 +3 +3 +3 +3 +3 +3   +3 +3 +3
Y L F W R U B   Z D U

उसी प्रकार, S U C C E S S
+3 +3 +3 +3 +3 +3 +3
[V X F F H V V]

66. जिस प्रकार $D \xrightarrow[+8]{} L$ तथा $E \xrightarrow[+8]{} M$

उसी प्रकार $A \xrightarrow[+8]{} \boxed{I}$.

67. (+2 अंशों में, ×2 हरों में)

$\frac{1}{2}, \frac{3}{4}, \frac{5}{8}, \frac{7}{16}, \boxed{\frac{9}{32}}, \frac{11}{64}$

68. माना वृत्त की प्रारम्भिक त्रिज्या = x

∴ वृत्त का प्रारम्भिक क्षेत्रफल = πx^2

वृत्त की नई त्रिज्या = $x \times 50\% = \frac{x}{2}$

∴ वृत्त का नया क्षेत्रफल = $\frac{\pi x^2}{4}$

प्रतिशत कमी = $\frac{\pi x^2 - \frac{\pi x^2}{4}}{\pi x^2} \times 100$

$= \left(1 - \frac{1}{4}\right) \times 100 = \frac{3}{4} \times 100$

$= 75\%.$

69. अभीष्ट समय

$= \frac{\text{दूरी}}{\text{चाल}} = \frac{\text{सुरंग की लम्बाई + रेलगाड़ी की चाल}}{\text{रेलगाड़ी की चाल}}$

$= \frac{1+1}{60} = \frac{2}{60} = \frac{1}{30}$ घंटा = 2 मिनट

70. $\frac{0.96}{4.8} = 0.2.$

71. $\frac{x}{28} = \frac{63}{x}$

$x^2 = 63 \times 28$

$x^2 = 1764$

$x = \sqrt{1764} = 42.$

72. $1 + \frac{1}{1 + \frac{1}{1 + \frac{1}{2}}} = 1 + \frac{1}{1 + \frac{2}{3}} = 1 + \frac{3}{5} = \frac{8}{5}.$

73. $\frac{1}{3} = 0.333, \frac{2}{5} = 0.4, \frac{4}{7} = 0.57, \frac{5}{9} = 0.56$

अतः $\frac{4}{7}$ सबसे बड़ी भिन्न है।

74. 0, 3, 8, 15, 24, [35]

$(1^2 - 1)\ (2^2 - 1)\ (3^2 - 1)\ (4^2 - 1)\ (5^2 - 1)\ (6^2 - 1)$

75. (A) $\sqrt{117} \sim 10$ (2, 3, 5, 7)

117, 3 से विभाज्य है, अतः यह एक अभाज्य संख्या नहीं है।

(B) $\sqrt{147} \sim 12$ (2, 3, 5, 7, 11)

147, 3 से विभाज्य है, अतः यह भाज्य संख्या है।

(C) $\sqrt{149} \sim 12$ (2, 3, 5, 7, 11)

149, $\sqrt{149} \sim 12$ से छोटी किसी भी अभाज्य संख्या (2, 3, 5, 7, 11) से विभाजित नहीं होता, अतः यह एक अभाज्य संख्या है।

76. $\frac{3}{4}, \frac{3}{5}, \frac{2}{3}$

LCM (4, 5, 3) = 60

हर को समान करने पर, हम पाते हैं,

$\frac{45}{60}, \frac{36}{60}, \frac{40}{60}$

$\frac{45}{60} > \frac{40}{60} > \frac{36}{60} \Rightarrow \frac{3}{4} > \frac{2}{3} > \frac{3}{5}.$

78. $\sqrt{0.02 + \sqrt{0.0049}} = \sqrt{0.02 + \sqrt{\frac{49}{10000}}}$

$= \sqrt{0.02 + 0.07} = \sqrt{0.09}$

$= \sqrt{\frac{9}{100}} = \frac{3}{10} = 0.3.$

79. C > B > A > D > E

C – सबसे लंबा; D – A से थोड़ा छोटा; E – सबसे छोटा

80. वह वर्ष जो 4 से पूर्णतः विभाजित हो जाता है अधिवर्ष (लीपवर्ष) कहलाता है। अतः 1704, 4 से विभाजित है अतः वर्ष 1704 एक अधिवर्ष (लीपवर्ष) है।

91. $\frac{24}{18 - x} - \frac{24}{18 + x} = 1$

$24\left[\frac{1}{18 - x} - \frac{1}{18 + x}\right] = 1$

$24\left[\frac{18 + x - 18 + x}{(18 - x)(18 + x)}\right] = 1$

$$24\left[\frac{2x}{324-x^2}\right]=1$$
$$324-x^2=48x$$
$$x^2+48x-324=0$$
$$x^2+54x-6x-324=0$$
$$x(x+54)-6(x+54)=0$$
$$(x-6)(x+54)=0$$
$x=6,\ x=-54 \Rightarrow$ अतः x का धनात्मक मान $= 6$.

92.

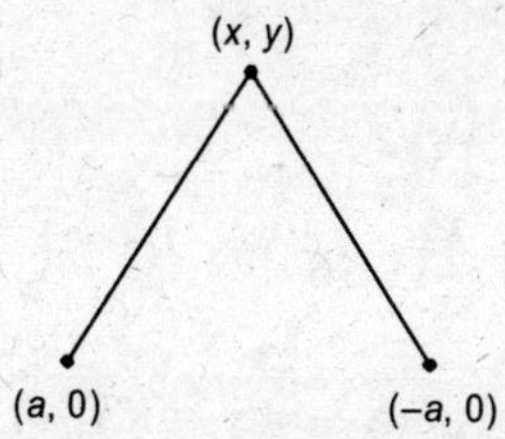

$$\left(\sqrt{(y-0)^2+(x-a)^2}\right)^2+\left(\sqrt{(y-0)^2+(x+a)^2}\right)^2=2b^2$$
$$y^2+(x-a)^2+y^2+(x+a)^2=2b^2$$
$$2y^2+x^2+a^2-2xa+x^2+a^2+2xa=2b^2$$
$$2y^2+2x^2+2a^2=2b^2$$
$$x^2+y^2+a^2=b^2$$
$$x^2+a^2=b^2-y^2.$$

93. माना हरि और श्याम की वर्तमान आयु क्रमशः $5x$ और $7x$ हैं।
$$\frac{5x+4}{7x+4}=\frac{3}{4}$$
$$20x+16=21x+12$$
$$x=4$$
$\therefore$ हरि की वर्तमान आयु $= 5x = 5\times4 = 20$ वर्ष

94. माना मूलधन राशि = ₹ x

तब, $$x\left[\left(1+\frac{5}{100}\right)^3-1\right]=1261$$
$$x\left[\left(\frac{21}{20}\right)^3-1\right]=1261$$
$$x\left[\frac{(21)^3-(20)^3}{(20)^3}\right]=1261$$
$$x\left[\frac{9261-8000}{8000}\right]=1261$$
$$x\times\frac{1261}{8000}=1261$$
$x =$ ₹ 8000.

95. ईंटों की अभीष्ट संख्या $=\dfrac{\text{दीवार का आयतन}}{\text{एक ईंट का आयतन}}$
$$=\frac{(8\times100)\,\text{cm}\times(6\times100)\,\text{cm}\times23\,\text{cm}}{25\,\text{cm}\times11.5\,\text{cm}\times6\,\text{cm}}$$
$$=\frac{1104\times10000}{1725}=6400.$$

96. हम जानते हैं कि,
एक नियमित बहुभुज जिसकी भुजा n है, के प्रत्येक अन्तःकोण की माप $=\dfrac{(n-2)\times\pi}{n}$

$n=15,\qquad =\dfrac{(15-2)\times180}{15}=13\times12=156°.$

97. दिया है,
मूलों का योग $= -3$, मूलों का गुणनफल $= 2$
द्विघात समीकरण
$= x^2 -$ (मूलों का योग)x + (मूलों का गुणनफल)
$= x^2-(-3)x+2=x^2+3x+2.$

98. घनाभ में रखे जाने वाले घनों की संख्या
$$=\frac{\text{घनाभ का आयतन}}{\text{घन का आयतन}}=\frac{64\times54\times30}{6\times6\times6}=480.$$

99. माना संख्या $= 10y + x$
$$10y+x=4(x+y)$$
$$6y=3x$$
$$x=2y \qquad \text{...}(i)$$
$$10y+x=3(xy)$$
$$10y+2y=3(2y^2)$$
$$6y^2-12y=0$$
$$y(6y-12)=0$$
$$y\neq0,\ y=2$$
यदि $y=2,\ x=4$ $\therefore$ संख्या $= 10\times2+4=24.$

100. एक घुमाव में चली गई दूरी $= 2\pi r$

$\therefore$ घुमाव की संख्या $=\dfrac{(352\times100)\,\text{cm}}{2\times\frac{22}{7}\times28}=\dfrac{35200}{176}=200.$

102. 21, 18, 15, ...
माना -81, nवाँ पद है।
$\because$ दी गई श्रेणी एक समान्तर श्रेणी है
$$d=18-21=-3$$
$$a=21$$
nवाँ पद $= a+(n-1)d$
$$-81=21+(n-1)(-3)$$
$$-102=(n-1)(-3)$$
$$n-1=34$$
$$n=35.$$

103. साड़ी का विक्रय मूल्य = 2200 का 126%
$= 126\times22 = 2772$

साड़ी का अंकित मूल्य $=\dfrac{100}{100-12}\times2772 =$ ₹ 3150.

104.
$$M_1D_1=M_2D_2$$
$$25\times36=15\times D_2$$
$D_2=\dfrac{25\times36}{15}=60$ दिन.

105. माना C की आय = ₹ 100

तब, B की आय = ₹ 120

$$\text{A की आय} = 120 \times \frac{125}{100} = ₹\ 150$$

$$\text{A की आय C से अधिक है} = \frac{150-100}{100} \times 100 = 50\%.$$

106. $$\frac{SP_1}{100 \pm P/L\%} = \frac{SP_2}{100 \pm P/L\%}$$

$$\frac{110}{100-12} = \frac{SP_2}{100+8}$$

$$\frac{110}{88} = \frac{SP_2}{108}$$

$$\Rightarrow \quad SP_2 = \frac{110 \times 108}{88} = ₹\ 135.$$

107. $$\sqrt[3]{46656} = \sqrt[3]{36 \times 36 \times 36} = 36.$$

108. माना बेलनों की त्रिज्याएँ क्रमशः $2x$ और $3x$ हैं तथा ऊँचाईयाँ $5y$ और $3y$ हैं।

$$\text{तब, आयतनों का अनुपात} = \frac{\pi(2x)^2(5y)}{\pi(3x)^2(3y)} = \frac{20}{27}.$$

109. माना संख्याएँ $3x$ और $5x$ हैं

$$\text{तब,} \quad \frac{3x-9}{5x-9} = \frac{12}{23}$$

$$69x - 207 = 60x - 108$$

$$9x = 207 - 108$$

$$9x = 99$$

$$x = 11$$

अतः दूसरी संख्या = $5x = 5 \times 11 = 55$.

110. $$2^x = 4^y = 8^z$$

$$2^x = 2^{2y} = 2^{3z}$$

$$\therefore \quad x = 2y,\ 3z \equiv k$$

$$\therefore \quad x = k,\ y = \frac{k}{2},\ z = \frac{k}{3}$$

$$\frac{1}{2x} + \frac{1}{4y} + \frac{1}{4z} = 4$$

$$\frac{1}{2k} + \frac{1}{2k} + \frac{3}{4k} = 4$$

$$\frac{1}{k} + \frac{3}{4k} = 4 \Rightarrow \frac{4+3}{4k} = 4$$

$$k = \frac{7}{16}$$

$$\therefore \quad x = k = \frac{7}{16}$$

111. ल.स.प. (3, 4, 5, 6, 8) = 120

∴ दिए गए विकल्पों में न्यूनतम पूर्ण वर्ग संख्या 3600 है।

112. $$\text{अभीष्ट प्रायिकता} = \frac{130-75}{130} = \frac{55}{130}.$$

113. $\sqrt[4]{81} + \sqrt[3]{216} + \sqrt[5]{32} = 3 + 6 + 2 = 11.$

114. माना तीसरी भुजा = x

दिया है, परिमाप = 32

$$8 + 11 + x = 32$$

$$19 + x = 32$$

$$x = 13$$

$$\text{अर्ध परिमाप (S)} = \frac{32}{2} = 16$$

$$\text{त्रिभुज का क्षेत्रफल} = \sqrt{S(S-a)(S-b)(S-c)}$$

$$= \sqrt{16(16-8)(16-11)(16-13)}$$

$$= \sqrt{16 \times 8 \times 5 \times 3}$$

$$= \sqrt{16 \times 4 \times 30} = 8\sqrt{30} \text{ सेमी.}^2.$$

116. $z + 80 = 120°$ (बाह्य कोण)

$$z = 40°$$

ΔADB में, $x° + 120° + y° = 180°$

$$x° + y° = 60°$$

∴ दिया है, $x = 3y$

∴ $4y = 60°,\ y = 15°$

तथा $x = 3 \times 15° = 45°.$

117. $$\text{चौड़ाई} = \sqrt{d^2 - l^2} = \sqrt{(41)^2 - (40)^2} = \sqrt{1 \times 81} = 9$$

आयत का परिमाप = $2(l + b)$

$= 2(40 + 9) = 2 \times 49 = 98$ सेमी.

118. $$\left[\left(3^{-7} \div 3^{-10}\right) \times 3^{-5}\right] \Big/ \left[\left(\frac{-2}{3}\right)^{-2}\right]^2$$

$$= 3^{-2} \Big/ \left(-\frac{2}{3}\right)^{-4} = \frac{3^{-2}}{\left(-\frac{3}{2}\right)^4} = \frac{2^4}{(-3)^6} = \frac{16}{729}.$$

119. एक वस्तु का लागत मूल्य = 15,500 + 450 = 15,950

वस्तु का विक्रय मूल्य

$$= 15,950\left(\frac{100+15\%}{100}\right) = 15,950 \times \frac{115}{100} = 18342.50.$$

120. माना नए छात्र का भार = x किग्रा.

तब, $19 \times 25 + x = 20 \times 24.8$

$475 + x = 496 \Rightarrow x = 496 - 475 = 21$ किग्रा.

पिछले प्रश्न-पत्र (हल सहित)

हरियाणा शिक्षक पात्रता परीक्षा (HTET)

Level-I (प्राथमिक शिक्षक), 2014-15*

भाग-I

बाल विकास एवं शिक्षाशास्त्र

निर्देशः *निम्नलिखित प्रश्नों के उत्तर देने के लिए **सबसे उचित** विकल्प चुनिए।*

1. सामान्य परिपक्वता से पहले प्रशिक्षित करना प्रायः
A. सामान्य कौशलों के निष्पादन के संदर्भ में बहुत लाभकारी होता है।
B. दीर्घकालिक दृष्टिकोण से लाभकारी होता है।
C. सभी दृष्टिकोण से हानिकारक होता है।
D. प्रशिक्षण हेतु उपयोग में ली गई विधि पर निर्भर करते हुए लाभकारी या हानिकारक होता है।

2. बाल्यकाल होता है :
A. जन्म से लेकर 3 वर्ष की आयु तक
B. तीसरे वर्ष से लेकर 6 वर्ष की आयु तक
C. छठे वर्ष से लेकर 12 वर्ष की आयु तक
D. दूसरे वर्ष से लेकर 10 या 12 वर्ष की आयु तक

3. विद्यार्थियों को विद्यालय में खेल क्यों खेलने चाहिए?
A. यह उन्हें शारीरिक रूप से सशक्त बनाएगा।
B. यह शिक्षकों का काम आसान करेगा।
C. यह समय बिताने में सहायक होगा।
D. यह सहयोग एवं शारीरिक संतुलन का विकास करेगा।

4. निम्नलिखित में से अधिगम संबंधी कौन-सा कथन सही **नहीं** है?
A. इसे उचित वातावरण चाहिए।
B. परिपक्वता का इससे कोई संबंध नहीं है।
C. सहायक सामग्री अधिगम में मदद करती है।
D. अधिगम प्रक्रिया में अभिप्रेरणा महत्त्वपूर्ण भूमिका निभाती है।

5. शिक्षा बच्चों की सहायक होती है, उनके :
A. शारीरिक विकास में
B. केवल मानसिक विकास में
C. सर्वांगीण विकास में
D. केवल चरित्र विकास में

6. शिक्षण सबसे अधिक प्रभावी होता है जब :
A. विद्यार्थी विषय में रुचि लेते हैं।
B. शिक्षक को विषय का गहन ज्ञान हो।
C. विद्यार्थियों को उनके मानसिक स्तर के अनुरूप शिक्षा दी जाए।
D. एक ही विषय-वस्तु को बार-बार दोहराया जाए।

7. एक बालक कक्षा में सीखे गए गणित का उपयोग किसी अन्य विषय के प्रश्न को हल करने में करता है, तो यह है :
A. अधिगम का सकारात्मक स्थानांतरण
B. अधिगम का शून्य स्थानांतरण
C. अधिगम का नकारात्मक स्थानांतरण
D. प्रेरणात्मक स्थानांतरण

8. निम्नलिखित में से कौन-सा कारक बच्चे के संवेगात्मक विकास को सबसे कम प्रभावित करने वाला है?
A. परिवार
B. आर्थिक स्थिति
C. स्वास्थ्य
D. खेलकूद

9. कोहलबर्ग के अनुसार वह स्तर जिसमें बालक की नैतिकता दंड के भय से नियंत्रित रहती है, कहलाता(ती) है :
A. पूर्व-नैतिक अवस्था
B. परम्परागत नैतिक स्तर
C. आत्म-स्वीकृत नैतिक अवस्था
D. नैतिकता स्तर

10. पियाजे के संज्ञानात्मक विकास के चार चरणों गें कौन रा राम्मिलित **नहीं** है?
A. इंद्रिय गामक अवस्था
B. पूर्व-संक्रियात्मक अवस्था
C. उत्तर-संक्रियात्मक अवस्था
D. अमूर्त संक्रियात्मक अवस्था

11. निम्नलिखित में से कौन-सा कथन सही **नहीं** है?
A. विकास और वृद्धि एक-दूसरे के पर्यायवाची हैं।
B. विकास एक सतत प्रक्रिया है।
C. वृद्धि विकास का ही एक भाग है।
D. विकास कार्यक्षमता, कार्यकुशलता और व्यवहार में आने वाले गुणात्मक परिवर्तनों को प्रकट करता है।

12. निम्नलिखित में से कौन-सी नैतिक आदत **नहीं** है?
A. सत्य बोलना
B. सहानुभूति दिखाना
C. सही उच्चारण करना
D. जीवों पर दया दिखाना

* *परीक्षा 15 नवम्बर, 2015 को आयोजित हुई।*

13. निम्नलिखित में से कौन-सा विकल्प शिक्षा मनोविज्ञान की एक सीमा है?
A. बाल विकास की विभिन्न अवस्थाओं का ज्ञान
B. कक्षा की समस्याओं का समाधान
C. बालक केंद्रित शिक्षा
D. वैयक्तिक विभिन्नताओं की समस्या

14. निम्नलिखित में से कौन-सा विकल्प अधिगम के संबंध में सही **नहीं** है?
A. अधिगम समायोजन है
B. अधिगम सिर्फ ज्ञान प्राप्ति है
C. अधिगम विकास है
D. अधिगम परिपक्वता है

15. केस अध्ययन विधि के संबंध में क्या सही **नहीं** है?
A. यह एक वैज्ञानिक विधि है।
B. यह विधि बहुत जटिल होती है।
C. यह सरल और सस्ती होती है।
D. यह कारण का पता लगाकर समस्याओं का निदान करती है।

16. कक्षा तीन के विद्यार्थियों के लिए निम्नलिखित में से शिक्षण का सबसे अच्छा तरीका कौन-सा होगा?
A. प्रयोगशाला विधि B. समूह वार्तालाप
C. व्याख्यान विधि D. सृजनात्मक क्रियाकलाप

17. निम्नलिखित में से कौन-सी एक बालक की मनोगत्यात्मक गतिविधि **नहीं** होती?
A. खेलना B. गेंद फेंकना
C. लिखना D. सोचना

18. बच्चों के संज्ञानात्मक विकास को सबसे अच्छे तरीके से कहाँ परिभाषित किया जा सकता है?
A. खेल का मैदान B. घर
C. ऑडिटोरियम D. विद्यालय एवं कक्षा

19. बुद्धिलब्धि संबंधी विभिन्नताओं में कौन सम्मिलित **नहीं** है?
A. औसत बुद्धिमान B. बुद्धिमान
C. कला में रुचि D. मंदबुद्धि

20. निम्नलिखित में से बौद्धिक वातावरण को प्रभावित करने वाला सबसे महत्त्वपूर्ण कारक कौन-सा है?
A. विद्यालय का वातावरण
B. परिवार का वातावरण
C. पास-पड़ोस का वातावरण
D. सांस्कृतिक वातावरण

21. पियाजे के अनुसार विकास की प्रथम अवस्था (जन्म से 2 वर्ष तक) में बच्चा अधिक उपयुक्त प्रकार से जिसके द्वारा सीखता है, वह है
A. इंद्रियों के प्रयोग द्वारा
B. अमूर्त चिंतन द्वारा
C. भाषा के नए सीखे शब्दों के बोध के द्वारा
D. मूर्त चिंतन द्वारा

22. निम्नलिखित में से किस क्षेत्र में एन.सी.ई.आर.टी. मनोविज्ञान का प्रयोग कर रहा है?
A. पाठ्यपुस्तकों का निर्माण B. विद्यालय संगठन
C. विषय निर्धारण D. वित्तीय सहायता

23. निम्नलिखित में से किस कारक का सीखने पर सबसे कम प्रभाव पड़ता है?
A. थकान B. आयु
C. रोग D. लिंगभेद

24. निम्नलिखित में से कौन-सा प्रश्नावली विधि का दोष **नहीं** है?
A. अच्छे प्रश्न बनाना एक कठिन कार्य है।
B. इस विधि से अनेक व्यक्तियों के विचार जाने जा सकते हैं।
C. हो सकता है कि सम्मिलित प्रश्न सुनियोजित न हों।
D. हो सकता है कि लोग प्रश्नों के उत्तर देने में रुचि न रखते हों।

25. निचली कक्षाओं में शिक्षण की खेल विधि जिस पर आधारित है, वह है
A. शारीरिक शिक्षा कार्यक्रम
B. शिक्षण की विधियों के सिद्धांत
C. विकास और वृद्धि के मनोवैज्ञानिक सिद्धांत
D. शिक्षण के समाजशास्त्रीय सिद्धांत

26. निम्नलिखित में से कौन-सा लक्षण बहिर्मुखी व्यक्तित्व का **नहीं** है?
A. मिलनसार
B. नेतृत्व शक्ति
C. आक्रामक स्वभाव
D. दिवास्वप्न देखनेवाला

27. निम्नलिखित में से कौन-सा बालक के मानसिक स्वास्थ्य पर प्रभाव डालने वाला कारक **नहीं** है?
A. परिवार में गरीबी B. कक्षा में नींद आना
C. स्नेह का अभाव D. पारिवारिक क्लेश

28. निम्नलिखित में से कौन-सी अभिवृत्ति की विशेषता **नहीं** है?
A. यह प्रेरणात्मक होती है।
B. यह हमारे व्यवहार का आधार होती है।
C. यह अस्थायी होती है।
D. यह सीखी जाती है।

29. एक बालक की संज्ञानात्मक शक्तियाँ जैसे कल्पना-शक्ति, बुद्धि, निर्णय लेने की क्षमता, आदि का संबंध है बालक के :
A. शारीरिक विकास से
B. सामाजिक विकास से
C. सर्वांगीण विकास से
D. मानसिक विकास से

30. उपचारात्मक विधि का प्रयोग जिनके लिए किया जाता है, वे हैं :
A. सामान्य बच्चे
B. समस्यात्मक बच्चे
C. सामान्य तथा समस्यात्मक बच्चे
D. प्रतिभाशाली बच्चे

भाग-II

भाषा-I : हिन्दी

निर्देशः *निम्नलिखित प्रश्नों के उत्तर देने के लिए* ***सबसे उचित*** *विकल्प चुनिए।*

31. निम्न में से 'अयोगवाह' है :

A. त्र B. आ

C. विसर्ग (:) D. ज

32. निम्न में से **सही** विकल्प का चयन कीजिए :

A. श्रोत B. स्रोत

C. स्रोत्र D. स्त्रोत

33. 'ललना' निम्न में से पर्याय है :

A. गाय का B. कोयल का

C. स्त्री का D. मोर का

34. 'वह नदी में तैरने लगा', वाक्य प्रकार है :

A. संयुक्त वाक्य B. सरल वाक्य

C. मिश्र वाक्य D. इनमें से कोई नहीं

35. 'कलश–कुलिश' शब्द युग्म का उपयुक्त अर्थ है :

A. गागर – पत्थर B. घड़ा – वज्र

C. घट – चट्टान D. घड़ा – बिजली

36. 'अवर' शब्द का विलोम है :

A. प्रवर B. निवर

C. ऊपर D. विवर

37. निम्नांकित में 'इक' प्रत्यय से निर्मित शब्द नहीं है :

A. शैक्षणिक B. अधिक

C. ऐतिहासिक D. नैयायिक

38. निम्न में से बेमेल शब्द चुनिए :

A. ध्वजा B. निशान

C. केतु D. चमक

39. 'सफेदी' शब्द है :

A. जातिवाचक संज्ञा B. भाववाचक संज्ञा

C. गुणवाचक विशेषण D. व्यक्तिवाचक संज्ञा

40. 'वह पुस्तक अच्छी है' में 'वह' शब्द है :

A. सर्वनाम B. सार्वनामिक विशेषण

C. निश्चित गुणवाचक विशेषण D. निश्चयवाचक सर्वनाम

41. 'आसमान पर थूकना' मुहावरे का अर्थ है :

A. ऊपर की ओर थूकना

B. असम्भव बातें करना

C. प्रतिष्ठित व्यक्ति की निंदा करना

D. झूठी शान दिखाना

42. निम्न में से तत्सम है :

A. वधू B. घी

C. खजूर D. पलंग

43. निम्न में देशज शब्द है :

A. कपास B. इरादा

C. हास्य D. सास

44. 'आजानुबाहु' शब्द में समास है :

A. द्वन्द्व B. कर्मधारय

C. अव्ययीभाव D. तत्पुरुष

45. 'अहोरात्र' का संधि-विच्छेद है :

A. अहन + रात्रि B. अहन् + रात्रि

C. अहो + रात्र D. अहा + रात्रि

46. 'जिसे बुलाया न गया हो', उसे कहते हैं :

A. अतिथि B. अनाहूत

C. अनागत D. अयाचित

47. 'अक्कड़' प्रत्यय, कृत् प्रत्यय का कौन-सा प्रकार है?

A. कर्तृवाचक B. कर्मवाचक

C. करणवाचक D. भाववाचक

48. 'लज्जा' शब्द है :

A. तत्सम B. तद्भव

C. देशज D. अर्ध तत्सम

49. 'महत्त्व' का उचित संधि-विच्छेद है :

A. महत् + त्व B. मह + त्व

C. महान् + त्व D. महत् + व

50. **अशुद्ध** शब्द को चुनिए :

A. पूज्यनीय B. चहारदीवारी

C. उच्छिष्ट D. पारिवारिक

51. निम्नलिखित में कौन एक अन्य तीन से भिन्न है?

A. कांता B. पत्नी

C. प्रिया D. कांति

52. '<u>फिजूलखर्ची</u> करना बुरी आदत है'–रेखांकित शब्द का समानार्थी चुनिए :

A. मितव्यय B. अपव्यय

C. परिव्यय D. उपर्युक्त सभी

53. क्रिया के मूलरूप को क्या कहते हैं?

A. क्रियाविशेषण B. कारक

C. धातु D. इनमें से कोई नहीं

54. 'अपन ठीक रास्ते पर हैं।' वाक्य में **अशुद्धि** है :

A. वर्तनी संबंधी B. अव्यय संबंधी

C. सर्वनाम संबंधी D. लिंग संबंधी

55. वाक्य का वह अंश जो वाक्य के उद्देश्य के विषय में बताता है, कहलाता है :

A. विधेय　　B. विस्तारक
C. वाचक　　D. उपवाक्य

निर्देश (प्रश्न सं. 56-60): *निम्नलिखित गद्यांश को पढ़कर दिये गये प्रश्नों के* ***सबसे उचित*** *विकल्प को चुनिए:*

काव्य में एक पथ के पान्थ हैं तुलसीदास और दूसरे के कालिदास। तुलसी शील की छाँह में छँहाते चलते हैं, और कालिदास बिजलियों की कौंध से आँखें मिलाते चलते हैं। तुलसी में मलयज की तरह ताप-निवारण की क्षमता है, कालिदास में लोहित चन्दन की तरह उन्मादन राग-विवर्धन की शक्ति है। एक तीसरा भी पन्थ है, केशर या हल्दी के रंग में मलयज को संसक्त करके तिलक देने वालों का। रागात्मिका भक्ति के द्वारा दक्षिण और वाम पथ के बीच सहज समाधान प्राप्त करने वालों का। इनके तिलक में बंकिमा और सादगी दोनों होती हैं। सूरदास, हितहरिवंश, व्यास आदि इसी पन्थ के प्रणेता हैं। और एक चौथा चन्दन भी है, जिसको वैष्णव जन गोपी-चन्दन कहते हैं। मेरी एक परम वैष्णव चाची हैं, वे बतलाती हैं कि जिस सरोवर में गोपियों ने स्नान करके अपने प्रेष्ठ भगवान् का साक्षात्कार पाया, उस सरोवर की मिट्टी ही समर्पित गोपी के अंग से लगकर चन्दन बन गयी है। सम्भवतः जितने भी दुराव, आवरण और आत्मसंकोच आदि कृपणभाव हो सकते हैं, उन सबसे मुक्त होकर अपने को निश्शेष भाव से जो अपने सर्वश्रेष्ठ काम्य के लिए अर्पण करते हैं, तो मलयाचल की तरह अपने आश्रय-मात्र को चन्दन बनाने में वे समर्थ हो ही जाते हैं। हाँ, यह गोपी-चन्दन बहुत ही उच्चतर भूमिका वाले सिद्ध भक्तों के लिए ही है।

पर मैं तो यह मानता हूँ कि चन्दन जो भी हो, किसी रंग में भी सना हो, वह हमारी विश्वभावना का ही एक शुष्कप्राय खण्ड है, जिसे रस-सिक्त करना हमारा सतत कर्तव्य है। जिस किसी भी शिला का हम होरसा बनवाएँ, वह धरती पर टिकी हो, संघर्षण में वह डगमगाने वाली न हो। हम जो कोई भी जल सींच-सींचकर चन्दन को आर्द्र करें; वह शुचि हो, स्वच्छ हो और अभिमन्त्रित हो। हम तिलक जो भी लगाएँ, वह अर्पित चन्दन का तिलक हो, स्वार्थ संघृष्ट न हो, सुविस्तृत विश्व को सुरभित करने से जो बचा हो, वही हम अपने सिर-आँखों लें, इसी में हमारी भव्य परम्परा की अभिवृद्धि और हम सभी के अन्तःकरणों का सौमनस्य सन्निहित है। तत्त्वतः हमीं चन्दन हैं, हमीं पानी हैं, हमीं होरसा हैं, हमीं कटोरी हैं जिसमें चन्दन रखा जाता है। हमीं अर्चनीय देवता हैं और हमीं अर्चक भक्त हैं; पर यह हमारा विस्तार बोध भी तभी जगता है, जब हम प्रभु को चन्दन और अपने को पानी मानकर चलते हैं। उदात्त रूपों का आकार सामने रखकर उनसे उनका सार ग्रहण करते हुए जीवन में उतारना है, यह ध्येय सामने रखकर चलते हैं और जो भी उदात्त गुण हम अर्जित करते हैं, उनको विश्वहित में विनियोजित करने का संकल्प लेकर चलते हैं।

56. 'मलयज' का अर्थ है :

A. मलय पर्वत की वायु　　B. चन्दन
C. कामदेव　　D. शीतलता

57. कालिदास की काव्य-क्षमता तुलनीय है :

A. राग-विवर्धन से　　B. मलयज से
C. लोहित चन्दन से　　D. ताप-निवारण से

58. सूरदास के साहित्य की विशेषता है :

A. रागात्मिक भक्ति
B. बंकिमा और सादगी
C. दक्षिण और वाम का मध्यम मार्ग
D. उपर्युक्त सभी

59. मलयाचल की तुलना की गई है :

A. वैष्णवों से
B. सरोवर से
C. निश्शेष भाव से अर्पण करने वालों से
D. भगवान का साक्षात्कार पाने वालों से

60. विस्तार भाव जगता है :

A. प्रभु को चन्दन और अपने को पानी मानने से
B. ध्येय को सामने रखने से
C. वैष्णव भक्ति से
D. रस-सिक्त होने से

भाग-III

भाषा-II : अंग्रेजी

Directions : *Answer the following questions by selecting the* ***most appropriate*** *option.*

61. Choose the ***appropriate*** preposition for the blank:
'I shall come back .... 7 O'clock.'

A. in　　B. to
C. at　　D. for

62. The word 'Kindergarten' is a German word meaning

A. beautiful garden　　B. lovely garden
C. small garden　　D. children's garden

63. According to you, how can grammar be best taught to students?

A. By giving more and more written exercises
B. By giving clear explanation
C. By memorising definitions, rules
D. By giving practice in context

64. Choose the ***appropriate*** article for the blank :
'A gentleman came to school to see .... Principal.'

A. a　　B. the
C. an　　D. zero article

65. It is rightly said that a teacher always keeps on learning. A teacher learns from

A. Books B. Friends/Colleagues
C. Students D. All of the above

66. According to you, what type of atmosphere is required for learning?

A. Social B. Noisy
C. Adverse D. Quiet

67. The captain said to the soldiers, "You will guard this bridge."
Here the captain

A. requests B. orders
C. advices D. invites

68. During the British rule in India, who played the most significant role in making English as a medium of education?

A. Macaulay B. Dalhousie
C. Curzon D. William Bentinck

69. Choose the most ***appropriate*** option for the blank:
'There is hardly .... time left for the bus.'

A. any B. much
C. more D. most

70. Fill in the blank with the ***correct*** option in given sentence:
"I paid the bill but the cashier did not give the ...."

A. receipt B. receive
C. receiving D. received

71. Which word of the given words is an adjective?

A. Wisdom B. Truth
C. Intelligent D. Youth

72. The synonym of 'Courteous' is:

A. impolite B. kind
C. polite D. kindness

73. Complete the sentence with the ***correct*** option:
"My brother goes for a walk daily. He walks very ...."

A. fast B. quick
C. slow D. fastly

74. Choose a ***suitable*** pronoun for the blank, from the options given:
"Heena and Teena own a house. .... house is beautifully built."

A. His B. Her
C. Theirs D. Their

75. He said to Mohan, "Help me, please."
In reported speech the above sentence will be:

A. He requested Mohan to help him.
B. He suggested Mohan to help him.
C. He ordered Mohan for help.
D. He thanked Mohan for his help.

Directions (Q. No. 76 to 82): *Read the following passage carefully and answer the questions strictly from the passage.*

Forget goodwill and equality when it comes to our friendship. Research has shown that when it comes to picking friends, we feel most comfortable in the company of people who we think are on the same level as us socially or even slightly below us. It doesn't matter how well you're doing as long as you believe you are better off than your friends and neighbours you find your life more fulfilling.

This new research might come as a shock to many, but if we are completely honest with ourselves, we would realise that we have felt slightly threatened by a friend's success sometime or the other. Even with past friendships, the real reason could be that at some point, one of you may have felt a bit superior or inferior to the other. Even if we don't spell it out, most friendships have a lot going on below the surface. As much as we may try to deny it or pretend otherwise, most of us are easily impressed by a great job, a large bank account or rising social status when it comes to picking a partner, or friends. In both cases, we want people who are there for us and reinforce our own self-worth. So, more often than not, the question that is running through our heads is, how can we choose a good friend, if we were not as good ourselves? But it's not all about the outward trappings. Very often, it is the emotional bit that is relevant. For instance, a woman losing vast amounts of weight may get not very complimentary feedback from close friends, no matter how fabulous she looks. She could be accused of being too thin or even arrogant suddenly. What has happened basically is that as her friendship status has gone up, she is forcing her friends to re-evaluate theirs.

76. When we choose friends, we don't pay attention to:

A. their mental level
B. financial status
C. goodwill or equality
D. superiority

77. We become jealous of our friend's success because:

A. we can't accept a challenge
B. we feel threatened by their success
C. they have a higher status
D. we are incapable of achieving success

78. We attach more importance to the rising status of our friends because:

A. of their higher financial status
B. of their respect in society
C. it reinforces our own self-worth
D. of their reflected glory

79. A fat woman who has lost weight may not get good compliments from her friends because:

A. her friendship status has suddenly gone up that forces them to re-evaluate their own status
B. she looks more beautiful than the others
C. she has become arrogant
D. she has challenged their beauty

80. We feel comfortable in the company of friends who:
A. are less beautiful
B. are of similar or a little lower social standing
C. enjoy better reputation in the society
D. are polite and well mannered

81. We wish to be re-evaluated when:
A. we are in a financial crisis
B. we are in distress
C. our status is better off
D. we have so many friends

82. The word 'arrogant' in the passage means:
A. Youthful
B. Morose
C. Proud and unpleasant
D. Resentful

83. In making classroom teaching effective, the most important part is:
A. Lesson plan
B. Study material
C. Teaching method
D. Teacher's personality

84. The word opposite in meaning to 'innocent' is:
A. guilty B. clever
C. smart D. ignorant

85. Choose the ***correct*** option of the given jumbled words:
art / study / do / ? / you
A. You study art do? B. You do art study?
C. Do you study art? D. You do study art?

86. Choose the word which has a different sound (underlined in the beginning):
A. <u>Ch</u>eque B. <u>Ch</u>ain
C. <u>Ch</u>eck D. <u>Ch</u>emistry

87. The Montessori system of teaching focuses on
A. the child B. the teacher
C. the textbook D. the study material

88. Fill in the blank with the **correct** form of verb given in brackets from the options :
The train .... (leave) before he reached the station.
A. left B. had left
C. was leaving D. had been leaving

89. Identify the word which has a different sound (underlined in the last)
A. tou<u>gh</u> B. lau<u>gh</u>
C. hi<u>gh</u> D. rou<u>gh</u>

90. 'Kavita is a <u>beautiful</u> girl.'
The underlined word in the sentence is used as a/an
A. Noun B. Verb
C. Adjective D. Adverb

भाग-IV

गणित

निर्देशः *निम्नलिखित प्रश्नों के उत्तर देने के लिए **सबसे उचित** विकल्प चुनिए।*

91. सबसे छोटी वर्ग संख्या ज्ञात कीजिए जो प्रत्येक संख्या 6, 9 और 15 से विभाजित हो जाए :
A. 225 B. 900
C. 450 D. 36

92. एक खिलौना कार का विक्रय मूल्य ₹ 540 था। एक दुकानदार ने उसे 20% लाभ पर बेचा। खिलौने का क्रय मूल्य क्या था?
A. ₹ 385 B. ₹ 375
C. ₹ 350 D. ₹ 450

93. $\left(\frac{1}{64}\right)^{-5/6}$ का मान होगा :
A. 8 B. 16
C. 32 D. 1/32

94. एक समचतुर्भुज का क्षेत्रफल 240 वर्ग सेमी है और विकर्णों में से एक की लंबाई 16 सेमी है। दूसरा विकर्ण ज्ञात कीजिए :
A. 20 सेमी B. 30 सेमी
C. 25 सेमी D. 15 सेमी

95. m का मान ज्ञात कीजिए ताकि :
$(-3)^{m+1} \times (-3)^5 = (-3)^7$
A. 4 B. 2
C. 1 D. 0

96. 105 लिफाफों का मूल्य ₹ 35 है। ₹ 10 में कितने लिफाफे खरीदे जा सकते हैं?
A. 30 B. 24
C. 32 D. 27

97. समीर की माँ की वर्तमान आयु समीर की वर्तमान आयु की तीन गुनी है। 5 वर्ष बाद उन दोनों की आयु का योग 66 वर्ष हो जाएगा। समीर की वर्तमान आयु ज्ञात कीजिए :
A. 14 वर्ष B. 16 वर्ष
C. 12 वर्ष D. 15 वर्ष

98. यदि $\frac{x}{y} = \frac{5}{3}$, तो $\frac{x+y}{x-y}$ का मान है :
A. 4 B. 2
C. −2 D. −4

99. किसी संख्या के तिगुने और 11 का योग 32 है। वह संख्या ज्ञात कीजिए :

A. 5　　B. 7
C. 11　　D. 9

100. वह सबसे छोटी संख्या ज्ञात कीजिए जिसे 12, 16, 24 और 36 से भाग देने पर प्रत्येक दशा में 7 शेष रहता है :

A. 144　　B. 151
C. 165　　D. 148

101. एक सम बहुभुज की भुजाओं की संख्या ज्ञात कीजिए जिसके प्रत्येक बाह्य कोण की माप 45° है :

A. 8　　B. 10
C. 6　　D. 4

102. 13824 का घनमूल ज्ञात कीजिए :

A. 17　　B. 18
C. 28　　D. 24

103. एक समकोण त्रिभुज की दो छोटी भुजाओं का माप 8 सेमी तथा 6 सेमी है। इसकी तीसरी भुजा का माप होगा :

A. 14 सेमी　　B. 9 सेमी
C. 10 सेमी　　D. 100 सेमी

104. ₹ 4,500 के ऋण पर 2 वर्ष बाद मनोहर ₹ 750 साधारण ब्याज देता है। ब्याज की दर प्रतिशत ज्ञात कीजिए :

A. 8%　　B. $8\frac{1}{3}$%
C. 9%　　D. $9\frac{2}{3}$%

105. मेरी कार 25 लीटर पेट्रोल में 150 किमी की दूरी तय कर सकती है। 30 लीटर पेट्रोल में यह कितनी दूरी तय कर सकेगी?

A. 205 किमी　　B. 195 किमी
C. 180 किमी　　D. 175 किमी

106. 18, 35, 10, 42, 21 की माध्यिका होगी :

A. 18　　B. 10
C. 21　　D. 5

107. $2^3 \times a^3 \times 5a^4$ का मान होगा :

A. $10a^{10}$　　B. $40a$
C. $40a^7$　　D. $40a^{12}$

108. सोहन ने एक पुराना रेफ्रिजरेटर ₹ 2,500 में खरीदा। उसने ₹ 500 उसकी मरम्मत पर खर्च किए और ₹ 3,300 में बेच दिया। उसका लाभ अथवा हानि प्रतिशत ज्ञात कीजिए :

A. 15% हानि　　B. 10% हानि
C. 12% लाभ　　D. 10% लाभ

109. एक छात्रावास में 100 विद्यार्थी हैं और उनके भोजन की सामग्री 20 दिन के लिए पर्याप्त है। यदि इस छात्रावास में 25 विद्यार्थी और आ जाएँ, तो यह भोजन सामग्री कितने दिन चलेगी?

A. 16 दिन　　B. 20 दिन
C. 26 दिन　　D. 12 दिन

110. यदि किसी संख्या का $\frac{2}{3}$ भाग उसी संख्या के $\frac{3}{5}$ भाग से 4 अधिक हो, तो वह संख्या ज्ञात करें :

A. 30　　B. 40
C. 60　　D. 20

111. संख्याओं 5, 7, 9, 12, 10, 15, 7, 8, 7, 25 का बहुलक क्या होगा?

A. 5　　B. 7
C. 9　　D. 12

112. एक ऐसे बेलन की ऊँचाई ज्ञात कीजिए जिसकी त्रिज्या 7 सेमी और कुल पृष्ठीय क्षेत्रफल 968 वर्ग सेमी है :

A. 15 सेमी　　B. 16 सेमी
C. 12 सेमी　　D. 20 सेमी

113. 25% छूट दिये जाने पर राहुल ने एक स्वेटर खरीदा और ₹ 20 बचाए। छूट से पहले स्वेटर का क्या मूल्य था?

A. ₹ 80　　B. ₹ 90
C. ₹ 75　　D. ₹ 95

114. ₹ 840 अंकित मूल्य वाली एक वस्तु ₹ 714 में बेची जाती है। बट्टा प्रतिशत कितना है?

A. 20%　　B. 22%
C. 15%　　D. 25%

115. यदि $3p + 7 = 25$ हो, तो p का मान होगा :

A. 6　　B. 32
C. 28　　D. 9

116. 250 मी. लंबाई और 175 मी. चौड़ाई वाले आयताकार बगीचे के चारों ओर बाड़ लगाने का व्यय ₹ 12 प्रति मीटर की दर से ज्ञात कीजिए :

A. ₹ 5,100　　B. ₹ 10,200
C. ₹ 3,000　　D. ₹ 4,200

117. एक वर्ग और एक आयत का क्षेत्रफल समान है। यदि वर्ग की भुजा 40 सेमी हो और आयत की चौड़ाई 25 सेमी हो, तो आयत की लंबाई ज्ञात कीजिए :

A. 81 सेमी　　B. 65 सेमी
C. 64 सेमी　　D. 74 सेमी

118. किन्हीं दो संख्याओं का अनुपात 3 : 4 है तथा उनका योग 420 है। इनमें बड़ी संख्या है :

A. 175　　B. 200
C. 240　　D. 315

119. रवि, राजू तथा राम में ₹ 250 इस प्रकार बाँटे गए कि रवि को दो भाग, राजू को तीन भाग तथा राम को पाँच भाग मिले। इस बँटवारे में राम को कितना धन मिला?

A. ₹ 75　　B. ₹ 125
C. ₹ 100　　D. ₹ 95

120. रैखिक समीकरणों $3x + 2y = 4$ तथा $8x + 5y = 9$ का हल है :

A. $x = 2, y = 5$　　B. $x = -2, y = 5$
C. $x = 5, y = 2$　　D. $x = -5, y = -2$

भाग-V

पर्यावरण अध्ययन

निर्देशः *निम्नलिखित प्रश्नों के उत्तर देने के लिए* ***सबसे उचित*** *विकल्प चुनिए।*

121. निम्नलिखित विकल्पों में से कौन-से पर्यावरणीय मुद्दे हैं?
(*i*) जल संरक्षण
(*ii*) कचरा निस्तारण
(*iii*) जनसंख्या वृद्धि
A. (*i*) और (*ii*) B. (*i*)
C. (*ii*) और (*iii*) D. (*i*), (*ii*) और (*iii*)

122. भारतीय प्रायद्वीप क्षेत्र में निम्नलिखित राज्य सम्मिलित हैं :
A. उड़ीसा, छत्तीसगढ़ और आंध्र प्रदेश
B. तमिलनाडु, केरल, कर्नाटक और आंध्र प्रदेश
C. पश्चिमी बंगाल, उड़ीसा और आंध्र प्रदेश
D. महाराष्ट्र, गुजरात और गोवा

123. ई.वी.एस. एकीकरण है :
A. पारिस्थितिकी, विषाणुविज्ञान और विज्ञान का
B. विज्ञान और सामाजिक अध्ययन का
C. विज्ञान, सामाजिक अध्ययन और पर्यावरण शिक्षा का
D. पर्यावरण विज्ञान और सामाजिक अध्ययन का

124. अशुद्ध जल को शोधित किया जाता है :
A. अवांछित रसायन हटाकर
B. जैविक संदूषक हटाकर
C. गैसों को हटाकर
D. उपरोक्त सभी

125. निम्नलिखित में से कौन हमारे पर्यावरण के अपघटन के लिए उत्तरदायी ***नहीं*** है?
A. ठोस अवशिष्ट फेंकना B. वनोन्मूलन
C. वनरोपण D. जीवाश्मी ईंधन का उपयोग

126. रमन को उसके पड़ोसी ने चार किलो आँवला उपहार में दिए। वह मुरब्बा बनाने की योजना बनाता है! उसे किस तकनीक को अपनाने की जरूरत है?
A. संरक्षण B. परिरक्षण
C. अपघटन D. पास्चुरीकरण

127. पृथ्वी पर ऊर्जा का चरम स्रोत है :
A. पवन B. सूर्य
C. पौधे D. जानवर

128. काँटेनुमा पत्तियों को दर्शाकर एक शिक्षक किस प्रकार के पौधों के बारे में पढ़ा रहा है?
A. स्थलीय B. जलीय
C. उभयधर्मी D. मरुस्थलीय

129. निम्नलिखित में से कौन-सा पक्षी स्वयं के नीड़ का निर्माण **नहीं** करता है?
A. कौआ B. कोयल
C. गौरैया D. बुलबुल

130. निम्नलिखित में से कौन-सा महासागर ऑस्ट्रेलिया के पश्चिम और अफ्रीका के पूर्व में स्थित है?
A. प्रशान्त महासागर B. हिन्द महासागर
C. अटलांटिक महासागर D. दक्षिणी महासागर

131. 'रेशम' की रासायनिक प्रकृति है
A. कार्बोहाइड्रेट B. वसा
C. प्रोटीन D. वसीय अम्ल

132. निम्नलिखित पौधों में से कौन-सा 'वृक्ष' का उदाहरण है?
A. बरगद B. गुलाब
C. मेंहदी D. तुलसी

133. कौन-सी प्राकृतिक आपदा **नहीं** है?
A. भूकंप B. शार्ट सर्किट से लगी आग
C. सुनामी D. चक्रवात

134. किस सिंचाई प्रणाली से सर्वाधिक जल संरक्षण होता है?
A. चढ़स B. ट्यूब-वेल
C. बूँद सिंचाई D. फव्वारा

135. वायु प्रदूषण से **नहीं** होते हैं :
A. पाचनतंत्र से सम्बन्धित रोग
B. कैन्सर
C. श्वसन सम्बन्धी रोग
D. इमारतों का क्षय

136. प्रकाश संश्लेषण क्रिया में पादपों द्वारा वातावरण से कौन-सी गैस अवशोषित की जाती है?
A. ऑक्सीजन B. नाइट्रोजन
C. कार्बन डाइऑक्साइड D. जल-वाष्प

137. कीटभक्षी पादप जिस मृदा पर उगते हैं, उसमें कौन-सा तत्व **नहीं** होता?
A. नाइट्रोजन B. कार्बन
C. सल्फर D. पोटेशियम

138. आप बालकों के साथ चना अंकुरण की गतिविधि करते हैं जिसमें प्रत्येक बालक भिन्न-भिन्न परिस्थितियों में अंकुरण का प्रयास करता है :
(1) केवल हवा में
(2) हवा और पानी में

(3) पानी में पूरी तरह डुबाकर।

बालक प्राप्त परिणामों को अपनी कॉपियों में अंकित करते हैं, विश्लेषण करते हैं और निष्कर्षित करते हैं कि अंकुरण के लिए पानी और हवा दोनों आवश्यक हैं। इस गतिविधि में निम्नलिखित में से किस कौशल से बालकों का परिचय **नहीं** होता?

A. अवलोकन B. वर्गीकरण
C. उन्नतीकरण D. तार्किकता

139. निम्नलिखित में से कौन-सी खाद्य शृंखला घासीय-मैदान की **नहीं** है?

A. कीट, मेंढक, साँप B. खरगोश, लोमड़ी, शेर
C. प्लावक, मछली, व्हेल D. चूहा, साँप, गिद्ध

140. निम्नलिखित में से किस वनस्पति के बीज हम खाते हैं?

A. गाजर B. मक्का
C. केला D. मूँगफली

141. निम्नलिखित में से कौन-सा जल को असंक्रमित करने में सहायक **नहीं** है?

A. निस्यन्दन (छानना) B. क्लोरीन गोलियाँ
C. फिटकरी D. उबालना

142. 'विश्व पर्यावरण दिवस' मनाया जाता है :

A. 5 जून को B. 1 मई को
C. 21 जून को D. 7 अक्टूबर को

143. पर्यावरणीय अध्ययन का उद्देश्य है :

A. स्थानीय पर्यावरण/पर्यावरणीय मुद्दों के प्रति समझ उत्पन्न करना
B. वैश्विक पर्यावरण/पर्यावरणीय मुद्दों के प्रति समझ उत्पन्न करना
C. पर्यावरण के प्रति सकारात्मक दृष्टिकोण उत्पन्न करना
D. उपरोक्त सभी

144. प्राकृतिक संसाधन होते हैं :

A. जल B. खनिज
C. लकड़ी D. उपरोक्त सभी

145. निम्नलिखित में से कौन-सा ऊर्जा का वैकल्पिक स्रोत है?

A. लीथियम बैटरियाँ B. सोडियम लैम्प
C. जल ऊर्जा D. एल.ई.डी.

146. निम्नलिखित में से कौन-से पक्षी के नर व मादा दिखने में समान होते हैं?

A. बुलबुल B. कोयल
C. गौरैया D. मधुखोरा

147. निम्नलिखित में से **विषम** को चयनित कीजिए

A. सौर ऊर्जा B. पवन ऊर्जा
C. ज्वारीय ऊर्जा D. प्राकृतिक गैस

148. निम्नलिखित में से कौन-सी खुराक में प्रोटीन आधिक्य में **नहीं** है?

A. पनीर B. दालें
C. शुद्ध घी D. मांस

149. श्रमिक मधुमक्खी अन्य मक्खियों को भोजन के स्रोत की दिशा ज्ञात कराती है

A. भिनभिना कर B. नृत्य के द्वारा
C. रासायनिक संकेतन द्वारा D. स्पर्श द्वारा

150. ग्रामीण क्षेत्र में गोबर का प्रयोग झोपड़ी की दीवारों एवं फर्श को लीपने के लिए किया जाता है, जिससे :

A. वे चिकनी रहें
B. घर्षण हेतु खुरदरी हो जाएँ
C. दीवारों एवं फर्श का प्राकृतिक रंग हो
D. कीट दूर रहें

उत्तरमाला

1	2	3	4	5	6	7	8	9	10
C	D	D	B	C	C	A	D	B	C
11	**12**	**13**	**14**	**15**	**16**	**17**	**18**	**19**	**20**
A	C	D	B	B	D	D	D	C	A
21	**22**	**23**	**24**	**25**	**26**	**27**	**28**	**29**	**30**
A	A	D	B	C	D	B	C	D	B
31	**32**	**33**	**34**	**35**	**36**	**37**	**38**	**39**	**40**
C	B	C	B	B	A	B	D	B	B
41	**42**	**43**	**44**	**45**	**46**	**47**	**48**	**49**	**50**
C	A	A	C	B	B	A	A	A	A
51	**52**	**53**	**54**	**55**	**56**	**57**	**58**	**59**	**60**
D	B	C	C	A	B	C	D	C	A
61	**62**	**63**	**64**	**65**	**66**	**67**	**68**	**69**	**70**
C	D	D	B	D	D	B	A	A	A
71	**72**	**73**	**74**	**75**	**76**	**77**	**78**	**79**	**80**
C	C	A	D	A	C	B	C	A	B

81	82	83	84	85	86	87	88	89	90
C	C	C	A	C	D	A	B	C	C
91	92	93	94	95	96	97	98	99	100
B	D	C	B	C	A	A	A	B	B
101	102	103	104	105	106	107	108	109	110
A	D	C	B	C	C	C	D	A	C
111	112	113	114	115	116	117	118	119	120
B	A	A	C	A	B	C	C	B	B
121	122	123	124	125	126	127	128	129	130
D	B	C	D	C	B	B	D	B	B
131	132	133	134	135	136	137	138	139	140
C	A	B	C	A	C	A	D	C	D
141	142	143	144	145	146	147	148	149	150
A	A	D	D	C	A	D	C	B	D

व्याख्यात्मक उत्तर

91. 6, 9, 15 का लघुत्तम समापवर्त्य = 90

सबसे छोटी वर्ग संख्या = 90 × 10 = 900.

92. $100 + 20 =$ ₹ 120

जब विक्रय मूल्य ₹ 120 है तब क्रय मूल्य = ₹ 100

जब विक्रय मूल्य ₹ 540 है तब क्रय मूल्य

$$= ₹\ \frac{100}{120} \times 540 = ₹\ 450$$

अतः खिलौने का क्रय मूल्य = ₹ 450.

93. $\left(\frac{1}{64}\right)^{\frac{-5}{6}}$ का मान $= \left(2^{-6}\right)^{\frac{-5}{6}} = 2^5 = 32$.

94. समचतुर्भुज का क्षेत्रफल = $\frac{1}{2}$ × पहला विकर्ण × दूसरा विकर्ण

⇒ $240 = \frac{1}{2} \times 16 \times$ दूसरा विकर्ण

⇒ दूसरा विकर्ण $= \frac{240}{8} = 30$ सेमी.

95. $(-3)^{m+1} \times (-3)^5 = (-3)^7$

⇒ $(-3)^{m+6} = (-3)^7$

⇒ $m + 6 = 7$

⇒ $m = 1$

अतः m का मान 1 होगा।

96. ∵ ₹ 35 में 105 लिफाफे खरीदे जा सकते हैं

∴ ₹ 10 में $\frac{105}{35} \times 10$ लिफाफे खरीदे जा सकते हैं

$= 3 \times 10 = 30$

अतः अभीष्ट लिफाफों की संख्या = 30.

97. माना कि समीर की वर्तमान आयु = x वर्ष

समीर की माता की आयु = $3x$ वर्ष

5 वर्ष के बाद,

समिर की आयु = $(x + 5)$ वर्ष

माता की आयु = $(3x + 5)$ वर्ष

$x + 5 + 3x + 5 = 66$

⇒ $4x = 56$

⇒ $x = 14$

∴ समीर की वर्तमान आयु = 14 वर्ष

98. ∵ $\frac{x}{y} = \frac{5}{3}$

योगान्तर निष्पति द्वारा

$$\frac{x+y}{x-y} = \frac{5+3}{5-3} = \frac{8}{2} = 4$$

अतः $\frac{x+y}{x-y}$ का मान 4 होगा।

99. माना कि संख्या = x

$3x + 11 = 32$

⇒ $3x = 21$

⇒ $x = 7$

अतः संख्या = 7.

100. 12, 16, 24 तथा 36 का लघुत्तम समापवर्त्य = 144

अतः अभीष्ट संख्या = 144 + 7 = 151.

101. एक समबहुभुज की भुजाओं की संख्या

$$= \frac{360°}{45°} = 8.$$

102.

2	13824
2	6912
2	3456
2	1728
2	864
2	432
6	216
6	36
6	6
	1

$\therefore$ 13824 का घनमूल $= 2 \times 2 \times 6$

$= 24.$

103.

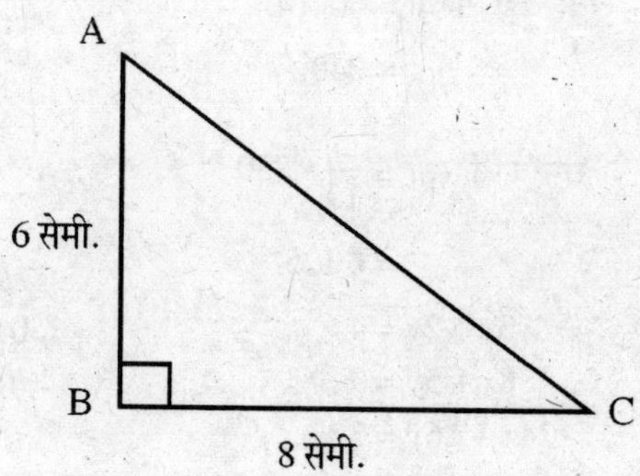

$(AC)^2 = (6)^2 + (8)^2$

$= 36 + 64$

$= 100$

$\therefore$ $AC = \sqrt{100} = 10$ सेमी.

अतः तीसरी भुजा की लम्बाई 10 सेमी. होगी।

104. मूलधन = ₹ 4500

साधारण ब्याज = ₹ 750

समय = 2 वर्ष

दर = ?

$$\text{ब्याज की दर} = \frac{\text{साधारण ब्याज} \times 100}{\text{मूलधन} \times \text{समय}}$$

$$= \frac{750 \times 100}{4500 \times 2} = \frac{25}{3}\%$$

$$= 8\frac{1}{3}\%.$$

105. $\because$ 25 लीटर पेट्रोल में कार 150 किमी. दूरी तय करती है

$\therefore$ 30 लीटर पेट्रोल में कार $\frac{150}{25} \times 30$

= 180 किमी.

= 180 किमी. की दूरी तय करेगी।

106. सर्वप्रथम इसे बढ़ते क्रम में लिखा गया

10, 18, 21, 35, 42

यहाँ पर, $n = 5$ जो कि विषम संख्या है

$\therefore$ माध्यिका $= \left(\frac{n+1}{2}\right)$वाँ पद = तीसरा पद

अतः माध्यिका = 21.

107. $2^3 \times a^3 \times 5a^4$ का मान

$= 8 \times 5 \times a^{3+4}$

$= 40a^7.$

108. रेफ्रिजरेटर का क्रय मूल्य = ₹ 2500 + ₹ 500

= ₹ 3000

रेफ्रिजरेटर का विक्रय मूल्य = ₹ 3300

लाभ = विक्रय मूल्य – क्रय मूल्य

= 3300 – 3000

= ₹ 300

$$\text{लाभ \%} = \frac{\text{लाभ}}{\text{क्रय मूल्य}} \times 100$$

$$= \frac{300}{3000} \times 100 = 10\%.$$

109. $\because$ 100 छात्रों के लिए 20 दिनों की खाने की सामग्री है

$\therefore$ 125 छात्रों के लिए वह सामग्री चलेगी

$$= \frac{100 \times 20}{125} - 16 \text{ दिन।}$$

110. माना कि संख्या $= x$

$$\frac{2x}{3} = \frac{3x}{5} + 4$$

$$\Rightarrow \quad \frac{2x}{3} - \frac{3x}{5} = 4$$

$$\Rightarrow \quad \frac{10x - 9x}{15} = 4$$

$$\Rightarrow \quad x = 15 \times 4 = 60$$

अतः संख्या = 60.

111. 5, 7, 9, 12, 10, 15, 7, 8, 7, 25

संख्या 7 सबसे ज्यादा बार आयी है।

अतः बहुलक = 7.

112. बेलन का सम्पूर्ण पृष्ठ का क्षेत्रफल

$= 2\pi r(h + r)$

$$\Rightarrow \quad 968 = 2 \times \frac{22}{7} \times 7(h + 7)$$

$\Rightarrow \quad h + 7 = \frac{968}{44} = 22$

$\therefore \quad h = 15$ सेमी.

अतः बेलन की ऊँचाई = 15 सेमी.

113. जब छूट ₹ 25 है तब अंकित मूल्य = ₹ 100

जब छूट ₹ 20 है तब अंकित मूल्य

$= \frac{100}{25} \times 20 =$ ₹ 80

अतः छूट से पहले स्वेटर का अंकित मूल्य ₹ 80 था।

114. छूट = अंकित मूल्य – विक्रय मूल्य

= 840 – 714 = ₹ 126

$\text{छूट\%} = \frac{\text{छूट}}{\text{अंकित मूल्य}} \times 100$

$= \frac{126}{840} \times 100$

$= 15\%.$

115. $\because \quad 3P + 7 = 25$

$\Rightarrow \quad 3P = 18$

$\Rightarrow \quad P = 6$

अतः P का मान 6 होगा।

116. आयत का परिमाप = 2(लम्बाई + चौड़ाई)

= 2 (250 + 175) मी.

= 850 मी.

∵ 1 मीटर पर खर्च = ₹ 12

∴ 850 मीटर पर खर्च = ₹ 12 × 850 = ₹ 10,200.

117. वर्ग का क्षेत्रफल = (भुजा)^2

= $(40)^2$

= 1600 वर्ग सेमी.

∵ आयत का क्षेत्रफल = 1600 वर्ग सेमी.

आयत की चौड़ाई = 25 सेमी.

∴ आयत की लम्बाई = $\frac{1600}{25}$

= 64 सेमी.

118. माना कि संख्याएँ $3x$ तथा $4x$ हैं।

$3x + 4x = 420$

$\Rightarrow \quad 7x = 420$

$\Rightarrow \quad x = 60$

अतः बड़ी संख्या = 60 × 4

= 240.

119. राम का हिस्सा = $\frac{5}{10} \times 250$

= ₹ 125.

120. $3x + 2y = 4 \quad ...(i)] \times 8$

$8x + 5y = 9 \quad ...(ii)] \times 3$

$24x + 16y = 32$

$24x + 15y = 27$

$- \quad - \quad -$

$y = 5$

y का मान समीकरण (i) में रखने पर

$3x = -6$

$\Rightarrow \quad x = -2$

अतः $x = -2$, $y = 5$ दिए गए समीकरणों का हल है।

पिछले प्रश्न-पत्र (हल सहित)

हरियाणा शिक्षक पात्रता परीक्षा (HTET) Level-I, 2013-14

भाग-I

बाल विकास एवं शिक्षाशास्त्र

निर्देशः *निम्नलिखित प्रश्नों के उत्तर देने के लिए **सबसे उचित** विकल्प चुनिए।*

1. एक सजीव कक्षा स्थिति में निम्नलिखित में सबसे अधिक सम्भावित है

A. कभी-कभार हँसी का शोर

B. पूर्णरूप से शान्ति

C. शिक्षक-छात्र वार्ता

D. विद्यार्थियों के बीच तेज आवाज में वार्तालाप

2. 'जोन ऑफ प्रॉक्सिमल डेवलपमेन्ट (ZPD)' का प्रत्यय दिया गया

A. बन्डुरा द्वारा

B. पियाजे द्वारा

C. स्किनर द्वारा

D. वाइगोट्स्की द्वारा

3. शिक्षा का उद्देश्य है

A. अच्छा नागरिक बनाना

B. ऐसे व्यक्तियों का निर्गाण जो रामाज के लिए उपयोगी हों

C. व्यवहारिकता का निर्माण करना

D. उक्त सभी

4. प्रोजेक्ट शिक्षण विधि किससे संबंधित है?

A. फ्रोबेल B. जॉन डीवी

C. आर्मस्ट्राँग D. मैक्ड्यूगल

5. वह कथन जो वैयक्तिक विभिन्नता के सन्दर्भ में सत्य ***नहीं** है, वह है*

A. व्यक्तिविशेष प्रकार में भिन्न होते हैं।

B. व्यक्तिविशेष कोटि में भिन्न होते हैं।

C. व्यक्तिविशेष प्रकार व कोटि दोनों में भिन्न होते हैं।

D. व्यक्तिविशेष न तो कोटि और न ही प्रकार में भिन्न होते हैं।

6. 'समूह शिक्षण' है

A. संसाधनों, रुचि व विशेषता का इष्टतम उपयोग करने हेतु शिक्षकों के समूहों द्वारा शिक्षण है।

B. शिक्षकों की अनुपलब्धता से निबटने का एक उपाय है।

C. स्कूल में शिक्षकों के समूहों के बीच स्वस्थ प्रतिस्पर्धा को प्रोत्साहित करता है।

D. विद्यार्थियों को उनकी योग्यता के अनुसार छोटे समूहों में बाँटकर शिक्षण है।

7. विद्यार्थियों में अभिप्रेरणा विकसित करने के लिए, एक शिक्षक को क्या करना चाहिये?

A. गलाकाट प्रतियोगिता को प्रोत्साहित करना

B. विद्यार्थियों के सम्मुख एक अप्राप्य लक्ष्य रखना

C. नई तकनीक व नई विधियों का प्रयोग करना

D. उनके आकांक्षा स्तर को घटाना

8. निम्नलिखित में से कौन-सा कथन सतत व व्यापक मूल्यांकन के लिए सही ***नहीं*** है?

A. यह एक विद्यालय आधारित मूल्यांकन है

B. यह विद्यार्थियों में तनाव को कम करता है

C. इसमें नम्बरों के स्थान पर ग्रेड का प्रयोग होता है

D. इससे शिक्षकों पर बोझ बढ़ जाता है

9. एक प्रभावी शिक्षक वह है, जो कर सकता है

A. कक्षा पर नियंत्रण

B. कम समय में अधिक सूचना देना

C. विद्यार्थियों को सीखने के लिए अभिप्रेरित करना

D. दत्तकार्य को ध्यानपूर्वक जाँचना

10. निम्न में से कौन पुनर्बलन का एक प्रकार ***नहीं*** है?

A. सकारात्मक शाब्दिक पुनर्बलन

B. शारीरिक दण्ड

C. नकारात्मक शाब्दिक पुनर्बलन

D. उपरोक्त में से कोई नहीं

11. समावेशी शिक्षा से तात्पर्य है

A. नियमित वद्यालयों में सभी प्रकार के बालकों का बिना किसी भेदभाव के स्वागत करना

B. शिक्षण का एक विशेष तरीका, जिससे सभी बालक सीख सकें

C. कड़ी दाखिला प्रक्रिया को बढ़ावा देना

D. शिक्षण के लिये विशेष विद्यालयों का प्रयोग करना

12. अधिगम का सबसे उपयुक्त कार्य है

A. व्यक्तिगत समायोजन
B. सामाजिक व राजनीतिक चेतना
C. व्यवहार परिवर्तन
D. स्वयं को रोजगार के लिए तैयार करना

13. व्यक्तित्व का 'समाजशास्त्रीय प्रकार का सिद्धान्त' दिया गया

A. हिप्पोक्रेटस के द्वारा
B. क्रेचमर के द्वारा
C. शेल्डन के द्वारा
D. स्प्रेन्जर के द्वारा

14. प्रयोगात्मक विधि को सर्वप्रथम प्रस्तावित किया

A. जुड ने
B. राइस एवं कार्नमैन ने
C. विलहेल्म वुन्ट ने
D. कोलिन्स व ड्रेवर ने

15. आपके अनुसार, शिक्षण है

A. एक प्रक्रिया B. एक कला
C. एक कौशल D. दोनों B व C

16. सामाजिक नियमों व कानूनों के विरुद्ध व्यवहार करने वाला बालक कहलाता है

A. पिछड़ा बालक B. मंदबुद्धि बालक
C. जड़बुद्धि बालक D. बाल अपराधी

17. बाल अन्तर्बोध (एपरसेप्शन) परीक्षण का निर्माण किसने किया?

A. मर्रे B. बेलक
C. रॉबर्ट D. रोजनविग

18. फ्रोबेल ने निम्न में से किस खेल पर प्रमुख बल दिया?

A. गेंद का खेल B. ब्लॉक का खेल
C. आकृतियों का खेल D. ये सभी

19. "ऑपरेशन ब्लैक बोर्ड" परिणाम था

A. कोठारी आयोग का
B. राष्ट्रीय पाठ्यक्रम रचना – 2005
C. राष्ट्रीय शैक्षिक योजना – 1986
D. राष्ट्रीय पाठ्यक्रम रचना – 2000

20. निम्नलिखित में से कौन मानव विकास का ***सही*** क्रम है?

A. शैशवावस्था, किशोरावस्था, बाल्यावस्था, प्रौढ़ावस्था
B. शैशवावस्था, बाल्यावस्था, किशोरावस्था, प्रौढ़ावस्था
C. बाल्यावस्था, किशोरावस्था, प्रौढ़ावस्था, शैशवावस्था
D. बाल्यावस्था, शैशवावस्था, किशोरावस्था, प्रौढ़ावस्था

21. शिक्षा का अधिकार अधिनियम-2009 के क्रियान्वयन के बाद कक्षा-कक्ष

A. अप्रभावित है, क्योंकि शिक्षा का अधिकार विद्यालय में कक्षा की औसत आयु को प्रभावित नहीं करता
B. जेंडर के अनुसार अधिक समजातीय है
C. आयु के अनुसार अधिक समजातीय है
D. आयु के अनुसार विषमजातीय है

22. व्यक्तिगत विभिन्नताओं का क्षेत्र है

A. लिंग-भेद B. शारीरिक रचना
C. मानसिक योग्यताएँ D. उक्त सभी

23. एक शिक्षक की सबसे महत्त्वपूर्ण चुनौती है

A. विद्यार्थियों से उनका गृहकार्य करवाना
B. शिक्षण अधिगम प्रक्रिया को आनन्दप्रद बनाना
C. कक्षा में अनुशासन बनाये रखना
D. प्रश्नपत्र तैयार करना

24. निम्नलिखित में से कौन-सा अधिगम का क्षेत्र ***नहीं*** है?

A. संज्ञानात्मक B. भावात्मक
C. क्रियात्मक D. आध्यात्मिक

25. बालक का चिन्तन किसके द्वारा प्रदर्शित ***नहीं*** होता?

A. आत्मकेन्द्रिकता B. सजीवतावाद
C. यथार्थवाद D. वैयक्तिकवाद

26. मानव आवश्यकताओं का पदानुक्रम किसने दिया?

A. थॉर्नडाइक B. मास्लो
C. गिल्फोर्ड D. कॉफ्का

27. एक व्यक्ति वैधानिक रूप से दृष्टिबाधित है, यदि उसका विजन क्षेत्र 20 डिग्री है। जबकि उसकी विजुअल एक्यूइटी

A. अत्यधिक उपयुक्त सुधार के साथ, ठीक आँख में 6/6 से कम है
B. अत्यधिक उपयुक्त सुधार के साथ, ठीक आँख में 6/7 से कम है
C. अत्यधिक उपयुक्त सुधार के साथ, ठीक आँख में 6/30 से कम है
D. अत्यधिक उपयुक्त सुधार के साथ, ठीक आँख में 6/60 से कम है

28. जिला प्राथमिक शिक्षा कार्यक्रम किस वर्ष लागू किया गया था?

A. 1990 B. 1993
C. 1998 D. 2000

29. जब बालक सीखने के लिये तैयार होता है, तब वह जल्दी व प्रभावशाली तरीके से सीखता है। यह सिद्धान्त प्रतिपादित किया गया है

A. थॉर्नडाइक द्वारा
B. स्किनर द्वारा
C. पावलॉव द्वारा
D. कुर्ट लेविन द्वारा

30. एक शिक्षक को कक्षा में कार्य करना चाहिए

A. प्रगतिशील भूमिका में
B. प्रभुत्ववादी भूमिका में
C. प्रजातांत्रिक भूमिका में
D. प्रभावशाली भूमिका में

भाग-II

भाषा-I : हिन्दी

*निर्देशः निम्नलिखित प्रश्नों के उत्तर देने के लिए **सबसे उचित** विकल्प चुनिए।*

31. निम्न में से कौन-सा 'वारिद' का पर्यायवाची शब्द ***नहीं*** हैं?
A. मेघ B. पयोद
C. घन D. अम्बुज

32. प्रताप को 'परताप' उच्चारण करना, कौन-से प्रकार के अशुद्ध उच्चारण का भेद है?
A. स्वरागम B. स्वरालाप
C. आकार-इकार भ्रम D. आगम

33. प्राथमिक स्तर पर भाषा अध्ययन में मुख्य तत्व होगा
A. व्याकरण का उपयोग B. शब्द-भंडार अभिवृद्धि
C. साहित्यिक समझ D. उच्चारण की स्पष्टता

34. 'अवर' शब्द का विलोम होगा
A. दूसरा B. अपर
C. प्रवर D. अधम

35. वर्तनी की दृष्टि से ***अशुद्ध*** शब्द है
A. सदुपदेश B. तदोपरांत
C. वाल्मीकि D. अकिञ्चन

36. जातिवाचक एवं व्यक्तिवाचक संज्ञाओं का कौन-सा युग्म ***गलत*** है?
A. कुत्ता-पिल्ला B. नगर-जयपुर
C. पर्वत-हिमालय D. स्त्री-श्वेता

37. संस्कृति की दूसरी मंजिल है
A. चिरन्तन मूल्यों की संरक्षक
B. संगीत कला आदि की संरक्षक
C. परंपरा और रूढ़ि का आश्रय स्थल
D. उपर्युक्त सभी

38. बहुव्रीहि समास का उदाहरण ***नहीं*** है
A. पंसेरी B. बारहसिंगा
C. कुसुमायुध D. दीर्घ-बाहु

39. कौन-सा शब्द 'कामदेव' का पर्याय ***नहीं*** है?
A. अनंग B. मनसिज
C. कंदर्प D. अरविंद

40. निम्न में से तत्सम शब्द है
A. लौंग B. बहिन
C. पृष्ठ D. जवान

41. 'ख' है
A. अघोष व्यंजन B. अल्पप्राण व्यंजन
C. घोष व्यंजन D. विवृत

42. ऊष्म महाप्राण वर्ण है
A. ख् B. च्
C. ट् D. ष्

43. वाक्यांश के लिए कौन-सा शब्द ***अशुद्ध*** है?
A. क्षण में या शीघ्र टूटने वाला – खंडहर
B. जिसकी आशा न की गई हो – अप्रत्याशित
C. जिसे जाना न जा सके – अज्ञेय
D. दोपहर के पहले का समय – पूर्वाह्न

44. भाषा संरचना में अपेक्षित भाषा के प्रमुख अंग होते हैं
A. एक B. दो
C. तीन D. चार

45. 'रघुपति' शब्द किस समास का उदाहरण है?
A. द्विगु B. द्वन्द्व
C. बहुव्रीहि D. कर्मधारय

46. निम्न में से अकर्मक क्रिया बताइये
A. पढ़ना B. लेना
C. खाना D. रोना

47. स्त्री-पुरुष में प्रयुक्त समास है
A. अव्ययीभाव B. कर्मधारय
C. द्वन्द्व D. द्विगु

48. किस शब्द में विसर्ग संधि ***नहीं*** है?
A. अनुस्वार B. मनोनुकूल
C. मनस्ताप D. पयोद

49. किस शब्द का संधि-विच्छेद शुद्ध ***नहीं*** है?
A. मात्रा + आनंद = मात्रानंद
B. सदा + एव = सदैव
C. पितृ + अनुमति = पित्रनुमति
D. परम + औदार्य = परमौदार्य

50. 'ऋणमुक्त' समस्त पद का विग्रह है
A. ऋण + मुक्त B. ऋण की मुक्ति
C. ऋण और मुक्त D. ऋण से मुक्त

51. यण् संधि का उदाहण ***नहीं*** है
A. स्वल्प B. स्वच्छ
C. स्वागत D. स्वांग

52. अन्त और विदेश शब्दों में क्रमशः प्रत्यय का ***शुद्ध*** विकल्प है
A. त्य और य B. य और श
C. य और ईय D. इनमें से कोई नहीं

53. किस शब्द में कोई भी उपसर्ग ***नहीं*** है?
A. असुरक्षित B. अप्रत्याशित
C. स्वागत D. स्वार्थ

54. 'अधि' उपसर्ग से बना शब्द ***नहीं*** है
A. अध्यापन B. अध्यवसाय
C. अधीर D. अध्यादेश

55. 'निरपराध' में प्रयुक्त उपसर्ग है

A. नि B. ने
C. निर् D. उपर्युक्त में से कोई नहीं

निर्देश (प्रश्न सं. 56-60): *निम्नलिखित गद्यांश को पढ़कर दिये गये प्रश्नों के **सबसे उचित** विकल्प को चुनिएः*

संस्कृति किसी दो मंजिला मकान की तरह होती है। पहली मंजिल पर एकदम मूलभूत मगर चिरन्तन जीवन-मूल्य होते हैं। इसमें परस्पर सहकार्य, न्याय, सौन्दर्य जैसे मूलभूत तत्व आते हैं। ये मूल्य समय से परे होते हैं। पहली मंजिल पर दूसरी मंजिल का निर्माण किसी समाज की विशिष्ट आवश्यकता के अनुरूप होता है। धार्मिक-ऐतिहासिक परम्परा, आर्थिक लेन-देन, स्त्री-पुरुष सम्बंध और परिस्थितिजन्य अन्य मूल्यों का निर्माण में योगदान होता है। यह व्यवस्था मूलतः संरक्षणात्मक होने के कारण तरह-तरह के प्रतीक, परम्परा, रूढ़ि और अंधविश्वास का सड़ा-सा पिंजरा बनाती है। इससे पहली मंजिल के मूलभूत मूल्यों की उपेक्षा होने लगती है। समाज का भ्रम होने लगता है कि दूसरी मंजिल की मूल व्यवस्था ही अपनी सच्ची संस्कृति है। भ्रम से कई तरह की विकृति उत्पन्न होती है, जो सामाजिक परिवर्तन से संघर्ष करने लगती है। वस्तुतः आज इन्हीं परिस्थितियों को मात देकर नई संस्कृति का निर्माण करना देश के सामने सबसे बड़ा कार्य है। इसमें शिक्षा पद्धति और प्रसार माध्यम महत्वपूर्ण भूमिका निभा सकते हैं। शिक्षा से भावी पीढ़ी पर सांस्कृतिक निष्ठा के संस्कार डाले जाते हैं। हमारी शिक्षा इस कसौटी पर खरी नहीं उतरी है। समाज में विषमता की खाई चौड़ी करने में ही इसका योगदान रहा है। यह अमीरों की दोस्त और गरीबों की दुश्मन हो गई है। एकाध ठीक-ठाक पाठशाला में बच्चे को प्रवेश दिलाने में बीस हजार रुपये तक 'हफ्ता' देना पड़ता है।

56. परस्पर सहकार्य, न्याय तथा सौन्दर्य को संस्कृति के मूल तत्व क्यों कहा गया है?

A. ये समय के साथ बदलते हैं
B. इन्हें प्राप्त करने में बहुत कठिनाई होती है
C. इनकी जड़ें बहुत गहरी हैं
D. इसमें समाज की अधिक आस्था होती है

57. संस्कृति के मूल तत्वों की उपेक्षा क्यों होने लगती है?

A. संस्कृति के मूल तत्व इतने दुःसाध्य हैं कि उन्हें हर समय बनाए रखना कठिन है।
B. पुरानी रूढ़ियाँ और परम्पराएँ हम पर हावी हो जाती हैं और हम ठीक प्रकार से नहीं सोच पाते।
C. उसका निर्माण अलग-अलग लोग करते हैं इसलिए कोई अपना उत्तरदायित्व नहीं मानता।
D. संस्कृति अदृश्य है अतः सामान्य जनता उसके महत्त्व को नहीं जानती।

58. संस्कृति को दो मंजिला मकान की तरह क्यों बताया गया है?

A. उसके निर्माण में श्रम और समय दोनों लगते हैं
B. उसके दो अलग-अलग घटक हैं
C. उसका सम्बंध उच्च और निम्न वर्ग दोनों से हैं
D. वह किसी भी राष्ट्र की दो स्थितियों को स्पष्ट करती है

59. संस्कृति के पुनर्निर्माण में सबसे अधिक सहायक कौन हो सकता है?

A. लोगों की दृढ़ इच्छा शक्ति
B. संस्कृति का सरलीकरण
C. शिक्षा पद्धति में बदलाव
D. संस्कृति का सामान्य जनों में उचित प्रसार-प्रचार

60. शिक्षा पद्धति सफल क्यों नहीं हो रही है?

A. वह अमीरों और गरीबों के बीच खाई चौड़ी कर रही है
B. शिक्षा बहुत महँगी हो गयी है
C. वह संस्कृति के प्रति पूज्य भाव के संस्कार नहीं डाल पा रही है
D. वह हर बार बदल दी जाती है

भाग-III

भाषा-II : अंग्रेजी

***Directions :** Answer the following questions by selecting the **most appropriate** option.*

61. *Fill in the blank by choosing the **correct** option:*

Why conform .... a custom when the custom is bad.

A. on B. upon
C. for D. to

62. Find out the error in the following sentence:

What to speak of milk (A)/ even water was (B)/ not available there. (C)/ No error (D)

A. What to speak to milk
B. even water was
C. not available there
D. No error

63. Which of the following verb forms will correctly fill in the blank in the sentence "It is time we .... home."?

A. returned B. return
C. have returned D. will return

64. Which of the following option can be the antonym of '*assiduous*'?

A. Discouraged B. Frank
C. Careless D. Courteous

65. Which is the basic characteristic of communicative language teaching?

A. An emphasis on learning to communicate through interaction in the target language
B. There is a lot of focus on grammar

C. Language activation is limited to classroom activity
D. Learner's own personal experiences are not given importance in the learning process

66. The girl is now a <u>student</u> at a large university.
The underlined words in the above sentence form the
A. Object B. Object complement
C. Subject D. Subject complement

67. What type of sentence is the following?
What worries me most is the falling standard of education in India.
A. Imperative B. Optative
C. Assertive D. Interrogative

68. Which tense is used for an action just completed?
A. Simple present B. Simple past
C. Present perfect D. Present continuous

69. Which is ***not*** a key features of the audiolingual method?
A. There is much use of tapes, language labs and visual aids
B. New material is presented in dialogue form
C. Great importance is attached to pronunciation
D. Students are encouraged to use their mother tongue

70. Everyone has <u>his</u> own ideas about the best way to bring up children.

The underlined word in the sentence is a
A. Determiner B. Adverb
C. Noun D. Pronoun

Direction (Q. No. 71 to 75): *Fill in the blanks by choosing the **most appropriate** option.*

71. .... is an overall economic condition of falling commodity and asset prices.
A. Deflation B. Inflation
C. Exhaustion D. Boom

72. Looking forward to .... you.
A. see B. to see
C. seeing D. saw

73. I saw .... of my friends.
A. no B. nobody
C. none D. no one

74. We were caught ...., a shower on our way home.
A. with B. by
C. at D. in

75. Those children .... very healthy.
A. looking B. to look
C. looks D. looked

Direction (Q. No. 76 to 84): *Read the passage given below and answer the questions that follow by selecting the most appropriate option:*

If reason in the region of thought is the aim of science, the rule of equality in the region of behaviour is the aim of democracy. Democracy is not a political arrangement or a form of government. It is a pattern of life, an active conviction which informs and inspires every thought, word and deed. Our present constitution of society induces in its more fortunate members far too great readiness to accept privilege as though it were inherent in the social order, as though it were normal and even proper and just.

If we are sincere in our professions of democracy, we should not shut our eyes to the most obvious defects of the present social order. A system which does not offer security and decent employment to multitudes of trained young men suffers from fundamental vice. Society is in danger of splitting to pieces if the few who have the benefits of civilization are not willing to share them with the rest. No state is stable unless it procures for all its members the essentials of a good life. We acknowledge that health is better than disease, sufficiency better than poverty, shelter better than cold and exposure, ease of mind better than racking anxiety. It is our duty to obtain these essentials of civilized life for the mass of the population, to work for basic economic justice for all, if necessary by the imposition of higher taxes on incomes, land value and inheritance. Riches were created by the Maker for being spent on social purpose. It was Blackstone, not Lenin, who wrote : "The law not only regards life and protects every man in enjoyment of it, but also furnishes him with everything necessary for its support. For there is no man so indecent or wretched but that he may demand a supply sufficient for all the necessities of life from the more opulent part of the community".

76. What is the fundamental tenet of democracy according to the author?
A. Right to choose representatives
B. Right to stand for public offices
C. The presence of effective opposition
D. The operation of the principle of equality

77. What is democracy essentially according to the author?
A. A form of government
B. A political arrangement
C. A pattern of life itself
D. Both A and B

78. "............... an active conviction which informs and inspires every thought, word and deed." What does it mean?
A. A democrat admires the virtues of democracy in whatever he thinks, says and does
B. A democrat has sound self confidence in regard to the correctness of what he thinks, says and does
C. A democrat always thinks aright, speak aright and acts aright
D. A democrat believes in the concept of equality and this belief is reflected in his thinking, speech and action.

79. The present constitution of our society is based on
- A. The principle of equality
- B. The principle of human dignity
- C. Entrenched class privileges
- D. Justice and fair play

80. What according to the author is the fundamental vice of the present social order?
- A. It provides fertile ground for sycophancy to grow
- B. It is based on a system of class privileges
- C. It does not offer security and employment to trained young men
- D. It is steeped in blind beliefs and irrational ways of thought

81. Society is in danger of splitting to pieces. What does it mean?
- A. Society will be broken into fragments, one fragment living at one place and the other at another place
- B. Society will be divided into so many sections
- C. The peace and harmony of the society will be gone
- D. Society will be bombarded from above, broken and destroyed

82. What according to the author are the conditions of stability of a state?
- A. Happiness and prosperity of the people
- B. Just and honest government
- C. Eternal vigilance on the part of citizens
- D. Military strength

83. What according to the author are the essentials of a civilized life?
- A. Cultivation of moral values and cultural existence
- B. Good manners and excellent patterns of social behaviour
- C. Development of science and economic betterment
- D. Health, prosperity, shelter and peace of mind

84. What is Blackstone's view about the Law?
- A. Law regulates the behaviour and actions of the people living in society
- B. Law protects the rights of people and punishes those guilty of the breach or infringement of social codes.
- C. Law protects life and creates and safeguards conditions for the enjoyment of life by every citizen and ensures that every citizen has a share in the wealth of the community
- D. Law protects the privileges of a few persons of the society who claim to be the leaders of the society

85. Provided he is feeling better he can leave the hospital.

The underlined clause is
- A. Adverbial clause of concession
- B. Adverbial clause of condition
- C. Adverbial clause of purpose
- D. Adverbial clause of manner

86. Candidates *must* attempt all the questions.

What does the auxiliary *'must'* suggest in the above sentence?

A. Advice B. Recommendation
C. Obligation D. Prediction

87. Which part of the sentence has an error?

A. Scarcely B. I had finished
C. relating the incident D. when he fell asleep

88. *Fill in the blank by choosing the correct option:*

The bullet struck him in .... foot.

A. an B. the
C. her D. a

89. Which part of the sentence has an error?
- A. I was wondering whether
- B. I can produce a meal
- C. out of what's left
- D. in the fridge.

90. Choose the option that conveys almost the same meaning as the underlined word in the given sentence:

A series of unsolved murders on the island has raised fears that a psychopathic serial killer is on the loose.
- A. Mental ill and dangerous
- B. Anxious and worried
- C. Frightening
- D. Maniac

भाग-IV

गणित

निर्देशः *निम्नलिखित प्रश्नों के उत्तर देने के लिए **सबसे उचित** विकल्प चुनिए।*

91. इनमें से सही क्या है?

A. $\frac{1}{2} > \frac{1}{6}$ B. $\frac{1}{2} < \frac{1}{6}$
C. $\frac{1}{2} = \frac{1}{6}$ D. $\frac{1}{2} \times 3 = \frac{1}{6}$

92. यदि 111111111 को 111 से भाग किया जाए तो भागफल होगा

A. 111 B. 10101
C. 1001001 D. इनमें से कोई नहीं

93. एक अभाज्य संख्या होती है

A. एक सम संख्या B. एक विषम संख्या
C. एक संयुक्त संख्या D. इनमें से कोई नहीं

94. एक आयताकार शीट का क्षेत्रफल 480 वर्ग सेमी है। यदि इसकी चौड़ाई 12 सेमी हो तो शीट का परिमाप क्या होगा?

A. 104 वर्ग सेमी B. 94 सेमी
C. 160 सेमी D. 104 सेमी

95. किसी विषम प्राकृतिक संख्या के परवर्ती तथा पूर्ववर्ती का गुणनफल हमेशा किस संख्या से विभाजित है?

A. 3 B. 4
C. 6 D. 8

96. 22.5 मी./सेकण्ड की चाल से जा रही एक कार 50 मिनट में कितनी दूरी तय करेगी?

A. 112.5 किमी B. 11.25 किमी
C. 56.25 किमी D. 67.5 किमी

97. 366 पृष्ठों वाली एक पुस्तक के पृष्ठों को गिनने हेतु कितने अंकों की आवश्यकता होगी?

A. 732 B. 990
C. 1098 D. 1305

98. निम्नलिखित में से प्राइमरी कक्षाओं में रेखागणित के अध्ययन का कौन-सा भाग पढ़ाया जाता है?

A. औपचारिक रेखागणित B. अनौपचारिक रेखागणित
C. A और B दोनों D. A और B दोनों नहीं

99. 1 से 30 तक की संख्याओं में अभाज्य संख्याएँ हैं

A. 10 B. 11
C. 12 D. 13

100. राजीव ने एक दिन किताब का $\frac{3}{8}$ भाग पढ़ा, बकाया किताब का $\frac{4}{5}$ भाग दूसरे दिन पढ़ा। अब किताब के 30 पृष्ठ बच गए। किताब के कुल कितने पृष्ठ थे?

A. 360 B. 120
C. 240 D. 380

101. नीचे दिए गए पैटर्न का अध्ययन कीजिए

$9 \times 9 + 7 = 88$
$98 \times 9 + 6 = 888$
$987 \times 9 + 5 = 8888$
....
$987654 \times 9 + 2$ क्या है?

A. 88888 B. 888888
C. 8888888 D. 8898988

102. 12401 को किसी संख्या से भाग देने पर भागफल 77 तथा शेषफल 4 बचता है। भाजक क्या है?

A. 161 B. 162
C. 163 D. 164

103. एक गणित अध्यापक बच्चों में गणना करने की शक्ति को निम्नलिखित द्वारा बढ़ा सकता है

A. संकल्पनाओं को स्पष्ट करते हुए काफी अभ्यास करवाना
B. शिक्षण के दौरान कक्षा में क्रियाशील गतिविधियों का आयोजन करके
C. केवल एल्गोरिथम का प्रयोग करके
D. इनमें से कोई नहीं

104. संख्या 1 से 40 तक की विषम संख्याओं का योग क्या होगा?

A. 340 B. 360
C. 380 D. 400

105. निम्नलिखित में से 104×50 के बराबर क्या है?

A. $(100 \times 5) + (4 \times 5)$ B. $(100 \times 5) + (4 \times 50)$
C. $(100 \times 50) + (40 \times 50)$ D. $(100 \times 50) + (4 \times 50)$

106. $25 + \frac{3}{100} + \frac{4}{1000} =$

A. 25.34 B. 25.304
C. 25.034 D. 25.0034

107. किस आयु वर्ग के बच्चों के लिए "शिक्षा का अधिकार" कानून एक मौलिक अधिकार है?

A. 5 – 15 वर्ष B. 6 – 12 वर्ष
C. 6 – 14 वर्ष D. 6 – 16 वर्ष

108. कुछ केलों का भार 2 किलो 365 ग्राम है तथा कुछ सेबों का भार 3 किलो 10 ग्राम है। केलों का भार सेबों के भार से कितना कम है?

A. 1 किलो 645 ग्राम B. 645 ग्राम
C. 1 किलो 735 ग्राम D. 735 ग्राम

109. 1 से 100 तक की संख्याओं में अंक 0 कितनी बार आता है?

A. 9 B. 10
C. 11 D. 12

110. 0.025 =

A. 0.25% B. 25%
C. 2.5% D. 62.5%

111. कक्षा में गणित अध्यापक द्वारा विद्यार्थियों के साथ एक अच्छा सम्बन्ध विकसित करने के लिए उसे चाहिए

A. सभी के साथ मित्रतापूर्ण व्यवहार करे
B. अच्छे से बात करे
C. बच्चों से प्यार करे
D. व्यक्तिगत ध्यान दे

112. किस छोटी से छोटी संख्या व बड़ी से बड़ी संख्या का सन्निकट हजारवाँ भाग 9000 होगा?

A. 8599, 9400 B. 8499, 9500
C. 8449, 9500 D. 8500, 9499

113. ***सही*** उत्तर चुनें

$80\,dm^2 = ...\,mm^2$

यहाँ dm = डेसीमीटर, mm = मिलीमीटर

A. $0.08\ mm^2$ B. $0.00008\ mm^2$
C. $800\ mm^2$ D. $800000\ mm^2$

114. निम्न में से कौन-सा अन्य तीनों से अलग है?

A. मीटर B. इंच
C. फुट D. ग्राम

115. निम्नलिखित में से कौन-सा गणित में निदानात्मक परीक्षण का उद्देश्य ***नहीं*** है?

A. बच्चों में अधिगम के दौरान कमियों व कमजोरियों को ज्ञात करना
B. बच्चों की प्रगति रिपोर्ट भरना
C. अभिभावकों को प्रतिपुष्टि देना
D. इनमें से कोई नहीं

116. $4 + 4.44 + 4.04 + 44.4 + 444$ का सही उत्तर चुनें
A. 472.88 B. 495.22
C. 577.2 D. इनमें से कोई नहीं

117. 231 और 596 को किस एक संख्या से गुणा करें कि दोनों गुणनफल बराबर हो जायें?
A. 2 B. 3
C. 1 D. 0

118. टैनग्राम है
(*a*) एक चीनी पुरानी पहेली।
(*b*) विभिन्न ज्यामितीय आकारों की पहचान के लिए प्रयोग करना।
(*c*) इसके 5 या 7 टुकड़े होना।
सही उत्तर को छाँटें
A. (*a*) व (*b*) B. (*b*) व (*c*)
C. केवल (*a*) D. (*a*), (*b*) और (*c*)

119. समान मापों के छः वर्गों का क्षेत्रफल 294 सेमी^{2} है। एक वर्ग का परिमाप होगा
A. 28 सेमी B. 28 सेमी^{2}
C. 196 सेमी D. 196 सेमी^{2}

120. निम्न में से कौन-सी सबसे बड़ी भिन्न संख्या है?
A. $\frac{3}{7}$ B. $\frac{3}{5}$
C. $\frac{2}{7}$ D. $\frac{2}{5}$

भाग-V

पर्यावरण अध्ययन

निर्देशः *निम्नलिखित प्रश्नों के उत्तर देने के लिए **सबसे उचित** विकल्प चुनिए।*

121. .... एक वलय प्रणाली में घिरा हुआ है जो अंतरिक्ष में हजारों किलोमीटर तक फैली हैं।
A. मंगल B. शनि
C. सूर्य D. चन्द्रमा

122. निम्न में से कौन ऊर्जा का 'अक्षय' संसाधन ***नहीं*** है?
A. सूर्य B. पेट्रोलियम
C. जल D. वायु

123. निम्न में से कौन-सा अलग समूह से सम्बन्धित है?
A. आम B. इमली
C. नारियल D. नीम

124. फॉरेनहाइट पैमाने पर पानी का क्वथनाँक .... °F होता है।
A. 100 B. 80
C. 212 D. 32

125. कुनैन नामक दवाई प्राप्त होती है
A. नीलगिरी के पौधे से B. एकोनाइट के पौधे से
C. सिनकोना के पौधे से D. जलीय पौधे से

126. लोहे की छोड़ को एक सिरे से गर्म करने पर उसका दूसरा सिरा भी गर्म हो जाता है। इस प्रकार के पदार्थ कहते हैं
A. ऊष्मा का अच्छा सुचालक
B. ऊष्मा का अच्छा कुचालक
C. ऊष्मा का अर्द्धचालक
D. हीटर

127. मनुष्य के हृदय में .... कक्ष होते हैं।
A. एक B. दो
C. तीन D. चार

128. प्रक्रिया जिसके द्वारा पौधे प्रजनन करते हैं, कहलाती है
A. प्रकाश-संश्लेषण B. वाष्पीकरण
C. संघनन D. परागण

129. टैडपोल किसके जीवन की प्रारम्भिक अवस्था है?
A. मेंढक B. मछली
C. टारपीडो D. ध्रुवीय भालू

130. पर्यावरण अध्ययन की एक कक्षा में शिक्षक विद्यार्थियों से उनकी गर्मी की छुट्टियों में किए गए भ्रमण पर बातचीत कर रहा है, क्योंकि
A. विद्यार्थियों से प्राप्त सूचनाएँ पाठ्यक्रम पूरा करेंगी
B. जिज्ञासु बच्चे, राष्ट्र-निर्माण के लिए आवश्यक हैं
C. विद्यार्थियों के अनुभव, ज्ञान-रचना का आधार हैं
D. वह अपना समय बिताना चाहता है

131. क्लोन है
A. एकल जनक से प्राप्त पौधे
B. कायिक रूप से उत्पादित पौधे
C. आनुवांशिक रूप से जनक पौधे के समान
D. उपर्युक्त सभी

132. अवलोकन, प्रयोग व .... विज्ञान की तीन विधियाँ हैं।
A. निगमन B. परिकल्पना
C. मापन D. अनुमान

133. किस विटामिन की कमी से रक्त का थक्का ***नहीं*** जमता है?
A. K B. B
C. D D. A

134. आपका हृदय एक दिन में लगभग कितनी बार धड़कता है?
A. 25000 B. 50000
C. 100000 D. 125000

135. वन अधिकार अधिनियम, 2006 का मूल उद्देश्य है
A. वनों का वर्गीकरण करना
B. वनों पर वन मंत्रालय के नियंत्रण को बढ़ाना
C. राज्यों को अपने भू-भाग में आ रहे अभ्यारण्यों पर अधिक स्वायत्तता देना
D. पारंपरिक रूप से वनों में रहने वाले समुदायों के अधिकारों को मान्यता देना

136. सुमेलित कीजिए::

(*i*) कलमकारी	1. आन्ध्र प्रदेश
(*ii*) पिथौड़ा	2. मध्य प्रदेश
(*iii*) वारली	3. महाराष्ट्र
(*iv*) मधुबनी	4. बिहार

	(*i*)	(*ii*)	(*iii*)	(*iv*)
A.	3	2	1	4
B.	1	2	3	4
C.	4	2	1	3
D.	4	3	2	1

137. बंद कमरे में यदि कोई तीन-चार घण्टे के लिए कोयले की अँगीठी का प्रयोग करता है, तो इसका खतरनाक प्रभाव होगा
A. कमरे का तापमान असाधारण रूप से बढ़ जायेगा
B. रक्त में कार्बनडाइऑक्साइड की मात्रा बढ़ जायेगी
C. रक्त में कार्बनमोनोऑक्साइड की मात्रा बढ़ जायेगी
D. रक्त में हीमोग्लोबिन की मात्रा बढ़ जायेगी

138. यदि एक अध्यापक आलू, चावल, ब्रेड व शक्कर के उदाहरणों का सहारा लेता है, तो वह क्या पढ़ाना चाहता है?
A. विटामिन B. कार्बोहाइड्रेट
C. प्रोटीन D. खनिज लवण

139. एक गिलास पानी में चुटकी भर नमक घोल दिया जाए तो जल का स्तर ....
A. बढ़ जायेगा B. घट जायेगा
C. एकसमान रहेगा D. इनमें से कोई नहीं

140. इनकी 1859 की पुस्तक "ऑन द ओरिजिन ऑफ स्पीशीज" में इनके प्राकृतिक चयन संबंधी शोध का विवरण है। यह उद्भव जीवविज्ञान में मील का पत्थर है। इस पुस्तक के रचयिता हैं
A. एलबर्ट आईंस्टीन B. चार्ल्स डार्विन
C. जॉन मेण्डल D. न्यूटन

141. 'विलयन' पाठ की प्रायोगिक व्याख्या हेतु विलेय के रूप में शिक्षक को कौन-सा पदार्थ लेना चाहिए?
A. नारियल का तेल B. नारियल का पानी
C. पारा D. सोडियम क्लोराइड

142. हरी खाद से तात्पर्य है
A. फसलों में कृमिनाशक डालना
B. लैग्युमिनस पौधों की हरी फसल उगाना
C. मिट्टी में अपघटित कार्बनिक पदार्थ मिलाना
D. फसलों में ताजा बने पेस्टीसाइड डालना

143. वस्तुएँ, जो मानवीय नेत्रों के लिए अदृश्यमान होती हैं आमतौर पर देखी जा सकती हैं
A. एक्स-किरण द्वारा B. गामा किरण द्वारा
C. बीटा किरण द्वारा D. अल्ट्रा वाइलेट प्रकाश द्वारा

144. दूध का पाश्चीकरण कैसे किया जाता है?
A. 100° सेंटीग्रेड पर 15 मिनट तक या 90° सेंटीग्रेड पर 5 मिनट तक गरम करके
B. 100° सेंटीग्रेड पर 15 मिनट तक या 90° सेंटीग्रेड पर 32 मिनट तक गरम करके
C. 71° सेंटीग्रेड पर 15 मिनट तक या 62° सेंटीग्रेड पर 5 सेकंड तक गरम करके
D. 71° सेंटीग्रेड पर 15 सेकंड तक या 62° सेंटीगेड पर 32 मिनट तक गरम करके

145. विज्ञान के एक शिक्षक को मैंग्रोव पादपों की तलाश हेतु विद्यार्थी को किस क्षेत्र में खोज के लिए प्रोत्साहित करना चाहिए?
A. मरुद्भिद् क्षेत्र में B. लवणोद्भिद दलदल में
C. गर्म व आर्द्र क्षेत्र में D. शीत क्षेत्र में

146. निम्नलिखित में से कौन-सा अलग समूह से सम्बंधित है?
A. स्कर्वी B. रिकेट्स
C. रतौंधी D. रेबीज

147. इन्द्रधनुष में रंगों का क्रम है
A. बैंगनी, नीला, हरा, पीला, नारंगी, नील जामुनी, लाल
B. बैंगनी, लाल, नील जामुनी, नीला, हरा, पीला, नारंगी
C. बैंगनी, नील जामुनी, पीला, नारंगी, लाल, नीला, हरा
D. बैंगनी, नील जामुनी, नीला, हरा, पीला, नारंगी, लाल

148. कच्चे तेल का उपयोग किया जाता है
(*i*) डामर बनाने में
(*ii*) प्लास्टिक बनाने में
(*iii*) पेन्ट बनाने में
(*iv*) औषधियों में
(*v*) ड्राइ-क्लीनिंग में
A. (*i*), (*ii*), (*iii*) B. (*i*), (*v*)
C. (*i*), (*iv*), (*v*) D. उपर्युक्त सभी में

149. विज्ञान का एक शिक्षक छः छात्रों को तीन समूहों में बाँटता है:
प्रथम समूह के सदस्य आपस में कसकर आलिंगन कर रहे हैं।
दूसरे समूह के सदस्य एक-दूसरे के हाथ से हाथ पकड़े हुए हैं।
तीसरे समूह के सदस्य एक-दूसरे से दूर-दूर खड़े हैं।
शिक्षक क्या पढ़ाना चाहता है?
A. एकता में शक्ति का पाठ
B. सामाजिक सद्भाव
C. सामुद्रिक जीवों की विविधता
D. ठोस, द्रव, गैस की प्रकृति

150. निम्न में से किस शहर में स्वायत्तशासी निकाय के रूप में नगर निगम ***नहीं*** है?
A. हिसार B. सोनीपत
C. अम्बाला D. पंचकुला

उत्तरमाला

1	2	3	4	5	6	7	8	9	10
C	D	D	B	D	A	C	D	C	D
11	12	13	14	15	16	17	18	19	20
A	C	D	C	D	D	B	A	C	B
21	22	23	24	25	26	27	28	29	30
A	D	B	D	D	B	D	*	A	C
31	32	33	34	35	36	37	38	39	40
D	A	B	C	B	A	*	A	D	C
41	42	43	44	45	46	47	48	49	50
A	D	A	D	C	D	C	A	A	D
51	52	53	54	55	56	57	58	59	60
D	C	D	C	C	C	A	B	C	A
61	62	63	64	65	66	67	68	69	70
D	A	A	C	A	D	C	C	D	D
71	72	73	74	75	76	77	78	79	80
A	C	C	D	D	D	C	D	C	C
81	82	83	84	85	86	87	88	89	90
C	A	D	C	B	C	B	B	B	A
91	92	93	94	95	96	97	98	99	100
A	C	D	D	B & D	D	B	B	A	C
101	102	103	104	105	106	107	108	109	110
C	A	B	D	D	C	C	B	C	C
111	112	113	114	115	116	117	118	119	120
D	D	D	D	A	D	D	D	A	B
121	122	123	124	125	126	127	128	129	130
B	B	D	C	C	A	D	D	A	C
131	132	133	134	135	136	137	138	139	140
D	A	A	C	D	B	C	B	C	B
141	142	143	144	145	146	147	148	149	150
D	B	D	D	B	D	D	D	D	B

कुछ चुने हुए प्रश्नों के व्याख्यात्मक उत्तर

91. $\frac{1}{2} > \frac{1}{6} \Rightarrow 6 \times 1 > 2 \times 1$

अतः $\frac{1}{2} > \frac{1}{6}$ सही विकल्प है।

92. 111)111111111(1001001

```
111)111111111(1001001
    111
    ××111
      111
      ××111
        111
         ×
```

अतः अभीष्ट भागफल 1001001 होगा।

93. अभाज्य संख्या 1 या अपने ही संख्या से विभाजित होती हैं। अतः दिए गए विकल्प में कोई नहीं है।

94. आयताकार शीट की लम्बाई $= \frac{480}{12} = 40$ सेमी

आयताकार शीट का परिमाप = 2(लम्बाई + चौड़ाई)

= 2(40 + 12) = 104 सेमी

95. किसी विषम प्राकृतिक संख्या के परवर्ती तथा पूर्ववर्ती का गुणनफल हमेशा 4 तथा 8 संख्या से विभाजित होता है।

96. चाल = 22.5 मी./से. $= \frac{45}{2}$ मी./से.

दूरी = चाल × समय = $\frac{45}{2} \times 50 \times 60$

$= 45 \times 1500$ मी.

$= \frac{45 \times 1500}{1000}$ किमी.

$= \frac{135}{2} = 67.5$ किमी.

97. अभीष्ट अंकों की संख्या = 990

98. प्राइमरी कक्षाओं में रेखागणित के अध्ययन का अनौपचारिक रेखागणित पढ़ाया जाता है।

99. 2, 3, 5, 7, 11, 13, 17, 19, 23, 29

अतः 1 से 30 तक की संख्याओं में 10 अभाज्य संख्याएँ होती हैं।

100. माना कि किताब के कुल x पृष्ठ थे।

$x - \left(\frac{3x}{8} + \frac{x}{2}\right) = 30$

$\Rightarrow \frac{8x - 7x}{8} = 30$

$\Rightarrow x = 8 \times 30 = 240$

अतः किताब के कुल 240 पृष्ठ थे।

101. $\because$ $9 \times 9 + 7 = 88$

$98 \times 9 + 6 = 888$

$987 \times 9 + 5 = 8888$

अतः $987654 \times 9 + 2 = 8888888$ होगा।

102. $\because$ भाज्य = भागफल × भाजक + शेषफल

$\Rightarrow 12401 = 77 \times$ भाजक $+ 4$

$\Rightarrow$ भाजक $= \frac{12397}{77} = 361$

103. एक गणित अध्यापक बच्चों में गणना करने की शक्ति को शिक्षण के दौरान कक्षा में क्रियाशील गतिविधियों का आयोजन करके बढ़ा सकता है।

104. प्राकृतिक विषम संख्याओं का योगफल

= (विषम संख्याओं की संख्या का)^2

अतः 1 से 40 तक की विषम संख्याओं का योग $= (20)^2 = 400$

105. 104×50

$= (100 + 4) \times 50$

$= (100 \times 50) + (4 \times 50)$

106. $25 + \frac{3}{100} + \frac{4}{1000}$

$= 25 + 0.03 + 0.004 = 25.034$

107. 6 – 14 वर्ष के बच्चों के लिए "शिक्षा का अधिकार" कानून एक मौलिक अधिकार है।

108. सेबों का भार = 3 किलो 10 ग्राम

केलों का भार = 2 किलो 365 ग्राम

भार में अन्तर = 1010 ग्राम – 365 ग्राम = 645 ग्राम

अतः केलों का भार सेबों के भार से 345 ग्राम कम है।

109. 1 से 100 तक की संख्याओं में अंक 0 (शून्य) $(9 + 2) = 11$ बार आता है।

1 से 90 तक में 9 शून्य तथा 91 से 100 के बीच 2 शून्य आता है।

110. $0.025 = \frac{25}{1000} \times 100$

$= \frac{25}{10}\% = 2.5\%$

111. कक्षा में गणित अध्यापक द्वारा विद्यार्थियों के साथ एक अच्छा सम्बन्ध विकसित करने के लिए व्यक्तिगत ध्यान देना चाहिए।

112. 8500, 9499 संख्याओं का सन्निकट हजारवाँ भाग 9000 होगा।

113. $80 \text{ dm}^2 = 80 \times 100 \times 100 \text{ mm}^2 = 800000 \text{ mm}^2$

जहाँ dm = डेसी मी. तथा mm = मिलीमीटर

114. मीटर, इंच तथा फुट माप के पैमाने हैं जबकि ग्राम तौल का।

115. बच्चों में अधिगम के दौरान कमियों व कमजोरियों को ज्ञात करना गणित में निदानात्मक परीक्षण का उद्देश्य नहीं है।

116. $4 + 4.44 + 4.04 + 44.4 + 444$

$= 500.88$

117. 231 तथा 596 को 0 (शून्य) से गुणा करने पर दोनों गुणनफल बराबर हो जाएंगे।

119. 6 वर्गों का क्षेत्रफल = 294 वर्ग सेमी.

1 वर्ग का क्षेत्रफल $= \frac{294}{6} = 49$ वर्ग सेमी.

वर्ग की भुजा $= \sqrt{49} = 7$ सेमी.

वर्ग का परिमाप = भुजा × 4

$= 4 \times 7 = 28$ सेमी.

120. $\frac{3}{7} = 0.428$

$\frac{3}{5} = 0.6$

$\frac{2}{7} = 0.28$

$\frac{2}{5} = 0.4$

अतः सबसे बड़ी भिन्न संख्या $= \frac{3}{5}$ है।

पिछले प्रश्न-पत्र (हल सहित)

HTET पेपर-I, नवम्बर 2011*

भाग-I

बाल विकास एवं शिक्षाशास्त्र

निर्देश: *निम्नलिखित प्रश्नों के उत्तर देने के लिए* ***सबसे उचित*** *विकल्प चुनिए।*

1. 6-11 वर्ष आयु समूह के बालकों को निम्न में से किसके लिए अधिगम की आवश्यकता होती है?
A. ठोस क्रिया-कलाप अथवा अनुभव की उपलब्धता के लिए
B. शिक्षक द्वारा ज्ञान हस्तांतरण के लिए
C. अवसर के स्मरण के प्रावधान के लिए
D. वर्ग में उच्च रैंक प्राप्त करने के अभिप्रेरणा के लिए

2. एक बालक का वास्तविक रूप से सामाजिक विकास शुरू होता है–
A. स्कूल के प्रारंभिक दिनों से
B. शैशवावस्था से
C. प्रारंभिक बाल्यावस्था से
D. बाल्यावस्था के बाद से

3. शिक्षा मनोविज्ञान (Education Psychology) है–
A. शुद्ध विज्ञान
B. एक प्रायोगिक विज्ञान
C. एक सामान्य विज्ञान
D. इनमें से कोई नहीं

4. शिक्षण काफी प्रभावी हो सकता है, बशर्ते–
A. छात्रों को स्वायत्तता प्रदान की जाए और उन्हें अपने काम को स्वयं नियंत्रित करने दिया जाए।
B. छात्रों की अधिगम क्रिया को शिक्षकों द्वारा निर्देशित एवं नियंत्रित किया जाए।
C. शिक्षक तथ्यों के वर्णन में केंद्रीय भूमिका निभाएं।
D. शिक्षक अधिगम को निर्देशित करें।

5. वृद्धि (Growth) के विषय में क्या सत्य है?
A. भौतिक वृद्धि
B. मात्रात्मक वृद्धि
C. माप योग्य वृद्धि
D. वृद्धि जीवन पर्यन्त प्रक्रिया है

6. अधिगम प्रक्रिया है–
A. तथ्यों के स्मरण का
B. पाठ्य-सामग्री के स्मरण का
C. अनुभव के द्वारा अर्थ निर्माण का
D. परीक्षा की तैयारी का

7. प्राथमिक वर्ग के बच्चे के शिक्षण के लिए एक उपयुक्त तरीका है–
A. परीक्षण एवं सुधार विधि
B. प्रतिकृति विधि
C. भाषण विधि
D. खेल-खेल विधि

8. सृजनात्मक बालक के विषय में निम्न में से कौन-सा कथन सही नहीं है?
A. सृजनात्मक बालक उत्सुक होते हैं
B. सृजनात्मक बालक साहसी नहीं होते हैं
C. सृजनात्मक बालक बहिर्मुखी होते हैं
D. इनमें से कोई नहीं

9. 6-11 वर्ष आयु समूह के बच्चों में अधिगम की प्रक्रिया है, एक–
A. ज्ञान निर्माण की सक्रिय प्रक्रिया
B. निष्क्रिय स्मरण की प्रक्रिया
C. वर्ग कक्षा में ध्यान से सुनने की प्रक्रिया
D. पाठ्य-पुस्तक पढ़ने की प्रक्रिया

10. एक बालक बहुत सीख सकता है यदि उसे–
A. पाठ्य-पुस्तक से पढ़ाया जाए।
B. कंम्प्यूटर से पढ़ाया जाए।
C. भाषण विधि से पढ़ाया जाए।
D. सक्रिय विधि से पढ़ाया जाए।

11. 6 अथवा 7 वर्ष आयु वर्ग का एक बच्चा दूसरे का मंतव्य समझने में सक्षम नहीं होता है, क्योंकि–
A. वह बहुत छोटा होता है।
B. वह अहंकारी होता है।
C. वह बुद्धिमान नहीं होता है।
D. वह कल्पनाशील होता है।

*स्मृति पर आधारित

12. वर्ग कक्षा में एक शिक्षक को प्रयास करना चाहिए–
A. छात्रों को अनुभव उपलब्ध कराने के लिए
B. सीखने में सहायक वातावरण उपलब्ध कराने के लिए
C. अवसर के परावर्तन उपलब्ध कराने के लिए
D. उपर्युक्त सभी

13. छात्र विभिन्न तरीके से सीखते हैं–
A. शिक्षक के भाषण से
B. प्रयोग, वाद-विवाद, प्रश्न पूछकर, क्रिया-कलाप और परावर्तन विधि से।
C. शिक्षक के निर्देशन एवं पाठ्य-पुस्तक आधारित नियंत्रण से।
D. उपर्युक्त में से कोई नहीं

14. बच्चों में सीखना घटित होती है–
A. ज्ञान के स्मरण द्वारा
B. पाठ्य-पुस्तक पढ़कर
C. शिक्षक द्वारा ज्ञान के प्रसार से
D. क्रिया-कलापों के द्वारा

15. अधिकतर छात्र देशी भाषा सीखते हैं–
A. एक वर्ष की आयु तक
B. चार वर्ष की आयु तक
C. छह वर्ष की आयु तक
D. दो वर्ष की आयु तक

16. सीखना अधिक प्रभावी ढंग से घटित होता है, यदि बच्चा–
A. सीखने के लिए तैयार हो
B. सीखे हुए को दोहराए
C. संतुष्टि महसूस करे
D. उपर्युक्त सभी

17. नए ज्ञान अर्जित किए जाते हैं–
A. ज्ञान के प्रसारण द्वारा
B. स्मरण द्वारा
C. अनुभव और नए अर्थों की खोज द्वारा
D. इनमें से कोई नहीं

18. एक बालक की बाल्यावस्था में निम्न में से कौन-सा भावनात्मक विकास में मुख्य भूमिका निभाता है?
A. शिक्षक B. समान वर्ग समूह
C. पड़ोसी D. माता-पिता

19. एक बालक किस उम्र वर्ष में ईर्ष्या प्रदर्शित करता है?
A. 6 महीने में B. 12 महीने में
C. 18 महीने में D. 24 महीने में

20. अधिगम के लिए क्या आवश्यक है?
A. स्व-अनुभव B. स्व-चिंतन
C. स्व-क्रियाशीलता D. इनमें से सभी

21. एक अच्छा शिक्षक वह है, जो–
A. सीखने वाले में व्यावहारिक बदलाव की इच्छा का कारण बने।
B. मौखिक रूप से ज्ञान प्रसारित करे।
C. सूचना का वर्णन करे।
D. पाठ्यक्रम को प्रसारित करे।

22. शिक्षण एक प्रक्रिया है, जो–
A. शिक्षक से सीखने वाले में ज्ञान प्रसारित करता है।
B. अधिगम को निर्देशित करता है।
C. विस्तृत निर्देश देता है।
D. शिक्षक-शिक्षण को आसान बनाता है।

23. व्यक्तित्त्व का इंक ब्लॉट जांच (Ink Blot Test) एक है–
A. व्यक्तिनिष्ठ जांच B. वस्तुनिष्ठ जांच
C. अनुमानित जांच D. इनमें से कोई नहीं

24. एक छात्र का विकास निर्भर करता है–
A. आनुवांशिकता पर
B. वातावरण पर
C. आनुवांशिकता एवं वातावरण पर
D. इनमें से कोई नहीं

25. शिक्षा के दो मुख्य उद्देश्य हैं–
A. बच्चों को विषय के ज्ञान का ऐसी शिक्षा देना जो उनके मानसिक विकास का कारण बने।
B. विषय का ज्ञान उपलब्ध कराना और परीक्षा की तैयारी कराना।
C. विषय का ज्ञान उपलब्ध कराना और स्मरण में मदद करना।
D. विषय का ज्ञान उपलब्ध कराना और व्यावसायिक कौशल का विकास करना।

26. 6-11 वर्ष आयु समूह के बच्चों की निम्नलिखित विशेषता होती है–
A. ये प्राकृतिक एवं सक्रिय शिक्षार्थी होते हैं।
B. ये सीखने के लिए शिक्षक पर आश्रित होते हैं।
C. ये शिक्षक से ज्ञान प्राप्त करने वाले बच्चे होते हैं।
D. ये बच्चे सीखने में अभिरुचि नहीं लेते हैं।

27. प्रतिभावान (Talented) बच्चों की बुद्धिलब्धता (I.Q.) होती है–
A. 130 B. 140
C. 125 D. 120

28. भारत में प्राथमिक शिक्षा पद्धति पर जोर डाला जाता है–
A. समझ विकसित करने के लिए
B. आत्मिक पहलू की मजबूती के लिए
C. समालोचनात्मक विचारों के विकास के लिए
D. सीखने में प्रोत्साहन के लिए

29. प्राथमिक स्तर पर निर्देशन आवश्यक होती है–
A. शिक्षक केंद्रित
B. पाठ्य-पुस्तक केंद्रित
C. छात्र केंद्रित
D. शिक्षक एवं पाठ्य-पुस्तक केंद्रित

30. 6-11 आयु समूह के छात्रों की आवश्यकता होती है–
A. क्लास रूम में लोकतांत्रिक वातावरण
B. सीखने में स्वायत्तता
C. क्रियात्मक आधारित अंतःसंबद्ध अधिगम
D. इनमें से सभी

भाग-II

गणित

निर्देशः *निम्नलिखित प्रश्नों के उत्तर देने के लिए* ***सबसे उचित*** *विकल्प चुनिए।*

31. एक आयत की लम्बाई 'l' है और इसकी चौड़ाई, लम्बाई की आधी है। इस आयत का परिमाप क्या होगा यदि उसकी लम्बाई दुगुनी कर दी जाए एवं उसकी चौड़ाई को समान रखा जाए?

A. $3l$ B. $4l$
C. $5l$ D. $6l$

32. षड्भुजाकार पिरामिड के बारे में कौन-सा कथन सत्य है?

A. इसके छः षड्भुजाकार फलक होते हैं जो छः आयताकार फलकों से जुड़े हुए होते हैं
B. इसके छः फलक होते हैं और प्रत्येक फलक षड्भुज होता है
C. एक बिन्दु पर मिलते हुए छः त्रिभुजाकार फलक के साथ इसका षड्भुजाकार आधार होता है
D. इसके दो षड्भुजाकार फलक होते हैं और छः आयताकार फलक होते हैं

33. हिन्दू-अरबी संख्यांकन पद्धति में 4-अंक वाली कितनी संख्याएँ हैं?

A. 9000 B. 99
C. 8999 D. 9999

34. 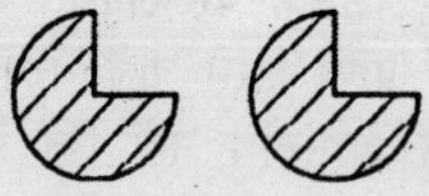 एक 'इकाई' का $\frac{3}{4}$ है, तो $1\frac{1}{2}$ क्या होगा?

A. 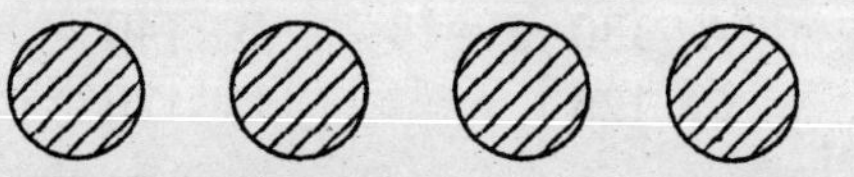

B. 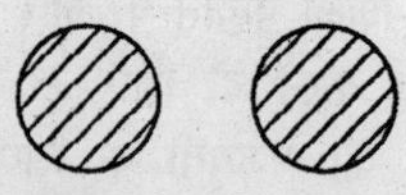

C. 

D. 

35. संख्या 49532 का सन्निकट हजारवाँ मान होगा

A. 50000 B. 49000
C. 49500 D. 41000

36. निम्नलिखित में से कौन-सी महत्तम संख्या है?

A. $(2 + 2 + 2)^2$ B. $(4)^2$
C. $(2 \times 2 \times 2)^2$ D. $[(2 + 2)^2]^2$

37. एक पेंसिल का मूल्य ढाई रुपए है। अमित डेढ़ दर्जन पेंसिलें खरीदता है और दुकानदार को 100 रुपए का एक नोट देता है। उसे कितने रुपए वापस मिलेंगे?

A. ₹ 45 B. ₹ 65
C. ₹ 30 D. ₹ 55

38. 3759×9573 के गुणनफल में, दहाई अंक और इकाई अंक का योगफल है–

A. 7 B. 9
C. 16 D. 0

39. 2:58 P.M. से 4 घंटे 59 मिनट पहले क्या समय है?

A. 9:59 A.M. B. 10:01 A.M.
C. 9:59 P.M. D. 9:57 A.M.

40. यदि 567567567 को 567 से विभाजित किया जाता है, तो भागफल है–

A. 111 B. 10101
C. 1001001 D. 3

41. 19 हजार + 19 सैंकड़े + 19 इकाइयाँ ____ के बराबर है।

A. 21090 B. 20919
C. 19919 D. 191919

42. $\frac{1}{2}$ में कितने $\frac{1}{8}$ हैं?

A. 8 B. 4
C. 2 D. 16

43. पियाजे का विश्वास था कि सामाजिक अनुदेशन से सीखना होता है और गणित का एक शिक्षक पियाजे के सिद्धांत में विश्वास करते हुए

A. चॉक और टॉक पद्धति का प्रयोग करेगा
B. कक्षा में बहुत सारे हस्तपरिचालकों (manipulatives) और प्रयोगशाला-गतिविधियों का प्रयोग करेगा
C. सामूहिक परियोजना और सामूहिक परिचर्चा का प्रयोग करेगा
D. विभेदित अनुदेशन का प्रयोग करेगा

44. आकृति में, प्रत्येक वर्ग की भुजा 1 सेमी है। छायांकित भाग का क्षेत्रफल, वर्ग सेमी में, है

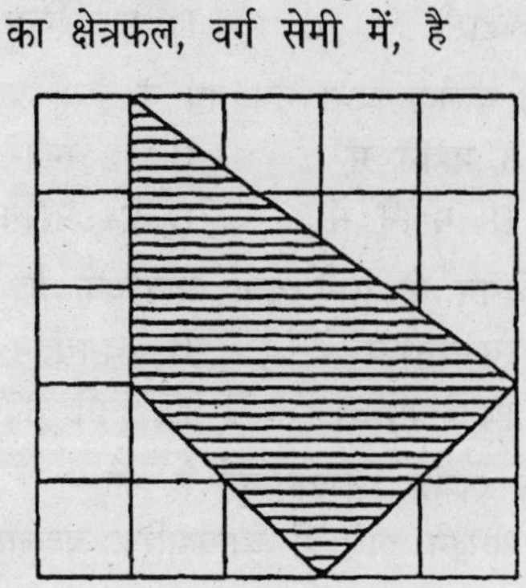

A. 11 B. 8
C. 9 D. 10

45. किसी आयताकार बक्से की आंतरिक लंबाई, चौड़ाई तथा ऊँचाई क्रमशः 10 सेमी, 8 सेमी और 6 सेमी है। 6240 सेंटीमीटर घनों को पैक करने में कितने बक्सों की आवश्यकता है?

A. 17 B. 12
C. 13 D. 15

46. 121012 को 12 से भाग करने पर शेषफल है

A. 4 B. 0
C. 2 D. 3

47. किसी दिन प्रातः 6 : 14 से रात्रि 8 : 02 तक घंटों तथा मिनटों की संख्या है

A. 14 घंटे और 16 मिनट
B. 2 घंटे और 12 मिनट
C. 12 घंटे और 16 मिनट
D. 13 घंटे और 48 मिनट

48. निम्न में से कौन-सा सही ***नहीं*** है?

A. 3 लीटर 30 मिलीलीटर = 330 मिलीलीटर
B. 1 पैसा = ₹ 0.01
C. एक और आधा दर्जन = 18
D. 1 मिलीमीटर = 0.1 सेंटीमीटर

49. $\frac{2}{3}$ में कितने $\frac{1}{6}$ हैं?

A. 6 B. 2
C. 3 D. 4

50. चार और एक-तिहाई समकोण में डिग्रियों की संख्या है

A. 405 B. 390
C. 395 D. 400

51. समानान्तरण श्रेणी –37, –33, –29 ....के प्रथम 12 पदों का योगफल निकालें?

A. –180 B. 180
C. 810 D. –108

52. पाइथागोरस प्रमेय से तीसरी भुजा ज्ञात करें जिसकी दो भुजायें 14 तथा 63 हैं।

A. 79 B. 32
C. 65 D. 126

53. LXXXVI का हिन्दू-अरेबिक पद्धति में मान है?

A. 95 B. 56
C. 86 D. 126

54. शंकु का आयतन ज्ञात करें जिसकी त्रिज्या 3.5 सेमी तथा ऊंचाई 12 सेमी. है।

A. 308 सेमी^{3} B. 154 सेमी^{3}
C. 77 सेमी^{3} D. 231 सेमी^{3}

55. किसी चाप द्वारा केन्द्र पर बनाया गया कोण वृत्त के शेष भाग पर उसी चाप द्वारा बनाये गये कोण का... ...होता है।

A. दुगुना B. तीन गुना
C. बराबर D. चार गुना

56. सरल करें : $\frac{2\times(3)^4\times(2)^5}{9\times4}$

A. 0 B. 72
C. 18 D. 144

57. तास की गड्डी से 1 पत्ता निकाला जाता है तो इसके एक बादशाह लाल रंग का होने की प्रायिकता ज्ञात करें।

A. 3/13 B. 1/26
C. 3/26 D. 2/13

58. यदि 5 वर्ष का साधारण ब्याज ₹ 77.50 हो, तो 4 वर्ष का साधारण ब्याज ज्ञात करें जबकि दोनों में मूलधन और दर समान है।

A. ₹ 124 B. ₹ 15.5
C. ₹ 387.5 D. ₹ 62

59. 501 × 502 को हल करें।

A. 152502 B. 125502
C. 251502 D. 551202

60. एक शहर की जनसंख्या 25000 से घटकर 24500 हो गयी तो उसकी प्रतिशत कमी है?

A. 5% B. 2%
C. 4% D. 3%

भाग-III

पर्यावरण अध्ययन

निर्देश– *निम्नलिखित प्रश्नों के उत्तर देने के लिए* ***सबसे उचित*** *विकल्प चुनिए।*

61. लोदी वंश का संस्थापक कौन था?

A. बहलोल लोदी B. इब्राहिम लोदी
C. सिकंदर लोदी D. इनमें से कोई नहीं

62. वह भारतीय राज्य जिसकी समुद्री तट रेखा सर्वाधिक लंबी है–

A. तमिलनाडु B. केरल
C. गुजरात D. आंध्र प्रदेश

63. मानव विकास सूचकांक रिपोर्ट-2010 में भारत का कौन-सा स्थान है?

A. 112 B. 119
C. 117 D. 132

64. जर्मनी के एकीकरण के लिए सर्वाधिक उत्तरदायी कौन था?

A. हिटलर B. गेरीबाल्डी
C. बिस्मार्क D. मुसोलिनी

65. निम्न में से कौन-सी सबसे बड़ी नदी है?
A. गंगा B. ब्रह्मपुत्र
C. यमुना D. गोदावरी

66. निम्न में से कौन-सा सबसे प्राचीन वेद है?
A. सामवेद B. यजुर्वेद
C. ऋग्वेद D. अथर्ववेद

67. भारत का मुख्य निर्वाचन आयुक्त कौन है?
A. एस.आई. कुरैशी B. नवीन चावला
C. एस.एच. कपाड़िया D. पी.जे. थॉमस

68. भारत का भौगोलिक क्षेत्रफल संपूर्ण विश्व के क्षेत्रफल का कितना प्रतिशत है?
A. 2.4 % B. 3.5 %
C. 3.2 % D. 3.8 %

69. गौतम बुद्ध का जन्म कहां हुआ था?
A. पोरबंदर B. सारनाथ
C. लुम्बनी D. बोधगया

70. जनगणना 2011 के अनुसार लिंगानुपात कितना है?
A. 920 B. 930
C. 935 D. 940

71. कोणार्क मंदिर अवस्थित है–
A. तमिलनाडु में B. महाराष्ट्र में
C. उड़ीसा में D. कर्नाटक में

72. दक्षिण गोवा से केप कैमरन तक के दक्षिण भारत के पतले तटीय मैदान को कहते हैं–
A. मालाबार तट B. कोंकण तट
C. कोरोमंडल तट D. सेथु तट

73. माओवादी आक्रमण के कारण हाल के दिनों में समाचारों में रहा दांतेवाड़ा जिला है–
A. असम में B. छत्तीसगढ़ में
C. बिहार में D. पश्चिम बंगाल में

74. निम्न में से कौन-सा जोड़ा सही रूप से सुमेलित नहीं है?
A. कलपक्कम – तमिलनाडु
B. तारापुर – राजस्थान
C. नरौरा – उत्तर प्रदेश
D. कैगा – कर्नाटक

75. 2011 की जनगणना के अनुसार भारत में जनघनत्व है–
A. 382 B. 376
C. 358 D. 392

76. निम्न में से कौन-सा व्यक्ति संविधान सभा का सदस्य नहीं था?
A. खुर्शिद अहमद B. सच्चिदानंद सिन्हा
C. रणबीर सिंह हुडा D. बेनीप्रसाद वर्मा

77. डीडीटी (DDT) है–
A. सिंथेटिक बैक्टेरीसाइड्स
B. नेचुरल पेस्टीसाइड्स
C. नॉन-बायोडेग्रेडेबल पॉलुटेंट
D. डाइ-क्लोरो डाइ फिनाइल टिटेनियम

78. रासायनिक प्रतिक्रिया के संबंध में कौन-सा कथन सही नहीं है?
A. सभी रासायनिक प्रतिक्रियाएं प्रतिवर्त्य हैं
B. सभी रासायनिक प्रतिक्रियाएं अणुओं के विघटन के दौरान ताप छोड़ती हैं
C. सभी रासायनिक प्रतिक्रियाएं अणुओं के बीच के बंधन को तोड़ने का कार्य करती हैं
D. इनमें से सभी

79. विद्यालय प्रयोगशाला में ऑक्सीजन उत्पादन के किस विधि का उपयोग किया जाता है?
A. $KClO_3$ के साथ MnO_2 को गर्म करके
B. H_2O के वैद्युत अपघटन से
C. प्रकाश संश्लेषण से
D. इनमें से सभी

80. डिटर्जेंट मिश्रण होते हैं–
A. मजबूत अम्ल एवं मजबूत क्षार के
B. कमजोर अम्ल एवं कमजोर क्षार के
C. मजबूत क्षार एवं कमजोर अम्ल के
D. मजबूत अम्ल एवं कमजोर क्षार के

81. निम्न में से कौन-सा धातु विलयन (Amalgam) में प्रयुक्त होता है?
A. कार्बन B. सोडियम
C. गोल्ड D. मर्करी

82. कभी-कभी स्टील के बर्तनों का नीचे का भाग खाना बनाते समय काला हो जाता है। इस बात से निम्न में से कौन-सा निष्कर्ष निकलता है?
A. स्टील के बर्तनों में कार्बन की प्रतिशतता अधिक होती है
B. स्टील के बर्तनों में लोहे की प्रतिशतता अधिक होती है
C. अपर्याप्त दहन-प्रक्रिया के घटित होने के कारण ऐसा होता है
D. अपारंपरिक ऊर्जा-स्रोत के प्रयुक्त होने के कारण ऐसा होता है

83. एक किसान दानों को भूसे से अलग करना चाहता है, जिस प्रक्रिया से यह अलग किया जा सकता है, वह कहलाता है–
A. हस्त चयन B. थ्रेशिंग
C. निष्पादन D. फसल की कटाई

84. यदि एक चुंबक रेखा चार भागों में टूट जाए तो वहां कितने चुंबकीय ध्रुव हैं–
A. दो B. चार
C. छह D. आठ

85. यदि शरीर की मात्रा दोहरी है तो गतिज ऊर्जा होगी–
A. समान B. आधा
C. दोहरी D. चार गुना

86. एक गतिमान सरल आवर्त गति (S.H.M.) की गति को और बढ़ाने पर यह होता है–
A. सदा स्थिर
B. चरम बिंदु पर अधिकतम
C. यथायुक्त बिंदु पर अधिकतम
D. सदा शून्य

87. एक सींग वाला गैंडा निम्न में से किस राज्य में पाया जाता है?
A. गुजरात
B. असम
C. कर्नाटक
D. मध्य प्रदेश

88. क्यों अंडा शुद्ध जल में डूब जाता है जबकि नमकीन जल में तैरता है?
A. अंडा का घनत्व शुद्ध जल के घनत्व से कम होता है
B. अंडा का घनत्व नमकीन जल के घनत्व से कम होता है
C. अंडा का घनत्व नमकीन जल के घनत्व से बहुत अधिक होता है
D. उपरोक्त में कोई नहीं

89. एक विलयन जिसका pH मूल्य 2 है, संकेत करता है–
A. कमजोर अम्ल
B. कमजोर क्षार
C. मजबूत क्षार
D. मजबूत अम्ल

90. दोपहर के भोजन अवकाश के बाद पर्यावरण अध्ययन पढ़ाते समय आप यह पाते हैं कि बच्चे पाठ में रुचि नहीं ले रहे हैं। आप क्या करेंगे?
A. बच्चों से कहेंगे कि वे डेस्क पर सिर रखकर आराम करें।
B. पाठ को रोचक बनाने के लिए बहु-आयामी बुद्धि पर आधारित दृश्य-श्रव्य सामग्रियों का प्रयोग करेंगे।
C. प्रकरण को तुरंत बदल देंगे।
D. बच्चों को बाहर मैदान में खेलने के लिए ले जाएंगे।

भाग-IV

भाषा-I : हिन्दी

निर्देशः *निम्नलिखित प्रश्नों के उत्तर देने के लिए **सबसे उचित** विकल्प चुनिए।*

91. बहुभाषिक कक्षा के संदर्भ में आप इनमें से किस गतिविधि को सर्वाधिक उचित समझते हैं?
A. 'लट्ठ', 'खत' शब्दों के हिन्दी रूप कंठस्थ कीजिए।
B. 'स्वतंत्र' शब्द को दस बार बोलिए।
C. 'सूर्य अस्त हो गया।' वाक्य को 10 बार लिखिए।
D. हिन्दी पाठों में आए 'चिड़िया', 'पुस्तक', 'कुआँ' को आपकी भाषा में क्या कहते हैं? बताइए।

92. हिन्दी भाषा के सतत और व्यापक मूल्यांकन के संदर्भ में कौन-सा कथन उचित ***नहीं*** है?
A. यह बताता है कि बच्चों को किस तरह की मदद की जरूरत है
B. यह बच्चे के संदर्भ में ही मूल्यांकन करता है
C. यह बच्चों को उत्तीर्ण-अनुत्तीर्ण श्रेणियों में विभाजित करने में विश्वास रखता है
D. सतत और व्यापक मूल्यांकन बच्चों की सीखने की क्षमता और तरीके के बारे में जानकारी देता है

93. प्राथमिक स्तर पर आप कहानियों, कविताओं में किस पक्ष को ज्यादा महत्वपूर्ण मानते हैं?
A. प्रतिष्ठित लेखकों की कहानियाँ, कविताएँ बच्चों को पढ़ाई जाएँ
B. प्रत्यक्ष उपदेशात्मकता
C. कहानियों, कविताओं का व्याकरणिक नियमों की जानकारी की दृष्टि से समृद्ध होना
D. घटनाओं, शहरों, पदों में दोहराव

94. भाषा की प्रकृति के सम्बन्ध में कौन-सा कथन उचित ***नहीं*** है?
A. भाषा का जितना अधिक प्रयोग किया जाएगा, उतना ही भाषा पर पकड़ मजबूत होती जाएगी
B. भाषा कठोरता से व्याकरणिक नियमों का अनुसरण करती है
C. भाषाएँ एक-दूसरे के सान्निध्य में फलती-फूलती हैं
D. भाषा एक नियमबद्ध व्यवस्था है

95. निम्नलिखित में से किस उद्देश्य के लिए प्राथमिक स्तर पर भाषा ***नहीं*** सीखी जाती?
A. अपनी अनेक जरूरतों को पूरा करना
B. जीवन की विभिन्न स्थितियों को साधना
C. भाषा का व्याकरण सीखना
D. मन की बात कहना-सुनना

96. कलिका हिन्दी भाषा में बोलते समय कई बार अटकती है। आप क्या करेंगे?
A. धैर्य रखते हुए उसे सहज अभिव्यक्ति के लिए प्रोत्साहित करेंगे
B. उसे प्रवाहपूर्ण अभिव्यक्ति के नमूने सुनाएँगे और कहेंगे कि उसे भी हू-ब-हू ऐसे ही बोलना है
C. कक्षा के बाकी बच्चों से कहेंगे कि कलिका के समक्ष प्रवाहपूर्ण अभिव्यक्ति के नमूने प्रस्तुत करें
D. कक्षा में केवल कलिका को ही बार-बार बोलने के लिए कहेंगे

97. तमिल भाषी सुहेल प्रायः 'भजन', को 'बजन' कहता है। भाषा के शिक्षक के रूप में आप क्या करेंगे?

A. 'भजन' शब्द का बार-बार उच्चारण करवाएँगे
B. सुहेल को उसकी त्रुटि के लिए डाँटेंगे
C. तमिल और हिन्दी भाषा का तुलनात्मक अध्ययन करते हुए महाप्राण ध्वनियों से युक्त भाषिक सामग्री का प्रयोग करेंगे
D. सुहेल को बताएँगे कि सही शब्द 'भजन' है

98. 'गणित, विज्ञान, सामाजिक विज्ञान की कक्षाएँ एक तरह से भाषा की ही कक्षाएँ हैं।' इस कथन के समर्थन में कौन-सा तर्क सबसे कमजोर है?
A. विभिन्न विषयों के अध्ययन-अध्यापन में भाषा साधन का कार्य करती है
B. विभिन्न विषयों के शिक्षण में भाषा-शिक्षण एक मुख्य उद्देश्य होता है
C. विभिन्न विषयों की अवधारणात्मक समझ की अभिव्यक्ति भी भाषा-विशेष में होती है
D. विभिन्न विषयों की अवधारणाएँ किसी भाषा-विशेष में बनती हैं

99. भाषा का प्राथमिक रूप है–
A. मौखिक B. सांकेतिक
C. व्याकरणिक D. लिखित

100. हिन्दी भाषा की पाठ्य-पुस्तक में लोकगीतों को शामिल करने का कौन-सा उद्देश्य सबसे कम महत्वपूर्ण हैं?
A. लोकगीतों की भाषिक विशेषताओं से परिचित होने का अवसर मुहैया कराना
B. लोकगीतों से संबद्ध राज्यों की जानकारी देना
C. लोकगीतों की रसानुभूति
D. लोकगीतों के माध्यम से भारत की सांस्कृतिक विशेषताओं से परिचित कराना

निर्देश (प्र.सं. 101 से 109 तक): *गद्यांश को पढ़कर निम्नलिखित प्रश्नों में* ***सबसे उचित*** *विकल्प चुनिए।*

समस्याओं का हल ढूँढ़ने की क्षमता पर एक अध्ययन किया गया। इसमें भारत में तीन तरह के बच्चों के बीच तुलना की गई–एक तरफ वे बच्चे जो दुकानदारी करते हैं पर स्कूल नहीं जाते, ऐसे बच्चे जो दुकान सँभालते हैं और स्कूल भी जाते हैं और तीसरा समूह उन बच्चों का था जो स्कूल जाते थे पर दुकान पर कोई मदद नहीं करते।

उनसे गणना के व इबारती सवाल पूछे गए। दोनों ही तरह के सवालों में उन स्कूली बच्चों ने जो दुकानदार नहीं हैं, मौखिक गणना या मनगणित का प्रयोग बहुत कम किया, बनिस्बत उनके जो दुकानदार थे। स्कूली बच्चों ने ऐसी गलतियाँ भी कीं, जिनका कारण नहीं समझा जा सका। इससे यह साबित होता है कि दुकानदारी से जुड़े हुए बच्चे हिसाब लगाने में गलती नहीं कर सकते क्योंकि इसका सीधा असर उनके काम पर पड़ता है, जबकि स्कूलों के बच्चे वही हिसाब लगाने में अक्सर भयंकर गलतियाँ कर देते हैं।

इससे यह स्पष्ट होता है कि जिन बच्चों को रोजमर्रा की जिंदगी में इस तरह के सवालों से जूझना पड़ता है, वे अपने लिए जरूरी गणितीय क्षमता हासिल कर लेते हैं।

लेकिन साथ ही इस बात पर भी गौर करना महत्त्वपूर्ण है कि इस तरह की दक्षताएँ एक स्तर तक और एक कार्य-क्षेत्र तक सीमित होकर रह जाती हैं। इसलिए वे सामाजिक व सांस्कृतिक परिवेश जो कि ज्ञान को बनाने व बढ़ाने में मदद करते हैं, वही उस ज्ञान को संकुचित और सीमित भी कर सकते हैं।

101. समस्याओं का हल खोजने पर आधारित अध्ययन किस विषय से जुड़ा हुआ था?
A. दुकानदारी
B. सामाजिक विज्ञान
C. गणित
D. भाषा

102. किन बच्चों ने सवाल हल करने में मौखिक गणना का ज्यादा प्रयोग किया?
A. जो दुकानदारी करते हैं
B. जो सिर्फ स्कूल जाते हैं
C. जो बच्चे न तो दुकानदारी करते हैं और न ही स्कूल जाते हैं
D. जो स्कूली बच्चे दुकानदारी नहीं करते

103. अनुच्छेद के आधार पर कहा जा सकता है कि–
A. बच्चों को गणित सीखने के लिए दुकानदारी करनी चाहिए
B. बच्चे रोजमर्रा के जीवन में काम आने वाली दक्षताओं को स्वतः ही हासिल कर लेते हैं
C. सिर्फ दुकानदार बच्चे ही गणित सीख सकते हैं
D. बच्चों को गणित सीखना चाहिए

104. दुकानदार बच्चे हिसाब लगाने में प्रायः गलती नहीं करते क्योंकि–
A. वे जन्म से ही बहुत ही दक्ष हैं
B. वे कभी भी गलती नहीं करते
C. गलती का असर उनके काम पर पड़ता है
D. इससे उन्हें माता-पिता से डाँट पड़ेगी

105. जो दक्षताएँ हमारे दैनिक जीवन में काम नहीं आतीं उनमें हमारा प्रदर्शन अक्सर–
A. अच्छा होता है
B. खराब-अच्छा होता रहता है
C. संतोषजनक होता है
D. खराब होता है

106. अनुच्छेद के आधार पर बताइए कि सामाजिक व सांस्कृतिक परिवेश ज्ञान को–
A. संकुचित कर सकता है
B. सीमित कर सकता है

C. बनाने में मदद भी करता है और उसे संकुचित, सीमित भी कर सकता है

D. बनाने में मदद करता है

107. 'इक' प्रत्यय का उदाहरण है–

A. संकुचित

B. सांस्कृतिक

C. चूँकि

D. सीमित

108. 'मनगणित' का अर्थ है–

A. मन-ही-मन हिसाब लगाना

B. कठिन गणित

C. मनगढ़ंत गणित

D. मनपसंद गणित

109. संयुक्त क्रिया का उदाहरण है–

A. अध्ययन किया गया

B. दुकान सँभालते हैं

C. हिसाब लगाते हैं

D. स्कूल जाते हैं

110. बच्चों की भाषा-संबंधी क्रमिक प्रगति का लेखा-जोखा रखना .... से सम्भव है।

A. उत्तर-पुस्तिकाओं

B. लिखित परीक्षा

C. मौखिक परीक्षा

D. पोर्टफोलियो

111. भाषा की पाठ्य-पुस्तकें

A. अभ्यासपरक ही होनी चाहिए

B. साधन हैं

C. साध्य हैं

D. भाषा सीखने का एकमात्र संसाधन हैं

112. बच्चों की भाषा के आकलन का सर्वाधिक प्रभावी तरीका है

A. प्रश्न पूछना और पढ़ी गई सामग्री पर प्रतिक्रिया व्यक्त करना

B. श्रुतलेख

C. लिखित परीक्षा

D. प्रश्नों के उत्तर देना

113. बहुभाषिक एवं बहुसांस्कृतिक कक्षा में

A. बच्चों को केवल मानक भाषा के प्रयोग के लिए ही पुरस्कृत करना चाहिए

B. बच्चों की मातृभाषा का ही सदैव प्रयोग किया जाना चाहिए

C. बच्चों की मातृभाषा का प्रयोग वर्जित होना चाहिए

D. बच्चों की मातृभाषा को समुचित सम्मान, स्थान देते हुए मानक भाषा से भी परिचय कराना चाहिए

114. निम्नलिखित में से कौन-सा भाषा-शिक्षण का उद्देश्य है?

A. भाषा की बारीकी और सौंदर्यबोध को सही रूप में समझने की क्षमता को हतोत्साहित करना

B. भाषा के व्याकरण सीखने पर बल देना

C. निजी अनुभवों के आधार पर भाषा का सृजनशील प्रयोग करना

D. भाषा सीखते समय त्रुटियाँ बिल्कुल न करना

115. भाषा के व्याकरण की समझ को

A. निबंधात्मक प्रश्नों के माध्यम से आँका जाना चाहिए

B. संदभपरक प्रश्नों के माध्यम से आँका जाना चाहिए

C. केवल वस्तुनिष्ठ प्रश्नों के माध्यम से आँका जाना चाहिए

D. केवल लघूत्तर प्रश्नों के माध्यम से आँका जाना चाहिए

116. प्रश्न पूछना, प्रतिक्रिया व्यक्त करना, परिचर्चा में भाग लेना, वर्णन करना

A. भाषा सीखने-सिखाने तथा आकलन के तरीके हैं

B. केवल शिक्षण-पद्धति हैं

C. केवल साहित्यिक गतिविधियाँ हैं

D. भाषा-आकलन के तरीके मात्र हैं

117. एक भाषा-शिक्षक के लिए सर्वाधिक महत्त्वपूर्ण है

A. भाषा की त्रुटियों के प्रति कठोर रवैया अपनाना

B. भाषा की पाठ्य-पुस्तक

C. भाषा का आकलन

D. बच्चों को भाषा-प्रयोग के अवसर उपलब्ध कराना

118. भाषा सीखने-सिखाने का उद्देश्य है

A. विभिन्न स्थितियों में भाषा का प्रभावी प्रयोग करना

B. अपनी बात कहना सीखना

C. दूसरों की बात समझना सीखना

D. अपनी बात की पुष्टि के लिए तर्क देना

119. भाषा की कक्षा में एक शिक्षक बच्चों से क्या अपेक्षा करता है?

A. बच्चे सवालों के बँधे-बँधाए जवाब न दें

B. बच्चे सवालों के बँधे-बँधाए जवाब दें

C. संस्कृतनिष्ठ भाषा में ही जवाब दें

D. बच्चे अपनी मातृभाषा का बिल्कुल भी प्रयोग न करें

120. बच्चे अपने परिवेश से स्वयं भाषा अर्जित करते हैं। इसका एक निहितार्थ यह है कि

A. बच्चों को बिल्कुल भी भाषा न पढ़ाई जाए

B. बच्चों को समृद्ध भाषिक परिवेश उपलब्ध कराया जाए

C. बच्चों को केवल लक्ष्य भाषा का ही परिवेश उपलब्ध कराया जाए

D. बच्चों को अत्यंत सरल भाषा का परिवेश उपलब्ध कराया जाए

भाग-V

भाषा-II : अंग्रेजी

Directions : *Answer the following questions by selecting the **most appropriate** option.*

121. Which of the following statements is true?
A. Formative assessment, to be effective, must be conducted only after teaching a lesson
B. While all formative tasks are meant for improving teaching-learning, some are used for assessment too
C. Formative assessment helps us to grade students into good, average and poor
D. All formative tasks are meant for assessment

122. When young learners seem to lose interest in a lesson, the teacher should
A. ask them to sit quietly for some time
B. allow them to go out and play
C. ask them to sleep for a while
D. tell a story or conduct an interesting activity

123. Group project work helps in developing
A. collaboration, critical thinking and problem solving
B. competition among learners to excel in academics
C. good memory in the young learners
D. a high level of ambition to achieve

124. Which of the following is an instance of non-formal learning?
A. Children learning a new game from friends
B. Children learning through correspondence lessons
C. Children learning to draw from their art teacher
D. Children learning to cook from their parents

125. Teachers help learners 'construct' their knowledge in English by
A. correcting every mistake a learner makes and giving the relevant rule of grammar as immediate feedback
B. giving extensive language drills in which learners practice language items mechanically
C. enabling them to see the relationship between their prior knowledge and the new knowledge
D. giving the learners a lot of assignments and projects that will lead to much practice

126. 'Students need to brainstorm ideas, organise them, draft, edit and revise their work,' is a 'process' which reflects
A. Speaking skills B. Reading skills
C. Writing skills D. Listening skills

127. What type of questions promote thinking skills in children?
A. Questions based purely on the reading text
B. Personal response questions
C. Closed-ended questions
D. Factual questions

128. A textbook describes a domestic scene which shows the father cooking in the kitchen, the mother coming home from work and their son sewing. What is the concept conveyed?
A. Work is worship
B. Removing gender bias
C. Dignity of labour
D. Division of labour among sexes

129. Reading for comprehension can be best achieved through
A. Asking the children to read the text aloud
B. Helping learners speak words softly while reading
C. Learners reading silently and asking comprehension questions
D. Teaching learners to run a finger or pencil under the line being read

130. Teachers do not give the meaning of new words to learners directly because
A. it prevents learners from discovering the meaning through puzzling out using clues
B. learners already know the meaning of the words
C. vocabulary will not be enriched
D. learners do not like to be given the meaning of words

Directions (Q. No. 131 to 139): *Read the passage given below and answer the questions that follow by selecting the **most appropriate** option.*

Anaesthesia in any part of the body means a loss of sensation, either permanent or temporary. The term is usually used to describe the artificially produced loss of sensation which makes a surgical operation painless.

There are four main types of anaesthesia: general, spinal, regional and local. Anaesthetics may be given as gases, by inhalation; or as drugs injected into a vein. A patient given general anaesthesia loses consciousness. Anaesthesia of a fairly large area of the body results from injecting the anaesthetic drug into the spinal canal: all that portion of the body below the level at which the drug is injected is anaesthetized. Regional anaesthesia is the injecting of the nerves as they emerge from the spinal column: the anaesthesia induced by this method affects only that area of the body supplied by those nerves. In local anaesthesia, the drug is injected directly at the site of the operative incision and sometimes also into the nearby surrounding tissues.

Formerly the most commonly used local anaesthetic was cocaine, a drug extracted from the leaves of the coca bush and introduced in 1879. But cocaine has some disadvantages and, sometimes, undesirable side-effects. For spinal, regional and local anaesthesia, procaine, or one of the several modifications of procaine, is now widely used instead of cocaine. For very limited and short operations, such as opening a small abscess, local anaesthesia may be induced by spraying (rather than injecting) a chemical, ethyl chloride, on a small aea of the skin; in changing from the liquid to the gaseous state, this drug freezes the area sprayed, and permits painless incision.

131. When a part of the body is anaesthetised,
- A. the nearby organ loses its function permanently
- B. the body loses its consciousness
- C. the part gets excited
- D. that part loses the ability to feel any pain

132. The real purpose of using anaesthetics is—
- A. to make patients unconscious
- B. to perform operations without causing pain
- C. to artificially produce loss of sensation
- D. to cure patients of diseases

133. An anaesthetic is inhaled when it is administered—
- A. by injection
- B. as a gas
- C. as a spray
- D. as a drug

134. When a gas is used as an anaesthetic, the anaesthesia is—
- A. spinal B. local
- C. regional D. general

135. Spinal anaesthesia is resorted to when—
- A. a small area has to be anaesthetised
- B. the operation involves a big area of the body
- C. a drug has to be injected into the vein
- D. a patient has to be made unconscious

136. The expression 'the site of the operative incision' (lines 19) means—
- A. the place at which a cut is to be made
- B. the spot at which the anaesthetic has to be injected
- C. the area of the body supplied by specific nerves
- D. all the surrounding tissues

137. An 'abscess' (line 29) is—
- A. an operative incision
- B. a collection of poisonous matter in a hole in the body
- C. an open wound requiring surgery
- D. a deep hole

138. The word opposite in meaning to the word 'formerly' (line 21) is—
- A. fortunately B. later
- C. significant D. industrially

139. 'Anaesthetic' (line 22) is—
- A. an adjective B. an adverb
- C. a noun D. a verb

140. In the word 'scarce', the phonetic transcription for 'a' is
- A. /ae/ B. /e/
- C. /ea/ D. /ie/

141. Notes can be made using a flowchart or a web-diagram. The study skill involved is
- A. gathering B. storing
- C. summarising D. retrieving

142. Language acquisition
- A. is a technique intended to simulate the environment in which children learn their native language
- B. requires the memorization and use of necessary vocabulary
- C. involves a systematic approach to the analysis and comprehension of grammar as well as to the memorization of vocabulary
- D. refers to the process of learning a native or a second language because of the innate capacity of the human brain

143. A rhetorical question is asked
- A. to get a feedback about what others think about your speech/writing
- B. to gather personal information
- C. to clarify a concept
- D. for the sake of effect with no answer needed

144. The homonym of 'bier' is
- A. bar B. bear
- C. beer D. bare

145. An example of linking adverbials is
- A. your B. the
- C. these D. so

146. *'I loved Ophelia : forty thousand brothers Could not, with all their quantity of love Make up my sum'.*

The phrase '...forty thousand brothers' illustrates a figure of speech called

A. allegory B. imagery
C. personification D. hyperbole

147. Student A and Student B ask and answer questions to complete a worksheet. This is
A. a controlled interview
B. an information transfer activity
C. a role play
D. an information gap activity

148. 'While listening' means a stage
A. when a listening activity is introduced
B. when students are listening for pleasure
C. when students are listening to a recording of a natural conversation
D. where the students attempt a listening task

149. Criteria of assessment is a/are
A. scoring key
B. guidelines with marking scheme
C. question-wise distribution of marks
D. general impression of a student's ability

150. According to NCF 2005, learning of English aims
A. to provide adequate facilities at the State level for instruction in English at the primary stage of education
B. to enable knowledge acquisition through literacy and its development into an instrument of abstract thought
C. to subsume the languages that a child acquires naturally from her/his home and societal environment
D. to introduce standard sign language in English for children with language-related impairments

उत्तरमाला

1	2	3	4	5	6	7	8	9	10
A	D	B	C	D	C	D	B	A	D
11	12	13	14	15	16	17	18	19	20
D	D	B	C	B	D	C	D	C	D
21	22	23	24	25	26	27	28	29	30
A	A	C	C	D	C	B	A	C	D
31	32	33	34	35	36	37	38	39	40
C	C	A	D	A	D	D	A	A	C
41	42	43	44	45	46	47	48	49	50
B	B	C	C	C	A	D	A	D	B
51	52	53	54	55	56	57	58	59	60
A	C	C	B	A	D	B	D	C	B
61	62	63	64	65	66	67	68	69	70
A	C	B	C	B	C	A	A	C	D
71	72	73	74	75	76	77	78	79	80
C	A	B	B	A	C	C	C	A	C
81	82	83	84	85	86	87	88	89	90
D	C	A	D	C	B	B	B	D	B
91	92	93	94	95	96	97	98	99	100
D	C	D	B	C	A	C	B	B	B
101	102	103	104	105	106	107	108	109	110
C	A	B	C	B	C	B	A	A	A
111	112	113	114	115	116	117	118	119	120
B	A	D	A	B	A	D	A	A	B
121	122	123	124	125	126	127	128	129	130
B	D	A	B	C	C	B	B	C	A
131	132	133	134	135	136	137	138	139	140
D	B	B	B	B	A	B	B	C	A
141	142	143	144	145	146	147	148	149	150
C	A	D	C	D	D	B	C	D	C

कुछ चुने गए प्रश्नों के व्याख्यात्मक उत्तर

51. –37, –33, –29, ...12 पद तक

प्रथम पद = –37

सार्व अन्तर = 4

12 पदों का योग $= \frac{12}{2}\{2(-37)+(12-1)4\}$

$= 6\{-74+44\}$

$= 6\ (-30) = -\ 180$

52.

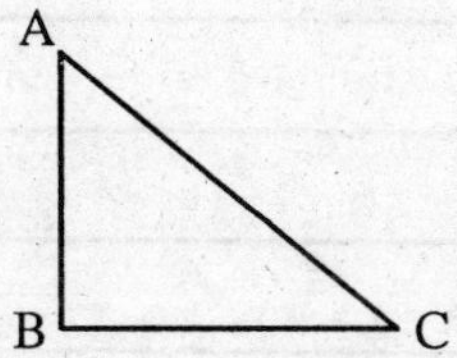

हम जानते हैं कि $AC^2 = AB^2 + BC^2$

$AC^2 = (14)^2 + (63)^2$

$AC^2 = 256 + 3969$

$AC^2 = 4225$

अतः $AC = \sqrt{4225} = 65$

53. हिन्दू-अरेबिक संख्या = 50 + 30 + 6 = 86

54. शंकु का आयतन $= \frac{1}{3}\pi r^2 h$

$= \frac{1}{3}\times\frac{22}{7}\times 3.5\times 3.5\times 12$

$= 22 \times .5 \times 3.5 \times 4$

$= 88 \times 17.5$

= 154 घन सेमी.

55. केन्द्र पर का कोण परिधि पर के कोण का दुगुना होता है।

56. सरल करें : $\frac{2(3)^4\times(2)^5}{9\times 4} = \frac{2\times 81\times 32}{9\times 4}$

$= 2 \times 9 \times 8 = 144$

57. अभीष्ट प्रायिकता $= \frac{2}{52} = \frac{1}{26}$

58. 5 वर्ष का साधारण ब्याज = ₹ 77.50

1 वर्ष का साधारण ब्याज = ₹ $\frac{77.50}{5}$

4 वर्ष का साधारण ब्याज = ₹ $\frac{77.50}{5}\times 4$

= ₹ 62

59. 501×502

$= (500 + 1)\ (500 + 2)$

$= 250000 + 1000 + 500 + 2$

$= 251502$

60. जनसंख्या में कमी = 25000 – 24500 = 500

प्रतिशत कमी $= \frac{500}{25000}\times 100 = 2\%$

अतः जनसंख्या में 2 प्रतिशत की कमी हुई।

YOUR SPACE

बाल विकास एवं शिक्षा शास्त्र

बाल विकास

SECTION a

1. विकास की संकल्पना एवं अधिगम से इसका संबंध

- विकास नदी के जल के समान एक निरंतर प्रवाहमान प्रक्रिया है। इसमें बालक का सर्वांगीण विकास होता है। विकास की इस प्रक्रिया में बालक के स्वभाव, व्यक्तित्त्व, जीवन-मूल्य, आदत एवं रुचि आदि को शामिल किया जाता है।
- बालक के विकास की क्रिया उसके माँ के गर्भ से ही प्रारंभ हो जाती है। विकास की यह प्रक्रिया अनेक अवस्थाओं यथा– गर्भावस्था, बाल्यावस्था, किशोरावस्था एवं प्रौढ़ावस्था आदि से क्रमिक रूप से गुजरते हुए परिपक्वता की स्थिति को प्राप्त करती है।

बाल विकास के अध्ययन से संबद्ध मुख्य बातें

(*i*) जन्म से पूर्व एवं जन्म के बाद से परिपक्व होने तक बालक में होने वाले परिवर्तन की प्रकृति क्या है?

(*ii*) बालक में होने वाले परिवर्तनों का उसके आयु के साथ किस प्रकार का संबंध होता है?

(*iii*) आयु के साथ होने वाले परिवर्तनों की प्रकृति क्या है?

(*iv*) बालकों में उपर्युक्त वर्णित परिवर्तनों के लिए कौन-कौन से कारक जिम्मेदार होते हैं?

(*v*) बालक में समय-समय पर होने वाले उपर्युक्त परिवर्तन उसके व्यक्तित्त्व एवं व्यवहार को किस प्रकार प्रभावित करते हैं?

(*vi*) क्या घटित अथवा पिछले परिवर्तनों के आधार पर बालक के भविष्य में होने वाले परिमाणात्मक एवं गुणात्मक परिवर्तनों की भविष्यवाणी की जा सकती है?

(*vii*) क्या सभी बालकों में वृद्धि एवं विकास संबंधी परिवर्तनों का स्वरूप एक समान होता है अथवा व्यक्तिगत विभिन्नता के अनुसार इसमें अंतर होता है?

(*viii*) क्या बालकों में पाई जाने वाली व्यक्तिगत विभिन्नताएं उसके आनुवंशिक एवं परिवेशजन्य परिस्थिति से प्रेरित होती हैं?

(*ix*) बालक के गर्भ में आने के बाद निरंतर प्रगति होती रहती है। इस प्रगति का विभिन्न आयु एवं अवस्था के दौरान क्या स्वरूप होता है?

(*x*) बालक की आदत, रुचि, दृष्टिकोण, जीवन-मूल्य, स्वभाव तथा उच्च व्यक्तित्त्व एवं व्यवहार आदि में जन्म के समय से ही सदैव परिवर्तन आते रहते हैं। उनका विभिन्न आयु वर्ग एवं अवस्था में क्या स्वरूप होता है तथा उस परिवर्तन की प्रक्रिया की प्रकृति क्या होती है?

विकास एवं वृद्धि

विकास एवं वृद्धि शब्द का प्रयोग प्रायः समानार्थक शब्द के रूप में किया जाता है। परंतु संकल्पनात्मक रूप मे दोनों में सूक्ष्म अंतर है।

विकास एवं वृद्धि में अंतर

विकास	वृद्धि
(*i*) विकास एक निरंतर चलने वाली प्रक्रिया है तथा यह बालक के परिपक्व होने के बाद भी चलती रहती है।	(*i*) वृद्धि की प्रक्रिया आजीवन नहीं चलती, बालक के परिपक्व होने के साथ ही यह रुक जाती है।
(*ii*) विकास का व्यापक रूप में प्रयोग किया जाता है। वृद्धि इसी का एक भाग है।	(*ii*) वृद्धि विकास की प्रक्रिया का एक चरण होता है। इसका क्षेत्र सीमित होता है।
(*iii*) विकास शब्द का प्रयोग परिणात्मक परिवर्तनों के साथ-साथ व्यावहारिक परिवर्तनों, यथा– कार्य-कुशलता, कार्यक्षमता, व्यवहार में सुधार आदि के लिए भी होता है।	(*iii*) वृद्धि शब्द का प्रयोग केवल परिमाणात्मक परिवर्तनों, यथा–बालक के बड़े होने के साथ उसके आकार, लंबाई, ऊंचाई इत्यादि के लिए होता है।
(*iv*) बालक में विकास के लिए भी वृद्धि आवश्यक नहीं है।	(*iv*) बालक की शारीरिक वृद्धि हो रही है। इसका अर्थ यह नहीं है कि उसका विकास भी हो रहा है।

मानव के विकास की विभिन्न अवस्थाएं

मानव विकास एक निरंतर प्रवाहमान प्रक्रिया है। मानव का शारीरिक विकास एक निश्चित सीमा के बाद अर्थात् परिपक्वता प्राप्त करने के बाद रूक जाता है। किंतु मनोशारीरिक क्रियाओं में विकास निरंतर होता रहता है। इन मनोशारीरिक क्रियाओं के अंतर्गत्–भाषाई, मानसिक, संवेगात्मक, सामाजिक एवं चारित्रिक विकास आते हैं। इनका विकास विभिन्न आयु स्तरों में भिन्न प्रकार से होता है। इन आयु स्तरों को मानव विकास की अवस्था के नाम से जाना जाता है। मानव विकास की विभिन्न अवस्थाओं का वर्गीकरण-परंपरागत एवं आधुनिक विचारधारा के आधार पर किया जा सकता है–

परंपरागत विचारधारा

इस विचारधारा के अंतर्गत् भारतीय विद्वानों ने मानव विकास के अवस्था को सात कालों में बांटा है–

	अवस्था		काल
1.	गर्भावस्था	–	गर्भ धारण करने से जन्म तक।
2.	शैशवावस्था	–	जन्म से 5 वर्ष तक।
3.	बाल्यावस्था	–	5 से 12 वर्ष तक।
4.	किशोरावस्था	–	12 से 18 वर्ष तक।
5.	युवावस्था	–	18 से 25 वर्ष तक।
6.	प्रौढ़ावस्था	–	25 से 55 वर्ष तक।
7.	वृद्धावस्था	–	55 वर्ष से मृत्युपर्यंत।

आधुनिक विचारधारा

इस विचारधारा के अंतर्गत् अधिकतर विद्वानों ने मानव विकास के अवस्था को चार कालों में बांटा है–

	अवस्था		काल
1.	शैशवावस्था	–	जन्म से 6 वर्ष तक।
2.	बाल्यावस्था	–	6 से 12 वर्ष तक।
3.	किशोरावस्था	–	12 से 18 वर्ष तक।
4.	वयस्कावस्था	–	18 वर्ष से मृत्युपर्यंत।

शैशवावस्था की विशेषताएं

जन्म से 6 वर्ष तक की अवस्था को शैशवावस्था कहते हैं। यह मानव विकास की दूसरी अवस्था है। पहली अवस्था गर्भकाल है जिसमें शरीर पूर्णतः बनता है और शैशवावस्था में उसका विकास होता है। शैशवावस्था की मुख्य विशेषताएं निम्न हैं–

- शैशवावस्था के प्रथम तीन वर्षों में शिशु का शारीरिक विकास काफी तीव्रता से होता है। उसके भार और लम्बाई में वृद्धि होती है। तीन वर्षों के बाद विकास की गति धीमी हो जाती है। उसके इन्द्रियों, आन्तरिक अंगों, मांसपेशियों आदि का क्रमिक विकास होता है।
- शिशु की मानसिक क्रियाओं, जैसे–ध्यान, स्मृति, कल्पना, संवेदना और प्रत्यक्षीकरण आदि के विकास में पर्याप्त तीव्रता होती है। तीन वर्ष की आयु तक शिशु की लगभग सभी मानसिक शक्तियां कार्य करने लगती है।
- शिशु में जिज्ञासा की प्रवृत्ति का बाहुल्य होता है। वह अपने खिलौने का विभिन्न प्रकार से प्रयोग करता है। वह उसको फर्श पर फेंक सकता है और वह उसके भागों को अलग-अलग कर सकता है। वह ऐसा करके विभिन्न विधियों से अपने खिलौनों को रखने का प्रयत्न करता है। इस प्रकार की क्रियाओं द्वारा वह अपनी जिज्ञासा को संतुष्ट करने की चेष्टा करता है। इसके अतिरिक्त, वह विभिन्न बातों और वस्तुओं के बारे में 'क्यों और कैसे' के प्रश्न पूछता है।
- शिशु के सीखने की प्रक्रिया में बहुत तीव्रता होती है और वह अनेक आवश्यक बातों को सीख लेता है। **गेसल** के अनुसार, "बालक प्रथम 6 वर्षों में बाद के 12 वर्षों से दूना सीख लेता है।"
- जन्म के बाद शिशु कुछ समय तक बहुत असहाय स्थिति में रहता है उसे भोजन और अन्य शारीरिक आवश्यकताओं के अलावा प्रेम और सहानुभूति पाने के लिए भी दूसरों पर निर्भर रहना पड़ता है। वह मुख्यतः अपने माता-पिता और विशेष रूप से अपनी माता पर निर्भर रहता है।
- शिशु में अच्छी और बुरी, उचित और अनुचित बातों का ज्ञान नहीं होता। वह उन्हीं कार्यों को करना चाहता है, जिनमें उसको आनंद आता है, भले ही वह अवांछनीय हों। इस प्रकार नैतिकता का पूर्ण अभाव होता है।
- शिशु में अनुकरण द्वारा सीखने की प्रवृत्ति होती है। वह अपने माता-पिता, भाई-बहन आदि के कार्यों और व्यवहार का अनुकरण करता है। यदि वह ऐसा नहीं कर पाता है, तो रोकर या चिल्लाकर अपनी असमर्थता प्रकट करता है। अनुकरण द्वारा सीखने की यह प्रवृत्ति उसे अपना विकास करने में सहायता देती है।
- शिशु में पहले अकेले और फिर दूसरों के साथ खेलने की प्रवृत्ति होती है। इस प्रवृत्ति में होने वाले परिवर्तन का वर्णन करते हुए **क्रो** एवं **क्रो** ने लिखा है–"बहुत ही छोटा शिशु अकेला खेलता है। धीरे-धीरे वह दूसरे बालकों के समीप खेलने की अवस्था में से गुजरता है। अंत में, वह अपनी आयु के बालकों के साथ खेलने में महान आनंद का अनुभव करता है।"
- शिशु में दोहराने की प्रवृत्ति बहुत प्रबल होती है। उसमें शब्दों और गतियों को दोहराने की प्रवृत्ति विशेष रूप से पाई जाती है। ऐसा करने में वह विशेष आनंद का अनुभव करता है।
- शैशवावस्था के अंतिम वर्षों में शिशु में सामाजिक भावना का विकास हो जाता है। वैलेन्टाइन के अनुसार–"चार या पांच वर्ष के बालक में अपने छोटे भाइयों, बहनों या साथियों की रक्षा करने की प्रवृत्ति होती है। वह 2 से 5 वर्ष तक बच्चों के साथ खेलना पसंद करता है। वह अपनी वस्तुओं में दूसरों को

साझीदार बनाता है। वह दूसरे बच्चों के अधिकारों की रक्षा करता है और दुःख में उनको सांत्वना देने का प्रयास करता है।''

शैशवावस्था में शिक्षा की प्रकृति/स्वरूप

शैशवावस्था में सीखने की सीमा और तीव्रता, विकास की किसी और अवस्था की तुलना में बहुत अधिक होती है। अतः ऐसे में शिक्षा का आयोजन निम्नांकित तरह से किया जाना चाहिए–

- शिशु अपने विकास के लिए शांत, स्वस्थ और सुरक्षित वातावरण चाहता है। अतः घर और विद्यालय में उसे उचित प्रकार का वातावरण प्रदान किया जाना चाहिए।
- शैशवावस्था के अंतिम भाग में शिशु दूसरे बालकों के साथ मिलना-जुलना और खेलना पसंद करता है। उसे इन बातों का अवसर दिया जाना चाहिए, ताकि उसमें सामाजिक भावना का विकास हो।
- आत्म-निर्भरता से शिशु को स्वयं सीखने, काम करने और विकास करने की प्रेरणा मिलती है। अतः उसको स्वतंत्रता प्रदान करके, आत्म-निर्भर बनने का अवसर दिया जाना चाहिए।
- शिशु में आत्म-प्रदर्शन की भावना होती है। अतः उसे ऐसे कार्य करने के अवसर दिए जाने चाहिए, जिनके द्वारा वह अपनी इस भावना को व्यक्त कर सके।
- शिशु अपनी आवश्यकताओं की पूर्ति के लिए दूसरों पर निर्भर रहता है। उसके माता-पिता और शिक्षक को उसकी इस असहाय स्थिति से लाभ नहीं उठाना चाहिए। अतः उन्हें डांटना या पीटना नहीं चाहिए और न उसे भय या क्रोध दिखाना चाहिए। इसके विपरीत, उन्हें उसके प्रति सदैव प्रेम, शिष्टता और सहानुभूति का व्यवहार करना चाहिए।
- शिशु में अनेक गुण निहित होते हैं। अतः उसे इस प्रकार की शिक्षा दी जानी चाहिए, जिससे उसमें इन गुणों का विकास हो। यही कारण है कि आधुनिक युग में शिशु-शिक्षा के प्रति विशेष ध्यान दिया जा रहा है।
- शिशु के व्यवहार का आधार उसकी मूल प्रवृत्तियां होती हैं। अतः उनका दमन न करके सभी संभव विधियों से प्रोत्साहन दिया जाना चाहिए। इसका कारण यह है कि दमन करने से शिशु का विकास अवरुद्ध हो जाता है।
- शिशुओं में मानसिक क्रियाओं की तीव्रता होती है। अतः उसे सोचने-विचारने के अधिक-से-अधिक अवसर दिए जाने चाहिए।
- बालक कुछ प्रवृत्तियों के साथ जन्म लेता है, जो उसे कार्य करने के लिए प्रेरित करती है। अतः उसे उनके अनुसार कार्य करके शिक्षा प्राप्त करने की स्वतंत्रता दी जानी चाहिए।
- शिशु-कल्पना के जगत में विचरण करता है और उसी को वास्तविक संसार समझता है। अतः उसे ऐसे विषयों की शिक्षा दी जानी चाहिए, जो उसे वास्तविकता के निकट लाए। मॉण्टेसरी पद्धति में परियों की कहानियों को इसलिए स्थान नहीं दिया गया है कि क्योंकि वे बालक को वास्तविकता से दूर ले जाती है।
- शिशु की शिक्षा में कहानियों और सचित्र पुस्तकों का विशिष्ट स्थान होना चाहिए। इसके उपयोगिता के संबंध में **क्रो** एवं **क्रो** ने कहा है–''पांच वर्ष का शिशु कहानी सुनते समय उससे संबंधित चित्रों को पुस्तक में देखना पसंद करता है।''
- शिशु को खेल द्वारा शिक्षा दी जानी चाहिए। इस बात पर प्रकाश डालते हुए **स्ट्रेंग** ने लिखा है कि–''शिशु अपने एवं अपने संसार के बारे में अधिकांश बातें खेल के माध्यम से सीखता है।''

बाल्यावस्था की विशेषताएं

6 से 12 वर्ष तक की अवस्था को बाल्यावस्था कहते हैं। यह अवस्था बालक के व्यक्तित्व के निर्माण की होती है। बाल्यावस्था को मुख्यतः दो चरणों में बांटा जा सकता है–प्रथम चरण 6 वर्ष से 9 वर्ष तक और द्वितीय चरण 9 वर्ष से 12 वर्ष तक। प्रथम चरण में बालक की लंबाई एवं भार दोनों बढ़ते हैं। इस काल में बच्चे में चिंतन एवं तर्क शक्तियों का विकास हो जाता है। द्वितीय चरण में बच्चे पढ़ाई में रुचि लेने लगते हैं। बाल्यावस्था की मुख्य विशेषताएं निम्न हैं–

- इस अवस्था में बालक शैशवावस्था के काल्पनिक जगत से वास्तविक जगत में प्रवेश करता है। वह उसकी प्रत्येक वस्तु से आकर्षित होकर उसका ज्ञान प्राप्त करना चाहता है।
- इस अवस्था में बालक की रुचियों में निरंतर परिवर्तन होता रहता है। वे स्थायी रूप धारण न करके वातावरण में परिवर्तन के साथ परिवर्तित होती रहती हैं।
- बाल्यावस्था में जिज्ञासा की प्रवृत्ति प्रबल होती है। वह जिन वस्तुओं के संपर्क में आता है उनके बारे में प्रश्न पूछकर हर तरह की जानकारी प्राप्त करना चाहता है। उसके ये प्रश्न शैशवावस्था के साधारण प्रश्नों से भिन्न होते हैं। 'यह क्या है?' इसके विपरीत वह पूछता है– 'यह ऐसे क्यों है?' 'यह ऐसे कैसे हुआ है?'
- इस अवस्था के प्रारंभ में बालक में नैतिक गुणों का विकास होने लगता है। **स्ट्रेंग** के विचारानुसार–''6, 7 एवं 8 वर्ष के बालकों में अच्छे-बुरे के ज्ञान का एवं न्यायपूर्ण, व्यवहार, ईमानदारी और सामाजिक मूल्यों की भावना का विकास होने लगता है।''
- बालक में सामूहिक प्रवृत्ति बहुत प्रबल होती है। वह अपना अधिक-से-अधिक समय दूसरे बालकों के साथ व्यतीत करने का प्रयास करता है।
- बालक अपने संवेगों पर अधिकार रखना एवं अच्छी और बुरी भावनाओं में अंतर करना जान जाता है।

वह उन भावनाओं का दमन करता है, जिनको उसके माता-पिता और बड़े लोग पसंद नहीं करते हैं।

- इस अवस्था में बालकों में बिना उद्देश्य के इधर-उधर घूमने की प्रवृत्ति बहुत अधिक होती है। मनोवैज्ञानिक **बर्ट** के अनुसार, लगभग 9 वर्ष के बालकों में आवारागर्दी, बिना छुट्टी के विद्यालय से भागना और आलस्यपूर्ण जीवन व्यतीत करने आदि की प्रवृत्ति पाई जाती है।
- बालक, विद्यालय के छात्रों और अपने समूह के सदस्यों के साथ पर्याप्त समय व्यतीत करता है। ऐसे में उसमें अनेक सामाजिक गुणों का विकास होता है, यथा–सहयोग, सद्भावना, सहनशीलता, आज्ञाकारिता आदि।
- इस अवस्था में बालकों को सामूहिक खेलों में अत्यधिक रुचि होती है। वह 6 या 7 वर्ष की आयु में छोटे समूहों में और बहुत काफी समय तक खेलता है। खेल के समय बालिकाओं की अपेक्षा बालकों में झगड़े अधिक होते हैं। 11 या 12 वर्ष की आयु में बालक दलीय खेलों में भाग लेने लगता है।
- बाल्यावस्था में बालकों और बालिकाओं में संग्रह करने की प्रवृत्ति बहुत ज्यादा पाई जाती है। बालक विशेष रूप से कांच की गोलियों, टिकटों, मशीनों के भाग और पत्थर के टुकड़ों का संचय करते हैं। बालिकाओं में चित्रों, खिलौनों, गुड़ियों और कपड़ों के टुकड़ों को संग्रह करने की प्रवृत्ति पाई जाती है।
- 6 या 7 वर्ष की आयु के बाद बालक के शारीरिक और मानसिक विकास में स्थिरता आ जाती है। यह स्थिरता उसकी शारीरिक व मानसिक शक्तियों को सुदृढ़ता प्रदान करती है। फलतः उसका मस्तिष्क परिपक्व-सा और वह स्वयं व्यस्क-सा जान पड़ता। इसीलिए **रॉस** ने बाल्यावस्था को **'मिथ्या-परिपक्वता'** का काल बताते हुए कहा है कि–''शारीरिक और मानसिक स्थिरता बाल्यावस्था की सबसे महत्त्वपूर्ण विशेषता है।''
- इस अवस्था में बालक की मानसिक योग्यताओं में निरंतर वृद्धि होती है। उसकी संवेदना और प्रत्यक्षीकरण की शक्तियों में वृद्धि होती है। वह विभिन्न बातों के बारे में तर्क और विचार करने लगता है। वह साधारण बातों पर अधिक देर तक अपने ध्यान को केंद्रित कर सकता है। उसमें अपने पूर्व-अनुभवों को स्मरण रखने की योग्यता उत्पन्न हो जाती है।
- शैशवावस्था में बालक का व्यक्तित्व अंतर्मुखी होता है, क्योंकि वह एकांतप्रिय और केवल अपने में रुचि लेने वाला होता है। इसके विपरीत, बाल्यावस्था में उसका व्यक्तित्त्व बर्हिमुखी हो जाता है, क्योंकि बाह्य जगत् में उसकी रुचि उत्पन्न हो जाती है। अतः वह अन्य व्यक्तियों, वस्तुओं और कार्यों का अधिक-से-अधिक परिचय प्राप्त करना चाहता है।
- इस अवस्था में बालकों को रचनात्मक कार्यों में विशेष आनंद आता है। वह साधारणतः घर से बाहर किसी प्रकार का कार्य करना चाहता है, यथा–बागवानी या औजारों से लकड़ी की वस्तुएं बनाना आदि। ठीक इसके विपरीत बालिकाएं घर में ही कोई न कोई कार्य करना चाहती हैं, यथा–सिलाई, कढ़ाई एवं बुनाई आदि।

बाल्यावस्था में शिक्षा की प्रकृति/स्वरूप

इस अवस्था को शैक्षिक दृष्टि से बालक के निर्माण की अवस्था कहा जाता है। इस अवस्था में बालक अपना अलग समूह बनाने लगता है। इस अवस्था को चुस्ती का आयु भी कहा जाता है। इस अवस्था में बालक की शिक्षा का स्वरूप निश्चित करते समय निम्नांकित बातों को ध्यान में रखना चाहिए–

- इस अवस्था में बालक की रुचियों में निरंतर परिवर्तन होता रहता है। अतः पाठ्य-विषय और शिक्षण-विधि में उसकी रुचियों के अनुसार परिवर्तन किया जाना आवश्यक है। ऐसा न करने से उसमें शिक्षण के प्रति कोई आकर्षण नहीं रह जाता है। फलतः उसकी मानसिक प्रगति रूक जाती है।
- बालक के लिए कुछ ऐसे विषयों का अध्ययन आवश्यक है, जो उसकी आवश्यकताओं की पूर्ति कर सके और उसके लिए लाभप्रद भी हों। इस उद्देश्य की पूर्ति के लिए निम्न विषयों का चुनाव किया जाना चाहिए–भाषा, अंकगणित, विज्ञान, सामाजिक अध्ययन, ड्राइंग, चित्रकला, सुलेख, पत्र-लेखन और निबंध-रचना।
- बालक कठोर अनुशासन पसंद नहीं करता है। वह शारीरिक दंड, बल-प्रयोग और डांट-डपट से घृणा करता है। वह उपदेश नहीं सुनना चाहता है। वह धमकियों की चिंता नहीं करता है। अतः उसकी शिक्षा प्रेम और सहानुभूति पर आधारित होनी चाहिए।
- सभी शिक्षाशास्त्री बालक की स्वाभाविक क्रियाशीलता और खेल-प्रवृत्ति में विश्वास करते हैं। अतः उसकी शिक्षा का स्वरूप ऐसा होना चाहिए, जिससे वह स्वयं-क्रिया और खेल द्वारा ज्ञान का अर्जन करे।
- बालक में समूह में रहने को प्रबल प्रवृत्ति होती है। वह अन्य बालकों से मिलना-जुलना और उनके साथ कार्य करना या खेलना चाहता है। उसे इन सब बातों का अवसर देने के लिए विद्यालय में सामूहिक कार्यों और सामूहिक खेलों का उचित आयोजन किया जाना चाहिए।
- **कोल** एवं **ब्रूस** ने बाल्यावस्था को 'संवेगात्मक विकास का अनोखा काल' माना है। यह विकास तभी संभव है, जब बालक के संवेगों का दमन न किया जाए, क्योंकि ऐसा करने से उसमें भावना-ग्रंथियों का निर्माण हो जाता है।

- **स्ट्रैंग** के अनुसार, "इस अवस्था में बालकों की भाषा में बहुत रुचि होती है।" अतः इस बात पर बल दिया जाना आवश्यक है कि बालक, भाषा का अधिक-से-अधिक ज्ञान प्राप्त करे।
- बालक की रचनात्मक कार्यों में विशेष रुचि होती है। अतः विद्यालय के स्तर पर विभिन्न प्रकार के रचनात्मक कार्यों की व्यवस्था होनी चाहिए।
- इस अवस्था में बालक की विभिन्न मानसिक रुचियों को संतुष्ट करके उसकी सुप्त शक्तियों का अधिकतम विकास किया जा सकता है। इस कार्य में सफलता प्राप्त करने के लिए विद्यालय में अधिक से अधिक पाठ्यक्रम सहभागी क्रियाओं का संचालन किया जाना चाहिए।
- **किर्कपैट्रिक** ने बाल्यावस्था को 'प्रद्विन्द्वात्मक समाजीकरण' का काल माना है। अतः विद्यालय में ऐसी क्रियाओं का अनिवार्य रूप से संगठन किया जाना चाहिए, जिनमें भाग लेकर बालक में अनुशासन, आत्म-नियंत्रण, सहानुभूति, प्रतिस्पर्द्धा, सहयोग आदि सामाजिक गुणों का अधिकतम विकास हो।
- बालकों में जिज्ञासा की प्रवृत्ति होती है। अतः उन्हें दी जाने वाली शिक्षा का स्वरूप ऐसा होना चाहिए, जिससे उसकी इस प्रवृत्ति की तुष्टि हो।
- बालकों की रुचियों में विभिन्नता और परिवर्तनशीलता होती है। अतः उसकी पुस्तकों की विषय-सामग्री में रोचकता और विभिन्नता होनी चाहिए। इस दृष्टिकोण से विषय-सामग्री का संबंध इस प्रकार से होना चाहिए–पशु, हास्य, विनोद, नाटक, वार्तालाप, वीर पुरुष, साहसी कार्य और आश्चर्यजनक बातें।
- बालकों में संचय करने की प्रवृत्ति होती है। अतः उन्हें जो वस्तु अच्छी लगती है, उसी को वे संचय कर लेते हैं। उनके माता-पिता एवं शिक्षक का कर्त्तव्य है कि वे उन्हें शिक्षाप्रद वस्तुओं का संचय करने के लिए प्रोत्साहित करें।

किशोरावस्था की विशेषताएं

बाल्यावस्था के समापन के साथ अर्थात 13वें वर्ष से किशोरावस्था की शुरुआत होती है। इस अवस्था में बालकों और बालिकाओं में क्रांतिकारी मानसिक, शारीरिक, सामाजिक एवं संवेगात्मक परिवर्तन होते हैं। इसलिए इस काल को जीवन के तूफान का काल भी कहा जाता है। इस अवस्था की मुख्य विशेषताएं निम्न हैं–

- किशोरावस्था को शारीरिक विकास का काल माना जाता है। इस काल में किशोर के शरीर में अनेक महत्त्वपूर्ण परिवर्तन होते हैं, जैसे–भार और लंबाई में तीव्र वृद्धि, मांसपेशियों और शारीरिक ढांचे में दृढ़ता, किशोर में दाढ़ी और मूंछ की रोमावालियों एवं किशोरियों में प्रथम मासिक स्राव के दर्शन।
- इस अवस्था में किशोर के मस्तिष्क का लगभग सभी दिशाओं में विकास होता है। किशोरों में इस अवस्था में पाए जाने वाले मानसिक विकास के प्रमुख गुण हैं– कल्पना एवं दिवास्वप्नों की बहुलता, बुद्धि का अधिकतम विकास, सोचने-समझने और तर्क करने की शक्ति में वृद्धि, विरोधी मानसिक दशाएं।
- किशोरों में समाज सेवा की अति तीव्र भावना होती है। इस संबंध में **रॉस** के ये शब्द उल्लेखनीय हैं–"किशोर समाज-सेवा के आदर्शों का निर्माण और पोषण करता है। उसका उदार हृदय मानव जाति के प्रेम से ओत-प्रोत होता है और वह आदर्श समाज का निर्माण करने में सहायता देने के लिए उद्विग्न रहता है।"
- किशोर जिस समूह का सदस्य होता है, उसको वह अपने परिवार और विद्यालय से अधिक महत्त्वपूर्ण समझता है। यदि उसके माता-पिता और समूह के दृष्टिकोणों में अंतर होता है, तो वह समूह के ही दृष्टिकोणों को श्रेष्ठतर समझता है और उन्हीं के अनुसार अपने व्यवहार, रुचियों, इच्छाओं आदि में परिवर्तन करता है।
- किशोरों में आवेगों और संवेगों की बहुत प्रबलता होती है। यही कारण है कि उनका विभिन्न अवसरों पर विभिन्न प्रकार का व्यवहार होता है। उदाहरणार्थ–किसी समय वह अत्यधिक क्रियाशील होता है और किसी समय अत्यधिक कायर, किसी परिस्थिति में साधारण रूप से उत्साहपूर्वक और किसी में असाधारण रूप से उत्साहहीन।
- किशोरावस्था से पूर्व बालक अच्छी और बुरी, सत्य और असत्य, नैतिक और अनैतिक बातों के बारे में अनेक प्रकार के प्रश्न पूछता है। किशोर होने पर वह स्वयं इन बातों पर विचार करने लगता है, परिणामस्वरूप अपने जीवन-दर्शन का निर्माण करता है। वह ऐसे सिद्धांतों का निर्माण करना चाहता है जिनकी सहायता से वह अपने जीवन में कुछ बातों का निर्माण कर सके। उसे इस कार्य में सहायता देने के उद्देश्य से ही आधुनिक युग में 'युवा आंदोलनों' को संगठित किया गया।
- किशोरावस्था में बालक अपने भावी व्यवसाय को चुनने के लिए चिंतित रहता है। इस संबंध में **स्ट्रैंग** का मत है– "जब छात्र हाईस्कूल में होता है, तब वह किसी व्यवसाय को चुनने, उसके लिए तैयारी करने, उसमें प्रवेश करने और उसमें उन्नति के लिए अधिक ही चिंतित हो जाता है।
- किशोर में महत्त्वपूर्ण व्यक्ति बनने और प्रौढ़ों के समान निश्चित स्थिति प्राप्त करने की अत्यधिक अभिलाषा होती है। **ब्लेयर, जोन्स** एवं **सिम्पसन** के शब्दों मे–"किशोर का महत्त्वपूर्ण बनना, अपने समूह में स्थिति प्राप्त

करना और श्रेष्ठ व्यक्ति के रूप में स्वीकार किया जाना चाहता है।

- **रॉस** ने किशोरावस्था को शैशवावस्था का पुरावर्तन कहा है, क्योंकि किशोर बहुत-कुछ शिशु के समान होता है। उसकी बाल्यावस्था की स्थिरता समाप्त हो जाती है और वह एक बार फिर शिशु के समान अस्थिर हो जाता है। उसके व्यवहार में इतनी उद्विग्नता आ जाती है कि वह शिशु के समान अन्य व्यक्तियों और अपने वातावरण से समायोजन नहीं कर पाता है। अतः रॉस का विचार है कि "शिशु के समान किशोर को अपने वातावरण से समायोजन करने का कार्य फिर आरंभ करना पड़ता है।"
- किशोरावस्था के आरंभ में बालकों को धर्म और ईश्वर में आस्था नहीं होती है। इनके संबंध में उनमें इतनी शंकाएं उत्पन्न होती हैं कि वे उनका समाधान नहीं कर पाते हैं। पर धीरे-धीरे उनमें धर्म में विश्वास उत्पन्न हो जाता है और वे ईश्वर की सत्ता को स्वीकार करने लगते हैं।

किशोरावस्था में शिक्षा की प्रकृति/स्वरूप

किशोरावस्था आरंभ होने के समय से ही शिक्षा को एक निश्चित स्वरूप प्रदान किया जाना अनिवार्य है। इस शिक्षा का स्वरूप निम्नांकित प्रकार से होना चाहिए–

- किशोरों की मानसिक शक्तियों का सर्वोत्तम और अधिकतम विकास के लिए शिक्षा का स्वरूप उसकी रुचियों, रूझानों, दृष्टिकोणों और योग्यताओं के अनुरूप होना चाहिए। अतः उसकी शिक्षा में निम्न बातों को स्थान दिया जाना चाहिए–
  - (*i*) कला, विज्ञान, साहित्य, भूगोल, इतिहास आदि जैसे सामान्य विद्यालय-विषय,
  - (*ii*) किशोर की जिज्ञासा को संतुष्ट करने और उसकी निरीक्षण-शक्ति को प्रशिक्षित करने के लिए प्राकृतिक ऐतिहासिक, आदि स्थानों का भ्रमण,
  - (*iii*) उसकी रुचियों, कल्पनाओं और दिवास्प्नों को साकार बनाने के लिए पर्यटन, वाद-विवाद, कविता, लेखन साहित्यिक गोष्ठी आदि से संबद्ध सहगामी क्रियाएं।
- किशोर अपने समूह को अत्यधिक महत्त्व देता है और उसमें आचार-व्यवहार की अनेक बातें सीखता है। अतः विद्यालय में ऐसे समूहों का संगठन किया जाना चाहिए, जिनकी सदस्यता ग्रहण करके किशोर उत्तम सामाजिक व्यवहार और संबंधों के पाठ को सीख सके। इस दिशा में सामूहिक क्रियाएं, सामूहिक खेल और स्काउटिंग अत्यधिक उपयोगी सिद्ध हो सकते हैं।
- किशोर में स्वयं परीक्षण, निरीक्षण, विचार और तर्क करने की प्रवृत्ति होती है। अतः उसे शिक्षा देने के लिए परंपरागत विधियों का प्रयोग नहीं किया जाना चाहिए। उसके लिए किस प्रकार की शिक्षण-विधियां उपयुक्त हो सकती हैं, इस संबंध में **रॉस** का विचार है कि– "विषयों का शिक्षण व्यावहारिक ढंग से किया जाना चाहिए और उनका दैनिक जीवन की बातों से प्रत्यक्ष संबंध स्थापित किया जाना चाहिए।
- किशोर में उचित महत्त्व और उचित स्थिति प्राप्त करने की प्रबल इच्छा होती है। उसकी इस इच्छा को पूर्ण करने के लिए, उसे उत्तरदायित्व के कार्य दिए जाने चाहिए। इस उद्देश्य से सामाजिक क्रियाओं, छात्र-स्वशासन और युवक-गोष्ठियों का संगठन किया जाना चाहिए।
- बालकों और बालिकाओं में विभिन्नता होनी अति आवश्यक है। इसका कारण यह है कि लिंग भेद के कारण और इस विचार से कि बालक और बालिकाओं को भावी जीवन में विभिन्न कार्य करने हैं, दोनों के पाठ्यक्रमों में विभिन्नता होनी चाहिए।
- किशोर को न तो बालक समझना चाहिए और न उसके प्रति बालक-सा व्यवहार किया जाना चाहिए। इसके विपरीत उसके प्रति व्यस्क सा व्यवहार किया जाना चाहिए।
- किशोर अपने जीवन-दर्शन का निर्माण करना चाहता है, पर उचित पथ-प्रदर्शन के अभाव में वह ऐसा करने में असमर्थ रहता है। इस कार्य का उत्तरदायित्व विद्यालय पर है कि वह उसे उचित मार्गदर्शन दे।
- किशोर अनेक प्रकार के संवेगों से संघर्ष करता है। इन संवेगों में से कुछ उत्तम और कुछ निकृष्ट होते हैं। अतः शिक्षा में इस प्रकार के विषयों और पाठ्यक्रम में सहगामी क्रियाओं को स्थान दिया जाना चाहिए, जो निकृष्ट संवेगों का दमन या मार्गान्तरीकरण और उत्तम संवेगों का विकास करें। इस उद्देश्य से कला, विज्ञान, साहित्य, संगीत, सांस्कृतिक कार्यक्रम आदि की सुंदर व्यवस्था की जानी चाहिए।
- किशोर अपने भावी जीवन में किसी न किसी व्यवसाय में प्रवेश करने की योजना बनाता है। पर वह यह नहीं समझ पाता है कि कौन सा व्यवसाय उसके लिए सबसे अधिक उपयुक्त होगा। उसे इस बात का ज्ञान प्रदान करने के लिए विद्यालय में हुए व्यवसायों की आरंभिक शिक्षा दी जानी चाहिए। इस बात को ध्यान में रखकर हमारे देश के बहुद्देशीय विद्यालयों में व्यावसायिक विषयों की शिक्षा की व्यवस्था की गई है।
- किशोर में व्यक्तिगत विभिन्नताओं और आवश्यकताओं को सभी शिक्षाविद्ों ने स्वीकार किया है। अतः विद्यालयों में विभिन्न पाठ्यक्रमों की व्यवस्था की जानी चाहिए जिससे किशोरों की व्यक्तिगत मांगों को पूर्ण किया जा सके। इस बात पर बल देते हुए माध्यमिक शिक्षा आयोग ने लिखा है–'हमारे माध्यमिक विद्यालयों को छात्रों की विभिन्न प्रवृत्तियों, रुचियों और योग्यताओं को पूर्ण करने के लिए विभिन्न शैक्षिक कार्यक्रमों की व्यवस्था करनी चाहिए।'

- किशोर के मस्तिष्क में विरोधी विचारों में निरंतर द्वन्द्व होता रहता है। फलस्वरूप, वह उचित व्यवहार के संबंध में किसी निश्चित निष्कर्ष पर नहीं पहुंच पाता है। अतः उसे उदार, धार्मिक और नैतिक शिक्षा दी जानी चाहिए ताकि वह उचित और अनुचित में अंतर करके अपने व्यवहार को समाज के नैतिक मूल्यों के अनुकूल बना सके।
- किशोर बालकों और बालिकाओं की अधिकांश समस्याओं का संबंध उनकी काम-प्रवृत्ति से होता है। अतः विद्यालय में यौन शिक्षा की व्यवस्था होना अति आवश्यक है। इस शिक्षा के संबंध में **रॉस** ने लिखा है–"यौन शिक्षा की परम आवश्यकता को कोई भी अस्वीकार नहीं कर सकता है। इस बात की बहुत आवश्यकता है कि किशोर को ऐसे व्यस्क द्वारा गोपनीय शिक्षा दी जाए, जिस पर उसे पूर्ण विश्वास हो।"
- किशोर में अपराध करने की प्रवृत्ति का मुख्य कारण है– निराशा। इस कारण को दूर करके उसकी अपराध-प्रवृत्ति पर अंकुश लगाया जा सकता है। विद्यालय उसको अपनी उपयोगिता का अनुभव कराके उसकी निराशा को कम कर सकता है और इस प्रकार अपराध-प्रवृत्ति को कम कर सकता है।

2. बाल विकास के सिद्धांत

बालकों में होने वाले शारीरिक एवं मानसिक विकास कुछ विशेष प्रकार के सिद्धांतों पर आधारित होते हैं। ये सिद्धांत ही बाल विकास का सिद्धांत कहलाता है। बाल विकास से संबद्ध कुछ महत्त्वपूर्ण सिद्धांत निम्न हैं–

(i) **अंतः संबद्धता का सिद्धांत :** बाल विकास से संबद्ध विभिन्न तत्त्व यथा– सामाजिक, शारीरिक, मानसिक एवं संवेगात्मक आदि एक-दूसरे से अंतः संबद्ध हैं। इनमें से किसी एक में होने वाला विकास सभी तत्त्वों में होने वाले विकास को पूरी तरह से प्रभावित करने की क्षमता रखता है। उदाहरणार्थ– जिन बच्चों में औसत से अधिक वृद्धि होती है, वे शारीरिक और सामाजिक विकास की दृष्टि से भी काफी आगे पाए जाते हैं। दूसरी ओर एक क्षेत्र में पाई जाने वाली न्यूनता दूसरे क्षेत्र में हो रही प्रगति में बाधक सिद्ध होती है। यही कारण है कि शारीरिक विकास की दृष्टि से पिछड़े बालक संवेगात्मक, बौद्धिक एवं सामाजिक रूप से पिछड़े रह जाते हैं।

(ii) **पूर्वानुमान का सिद्धांत :** एक बालक के बुद्धि और विकास की गति को देखते हुए उसके आगे बढ़ने की दशा एवं स्वरूप के विषय में पूर्वानुमान किया जा सकता है। उदाहरणार्थ– किसी बालक की कलाई की हड्डियों का एक्स-रे (X-ray) से लिया गया चित्र यह बता सकता है कि उसका आकार-प्रकार आगे जाकर किस प्रकार का होगा। इसी तरह बालक की इस समय की मानसिक योग्यताओं के ज्ञान के सहारे उसके आगे के मानसिक विकास के बारे में पूर्वानुमान लगाया जा सकता है।

(iii) **विकास का सामान्य से विशेष की ओर का सिद्धांत :** विकास की प्रक्रिया में सबसे पहले सामान्य क्रियाओं के दर्शन होते हैं उसके बाद विशिष्ट क्रियाओं का स्थान आता है। उदाहरणार्थ– बालक अपने हाथों से कुछ चीज पकड़ने से पहले इधर-उधर यूं ही हाथ मारने या फैलाने की चेष्टा करता है। इसी प्रकार शुरू में एक नवजात शिशु के रोने और चिल्लाने में उसके सभी अंग-प्रत्यंग भाग लेते हैं, परंतु बाद में वृद्धि और विकास की प्रक्रिया के परिणामस्वरूप यह क्रियाएं उसकी आंखों और वाक्तंत्र तक सीमित हो जाती हैं। भाषा विकास के क्रम में बालक सबसे सामान्य शब्द ही सीखता है। पहले-पहल वह सभी व्यक्तियों को 'पापा' कहकर संबोधित करता है, इसके पश्चात ही वह अपने पापा को 'पापा' कहकर संबोधित करना सीखता है।

(iv) **निरंतरता का सिद्धांत :** इस सिद्धांत के अनुसार विकास एक न रूकने वाली प्रक्रिया है। यह प्रक्रिया माँ के गर्भ से शुरू होकर मृत्युपर्यंत चलती रहती है। मनुष्य का जीवन नगण्य आकार से प्रारंभ होकर व्यक्तित्व के सभी पक्षों, यथा–शारीरिक, सामाजिक एवं मानसिक आदि का संपूर्ण विकास को इसी निरंतरता के गुण के कारण भली-भांति प्राप्त करता है।

(v) **विकास की दिशा का सिद्धांत :** इस सिद्धांत के अनुसार विकास की प्रक्रिया पूर्व निश्चित दिशा में आगे बढ़ती है। विकास की प्रक्रिया की यह दिशा व्यक्ति के वंशानुगत एवं वातावरण-जन्य कारकों से प्रभावित होती है। इसके अनुसार बालक सबसे पहले अपने सिर और भुजाओं की गति पर नियंत्रण करना सीखता है और उसके बाद फिर टांगों को। इसके बाद ही वह अच्छी तरह बिना सहारे के खड़ा होना और चलना सीखता है।

(vi) **वैयक्तिक भिन्नता का सिद्धांत :** इस सिद्धांत के अनुसार बालकों का विकास और वृद्धि उनकी अपनी वैयक्तिकता के अनुरूप होती है। वे अपनी स्वाभाविक गति से ही वृद्धि और विकास के विभिन्न क्षेत्रों में आगे बढ़ते हैं और इसी कारण उनमें पर्याप्त विभिन्नताएं देखने को मिलती हैं। कोई भी एक बालक वृद्धि एवं विकास की दृष्टि से किसी अन्य बालक के समरूप नहीं होता। विकास के इस सिद्धांत के कारण ही कोई बालक अत्यंत मेधावी कोई बालक सामान्य तथा कोई बालक पिछड़ा या मंद होता है।

(*vii*) **विकास के क्रम की समरूपता का सिद्धांत :** यह सिद्धांत इस बात की ओर संकेत करता है कि विकास की गति में एक समानता न होने तथा पर्याप्त वैयक्तिक अंतर पाए जाने के बाद भी विकास के क्रम में कुछ समरूपता के दर्शन होते हैं। इस क्रम में एक ही जाति विशेष के सभी सदस्यों में कुछ एक जैसी समानताएं देखने को मिलती हैं।

(*viii*) **एकीकरण का सिद्धांत :** विकास की प्रक्रिया एकीकरण के सिद्धांत का पालन करती है। इस सिद्धांत के अनुसार बालक पहले संपूर्ण अंग को फिर अंग के भागों को चलाना सीखता है। इसके बाद वह उन भागों को एकीकृत करना सीखता है। सामान्य से विशेष की ओर बढ़ते हुए विशेष प्रतिक्रियाओं तथा चेष्टाओं को इकट्ठे रूप में प्रयोग में लाना सीखता है। उदाहरणार्थ–एक बालक पहले पूरे हाथ को, फिर अंगुलियों को एक साथ चलाना सीखता है।

(*ix*) **वृद्धि एवं विकास का सिद्धांत :** इस सिद्धांत के अनुसार वृद्धि और विकास की क्रिया वंशानुक्रम और वातावरण का संयुक्त परिणाम है। अन्य शब्दों में वृद्धि और विकास की प्रक्रिया में वंशानुक्रम जहां आधार का कार्य करता है वहां वातावरण इस आधार पर बनाए जाने वाले व्यक्तित्व संबंधी भवन के लिए आवश्यक सामग्री एवं वातावरण जुटाने में सहयोग देता है। अतः वृद्धि और विकास की प्रक्रियाओं में इन दोनों को समान महत्त्व दिया जाना आवश्यक हो जाता है।

(*x*) **वृद्धि एवं विकास की गति की दर में असमरूपता का सिद्धान्त :** विकास की प्रक्रिया जीवनपर्यंत चलती रहती हैं, किंतु इस प्रक्रिया में विकास की गति सदैव एक समान नहीं होती। शैशवावस्था के शुरू के वर्षों में यह गति कुछ तीव्र होती है, परंतु बाद के वर्षों में यह मंद पड़ जाती है। पुनः किशोरावस्था के प्रारंभ में इस गति में तेजो से वृद्धि होती है परंतु यह अधिक समय तक नहीं बनी रहती। इस प्रकार स्पष्ट है कि वृद्धि और विकास की गति में उतार-चढ़ाव आते ही रहते हैं। किसी भी अवस्था में यह एक जैसी नहीं रह पाती।

3. वंशानुक्रम एवं वातावरण का प्रभाव

बालक के विकास की प्रक्रिया में विभिन्न बाह्य और आंतरिक कारकों का महत्त्वपूर्ण योगदान होता है। बालक के विकास को प्रभावित करने वाले प्रमुख बाह्य कारक हैं– सामाजिक-आर्थिक स्थिति विशेषक एवं वातावरण-जन्य विशेषक आदि। जबकि बालक के विकास को प्रभावित करने वाले प्रमुख आंतरिक कारक हैं– शारीरिक विशेषक, बौद्धिक विशेषक, संवेगात्मक विशेषक, सामाजिक विशेषक, वंशानुगत विशेषक आदि।

वंशानुक्रम का प्रभाव

वंशानुक्रम माता-पिता से संतान को प्राप्त होने वाले गुणों का नाम है। एक व्यक्ति के वंशानुक्रम में वे सब शारीरिक बनावटें, शारीरिक विशेषताएं, क्रियाएं या क्षमताएं सम्मिलित रहती हैं जिन्हें वह माता-पिता तथा अपने पूर्वजों या प्रजाति से प्राप्त करता है। वंशानुक्रम का बालक पर प्रभाव निम्न रूप से पड़ता है–

1. **शारीरिक विशेषक :** इसके अंतर्गत् मनुष्य का शरीर, उसके अंगों का आनुपातिक गठन, स्वास्थ्य, रूप-संग, ज्ञानेन्द्रियों का दिखाई देने वाला रूप तथा कर्मेंद्रियों का गठन आदि सब आ जाते हैं। इनमें से अलग-अलग व्यक्ति अलग-अलग बातों को देखकर लोग प्रभावित होते हैं।

   बालक के रंग-रूप, आकार, शारीरिक गठन, ऊँचाई इत्यादि के निर्धारण में उसके आनुवंशिक गुणों का महत्त्वपूर्ण हाथ होता है। बालक के आनुवंशिक गुण उसके वृद्धि एवं विकास को भी प्रभावित करते हैं। यदि बालक के माता-पिता गोरे हैं तो उनका बच्चा गोरा ही होगा, किंतु यदि माता-पिता काले हैं तो उनके बच्चे काले ही होंगे। इसी तरह से माता-पिता के अन्य गुण भी बच्चे में आनुवंशिक रूप से पाए जाते हैं। इसके कारण कोई बच्चा अति प्रतिभाशाली एवं सुंदर हो सकता है एवं कोई अन्य बच्चा शारीरिक एवं मानसिक रूप से कमजोर।

   ऐसा भी प्रायः देखा जाता है कि जो बालक जन्म से ही दुबले-पतले, कमजोर, बीमार तथा किसी शारीरिक बाधा से पीड़ित रहते हैं, उनकी तुलना में सामान्य एवं स्वस्थ बच्चे का विकास अधिक होता है। शारीरिक कमियों का स्वास्थ्य ही नहीं वृद्धि एवं विकास पर भी प्रतिकूल प्रभाव पड़ता है। असंतुलित शरीर, मोटापा, कम ऊंचाई, शारीरिक कुरूपता इत्यादि बालक के असामान्य व्यवहार के कारण होते हैं। कई बार किसी दुर्घटना के कारण भी शरीर को क्षति पहुंचती है। इस क्षति का बालक के विकास पर प्रतिकूल प्रभाव पड़ता है।

2. **बौद्धिक विशेषक :** इसके अंतर्गत बालक की योग्यता, कल्पनाशक्ति, विचारशक्ति एवं तर्कशक्ति, किसी समस्या के समाधान हेतु निर्णायात्मक बुद्धि, बदलती हुई परिस्थितियों में समायोजनात्मक निर्णय, आदि सभी कुछ आ जाते हैं।

   बौद्धिक विशेषक को अधिगम अर्थात् सीखने की योग्यता, समायोजन योग्यता, निर्णय लेने की क्षमता आदि के रूप में परिभाषित किया जाता है। जिस बालक के सीखने की गति अधिक होती है, उसका मानसिक विकास भी तीव्र गति से होगा। बालक अपने परिवार, समाज एवं विद्यालय में अपने आपको किस तरह समायोजित करता है यह उसकी बुद्धि पर निर्भर करता है।

   गोडार्ड जैसे विचारकों का मत है कि मंद-बुद्धि माता-पिता की संतान मंद-बुद्धि और तीव्र-बुद्धि माता-पिता की संतान तीव्र-बुद्धि वाली होती है। मानसिक क्षमता के

आकर विभिन्न प्रकार की सामाजिक क्रियाओं में भाग लेता रहता है वैसे-वैसे वह अपनी पाश्विक प्रवृत्तियों पर नियंत्रण करते हुए सामाजिक आदर्शों तथा मूल्यों को सीखता रहता है। बालक के समाजीकरण की प्रक्रिया निरन्तर चलती ही रहती है। बालक में सामाजिकता का विकास करने या उसके समाजीकरण में सहायता देने वाले प्रमुख साधन या तत्त्व निम्नांकित हैं—

1. परिवार,
2. आयु समूह,
3. पड़ोस,
4. नातेदारी समूह,
5. स्कूल,
6. खेल-कूद,
7. जाति,
8. समाज,
9. भाषा समूह,
10. राजनैतिक संस्थाएं, और
11. धार्मिक संस्थाएं।

बालक के समाजीकरण में बाधक तत्त्व

मैस्लो और मिटिलमैन (Maslow and Mittleman) के अनुसार, बालक के समाजीकरण में बाधा पहुँचाने वाले तत्त्व इस प्रकार हैं—

1. **बाल्यकालीन परिस्थितियाँ**— जैसे—माता-पिता का प्यार न मिलना, माता-पिता में सदैव कलह, विधवा माँ, पक्षपात, एकाकीपन तथा अनुचित दण्ड आदि।
2. **सांस्कृतिक परिस्थितियाँ**— जैसे—जाति, वर्ग, धर्म आदि से सम्बंध रखने वाली पूर्वधारणायें आदि।
3. **तात्कालिक परिस्थितियाँ**— जैसे—निराशा, अपमान, अभ्यास, अनियमितता, कठोरता, परिहास और भाई-बहन, मित्र, पड़ोसी आदि की ईर्ष्या।
4. **अन्य परिस्थितियाँ**— जैसे—शारीरिक हीनता, निर्धरता, असफलता, शिक्षा की कमी, आत्मविश्वास का अभाव तथा आत्म-निर्भरता की कमी आदि।

समाजीकरण की प्रक्रिया में शिक्षक की भूमिका

बालक के समाजीकरण की प्रक्रिया में परिवार के बाद स्कूल और स्कूल में विशेष रूप से शिक्षक आता है। प्रत्येक समाज के कुछ विश्वास, दृष्टिकोण, मान्यताएं, कुशलताएं और परम्पराएं होती हैं, जिनको 'संस्कृति' के नाम से पुकारा जाता है। यह संस्कृति एक पीढ़ी से दूसरी पीढ़ी को हस्तान्तरित की जाती है और समाज के लोगों के आचरण को प्रभावित करती है। शिक्षक का सर्वश्रेष्ठ कार्य है—इस संस्कृति को बालक को प्रदान करना। यदि वह यह कार्य नहीं करता है तो बालक का समाजीकरण नहीं कर सकता है। शिक्षक, माता-पिता के साथ बालक के चरित्र और व्यक्तित्त्व का विकास करने में अति महत्त्वपूर्ण कार्य करता है। फिर भी, शिक्षक और माता-पिता एक-दूसरे से दूर रहते हैं और सम्पर्क में नहीं आते। परिणाम यह होता है कि शिक्षक, बालक की रुचियों, मनोवृत्तियों आदि को नहीं समझ पाता है। इसलिए वह बालक का समाजीकरण उचित दिशा में करने में असफल होता है। इसलिए यह अति आवश्यक है कि शिक्षक और माता-पिता एक-दूसरे के घनिष्ठ सम्पर्क में रहें और एक ही प्रकार के विश्वासों और दृष्टिकोणों को अपनाकर बालक का उचित दिशा में समाजीकरण करें।

कक्षा और खेल के मैदान में, साहित्यिक और सांस्कृतिक क्रियाओं में शिक्षक सामाजिक व्यवहार के आदर्श प्रस्तुत करता है। बालक अपनी अनुकरण की मूल प्रवृत्ति के कारण शिक्षक के ढंगों, कार्यों, आदतों और रीतियों का अनुकरण करता है। अतः शिक्षक को सदैव सतर्क रहना चाहिए, उसे कोई ऐसा अनुचित कार्य या व्यवहार नहीं करना चाहिए, जिसका बालक के ऊपर गलत प्रभाव पड़े। अतः बालक के समाजीकरण की प्रक्रिया को तीव्र गति प्रदान करने के लिए शिक्षक को निम्नलिखित बातों को ध्यान में रखना चाहिए—

1. **अभिभावक-शिक्षक सहयोग**— समाजीकरण की प्रक्रिया को तीव्र गति प्रदान करने के लिए शिक्षक का सर्वप्रथम कार्य यह है कि वह बालक के माता-पिता से सम्पर्क स्थापित करके उसकी रुचियों तथा मनोवृत्तियों के विषय में ज्ञान प्राप्त करे एवं उन्हीं के अनुसार उसे विकसित होने के अवसर प्रदान करे।
2. **संस्कृति का हस्तान्तरण**— कुछ परम्परायें, रीति-रिवाज, मान्यतायें, विश्वास तथा दृष्टिकोण होते हैं जिन्हें संस्कृति की संज्ञा दी जाती है। शिक्षक का कर्त्तव्य है कि बालक को भारतीय संस्कृति का ज्ञान दे जिससे उसका उचित समाजीकरण हो जाये।
3. **सामाजिक आदर्श**— शिक्षक को चाहिये कि वह कक्षा तथा खेल के मैदानों एवं सांस्कृतिक और साहित्यिक क्रियाओं में बालक के सामने सामाजिक आदर्शों को प्रस्तुत करे। इन आदर्शों का अनुकरण करके बालक का समाजीकरण शनैः शनैः हो जायेगा।
4. **स्कूल की परम्परायें**— स्कूल की परम्पराओं का बालक के समाजीकरण पर गहरा प्रभाव पड़ता है। अतः शिक्षक को चाहिये कि वह बालक का स्कूल की परम्पराओं में विश्वास उत्पन्न करे तथा उसे उन्हीं के अनुसार कार्य करने के लिए प्रोत्साहित करे।
5. **सामूहिक कार्य को प्रोत्साहन**— शिक्षक को चाहिये कि वह स्कूल में विभिन्न सामाजिक योजनाओं के द्वारा बालकों को सामूहिक क्रियाओं में सक्रिय रूप से भाग लेने के अवसर प्रदान करे। इन क्रियाओं में भाग लेने से उसका समाजीकरण स्वतः ही हो जायेगा।
6. **अन्तर-सांस्कृतिक भावना का विकास**— स्कूल में विभिन्न परिवारों के बालक शिक्षा प्राप्त करने आते हैं। इन विभिन्न परिवारों से आये हुए बालकों की संस्कृतियाँ भी अलग-अलग होती है। शिक्षक को चाहिए कि वह बालक में अन्तर-सांस्कृतिक भावना का विकास करे जिससे वह केवल अपनी संस्कृति को ही अच्छा न समझे वरन् विभिन्न संस्कृतियों का आदर करना भी सीख जाये।
7. **स्वस्थ प्रतियोगिता की भावना**— बालक के समाजीकरण में प्रतियोगिता का महत्त्वपूर्ण स्थान होता है। पर ध्यान देने की बात है कि बालक के समाजीकरण के लिए स्वस्थ प्रतियोगिता का होना ही अच्छा है। अतः शिक्षक को

बालक में स्वस्थ प्रतियोगिता की भावना विकसित करनी चाहिये।

इस प्रकार हम कह सकते हैं कि शिक्षक बालक के समाजीकरण को प्रभावित करता है। शिक्षक के स्नेह, पक्षपात, बुरे व्यवहार, दण्ड आदि का बालकों पर कुछ न कुछ प्रभाव पड़ता है और उसका सामाजिक विकास उत्तम या विकृत हो जाता है। यदि शिक्षक, मित्रता और सहयोग में विश्वास करता है तो बच्चों में भी इन गुणों का विकास होता है। यदि शिक्षक तनिक-तनिक सी बातों पर बच्चों को दण्ड देता है, तो उनके समाजीकरण में संकीर्णता आ जाती है। यदि शिक्षक अपने छात्रों के प्रति सहानुभूति रखता है, तो छात्रों का समाजीकरण सामान्य रूप से होता है।

5. प्याजे, कोहलबर्ग एवं व्यगोट्स्की

बाल विकास के वृद्धि एवं विकास का अध्ययन एवं समझ बाल शिक्षा के शिक्षण का महत्त्वपूर्ण अंग है। दो बालक एक समान नहीं होते। बाल विकास के विभिन्न प्रतिरूपों, यथा–शारीरिक, संज्ञात्मक, सामाजिक एवं संवेदनात्मक रूप से एक-दूसरे से अलग-अलग होते हैं।

विकास की विभिन्न अवस्था में बालकों में विशेष प्रकार के गुण एवं विशेषताएं देखने को मिलती है। इस संदर्भ में विभिन्न मनोवैज्ञानिकों ने विकास की विभिन्न अवस्थाओं के संबंध में अलग-अलग प्रकार के सिद्धांतों का प्रतिपादन किया है। विकास के विभिन्न अवस्थाओं से संबद्ध सिद्धांतों में जीन प्याजे (Jean Piaget), लॉरेंस कोह्लबर्ग (Lawrence Kohlberg) एवं लेव व्यगोट्स्की (Lev Vygotsky) द्वारा प्रतिपादित सिद्धांत विशेष रूप से उल्लेखनीय है।

जीन प्याजे का विकास अवस्था से संबद्ध सिद्धांत

स्विट्जरलैंड निवासी जीन प्याजे ने अपने सिद्धांत के तहत मुख्यतः बालक के मानसिक विकास पर ध्यान केंद्रित किया है। उसका यह मानना है कि ज्ञानात्मक विकास की अवस्थाओं में एक क्रम होता है। हम बाद की अवस्थाओं की योग्यता समय से पूर्व प्राप्त नहीं कर सकते। उदाहरणार्थ– जैसे 5 वर्ष के बालक को M.Sc. स्तर की भौतिकी नहीं पढ़ाई जा सकती।

विकास के विभिन्न चरण/अवस्था

जीन प्याजे ने विकास के पांच अवस्थाओं का उल्लेख किया है, जो निम्नवत् हैं–

(i) **इन्द्रिय गामक आग्राहण की अवस्था (0-2 वर्ष):** यह अवस्था शिशु की उल्टी-सीधी हरकतों से आरंभ होती है और फिर बच्चा अभ्यास एवं संयोजन (इंद्रियजनित गामक अंगों– Sensori motor organ) द्वारा इस अवस्था तक आता है। दो वर्ष की समाप्ति पर जब बच्चा विभिन्न वस्तुओं के बीच में संयोजन करना सीख लेता है तो आरंभिक प्रत्यय का विकास होता है।

(ii) **सांकेतिक एवं पूर्व प्रत्ययी विचारों की अवस्था (2-4 वर्ष):** इस अवस्था में बच्चे के मस्तिष्क में विचार आने लगते हैं और चौथे वर्ष के अंत तक वह संकेतों का प्रयोग करने लगता है।

(iii) **स्वजनित विचारों की अवस्था (4-8 वर्ष):** इस अवधि में बालक विभिन्न प्रत्ययों को विभिन्न परिस्थितियों में प्रयोग कर सकता है अर्थात् उसके अंदर सामान्यीकरण की क्षमता आ जाती है।

(iv) **मूर्त क्रिया की अवस्था (8-12 वर्ष):** इस अवधि में बालक अपना ध्यान रूकी हुई अवस्था से हटा सकता है अर्थात् वह अपने वर्तमान अनुभवों के आधार पर अपने भविष्य को पहचान सकता है।

(v) **औपचारिक (अमूर्त) क्रिया की अवस्था (12-18 वर्ष):** इस अवस्था में बालक की चिंतन प्रक्रिया संश्लेषणात्मक तथा एकीकृत हो जाती है। बालक की चिंतन प्रक्रिया का मार्गदर्शन यथार्थ द्वारा किया जाता है। यह अवधि परिकल्पना के परीक्षण द्वारा अपने शीर्ष पर पहुंचती है।

लॉरेंस कोह्लबर्ग का नैतिक विकास अवस्था से संबद्ध सिद्धांत

बालक में चरित्र निर्माण या नैतिक विकास के संदर्भ में लॉरेंस कोह्लबर्ग ने अपने खोज एवं अनुसंधान के आधार पर यह निष्कर्ष निकाला है कि बालकों में नैतिकता के विकास की कुछ निश्चित एवं सार्वभौमिक अवस्थाएं पाई जाती हैं। ये अवस्थाएं हैं–

1. पूर्व-नैतिक अवस्था (Pre-moral stage)— 4 से 10 वर्ष तक।
2. परंपरागत नैतिक अवस्था (Conventional morality stage)— 10 से 13 वर्ष तक।
3. आत्म अंगीकृत नैतिक मूल्य अवस्था (Self accepted moral principles stage)—13 वर्ष से प्रौढ़ावस्था तक।

कोह्लबर्ग द्वारा प्रतिपादित उपर्युक्त वर्गीकरण को विस्तृत रूप से पांच वर्गों में रखा जा सकता है–

(i) **पूर्व नैतिक अवस्था (Amoral Stage) :** यह अवस्था जन्म से लेकर दो वर्ष की आयु तक विद्यमान रहती है। इस अवस्था में बालक से नैतिकता एवं चारित्रिक मूल्यों आदि से संबद्ध बातों के विषय में किसी तरह की आशा करना बेमानी है, क्योंकि इस अवस्था में यह बातें उसकी समझ से बाहर होती है। इस अवस्था में उसे अपनी इच्छाओं, भावनाओं एवं संवेगों पर नियंत्रण करना नहीं आता और परिणामस्वरूप वह अपनी मर्जी के अनुसार इच्छित व्यवहार करता है।

(ii) **स्वकेंद्रित अवस्था (Self-Centred Stage) :** यह अवस्था 3 से 6 वर्ष तक होती है। इस अवस्था में बालक की सभी व्यावहारिक क्रियाएं अपनी वैयक्तिक आवश्यकताओं और इच्छाओं की पूर्ति के चारो ओर

केंद्रित रहती हैं। उसके लिए वही नैतिक होता है जो उसके अपने कल्याण से जुड़ा होता है।

(*iii*) **परंपराओं को धारण करने की अवस्था (Conforming Conventional Stage) :** यह अवस्था सात वर्ष से किशोरावस्था के प्रारंभिक काल तक होती है। इस अवस्था का बालक सामाजिकता के गुणों को धारण करता है। ऐसे में उसमें समाज निर्मित नियमों एवं परंपराओं के धारण करने संबंधी नैतिकता का विकास होता है। इस अवस्था में उसे अच्छाई-बुराई का ज्ञान हो जाता है तथा वह यह समझने लगता है कि किस तरह के व्यवहार से दूसरे की हानि तथा ठेस पहुंच सकती है।

(*iv*) **आधारहीन आत्म चेतनावस्था (Irrational Conscientous Stage) :** यह अवस्था किशोरावस्था से जुड़ी हुई है। इस अवस्था में बालकों का सामाजिक, शारीरिक तथा मानसिक विकास अपनी चरम पर होता है तथा उसमें आत्न-चिन्तन का प्रादुर्भाव होता है। इस अवस्था में उसमें 'मैं' भावना अर्थात् मैं ऐसा व्यवहार करता हूँ, यह मेरा आचरण है आदि की उसे अनुभूति होने लगती है। साथ ही उसमें अपने आचरण, व्यवहार एवं व्यक्तिगत गुणों-अवगुणों के प्रति आलोचनात्मक प्रवृत्ति का भी विकास होता है। पूर्णता की चाह उसमें स्वयं से असंतुष्ट रहने का मार्ग प्रशस्त करती है। यह असंतुष्टि ही उसे समाज में होने वाली गलत कार्यों के प्रति विद्रोही रूख अपनाने के लिए प्रेरित करती है।

(*v*) **आधारयुक्त आत्मचेतना अवस्था (Rational Conscientious stage) :** यह नैतिक विकास की चरम अवस्था है। इसका विकास बालक के भली-भांति परिपक्वता ग्रहण करने के बाद होता है। इस अवस्था में जिस प्रकार के नैतिक आचरण और चारित्रिक मूल्यों की बात व्यक्ति विशेष से की जाती है उसके पीछे केवल उसकी भावनाओं का प्रवाह मात्र ही नहीं होता बल्कि वह अपनी मानसिक शक्तियों का उचित प्रयोग करते हुए अच्छी तरह सोच-समझकर किसी व्यवहार या आचरण विशेष को अपने व्यक्तिगत गुणों में शामिल करता है।

लेव व्यगोट्स्की का सामाजिक विकास से संबद्ध सिद्धांत

सोवियत रूस निवासी लेव व्यगोस्ट्स्की द्वारा प्रतिपादित इस सिद्धांत में यह बताया गया है कि बालक के सभी प्रकार के विकास में उसके सामाजिक परिवेश का विशेष योगदान होता है। व्यगोट्स्की ने बताया कि समाज से अंतः क्रिया के परिणामस्वरूप ही बालक में विभिन्न प्रकार का विकास होता है। समाज में उसे जिस तरह की सुविधाएं उपलब्ध होंगी उसका विकास भी उसी प्रकार का होगा। सभी प्रकार की सुविधाओं की अनउपलब्धता की स्थिति में उसके विकास पर प्रतिकूल असर पड़ेगा।

जन्म के समय शिशु का व्यवहार सामाजिकता से काफी दूर होता है। वह अत्यधिक स्वार्थी होता है। उसे केवल अपनी शारीरिक आवश्यकताओं की पूर्ति करने की चाहत होती है। वह दूसरों की आवश्यकताओं और हित चिंतन के विषय में एकदम नहीं सोचता है। उस आयु में वह निर्जीव पदार्थों, यथा– गुड्डे-गुड़ियों, खिलौनों, मूर्तियों तथा सजीव पदार्थों, यथा– पशु-पक्षी व मनुष्य आदि में अंतर नहीं समझ पाता। शिशुओं के सामाजिक संपर्क का दायरा बहुत ही सीमित होता है। अतः सामाजिक विकास के दृष्टिकोण से उनसे बहुत आशा नहीं की जा सकती। बाल्यावस्था में प्रवेश करने के साथ ही अधिकांश बालक विद्यालय जाना प्रारंभ कर देते हैं और अब उनका सामाजिक दायरा बहुत विस्तृत होता चला जाता है।

जब बालक बाल्यावस्था से किशोरावस्था में प्रवेश करता है तो उसमें लिंग संबंधी चेतना तीव्र हो जाती है। इस आयु में अधिकतर किशोर-किशोरियां अपने वय-समूह के सक्रिय सदस्य होते हैं। किशोरों में समूह के प्रति यह भावना अब केवल टोली या गिरोह विशेष तक ही सीमित नहीं रहती बल्कि यह विद्यालय, समुदाय, प्रांत और राष्ट्र तक व्यापक बन जाती है। इस अवस्था में सहानुभूति, सहयोग, सद्भावना। परोपकार और त्याग में अच्छा सामंजस्य देखने को मिलता है। किशोरावस्था को संवेगों की अभिव्यक्ति की अवस्था कहा जाता है। इस अवस्था में विशिष्ट रुचियों और सामाजिक संपर्कों का क्षेत्र भी अत्यधिक विस्तृत होता है। वैयक्तिक विशेषताओं के अतिरिक्त संस्कृति, परिवार की सामाजिक और आर्थिक स्थिति, यौन संबंधी स्वतंत्रता और जानकारी आदि सामाजिक रुचियों और सामाजिक संबंधों को प्रभावित करती है।

6. बालकेंद्रित शिक्षा एवं प्रगतिशील शिक्षा की अवधारणा

बालकेंद्रित शिक्षा

बालकेंद्रित शिक्षा, शिक्षा की वह विधा है जिसमें बालक के आयु और समझ को देखते हुए बालक के शिक्षा के लिए व्यवस्था की जाती है। दूसरे शब्दों में, बालक के मनोविज्ञान को समझते हुए शिक्षा की व्यवस्था करना एवं उसकी कठिनाइयों को दूर करना ही बालकेंद्रित शिक्षा है। विभिन्न कालों में शिक्षा का स्वरूप भिन्न-भिन्न रहा है। प्राचीन काल में जहां शिक्षा का उद्देश्य बालकों के मस्तिष्क में मात्र कुछ जानकारी भरना समझा जाता था वहीं आधुनिक काल में बालक का सर्वांगीण विकास शिक्षक का परम उद्देश्य बताया गया है। इस कार्य के लिए शिक्षक को बाल मनोविज्ञान की जानकारी जरूर होनी चाहिए। शिक्षक के लिए बाल मनोविज्ञान की उपयोगिता इसलिए भी जरूरी है ताकि वह इसका प्रयोग शिक्षा संबंधी विभिन्न क्षेत्रों यथा– अनुशासन, व्यवहार, जागरूकता आदि के क्षेत्र में कर सके। इससे यह स्पष्ट होता है कि एक शिक्षक को शिक्षा तथा छात्रों के प्रति क्या अभिवृति (Attitude) होनी चाहिए।

बाल-केंद्रित शिक्षा की मुख्य विशेषताएं

बाल-केंद्रित शिक्षा की प्रकृति के कुछ भिन्न होने के कारण इसकी कुछ अलग प्रकार की विशेषताएं हैं। बाल-केंद्रित शिक्षा की मुख्य विशेषताएं निम्नवत् हैं–

1. **बालकों को ठीक से समझना :** जब से मनोविज्ञान ने शिक्षा के क्षेत्र में प्रवेश किया है, शिक्षा का स्वरूप बाल-केंद्रित हो गया है। अब प्रत्येक बालक की ओर व्यक्तिगत रूप से अध्ययन-अध्यापन प्रक्रिया में ध्यान दिया जाता है। आज शिक्षा का उद्देश्य बालक के ऊपर ज्ञान थोपना नहीं वरन् उसका एकमात्र उद्देश्य बालक में निहित शक्तियों का विकास करना है। इस तरह बालक के व्यक्तित्व का सर्वांगीण विकास करना ही आज की शिक्षा का अंतिम उद्देश्य है।

   ऐसे में इस बात की आवश्यकता है कि शिक्षक को बालकों के मनोविज्ञान की जानकारी हो, अन्यथा वह उन्हें क्या सिखाएगा कहना बहुत मुश्किल है। अतः शिक्षक को बालक के व्यवहार के मूलाधारों, आवश्यकताओं, मानसिक स्तर, रुचियों, योग्यताओं, व्यक्तित्त्व आदि का विस्तृत ज्ञान होना चाहिए। व्यवहार के मूलाधारों का ज्ञान तो सबसे अधिक आवश्यक है, क्योंकि शिक्षा का उद्देश्य ही बालक के व्यवहार को परिमार्जित करना है। अतः शिक्षा बालक की प्रेरणाओं, संवेगों एवं मूल प्रवृत्तियों पर आधारित होनी चाहिए। व्यवहार के इन मूलाधारों को नई दिशा में मोड़ा जा सकता है, इनका शोधन किया जा सकता है, इनको बालक में से निकाला जा सकता है। इसलिए सफल शिक्षक उसे ही माना जाता है जो इसका शोधीकरण का प्रयास करता है। बालक जो कुछ सीखता है, उससे उसकी आवश्यकताओं का बड़ा निकट संबंध है। प्रायः ऐसा पाया गया है कि स्कूल में पिछड़े हुए समस्याग्रस्त बालकों में से अधिकतर ऐसे होते हैं, जिनकी आवश्यकताएं स्कूल में पूरी नहीं होती। इसलिए वे सड़कों पर लगे बिजली के बल्बों को फोड़ते हैं, स्कूल से भाग जाते हैं। आस-पड़ोस के लोगों को तंग करते हैं; आवारागर्दी करते हैं और मोहल्ले के बच्चों को पीटते हैं। मनोविज्ञान के ज्ञान के अभाव में शिक्षक मारपीट द्वारा बच्चों के उन दोषों को दूर करने का प्रयत्न करता है, परंतु बालकों को समझने वाला शिक्षक यह जानता है कि इन दोषों का मूल उनकी शारीरिक, सामाजिक अथवा मनोवैज्ञानिक आवश्यकताओं में ही कहीं न कहीं है।

2. **शिक्षण पद्धति :** शिक्षा शास्त्र शिक्षक को यह बताता है कि बालकों को क्या पढ़ाया जाए, परंतु असली समस्या यह है कि किस प्रकार पढ़ाया जाए। इस समस्या के समाधान में बाल मनोविज्ञान ही वह माध्यम है जो शिक्षक को सहायता करता है। बाल मनोविज्ञान सीखने की प्रक्रिया, विधियों, महत्त्वपूर्ण कारकों, लाभदायक और हानिकारक दशाओं, रुकावटों सीखने का वक्र तथा प्रशिक्षण संक्रमण आदि विभिन्न तत्त्वों से परिचित कराता है। इनसे प्राप्त ज्ञान से शिक्षक बालकों को सीखने में सहायता कर सकता है। शिक्षा मनोविज्ञान शिक्षण की विधियों का भी मनोवैज्ञानिक विश्लेषण करता है और उनमें सुधार के उपाय बतलाता है। बाल-केंद्रित शिक्षा में शिक्षण विधि को प्रयोग में लाते समय बाल-मनोविज्ञान को ही आधार बनाया जाता है।

3. **मूल्यांकन एवं परीक्षण विधि :** शिक्षण से ही शिक्षक की समस्या हल नहीं हो जाती। उसे बालकों के ज्ञान और विकास का मूल्यांकन और परीक्षण करना होता है। मूल्यांकन से परीक्षार्थी की उन्नति का पता चलता है। शिक्षा की प्रक्रिया में शिक्षक और शिक्षार्थी बराबर यह जानना चाहते हैं कि वे कहां प्रगति कर रहे हैं और यदि उनको सफलता अथवा असफलता मिली है तो क्यों और उसमें क्या परिवर्तन किए जा सकते हैं। इस तरह के सभी प्रकार के प्रश्नों के समाधान में मूल्यांकन के साथ-साथ विभिन्न प्रकार के परीक्षणों और मापों की भी आवश्यकता पड़ती है। इस तरह स्पष्ट है कि बाल-केंद्रित शिक्षा में बालक का मूल्यांकन बाल-मनोविज्ञान के माध्यम से किया जाता है।

4. **पाठ्यक्रम की प्रकृति :** समाज और व्यक्ति की आवश्यकताओं की पूर्ति को ध्यान में रखते हुए स्कूल के पाठ्यक्रम की प्रकृति व्यक्तिगत विभिन्नताओं, प्रेरणाओं, मूल्यों और सीखने के सिद्धांतों के मनोवैज्ञानिक ज्ञान पर आधारित होनी चाहिए। बालकेंद्रित शिक्षा में इस बात का विशेष ध्यान रखा जाता है कि पाठ्यक्रम की प्रकृति का विकास बालक की आवश्यकताओं उसकी आयु एवं विशेष अवस्थाओं आदि जैसे उसके विशेष गुण के अनुरूप ही हो।

5. **व्यवस्थापन एवं अनुशासन का प्रयोग :** बालकेंद्रित शिक्षा में कक्षा एवं विद्यालय में अनुशासन एवं व्यवस्था बनाए रखने के लिए भी बाल मनोविज्ञान सहायक के रूप में कार्य करता है।

प्रगतिशील शिक्षा

प्रगतिशील शिक्षा पारंपरिक शिक्षा की प्रतिक्रिया का परिणाम है। अमेरिकी मनोवैज्ञानिक **जॉन डीवी** (John Dewey) का प्रगतिशील शिक्षा के विकास में विशेष योगदान रहा है। प्रगतिशील शिक्षा का तात्पर्य शिक्षा का एकमात्र उद्देश्य बालक की शक्तियों का विकास है। वैयक्तिक विभिन्नता के अनुरूप शिक्षण प्रक्रिया में भी अंतर रखकर इस उद्देश्य को पूरा किया जा सकता है।

बालक में विभिन्न शक्तियों का विकास किस प्रकार से होगा, इसके लिए कोई सामान्य सिद्धांत निश्चित नहीं किया जा सकता, क्योंकि भिन्न-भिन्न रुचियों और योग्यताओं के बालकों में विकास भिन्न-भिन्न प्रकार से होता है। अध्यापक को बालक की योग्यताओं पर दृष्टि रखते हुए उसे निर्देश देना चाहिए।

प्रगतिशील शिक्षा इस बात का बोध कराता है कि शिक्षा बालक के लिए है न कि बालक शिक्षा के लिए। अतः शिक्षा का उद्देश्य ऐसा वातावरण तैयार करना होना चाहिए ताकि प्रत्येक बालक को सामाजिक विकास का पर्याप्त अवसर मिले। प्रगतिशील शिक्षा का मुख्य उद्देश्य लोकतंत्रीय मूल्यों की स्थापना करना है ताकि बालकों में लोकतंत्रीय मूल्यों का विकास हो सके। शिक्षा के द्वारा हम ऐसे समाज का निर्माण करना चाहते हैं जिसमें व्यक्ति-व्यक्ति में कोई भेद न हो, सभी पूर्ण स्वतंत्रता और सहयोग से काम कर सकें। प्रत्येक व्यक्ति को अपनी स्वाभाविक प्रवृत्तियों, इच्छाओं और आकांशाओं के अनुसार विकसित होने का अवसर मिले तथा सभी को समान अधिकार दिए जाएं। ऐसे समाज का निर्माण तभी हो सकता है जबकि व्यक्ति और समाज के हित में कोई मौलिक अंतर न माना जाए। शिक्षा के द्वारा मनुष्य में परस्पर सहयोग और सामंजस्य की स्थापना होनी चाहिए। इस तरह प्रगतिशील शिक्षा का मुख्य उद्देश्य बालक के व्यक्तित्व का विकास करना और शिक्षा के माध्यम से लोकतंत्र की स्थापना करना है।

प्रगतिशील शिक्षा में मुख्य जोर शिक्षण विधि की व्यावहारिकता पर दिया जाता है। इस शिक्षण विधि में बालक के स्वयं करके सीखने की प्रक्रिया पर जोर दिया जाता है। इस शिक्षण विधा में बालक के जीवन, क्रियाओं और विषयों में एकता स्थापित की जाती है। यह बालक के जीवन की क्रियाओं को समग्र रूप से विकसित करने पर जोर देता है।

इस शिक्षा पद्धति में बालक के रुचि को महत्त्व दिया जाता है। जॉन डीवी ने प्रगतिशील शिक्षा के तहत शिक्षा में दो तत्त्वों को विशेष रूप से महत्त्वपूर्ण माना है– **प्रथम** रुचि एवं **द्वितीय** प्रयास। शिक्षक को बालक की स्वाभाविक रुचियों को समझकर उसके लिए उपयोगी कार्यों की व्यवस्था करनी चाहिए। बालक को स्वयं कार्यक्रम बनाने का अवसर दिया जाना चाहिए। ताकि वे अपनी रुचियों के अनुसार कार्यक्रम बना सकें। ऐसा करने से उनमें किसी तरह का भय या दबाव नहीं रहेगा और वे कार्यक्रम को रुचि के अनुसार बना सकेंगे। फलतः स्कूल क्रिया आत्म-क्रिया बन सकेगी। जॉन डीवी के शिक्षा संबंधी इन विचारों के आधार पर ही आगे चलकर प्रोजेक्ट-प्रणाली का जन्म हुआ। प्रोजेक्ट-प्रणाली में यह उल्लेख किया गया कि बालक को ऐसे काम दिए जाने चाहिए कि उनमें स्फूर्ति, आत्म-विश्वास, आत्म-निर्भरता और मौलिकता का विकास हो सके।

प्रगतिशील शिक्षा में शिक्षक को सम्मानजनक और महत्त्वपूर्ण स्थान दिया गया है तथा इस बात का उल्लेख किया गया है कि शिक्षक समाज का सेवक है। इस शिक्षा पद्धति में शिक्षक से यह आशा की गई है कि वह विद्यालय में ऐसे वातावरण का निर्माण करे कि उसमें पल-बढ़कर बालक का सामाजिक व्यक्तित्त्व विकसित हो सके और वह लोकतंत्र का एक सफल एवं योग्य नागरिक बन सके। जॉन डीवी ने शिक्षक के महता को और ऊँचाई देते हुए उसे ईश्वर का प्रतिनिधि तक कह दिया है। विद्यालय में स्वतंत्रता और समानता के मूल्य को बनाए रखने के लिए शिक्षक को स्वयं को बालक से बड़ा नहीं समझना चाहिए। शिक्षक को कभी भी अपनी आज्ञाओं एवं उपदेशों के माध्यम से अपने विचारों और प्रवृत्तियों को बालकों पर थोपने का प्रयास नहीं करना चाहिए। उसे बालकों का भली-भांति परीक्षण करके उनकी रुचियों, योग्यताओं एवं गतिविधियों के अनुरूप कार्यों में लगाना चाहिए। इस प्रकार विद्यालय में शिक्षा बालकों की व्यक्तिगत विभिन्नताओं को ध्यान में रखकर दी जानी चाहिए। इस विधि से अध्यापन करने से विद्यालय के संचालन में कठिनाई बहुत कम होती है।

प्रगतिशील शिक्षा में अनुशासन का भी महत्त्वपूर्ण स्थान है लेकिन अनुशासन के नाम पर बालक की स्वाभाविक प्रवृत्तियों को कुंठित करने के प्रयास को अनुचित माना गया है। सही मायने में देखा जाए तो अनुशासन केवल बालक के निजी व्यक्तित्व से संबंधित न होकर उसके सामाजिक परिस्थितियों से भी घनिष्ठ रूप से जुड़ा हुआ है। सच्चा अनुशासन एक प्रकार से सामाजिक अनुशासन है और यह बालक के विद्यालय के सामूहिक कार्यों में भाग लेने से उत्पन्न होता है। विद्यालय में ऐसे वातावरण का निर्माण किया जाना चाहिए ताकि बालक परस्पर सहयोग से रहने का अभ्यास कर सकें। विद्यालय में एक से उद्देश्य लेकर शारीरिक, सामाजिक, बौद्धिक एवं नैतिक कार्यों में एक साथ भाग लेने से बालकों में अनुशासन का भाव उत्पन्न होता है और उनमें नियमित रूप से कार्य करने की आदत विकसित होती है। विद्यालयों में होने वाले कार्यक्रमों में बालक के चरित्र-निर्माण में महत्त्वपूर्ण योगदान है। बालक को प्रत्यक्ष रूप से उपदेश न देकर उसे सामाजिक परिवेश उपलब्ध कराया जाना चाहिए और उसके सामने ऐसे उदाहरण प्रस्तुत किए जाने चाहिए ताकि उसमें आत्मानुशासन उत्पन्न हो और वह सही अर्थों में सामाजिक प्राणी बन सके। यह बात बिल्कुल ठीक है कि विद्यालय में शांतिपूर्ण वातावरण होने से काम अधिक अच्छा होता है किंतु शांति एकमात्र साधन है, साध्य नहीं। शिक्षक को अपनी ओर से बालकों को उनकी प्रवृत्तियों के अनुसार विविध प्रकार के कार्यों में लगाए रखना चाहिए और यदि इस प्रक्रिया से कभी-कभी कुछ अशांति भी उत्पन्न हो तो उसे दूर करने के लिए बालक की क्रियाओं पर रोक-टोक करना अनुचित है। आत्मानुशासन उत्पन्न करने में उत्तरदायित्व की भावना का विशेष महत्त्व है। उत्तरदायित्व का भाव उत्पन्न करने के लिए विद्यालय का अधिकतर कार्य स्वयं विद्यार्थियों को सौंप दिया जाना चाहिए। इनमें भाग लेने से उनमें अनुशासन की भावना उत्पन्न होती है।

वर्तमान में शिक्षा को अनिवार्य और सार्वभौमिक बनाने पर जो जोर दिया जा रहा है वह मुख्यतः प्रगतिशील शिक्षा के सिद्धांतों के ही समान है। शिक्षा का लक्ष्य व्यक्तित्व का विकास है और प्रत्येक व्यक्ति को उसके व्यक्तित्व का विकास करने के लिए शिक्षा प्राप्त करने का अवसर दिया जाना चाहिए। आधुनिक शिक्षा में वैज्ञानिक और सामाजिक प्रवृत्ति के जो तत्त्व विद्यमान हैं उनमें प्रगतिशील शिक्षा का योगदान है। इसके अनुसार शिक्षा एक सामाजिक आवश्यकता है। इसका लक्ष्य

व्यक्ति और समाज दोनों का विकास है। इससे व्यक्ति का बौद्धिक, नैतिक, सामाजिक और शारीरिक विकास होता है।

7. बुद्धि निर्माण का समालोचनात्मक विचार

आमतौर पर बुद्धि का प्रयोग प्रज्ञा, प्रतिभा, ज्ञान एवं समझ इत्यादि जैसे अनेक अर्थों में किया जाता है। यह वह शक्ति है, जो हमें समस्याओं का समाधान करने एवं उद्देश्यों को प्राप्त करने में सक्षम बनाती है।

बुद्धि की परिभाषा को उसके लक्षणों के आधार पर मुख्यतः पांच वर्गों में बांटा गया है–

1. सीखने की योग्यता।
2. समन्वित परिभाषा।
3. समस्या समाधान की योग्यता।
4. अमूर्त चिंतन की योग्यता।
5. समायोजन की योग्यता।

1. सीखने की योग्यता

सीखने की योग्यता के आधार पर निम्न विद्वानों ने बुद्धि की परिभाषा इस प्रकार से दी है–

(*i*) **बकिंघम** के अनुसार, "सीखने की योग्यता बुद्धि है।"

(*ii*) **मैक्डूगल** के अनुसार, "बुद्धि जन्मजात प्रवृति को अतीत के अनुभव के प्रकाश में सुधारने की योग्यता है।"

(*iii*) **डियर बोर्न** के अनुसार, "बुद्धि सीखने या अनुभव का लाभ उठाने की योग्यता है।"

2. समन्वित परिभाषा

समन्वित परिभाषा के आधार पर निम्न विद्वानों ने बुद्धि की परिभाषा इस प्रकार से दी है–

(*i*) **रेक्सनाइट** के अनुसार, "बुद्धि वह मानसिक योग्यता है जिसके द्वारा हम किसी उद्देश्य की पूर्ति या किसी समस्या का समाधान करने के लिए संबंधित वस्तुओं एवं विचारों को सोचते हैं।"

(*ii*) **वेक्सलर** के अनुसार, "बुद्धि व्यक्ति की संपूर्ण शक्तियों का भोग या सार्वभौमिक योग्यता है जिसके द्वारा वह उद्देश्यपूर्ण कार्य करता है, तर्कपूर्ण ढंग से सोचता है तथा प्रभावपूर्ण ढंग से वातावरण के साथ संपर्क स्थापित करता है।"

3. समस्या समाधान की योग्यता

समस्या समाधान की योग्यता के आधार पर निम्न विद्वानों ने बुद्धि की परिभाषा इस प्रकार से दी है–

(*i*) **रेक्सनाइट** के अनुसार, "बुद्धि वह योग्यता है जो लक्ष्य की पूर्ति तथा समस्या समाधान के निमित्त हमारे मन में विचारों को जाग्रत करती है।"

(*ii*) **बर्ट** के अनुसार, "बुद्धि में अच्छी तरह निर्णय करने, समझने तथा तर्क करने की योग्यता है।"

4. अमूर्त चिंतन की योग्यता

अमूर्त चिंतन की योग्यता के आधार पर निम्न विद्वानों ने बुद्धि की परिभाषा इस प्रकार से दी है–

(*i*) **स्पीयरमैन** के अनुसार, "बुद्धि सामवर्धिक चिंतन है।"

(*ii*) **विने** के अनुसार, "किसी समस्या को समझना, उसके विषय में तर्क करना तथा किसी निश्चित निर्णय पर पहुंचना बुद्धि की आवश्यक क्रियाएं हैं।"

(*iii*) **टरमन** के अनुसार, "एक व्यक्ति उसी अनुपात में बुद्धिमान है जिसमें वह अमूर्त चिंतन करने की योग्यता रखता है।"

5. समायोजन की योग्यता

समायोजन की योग्यता के आधार पर निम्न विद्वानों ने बुद्धि की परिभाषा इस प्रकार से दी है–

(*i*) **कालविन** के अनुसार, "एक व्यक्ति उसी अनुपात में बुद्धि प्रकट करता है जिस अनुपात में वह अपने नए वातावरण में समायोजित होने की क्रिया सीख चुका है या सीख सकता है।"

(*ii*) **स्टर्न** के अनुसार, "नवीन परिस्थितियों में अपने विचारों को समायोजित करने की क्षमता बुद्धि है।"

(*iii*) **क्रूज** के अनुसार, "बुद्धि नवीन एवं विभिन्न परिस्थितियों में अच्छी तरह से समायोजन करने की योग्यता है।"

(*iv*) **बर्ट** के अनुसार, "सापेक्षतया नवीन परिस्थितियों में समायोजन करने की योग्यता को बुद्धि कहते हैं।"

विद्यालय में बुद्धि परीक्षणों के लाभ

1. **चुनाव हेतु :** विभिन्न विषयों, कारणों, छात्रवृत्तियों या सहगामी क्रियाओं में चयन के लिए बुद्धि-लब्धि (IQ) के आधार पर बुद्धि-परीक्षणों का चयन किया जाता है।
2. **मार्गदर्शन हेतु :** मार्गदर्शन बालकों को शैक्षणिक और व्यावसायिक निर्देशन के लिए बुद्धि परीक्षण की आवश्यकता होती है।
3. **बालकों का वर्गीकरण :** विद्यालयों में बालकों के वर्गीकरण के लिए इन परीक्षणों की उपयोगिता रहती है।

बुद्धि के सिद्धांत

बुद्धि से संबद्ध विभिन्न पक्षों, यथा–बुद्धि क्या है और इसका निर्माण कैसे हुआ है? आदि प्रश्नों का उत्तर मनोवैज्ञानिक खोजने के लिए सदैव तत्पर रहे हैं। फलतः बुद्धि के उन्होंने अनेक सिद्धांत प्रतिपादित किए जो बुद्धि के स्वरूप का पर्याप्त विवरण देते हैं। इनमें से कुछ प्रमुख सिद्धांत निम्न प्रकार से हैं–

1. एक खंड का सिद्धांत।
2. दो खंड का सिद्धांत।
3. तीन खंड का सिद्धांत।
4. बहुखंड का सिद्धांत।
5. मात्रा सिद्धांत।

1. एक खंड का सिद्धांत : इस सिद्धांत के प्रतिपादक टर्मन और स्टर्नने हैं। इनके अनुसार बुद्धि एक अखंड और अविभाज्य है। इस प्रकार इन्होंने बुद्धि को एक अखंड और अविभाज्य इकाई माना है।

2. दो खंड का सिद्धांत : इस सिद्धांत के प्रतिपादक स्पीयरमैन हैं। उनके अनुसार, प्रत्येक व्यक्ति में दो तरह की बुद्धि होती है–सामान्य और विशिष्ट अर्थात् बुद्धि के दो तत्व होते हैं:

(i) सामान्य योग्यता।
(ii) विशिष्ट योग्यता।

(i) **सामान्य योग्यता :** स्पीयरमैन के अनुसार, "सामान्य योग्यता सब व्यक्तियों में कम या अधिक मात्रा में मिलती है।" इसकी मुख्य विशेषताएं हैं–

- यह प्रत्येक व्यक्ति में भिन्न होती है।
- यह उसके सभी मानसिक कार्यों में प्रयोग की जाती है।
- यह भाषा, विज्ञान, दर्शन आदि में सामान्य सफलता प्रदान करती है।
- यह योग्यता व्यक्ति में जन्मजात होती है।
- यह उसमें सदैव एक-सी रहती है।
- यह जिस व्यक्ति में जितनी अधिक होती है उतना ही वह अधिक सफल होता है।

(ii) **विशिष्ट योग्यताएं :** इन योग्यताओं का संबंध व्यक्ति के विशिष्ट कार्यों से होता है। इनकी मुख्य विशेषताएं हैं:

- ये योग्यताएं विभिन्न व्यक्तियों में विभिन्न और अलग-अलग मात्रा में होती है।
- जिस व्यक्ति में जो योग्यता अधिक होती है उसी से संबंधित कुशलता में वह विशेष अर्जित करता है।
- योग्यताएं अनेक और एक-दूसरे से स्वतंत्र होती हैं।
- ये योग्यताएं भाषा, विज्ञान, दर्शन आदि में विशेष सफलता प्रदान करती है।
- विभिन्न योग्यताओं का संबंध विभिन्न कुशल कार्यों में होता है।
- ये योग्यताएं अर्जित की जा सकती हैं।

3. तीन खंड का सिद्धांत : दो खंड का सिद्धांत प्रतिपादित करने के बाद स्पीयरमैन ने बुद्धि का एक खंड और बताया। उसने इसका नाम सामूहिक खंड या तत्त्व रखा। उसने इस खंड में ऐसी योग्यताओं को स्थान दिया जो सामान्य योग्यता से श्रेष्ठ और विशिष्ट योग्यताओं से निम्न होने के कारण उनके मध्य का स्थान ग्रहण करती हैं।

4. बहुखंड : स्पीयरमैन ने बुद्धि के सिद्धांत पर आगे कार्य करके मनोवैज्ञानिकों ने 'बहुखंड का सिद्धांत' प्रतिपादित किया।

कैली ने अपनी पुस्तक में बुद्धि को निम्नलिखित खण्डों या योग्यताओं का समूह बताया है:

- शारीरिक योग्यता
- सामाजिक योग्यता
- शाब्दिक योग्यता
- संगीतात्मक योग्यता
- यांत्रिक योग्यता
- सांख्यिकीय योग्यता
- गामक योग्यता
- स्थान संबंधी विचार योग्यता
- रुचि

थर्स्टन ने अपनी पुस्तक में बुद्धि के 13 खंड या तत्त्व बताएं हैं। अन्य शब्दों में उसने बुद्धि को 13 मानसिक योग्यताओं का समूह बताया है।

5. मात्रा सिद्धांत : इस सिद्धांत के प्रतिपादक **थॉर्नडाइक** हैं। वह सामान्य मानसिक योग्यता के समान किसी तत्त्व को स्वीकार नहीं करते। उनके अनुसार मस्तिष्क का गुण स्नायु तंतुओं की मात्रा पर निर्भर करता है। इसका अभिप्राय है कि बुद्धि उतनी ही अच्छी होती है जितने अधिक मस्तिष्क और स्नायुमंडल के संबंध होते हैं।

आधुनिक विचारधारा को व्यक्त करने हेतु **हिवटमर** ने कहा है कि "यह कहने के बजाय कि व्यक्ति में बुद्धि है यह कहना अधिक उपयुक्त है कि वह अधिक बुद्धिमत्तापूर्ण व्यवहार करता है।"

बुद्धि के प्रकार

कुछ विद्वानों ने (विशेषतः थॉर्नडाइक एवं गैरिट) बुद्धि का वर्गीकरण निम्न प्रकार से किया है–

थॉर्नडाइक के अनुसार बुद्धि का वर्गीकरण

(i) **अमूर्त बुद्धि :** अमूर्त बुद्धि ज्ञानोपार्जन के लिए प्रयोग की जाती है। शब्दों, प्रतीकों, समस्या-समाधान आदि के रूप में अमूर्त रूप में अमूर्त बुद्धि का प्रयोग किया जाता है।

(ii) **सामाजिक बुद्धि :** इस बुद्धि के द्वारा व्यक्ति समाज में समायोजन करता है। विभिन्न व्यवसायों में सफलता प्राप्त करता है।

(iii) **मूर्त/यांत्रिक बुद्धि :** इस बुद्धि की सहायता से व्यक्ति यंत्रों तथा भौतिक वस्तुओं का परिचालन करता है। ऐसे व्यक्ति इंजीनियर, मैकेनिक, तकनीशियन आदि होते हैं।

गैरिट के अनुसार बुद्धि का वर्गीकरण

(*i*) **मूर्त/यांत्रिक बुद्धि :** इस बुद्धि का संबंध यंत्रों और मशीनों से होता है। जिस व्यक्ति में यह बुद्धि होती है वह यंत्रों और मशीनों के कार्य में विशेष रुचि लेता है। अतः इस बुद्धि के व्यक्ति अच्छे कारीगर मैकेनिक, इंजीनियर, औद्योगिक कार्यकर्त्ता आदि होते हैं।

(*ii*) **अमूर्त बुद्धि :** इस बुद्धि का संबंध पुस्तकीय ज्ञान से होता है। जिस व्यक्ति में यह बुद्धि होती है, वह ज्ञान का अर्जन करने में विशेष रुचि लेता है। अतः इस बुद्धि के व्यक्ति अच्छे वकील, डॉक्टर, दार्शनिक, चित्रकार, साहित्यकार आदि होते हैं।

(*iii*) **सामाजिक बुद्धि :** इस बुद्धि का संबंध व्यक्तिगत और सामाजिक कार्यों से होता है। जिस व्यक्ति में यह बुद्धि होती है, वह मिलनसार, सामाजिक कार्यों में रुचि लेने वाला और मानव-संबंध के ज्ञान से परिपूर्ण होता है। अतः इस बुद्धि के व्यक्ति अच्छे मंत्री, व्यवसायी, कूटनीतिज्ञ और सामाजिक कार्यकर्त्ता होते हैं।

बुद्धि-लब्धि

बुद्धि-लब्धि से बालक या व्यक्ति की सामान्य योग्यता के विकास की गति मालूम पड़ती है।

कोल एवं **ब्रूस** के अनुसार, "बुद्धि-लब्धि से यह ज्ञात होता है कि बालक या व्यक्ति की सामान्य योग्यता के विकास की गति कैसी है।"

कोल एवं **ब्रूस** के अनुसार, "बुद्धि-लब्धि से यह ज्ञात होता है कि बालक की मानसिक योग्यता में किस गति से विकास हो रहा है।

मानसिक आयु ज्ञात करने का विचार प्रारंभ करने का श्रेय **बिने** को है। **टर्मन** ने बिने के विचार को स्वीकार कर परीक्षण किया और इस निष्कर्ष पर पहुंचा कि मानसिक आयु बालक के मानसिक विकास की बुद्धि के बारे में नहीं बता सकती। इस गति को मालूम करने के लिए टर्मन ने बुद्धि-लब्धि निकालने का सूत्र दिया :

$$\text{बुद्धि-लब्धि} = \frac{\text{मानसिक आयु}}{\text{वास्तविक आयु}} \times 100$$

उदाहरण– यदि बालक की मानसिक आयु 20 वर्ष तथा वास्तविक आयु 16 वर्ष है तो उसकी बुद्धि-लब्धि 125 होगी, जैसे–

$$\text{बुद्धि-लब्धि} = \frac{20}{16} \times 100 = 125$$

टर्मन ने बुद्धि-लब्धि का वर्गीकरण निम्नलिखित प्रकार से किया है :

बुद्धि-लब्धि	बुद्धि का प्रकार
140 से अधिक	प्रतिभाशाली
120 से 140	अति श्रेष्ठ बुद्धि
110-120	श्रेष्ठ बुद्धि
90-110	सामान्य बुद्धि
80-90	मंद बुद्धि
70-80	क्षीण-बुद्धि
70 से कम	निश्चित क्षीण बुद्धि
50-70	अल्प बुद्धि
20 या 25 से 50	मूर्ख बुद्धि
20 या 25 से कम	महामूर्ख

मानसिक आयु

मानसिक आयु व्यक्ति की मानसिक परिपक्वता की ओर संकेत करती है। एक व्यक्ति की मानसिक आयु जितनी अधिक होती है तो यह माना जाता है कि उसकी विभिन्न मानसिक योग्यताओं का विकास उतना ही अधिक हुआ है अथवा परिपक्व है। उदाहरणार्थ– यदि 7 वर्ष का बच्चा 12 वर्ष के बच्चे के लिए निर्मित बुद्धि परीक्षण उतनी ही कुशलता से करता है जितना 12 वर्ष का बच्चा करता है तो 7 वर्ष के बच्चे की मानसिक आयु 12 वर्ष होगी और यदि 12 वर्ष का बच्चा 7 वर्ष के बच्चे के लिए निर्धारित परीक्षण को कर पाता है परंतु 12 वर्ष के बच्चों के लिए निर्धारित परीक्षण को नहीं कर पाता तो उसकी आयु 7 वर्ष होगी। इस प्रकार मानसिक आयु व्यक्ति के द्वारा प्राप्त विकास की सीमा की वह अभिव्यक्ति है जो एक आयु-विशेष में प्रत्याशित उसके कार्य-निष्पादन के रूप में किया जाता है।

बुद्धि परीक्षाओं का वर्गीकरण

बुद्धि परीक्षाओं को सामान्य रूप से दो वर्गों में विभाजित किया जाता है :

1. **वैयक्तिक बुद्धि परीक्षा :** यह परीक्षा एक समय में एक व्यक्ति की ली जाती है।
2. **सामूहिक बुद्धि परीक्षा :** यह परीक्षा एक समय में अनेक व्यक्तियों की ली जाती है।

बहुआयामी बुद्धि

केली एवं थर्सटन नामक मनोवैज्ञानिकों ने बताया कि बुद्धि का निर्माण प्राथमिक, मानसिक योग्यताओं के द्वारा होता है। केली के अनुसार, बुद्धि का निर्माण इन योग्यताओं से होता है–वाचिक योग्यता, गामर्क योग्यता, सांख्यिक योग्यता, यांत्रिक योग्यता, सामाजिक योग्यता, संगीतात्मक योग्यता, स्थानिक संबंधों के साथ उचित ढंग से व्यवहार करने की योग्यता, रुचि और शारीरिक योग्यता। थर्सटन का मत है कि बुद्धि इन प्राथमिक मानसिक योग्यताओं का समूह होता है–प्रत्यक्षीकरण संबंधी योग्यता, तार्किक व वाचिक योग्यता, सांख्यिकी योग्यता, स्थानिक या दृश्य योग्यता, समस्या समाधान की योग्यता, स्मृति संबंधी योग्यता, आगमनात्मक योग्यता और निगमनात्मक योग्यता। वैसे तो अधिकतर मनोवैज्ञानिकों ने केली एवं थर्सटन के बुद्धि के सिद्धांतों की आलोचना की, किंतु अधिकतर मनोवैज्ञानिकों ने

यह भी माना कि बुद्धि का बुहआयामी होना निश्चित तौर पर संभव है। बुहआयामी बुद्धि होने के कारण ही कुछ लोग कई प्रकार के कौशलों में निपुण होते हैं।

8. भाषा और विचार

भाषा

भाषा व्यक्ति के भावों को अभिव्यक्त करने का माध्यम है। मनुष्य पशु से श्रेष्ठ इसलिए है, क्योंकि उसके पास एक भाषा है जिसे लोग समझ सकते हैं। पशु-पक्षियों की भी भाषा होती है किंतु उसे कोई समझ नहीं पाता। गूंगे-बहरे लोग भी अपने भावों को समझाने के लिए शरीर के अंगों का सहारा लेते हैं जिसे उसकी शरीर की भाषा कहा जाता है। भाषा एक ऐसा माध्यम है जिससे मनुष्य समाज में अपना एक पृथक स्थान बनाता है जो उसके व्यक्तित्त्व के निर्माण में महत्त्वपूर्ण भूमिका निभाती है। इस तरह स्पष्ट है कि भाषा जन्म के साथ उत्पन्न होती है। बच्चा जन्म के बाद रोता है जो उसकी प्रथम भाषा है। सही अर्थों में भाषा भावों के संप्रेषण का एक माध्यम है। भाषा बौद्धिक क्षमता को भी अभिव्यक्त करती हैं।

प्रायः हम लोग वाणी एवं भाषा दोनों को एक-दूसरे का पर्यायवाची समझते हैं उसका और प्रयोग करते हैं किंतु दोनों में बहुत अंतर होता है। भाषा एवं वाणी को हरलॉक ने निम्न रूप में स्पष्ट किया है–

"भाषा में संप्रेषण के वे सभी साधन आते हैं जिसमें विचारों और भावों को प्रतीकात्मक बना दिया जाता है जिससे कि अपने विचारों और भावों को एक-दूसरे से अर्थपूर्ण ढंग से कहा जा सके।"

"वाणी भाषा का एक स्वरूप है जिसमें अर्थ को दूसरों को व्यक्त करने के लिए कुछ ध्वनियों या शब्द उच्चारित किए जाते हैं।"

इस तरह कहा जा सकता है कि वाणी भाषा का एक विशिष्ट ढंग है। यह मनोक्रियात्मक कौशल है। वाणी केवल मांसपेशियों तथा वाचिक तंत्र में सहायक ही नहीं है अपितु इसका मानसिक पात है–जिसमें कुछ अर्थ जुड़ा रहता है। सभी बच्चों की आवाज वाणी नहीं है, वाणी वह होती है जिसमें पर्याप्त नियंत्रण होता है। बिना नियंत्रण और अर्थ के बोली गई वाणी को 'तोता वाणी' कह सकते हैं। वाणी अर्थयुक्त होती है तथा जिस समाज में बोली जाए उसे सभी लोग समझ सकें। इन दोनों कसौटियों का वाणी में होना आवश्यक है। भाषा व्यापक संकल्पना है। वाणी, भाषा का माध्यम है, भाषा कोई भी हो सकती है, यथा–फ्रेंच, अरबी, अंग्रेजी एवं फारसी इत्यादि। भाषा अर्थहीन भी हो सकती है जिसमें संकेत, हाव-भाव एवं अन्य बहुत-सी चीजें आती हैं। पक्षी और पशु की भी एक भाषा है, कहा जाता है कि पशु-पक्षियों के पास वाणी नहीं होती है। इन बातों का निष्कर्ष यह है कि वाणी वह मनोक्रियात्मक माध्यम है जिससे उसके समुदाय के लोग समझते हैं और प्रभावित होते हैं। **उदाहरणार्थ–**

ऐसी वाणी बोलिए मन का आपा खोय।
औरन को शीतल करे आपहु शीतल होय।।

अर्थात् वाणी में विचार, भाव, मानसिक संचेतना आदि गुण निहित होते हैं जो किसी व्यक्ति और समाज को प्रभावित कर सकते हैं। भाषा में ही वाणी सन्निहित होती है। आदिम मानव भी अपने विचारों का आदान-प्रदान करता था उसमें शरीर का संकेत, गले की आवाज, चिल्लाना अथवा विभिन्न प्रकार की आवाजें (अलग-अलग कार्यों के लिए) करना भी एक भाषा थी लेकिन धीरे-धीरे भाषा विज्ञान का विकास हुआ इसे व्यवस्थित नियम युक्त एवं संगठित किया गया।

भाषा का महत्त्व

भाषा किसी व्यक्ति के व्यक्तित्व के आईना के समान है। व्यक्ति का जैसा व्यक्तित्व होगा उसी प्रकार की उसकी भाषा होगी। भाषा से ही व्यक्ति को समाज में सम्मान और अपमान मिलता है। इस तरह भाषा में आकर्षण एवं विकर्षण दोनों गुण होते हैं। भाषा के महत्त्व को निम्न प्रकार से स्पष्ट किया जा सकता है :

1. **शैक्षिक उपलब्धि के महत्त्व :** कक्षा में जिन बालकों की भाषा एवं उच्चारण जितना अच्छा होता है उनकी शैक्षिक उपलब्धि भी उतनी ही अच्छी होती है। भाषा के माध्यम से ही एक छात्र अपनी कक्षा से संबद्ध समस्याओं को छात्रों एवं अध्यापकों के सामने स्पष्टता से रखकर उसे समझ सकता है लेकिन जिसकी भाषा कम प्रभावशाली है उस पर कोई ध्यान नहीं देता है। प्रायः देखा जाता है कि जिसकी भाषा और लिखावट कमजोर है वे कक्षा में अन्य छात्रों से कम अंक प्राप्त करते हैं। यद्यपि उनकी बौद्धिक क्षमता में उनमें कोई कमी नहीं होती है।
2. **सामाजिक मूल्यांकन में सहजता :** बालक समाज में क्या बोलता है? कैसे बोलता है? इसका मूल्यांकन समाज के लोग सामाजिक पृष्ठभूमि में करते हैं। उसकी भाषा ही उसकी योग्यता स्तर तथा यौन उपयुक्तता की मानदण्ड होती है। इससे बालक के भावों एवं विचारों का मूल्यांकन होता है।
3. **इच्छाओं और आवश्यकताओं की पूर्ति में सहायक :** भाषा व्यक्ति को अपनी आवश्यकता, इच्छा, पीड़ा अथवा मनोभाव दूसरे के समझ व्यक्त करने की क्षमता प्रदान करती है जिससे दूसरा व्यक्ति सरलता से उसकी आवश्यकता को समझ कर तत्संबंधी समाधान प्रदान करता है। उदाहरणार्थ–एक बालक यदि केवल रोता है अपने मनोभावों तथा आवश्यकताओं (भूख) को दूसरे के सामने व्यक्त नहीं कर पाता है तो माता-पिता को उसे समझने में कठिनाई होती है। लेकिन वही जब अपनी जुबान से बोल कर दूध या भोजन की मांग करता है तो तुरन्त इसकी पूर्ति हो जाती है और उसे संतुष्टि मिलती है।

4. **दूसरे के विचारों को प्रभावित करने में सहायक :** जिन बच्चों की भाषा प्रिय, मधुर एवं ओजस्वी होती है वे अपने समूह, परिवार अथवा समाज के व्यक्तियों को प्रभावित करते हैं। लोग उन्हीं को अधिक महत्त्व देते हैं जिनका व्यवहार प्रभावपूर्ण होता है।
5. **ध्यान आकर्षित करने में उपयोगी :** सभी बालक चाहते हैं कि लोग उनकी ओर ध्यान दें इसलिए वे अभिभावकों से प्रश्न पूछकर, कोई समस्या प्रस्तुत करके तथा विभिन्न तरीकों का प्रयोग कर उनका ध्यान अपनी ओर खींचते हैं। जो बच्चे चुपचाप रहते हैं या बोलते नहीं उनकी कभी-कभी उपेक्षा हो जाती है।
6. **आत्म-मूल्यांकन में महत्त्व :** बालक जब समाज में बोलता है तो उसके सुनने वालों की उसके प्रति क्या प्रतिक्रिया होती है, दूसरे लोग उसके विषय में क्या समझते हैं उनकी भाषा को सुनकर बालक स्वयं का मूल्यांकन करता है कि लोग उससे प्रभावित हैं या नहीं। समाज का दृष्टिकोण उसके प्रति किस प्रकार का है।
7. **सामाजिक संबंध के लिए महत्त्व :** वाणी से अपने भावों को बालक समाज में अभिव्यक्त करता है जिससे विचारों, भावों को लोग समझते हैं। इससे समाज के बीच आपसी ताल-मेल विकसित होता है जो बच्चे खुलकर अपने विचारों एवं भावों को दूसरों के सामने रखते हैं। उन्हें समाज में सबसे अधिक स्वीकृति मिलती है। दूसरे बालक उसी बालक के साथ उठना-बैठना, खेलना तथा मित्रता करना पसंद करते हैं जिनकी अभिव्यक्ति होती है तो अंतर्मुखी होते हैं। उनके मित्र भी नहीं होते हैं। बालक अपनी भाषा के द्वारा ही समाज में अच्छा संबंध बनाता है। इसी के द्वारा वैयक्तित्त्व एवं सामाजिक समायोजन होता है।

भाषा के विकास के मुख्य सिद्धांत

मनुष्य की भाषा किस प्रकार विकसित होती है? उसकी प्रक्रिया क्या है? शब्दों का अर्थों में किस प्रकार समावेश होता है इसको जानने के लिए भाषा विकास के सिद्धांतों को समझना आवश्यक है। मनुष्य बोलने की योग्यता किस प्रकार अर्जित करता है। इस विषय पर विद्वानों ने अपने अध्ययन के आधार पर निम्न सिद्धांतों का प्रतिपादन किया है–

1. **अनुबंधन का सिद्धांत :** भाषा विकास में अनुबंधन या साहचर्य का बहुत योगदान है। शैशवावस्था में जब बच्चे शब्द सीखते हैं तो सीखना अमूर्त नहीं होता है। वरन किसी मूर्त वस्तु से जोड़कर उन्हें शब्दों की जानकारी दी जाती है। उदाहरण पेंसिल कहने के साथ उन्हें पेंसिल दिखाया जाता है, पानी या दूध कहने पर उन्हें पानी या दूध दिखाया जाता है, चाचा या ताऊ के संकेत के सहारे प्रत्यक्ष रूप से बताया जाता है। इससे बच्चे उस विशिष्ट वस्तु या व्यक्ति से साहचर्य स्थापित कर लेते हैं और अभ्यास हो जाने पर संबंधित वस्तु या व्यक्ति की उपस्थित पर संबंधित शब्द से संबोधित करते हैं। उद्दीपक और प्रतिक्रिया के बीच संबंध स्थापित होने को ही अनुबंधन कहा जाता है। इसलिए छोटी कक्षाओं में लिखवाने के लिए शिक्षा उपकरणों का प्रयोग किया जाता है। स्किनर का कहना है कि अनुबंधन द्वारा भाषा विकास की प्रक्रिया को सरल बनाया जा सकता है।
2. **चोमस्की का भाषा अर्जित करने का सिद्धांत :** चोमस्की का कहना है कि बच्चे शब्दों की निश्चित संख्या से कुछ निश्चित नियमों का अनुकरण करते हुए वाक्यों का निर्माण करना सीख जाते हैं। इन शब्दों से नए-नए वाक्यों एवं शब्दों का निर्माण होता है। इन वाक्यों का निर्माण बच्चे जिन नियमों के अंतर्गत करते हैं, उन्हें चोमस्की ने जेनेरेटिव की संज्ञा प्रदान की है।
3. **परिपक्वता का सिद्धांत :** परिपक्वता से तात्पर्य है भाषा अवयवों एवं स्वरों पर नियंत्रण होना। बोलने में जिह्वा, गला, तालू, होठ, दांत तथा स्वर यंत्र आदि जिम्मेदार होते हैं। इनमें किसी भी प्रकार की कमजोरी या कमी वाणी को प्रभावित करती है। इन सभी अंगों में जब परिपक्वता होती है तो भाषा पर नियंत्रण होता है और अभिव्यक्ति अच्छी होती है। विद्वानों के मतानुसार भाषा का विकास स्वरयंत्र की परिपक्वता पर निर्भर करती है, जिनकी स्वरयंत्र में परिपक्वता नहीं होती है, वे शब्दों का उच्चारण नहीं कर पाते हैं। गूंगे व्यक्तियों में स्वर यंत्रों का विकास नहीं होता इसलिए उनमें बोलने की क्षमता नहीं होती है।
4. **अनुकरण का सिद्धांत :** शर्ली, कर्टी, चैपिनीज तथा वैलेन्टाइन आदि मनोवैज्ञानिकों ने अनुकरण के द्वारा भाषा सीखने का अध्ययन किया है। इनका विचार है कि बालक अपने परिवारजनों तथा साथियों के भाषा का अनुसरण करके सीखता है जैसी भाषा जिस समाज या परिवार या समूह में बोली जाती है बच्चे उसी भाषा को सीखते हैं। यदि भाषा में किसी प्रकार का दोष है तो अनुकरण से बच्चे वह भी सीख लेते हैं। अतः इस बात का ध्यान रखना चाहिए कि बच्चे दोषपूर्ण भाषा न सीखने पाएं। बच्चे शिष्टाचार के साथ अश्लील एवं अशिष्ट शब्दों का भी अनुकरण कर लेते हैं। इसे सामाजिक अधिगम भी कहा जाता है। बालक समाज से ही विशाल शब्दों का भंडार सीखता है। साथ ही बोलने के तौर-तरीके भी वह समाज से ही सीखता है।

उपरोक्त बातों से स्पष्ट है कि बालक समाज, परिवार तथा विद्यालय से शब्दों एवं वाक्यों का संग्रह करते हैं। इन शब्दों को वे गठित एवं व्यवस्थित करते हैं। इनकी समझ पैदा करते हैं और अंत में इन्हीं शब्दों के आधार पर नवीन वाक्यों की रचना करते हैं।

भाषा के विकास की मुख्य अवस्थाएं

भाषा के विकास की अवस्थाओं को मुख्यतः दो वर्गों में बांटा गया है–

(*i*) भाषा का प्रारंभिक रूप–रोना, बलबलाना, हाव-भाव या संकेत आदि।

(*ii*) वास्तविक भाषा की अभिव्यक्ति–आकलन या बोध शक्ति, शब्द भंडार, वाक्य निर्माण, शुद्ध उच्चारण आदि।

भाषा के विकास को प्रभावित करने वाले मुख्य कारक

सभी बालकों में भाषायी विकास एक समान नहीं होता है। किसी में भाषायी विकास तीव्रता से तो किसी में मंदता से होता है। भाषायी विकास पर कुछ तत्त्वों का प्रभाव पड़ता है, इनमें प्रमुख तत्त्व निम्नलिखित हैं–

(*i*) **व्यक्तित्त्व :** कुछ अध्ययनों में यह पाया गया है कि जो बच्चे उत्साही होते हैं उनमें भाषायी विकास शांत स्वभाव के बच्चों से अधिक होता है। फुर्तीले, चुस्त एवं बहिर्मुखी स्वभाव वाले बच्चों का भाषा विकास तीव्र होता है।

(*ii*) **परिपक्वता :** आवश्यक परिपक्वता के अभाव में भी भाषा का विकास प्रभावित होता है। हरलॉक का कहना है कि भाषा का प्रशिक्षण देते समय इस बात का ध्यान रखना चाहिए कि बच्चों में आवश्यक परिपक्वता आ चुकी है या नहीं। भाषा विकास में फेफड़े, स्वरयंत्रों, जीभ, दांत, तालू, होठ तथा वाणी केंद्र (मस्तिष्क में स्थित होता है) का परिपक्व होना आवश्यक है। ये अंग जितने अधिक परिपक्व होते हैं भाषा विकास उतना ही अधिक होता है।

(*iii*) **सामाजिक-आर्थिक स्तर :** प्रायः ऐसा देखा जाता है कि जिन बालकों को सामाजिक-आर्थिक स्तर निम्न होता है वे देर में बोलना सीखते हैं। जरसील्ड एवं गैसिल आदि जैसे मनोवैज्ञानिकों के अध्ययन से इस बात की पुष्टि हुई कि उच्च वर्ग के शिशु जल्दी बोलना सीखते हैं, अधिक बोलते हैं तथा उनका उच्चारण भी शुद्ध होता है। डेविस, आल्सटाईन, स्कील्स आदि जैसे मनोवैज्ञानिकों ने अनाथ बच्चों के अध्ययन से पाया कि इन बच्चों में भाषायी विकास कम होता है। इनका शब्द भंडार भी कम होता है। प्रायः यह भी देखा जाता है कि ग्रामीण क्षेत्र में पढ़ने वाले बच्चों की शाब्दिक क्षमता शहरी या अन्य पब्लिक स्कूल में पढ़ने वाले बच्चों से कम होती है।

(*iv*) **स्वास्थ्य :** जिन बच्चों का स्वास्थ्य जितना अच्छा होता है उनमें भाषा विकास की गति उतनी तीव्र होती है क्योंकि सामाजिक समूहों से उन्हें अच्छी प्रेरणा मिलती है, वे बच्चे अपने समूह के साथ खेलते हैं, अंतःक्रिया करते हैं, लेकिन बीमार बच्चे समूह में खेल नहीं पाते। शारीरिक अवयवों का भी विकास बाधित होता है। स्मिथ ने बच्चों की भाषा पर बीमारी के प्रभावों का अध्ययन करके निष्कर्ष निकाला कि बीमार बच्चों में भाषायी विकास की गति धीमी होती है। इसी प्रकार का अध्ययन लॉवेल और मारकेल ने भी किया और पाया कि जो बच्चे लंबी अवधि तक बीमार रहते हैं उनमें भाषायी विकास कमजोर होता है।

(*v*) **प्रशिक्षण की विधियाँ :** अधिनायकवादी प्रशिक्षण जिसमें बच्चों की भावनाओं का ख्याल नहीं रखा जाता है एवं किसी चीज को डांट कर सिखाया जाता है तो ऐसे प्रशिक्षण में भाषा का विकास नहीं होता। जिस परिवार या विद्यालय में लोकतांत्रिक विधियों का प्रयोग होता है, बालक को स्वतंत्रता होती है, उसमें भाषा का विकास तीव्रता से होता है। भाषा सिखाने के लिए मूर्त से अमूर्त, सरल से कठिन, ज्ञात से अज्ञात की ओर चलने के सिद्धांतों का पालन करना चाहिए। उदाहरणार्थ–मातृभाषा से अंग्रेजी सिखाई जाए तो आसान होता है। एक साथ एक भाषा का प्रशिक्षण हो लेकिन यह देखा जा रहा है कि भारतवर्ष के आधुनिक पब्लिक स्कूलों में शिशुओं को एक साथ दो से अधिक भाषाएं सिखाई जाती हैं जो उचित नहीं हैं। मातृभाषा का पूर्ण ज्ञान हो जाए तो उस भाषा की सहायता से दूसरी भाषा सिखाना उचित होता है।

(*vi*) **द्वि-भाषावाद :** यदि कोई द्विभाषा-भाषी परिवार है, उदाहरणार्थ–पिता हिन्दी बोलने वाला और माता शुद्ध बांग्ला बोलने वाली हो तो ऐसे में बच्चों का भाषा विकास प्रभावित होता है क्योंकि बच्चे भ्रमित हो जाते हैं कि वे कौन-सी भाषा सीखें। वर्तमान समय में यह देखा जा रहा है कि बच्चों की भाषा क्षमता क्षीण होती जा रही है तथा उसका बड़ा ही स्पष्ट कारण है कि हिन्दी भाषा-भाषी परिवार में उत्पन्न हुए बच्चों का 3 वर्ष की आयु में अंग्रेजी स्कूलों में प्रवेश करा दिया जाता है। इन स्कूलों में अंग्रेजी के अतिरिक्त दूसरी भाषा बोली ही नहीं जाती है और जैसे ही बालक स्कूल से घर में कदम रखता है वहां हिन्दी और भोजपुरी के अतिरिक्त अंग्रेजी की पृष्ठभूमि ही नहीं है। ऐसी स्थिति में बालक कौन-सी भाषा सीखे यह उसके सामने दुविधा होती है। अंग्रेजी भाषा का विकास हिन्दी पृष्ठभूमि में नहीं हो सकता। अतः भाषा विकास अवरुद्ध हो जाता है या इसमें अपेक्षित सफलता नहीं मिलती।

(*vii*) **बहुजन्मता :** किए गए एक अध्ययन में यह पाया गया है कि यदि एक साथ अधिक संतानें उत्पन्न होती हैं तो उनमें भाषायी विकास विलंब से होता है। इसका कारण है कि बच्चे एक-दूसरे का अनुकरण करते हैं और दोनों ही अपरिपक्व होते हैं। उनमें उपयुक्त प्रतिमान नहीं मिल पाता। उदाहरणार्थ–यदि एक बच्चा गलत उच्चारण करता है तो उसकी नकल करके दूसरा भी वैसा ही उच्चारण करेगा।

(*viii*) **लिंगीय भिन्नता :** वाणी विकास में लिंग का प्रभाव भी स्पष्ट दृष्टिगोचर होता है। इरविन और चेन ने लिंगीय भेद का अध्ययन करके निष्कर्ष निकाला कि प्रथम वर्ष में बालक एवं बालिकाओं की भाषा में अंतर नहीं होता लेकिन दूसरे वर्ष से बालिकाओं की क्षमता बालकों से अधिक हो गई। बालिकाओं का भाषा प्रवाह बालकों से अच्छा रहा। बालिकाएं जल्दी बोलना भी सीखती हैं, जहां बालक छोटे-छोटे वाक्य बोलते हैं वहीं लड़कियां बड़े वाक्यों को बोलने में सक्षम हो जाती हैं। बालिकाएं बालकों की अपेक्षा शुद्ध उच्चारण करती हैं।

(*ix*) **बुद्धि :** हरलॉक के अनुसार, जिन बच्चों का बुद्धि-लब्धि (I.Q.) उच्च होता है उनमें भाषा विकास अपेक्षाकृत कम बुद्धि वालों से अच्छा होता है। इरविन और स्पाईकर के मतानुसार बुद्धि-लब्धि और भाषा संबंधी योग्यता में घनिष्ठ संबंध है। टरमैन, फिशर और यम्बा का मानना है कि तीव्र बुद्धि बालकों का उच्चारण और शब्द भंडार अधिक होता है। प्रायः देखा जाता है कि प्रतिभाशाली बालक अपनी अवस्था के बालकों से पहले बोलना सीख लेते हैं, उनके शब्द भंडार की क्षमता भी सामान्य बालकों से अधिक होती है तथा वे बहुत स्पष्ट और शुद्ध उच्चारण भी करते हैं।

(*x*) **परिवार का आकार :** अकेला बालक या छोटे परिवार में बालक की भाषा शक्ति का विकास बड़े आकर के परिवार से अच्छा होता है क्योंकि छोटे परिवार में माता-पिता बच्चे के प्रशिक्षण उनसे वार्तालाप पर अधिक ध्यान दे पाते हैं जबकि बड़े परिवार में समय कम मिलता है।

(*xi*) **संवेगात्मक तनाव :** जिन बच्चों के संवेगों का कठोरता से दमन कर दिया जाता है ऐसे बच्चों में भाषा विकास देर से होता है। उदाहरणार्थ–यदि एक वर्ष के शिशु को सौतेली मां कटु या कठोर स्वभाव की मिल जाए और बात-बात पर उसे झिड़कती, डांटती, पीटती तथा उपेक्षित करती रहे तो बालक का विकास प्रभावित हो जाता है तथा वह देर में एवं अस्पष्ट बोलता है।

भाषा दोष एवं उसके प्रकार

यदि बालक अपने स्वर यंत्रों पर नियंत्रण नहीं कर पाता है तो उसमें भाषा दोष उत्पन्न हो जाता है। ऐसे बालक समाज से कतराने लगते हैं। इनमें हीनता की भावना विकसित हो जाती है, ये अकेले में रहते हैं तथा किसी के सामने बोलने में झिझकते हैं। भाषा दोष का प्रभाव बालक के जीवन के अन्य क्षेत्रों पर भी पड़ता है। उनकी शैक्षिक उपलब्धि भी प्रभावित होती है। इन बालकों को पिछड़ा बालक कहा जाता है। भाषा के मुख्य प्रकार निम्नवत् हैं–

1. अस्पष्ट उच्चारण,
2. ध्वनि परिवर्तन,
3. तीव्र अस्पष्ट,
4. हकलाना, और
5. तुतलाना।

चिंतन/विचार

चिंतन विचार करने की वह मानसिक प्रक्रिया है, जो किसी समस्या के कारण आरंभ होती है और उसके अंत तक चलती रहती है। विभिन्न विद्वानों ने चिंतन की परिभाषा भिन्न-भिन्न प्रकार से दी है। कुछ विद्वानों द्वारा चिंतन की परिभाषा निम्न प्रकार से दी गई है–

रॉस के अनुसार, "चिंतन, मानसिक क्रिया का ज्ञानात्मक पहलू है या मन की बातों से संबंधित मानसिक क्रिया है।"

रायबर्न के अनुसार, "चिंतन, इच्छा-संबंधी प्रक्रिया है, जो किसी असंतोष के कारण आरंभ होती है और प्रयास एवं त्रुटि के आधार पर चलती हुई उस अंतिम स्थिति पर पहुंच जाती है, जो इच्छा को संतुष्ट करती है।"

वेलेण्टाइन के अनुसार, "चिंतन शब्द का प्रयोग उस क्रिया के लिए किया जाता है, जिसमें शृंखलाबद्ध विचार किसी लक्ष्य या उद्देश्य की ओर अविराम गति से प्रवाहित होते हैं।"

उपर्युक्त दी गई परिभाषाओं से स्पष्ट है कि चिंतन मानसिक क्रिया का ज्ञानात्मक पथ है। चिंतन की प्रक्रिया किसी विशेष उद्देश्य की ओर परिलक्षित होती है। इसमें इच्छा तथा असंतोष अत्यंत महत्त्वपूर्ण हैं क्योंकि इच्छा तथा असंतोष मनुष्य को चिंतन के लिए बाध्य करते हैं।

चिंतन के प्रकार

चिंतन के मुख्यतः चार प्रकार हैं–

1. **कल्पनात्मक चिंतन :** इस चिंतन का संबंध पूर्व-अनुभवों पर आधारित भविष्य से होता है। जब माता-पिता बाजार जाते हैं तब बालक कल्पना करता है कि वे वहां से लौटने पर उसके लिए टॉफी लाएंगें। इस चिंतन में भाषा और नाम का प्रयोग नहीं किया जाता है।
2. **तार्किक चिंतन :** अमेरिकी मनोवैज्ञानिक जॉन डीवी ने तार्किक चिंतन को विचारात्मक चिंतन की संज्ञा दी है। यह सबसे उच्च प्रकार का चिंतन है। इसका संबंध किसी समस्या के समाधान से होता है।
3. **प्रत्ययात्मक चिंतन :** इस चिंतन का संबंध पूर्व-निर्मित प्रत्ययों से होता है, जिनकी सहायता से भविष्य के किसी निश्चय पर पहुंचा जाता है। कुत्ते को देखकर बालक अपने मन में प्रत्यय का निर्माण कर लेता है। अतः जब वह भविष्य में कुत्ते को फिर देखता है तब वह उसकी ओर संकेत करते हुए कहता है–'कुत्ता'। इस चिंतन में भाषा और नाम का प्रयोग किया जाता है।
4. **प्रत्यक्षात्मक चिंतन :** यह निम्न स्तरीय चिंतन है। अतः यह विशेष रूप से पशुओं और बालकों में पाया जाता है। इस चिंतन का संबंध पूर्व अनुभवों पर आधारित

वर्तमान की वस्तुओं से होता है। माता-पिता के बाजार से लौटने पर यदि बालक को उनसे काफी दिनों तक टॉफी मिलती रहती है तो जब भी वे बाजार से लौटते हैं, तभी टॉफी का विचार उसके मस्तिष्क में आ जाता है और वह दौड़ता हुआ उनके पास जाता है।

चिंतन तथा कल्पना में अन्तर

चिंतन	कल्पना
1. इसकी सहायता से बालक समस्या के विभिन्न पहलुओं को समझने की कोशिश करता है, क्योंकि इन पहलुओं को समझे बिना समस्या का समाधान संभव नहीं हो सकता।	1. इसमें समस्या के समाधान की परिस्थिति को नए-नए रूपों में देखा जाता है।
2. इसमें तर्क की प्रधानता होती है। समस्या समाधान में तर्क की सहायता से सूक्ष्म पहलुओं को जाना जाता है।	2. इसमें तर्क का अभाव होता है।
3. बालक में चिंतन बहुधा समस्या की उपस्थिति पर आरंभ होता है। अर्थात् जब बालक के सामने कोई समस्या आती है तभी उसमें चिंतन की प्रक्रिया होती है, व्यर्थ में बालक चिंता नहीं करता है।	3. कल्पना के लिए परिस्थिति या समस्या की विशेष आवश्यकता नहीं होती है।
4. चिंतन में समस्या समाधान में प्रयत्न और भूल की क्रिया रहती है।	4. कल्पना में प्रयत्न और भूल का अभाव होता है।
5. यह वास्तविकता से संबंधित होता है।	5. कल्पना का संबंध वास्तविकता से भी हो सकता है और नहीं भी।

चिंतन तथा भाषा

चिंतन प्रक्रिया प्रतीक और चिन्हों के आधार पर चलती है। प्रतीक और चिन्हों का आधार भाषा होती है। चिंतन के समय बालक के अंदर आंतरिक भाषण होता है। कई बार चिंतन करते समय बालक बोलने लगता है। कुछ अध्ययनों में यह देखा गया है कि जिस बालक में भाषा की योग्यता जितनी अधिक होती है उसमें चिंतन की योग्यता भी उसी रूप में उतनी अधिक होती है क्योंकि भाषा-वृद्धि के साथ-साथ बालकों में ज्ञान-वृद्धि होती है और ज्ञान-वृद्धि से चिंतन शक्ति का भी विकास होता है। भाषा के द्वारा बालक चिंतन को व्यक्त भी कर सकता है। बालक भाषा के द्वारा अपने अथवा दूसरों के चिंतन को रेकार्ड कर सकता है। इस प्रकार वह अपने चिंतन का दूसरों को लाभ दे सकता है तथा दूसरों के चिंतन का स्वयं लाभ उठा सकता है। अतः कहा जा सकता है कि चिंतन के लिए भाषा आवश्यक ही नहीं अपितु उसे व्यक्त करने का साधन भी है। भाषा के अभाव में चिंतन को व्यक्त करना कठिन है। जहां भाषा से चिंतन का विकास होता है वहां चिंतन भाषा को भी विकसित करता है। अतः कहा जा सकता है कि चिंतन और भाषा दोनों में घनिष्ठ संबंध है।

पहले ऐसा माना जाता था कि विचार प्रतिमा रहित या सहित होते हैं। परंतु आज यह माना जाता है कि विचार दोनों प्रकार के होते हैं–प्रतिमा रहित भी और प्रतिमा सहित भी। चिंतन के लिए यद्यपि भाषा बहुत आवश्यक है परंतु भाषा के बिना भी चिंतन संभव है क्योंकि व्यक्ति उन वस्तुओं के संबंध में भी चिंतन करते देखा गया है, जिनका कि वह नाम तक नहीं जानता है। कभी-कभी चिंतन को स्पष्ट करने के लिए भाषा पर्याप्त नहीं होती है, इस अवस्था में चिंतन को चित्रों और मॉडल के द्वारा व्यक्त किया जाता है।

चिंतन का विकास

चिंतन का विकास भाषा के विकास के कुछ समय बाद प्रारंभ हो जाता है। लगभग एक-दो वर्ष की अवस्था में बालक में चिंतन का विकास प्रारंभ हो जाता है। बालक में सर्वप्रथम प्रत्यक्षात्मक चिंतन का विकास प्रारंभ होता है। बालक के चारो ओर जो मूर्त वस्तुएं और उत्तेजनाएं होती है, सर्वप्रथम वह उनके संबंध में चिंतन प्रारंभ करता है। उदाहरणार्थ–मेज, कुर्सी, खिलौने तथा परिवार के सदस्यों आदि के संबंध में वह सर्वप्रथम चिंतन प्रारंभ करता है। पियाजे का विचार है कि लगभग सात वर्ष की अवस्था तक बालक की प्रवृत्ति आत्मकेंद्रित प्रकार की होती है। अतः बालक अपने स्वयं के संबंध में ही चिंतन अधिक करता है। उसमें इस अवस्था के चिंतन में तार्किकता का अभाव होता है। लगभग पांच-छः वर्ष की अवस्था से बालक में कल्पनात्मक तथा प्रत्ययात्मक चिंतन प्रारंभ हो जाती है। वुडवर्थ ने इन दोनों प्रकार के चिंतनों को निनात्मक चिंतन कहा है। बालक में इस अवस्था में प्रतीकों के माध्यम से भी चिंतन का अभाव होता है। लगभग सात वर्ष की अवस्था से लगभग पंद्रह वर्ष की अवस्था तक चिंतन का तीव्र गति से विकास होता है। आयु बढ़ने के साथ-साथ चिंतन में तर्क की प्रधानता भी बढ़ती जाती है।

3 से 7 वर्ष की अवस्था के बालकों के चिंतन में पियाजे ने निम्नलिखित विशेषताएं बताई हैं–

(*i*) इस समय उनके चिंतन का स्तर निम्न होता है। वे अधिकतर जीवन से संबंधित बातों पर चिंतन करते हैं।

(*ii*) उनके चिंतन में तार्किक संगति का अभाव पाया जाता है। इस आयु के बालकों में कार्य-कारण संबंध नहीं दिखाई देता है।

(*iii*) एक ही घटना के आधार पर सामान्यीकरण करना। अन्य शब्दों में, इस आयु के बालक एक घटना के आधार पर ही निष्कर्ष निकालते हैं। वह पूर्ण घटनाओं-अनुभवों का लाभ नहीं उठा पाते हैं।

(*iv*) इस आयु वर्ग के बालकों के चिंतन की प्रवृत्ति आत्म-केंद्रित प्रकार की होती है। अन्य शब्दों में, उनके चिंतन का विषय स्वयं के संबंध में होता है।

(*v*) इस आयु वर्ग का बालक अपने वातावरण के चारो ओर स्थित वस्तुओं को चाहे वह सजीव हो या निर्जीव सभी को चेतनामय या सजीव समझता है। अन्य शब्दों में, उसके चिंतन में जीववाद पाया जाता है।

क्रो और **क्रो** के अनुसार, चिंतन की योग्यता सफल जीवन के लिए आवश्यक है। अतः संरक्षकों और शिक्षकों को चाहिए कि बालकों में इस योग्यता के विकास पर ध्यान दें। चिंतन की योग्यता के विकास में निम्नलिखित उपाय सहायक हैं–

(*i*) बालकों को चिंतन के लिए प्रोत्साहित और प्रेरित करना चाहिए। बालकों के भाषा ज्ञान को उच्च करने के उपाय करने चाहिए जिससे वह समय-समय पर अपने विचारों की अभिव्यक्ति कर सके।

(*ii*) बालकों की रुचियों के विकास पर ध्यान देना चाहिए। रुचियों के अभाव में चिंतन योग्यता कठिनाई से विकसित हो पाती है।

(*iii*) शिक्षक और माता-पिता को बालकों को नवीन बातों की समय-समय पर अर्थात् उनकी आयु के अनुसार जानकारी देनी चाहिए जिससे उनमें चिंतन का विकास सुचारु रूप से चल सके।

(*iv*) बालकों को उनकी आयु के अनुसार समस्या का समाधान करना भी माता-पिता और शिक्षकों को सीखलाना चाहिए क्योंकि समस्या समाधान से भी चिंतन विकसित होता है।

(*v*) तर्क एवं वाद-विवाद की भी चिंतन योग्यता के विकास में महत्त्वपूर्ण भूमिका है, इनको भी सिखाने के अवसर देने चाहिए।

(*vi*) बालकों को ऐसा प्रेरक वातावरण समय-समय पर उपलब्ध कराना चाहिए जिससे वे चिंतन के महत्त्व को समझें और योग्यता को बढ़ाने के लिए प्रदत्त वातावरण का लाभ उठा सकें।

(*vii*) बालकों को उनकी आयु के अनुसार समय-समय पर ऐसे कार्य सौंपे जाने चाहिए जिससे उनमें उत्तरदायित्व की भावना का विकास हो सके और उत्तरदायित्व के निर्वाहन हेतु चिंतन के लिए प्रेरित हो सकें।

9. समाज निर्माण में लिंग की भूमिका

व्यक्ति एवं व्यक्ति, समुदाय एवं समुदाय, जाति एवं जाति के बीच पाई जाने वाली भिन्नता एक वैश्विक घटना है। ऐसे में एक प्रश्न उठता है कि आखिर ये भेद क्यों है एवं इसके लक्षण क्या हैं? इस प्रकार के भेदों का मापन शारीरिक तथा मनोवैज्ञानिक आधार पर किस प्रकार किया जाए?

लिंग और उसकी भूमिका

जब वर्ग भेद की चर्चा की जाती है जो उसके गुण-दोष एवं लक्षण आदि की भी चर्चा जरूरी है। इस वर्ग का कुछ आधार भी हो सकता है। यथा–व्यक्तित्त्व, सामाजिक-आर्थिक स्तर, जाति, लिंग अवस्था आदि। यदि हम इन समूहों के मध्य व्याप्त वर्गीकरण अथवा भेदों को जानने की रुचि रखते हैं तो हमें दैनिक जीवन की समस्याओं को सुलझाने में सहायता मिलती है।

वर्तमान परिदृश्य में समानता की मांग सामयिक मुद्दा है। इस समानता का तात्पर्य नकारात्मक न होकर सकारात्मक है। यहां समानता का तात्पर्य समान शैक्षिक योग्यता, समान क्षमता, समान अधिकार, समान कुशलता तथा पढ़ाई एवं कार्य के समान अवसर से है। अन्य शब्दों में कहा जा सकता है कि हम स्त्री-पुरुष में वर्ग के आधार पर लिंग भेद को मान्यता नहीं देते हैं। लिंग भेद का सिद्धांत मूलतः भेद पर ही आधारित है, अर्थात् स्त्री तथा पुरुष में कुछ भेद पाए जाते हैं भले ही हम कहें कि इनके बीच सामाजिक तथा शैक्षिक आधार पर कोई भेद नहीं है। इस भेद से एक महत्त्वपूर्ण प्रश्न उत्पन्न होता है कि क्या महिलाएं शारीरिक लक्षण, कौशल, जीवन मूल्य, दक्षता के आधार पर पुरुषों से कुछ भिन्न हैं अथवा नहीं? यदि इस आधार पर इनमें कोई भिन्नता नहीं पाई जाती है तो इस बात की जांच-पड़ताल आवश्यक है कि क्यों इनके साथ कुछ क्षेत्रों में भेद-भाव किया जाता है?

लैंगिक भेद-भाव

मनोविज्ञान के अध्ययन के क्षेत्र में लिंग भेद पर आधारित विषय अन्य विषयों की तुलना में काफी रुचिकर विषय हैं। शिक्षा, वैवाहिक संबंधों की सफलता, रहने-सहन तथा कार्यक्षेत्र संबंधी अनेक सामाजिक समस्याओं का संबंध इनके सफलता से संबद्ध है। अनेक शिक्षाविदों तथा शिक्षा मनोवैज्ञानिकों ने महिला तथा पुरुषों की उपलब्धि की तुलना को अपने अनुसंधान का विषय-वस्तु बनाया है। इन्होंने अपने नमूनों (samples) को दो भागों–महिला और पुरुष में बांटा है। इन शोधों से प्राप्त तथ्यों के अनुसार सामाजिक तथा शारीरिक आधार पर महिला और पुरुष में भिन्नता है। इस अनुसंधान का मुख्य लक्ष्य था महिला और पुरुष के भेद को लिंग व्यवहार के आधार पर समुचित रूप से समझना। इस अनुसंधान का आधार सामान्यतः मनोवैज्ञानिक ही था। ये तथ्य इस अवधारणा की पुष्टि करते हैं कि शारीरिक बनावट के अनुसार स्त्री-पुरुष के संवेगों में भी अंतर होता है। हालांकि इस भेद का आधार सामाजिक न होकर लक्षण विशेष पर आधारित अनुसंधान है जिसमें बाह्य कारकों तथा अन्य लक्षणों के अंतःसंबंधों के परस्पर संबंधों को भी जानने एवं समझने का प्रयत्न किया गया है।

इन वर्ग भेदों में कौन-से मुख्य हैं और कौन-से गौण यह कहना बहुत मुश्किल है। जहां तक सामान्य बुद्धि की बात है वहां महिला और पुरुष वर्गों में समानता देखने को मिलती है। इनमें भेद कुछ विशेष योग्यताओं या लक्षणों को लेकर है।

सामान्यतः पुरुषों में महिलाओं की तुलना में तर्क करने, वस्तुओं में समानता संबंधी खोज करने तथा सामान्य ज्ञान के क्षेत्र में कुछ श्रेष्ठता के संकेत पाए जाते हैं। पुरुष जहां स्थानिक संबंध की दृष्टि से भेद की सूक्ष्मता को पहचानने में अधिक सक्षम है वहां शाब्दिक अभिक्षमता तथा स्मरण शक्ति के क्षेत्र में महिलाएं अधिक सक्षम हैं। अनुसंधानों से यह बात भी सामने आयी है कि छात्राओं का भाषायी विकास छात्रों की तुलना में अल्पायु से ही अधिक होता है। अनुसंधानों से इस बात की भी पुष्टि हुई है कि विद्यालयपूर्व आयु वर्ग की बालिकाओं की शब्दावली इस आयुवर्ग के बालकों की तुलना में अधिक सक्षम होती है। इतना ही नहीं छात्राओं की पठन गति भी छात्रों से अधिक होती है। सामान्यतः दोनों वर्गों की बुद्धि अथवा शैक्षिक क्षमता में इतना भेद नहीं होता है कि वे किसी प्रदत्त कार्य को न्यूनाधिक क्षमता से सम्पन्न न करें। इन तथ्यों के आधार पर यही निष्कर्ष निकलता है कि शैक्षिक कार्यक्रम तथा पाठ्यक्रम के समायोजन के समय छात्र-छात्राओं में कोई भेदभाव नहीं बरतना चाहिए। छात्र-छात्राओं की पाठ्यचर्या में अंतर जन्मजात बौद्धिक स्तर के कारण नहीं होता है। उनमें अंतर का मुख्य कारण भावी जीवन की आवश्यकताओं के अनुसार निर्धारित होता है।

शैक्षिक अभ्यास

वर्तमान सामाजिक ढांचे में भी लड़की एवं लड़के में भिन्नता देखने को मिलती है। समाज लड़की को लड़के से कमतर आंकता है तथा उसे निश्चित रूढ़िगत कामों में लगा देता है। शिक्षण के दौरान शिक्षक भी लड़कियों पर अवांछित टिप्पणी करते हैं जो शिक्षण की नीति के प्रतिकूल है। ऐसे शिक्षकों में प्रायः यह धारणा होती है कि लड़कियों के लिए ऐसी शिक्षा व्यवस्था होनी चाहिए जो उन्हें सद्गृहिणी तथा आदर्श माता बनने के लिए प्रेरक का कार्य करे। इस प्रकार का विचार न केवल व्यक्तित्त्व की भिन्नता संबंधी गुणों की अवहेलना करता है अपितु इस तथ्य की भी उपेक्षा करता है कि बालक-बालिकाओं को कुछ समान कौशल सिखाने की भी आवश्यकता है। जैसा कि पहले भी बताया जा चुका है कि बालक तथा बालिकाएं कुछ क्षेत्रों या योग्यताओं में अवश्य भिन्न हैं और इन क्षेत्रों में ये एक-दूसरे से आगे भी निकल जाते हैं। इसी आधार पर जन्मजात योग्यताओं के अधिकतम विकास के लिए विशेष शिक्षण रीति-नीति अपनाने की आवश्यकता है तथा अभाव के क्षेत्र को भी प्रबल करने के लिए विशेष पद्धतियों का आश्रय लेने की आवश्यकता है। एक अध्यापक को अध्यापक के नाते लिंग भेद आधारित भावना के विरुद्ध साहसिक कदम उठाना चाहिए। इसके साथ-साथ लड़के-लड़कियों के बीच पाए जाने वाले वास्तविक भेदों को भी पहचानना तथा उन्हें स्वीकार करना चाहिए। साथ ही साथ अध्ययन के समय उसी प्रकार की रीति-नीति का उपयोग करना चाहिए।

आज भी लड़कियों के प्रति सामाजिक दृष्टिकोण परंपरागत ही है। इसका महत्त्वपूर्ण प्रमाण उनके प्रति अपनाए जाने वाले व्यवहार और उनकी शिक्षा-दीक्षा के संबंध में देखने को मिलता है। यद्यपि ये बातें सभी जगह लागू नहीं होती किंतु यह प्रायः देखा जाता है। इस संबंध में भी वर्ग भेद पर्याप्त रूप से देखने को मिलता है। समाज के उच्च वर्ग की अपेक्षा निम्न वर्ग से आने वाली लड़कियों के संदर्भ में इस स्तर पर और भी भेद पाया जाता है। अनुसूचित जातियों, अनुसूचित जनजातियों तथा अन्य अभावग्रस्त व सुविधाविहिन सामाजिक स्तर से आने वाली लड़कियों को कुछ अन्य टिप्पणियों से भी दो-चार होना पड़ता है, जैसे- यह कि ये अभावग्रस्त परिवारों से हैं तथा यह कि ये आर्थिक दृष्टि से पिछड़े तथा दलित हैं। ऐसे में ये बातें उन्हें शैक्षिक तथा सामाजिक दृष्टिकोण से विकसित बनने में बाधा उत्पन्न करता है। इतना ही इस समुदाय के लोग यह भी सोचते हैं कि लड़कियों की पढ़ाई पर किए जाने वाले खर्च को यदि उनके विवाह पर खर्च किया जाए तो वह अधिक लाभप्रद और उपयोगी होगा। हालांकि वर्तमान में कई राज्य सरकारों ने लड़कियों की शिक्षा के लिए अनेक कल्याणकारी योजनाओं का शुभारंभ किया है फिर भी लड़कियों की एक बड़ी आबादी अभी भी विद्यालय तक नहीं पहुंच पाई है। ऐसे में लड़कियों की शिक्षा से संबंधित विभिन्न पहलुओं, यथा–सामाजिक, शैक्षिक एवं आर्थिक पर चिंतन करना शिक्षक का महत्त्वपूर्ण दायित्व बन जाता है।

10. सीखने के लिए एवं सीखने का मूल्यांकन

चूंकि शिक्षा का संबंध बच्चे के सर्वागीण विकास (शारीरिक, सामाजिक, बौद्धिक एवं भावनात्मक आदि) से है। इसलिए बच्चे के विकास के सभी पहलुओं को आंके जाने की आवश्यकता है। वर्तमान समय में हम बच्चे को पूरे रूप में नहीं आंकते, बल्कि विशिष्ट क्षेत्रों में केवल उसकी शैक्षिक उपलब्धियों का मूल्यांकन करते हैं। हम शिक्षार्थी का मूल्यांकन बुनियादी रूप से उसके परीक्षा परिणामों के आधार पर करते हैं। हम सीखने के लिए किए गए प्रयास, कार्य निष्पादन, अभिवृत्तियों का और जो कुछ सीखा गया है, उसका उपयोग विभिन्न स्थितियों में करने की योग्यता का मूल्यांकन नहीं करते और न ही हम उनका मूल्यांकन इस आधार पर करते हैं कि वे तकनीकें कितनी प्रभावकारी रूप से कार्य करती हैं अथवा विभिन्न सिद्धांतों का मूल्यांकन कितने विवेचनात्मक ढंग से करते हैं।

इस प्रक्रिया के स्वरूप को अधिक व्यापक बनाने के लिए महत्त्वपूर्ण है कि बच्चे की शिक्षा-प्राप्ति का निर्धारण कक्षा के अंदर और बाहर हर प्रकार की स्थितियों और वातावरण में किया जाए। यह जरूरी है कि मूल्यांकन की प्रक्रिया सूचना प्रदान करने के तरीके और उस प्रत्युत्तर (Feedback) का भाग हो कि स्कूल और अध्यापक शिक्षा के प्रत्याशित परिणाम प्राप्त करने में किस हद तक सफल हुए हैं।

विद्यालय आधारित मूल्यांकन

विद्यालय आधारित मूल्यांकन विद्यालय शिक्षा बोर्डों द्वारा ली जाने वाली परीक्षाओं के विपरीत, स्कूल स्तर पर किया जाता है। यह मूल्यांकन विद्यालय द्वारा विकसित अनुसूची और बोर्ड द्वारा

जारी किए गए मार्ग-निर्देशों के अनुसार अध्यापकों द्वारा किया जाता है। यद्यपि यह मूल्यांकन हमेशा विद्यालय के स्तर पर किया जाता रहा है, किंतु इस प्रणाली में कुछ त्रुटियां उत्पन्न हो गई हैं। इन त्रुटियों के मुख्य कारण निम्न हो सकते हैं :

(*i*) मूल्यांकन के स्थान एवं शिक्षा की प्रक्रिया में इसके महत्त्व के बारे में अध्यापकों की गलत धारणा।

(*ii*) बाह्य परीक्षा की प्रथा का अनुकरण जो सामान्य रूप से सत्र के अंत में ली जाती है।

वर्तमान दौर में मूल्यांकन की विद्यालय-आधारित प्रणाली में, मूल्यांकन के प्रयोजन का केंद्र-बिंदु बदल गया है। अब इसमें तत्परता परीक्षण, विकास की जांच परख, संज्ञानात्मक, भावात्मक और मनो-प्रेरक क्षेत्रों में कार्य निष्पादन का बार-बार सुनियोजित और प्रभावकारी तरीके से मूल्यांकन किया जाना शामिल है।

अन्य शब्दों में, विद्यालय-आधारित मूल्यांकन बाल-केंद्रित, विद्यालय-केंद्रित और बहुआयामी मूल्यांकन होता है। यह सही मायने में शिक्षार्थी के सर्वतोमुखी विकास का सूत्रपात करता है। यह विद्यालय के अंदर और विद्यालय के बाहर दोनों जगहों पर जीवन में सभी प्रकार की शिक्षा प्राप्ति को प्रोत्साहित करता है। यह बाल-केंद्रित होता है, क्योंकि यह विकास के वैयक्तिक स्वरूप की दृष्टि से विद्यार्थी को एक अद्वितीय अस्तित्व मानता है। यह अपनी शिक्षा के पहले से निर्धारित लक्ष्यों और उद्देश्यों को प्राप्त करने के लिए शिक्षार्थी का एक अलग व्यक्तित्व के रूप में, अन्य शिक्षार्थियों की तुलना में केवल उसकी स्थिति के रूप में नहीं बल्कि प्रत्येक बच्चे की अपनी वैयक्तिक योग्यताओं, प्रगति और विकास के आधार पर निर्माण करता है।

विद्यालय आधारित मूल्यांकन की विशेषताएं

I. विद्यार्थी से संबद्ध विशेषताएं

(*i*) यह पारंपरिक प्रणाली से अधिक विस्तृत, अधिक व्यापक और सतत होता है।

(*ii*) इसका मुख्य लक्ष्य शिक्षार्थी को सुनियोजित अधिगम और विकास की ओर उन्मुख करने में सहायता देना होता है।

(*iii*) यह भविष्य के जिम्मेदार नागरिक के रूप में शिक्षार्थी की आवश्यकताओं का ध्यान रखता है।

(*iv*) यह अधिक पारदर्शी, भविष्यात्मक और शिक्षार्थियों, अध्यापकों और माता-पिता के बीच सहयोजन की अधिक गुंजाइश मुहैया करानेवाला होता है।

(*v*) यह शिक्षार्थी को अपनी क्षमता का बेहतर तरीके से उपयोग करने में सहायता देता है।

II. अध्यापक से संबद्ध विशेषताएं

विद्यालय आधारित प्रणाली में अध्यापकों को अपने विद्यार्थियों के बारे में निम्नलिखित बातें जानने का अवसर मिलता है–

(*i*) वे क्या सीखते हैं?

(*ii*) वे कैसे सीखते हैं?

(*iii*) इकट्ठा सीखने में उन्हें किस प्रकार की कठिनाइयों अथवा सीमाओं का सामना करना पड़ता है?

(*iv*) बच्चे क्या सोचते हैं?

(*v*) बच्चे क्या महसूस करते हैं?

(*vi*) उनकी रुचियां और प्रवृत्तियां क्या हैं?

(*vii*) यह अध्यापकों को ऐसे तरीकों को ढूंढने के लिए पैनी दृष्टि प्रदान करता है, जो अलग-अलग शिक्षार्थियों के लिए अपनी समस्याओं और कठिनाइयों का समाधान करने में सहायक सिद्ध हो सकते हैं।

सतत् और व्यापक मूल्यांकन (CCE)

सतत् और व्यापक मूल्यांकन का तात्पर्य विद्यार्थियों के विद्यालय आधारित मूल्यांकन की उस प्रणाली के बारे में है, जिसमें विद्यार्थियों के विकास के सभी पहलुओं की ओर ध्यान दिया जाता है।

'सतत्' शब्द का उद्देश्य इस बात पर बल देना है कि बच्चों की 'संवृद्धि और विकास' के अभिज्ञात पहलुओं का मूल्यांकन एक घटना होने के बजाए एक सतत् प्रक्रिया है, जो अध्यापन-शिक्षा-प्राप्ति की संपूर्ण प्रक्रिया के अंदर निर्मित है और शैक्षिक सत्र की समूची अवधि में फैली होती है। इसका अर्थ है निर्धारण की नियमितता, यूनिट परीक्षण की आवृत्ति, शिक्षा-प्राप्ति की कमियों का निदान, सुधारात्मक उपायों का उपयोग, पुनः परीक्षण और अध्यापकों और छात्रों के स्व-मूल्यांकन के लिए उन्हें घटनाओं के प्रमाण का फीडबैक।

'व्यापक' का अर्थ है कि यह योजना विद्यार्थियों की संवृद्धि और विकास के शैक्षिक और सह-शैक्षिक दोनों क्षेत्रों को समाहित करने का प्रयास करती है। चूंकि योग्यताएं, अभिवृत्तियां और अभिरुचियां अपने आपको लिखित शब्दों से भिन्न अन्य रूपों में प्रकट करती हैं, इसलिए इस शब्द में विभिन्न प्रकार के साधनों और तकनीकों (परीक्षण और गैर-परीक्षण) के उपयोग और शिक्षा-प्राप्ति के क्षेत्रों में शिक्षार्थियों के विकास को आंकने के लक्ष्यों का उल्लेख किया गया है, यथा–

(*i*) ज्ञान, (*iv*) विश्लेषण,

(*ii*) समझना/बोध, (*v*) मूल्यांकन और

(*iii*) अनुप्रयोग, (*vi*) सृजन।

इस प्रकार स्पष्ट है कि सतत एवं व्यापक मूल्यांकन एक पाठ्यचर्या संबंधी पहल है, जिसमें परीक्षण के स्थान पर संपूर्णवादी शिक्षा प्राप्ति पर जोर दिए जाने का प्रयास किया जाता है। इसका लक्ष्य अच्छे स्वास्थ्य, उपयुक्त कौशलों और वांछनीय गुणवत्ता वाले और इसके अलावा शैक्षिक उत्कृष्टता वाले अच्छे नागरिकों का निर्माण करना है।

सतत एवं व्यापक मूल्यांकन का उद्देश्य

(*i*) संज्ञानात्मक, मनोप्रेरक (साइकोमोटर) और प्रभावकारी कौशलों का विकास करने में सहायता देना।

(*ii*) चिंतन की प्रक्रिया पर जोर देना और कंठस्थ करने

पर बल न देना।

(*iii*) मूल्यांकन को अध्यापन-शिक्षा-प्राप्ति की प्रक्रिया का अभिन्न अंग बनाना।

(*iv*) मूल्यांकन का उपयोग नियमित निदान और उसके बाद उपचारात्मक अनुदेश के आधार पर विद्यार्थियों की उपलब्धियों और अध्यापन-शिक्षा-प्राप्ति की कार्यनीतियों में सुधार करने के लिए करना।

(*v*) कार्य-निष्पादन का वांछित स्तर बनाए रखने के लिए मूल्यांकन का उपयोग एक गुणवत्ता नियंत्रण साधन के रूप में करना।

(*vi*) किसी कार्यक्रम की सामाजिक उपयोगिता, वांछनीयता अथवा प्रभावकारिता निर्धारित करना और शिक्षार्थी, शिक्षा-प्राप्ति की प्रक्रिया और शिक्षा-प्राप्ति के वातावरण के बारे में उपर्युक्त निर्णय लेना।

(*vii*) अध्यापन और शिक्षा-प्राप्ति की प्रक्रिया को शिक्षार्थी-केंद्रित क्रियाकलाप बनाना।

अधिगम का मूल्यांकन

अधिगम के मूल्यांकन में उपलब्ध प्रमाणों के साथ कार्य करना शामिल है, जो स्टाफ और व्यापक मूल्यांकन समुदाय को विद्यार्थियों की प्रगति की जांच करने और इस सूचना का अनेक तरीकों से इस्तेमाल करने में समर्थ बनाता है। मूल्यांकन के दो स्तर हैं– (*i*) रचनात्मक मूल्यांकन (Formative Assessment) एवं (*ii*) सारांशात्मक मूल्यांकन (Summative Assessment)।

(*i*) **रचनात्मक मूल्यांकन :** इस मूल्यांकन को सीखने/अधिगम का मूल्यांकन भी कहा जाता है। इसका उपयोग अध्यापक द्वारा विद्यार्थी की प्रगति को एक ऐसे वातावरण में मॉनीटर करने के लिए किया जाता है, जो घबराहट पैदा करने वाला न हो और प्रोत्साहन देने वाला हो। इसमें विद्यार्थी को नियमित प्रत्युत्तर मुहैया कराना और उसे अपने कार्य-निष्पादन पर विचार करने, सलाह प्राप्त करने और उसमें सुधार करने का अवसर प्रदान करना शामिल है। इसमें विद्यार्थियों को स्व-मूल्यांकन करने अथवा अपने समकक्षों का मूल्यांकन करने की कसौटियां तय करने के एक आवश्यक भाग के रूप में शामिल किया जाता है। यदि इसे प्रभावकारी रूप से उपयोग में लाया जाए तो यह बच्चे के आत्म-सम्मान को बढ़ाते हुए और अध्यापक के कार्य भार को घटाकर, विद्यार्थी के कार्य निष्पादन में जबरदस्त सुधार कर सकता है।

इस प्रकार, रचनात्मक मूल्यांकन कार्य-संपादक अथवा शिक्षा प्रदान करने की प्रक्रियाओं और शिक्षा-प्राप्ति के क्रियाकलापों में उपयुक्त संशोधन करने के बारे में निर्णय लेने के लिए अध्यापकों और विद्यार्थियों दोनों को निरंतर प्रत्युत्तर (Feedback) मुहैया कराने के लिए शिक्षा की अवधि के दौरान किया जाता है।

रचनात्मक मूल्यांकन की विशेषताएं :

(*a*) यह नैदानिक एवं उपचारात्मक है।

(*b*) यह प्रभावकारी प्रत्युत्तर की व्यवस्था करता है।

(*c*) यह विद्यार्थियों को स्वयं अपनी शिक्षा प्राप्ति में सक्रिया रूप से शामिल होने के लिए मंच उपलब्ध कराता है।

(*d*) यह अध्यापकों को मूल्यांकन के परिणाम को ध्यान में रखते हुए उन्हें अध्यापन को समायोजित करने में समर्थ बनाता है।

(*ii*) **सारांशात्मक मूल्यांकन :** यह मूल्यांकन शिक्षा पाठ्यक्रम के समाप्त होने पर किया जाता है। सारांशात्मक मूल्यांकन यह मापता अथवा जोड़ता है कि विद्यार्थी ने पाठ्यक्रम से क्या सीखा है। यह मुख्य रूप से एक श्रेणीकृत (Graded) परीक्षण होता है, अर्थात् इसमें एक पैमाने के अनुसार अथवा ग्रेडों के एक सेट के अनुसार अंक दिए जाते हैं।

वह मूल्यांकन, जो मुख्यतः सारांशात्मक प्रकृति का होगा, अपने आप में बच्चे की संवृद्धि और उसके विकास का कोई संगत एवं युक्तिसंगत पैमाना नहीं होगा। अधिक-से-अधिक यह एक समय-विशेष पर उपलब्धि के स्तर को प्रमाणित करता है। कागज-पेंसिल परीक्षण बुनियादी रूप से निर्धारण अथवा मूल्यांकन का एक-एक बार अपनाया जाने वाला तरीका है और किसी बच्चे के विकास के बारे में केवल इसका सहारा लेना न केवल अनुचित है, बल्कि अवैज्ञानिक भी है। केवल शैक्षिक पहलुओं पर ध्यान देते हुए परीक्षा में प्राप्त अंक पर बहुत जोर देने से, बच्चे यह मान लेते हैं कि मूल्यांकन (निर्धारण) शिक्षा प्राप्ति से भिन्न है, जिसका परिणाम 'सीखो और भूल जाओ' लक्षण होता है। सारांशात्मक मूल्यांकन प्रणाली पर आवश्यकता से अधिक जोर देने से अस्वास्थ्यकर प्रतियोगिता को प्रोत्साहन मिलने के अलावा शिक्षार्थियों पर बहुत अधिक दबाव पड़ता है और उनमें चिंता उत्पन्न होती है। इसी कारण से सतत् और व्यापक विद्यालय आधारित मूल्यांकन संकल्पना का प्रादुर्भाव हुआ है।

सारांशात्मक मूल्यांकन की विशेषताएं :

(*a*) शिक्षा-प्राप्ति का निर्धारण।

(*b*) सामान्य रूप से विद्यार्थियों द्वारा किसी यूनिट अथवा सेमेस्टर के समाप्त होने पर उसका सारांश प्रदर्शित करने के लिए किया जाता है, जो उन्होंने सीखा हो अथवा न सीखा हो।

(*c*) इस मूल्यांकन के तरीके अधिकतर विद्यार्थियों के कार्य का मूल्यांकन करने के पारंपरिक तरीके होते हैं।

अधिगम के मूल्यांकन की विशेषताएं

(*i*) यह मूल्यांकन शिक्षा-प्राप्ति के बाद किया जाता है।

(*ii*) सूचना अध्यापक द्वारा एकत्र की जाती है।

(*iii*) सूचना को सामान्य रूप से अंकों अथवा ग्रेडों में रूपांतरित किया जाता है।

(*iv*) अन्य विद्यार्थियों के कार्य-निष्पादन के साथ तुलना की जाती है।

(*v*) इसके पहले प्राप्त की गई शिक्षा पर नजर डालता है।

अधिगम के अच्छे मूल्यांकन के मानदंड

(*i*) वे युक्तिसंगत होते हैं (ठोस मानदंडों पर आधारित)।

(*ii*) वे विश्वसनीय होते हैं (मूल्यांकन और पद्धति का सही होना)।

(*iii*) वे तुलनीय होते हैं (जब उनकी तुलना अन्य विभागों अथवा विद्यालयों में गई जांच-परख से की जाती है, तो वे ठीक पाए जाते हैं)।

अधिगम के मूल्यांकन के प्रयोजन/उद्देश्य

अधिगम के मूल्यांकन का सार यह है कि सारांशात्मक मूल्यांकन को किसी विशेष समय पर विषय-वस्तु के मानदंडों की तुलना में विद्यार्थी की शिक्षा को मापने का एक साधन समझा जाए।

सतत् और व्यापक मूल्यांकन की विशेषताएं

(*i*) सतत् और व्यापक मूल्यांकन में 'सतत्' पहलू के तहत मूल्यांकन के 'सतत्' और 'आवधिक' पहलू का ध्यान रखा जाता है।

(*ii*) निरंतरता का अर्थ है शिक्षा के प्रारंभ में विद्यार्थियों का निर्धारण या स्थापन मूल्यांकन और शिक्षण प्रक्रिया के दौरान रचनात्मक मूल्यांकन, जो मूल्यांकन की बहुविध तकनीकों का उपयोग करके अनौपचारिक रूप से किया जाता है।

(*iii*) नियतकालिकता का अर्थ है कार्य-निष्पादन का मूल्यांकन जो यूनिट/अवधि के समाप्त होने पर बार-बार किया जाता है (सारांशात्मक)।

(*iv*) सतत् और व्यापक मूल्यांकन का 'व्यापक' संघटक बच्चे के व्यक्तित्व के सर्वतोमुखी विकास के निर्धारण का ध्यान रखता है। इसमें विद्यार्थियों के विकास के शैक्षिक और इसके अलावा सह-शैक्षिक पहलुओं का निर्धारण शामिल है।

(*v*) शैक्षिक पहलुओं में पाठ्यक्रम के क्षेत्र अथवा विषय-सापेक्ष क्षेत्र शामिल होते हैं, जबकि सह-शैक्षिक पहलुओं में जीवन-कौशल, सह-पाठ्यचर्या अभिवृत्तियां और मूल्य शामिल होते हैं।

(*vi*) शैक्षिक क्षेत्रों में निर्धारण, निरंतर और नियतकालिक रूप में मूल्यांकन की बहुविध तकनीकों का इस्तेमाल करके अनौपचारिक और औपचारिक रूप से किया जाता है। नैदानिक मूल्यांकन यूनिट/परीक्षा के समाप्त होने पर किया जाता है। कुछ यूनिटों में घटिया कार्य निष्पादन के कारणों का पता नैदानिक परीक्षणों का उपयोग करते हुए लगाया जाता है। इसके बाद उपयुक्त रूप से हस्तक्षेप किया जाता है और कारवाई की जाती है और तत्पश्चात् पुनः परीक्षण किए जाते हैं।

(*vii*) सह-शैक्षिक क्षेत्रों में निर्धारण निर्धारित मानदंडों के आधार पर बहुविध तकनीकों का इस्तेमाल करते हुए किया जाता है, जब जीवन-कौशलों का मूल्यांकन, मूल्यांकन के सूचकों और जांच सूचियों के आधार पर किया जाता है।

सतत् और व्यापक मूल्यांकन : विचार एवं व्यवहार

अध्यापन-शिक्षा-प्राप्ति प्रक्रिया में, मूल्यांकन से शैक्षिक और सह-शैक्षिक पहलुओं का ध्यान रखने की अपेक्षा की जाती है। यदि कोई किसी क्षेत्र में कमजोर है तो नैदानिक मूल्यांकन किया जाना चाहिए और उपचारी उपाय अपनाए जाने चाहिए। सतत् मूल्यांकन समय-समय पर बच्चे, अध्यापकों और माता-पिता को उपलब्धि के बारे में जागरूक बनाने में सहायता देता है। यदि उपलब्धि में कोई कमी हुई हो तो वे उसके संभावित कारणों की जांच कर सकते हैं और शिक्षा के उस क्षेत्र में जिसमें अधिक जोर देने की आवश्यकता हो उपचारी उपाय कर सकते हैं।

बहुत बार ऐसा होता है कि कुछ वैयक्तिक कारणों, पारिवारिक समस्याओं अथवा समायोजन की समस्याओं के कारण बच्चे अपने अध्ययन की उपेक्षा करना शुरू कर देते हैं जिसके परिणामस्वरूप उनकी उपलब्धि में अचानक गिरावट आ जाती है। यदि अध्यापक, बच्चे और माता-पिता को उपलब्धि में अचानक आई गिरावट का पता न चले तो बच्चे द्वारा अपने अध्ययन की उपेक्षा लंबे समय तक की जाती रहती है और इसके परिणामस्वरूप उपलब्धि घटिया हो जाती है और बच्चे की शिक्षा-प्राप्ति में स्थायी रूप से त्रुटि रह जाती है।

सतत् और व्यापक मूल्यांकन का मुख्य जोर विद्यार्थियों की निरंतर संवृद्धि पर और उनका बौद्धिक, भावनात्मक, शारीरिक, सांस्कृतिक और सामाजिक विकास सुनिश्चित करने पर होता है और इसलिए यह विद्यार्थी की केवल शैक्षिक उपलब्धियों को आंकने तक सीमित नहीं होगा। यह मूल्यांकन का उपयोग शिक्षार्थियों को अन्य कार्यक्रमों के लिए अभिप्रेरित करने, सूचना प्रदान करने, प्रत्युत्तर (Feedback) की व्यवस्था करने और शिक्षा-प्राप्ति में सुधार करने के लिए अनुवर्ती कारवाई करने और शिक्षार्थी के विवरणों की एक व्यापक तस्वीर प्रस्तुत करने के एक साधन के रूप में करता है।

सतत् और व्यापक मूल्यांकन (CCE) के महत्त्वपूर्ण कार्य

(*i*) यह अध्यापक को प्रभावकारी कार्यनीतियां आयोजित करने में सहायता देता है।

(*ii*) सतत् और व्यापक मूल्यांकन शिक्षार्थी की प्रगति की सीमा और मात्रा को नियमित रूप से आंकने में

सहायता देता है (विशिष्ट शैक्षिक और सह-शैक्षिक क्षेत्रों के संदर्भ में योग्यता और उपलब्धि)।

(*iii*) सतत् और व्यापक मूल्यांकन कमजोरियों का निदान करने का कार्य करता है और अध्यापक को अलग-अलग शिक्षार्थियों की शक्तियों और कमजोरियों और उसकी आवश्यकताओं का पता लगाने में सहायता देता है। यह अध्यापक को तत्काल प्रत्युत्तर (Feedback) मुहैया कराता है, जो तब यह फैसला कर सकता है कि कोई विशेष यूनिट अथवा संकल्पना समूची कक्षा को फिर से पढ़ाए जाने की आवश्यकता है अथवा केवल कुछ शिक्षार्थियों को उपचारी शिक्षा की आवश्यकता है।

(*iv*) सतत् और व्यापक मूल्यांकन के द्वारा, बच्चे अपनी शक्तियों और कमजोरियों को जान सकते हैं। यह बच्चों को अध्ययन की अच्छी आदतें विकसित करने, गलतियों को सुधारने और क्रियाकलापों को वांछित लक्ष्य प्राप्त करने की दिशा में मोड़ने के लिए अभिप्रेरित कर सकता है। इससे शिक्षार्थी को शिक्षा के उन क्षेत्रों को निर्धारित करने में सहायता मिलती है, जिनमें अधिक जोर दिए जाने की आवश्यकता हो।

(*v*) सतत् और व्यापक मूल्यांकन अभिरुचियों और प्रवृत्ति वाले क्षेत्र अभिज्ञात करता है। यह अभिवृत्तियों और मूल्य प्रणालियों में होने वाले परिवर्तनों का पता लगाने में सहायता देता है।

(*vi*) यह विषयों, पाठ्यक्रमों और जीवनवृतियों (Carrier) के चुनाव के बारे में, भविष्य के लिए फैसला करने में सहायता देता है।

(*vii*) यह शैक्षिक और सह-शैक्षिक क्षेत्रों में विद्यार्थियों की प्रगति के बारे में सूचना/रिपोर्ट देता है और इस प्रकार शिक्षार्थी की भावी सफलताओं के बारे में पूर्वानुमान लगाने में सहायता देता है।

11 शिक्षार्थी के पढ़ाई स्तर के मूल्यांकन के लिए उचित प्रश्न-पत्र की आवश्यकता

किसी भी शिक्षार्थी के पढ़ाई के स्तर की जांच में एक अच्छे प्रश्न-पत्र की महत्त्वपूर्ण भूमिका होती है। इस प्रश्न-पत्र के माध्यम से ही शिक्षक शिक्षार्थियों के विकास का मूल्यांकन करता है। एक प्रश्न-पत्र के निम्न कार्य होते हैं–

(*i*) यह उच्च उपलब्धि प्राप्त छात्रों एवं निम्न उपलब्धि प्राप्त छात्रों के बीच अंतर स्पष्ट करता है।

(*ii*) यह प्राप्तांकों के आधार पर शिक्षार्थी के वर्गीकरण में सहायक होता है।

(*iii*) यह शिक्षार्थी के शैक्षिक-प्रारूप का संपूर्णता में मूल्यांकन करने का महत्त्वपूर्ण माध्यम है।

उपर्युक्त बातों से स्पष्ट है कि प्रश्न-पत्र एक शिक्षार्थी के मूल्यांकन प्रक्रिया का महत्त्वपूर्ण अंग है। प्रश्न-पत्र निर्माण में कुछ खास बातों का ध्यान आवश्यक है, यथा– प्रश्न-पत्र अपने पूर्व निर्धारित प्रकार्यों पर खरा उतरे, प्रश्न-पत्र एक सृजनात्मक कार्य है। अतः एक निर्धारित योजना के अनुसार प्रश्नों का संकलन करना चाहिए।

परंपरागत प्रश्न-पत्र के दोष

एक अच्छे प्रश्न-पत्र का निर्माण काफी श्रम-साध्य, समयबद्ध एवं सुनियोजित प्रक्रिया है। वर्तमान में अध्यापक जो प्रश्न-पत्र तैयार करते हैं वह प्रायः पारंपरिक प्रश्नों का ही अनुसरण करते हैं। इन पारंपरिक प्रश्नों में कमियां पाई जाती है। पारंपरिक प्रश्नों में निम्न प्रकार की कमियां पाई जाती है–

(*i*) पारंपरिक प्रश्न-पत्रों में घिसे-पिटे प्रश्नों की अधिकता रहती है। ये प्रश्न प्रायः निबंधात्मक एवं पाठ्य-पुस्तकोन्मुखी होते हैं। इस प्रकार के प्रश्न छात्रों की समस्याओं व उनकी वास्तविक क्षमताओं का मूल्यांकन करने में सक्षम पाबित नहीं होते।

(*ii*) पारंपरिक प्रश्नों का प्रकार निबंधात्मक होने से प्रश्नों की संख्या कम होती है जिससे वे पाठ्यक्रम का अधिकांश भाग पूरा नहीं कर पाते।

(*iii*) कुछ प्रश्न ऐसे होते हैं जिनसे विद्यार्थियों में जानकारियों का स्मरण तथा कंठस्थ करने की प्रवृत्ति को बढ़ावा मिलता है। ऐसे प्रश्नों में पाठ्यक्रम समग्र रूप से समाहित नहीं होते। साथ ही ऐसे प्रश्न छात्रों की समझ और कौशल की जांच करने में समर्थ नहीं होते।

(*iv*) 'व्याख्या करें', 'स्पष्ट करें', 'आप क्या जानते हैं', 'संक्षिप्त टिप्पणी लिखिए', 'संक्षिप्त विवरण दें', विवेचना करें' आदि जैसे निर्देशक शब्द किसी भी प्रश्न-पत्र को अस्पष्ट बना देते हैं। ऐसे प्रश्नों में छात्र प्रायः यह निश्चित नहीं कर पाते कि क्या उत्तर देना है। परीक्षक स्वयं छात्रों से पूछे गए प्रश्नों के स्वरूप के बारे में असमंजस में रहते हैं। समान प्रकृति के प्रश्नों के लिए विभिन्न परीक्षकों द्वारा छात्रों को दिए गए अंकों में बहुत भिन्नता होती है। ऐसे में परीक्षा में छात्र का मूल्यांकन दोषपूर्ण हो जाता है।

(*v*) पारंपरिक प्रश्नों में प्रतीकों और आकृतियों के परिकलन (Calculation) और भौतिक कौशल पर अत्यधिक बल रहता है जबकि गणितीय ज्ञान और उनके अनुप्रयोग आदि से संबद्ध प्रश्नों पर एकदम ध्यान नहीं दिया जाता है।

(*vi*) पारंपरिक प्रश्नों में बहुधा विकल्प भी दिए जाते हैं और कहा जाता है कि सभी प्रश्नों के अंक समान तथा छात्र 10 या 12 प्रश्नों में से कोई 5 या 6 प्रश्न कर सकते हैं। इससे छात्रों में केवल चुने गए महत्त्वपूर्ण विषयों की तैयारी करने की प्रवृत्ति विकसित होती है तथा शेष को बिना किसी खतरे के छोड़ देने की स्वतंत्रता मिलती है।

प्रश्न-पत्रों के दोषों को दूर करने के उपाय

(*i*) निर्देशात्मक प्रकृति के प्रश्नों में अस्पष्टता नहीं होनी चाहिए।

(*ii*) अंक देने की प्रक्रिया वस्तुनिष्ठ होनी चाहिए। इसके लिए परीक्षकों को कुंजी (Key) तथा अंक देने की योजना भी उपलब्ध कराई जानी चाहिए।

(*iii*) प्रश्न-पत्र को इस तरह से तैयार किया जाना चाहिए कि छात्रों का विभिन्न कोणों से मूल्यांकन किया जा सके।

(*iv*) प्रश्नों को तैयार करने में उसके भाषा के सरलता तथा स्पष्टता का विशेष ध्यान रखा जाना चाहिए ताकि विद्यार्थी को यह पता चले कि प्रश्न के उत्तर में क्या लिखना है।

(*v*) प्रश्न लघु-उत्तरीय प्रकार (Short Answer Type) और अति लघु-उत्तरीय प्रकार (Very Short Answer Type) का होना चाहिए। इससे पूरे पाठ्यक्रम से प्रश्न पूछने में साहूलियत होती है और छात्रों में समग्र अध्ययन की प्रवृत्ति का विकास होता है। कुछ निबंधात्मक प्रकार (Essay Type) के प्रश्न भी पूछे जा सकते हैं।

(*vi*) निम्नलिखित में से किन्हीं 5 या 6 प्रश्न का उत्तर दीजिए जैसे प्रकार के प्रश्न पूछने से बचना चाहिए। यदि जरूरी है तो प्रश्न के भीतर ही विकल्प देना चाहिए। ऐसा करने से छात्रों में चयनात्मक अध्ययन की प्रवृत्ति का ह्रास होता है और वे समग्र अध्ययन की ओर प्रवृत्त होते हैं।

एक अच्छे प्रश्न-पत्र की विशेषताएं/गुण

(*i*) विश्वसनीयता।

(*ii*) वैधता।

(*iii*) प्रयोज्यता।

(*iv*) परिणामों की व्याख्या।

(*v*) प्रारूप।

SECTION b

समावेशी शिक्षा और विशेष समझ वाले बच्चों की आवश्यकताओं की अवधारणा

1. विविध पृष्ठभूमि से संबद्ध छात्र

दोषपूर्ण सामाजिक संरचना के कारण समाज के कुछ वर्गों का सामाजिक एवं शैक्षिक उत्थान नहीं हो पाया है। ऐसे लोगों में अनुसूचित जाति, अनुसूचित जनजाति एवं अन्य पिछड़े वर्ग के पृष्ठभूमि वाले छात्र आते हैं। भारत सरकार का सामाजिक न्याय एवं अधिकारिता मंत्रालय भी इनके उत्थान के लिए प्रयत्नशील है। ऐसे छात्रों को शिक्षा देते समय शिक्षक को रचनात्मक दृष्टिकोण अपनाना चाहिए।

अनुसूचित जाति वर्ग के छात्र

भारत की सामाजिक संरचना में अनुसूचित जातियां समाज के सबसे निचले पायदान पर हैं। इन्हें परंपरागत रूप से निम्न कोटि का समझा जाता है। यह वर्ग सामाजिक एवं शैक्षिक रूप से बेहद पिछड़ा हुआ है। भारतीय संविधान में इस वर्ग के जातियों के विकास के उद्देश्य से ''राज्य स्तरीय नीतियों में दिशा-निर्देशन के सिद्धांत'' द्वारा सकारात्मक कार्यक्रमों के योजना तत्त्वों को प्रस्तुत किया गया है। अनुसूचित जाति, उन जातियों को कहा जाता है जिन्हें परम्परागत रूप से भारत में अछूत समझा जाता है। इस जाति के लोग निम्नस्तरीय समझे जाने वाले कार्यों, यथा– सफाई करना, झाड़ू लगाना, मृत पशुओं को उठाना, मैला साफ करना, जूता बनाने आदि का कार्य करते हैं। ये जातियां गांवों के एक किनारे निवास करती हैं। भारतीय धार्मिक ग्रंथों में इन्हें अंत्यज, पेरियार अछूत कहा गया है।

इस जाति के लोग ऐसे पेशे से संबद्ध हैं जिन्हें ऊपर के जाति के लोग घृणित समझते हैं। इन्हें कुछ दशक पहले तक सार्वजनिक जन-सुविधाओं, यथा- तालाब, कुंआ तथा मंदिर तक जाने की अनुमति नहीं थी। यद्यपि इस स्थिति में अब काफी परिवर्तन आ चुका है। फिर भी इनकी शैक्षिक स्थिति में बहुत अधिक सुधार नहीं आ पाया है। ये आज भी सामाजिक गतिशीलता से वंचित हैं। आज भी अनुसूचित जाति के लोग परंपरागत कार्यों को छोड़कर अन्य कुशल कार्य शुरू करने अथवा अपनाने में समर्थ नहीं हो पाए हैं। फलतः यह समुदाय आज भी जीवन के लगभग प्रत्येक क्षेत्र में पिछड़ा हुआ है।

भारत में 'शिक्षा' राज्य के अनेक दायित्वों में से एक है। अनुसूचित जाति के लोगों को सामाजिक गतिशीलता प्रदान करने के लिए, राज्य स्तर पर अनेक कल्याणकारी और विकासशील योजनाओं का निर्माण किया गया है। कुछ प्रमुख योजनाएं इस प्रकार से हैं–

1. **विद्यार्थियों के लिए मैट्रिक के बाद छात्रवृत्ति :** इस योजना का उद्देश्य अनुसूचित जाति वर्ग के उन विद्यार्थियों को आर्थिक सहायता प्रदान करना है जो मैट्रिक के बाद या सेकेंडरी के बाद की शिक्षा के लिए अध्ययनरत हैं ताकि वह अपनी शिक्षा पूरी कर सकें। इस वित्तीय सहायता के अंतर्गत् विभिन्न श्रेणियों के पाठ्यक्रमों के लिए रखरखाव भत्ता, संस्थानों द्वारा वसूल की गई अनिवार्य अप्रति देय शुल्क का भुगतान, किताब बैंक और अन्य भत्ते शामिल हैं। यह छात्रवृत्ति केवल भारत में अध्ययन के लिए ही उपलब्ध है तथा यह आवेदकों से संबद्ध राज्यों एवं केंद्रशासित प्रदेशों के सरकारों की ओर से यह छात्रवृत्ति दी जाती है।
2. **विद्यार्थियों की योग्यता बढ़ाना :** इस कार्यक्रम का उद्देश्य आवासीय विद्यालयों में शिक्षा के माध्यम से चहुंमुखी विकास के लिए सुविधाएं उपलब्ध कराकर अनुसूचित जातियों के विद्यार्थियों की योग्यता बढ़ाना है। इसके तहत 9वीं से 12वीं कक्षाओं तक पढ़ रहे अनुसूचित जाति के विद्यार्थियों की योग्यता बढ़ाना है। इसके लिए निम्नलिखित उपायों को अमल में लाना प्रस्तावित है– (*i*) उनकी शैक्षणिक कमियों को दूर करना, (*ii*) उनकी योग्यता बढ़ाकर व्यावसायिक कोर्सों में प्रवेश करने हेतु प्रोत्साहन, (*iii*) उनमें आत्मबल एवं आत्म-निर्भरता का निर्माण करना।
3. **लक्षित समूह :** इस समूह के अंतर्गत् 9वीं कक्षा से 12वीं कक्षा में अध्ययन करने वाले अनुसूचित जातियों

के विद्यार्थी आते हैं। 15,000 रुपए की आर्थिक सहायता प्रतिवर्ष प्रति विद्यार्थी को उपलब्ध करवाने के मद्देनजर राज्यों और केंद्रशासित प्रदेशों से शत-प्रतिशत सहायता पैकेज के तौर पर मुहैया करवाई जाती है। अनुसूचित जाति के विकलांग विद्यार्थियों को कई विशेष भत्ते दिए जाते हैं, जैसे पाठक भत्ता, परिवहन भत्ता, मार्गरक्षण भत्ता इत्यादि।

4. **निःशुल्क कोचिंग व्यवस्था :** इस योजना का उद्देश्य विभिन्न प्रतियोगी परीक्षाओं में बैठने के इच्छुक अनुसूचित जाति वर्ग के छात्रों को परीक्षाओं के लिए तैयार करना है। इस निःशुल्क कोचिंग में संघ लोक सेवा आयोग की ग्रुप ए और ग्रुप बी की परीक्षाएं, कर्मचारी चयन आयोग, रेलवे भर्ती बोर्डों, राज्य लोक सेवा आयोग, बैंकों की अफसर ग्रेड परीक्षाओं, बीमा कंपनियां, पीएसयू (PSU) और निजी क्षेत्र में रोजगार हेतु नौकरी केंद्रित कोर्सों के लिए प्रशिक्षण दिए जाते हैं ताकि विद्यार्थी इन परीक्षाओं में सफलता के लिए दक्षता प्राप्त कर सकें।

   यह कार्यक्रम राज्य सरकारों/केंद्रशासित प्रदेशों के प्रशासकों द्वारा संचालित प्रसिद्ध कोचिंग संस्थानों और निजी क्षेत्र की संस्थानों द्वारा चलाया जाता है।

5. **बाबू जगजीवन राम छात्रावास योजना :** इस योजना का उद्देश्य अनुसूचित जाति के बालक और बालिकाओं को छात्रावास की सुविधा मुहैया कराना है जो माध्यमिक, उच्चतर माध्यमिक स्कूलों, कॉलेजों और विश्वविद्यालयों में पढ़ रहे हैं। इस योजना के तहत नए छात्रावासों के निर्माण तथा वर्तमान छात्रावासों के विस्तार के लिए राज्य विश्वविद्यालयों/संस्थानों को पात्रता के आधार पर केंद्रीय सहायता दी जाती है जबकि गैर-सरकारी संगठन (NGO) और निजी क्षेत्र के डीम्ड विश्वविद्यालयों की केवल मौजूदा छात्रावास सुविधाओं के विस्तार के लिए सहायता मिल सकती है।

अनुसूचित जनजाति वर्ग के छात्र

भारत में अनुसूचित जनजाति उन लोगों को कहा जाता है, जो प्रायः छोटे और बिखरे हुए गांवों, ठाणियों एवं जंगलों में निवास करते हैं। इस वर्ग के लोग प्रायः सामान्य पहुँच से दूर रहते हैं जिससे इन्हें प्रतिदिन की सुविधाएं, यथा– भोजन, वस्त्र, आश्रय एवं शिक्षा आदि मुहैया होने में कठिनाई होती है।

इस वर्ग के छात्रों को पढ़ाते समय शिक्षक को कुछ विभिन्न तथ्यों यथा– उनकी भाषा और समझ एवं मानसिक स्तर का विशेष ध्यान रखना चाहिए। इस वर्ग के छात्रों के शिक्षा के खराब स्तर का कारण सामाजिक एवं आर्थिक हैं। ये कारण निम्न प्रकार से हैं–

(*i*) विद्यालय में इस वर्ग के छात्रों की कम संख्या होना।

(*ii*) इस वर्ग के शिक्षा का प्रचार-प्रसार न होना।

(*iii*) इनके शिक्षण के प्रति शिक्षकों का उदासीन रवैया।

(*iv*) इस वर्ग में व्याप्त घोर गरीबी।

(*v*) पाठ्यपुस्तकों में इस वर्ग की स्थानीय बातों एवं उदाहरणों का समावेश का न होना।

(*v*) इस वर्ग का बौद्धिक रूप से पिछड़ा होना।

इस वर्ग के शैक्षिक उत्थान के लिए सरकार द्वारा निम्न कार्यक्रम चलाए जा रहे हैं :

1. **बालक-बालिकाओं के लिए छात्रावासों की योजना :** इस योजना के तहत केंद्र सरकार इस वर्ग के लिए नए छात्रावासों के निर्माण और वर्तमान छात्रावासों के विस्तार हेतु सहायता देती है। इस योजना के तहत बालकों के छात्रावास निर्माण खर्च का वहन केंद्र एवं राज्य सरकारें 50 : 50 के अनुपात में करती हैं। जबकि बालिकाओं के छात्रावास निर्माण के लिए राज्य/केंद्रशासित प्रदेशों में संपूर्ण लागत केंद्र सरकार द्वारा वहन किया जाता है। केंद्रशासित प्रदेश एवं नक्सल प्रभावित क्षेत्रों में छात्रावास निर्माण का पूरा खर्च केंद्र सरकार वहन करती है। छात्रावास के निर्माण का उत्तरदायित्व संबद्ध राज्य/केंद्रशासित प्रदेश की है। इस प्रकार के छात्रावासों में सीटों की संख्या 100 होती हैं।

2. **आश्रम विद्यालयों की स्थापना :** इस प्रकार के विद्यालयों की स्थापना जनजातीय उपयोजना (TSP) वाले क्षेत्रों में की गई है। आश्रम विद्यालय योजना का उद्देश्य अनुसूचित जनजाति के विद्यार्थियों के लिए उनके परिचित वातावरण में आवासीय विद्यालयों की स्थापना करना है ताकि जनजातीय विद्यार्थियों में साक्षरता दर बढ़ाई जा सके और उनकी साक्षरता दर देश के अन्य लोगों की साक्षरता दर के बराबर लाई जा सके। इस योजना के तहत खर्च होने वाली धनराशि में राज्य एवं केंद्र दोनों की आधी-आधी (50 : 50) भागीदारी होती है जबकि केंद्रशासित प्रदेश में पूरा खर्च केंद्र वहन करता है।

3. **विद्यार्थियों की मेरिट का उन्नयन :** इस योजना का उद्देश्य 10वीं कक्षा और 12वीं कक्षा के अनुसूचित जनजाति के विद्यार्थियों को विशेष कोचिंग उपलब्ध कराना है जिससे वे इंजीनियरिंग और मेडिकल जैसे व्यावसायिक पाठ्यक्रमों में प्रवेश के लिए तैयारी कर सकें। राज्य/केंद्रशासित प्रदेशों में यह योजना शत-प्रतिशत केंद्रीय सहायता से मुहैया कराई जा रही है।

4. **विद्यार्थियों के लिए मैट्रिक पश्चात छात्रवृत्ति :** इस योजना का उद्देश्य अनुसूचित जनजाति के छात्रों को पंजीकृत पाठ्यक्रमों में मैट्रिक के बाद अध्ययन के लिए प्रोत्साहन देना है। इस योजना में पेशेवर, तकनीकी, गैर-पेशेवर तथा गैर-तकनीकी सभी स्तर के पाठ्यक्रमों को सम्मिलित किया गया है। इसमें दूरस्थ शिक्षा के लिए पत्राचार पाठ्यक्रम को भी सम्मिलित किया गया

है। केंद्र की शत-प्रतिशत सहायता से इसका संचालन राज्यों/केंद्रशासित प्रदेशों द्वारा किया जाता है।

5. **व्यावसायिक प्रशिक्षण :** इस योजना का उद्देश्य जनजातीय युवाओं में रोजगार/स्वरोजगार के अवसर प्राप्त करने के लिए कौशल विकसित करना है। इस योजना को राज्य सरकारों, केंद्रशासित प्रदेशों के प्रशासन, संस्थाओं या संगठनों के जरिए सरकार द्वारा स्थापित स्वायत्तशासी निकाय, शैक्षिक और अन्य संस्थान जैसे स्थानीय निकाय, सहकारी समितियों और गैर-सरकारी संगठनों (NGO) द्वारा लागू किया जाता है। प्रत्येक व्यावसायिक प्रशिक्षण केंद्र की क्षमता 100 है जिसमें 50 लोगों के लिए छात्रावास की सुविधा भी शामिल है। क्षेत्र में उपलब्ध रोजगार केंद्र पांच व्यावसायिक प्रशिक्षण पाठ्यक्रम चलाता है। प्रत्येक जनजातीय बालक/बालिका को उनकी रुचि के दो कार्यों का प्रशिक्षण दिया जाता है। प्रत्येक पाठ्यक्रम की अवधि तीन महीने है। प्रशिक्षु को छह माह बाद उपनगरीय क्षेत्र के एक प्रशिक्षक शिल्पी से छह माह के लिए संबद्ध कर दिया जाता है ताकि वह प्राप्त प्रशिक्षण का व्यावहारिक प्रयोग कर सके। प्रत्येक पाठ्यक्रम के लिए यह अवधि तीन महीने की है। इसमें प्रशिक्षु को मासिक स्टाइपेंड और प्रशिक्षण सामग्री उपलब्ध कराई जाती है।

अन्य पिछड़ा वर्ग के छात्र

व्यक्तिगत स्तर पर विभिन्न कारकों के क्रियाशील होने के कारण, एक व्यक्ति में अनेक आवश्यकताएं जन्म लेती हैं। इसी प्रकार सामाजिक स्तर पर भी अनेक कारक क्रियाशील और प्रभावपूर्ण होते हैं जिनके कारण भी एक व्यक्ति/छात्र में अनेक विशेष आवश्यकताओं का जन्म होता है, जिनकी आपूर्ति निश्चय ही होनी चाहिए। यद्यपि हमारा संविधान सभी के लिए समान शिक्षा की व्यवस्था के दायित्व का निर्वहन करने हेतु प्रतिबद्ध है परंतु विद्यालय जाने की उम्र वाले सभी बच्चों को आज भी यह अवसर उपलब्ध नहीं है। स्कूली अवस्था के अनेक बच्चे पढ़ाई की सुविधा से वंचित रह जाते हैं। इसके पीछे अनेक कारण हो सकते हैं। इन कारणों में से अधिकतर सामाजिक एवं आर्थिक स्थिति से जुड़े हैं। अन्य पिछड़े वर्ग के बालकों में शिक्षा का स्तर सुधारने के लिए सरकारी स्तर पर निम्न उपाय किए जा रहे हैं–।

1. **मैट्रिक पूर्व छात्रवृत्ति :** यह छात्रवृत्ति इस वर्ग के उन विद्यार्थियों को दी जाती है जिनके अभिभावकों की वार्षिक आमदनी 44,500 रुपए प्रतिवर्ष से अधिक न हो। ये छात्रवृत्तियां पहली कक्षा या मैट्रिक पूर्व किसी भी कक्षा में दिन में पढ़ने वाले विद्यार्थियों को या छात्रावासों में रहने वाले तीसरी कक्षा या मैट्रिक पूर्व किसी भी कक्षा में पढ़ने वाले विद्यार्थी को दी जाती है। छात्रवृत्ति संबद्ध राज्य सरकार/केंद्रशासित प्रदेश द्वारा मान्यता प्राप्त संस्थाओं के संदर्भ में लागू होती है। इस योजना के तहत राज्य सरकारों को 50 प्रतिशत और केंद्रशासित प्रदेशों को शत-प्रतिशत केंद्रीय सहायता उनके स्वयं द्वारा निर्धारित राशि के अतिरिक्त दी जाती है।

2. **मैट्रिक बाद की छात्रवृत्तियां :** इस योजना का उद्देश्य पीएचडी (Ph.D) उपाधि सहित मैट्रिक/माध्यमिक स्तर के बाद अन्य पिछड़े वर्ग के विद्यार्थियों को वित्तीय सहायता प्रदान करना है जिससे वे आगे की शिक्षा पूरी कर सकें। ये छात्रवृत्तियां केवल देश में शिक्षा ग्रहण करने वालों को दी जाती हैं और आवेदक से संबद्ध राज्य सरकार/केंद्रशासित प्रदेश के प्रशासनों के माध्यम से दी जाती हैं। ये छात्रवृत्तियां मान्यताप्राप्त संस्थानों में शिक्षा ग्रहण करने वालों को दी जाती हैं। जिन बेरोजगार विद्यार्थियों के माता-पिता/अभिभावकों की वार्षिक आय 44,500 रुपए प्रतिवर्ष से अधिक नहीं है, वे ऐसी छात्रवृत्ति के अधिकारी हैं। इस योजना के तहत राज्य/केंद्रशासित प्रदेशों को उनके स्वयं द्वारा निर्धारित राशि के अतिरिक्त शत-प्रतिशत केंद्रीय सहायता दी जाती है।

3. **बालक-बालिकाओं हेतु छात्रावास :** इस योजना का उद्देश्य केंद्र/राज्य/केंद्रशासित प्रदेशों द्वारा अधिसूचित (Notify) सामाजिक और शैक्षिक रूप से पिछड़े वर्गों के विद्यार्थियों को शिक्षा प्राप्ति के बेहतर अवसर मुहैया कराना है। इस योजना के तहत केंद्र सरकार छात्रावासों के निर्माण के लिए राज्यों को 50 प्रतिशत और केंद्रशासित प्रदेशों को शत-प्रतिशत सहायता उपलब्ध कराती है। ये छात्रावास माध्यमिक, उच्चतर माध्यमिक, कॉलेजों और विश्वविद्यालयों में पढ़ने वाले विद्यार्थियों के लिए बनाए जाते हैं। इनके लिए भूमि अधिग्रहण, कर्मचारियों के वेतन और रख-रखाव का खर्च संबंधित राज्य सरकारों/केंद्रशासित प्रदेशों को वहन करना होता है।

2. विशेष आवश्यकताओं वाले छात्र

विशेष या असाधारण छात्रों से संबंधित शिक्षा को विशिष्ट शिक्षा भी कहा जाता है। शिक्षा के क्षेत्र में हम अनेक छात्रों अथवा बालकों को सामान्य बालकों से उच्च तथा अनेक को निम्न स्तर का पाते हैं। ऐसे दोनों प्रकार के बालक असाधारण या विशेष बालक कहे जाते हैं। शैक्षिक दृष्टि से बालक जिनके लिए सामान्य विद्यालयों की सुविधाएं पर्याप्त हो, सामान्य बालक समझे जाते हैं। बालकों अथवा छात्रों में वैयक्तिक भिन्नताएं होती हैं। जब ये वैयक्तिक भिन्नताएं इतनी गंभीर हो जाती हैं कि वे विद्यालय के सामान्य कक्षागत शिक्षण से लाभान्वित नहीं हो पाते और उनके लिए किसी विशिष्ट शिक्षा की आवश्यकता प्रतीत हो तो ऐसे छात्र या विद्यार्थी विशेष आवश्यकताओं वाले छात्र कहलाते हैं। ऐसे छात्रों को एक सामूहिक संज्ञा, शब्दों अथवा उप-वाक्य द्वारा संबोधित किया जा

सकता है; जैसे–प्रतिभाशाली, विकलांग, मंदगति से सीखने वाला, बुद्धिमान आदि।

कक्षा में छात्रों को समान एवं विशिष्ट लक्षणों के द्वारा श्रेणीबद्ध किया जा सकता है। अध्यापक को प्रत्येक छात्र में पाए जाने वाले विशिष्ट लक्षणों की ओर ध्यान देना चाहिए, ताकि अध्यापन के दौरान अध्यापक उसकी ओर आवश्यकता के अनुसार विशेष रूप से ध्यान दे सके और ऐसे छात्र बिना किसी तनाव के सहज ढंग से शिक्षा ग्रहण कर सकें। अन्य शब्दों में, यदि आप शिक्षा को प्रत्येक व्यक्ति की सर्वश्रेष्ठ क्षमता को विकसित करने की प्रक्रिया मानते हैं, तो आवश्यकता इस बात की है कि आप क्षमता विकास के लिए निर्माण कार्य को प्रत्येक छात्र की आवश्यकतानुसार व व्यक्तिगत रूप से सुगम और निर्बाध उपलब्ध कराने का प्रयत्न करें। इस संबंध में कुछ उदाहरण निम्न प्रकार से हैं–

(*i*) कक्षा में छोटे कद वाले छात्रों को पहली पंक्ति में बैठाना चाहिए ताकि वह ब्लैक बोर्ड और अध्यापक को सरलता से देख सके।

(*ii*) जिन छात्रों में श्रवण दोष अर्थात् कम सुनने की समस्या है, उन्हें अध्यापक के निकट बैठाना चाहिए।

उपर्युक्त बातों से स्पष्ट है कि विशेष आवश्यकता वाले छात्रों में लक्षणों के आधार पर विभेदीकरण करना एक जटिल कार्य है। ऐसा इसलिए होता है क्योंकि अनेक बार वे ऊपर से कुछ और दिखाई पड़ते हैं जबकि अंदर से कुछ और होते हैं। अतः अध्यापक को प्रत्येक छात्रों का गहराई से अध्ययन करना जरूरी हो जाता है। विशेष आवश्यकता वाले छात्रों के शिक्षण से तात्पर्य है, "शिक्षा के नियमित कार्यक्रमों में ही विशेष समायोजन की व्यवस्था करके, छात्रों की शिक्षा की विशेष आवश्यकताओं को पूरा करना।"

समायोजन

मनुष्य जिन परिवेश में रह रहा है उसको उस परिवेश के अनुसार खुद को ढालना या अनुकूलित करना होता है। अतः किसी प्रतिकूल मनोभौतिक परिस्थितियों में स्वयं को अनुकूलित करना ही समायोजन (Adjustment) कहलाता है। यह समायोजन घर में माता-पिता तथा परिवार के अन्य सदस्यों के साथ समाज में मित्रों, सगे-संबंधियों आदि के साथ जरूरी है तो पाठशाला में शिक्षकों के साथ।

उपर्युक्त वर्णन के अनुसार समायोजन को इस तरह परिभाषित किया जा सकता है– "समायोजन एक अनवरत प्रक्रिया है जिसके द्वारा व्यक्ति स्वयं तथा अपने वातावरण के बीच अधिकाधिक सामंजस्य स्थापित करने की दृष्टि से अपने व्यवहार को परिवर्तित करता है।

समायोजन के विभिन्न रूप

समायोजन के मुख्यतः तीन रूप होते हैं–

1. शिक्षक एवं शिक्षार्थियों के बीच।
2. शिक्षार्थियों एवं शिक्षार्थियों के बीच।
3. शिक्षार्थियों एवं शिक्षकों का वातावरण के साथ।

समायोजन का संबंध 'मन' से है किसी शिक्षार्थी के मन में वे विभिन्न विचार उठते हैं, जैसे कक्षा का स्तर, शिक्षक, शिक्षार्थी आदि में कोई या कई वैसे नहीं हैं, जैसा शिक्षार्थी चाहता है। उसके मन में तरह-तरह के विचार उठते हैं, वह कभी कुछ सोचता है और कभी कुछ। अधिगम उपलब्धि है और कुसमायोजन मानसिक परेशानी है। परेशानी उपलब्धि को कम करती है एवं रोकती है। इस दृष्टि से अधिकतम अधिगम के लिए यह आवश्यक है कि शिक्षार्थी का वातावरण अपने साथियों, शिक्षकों आदि के साथ अधिकतम समायोजित हो।

शिक्षार्थी के सर्वक्षेत्रीय और सर्वअंगीय विकास की दृष्टि से उसका वातावरण के साथ समायोजन अत्यावश्यक है।

समायोजन का संबंध विद्यार्थी स्वयं और उसके वातावरण से होता है, जिसे निम्न प्रकार प्रदर्शित कर सकते हैं :

व्यक्ति या बालक का वातावरण

अनुकूल → समायोजन

प्रतिकूल → कुसमायोजन

समायोजन के लिए आवश्यक है कि या तो बालक स्वयं को बदले या फिर वातावरण को बदला जाए। किंतु वातावरण को परिवर्तित करना संभव नहीं है। न तो हम प्रकृति पर ही नियंत्रण कर सकते हैं और न ही अन्य लोगों को परिवर्तित कर सकते हैं। पाठशाला की स्थिति और परिस्थिति में भी परिवर्तित करना किसी के लिए संभव नहीं है। अतः विद्यार्थी को स्वयं वातावरण के अनुरूप बदलने का प्रयास करना चाहिए। स्वयं को वातावरण की परिस्थितियों के अनुरूप बदलने का कार्य तो उस विद्यार्थी का है जो स्वयं को पाठशालायी या घरेलू परिस्थितियों में समायोजित नहीं कर पा रहा है। विद्यार्थी की भावनाओं में परिवर्तन का प्रयास तो शिक्षक को ही करना चाहिए।

विभिन्न विद्वानों द्वारा समायोजन की व्याख्या

गेट्स के अनुसार, "सुसमायोजित वह व्यक्ति है जिसकी आवश्यकताएं एवं तृप्तियां सामाजिक दृष्टिकोण एवं सामाजिक उत्तरदायित्व की स्वीकृति के साथ संगठित होती हैं।"

बोरिंग, लैंगफील्ड व वैल्ड के अनुसार, "व्यक्ति के मानसिक शांति, संतुलन और संतोष बनाए रखने के लिए समायोजन अति आवश्यक है।"

विशेष शिक्षा के उद्देश्य

शिक्षा का जो उद्देश्य सामान्य छात्रों अथवा बालकों के लिए है वे ही विशेष आवश्यकताओं वाले छात्रों के लिए भी हैं। उनके कुछ विशेष उद्देश्य भी हैं। उनकी शिक्षा अध्यापक पाठ्य-सामग्री व सहायक सामग्री विशेष है। विशेष शिक्षा के लिए विशेष दर्शन, विशेष विधि, विशेष अभ्यास की आवश्यकता है। विशेष अथवा विशिष्ट शिक्षा के उद्देश्य को निम्न रूप में स्पष्ट किया जा सकता है–

(*i*) विशेष शिक्षा का उत्तरदायित्व निश्चित कर लेना चाहिए। जैसे–किसी व्यक्ति को विशेष शिक्षा के लिए इमारत,

समान, अध्यापक आदि का प्रबंध करने के लिए उत्तरदायित्व सौंपना।

(ii) बालकों/बालिकाओं के संरक्षकों को विशेष शिक्षा के कार्यक्रम के उद्देश्यों तथा कार्यों से परिचित कराना तथा यह बताना कि विशेष शिक्षा कोई दण्ड नहीं है।

(iii) स्कूल प्रशासन द्वारा बालकों का उचित ढंग से निरीक्षण करवाना तथा उचित ढंग से बैठने का प्रबंध करना। साथ ही बालकों की आवश्यकताओं का विस्तृत अध्ययन करना।

(iv) बालकों/बालिकाओं को विशेष कक्षा में भेजने के लिए प्रशासन द्वारा विशेष नीति का निर्माण करना।

(v) प्रशासन द्वारा ऐसी योजना का निर्माण करना कि विशेष कक्षा के सभी बालक औसत बालकों से संबंध स्थापित कर सकें।

(vi) बालकों के सामाजिक तथा व्यावसयिक सामंजस्य पर विशेष जोर देना चाहिए।

(vii) प्रशासन को ध्यान में रखना चाहिए कि विशेष शिक्षा का आयोजन व्यक्तिगत रुचियों व आवश्यकताओं को ध्यान में रखते हुए किया जाए।

3. प्रतिभावान, सृजनात्मक एवं विशेष रूप से अक्षम छात्र

I. प्रतिभावान बालक अथवा छात्र

प्रतिभावान/प्रतिभाशाली बालकों को विभिन्न मनोवैज्ञानिकों ने भिन्न-भिन्न दृष्टिकोण (Approach) से परिभाषित किया है। विभिन्न उपागमों/दृष्टिकोणों पर आधारित कुछ परिभाषाएं निम्नवत् हैं–

(i) **बुद्धि-लब्धि (I.Q.) उपागम**– इस उपागम के तहत प्रतिभाशाली बालक को बुद्धि-लब्धि की एक निश्चित क्षमता के अंतर्गत् माना जाता है। टरमैन ने प्रतिभाशाली बालकों के अध्ययन द्वारा निष्कर्ष निकाला कि ऐसे बालकों की बुद्धि-लब्धि 140 या इससे ऊपर होती है। अन्य मनोवैज्ञानिक 120 से 140 व उच्च बुद्धि-लब्धि वालों को ऐसा बालक होना मानते है।

(ii) **सामाजिक संभाव्यता उपागम**– इस उपागम के तहत प्रतिभावान शब्द उस बालक के लिए प्रयुक्त होता है जो अपनी आयु वर्ग में किसी एक योग्यता में श्रेष्ठ हो, जिससे वह हमारे समाज में जीवन के कल्याण व गुणवत्ता में उत्कृष्ठ योगदान करने वाला बन सके।

(iii) **सांख्यिकीय उपागम**– इस उपागम के अनुसार किसी बुद्धि परीक्षण में प्राप्त अंकों के आधार पर उच्चतम (Top most) 2 से 3 प्रतिशत बालकों को प्रतिभाशाली माना जाता है।

विशेषताएं

डॉ. एस. एस. चौहान ने टरमैन (Terman) द्वारा किए गए अनुसंधान के आधार पर प्रतिभाशाली बालकों की निम्न विशेषताएं बताई है जो निम्नवत् हैं–

(i) **शारीरिक**– ऐसे बालक अपने वर्ग या समूह में औसत बुद्धि-लब्धि (I.Q.) वाले बालकों की अपेक्षा अच्छी शारीरिक विशेषता रखते है व उनका स्वास्थ्य अच्छा होता है।

(ii) **मानसिक**– प्रतिभाशाली बालक पठन, भाषा, गणितीय तर्क, विज्ञान, साहित्य व कला में उत्कृष्टता प्रदर्शित करते हैं। उनमें तर्क सामान्यीकरण व बोध की क्षमता अधिक होती है।

(iii) **अभिरुचियां**– ऐसे बालकों की विविध अभिरुचियां होती है। वे अच्छी पुस्तकों का अधिक मात्रा में सरलता से अध्ययन करना सीख लेते हैं तथा अमूर्त विषयों में रुचि लेते हैं।

(iv) **सामाजिक**– ऐसे बालकों में अहंकार की भावना कम होती है। साथ ही वे विश्वसनीय व कर्त्तव्यनिष्ठ अधिक होते हैं। उनमें सामाजिक अभिवृत्तियां व चारित्रिक गुण व्यापक होता है। वे संवेगात्मक परीक्षणों में अधिक अंक प्राप्त करते हैं।

(v) **अन्य विशेषताएं**– प्रतिभावान बालक सामान्य बालकों की तुलना में अच्छा प्रदर्शन करते हैं। शोध अध्ययनों से इस बात की पुष्टि निम्न रूप में हुई है–

(a) उच्च श्रेणी प्राप्त करना।
(b) अधिक सकारात्मक अभिवृत्तियां रखना।
(c) अधिकाधिक पाठ्यक्रम एवं सहभागी क्रियाकलापों में भाग लेना।
(d) अमूर्त विचारों में अधिक रुचि लेना।
(e) खेल-कूदों में उत्कृष्टता दिखाना।
(f) सुसमायोजित होना।
(g) अपने साथी मित्रों से अच्छे संबंध होना।
(h) अधिक आत्मविश्वासी होना।
(i) अधिक अंहशक्ति (Ego-Strength)।
(j) अधिक पठन योग्यता।
(k) अधिक वैयक्तिक स्वतंत्रता की भावना।
(l) बाह्य पर्यावरण के प्रति परिपक्व अनुक्रिया करना

पहचान

प्रतिभाशाली बालकों की पहचान करना एक सामूहिक प्रयास होना चाहिए जिसमें माता-पिता, अध्यापक, संगी-साथी, मनोवैज्ञानिक आदि का सहयोग मिलना चाहिए। ऐसे बालकों की पहचान निम्न दो आधारों पर की जाती है :

1. **बौद्धिक व शैक्षिक रूप से प्रतिभासंपन्न बालक**– कक्षा में ऐसे बालकों की पहचान अपनी उपलब्धि, शिक्षकों द्वारा उनकी प्रगति के सूक्ष्म अवलोकन, मानकीकृत बुद्धि परीक्षणों से प्राप्त बुद्धि-लब्धि (I.Q) तथा सृजनात्मक परीक्षणों के द्वारा होती है। डी हान एवं काफ (De Haan and Kough) ने उपरोक्त आधार पर प्रतिभाशाली बालकों की पहचान की सूची इस प्रकार दी है–

(*i*) शीघ्रता एवं सरलता से सीखना व याद करना।
(*ii*) सामान्य बुद्धि व व्यावहारिक ज्ञान का अधिक उपयोग करना।
(*iii*) वस्तुओं से संबद्ध कारणों, संबंद्धों व अर्थों को समझना।
(*iv*) अर्जित ज्ञान को अधिक समय तक याद रखना।
(*v*) अपने आयु-वर्ग के बालकों की अपेक्षा अधिक ज्ञान रखना।
(*vi*) अधिक शब्दावली का प्रयोग।
(*vii*) अपनी कक्षा से दो-तीन वर्ष आगे की कक्षाओं की पुस्तकों को पढ़ना।
(*viii*) अत्यंत कठिन मानसिक कार्यो को कर सकना।
(*ix*) अधिक प्रश्न पूछना व अभिरुचि क्षेत्र का विस्तृत होना।
(*x*) अपनी आयु से 1-2 वर्ष आगे के शैक्षणिक कार्य करना।
(*xi*) काम करने में मौलिकता दिखाना।
(*xii*) चुस्त, सूक्ष्म दृष्टि वाला एवं शीघ्र उत्तर देने वाला होना।

2. **किसी विशेष शैक्षिक क्षेत्र में उच्च स्तरीय योग्यता वाले बालक**– कुछ बालक जो बौद्धिक व शैक्षिक रूप से तो सामान्य बालकों के समान होते हैं किंतु वे अन्य किसी विशिष्ट क्षेत्र में, यथा–कला, संगीत, यांत्रिकी आदि में विशिष्ट योग्यता रखते हैं। ऐसे प्रतिभासंपन्न बालकों की पहचान अभिभावक, शिक्षक, खेल-अनुदेशक, निर्देशन विशेषज्ञ आदि निम्न विधियों से कर सकते हैं–
(*i*) विद्यालय प्रगति अभिलेख
(*ii*) शिक्षकों के अभिमत
(*iii*) कक्षागत व्यवहार का अवलोकन
(*iv*) शिक्षकों द्वारा मूल्यांकन
(*v*) बुद्धि परीक्षण
(*vi*) पुस्तकालयाध्यक्ष का अभिमत
(*vii*) साक्षात्कार
(*viii*) अभिरुचि/अभिक्षमता परीक्षण

शैक्षिक कार्यक्रम

प्रतिभावान बालकों के लिए निम्न शैक्षिक कार्यक्रम अपनाया जाना चाहिए–

(*i*) **गतिवर्द्धन**– गतिवर्द्धन का अर्थ शैक्षिक कार्यक्रमों के द्वारा बालकों को दी जाने वाली ऐसी प्रगति से है जो उसे औसत से कम आयु में प्राप्त होती है। समान आयु के बालकों के साथ कक्षा में बैठाए जाने पर यह प्रतिभाशाली बालक शिक्षक द्वारा दिए गए कार्य को आसानी व शीघ्रता से पूरा कर लेते हैं। अतः इनके स्तर का कार्य देने के लिए आवश्यक हो जाता है कि उन्हें उस कक्षा में रखा जाए जिसका कार्य वह औसत प्रतिभा वाले बालकों के समान ही पूरा कर सकें। गतिवर्द्धन का औचित्य इस बात से भी प्रकट होता है कि प्रतिभाशाली बालकों को उनकी योग्यता को अधिकतम विकास तथा चुनौतीपूर्ण कार्य करने का अवसर मिलता है। साथ ही अभिभावकों के समय, शक्ति व धन की बचत होती है। इस तरह गतिवर्द्धन द्वारा विद्यार्थियों को निम्न क्षेत्र में लाभ पहुंचाया जा सकता है–
(*a*) निर्धारित आयु से पूर्व विद्यालय में प्रवेश।
(*b*) उसकी बौद्धिक व शैक्षिक योग्यताओं के आधार पर एक ही वर्ष में दो या दो से अधिक कक्षाओं के पाठ्यक्रम का अध्ययन।
(*c*) सामान्य से कम समय एवं आयु में किसी पाठ्यक्रम को उत्तीर्ण कर सकने की अनुमति।

(*ii*) **संवर्धित पाठ्यक्रम**–कोलेनिक्स के शब्दों में–"संवर्धन का तात्पर्य बालक को अधिक उच्च स्तर के अत्यंत विविधतापूर्ण अनुभव तथा कार्यों को करने का अवसर दिया जाए।" प्रतिभाशाली बालकों को पाठ्यक्रम में आवश्यक परिवर्तन कर उच्च कठिनाई के कार्य नियोजित किए जाएं। संवर्धन दो प्रकार से किया जा सकता है–(*a*) व्यक्तिगत तथा (*b*) समूहोन्मुख।

(*iii*) **विशेष कक्षाएं तथा विद्यालय**– प्रतिभाशाली बालकों को शिक्षण से लाभान्वित करने के लिए उन्हें विशेष कक्षाओं तथा विद्यालयों में पृथक से शिक्षा देना वांछनीय है। इसके लिए विस्तृत पाठ्यक्रम, अतिरिक्त क्रियाकलाप, प्रायोगिक कार्य आदि की व्यवस्था की जाती है।

(*iv*) **अन्य कार्यक्रम**– उपरोक्त सहायता के अतिरिक्त भारतीय परिस्थितियों के अनुकूल प्रतिभाशाली बालकों को निम्न प्रकार की सहायता भी दी जा सकती है–
(*a*) प्रभावी निर्देशन कार्यक्रम।
(*b*) विद्यालय कार्यक्रमों को वैयक्तिक व नमनीय बनाना।
(*c*) योग्यता के आधार पर वर्गीकरण।
(*d*) अतिरिक्त पाठ्यक्रम को बनाकर।
(*e*) विशिष्ट विषयों के विशेष पाठ्यक्रम बनाकर।
(*f*) प्रतिभाशाली बालकों हेतु ग्रीष्मावकाश काल में विद्यालय चलाकर।
(*g*) वैकल्पिक विषयों में नमनीयता लाकर।
(*h*) ऐसे छात्रों हेतु विशिष्ट अतिरिक्त कक्षाएं आयोजित कर।

II. सृजनात्मक बालक अथवा छात्र

सृजनात्मकता के संकल्पना एवं अर्थ को विभिन्न विद्वानों ने भिन्न-भिन्न प्रकार से परिभाषित किया है। कुछ प्रमुख विद्वानों की परिभाषाएं निम्नवत् हैं–

स्टेन (Sten)– जब किसी कार्य का परिणाम उत्तम हो जो किसी निश्चित समय पर उचित या उपयोगी या संतोषप्रद स्वीकार किया जाए, वह सृजनात्मक कार्य कहलाता है।

बैरन (Baron)– पूर्व में विद्यमान पदार्थों या तत्त्वों को मिलाकर नया योग बनाने की क्षमता ही सृजनशीलता है।

जेम्स ड्रेवर (James Drever)– सृजनशीलता मूलतः नई वस्तु की रचना की योग्यता है, कल्पना के प्रयोग की योग्यता

है जबकि विचारों व बिम्बो के नूतन मिश्रण से कोई रचना आत्मप्रेरित करनी हो तथा विचार संश्लेषण की योग्यता भी है जबकि मानसिक कार्य केवल विचारों का योगमात्र न हो।

गिलफोर्ड (J.P Guilford)– सृजनात्मकता, कभी सृजना की योग्यता की, कभी सृजनात्मक उत्पादन की और कभी सृजनात्मक उत्पादनशीलता की द्योतक है।

विशेषताएं

विभिन्न विद्वानों ने सृजनात्मक बालकों की अलग-अलग विशेषताएं बताई हैं। इनमें से कुछ चुने हुए विद्वानों द्वारा दी गई विशेषताएं निम्नवत् हैं–

बैरन (Baron) के अनुसार ये विशेषताएं निम्न हैं–

(*i*) सृजनात्मक बालक किसी समस्या का निर्णय स्वयं एवं स्वतंत्र रूप से करता है।

(*ii*) एक ही समय अनेक विचारों पर केंद्रित रखने की योग्यता

(*iii*) जटिल घटनाओं को प्राथमिकता।

(*iv*) ऐसे बालक स्वयं की बात पर आग्रह अधिक करते हैं

(*v*) विभिन्न तत्त्वों के एकीकरण की योग्यता द्वारा उसमें समायोजन करने की क्षमता होती है।

(*vi*) ऐसे बालकों में उच्च मानसिक शक्ति स्तर पाया जाता है।

(*vii*) ये अवरोधों का अभाव तथा कल्पना की स्वतंत्रता प्रदर्शित करते हैं।

टोरेंस (Torrance) ने बैरन के (*ii*) एवं (*iv*) के अतिरिक्त अन्य विशेषताएं बताई हैं–

(*i*) मौलिकता

(*ii*) विनोद प्रियता

(*iii*) जिज्ञासा

(*iv*) संवेदनशीलता

गिलफोर्ड (Guilford) ने निम्न विशेषताएं बताई हैं–

(*i*) दूरदर्शिता

(*ii*) समस्या से संबद्ध तथ्यों को पुनः परिभाषित करने की योग्यता

(*iii*) दूसरों को प्रभावित करने की योग्यता

(*iv*) समन्वय करने की क्षमता

डॉ. एस. एस. चौहान ने निम्न विशेषताएं बताई हैं–

(*i*) दृढ़ विश्वास का साहस

(*ii*) अंतर्दृष्टिवान

(*iii*) काल्पनिक

(*iv*) खतरा उठाने को उत्सुक

(*v*) कार्य में निष्ठा

पहचान

गेटजल्स और मेडन्स (Gatzels and Madans) ने सृजनात्मक बालकों की पहचान विधियों को निम्न पांच भागों में बांटा है–

(*i*) **उपलब्धि**– अत्यंत उच्च श्रेणी की उपलब्धि सृजनात्मकता को बताती है।

(*ii*) **रेटिंग**– साथियों, अध्यापकों, निरीक्षकों, प्रधानाचायों अथवा मनोवैज्ञानिकों द्वारा मापनी (Rating) की सहायता से सृजनात्मक बालकों का पता लगाया जा सकता है।

(*iii*) **बुद्धि**– बुद्धि-लब्धि (I.Q) परीक्षण में अति उच्च बुद्धि-लब्धि सृजनात्मकता की द्योतक है।

(*iv*) **व्यक्तित्त्व**– सृजनात्मक व्यक्तित्त्व विशेषताओं के आधार पर सृजनात्मक बालकों की पहचान की जा सकती है।

(*v*) **सृजनात्मक-परीक्षण अंक**– टोरेंस, गिलफोर्ड, मेडिनिक आदि कुछ मनोवैज्ञानिकों ने सृजनात्मकता परीक्षण बनाएं हैं। भारत में पासी, बाकर मेंहदी, कौल, मजूमदार आदि ने भी इस प्रकार के परीक्षण बनाएं हैं।

शैक्षिक कार्यक्रम

सृजनात्मक बालकों के लिए निम्न शैक्षिक कार्यक्रम अपनाया जाना चाहिए–

(*i*) **कक्षा-कक्ष प्रक्रिया**– बालकों में सृजनात्मक चिंतन का विकास करने हेतु और सृजनात्मक बालकों के शिक्षण हेतु कक्षा-कक्ष प्रक्रिया की ओर विशेष ध्यान देना चाहिए। शिक्षक विश्वकोश (Educator's Encyclopaedia) में स्मिथ ने निम्न कक्षा-कक्ष क्रियाओं पर जोर दिया है–

(*a*) अध्यापक का कम प्रभाव,

(*b*) व्यक्ति भिन्नता को पहचानना,

(*c*) बालकों को अपनी सीमाओं के अंतर्गत् अपनी गति के अनुसार विकास करने देना,

(*d*) विद्यार्थियों की सहभागिता को प्रोत्साहन देना,

(*e*) असफलता के लिए दण्ड का भय दूर करना।

(*ii*) **पाठ्यक्रम**– बालकों में सृजनात्मकता को प्रोत्साहित करने हेतु पाठ्यक्रम को विशिष्ट बनाना जरूरी है। आजकल प्रचलित पाठ्यक्रम सामान्य बालकों को ध्यान में रखकर बनाया जाता है। सृजनात्मकता को ध्यान में रखकर उक्त पाठ्यक्रम में परिवर्तन करना चाहिए। पाठ्यक्रम ऐसा होना चाहिए जिससे मौलिक विचारों, धारा प्रवाहिता, लोच और अत्यधिक स्पष्टीकरण को बढ़ावा मिले। अधिक-से-अधिक सूचनाओं को पाठ्यक्रम के माध्यम से देना चाहिए, क्योंकि सूचनाओं के आधार पर ही विचार जन्म लेते हैं।

(*iii*) **अवरोधक तत्त्वों को दूर करना**– सृजनात्मक बालकों के शिक्षण और सृजनात्मकता के विकास के लिए अवरोधक तत्त्वों को दूर करना और शिक्षण की यथोचित विधियों और तकनीकों का प्रयोग करना उचित होगा। इन अवरोधक तत्त्वों में प्रमुख हैं–

(*a*) सामाजिक-आर्थिक

(*b*) मनोवैज्ञानिक

(*c*) चारित्रिक।

(*iv*) **सहायक तत्त्वों को बढ़ावा**– आलमशाह ने सृजनात्मकता को बढ़ावा देने अथवा सहायक के रूप में कार्य करने वाले निम्न चार प्रमुख तत्त्व बताएं हैं– (*a*) प्रेरणा (*b*) ग्रहणशीलता (*c*) योग्यता, (*d*) चयनात्मकता।

(*v*) **शैक्षिक साधन और सामग्री–** बालकों में सृजनात्मकता का विकास करने के लिए कुछ विशेष शैक्षिक साधन और सामग्री होनी चाहिए। इन शैक्षिक साधन और सामग्री में कार्य पुस्तकें, निर्देशन पुस्तकें तथा विचार पुस्तकें उल्लेखनीय हैं। इसके अतिरिक्त दृश्य-श्रव्य सामग्री भी इसके लिए विकसित की जा सकती है।

III. विशेष रूप से अक्षम छात्र

ऐसे छात्रों को निम्न श्रेणियों में बांटा जा सकता है :

1. मानसिक रूप से विकलांग छात्र
2. दृष्टि बाधित छात्र
3. दृष्टिहीन छात्र
4. वधिर छात्र
5. शारीरिक रूप से विकलांग छात्र

1. मानसिक रूप से विकलांग छात्र

सामान्यतः मानसिक विकलांगता वो विकलांगता है जो औसत से निम्न मानसिक कार्यक्षमता का उल्लेख करती है। इसका आरंभ बालक के विकास की अवधि में होता है और यह निम्न में से एक या अधिक से अनुकूल व्यवहार की कमी द्वारा संबंधित रहती है–

(*i*) परिपक्वता, (*ii*) अधिगम, (*iii*) सामाजिक समायोजन।

स्किनर ने मानसिक रूप से विकलांगों को अनेक नाम दिए हैं, यथा–अल्पबुद्धि (Mentally Deficient), विकल बुद्धि (Mentally Handicapped), धीमी गति से सीखने वाले (Slow Learners), पिछड़े हुए (Backward) और मूढ़ (Dull)।

मानसिक रूप से विकलांग अथवा मंदबुद्धि बालकों की कुछ परिभाषाएं

परंपरागत परिभाषा

क्रो और क्रो के अनुसार : "जिन बालकों की बुद्धि-लब्धि (I.Q) 70 से कम होती है, उन्हें मंदबुद्धि कहते हैं।"

स्किनर के अनुसार : "प्रत्येक कक्षा के छात्रों को एक वर्ष में शिक्षा का एक निश्चित कार्यक्रम पूरा करना पड़ता है। जो छात्र उसे पूरा कर लेते हैं उनको 'सामान्य छात्र' कहा जाता है। जो छात्र उसे पूरा नहीं कर पाते उनको 'मंदबुद्धि छात्रों' की संज्ञा दी जाती है। विद्यालयों में यह धारणा बहुत लंबे समय से चली आ रही है और अब भी है।"

आधुनिक परिभाषा

पोलक व पोलक के अनुसार : "मंदबुद्धि बालक को अब क्षीण बुद्धि बालकों के समूह में नहीं रखा जाता है, जिनके लिए कुछ भी नहीं किया जा सकता। अब हम यह स्वीकार करते हैं कि उनके व्यक्तित्व के उतने ही विभिन्न पहलू होते हैं, जितने सामान्य बालकों के व्यक्तित्त्व के होते हैं।"

मंदबुद्धि के प्रकार

बालक दो प्रकार के होते हैं–

(*i*) मंदितमना बालक,

(*ii*) धीमी गति से सीखने वाले बालक/सीमांत बालक।

(*i*) **मंदितमना बालक :** जिन बालकों की बुद्धि-लब्धि (I.Q.) 60 से कम होती है उन्हें अल्प मानसिक न्यूनता की श्रेणी में रखते हैं। इस श्रेणी में सामान्य से नीचे बुद्धि वाले की भी गणना करते हैं। इसमें जड़, मूढ़ व मूर्ख बुद्धि आती है। बहुत से अभिभावक यह विश्वास नहीं करते कि उनके बालक मानसिक रूप से मंद हैं। यदि बालक अच्छी प्रकार से अध्ययन नहीं कर पा रहा है तो वे सोचते हैं कि वह उतनी मेहनत से नहीं पढ़ता जितनी मेहनत से उसे पढ़ना चाहिए। अतः अध्यापक अभिभावकों को उनके बालकों के मानसिक विकास के संबंध में अवगत कराएं जिससे वे अपने बच्चों की उचित शिक्षा की व्यवस्था कर सकें। प्रतिभाशाली व साधारण बालकों की अपेक्षा मंदितमना बालकों का समायोजन कठिन व भिन्न है। इनके प्रति व्यवहार सहानुभूतिपूर्ण व धैर्यपूर्ण होना चाहिए।

(*ii*) **धीमी गति से सीखने वाले बालक/सीमांत बालक :** वे बालक जिनकी बुद्धि-लब्धि (I.Q.) 67 से ऊपर है किन्तु वे अपने सहपाठियों की तुलना में धीमी गति से सीखते हैं उन्हें धीमा सीखने वाला या सीमांत बालक कहा जाता है। धीमी गति से सीखने वालों की बुद्धि-लब्धि (I.Q.) की ऊपरी सीमा 85 होती है। 90 से कम बुद्धि-लब्धि (I.Q.) वाले बालक धीमी गति से सीखने वाले कहलाते हैं। वे जिनकी बुद्धि-लब्धि (I.Q.) औसत से कम होती है वे अपने सम आयु बालक वाले साथियों की तुलना में अपरिपक्व प्रतीत होते हैं। इनमें आत्म-विश्वास की कमी और आत्म-प्रतिष्ठा स्तर निम्न हो सकती है।

मानसिक रूप से पिछड़े बालकों की पहचान

मानसिक रूप से पिछड़े बालकों की पहचान के निम्न लक्षण हैं–

(*i*) वे प्रायः शारीरिक रूप से अयोग्य होते हैं।
(*ii*) वे संवेगात्मक रूप से अस्थिर होते हैं।
(*iii*) इनकी शैक्षिक निष्पत्ति निम्न होती है।
(*iv*) इनकी पहचान व्यक्तित्व अध्ययन से भी हो जाती है।
(*v*) इनकी पहचान निम्न बुद्धि-लब्धि (Below I.Q) द्वारा की जा सकती है।
(*vi*) निम्न शैक्षिक तथा शारीरिक आलेख भी इनकी पहचान में सहायक होते हैं।

मानसिक पिछड़ेपन के आधार

मानसिक पिछड़ेपन के मुख्यतः तीन आधार हैं–शैक्षिक, सामाजिक और व्यावहारिक।

शैक्षिक

(*i*) ऐसे बालक सूक्ष्म चिंतन के योग्य नहीं होते हैं।
(*ii*) शैक्षिक क्षमता में वह अपने आयु समूह से बहुत नीचे होते हैं।

सामाजिक

(*i*) सामाजिक व्यवहार में कुशल नहीं होते हैं।

(*ii*) व्यक्तिगत व सामाजिक उत्तरदायित्वों को वहन नहीं कर पाते हैं।

व्यावहारिक

(*i*) अधिगम की क्षमता कम होती है।

(*ii*) संवेदनात्मक दोष होते हैं।

मंदितों की विशेषताएं

विभिन्न विद्वानों ने मंदबुद्धि बालकों की भिन्न-भिन्न विशेषताओं का उल्लेख किया है–

(1) **क्रो एवं क्रो** के अनुसारः

(*i*) संवेगात्मक और सामाजिक असमायोजन।

(*ii*) विद्यालय में असफलताओं के कारण निराशा।

(*iii*) दूसरों को मित्र बनाने की अधिक इच्छा।

(*iv*) दूसरों के द्वारा मित्र बनाए जाने की कम इच्छा।

(2) **फ्रैंड्सन** के अनुसारः

(*i*) आत्मविश्वास का अभाव

(*ii*) 50 से 70 या 75 तक बुद्धि-लब्धि (I.Q.)।

(*iii*) बहुधा भावावेशपूर्ण व्यवहार।

(*iv*) विभिन्न अवसरों, यथा–प्रेम, भय, मौन, चिंता, विरोध, पृथकता या आक्रमण पर विभिन्न प्रकार का व्यवहार।

(3) **स्किनर** के अनुसार :

(*i*) सीखी हुई बात को नई परिस्थितियों में प्रयोग करने में कठिनाई।

(*ii*) व्यक्ति और घटनाओं के प्रति ठोस और विशिष्ट प्रतिक्रियाएं।

(*iii*) मान्यताओं के संबंध में अटल विश्वास।

(*iv*) दूसरों की चिंता न करके केवल अपनी चिंता।

(*v*) किसी बात का निर्णय करने में परिस्थितियों की अवहेलना।

(*vi*) कार्य और कारण के संबंध में असंगत धारणाएं।

शिक्षण की पद्धतियां

मंदबुद्धि बालक की शिक्षा का वही स्वरूप होना चाहिए, जो पिछड़े बालक की शिक्षा का है। इनकी शिक्षा के लिए निम्न व्यवस्था होनी चाहिए–

(*i*) छोटे समूहों में शिक्षा

(*ii*) अध्ययन के विषय

(*iii*) हस्तशिल्पों की शिक्षा

(*iv*) अच्छे शिक्षकों की नियुक्ति

(*v*) सांस्कृतिक विषयों की शिक्षा

(*vi*) विशिष्ट विद्यालयों की स्थापना

(*vii*) विशिष्ट कक्षाओं की स्थापना

(*viii*) विशिष्ट विद्यालयों का संगठन

(*ix*) विशेष शिक्षण विधियों का प्रयोग

(*x*) विशेष पाठ्यक्रम का निर्माण

इनके माध्यम से मंदबुद्धि बालकों की शिक्षा को व्यावहारिक रूप प्रदान कर सकते हैं जो उनको किसी कार्य में दक्ष करके जीवनयापन करने के योग्य बनाती है।

संवर्द्धन कार्यक्रम

जब बालक सामान्य स्कूल पाठ्यक्रम से किसी भी प्रकार से लाभान्वित नहीं होता तो उसे आवासीय स्कूल में भेजा जाता है जहाँ एक भली प्रकार बनाई गई निर्देशन योजना उनके सामाजिक सामंजस्य को प्रभावित करती है। इस प्रकार के बालकों के लिए शैक्षिक पाठ्यक्रम उतने ही सतर्क रूप से तैयार करना चाहिए जितना कि उन बालकों के लिए जो विशेष कक्षाओं में रखे जाते हैं।

मानसिक रूप से पिछड़े बालकों के लिए शैक्षिक व्यवस्था स्पष्ट, प्रबंधित तथा भली प्रकार निर्देशित होनी चाहिए। वहां पढ़ाई का हर समान उपस्थित होना चाहिए तथा साथ ही कक्षाओं का प्रबंध होना चाहिए।

उपचारी कार्यक्रम

मानसिक रूप से पिछड़े बालकों की आवश्यकताएं अधिकतर कानून द्वारा ऐसे अध्यापकों, मनोवैज्ञानिकों, मनोचिकित्सकों तथा व्यावसायिक सेवाओं द्वारा पूरी की जा रही है जो इस क्षेत्र में शिक्षित हैं। प्रायः सभी राज्यों ने ऐसे कानून बनाए हैं जो कि मानसिक अक्षम बालक के सुधार, उपचार तथा शिक्षा में सहायक हैं।

पिछले लगभग 50 वर्षों में मानसिक रूप से पिछड़े बालकों की उन्नति के लिए कानून, मेडीकल अनुसंधान, मनोविज्ञान तथा शैक्षिक क्षेत्र में बहुत उन्नति हुई है। इस क्षेत्र में किए गए कार्यों का वर्णन निम्नवत है–

(*i*) **मनोविज्ञान**– मानसिक पिछड़ेपन पर महत्वपूर्ण मनोवैज्ञानिक अनुसंधान हुए हैं। कुछ अनुसंधान बालकों की प्रमुख तथा गौण विशेषताओं से संबंधित हैं। बालकों की मानसिक उन्नति पर वातावरण के प्रभाव का भी अध्ययन हो रहा है। इनमें से कुछ अध्ययन फ्रीमैन, सीलस तथा शैमिट द्वारा हुए हैं।

(*ii*) **कानून**– कानून द्वारा संस्थाओं को आर्थिक सहायता दी जाती है। कानूनों द्वारा विशेष स्कूलों की व्यवस्था, उनमें भर्ती, अध्यापकों का प्रशिक्षण आदि की सुविधा रहती है।

(*iii*) **मेडीकल अनुसंधान**– इस क्षेत्र में हो रहे अनुसंधान मानसिक स्तर की उन्नति की ओर संकेत करते हैं। इस प्रकार के अध्ययन दो बातों से संबंधित हैं–(*a*) मनोवेगात्मक पिछड़ेपन पर बेनजीड्राइन उपचार (*b*) मानसिक पिछड़ेपन पर गुलूटामी एसिड का प्रभाव। मेडीकल क्षेत्र के ये दोनों अनुसंधान शैक्षिक तथा मनोवैज्ञानिक दृष्टि से बहुत महत्त्वपूर्ण हैं।

(*iv*) **शैक्षिक समस्याएं–** न्यूयॉर्क का विशेष शिक्षा विभाग 1940 से पाठ्यक्रम तथा विधियों पर अनुसंधान कर रहा है। इन अनुसंधानों के परिणामों को मानसिक रूप से पिछड़े बालकों के शैक्षिक कार्यक्रम में सुझाव के रूप में लेना चाहिए।

मंदता के कारण और रोकथाम

मानसिक मंदता के कारण

(*i*) **प्रसव-पूर्वकालिक कारण–** जन्म से पूर्व पैदा होना अर्थात् सात माह का बालक या फिर जन्मपूर्व गर्भ के रोग, जैसे–ग्रंथि विकार तथा पोलियो आदि।

(*ii*) **प्रसवोत्तर कालिक कारण–** जन्म के समय मस्तिष्क में सूजन आना, मस्तिष्क पर आघात लगना आदि। मस्तिष्क कैंसर व ट्यूमर भी मस्तिष्क कोशिकाओं में ऑक्सीजन की कमी होने के कारण मंदता उत्पन्न करते हैं।

(*iii*) **अन्य कारण–** मद्यपान, गरीबी, आपसी झगड़े आदि का दुष्प्रभाव भी मानसिक मंदता का कारण होता है। परिवार का वातावरण व आर्थिक अभाव भी इसका कारण बन जाते हैं समुचित वातावरण व वंशानुक्रम के अभाव में बालक मानसिक मंदता का शिकार हो जाता है।

मंदता के रोकथाम के उपाय

मंदबुद्धि बच्चों के लिए विशिष्ट विद्यालय हो तथा शिक्षक प्रशिक्षित हों। मंदबुद्धि बालकों को शिक्षित करने वाले शिक्षकों में निम्न विशेषताएं होनी चाहिए–

(*i*) बालकों का सम्मान करना।

(*ii*) बालकों के प्रति प्रेम, सहानुभूति और सहनशीलता का व्यवहार करना।

(*iii*) बालकों में संवेगात्मक संतुलन और सामाजिक समायोजन के गुणों का विकास करना।

(*iv*) स्वयं शारीरिक श्रम को महत्त्व देना तथा बालकों को श्रम का महत्त्व सामूहिक विधि से सिखाना।

(*v*) धीमी गति से पढ़ाना व अपने पढ़ाए हुए पाठ को बार-बार दोहराना।

(*vi*) बालकों की सहायता, परामर्श और निर्देशन देने के लिए तैयार रहना।

(*vii*) बालकों के स्वास्थ्य, समस्याओं और सामाजिक दशाओं का व्यक्तिगत रूप से ज्ञान होना व उनको हल करने का प्रयास करना।

(*viii*) शिक्षक को बालक की कमियों का पूर्ण ज्ञान हो तथा उसमें धैर्य व संकल्प के गुण हों, ताकि वह बालकों की मंदगति से हतोत्साहित न हों।

(*ix*) शिक्षण को रोचक बनाने के लिए सभी प्रकार की दृश्य-श्रव्य (Audio-Visual) सामग्री का उपयोग करना।

(*x*) बालकों को एक या दो हस्तशिल्पों की शिक्षा देने में कुशल होना।

(*xi*) मंदबुद्धि व पिछड़े बच्चों को पढ़ाने के लिए सरल विधियों, मूर्त वस्तुओं और सामूहिक क्रियाओं का प्रयोग करना।

मानसिक स्वास्थ्य विज्ञान के उपचार

मानसिक स्वास्थ्य विज्ञान के उपचार के अंतर्गत् निम्न पहलू शामिल हैं–

(1) मानसिक स्वास्थ्य विज्ञान– मानसिक आरोग्य का शाब्दिक अर्थ मानसिक क्रियाओं से संबंधित रोगहीन दशा को कायम रखने वाला विज्ञान है। जिस प्रकार शारीरिक आरोग्य शरीर को स्वस्थ रखने के नियम निकालता है उसी प्रकार मानसिक आरोग्य मन को स्वस्थ रखने के नियम तथा उपाय निकालता है। इसमें केवल मानसिक रोगों को दूर करना ही शामिल नहीं है बल्कि मानसिक रोगों की रोकथाम भी शामिल है। मानसिक आरोग्य में मानसिक चिकित्सा के साथ-साथ मानसिक स्वास्थ्य बनाए रखने के लिए उपयुक्त परिस्थितियां उत्पन्न करना भी शामिल है। इस तरह नकारात्मक पहलू में मानसिक आरोग्य का अर्थ केवल मानसिक चिकित्सा तक ही सीमित है किन्तु सकारात्मक पहलू में उसमें मानसिक स्वास्थ्य बनाए रखने के लिए सभी तरह की कोशिशें आ जाती हैं। इस प्रकार स्पष्ट है कि मानसिक आरोग्य का काम केवल मानसिक चिकित्सक के ही हाथ में नहीं है। अध्यापक, माता-पिता, सरंक्षक तथा समाज सुधारक और संत समुदाय आदि जैसे धार्मिक व्यक्तियों का भी उसमें महत्त्वपूर्ण योगदान है। सच तो यह है कि मानव मनोविज्ञान का ज्ञान उसमें अंतदृष्टि होने पर कोई भी व्यक्ति मानसिक आरोग्य में सहायक हो सकता है।

(2) मंदितों का उपचार– मानसिक मंदित अपनी समस्याओं को खुद नहीं सुलझा सकते। अतः उन्हें माता-पिता, संरक्षक, अध्यापक या मनोवैज्ञानिक से निर्देशन मिलना चाहिए। निर्देशक को बालक अथवा किशोर की कठिनाई को सहानुभूतिपूर्वक समझने की कोशिश करनी चाहिए। उनको डाटना या झिड़कना ठीक नहीं है। उनको अपनी इच्छाओं तथा मनोवृत्तियों को जाहिर करने का मौका दिया जाना चाहिए।

(3) परिवार का महत्त्व– मानसिक स्वास्थ्य बनाए रखने में परिवार का सबसे अधिक महत्व है और माता-पिता की सबसे अधिक जिम्मेदारी है। सबसे अधिक जरूरत इस बात की है कि परिवार में ऐसा स्वस्थ वातावरण बनाया जाए जिसमें बालक के व्यक्तित्व का ठीक से विकास हो सके। बालक के व्यक्तित्व पर माता-पिता के चरित्र, आपस के संबंध 'बच्चों से उनका व्यवहार' भाई-बहनों तथा परिवार के अन्य संबंधियों से बालक का संबंध आदि सभी बातों का प्रभाव पड़ता है। अतः इन सभी के स्वस्थ्य होने की जरूरत है। संक्षेप में इतना कहा जा सकता है कि माता-पिता बालक के व्यक्तित्व को उन्मुक्त रूप से विकसित होने का मौका दें। उसको गलत रास्तों से रोकें परन्तु उसको सब बातों में अपनी राय पर चलाने की कोशिश न करें। शेष बातें तो माता-पिता की बालक अथवा किशोर के मनोविज्ञान में

अंतर्दृष्टि, उनके धैर्य, परिश्रम और अनुभव पर निर्भर है।

(4) स्कूल का महत्त्व– परिवार के बाद मानसिक स्वास्थ्य बनाए रखने में स्कूल की महत्त्वपूर्ण भूमिका होती है। स्कूल में सबसे अधिक महत्त्व स्कूल के वातावरण का है। स्वास्थ्य वातावरण में बालक स्वयं अनुशासन तथा अन्य गुण ग्रहण का लेते हैं। स्कूल में कुछ बालकों को बिगड़ जाने का अधिक भय होता है। ऐसे बालकों पर विशेष ध्यान रखा जाना चाहिए। सबसे बड़ी जरूरत इस बात की है कि अलग-अलग बालक का उसके व्यक्तित्व के अनुसार उपयुक्त एवं पर्याप्त काम दिया जाए। स्कूल में विद्यार्थियों की कठिनाइयों को दूर करने के लिए विद्यार्थी कर्मचारी सेवा का प्रबंध होना चाहिए।

सार-संक्षेप

विद्यालय में शिक्षक को विद्यार्थियों का मानसिक स्वास्थ्य बनाए रखने, मानसिक अस्वस्थता को रोकने और मानसिक स्वास्थ्य की उन्नति हेतु निम्न बातों की ओर ध्यान देना चाहिए–

(i) **अनुशासन–** विद्यालय में अनुशासन का विद्यार्थियों के मानसिक स्वास्थ्य पर महत्त्वपूर्ण प्रभाव पड़ता है परन्तु यह अनुशासन कभी कठोर नहीं होना चाहिए। ऐसा होने पर उससे मानसिक अस्वस्थता बढ़ेगी। अतः अनुशासन दंड द्वारा भय दिखाकर नहीं बल्कि विद्यार्थियों में नियम पालन और उत्तरदायित्व की भावना उत्पन्न करके स्थापित किया जाना चाहिए।

(ii) **संतुलित पाठ्यक्रम–** स्कूल में पाठ्यक्रम ऐसा होना चाहिए जिससे विद्यार्थी में व्यक्तित्व के सभी पहलुओं का स्वस्थ्य विकास हो, आवश्यक ज्ञान बढ़े और मस्तिष्क पर अनावश्यक जोर न पड़े। नाना प्रकार की पाठ्यक्रमेतर क्रियाओं के द्वारा विद्यालय में विद्यार्थियों के सर्वांगीण विकास में योगदान दिया जा सकता है।

(iii) **प्रेमपूर्ण व्यवहार–** स्पष्ट है कि विद्यार्थियों के मानसिक स्वस्थ्य के लिए अध्यापक के प्रेमपूर्ण व्यवहार का कितना महत्त्व है। इससे विद्यार्थी अध्यापक की बात मानेगा, उसका आदर करेगा और ऐसा काम नहीं करेगा जिसे अध्यापक बुरा समझता हो। शिक्षक को सभी विद्यार्थियों से एक-सा प्रेमपूर्ण व्यवहार रखना चाहिए। इसमें किसी भी प्रकार का भेदभाव विद्यार्थियों के मन को आघात पहुंचाता है।

(iv) **खेल तथा मनोरंजन–** विद्यार्थियों में दमित प्रेरणाएं मानसिक अस्वस्थता उत्पन्न करती हैं। इनको स्वस्थ्य रूप में अभिव्यक्त होने का अवसर खेलों और विविध प्रकार के मनोरंजन से दिया जा सकता है। खेल और मनोरंजन नई ऊर्जा के संचार का काम करते हैं।

(v) **यौन शिक्षा–** किशोरावस्था में लड़के-लड़कियों में यौन वासना के कारण नैतिक पतन होता है अथवा उसके दमन से मानसिक अस्वस्थता बढ़ती है। शिक्षकों को चाहिए कि वे यौन-संबंध बुरी आदतों को किशारों में से निकालने के लिए मनोवैज्ञानिक उपायों का सहारा लें। इसके लिए सबसे अच्छा उपाय लड़के-लड़कियों को आवश्यक यौन शिक्षा देना है। इससे जहाँ एक ओर वे यौन प्रवृत्ति की ओर एक स्वस्थ्य दृष्टिकोण बना सकेंगे और अनेक बुरी आदतों से बचे रहेंगे वहीं दूसरी ओर उनके शारीरिक, मानसिक और संवेगात्मक विकास में भी सहायता मिलेगी और वे आगे चलकर सर्वांगपूर्ण विकसित स्त्री-पुरुष बन सकेंगे।

(vi) **शैक्षिक निर्देशन–** मानसिक स्वास्थ्य बनाए रखने के लिए यह आवश्यक है कि विद्यार्थियों को उनकी योग्यता के अनुसार विषय दिए जाएं और उनकी शिक्षा संबंधी कठिनाइयों को दूर किया जाए। इस संबंध में मनोवैज्ञानिक की निजी सलाह शैक्षिक निर्देशन कहलाती है।

(vii) **व्यक्तिगत निर्देशन–** विद्यार्थी अपनी अनेक उलझनों को स्वयं नहीं सुलझा पाते। अतः उन्हें सुलझाने के लिए उन्हें मनोवैज्ञानिक द्वारा व्यक्तिगत निर्देशन दिए जाने की आवश्यकता है।

(viii) **संतुलित गृह कार्य–** यह समझना भूल है कि विद्यार्थियों को घर पर कार्य करने के लिए बहुत-सा काम देने से उनको व्यर्थ के कामों के लिए अवकाश न मिलेगा और वे व्यस्त रहेंगे। विद्यार्थियों को अत्यधिक गृह कार्य में जुटाए रखने से उन्हें चिंता होती है और मन पर बुरा प्रभाव पड़ता है। अतः उन्हें बहुत ही संतुलित गृह कार्य दिया जाना चाहिए।

(ix) **अच्छी आदतों का निर्माण–** मानसिक स्वास्थ्य अच्छी आदतों पर निर्भर है। अतः शिक्षक को चाहिए कि वह विद्यार्थियों में नियमित जीवन, संतुलित व्यायाम और खान-पान, अच्छे व्यवहार और उच्च विचार की आदतें डालने में सहायता दें।

(x) **व्यावसायिक निर्देशन–** प्रत्येक नवयुवक को शिक्षा कार्य के बाद कोई न कोई व्यवसाय ग्रहण करना होता है जिसकी चिंता अध्ययन काल में ही उसे सताने लगती है। व्यावसायिक निर्देशन के द्वारा चतुर शिक्षक उन्हें भावी व्यवसाय के चुनाव में सहायता दे सकता है।

2. दृष्टि बाधित छात्र

दृष्टि बाधित बालक सामान्य से कम, निम्न या शून्य दृष्टि वाले होते हैं। इन बालकों की समस्या यह होती है कि वे कक्षा में श्याम-पट्ट (Black Board) पर अंकित लेख या दृश्य सहायक सामग्री को तथा अपनी पुस्तक पठन में कठिनाई का अनुभव करते हैं। ऐसे बालकों के लिए निम्न सावधानियां रखनी चाहिए–

(i) उन्हें कंजरवेशन (Conservation) कक्षाओं में पढ़ाना चाहिए जहां बड़े छापे की पुस्तकें व बड़े आकार की दृश्य सामग्री का प्रयोग किया जाता है।

(ii) ऐसे छात्रों को कक्षा में श्याम-पट्ट (Black Board) के निकट बैठना चाहिए।

(*iii*) उनकी दृष्टि की जांच कर उन्हें चश्मा लगाने की सलाह देनी चाहिए।

(*iv*) चिकित्सक से उनका उपचार कराना चाहिए।

(*v*) उनमें उचित रूप से पढ़ने-लिखने की विधि विकसित करनी चाहिए।

विशेषताएं

(*i*) ऐसे बालक जो औसत दृष्टि वाले बालकों से भिन्न हैं, परन्तु जिनका मेडिकल रूप से इलाज हो सकता है, सामान्य बालकों के साथ पढ़ सकते हैं।

(*ii*) ऐसे बालक जिनमें कि अत्यंत गंभीर दृष्टि दोष है इनका उपचार मेडिकल सहायता तथा चश्मे से करने पर भी वे सामान्य बालकों के साथ पढ़कर यथोचित लाभ नहीं उठा सकते। फिर भी उनके पास इतनी दृष्टि है कि वे उन साधनों से उचित लाभ उठा सकते हैं जो कि अन्धे बालकों को दिए जाते हैं।

(*iii*) ऐसे बालक, जो कि मेडिकल इलाज तथा चश्में की सहायता मिलने पर भी शैक्षिक तथा व्यावसायिक रूप से दृष्टिहीन हैं।

बाधित की मात्रा

दृष्टि बाधा की मात्रा के लिहाज से बहुत कम देखने वाले बालकों को चार वर्गों में बांटा गया है–

(*i*) ऐसे बालक, जिनकी दृष्टि एक्यूटी (Visual Acuity) 20/70 तथा 20/200 के बीच है।

(*ii*) ऐसे बालक जो गंभीर तथा बढ़ने वाली दृष्टि संबंधी कठिनाइयों से पीड़ित हैं।

(*iii*) ऐसे बालक जो नेत्र संबंधी रोगों से पीड़ित हैं या ऐसे रोगों से जो दृष्टि को प्रभावित करते हैं।

(*iv*) ऐसे बालक, जो कि उपरोक्त बालकों में सम्मिलित नहीं है और जिनके पास औसत मस्तिष्क है तथा जो डॉक्टरों तथा शिक्षाशास्त्रियों के अनुसार कम देखने वाले बालकों को दिए गए साधनों तथा सामान द्वारा अधिक लाभान्वित हो सकते हैं।

कारण एवं रोकथाम

(*i*) **मेडिकल परीक्षण–** इसकी सबसे अच्छी विधि है सभी बालकों का अच्छा मेडिकल परीक्षण लिया जाए। साथ ही आंखों का भी परीक्षण हो। ये परीक्षण स्कूल प्रवेश से पहले और प्रवेश के उपरांत भी लेना चाहिए।

(*ii*) **दृष्टि अनुवीक्षण–** जहाँ मेडिकल परीक्षण विधि नहीं अपनाई जा सकती, वहां पर दृष्टि अनुवीक्षण (Visual Screening) भी ली जा सकती है। यदि कार्य डॉक्टर, नर्स, अध्यापक कर सकते हैं। स्कूल स्वास्थ्य सेवा विभाग का कर्त्तव्य है कि अनुवीक्षण (Screening) की व्यवस्था कराए। इसे देखना चाहिए कि अनुवीक्षण ठीक दशाओं में हो रहा है या नहीं। चार्ट अवश्य बनाना चाहिए। बच्चे की प्रतिक्रिया भी देखनी चाहिए।

(*iii*) **चेक-अप–** माता-पिता को भी चाहिए कि वे अपने बच्चे का चेक-अप करा ले। यदि वे ऐसा नहीं करते तो स्कूल स्वास्थ्य विभाग इस ओर दिशा-निर्देश करे और बच्चों का व्यापक स्वास्थ्य परीक्षण कराए।

(*iv*) **विशेष अध्यापक–** कम देखने वाले बालकों के अध्यापकों को आंख की बनावट, सफाई, आंख की सामान्य बीमारियों तथा कठिनाइयों से परिचित होना चाहिए। उसे दवाइयों रोशनी, शारीरिक सामान तथा शैक्षिक सामान का प्रबंध करना चाहिए। उसे पढ़ाई की उचित विधि से परिचित होना चाहिए। उसे मनोवैज्ञानिक तथा शैक्षिक कठिनाइयों के साथ-साथ संवेगात्मक कठिनाइयों को पहचानना चाहिए।

(*v*) **व्यावसायिक निर्देशन–** कम देखने वाले बालकों का शैक्षिक तथा व्यावसायिक निर्देशन परस्पर संबंधित है। एक सफल शैक्षिक निर्देशन के लिए बालक के व्यक्तित्व की प्रत्येक बातें ध्यान में रखनी चाहिए।

शैक्षिक कार्यक्रम

(*i*) **विशेष कक्षाओं का आयोजन–** कम देखने वाले बालकों (दृष्टि बाधित) को शिक्षा देने का सबसे अच्छा तरीका विशेष कक्षाओं का अयोजन है। एक विद्यालय में ऐसे बालकों की संख्या 1 से 500 तक होती है। अध्यापक इस बात का निर्णय करे कि क्या उनके लिए विशेष कक्षा का आयोजन किया जाए तथा कौन-कौन सी सुविधाएं प्रदान की जाए। इस कक्षा में विभिन्न श्रेणियों के बालक हो सकते हैं। गांवों में भी आंशिक रूप से देखने वाले बालकों के लिए विशेष कक्षा का प्रबंध होना चाहिए।

(*ii*) **सहकारिता योजना–** पृथकीकरण अब आधुनिक शैक्षिक सिद्धांतों के अनुरूप नहीं है। अतः एक सहकारिता योजना का विकास किया गया है जिसके द्वारा कम देखने वाले बालक अपने कार्य एक विशेष समान से युक्त एक योग्य शिक्षक के अंतर्गत करते हैं। अन्य कार्यक्रमों के लिए वे अन्य औसत बालकों के साथ मिल जाते हैं।

(*iii*) **पाठ्यक्रम–** कम देखने वाले और औसत बालकों का पाठ्यक्रम एक-सा होता है। अध्यापकों को इस ओर ध्यान देना चाहिए कि ऐसा कोई भी कार्य अधिक न करवाया जाए जिससे आंखों पर अधिक जोर पड़े।

(*iv*) **शैक्षिक माध्यम–** एक औसत बालक के लिए किताब 10 या 12 पॉइण्ट (Point) टाइप में होती है, पर आंशिक देखने वाले बालकों के लिए किताब 18 या 24 पॉइण्ट (Point) टाइप में होती है। प्रिंट साफ तथा विस्तृत होना चाहिए। दो शब्दों के बीच जगह होनी चाहिए। सफेद कागज पर काली स्याही से लिखा होना चाहिए। हाशिया तथा चित्र एवं मानचित्र पर काली स्याही से लिखा होना चाहिए। आर्ट तथा क्राफ्ट के लिए ऐसा समान प्रयुक्त होना चाहिए कि आंखों पर अधिक जोर न पड़े। मशीनी

तरीके, जैसे–टाइपराइटर, रेडियो आदि का प्रयोग होना चाहिए। साथ ही ऐसे बालकों को टाइपराइटर के छूने की विधि बतानी चाहिए।

(*v*) **रोशनी–** प्राकृतिक तथा बनावटी दोनों प्रकार की रोशनी सभी बालकों के लिए महत्व रखती है। कम देखने वाले बालकों के लिए यह और भी अधिक महत्व रखती है। ऐसे बालकों का कमरा हर स्थान से पूर्णरूप से रोशनीयुक्त होना चाहिए तथा उनमें चमक नहीं होनी चाहिए। भूरे तथा हरे बोर्ड में प्रत्यावर्तन अधिक होता है। अतः उनका प्रयोग करना चाहिए।

(*vi*) **फर्नीचर :** एक स्थान से दूसरे स्थान तक ले जा सकने वाले फर्नीचर से बालक उसे किसी भी स्थान पर ले जाकर पढ़ सकते हैं। फर्नीचर का रंग हल्का होना चाहिए।

3. दृष्टिहीन छात्र

वे बालक जिनकी दृष्टि एक्यूटी 20/200 होती है तो उन्हें शैक्षिक कार्य के लिए नेत्रहीन समझा जाता है। इससे कम होने पर अथवा इसी प्रकार की कोई अन्य अक्षमता होने पर बालक दृष्टिहीन समझे जाते हैं। दृष्टिहीन बालक को अपनी अन्य इन्द्रियों पर निर्भर रहना पड़ता है। जिन बालकों में बहुत कम दृष्टि होती है वे रंगों का भेद कर सकते हैं। एक बालक को तभी दृष्टिहीन मानना चाहिए जबकि डॉक्टर ने उसकी ऐसी स्थिति बतायी हो। डाक्टर द्वारा बताए गए चश्में को पहनने से इनकी दृष्टि में सुधार हो सकता है समय-समय पर आंखों की परीक्षा लेना भी जरूरी है। अध्यापक को देखना चाहिए कि बालक ने चश्मा पहना है अथवा नहीं, चश्मा ठीक दशा में है अथवा नहीं। चूंकि दृष्टिहीन बालक हमेशा अपनी अन्य इंद्रियों पर निर्भर रहता है, उसकी अन्य इंद्रियों के स्वास्थ्य की परवाह करनी चाहिए।

दृष्टिहीन बालकों की समस्या अधिक विकट होती है। वे सामान्य विद्यालय व सामान्य कक्षाओं में शिक्षित होने में अधिक असुविधा का सामना करते हैं। उन्हें विद्यालय में आने-जाने, लिखने-पढ़ने जैसी क्रियाओं में दूसरों की सहायता लेनी पड़ती है। वे दूसरे व्यक्तियों के उपहास के पात्र बनते हैं जिससे उनमें हीन भावना का उदय होता है। ऐसे बालकों की शिक्षा में निम्न बिंदु उल्लेखनीय है–

(*i*) ऐसे बालकों के लिए पृथक एवं विशिष्ट विद्यालय होने चाहिए।

(*ii*) इन्हें ब्रेल (Braille) पद्धति से शिक्षित करना चाहिए, जिनमें एक मोटे कागज पर कुछ बिन्दु उभार कर उनके स्पर्श द्वारा दृष्टिहीन बालकों को अक्षर व लिपि का ज्ञान कराया जाता है।

(*iii*) उन्हें संगीत या हस्तकला में प्रशिक्षण दिया जाना चाहिए।

(*iv*) उन्हें टंकण (Typing) का प्रशिक्षण भी दिया जा सकता है।

(*v*) उन्हें समुचित सहानुभूति की अपेक्षा होती है।

दृष्टिहीन छात्रों के लिए शैक्षिक सुविधाएं

(*i*) **सामान्य विद्यालय–** एक सामान्य दृष्टिहीन बालक सामान्य स्कूल में प्रवेश कर सकता है। इस अवस्था में उसे इस योग्य होना चाहिए कि वह कपड़े आदि स्वयं पहन सके। उसे नहाना और अपनी शारीरिक आवश्यकताओं की पूर्ति करना आना चाहिए। उसे जाने पहचाने वातावरण में चलने की आदत होनी चाहिए। उसे अपने आयु-वर्ग के बालकों से बोलना और उन्हें दोस्त बनाने आना चाहिए। इस संबंध में बालकों को किण्डरगार्टन में भेजने से अच्छे परिणाम निकलने चाहिए।

(*ii*) **ब्रेल कक्षाएं–** दृष्टिहीन बालकों के लिए स्कूल जाने से तात्पर्य अंधों के स्कूल जाने से है। वहाँ ऐसे बालकों को विशेष कक्षाओं में पढ़ाया जाता है। इन्हें ब्रेल कक्षा (Braille Class) कहते हैं। ब्रेल कक्षाओं तथा दृष्टिहीन बालकों के लिए स्कूल की व्यवस्था इसलिए की जाती है ताकि वे सामाजिक वातावरण से समायोजन कर सकें। आवासीय स्कूल भी बालकों की कक्षा से दूसरी कक्षा के लिए शिक्षा देता है। ब्रेल कक्षाएं ऐसी सहायता देती हैं जिनसे सामान्य कक्षा की पढ़ाई को समझ सकें। ये दोनों ही प्रकार की पढ़ाई अपनी उद्देश्य पूर्ति में सफल हो सकती हैं। ब्रेल कक्षाओं में एक कुशल अध्यापक 10 या 12 विद्यार्थियों को वह विषय पढ़ाता है जो वे अन्य बालकों के साथ नहीं पढ़ सकते। अन्य कार्यों के लिए वे सामान्य बालकों के साथ मिल जाते हैं। उन्हें हाथ में कार्य, शारीरिक शिक्षा तथा संगीत की शिक्षा भी दी जाती है। ब्रेल कक्षाओं के लिए ब्रेल पुस्तकों की आवश्यकता होती है। अमेरिका में ये ब्रेल कक्षाएं American Printing House for the Blind से पुस्तकें प्राप्त करती हैं।

(*iii*) **विशेष विधियां–** दृष्टिहीन बालक की शिक्षा के समय यह ध्यान में रखना चाहिए कि वह एक सामान्य बालक है। अधिकतर मामलों में उसका बढ़ता हुआ ज्ञान, वृद्धि, संवेग तथा इच्छाएं अन्य बालकों की तरह है। दृष्टि दोष प्रत्येक बालक में भिन्न होता है। यदि बालक में थोड़ी दृष्टि है और अध्यापक उसे दृष्टिहीन समझता है तो इसका बालक पर प्रतिकूल प्रभाव पड़ेगा। दृष्टि एक्यूटी (Visual Acuity) सदा दृष्टि क्षमता को नहीं बताती। अक्सर कम दृष्टि वाले बालक अपनी दृष्टि का अच्छा उपयोग करते हैं। घर के वातावरण, सीखने की तत्परता एवं सीखने की क्षमता का इस पर प्रभाव पड़ता है। एक अंधे बालक की शिक्षा के लिए दो चीजों–(*i*) विशेष सामान तथा माध्यम और (*ii*) पढ़ाने के विशेष सिद्धांतों का प्रयोग आवश्यक है।

4. बधिर-छात्र

कानों के द्वारा सुनने में बाधा से उत्पन्न अयोग्यता व्यक्ति विशेष को श्रवण विकलांग बनाती है। यह विकलांगता ऐसे

बालकों की श्रवण शक्ति दोषयुक्त होने से उन्हें शब्दिक या बोलकर अभिव्यक्त करने में असमर्थ बनाती है। यही कारण है कि बहरे लोग गूंगे (Deaf) भी होते हैं। अतः सामान्य स्कूलों में शैक्षिक शिक्षण की अपेक्षा श्रवण विकलांगों की शिक्षा हेतु पृथक गूंगे-बहरों के विशिष्ट विद्यालयों की व्यवस्था की जाती है। जहां प्रशिक्षित अध्यापक विशिष्ट उपकरणों की सहायता से उनका विशिष्ट शिक्षण करते हैं।

प्रकार– बहरेपन अथवा श्रवण बाधिता को प्रायः दो प्रकारों में बांटा जाता है–

(*i*) बधिर या बहरे (Deaf), (*ii*) ऊंचा सुनने वाले (Hard of Hearing)। इन दोनों प्रकारों में भाषा को सीखने की योग्यता भिन्न-भिन्न होती है। ऊंचा सुनने वालों को श्रवण सहायक यंत्रों (Hearing Aids) की सहायता से शिक्षित किया जा सकता है किन्तु बधिरों की जिन्होंने कभी वाणी या भाषा सुनी ही नहीं, शिक्षा व्यवस्था विशिष्ट प्रकार की होती है।

विशेषताएं

(*i*) बधिर या कम सुनने वाले श्रवण क्षतियुक्त बालक वे हैं जिन्होंने बोलने से पहले ही श्रवण शक्ति खो दी है। इस प्रकार के छात्रों के लिए विशेष प्रकार के शिक्षण की आवश्यकता होती है।

(*ii*) विद्यालय में कुछ बालक ऐसे होते हैं जिन्हें किसी न किसी प्रकार का और किसी न किसी स्तर का श्रवण दोष होता है।

(*iii*) श्रवण शक्ति बालक को अध्यापक द्वारा कही गई बातें सुनाई देती है। श्रवण शक्ति मौखिक संदेशवहन, अधिगम, मानसिक विकास और भाषा विकास का सबसे सशक्त साधन है। श्रवण बधित बालक इन साधनों से लाभ नहीं उठा पाता।

(*iv*) कक्षा में बैठे श्रवण क्षतियुक्त बालकों को प्रभावशाली ढंग से उन विधियों से शिक्षा दी जा सकती है जिनसे सामान्य श्रवण योग्यता वाले बालक को देते हैं।

(*v*) बधिर बालकों की पहचान उनसे बोलने पर हो सकती है। परन्तु उनकी पहचान श्रवण यंत्रों के द्वारा करना उचित होगा।

(*vi*) श्रवण क्षतियुक्त बालकों की पहचान श्रवण यंत्रों, यथा श्रवणमापक तथा अन्य तकनीकों से की जाती है।

(*vii*) विद्यालय में श्रवण क्षतियुक्त बालक कई दिनों तक अध्यापक की दृष्टि में नहीं आता। अध्यापक को उसका पता तभी होगा जब वह बालक से अधिकतम अंतःक्रिया (Interaction) करेगा। जबकि अधिक संख्या वाली कक्षा में ऐसा होना संभव नहीं है। अतः बालकों के प्रवेश के समय ही उनका परीक्षण करवा लेना उचित है।

(*viii*) माता-पिता को बालक के जन्म के तीन महीने पश्चात् चिकित्सक द्वारा अपने बालक की श्रवण शक्ति की जांच अवश्य करा लेनी चाहिए। विद्यालय में प्रवेश दिलाते समय उन्हें अध्यापक को बालक की श्रवण स्थिति से अवगत करा देना चाहिए।

क्षति की मात्रा

ध्वनि के परिसर के अनुसार श्रवण क्षति को चार भागों में बांटा जा सकता है–

(*i*) **किंचित श्रवण क्षय**– सामान्य बातचीत का स्तर 65 डेसिबल्स होता है। किंचित श्रवण क्षय बालकों को 35-51 डेसिबल्स तक का श्रवण क्षय होता है। अर्थात् ये बालक 54 डेसिबल्स तक की ध्वनि को नहीं सुन पाते हैं। सामान्य स्तर पर बातचीत को ये बालक आसानी से नहीं सुन पाते हैं परन्तु उससे धीमे स्तर पर बोलने पर भी ये नहीं सुन पाते हैं।

(*ii*) **मंद श्रवण क्षय**–इन बालकों में 55-69 डेसिबल्स तक श्रवण क्षय होता है। अतः सामान्य स्तर, अर्थात् 65 डेसिबल्स स्तर पर बोलने पर ये बालक सुन नहीं पाते, थोड़ा ऊंचा बोलने पर ही सुन पाते हैं।

(*iii*) **गंभीर रूप से श्रवण क्षतियुक्त**–इन बालकों में 70-89 डेसिबल्स तक श्रवण क्षय होता है और ये काफी ऊंचा बोलने पर ही सुन पाते हैं जो सामान्यतः कठिन होता है।

(*iv*) **गहन श्रवण क्षतियुक्त बालक**–ऐसे बालकों में श्रवण क्षय 90 और इससे आगे डेसिबल्स स्तर तक का होता है। ये बहुत ऊंचा बोलने पर भी कुछ ही शब्द सुन पाते हैं। बधिर (Deaf) बालक कुछ भी नहीं सुन पाते।

कारण एवं रोकथाम

कारण

श्रवण बाधित होने के कारणों को मुख्यतः दो वर्गो–1. जन्म से पूर्व/जन्म के समय के कारण 2. जन्म के बाद के कारण में बांटा गया है–

1. जन्म से पूर्व/जन्म के समय के कारण– इसके अंतर्गत निम्न कारण आते हैं–

(*i*) **आनुवंशिक कारण**– श्रवण संबंधी दोषों का एक प्रमुख कारण आनुवंशिकता अथवा जननिकी (Genetic) है। आनुवंशिकता की निम्न विशेषताएं श्रवण दोष का कारण होती हैं–

(*a*) माता-पिता दोनों में विद्यमान एक अपगामी (Recessive) जीन्स।

(*b*) माता-पिता दोनों में से किसी एक में विद्यमान प्रबल (Dominant) जीन्स।

(*c*) लिंग संबंधित (Sex-linked) जीन्स जो केवल मां में होता है और केवल पुत्र को ही प्रभावित करता है।

(*ii*) **गर्भावस्था में श्रवण क्षतियुक्त**– बालक जब गर्भावस्था में होता है तब भी श्रवण दोष उत्पन्न होने की संभावना रहती है। ऐसा तब होता है जब मां कोई

जहरीले पदार्थ का सेवन कर ले, शराब का सेवन करे, असंतुलित भोजन ग्रहण करे, दूषित भोजन करे अथवा बीमार रहे।

(*iii*) **असामयिक प्रसव**– असामयिक प्रसव भी श्रवण दोष उत्पन्न करता है। यह अभी निश्चित रूप से नहीं कहा जा सकता है कि असामयिक प्रसव इसका कारण है या वे कारण हैं जो असामयिक प्रसव कराते हैं।

(*iv*) **असुरक्षित प्रसव**– यदि प्रसव के समय रक्त प्रवाह अधिक हो जाए, रक्त का विकृत संचार हो, ऑक्सीजन का अभाव हो तो बालक के श्रवण तंत्र कुप्रभावित हो सकते हैं।

2. जन्म के बाद के कारण– इसके अंतर्गत निम्न कारण आते हैं–

(*i*) **बीमारी**– कुछ बीमारियां, जैसे–खसरा, चेचक, टाइफॉइड तथा कुकुर खांसी आदि श्रवण दोष उत्पन्न करती हैं।

(*ii*) **दुर्घटना**– दुर्घटना भी श्रवण तंत्र को हानि पहुंचा सकती है। जिससे दोष उत्पन्न हो सकता है। किसी लकड़ी या पिन से कान का गंदगी निकालते समय बालक अनजाने में कर्ण पटल को नुकसान पहुंचा सकता है।

(*iii*) **उच्च ध्वनि**– निरंतर उच्च ध्वनि को सुनते रहने से कान उच्च ध्वनि को ही पकड़ पाते हैं। सामान्य व धीमी गति में बोले गए शब्द कान भली प्रकार नहीं सुन पाते। इस प्रकार उच्च ध्वनि श्रवण दोष उत्पन्न करती है।

(*iv*) **आयु**– वृद्धावस्था में शारीरिक तंत्र कमजोर पड़ने लगते हैं। अतः सुनाई कम पड़ता है। यह कारण बालकों पर लागू नहीं होता है क्योंकि उनका शरीर विकास करता है न कि क्षीण होता है।

(*v*) **असंतुलित आहार**– यदि बालक को संतुलित आहार नहीं मिलता तो उसकी श्रवण शक्ति काफी प्रभावित हो सकती है। बालक के श्रवण तंत्र के कोमल तंतुओं को जिन्दा रहने और विकास करने के लिए ऊर्जा नहीं मिलती।

रोकथाम

श्रवण बाधितों में निम्नांकित शैक्षिक उपायों द्वारा श्रवण शक्ति का विकास किया जा सकता है–

(*i*) **वाचन का विकास**– दृश्य सामग्री के प्रयोग व ध्वनि के कंपनों व स्पर्श द्वारा बधिरों की पहचान क्षमता का कुछ सीमा तक विकास किया जा सकता है। बधिर बालक अपने मुख में जबड़ों, जिह्वा, ओष्ठ, तालु, कंठ आदि की देशीय गतियों का अनुभव कर अपनी वाणी पर नियंत्रण करना सीखता है। आंशिक बधिर बालकों की श्रवण शक्ति का श्रवण सहायक यंत्रों की सहायता व प्रयोग से विकास किया जा सकता है।

(*ii*) **ओष्ठ द्वारा वाचन**– बधिर वाणी को नहीं सुन सकते, अतः उसका अनुकरण नहीं कर सकते। इसलिए इन्हें केवल ओष्ठ गति व मुख मुद्रा के हावभाव को देखकर ही बोले गए अंश का काल्पनिक अर्थ निकालने का प्रयास करना पड़ता है। अतः बधिर को इस प्रकार प्रशिक्षित किया जाना चाहिए कि वे ओष्ठ गति व मुख मुद्रा के भावों को पढ़कर अपने विचार व भाव को व्यक्त कर सकें।

शैक्षिक कार्यक्रम

श्रवण बाधितों के शैक्षिक कार्यक्रमों को चार वर्गों– (1) संप्रेषण तकनीकें, (2) शिक्षण तकनीकें, (3) शैक्षिक सुविधाएं तथा (4) औपचारिक सुविधाएं में बांटा गया है।

(1) **संप्रेषण तकनीकें**– श्रवण क्षतियुक्त बालक के संबंध में सबसे बड़ी कठिनाई संप्रेषण के संबंध में है। अतः उसे भली प्रकार शिक्षित करने के लिए निम्न विशेष संप्रेषण तकनीकें अपनाई जानी चाहिए–

(*i*) **चिन्ह भाषा**– बधिर और अत्यधिक ऊंचा सुनने वाले बालकों के लिए चिन्ह भाषाओं का प्रचलन है, यथा–A. चिह्नित अंग्रेजी, (*b*) अमेरिकन चिह्न भाषा, (*c*) अंगुली वर्णमाला। ये चिन्ह भाषाएं एक-दूसरे से भिन्न होती हैं।

(*ii*) **ओष्ठ पठन**– ओष्ठ पठन में बालकों को ओठों के हिलाने और गति के आधार पर वर्णो और शब्दों को पढ़ने की शिक्षा दी जाती है।

(*iii*) **संकेत भाषा**– संकेत भाषा में ओठों को पढ़ने के साथ हाथ से मुंह के पास ही संकेत दिए जाते हैं। संकेत उसी भाषा के होते हैं जिसमें कि बोला जाता है। संकेत भाषा के लाभ निम्नवत् हैं–

(*a*) इसमें उसी व्याकरण का प्रयोग होता है जो बोली जाती है।

(*b*) इससे बालक सुनने वाले लोगों के साथ आसानी से संप्रेषण कर सकता है।

(*iv*) **स्पर्श विधि**– इसमें स्पर्श द्वारा कहीं गई बात को समझने का प्रावधान होता है।

(*v*) **गतिविधि**– इसमें शरीर से विभिन्न गतियां करवाकर बधिर बालकों के संप्रेषण में सहायता दी जाती है।

(*vi*) **प्रवर्धक प्रयोग**– ध्वनि प्रवर्धक यंत्रों का प्रयोग उन बालकों के लिए उपयोगी हो सकता है जो सामान्य से थोड़ा ऊंचा सुनते हैं।

(2) **शिक्षण तकनीकें**– श्रवण क्षतियुक्त बालकों के लिए निम्न शिक्षण तकनीकें अपनाई जानी चाहिए–

(*i*) शिक्षण विषय-वस्तु को सहायक सामग्री की सहायता से पढ़ाया जाना चाहिए। आकृतियां, चित्र, संकेत, शब्द, इशारे इत्यादि सहायक सामग्री प्रयोग की जा सकती है।

(*ii*) शिक्षण के बीच-बीच में प्रश्न पूछना अनिवार्य है। इससे यह पता लग सकता है कि बालक पढ़ाई गई बात को कितना समझ रहा है।

(*iii*) विलसन के अनुसार श्रवण क्षतियुक्त बालक को एक नोट लेने वाला व्यक्ति (Note-taker) प्रदान किया जाना चाहिए।

(*iv*) श्रवण क्षतियुक्त बालकों के लिए एक विशेष अध्यापक नियुक्त किया जाना चाहिए जो प्रशिक्षण प्राप्त हो।

(*v*) श्रवण क्षतियुक्त बालकों की अधिगम कमियों की ओर विशेष ध्यान दिया जाना चाहिए ताकि यह पता चले कि वे शब्दों को ठीक लिखते और बोलते हैं अथवा नहीं।

(*vi*) श्रवण क्षतियुक्त बालकों के लिए तकनीकी कार्यक्रम बनाने चाहिए। रोचेस्टर तकनीक विज्ञान संस्थान में इस तरह के प्रोग्राम उपलब्ध हैं।

(3) **श्रवण क्षतियुक्त बालकों को शैक्षिक सुविधाएं–** श्रवण क्षतियुक्त बालकों को दिन-प्रतिदिन के क्रियाकलाप में भली प्रकार से सहायता देने के लिए निम्न सुविधाएं दी जानी चाहिए–

(*i*) दृश्य-श्रव्य (Audio-Visual) संकेत सामग्री श्रवण क्षतियुक्त बालक के लिए अत्यंत लाभदायक सिद्ध हो सकती है। टेलीफोन में ध्वनि प्रवर्धक (Sound Amplifier) लगाने से बालक टेलीफोन पर बातचीत कर सकते हैं। आजकल बालकों के लिए टेलीफोन, टाइपराटर और कंप्यूटर यंत्र बनाया गया है। इसमें टेलीफोन पर वार्ता टाइप होकर स्क्रीन में दिख जाती है। इससे बधिर बालक टेलीफोन पर वार्ता कर सकते हैं। यदि इसी प्रकार के अन्य यंत्र भी विद्यालयों में उपलब्ध कराएं जा सकें तो वे श्रवण क्षतियुक्त बालकों के लिए लाभप्रद होंगे।

(*ii*) वीडियो टेप्स का प्रयोग लाभकारी सिद्ध होता है।

(*iii*) फिल्म का प्रयोग किया जाना चाहिए।

(*iv*) उन सभी बालकों को कक्षा-कक्ष (Class-room) में समूह श्रवण सहायक (Group Hearing Aids) प्रदान किए जाने चाहिए जो किसी भी प्रकार की श्रवण क्षतियुक्तता से पीड़ित हैं।

(*v*) अध्यापक द्वारा ओवरहेड प्रोजेक्टर का प्रयोग अत्यंत अच्छा है।

(*vi*) श्रवण क्षतियुक्त बालकों को अजायबघर, ऐतिहासिक इमारतों, प्रसिद्ध स्थानों आदि जैसे सूचनाप्रद स्थलों पर भ्रमण के लिए ले जाना चाहिए।

(4) **औपचारिक सुविधाएं–** श्रवण क्षतियुक्त बालकों के लिए निम्न औपचारिक सुविधाएं होनी चाहिए–

(*i*) **पृथक कक्षाएं–** कुछ श्रवण क्षतियुक्त बालक जन्म के कुछ वर्षों बाद भाषा ज्ञान प्राप्त कर श्रवण क्षतियुक्तता का शिकार होते हैं। ऐसे बालकों को शिक्षित करना अपेक्षाकृत सरल है। ऐसे बालकों को भी शिक्षित करना सरल है जो बधिर अथवा गंभीर रूप से क्षति-युक्तता से पीड़ित हैं।

(*ii*) **पृथक विद्यालय–** जो बालक जन्म से श्रवण क्षतियुक्त हैं, बधिर हैं, उन्हें सामान्य बालकों के साथ बैठाकर शिक्षा नहीं दी जा सकती। अतः उनके लिए पृथक विद्यालय बनवाए जाने चाहिए जहां बधिरों को शिक्षित करने संबंधी सभी उपकरण, सामग्री, सुविधा और प्रशिक्षित अध्यापक हों।

(*iii*) **शिशु प्रोग्राम–** श्रवण क्षतियुक्त बालक की शिक्षा तब आरंभ होती है जब वह स्कूल में प्रवेश लेने जाता है। वास्तव में, उसकी शिक्षा तब से आरंभ होनी चाहिए जबसे वह इस कमी का शिकार हुआ है। अतः विद्यालयों के कर्त्तव्य क्षेत्र के अंतर्गत यह भी आता है कि वह शिशुओं के लिए प्रोग्राम बनाएं ताकि विद्यालय में प्रवेश के समय एकाएक समस्या उत्पन्न न हो।

(*iv*) **शैक्षिक और व्यावसायिक निर्देशन–** श्रवण क्षतियुक्त बालकों की अभिरुचि और अभियोग्यता को ध्यान में रखकर उन्हें शैक्षिक निर्देशन दिया जाना चाहिए। ऐसे बालकों के व्यवसाय की योजना पूर्व में बनाना अनिवार्य है। इन्हें ऐसे व्यवसायों की आवश्यकता है जिनमें कम-से-कम शाब्दिक संप्रेषण होता हो। अतः प्रिंटिंग, बिजली संबंधी कार्य, लकड़ी आदि का कौशलयुक्त कार्य, खाना पकाने का कार्य, कलात्मक कार्य, बढ़ईगीरी आदि कार्य इनके लिए उपयुक्त होते हैं।

5. शारीरिक रूप से विकलांग छात्र

जब तक शरीर स्वस्थ्य नहीं होगा तब तक मनुष्य सामान्य रूप से कार्य नहीं कर सकता। शारीरिक स्वास्थ्य उसके कार्य व विकास को प्रभावित करता है। शारीरिक अक्षम अथवा अपंग बालक शारीरिक रूप से विकलांग कहलाते हैं। अपंग बालक चिरकालिक बीमार बालकों से संख्या में कहीं अधिक होते हैं। ऐसे बालक निरंतर असफल होते हैं और अंत में विद्यालय आना छोड़ देते हैं। अपंग और बीमार दोनों ही प्रकार के बालक विशिष्ट बालकों की श्रेणी में आते हैं। अतः वे विशेष शिक्षा के अधिकारी हैं।

विकलांगता का अर्थ व परिभाषा

महेश भार्गव एवं भावना लवनिया के शब्दों में – ''शैक्षिक दृष्टि से विकलांगता किसी भी प्रकार की निर्योग्यता हो सकती है जो बालक विशेष को औसत बालकों की भांति शिक्षा ग्रहण करने में असमर्थ बनाती है। ऐसे बालक सामान्य शिक्षा पद्धति से लाभान्वित नहीं हो पाते। उनके लिए अतिरिक्त सहायता विशिष्ट शिक्षण की आवश्यकता होती है।''

बाल गोविंद तिवारी के शब्दों में – ''विकलांगता एक ऐसी स्थिति है जो किसी भी व्यक्ति को किसी भी अवस्था में उसके सामान्य व्यवहार, कार्य शक्ति, विचार एवं नियमित कृत्य को न्यूनाधिक प्रभावित कर आंगिक, मानसिक, सामाजिक व भावात्मक असंतुलन उत्पन्न कर देती है।''

विकलांगता के प्रकार

(*i*) मेरुदण्ड का वक्र,
(*ii*) मेरुदण्डीय द्विशाखी,
(*iii*) मांसपेशीय डायसट्रॉफी,
(*iv*) लूले-लंगड़े, हथकटे,
(*v*) एक या इससे अधिक अंगों का लकवा,
(*vi*) पांवफिरा,
(*vii*) प्रमस्तिष्कीय पक्षाघात,
(*viii*) विकृत नितंब।

विशेषता

एक बीमार बालक वह है जो काफी लंबे समय से बीमार है कुछ बालक काफी लंबे समय तक बीमार से ग्रस्त रहते हैं। इन बीमारियों में कुछ प्रमुख हैं—(*i*) दमा, (*ii*) मिर्गी, (*iii*) हृदय रोग, (*iv*) सूखा रोग, (*v*) तपेदिक, (*vi*) रक्त-अल्पता, (*vii*) श्वेत रक्तता (*viii*) धवल रोग, (*ix*) कैंसर, (*x*) मधुमेह, (*xi*) आमवातिक ज्वर, (*xii*) कृमिकोषीय तुंतशोच, (*xiii*) हंसिया-कोशिका खून की कमी।

कुछ बीमारियों के सामान्य लक्षण

बालकों में विभिन्न प्रकार की बीमारियों के लक्षण भिन्न-भिन्न होते हैं। इनमें से कुछ सामान्य लक्षण निम्नवत् हैं—

(*i*) शरीर का पीला पड़ जाना।
(*ii*) थका-थका सा रहना।
(*iii*) अधिकतर समय थकान का अनुभव होना।
(*iv*) सांस लेने में कठिनाई का अनुभव होना।
(*v*) शैक्षिक उपलब्धि का निम्न होना।
(*vi*) स्वभाव में चिड़चिड़ापन होना।

शैक्षिक कार्यक्रम

शारीरिक विकलांग बालक, सामान्य बालक से अधिगम की सामर्थ्य की दृष्टि से कम होता है। अतः ऐसे बालकों की शिक्षा व्यवस्था भी विशिष्ट प्रकार की होनी चाहिए। इनमें से कुछ बालक तो सामान्य विद्यालयों की सामान्य कक्षाओं में शिक्षा प्राप्त करने में कठिनाई का अनुभव नहीं करते जबकि गंभीर रूप से शारीरिक विकलांग बालकों के लिए पृथक विशिष्ट कक्षाओं तथा विशिष्ट आवासीय विद्यालयों (Residential Schools) की व्यवस्था किया जाना आवश्यक होता है। शारीरिक विकलांग बालकों की शिक्षा हेतु निम्न उपाए अपनाए जाने चाहिए—

(*i*) **उपचार सुविधा**– अपंग तथा बीमार बालकों के उपचार के लिए समुचित व्यवस्था की जानी चाहिए। समय-समय पर उन्हें योग्य व कुशल चिकित्सक को दिखाना चाहिए। ऐसे बालकों के उपचार के लिए यदि अलग से कोष (Fund) की व्यवस्था की जाए तो और भी अच्छा होगा क्योंकि ऐसे बालकों को समय-समय पर चिकित्सालय में भर्ती करने की भी आवश्यकता पड़ सकती है। ऐसी स्थिति में उन्हें विद्यालय से समय-समय पर अनुपस्थित होना पड़ सकता है। अतः उपस्थिति संबंधी छूट दी जानी चाहिए। इस अनुपस्थिति का नकारात्मक प्रभाव उनके शैक्षिक ज्ञान और उपलब्धि पर पड़ सकता है। अतः ऐसे बालकों के लिए सफलता के मापदंड सामान्य बालक के समान नहीं बनाने चाहिए। ऐसे में इन बालकों के समुचित सामाजिक और संवेगात्मक विकास की ओर ध्यान देना शिक्षक का कर्त्तव्य है।

(*ii*) **विशिष्ट भ्रमणशील अध्यापक**– भ्रमणशील अध्यापकों (Visiting Teachers) में मनोविज्ञानशास्त्री, उच्चारण सुधारक, समाजसेवी, चिकित्सक आदि की सेवाएं शारीरिक विकलांगों को विद्यालयों में परामर्श व निर्देशन देने हेतु ली जानी चाहिए जो समय-समय पर इन विद्यालयों में भ्रमण कर सके।

(*iii*) **विशिष्ट कक्षाएं**– सामान्य विद्यालयों में कम विकलांग बालक/बालिकाओं हेतु पृथक कक्षा में विशिष्ट शिक्षण (Social Teaching) की व्यवस्था होनी चाहिए जिससे उनका उपचारात्मक शिक्षण (Remedial Teaching) हो सके। उन्हें विशिष्ट सहायक यंत्रों के उपयोग व प्रयोग का प्रशिक्षण भी दिया जाना चाहिए।

(*iv*) **विकलांग विद्यालय**– गंभीर रूप से विकलांग बालक-बालिकाओं हेतु पृथक विद्यालयों की व्यवस्था वांछनीय व अपरिहार्य है। ऐसे विद्यालयों में वैज्ञानिक विधि से शिक्षण, प्रशिक्षित अध्यापक, आवासीय व्यवस्था, खेल व मनोरंजन व्यवस्था, आजीविकोपयोगी उद्योगों का प्रशिक्षण, पुनर्वास, रुचिकार्य आदि का प्रावधान किया जाना चाहिए।

(*v*) **विशिष्ट पाठ्यक्रम**– विकलांग बालक/बालिकाओं की विकलांगता, सामर्थ्य, अभिरुचि व स्तर के अनुकूल विशिष्ट पाठ्यक्रम निर्मित कर उसे प्रभावी किया जाना चाहिए।

(*vi*) **अतिरिक्त कक्षा**– अतिरिक्त कक्षा उन अपंग तथा रोगी बालकों के लिए आयोजित की जा सकती है जो नियमित कक्षाओं से पूर्णतया लाभान्वित नहीं हो पाते। अतः विकलांग बालकों तथा रोगी बालकों के लिए स्कूल के उपरांत अथवा छुट्टियों के दिन भी थोड़े समय के लिए कक्षाओं का आयोजन करना चाहिए। इस प्रकार अध्यापक बालकों की व्यक्तिगत, सामाजिक तथा संवेगात्मक समस्याओं को समझा कर उन्हें हल कर सकेगा।

(*vii*) **जनमानस में अभिवृत्ति परिवर्तन**– प्रायः विकलांग बालकों को लोग हेयदृष्टि से देखते हैं। उन्हें दया योग्य, दान योग्य, भार तथा मजाक का पात्र समझा जाता है। यह भी समझा जाता है कि वे हर प्रकार के तिरस्कार को सह लेंगे। इस प्रकार की भावना विकलांग तथा रोगी

बालकों में हीन भावना व निराशा भर देती है। अतः यह आवश्यक है कि जनमानस में व्याप्त इस अभिवृत्ति में परिवर्तन लाया जाए।

(*viii*) **सामाजीकरण**– विकलांग और रोगी बालकों के सामाजीकरण के लिए उन्हें ऐसे अवसर प्रदान किए जाने चाहिए जिससे वे अपने हम उम्र तथा अन्य लोगों से हिल-मिल सकें। यह कार्य पाठ्येत्तर क्रियाओं द्वारा संभव हो सकता है। उनसे विभिन्न प्रकार की मनोरंजक क्रियाएं करवायी जानी चाहिए। विकलांग व रोगी बालकों के मनोरंजन के लिए कुछ विशेष कार्यक्रम, यथा–सम्मेलन, गोष्ठी, सांस्कृतिक गायन आदि आयोजित किए जा सकते हैं। इस क्षेत्र में गैर-सरकारी संगठनों (NGOs) को भी प्रयास करना चाहिए। इसके लिए शिक्षक को इन संगठनों को प्रोत्साहित करना चाहिए।

SECTION C अधिगम और शिक्षाशास्त्र

1. बच्चों का स्कूल में प्रदर्शन

बच्चे कैसे सोचते और सीखते हैं तथा वे कैसे और क्यों स्कूली प्रदर्शन में असफल होते हैं, यह बात अनेक कारणों पर निर्भर करती है। बच्चों के स्कूली प्रदर्शन में असफल होने के लिए अनेक कारक जिम्मेवार हैं, उन कारकों में से कुछ प्रमुख निम्नवत् हैं :

(i) **अभ्यास की कमी :** एक बात सर्वदा सत्य है कि अभ्यास व्यक्ति को निपुण एवं कुशल बनाता है। यह बात एक लोक प्रचलित दोहे से स्पष्ट है– **''करत-करत अभ्यास के जड़मति होत सुजान। रसरी आवत-जात ते शिल पर परत निशान।''** अर्थात् निरंतर अभ्यास करने से जड़ अर्थात् मूर्ख आदमी भी सुजान (ज्ञानी) हो जाता है ठीक उसी तरह जिस तरह कि शिल (पत्थर) पर रस्सी के निरंतर आने-जाने से उस पर निशान बन जाता है।

उपर्युक्त दोहा इस बात की ओर संकेत करता है कि यदि सीखी गई चीजों का बार-बार अभ्यास किया जाए तो सीखने वालों की स्मृति उस चीज के विषय में स्थाई, हो जाती है। स्कूल में बच्चे दिए गए कार्यों का बार-बार दुहराव या पुनरावृत्ति या पुनरावलोकन नहीं करते। परिणामतः वे कुछ समय के बाद उसे भूल जाते हैं जिसके कारण स्कूल में उनका प्रदर्शन गिर जाता है।

(ii) **वातावरण की अनुकूलता :** स्कूल में बच्चों के मानसिक व शारीरिक विकास के लिए अनुकूल वातावरण एक आवश्यक एवं अत्यंत महत्त्वपूर्ण कारक है। छात्रों से अच्छा प्रदर्शन तभी लिया जा सकता है जब उन्हें स्कूल में एक अच्छा वातावरण दिया जाए। यदि स्कूल में अच्छा तथा छात्रों के अनुकूल वातावरण नहीं होगा, तो उनके प्रदर्शन में गिरावट आ जाएगी।

(iii) **अध्यापक की शिक्षण की विधि :** अध्यापक की शिक्षण विधि का भी छात्रों पर सीधा एवं सकारात्मक प्रभाव पड़ता है। स्कूल स्तर पर शिक्षक को छात्रों को सिखाने में सरल तथा प्रयोग सिद्ध विधियों का प्रयोग करने के साथ प्रदर्शन विधि को अपनाना चाहिए जिससे कि छात्रों की स्मृति में उसका प्रभाव लंबे समय तक रह सके। यदि अध्यापक शिक्षण विधि को छात्र नहीं समझ पाते, तो वह स्कूली स्तर पर असफल हो जाते हैं तथा उनका प्रदर्शन गिर जाता है।

(iv) **छात्र का शारीरिक तथा मानसिक स्वास्थ्य :** स्कूल में अच्छे प्रदर्शन के लिए छात्रों का शारीरिक तथा मानसिक रूप से स्वस्थ्य होना अत्यंत आवश्यक होता है। यदि कोई छात्र शारीरिक या मानसिक रूप से पूर्ण स्वस्थ नहीं है, तो उसके स्कूली-प्रदर्शन में गिरावट आ जाती है।

(v) **तत्परता की कमी :** कोई भी कार्य बिना इच्छा के संभव नहीं है। ठीक यही स्थिति अधिगम के साथ है। इस तरह स्पष्ट है कि सीखने की चाह ही वास्तव में तत्परता है। स्कूली स्तर पर छात्रों में तत्परता की कमी पाई जाती है। यही कारण है कि बच्चे स्कूल में अच्छा प्रदर्शन नहीं कर पाते।

2. शिक्षण एवं अधिगम की आधारभूत प्रक्रियाएं

शिक्षण की प्रक्रिया

शिक्षण एक उद्देश्यपूर्ण प्रक्रिया है। उसका सीखने से घनिष्ठ संबंध है। यही कारण है कि आधुनिक युग में शिक्षण व सीखना (Teaching and Learning) को एक ही संकल्पना माना जाता है। किसी भी पाठ्यवस्तु को शिक्षक विचारहीन (Thoughtless) स्थिति से लेकर विचारपूर्ण (Thoughtful) स्थिति तक तीन स्तरों पर प्रस्तुत करता है–

1. स्मृति स्तर (Memory Level)
2. बोध स्तर (Understanding Level)
3. चिंतन स्तर (Reflective Level)

1. स्मृति स्तर

स्मृति एक विचारहीन स्थिति है। यह शिक्षण की प्रारंभिक अवस्था है। स्मृति एक मानसिक प्रक्रिया है जो प्रत्येक प्राणी में किसी न किसी मात्रा में पाई जाती है। जब व्यक्ति किसी वस्तु, पदार्थ अथवा स्थान को देखता है तो उसे वस्तु, पदार्थ अथवा स्थान की प्रतिमा अथवा चित्र उसके दिमाग में बन जाते हैं। इन संचित चिन्हों अथवा पूर्व समय में सीखी हुई बातों को याद करना ही स्मृति कहलाती है।

स्मृति के विभिन्न सोपान

(*i*) **अधिगम :** स्मृति अधिगम अथवा अनुभवों के अंकित होने पर आधारित होती है। अतः स्मृति की पहली अवस्था किसी वस्तु अथवा तथ्य के सीखने की है। सीखने का कार्य चेतन मन करता है। इसी अवस्था में जीवन के अनुभव मानसिक संस्कारों के रूप में मस्तिष्क में अंकित हो जाते हैं और आवश्यकता पड़ने पर पुनः वर्तमान चेतना में आ जाते हैं।

(*ii*) **पुनः स्मरण :** सीखे हुए अनुभवों को चेतना में लाना पुनःस्मरण कहलाता है। व्यक्ति की स्मृति का अच्छा अथवा बुरा होना उसके भूतकालीन अनुभवों को पुनःस्मरण करने पर ही निर्भर करता है कि उसने कितनी ही अच्छी तरह क्यों न सीखा हो यदि आवश्यकता पड़ने पर उसे कुछ याद नहीं आता तो वह व्यर्थ है। सीखी हुई बातों को चेतना में लाने के लिए मनोवैज्ञानिकों ने कुछ नियमों के पालन को आवश्यक बताया है, ये नियम हैं–

(*a*) समानता का नियम।
(*b*) सहचारिता का नियम।
(*c*) विरोध का नियम।
(*d*) लगातार रुचि का नियम।
(*e*) प्राथमिकता का नियम।
(*f*) नवीनता का नियम।
(*g*) प्रबलता का नियम।
(*h*) पुनरावृति का नियम।

(*iii*) **पहचान :** किसी वस्तु अथवा व्यक्ति को देखकर यह बता देना कि हमने उसे पहले भी कभी देखा है पहचान कहलाती है। पहचान एक मानसिक प्रक्रिया है जिसके द्वारा हम किसी वस्तु अथवा व्यक्ति के संपर्क में आकर यह बता देते हैं कि क्या वस्तु है अथवा कौन व्यक्ति है तथा उससे हमारा परिचय कब हुआ। पहचान और पुनःस्मरण का वही संबंध है जो मस्तिष्क का शरीर से है।

(*iv*) **धारण :** सीखे हुए पाठ्यक्रम अथवा संस्कारों को मस्तिष्क में स्थाई रूप से बनाए रखना धारण कहलाता है। धारण करने की शक्ति प्रत्येक व्यक्ति में अलग-अलग मात्रा में पाई जाती है। जो व्यक्ति किसी बात को जितने अधिक समय तक अपने मस्तिष्क में धारण करता है उसकी स्मृति उतनी ही अच्छी कहलाती है। प्रौढ़ व्यक्तियों की अपेक्षा किशोरों तथा किशोरियों की धारण शक्ति अधिक होती है। धारण शक्ति चार बातों पर निर्भर करती है–

(*a*) स्वास्थ्य, (*b*) मस्तिष्क,
(*c*) रुचि तथा (*d*) चिंतन।

अच्छी स्मृति की विशेषताएं

(*i*) **शीघ्र अधिगम**–एक अच्छी स्मृति की विशेषता यह है कि कोई भी तथ्य सरलतापूर्वक तथा शीघ्रता से याद हो जाए। अतः केवल उन विद्यार्थियों की स्मृति को अच्छा कहा जाता है जो किसी तथ्य को शीघ्रता से सीख लेते हैं।

(*ii*) **पुनःस्मरण में शीघ्रता**–जो विद्यार्थी किसी बात को याद करके उसे पुनःस्मरण करते समय अपनी चेतना में उसे आसानी से और शीघ्रता से ज्यों का त्यों ले आते हों, जैसा कि उन्होंने सीखा था, वे अच्छी स्मृति वाले विद्यार्थी माने जाते हैं।

(*iii*) **धारण का स्थायित्व**–जिन विद्यार्थियों को सीखी हुई बातें अधिक देर तक याद रहती हैं। उनकी स्मृति अच्छी कही जाती है। इसके विपरीत ऐसे विद्यार्थियों की स्मृति को अच्छा नहीं कहा जा सकता जो किसी बात को याद तो जल्दी कर लेते हों परंतु उसे मस्तिष्क में अधिक देर तक धारण करने में असमर्थ हों।

(*iv*) **उपयोगिता**–कुछ विद्यार्थी ऐसे होते हैं जिन्हें बहुत कुछ याद होता है परंतु अवसर पड़ने पर उन्हें अप्रासंगिक सामग्री याद आती रहती है। केवल उन विद्यार्थियों की स्मृति अच्छी मानी जाती है जिन्हें अवसर के अनुसार उचित सामग्री याद आ जाती है अथवा जो आवश्यकतानुसार अनुभवों तथा प्रतिभाओं को तुरंत पहचान लेते हैं।

(*v*) **व्यर्थ की बातों को भूलना**–अच्छी स्मृति होने के लिए व्यर्थ की बातों को भूलना परम आवश्यक है। परीक्षा के समय व्यर्थ की बातों के याद आने से विद्यार्थियों को लाभ नहीं होता।

2. बोध स्तर

बोध स्तर एक विचारपूर्ण स्थिति है। यह स्मृति स्तर के शिक्षण से आगे की अवस्था है। बोध स्तर के शिक्षण के लिए यह आवश्यक है कि शिक्षण पहले स्मृति स्तर पर हो चुका हो। बोध स्तर के शिक्षण में शिक्षक यह प्रयास करता है कि विद्यार्थियों के बौद्धिक व्यवहारों को विकसित करने के लिए अधिक-से-अधिक अवसर प्रदान किए जाएं। इससे उनमें सामान्यीकरण, सूझ-बूझ तथा समस्याओं को सुलझाने के लिए आवश्यक क्षमताएं विकसित हो जाती हैं। बोध स्तर का शिक्षण करते समय शिक्षक तथा विद्यार्थी दोनों ही पाठ के विकास में सक्रिय रूप से भाग लेते हैं।

बोध स्तर के शिक्षण का सोपान

बोध स्तर के शिक्षण सोपान का प्रतिपादन मौरीसन (Morrison) ने किया। अतः इसे मौरीसन के शिक्षण प्रतिमान की संज्ञा दी जाती है। मौरीसन ने इस सोपान के प्रारूप का वर्णन निम्न चार पक्षों में किया है–

(i) उद्देश्य
(ii) संरचना
(iii) सामाजिक प्रणाली
(iv) मूल्यांकन प्रणाली।

(i) उद्देश्य– मौरीसन के अनुसार बोध स्तर के शिक्षण का उद्देश्य यह है कि विद्यार्थी प्रत्यय (Concept) का स्वामित्व प्राप्त का ले। बोध स्तर के शिक्षण में शिक्षक पाठ्यवस्तु के स्वामित्व पर बल देता है जिससे विद्यार्थियों के व्यक्तित्व में वांछित परिवर्तन हो जाए।

(ii) संरचना– मौरीसन ने बोध स्तर के शिक्षण की व्यवस्था को पांच सोपानों में विभाजित किया जिनका अनुसरण करते हुए शिक्षक बोध स्तर के लिए शिक्षण तथा अधिगम की परिस्थितियां उत्पन्न कर सकता है। इस प्रतिमान के पांच सोपानों का क्रम है–

(a) अन्वेषण। (b) प्रस्तुतीकरण। (c) परिपाक।
(d) व्यवस्था। (e) वर्णन।

(iii) सामाजिक प्रणाली– बोध स्तर के शिक्षण में सामाजिक प्रणाली विभिन्न सोपानों में बदलती रहती है। प्रस्तुतीकरण सोपान में शिक्षक अधिक क्रियाशील रहते हुए विद्यार्थियों के व्यवहार को स्मृति स्तर की भांति नियंत्रित करता है तथा आवश्यक प्रेरणा भी देता है। परिपाक कालांश में शिक्षक और विद्यार्थी दोनों क्रियाशील रहते हैं। शिक्षक विद्यार्थियों को आवश्यक निर्देश देता है तथा विद्यार्थी स्वतः प्रेरित होते हुए तन्मयता के साथ कार्य करते हैं। इस प्रकार बोध स्तर के शिक्षण में बाह्य तथा आंतरिक दोनों प्रकार की प्रेरणा का प्रयोग किया जाता है।

(iv) मूल्यांकन प्रणाली– बोध स्तर के शिक्षण में सामाजिक प्रणाली बदलती रहती है। अभ्यास में प्रयोग करने के लिए विद्यार्थियों को प्रस्तुतीकरण की परीक्षा पास करनी पड़ती है। व्यवस्था तथा वर्णन में प्रवेश करने के लिए उन्हें अभ्यास परीक्षा पास करनी होती है। इस प्रकार बोध स्तर के शिक्षण के विभिन्न सोपानों में मौखिक तथा लिखित दोनों प्रकार की परीक्षाएं होती हैं।

बोध स्तर के शिक्षण की सीमाएं

(i) इसमें पाठ्यवस्तु के स्वामित्व पर बल दिया जाता है, मानवीय व्यवहार को ध्यान में नहीं रखा जाता है।
(ii) पाठ्यवस्तु के स्वामित्व से विद्यार्थियों के भावात्मक तथा क्रियात्मक पक्षों का विकास न होकर ज्ञानात्मक पक्ष का ही विकास हो सकता है।
(iii) शिक्षण के इस प्रतिमान द्वारा विद्यार्थियों को पाठ्यवस्तु का गहनता के साथ बोध कराया जा सकता है। अतः इस प्रतिमान द्वारा शुद्ध अधिगम प्राप्त होता है।
(iv) मौरीसन द्वारा दिया हुआ शिक्षण का यह प्रतिमान मनोवैज्ञानिक तथा व्यावहारिक दृष्टि से प्रभावात्मक प्रतिमान माना जाता है।

बोध स्तर के शिक्षण को प्रभावशाली बनाने के लिए सुझाव

(i) बोध स्तर के प्रत्येक सोपान का अनुसरण क्रमबद्ध रूप में समुचित ढंग से किया जाना चाहिए।
(ii) बोध स्तर के शिक्षण की समस्याओं पर विचार करते हुए शिक्षक को उनके समाधान हेतु उचित प्रयास करना चाहिए।
(iii) पाठ्य-वस्तु में तल्लीन होते हुए शिक्षक को समय-समय पर मनोवैज्ञानिक प्रेरणा भी देनी चाहिए।
(iv) बोध स्तर के शिक्षण में विद्यार्थियों को उस समय प्रवेश दिया जाए जब वे पहले स्मृति स्तर के शिक्षण की परीक्षा पास कर लें।

3. चिंतन स्तर

शिक्षण का अंतिम स्तर चिंतन स्तर है। इसमें स्मृति तथा बोध दोनों सम्मिलित हैं। चिंतन स्तर के शिक्षण के लिए यह आवश्यक है कि व्यवस्था स्मृति तथा बोध दोनों स्तर पर हो चुकी हो। चिंतन स्तर के शिक्षण का तात्पर्य 'समस्या केन्द्रित' शिक्षण से है। इसमें कक्षा का वातावरण खुला हुआ होता है। शिक्षक विद्यार्थियों के सामने ऐसी समस्या उत्पन्न करता है कि विद्यार्थियों में काफी मानसिक तनाव पैदा हो जाता है जिससे वे स्वयं प्रेरित होते हुए सक्रिय होकर समस्या को सुलझाने के लिए अपनी संकल्पनाएं बनाकर इसका परीक्षण करना प्रारंभ कर देते हैं। अंत में एक समय ऐसा आता है कि समस्या सुलझ जाती है। संक्षेप में चिंतन स्तर का शिक्षण विद्यार्थियों के बौद्धिक व्यवहार को विकसित करने के अवसर प्रदान करते हुए उनमें सृजनात्मक क्षमताएं विकसित करने में सहयोग प्रदान करता है।

चिंतन स्तर के शिक्षण की स्पष्ट करते हुए बिग्गी महोदय ने ठीक ही लिखा है– "चिंतन स्तर पर कक्षा में अधिक सजीव, प्रेरणादायी, सक्रिय, आत्मलोचनात्मक तथा संवेदनशील वातावरण उत्पन्न किया जाता है। यह वातावरण नवीन तथा मौलिक चिंतन को खुला अवसर प्रदान करता है। इस प्रकार का शिक्षण बोध स्तर के शिक्षण की अपेक्षा अधिक उत्पादक होता है।"

चिंतन स्तर के शिक्षण का सोपान

चिंतन स्तर के शिक्षण सोपान को प्रतिपादित करने का श्रेय हण्ट (Hunt) को है। इसलिए इस शिक्षण सोपान को 'हण्ट का शिक्षण सोपान' (Hunt's Model of Teaching) की संज्ञा दी जाती है। हण्ट के चिंतन स्तर के प्रतिमान के प्रारूप का वर्णन निम्न सोपान के तहत किया जा सकता है–

(i) उद्देश्य
(ii) संरचना
(iii) सामाजिक प्रणाली
(iv) मूल्यांकन प्रणाली।

(i) उद्देश्य– चिंतन स्तर के शिक्षण के निम्न तीन उद्देश्य हैं–

(a) विद्यार्थियों की स्वतंत्र तथा मौलिक चिंतन शक्ति को विकसित करना।

(*b*) विद्यार्थियों में समस्या समाधान की क्षमता विकसित करना।

(*c*) विद्यार्थियों में आलोचनात्मक तथा सृजनात्मक चिंतन विकसित करना।

(*ii*) **संरचना–** चिंतन स्तर के शिक्षण की संरचना का प्रारूप का वर्गीकरण व्यक्तिगत तथा सामाजिक दोनों प्रकार की प्रकृति को ध्यान में रखते हुए निम्नवत चार सोपानों में की जाती है–

(*a*) पहले में शिक्षक विद्यार्थियों के सामने समस्यात्मक परिस्थिति उत्पन्न करता है।

(*b*) दूसरे में विद्यार्थी समाधान हेतु उपकल्पना बनाते हैं। स्मरण रहे कि एक समस्या के समाधान हेतु एक से अधिक उपकल्पनाएं भी बनाई जा सकती है।

(*c*) तीसरे में विद्यार्थी उपकल्पनाओं की पुष्टि के लिए आवश्यक प्रदत्तों का संकलन करते हैं। इन प्रदत्तों के आधार पर यह निर्णय किया जाता है कि बनाई हुई उपकल्पना समस्या के समाधान में सहायता कर सकती है अथवा नहीं।

(*d*) चौथे में उपकल्पना का परीक्षण किया जाता है। इस परीक्षा के आधार पर निर्णय निकाले जाते हैं, जो विद्यार्थियों के मौलिक विचार होते हैं।

(*iii*) **सामाजिक प्रणाली–** चिंतन स्तर के शिक्षण में कक्षा का वातावरण पूर्ण रूप में स्वतंत्र और खुला हुआ होता है। ऐसे वातावरण में शिक्षक का स्थान गौण होता है तथा विद्यार्थी का मुख्य। इस स्तर पर शिक्षक के तीन प्रमुख कार्य होते हैं–

(*a*) विद्यार्थियों के सामने समस्या उत्पन्न करना।

(*b*) शिक्षण के समय वाद-विवाद तथा सेमीनार आदि का प्रयोग करना, तथा

(*c*) विद्यार्थियों के आकांक्षा स्तर को ऊंचा उठाना।

(*iv*) **मूल्यांकन प्रणाली :** चिंतन स्तर के शिक्षण की निष्पत्तियों के लिए वस्तुनिष्ठ परीक्षा उपयोगी नहीं होती। विद्यार्थियों की क्षमताओं का उचित मूल्यांकन केवल निबंधात्मक परीक्षाओं के द्वारा ठीक प्रकार से किया जा सकता है। चिंतन स्तर की परीक्षा लेते समय मुख्यतः निम्न बातों का ध्यान रखा जाना चाहिए–

(*a*) विद्यार्थियों की अभिवृत्तियों तथा विश्वासों का मूल्यांकन करना चाहिए।

(*b*) उनकी अधिगम की क्रियाओं में तल्लीनता की जांच करनी चाहिए।

(*c*) इस बात का भी मूल्यांकन करना चाहिए कि विद्यार्थियों की आलोचनात्मक तथा सृजनात्मक क्षमताओं का विकास कितना हुआ है।

हण्ट के चिंतन स्तर के शिक्षण सोपान की सीमाएं

(*i*) इस स्तर पर शिक्षण समस्या केन्द्रित होता है।

(*ii*) इस स्तर के शिक्षण में केवल सामूहिक वाद-विवाद को ही प्रभावशाली युक्ति समझा जाता है।

(*iii*) इस स्तर का शिक्षण केवल पाठ्यक्रम, पाठ्यवस्तु तथा पाठ्य पुस्तक तक ही सीमित नहीं किया जा सकता।

(*iv*) इस स्तर के शिक्षण में विद्यार्थी अपने शिक्षक की खुलकर आलोचना कर सकते हैं।

(*v*) स्मृति तथा बोध स्तरों की भांति चिंतन स्तर में किसी निश्चित कार्यक्रम का अनुसरण नहीं किया जा सकता।

(*vi*) इस स्तर के शिक्षण की व्यवस्था केवल उच्च कक्षा के विद्यार्थियों के लिए ही की जा सकती है क्योंकि चिंतन स्तर के शिक्षण में आयु तथा परिपक्वता का विशेष महत्त्व होता है।

चिंतन स्तर के शिक्षण को प्रभावशाली बनाने हेतु हण्ट के सुझाव

(*i*) शिक्षक को विद्यार्थियों के सामने ऐसी समस्यात्मक परिस्थितियां उत्पन्न करनी चाहिए कि सभी विद्यार्थियों में मौलिक तथा सृजनात्मक चिंतन विकसित हो जाए।

(*ii*) शिक्षण के समय विद्यार्थियों के सामने ऐसा स्वतंत्र तथा खुला हुआ वातावरण होना चाहिए कि वे वाद-विवाद में सक्रिय रूप से भाग लेकर समस्या को सुलझा सकें।

(*iii*) शिक्षक को विद्यार्थियों के सामने समस्या को इस प्रकार से उत्पन्न करना चाहिए कि वे इसकी अनुभूति करके आवश्यक उपकल्पनाएं बना सकें।

(*iv*) शिक्षक को चाहिए कि वह विद्यार्थियों का आकांक्षा स्तर (Level of Aspiration) को ऊंचा उठाए।

(*v*) शिक्षक को चाहिए कि वह विद्यार्थियों को चिंतन के शिक्षण स्तर में प्रवेश उसी समय दें जब वे स्मृति तथा बोध स्तर की परीक्षांओं में सफल हो चुके हों।

(*vi*) शिक्षक को इस स्तर के चारो सोपानों का अनुसरण सतर्कता के साथ करना चाहिए।

अधिगम की प्रक्रिया

क्रिया-प्रतिक्रिया निर्देशित सभी व्यवहार प्राणी में परिवर्तन तथा संशोधन लाते रहते हैं। इस तरह का व्यवहार परिवर्तन, अधिगम कहलाता है।

अधिगम में दो पूरक प्रक्रियाएं—विभेदीकरण व विशिष्टीकरण सम्मिलित होती हैं। विभेदीकरण पूर्ण को इसके खंडों या घटकों में बांटने की प्रक्रिया है तथा विशिष्टीकरण जो घटकों को संयुक्त कर समष्टि अथवा अखंड बनाने की प्रक्रिया है। उदाहरणार्थ– यदि एक सीखने वाले बालक को खिलौना दिया जाता है तो वह खिलौना के पूर्जे को खोलकर विखंडित कर देता है। इस कार्य से बच्चा खिलौना के अलग-अलग टुकड़े करके ढांचे अथवा उसकी कार्यविधियों को समझने का प्रयत्न करता है। इसके बाद बच्चा सभी टुकड़े को पुनः वापस में जोड़कर खिलौना बनाने का प्रयत्न कर सकता है।

अधिगम की मुख्य विशेषताएं

(*i*) **अधिगम की प्रकृति का व्यक्तिगत होना :** प्राय ऐसा देखा जाता है कि कुछ बच्चे बहुत शीघ्रता से सीख जाते हैं तथा कुछ धीरे-धीरे सीखते हैं। वास्तव में,

सीखने की गति प्रत्येक व्यक्ति में भिन्न-भिन्न होती है। एक कक्षा में प्रत्येक छात्र स्वयं में अद्वितीय होते हैं तथा प्रत्येक छात्र की अपनी-अपनी समस्याएं, आवश्यकताएं, लक्ष्य, आकांक्षाएं, रुचियां, पसंद-नापसंद होती हैं। व्यक्तित्व के गुणों में इन अंतरों के कारण विद्यार्थियों की सीखने की गति व मात्रा में भिन्नता होती है। अधिगम व्यक्ति की उसकी संपूर्ण परिस्थिति के साथ परस्पर संक्रिया का फल है। कोई छात्र किसी एकाकी उद्दीपन के संदर्भ में अपेक्षा संपूर्ण अधिगम परिस्थिति के प्रति अनुक्रिया द्वारा सीखता है। इसके अतिरिक्त अधिगम अवस्था में अधिगमकर्ता के व्यक्तित्व के सभी तीनों पक्षों– शारीरिक पक्ष, मानसिक पक्ष व संवेगात्मक पक्ष प्रभावित होते हैं। अतः एक अधिगम परिस्थिति का सावधानी से निर्माण करते समय एक अच्छा प्राध्यापक जहां एक ओर पर्यावरण का ध्यान रखता है वहीं दूसरी ओर उन सभी अभिप्रेरणात्मक कारकों का ध्यान रखता है जो अधिगमकर्त्ता को प्रभावित कर सकते हैं।

(ii) **अधिगम एक निरंतर एवं सक्रिय प्रक्रिया के रूप में :** मान लिया जाए कि एक अध्यापक अपनी कक्षा के बालकों से यह अपेक्षा करता है कि वे गणित की दो से गुणा करने की प्रक्रिया सीखने के लिए दस तक का पहाड़ा (Table) याद करें। जहां तक इस अवस्था के अधिगम के उद्देश्य का प्रश्न है हम इसे सही एवं स्पष्ट रूप से समझते हैं। ऐसी अवस्था में उद्देश्य की प्राप्ति विचारणीय मुद्दा है। संभवतः अध्यापक को एक-एक करके क्रमशः सभी पहाड़ों को बोलना चाहिए और विद्यार्थियों को उन्हें दोहराने के लिए कहना चाहिए। इस प्रक्रिया को निरंतर दुहराने से कुछ समय बाद बच्चे इन 'पहाड़ों' को कण्ठस्थ कर लेंगे। बच्चे इस प्रक्रिया में जितना अधिक प्रयत्न करेंगे उतनी ही अच्छी प्रकार से उन्हें पहाड़े याद होंगे। अर्थात् पहाड़े याद करना बच्चे के प्रयत्न पर निर्भर करता है। इस प्रकार हम पाते हैं कि अधिगम एक सक्रिय तथा निरंतर चलने वाली प्रक्रिया है।

(iii) **अधिगम का लक्ष्य एवं प्रयोजन केंद्रित होना :** प्रत्येक व्यक्ति अपने जीवन में किसी न किसी लक्ष्य की प्राप्ति का इच्छुक होता है। ये लक्ष्य ऐसे भी हो सकते हैं कि जो तुरंत प्राप्य हों अथवा ऐसे जो कुछ समय पश्चात् प्राप्त हो सकें। इनको हम क्रमशः अल्पावधिक लक्ष्य तथा दीर्घकालीन लक्ष्य कहते हैं। यदि इन लक्ष्यों का स्पष्ट और निश्चित रूप में कथन कर दिया जाए तो अधिगमकर्ता के लिए अधिगम अर्थपूर्ण तथा सप्रयोजन होगा।

(iv) **अधिगम का स्वरूप समीक्षात्मक अथवा सृजनात्मक होना :** अधिगम पूर्व प्राप्त अनुभवों का योगमात्र नहीं है अपितु यह अधिगमकर्त्ता को ज्ञान व अनुभवों का एक सृजनात्मक संश्लेषण है। इस अर्थ में अधिगम कार्य करने की एक नई विधि है और इसका उद्देश्य है उच्च स्तर का चिंतन करना जिसे सृजनात्मक अथवा समीक्षात्मक चिंतन कह सकते हैं। यहां सृजनात्मक चिंतन का प्रयोग पूर्ण तकनीकी रूप में न होकर मानसिक प्रक्रिया से संबद्ध है।

अधिगम के संबंध में **क्रो** एवं **क्रो** (Crow and Crow) ने भी मानसिक प्रक्रियाओं की ओर संकेत दिया है। उनके अनुसार समीक्षात्मक चिंतन में निम्नलिखित प्रक्रियाएं शामिल हैं–

(i) **दिशा :** इस प्रक्रिया में अधिगमार्थी की रुचि व उसका ध्यान एक लक्ष्य की ओर होता है।

(ii) **चयन :** यह वह प्रक्रिया है जिसमें अधिगमार्थी उन पूर्व अनुभूतियों का अनुस्मरण तथा चयन करता है जो उसके लिए नई अधिगम परिस्थिति को समझने में सार्थक होती है।

(iii) **व्याख्या :** इस प्रक्रिया के अन्तर्गत् अधिगमार्थी विभिन्न प्रकार की उपलब्ध सूचनाओं के मध्य संबंध देखने का प्रयत्न करता है।

(iv) **अंतर्दृष्टि :** इस प्रक्रिया के दौरान सीखने वाला अपनी नई अनुभूतियों के मध्य संबंधों की पहचान करता है।

(v) **समालोचना :** यह वह प्रक्रिया है जिसके अंतर्गत् नए मानसिक प्रारूपों का निर्माण या समीक्षा कर ढूंढे गए समाधान का मूल्यांकन किया जाता है।

(vi) **सृजन :** इसके अंतर्गत् नई मानसिक संरचनाओं का निर्माण होता है।

अधिगम को प्रभावित करने वाले बालकों से संबद्ध कारक

अधिगम एक व्यापक प्रक्रिया है। बालक जब प्रथम बार विद्यालय में प्रवेश करता है तो उस पर घर का वातावरण छाया रहता है। विद्यालय प्रांगण में आने पर उसके मन में अनेक जिज्ञासाएं उठती हैं जिनको वह शांत करना चाहता है। उसे नवीन वातावरण में समायोजन करना होता है। ऐसी स्थिति में अधिगम क्रिया अनेक कारकों से प्रभावित होती है जो निम्नवत् हैं–

(i) **बालक :** किसी भी क्रिया को सीखने का एक केंद्र बिंदु होता है। शिक्षा का उद्देश्य बालक का सर्वांगीण विकास करना है। इस दृष्टि से बालकों की रुचि, योग्यता, क्षमता, व्यक्तिगत भेद बुद्धि आदि के आधार पर संपन्न की गई क्रिया प्रभावशाली सिद्ध हो सकती है। बालक शिक्षण-प्रक्रिया का आधार है इसलिए उसके अभाव में अधिगम की कल्पना भी नहीं की जा सकती।

(ii) **शैक्षिक पृष्ठभूमि :** अधिगम पर इस बात का बहुत प्रभाव पड़ता है कि सीखने वाले की शैक्षिक योग्यता क्या है? यदि छात्र किसी विषय में पिछड़ा है तो उस विषय से संबंधित नवीन ज्ञान सीखने में उसे कठिनाई

का सामना करना पड़ेगा। यदि किसी छात्र की एक विषय में शैक्षिक योग्यता सामान्य से अधिक है तो छात्र उस विषय में नया ज्ञान सुगमता से सीख लेता है।

(iii) **सीखने की इच्छा :** बालकों को नया ज्ञान देने से पूर्व यह नितांत आवश्यक है कि उनमें सीखने के प्रति जिज्ञासा उत्पन्न की जाए क्योंकि ऐसा होने पर विद्यार्थी प्रतिकूल परिस्थितियों में भी किसी बात को सीखने में सफल हो जाता है। सीखने की इच्छा के अतिरिक्त छात्रों का आकांक्षा स्तर भी उच्च कोटि का होना चाहिए जिससे बालक कठिन तथ्यों को भी आसानी से समझ सके।

(iv) **अधिगम प्रक्रिया :** किसी क्रिया को किस प्रकार से संपादित किया जाता है, इससे भी अधिगम प्रभावित होता है। यद्यपि मनोवैज्ञानिक अधिगम की प्रक्रिया के संपादन पर एक मत नहीं हैं, फिर भी यह बात अपनी जगह सत्य है कि बालक किसी भी क्रिया को अपने ही ढंग से ग्रहण करता है, चाहे अधिगम की प्रक्रिया किसी भी ढंग से क्यों न संपादित की जाए।

(v) **परिपक्वता :** अधिगम की प्रक्रिया को बालक की शारीरिक एवं मानसिक परिपक्वता अधिक प्रभावी बनाती है। छोटी कक्षाओं में बालक की मांसपेशियों को मजबूत बनाने की ओर ध्यान दिया जाता है ताकि वे पेन, किताब आदि को पकड़ना सीख जाए। उन्हें व्याकरण एवं पहाड़े आदि का ज्ञान भी इसी दृष्टि से बाद में कराया जाता है। बहुत-सी चीजें बालक तभी सीख पाता है जब उसमें परिपक्वता आ जाती है चाहे हम उसे कितना भी प्रशिक्षण क्यों न दें।

(vi) **बुद्धि :** तीव्र बुद्धि वाला छात्र किसी भी ज्ञान को शीघ्रता एवं सरलता से सीख लेता है तथा मंदबुद्धि वाले छात्र को सामान्य बुद्धि वाले छात्र के साथ भी सीखने में बाधा रहती है। बुद्धि-लब्धि (I.Q.) शैक्षिक लब्धि में उच्च सकारात्मक सह-संबंध होता है। अधिगम प्रक्रिया का बुद्धि सबसे महत्त्वपूर्ण घटक है।

(vii) **सीखने वाले की मनोवृत्ति :** यदि किसी विषय के प्रति छात्र की नकारात्मक मनोवृत्ति है तो शिक्षक चाहे जितना परिश्रम करे छात्र के अधिगम में उन्नति होने की संभावना नहीं होती है। इसके विपरीत यदि सीखने वाले की किसी विषय के प्रति सकारात्मक मनोवृत्ति है तो वह सरलता से उस विषय को सीख जाता है। किसी विषय के प्रति सीखने वाले का रुझान बहुत महत्त्वपूर्ण होता है।

(viii) **सीखने का समय तथा अवधि :** यदि छात्र अधिक देर तक किसी क्रिया को करता रहता है तो वह थकान का अनुभव करने लगता है और थकान अनुभव होने से उसके अधिगम की प्रक्रिया में शिथिलता उत्पन्न हो जाती है। विद्यालयों में समय-सारणी (Time Table) बनाते समय इस बात का ध्यान रखा जाता है कि पहले कठिन विषय तथा बाद में सरल विषय पढ़ाया जाए। मध्यावकाश की व्यवस्था इसी उद्देश्य से की जाती है

(ix) **अभिप्रेरणा :** सीखने की प्रक्रिया में अभिप्रेरणा (Motivation) का महत्त्वपूर्ण योगदान है। यदि बालक को किसी नवीनतम ज्ञान अथवा कार्य सीखने के लिए प्रेरित नहीं किया जाता है तो वह उस प्रक्रिया में रुचि नहीं लेगा। अभिप्रेरणा से सीखने की इच्छा प्रबल हो जाती है। अभिप्रेरणा उत्पन्न करने के लिए यह आवश्यक है कि बालक को उसका लक्ष्य स्पष्ट कर दिया जाए।

(x) **शारीरिक व मानसिक स्वास्थ्य :** सीखने से पहले बालक का शारीरिक एवं मानसिक रूप से स्वस्थ्य रहना भी नितांत आवश्यक है, क्योंकि बालक के ध्यान, रुचि व एकाग्रता पर उसका प्रभाव पड़ता है। किसी भी प्रकार की मानसिक विकृति, शारीरिक रुग्णता तथा मानसिक तनाव का प्रत्यक्ष प्रभाव बालकों के अधिगम पर प्रतिकूल रूप से पड़ता है। शारीरिक एवं मानसिक रूप से अस्वस्थ बालक शीघ्र रूप से थक जाते हैं।

अधिगम को प्रभावित करने वाले शिक्षकों से संबद्ध कारक

अधिगम को प्रभावित करने वाले विभिन्न प्रकार के कारकों में से शिक्षकों से संबद्ध कारक भी महत्वपूर्ण हैं, ये कारक निम्नवत् हैं–

(i) **विषय की जानकारी :** अध्यापक का किसी विषय से संबंधित ज्ञान अनुभव एवं योग्यता आदि छात्रों के अधिगम को प्रत्यक्ष रूप से प्रभावित करते हैं। यदि अध्यापक को अपने विषय की जानकारी नहीं है तो वह छात्रों को बहुत कुछ जानकारी नहीं दे सकता। इसके विपरीत, यदि अध्यापक को अपने विषय का सटीक ज्ञान है तो वह आत्मविश्वास के साथ छात्रों को नवीन ज्ञान देने में सक्षम होगा तथा उसका शिक्षण प्रभावी होगा।

(ii) **शिक्षण विधि :** शिक्षण विधि का सीधा संबंध अधिगम प्रक्रिया से होता है। साथ ही प्रत्येक शिक्षक का पढ़ाने का तरीका भी भिन्न होता है तथा सभी छात्र एक ही विधि से नहीं सीख पाते। शिक्षण की विधि जितनी अधिक वैज्ञानिक एवं प्रभावशाली होगी उतनी ही सीखने की प्रक्रिया सरल एवं लाभप्रद होगी बच्चों के संदर्भ में खेल विधि द्वारा सिखाना, करके सिखाना, निरीक्षण द्वारा सीखाना, योजना विधि द्वारा सीखाना, खोज विधि द्वारा सीखाना आदि का अपना अलग-अलग महत्व है।

(iii) **शिक्षक का व्यवहार :** शिक्षक का व्यवहार छात्रों के सीखने को प्रत्यक्ष रूप से प्रभावित करता है। शिक्षक में एक आदर्श शिक्षक के सभी गुण होने चाहिए। उसके व्यवहार में सहानुभूति, सहयोग, समानता, शिक्षण कला

में निपुणता, मृदुभाषी, संयत आदि गुण निहित हैं तो छात्र कक्षा वातावरण में सहज रूप से सब कुछ सीख सकेंगे। लेकिन यदि शिक्षक का व्यवहार अत्यंत कठोर है तो छात्र उसके कक्षा से अनुपस्थित रहते हैं। साथ ही अध्यापक को सभी छात्रों से एक जैसा ही व्यवहार करना चाहिए ताकि छात्रों के मन में उसके प्रति दुर्भावना पैदा न हो।

(*iv*) **व्यक्तित्व :** शिक्षक का व्यक्तित्व सफल शिक्षण का आधार होता है। इस दृष्टि से शिक्षक का व्यक्तित्व आकर्षक एवं अत्यंत प्रभावशाली होना चाहिए। उसे अपने कार्यों एवं व्यवहार में संतुलन बनाए रखते हुए छात्रों पर एक अनूठी छाप छोड़नी चाहिए। छात्र जाने-अनजाने शिक्षक के व्यवहार से बहुत-सी बातें स्वयं ही सीख लेते हैं। कहा भी गया है कि शिक्षक छात्रों के लिए श्रेष्ठ प्रेरणा का काम करता है। इस दृष्टि से एक अध्यापक को आत्मविश्वासी दृढ़ इच्छाशक्ति वाला, कर्त्तव्यनिष्ठ, निरोगी, श्रेष्ठ रुचियों एवं अभिरुचियों वाला होना चाहिए।

(*v*) **व्यक्तिगत भेदों की जानकारी :** प्रत्येक छात्र की बुद्धि, रुचि, योग्यता, क्षमता, अभिवृत्ति आदि अलग-अलग होती है। इन्हीं विशेषताओं के कारण कुछ छात्र अध्यापक द्वारा प्रदत्त ज्ञान को आसानी से आत्मसात कर लेते हैं और कुछ देर से करते हैं या बिल्कुल ही नहीं कर पाते। सामान्यतः एक कक्षा में अध्यापक को तीन प्रकार के छात्रों का सामना करना होता है—मेधावी, सामान्य तथा पिछड़े हुए बालक और इन्हीं के अनुरूप उसे अपने शिक्षण की व्यवस्था करनी होती है। व्यक्तिगत भेद अध्यापक को छात्र के समझने में पूरा-पूरा सहयोग देते हैं।

(*vi*) **मनोविज्ञान की जानकारी :** ऐसा कहा जाता है कि एक अध्यापक को मनोविज्ञान का ज्ञान अनिवार्य है। इस संदर्भ में यह बात बिल्कुल स्पष्ट हो जाती है कि जब तक एक अध्यापक को मनोविज्ञान के सिद्धांतों का ज्ञान नहीं होता तब तक वह इन सिद्धांतों का शिक्षा में प्रयोग कर उसे प्रभावी नहीं बना सकता। उसे बाल विकास प्रक्रिया, वंशानुक्रम, व्यक्तिगत विभेद, प्रेरणा, सीखने के सिद्धांत आदि का ज्ञान ही चाहिए। निःसंदेह आधुनिक शिक्षा के मनोविज्ञान ने एक नई दिशा प्रदान की है।

(*vii*) **अनुशासन :** शिक्षा मनोविज्ञान के सिद्धांतों के प्रचलन के कारण आज यह धारणा गलत साबित हो गई है कि 'डण्डा हाथ से छूटा और बालक बिगड़ा'। अब यह अनुभव किया जाने लगा है कि डण्डे, मारपीट, भय एवं आतंक के बल पर कक्षा में स्थायी अनुशासन की स्थापना नहीं की जा सकती। यह हो सकता है कि छात्र तुरंत कुछ समय के लिए अनुशासित हो जाएं लेकिन कुछ समय बाद वह अपनी पुरानी प्रवृत्तियों पर पुनः लौट जाएंगे। मनोवैज्ञानिक परीक्षणों ने यह सिद्ध कर दिया है कि छात्र अपराध करने पर दण्ड से डरते नहीं। लेकिन इसका अर्थ यह नहीं कि छात्र को मनमानी करने दी जाए। उसे उसके अपराध के अनुकूल दण्ड अवश्य दिया जाना चाहिए।

(*viii*) **पाठ्य-सहगामी क्रियाएं :** शिक्षा के क्षेत्र में मनोविज्ञान के योगदान के रूप में आज पाठ्यक्रम में अनेक महत्त्वपूर्ण सहगामी क्रियाओं को यथोचित स्थान दिया जाता है। पहले यह समझा जाता था कि पढ़ाई के अतिरिक्त क्रियाओं का आयोजन करने से छात्र अपना बहुमूल्य समय नष्ट करते हैं। लेकिन, अब यह विचार बदल गया है। परिणामतः वाद-विवाद प्रतियोगिता, निबंध-लेखन, कहानी, कविता, अन्त्याक्षरी प्रतियोगिता, बालचर शिक्षा, भ्रमण, छात्र-संघ, खेल-कूद, अभिनय तथा नाटक, संगीत आदि इसी प्रकार की अन्य क्रियाओं को पाठ्यक्रम में स्थान देने के कारण बालकों के सर्वांगीण विकास में बहुत सहयोग मिलता है।

(*ix*) **बालक केंद्रित शिक्षा :** बाल मनोविज्ञान ने आज शिक्षा की धारा एवं संकल्पना को पूरी तरह से बदल दिया है। प्राचीन काल में शिक्षा का केंद्र बालक न होकर अध्यापक था। बालक की आवश्यकताओं, रुचियों, अभिरुचियों एवं दृष्टिकोणों की परवाह किए बिना ही शिक्षण का केंद्र बिंदु बालक हो गया। अतः शिक्षक के लिए यह आवश्यक है कि वह जो भी ज्ञान छात्रों को प्रदान करे वह उनकी रुचियों, क्षमताओं एवं स्तर के अनुकूल होना चाहिए।

(*x*) **समय-सारणी :** शिक्षा मनोविज्ञान के कारण ही विद्यालयों में समय-सारणी बनाते समय ध्यान रखा जाता है कि कौन-सा विषय पहले लिया जाए और कौन-सा बाद में। पहले बालकों की थकान, विश्राम एवं अवधान पर कोई ध्यान नहीं रखा जाता था लेकिन अब इन सभी पहलुओं पर विशेष ध्यान दिया गया है। खेल के समय तथा दूसरी विविध क्रियाओं के आयोजन की भी व्यवस्था समय-चक्र में सूक्ष्म रूप से कर ली जाती है। साथ ही समय-सारणी बनाते समय मौसम, बालकों की योग्यता, रुचि एवं व्यक्तिगत विभेदों आदि पर भी ध्यान दिया जाना चाहिए।

उपरोक्त बातों से स्पष्ट है कि जब तक शिक्षक यह नहीं जानेंगे कि पढ़ाना क्या है तथा छात्र यह नहीं जानेगा कि सीखना क्या है तब तक अधिगम प्रक्रिया को चलाना असंभव है। इन दो प्रश्नों के उत्तर में विषय-वस्तु या पाठ्यक्रम का उल्लेख अपेक्षित है। क्रिया-कलाप, उद्देश्य तथा पाठ्यक्रम का व्यवस्थापन अथवा संगठन अधिगम-प्रक्रिया की प्रकृति के निर्धारक हैं। यद्यपि कक्षा में अधिगम परिस्थितियों को व्यवस्थित करने संबंधी निर्देश शिक्षक को पाठ्यक्रम द्वारा उपलब्ध करा दिए जाते हैं, परंतु यह तो शिक्षक के चातुर्य

अथवा उपाय कौशल पर निर्भर करता है कि शिक्षक उसका कितनी बुद्धिमत्ता से उपयोग करते हैं। इस तरह शिक्षक की उपाय कुशलता एक और महत्त्वपूर्ण घटक है जो शिक्षक के विद्यार्थियों के अधिगम को प्रभावित करती है।

अधिगम/सीखने के प्रमुख तरीके

सीखना मानव के व्यवहार में परिवर्तन है और यह परिवर्तन विभिन्न नियमों के माध्यम से संभव हो पाता है। सीखने की प्रक्रिया में सामाजिक वातावरण एवं वंशानुक्रमण अपनी महत्त्वपूर्ण भूमिका निभाते हैं। सीखने के प्रमुख तरीके निम्नवत् हैं–

(i) **अनुकरण के माध्यम से सीखना :** प्रायः सभी बालकों में अनुकरण की प्रवृत्ति पाई जाती है और यह अनुकरण की प्रवृत्ति उसे सीखने की ओर प्रेरित करती है। विद्वानों का मानना है कि अनुकरण द्वारा सीखना भूल एवं प्रयास द्वारा सीखने की तुलना में उच्च कोटि का सीखना है। इस नियम द्वारा सीखने में वह दूसरों के अनुभवों का लाभ उठाता है। इस नियम द्वारा सीखने के लिए बुद्धि की आवश्यकता अधिक होती है।

हेगाटी ने अनुकरण द्वारा सीखने के विषय में एक प्रयोग किया। उसने लोहे की एक खोखली नली में केला डाल दिया और भूखे बंदर को कमरे में बंद करके उसे उस केले वाली खोखली को कमरे में डाल दिया। बंदर उस नली को बार-बार जमीन पर पटक कर उस केले को निकालने का प्रयास करने लगा किंतु उसे कामयाबी नहीं मिली। तभी बंदर ने देखा कि उसके पास एक छोटा-सा डंडा पड़ा हुआ है। उसने उस डंडे को उठाया और नली के अंदर डाल कर केला बाहर निकाल लिया और उसे खा गया। पहले बंदर द्वारा किए जा रहे प्रयास को एक दूसरे बंदर को भी दूर से दिखाया जा रहा था। थोड़ी देर बाद इसी प्रकार के नली में केला डालकर दूसरे बंदर के सामने डाला गया। दूसरे बंदर ने तुरंत ही डंडे की मदद से उस केले को बाहर निकाल कर खा लिया। इस परीक्षण से स्पष्ट हो जाता है कि पहले बंदर ने भूल एवं प्रयास के माध्यम से लक्ष्य तक पहुंचने में सफलता पाई जबकि दूसरे बंदर ने पहले बंदर का अनुकरण कर तुरंत लक्ष्य तक पहुंचने में सफलता पा ली। इस प्रकार **हेगाटी** ने स्पष्ट किया कि अनुकरण द्वारा सीखना, सीखने की एक महत्त्वपूर्ण विधि है।

(ii) **भूल एवं प्रयास के माध्यम से सीखना :** भूल एवं प्रयास के नियम का प्रतिपादक **थॉर्नडाइक** को माना जाता है। उन्होंने चूहों और बिल्लियों पर अनेक परीक्षण करने के पश्चात् यह पाया कि मानव और पशु दोनों ही भूल एवं प्रयास के तरीके से सीखते हैं। किसी कार्य को करने के लिए पहले प्रयास किया जाता है और यह आवश्यक नहीं है कि प्रथम प्रयास में ही वह कार्य पूरा हो जाए। क्योंकि उसमें कोई न कोई भूल हो जाने की संभावना रहती है और कार्य में सफलता नहीं मिलती। अब इसे दोहराया जाता है और दोबारा करते समय पहली भूल को ध्यान में रखते हुए प्रयास किया जाता है। जैसे-जैसे प्रयास किया जाता है पुरानी भूलों में कमी आती जाती है और कार्य संपन्न हो जाता है। इस प्रकार बार-बार प्रयास करने पर सीखने की प्रक्रिया पूर्ण हो जाती है और यह कार्य ठीक प्रकार से होने लगता है। प्रयास एवं भूल में मानव प्रेरणायुक्त होता है और अपने निश्चित लक्ष्य तक पहुंचने की ओर अग्रसर होता है। यद्यपि प्राणी का लक्ष्य अस्पष्ट होता वह अपने इस अस्पष्ट लक्ष्य को प्राप्त करने के लिए बार-बार प्रयास करता है। असफलता मिलने पर पुनः प्रयास करता है और अंत में अपने लक्ष्य तक पहुंच जाता है। सही लक्ष्य तक पहुंच जाना ही सीखने की प्रक्रिया को पूर्ण करता है। उदाहरणार्थ–मनुष्य का टाइप सीखना, गणित के सवाल निकालना, साइकिल चलाना सीखना आदि भूल एवं प्रयास द्वारा सीखने के कुछ ऐसे ही उदाहरण हैं।

(iii) **सूझ-बूझ के माध्यम से सीखना :** सूझ-बूझ के माध्यम से सीखने के सिद्धांत का प्रतिपादक **कोहलर** था। इस सिद्धांत के अनुसार मानव पहले परिस्थितियों का पूर्ण अवलोकन करता है। उसके बारे में सोचता है और फिर क्रियाओं के माध्यम से उसे सीखने का प्रयास करता है। कोई भी प्राणी जब किसी नवीन वातावरण में आता है तो उसका संबंध विभिन्न तत्वों के साथ स्थापित होता है। वह वातावरण को भलीभांति समझता है और फिर उसी के अनुरूप प्रतिक्रिया करता है। वातावरण को जानना एवं समझना उसकी सूझ-बूझ पर पर निर्भर करता है। सूझ-बूझ का यह सिद्धांत पशुओं की तुलना में मानवों पर अधिक लागू होता है। इस सिद्धांत को सिद्ध करने के लिए **कोहलर** ने चिम्पैंजियों पर परीक्षण किया। उसने एक चिम्पैंजी को पिंजड़े में बंद कर दिया और कुछ दूरी पर पिंजड़े से बाहर केले टांग दिए। पिंजड़े में दो बांस भी डाल दिए। केले पिंजड़े से इतनी दूरी पर थे कि चिम्पैंजी के हाथ वहां तक नहीं पहुंच पा रहे थे। चिम्पैंजी ने जब देखा कि उसके हाथ केले तक नहीं पहुंचे पा रहे हैं तो उसने एक डंडे के सहारे केलों तक पहुंचने का प्रयास किया। लेकिन चिम्पैंजी को जब उसमें भी सफलता नहीं मिली तो वह कुछ सोचता रहा और कुछ देर के बाद उसने दोनों डंडों को आपस में जोड़ा और उनकी सहायता से उसने केलों को पिंजड़े में खींच कर खा लिया। इस तरह स्पष्ट है कि सूझ-बूझ के सिद्धांत में बुद्धि का होना आवश्यक है। यह परीक्षण चिम्पैंजी पर इसलिए किया गया क्योंकि चिम्पैंजी में थोड़ी-बहुत बुद्धि होती

है। उसने अपनी सूझ-बूझ का इस्तेमाल कर केलों को खाने में सफलता प्राप्त की।

(*iv*) **आंशिक एवं पूर्ण तरीकों द्वारा सीखना :** इस विधि से छात्रों को समस्या का पूर्ण ज्ञान कराया जाता है, जिससे प्रथम बार में छात्रों को उस समस्या के बारे में कुछ न कुछ ज्ञान हो जाता है।

(*v*) **सामूहिक तरीके के माध्यम से सीखना :** मानव एक सामाजिक प्राणी है। समाज से बाहर उसका कोई अस्तित्व नहीं है। अतः वह समाज में रहते हुए समूह में बहुत कुछ सीखता है। समूहों में रहते हुए उसका ज्ञान प्राप्त करना ही सामूहिक सीखना कहलाता है। प्रोजेक्ट डाल्टन तथा बेसिक विधि, वर्कशॉप विधि, वाद-विवाद, सेमीनार विधि आदि सीखने की सामूहिक विधियों के अच्छे उदाहरण हैं।

3. बच्चा एक समस्या समाधानकर्त्ता तथा वैज्ञानिक अन्वेषक के रूप में

बच्चा एक समस्या समाधानकर्त्ता के रूप में

विद्यालय शिक्षा के दौरान एक बच्चे के समक्ष अनेक समस्याएं आती हैं तथा उसका समाधान भी उसे ही ढूँढना होता। ऐसे में बच्चों को इस स्तर के योग्य बनाने के लिए आवश्यक है कि उनके व्यक्तित्व का विकास इस प्रकार से किया जाए कि वह सभी प्रकार की परिस्थितियों का सही ढंग से सामना कर सकें। व्यक्तित्व का विकास निम्नलिखित तरीकों के माध्यम से किया जा सकता है–

(*i*) **आत्म पहचान का गुण विकसित करके :** इस तरीके के तहत बच्चों को ऐसे काम दिए जाने चाहिए जिनमें सफलता निश्चित हो। इन कामों को करने से बच्चे में आत्म-विश्वास बढ़ता है जो जिन्दगी में प्रसन्नता व सहयोग की भावना को बढ़ाता है। बच्चे का जन्मदिन मनाना चाहिए। इससे बच्चे की आत्म-अनुमोदन तथा सामाजिक अनुमोदन की भावना को संतुष्टि मिलती है समय-समय पर बच्चे के काम की प्रशंसा करनी चाहिए तथा छोटी-छोटी बातों पर भी उन्हें पुरस्कृत करना चाहिए जिससे कि वह भविष्य में अपनी समस्याओं का समाधान स्वयं कर सकें।

(*ii*) **स्वयं की कमियों को स्वीकार करना और सिखाकर दूर करना :** बच्चों में यह भावना पैदा करनी चाहिए कि कोई भी व्यक्ति संपूर्ण नहीं है। इसीलिए अपनी कमियों को मुस्कुराते हुए स्वीकार करना चाहिए तथा उन्हें दूर करने का प्रयत्न करना चाहिए। इसके लिए बच्चे को इससे संबंधित कहानियां सुनानी चाहिए। इसके अतिरिक्त कुछ रचनात्मक कार्यक्रम का भी आयोजन किया जाना चाहिए। उदाहरणार्थ–नाटक दिखाना एवं कठपुतली नृत्य आदि। बच्चे के गुणों की खुलकर प्रशंसा करनी चाहिए ताकि बच्चा अपनी कमियों को भूलकर अपनी प्रतिभा को निखार सके।

(*iii*) **स्वावलंबी बनने के लिए प्रेरित करके :** बच्चे को आत्मनिर्भर बनाने के लिए हमेशा प्रेरित करते रहना चाहिए। इसके लिए बच्चे को कहानियां सुनानी चाहिए, नाटक दिखाने चाहिए, लड़कियों को गुड़िया को कपड़े पहनाने, सफाई करने, कंघी करने जैसे काम करने देने चाहिए इससे बच्चों में आत्मनिर्भरता बढ़ती है। बच्चों को चुनौतीपूर्ण व उत्तरदायित्व वाले काम सौंपने चाहिए जिससे कि वह समस्याओं के समाधानों का हल सही दिशा में निकालने के लिए सक्षम हो सकें।

बच्चा एक वैज्ञानिक अन्वेषक के रूप में

किसी भी छात्र की समझ की सही जांच तब होती है जब वह समाज में रहकर सीखता है तथा अपने स्वयं के ज्ञान को एक अन्वेषक के रूप में प्रयोग करता है। एक बच्चे को वैज्ञानिक अन्वेषक के रूप में निम्नलिखित प्रकार से विकसित किया जा सकता है–

(*i*) किसी बच्चे को दैनिक जीवन में आने वाले व्यक्तियों के व्यवसाय के बारे में समझाने का प्रयास करना चाहिए। यथा–डॉक्टर, डाकिया, वकील, बढ़ई व सुनार आदि।

(*ii*) बच्चों को अलग-अलग जगहों पर भ्रमण के लिए ले जाना चाहिए ताकि वे भ्रमण के माध्यम से कुछ नए प्रकार के चीजों के संबंध में सोच सकें।

(*iii*) बच्चों को दुकान-दुकान आदि का खेल खेलना चाहिए ताकि वे खेल-खेल में दुकानदारी आदि के व्यवसाय आदि के बारे में जान सकें।

(*iv*) ऐसा उपाय करना चाहिए ताकि बच्चे वैज्ञानिक यंत्रों, धातुओं, वायु संचार आदि के बारे में स्वयं जानकारी प्राप्त कर सकें। ऐसा करने से उनमें (बच्चों में) एक वैज्ञानिक सोच के साथ-साथ अलग-अलग विषयों का अन्वेषण करने का गुण भी उत्पन्न होने लगता है।

4. संवेग और अभिप्रेरण

संवेग

जब हम किसी विषय के बारे में बार-बार सोचते हैं तो हमारी राग-द्वेषात्मक मनोवृत्ति और प्रबल हो उठती है। बार-बार सोचे गए विषय को या तो हम प्रेम की दृष्टि से अथवा घृणा की दृष्टि से देखने लगते हैं। हमारी यह राग-द्वेषात्मक मनोवृत्ति और प्रबल हो उठती है। बार-बार सोचे गए विषय को या तो प्रेम की दृष्टि से अथवा घृणा की दृष्टि से देखने लगते हैं। हमारी यह राग-द्वेषात्मक मनोवृत्ति संवेग (Emotion) के कारण बनती है। संवेग भावों से उत्पन्न होता है। जब तक किसी विषय के संबंध में हमारे भाव सामान्य रहते हैं, संवेगों की उत्पत्ति नहीं होती है। जब उस विषय के भाव प्रबल हो जाते हैं, तब संवेग की उत्पत्ति होती है। भाव हमारे मन पर धीर-धीरे प्रभाव डालता है। परंतु किसी प्रकार के संवेग के उत्पन्न होने पर हमारे मन में भारी उथल-पुथल हो जाती है।

संवेग की कुछ परिभाषाएं

जरशील्ड के अनुसार, "संवेग शब्द किसी भी प्रकार के आवेश में आने से भड़क उठने अथवा उत्तेजित होने की दशा को सूचित करता है।"

मैक्डूगल के अनुसार, "संवेग एक प्रकार का अनुभव है जो किसी न किसी मूल प्रवृत्तीय क्रिया से संबद्ध होता है।"

क्रो एवं क्रो के अनुसार, "संवेग, व्यक्ति के आंतरिक समायोजन, मानसिक एवं शारीरिक-भौतिक अवस्थाओं से प्रभावित होकर उसके बाह्य व्यवहार में दिखाई देने वाला प्रभावशाली अनुभव है।"

वुडवर्थ के अनुसार, "संवेग जीव की उत्तेजनायुक्त अवस्था है।

निष्कर्ष

(*i*) प्रत्येक संवेग किसी न किसी मूल प्रवृत्ति या भावना से अवश्य ही संबद्ध होता है।

(*ii*) संवेग मानव की परिवर्तित आंतरिक भावना का बाह्य रूप होता है।

(*iii*) प्रत्येक संवेग किसी न किसी क्रिया से किसी रूप में अवश्य दी संबद्ध होता है।

उपर्युक्त निष्कर्ष के आधार पर हम कह सकते हैं कि "किसी ज्ञात (प्रमुखतः) या अज्ञात (कभी-कभी) कारण से हमारी मनोदशा को प्रभावित करने वाले अस्थायी भाव, संवेग कहलाते हैं।"

संवेग की विशेषताएं/लक्षण

(*i*) प्रत्येक संवेग का संबंध किसी न किसी मूल प्रवृत्ति से होता है।

(*ii*) संवेगों का उभार सकारण होता है।

(*iii*) संवेग क्षणिक एवं अस्थायी होते हैं।

(*iv*) संवेग परिवर्तनशील होते हैं।

(*v*) संवेग सार्वभौमिक होते हैं।

(*vi*) संवेगों की तीव्रता वैयक्तिक अधिक होती है।

(*vii*) संवेगों की उत्पत्ति का कारण बाह्य जगत् से संबद्ध होता है।

(*viii*) संवेग मानव के व्यवहार को प्रभावित करते हैं।

संवेगों को प्रभावित करने वाले कारक

निम्न कारक किसी न किसी रूप में संवेगों को प्रभावित करते हैं–

(*i*) वातावरण, (*ii*) मानसिक सक्रियता, (*iii*) शारीरिक स्वास्थ्य, (*iv*) वैयक्तिक रुचियां, (*v*) अभिवृत्तियां एवं मूल्य।

संवेगों से प्रभावित होने वाले कारक

जिस प्रकार कुछ कारक संवेगों को प्रभावित करते हैं ठीक उसी प्रकार संवेग भी कुछ कारकों से प्रभावित होते हैं। ये कारक हैं–(*i*) शारीरिक स्वास्थ्य, (*ii*) मानसिक स्वास्थ्य, (*iii*) वाणी, (*iv*) सामाजिकता एवं अधिगम।

संवेग के विभिन्न प्रकार

संवेगों का संबंध मूल प्रवृत्तियों से होता है। चौदह मूल-प्रवृत्तियों के चौदह संवेग हैं, जो इस प्रकार हैं–

1. भय, 2. घृणा, 3. करुणा एवं दुःख, 4. आश्चर्य, 5. आत्माभिमान, 6. भूख, 7. कृतिभाव, 8. क्रोध, 9. वात्सल्य, 10. कामुकता, 11. आत्महीनता, 12. एकाकीपन, 13. अधिकार भावना, 14. आमोद।

संवेग एवं शिक्षा में इसका महत्व

शिक्षक, बालकों के संवेगों के प्रति ध्यान देकर उनका किस प्रकार हित कर सकते हैं, यह निम्नलिखित बातों से स्पष्ट हो जाता है–

(*i*) शिक्षक, बालकों की मानसिक शक्तियों के मार्ग को प्रशस्त करके, उन्हें अपने अध्ययन में अधिक क्रियाशील बनाने की प्रेरणा प्रदान कर सकता है।

(*ii*) शिक्षक, बालकों के संवेगों को परिष्कृत करके उनको समाज के अनुकूल व्यवहार करने की क्षमता प्रदान कर सकता है।

(*iii*) शिक्षक, बालकों के संवेगों का विकास करके, उनमें उत्तम विचारों, आदर्शों, गुणों और रुचियों का निर्माण कर सकता है।

(*iv*) शिक्षक, बालकों को अपने संवेगों पर नियंत्रण करने की विधियां बताकर उनको शिष्ट और सभ्य बना सकता है।

(*v*) शिक्षक, बालकों के संवेगों को जाग्रत करके, पाठ में उनकी रुचि उत्पन्न कर सकता है।

(*vi*) शिक्षक, बालकों के संवेगों का ज्ञान प्राप्त करके, उपयुक्त पाठ्यक्रम का निर्माण करने में सफलता प्राप्त कर सकता है।

(*vii*) शिक्षक, बालकों में उपयुक्त संवेगों को जाग्रत करके, उनको महान कार्यों को करने की प्रेरणा दे सकता है।

अभिप्रेरण

अभिप्रेरण में वे सब आंतरिक अवस्थाएं आ जाती हैं जो किसी क्रिया को छोड़ती है या उसको बनाए रखती है। प्रेरक (Motive) उद्दीपन (Stimulus) से भिन्न होता है, क्योंकि वह उत्तेजना के प्रकट होने के पहले से ही उपस्थित होता है। यदि आंतरिक अभिप्रेरणा न हो तो बाह्य उद्दीपन कितना भी तीव्र होने पर अनुक्रिया उत्पन्न नहीं कर सकता है।

अभिप्रेरणा एक प्रकार की शक्ति है जो छात्रों को अध्ययन तथा अन्य कार्यों को करने का जोश तथा रुचि उत्पन्न करती है। व्यक्ति जो भी कार्य करता है उसमें किसी न किसी प्रकार की अभिप्रेरणा की भूमिका आवश्यक होती है। अध्यापक के समक्ष यह बहुत बड़ी समस्या होती है कि छात्रों को किस प्रकार

अधिक-से-अधिक अभिप्रेरित किया जाए। अध्यापक इसके लिए अनेक उपाय करता है। अभिप्रेरणा अधिगम के लिए कोई आवश्यक शर्त नहीं है परंतु फिर भी यह अधिगम प्रक्रिया को गतिशीलता प्रदान करती है। इसे ''सीखने का हृदय'' (Heart of Learning), ''सीखने का स्वर्ण पथ'' (Golden Road of Learning), तथा ''सीखने का मुख्य कारक'' (Important Factor of Learning) कहा गया है।

अभिप्रेरणा की कुछ परिभाषाएं

स्किनर के अनुसार, ''अभिप्रेरणा, अधिगम का सर्वोच्च राजमार्ग है।''

बर्नार्ड के अनुसार, ''उत्प्रेरणा, शिक्षा में मनोविज्ञान की मूलभूत समस्या है।''

कैले के अनुसार, ''अधिगम की कुशल कला में उत्प्रेरणा केंद्रीय कारक है।''

निष्कर्ष

(*i*) उत्प्रेरणा और अधिगम का सीधा संबंध है।

(*ii*) उत्प्रेरणा किसी आंतरिक शक्ति का उभार है।

(*iii*) प्राणी या मनुष्य के अंदर निहित वे सभी तत्व जो उसके बाह्य व्यवहार को प्रभावित करते हैं, आंतरिक तत्व या आंतरिक शक्तियां कहलाती हैं। इनमें मूल प्रवृत्तियां, मन, बुद्धि चित्त एवं अहंकार सभी आंतरिक शक्तियां हैं।

प्रेरणा के भेद

प्रेरणा के दो भेद हैं–

(*i*) **सकारात्मक प्रेरणा :** इस प्रेरणा में बालक किसी कार्य को अपनी स्वयं की इच्छा से करता है। इस कार्य को करने से उसे सुख और संतोष प्राप्त होता है। इस प्रेरणा को आंतरिक प्रेरणा भी कहते हैं।

(*ii*) **नकारात्मक प्रेरणा :** इस प्रेरणा में बालक किसी कार्य को अपनी स्वयं की इच्छा से न करके, किसी दूसरे की इच्छा या बाह्य प्रभाव के कारण करता है। इस कार्य को करने से उसे किसी वांछनीय या निश्चित लक्ष्य की प्राप्ति होती है। इस प्रेरणा को बाह्य प्रेरणा भी कहते हैं।

प्रेरणा की प्रमुख विधियां

मरसेल ने लिखा है कि प्रेरणा यह निश्चित करती है कि लोग कितनी अच्छी तरह से सीख सकते हैं और कितनी देर तक सीख सकते हैं। अतः उनको प्रेरणा प्रदान की जानी आवश्यक है। ऐसा निम्नांकित विधियों का प्रयोग करके किया जा सकता है–

(*i*) **रुचि :** प्रेरणा प्रदान करने की पहली विधि है बालकों की पाठ में रुचि उत्पन्न करना। अतः अध्यापक को पढ़ाए जाने वाले पाठ को बालक की रुचियों से संबंधित करना चाहिए। इस संबंध में प्रेसी, रॉबिन्स व हॉरक्स का कहना है कि ''रुचि, छात्रों का ध्यान आकर्षित करने का प्रथम उपाय है।''

(*ii*) **सफलता :** सफलता के संबंध में फ्रेंडसन का विचार है कि सीखने के सफल अनुभव अधिक सीखने की प्रेरणा देते हैं।

(*iii*) **सामूहिक कार्य :** प्रेरणा प्रदान करने की इस विधि में बालकों को सामूहिक कार्यों में भाग लेने के लिए प्रोत्साहित किया जाता है।

(*iv*) **आवश्यकता का ज्ञान :** इस विधि के अंतर्गत् यह माना जाता है कि बालकों की मुख्य आवश्यकताएं उसके सीखने में उद्दीपन का कार्य करती हैं।

(*v*) **प्रशंसा :** उचित समय और स्थान पर प्रयोग किए जाने पर प्रशंसा, प्रेरणा का एक महत्त्वपूर्ण कारक है।

(*vi*) **कक्षा का वातावरण :** अच्छा शिक्षक प्रभावशाली प्रेरणा के लिए शिक्षण-सामग्री से संपन्न अर्थपूर्ण और निरंतर परिवर्तनशील कक्षा-कक्ष के वातावरण पर निर्भर रहता है।

(*vii*) **सामाजिक वर्गों में भाग :** यह बालकों और युवकों को प्रेरणा देने की साधारणतया सबसे प्रभावशाली विधि है। यह बालकों को उन अर्थपूर्ण सामाजिक कार्यक्रमों में रचनात्मक कार्य करने का अवसर देता है जिनकों व्यक्ति और समाज दोनों महत्त्वपूर्ण समझते हैं।

(*viii*) **प्रतिद्वन्द्विता :** इसके अनुसार शिक्षाशास्त्र के संपूर्ण इतिहास में प्रतिद्वन्द्विता को प्रेरणा प्रदान करने के लिए प्रयोग किया गया है।

(*ix*) **खेल-विधि का प्रयोग :** इस विधि के अनुसार बालकों को शिक्षा देने के लिए खेल-विधि का प्रयोग किया जाता है। अतः शिक्षक को खेल-विधि का प्रयोग करके बालकों को शिक्षा देनी चाहिए।

(*x*) **परिणाम का ज्ञान :** इस विधि के अनुसार यह माना जाता है कि प्रेरणा, परिणामों के तात्कालिक ज्ञान से प्राप्त होती है।

प्रेरणा में योगदान देने वाले मुख्य कारक

(*i*) **प्रोत्साहन :** प्रोत्साहन लक्ष्य तक पहुंचने के साधन होते हैं। इनका स्वरूप पुरस्कार के रूप में भी हो सकता है और संकेत के रूप में भी। जब ये किसी ऐसे उद्दीपक से जुड़ जाते हैं, जो इनकी उपस्थिति बताता है तो ये प्राणी को उत्तेजित कर देते हैं अर्थात् व्यक्ति के व्यवहार को उभारते हैं और उसे गति प्रदान करते हैं। हल एवं स्पेन्स मानते हैं कि यूँ तो प्राणी का व्यवहार मूलतः चालक द्वारा संचालित होता है लेकिन वे ये भी मानते हैं कि कभी-कभी आत्म-प्रोत्साहन प्रेरणा का कार्य करता है। स्कीनर कहते हैं कि पुनर्बलन ही प्रोत्साहन है, अर्थात् धनात्मक तथा ऋणात्मक पुनर्बलन

ही प्रोत्साहन का काम करते हैं। धनात्मक पुनर्बलन धनात्मक पुरस्कार होता है तथा ऋणात्मक पुनर्बलन ऋणात्मक पुरस्कार होता है।

(*ii*) **दण्ड :** दण्ड एक उद्दीपन के समान है, जिससे व्यक्ति बचने का प्रयास करता है अथवा उससे दूर भागना चाहता है। दण्ड के संबंध में विचार व्यक्त करते हुए बोम्पस स्मिथ कहते हैं कि "विद्यालयी दण्ड प्रतिशोध नहीं होता है। इसका उद्देश्य प्रशिक्षण है। सर्वप्रथम अपराधी का प्रशिक्षण। दूसरे, उसके अवलोकन से अन्य बालकों का प्रशिक्षण। साथ ही उसे तथा दूसरों को पुनः अपराध करने से बचाना है।"

(*iii*) **उत्तेजना :** यह किसी प्राणी की उत्तेजित होने की सामान्य अवस्था है। इस संबंध में डोनाल्ड हैब ने विचार व्यक्त करते हुए कहा है कि "उत्तेजना अथवा जागरूकता शक्ति प्रदान करती है लेकिन दिशा-निर्देश प्रदान नहीं करती। यह इंजन के समान है लेकिन उसका मार्ग परिवर्तित करने वाला साधन नहीं।"

उत्तेजना व्यक्ति की सक्रियता का आवश्यक कारक माना गया है। इसके तीन स्तर हैं–उच्च, मध्य एवं निम्न। व्यक्ति को यह उत्तेजना दो स्रोतों (बाह्य एवं आंतरिक) से मिलती है।

(*iv*) **आकांक्षा :** आकांक्षा का उत्तेजना स्तर से सीधा संबंध है। हम उस स्थिति में उत्तेजित हो उठते हैं जब हम देखते कुछ और हैं और देखना कुछ चाहते हैं। जो हम देख रहे होते हैं वह Perception है और जो हम देखना चाहते हैं वह Expectancy है। जब इन दोनों के मध्य अंतर (Discrepancy) हो जाता है तो हम उत्तेजित हो उठते हैं।

मैक्लेलैंड ने अपना विचार प्रकट करते हुए कहा है कि P तथा E में अंतर अधिक होने पर हमें दुःख होता है एवं अंतर कम होने पर सुख प्राप्त होता है। इसलिए अंतर (Discrepancy) का एक निश्चित स्तर घटना तथा आशाओं के बीच रखना चाहिए। पूर्व अनुमानित संतोष को हम Valance कहते हैं तथा वास्तविक संतोष को Valuel। इस प्रकार कोई व्यक्ति जिस बल से कार्य करता है वह Expectancy और Valance का गुणनफल होता है।

अर्थात् $F = E \times V$

5. अधिगम में योगदान करने वाले कारक

अधिगम में योगदान करने वाले कारकों को मुख्यतः दो वर्गों में रखा गया है–I. व्यक्तिगत कारक एवं II. वातावरणीय कारक।

I. व्यक्तिगत कारक

(*i*) **व्यक्तिगत रुचियां :** व्यक्तिगत रुचियां भी अधिगम प्रक्रिया में योगदान करने वाला एक महत्त्वपूर्ण कारक है। यदि किसी क्रियाकलाप में छात्र की रुचि उत्पन्न हो जाए तो शिक्षक उस दिशा में अधिक प्रयास कर सकते हैं। प्रयास किए बिना सीखना संभव नहीं है। यदि विद्यार्थी शिक्षक के शिक्षण एवं कक्षा के क्रियाकलापों में रुचि लेते हैं तो वे कभी भी अवरोध, थकान तथा ऊब महसूस नहीं करते। प्रायः ऐसा देखा गया है कि वास्तव में थकान अधिगम क्रियाओं में रुचि की कमी से पैदा होती है। अधिक मात्रा में तथा अच्छी गुणवत्ता से अधिगम की प्राप्ति हेतु विद्यालयों में रुचि का सहारा लेना आवश्यक है।

(*ii*) **शारीरिक क्रियाशील :** थकान मानसिक या शारीरिक होती है और थकान का अभ्यास करने वाला छात्र अधिगम की प्रक्रिया को कम कर देता है दूसरी शारीरिक क्रियाशीलता अधिगम प्रक्रिया में सहायक होती है तथा इसकी गति को तीव्र कर देती है।

(*iii*) **व्यक्तिगत अभिप्रेरणा :** अभिप्रेरणा अधिगम प्रक्रिया का मुख्य केंद्र है तथा अधिगम प्रक्रिया का एक महत्त्वपूर्ण कारक है। यह किसी व्यक्ति में किसी कार्य को करने की इच्छा जाग्रत करती है। पर्याप्त व्यक्तिगत अभिप्रेरणा विद्यार्थी को केवल किसी ऐसी क्रिया में व्यस्त ही नहीं रखती, जिसकी परिणति अधिगम में हो, बल्कि अधिगम को स्थायी बनाने तथा उसकी दिशा निर्दिष्ट करने का कार्य भी करती है। प्रायः दो प्रकार की व्यक्तिगत अभिप्रेरणाएं होती हैं–आंतरिक और बाह्य अभिप्रेरणाएं।

(*iv*) **संवेदीकरण तथा प्रत्यक्षीकरण :** विद्यार्थी के सामान्य स्वास्थ्य के अतिरिक्त संवेदना तथा प्रत्यक्षीकरण ऐसे मनोवैज्ञानिक कारक हैं जो अधिगम में सहायता करते हैं। संवेदना प्रत्यक्षीकरण के केंद्र में होती है। प्राणी में पांच संवेदी अंग होते हैं, यथा–त्वचा, कान, जिह्वा, आंखें तथा नाक। ये संवेदी अंग (ज्ञानेन्द्रियां) ज्ञान के द्वार होते हैं और वातावरण में स्थित विभिन्न उद्दीपनों के प्रत्यक्षीकरण में सहायक होते हैं। इनमें से किसी भी संवेदी अंग में किसी भी प्रकार का दोष हो जाने पर अधिगम का प्रभाव पड़ता है और अंतोगत्वा उससे ज्ञानार्जन भी प्रभावित होता है। उदाहरणार्थ–दृष्टि में दोष; जैसे मायोपिया (दूरदृष्टि दोष), हाइपरमैट्रोपिया (निकट दृष्टि दोष), स्टीकमेटिज्म (भेंगापन) इत्यादि के कारण सिर दर्द, चक्कर आना तथा अध्ययन में सामान्य रूप से अरुचि होना आदि।

(*v*) **अभिवृत्ति :** अधिगम की प्रक्रिया विद्यार्थी की अभिवृत्ति से ही प्रभावित होती है। यदि वह पढ़ाई जाने वाली वस्तु के प्रति सजग हो तथा उसके प्रति रुचि रखता हो तो वह निश्चित रूप से इसके प्रति उचित अभिवृत्ति (Attitude) रखेगा। ऐसी अभिवृत्ति उसे अधिगम परिस्थितियों को जल्दी प्रसन्नतापूर्वक कम समय में तथा प्रभावी ढंग से सीखने में सहायता करता है। इसके विपरीत यदि वह पढ़ाई जाने वाली वस्तु में ध्यान

नहीं देता या रुचि नहीं लेता तो इसकी अभिवृत्ति नाकारात्मक हो जाती है। यह सामान्य अधिगम की प्रक्रिया में अवांछनीय दबाव तथा तनाव उत्पन्न करके सहज अधिगम में बाधा डालता है।

(vi) **आवश्यकताएं :** विद्यार्थियों की जब तक शारीरिक आवश्यकताएं संतुष्ट न हो जाएं तब तक विद्यालयों में उनसे किसी भी प्रकार के बौद्धिक चिंतन की अपेक्षा नहीं की जा सकती है। एक गरीब विद्यार्थी जो कक्षा में भूखा है उसका ध्यान अध्ययन की अपेक्षा खाने की ओर अधिक केंद्रित होगा। इसी प्रकार कक्षा में बहुत ठंडा या गर्मी या कुर्सियों पर बैठने वाले विद्यार्थियों की संख्या अधिक होने पर अच्छे अधिगम की आशा नहीं की जा सकती है। इसी तरह से सुरक्षा और सम्मान की आवश्यकताएं अधिगम परिस्थितियों में शक्तिशाली प्रेरक के रूप में कार्य करती है। यदि एक विद्यार्थी अपने शिक्षक से डरता है या विद्यालयों में अधिक पिटाई किए जाने के कारण असुरक्षित महसूस करता है या किसी अन्य प्रकार के दण्ड से भयभीत है तो वह सीख नहीं पाता। इसी तरह यदि उसे उत्साही संवर्धन तथा स्नेह की आवश्यकता बहुत उत्तेजक होती है तो बच्चे का अधिगम प्रभावी होता है।

(vii) **आयु तथा परिपक्वता :** अधिगम प्रत्यक्ष रूप से आयु तथा परिपक्वता पर निर्भर करता है। जब तक व्यक्ति सीखने के प्रति पर्याप्त रूप से परिपक्व नहीं होता तब तक अधिगम निष्पन्न नहीं होता। कुछ विद्यार्थी छोटी उम्र में ही अधिक सीख लेते हैं जबकि कुछ विद्यार्थी उसी पाठ्य-वस्तु को सीखने में अधिक देर लगाते हैं। वास्तविक आयु के साथ-साथ मानसिक आयु भी बढ़ती जाती है और लगभग 16 वर्ष की आयु गें यह वृद्धि रुक जाती है। आयु में वृद्धि का अभिप्राय बौद्धिक परिपक्वता से होता है। जिसके द्वारा कठिन समस्याओं का समाधान करने में सहायता मिलती है। परिपक्वन का नियम हमें इस बात की चेतावनी देता है कि विद्यार्थियों को जबरदस्ती तब तक अधिगम नहीं करवाना चाहिए जब तक कि वह विशिष्ट कौशलों के सीखने लायक परिपक्व न हो जाए। अध्यापकों को यह सिद्धांत उन अभिभावकों को भी समझाना चाहिए जो अपने बच्चों को बहुत ही जल्दी विद्यालय भेजने में अत्यधिक महत्वाकांक्षी तथा अत्यधिक उत्साही होते हैं।

(viii) **बुद्धि :** अधिगम प्रक्रिया में बुद्धि एक महत्वपूर्ण कारक है। बुद्धि जो बुद्धि-परीक्षा के आधार पर I.Q. के रूप में निदर्शित की गई है, सीखने से संबंधित होती है। प्रायः वे विद्यार्थी जिनका I.Q. अधिक होता है वे जल्दी सीखते हैं लेकिन विद्यार्थी का उच्च I.Q. होने मात्र से यह गारंटी नहीं होती कि उसका सीखना भी तेजी से होगा, बल्कि विद्यार्थी की आवश्यकताएं, रुचियां, अभिप्रेरणाएं तथा सिखाई जाने वाली विधियां भी महत्त्वपूर्ण होती हैं।

II. वातावरणीय कारक

वातावरण के लिए 'पर्यावरण' शब्द का भी प्रयोग किया जाता है। पर्यावरण दो शब्दों से मिलकर बना है–'परि' + 'आवरण'। 'परि' का अर्थ है चारों ओर एवं 'आवरण' का अर्थ है 'ढकने वाला'। इस प्रकार पर्यावरण या वातावरण का अर्थ चारों ओर से ढके या घेरे हुए है। अतः हम कह सकते हैं कि व्यक्ति के चारों ओर जो कुछ है, वह उसका वातावरण है। इसमें वे सब तत्व सम्मिलित किए जा सकते हैं जो व्यक्ति के जीवन और व्यवहार को प्रभावित करते हैं।

वातावरण की कुछ परिभाषाएं

बोरिंग, लैंगफील्ड व वेल्ड के अनुसार, "जीन्स के अलावा व्यक्ति को प्रभावित करने वाली वस्तु वातावरण है।"

वुडवर्थ के अनुसार, "वातावरण में वे सब बाह्य तत्व आ जाते हैं जिन्होंने व्यक्ति को जीवन आरंभ करने के समय से प्रभावित किया है।"

डगलस व हॉलैंड के अनुसार, "वातावरण शब्द का प्रयोग उन सब बाह्य शक्तियों, प्रभावों और दशाओं का सामूहिक रूप से वर्णन करने के लिए किया जाता है, जो जीवित प्राणियों के जीवन स्वभाव, व्यवहार, बुद्धि विकास एवं परिपक्वता पर प्रभाव डालते हैं।"

रॉस के अनुसार, "वातावरण वह बाहरी शक्ति है जो हमें प्रभावित करती है।"

जिस्बर्ट के अनुसार, "वातावरण वह हर वस्तु है जो किसी अन्य वस्तु को घेरे हुए है और उस पर सीधे अपना प्रभाव डालती है।"

निष्कर्ष

(i) वातावरण किसी एक तत्व का नहीं अपितु एक समूह तत्व का नाम है।

(ii) यह वह हर वस्तु है जो व्यक्ति को प्रभावित करती है।

(iii) इसमें बाह्य तत्व आते हैं।

(iv) वातावरण व्यक्ति को प्रभावित करने वाला तत्व है।

उपरोक्त बातों से स्पष्ट है कि अधिगम की प्रक्रिया में विभिन्न प्रकार के वातावरण संबंधी कारकों का योगदान होता है। गर्भकाल के समय से ही बच्चे पर वातावरण का प्रभाव पड़ता है। मां की शारीरिक, मानसिक, संवेगात्मक दशाएं मां के गर्भ में पल रहे भ्रूण के विकास को प्रभावित करती हैं। बच्चे के जन्म के बाद से बाह्य वातावरण प्रारंभ होता है। बाह्य वातावरण घर, विद्यालय तथा पास-पड़ोस के चारों ओर के वातावरण से संबंधित होता है। इन स्थानों में बच्चा परिवार के सदस्यों, अध्यापकों, साथियों सहपाठियों, पड़ोसियों के साथ अंतःक्रिया करता है तथा उनके साथ संबंध स्थापित करता है।

समाज के सदस्य तथा अपने चारों ओर के सदस्यों के साथ के संबंधों का बच्चे के विकास तथा सीखने के ढंग पर प्रभाव पड़ता है। अधिगम की प्रक्रिया में वातावरण में योगदान करने वाले महत्त्वपूर्ण कारक निम्नवत् हैं–

(*i*) **नजदीकी वातावरण :** अधिगम की प्रक्रिया में आस-पास का वातावरण बहुत महत्त्वपूर्ण योगदान देता है। वातावरण को मुख्यतः तीन रूपों प्राकृतिक, सामाजिक एवं सांस्कृतिक में बंटा गया है–

(*a*) **प्राकृतिक वातावरण :** इसके अंतर्गत जलवायु तथा वायुमंडलीय दशाएं आती हैं। ये दशाएं अधिगम को प्रत्यक्ष रूप से प्रभावित करती हैं। यह पाया गया है कि अधिक ताप तथा आर्द्रता मानसिक क्षमता को कम करते हैं जिससे अधिगम प्रक्रिया रुक जाती है। दूसरी ओर गर्म स्थानों में रहने वाले व्यक्तियों की बौद्धिक निष्पत्ति तथा सृजनात्मकता बहुत कम होती है इस तरह सुबह का समय हमेशा ही जटिल कार्यों को करने के लिए उचित माना जाता है। आर्द्रता तथा तापमान के बढ़ने के कारण मानसिक क्षमता कम हो जाती है। अतः हम कह सकते हैं कि अधिगम प्रक्रिया में प्राकृतिक वातावरण एक महत्त्वपूर्ण कारक है।

(*b*) **सामाजिक वातावरण :** घर, विद्यालय तथा बच्चे के आवासीय वातावरण से संबंधित होता है। घर की भौतिक दशाएं, यथा–बड़ा परिवार, छोटा परिवार, अपर्याप्त रोशनदान, अनुपयुक्त प्रकाश, अधिक या कम तापमान, रेडियो तथा टेलीविजन के प्रयोग के कारण शोरगुल वाला घर, शोरगुल वाला पड़ोस लगातार संबंधियों तथा मित्रों का आगमन विद्यार्थी के बौद्धिक अधिगम को प्रभावित करता है।

(*c*) **सांस्कृतिक वातावरण :** संस्कृति का प्रभाव सामाजिक तथा शैक्षिक संस्थाओं में सहज रूप से प्रतिबिंबित होता है। इसलिए बच्चे का सीखना संस्कृति की मांग तथा उपेक्षाओं के ऊपर बहुत कुछ निर्भर करता है। उदाहरणार्थ–एक कृषि आधारित समुदाय की शैक्षिक प्रक्रियाएं उन कौशलों के विकास पर केंद्रित होती हैं जो कृषि समुदाय के लिए आवश्यक होती है।

(*ii*) **अध्यापक के साथ संबंध :** अधिगम प्रक्रिया में शिक्षक एक महत्त्वपूर्ण घटक है। वह विद्यार्थी के व्यवहार निर्माण में महत्त्वपूर्ण भूमिका अदा करता है। वह जिस तरह पढ़ाता है तथा कक्षा में विद्यार्थियों की व्यवस्था जिस प्रकार करता है उसका उनके अधिगम पर प्रभाव पड़ता है। अतः यदि एक विद्यार्थी के संबंध शिक्षक से अच्छे होंगे तो इस प्रकार का वातावरण अधिगम में सहायक होगा।

(*iii*) **संचार माध्यम :** सूचनाओं के आदान-प्रदान के एक घटक के रूप में संचार माध्यम का महत्वपूर्ण स्थान है। ये अधिगम प्रक्रिया के तहत अच्छे वातावरण को तैयार करने में अपना विशेष योगदान दे सकते हैं। संचार माध्यमों से अधिगम को सुगम बनाया जा सकता है। संचार माध्यम मुख्यतः दो प्रकार के होते हैं–मुद्रित संचार माध्यम तथा अमुद्रित संचार माध्यम। मुद्रित संचार माध्यम कम खर्चीले होते हैं तथा एक अच्छे शैक्षिक वातावरण को तैयार करने में इनका योगदान प्रारंभ से लिया जा रहा है। दूसरी ओर अमुद्रित संचार माध्यम महंगे होते हैं। लेकिन अधिगम प्रक्रिया को सहज बनाने में इन्होंने काफी योगदान दिया है। उदाहरण के लिए फिल्म तथा उद्दीपनों का प्रयोग प्रायः विद्यार्थियों को वास्तविक जीवन या प्रयोगशाला जैसी अधिगम परिस्थितियां प्रस्तुत करने के लिए किया जाता है।

(*iv*) **अभिभावकों के साथ संबंध :** विद्यार्थी की अधिगम प्रक्रियाओं में माता-पिता के साथ सम्बन्ध भी महत्वपूर्ण भूमिका अदा करता है। यदि बच्चे तथा माता-पिता के संबंध आपसी सम्मान और विश्वास पर आधारित होते हैं तो वह बच्चों को अच्छा स्वस्थ वातावरण प्रदान करते हैं, जिसके फलस्वरूप बच्चा अधिक सीखता है। दूसरी ओर विघटित तथा अस्वस्थ वातावरण विद्यार्थी के अधिगम में विपरीत प्रभाव डालता है। विद्यार्थी के सीखने में ऊर्ध्वगामी गतिशीलता सीखने में प्रतिरोध उत्पन्न करती है। ऐसे परिवारों में बच्चे अपने आपको असमायोजित महसूस करते हैं। अतः अभिभावकों के साथ अच्छा संबंध एक ऐसा वातावरण तैयार करता है जो अधिगम प्रक्रिया में सहायक होता है।

(*v*) **साथियों के साथ संबंध :** मित्रों के साथ स्वस्थ संबंध भी अधिगम में एक अच्छे वातावरण के निर्माण हेतु महत्वपूर्ण भूमिका अदा करते हैं। कक्षा, विद्यालय तथा समाज में विद्यार्थी-विद्यार्थी के बीच संबंध एक विशेष प्रकार के संवेगात्मक वातावरण का निर्माण करते हैं। यह वातावरण उनके आपसी संबंधों पर निर्भर करता है। अच्छे सौहार्दपूर्ण आपसी संबंध कक्षा में अधिक सीखने तथा अधिक प्रतिस्पर्द्धा करने में तनावमुक्त वातावरण का निर्माण करते हैं।

वातावरण का महत्व

(*i*) बालक अपने परिवार, पड़ोस, मुहल्ले और खेल के मैदान में अपना पर्याप्त समय व्यतीत करता है और इससे प्रभावित होता है। शिक्षक इन स्थानों के वातावरण को ध्यान में रखकर ही बालक का उचित पथ-प्रदर्शन करता है।

(*ii*) अनुकूल वातावरण में जीवन का विकास होता है और व्यक्ति उत्कर्ष की ओर बढ़ता है। इस बात को समझने वाला शिक्षक अपने छात्रों की रुचियों, प्रवृत्तियों और

क्षमताओं के अनुकूल वातावरण प्रदान करके उनको उत्कर्ष की ओर बढ़ने में सहायता दे सकता है।

(*iii*) वातावरण बालक के विकास की दशा निश्चित करता है। वातावरण ही निश्चित करता है कि बालक बड़ा होकर अच्छा या बुरा, चरित्रवान, संयमी या व्यभिचारी, व्यापारी या साहित्यकार, देशप्रेमी या देशद्रोही बनेगा। इस तथ्य पर मनन करने वाला शिक्षक अपने छात्रों के लिए ऐसे वातावरण का सृजन कर सकता है जिससे उनका विकास उचित दिशा में हो सके।

(*iv*) वातावरण के महत्व को समझने वाला शिक्षक, विद्यालय में बालकों के लिए ऐसा वातावरण उपस्थित कर सकता है, जिससे उनमें विचारों की उचित अभिव्यक्ति, शिष्ट सामाजिक व्यवहार, कर्त्तव्यों और अधिकारों का ज्ञान, स्वाभाविक प्रवृत्तियों पर नियंत्रण आदि गुणों का अधिकतम विकास हो।

(*v*) **रुथ बैंडिक्ट के अनुसार,** व्यक्ति जन्म से ही एक निश्चित सांस्कृतिक वातावरण में रहता है और उसके आदर्शों के अनुरूप ही आचरण करता है। इस तथ्य को जानने वाला शिक्षक बालक को अपना सांस्कृतिक विकास करने में योगदान दे सकता है।

(*vi*) **सोरेन्सन के अनुसार,** शिक्षक का उत्तम वातावरण बालकों की बुद्धि और ज्ञान की वृद्धि में प्रशंसनीय योग देता है। इस बात की जानकारी रखने वाला शिक्षक अपने छात्रों के लिए उत्तम शैक्षिक वातावरण प्रदान करने की चेष्टा कर सकता है।

(*vii*) प्रत्येक समाज का एक विशिष्ट वातावरण होता है। बालक को इसी समाज के वातावरण से अपना अनुकूलन करना पड़ता है। इस बात से भलीभांति परिचित होने वाला शिक्षक, विद्यालय को लघु समाज का रूप प्रदान करके बालकों को अपने वृहत् समाज के वातावरण से अनुकूलन करने की शिक्षा दे सकता है।

(*viii*) यूनेस्को (UNESCO) के कुछ विशेषज्ञों का कथन है कि वातावरण का बालकों की भावनाओं पर व्यापक प्रभाव पड़ता है और इससे उनके चरित्र का निर्माण भी होता है। इस कथन में विश्वास करके शिक्षक बालकों के लिए ऐसे वातावरण का निर्माण कर सकता है, जिससे न केवल उनकी भावनाओं का संतुलित विकास हो, बल्कि उनके चरित्र का भी निर्माण हो।

अभ्यास प्रश्न

1. शिक्षा का शब्दिक अर्थ है :
A. पालन-पोषण करना B. सामने लाना
C. नेतृत्व देना D. इनमें से सभी

2. सीखने की प्रक्रिया के अन्तर्गत शिक्षा मनोविज्ञान अध्ययन करता है :
A. प्रेरणा व पुनर्बलन के प्रभाव का अध्ययन
B. वंशानुक्रम व वातावरण का अध्ययन
C. ध्यान व रुचि का अध्ययन
D. वैयक्तिक भेदों का अध्ययन

3. आंकड़ों का व्यवस्थापन करने हेतु संकलित आंकड़ों के सम्बन्ध में निम्नलिखित कार्य करना होता है :
A. वर्गीकरण B. सारणीयन
C. आलेखी निरूपण D. इनमें से सभी

4. शिक्षा मनोविज्ञान का सम्बन्ध है :
A. मात्र शिक्षा से B. मात्र दर्शन से
C. मात्र मनोविज्ञान से D. इनमें से सभी

5. शिक्षा मनोविज्ञान एक विज्ञान है :
A. मानव व्यवहार का
B. मानव सिद्धान्तों का
C. शैक्षिक सिद्धान्तों का
D. मानव की व्यक्तिगत विभिन्नताओं का

6. बालक के व्यक्तिगत अध्ययन की मनोवैज्ञानिक विधि है :
A. रेटिंग स्केल B. प्रश्नावली विधि
C. केस स्टेडी D. प्रायोगिक विधि

7. एक समूह की बनावट का अध्ययन करने में प्रयुक्त होती है :
A. प्रश्नावली विधि B. साक्षात्कार विधि
C. व्यक्ति इतिहास विधि D. समाजमिति विधि

8. शिक्षा-मनोविज्ञान अध्ययन का उद्देश्य है :
A. विद्यार्थियों द्वारा किसी बात के सीखे जाने को प्रभावित करना।
B. शिक्षा के उद्देश्यों की पूर्ति में सहायक न होना।
C. छात्र की योग्यताओं एवं क्षमताओं को ध्यान में न रखना।
D. उपर्युक्त में से कोई नहीं

9. शैशवावस्था में बालक में पाया जाता है :
A. अनुकरण करना B. सहयोग लेना
C. आश्रितता D. इनमें से सभी

10. मूल्यांकन का क्षेत्र है :
A. सीमित B. असीमित
C. संकुचित D. व्यापक

11. शिक्षण प्रक्रिया के अंग हैं :
A. शिक्षण के उद्देश्य
B. शिक्षण को सार्थक बनाने वाले ज्ञानानुभव
C. शिक्षण का मूल्यांकन
D. उपर्युक्त सभी

12. शिक्षा का सम्बन्ध है :
A. शिक्षा के उद्देश्यों से
B. शिक्षार्थी व शिक्षक से
C. कक्षा पर्यावरण व वातावरण से
D. उपर्युक्त सभी से

13. वस्तुनिष्ठ परीक्षण के निर्माण में समय लगता है :
A. अधिक B. कम
C. कठिन D. सरल

14. बालक के निजी व्यवहार का अंकन करने में कौन-सी विधिक सहायक होती है?
A. नियन्त्रण निरीक्षण विधि B. मनोभौतिकी विधि
C. चिकित्सालय विधि D. आत्मनिष्ठ अंकन विधि

15. किस विधि में एक ही बालक का अध्ययन किया जाता है?
A. क्षैतिज विधि
B. लम्बात्मक विधि
C. सांख्यिकीय विधि
D. प्रयोगात्मक विधि

16. किस विधि में उद्दीपन, अनुक्रिया के मध्य होने वाले सम्बन्धों का अध्ययन किया जाता है?
A. प्रश्नकर्ता विधि B. मनोभौतिकी विधि
C. आत्मनिष्ठ अंकन विधि D. प्रयोगात्मक विधि

17. बाल्यावस्था में मस्तिष्क का विकास हो जाता है?
A. 60% B. 80%
C. 90% D. 50%

18. बालक को आनन्ददायक सरल कहानियों द्वारा नैतिक शिक्षा प्रदान करनी चाहिए यह कथन है :
A. स्ट्रेंग का B. पियाजे का
C. ब्रूनर का D. कोलेसेनिक का

19. विकास के सन्दर्भ में मैक्डूगल ने :
A. व्यक्तित्व का विश्लेषण किया
B. मूल प्रवृत्यात्मक व्यवहार का विश्लेषण किया
C. बालक के शारीरिक विकास का विश्लेषण किया
D. उपर्युक्त में से कोई नहीं

20. संवेगात्मक विकास में किस अवस्था में तीव्र परिवर्तन होता है?
A. शिशु अवस्था B. युवावस्था
C. बाल्यावस्था D. किशोरावस्था

21. वृद्धि और विकास है :
A. एक-दूसरे के विरोधी B. एक-दूसरे से समान
C. एक-दूसरे के पूरक D. इनमें से कोई नहीं

22. एक बालक की बुद्धि-लब्धि 150 है तो वह बालक कहलायेगा :
A. मन्दबुद्धि B. पिछड़ा
C. प्रतिभाशाली D. असंतुलित

23. सृजनशील बालकों का लक्षण है :
A. समस्याओं के प्रति सजगता का अभाव
B. गतिशील चिन्तन का अभाव
C. अनमनीयता
D. जिज्ञासा

24. विकासात्मक पद्धति को कहते हैं :
A. उपचारात्मक विधि B. सांख्यिकीय विधि
C. उत्पत्तिमूलक विधि D. जीवन इतिहास पद्धति

25. वाताबरण के अन्तर्गत आते हैं :
A. हवा B. प्रकाश
C. जल D. इनमें से सभी

26. शिशु का विकास प्रारम्भ होता है :
A. जन्म के पश्चात् B. किशोरावस्था में
C. बाल्यकाल में D. गर्भकाल में

27. सामाजिक स्थिति वंशानुक्रमणीय :
A. होती है B. नहीं होती
C. कुछ होती है D. बिल्कुल नहीं होती

28. वंश का बुद्धि पर प्रभाव देखने के लिए सैनिकों के वंशज का अध्ययमे किया :
A. स्पियरमैन ने B. गोडार्ड ने
C. न्यूमैन ने D. शेल्डन ने

29. मूल प्रवृत्ति का प्रभाव शक्ति प्रदान करता है :
A. बालक के व्यवहार को
B. बालक के विकास को
C. व्यक्ति के विकास को
D. व्यक्ति के व्यवहार को

30. मूल प्रवृत्ति का प्रतीक होता है :
A. वेग B. संवेग
C. वंश D. प्रवृत्तियां

31. बुद्धि-लब्धि (IQ) का संबंध है :
A. ज्ञान से B. विवेक से
C. तर्क से D. बुद्धि से

32. किसके विचार से शैशवावस्था में बालक प्रेम की भावना, काम प्रवृत्ति पर आधारित होती है?
A. फ्रायड B. स्किनर
C. वाटसन D. इनमें से कोई नहीं

33. बुद्धि-लब्धि (IQ) को ज्ञात करने का सूत्र किस मनोवैज्ञानिक ने दिया है?
A. थर्स्टन B. स्टर्न
C. स्पीयरमैन D. बिने

35. सामान्य बुद्धि बालक प्रायः किस अवस्था में बोलना सीख जाते हैं?
A. 11 माह B. 16 माह
C. 34 माह D. 51 माह

36. बुद्धि-लब्धि (IQ) निकालने का सही फार्मूला है :
A. $\frac{\text{वास्तविक आयु}}{\text{मानसिक आयु}} \times 100$
B. $\frac{\text{मानसिक आयु}}{\text{वास्तविक आयु}} \times 100$
C. $\frac{\text{मानसिक आयु}}{100} \times \text{वास्तविक आयु}$
D. $\frac{\text{वास्तविक आयु}}{\text{मानसिक आयु}}$

37. वह खेल जिसमें बालक स्वयं कुछ बनाता है :
A. रचनात्मक B. काल्पनिक
C. स्वतन्त्र D. इनमें से कोई नहीं

38. भाषा विकास के क्रम में अंतिम क्रम (सोपान) है :
A. ध्वनि पहचानना
B. ध्वनि उच्चारण
C. शब्दोच्चारण
D. भाषा विकास की पूर्णावस्था

39. शिक्षा का कार्य है :
A. अर्जित रुचियों को स्वाभाविक बनाना
B. जन्मजात रुचियों को बदलना
C. जन्मजात व अर्जित रुचियों को अलग करना
D. जन्मजात व अर्जित रुचियों को मिलाना

40. रक्त प्रधान व्यक्ति :
A. प्रसन्नचित्त होते हैं B. चंचल होते हैं
C. क्रियाशील होते हैं D. इनमें से सभी

41. सीखने के मुख्य नियमों के अतिरिक्त गौण नियम भी हैं जो मुख्य नियमों को विस्तार देते हैं। गौण नियम हैं :
A. प्रयत्न व भूल का नियम
B. बहुप्रतिक्रिया नियम
C. अभ्यास का नियम
D. प्रभाव का नियम

42. निम्न में से जो अधिगम के स्थानान्तरण का सिद्धान्त नहीं है, वह है :
A. समान अंशों का सिद्धान्त
B. असमान अंशों का सिद्धान्त
C. सामान्यीकरण का सिद्धान्त
D. द्विपक्षीय सिद्धान्त

43. सीखना प्रभावित होता है :
A. मन B. आत्मा
C. वृद्धि D. प्रेरणा

44. मोटीवेशन शब्द की उत्पत्ति हुई है, लैटिन भाषा के :
A. मी धातु से B. मोट धातु से
C. मोटम धातु से D. मोम धातु से

45. अभिप्रेरणा को प्रभावित करने वाले कारक हैं :
A. आवश्यकताएं B. आकांक्षा स्तर एवं रुचि
C. संवेगात्मक स्थिति D. इनमें से सभी

46. दृष्टिहीन बालकों को शिक्षण दिया जाता है :
A. दृश्य-श्रव्य सामग्री द्वारा B. टंकण द्वारा
C. ब्रेल पद्धति द्वारा D. गाने-बजाने द्वारा

47. वंचित वर्ग के बालकों के अन्तर्गत आते हैं :
A. दृष्टिहीन व अपंग बालक
B. मन्दबुद्धि व हकलाने वाले बालक
C. पूर्ण बधिर या आंशिक बधिर बालक
D. उपर्युक्त सभी

48. प्रतिभाशाली बालक जो होते हैं :
A. जन्मजात B. बाद में
C. आनुवंशिक D. इनमें से कोई नहीं

49. विकलांग बालकों के अन्तर्गत आते हैं :
A. नेत्रहीन बालक
B. शारीरिक विकलांग बालक
C. गूंगे तथा बहरे बालक
D. इनमें से सभी

50. मानसिक रूप से पिछड़े बालकों की विशेषता होती है :
A. संवेगात्मक रूप से अस्थिर
B. सीमित रुचि वाले
C. निरन्तर अव्यवस्था का होना
D. उपर्युक्त सभी

51. ''गुरु-ब्रह्मा गुरु विष्णु गुरु देवो महेश्वरः।
गुरु साक्षात परं ब्रह्म तस्मे श्री गुरुवे नमः।।
शिष्य के लिए गुरु की उपरोक्त मान्यता किस शिक्षा दर्शन के अनुसार है?
A. प्रकृतिवाद B. मार्क्सवाद
C. यथार्थवाद D. आदर्शवाद

52. यथार्थवादी शिक्षा निम्नांकित पर केन्द्रित है–
A. वर्तमान काल B. भूतकाल
C. भविष्य काल D. उपरोक्त तीनों पर

53. गीता दर्शन के अनुसार, शिक्षा का उद्देश्य व्यक्ति को इस ओर प्रवृत्त करना है–
A. इच्छा न कर कर्म में प्रवृत्त करना
B. चार आर्य सत्यों का ज्ञान करना
C. सत्जीवन की ओर
D. मोक्षप्राप्ति

54. भारतीय दृष्टिकोण के अनुसार 'आदर्शवाद' (Idealism) का रूप निम्नांकित है–
A. आध्यात्मवाद B. यथार्थवाद
C. प्रयोजनवाद D. प्रकृतिवाद

55. ''शिक्षा उस सन्निहित पूर्णता का प्रकाश है, जो मनुष्य में पहले से ही विद्यमान है।'' यह कथन किस भारतीय चिंतक के शिक्षा-दर्शन को व्यक्त करता है?
A. स्वामी दयानंद सरस्वती
B. महात्मा गांधी
C. महर्षि अरविन्द
D. स्वामी विवेकानन्द

56. बुनियादी शिक्षा योजना के आधारभूत सिद्धान्त थे–
A. शिक्षा स्वावलम्बी हो
B. उद्योग से सम्वायित कर सभी विषय पढ़ाये जायें
C. शिक्षा का माध्यम मातृ-भाषा हो
D. उपरोक्त सभी

57. नालन्दा बौद्ध-शिक्षा केन्द्र में ''द्वार-पण्डित'' का क्या कार्य था?
A. कुलपति का कार्य करना
B. शिक्षार्थियों के आने-जाने को नियंत्रित करता था
C. प्रवेश हेतु परीक्षा लेता था
D. चौकीदारी करता था

58. भारतीय संविधान में कौन-से भारतीय मूल्यों का प्रावधान है?
A. धर्म निरपेक्षता B. समाजवादी समाज
C. लोकतंत्रात्मक मूल्य D. उपरोक्त सभी

59. महात्मा गांधी की बुनियादी शिक्षा योजना का भारतीय शिक्षा में क्या योगदान था?
A. 7 से 14 वर्ष की शिक्षा निःशुल्क अनिवार्य हो
B. शिक्षा का औद्योगिकीकरण
C. शिक्षा का राजनीतिकरण
D. शिक्षा का पूर्ण आत्मनिर्भरीकरण

60. ''शिक्षक एक दार्शनिक, मित्र तथा पथ प्रदर्शक (Philosopher, friend and guide) है, जो बालक को अपने ढंग के अनुसार होने हेतु प्रदान होने हेतु प्रदान करता है।'' ये शब्द निम्नांकित चिंतक के थे–

A. महर्षि अरविन्द B. महात्मा गांधी
C. स्वामी विवेकानन्द D. स्वामी दयानन्द सरस्वती

61. राष्ट्रीय शिक्षा नीति (1986) में ग्रामीण क्षेत्रों को अच्छी शिक्षा उपलब्ध कराने हेतु निम्नांकित विद्यालयों का प्रावधान है–
A. सैनिक विद्यालय B. नवोदय विद्यालय
C. केन्द्रीय विद्यालय D. बुनियादी शिक्षा विद्यालय

62. निम्नांकित शिक्षा-दर्शन में से कौन-सा शिक्षक को महत्त्व न देकर प्रकृति को बालक का गुरु मानता है?
A. मार्क्सवाद B. आदर्शवाद
C. अस्तित्ववाद D. प्रकृतिवाद

63. विज्ञान की शिक्षा को पाठ्यचर्या (Curriculum) में कौन-सा शिक्षा-दर्शन प्रधानता देता है?
A. प्रकृतिवाद B. प्रयोजनवाद
C. आदर्शवाद D. अस्तित्ववाद

64. कोठारी शिक्षा आयोग ने बुनियादी शिक्षा के कार्य को शिक्षा में किस रूप में स्वीकार किया?
A. अग्रगामी दृष्टि (Forward Looking)
B. उत्पादक कार्य (Productive Work)
C. रुचि कार्य (Hobby)
D. कार्यानुभव (Work Experience)

65. भारतीय शिक्षा चिंतकों में निम्नांकित उल्लेखनीय थे–
A. रवीन्द्रनाथ टैगोर
B. बाल गंगाधर तिलक
C. पं. जवाहर लाल नेहरू
D. उपरोक्त सभी

66. वैदिक काल में स्त्री-शिक्षा के प्रमाण स्वरूप निम्नांकित विदुषी महिला के नाम उल्लेखनीय है–
A. अपाला B. गार्गी
C. घोषा D. उपरोक्त सभी

67. वैदिक काल में शिक्षा केन्द्र क्या कहलाते थे?
A. विद्यालय B. गुरुकुल
C. गुरुगृह D. चटशासा

68. अच्छी शिक्षा-प्रणाली में निम्नांकित अनुशासन श्रेष्ठ होता है–
A. कठोर अनुशासन
B. आत्मानुशासन
C. स्वतंत्र अनुशासन
D. उपरोक्त में से कोई नहीं

69. स्वामी विवेकानन्द शिक्षा की किस पद्धति के समर्थक थे?
A. परंपरागत प्रणाली B. पाश्चात्य पद्धति
C. गुरुकुल प्रणाली D. इनमें से कोई नहीं

70. "सर्वोत्तम शिक्षा वह है जो हमारे जीवन और समस्त सृष्टि के बीच समरसता स्थापित करती है।"–यह कथन किस भारतीय शिक्षाविद् का है?
A. महर्षि अरविन्द
B. स्वामी विवेकानन्द
C. महात्मा गांधी
D. रविन्द्रनाथ टैगोर

71. प्रकृतिवाद के समर्थकों में रूसों के अतिरिक्त निम्नांकित विद्वान थे–
A. हर्बर्ट स्पेंसर (Herbert Spencer)
B. कॉमेनियस (Comenius)
C. बेकन (Bacon)
D. उपरोक्त सभी

72. "शिक्षा-सम्बन्धी सभी प्रश्न वास्तव में दर्शन सम्बन्धी प्रश्न ही हैं।"–यह मत किस शिक्षाविद का है?
A. टैगोर (Tagore) B. एड्म्स (Adams)
C. रूसो (Rousseau) D. रॉस (Ross)

73. महात्मा गांधी ने 1937 में अपने शिक्षा सम्बन्धी विचार किस पत्रिका में प्रकाशित किये थे?
A. केसरी B. हरिजन
C. यंग इंडिया D. यंग इंडियन

74. गीता के शिक्षा दर्शन के अनुसार शिक्षण विधि शिक्षार्थी के निम्नांकित के अनुकूल होनी चाहिए–
A. स्वधर्म
B. स्वभाव
C. उपरोक्त A. और B. दोनों
D. इनमें से कोई नहीं

75. यथार्थवादी दृष्टि में अनुशासन शिक्षार्थी को–
A. यथार्थ जगत से समायोजित करना है
B. बंधनों से मुक्त करना है
C. आदर्श की ओर प्रेरित करना है
D. उपरोक्त में से कोई नहीं

76. शिक्षा दर्शन में प्रकृतिवाद किसकी देन था?
A. कॉमेनियस B. बेकन
C. पेस्तालाजी D. रूसो

77. प्रकृतिवादी शिक्षा दर्शन में शिक्षक का योगदान क्या है?
A. निर्देशक B. अनुशासक
C. नेता D. माली

78. शिक्षा में खेल प्रणाली किसका आविष्कार है?
A. आदर्शवाद B. यथार्थवाद
C. प्रकृतिवाद D. प्रयोजनवाद

79. टैगोर का शिक्षा जगत को क्या योगदान है?
A. विदेशी भाषा के माध्यम से शिक्षा
B. शिक्षा का व्यापक अर्थ
C. ललित कलाओं शैक्षिक महत्व
D. विश्व-भारती की स्थापना

80. रवीन्द्रनाथ के अनुसार शिक्षा का लक्ष्य क्या है?
A. आत्म-साक्षात्कार B. जीविकोपार्जन
C. चरित्र-विकास D. शारीरिक विकास

81. शिक्षा में रवीन्द्रनाथ किस परिवेश पर जोर देते हैं?
A. प्राकृतिक परिवेश B. सामाजिक परिवेश
C. सांस्कृतिक परिवेश D. उपरोक्त सभी

82. शैक्षिक समाजशास्त्र निम्नांकित परिवर्तनशीलता का अध्ययन करना है–
A. शिक्षा द्वारा समाज में परिवर्तन
B. सामाजिक परिवर्तन द्वारा शिक्षा में परिवर्तन
C. केवल शिक्षा और समाज पर राज्य का नियंत्रण
D. उपरोक्त A और B

83. समुदाय में प्रचलित व्यवसाय व उद्योग से बालक क्या सीखते हैं?
A. व्यापार करना
B. कारखानों में काम करना
C. खेतों पर कृषि कार्य
D. व्यावसायिक कार्य

84. सांस्कृतिक विलम्बना के निराकरण में शिक्षा किस प्रकार सहायक हो सकती है?
A. शिक्षा पुरातन मूल्यों का संरक्षण करती है
B. शिक्षा भौतिक संस्कृति में परिवर्तन करती है
C. शिक्षा से नवीन मूल्य अपनाने में सहायता मिलती है
D. उपरोक्त में से कोई नहीं

85. ''सामाजिक नियंत्रण'' (Social Control) के अवधारणा में निम्नांकित बिंदु उल्लेखनीय है–
A. यह निर्धारित लक्ष्यों को प्राप्त करने का साधन है
B. यह समाज द्वारा अपने सदस्यों के व्यवहारों को नियंत्रित करता है
C. यह समाज द्वारा मान्य व्यवहार प्रतिमानों के अनुरूप व्यक्तियों के व्यवहार को ढालने का साधन है
D. उपरोक्त सभी

86. सामाजिक गतिशीलता (Social Mobility) में सम्मिलित है
A. उच्च स्थिति प्राप्त करना
B. निम्न स्थिति में चला जाना
C. ऊपर उठना
D. उपरोक्त सभी

87. निम्नांकित में सामाजिक नियंत्रण (Social Control) का साधन नहीं है–
A. परम्परायें B. नैतिकता
C. विकास D. धर्म

88. संविधान की किस धारा में अस्पृश्यता के निषेध का प्रावधान है?
A. अनु-16 B. अनु-17
C. अनु-18 D. अनु-19

89. सामाजिक नियंत्रण का उद्देश्य है–
A. सामाजिक स्थिरता
B. सामूहिक एकरूपता
C. स्वेच्छाचारिता पर रोक लगाना
D. उपरोक्त सभी

90. सामाजिक परिवर्तन का कारक (Factor) है–
A. धर्म B. शिक्षा
C. विकास D. समाज

91. सामाजिक न्याय (Social Justice) निम्नांकित है–
A. समाज में सभी को समानता
B. स्वतंत्रता
C. अधिकार
D. उपरोक्त सभी

92. सामाजिक गतिशीलता के निम्नांकित क्षेत्र (Dimensions) है–
A. व्यावसायिक स्तरीकरण (Occupational Ranking)
B. सामाजिक वर्ग (Social Class)
C. उपभोग स्तरीकरण (Consumption Ranking)
D. उपरोक्त सभी

93. शिक्षा को विनियोग मानने में निम्नांकित कठिनाईयां है–
A. यह लम्बी अवधि का विनियोग है
B. शिक्षा स्वयं साधन नहीं है
C. शिक्षा व आर्थिक विकास का धनात्मक सम्बन्ध समझने में भ्रम
D. उपरोक्त सभी

94. समाज शास्त्र, शिक्षा के स्वरूप को निश्चत करती है तथा शिक्षा–
A. समाज शास्त्र द्वारा प्रभावित होती है
B. सामाजिक विकास की आधारशिला है
C. सामाजिक विकास शिक्षा का निर्माण करता है
D. उपरोक्त में से कोई नहीं

95. विद्यालय सामाजीकरण के क्षेत्र में न केवल इसका अभिकरण है (Agency) अपितु वह समाज की सांस्कृति प्रगति का है–
A. संरक्षक B. संशोधक
C. आलोचक D. समर्थक

96. समाजशास्त्र अर्थात 'सोसियोलोजी' (Sociology) शब्द लैटिन भाषा के शब्द 'सोससि' (Socius) तथा ग्रीक भाषा के निम्नांकित शब्द से बना है–
A. Logy B. Ology
C. Logi D. Logius

97. बच्चे का समाजीकरण तब होता है जब वह समाज के व्यवहार-प्रतिमानों (Behavioural Pattern) को–
A. स्वीकार करें B. उनसे समायोजन कर लें
C. उपरोक्त A और B D. उपरोक्त में से कोई नहीं

98. बालक के समाजीकरण (Socialization) हेतु शिक्षा का यह कार्य है–
A. शिक्षक अभिभावक सहयोग विकसित करना
B. संस्कृति का हस्तान्तरण (Transmission of Culture) का प्रयास करना
C. वैज्ञानिक व तकनीकी प्रगति से अवगत कराना
D. उपरोक्त A और B

99. ''सांस्कृतिक परिवर्तन, सामाजिक परिवर्तन का एक महत्वपूर्ण रूप है तथा इनमें कोई अन्तर नहीं है।'' ब्राउन (Brown) के इस कथन का क्या आशय है?
A. सामाजिक व सांस्कृतिक परिवर्तन एक सिक्के के दो पहलू है
B. सांस्कृतिक परिवर्तन सामाजिक परिवर्तन का ही एक अंग है
C. सामाजिक के बाद सांस्कृतिक परिवर्तन होना आवश्यक है
D. उपरोक्त सभी

100. विकलांगों (Handicapped) को शिक्षा के समान अवसर देने हेतु निम्नांकित उपयोगी है–
A. सामान्य शिक्षा प्रणाली में विशेष प्रयास किय जाये
B. विशिष्ट विद्यालयों में उन्हें पृथक शिक्षा दी जाये
C. उपरोक्त A और B
D. उपरोक्त में से कोई नहीं

101. ''ऑपरेशन ब्लैक बोर्ड'' (Operation Black Board) कार्यक्रम का उद्देश्य प्राथमिक शिक्षा का निम्नांकित पक्ष सबल करना है–
A. गुणवता (Quality)
B. परिणाम (Quantity)
C. शिक्षण सामग्री (Teaching Aids)
D. उपरोक्त सभी

102. समुदाय शिक्षा का इस प्रकार का अभिकरण होता है–
A. अनौपचारिक B. औपचारिक
C. निरोपचारिक D. इनमें से कोई नहीं

103. बालकों में सामाजीकरण की प्रक्रिया तीव्र करने हेतु निम्नांकित उपाय प्रभावी होते हैं–
A. अनुशासनहीन बालकों को दण्ड देना
B. अनुशासनहीन बालकों का सामाजिक बहिष्कार करना
C. शिक्षक अभिभावक सहयोग
D. उपरोक्त सभी

104. शिक्षा के वैयक्तिक एवं सामाजिक उद्देश्यों में यह होना वांछनीय है–
A. प्रतिद्वंद्विता B. प्रतियोगिता
C. समन्वय D. उपरोक्त सभी

105. ''सर्वशिक्षा अभियान'' का यह उद्देश्य है–
A. सार्वभौमिक शाला में नामांकन
B. नगरीय क्षेत्र में सार्वभौमिक प्राथमिक शिक्षा
C. सार्वभौमिक प्राथमिक शिक्षा
D. उपरोक्त सभी

106. ''शिक्षा युवक पीढ़ी का विधिवत् सामाजीकरण है।'' यह परिभाषा किसने दी है?
A. बोगार्डस (Bogardus)
B. बैण्डिस (Bandis)
C. स्मिथ (Smith)
D. दुर्खीम (Durkheim)

107. वे विद्यालय बालकों के सामाजीकरण में असफल रहते हैं जो–
A. धर्म विशेष के आधार पर संचालित है
B. जाति विशेष के आधार पर संचालित है
C. भाषा विशेष के शिक्षण पर जोर देते है
D. उपरोक्त सभी

108. बालक के सामाजीकरण के विद्यालय का यह पक्ष विशेष प्रभावी होता है–
A. खेल-कूद की सुविधा
B. अनुकूल पर्यावरण (Environment)
C. शाला-भवन
D. शाला-उपकरण

109. राष्ट्रीयता की शिक्षा के क्या लाभ हैं?
A. राजनीतिक एकता
B. सामाजिक तथा आर्थिक उन्नति
C. राष्ट्रीय भावना का विकास
D. उपरोक्त सभी

110. निम्नलिखित में से कौन-सी सामाजिक संस्था बालक को मातृभाषा सिखाती है?
A. परिवार B. पड़ोस
C. विद्यालय D. सामाजिक वर्ग

111. अभिप्रेरणा (Motivation) का स्रोत निम्नांकित होता है–
A. पर्यावरणीय (Environmental)
B. आंतरिक (Intrinsic)
C. बाह्य (Extrinsic)
D. उपरोक्त B और C

112. अधिगम हेतु अभिप्रेरित करने में शिक्षार्थी की निन्दा की अपेक्षा प्रंशसा करना अधिक प्रभावी होता है क्योंकि निंदा उसे
A. भयभीत कर देती है
B. हतोत्साहित कर देती है
C. अपमानित कर देती है
D. उपरोक्त सभी

113. अधिगम में शिक्षार्थी को उसके परिणामों से अवगत कराने से उसे इसके द्वारा अभिप्रेरण (Motivation) मिलता है–
A. असफलता की सूचना
B. सफलता की सूचना
C. प्रतिपुष्टि (Feedback) द्वारा पुनर्बलन (Reinforcement)
D. निंदा व प्रशंसा

114. अधिगम के सिद्धान्तों (Theory of Learning) में निम्नांकित प्रमुख है–
A. साहचर्यवाद (Association)
B. शास्त्रीय अनुबन्ध (Classical Conditioning)

C. क्रियाप्रसूत अनुबन्ध (Operant Conditioning)
D. उपरोक्त सभी

115. ''सापेक्ष तथा नीवन परिस्थितियों के साथ-साथ समायोजन करने की क्षमता को बुद्धि कहते हैं'' जैव वैज्ञानिक उपागम (Biological Approach) की दृष्टि से बुद्धि (Intelligence) की यह परिभाषा निम्नांकित ने दी है–
A. विलियम स्टर्न (William Stern)
B. बर्ट (Burt)
C. काल्विन (Calvin)
D. फ्रीमैन (Freeman)

116. व्यक्तित्व के निर्माण का फ्रायड (Freud) के अनुसार कौन सा सिद्धान्त है–
A. मनोविश्लेषण सिद्धान्त (Psychoanalytic Theory)
B. प्रारूप सिद्धान्त (Type Theory)
C. विशेषक सिद्धान्त (Trait Theory)
D. उपरोक्त सभी

117. विशेषक सिद्धान्त (Trait Theory) को निम्नांकित ने व्यक्तित्व के निर्धारण हेतु प्रवर्तित किया–
A. जुंग (Jung) B. फ्रायड (Freud)
C. आलपोर्ट (Allport) D. वुडवर्थ (Woodworth)

118. मन्द-बुद्धि बालकों के तादात्मीकरण या निदान की (Diagnosis) विधियाँ हैं–
A. उपलब्धि-परीक्षण (Achievement Tests)
B. मानवीकृत नैदानिक परीक्षण (Standardized)
C. उपरोक्त A. और B.
D. उपरोक्त में से कोई नहीं

119. ''व्यक्तित्व, व्यक्ति के व्यवहार का समग्र गुण है।'' व्यक्तित्व (Personality) की यह परिभाषा निम्नांकित ने दी है–
A. वुडवर्थ (Woodworth) B. वैलेन्टिन (Valentine)
C. बोरिंग (Boring) D. वारेन (Warran)

120. थार्नडाइक का ''समान तत्व सिद्धान्त'' निम्नांकित अधिगम के इस का सिद्धान्त है–
A. स्थिरीकरण B. अंतरण
C. पुनर्बलन D. परिवर्तन

121. सामूहिक बुद्धि-परीक्षणों का विकास 1917 में किस नाम से हुआ?
A. आर्मी बीटा (Army Bita)
B. आर्मी गामा (Army Gama)
C. आर्मी अल्फा (Army Alfa)
D. आर्मी ओमेगा (Army Omega)

122. ''विद्यालय कार्य में स्थानान्तरण (Transfer) की सर्वोत्तम विधि है–स्थानान्तरण की शिक्षा देना'' यह किसका कथन है?
A. सोरेन्स B. केरेट
C. भाटिया D. क्रो व क्रो

123. समायोजन द्वारा निम्नांकित से उत्पन्न (Tension) तनाव कम होता है–
A. कुंठा B. द्वन्द्व
C. विरोध D. उपरोक्त सभी

124. अभिरुचि, अभिवृत्ति, उपलब्धि तथा लैंगिक कौन-सी विभिन्नताओं के क्षेत्र हैं?
A. व्यक्ति की आंतरिक विभिन्नताएँ
B. सामाजिक विभिन्नताएँ
C. वैयक्तिक विभिन्नताएँ
D. चारित्रिक विभिन्नताएँ

125. व्यक्तिगत शिक्षण (Individual Teaching) क्यों आवश्यक होता है?
A. व्यक्तिगत भेदों के कारण
B. वंशानुक्रम के कारण
C. पर्यावरण के कारण
D. उपरोक्त सभी

126. शिक्षा-मनोविज्ञान, शिक्षा के क्षेत्र में मनोविज्ञान की किस प्रकार की शाखा है?
A. अंतरंग (Intimate)
B. प्रयोगात्मक (Practical)
C. अनुप्रयुक्त (Applied)
D. सैद्धान्तिक (Theoretical)

127. बालक के विकास की कौन-सी अवस्था में उचित यौन शिक्षा की आवश्यकता होती है?
A. शिशु अवस्था B. बाल्यावस्था
C. किशोरावस्था D. प्रौढ़ावस्था

128. ''द्वि-तत्व सिद्धान्त'' (Two Factor Theory) किससे सम्बन्धित सिद्धान्त है?
A. व्यक्तित्व B. अभिवृत्ति
C. बुद्धि D. अभिरुचि

129. प्रतिभाशाली बालकों को निम्नांकित सहायता भी दी जा सकती है–
A. विशिष्ट कक्षा या विद्यालय में शिक्षा
B. प्रभावी निर्देशन (Guidance)
C. वैयक्तिक (Individualize) शिक्षण
D. उपरोक्त सभी

130. पियाजे के अनुसार बौद्धिक विकास में आत्मसात्करण (Assimilation) एवं कौन-सी अन्य प्रक्रिया महत्वपूर्ण हैं?
A. आत्म-संज्ञान (Self-cognition)
B. समंजन (Accommodation)
C. कल्पना (Imagination)
D. प्रत्यक्षीकरण (Perception)

131. कोहलर ने अपना प्रसिद्ध प्रयोग किस पर किया था?
A. बन्दर पर
B. वनमानुष (Chimpanzee) पर

C. कुत्ते पर

D. बिल्ली पर

132. गेस्टाल्टवादियों ने किस पर विशेष बल दिया है?

A. अभ्यास B. पुरस्कार

C. संवेग D. प्रत्यक्षीकरण

133. निम्नलिखित में से किस मनोवैज्ञानिक ने प्रेरणा का मनोविश्लेषण सिद्धान्त प्रस्तुत किया?

A. एल्फ्रेड एडलर B. सिगमंड फ्रायड

C. सी. जी. युंग D. विलियम मैक्डुगल

134. मनोवैज्ञानिक दृष्टि से सबसे अधिक व्यक्ति निम्नलिखित में से किस व्यक्तित्व प्रकार में आते हैं?

A. अन्तर्मुखी B. बहिर्मुखी

C. उभयमुखी D. उपरोक्त नहीं

135. वेश-भूषा, रहन-सहन, आहार, धर्म, भाषा, तथा रीति-रिवाज इत्यादि व्यक्तित्व के कैसे निर्धारक हैं?

A. जैविक B. सांस्कृतिक

C. सामाजिक D. मनोवैज्ञानिक

136. ज्ञान प्राप्त करने की जो विधियाँ मानी जाती है, उसमें से निम्न में जो विधि नहीं है, वह है–

A. सत्ता B. व्यक्तिगत अनुभव

C. निगमन विधि D. ज्ञान

137. विश्वसनीयता तथा वैधता में मुख्य अन्तर यह है कि

A. विश्वसनीयता परीक्षण का एक वांछनीय गुण होता है जबकि वैधता परीक्षण का एक अवांछनीय गुण है

B. विश्वसनीयता परीक्षण का किसी बाह्य कसौटी के साथ सहसंबंध होता है जबकि वैधता का आत्म संबंध होता है

C. विश्वसनीयता परीक्षण का आत्म संबंध होता है जबकि परीक्षण का किसी बाह्य कसौटी के साथ सह संबंध होता है

D. विश्वसनीयता परीक्षण प्राप्तांकों का गुण होता है जबकि वैधता परीक्षण का

138. किसी की शोध समस्या के निर्णय हेतु बुनियादी आवश्यकता है–

A. केवल समस्या

B. केवल आवश्यकता

C. संसाधन

D. समस्या, आवश्यकता व संसाधन

139. विविक्तकर वैधता (discriminant validity) किसे कहते हैं?

A. जब परीक्षण करने सभी प्रत्याशित प्रसंगों (expected refronts) के साथ सहसंबंधित होता है

B. जब परीक्षण के एकांशों में आपसी विभिन्नता अधिक होती है

C. जब परीक्षण उन प्रत्याशित प्रसंगों (expected referents) के साथ सह संबंधित चाहिए

D. जब परीक्षण विभिन्न उप प्रत्याशित कसौटियों के बीच अन्तर कर सकने में समर्थ होता है

140. प्रतिदर्श वैधता (Sampling Validity) किसे कहते हैं?

A. परीक्षण जिस सीमा तक सम्पूर्ण अन्तर्विषयी क्षेत्र (content) का प्रतिनिधित्व ठीक ढ़ग से कर पाता है, उसे प्रतिदर्श वैधता कहा जाता है

B. परीक्षण किस सीमा तक यह बतला पाता है कि एकांशों द्वारा संबद्ध अर्न्तविषयी क्षेत्र (intended content areas) का प्रतिनिधित्व हो पाता है

C. परीक्षण किस सीमा तक उत्तम प्रतिदर्श तथा घटिया (inferior) एकांशों के प्रतिदर्श में अन्तर कर पाता है

D. परीक्षण जिस सीमा तक यह बदला पाता है कि एकांशों द्वारा संबद्ध अर्न्तविषयी क्षेत्र (intended content areas) का प्रतिनिधित्व हो पाता है

141. जब जनसंख्या विजातीय हो तो एक सैम्पल को चुनने की उचित पद्धति क्या होगी?

A. कलस्टर सैम्पलिंग B. रैन्डम सैम्पलिंग

C. परपाजिव सैम्पलिंग D. स्ट्रेटिफाइड सैम्पलिंग

142. शून्य (Null) परिकल्पना है–

A. नकारात्मक रूप में कही गई

B. सभी प्रयोगात्मक अध्ययन में कही गई

C. सभी शोध अध्ययन में निर्मित

D. सांख्यिकी रूप में टैस्ट की हुई

143. चरों का नियंत्रण (Manipulation) किया जाता है–

A. सह संबंध अध्ययन में

B. प्रयोगिक अनुसंधान में

C. क्षेत्रीय अध्ययन में

D. कार्योतर (एक्स पोस्ट फैक्टो) शोध में

144. अप्राचलिक (Non Parametric) परीक्षण किसके लिए उपयोगी है?

A. भविष्य कथन B. अनुमान

C. वर्णन और अनुमान D. वर्णन

145. अनुप्रयोगात्मक (Applied) अनुसंधान का परिणाम होता है–

A. खोज B. आविष्कार

C. समस्या समाधान D. नई नीतियाँ

146. गुणांक अल्फा (Coefficient alpha) क्या है?

A. परीक्षण की विश्वसनीयता ज्ञात करने की एक विधि है

B. परीक्षण की वैधता ज्ञात करने की एक विधि है

C. एकांश विश्लेषण (item analysis) की एक विधि है

D. एक तरह का मानक (norms) है जिसका प्रयोग केवल उपलब्धि परीक्षण (achievement) में होता है

147. प्राप्तांक लेखक विश्वसनीयता (Scorer Reliability) से तात्पर्य होता है–

A. प्राप्तांक लेखन करने वाली व्यक्तियों के निर्णयों में संगतता से

B. प्राप्तांक लेखन करने वाले व्यक्तियों के निर्णयों में असंगतता से

C. प्राप्तांक लेखन करने वाले व्यक्तियों के निर्णयों में पूर्वाग्रहों से

D. उपयुर्क्त में से किसी भी तथ्य से नहीं

148. लिकर्ट विधि द्वारा तैयार मनोवृति मापनी में एकांशों की संख्या लगभग होती है–

A. 20 से 25 B. 30 से 35

C. 10 से 15 D. 40 से 45

149. यादृच्छिक न्यादर्श विधि में किसने संख्या सारिणी का प्रयोग किया है–

A. टियेट ने

B. टियेट तथा फिशर दोनों में

C. बकिंघम ने

D. फिशर ने

150. मनोविज्ञान और शिक्षा के क्षेत्र में अध्ययन हेतु न्यादर्श का कौनसा रूप प्रयुक्त होता है?

A. विषमजातीय B. समजातीय

C. कोई भी रूप नहीं D. उपरोक्त सभी

151. प्राथमिक स्तर पर एक शिक्षक में निम्न में से किसे सबसे महत्त्वपूर्ण विशेषता मानना चाहिए?

A. धैर्य और दृढ़ता

B. शिक्षण-पद्धतियों और विषयों के ज्ञान में दक्षता

C. अति मानक भाषा में पढ़ाने में दक्षता

D. पढ़ाने की उत्सुकता

152. एक शिक्षक अपने लोकतांत्रिक स्वभाव के कारण विद्यार्थियों को पूरी कक्षा में कहीं भी बैठने की अनुमति देता है। कुछ शिक्षार्थी एक-साथ बैठते हैं और चर्चा करते हैं या सामूहिक पठन करते हैं। कुछ चुपचाप बैठकर अपने-आप पढ़ते हैं। एक अभिभावक को यह पसंद नहीं आता। इस स्थिति से निबटने का निम्न में से कौन-सा तरीका सबसे बेहतर हो सकता है?

A. अभिभावकों को प्रधानाचार्य से अनुरोध करना चाहिए कि वे उनके बच्चे का अनुभाग बदल दें

B. अभिभावकों को शिक्षक पर विश्वास व्यक्त करना चाहिए और शिक्षक के साथ समस्या पर चर्चा करनी चाहिए

C. अभिभावकों को उस विद्यालय से अपने बच्चे को निकाल लेना चाहिए

D. अभिभावकों को प्रधानाचार्य से शिक्षक की शिकायत करनी चाहिए

153. वह अवस्था जब बच्चा तार्किक रूप से वस्तुओं व घटनाओं के विषय में चिंतन प्रारंभ करता है, है–

A. औपचारिक-संक्रियात्मक अवस्था

B. पूर्व-संक्रियात्मक अवस्था

C. मूर्त-संक्रियात्मक अवस्था

D. संवेदी-प्रेरक अवस्था

154. 'मन का मानचित्रण' संबंधित है–

A. साहसिक कार्यों की क्रिया-योजना से

B. मन का चित्र बनाने से

C. मन की क्रियाशीलता पर अनुसंधान से

D. बोध (समझ) बढ़ाने की तकनीक से

155. विशेष रूप से प्राथमिक स्तर पर विद्यार्थियों की सीखने सम्बन्धी समस्याओं को संबोधित करने का सबसे बेहतर तरीका है–

A. महँगी और चमकदार सहायक सामग्री का प्रयोग करना

B. सरल और रोचक पाठ्य-पुस्तकों का प्रयोग करना

C. कहानी-कथन पद्धति का प्रयोग करना

D. अक्षमता के अनुरूप विभिन्न शिक्षण-पद्धतियों का प्रयोग करना

156. निम्न में से कौन-सा शिक्षार्थियों में सृजनात्मकता का पोषण करता है?

A. प्रत्येक शिक्षार्थी की अंतर्जात प्रतिभाओं का पोषण करने एवं प्रश्न करने के अवसर उपलब्ध कराना

B. विद्यालयी जीवन के प्रारंभ से उपलब्धि के लक्ष्यों पर बल देना

C. परीक्षा में अच्छे अंकों के लिए विद्यार्थियों की कोचिंग करना

D. अच्छी शिक्षा के व्यावहारिक मूल्यों के लिए विद्यार्थियों का शिक्षण

157. पियाजे के अनुसार, निम्नलिखित में से कौन-सी अवस्था में बच्चा अमूर्त संकल्पनाओं के विषय में तार्किक चिंतन करना आरंभ करता है?

A. औपचारिक-संक्रियात्मक अवस्था (11 वर्ष एवं ऊपर)

B. संवेदी-प्रेरक अवस्था (जन्म-02 वर्ष)

C. पूर्व-संक्रियात्मक अवस्था (02-07 वर्ष)

D. मूर्त-संक्रियात्मक अवस्था (07-11 वर्ष)

158. सीखना समृद्ध हो सकता है यदि–

A. कक्षा में अधिक-से-अधिक शिक्षण-सामग्री का प्रयोग किया जाए

B. शिक्षक विभिन्न प्रकार के व्याख्यान और स्पष्टीकरण का प्रयोग करें

C. कक्षा में आवधिक परीक्षाओं पर अपेक्षित ध्यान दिया जाए

D. वास्तविक दुनिया से उदाहरणों को कक्षा में लाया जाए जिसमें विद्यार्थी एक-दूसरे से अंतःक्रिया करें और शिक्षक उस प्रक्रिया को सुगम बनाए

159. निम्न में से कौन-से कथन को सीखने की प्रक्रिया की विशेषता ***नहीं*** मानना चाहिए?

A. सीखना एक व्यापक प्रक्रिया है

B. सीखना लक्ष्योन्मुखी होता है

C. अन-अधिगम भी सीखने की प्रक्रिया है
D. शैक्षिक संस्थान ही एकमात्र स्थान है जहाँ अधिगम प्राप्त होता है

160. पाँचवीं कक्षा के 'दृष्टिबाधित' विद्यार्थी–
A. के माता-पिता और मित्रों द्वारा उसे दैनिक कार्यों को करने में सहायता की जानी चाहिए
B. के साथ कक्षा में सामान्य रूप से व्यवहार किया जाना चाहिए और श्रव्य सी.डी. के माध्यम से सहायता उपलब्ध कराई जानी चाहिए
C. के साथ कक्षा में विशेष व्यवहार किया जाना चाहिए
D. को निचले स्तर के कार्य करने की छूट मिलनी चाहिए

161. निम्न में से कौन-सा बच्चे की सामाजिक-मनोवैज्ञानिक आवश्यकताओं के साथ संबद्ध ***नहीं*** है?
A. संवेगात्मक सुरक्षा की आवश्यकता
B. शरीर से अपशिष्ट पदार्थों का नियमित रूप से बाहर निकलना
C. सान्निध्य (संगति) की आवश्यकता
D. सामाजिक अनुमोदन अथवा सराहना की आवश्यकता

162. वह कौन-सा कथन है जहाँ बच्चे के 'संज्ञानात्मक' विकास को सबसे बेहतर तरीके से परिभाषित किया जा सकता है?
A. विद्यालय एवं कक्षा पर्यावरण
B. सभागार
C. घर
D. खेल का मैदान

163. ....को एक अभिप्रेरित शिक्षण का संकेतक माना जाता है।
A. शिक्षक द्वारा दिया गया उपचारात्मक कार्य–
B. विद्यार्थियों द्वारा प्रश्न पूछना
C. कक्षा में एकदम खामोशी
D. कक्षा में अधिकतम उपस्थिति

164. निम्न में से कौन-सा बुद्धिमान बच्चे का लक्षण ***नहीं*** है?
A. वह जो प्रवाहपूर्ण एवं उचित तरीके से संप्रेषण करने की क्षमता रखता है–
B. वह जो अमूर्त रूप से सोचता रहता है
C. वह जो नए परिवेश में स्वयं को समायोजित कर सकता है
D. वह जो लंबे निबंधों को बहुत जल्दी रटने की क्षमता रखता है

165. "बच्चे दुनिया के बारे में अपनी समझ का सृजन करते हैं।" इसका श्रेय .... को जाता है।
A. पैवलॉव B. कोह्लबर्ग
C. स्किनर D. पियाजे

166. कृतिका अक्सर घर में ज्यादा बात ***नहीं*** करती, लेकिन विद्यालय में वह काफी बात करती है। यह दर्शाता है कि–
A. शिक्षकों की यह मांग होती है कि बच्चे विद्यालय में खूब बात करें
B. कृतिका को अपना घर बिल्कुल पसंद नहीं है
C. उसके विचारों को विद्यालय में मान्यता मिलती है
D. विद्यालय हर समय बच्चों को खूब बात करने का अवसर देता है

167. एक शिक्षक को अपने विद्यार्थियों की क्षमताओं को समझने का प्रयास करना चाहिए। निम्नलिखित में से कौन-सा क्षेत्र इस उद्देश्य के साथ संबद्ध है?
A. सामाजिक दर्शन B. मीडिया-मनोविज्ञान
C. शिक्षा-मनोविज्ञान D. शिक्षा-समाजशास्त्र

168. सीखने की प्रक्रिया में, अभिप्रेरणा–
A. पिछले सीखे हुए को नए अधिगम से अलग करती है
B. शिक्षार्थियों को एक दिशा में सोचने के योग्य बनाती है
C. शिक्षार्थियों में सीखने के प्रति रुचि का विकास करती है
D. शिक्षार्थियों की स्मरण-शक्ति को पैना बनाती है

169. शिक्षा के क्षेत्र में 'पाठ्यचर्या' शब्दावली .... की ओर संकेत करती है।
A. विद्यालय का संपूर्ण कार्यक्रम जिसमें विद्यार्थी प्रतिदिन अनुभव प्राप्त करते हैं
B. मूल्यांकन-प्रक्रिया
C. कक्षा में प्रयुक्त की जाने वाली पाठ्य सामग्री
D. शिक्षण-पद्धति एवं पढ़ाई जाने वाली विषय-वस्तु

170. निचली कक्षाओं में शिक्षण की खेल-पद्धति मूल रूप से आधारित है–
A. शिक्षण-पद्धतियों के सिद्धांतों पर
B. विकास एवं वृद्धि के मनोवैज्ञानिक सिद्धांतों पर
C. शिक्षण के समाजशास्त्रीय सिद्धांतों पर
D. शारीरिक शिक्षा कार्यक्रमों के सिद्धांत पर

171. "एक बच्चा अतीत की समान परिस्थिति में की गई अनुक्रियाओं के आधार पर नई स्थिति के प्रति अनुक्रिया करता है।" यह किससे सम्बन्धित है?
A. सीखने का 'प्रभाव-नियम'
B. सीखने की प्रक्रिया का 'अभिवृत्ति-नियम'
C. सीखने का 'तत्परता-नियम'
D. सीखने का 'सादृश्यता-नियम'

172. .... 'प्रतिभाशाली' होने का संकेत ***नहीं*** है।
A. दूसरों के साथ झगड़ना
B. अभिव्यक्ति में नवीनता
C. जिज्ञासा
D. सृजनात्मक विचार

173. विशेष आवश्यकता वाले बच्चों को शिक्षा उपलब्ध कराई जानी चाहिए
A. विशेष विद्यालयों में विशेष बच्चों के लिए विकसित पद्धतियों द्वारा

B. विशेष विद्यालयों में
C. विशेष विद्यालयों में विशेष शिक्षकों द्वारा
D. अन्य सामान्य बच्चों के साथ

174. आकलन को 'उपयोगी और रोचक' प्रक्रिया बनाने के लिए .... के प्रति सचेत होना चाहिए।
A. विद्यार्थियों को बुद्धिमान या औसत शिक्षार्थी की उपाधि देना
B. शैक्षिक और सह-शैक्षिक क्षेत्रों में विद्यार्थी के सीखने के बारे में जानकारी प्राप्त करने के लिए विविध तरीकों का प्रयोग करना
C. प्रतिपुष्टि (फीडबैक) देने के लिए तकनीकी भाषा का प्रयोग करना
D. अलग-अलग विद्यार्थियों में तुलना करना

175. 'डिस्लेक्सिया' किससे सम्बन्धित है?
A. गणितीय विकार B. पठन विकार
C. व्यवहार-सम्बन्धी विकार D. मानसिक विकार

176. पियाजे के अनुसार विकास की पहली अवस्था (जन्म से लगभग 2 वर्ष आयु) के दौरान बच्चा .... सबसे बेहतर सीखता है।
A. अमूर्त तरीके से चिंतन द्वारा
B. भाषा के नए अर्जित ज्ञान के अनुप्रयोग द्वारा
C. इंद्रियों के प्रयोग द्वारा
D. निष्क्रिय (neutral) शब्दों को समझने के द्वारा

177. सबसे अधिक गहन और जटिल समाजीकरण होता है
A. पूर्व बाल्यावस्था के दौरान
B. प्रौढ़ावस्था के दौरान
C. व्यक्ति के पूरे जीवन में
D. किशोरावस्था के दौरान

178. आनुवंशिकता को .... सामाजिक संरचना माना जाता है।
A. गत्यात्मक B. स्थिर
C. प्राथमिक D. गौण

179. सीखने का वह सिद्धांत जो पूर्ण रूप से और केवल '*अवलोकनीय व्यवहार*' पर आधारित है, सीखने के .... सिद्धांत से सम्बद्ध है।
A. व्यवहारवादी B. रचनावादी
C. संज्ञानवादी D. विकासवादी

180. निम्नलिखित में से कौन-सा 'समझ के लिए शिक्षण' को प्रदर्शित ***नहीं*** करता?
A. समानता और अंतर देखने और सादृश्यता स्थापित करने के लिए विद्यार्थियों की सहायता करना
B. विद्यार्थियों को एकाकी तथ्यों और प्रक्रियाओं को याद करने के योग्य बनाना
C. परिघटना या अवधारणा को अपने शब्दों में अभिव्यक्त करने के लिए विद्यार्थियों को कहना
D. नियम कैसे काम करता है इसे स्पष्ट करने हेतु उदाहरण उपलब्ध कराने के लिए विद्यार्थियों को पढ़ाना

181. निम्नलिखित में से कौन-सी विशेषता आंतरिक रूप से अभिप्रेरित बच्चों के लिए सही ***नहीं*** है?
A. वे कार्य करते समय उच्च स्तर की ऊर्जा प्रदर्शित करते हैं
B. वे चुनौती भरे कार्यों को पसंद करते हैं
C. वे हमेशा सफल होते हैं
D. उन्हें कार्य करने में आनंद आता है

182. एक शिक्षिका अपनी कक्षा के प्रतिभाशाली बच्चों की योग्यताओं (potential) की उपलब्धि चाहती है। अपने उद्देश्य की प्राप्ति के लिए उसे निम्नलिखित में से क्या ***नहीं*** करना चाहिए?
A. विशेष ध्यान के लिए उन्हें उनके समकक्षियों से अलग करना
B. उनकी सृजनात्मकता को समृद्ध करने के लिए उन्हें चुनौती देना
C. गैर-शैक्षणिक गतिविधियों में आनंद लेना सिखाना
D. तनाव को नियंत्रित करना सिखाना

183. छोटे शिक्षार्थियों में निम्नलिखित में से कौन-सा लक्षण 'पठन-कठिनाई' का ***नहीं*** है?
A. शब्दों और विचारों को समझने में कठिनाई
B. सुसंगत वर्तनी में कठिनाई
C. वर्ण एवं शब्द पहचान में कठिनाई
D. पठन-गति और प्रवाह में कठिनाई

184. शिक्षार्थियों का 'आत्म-निजयमन' .... की ओर संकेत करता है।
A. विद्यार्थी-निकाय द्वारा बनाए गए नियम-विनियम
B. स्व-अनुशासन और नियंत्रण
C. अपने सीखने का स्वयं पर्यवेक्षण करने की उनकी योग्यता
D. विद्यार्थियों के व्यवहार के लिए विनियम बनाना

185. निम्नलिखित में से किस कथन को 'सीखने' के लक्षण के रूप में ***नहीं*** माना जा सकता?
A. व्यवहार का अध्ययन सीखना है
B. अन-अधिगम (unlearning) भी सीखने का एक हिस्सा है
C. सीखना एक प्रक्रिया है जो व्यवहार में मध्यस्थता करती है
D. सीखना कुछ ऐसी चीज है जो कुछ अनुभवों के परिणामस्वरूप घटित होती है

186. सिद्धांत के रूप में रचनावाद
A. सूचनाओं को याद करने और पुनःस्मरण द्वारा जाँच करने पर बल देता है
B. शिक्षक की प्रभुत्वशाली भूमिका पर बल देता है
C. अनुकरण की भूमिका पर केन्द्रित है

D. दुनिया के बारे में अपना दृष्टिकोण निर्मित करने में शिक्षार्थी की भूमिका पर बल देता है

187. सृजनात्मक शिक्षार्थी वह है जो
A. परीक्षा में हर बार अच्छे अंक प्राप्त करने के योग्य है
B. पार्श्व (लेट्रल) चिंतन और समस्या-समाधान में अच्छा है
C. ड्राइंग और पेंटिंग में बहुत विलक्षण है
D. बहुत बुद्धिमान् है

188. अवधारणाओं का विकास मुख्य रूप से .... का हिस्सा है।
A. शारीरिक विकास B. सामाजिक विकास
C. संवेगात्मक विकास D. बौद्धिक विकास

189. व्यक्तिगत शिक्षार्थी एक-दूसरे से ...... में भिन्न होते हैं
A. विकास-क्रम
B. विकास की सामान्य क्षमता
C. वृद्धि एवं विकास के सिद्धांतों
D. विकास की दर

190. 'बच्चे के उचित विकास को सुनिश्चित करने के लिए उसका स्वस्थ शारीरिक विकास एक महत्त्वपूर्ण पूर्व आवश्यकता है।' यह कथन
A. सही है, क्योंकि विकास-क्रम में शारीरिक विकास सबसे पहले स्थान पर आता है
B. सही है, क्योंकि शारीरिक विकास, विकास के अन्य पक्षों के साथ अंतःसम्बन्धित है
C. गलत है, क्योंकि शारीरिक विकास, विकास के अन्य पक्षों को किसी भी प्रकार से प्रभावित नहीं करता
D. गलत हो सकता है, क्योंकि विकास नितांत व्यक्तिगत मामला है

191. इरफान खिलौनों को तोड़ता है और उसके पुर्जों को देखने के लिए उन्हें अलग-अलग कर देता है। आप क्या करेंगे?
A. उसके जिज्ञासु स्वभाव को प्रोत्साहित करेंगे और उसकी ऊर्जा को सही दिशा में संचरित करेंगे
B. उसे समझाएंगे कि खिलौनों को तोड़ना नहीं चाहिए
C. इरफान को खिलौनों से कभी भी नहीं खेलने देंगे
D. उस पर हमेशा नजर रखेंगे

192. बच्चे के विकास के सिद्धांतों को समझना शिक्षक की सहायता करता है
A. शिक्षार्थियों को क्यों पढ़ाना चाहिए– यह औचित्य स्थापित करने में
B. शिक्षार्थियों की भिन्न अधिगम-शैलियों को प्रभावी रूप में संबोधित करने में
C. शिक्षार्थी के सामाजिक स्तर को पहचानने में
D. शिक्षार्थी की आर्थिक पृष्ठभूमि को पहचानने में

193. प्रत्येक शिक्षार्थी स्वयं में विशिष्ट है। इसका अर्थ है कि
A. सभी शिक्षार्थियों के लिए एकसमान पाठ्यचर्या संभव नहीं है
B. एक विषमरूपी कक्षा में शिक्षार्थियों की क्षमताओं को विकसित करना असंभव है
C. कोई भी दो शिक्षार्थी अपनी योग्यताओं, रुचियों और प्रतिभाओं में एकसमान नहीं होते
D. शिक्षार्थियों में न तो कोई समान विशेषताएँ होती हैं और न ही उनके लक्ष्य समान होते हैं

194. 'पुरुष स्त्रियों की अपेक्षा ज्यादा बुद्धिमान् होते हैं।' यह कथन
A. लैंगिक पूर्वाग्रह को प्रदर्शित करता है
B. बुद्धि के भिन्न पक्षों के लिए सही है
C. सही है
D. सही हो सकता है

195. क्रिस्टिना अपनी कक्षा को क्षेत्र-भ्रमण पर ले जाती है और वापस आने पर अपने विद्यार्थियों के साथ भ्रमण पर चर्चा करती है। यह .... की ओर संकेत करता है।
A. आकलन के लिए सीखना
B. आकलन का सीखना
C. सीखने का आकलन
D. सीखने के लिए आकलन

196. मानव विकास कुछ विशेष सिद्धांतों पर आधारित है। निम्नलिखित में से कौन-सा मानव विकास का सिद्धांत ***नहीं*** है?
A. सामान्य से विशिष्ट B. प्रतिवर्ती
C. निरंतरता D. आनुक्रमिकता

197. निःशक्त बच्चों के लिए समेकित शिक्षा की केंद्रीय प्रायोजित योजना का उद्देश्य है .... में निःशक्त बच्चों को शैक्षिक अवसर उपलब्ध कराना।
A. मुक्त विद्यालयों
B. 'ब्लाइंड रिलीफ एसोसिएशन' के विद्यालयों
C. नियमित विद्यालयों
D. विशेष विद्यालयों

198. निम्नलिखित में से कौन-सा कथन 'सीखने' के बारे में सही है?
A. सीखने के किसी भी चरण पर सीखना संवेगात्मक कारकों से प्रभावित नहीं होता।
B. सीखना मूल रूप से मानसिक क्रिया है।
C. बच्चों द्वारा की गई त्रुटियाँ यह संकेत करती है कि किसी तरह का सीखना नहीं हुआ।
D. सीखना उस वातावरण में प्रभावी होता है जो संवेगात्मक रूप से सकारात्मक हो और शिक्षार्थियों को संतुष्ट करने वाला हो।

199. मूल्यांकन (assessment) का मुख्य उद्देश्य होना चाहिए
A. यह निर्णय लेना कि क्या विद्यार्थी को अगली कक्षा में प्रोन्नत किया जाना चाहिए

B. सीखने में होने वाली कमियों का निदान और उपचार करना
C. शिक्षार्थियों की त्रुटियाँ निकालना
D. शिक्षार्थियों की उपलब्धि को मापना

200. शिक्षार्थी जो पहले सीख चुके हैं उसकी पुनरावृत्ति और प्रत्यास्मरण में शिक्षार्थियों की मदद करना महत्त्वपूर्ण है क्योंकि
A. पूर्व पाठों को दोहराने का यह एक प्रभावी तरीका है
B. यह शिक्षार्थियों की स्मृति को बढ़ाता है जिससे सीखना सुदृढ़ होता है
C. यह किसी भी कक्षा-अनुदेशन के लिए एक सुविधाजनक शुरुआत है
D. नई जानकारी को पूर्व जानकारी से जोड़ना सीखने को समृद्ध बनाता है

201. सृजनात्मक उत्तरों के लिए आवश्यक है
A. मुक्त-उत्तर वाले प्रश्न
B. एक अत्यंत अनुशासित कक्षा
C. प्रत्यक्ष शिक्षण एवं प्रत्यक्ष प्रश्न
D. विषय-वस्तु आधारित प्रश्न

202. शिक्षार्थियों को .... के लिए प्रोत्साहित ***नहीं*** करना चाहिए।
A. अधिक-से-अधिक पाठ्य-सहगामी क्रियाओं में हिस्सा लेने
B. शिक्षक जो पूछ सकते हैं उन सभी प्रश्नों के उत्तर याद करने
C. कक्षा के अंदर और बाहर अधिक-से-अधिक प्रश्न पूछने
D. समूह कार्य में दूसरे शिक्षार्थियों के साथ सक्रिय रूप से अंतःक्रिया करने

203. निम्नलिखित में से कौन-सा रचनात्मक आकलन (Formative Assessment) के लिए उचित उपकरण ***नहीं*** है?
A. सत्र परीक्षा B. प्रश्नोत्तरी और खेल
C. दत्त कार्य D. मौखिक प्रश्न

204. विद्यार्थियों के सीखने में जो रिक्तियाँ रह जाती हैं उनके निदान के बाद .... होना चाहिए।
A. सभी पाठों को व्यवस्थित रूप से दोहराना
B. शिक्षार्थियों और अभिभावकों को उपलब्धि के बारे में बताना
C. समुचित उपचारात्मक कार्य
D. सघन अभ्यास कार्य

205. भारतीय समाज की बहुभाषिक विशेषता को .... देखा जाना चाहिए।
A. विद्यार्थियों को सीखने के लिए अभिप्रेरित करने हेतु शिक्षक-योग्यता की चुनौती के रूप में
B. शिक्षार्थियों के लिए विद्यालयी जीवन को एक जटिल अनुभव के रूप में बनाने के एक कारक के रूप में
C. शिक्षण-अधिगम प्रक्रिया में बाधा के रूप में
D. विद्यालयी जीवन को समृद्ध बनाने के संसाधन के रूप में

206. बच्चों की सीखने की प्रक्रिया में माता-पिता को .... भूमिका निभानी चाहिए।
A. अग्रोन्मुखी B. सहानुभूतिपूर्ण
C. तटस्थ D. नकारात्मक

207. "विकास कभी न समाप्त होने वाली प्रक्रिया है।" यह विचार किससे सम्बन्धित है?
A. निरंतरता का सिद्धांत
B. एकीकरण का सिद्धांत
C. अंतःक्रिया का सिद्धांत
D. अंतःसम्बन्ध का सिद्धांत

208. 'सीखने के अंतःदृष्टि सिद्धांत' को किसने बढ़ावा दिया?
A. पैवलॉव B. जीन पियाजे
C. वाइगोत्स्की D. 'गेस्टाल्ट' सिद्धांतवादी

209. निम्नलिखित में से किस अवस्था में बच्चे अपने समवयस्क समूह के सक्रिय सदस्य हो जाते हैं?
A. प्रौढ़ावस्था B. पूर्व बाल्यावस्था
C. बाल्यावस्था D. किशोरावस्था

210. बच्चों के बौद्धिक विकास की चार विशिष्ट अवस्थाओं की पहचान की गई
A. एरिकसन द्वारा B. स्किनर द्वारा
C. पियाजे द्वारा D. कोह्लबर्ग द्वारा

211. गणवेश (यूनीफार्म) का विद्यालयों में प्रचलन इसलिए होता है ताकिः
A. बालक सुन्दर दिखते हैं
B. विद्यालय को आर्थिक लाभ होता है
C. छात्रों के गुम होने की सम्भावना नहीं होती है
D. छात्रों में एकात्मकता झलकती है

212. किसी सहयोगी से विवाद होने पर आप क्या करेंगे?
A. प्रधानाचार्य से उसकी शिकायत करेंगे
B. दूसरे सहयोगियों से सहायता लेंगे
C. दूसरे सहयोगी से शान्तिपूर्वक बात करेंगे
D. दूसरे सहयागियों के सामने उसे दोषी साबित करेंगे

213. शिक्षण व्यवसाय में उन्हें ही जाना चाहिए जोः
A. ज्ञानवान हों B. बालकों में रुचि लेते हों
C. व्यवहार में अच्छे हों D. दानी हों

214. छात्रों को उनकी प्रगति के विषय में जानकारी देने से, छात्रः
A. प्रसन्न हो जाते हैं B. अच्छा कार्य करते हैं
C. हतोत्साहित हो जाते हैं D. नियमित हो जाते हैं

215. यदि एक विद्यार्थी किसी अध्यापक के लिए अशुद्ध भाषा का प्रयोग करता है, तो मैं:

A. विद्यार्थी को उसकी गलती का आभास कराऊँगा
B. विद्यार्थी की ओर ध्यान नहीं दूँगा
C. अध्यापक से उसकी शिकायत करूँगा
D. विद्यार्थी को दण्डित करूँगा

216. शिक्षण में छात्रों के अनुभवों के स्थायित्व के लिए, अध्यापन में प्रयोग किया जाना चाहिए:

A. व्याख्यान का
B. विद्यार्थियों की सहभागिता का
C. विद्यार्थियों के क्रियाकलाप का
D. प्रदर्शन का

217. बच्चों की शिक्षा प्रारम्भ होती है:

A. प्राथमिक विद्यालय से B. बालवाड़ी से
C. घर से D. समाज से

218. विद्यार्थी के अधिगम का मूल्यांकन प्रमुख रूप से होना चाहिए:

A. सतत एवं व्यापक प्रक्रिया से
B. प्रत्येक सत्र के अन्त में
C. प्रत्येक पाठ के अन्त में
D. वार्षिक प्रक्रिया से

219. मैं एक प्रभावी शिक्षक उसे मानता हूँ जो बच्चों की सहायता कर सकता है:

A. सर्वांगीण विकास में
B. समस्याओं के समाधान में
C. क्रीड़ा के लिए अवसर प्रदान करने में
D. उच्च अक प्राप्त करने में

220. परीक्षा में नकल की बढ़ती प्रवृत्ति का प्रमुख कारण है:

A. वर्तमान परीक्षा पद्धति
B. शिक्षकों की उदासीनता
C. छात्रों की अपर्याप्त तैयारी
D. अनुशासनहीनता

221. सहायक सामग्री का उपयोग करते समय मैं अधिक महत्त्व देता हूँ:

A. विद्यार्थी की रुचि पर B. अधिगम की सुविधा पर
C. आकर्षण पर D. मूल्य पर

222. मैं चाहता हूँ प्राथमिक कक्षा में सभी विद्यार्थी:

A. अध्यापक की तरफ ध्यान दें
B. पठन अथवा लेखन करें
C. अध्यापक से अन्तर्क्रिया करें
D. शान्तिपूर्वक अपना कार्य करें

223. यदि विद्यार्थी से प्रश्न पूछने पर, वह उत्तर नहीं देता है तो अध्यापक को चाहिए:

A. उत्तर न देने पर विद्यार्थी को दण्ड देना
B. सही उत्तर के लिए किसी और विद्यार्थी से पूछना
C. सही उत्तर के लिए विद्यार्थी को प्रोत्साहित करना
D. किसी भी प्रकार के उत्तर के लिए प्रतीक्षा करना

224. अच्छी नागरिकता की शिक्षा प्राप्त होती है:

A. परिवार से B. विद्यालय से
C. समाज से D. उपरोक्त सभी से

225. एक छात्र की शिक्षण-अधिगम में सक्रिय भागीदारी होती है यदि वह:

A. सम्बन्धित प्रश्न पूछता है
B. शिक्षक के प्रश्नों के उत्तर देता है
C. दूसरों के विचारों पर प्रतिक्रिया व्यक्त करता है
D. उपर्युक्त सभी करता है

226. यदि शिक्षक एक छात्र का गृह-कार्य असावधानीपूर्वक जाँचे तो छात्र के माता-पिता को क्या करना चाहिए?

A. अध्यापक से झगड़ा करना
B. प्रधानाचार्य से शिकायत करना
C. त्रुटियों का स्वयं सुधार करना
D. अध्यापक से विचार-विमर्श करना

227. विद्यालय के प्रधानाध्यापक से विवाद होने पर आप क्या करेंगे?

A. पढ़ाये बिना हड़ताल करेंगे
B. पढ़ाने के बाद जलूस निकालेंगे
C. पढ़ाने के बाद धरना देंगे
D. बिना पढ़ाये धरना देंगे

228. छुट्टी के बाद एक छात्र दूसरे छात्र को कमरे में बंद करके चला गया तो आप क्या करेंगे?

A. अपराधी बच्चे को विद्यालय से निकाल देंगे
B. अपराधी बच्चे के माता-पिता से शिकायत करेंगे
C. कारण जानकर उसे समझायेंगे
D. उसे अपराध के लिए शारीरिक दण्ड देंगे

229. शिक्षा को स्वावलम्बी बनाना चाहिए क्योंकि तब:

A. छात्र शिक्षा को गम्भीरता से लेंगे
B. अवांछित छात्र प्रवेश नहीं लेंगे
C. कालेजों में भीड़ कम होगी
D. राजस्व की बचत होगी

230. वर्तमान समय में शिक्षा और सूचना हेतु सर्वाधिक सशक्त माध्यम है:

A. दूरदर्शन B. रेडियो
C. समाचारपत्र D. सिनेमा

231. यदि छात्र पूछे गये प्रश्न का उत्तर न दे सके तो–

A. अध्यापक को खुद उत्तर देना चाहिए
B. दूसरे छात्रों से पूछना चाहिए
C. छात्र को उत्तर देने के लिए प्रोत्साहित करना चाहिए
D. छात्र को सजा देनी चाहिए

232. विद्यालय में छात्रों के लिए शैक्षिक भ्रमण क्यों आवश्यक है?

A. छात्रों का घूमने में मन लगता है
B. छात्रों पर पढ़ाई का बोझ न पड़े
C. छात्रों को प्रत्यक्ष संपर्क से स्थाई ज्ञान होता है
D. छात्र का मनोंरजन होता है

233. छात्रों को गृहकार्य दिया जाता है क्यों?
A. छात्र घर पर पढ़ाई कर सके
B. छात्रों के विकास के लिए
C. छात्रों को पढ़ाये गए पाठ कितना समझ में आया उसकी जांच के लिए
D. लेखन-कौशल विकसित करने के लिए

234. छात्रों को नियमित क्रियाकलाप कराने का उद्देश्य क्या है?
A. उसमें विषय रुचि पैदा करना
B. उसे अध्ययन में नियमित बनाना
C. विषय की बेहतर जानकारी के लिए
D. उपरोक्त सभी

235. वर्तमान में छात्रों में शिक्षा रुचि नहीं है क्योंकि–
A. व्यवसाय में बहुत अधिक पैसा है
B. शिक्षा में बहुत ज्यादा निवेश है
C. उन्हें शिक्षा का कोई भविष्य नहीं दिखता
D. शिक्षा का पाठ्यक्रम एवं प्रारूप ठीक नहीं

236. छात्रों के शिक्षण में नैतिक शिक्षा का क्या महत्त्व है?
A. नैतिक शिक्षा वर्तमान-परिवेश में आवश्यक है
B. नैतिक शिक्षा छात्रों में उत्सुकता पैदा करती है
C. नैतिक शिक्षा चरित्र विकास के लिए आवश्यक है
D. नैतिक शिक्षा से मनुष्य महापुरुष बनता है

237. निबन्धात्मक प्रश्नों के स्थान पर वास्तुनिष्ठ प्रश्न विद्यालयों में क्यों पूछे जाते हैं?
A. छात्रों को समय का महत्त्व दर्शाने के लिए
B. कम समय में ज्यादा काम करने के लिए
C. ज्यादा प्रश्नों का उत्तर जानने के लिए
D. उत्तर-पुस्तिका हल करने में आसानी होती है

238. छात्रों का शैक्षणिक भ्रमण कराया जाता है
A. बच्चे पढ़ाई को एक बोझ न समझें
B. छात्रों के माता-पिता को संतुष्ट करने के लिए
C. छात्रों को प्रत्यक्ष सम्पर्क से ज्ञान हासिल कराने के लिए
D. छात्रों को मनोरंजन कराने के लिए

239. कक्षा में छात्र अगर आपके प्रश्न का उत्तर न दे सके तो–
A. शिक्षक को स्वयं उस उत्तर को बताना चाहिए
B. उसी प्रश्न को फिर अलग ढंग से पूछना चाहिए
C. उसी प्रश्न को कक्षा में बार-बार पूछना चाहिए
D. स्वयं उत्तर देकर छात्र से याद करवाना चाहिए

240. ई.ल. थोनडी ने विकास के सिद्धांत पर क्या विचार दिये हैं?
A. बच्चों में विकास उम्र के साथ-साथ बढ़ता रहता है
B. अच्छे बच्चों में ज्यादा विकास होता है
C. उचित महौल में सभी बच्चे विकास करते हैं
D. उम्र बढ़ने के साथ-साथ विकास घटने लगता है

उत्तरमाला

1	2	3	4	5	6	7	8	9	10
D	A	D	D	A	C	D	A	D	A
11	12	13	14	15	16	17	18	19	20
D	D	A	A	B	B	C	D	B	D
21	22	23	24	25	26	27	28	29	30
C	B	D	C	B	D	A	B	D	B
31	32	33	34	35	36	37	38	39	40
D	A	B	D	A	B	A	D	A	D
41	42	43	44	45	46	47	48	49	50
B	B	D	C	D	C	D	A	D	D
51	52	53	54	55	56	57	58	59	60
D	A	A	A	D	D	C	D	A	C
61	62	63	64	65	66	67	68	69	70
D	D	A	D	A	D	B	B	C	D
71	72	73	74	75	76	77	78	79	80
D	D	B	C	A	A	D	C	D	A
81	82	83	84	85	86	87	88	89	90
D	D	D	C	D	D	C	B	D	B
91	92	93	94	95	96	97	98	99	100
A	D	D	B	A	D	C	D	D	C
101	102	103	104	105	106	107	108	109	110
A	A	C	C	C	D	D	B	D	A
111	112	113	114	115	116	117	118	119	120
D	D	C	D	B	A	C	C	A	B
121	122	123	124	125	126	127	128	129	130
C	A	D	C	A	C	C	C	D	B
131	132	133	134	135	136	137	138	139	140
B	D	C	C	B	D	C	D	C	A
141	142	143	144	145	146	147	148	149	150
D	D	B	B	C	A	A	A	B	A
151	152	153	154	155	156	157	158	159	160
A	B	C	C	D	A	D	D	D	B
161	162	163	164	165	166	167	168	169	170
B	A	B	D	D	C	C	C	A	B
171	172	173	174	175	176	177	178	179	180
A	A	D	B	B	C	D	B	A	B
181	182	183	184	185	186	187	188	189	190
C	A	A	C	A	D	B	D	D	B
191	192	193	194	195	196	197	198	199	200
A	B	C	A	C	B	C	D	D	D
201	202	203	204	205	206	207	208	209	210
A	B	A	C	D	A	A	D	D	C
211	212	213	214	215	216	217	218	219	220
D	C	A	B	A	C	C	D	A	C
221	222	223	224	225	226	227	228	229	230
B	C	C	D	D	D	C	C	A	C
231	232	233	234	235	236	237	238	239	240
C	C	C	D	D	C	C	C	D	A

शब्दावली

अंतर्दृष्टि (Insight) : नयी परिस्थितियों का प्रभावशाली ढंग से सामना कर सकने की योग्यता।

अधिगम (Learning) : अनुभव के कारण प्राणी के व्यवहार में होने वाला अपेक्षाकृत स्थायी परिवर्तन।

अनुबंधन (Conditioning) : एक व्यवस्थित प्रक्रिया जिसके माध्यम से उद्दीपक के प्रति नयी अनुक्रियाएँ सीखी जाती हैं।

अनुबंधित अनुक्रिया (Conditioned response, CR) : प्राचीन अनुबंधन में एक अनुबंधित उद्दीपक के प्रति सीखी गई या अर्जित अनुक्रिया।

अनुबंधित उद्दीपक (Conditioned stimulus, CS) : एक तटस्थ उद्दीपक, अननुबंधित उद्दीपक के साथ बार-बार के साहचर्य से, अनुबंधित अनुक्रिया प्राप्त करने में समर्थ हो जाता है।

अननुबंधित अनुक्रिया (Unconditioned response, UR): किसी अननुबंधित उद्दीपक के प्रति बगैर सीखी हुई या अनैच्छिक अनुक्रिया।

अननुबंधित उद्दीपक (Unconditioned stimulus, US) : एक उद्दीपक जो सामान्यत: एक अनैच्छिक, मापनयोग्य अनुक्रिया उत्पन्न करता है।

अपसारी चिंतन (Divergent thinking) : ऐसा चिंतन जो मौलिक, आविष्कारशील और लचीला है। ऐसे प्रश्न जिनके कई उत्तर हो सकते हैं, उन सभी प्रकार के उत्तरों को खोजने के लिए विभिन्न दिशाओं में चिंतन उन्मुख होता है और जो सर्जनात्मकता की विशेषता है।

अभिक्षमता (Aptitude) : ऐसी विशेषताओं का संयोग जो व्यक्ति की प्रशिक्षण द्वारा कुछ विशिष्ट कौशलों को अर्जित करने की समर्थता का सूचक होता है।

अभिप्रेरण (Motivation) : एक आवश्यकता अथवा इच्छा जो व्यवहार को शक्ति देती है और उसे निर्देशित करती है।

अभिवृत्तियाँ (Attitudes) : किसी विषय पर मन, विचारों या प्रत्ययों की वे स्थितियाँ जिनमें संज्ञानात्मक, भावात्मक और व्यवहारात्मक घटक होते हैं।

अभिसारी चिंतन (Convergent thinking) : ऐसा चिंतन जो समस्या के एक सही समाधान की ओर निर्देशित होता है।

अल्पकालिक स्मृति (Short term memory, STM) : हम उन सभी सूचनाओं पर ध्यान नहीं देते जो हमारे संवेदी ग्राहकों को प्रभावित करती हैं। जिन सूचनाओं पर हम ध्यान देते हैं वे हमारी द्वितीय स्मृति भंडार में प्रवेश करती हैं जिसे अल्पकालिक स्मृति कहा जाता है, जो थोड़ी सूचना को थोड़े समय तक (सामान्यत: 30 सेकण्ड या उससे कम) ही रख पाती है।

अहंकेन्द्रवाद (Egocentrism) : पूर्व-संक्रियात्मक चिंतन की एक प्रमुख विशेषता जो किसी व्यक्ति द्वारा अपने परिप्रेक्ष्य और किसी दूसरे के परिप्रेक्ष्य के बीच भेद न कर पाने की अयोग्यता की ओर संकेत करती है।

आत्म-सम्मान (Self-esteem) : आत्म या स्व का व्यापक मूल्यांकन आयाम।

आत्मसिद्धि (Self-actualisation) : यह स्व-पूर्ति की एक अवस्था है जिसमें व्यक्ति अपनी उच्चतम क्षमताओं को विशिष्ट प्रकार से अनुभव करते हैं।

आवश्यकता (Need) : शरीरक्रियात्मक (आंतरिक) अथवा पर्यावरणी (बाह्य) संबंधी असंतुलन जो किसी अंतर्नोद को जन्म देता है।

उद्दीपक (Stimulus) : पर्यावरण में स्थित कोई सुपरिभाषित तत्व जो प्राणी को प्रभावित करता हो तथा जो प्रकट अथवा अप्रकट अनुक्रिया को जन्म देता हो।

उपलब्धि की आवश्यकता (Achievement need) : सफल होना, अग्रगण्य होना, दूसरों से अच्छा कार्य निष्पादन करने की आवश्यकता, ऐसे चुनौतीपूर्ण कार्यों को करना जो व्यक्ति की योग्यता का प्रदर्शन करें।

कूट संकेतन (Encoding) : स्मृति तंत्र में पहली बार आने वाली सूचनाओं का अभिलेखन करने की प्रक्रिया।

कृत्रिम बुद्धि (Artificial intelligence, AI) : यह क्षेत्र मशीनों की निर्मिति (जैसे-कंप्यूटर) से संबद्ध है, जो कि जटिल काम कर सकती हैं, जिसके लिए पहले मानव बुद्धि की आवश्यकता समझी जाती थी।

क्रियाप्रसूत अनुबंधन (Operant conditioning) : ऐसा अधिगम जिसमें ऐच्छिक अनुक्रियाएँ उनके परिणामों द्वारा नियंत्रित होती है।

कार्यकारी स्मृति (Working memory) : स्मृति की प्रक्रिया जो प्रत्यक्षण की गई नवीन घटनाओं और अनुभवों को

परिरक्षित रखती है, इसे अल्पकालिक स्मृति भी कहा जाता है।

गुणारोपण (Attribution) : बाह्य कारकों (संकेतों) के प्रत्यक्षण के आधार पर किसी व्यक्ति की आंतरिक स्थिति के बारे में अनुमान।

गेस्टाल्ट मनोविज्ञान (Gestalt psychology) : मनोविज्ञान की एक शाखा जिसमें व्यवहार को, इसके अपने भागों के कुल योग की अपेक्षा, अधिक व्यापक और एकीकृत साकल्य माना जाता है।

घटनापरक स्मृति (Episodic memory) : एक प्रकार की दीर्घकालिक स्मृति जो आत्मगत या निजी सूचनाएँ धारण करती है और जिसे विगत घटनाओं के लिए विशेष कालावधि में संदर्भ हेतु कोड दिया जाता है।

दंड (Punishment) : व्यवहार के दमन के लिए एक अप्रिय अथवा हानिकर उद्दीपक का अनुप्रयोग।

दीर्घकालिक स्मृति (Long term memory, LTM) : ऐसी सामग्री, जो अल्पकालिक स्मृति की क्षमता एवं धारण अवधि की सीमाओं को पार कर जाती है, वह दीर्घकालिक स्मृति में प्रवेश करती है जिसकी क्षमता व्यापक है। यह स्मृति का ऐसा स्थायी भंडार है जहाँ सूचनाएँ, चाहे वह कितनी भी नयी क्यों न हों, जैसे आपने कल क्या नाश्ता किया था? से लेकर इतनी पुरानी, जैसे आपने अपना छठा जन्मदिन कैसे मनाया था? सभी संचित होती हैं।

धनात्मक प्रबलन (Positive reinforcement) : कोई उद्दीपक अथवा घटना, जब इसके प्रारंभ को एक विशेष अनुक्रिया पर निर्भर बनाया जाता है, तो वह उस अनुक्रिया के घटित होने की संभावना में वृद्धि करती है।

परसंस्कृतिग्रहण (Acculturation) : दो भिन्न सांस्कृतिक समूहों में प्रथम एवं सतत संपर्क के परिणामस्वरूप उत्पन्न होने वाले सांस्कृतिक एवं मनोवैज्ञानिक परिवर्तन।

प्रबलन (Reinforcement) : एक अनुक्रिया का अनुसरण करती घटना जो अनुक्रिया के घटित होने की प्रवृत्ति को शक्ति देती है।

पूर्व-संक्रियात्मक अवस्था (Pre-operational stage) : पियाजे (Piaget) का दूसरा चरण जिसमें बच्चे संसार को शब्दों, प्रतिमाओं और रेखांकन से प्रस्तुत करते हैं किंतु तार्किक रूप से संक्रिया नहीं कर सकते।

प्राचीन अनुबंधन (Classical conditioning) : अधिगम का एक प्रकार जिसमें कोई जीव उद्दीपकों को संबद्ध करना सीखता है। इसमें मुख्य लक्षण यह है कि मूलभूत रूप से तटस्थ लेकिन अनुबंधित उद्दीपक (CS) अननुबंधित उद्दीपक (US) के साथ बार-बार युग्मित किए जाने पर वही अनुक्रिया अर्जित कर लेता है जो किसी भी अननुबंधित उद्दीपक के लिए की जाती है।

बुद्धि (Intelligence) : चुनौतियों का सामना करते समय संसाधनों का प्रभावपूर्ण ढंग से उपयोग करने, सविवेक चिंतन करने और जगत को समझने की क्षमता।

बुद्धि लब्धि (Intelligence quotient, IQ) : कालानुक्रमिक आयु से मानसिक आयु का अनुपात इंगित करने वाला मानकीकृत बुद्धि परीक्षणों से प्राप्त एक सूचकांक।

मनोरोग-चिकित्सा (Psychotherapy) : मानसिक/मनोवैज्ञानिक विकार या कुसमायोजन के उपचार में किसी मनोवैज्ञानिक तकनीक का उपयोग।

मानसिक आयु (Mental age, MA) : आयु के रूप में अभिव्यक्त बौद्धिक कार्यशीलता का मापक।

यौवनारंभ (Puberty) : तीव्र रूप से घटित होने वाली कंकालीय एवं लैंगिक परिपक्वता जो मुख्यत: किशोरावस्था में घटित होती है।

व्यवहारवाद (Behaviourism) : एक विचारधारा जो वस्तुनिष्ठता, प्रेक्षणीय व्यवहारात्मक अनुक्रियाओं, पर्यावरणी निर्धारकों और सीखने पर बल देती है।

व्यवहार चिकित्सा (Behaviour therapy) : ऐसी उपचार पद्धति जो दुरनुकूलक व्यवहार को परिवर्तित करने के लिए व्यवहारवादी अधिगम सिद्धांतों के नियमों पर आधारित होती है।

वाचिक अधिगम (Verbal learning) : वाचिक उद्दीपक के प्रति वाचक रूप से अनुक्रिया करने की अधिगम की प्रक्रिया। इसमें प्रतीक, निरर्थक पद, शब्दों की सूचियाँ आदि होते हैं।

सर्जनात्मकता (Creativity) : अभिनव और असाधारण तरीके से सोचने की योग्यता और समस्याओं को अनन्य ढंग से हल करना।

संप्रत्यय (Concept) : विचारों, वस्तुओं, व्यक्तियों अथवा अनुभवों की एक सामान्य श्रेणी जिसके सदस्यों में कुछ सामान गुण विद्यमान होते हैं।

समंजन (Accommodation) : लेंस की आकृति को बदलने के लिए पक्ष्माभिकी पेशी की चाक्षुष क्रिया।

सम्मान संबंधी आवश्यकताएँ (Esteem needs) : मैस्लो के सिद्धांत में प्रतिष्ठा, सफलता और आत्म-सम्मान की आवश्यकताएँ। आत्मीयता और प्रेम संबंधी आवश्यकताओं के तुष्ट होने के बाद इन्हें पूरा किया जा सकता है।

संवेग तर्क चिकित्सा (Rational emotive therapy, RET) : अल्बर्ट एलिस द्वारा विकसित एक चिकित्सा पद्धति। यह तर्कहीन, समस्या-उत्पादक दृष्टिकोणों के स्थान पर अधिक यथार्थवादी दृष्टिकोणों को प्रतिस्थापित करने का प्रयास करती है।

संस्कृति (Culture) : एक समुदाय में व्यापक रूप से सहभाजित रीति-रिवाज, विश्वास, मूल्य, मानव, संगठन एवं अन्य उत्पाद जो पीढ़ियों में सामाजिक रूप से संचारित होते हैं।

सहचारी अधिगम (Associative learning) : ऐसा अधिगम जिसमें कुछ घटनाएँ साथ-साथ घटित होती हैं। ये घटनाएँ दो उद्दीपक हो सकती हैं (जैसा कि प्राचीन अनुबंधन में) या एक अनुक्रिया और उसका परिणाम (जैसाकि क्रियाप्रसूत अनुबंधन में) हो सकती हैं।

संज्ञान (Cognition) : जानने के साथ जुड़ी सभी मानसिक प्रक्रियाएँ, यथा-प्रत्यक्षण करना, चिंतन करना और याद करना इत्यादि। यह सूचना के प्रक्रमण, समझ एवं संप्रेषण से संबंधित है।

संज्ञानात्मक अधिगम (Cognitive learning) : वैसा अधिगम जिसमें प्रत्यक्षण, ज्ञान एवं विचार की पुनर्व्यवस्था अंतर्निहित होती है।

संज्ञानात्मक उपागम (Cognitive approach) : वह दृष्टिकोण जो कि मानव चिंतन और जानने की सभी प्रक्रियाओं को मनोविज्ञान के अध्ययन के केंद्र में रखने पर बल देता है।

संज्ञानात्मक प्रक्रियाएँ (Cognitive processes) : व्यक्ति के चिंतन, बुद्धि और भाषा को संलग्न करने वाली मानसिक प्रक्रियाएँ।

संज्ञानात्मक मूल्यांकन प्रणाली (Cognitive assessment system) : परीक्षणों की एक माला जिसका निर्माण चार आधारभूत पास (PASS) प्रक्रियाओं (योजना-अवधान-सहकालिक-आनुक्रमिक) का मापन करने के लिए किया गया है।

संज्ञानात्मक लाघव (Cognitive economy) : संप्रत्ययों के श्रेणीबद्ध संगठन द्वारा दीर्घकालिक स्मृति का अधिकाधिक एवं प्रभावकारी उपयोग बताने के लिए एक पारिभाषिक शब्द।

संज्ञानात्मक शैली (Cognitive style) : संज्ञानात्मक शैली का संबंध अपने पर्यावरण के साथ संगत तरीके से व्यवहार करने से है। हम जिस तरह पर्यावरण का प्रत्यक्षण करते हैं उसे यह सार्थक रूप से प्रभावित करती है। अपने पर्यावरण का प्रत्यक्षण करने में लोग विभिन्न संज्ञानात्मक शैली का उपयोग करते हैं।

सुव्यक्त स्मृति (Explicit memory) : तथ्यों और अनुभवों की स्मृति जिसे कोई चेतन रूप से जानता है और उसे घोषित कर सकता है (इसे घोषणात्मक स्मृति भी कह सकते हैं)।

सूचना-प्रक्रमण उपागम (Information-processing approach) : एक उपागम जिसका इन बातों से संबंध है : व्यक्ति अपने जीवन-संसार के बारे में सूचनाएँ किस तरह प्रक्रमित करता है, किस प्रकार सूचनाएँ हमारे मन में प्रवेश करती हैं और रूपांतरित होती हैं, तथा किसी कार्य को करने, किसी समस्या का हल ढूँढ़ने और तर्कना के लिए इन्हें पुनः कैसे प्राप्त किया जाता है।

समाकृति या स्कीमा (Schema) : एक संज्ञानात्मक संरचना; संयोजनों का एक संजाल जो किसी व्यक्ति के प्रत्यक्षण को संगठित और निर्देशित करता है।

संवेदी स्मृति (Sensory memory) : प्रारंभिक प्रक्रिया जो उद्दीपक के संक्षिप्त प्रभावों को संरक्षित रखती है, इसे संवेदी पंजिका भी कहा जाता है।

संवेदी तंत्रिका कोशिका (Sensory neurons) : इन्हें अभिवाही तंत्रिका कोशिका भी कहते हैं। ये संवेदी ग्राहक कोशिकाओं से संदेशों को केंद्रीय तंत्रिका तंत्र तक ले जाती हैं।

सामाजिक सुकरीकरण (Social facilitation) : अन्य लोगों या श्रोतागण की उपस्थिति में अपने निष्पादन में सुधार करने को लोगों की प्रवृत्ति।

गणित

SECTION a

गणित

संख्याएँ

परिचय

0, 1, 2, 3, 4, 5, 6, 7, 8, 9 वे संकेतों का प्रयोग करके संख्याएँ लिखी जाती हैं। इन संकेतों को अंक कहते हैं। एक या एक से अधिक अंकों को एक साथ लिखने से संख्या बनती है। इस प्रकार एक संख्या हमें बताती है कि दी हुई मात्रा में कितनी इकाइयाँ हैं। अतः संख्या, एक या एक से अधिक इकाइयों को या एक ही प्रकार की एक या अधिक भिन्न वस्तुओं'को प्रकट करती है। जैसेः पाँच कलम, आठ दवात, बीस किताब, तीस रुपये आदि।

संख्याओं को व्यक्त करने की दो पद्धतियाँ चलन में हैं–

***(i)* भारतीय स्थानीय मान प्रणाली**– संख्या 789345126 को इस प्रणाली में ऐसे व्यक्त किया जा सकता है।

दस करोड़	करोड़	दस लाख	लाख	दस हजार	हजार	सैकड़ा	दहाई	इकाई
10^8	10^7	10^6	10^5	10^4	10^3	10^2	10^1	10^0
7	8	9	3	4	5	1	2	6

इस संख्या को शब्दों में इस प्रकार लिखा/पढ़ा जा सकता है—"अठहत्तर करोड़ तिरानवे लाख, पैंतालीस हजार, एक सौ, छब्बीस।" उपरोक्त प्रणाली को भारतीय/हिन्दी अरबी पद्धति भी कहते हैं।

***(ii)* अंतर्राष्ट्रीय स्थानीय मान प्रणाली**– यह प्रणाली संसार में प्रायः हरेक जगह प्रयोग की जाती है। इस पद्धति में संख्या 562, 785, 326 को निम्न प्रकार से व्यक्त किया जाता है

सौ मिलियन	दस मिलियन	मिलियन	सौ हजार	दस हजार	हजार	सैकड़ा	दहाई	इकाई
10^8	10^7	10^6	10^5	10^4	10^3	10^2	10^1	10^0
5	6	2	7	8	5	3	2	6

उपरोक्त संख्या को अंतर्राष्ट्रीय प्रणाली में शब्दों में इस प्रकार लिखा जाता है—"पाँच सौ बासठ मिलियन, सात सौ पचासी हजार, तीन सौ छब्बीस।"

संख्याओं के प्रकार

1. **प्राकृतिक या धन पूर्णांक संख्याएँ:** जिन संख्याओं से वस्तुओं की गणना की जाती है उन्हें **"प्राकृतिक या धन पूर्णांक संख्याएँ"** कहते हैं। जैसेः 1, 2, 3, 4, ... इत्यादि परन्तु 0 कोई भी ऋणात्मक संख्या जैसेः –10, –8, –25, ... इत्यादि या भिन्नात्मक संख्या जैसेः $\frac{5}{9}, \frac{3}{4}, \frac{20}{17}$,.... इत्यादि **प्राकृतिक या धन पूर्णांक** संख्या नहीं है।
2. **पूर्ण संख्याएँ:** यदि प्राकृतिक या धन पूर्णांक संख्याओं में '0' को भी सम्मिलित कर लिया जाये तो प्राप्त संख्याएँ

'पूर्ण संख्याएँ' कहलाती हैं। जैसेः 0, 1, 2, 3, ... इत्यादि परन्तु, –10, –15, –12, ... या $\frac{1}{5},\frac{2}{9},\frac{4}{5},...$ आदि पूर्ण संख्याएँ नहीं हैं।

3. **पूर्णांकः** वे पूर्ण संख्याएँ चाहे वे धनात्मक हों या ऋणात्मक, 'पूर्णांक' (Integer) 'पूर्णांक' हैं। शून्य न तो ऋणात्मक और न ही धनात्मक पूर्णांक है।

इस प्रकार पूर्णांकों में तीन प्रकार की संख्याएँ सम्मिलित हैं–

(*i*) धन पूर्णांकः + 1, + 2, + 3, + 4, + 5, + 6, ... आदि

(*ii*) शून्य : 0

(*iii*) ऋण पूर्णांक : –1, –2, –3, –4, –5, –6, ... आदि।

4. **परिमेय संख्या (Rational Number):** वे संख्याएँ जिन्हें $\frac{p}{q}$ के रूप में लिखा जा सके 'परिमेय संख्याएँ' कहलाती हैं। जहाँ p और q दोनों पूर्णांक हों परन्तु q कभी शून्य न हो जैसेः $8,-\frac{7}{5},-\frac{3}{4},\frac{1}{7},0$ आदि 'परिमेय संख्याएँ' कहलाती हैं।

5. **अपरिमेय संख्याएँ (Irrational Number):** वे संख्याएँ जिन्हें $\frac{p}{q}$ के रूप में न लिखा जा सके 'अपरिमेय संख्याएँ' कहलाती हैं। जहाँ p और q दोनों पूर्णांक हो परन्तु q कभी शून्य न हो जैसेः $\sqrt{5},\sqrt{11},\sqrt{15},3+\sqrt{5}$ आदि 'अपरिमेय संख्याएँ' कहलाती हैं।

6. **वास्तविक संख्याएँ (Real Number):** वे संख्याएँ जो या तो परिमेय हैं या अपरिमेय 'वास्तविक संख्याएँ' कहलाती हैं। जैसेः $\frac{11}{17},\frac{19}{21},-\frac{7}{8},\sqrt{7},8+\sqrt{3}$ आदि 'वास्तविक संख्याएँ,' कहलाती हैं।

7. **सम संख्याएँ (Even Numbers):** वे संख्याएँ जो 2 से पूर्णतः विभाजित होती हैं **'सम संख्याएँ'** कहलाती हैं। जैसेः 2, 8, 14, 28, 52 आदि 'सम संख्याएँ' हैं।

8. **विषम संख्याएँ (Odd Numbers):** वे संख्याएँ जो 2 से पूर्णतः विभाजित नहीं होती **'विषम संख्याएँ'** कहलाती हैं। जैसेः 1, 3, 5, 7, 9, 19 आदि। 'विषम संख्याएँ' हैं।

9. **भाज्य संख्याएँ (Composite Numbers):** वे संख्याएँ जो स्वयं और 1 के अतिरिक्त किसी अन्य संख्याओं से पूरी-पूरी विभाजित होती हों, वे **'भाज्य संख्याए'** कहलाती हैं। जैसेः 4, 9, 15, 18, 27, ... आदि 'भाज्य संख्याएँ हैं।

10. **अभाज्य संख्याएँ (Prime Numbers):** वे संख्याएँ जो स्वयं और 1 के अतिरिक्त किसी अन्य संख्याओं से विभाजित न होती हों, वे **'अभाज्य संख्याएँ'** कहलाती हैं। जैसेः 2, 5, 11, 19, 23, 31, ... आदि 'अभाज्य संख्याएँ हैं।

11. **सह-अभाज्य संख्याएँ (Co-primes):** ऐसी भाज्य संख्याओं के जोड़े जिनके गुणनखण्डों में 1 के अतिरिक्त अन्य कोई भी उभयनिष्ठ गुणनखण्ड न हो उन्हें 'सह-अभाज्य संख्याएँ' कहते हैं। जैसेः $8 = 1 \times 2 \times 2 \times 2$, $15 = 1 \times 3 \times 5$ अतः 8, 15 में 1 के अतिरिक्त कोई अन्य उभयनिष्ठ गुणनखण्ड नहीं है। इसलिए 8, 15 'सह-अभाज्य संख्याएँ हैं।

12. **युग्म अभाज्य संख्याएँ (Twin Primes):** ऐसी अभाज्य संख्याओं के जोड़े जिनके बीच का अन्तर 2 होता है। 'युग्म अभाज्य संख्याएँ' कहलाती हैं। जैसेः 11, 13, या 71, 73

13. **वितत संख्याएँ (Consecutive Numbers):** वे संख्याएँ वितत संख्याएँ कहलाती हैं जिनमें एक संख्या दूसरे की परवर्ती होती है। जैसेः 3, 4, 5, 6 तथा 7 वितत संख्याएं हैं परन्तु 3, 5, 6 तथा 7 वितत संख्याएँ नहीं हैं। 4, 6, 8, 10 वितत सम संख्याएँ तथा 9, 11, 13, 15 वितत विषम संख्याएँ हैं।

वितत संख्याओं के गुण

(*a*) दो वितत संख्याओं का गुणनफल 2 से विभाजित हो सकता है, जैसेः
$4 \times 5 = 20 = 2 \times 10$ जोकि 2 से विभाज्य है।

(*b*) तीन वितत संख्याओं का गुणनफल 6 से विभाजित हो सकता है, जैसेः
$3 \times 4 \times 5 = 60 = 6 \times 10$ जोकि 6 से विभाज्य है।

(*c*) चार वितत संख्याओं का गुणनफल 24 से विभाजित हो सकता है, जैसेः
$3 \times 4 \times 5 \times 6 = 360 = 24 \times 15$ जोकि 24 से विभाज्य है।

(*d*) पाँच वितत संख्याओं का गुणनफल 120 से विभाजित हो सकता है, जैसेः
$3 \times 4 \times 5 \times 6 \times 7 = 2520 = 120 \times 21$ जोकि 120 से विभाज्य है।

(*e*) दो वितत विषम संख्याओं के वर्गों का अन्तर सदैव 8 से विभाजित हो सकता है, जैसेः
$7^2 - 5^2 = 49 - 25 = 24 = 8 \times 3$ जोकि 8 से विभाज्य है।

(*f*) यदि दो वितत सम या विषम संख्याओं के गुणनफल में 1 जोड़ दिया जाए तो प्राप्त संख्या एक पूर्ण वर्ग संख्या होगी, जैसेः
$9 \times 11 + 1 = 99 + 1 = 100 = 10^2$ जोकि पूर्ण वर्ग संख्या है।

(*g*) दो वितत संख्याओं का योग उनके वर्गों के अन्तर के बराबर होता है, जैसेः
$1 + 2 = 3 = 2^2 - 1^2 = 3$

(*h*) तीन वितत संख्याओं के घनों का योग, संख्याओं के अपने योग से विभाजित होता है, जैसेः
$$4^3 + 5^3 + 6^3 = 64 + 125 + 216 = 405 = (4 + 5 + 6) \times 27$$

आरोही क्रम (Ascending Order): बाईं ओर से दाईं ओर लिखने पर प्राकृतिक संख्याएँ मान के अनुसार बढ़ते हुए

क्रम में हों तो इस क्रम को "आरोही क्रम" कहते हैं। जैसेः 25, 30, 41, 50 आदि संख्यायें आरोही क्रम में होंगी।

अवरोही क्रम (Descending Order): बाईं ओर से दाईं ओर लिखने पर प्राकृतिक संख्याएँ मान के अनुसार घटते हुए क्रम में हों, तो इस क्रम को "अवरोही क्रम" कहते हैं। जैसेः 50, 41, 30, 25 आदि संख्याएँ अवरोही क्रम में होंगी।

स्थानीय मानः किसी भी संख्या में किसी अंक (Number) का जो मान (Value) उसके स्थान के कारण होता है उसे उस अंक का स्थानीय मान कहते हैं। जैसेः 56 में इकाई के स्थान पर 6 तथा दहाई के स्थान पर 5 है। अतः 6 का स्थानीय मान $= 6 \times 1 = 6$ तथा 5 का स्थानीय मान $= 5 \times 10 = 50$ होगा।

जातीय (वास्तविक) मानः किसी भी संख्या में किसी अंक का जातीय (वास्तविक) मान वही अंक होता है। जैसेः 42 में अंक 2 का जातीय मान = 2 तथा 4 का जातीय मान = 4 होगा।

अंकों के स्थान बदलने से संख्या का मान बदलनाः यदि किसी संख्या के अंकों का स्थान बदल जाय या बदल दिया जाय तो संख्या का मान भी बदल जाता है। जैसेः संख्या 712 में यदि 2 एवं 7 का स्थान परस्पर बदल दिया जाय तो संख्या 'सात सौ बारह' के स्थान पर 'दो सौ सत्रह' हो जाएगी।

संख्या का विस्तारित रूपः किसी भी संख्या को उसके स्थानीय मान के आधार पर विस्तारित किया जा सकता है। जैसेः 8562 को निम्न प्रकार से विस्तारित किया जा सकता हैः

$$7562 = 7000 + 500 + 60 + 2$$

दिए गए अंकों से संख्या बनानाः यदि कुछ विभिन्न अंक दिए गए हों तो उनसे विभिन्न संख्याएँ बनाई जा सकती हैं। जैसेः 3, 7 और 5 से 375, 357, 573, 537, 753 एवं 735 बनाई जा सकती हैं।

संख्याओं के विभाजकता की जाँच

संख्याओं में 2, 3, 4, 5, 6, 8, 9, 10 व 11 से विभाज्यता की जाँच

1. **2 से विभाज्यताः** यदि किसी संख्या के इकाई के स्थान पर 0, 2, 4, 6 या 8 अंकों में से कोई एक अंक हो तो वह संख्या 2 से पूर्णतः विभाजित होगी। जैसेः 130, 244, 566, 278 आदि संख्यायें 2 से विभाजित होंगी।
2. **3 से विभाज्यताः** यदि किसी संख्या के अंकों का योगफल 3 से विभाजित होता हो, तो वह संख्या भी 3 से विभाजित होगी। जैसेः 312, 213, 456 आदि संख्याओं में अंकों का योगफल क्रमशः $(3 + 1 + 2 = 6)$, $(2 + 1 + 3 = 6)$, $(4 + 5 + 6 = 15)$ है जोकि 3 से विभाजित है। अतः दी हुई संख्यायें भी 3 से विभाजित होंगी।
3. **4 से विभाज्यताः** यदि किसी संख्या के इकाई तथा दहाई स्थान पर आने वाले अंकों से बनी संख्या 4 से विभाजित हो, तो वह संख्या भी 4 से पूर्णतः विभाजित होगी। जैसेः 1132, 1312, 1400, 1348 आदि संख्याओं के इकाई और दहाई के अंकों से बनी संख्याएँ क्रमशः 32, 12, 00, 48 हैं जोकि 4 से पूर्णतः विभाजित है, अतः दी हुई संख्याएं भी 4 से पूर्णतः विभाजित होंगी।
4. **5 से विभाज्यताः** यदि किसी संख्या के इकाई के स्थान पर आने वाला अंक 0 या 5 हो तो वह संख्या 5 से पूर्णतः विभाजित होगी, जैसेः 100, 205, 315, 435 आदि संख्याओं के इकाई के स्थान पर आने वाला अंक 0 या 5 है। अतः दी हुई संख्यायें भी 5 से पूर्णतः विभाजित होंगी।
5. **6 से विभाज्यताः** यदि किसी सम संख्या के अंकों का योगफल 3 से विभाजित हो, तो वह संख्या 6 से भी पूर्णतः विभाजित होगी। जैसेः 312, 450, 510 आदि सम संख्याओं के अंकों का योगफल क्रमशः $(3 + 1 + 2 = 6)$, $(4 + 5 + 0 = 9)$, $(5 + 1 + 0 = 6)$ है जोकि 3 से विभाजित है। अतः दी हुई संख्यायें भी 6 से पूर्णतः विभाजित होंगी।
6. **8 से विभाज्यताः** यदि किसी संख्या के इकाई, दहाई तथा सैकड़ा के स्थान पर आने वाले अंकों से बनी संख्या 8 से विभाजित हो तो वह संख्या भी 8 से पूर्णतः विभाजित होगी। जैसेः 1864, 1024, 2008, 5000 आदि संख्याओं के इकाई, दहाई तथा सैकड़ा के स्थान पर आने वाले अंकों से बनी संख्या क्रमशः 864, 024, 008 तथा 000 है जोकि 8 से विभाजित है, अतः दी हुई संख्याएं भी 8 से पूर्णतः विभाजित होंगी।
7. **9 से विभाज्यताः** यदि किसी संख्या के अंकों का योगफल 9 से विभाजित हो तो वह संख्या भी 9 से पूर्णतः विभाजित होगी। जैसेः 23409, 454554, 66636 आदि संख्याओं के अंकों का योगफल क्रमशः $(2 + 3 + 4 + 0 + 9 = 18)$, $(4 + 5 + 4 + 5 + 5 + 4 = 27)$, $(6 + 6 + 6 + 3 + 6 = 27)$ है जोकि 9 से पूर्णतः विभाजित है। अतः दी हुई संख्याएँ भी 9 से पूर्णतः विभाजित होंगी।
8. **10 से विभाज्यताः** यदि किसी संख्या के इकाई स्थान पर आने वाला अंक 0 हो तो वह संख्या 10 से पूर्णतः विभाजित होगी। जैसेः 50, 80, 1310, 1400 आदि संख्याओं के इकाई स्थान से आने वाला अंक 0 है। अतः दी हुई संख्यायें 10 से पूर्णतः विभाजित होंगी।
9. **11 से विभाज्यताः** यदि किसी संख्या के सम तथा विषम स्थान पर आने वाले अंकों के योगों का अन्तर 0 या 11 का गुणज हो, तो वह संख्या 11 से पूर्णतः विभाजित होगी। जैसेः 909183, 540045, 184712 आदि संख्याओं के सम तथा विषम सथान पर आने वाले अंकों के योगों का अन्तर क्रमशः $[(9 + 9 + 8) - (0 + 1 + 3) = 22]$, $[(5 + 0 + 4) - (4 + 0 + 5) = 0]$, $[(8 + 7 + 2) - (1 + 4 + 1) = 11]$ है जोकि 11 का गुणज है। अतः दी हुई संख्यायें 11 से पूर्णतः विभाजित होंगी।

कुछ महत्त्वपूर्ण तथ्य एवं सूत्र

(*i*) छोटे-से-छोटा प्राकृतिक या धन पूर्णांक (+ 1) है।

(*ii*) बड़े-से-बड़ा ऋण पूर्णांक (– 1) है।

(iii) "0" न तो धनात्मक और न ही ऋणात्मक पूर्णांक है।

(iv) ऐसी संख्या जो न तो भाज्य है और न ही अभाज्य केवल 1 है।

(v) ऐसी संख्या जो सम भी है और अभाज्य भी केवल 2 है।

(vi) छोटी-से-छोटी अभाज्य संख्या 2 है।

(vii) 1 से 100 तक की संख्याओं के बीच अभाज्य संख्याओं की कुल गिनती 25 है।

(viii) किसी भी पूर्ण वर्ग संख्या के इकाई के स्थान पर केवल 0, 1, 4, 5, 6 तथा 9 अंकों में से कोई भी अंक हो सकता है।

(ix) यदि किसी संख्या का घन किया जाये तो प्राप्त घन के इकाई के स्थान पर 0 से 9 तक कोई भी अंक हो सकता है।

प्रश्नों से सम्बन्धित समस्याओं को हल करने के लिए निम्नलिखित नियमों को ध्यान में रखें:

(a) 1 से लेकर n तक के पूर्णांकों का योग = $\frac{n(n+1)}{2}$ (जहाँ n पदों की संख्या है)

(b) 1 से लेकर n तक के पूर्णांकों से विषम पदों की संख्या $= \left(\frac{\text{अन्तिम विषय संख्या} + 1}{2}\right)$

(c) 1 से लेकर n तक के पूर्णांकों में विषम संख्याओं का योग = $(\text{विषम पदों की संख्या})^2$

(d) 1 से लेकर n तक के पूर्णांकों में सम पदों की संख्या $= \left(\frac{\text{अन्तिम सम संख्या}}{2}\right)$

(e) 1 से लेकर n तक के पूर्णांकों में सम संख्याओं का योग = सम पदों की संख्या × (सम पदों की संख्या + 1)

साधित प्रश्न

उदाहरण 1 : क्या 979 एक अभाज्य संख्या है?

हल : 979 का सन्निकट (approximate) वर्गमूल = 32
32 से छोटी अभाज्य संख्या = 2, 3, 5, 7, 11, 13, 17, 19, 23, 29, तथा 31 अब हम देखते हैं कि 979, 11 से विभाज्य है। अतः यह अभाज्य संख्या नहीं है।

उदाहरण 2 : संख्या 7501 में 5 के वास्तविक मान व स्थानीय मान में क्या अन्तर है?

हल : संख्या 7501 में 5 का स्थानीय मान = 500
संख्या 7501 में 5 का वास्तविक मान = 5
∴ अन्तर = 500 − 5 = 495

उदाहरण 3 : यदि किसी संख्या का वर्ग किया जाय तो कौन से अंक इकाई के स्थान पर नहीं होंगे?

हल : यदि किसी का वर्ग किया जाता है तो 0, 1, 4, 5, 6 और 9 उसके इकाई के स्थान पर आएगा।
अतः 2, 3, 7 और 8 इकाई के स्थान पर नहीं आएगा।

उदाहरण 4 : 110 से 320 के बीच की विषम संख्याओं का योगफल क्या होगा?

हल : 1 से 320 के बीच की विषम संख्याओं का योगफल $= (160)^2 = 25600$
1 से 110 के बीच की विषम संख्याओं का योगफल $= (55)^2 = 3025$
अतः 110 से 320 के बीच की विषम संख्याओं का योगफल = 25600 − 3025 = 22575

उदाहरण 5 : 1 से 40 के बीच की सम संख्याओं का योगफल क्या होगा?

हल : 1 से 40 के बीच की सम संख्याएं = $\frac{40}{2} = 20$
∴ 1 से 40 के बीच की सम संख्याओं का योगफल = 20(20 + 1) = 20 × 21 = 420

बहुवैकल्पिक प्रश्न

1. यदि 30x0103 संख्या 11 से विभाज्य है तो x का मान क्या होगा?
A. 4 B. 6
C. 7 D. 5

2. यदि 91876* संख्या 8 से विभाज्य है तो * का न्यूनतम मान क्या होगा?
A. 1 B. 2
C. 3 D. 0

3. यदि 135*7 संख्या 9 से पूरी तरह विभाज्य है तो कौन सी संख्या (*) चिह्न को प्रतिस्थापित करेगी?
A. 0 B. 1
C. 2 D. 3

4. 387 मिलियन का भारतीय स्थानीय मान पद्धति में मान होगा:
A. तीन करोड़ सतासी लाख
B. अड़तीस करोड़ सत्तर लाख
C. अड़तीस करोड़ सात लाख
D. इनमें से कोई नहीं

5. छः अरब, बानवे करोड़ चौवन लाख का मान होगा:
A. छः बिलियन, बानवे मिलियन चौवन हजार
B. उनहत्तर बिलियन पच्चीस मिलियन, चार सौ करोड़
C. छः बिलियन, नौ सौ पच्चीस मिलियन, चार सौ हजार
D. इनमें से कोई नहीं

6. निम्न में से सह-अभाज्य संख्या कौन है?
A. 9, 18 B. 10, 12
C. 27, 28 D. इनमें से कोई नहीं

7. निम्न में से जुड़वाँ-अभाज्य कौन है?
A. 22, 24 B. 2, 5
C. 17, 19 D. इनमें से कोई नहीं

8. निम्न में से कौन कथन सत्य है?

(*i*) सबसे बड़ी ऋणात्मक संख्या निर्धारित नहीं की जा सकती

(*ii*) 2 एक अभाज्य संख्या है

(*iii*) 1 एक अभाज्य संख्या है

(*iv*) सबसे छोटी धनात्मक संख्या (+ 1) हैं।

A. (*ii*) और (*iii*) B. (*ii*) और (*iv*)
C. (*i*), (*ii*) और (*iv*) D. (*ii*), (*iii*) और (*iv*)

9. किसी संख्या के सम स्थानों पर स्थित अंकों का योग और विषम स्थानों पर स्थित अंकों के योग का अन्तर यदि शून्य है तो वह संख्या किससे विभाज्य होगा?

A. 2 B. 9
C. 13 D. 11

10. निम्न में से कौन सत्य है?

(*i*) 1 से 50 के बीच अभाज्य संख्याओं की कुल संख्या 15 है।

(*ii*) एक धन संख्या में इकाई के स्थान पर 0 से 9 के बीच का कोई भी अंक आ सकता है।

(*iii*) 1 से n तक के संख्याओं का योग = $\frac{(n \times n)+1}{2}$

(*iv*) एक वर्ग संख्या के इकाई के स्थान पर 0, 1, 4, 5, 6 या 9 आ सकते हैं।

A. (*ii*), (*iii*) और (*iv*) B. (*iii*) और (*iv*)
C. (*ii*) और (*iv*) D. उपरोक्त सभी

11. संख्या 5701 में 5 के स्थानीय मान व वास्तविक मान में क्या अन्तर है?

A. 4595 B. 5945
C. 4995 D. 4959

12. तीन अंकों की सबसे छोटी अभाज्य संख्या है:

A. 100 B. 101
C. 103 D. 999

13. 1 से 50 के बीच की सम संख्याओं का योगफल होगा:

A. 605 B. 550
C. 560 D. 650

14. यदि $36^* \times 39 \times 967 \times 951$ के गुणनफल में इकाई के स्थान पर 1 हो तो * के स्थान पर कौन सा अंक होगा?

A. 3 B. 9
C. 5 D. 7

15. यदि समसंख्याओं की संख्या n हो तो सम संख्याओं के योगफल का सही सूत्र होगा:

A. $n \times (n+1)$ B. $n \times \frac{(n+1)}{2}$
C. $(n \times n) + 1$ D. इनमें से कोई नहीं

उत्तरमाला

1	2	3	4	5	6	7	8	9	10
A	C	C	B	C	C	C	B	D	C
11	**12**	**13**	**14**	**15**					
C	B	D	D	A					

कुछ चुने हुए प्रश्नों के व्याख्यात्मक उत्तर

1. यदि कोई संख्या 11 से विभाज्य है तो संख्या के सम स्थानों पर स्थित अंकों का योग और विषम स्थानों पर स्थित अंकों के योग का अन्तर शून्य या 11 का गुणक होगा।

∵ संख्या के सम स्थानों पर स्थित अंकों का योग = 0
$= 3 + x + 1 + 3 = 7 + x$

संख्या के विषम स्थानों पर स्थित अंकों का योग

∴ $(7 + x) - 0 = 11$

∴ $x = 11 - 7 = 4.$

2. अनुमान और प्रयास विधि से हम पाते हैं कि संख्या के अन्तिम तीन अंकों से बनी संख्या 632, 8 से विभाज्य है अतः (*) के स्थान पर 3 आयेगी।

3. चूँकि संख्या 9 से विभाज्य है अतः इसके अंकों का योग भी 9 से विभाज्य होगा। अर्थात् 1 + 3 + 5 + (*) + 7 = 16 + * जो 9 से विभाज्य है। अतः * के स्थान पर 2 आयेगी।

4. 387 मिलियन = 387000000 इकाई
= 38 करोड़ 70 लाख

5. छः अरब बानवे करोड़ चौवन लाख
= 6,92,54,00,000 इकाई
= 6 बिलियन 925 मिलियन 400 हजार।

11. 5701 में 5 का स्थानीय मान = 5000
5 का वास्तविक मान = 5
अतः अन्तर = 5000 − 5 = 4995.

12. तीन अंकों की सबसे छोटी संख्या = 100
किन्तु यह अभाज्य संख्या नहीं है। 100 के नजदीक की संख्या 101 है जो अभाज्य संख्या है।

13. 1 से 50 के बीच सम संख्याओं की कुल संख्या

$= \frac{50}{2} = 25$

∴ 1 से 50 के बीच सम संख्याओं का योग
$= 25(25 + 1)$
$= 25 \times 26 = 650.$

14. संख्या 39, 967 तथा 951 का इकाई अंक क्रमशः 9, 7 और 1 है। अतः 9, 7 और 1 का गुणनफल = 63 जिसमें इकाई का अंक 3 है किन्तु प्रश्न से, $36^* \times 39 \times 967 \times 951$ में इकाई का अंक 1 है। अतः * के स्थान पर 7 आयेगा क्योंकि 7 × 3 = 21 जिसमें इकाई का अंक 1 है।

जोड़

जोड़ दो या दो से अधिक समूहों को एक साथ रख कर उसकी कुल संख्या प्राप्त करने की अवधारणा है। इसमें वस्तुओं के संग्रह की संख्या पर ध्यान केन्द्रित किया जाता है।

जोड़ की संकल्पना को विकसित करने के लिए तीन चरण महत्वपूर्ण हैं –

1. प्रत्येक समूह के वस्तुओं को गिना जाता है, समूहों को साथ मिलाया जाता है और इस समूहों से बने बड़े समूह के वस्तुओं को गिना जाता है।
2. प्रथम समूह के वस्तुओं को गिना जाता है, दूसरे समूह के वस्तुओं का प्रथम समूह के वस्तुओं की संख्या के आगे गिना जाता है! इस प्रकार अन्य सभी समूहों को गिना जाता है।
3. संग्रह के वस्तुओं का प्रयोग नहीं किया जाता, बल्कि समूह के वस्तुओं की संख्या का प्रयोग किया जाता है।

जोड़ की विधियाँ

कॉलम में जोड़

```
     6 5 7 4 9
   + 7 2 3 8
कुल = 7 2 9 8 7
```

पंक्ति में जोड़

7 5 6 9 3 + 1 3 4 8 + 2 7 3

= 77314.

भिन्नात्मक संख्याओं का जोड़

दो या दो से अधिक भिन्नात्मक संख्याएँ निम्न विधि से जोड़े जाते हैं –

(*i*) यदि हर (भिन्न का निचला हिस्सा) समान हो तो अंश (भिन्न का उपरी हिस्सा) को जोड़ कर उसके नीचे हर लिख देते हैं। जैसेः

$$\frac{7}{10}+\frac{3}{10}+\frac{1}{10}=\frac{11}{10}$$

(*ii*) यदि हर असमान हो तो हरों का ल.स. प्राप्त करते हैं। विभिन्न हरों से ल.स. को विभाजित करते हैं प्राप्त भागफल से अंश में गुणाकर लिखते हैं। इन सभी गणना को जोड़कर उसके नीचे ल.स. लिख देते हैं। जैसेः

$$\frac{4}{5}+\frac{3}{10}+\frac{5}{6}=\frac{24+9+25}{30}=\frac{58}{30}$$

साधित प्रश्न

उदाहरण 1 : निम्नलिखित को जोड़ें –

(*a*) 763827, 62783 और 27253

(*b*) 700759 और 275832

हल :

```
(a)  7 6 3 8 2 7        (b)   7 0 0 7 5 9
    + 6 2 7 8 3              + 2 7 5 8 3 2
    + 2 7 2 5 3              -------------
    -----------               9 7 6 5 9 1
     8 5 3 8 6 3
```

उदाहरण 2 : निम्नलिखित को जोड़ें –

(*a*) 5.382 और 63.27

(*b*) 972.386, 52.0624 और 0.38

हल :

```
(a)   5·3 8 2          (b)  9 7 2·3 8 6 0
     6 3·2 7                  5 2·0 6 2 4
     --------                   0·3 8 0 0
     6 8·6 5 2             --------------
                           1 0 2 4·8 2 8 4
```

उदाहरण 3 : $3\frac{3}{5}+2\frac{7}{10}+4\frac{5}{6}$

हल : $(3+2+4)+\frac{3}{5}+\frac{7}{10}+\frac{5}{6}$

$$=9+\left(\frac{18+21+25}{30}\right)=9+\frac{64}{30}=9+2\frac{4}{30}=11\frac{4}{30}$$

दूसरी विधिः

$$\frac{18}{5}+\frac{27}{10}+\frac{29}{6}=\frac{108+81+145}{30}=\frac{334}{30}=11\frac{4}{30}$$

बहुवैकल्पिक प्रश्न

1. 3827, 7938 और 5738 का योग हैः

A. 17504 B. 17403

C. 17305 D. 17503

2. 5.807, 0.39 और 5.4 का योगफल हैः

A. 10.850 B. 11.507

C. 11.597 D. इनमें से कोई नहीं

3. $3\frac{5}{12}+7\frac{3}{4}+\frac{2}{9}$ बराबर है:

A. $\frac{74}{25}$ B. $11\frac{7}{18}$

C. $\frac{401}{36}$ D. इनमें से कोई नहीं

4. जोड़ अवधारणा है:

A. दो या दो से अधिक समूहों को साथ-साथ रखने की

B. दो या दो से अधिक समूहों को साथ रखकर कुल अंकों की संख्या ज्ञात करने की

C. दो या दो से अधिक समूहों को साथ रखकर उसकी कुल संख्या प्राप्त करने की

D. उपरोक्त में से कोई नहीं

5. 5 + 19 + 509 + 4075 + 87003 बराबर है

A. 9611 B. 91611

C. 61911 D. 247653

6. $\frac{7}{12}+\frac{3}{8}+\frac{5}{9}+\frac{6}{10}+\frac{1}{4}+\frac{2}{3}+\frac{4}{5}$ बराबर है:

A. $\frac{1397}{360}$ B. $\frac{3299}{360}$

C. $3\frac{299}{360}$ D. इनमें से कोई नहीं

7. 5 + 12 + 7 + 25 + 39 + 8 + 37 + 92 + 16 + 20 बराबर है:

A. 216 B. 612

C. 261 D. 126

8. दो विषम संख्याओं का योगफल हमेशा होता है:

A. एक अभाज्य संख्या

B. एक विषम संख्या

C. एक यौगिक/भाज्य संख्या

D. या तो सम या विषम संख्या

9. दो विषम अभाज्य संख्याओं का योगफल हमेशा होता है:

A. एक अभाज्य संख्या

B. एक विषम संख्या

C. एक यौगिक संख्या

D. इनमें से कोई नहीं

10. 0.72 + 3.0 + 0.1 + 9.738 + 6.003 बराबर है:

A. 19.561 B. 91.561

C. 0.165 D. 19.615

उत्तरमाला

1	2	3	4	5	6	7	8	9	10
D	C	B	C	B	C	C	C	C	A

कुछ चुने हुए प्रश्नों के व्याख्यात्मक उत्तर

2.
$$\begin{array}{r} 5.807 \\ 0.39 \\ 5.4 \\ \hline 11.597 \end{array}$$

3. $3\frac{5}{12}+7\frac{3}{4}+\frac{2}{9} = \frac{41}{12}+\frac{31}{4}+\frac{2}{9}$

$= \frac{123+279+8}{36} = \frac{410}{36} = 11\frac{7}{18}$

5.
$$\begin{array}{r} 5 \\ +19 \\ +509 \\ +4075 \\ +87003 \\ \hline 91611 \end{array}$$

6. $\frac{7}{12}+\frac{3}{8}+\frac{5}{9}+\frac{6}{10}+\frac{1}{4}+\frac{2}{3}+\frac{4}{5}$

$= \frac{210+135+200+216+90+240+288}{360}$

$= \frac{1379}{360} = 3\frac{299}{360}$.

10.
$$\begin{array}{r} 0.720 \\ +3.000 \\ +0.100 \\ +9.738 \\ +6.003 \\ \hline 19.561 \end{array}$$

घटाव

घटाव किसी बड़े समूह/संग्रह में से कुछ निकालकर उसे छोटा बनाने की अवधारणा है। यह जोड़ की अवधारणा के ठीक विपरीत है।

घटाव की संकल्पना को विकसित करने के चार पहलू हैं–

***(i)* निकाल लेना :** एक आदमी के पास 7 कमीज हैं। वह 3 कमीज किसी गरीब को दे देता है अब उसके पास कितने कमीज हैं? यहाँ कुछ वस्तुओं को हटा देने और शेष वस्तु को संख्या ज्ञात करने की क्रिया है।

***(ii)* तुलना करना :** मधु के पास 5 स्कर्ट्स हैं और उसकी सहेली के पास 3 स्कर्ट्स हैं तो मधु के पास उसकी सहेली से कितना अधिक स्कर्ट्स हैं? यह प्रश्न यह स्पष्ट करता है कि एक समूह दूसरे से कितना ज्यादा है।

***(iii)* पूरक जोड़ :** सौरभ के पास 9 खिलोने हैं और भानु के पास 5 खिलौने हैं। सौरभ के बराबर खिलौने रखने के लिए भानु को कितना खिलौना लेना पड़ेगा? यह क्रिया यह बताता है कि किसी संख्या में कितना जोड़ा जाय कि दूसरी संख्या प्राप्त हो।

***(iv)* कमी :** कल ललित के पास 16 पेंसिलें थीं किन्तु आज उसके पास केवल 6 पेंसिलें हैं। उसकी कितनी पेंसिलें गुम हो गई? यह क्रिया यह बताता है कि यदि मूल संख्या और शेष संख्या दी गई हो तो जो संख्या घटाई जानी है वह कैसे प्राप्त किया जाय!

साधारण और दशमलव का घटाव:

(*a*) 3827 – 1926

$$\begin{array}{r} 3827 \\ -1926 \\ \hline 1901 \end{array}$$

(*b*) 17.283 – 11.257

$$\begin{array}{r} 17.283 \\ -11.257 \\ \hline 6.026 \end{array}$$

(*c*) 3.4 – 0.976

$$\begin{array}{r} 3.400 \\ -0.976 \\ \hline 2.424 \end{array}$$

भिन्नात्मक संख्याओं का घटाव:

एक भिन्नात्मक संख्या अन्य संख्या से निम्न विधि से घटायी जाती है–

हरों के ल.स. प्राप्त करें, ल.स. में हरों से भाग देकर प्राप्त भागफल को अंश से गुणा करें इस प्रकार दो गणनाओं का अन्तर प्राप्त कर लिखें और उसके नीचे ल.स. लिखें। जैसे:

$$\frac{17}{20}-\frac{7}{12}=\frac{51-35}{60}=\frac{16}{60}$$

साधित प्रश्न

उदाहरण 1 : अन्तर ज्ञात करें:

(*a*) 13.87 और 16.07 (*b*) 0.007 और 6.4

हल: (*a*)
$$\begin{array}{r} 16\cdot07 \\ -13\cdot87 \\ \hline 2\cdot20 \end{array}$$
(*b*)
$$\begin{array}{r} 6\cdot400 \\ -0\cdot007 \\ \hline 6\cdot393 \end{array}$$

उदाहरण 2 : सरल करें:

(*a*) 4638 + 3875 – 3869 – 2714

(*b*) 8527 – 3824 – 1234

हल: (*a*) 4638 + 3875 – (3869 + 2714)
= 8513 – 6583 = 1930

(*b*) 8527 – (3824 + 1234)
= 8597 – 5058 = 3469.

उदाहरण 3 : घटाएँ

(*a*) $\frac{17}{24}-\frac{7}{18}$ (*b*) $\frac{12}{20}-\frac{3}{8}$

हल : (*a*) $\frac{17}{24}-\frac{7}{18}=\frac{51-28}{72}=\frac{23}{72}$

(*b*) $\frac{12}{20}-\frac{3}{8}=\frac{24-15}{40}=\frac{9}{40}$

बहुवैकल्पिक प्रश्न

1. 873827 – 3824 – 75280 बराबर है:

A. 945283 B. 802371
C. 794723 D. इनमें से कोई नहीं

2. 87.13 एवं 70.007 का अन्तर है:

A. 7.123 B. 17.123
C. 71.123 D. इनमें से कोई नहीं

3. 4627 – 5380 + 7518 + 2007 बराबर है:

A. 87172 B. 8772
C. 8227 D. इनमें से कोई नहीं

4. $\frac{22}{40}$ और $\frac{18}{30}$ के बीच अन्तर है:

A. $\frac{6}{20}$ B. $\frac{11}{20}$
C. $\frac{1}{20}$ D. इनमें से कोई नहीं

5. $3\frac{4}{5}+7\frac{3}{8}-2\frac{1}{4}-7\frac{1}{2}+3\frac{2}{3}$ बराबर हैः

A. $\frac{-494}{120}$ B. $\frac{494}{120}$
C. या तो A या B D. इनमें से कोई नहीं

6. 0.007 एवं 5.07 के योगफल और 13.607 एवं 8.156 के अन्तर के बीच अन्तर हैः

A. 10.528 B. 0.374
C. 3.086 D. इनमें से कोई नहीं

7. दो लगातार संख्याओं के बीच अन्तरः

A. निर्धारित नहीं किया जा सकता
B. हमेशा 1 होता है
C. प्रथम संख्या के बराबर होता है
D. इनमें से कोई नहीं

8. दो विषम संख्याओं के मध्य अन्तर हमेशाः

A. विषम संख्या होती है
B. अभाज्य संख्या होती है
C. सम संख्या होती है
D. निर्धारित नहीं किया जा सकता

9. घटाव एक संकल्पना हैः

A. किसी को बड़ा बनाने के लिए जोड़ने की
B. बड़े में से कुछ घटाकर इसे छोटा बनाने की
C. उपरोक्त दोनों
D. इनमें से कोई नहीं

10. अभिनव के पास ₹ 1665 थे। उसने ₹ 550 खो दिए किन्तु उसके पिता ने उसे ₹ 1256 दिए और उसने ₹ 2000 की किताबें खरीदीं। अब अभिनव के पास शेष राशि हैः

A. ₹ 2921 B. ₹ 2550
C. ₹ 371 D. ₹ 731

11. रीता अपने कार में 65 लीटर पेट्रोल भरवायी और 43.6 लीटर खर्च की पुनः उसने 16.9 लीटर पेट्रोल भरवायी और 60 किमी॰ गई। अब उसने कार में कितना पेट्रोल है?

A. 38.3 लीटर
B. 36.3 लीटर
C. इनमें से कोई नहीं
D. निर्धारित नहीं किया जा सकता

12. एडम्स 3827 कि.ग्रा. चीनी खरीदा, अपने उपयोग के लिए वह 426 कि.ग्रा. रखा और 2856 कि.ग्रा. बेच दिया। अब उसके पास कितनी चीनी शेष है?

A. 340 कि.ग्रा. B. 545 कि.ग्रा.
C. 971 कि.ग्रा. D. इनमें से कोई नहीं

13. दो सम संख्याओं का अन्तर होता है, हमेशाः

A. एक विषम संख्या B. एक अभाज्य संख्या
C. एक सम संख्या D. इसमें से कोई नहीं

14. जुड़वां अभाज्य संख्याओं के बीच अन्तर होता है, हमेशाः

A. 2 B. एक विषम संख्या
C. अभाज्य संख्या D. इनमें से कोई नहीं

15. घटाव हैः

A. स्वयं का विपरीत B. जोड़ का विपरीत
C. भाग का विपरीत D. गुणा का विपरीत

उत्तरमाला

1	2	3	4	5	6	7	8	9	10
C	B	B	C	D	B	B	C	B	C
11	**12**	**13**	**14**	**15**					
D	B	C	A	B					

कुछ चुने हुए प्रश्नों के व्याख्यात्मक उत्तर

4. चूंकि $\frac{18}{30}>\frac{22}{40}$

अतः अन्तर $=\frac{18}{30}-\frac{22}{40}=\frac{72-66}{120}=\frac{6}{120}=\frac{1}{20}$.

5. $\frac{19}{5}+\frac{59}{8}-\frac{9}{4}-\frac{15}{2}+\frac{11}{3}$

$=\frac{456+885-270-900+440}{120}=-\frac{611}{120}$.

6. 0.007 और 5.07 का योगफल = 5.077
13.607 और 8.156 का अन्तर = 5.451
अतः अभीष्ट अन्तर = 5.451 − 5.077
= 0.374.

10. अभिनव के पास रुपये = ₹ 1665
उसके पिता ने दिए = ₹ 1256
कुल रुपये = ₹ 2921
उसने रुपये खो दिए = ₹ 550
किताब खरीदीं = ₹ 2000
कुल खर्च = ₹ 2550
अतः, शेष रुपये = ₹ 2921 − ₹ 2550
= ₹ 371

11. यह स्पष्ट नहीं है कि 60 किमी. दूरी तय करने में उसने कितने पेट्रोल खर्च किए। अतः पेट्रोल की शेष मात्रा निर्धारित नहीं कीं जा सकती।

12. चीनी की शेष मात्रा = 3827 − 426 − 2856
= 545 कि.ग्रा.

गुणा

गुणा एक पुनरावृत्त जोड़ है। यह बताता है कि एक संख्या कितनी बार खुद में जोड़ा जाता है तथा यदि एक संख्या बार-बार जोड़ा जाता है तो इस पुनरावृत्त जोड़ का परिणाम क्या है?

साधारण एवं दशमलव का गुणा

(*a*) 382 × 76 =

$$\begin{array}{r} 382 \\ \times 76 \\ \hline 2292 \\ 2674 \\ \hline 29032 \end{array}$$

(*b*) 3.827 × 15.24 =

$$\begin{array}{r} 3.827 \\ \times 15.24 \\ \hline 15308 \\ 7654 \\ 19135 \\ 3827 \\ \hline 58{\cdot}32348 \end{array}$$

भिन्नात्मक संख्याओं का गुणा

(*a*) $\frac{7}{8}\times\frac{16}{21}=\frac{2}{3}$

(*b*) $4\frac{2}{3}\times4\frac{1}{8}=\frac{14}{3}\times\frac{33}{8}=\frac{7}{4}\times11=\frac{77}{4}$

साधित प्रश्न

उदाहरण 1 : (*a*) 4382 × 536
(*b*) 7.382 × .34

हल : (*a*)

$$\begin{array}{r} 4382 \\ \times 536 \\ \hline 26292 \\ 13146 \\ 21910 \\ \hline 2348752 \end{array}$$

(*b*)

$$\begin{array}{r} 7.382 \\ \times .34 \\ \hline 29528 \\ 22146 \\ \hline 2.50988 \end{array}$$

उदाहरण 2 : (*a*) $\frac{6}{10}$ और $\frac{22}{24}$ (*b*) $\frac{11}{15}$ और $\frac{7}{8}$

हल : (*a*) $\frac{6}{10}\times\frac{22}{24}=\frac{11}{20}$ (*b*) $\frac{11}{15}\times\frac{7}{8}=\frac{77}{120}$

उदाहरण 3 : अशोक ने एक टैक्सी किराए पर ली। टैक्सी का किराया प्रथम तीन कि.मी. के लिए ₹ 8, अगले चार कि.मी. के लिए ₹ 6 तथा आगे की पूरी यात्रा के लिए ₹ 1.50 प्रति कि.मी. था। यदि उसने 15 कि.मी. की यात्रा की और ₹ 40 दिए तो टैक्सी ड्राइवर को उसने कितना टिप्स दिया?

हल : कुल किराया = 8 + 6 + (8 × 1.5) = ₹ 26.
आलोक ने ₹ 40 दिए ओर टिप्स की राशि उसी में शामिल थी। अतः टिप्स की राशि = 40 – 26 = ₹ 14.

बहुवैकल्पिक प्रश्न

1. 382 एवं 784 का गुणनफल है:
A. 294988 B. 299488
C. 299848 D. इनमें से कोई नहीं

2. 7.872 × 5.07 बराबर है:
A. 29.91104 B. 39.91104
C. 39.19104 D. इनमें से कोई नहीं

3. 0.002 और 0.07 का गुणनफल है:
A. 0.14 B. 0.00140
C. 0.00014 D. 0.14000

4. $3\frac{3}{4}\times5\frac{3}{5}\times\frac{1}{12}\times\frac{4}{7}$ बराबर है:
A. 0 B. 1
C. 12 D. $\frac{1}{12}$

5. 3.1 × 0.001 तथा 5.38 – 5.34 का गुणनफल है।
A. 0.00142 B. 0.00124
C. 0.000124 D. इनमें से कोई नहीं

6. $\frac{9}{4}\times\frac{15}{6}\times\frac{3}{4}\times\frac{12}{5}\times\frac{8}{9}\times\frac{3}{8}\times\frac{4}{5}$ बराबर है:
A. $2\frac{7}{10}$ B. $7\frac{2}{10}$
C. $\frac{10}{27}$ D. इनमें से कोई नहीं

7. 38.27 × 9200 बराबर है:
A. 352048 B. 350284
C. 352084 D. इनमें से कोई नहीं

8. 5.92 × 0.507 × 0.01 बराबर है:

A. 0.030144 B. 0.0300144
C. 30144 D. इनमें से कोई नहीं

9. 17.382 एवं 58 का गुणनफल होगा:

A. 1080.156 B. 108.126
C. 1008.156 D. इनमें से कोई नहीं

10. 0.724 + 2.4 तथा 6.369 – 6.269 का गुणनफल होगा:

A. 3124 B. 3.1240
C. 30.124 D. 0.3124

11. 588, 357, 39 एवं 24 के गुणनफल में इकाई का अंक होगा।

A. 4 B. 6
C. 2 D. 3

12. दो सम संख्याओं का गुणनफल होता है, हमेशा:

A. एक समसंख्या
B. एक विषम संख्या
C. निर्धारित नहीं किया जा सकता
D. इनमें से कोई नहीं

13. दो अभाज्य संख्याओं का गुणनफल होता है। हमेशा:

A. एक अभाज्य संख्या
B. एक सम संख्या
C. एक यौगिक/भाज्य संख्या
D. इनमें से कोई नहीं

14. दो विषम संख्याओं का गुणनफल होता है हमेशा:

A. एक विषम संख्या B. एक सम संख्या
C. एक अभाज्य संख्या D. इनमें से कोई नहीं

15. यदि किसी ऋणात्मक पूर्णांक संख्या की कुल संख्या विषम हो तो इसका गुणनफल होगा, हमेशा:

A. ऋणात्मक
B. धनात्मक
C. कभी ऋणात्मक व कभी धनात्मक
D. इनमें से कोई नहीं

16. यदि किसी ऋणात्मक पूर्णांक संख्या की कुल संख्या सम हो तो इसका गुणनफल होगा, हमेशा:

A. धनात्मक
B. ऋणात्मक
C. कभी धनात्मक व कभी ऋणात्मक
D. इनमें से कोई नहीं

उत्तरमाला

1	2	3	4	5	6	7	8	9	10
B	B	C	B	C	A	C	B	C	D
11	**12**	**13**	**14**	**15**	**16**				
B	A	C	A	A	A				

कुछ चुने हुए प्रश्नों के व्याख्यात्मक उत्तर

1.
$$\begin{array}{r} 382 \\ \times 748 \\ \hline 1528 \\ 3056 \\ 2674 \\ \hline 299488 \end{array}$$

2.
$$\begin{array}{r} 7.872 \\ \times 7.06 \\ \hline 55104 \\ 0000 \\ 39360 \\ \hline 39.91104 \end{array}$$

4. $\frac{15}{4}\times\frac{28}{5}\times\frac{1}{12}\times\frac{4}{7}=1$.

5. 3.1 × 0.001 = 0.0031, 5.38 – 5.34 = 0.04

अतः अभीष्ट गुणनफल = 0.0031 × 0.04
= 0.000124

6. $\frac{9}{4}\times\frac{15}{6}\times\frac{3}{4}\times\frac{12}{5}\times\frac{8}{9}\times\frac{3}{8}\times\frac{4}{5}=\frac{27}{10}=2\frac{7}{10}$.

8.
$$\begin{array}{r} 5.92 \\ \times 0.507 \\ \hline 4144 \\ 000 \\ 2960 \\ \hline 3.00144 \end{array} \qquad \begin{array}{r} 3.00144 \\ \times 0.01 \\ \hline 0.0300144 \end{array}.$$

9.
$$\begin{array}{r} 17.382 \\ \times 58 \\ \hline 139056 \\ 86910 \\ \hline 1008.156 \end{array}$$

10.
$$\begin{array}{r} 0.24 \\ +2.400 \\ \hline 3.124 \end{array} \qquad \begin{array}{r} 6.369 \\ -6.269 \\ \hline 0.100 \end{array}$$

अतः, 3.124 × 0.1
= 0.3124

11. 588, 357, 39 और 24 में इकाई का स्थान क्रमशः 8,7,3 एवं 4 है

∴ 8, 7, 9 एवं 4 का गुणनफल = 2016

अतः दिए गए संख्या के गुणनफल में इकाई का स्थान 6 होगा।

भाग

अगर गुणनफल (भाज्य), गुणक (भाजक) और गुण्य (भागफल) में से कोई दो दिया हो तो तीसरा प्राप्त किया जा सकता है।

भाग से संबंधित सूत्रः

भाज्य = भाजक × भागफल + शेष

$$\text{भागफल} = \frac{\text{भाज्य} - \text{शेष}}{\text{भाजक}}$$

$$\text{भाजक} = \frac{\text{भाज्य} - \text{शेष}}{\text{भागफल}}$$

शेष = भाज्य – भाजक × भागफल

साधारण एवं दशमलव का भाग

(*a*) 5829 ÷ 24 =

```
24)5829(242
   48
   102
    96
     69
     48
     21
```

यहाँ, भाज्य = 5829, भाजक = 24,
भागफल = 242, शेष = 21

(*b*) 75.28 ÷ 12 =

```
12)75.28(6.27
   72
    32
    24
     88
     84
      4
```

यहाँ, भाज्य = 75.28, भाजक = 12,
भागफल = 6.27, शेष = 4.

भिन्नात्मक संख्याओं के भाग

(*a*) $\frac{15}{16} \div \frac{5}{4} = \frac{15}{16} \times \frac{4}{5} = \frac{3}{4}$

(*b*) $\frac{3}{4} \div \frac{9}{10} \div \frac{3}{20} = \frac{3}{4} \times \frac{10}{9} \times \frac{20}{3} = \frac{50}{9}$

साधित प्रश्न

उदाहरण 1 : भाग दें: (*a*)3867 ÷ 32
(*b*) 7634 ÷ 52

हल : (*a*)

```
32)3867(120
   32
    66
    64
     27
```

यहाँ, भाज्य = 3867, भाजक = 32,
भागफल = 120, शेष = 27

(*b*)

```
52)7634(146
   52
   243
   208
    354
    312
     42
```

यहाँ, भाज्य = 7634, भाजक = 52
भागफल = 146, शेष = 42

उदाहरण 2 : (*a*) यदि भाजक 14, शेष 9 एवं भागफल 11 है तो भाज्य निकालें।
(*b*) शेष निकालें यदि भागफल 12 भाजक 25 एवं भाज्य 311 है।

हल :(*a*) भाज्य = भाजक × भागफल + शेष = 14 × 11 + 9
= 154 + 9 = 163
(*b*) शेष = भाज्य – भाजक × भागफल
= 311 – 25 × 12 = 311 – 300 = 11.

उदाहरण 3 :(*a*) $\frac{24}{35} \div \frac{27}{28}$ (*b*) $\frac{26}{40} \div \frac{24}{65} \div \frac{13}{15}$

हल : (*a*) $\frac{24}{35} \times \frac{28}{27} = \frac{32}{45}$

(*b*) $\frac{26}{40} \times \frac{65}{24} \times \frac{15}{13} = \frac{195}{96} = \frac{65}{32}$

बहुवैकल्पिक प्रश्न

1. यदि 4879 को 27 से भाग दिया जाय तो शेष होगा?
A. 39 B. 29
C. 19 D. 91

2. यदि 8497 को 72 से विभाजित किया जाय तो भागफल होगाः
A. 78 B. 181
C. 186 D. इनमें से कोई नहीं

3. यदि भागफल 53 भाजक 28 और शेष 16 हो तो भाज्य होगाः

A. 1484 B. 5100
C. 1500 D. इनमें से कोई नहीं

4. यदि भाग फल 248, भाज्य 5604 और शेष 148 हो तो भाजक होगा:
A. 42 B. 22
C. 32 D. इनमें से कोई नहीं

5. यदि एक संख्या 899 से विभाजित की जाती है तो 63 शेष बचता है। यदि उसी संख्या को 29 से विभाजित की जाय तो कितना शेष बचेगा?
A. 5 B. 15
C. 51 D. इनमें से कोई नहीं

6. 1294 में कौन सी न्यूनतम संख्या घटायी जाय कि शेषफल को यदि 9, 11 एवं 13 से विभाजित की जाय तो प्रत्येक स्थिति में 6 शेष बचे!
A. 0 B. 1
C. 2 D. 3

7. भाग के एक प्रश्न में भाजक 9, भागफल 114 और शेष 5 हो तो भाज्य क्या होगी?
A. 1301 B. 1103
C. 1310 D. 1031

8. भाग के एक प्रश्न में भाजक भागफल का दस गुना ओर शेष का पाँच गुना हो और यदि शेष 46 हो तो भाज्य होगा:
A. 3556 B. 6335
C. 5336 D. इनमें से कोई नहीं

9. सरिता का उसके जन्मदिन पर 384 चॉकलेट मिला और उसने अपने 38 कक्षा साथियों के बीच बराबर-बराबर बाँट दी। अब उसके गास कितने चॉकलेट शेष हैं?
A. 14 B. 4
C. 24 D. इनमें से कोई नहीं

10. 36.333 ÷ 2.6 बराबर है:
A. 31.974 B. 13.794
C. 13.974 D. इनमें से कोई नहीं

11. $\frac{1}{8} \div \frac{2}{7} \div \frac{5}{6} \div \frac{3}{8} \div \frac{7}{5}$ बराबर है:
A. 0 B. 2
C. 3 D. 1

12. $\frac{27}{35} \div \frac{45}{49} \div \frac{25}{36}$ बराबर है:
A. $\frac{12}{7}$ B. 1
C. $\frac{7}{12}$ D. इनमें से कोई नहीं

13. (360 ÷ 45) ÷ (144 ÷ 16) बराबर है:
A. 8 B. 16
C. 0 D. 1

14. 288 ÷ (144 ÷ 16) बराबर है:
A. $\frac{1}{8}$ B. 8
C. 23 D. 32

15. सुषमा अपने 28 साथियों को उपहार देती है। उसके पास ₹ 10000 है। वह प्रत्येक साथियों पर अधिकतम कितनी राशि खर्च करती है और कितनी उसके पास शेष बच जाती है?
A. ₹ 350, ₹ 300 B. ₹ 200, ₹ 350
C. ₹ 530, ₹ 200 D. इनमें से कोई नहीं

उत्तरमाला

1	2	3	4	5	6	7	8	9	10
C	D	C	B	A	B	D	C	B	C
11	**12**	**13**	**14**	**15**					
D	C	D	D	D					

कुछ चुने हुए प्रश्नों के व्याख्यात्मक उत्तर

1. $27\overline{)4879}(180$; 27, 217, 216, 19

अतः भागफल = 180, एवं शेष = 19.

2. $72\overline{)8497}(118$; 72, 129, 72, 577, 516, 1

अतः भागफल = 118.

3. भाज्य = भाजक × भागफल + शेष
= 28 × 53 + 16 = 1500.

4. भाज्य = $\frac{\text{भाज्य} - \text{शेष}}{\text{भागफल}} = \frac{5604-148}{248}$
$= \frac{5456}{248} = 22$.

5. संख्या = D × Q + R
= 899 × K + 63
= 31 × 29 × K + 29 × 2 + 5
= 29 (31K + 2) + 5

∴ जब संख्या 29 से विभाजित की जायगी तब शेष 5 होगा।

6. जब संख्या 9, 11 एवं 13 से विभाजित की जाती है तब शेष = 6

(9, 11 एवं 13 का ल.स.) + 6 = 1287 + 6

= 1293

∴ अभीष्ट संख्या = 1294 − 1293 = 1.

7. भाज्य = भाजक × भागफल + शेष

= 9 × 114 + 5

= 1026 + 5 = 1031.

8. माना कि भागफल Q और शेष R है तो,

प्रश्नानुसार, भाजक = 5 × 46 = 230

भागफल = $\frac{230}{10} = 23$

∴ अतः भाज्य = भाजक × भागफल + शेष

= 230 × 23 + 46 = 5290 + 46

= 5336.

9. यदि 384 को 38 से विभाजित की जाती है तो शेष 4 होता है। अतः उसके पास 4 चॉकलेट बच जाते हैं।

10. $\frac{36333}{1000} \div \frac{26}{10} = \frac{36333}{1000} \times \frac{10}{26}$

$= \frac{36333}{26} \times \frac{1}{100} = 1397.423 \times \frac{1}{100}$

= 13.97423.

11. $\frac{1}{8} \times \frac{7}{2} \times \frac{6}{5} \times \frac{8}{3} \times \frac{5}{7} = 1.$

12. $\frac{27}{35} \times \frac{44}{45} \times \frac{36}{25} = \frac{7}{12}.$

13. (360 ÷ 45) ÷ (224 ÷ 28) = 8 ÷ 8 = 1.

14. 288 ÷ (144 ÷ 16) = 288 ÷ 9 = 32.

15. यदि 10000 को 28 से भाग दिया जाय तो भागफल 350 होता है। अतः सुषमा अपने प्रत्येक साथी पर ₹ 350 खर्च करती है और शेष 200 बचता है

∴ उसके पास ₹ 200 शेष बच जाते हैं।

अतः सही उत्तर ₹ 350, ₹ 200 होगा।

सरलीकरण

यदि भिन्नात्मक संख्याओं का सरलीकरण जिसमें जोड़, घटाव गुणा एवं भाग (सभी क्रियाएँ एक साथ) हो की जाय तो VBODMAS नियम का पालन किया जाता है। VBODMAS के सात अक्षर निम्न प्रकार से संकेत करते हैं:

V = Vinculum (Bar) रेखा
B = Bracket (कोष्ठक)
O = Of (का)
D = Division (भाग)
M = Multiplication (गुणा)
A = Addition (जोड़)
S = Subtraction (घटाव)

स्मरणीय बिन्दु

(i) यदि दिए गए व्यंजक में कोष्ठक दिया गया हो तो इसकी क्रिया पहले करें। कोष्ठक तीन प्रकार के होते हैं।
(a) ( ) छोटी कोष्ठक *(b)* { } मध्यम कोष्ठक
(c) [ ] बड़ी कोष्ठक
तीनों की क्रिया निम्न तरीके से एक साथ की जा सकती है : [{( )}] अर्थात सर्वप्रथम छोटी कोष्ठक, उसके बाद मध्यम कोष्ठक और अंत में बड़ी कोष्ठक।

(ii) कोष्ठक के बाद, 'का', 'का' की क्रिया की जाती है। 'का' भी गुणा ही होता है।

(iii) कोष्ठक के बाद 'का', 'का' के बाद भाग का सरलीकरण होता है।

(iv) तब गुणा का सरलीकरण किया जाता है।

(v) उसके बाद जोड़ फिर घटाव का सरलीकरण किया जाता है।

यदि इन बिन्दुओं (क्रिया के चरण के क्रम) का वास्तविक अनुपालन नहीं किया जाता है तो उत्तर निश्चित रूप से गलत होता है।

हमारे पास कुछ ऐसे उदाहरण हैं जो यह दिखाता है कि यदि उपरोक्त क्रिया का सही पालन न किया जाता है तो उत्तर गलत होते हैं।

साधित प्रश्न

उदाहरण 1: $6 + 5 \times 3 = ?$

हल : प्रश्न में जोड़ व गुणा का चिह्न है।
नियमानुसार, पहले गुणा की उसके बाद जोड़ की क्रिया होनी चाहिए।

$5 \times 3 = 15,\ 6 + 15 = 21$ (सही उत्तर)

यदि नियम का पालन नहीं किया जाता है और पहले जोड़ की क्रिया की जाती है तब गुणा की तो उत्तर गलत होगा।

$6 + 5 = 11,\ 11 \times 3 = 33$ (गलत उत्तर)

अतः नियमानुसार उचित क्रम का पालन अवश्य किया जाना चाहिए।

उदाहरण 2: $\frac{3}{4} \div \frac{1}{2} + \frac{1}{4} - \frac{1}{8} = ?$

हल : नियमानुसार, पहले भाग तब जोड़ उसके बाद घटाव की क्रिया की जानी चाहिए।

$$\frac{3}{4} \div \frac{1}{2} + \frac{1}{4} - \frac{1}{8} = \frac{3}{4} \times \frac{2}{1} + \frac{1}{4} - \frac{1}{8} = \frac{3}{2} + \frac{1}{4} - \frac{1}{8}$$

यहाँ '+' एवं '–' की क्रिया एक साथ की जा सकती है।

$$= \frac{3}{2} + \frac{1}{4} - \frac{1}{8} = \frac{12+2-1}{8} = \frac{13}{8} = 1\frac{5}{8}$$

उदाहरण 3 : $\frac{1}{2}$ of $\frac{4}{3} \times 3\frac{1}{2} + \frac{7}{4} - \frac{1}{2} = ?$

हल : नियमानुसार, सर्वप्रथम 'का', तब '×', तब '+' और अन्त में '–'

$$\frac{1}{2} \text{ of } \frac{4}{3} \times \frac{7}{2} + \frac{7}{4} - \frac{1}{2} = \frac{2}{3} \times \frac{7}{2} + \frac{7}{4} - \frac{1}{2}$$

$$= \frac{7}{3} + \frac{7}{4} - \frac{1}{2} = \frac{28+21-6}{12} = \frac{49-6}{12} = \frac{43}{12}$$

उदाहरण 4 : $3 - \left[1 + \left\{1 - \left(\frac{2}{5} + \frac{1}{5}\right)\right\}\right]$.

हल : नियमानुसार, सर्वप्रथम ( ) तब { } और तब [ ]

$$3 - \left[1 + \left\{1 - \left(\frac{2}{5} + \frac{1}{5}\right)\right\}\right]$$

$$= 3 - \left[1 + \left\{1 - \left(\frac{2+1}{5}\right)\right\}\right]$$

$$= 3 - \left[1 + \left\{1 - \left(\frac{3}{5}\right)\right\}\right]$$

$$= 3 - \left[1 + \left\{\frac{5-3}{5}\right\}\right] = 3 - \left[1 + \frac{2}{5}\right]$$

$$= 3 - \left[\frac{5+2}{5}\right] = 3 - \frac{7}{5} = \frac{15-7}{5} = \frac{8}{5} = 1\frac{3}{5}$$

बहुवैकल्पिक प्रश्न

1. यदि 45 – [28 – {37 – (15 – ?)}] = 58, तो निम्न में से कौन प्रश्नवाचक चिह्न का स्थान लेगा?
A. 18 B. 17
C. 13 D. 19

2. $8\frac{1}{3}+5\frac{1}{4}\times 13\frac{1}{5}\div 6\frac{3}{5}$ का मान क्या है?
A. $19\frac{1}{3}$ B. $18\frac{5}{6}$
C. $21\frac{1}{3}$ D. $22\frac{1}{2}$

3. $\frac{14}{3}$ का $\frac{5}{8}$ का 72 का मान क्या है?
A. 209 B. 217
C. 210 D. 199

4. 1150 ÷ 50 ÷ 23 + 15 = ?
A. 16 B. 20
C. 22 D. 18

5. $1+\cfrac{1}{1+\cfrac{1}{1+\cfrac{9}{16}}}$ का मान क्या है?
A. $\frac{44}{31}$ B. $\frac{55}{41}$
C. $\frac{66}{41}$ D. $\frac{77}{51}$

6. $22\div\left[(28-13)\div\{(32-8)\div\left(5+\frac{1}{3}\right)\}\right]$ का मान क्या है?
A. 7.9 B. 6.8
C. 6.6 D. 5.7

7. $11^2 - 6^2 \div 6 \times \frac{5}{2} + 2$ का 10 का मान क्या है?
A. 126 B. 108
C. 110 D. 125

8. $\frac{25}{3}-\frac{4}{7}$ का $\frac{7}{5}+\frac{11}{3}\div\frac{2}{3}-4$ का मान क्या है?
A. $8\frac{1}{15}$ B. $9\frac{1}{30}$
C. $7\frac{1}{30}$ D. $9\frac{1}{5}$

9. 35 × .07 – 21 × .03 का मान क्या है?
A. 2.75 B. 1.72
C. 1.82 D. 2.13

10. $60 \times [35 - \{25 - (18 - \overline{9-3}) \div 11\}]$ का मान क्या है?
A. $566\frac{5}{7}$ B. $665\frac{5}{11}$
C. $665\frac{8}{11}$ D. $765\frac{5}{11}$

11. $\frac{19}{17}$ का $\frac{28}{5}$ का $\left(\frac{17}{3}\div\frac{5}{3}\text{ का }6\frac{1}{3}\right)$ का मान क्या है?
A. $4\frac{9}{25}$ B. $3\frac{8}{23}$
C. $3\frac{9}{24}$ D. $3\frac{9}{25}$

12. $1+\cfrac{1}{1+\cfrac{1}{1+\cfrac{1}{3}}}$ का मान क्या है?
A. $1\frac{4}{7}$ B. $2\frac{4}{7}$
C. $3\frac{4}{7}$ D. $4\frac{4}{7}$

13. एक व्यक्ति के पास कुछ मुर्गियाँ व कुछ गायें हैं। यदि कुल सिरों की संख्या 48 और पैरों की संख्या 140 हो तो मुर्गियों की संख्या है:
A. 26 B. 24
C. 23 D. 22

14. एक आदमी के पास एक रुपये, पाँच रुपये और दस रुपये के नोटों के रूप में कुल 480 रुपये हैं। सभी प्रकार के नोटों की संख्या बराबर हो तो आदमी के पास कुल कितने नोट हैं?
A. 90 B. 75
C. 60 D. 45

15. N व्यक्तियों ने मिलकर 3 लाख रुपया जुटाने का फैसला किया जिसमें सबका बराबर योगदान हो। यदि वे 50 रुपये ज्यादा दिए होते तो 3.25 लाख रुपया जमा हो जाता है, तो N का मान क्या होगा?
A. 600 B. 550
C. 400 D. 500

उत्तरमाला

1	2	3	4	5	6	7	8	9	10
D	B	C	A	C	C	A	B	C	B
11	**12**	**13**	**14**	**15**					
D	A	A	A	D					

कुछ चुने हुए प्रश्नों के व्याख्यात्मक उत्तर

1. $\because \quad 45 - [28 - \{37 - (15 - ?)\}] = 58$

$\Rightarrow \quad 45 - [28 - \{37 - 15 + ?\}] = 58$

$\Rightarrow \quad 45 - [28 - \{22 + ?\}] = 58$

$\Rightarrow \quad 45 - [28 - 22 - ?\} = 58$

$\Rightarrow \quad 45 - 28 + 22 + ? = 58$

$\Rightarrow \quad 39 + ? = 58$

$\Rightarrow \quad ? = 58 - 39$

$= 19$

अतः प्रश्न वाचक चिह्न के स्थान पर 19 आना चाहिए।

2. $\because \; 8\frac{1}{3} + 5\frac{1}{4} \times 13\frac{1}{5} \div 6\frac{3}{5}$

$= \frac{25}{3} + \frac{21}{4} \times \frac{66}{5} \div \frac{33}{5} = \frac{25}{3} + \frac{21}{4} \times \frac{66}{5} \times \frac{5}{33}$

$= \frac{25}{3} + \frac{21}{2} = \frac{50+63}{6} = \frac{113}{6} = 18\frac{5}{6}.$

3. $\because \; \frac{14}{3}$ of $\frac{5}{8}$ of $72 = \frac{14 \times 5 \times 72}{3 \times 8} = 210.$

4. $1150 \div 50 \div 23 + 15 = \frac{1150}{50} \div 23 + 15 = 23 \div 23 + 15$

$= \frac{23}{23} + 15 = 1 + 15 = 16.$

5. इस प्रकार के प्रश्नों का हल नीचे से प्रारंभ करना चाहिए।

$\therefore \; 1 + \cfrac{1}{1 + \cfrac{1}{1 + \cfrac{9}{16}}} = 1 + \cfrac{1}{1 + \cfrac{1}{\frac{25}{16}}}$

$= 1 + \cfrac{1}{1 + \frac{16}{25}} = 1 + \cfrac{1}{\frac{41}{25}} = 1 + \frac{25}{41} = \frac{66}{41}.$

6. $22 \div \left[(28-13) \div \left\{(32-8) \div \left(5 + \frac{1}{3}\right)\right\}\right]$

$= 22 \div \left[15 \div \left\{24 \div \frac{16}{3}\right\}\right]$

$= 22 \div \left[15 \div \cfrac{24}{\frac{16}{3}}\right] = 22 \div \left[15 \div \frac{9}{2}\right] = 22 \div \cfrac{15}{\frac{9}{2}}$

$= 22 \div \frac{10}{3} = \frac{22 \times 3}{10} = 6.6$

7. $11^2 - 6^2 \div 6 \times \frac{5}{2} + 2$ का 10

$= 11^2 - 6^2 \div 6 \times \frac{5}{2} + 20$

$= 11^2 - 6 \times \frac{5}{2} + 20 = 11^2 - 15 + 20$

$= 121 + 5 = 126$

8. $\frac{25}{3} - \frac{4}{7}$ का $\frac{7}{5} + \frac{11}{3} \div \frac{2}{3} - 4$

$= \frac{25}{3} - \frac{4}{5} + \frac{11}{3} \div \frac{2}{3} - 4 = \frac{25}{3} - \frac{4}{5} + \frac{11}{2} - 4$

$= \frac{83}{6} - \frac{24}{5} = \frac{415-144}{30} = \frac{271}{30} = 9\frac{1}{30}.$

9. $35 \times .07 - 21 \times .03 = 2.45 - .63 = 1.82.$

10. $60 \times [35 - \{25 - (18 - \overline{9-3}) \div 11\}]$

$= 60 \times [35 - \{25 - (18 - 6) \div 11\}$

$= 60 \times [35 - \{25 - 12 \div 11\}]$

$= 60 \times \left[35 - \left\{25 - \frac{12}{11}\right\}\right] = 60 \times \left[35 - \frac{263}{11}\right]$

$= 60 \times \frac{122}{11} = 665\frac{5}{11}$

11. $\frac{19}{17}$ का $\frac{28}{5}$ का $\left(\frac{17}{3} \div \frac{5}{3}\right.$ का $\left.6\frac{1}{3}\right)$

$= \frac{19}{17}$ का $\frac{28}{5}$ का $\left(\frac{17}{3} \div \frac{5}{3}\right.$ का $\left.\frac{19}{3}\right)$

$= \frac{19}{17}$ का $\frac{28}{5}$ का $\left(\frac{17}{3} \div \frac{95}{9}\right)$

$= \frac{19}{17}$ का $\frac{28}{5}$ का $\frac{153}{285}$

$= \frac{19}{17} \times \frac{28}{5} \times \frac{153}{285} = \frac{84}{25} = 3\frac{9}{25}$

12. इस प्रकार के प्रश्नों का हल नीचे से प्रारंभ करना चाहिए।

$1 + \cfrac{1}{1 + \cfrac{1}{1 + \cfrac{1}{3}}} = 1 + \cfrac{1}{1 + \cfrac{1}{\frac{4}{3}}}$

$= 1 + \cfrac{1}{1 + \frac{3}{4}} = 1 + \cfrac{1}{\frac{7}{4}} = 1 + \frac{4}{7} = \frac{11}{7} = 1\frac{4}{7}$

13. माना कि मुर्गियों व गायों की संख्या क्रमश x एवं y हैं।

तब $\quad x + y = 48$

$\Rightarrow \quad y = (48 - x) \quad \quad ...(i)$

पुनः $2x + 4\,(48 - x) = 140$

$\Rightarrow \quad 2x - 4x = 140 - 192$

$\Rightarrow \quad 2x = 52 \quad \therefore \quad x = 26$

14. $x \times 1 + x \times 5 + x \times 10 = 480$

$\Rightarrow \quad 16x = 480 \quad \therefore \quad x = 30$

अतः कुल नोटों की संख्या $= 3x = 3 \times 30 = 90$

15. $\frac{3,25,000}{N} - \frac{3,00,000}{N} = 50$

$\Rightarrow \frac{25000}{N} = 50 \quad \therefore \quad N = 500$

मापन

गणित, इकाइयों की गणना का ही दूसरा नाम है। इसमें अधिकांश गणनाओं में इकाई की जरूरत होती है। ये इकाइयाँ लम्बाई, समय, भार, क्षेत्रफल, आयतन आदि को व्यक्त करती हैं। मापन इन्ही इकाइयों की गणना है।

लम्बाई का मापन

इस प्रक्रिया द्वारा हम दो या दो से अधिक वस्तुओं के बड़े-छोटे, दूर-पास, ऊपर-नीचे के सम्बन्ध में तुलना कर सकते हैं।

हम वस्तुओं (जैसे–छड़, लकड़ी का लट्ठे, ईंट आदि) को देखकर अनुमान लगा सकते हैं कि कौन छोटा या कौन बड़ा है? कौन दूर या कौन पास है? किन्तु यह अलग-अलग व्यक्ति की नजर में अलग-अलग हो सकता है। लेकिन गणित में सटीक लम्बाई की जरूरत होती है। अतः सटीक लम्बाई प्राप्त करने के लिए कुछ निश्चित साधनों जैसे– मापक छड़, इंच फीता, स्केल आदि का प्रयोग करते हैं।

लम्बाई के माप

10 मिलीमीटर = 1 सेंटीमीटर
10 सेंटीमीटर = 1 डेसीमीटर
10 डेसीमीटर = 1 मीटर = 100 सें॰मी॰
10 मीटर = 1 डेकामीटर
10 डेकामीटर = 1 हेक्टोमीटर
10 हेक्टोमीटर = 1 किलोमीटर = 1000 मीटर

क्षेत्रफल के माप

100 वर्ग मिलीमीटर =1 वर्ग सेंटीमीटर
100 वर्ग सेंटीमीटर =1 वर्ग डेसीमीटर
100 वर्ग डेसीमीटर =1 वर्ग मीटर
100 वर्ग मीटर = 1 वर्ग डेकामीटर
100 वर्ग डेकामीटर =1 वर्ग हेक्टोमीटर
100 वर्ग हेक्टोमीटर =1 वर्ग किलोमीटर

द्रव्यमान का मापन

इस प्रक्रिया द्वारा हम दो या दो से अधिक वस्तुओं में भारी या हल्का होने के संबंध में तुलना कर सकते हैं।

यदि हम दो वस्तुओं को उठाते हैं तो अनुमान लगाते हैं कि इनमें से कौन भारी और कौन हल्का है। किन्तु गणित में यह पर्याप्त नहीं होता क्योंकि अनुमान भिन्न भी हो सकता है। अतः हम विभिन्न प्रकार की तुला की मदद से सटीक वजन प्राप्त करते हैं।

द्रव्यमान के माप

10 मिलीग्राम = 1 सेंटीग्राम
10 सेंटीग्राम = 1 डेसीग्राम
10 डेसीग्राम = 1 ग्राम
10 ग्राम = 1 डेकाग्राम
10 डेकाग्राम = 1 हेक्टोग्राम
10 हेक्टोग्राम = 1 किलोग्राम
10 किलोग्राम = 1 मिरिया ग्राम
10 मिरिया ग्राम = 1 क्विंटल
10 क्विंटल = 1 मिट्रिक टन

आयतन का मापन

आयतन की माप द्वारा हम किसी वस्तु द्वारा घेरे गए स्थान के बारे में जान सकते हैं। इस सम्बन्ध में इस किन्ही दो वस्तुओं में तुलना भी कर सकते हैं। तीन विमाओं वाली वस्तुओं के आयतन की माप के लिए हम विभिन्न प्रकार के मापक बर्तनों का उपयोग करते हैं।

आयतन के माप (केवल द्रव के लिए)

10 मिली लीटर = 1 सेंटी लीटर
10 सेंटी लीटर = 1 डेसी लीटर
10 डेसी लीटर = 1 लीटर
10 लीटर = 1 डेका लीटर
10 डेका लीटर = 1 हेक्टो लीटर
10 हेक्टो लीटर = 1 किलो लीटर

वस्तुओं की गणना

12 इकाई (वस्तु) = 1 दर्जन
12 दर्जन = 1 गुरुस (ग्रास)
144 इकाई (वस्तु) = 1 गुरुस (ग्रॉस)
24 ताव (शीट) = 1 दस्ता (क्वायर)
480 ताव (शीट) = 1 रीम
20 दस्ता (क्वायर्स) = 1 रीम
500 ताव (शीट) = 1 रीम (वाणिज्यिक)
जैसेः 480 ताव के बदले 500 ताव को एक रीम गिना जाता है।

समय का मापन

समयनिष्ठा हमारे जीवन का एक आवश्यक पहलू है। हमें अपना कार्य समय से पूरा करना होता है। हम समय को घंटे, मिनट व सेकेण्ड में मापते हैं और इसके लिए घड़ी का उपयोग करते हैं।

समय के माप

समय के माप की इकाई सभी पद्वतियों में एक ही है –

60 सेकेण्ड	=	1 मिनट
60 मिनट	=	1 घण्टा
24 घण्टा	=	1 दिन–रात
7 दिन	=	1 सप्ताह
30 दिन	=	1 माह
365 दिन	=	1 वर्ष
366 दिन	=	1 लीप वर्ष
52 सप्ताह	=	1 वर्ष

विभिन्न इकाइयों का दूसरे इकाई में परिवर्तन

1 मील	= 1.61 कि.मी.
1 कि.मी.	= 0.6214 मील (लगभग)
1 मीटर	= 3.2802 फीट
1 फुट	= 0.3048 मीटर
1 मीटर	= 39.37 इंच
1 इंच	= 2.54 से.मी.
1 से.मी.	= 0.3937 इंच
1 डेसीमीटर	= 4 इंच (लगभग)
8 कि.मी.	= 5 मील (लगभग)
1 यार्ड	= 0.9137 मीटर
1 मीटर	= 1.0936 यार्ड
1 पाउण्ड	= 0.4536 कि.ग्रा.
1 कि.ग्रा.	= 2.2046 पाउण्ड
1 कैरेट	= 0.2 ग्राम
1 ग्राम	= 5 कैरेट
1 टन	= 2240 पाउण्ड
1 औंस	= 28.35 ग्राम
1 ग्राम	= 0.0353 औंस
1 गैलन	= 3.7854 लीटर
1 लीटर	= 0.2641 गैलन
1 घन फुट	= 6.23 गैलन
1 घन इंच	= 16.4 घन से.मी.
1 घन से.मी.	= 0.061 घन इंच
1 घन मीटर	= 35.3146 घन फीट
1 घन फुट	= 0.28 घन मीटर
	= 28.317 लीटर

मापन के महत्त्वपूर्ण सूत्र

आयत का क्षेत्रफल	= लम्बाई × चौड़ाई
वर्ग का क्षेत्रफल	= भुजा^{2}
वृत्त का क्षेत्रफल	= πr^2 (जहाँ r = त्रिज्या)
अर्द्धवृत्त का क्षेत्रफल	= $\frac{\pi r^2}{2}$ (जहाँ r = त्रिज्या)
त्रिभुज का क्षेत्रफल	= $\frac{1}{2}$ × आधार × ऊँचाई
गोले का क्षेत्रफल	= $4 \pi r^2$
बेलन का क्षेत्रफल	= $2 \pi r (r + h)$
घन का क्षेत्रफल	= 6 × भुजा^{2}
घनाभ का क्षेत्रफल	= 2 (लम्बाई × चौड़ाई + ल. × ऊं. + चौ. × ऊं.)
शंकु का क्षेत्रफल	= $\pi r (l + r)$ जहाँ l = तिरछी ऊँचाई
कमरे का आयतन	= लम्बाई × चौड़ाई × ऊँचाई
घनाकार वस्तु का आयतन	= भुजा^{3}
गोलाकार वस्तु का आयतन	= $\frac{4}{3}\pi(r)^3$ (जहाँ, r = त्रिज्या)
बेलनाकार वस्तु का आयतन	= $\pi r^2 h$
शंक्वाकार वस्तु का आयतन	= $\frac{1}{3}\pi r^2 h$

साधित प्रश्न

उदाहरण 1 : 20 गुरुस (ग्रॉस), 5 दर्जन और 10 इकाई में कुल कितनी वस्तुएं होंगी?

हल :

20 गुरुस	=	20 × 144	=	2880
5 दर्जन	=	5 × 12	=	60
10 इकाई	=	10 × 1	=	10
		कुल		**2950**

उदाहरण 2 : 7508 ग्राम को किलोग्राम एवं ग्राम में बदलें।

हल : 1000 ग्राम = 1 कि.ग्रा.

∴ 7508 ग्राम = $\frac{1}{1000} \times 7508$

= 7 कि. 508 ग्रा.

उदाहरण 3 : 15 लीटर 775 मिलीलीटर को मिलीलीटर में बदलें।

हल : 1 लीटर = 1000 मिलीलीटर

15 लीटर = 15000 मिलीलीटर

अब, 15000 मिलीलीटर + 775 मिलीलीटर

= 15775 मिलीलीटर

बहुवैकल्पिक प्रश्न

1. 5.5 क्विंटल को कि.ग्रा. में बदलने पर होगा?
A. 55 किग्रा. B. 5500 किग्रा.
C. 550 किग्रा. D. 65 किग्रा.

2. 5 महीने, 6 सप्ताह और 15 दिन में कुल दिन होंगे?
A. 217 B. 227
C. 207 D. 213

3. 5 मीटर, 1503 से.मी. का मान से.मी. में होगाः
A. 2030 से.मी. B. 1508 से.मी.
C. 2003 से.मी. D. 1553 से.मी.

4. 15 कि.ग्रा. 400 ग्राम एवं 16 कि.ग्रा. 80 ग्राम का योग होगाः
A. 31.408 किग्रा. B. 31.480 किग्रा.
C. 31.840 किग्रा. D. 30.408 किग्रा.

5. 15 कि.ग्रा. 8 हेक्टो ग्राम और 80 ग्राम को ग्राम में बदलने पर होगाः
A. 18508 ग्राम B. 15808 ग्राम
C. 15088 ग्राम D. 15880 ग्राम

6. एक लीटर बराबर होगाः
A. 100 मिली. B. 10 डेसी.ली.
C. 110 से.ली. D. 1 कि.लीटर

7. 1000 से.मी. समतुल्य होगाः
A. 1 मीटर B. 100 मीटर
C. 110 मीटर D. 10 मीटर

8. 10 इंच को से.मी. में बदलने पर प्राप्त होगाः
A. 2.54 से.मी. B. 25.4 से.मी.
C. 254 से.मी. D. इनमें से कोई नहीं

9. 72 कि.मी./घंटा को मीटर/सेकेण्ड में व्यक्त किया जाएगाः
A. 20 मी/से. B. 27 मी/से.
C. 30 मी/से. D. 18 कि.मी./से.

10. यदि 1 घनमीटर लोहे का वजन 4060 कि.ग्रा. हो तो 1 घन से.मी. लोहे का वजन कितना होगा?
A. 406 ग्राम B. 40.6 ग्राम
C. 4.06 ग्राम D. 0.406 ग्राम

11. यदि 1 घन से.मी. दूध का वजन 1 ग्राम हो तो 3.5 किलोलीटर दूध का वजन कितना होगा?
A. 35 कि.ग्रा. B. 350 ग्राम
C. 3500 g D. 3500 कि.ग्रा.

12. 10 रीम कागज को क्वायर में बदलने पर प्राप्त होगाः
A. 20 B. 100
C. 200 D. 1000

13. 1 सेकेण्ड को घण्टा में बदलने पर मिलेगाः
A. 0.00028 घंटा B. 0.00032 घंटा
C. 0.0028 घंटा D. 0.0032 घंटा

14. एक बर्तन में 3.2 कि.लीटर पानी रखा जा सकता है। बर्तन की धारिता मिलीटर में होगीः
A. 3.52×10^4 मि.ली. B. 3.52×10^5 मि.ली.
C. 3.52×10^6 मि.ली. D. इनमें से कोई नहीं

15. यदि 1 मीटर = 39.37 इंच हो तो 1 वर्ग से.मी. का मान वर्ग इंच में होगाः
A. 0.155 वर्ग इंच B. 0.165 वर्ग इंच
C. 0.175 वर्ग इंच D. 0.185 इंच

उत्तरमाला

1	2	3	4	5	6	7	8	9	10
C	C	C	B	D	B	D	B	A	C
11	**12**	**13**	**14**	**15**					
D	C	A	C	A					

कुछ चुने हुए प्रश्नों के व्याख्यात्मक उत्तर

1. 1 क्विंटल = 100 कि.ग्रा.
5.5 क्विंटल = 5.5 × 100 = 550 कि.ग्रा.

2. 5 माह = 5 × 30 = 150 दिन
5 सप्ताह = 6 × 7 = 42 दिन
15 दिन = 15 × 1 = 15 दिन
207 दिन

3. 1 मीटर = 100 से.मी.
5 मीटर = 5 × 100 = 500 से.मी.
∴ 500 से.मी. + 1503 से.मी. = 2003 से.मी.।

4.
15 कि.ग्रा. 400 ग्राम
16 कि.ग्रा. 80 ग्राम
31 कि.ग्रा. 480 ग्राम।

5. 1 कि.ग्रा. = 1000 ग्राम
15 ग्राम = 15 × 1000 ग्राम
1 हेक्टो ग्राम = 100 ग्राम
8 हेक्टो ग्राम = 8 × 100 ग्राम
कुल = 15000 + 800 + 80
= 15880 ग्राम।

6. एक लीटर 10 डेसी लीटर के समतुल्य है।

7. 100 से.मी. = 1 मीटर

1000 से.मी. = $\frac{1000}{100}$ = 10 मीटर।

8. $\because$ 1 इंच = 2.54 से.मी.

$\therefore$ 10 इंच = 10 × 2.54 से.मी.

= 25.4 से.मी.।

9. 72 कि.मी. = 72 × 1000 मीटर = 72000 मीटर

और 1 घंटा = 60 मिनट = 60 × 60 सेकेण्ड

= 3600 सेंकेण्ड

$\therefore$ 72 कि.मी./घंटा = $\frac{72000}{3600}$

= 20 मीटर/सेंकेण्ड।

10. हम जानते हैं कि,

1 घनमीटर = 1000000 घन सें.मी.

$\therefore$ 1 घन मीटर का वजन = 1000000 घन सें.मी. का वजन

= 4060 कि.ग्रा.

= 4060 × 1000 ग्रा.

$\therefore$ 1 घन से.मी. लोहे का वजन = $\frac{4060 \times 1000}{1000000}$

= 4.06 ग्राम.

11. 3.5 कि.ली. = 3.5 × 1000 ली. = 3500 ली.

$\because$ 1ली. = 1000 घन से.मी.

$\therefore$ 3500 ली. = 1000 × 3500 घन से.मी.

$\because$ 1 घन से.मी. = 1 ग्रा.

$\therefore$ 1000 × 3500 घन सें.मी. = 1000 × 3500 ग्रा.

= $\frac{1000 \times 3500}{1000}$

= 3500 कि.ग्रा.।

12. $\because$ 1 रीम = 20 क्वायर

$\therefore$ 10 रीम = 200 क्वायर।

13. 1 सेकेण्ड = $\frac{1}{60}$ घंटा

= $\frac{1}{60 \times 60}$ घंटा = $\frac{1}{3600}$ घंटा

= 0.00028 घंटा।

14. $\because$ 1 कि.ली. = 10^6 मिली लीटर

$\therefore$ 3.52 कि.ली. = 10^6 × 3.52 मिली लीटर।

15. $\because$ 1 मीटर = 39.37 इंच

$\therefore$ 1 वर्ग मीटर = $(39.37)^2$ वर्ग इंच

= 1549.9969 वर्ग इंच

$\Rightarrow$ 10000 वर्ग से.मी. = 1549.9969 वर्ग इंच

$\Rightarrow$ 1 वर्ग से.मी. = $\frac{1549.9969}{1000}$ वर्ग इंच

= 0.155 वर्ग इंच।

धन (मुद्रा)

इस इकाई का उद्देश्य लोगों को रुपयों-पैसों के संग्रह एवं लेन-देन से सम्बन्धित अनुभव प्रदान करना है।

भारतीय मुद्रा को रुपया के नाम से जाना जाता है। यह 100 पैसों के रूप में विभाजित है। भारतीय मुद्रा सामान्यतः ₹ 1, 2, 5, 10, 20, 50, 100, 500 और 1000 के नोट में उपलब्ध है। सिक्के आज कल ₹ 10, 5, 2, 1 और 50 पैसे के रूप में भी चलन में है।

भारतीय मुद्रा को सैकड़ा, हजार, लाख और करोड़ में गिना जाता है।

साधित प्रश्न

उदाहरण 1 : बदलें: (*a*) ₹ 38 को पैसे में।
(*b*) 6000 पैसे को रुपये में।

हल : (*a*) ₹ 38 = 38 × 100 = 3800 पैसे।

(*b*) 6000 पैसे = $\frac{6000}{100}$ = ₹ 60.

उदाहरण 2 : निम्नलिखित का मान पैसे में प्राप्त करें:
(*a*) ₹ 27.75 (*b*) ₹ 53.50
(*c*) ₹ 90.60

हल : (*a*) ₹ 27.75 = 27 × 100 + 75 = 2775 पैसे
(*b*) ₹ 53.50 = 53 × 100 + 50 = 5350 पैसे
(*c*) ₹ 90.60 = 90 × 100 + 60 = 9060 पैसे।

उदाहरण 3 : सुनीता के पास हजार रुपये के तीन पाँच सौ रुपये के सात, सौ रुपये के चार और बीस रुपये के छः नोट हैं। उसकी माँ ने उसे सौ रुपये के तीन, पचास रुपये के सात, दस रुपये के तीन, पाँच रुपये के छः नोट एवं दो रुपये के तीन, एक रुपये के 5 तथा पचास पैसे के अठारह सिक्के दिए। अब उसके पास कितने रुपये हैं?

हल: कुल रुपये = 3 × ₹ 1000 + 7 × ₹ 500 + 4 × ₹ 100 + 6 × ₹ 20 + 3 × ₹ 100 + 7 × ₹ 50 + 3 × ₹ 10 + 6 × ₹ 5 + 3 × ₹ 2 + 5 × ₹ 1 + 18 × 50 पैसे
= ₹ 3000 + ₹ 3500 + ₹ 400 + ₹ 120 + ₹ 300 + ₹ 350 + ₹ 30 + ₹ 30 + ₹ 6 + ₹ 5 + ₹ 9
= ₹ 7750.

उदाहरण 4 : सीमा के पास 58.50 रुपये, रोमा के पास 45.50 रुपये और वीणा के पास 38 रुपये थे। तीनों के पास कुल मिलाकर कितने रुपये थे।

हल : सीमा के पास = 58.50 रुपये
रोमा के पास = 45.50 रुपये
वीणा के पास = 38.00 रुपये
कुल = 142.00 रुपये।

उदाहरण 5 : सोनम 162.50 रुपये में सिनेमा का एक टिकट खरीदी। उसने 500 रुपये का नोट दी तो टिकट के साथ वह कितने रुपये वापस पायेगी?

हल : 500 − 162.50 रुपये
= 337.50 रुपये

अतः सोनम टिकट के साथ 337.50 रुपये वापस पाएगी।

उदाहरण 6 : शबनम और उसकी सहेलियां खरीदारी करने गईं। शबनम 158 रुपये, 137 रुपये और 22 रुपये की तीन चीजें खरीदीं। उसके पास 50 रुपये के चार नोट थे तो बिल भुगतान करने के लिए शबनम को अपने सहेलियों से कितना उधार लेना चाहिए?

हल :

158 रुपये	50 रुपये के चार चोट = 200 रुपये
+ 137 रुपये	317 रुपये
+ 55 रुपये	− 200 रुपये
कुल = 317 रुपये	− 117 रुपये

अतः उसे 117 रुपये उधार लेना चाहिए।

बहुवैकल्पिक प्रश्न

1. शंकर के पास 320 रुपये हैं। उसने 170 रुपये में एक बल्ला और 105 रुपये में एक गेन्द खरीदा। अब उसके पास कितने रुपये शेष हैं?
A. 54 रुपये B. 145 रुपये
C. 45 रुपये D. इनमें से कोई नहीं

2. सोनालिका 157 रुपये की बिस्कुट और 126 रुपये की एक पैकेट चिप्स खरीदी। वह दुकानदार को कितने रुपये देगी?
A. 283 रुपये B. 238 रुपये
C. 183 रुपये D. 328 रुपये

3. फतेह सिंह के पास 640 रुपये थे। 380 रुपये उसने मेले में खर्च किए और 130 रुपये बस किराये में। अब उसके पास कितने रुपये बचे हैं?

A. 310 रुपये B. 103 रुपये
C. 130 रुपये D. इनमें से कोई नहीं

4. तीन मित्र एक बल्ला और एक गेंद खरीदना चाहते थे। भोला ने ₹ 48.50 दिए, रामू ने ₹ 55.50 तथा हरि ने ₹ 38.00 दिए। तीनों मिलकर कितने रुपये दिए?

A. ₹ 124 B. ₹ 142
C. ₹ 412 D. इनमें से कोई नहीं

5. श्याम ₹ 262.50 की रेलवे टिकट खरीदा। उसने 500 रुपये का नोट दिया, तो टिकट के साथ वह कितना रुपया वापस पायेगा?

A. ₹ 235.70 B. ₹ 237.70
C. ₹ 235.50 D. ₹ 237.50

6. नम्रता और उसकी सहेली खरीदारी करने गई। वह एक टी-शर्ट, एक स्कूल बैग और एक जोड़ा जूता क्रमशः ₹ 580, ₹ 370 एवं ₹ 420 में खरीदीं। उसके पास पाँच सौ के दो नोट हैं, तो बिल भुगतान करने के लिए उसे अपने सहेलियों से कितना रुपया उधार लेना चाहिए?

A. ₹ 307 B. ₹ 370
C. ₹ 730 D. इनमें से कोई नहीं

7. ₹ 368 समतुल्य है:

A. 3680 पैसे B. 36800 पैसे
C. 38600 पैसे D. इनमें से कोई नहीं

8. 4873 पैसे समतुल्य हैं:

A. 487 रुपये और 39 पैसे
B. 48 रुपये और 37 पैसे
C. 48 रुपये और 73 पैसे
D. इनमें से कोई नहीं

9. ₹ 82.34 एवं 57.28 का योग है:

A. ₹ 193.62 B. ₹ 139.26
C. ₹ 130.62 D. इनमें से कोई नहीं

10. ₹ 384.39 एवं ₹ 254.57 का अन्तर है:

A. ₹ 129.82 B. ₹ 129.28
C. ₹ 182.29 D. इनमें से कोई नहीं

11. शर्माजी अपनी नकद सम्पत्ति की अपने तीन बच्चों में वितरण किया। गौरव सम्पत्ति $\frac{2}{5}$ हिस्सा पाया, सौरभ को शेष राशि का $\frac{5}{8}$ भाग मिला और सुधा शेष ₹ 1,80,000 पायी, तो गौरव को मिला:

A. ₹ 3200000 B. ₹ 2300000
C. ₹ 32000 D. ₹ 320000

12. यदि ₹ 6548 को 5 व्यक्तियों में बराबर-बराबर बाँटा जाय तो प्रत्येक को मिलेगा:

A. ₹ 1306.90 B. ₹ 1903.60
C. ₹ 1309.60 D. इनमें से कोई नहीं

13. विनोद के पास 368 रुपये हैं उसके बड़े भाई ने उसे 467 रुपये दिए। वह बाजार गया और एक कमीज तथा दो पैंट खरीदा। लेकिन उसने पाया कि उसने 660 रुपये खो दिए हैं तो बिल भुगतान के लिए उसे कितने रुपये और चाहिए?

A. 835 रुपये
B. 1495 रुपये
C. निर्धारित नहीं किया जा सकता
D. इनमें से कोई नहीं

14. ₹ 71.87 का मूल्य पैसे में होगा:

A. 1787 पैसे B. 7178 पैसे
C. 1778 पैसे D. इनमें से कोई नहीं

15. शोभा को 18 मजदूरों को प्रति मजदूर ₹ 187.65 भुगतान करना है तो उसे कितने रुपयों की आवश्यकता होगी?

A. ₹ 3377.70 B. ₹ 3370.77
C. ₹ 3377.77 D. इनमें से कोई नहीं

उत्तरमाला

1	2	3	4	5	6	7	8	9	10
C	A	C	B	D	B	B	C	D	A
11	12	13	14	15					
D	C	C	D	A					

कुछ चुने हुए प्रश्नों के व्याख्यात्मक उत्तर

1. बल्ले का मूल्य = 170 रुपये
गेन्द का मूल्य = 105 रुपये
कुल = 275 रुपये

अतः शेष राशि = 320 − 275 = 45 रुपये।

6. कुल खर्च = ₹ 580 + ₹ 370 + ₹ 420
= ₹ 1370

उसके पास उपलब्ध राशि = 2 × 500 = ₹ 1000

∴ अभीष्ट राशि = 1370 − 1000 = ₹ 370

अतः उसे बिल भुगतान के लिए ₹ 370 उधार लेना चाहिए।

13. टी-शर्ट और पैंट का दाम नहीं दिया गया है। अतः उत्तर निर्धारित नहीं किया जा सकता।

15. अभीष्ट राशि = 187.65 × 18 = ₹ 3377.70

प्रतिरूप

किसी आकृति के या शृंखला के पद के सर्वांगसम प्रतिदर्श आकृति को उस आकृति का अथवा शृंखला के पद का प्रतिरूप कहते हैं। प्रतिरूप का अध्ययन छात्रों को सम्बन्धों को पहचानने, सम्बन्धों का पता लगाने, पूर्वानुमान, सामान्यीकरण एवं निगमन में मदद करता है। प्रतिरूप की समझ छात्रों में गणितीय सोच का पोषण करता है जो समस्या समाधान में इसकी मदद करता है। जो कोई प्रतिरूपों को अच्छी तरह समझता है वह एक अच्छा विचारक बन सकता है। प्रतिरूपों के समझ का समस्या समाधान के एक साधन के रूप में उपयोग किया जाता है।

साधित प्रश्न

उदाहरण 1 : नीचे दिए गए आकृतियों में से कौन दिए गए प्रतिरूप का अगला पद होगा?

(*a*) 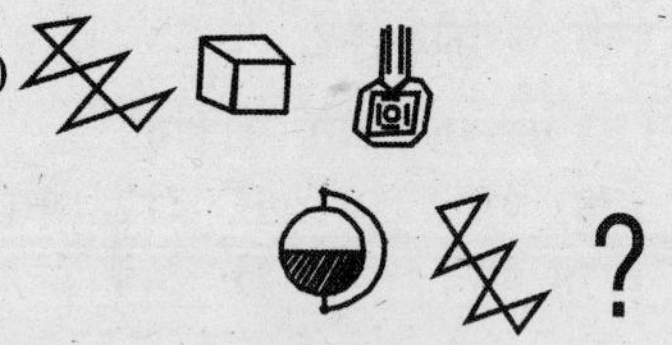

(*b*) 

हल : (*a*) दिए गए प्रतिरूप से स्पष्ट है कि अगला पद  होगा।

(*b*) स्पष्टः अगला पद  होगा।

उदाहरण 2 : दिए गए प्रतिरूपों का अध्ययन करें और लुप्त संख्या को लिखें।

(*a*) 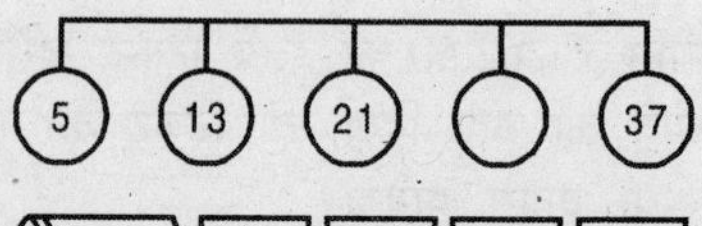

(*b*) 

(*c*) 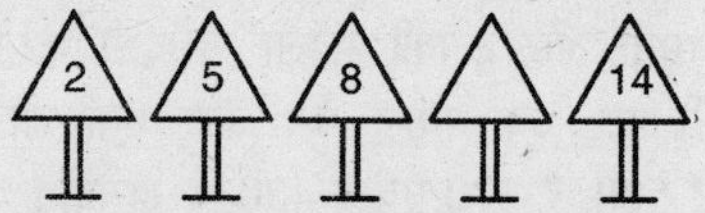

(*d*) 

(*e*) 

(*f*) 

हल : (*a*) $5 + 8 = 13,\ \ 13 + 8 = 21$

$21 + 8 = \boxed{29},\ \ 29 + 8 = 37$

(*b*) $5 + 5 = \boxed{10},\ \ 10 + 5 = 15$

$15 + 5 = 20$

(*c*) $2 + 3 = 5,\ \ 5 + 3 = 8$

$8 + 3 = \boxed{11},\ 11 + 3 = 14$

(*d*) $7 + 5 = 12,\ \ 12 + 5 = 17$

$17 + 5 = 22,\ \ 22 + 5 = \boxed{27}$

(*e*) $23 - 7 = \boxed{16},\ \ 16 - 7 = 9$

$9 - 7 = 2$

(*f*) $38 - 5 = \boxed{33},\ \ 33 - 5 = 28$

$28 - 5 = 23,\ \ 23 - 5 = 18$

बहुवैकल्पिक प्रश्न

1. प्रश्न आकृति

उत्तर आकृति

A B C D

2. प्रश्न आकृति

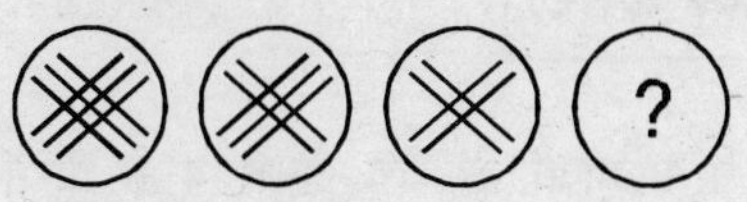

उत्तर आकृति

A B C D

3. प्रश्न आकृति

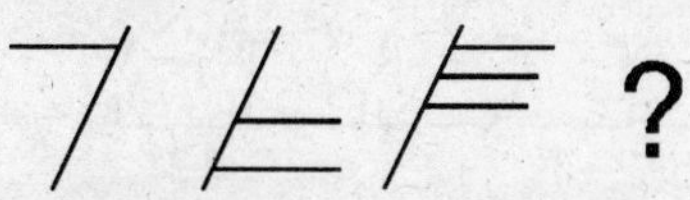

उत्तर आकृति

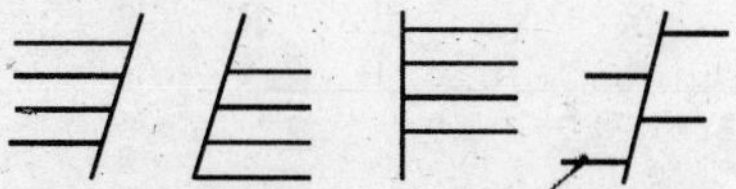

A B C D

4. प्रश्न आकृति

उत्तर आकृति

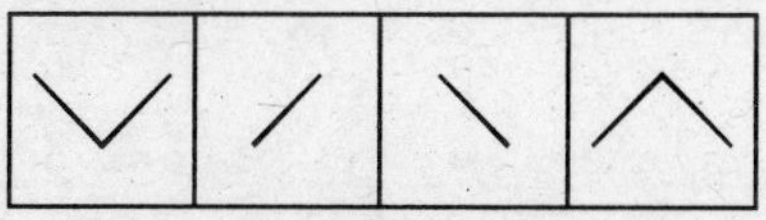

A B C D

5. प्रश्न आकृति

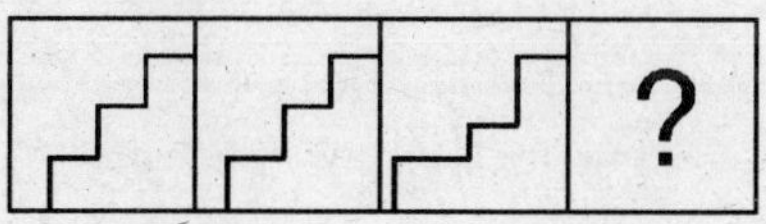

उत्तर आकृति

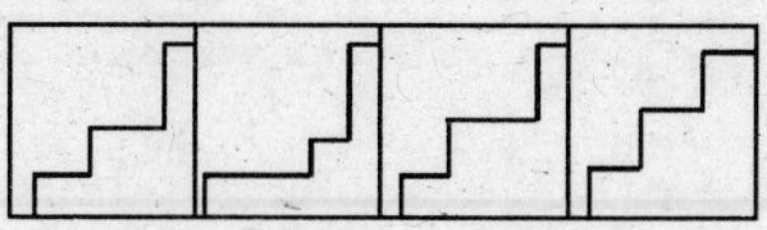

A B C D

6. प्रश्न आकृति

A F H I ?

उत्तर आकृति

E K M V T

A B C D E

7. प्रश्न आकृति

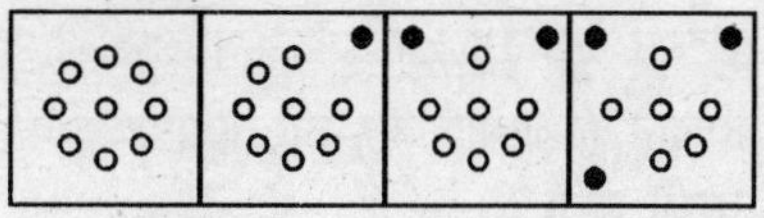

उत्तर आकृति

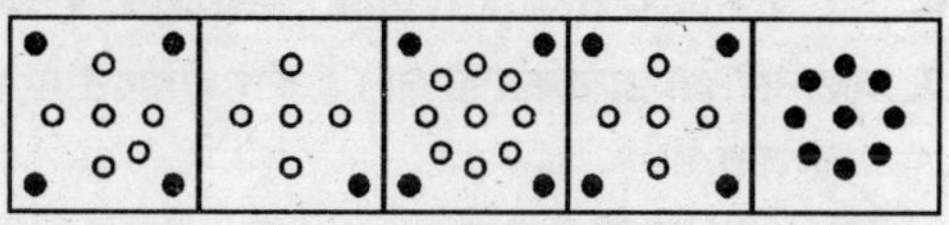

A B C D E

8. 1, 6, 12, 19, 27, ?
A. 38 B. 35
C. 36 D. 54

9. 2, 6, 14, 30, 62, ?
A. 126 B. 128
C. 120 D. 130

10. 4, 7, 12, 19, 28, ?
A. 35 B. 37
C. 39 D. 41

11. 11, 13, 17, 19, 23, ?
A. 37 B. 31
C. 25 D. 41

12. L N P R T ?
A. U B. V
C. W D. Y

13. Z X V T ?
A. Q B. S
C. R D. P

14. A E I M Q ?
A. T B. U
C. V D. W

15. A F K P ?
A. T B. U
C. W D. X

उत्तरमाला

1	2	3	4	5	6	7	8	9	10
C	D	A	C	B	B	D	C	A	C
11	**12**	**13**	**14**	**15**					
C	B	C	B	B					

कुछ चुने हुए प्रश्नों के व्याख्यात्मक उत्तर

1. वृत्त 30° दक्षिणावर्त्त घूम जाता है और एक त्रिज्यीय रेखा हटा दी जाती है।

2. एक विकर्णवत् रेखाखण्ड हरेक आकृति में कम हो जाती है।

3. एकान्तर आकृति में क्षैतिज रेखा तिरछी रेखा के विपरीत ओर चली जाती है और दो अतिरिक्त रेखा भी उसमें जुड़ जाती है।

4. प्रत्येक चरण में समचतुर्भुज की एक भुजा लुप्त हो जाती है।

5. निचले पायदान की लम्बाई और उपर के पायदान की ऊँचाई क्रमशः बढ़ती जाती है।

6. इस शृंखला के सभी अक्षर तीन रेखाखंडों से बने हैं।

7. एकान्तर वृत्त छायांकित हो जाते हैं और वामावर्त्त में कोने पर चले जाते हैं।

8. शृंखला में संख्याओं का अन्तर 5 से प्रारंभ होकर क्रमशः एक बढ़ता जाता है। जैसेः

1 6 12 19 27 36

+5 +6 +7 +8 +9

9. शृंखला में संख्याओं के बीच अन्तर 4 से प्रारंभ होकर क्रमशः दुगुना हो जाता है। जैसेः

2 6 14 30 62 126

+4 +8 +16 +32 +64

10. शृंखला में संख्याओं के बीच अन्तर 4 से प्रारंभ होकर क्रमशः 2 बढ़ता जाता है। जैसेः

4 7 12 19 28 39

+3 +5 +7 +9 +11

11. संख्याओं के बीच अन्तर +2, +4 के प्रतिरूप का अनुसरण करता है यह प्रतिरूप बार-बार दुहराया जाता है।

12. शृंखला +2 प्रतिरूप का अनुसरण करती है। जैसे

L N P R T V

+2 +2 +2 +2 +2

13. इस शृंखला के अक्षर दो चरण पीछे चले जाते हैं। जैसे

Z X V T R

−2 −2 −2 −2

14. शृंखला के अक्षर चार चरण आगे बढ़ जाते हैं। जैसे

A E I M Q U

+4 +4 +4 +4 +4

15. शृंखला के अक्षर पाँच चरण आगे बढ़ जाते हैं। जैसे

A F K P U

+5 +5 +5 +5

आँकड़ों का प्रबन्धन

आँकड़ों का प्रबन्धन दिए गए सूचना को विभिन्न तरह के संकेतों का प्रयोग कर उसे व्यक्त करने या प्रदर्शित करने का साधन है। हम अपने दैनिक जीवन में कई प्रकार की सूचनाओं से रू-ब-रू होते हैं जैसेः

(*i*) 10 घंटे में कार द्वारा तय की गई दूरी।

(*ii*) पिछले सप्ताह पुस्तक विक्रेता द्वारा बेचे गए पुस्तकों की संख्या।

(*iii*) विश्व कप में सचिन द्वारा बनाया गया रन आदि।

इस तरह की हरेक स्थिति में संग्रह की गई सूचनाओं को 'आँकड़े' कहते हैं। दूसरे शब्दों में "आँकड़े संख्याओं का संग्रह है जिस कुछ सूचनाएँ देने के लिए इकट्ठा किया जाता है। यह प्रायः उन परिस्थितियों के संदर्भ में संचित किया जाता है जिनका हम अध्ययन करना चाहते हैं। यह क्या प्रदर्शित करता है इसका एक स्पष्ट विचार देने के लिए आँकड़ों को ग्राफीय रूप में प्रदर्शित किया जाता है।

आँकड़ों का संगठन

आँकड़े प्रायः असंगठित या कच्चे रूप में दिए गए जाते हैं। हम इसका अर्थपूर्ण निष्कर्ष प्राप्त करने के लिए इसे क्रमबद्ध रूप में संगठित करते हैं। जैसेः एक शहर के 30 दिनों का तापमान दिया गया हैः 30°, 25°, 29°, 28°, 25°, 30°, 30°, 26°, 29°, 28°, 30°, 30°, 28°, 26°, 30°, 28°, 22°, 29°, 28°, 30°, 26°, 28°, 30°, 27°, 30°, 25°, 28°, 29°, 30° और 29 तो कितने दिन शहर ने अधिकतम तापमान का सामना किया? दिए गए अव्यवस्थित तापमानों को देखकर प्रश्न का उत्तर देना आसान नहीं है। अतः सर्वप्रथम हम मिलान चिह्नों (tally mark) का प्रयोग कर उसे व्यवस्थित करते हैं फिर आसानी से प्रश्नों का उत्तर दे पाते हैं।

तापमान	मिलान चिह्न	दिनों की संख्या
25°	|||	3
26°	|||	3
27°	|	1
28°	~~||||~~ |||	8
29°	~~||||~~	5
30°	~~||||~~ ~~||||~~	10
		N = 30

इस प्रकार हम आसानी से तय कर सकते हैं कि शहर ने अधिकतम ताप तापमान 30° का 10 दिनों तक सामना किया।

आँकड़ों का समूहन

ऊपर के उदाहरण में हमने देखा कि तापमान के कुछ माप (डिग्री) बार-बार आते हें जैसेः 30° दस बार, 28° आठ बार 29° पाँच बार आदि। इन सूचनाओं को हम ग्राफीय विधि से भी प्रदर्शित कर सकते हैं।

अपने दैनिक जीवन में हम इस तरह के अनेक आँकड़ों से रू-ब-रू होते हैं। इनमें से कुछ आँकड़े छोटे तो कुछ बड़े होते हैं। उदाहरणस्वरूप–अप्रैल महीने में एक कार्यालय के कर्मचारियों की दैनिक उपस्थिति निम्नलिखित है– 14, 16, 46, 24, 22, 43, 25, 24, 32, 43, 14, 30, 27, 31, 32, 28, 18, 19, 30, 27, 16, 25, 11, 12, 31, 30, 17, 48, 19, 23.

उपरोक्त आँकड़ों का बारम्बारता वितरण बहुत लम्बा होगा। अतः इन आँकड़ों का समूह बनाकर बारंबारता वितरण तैयार करना आसान होगा। जैसे– 0-10, 10-20, 20-30 इत्यादि। समूह बनाने के पश्चात् हम आँकड़ों के समूह की बारम्बारता मिलान चिह्न का उपयोग कर प्राप्त करते हैं।

समूह	मिलान चिह्न	बारम्बारता
10-20	~~||||~~ ~~||||~~	10
20-30	~~||||~~ ||||	9
30-40	~~||||~~ ||	7
40-50	||||	4
		N = 30

इस प्रकार से संगठित आँकड़ों को **वर्गीकृत आँकड़ा** और इस प्रकार से संगठित वितरण को वर्गीकृत बारम्बारता वितरण कहते हैं। अब हम इस वितरण से कई अर्थपूर्ण निष्कर्ष निकाल सकते हैं, जैसेः

(*i*) अधिकांश दिन उपस्थिति कम थी।

(*ii*) केवल चार दिन उपस्थिति सर्वाधिक थी। आदि।

महत्त्वपूर्ण परिभाषाएँ

- **विचर (Variate) :** उस राशि को जिसे हम अलग-अलग प्रेक्षणों में मापते हैं, विचर (variate) कहते हैं।
- **वर्ग-अंतराल (Class Interval) :** हम आंकड़ों के प्रस्तुतीकरण को अधिक सरल बनाने की दृष्टि से उन्हें प्रायः वर्गों में रखते हैं जिसके लिए कुछ अंतराल का प्रयोग किया जाता है जिसे वर्ग-अतंराल कहते हैं। उदाहरण : 0-5, 5-10, 10-15, आदि।

- **वर्ग आमाप (Class-size) :** किसी वर्ग अंतराल की वास्तविक उपरि सीमा और वास्तविक निम्न सीमा के अंतर को उस वर्ग अंतराल का आमाप (size) कहते हैं उदाहरण : वर्ग अंतराल 0-5 का वर्ग आमाप 5 है।
- **मध्य मान (Mid-value) :** किसी वर्ग की निम्न और उपरि सीमा के बीच के चर मान को उस वर्ग का मध्य मान कहते हैं, उदाहरण : वर्ग अंतराल 0-5 का मध्य मान $0+\frac{5}{2}=2.5$ है।
- **बारंबारता (Frequency) :** किसी विशिष्ट वर्ग के संगत प्रेक्षणों की संख्या को उस वर्ग की बारंबारता कहते हैं। उदाहरण : वर्ग अंतराल 5-10 की बारंबारता 6 हो, तो इसका अर्थ है कि 6 व्यक्तियों को 5 या अधिक किंतु 10 से कम चीजें प्राप्त हुईं।
- **संचयी बारंबारता (Cumulative Frequency) :** किसी वर्ग विशेष की बारंबारता और उससे पूर्व के सभी वर्गों की बारंबारता के योगफल को उस वर्ग-विशेष की संचयी बारंबारता कहते हैं। संचयी बारंबारता बंटन सारणी में अंतिम वर्ग की संचयी बारंबारता बारंबारताओं की कुल संख्या होती है।
- **वर्ग सीमाएं (Class Limits) :** प्रत्येक वर्ग-अंतराल की दो सीमाएं होती हैं। अंतराल की निचली संख्या को निम्न सीमा (lower limit) और उपरि संख्या को उपरि सीमा (upper limit) कहते हैं। उदाहरण के लिए, वर्ग अंतराल 0-5 में, 0 निम्न सीमा है जबकि 5 वर्ग-अंतराल की उपरि सीमा है।

आँकड़ों का आरेखीय निरूपण

(a) एक विमीय आरेख–(i) दण्डालेख (Bar-diagram) (ii) उपविभाजित दण्डालेख (Sub-divided Bar-diagram) (iii) बहुदण्डालेख (Multiple Bar-diagram)
(b) द्विविमीय आरेख–(i) वर्ग (ii) वृत्त (iii) वृत्तचार्ट
(c) त्रिविमीय आरेख–(i) घन (ii) बेलन (iii) गोला
(d) चित्रालेख (Pictogram)
(e) मानारेखा (Cartogram)

आँकड़ों का ग्राफीय निरूपण

(a) आयत चित्र (Histogram)
(b) बारम्बारता बहुभुज (Frequency polygon)
(c) बारम्बारता वक्र (Frequency curve)
(d) संचयी बारम्बारता वक्र या तोरण (Cumulative frequency curve or ogive)

आयत चित्र : एक सांख्यिकी आलेख जो आँकड़ों को आयताकार स्तम्भ की ऊँचाई द्वारा प्रदर्शित करता है। इसके स्तम्भों की संख्या वर्ग-अन्तराल की संख्या के बराबर होती है। जैसे– निम्नलिखित सारणी एक शहर के वयस्क लोगों के विभिन्न उम्र-वर्गों की संख्या को प्रदर्शित करता है।

आयु वर्ग	लोगों की संख्या	आयु वर्ग	लोगों की संख्या
15-20	200	35-40	750
20-25	350	40-45	900
25-30	475	45-50	100
30-35	600		

उपरोक्त आँकड़ों का आयत-चित्र निम्नलिखित है।

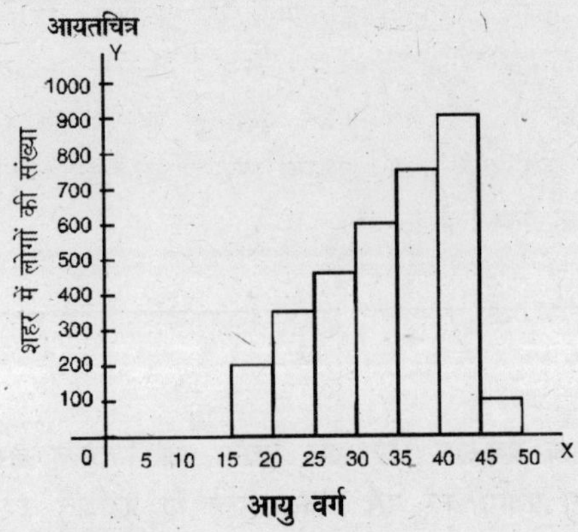

बारम्बारता बहुभुजः जब आयत चित्र के प्रत्येक आयताकार स्तम्भ के शीर्ष रेखाओं के मध्य-बिन्दुओं को रेखा-खण्डों द्वारा मिलाया जाता है तो प्राप्त आकृति का बारम्बारता बहुभुज या आवृत्ति बहुभुज कहते हैं। बहुभुज का क्षेत्रफल आयताकार दण्डों के कुल क्षेत्रफल के बराबर होता है। बारम्बारता बहुभुज की रचना वर्ग अन्तराल के मध्य बिन्दुओं और उससे सम्बन्धित बारम्बारताओं के उभनिष्ठ बिन्दुओं (common points) को रेखाखण्डों द्वारा मिलाने पर भी होता है। जैसे, उपरोक्त आँकड़ों का बारम्बारता बहुभुज नीचे दी गई है।

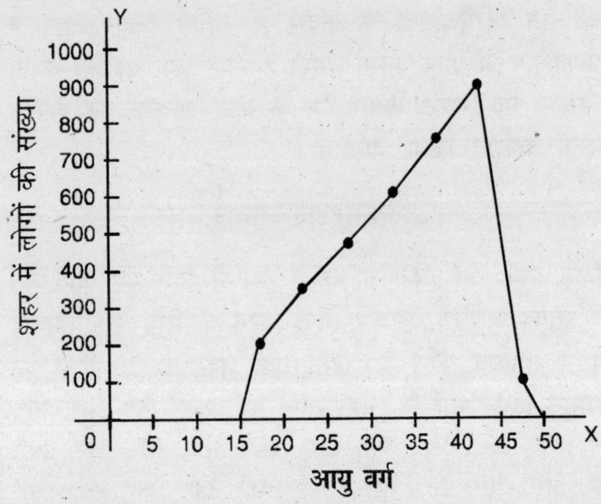

दण्डालेखः एक आलेख जिसमें दण्ड होते हैं, जिसकी लम्बाई-आँकड़ों के समूह की मात्रा के समानुपाती होता है। इसका उपयोग तब होता है, जब एक अक्ष पर संख्यात्मक पैमाने नहीं होते हैं। जैसेः यह दिखाना कि मिश्रित बीजों के एक पैकेट से विभिन्न रगों के फूल के कितने पौधे उगते हैं।

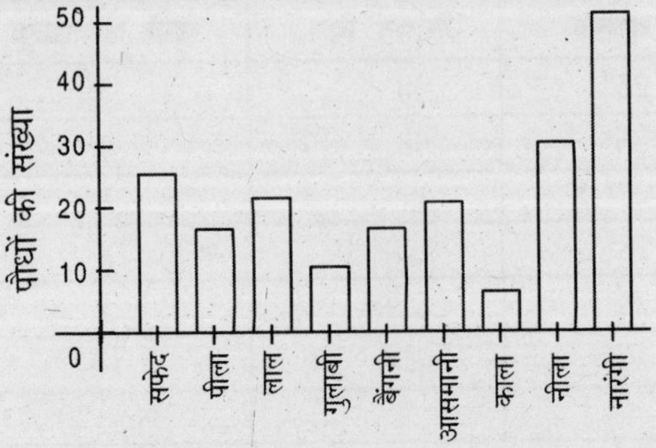

पाई चार्ट/वृत्त चार्टः एक आलेख जिसमें अंश वृत्त खण्डों में प्रदर्शित किए जाते हैं। वृत्तखण्डों के क्षेत्रफल सम्बन्धित विभिन्न अंशों का प्रदर्शित करते हैं। जैसेः 100 सेना के जवानों में से 25 जवान टैंक, 30 जवान युद्धपोत, 40 जवान हवाई जहाज और शेष राइफल का प्रयोग करते हैं तो उक्त आँकड़ों का वृत्त चार्ट निम्नलिखित हैं।

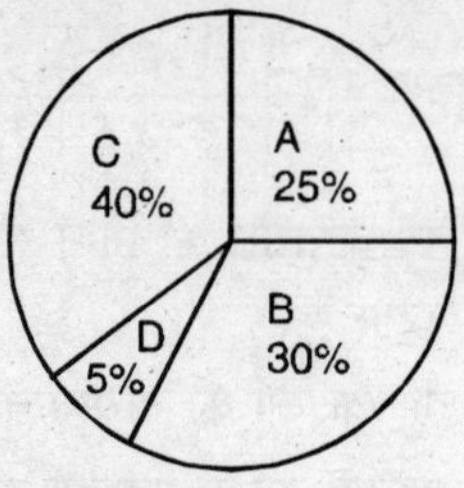

A टैंक $= \frac{25 \times 360}{100} = 90°$

B युद्धपोत $= \frac{30 \times 360}{100} = 108°$

C हवाई जहाज $= \frac{40 \times 360}{100} = 144°$

D राइफल $= \frac{5 \times 360}{100} = 18°$

माध्य

समान्तर माध्य (Arithmetic Mean) (अवर्गीकृत आंकड़े) समान्तर माध्य सामान्यतः औसत के रूप में प्रयोग किए जाते हैं। हम सभी 'आँकड़ों का औसत' पद से परिचित हैं। समान्तर माध्य इकाइयों के मानों को जोड़कर और उसमें इकाइयों की संख्या से भाग देकर प्राप्त किया जाता है।

उदाहरण : 10 छात्रों द्वारा प्राप्त अंक निम्नलिखित हैं: 22, 35, 37, 38, 29, 27, 34, 36, 28, 34 तो अंकों का माध्य क्या होगा?

हल : छात्रों की संख्या = 10

$$\text{माध्य } (\bar{x}) = \frac{22+35+37+38+29+27+34+36+28+34}{10}$$

$$= \frac{320}{10} = 32 \text{ अंक।}$$

समान्तर माध्यम (वर्गीकृत आंकड़े): यदि आंकड़े बिना वर्ग अन्तराल के वर्गीकृत हो और साथ में उनका भार दिया गया हो तो, भारित माध्य

$$\bar{x} = \frac{\sum_{i=1}^{n} fx_i}{\sum_{i=1}^{n} f_i}$$

पुनः यदि आंकड़े वर्ग-अन्तराल के साथ वर्गीकृत हो और साथ में उनकी बारम्बारता दी गई हो तो,

$$\text{माध्य } = \frac{\Sigma fx}{N}$$

जहाँ f = बारंबारता, x = मध्यमान (mid-value),

उदाहरणः निम्नलिखित वितरण के माध्य की गणना करें:

प्राप्तांक	बारम्बारता
10-20	6
20-30	8
30-40	15
40-50	7
50-60	3
60-70	0
70-80	1

हल :

प्राप्तांक	मध्य-मान (x)	बारम्बारता (f)	$f \times x$
10-20	15	6	$15 \times 6 = 90$
20-30	25	8	$25 \times 8 = 200$
30-40	35	15	$35 \times 15 = 525$
40-50	45	7	$45 \times 7 = 315$
50-60	55	3	$55 \times 3 = 165$
60-70	65	0	$65 \times 0 = 0$
70-80	75	1	$75 \times 1 = 75$
		$\sum f = 40$	$\sum fx = 1370$

$$\text{माध्य } \bar{x} = \frac{\sum fx}{\sum f} = \frac{1370}{40} = 34.25$$

माध्यिका

यह किन्ही इकाइयों के व्यवस्थित शृंखला के इकाई मान के रूप में परिभाषित किया जाता है जो सम्पूर्ण शृंखला को दो समान खण्डों में विभाजित करता है। इस व्यवस्था का मध्य पद माध्यिका कहलाती है।

उदाहरणस्वरूप आँकड़े 3, 5, 9, 13, 15, 21, 22, 25, 29 की माध्यिका 15 है।

जब आँकड़े अवर्गीकृत हैं और इकाइयों की संख्या विषम है तो माध्यिका $\left(\frac{n+1}{2}\right)$ वीं इकाई होगी।

यदि इकाइयों की संख्या सम है तो ऐसी अवस्था में दो केन्द्रीय इकाई होंगे जैसे $\left(\frac{n}{2}\right)$ वीं इकाई एवं $\left(\frac{n}{2}+1\right)$ वीं इकाई इस स्थिति में माध्यिका इन दोनों इकाइयों का औसत मान होगा। यदि आँकड़े वर्गीकृत हों तो माध्यिका

$$= l + \frac{\frac{N}{2} - C}{f} \times i$$

जहाँ, l = वर्ग अन्तराल की निम्न सीमा जिसमें माध्यिका पड़ती है।

N = बारम्बारता का योग

i = वर्ग सीमा का अन्तर (वर्ग आमाप)

f = माध्यिका वर्ग की बारम्बारता

c = माध्यिका वर्ग से एक वर्ग पूर्व की संचयी बारम्बारता

उदाहरण : 1. प्राप्तांक 25, 28, 20, 8, 10, 15 की माध्यिका क्या होगी?

हल : प्राप्तांकों का आरोही क्रम = 8, 10, 15, 20, 25, 28

$$\therefore \text{माध्यिका} = \frac{15+20}{2} = \frac{35}{2} = 17.5$$

उदाहरण : 2. निम्नलिखित आंकड़ों के माध्यिका की गणना करें।

आय (रुपये) :	20	21	22	23	24
लोगों की संख्या :	2	4	4	3	6

हल :

आय (x)	बारम्बारता (f)	संचयी बारम्बारता (c)
20	2	2
21	4	6
22	4	10
23	3	13
24	6	19

यहाँ $N = 19$ जो कि विषम है।

$\therefore$ माध्यिका = $\left(\frac{n+1}{2}\right)$ वें पद की आय

= $\left(\frac{19+1}{2}\right)$ वें पद की आय

= 10 वें पद की आय = 22 रु.

बहुलक

बहुलक किसी श्रृंखला के उस इकाई के रूप में जाना जाता है जो सर्वाधिक बार आता है। एक बारम्बारता वितरण में बहुलक वह चर है जिसकी सर्वाधिक बारम्बारता है। जब हम यह कहते हैं कि भारतीयों की औसत उम्र 60 वर्ष है तो इसका अर्थ है कि भारत में लोगों की आदर्श उम्र 60 वर्ष है, अर्थात् भारत में अधिकांश लोग 60 के बाद मरते हैं।

उदाहरण 1 : दिए गए संख्या समूह का बहुलक निकालें: 2, 2, 3, 5, 4, 3, 2, 3, 3, 3, 5

हल : समान संख्या को एक साथ रखकर व्यवस्थित करने पर, 2, 2, 2, 3, 3, 3, 3, 3, 4, 5, 5

इस आँकड़े का बहुलक 3 है क्योंकि यह अन्य पदों के अपेक्षा ज्यादा बार आया है। वर्गीकृत आकड़े की स्थिति में,

$$\text{बहुलक} = l + \frac{f - f_1}{2f - (f_1 + f_2)} \times i$$

जहाँ, l = वर्ग अन्तराल की निम्न सीमा जिमसें बहुलक पड़ता है।

f = बहुलक वर्ग की बारम्बारता

f_1 = बहुलक वर्ग से पूर्व वर्ग की बारम्बारता

f_2 = बहुलक वर्ग के बाद वाले वर्ग की बारम्बारता

i = वर्ग सीमा का अन्तर (वर्ग आमाप)

उदाहरण 2 : निम्नलिखित बारम्बारता बंटन का बहुलक ज्ञात करें।

वर्ग अन्तराल	बारम्बारता
24.5-29.5	1
29.5-34.5	1
34.5-39.5	3
39.5-44.5	4
44.5-49.5	7
49.5-54.5	9
54.5-59.5	3
59.5-64.5	8
64.5-69.5	4

हल : बहुलक $= l + \frac{f - f_1}{2f - (f_1 + f_2)} \times i$

$= 49.5 + \frac{9-7}{2\times 9 - 7 - 3} \times 5$

$= 49.5 + 1.2 = 50.7$

बहुवैकल्पिक प्रश्न

1. एक शहर के 25 दिनों के वर्षा का विवरण (मिली मीटर में) निम्नलिखित है।
38, 27, 36, 40, 20, 24, 36, 28, 22, 25, 36, 40, 27, 38, 26, 30, 28,, 32, 37, 38, 39, 27, 25, 28, 30. तो दैनिक औसत वर्षा है:

A. 30.08 मि.मी. B. 32.08 मि.मी.
C. 31.80 मि.मी. D. 31.08 मि.मी.

2. 30 दिन का तापमान (डिग्री में) नीचे दिया गया है:
38, 36, 26, 42, 38, 27, 40, 30, 36, 35, 28, 25, 42, 40, 28, 38, 41, 28, 25, 32, 38, 36, 26, 30, 38, 30, 36, 40, 32.
तो माध्य तापमान (डिग्री में) होगा:

A. 33.366 B. 33.663
C. 33.633 D. इनमें से कोई नहीं

3. किसी विशिष्ट वर्ग के संगत प्रेक्षणों की संख्या कहलाती है:

A. वर्ग-अन्तराल B. वर्ग सीमा
C. वर्ग आमाप D. बारम्बारता

4. 7, 11, 23, 36, 42, 50, 61, 73, 110 एवं 120 की माध्यिका है:

A. 54.5 B. 5.55
C. 55.5 D. इनमें से कोई नहीं

5. 14, 11, 16, 22, 14, 23, 17, 14, 26, 28, 11, 14 एवं 26 का बहुलक है:

A. 0.14 B. 1.4
C. 14.0 D. 140

6. एक बारम्बारता बंटन में किसी पद की बारम्बारता सर्वाधिक हो तो उस पद को कहते हैं:

A. माध्य B. आयतचित्र
C. मध्यमान D. बहुलक

निर्देश (7-9): *दिये गये वृत्त चार्ट में एक देश में विभिन्न खेलों पद किसी वर्ष किए गए खर्च को दिखाया गया है। वृत्त चार्ट का सावधानीपूर्वक अध्ययन करें और निम्नलिखित प्रश्नों के उत्तर दें।*

किसी वर्ष विभिन्न खेलों पर किया गया प्रतिशत खर्च

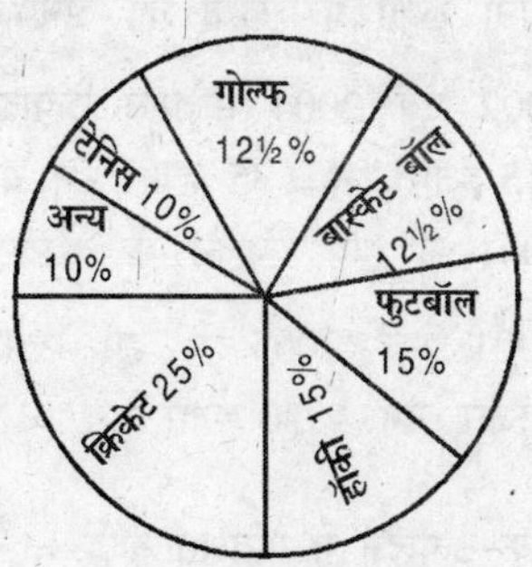

7. ग्राफ दिखाता है कि देश का सर्वाधिक जनप्रिय खेल है:

A. फुटबॉल B. हॉकी
C. क्रिकेट D. टेनिस

8. नीचे दिए खेलों के जोड़ों में से किसमें देश बराबर राशि खर्च करता है

A. हॉकी एवं क्रिकेट
B. हॉकी एवं फुटबॉल
C. हॉकी एवं गोल्फ
D. टेनिस एवं गोल्फ

9. फुटबॉल पर किए गए कुल खर्च एवं हॉकी पर किए गए कुल खर्च का अनुपात है:

A. 2 : 1 B. 1 : 1
C. 1 : 2 D. 3 : 2

निर्देश (10-12): *निम्न दण्डालेख छः वर्षों के दौरान कुल अनाज उत्पादन (हजार टन में) को दिखाता है। आलेख का ध्यानपूर्वक अध्ययन करें और निम्नलिखित प्रश्नों के उत्तर दें।*

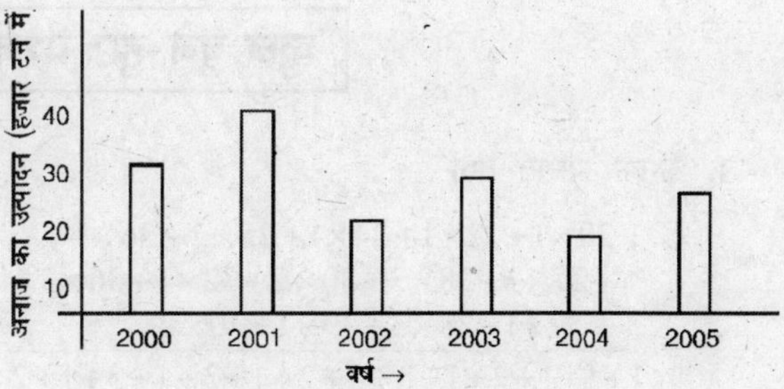

10. वर्ष 2002 एवं वर्ष 2004 में हुए कुल अनाज का उत्पादन किस वर्ष के उत्पादन के बराबर था?

A. 2000 B. 2001
C. 2003 D. 2005

11. वर्ष 2001 एवं वर्ष 2005 में हुए अनाज उत्पादनों में अन्तर है:

A. 500 टन B. 1000 टन
C. 5000 टन D. 10000 टन

12. वर्ष 2004 के अपेक्षा वर्ष 2005 में अनाज उत्पादन में कितने प्रतिशत की वृद्धि हुई?

A. 15% B. 30%
C. 50% D. 100%

13. हम आँकड़ों का संग्रह करते हैं:

A. अपना शौक पूरा करने के लिए
B. क्योंकि ऐसा कहा गया है
C. एक अर्थपूर्ण निष्कर्ष प्राप्त करने के लिए
D. इनमें से कोई नहीं

14. आँकड़ों के व्यवस्थित संग्रह के लिए हम प्रयोग करते हैं:

A. मिलान चिह्न (Tally mark)
B. माध्य (Mean)
C. मध्यमान (Mid-value)
D. इनमें से कोई नहीं

15. उच्च सीमा और निम्न सीमा के मध्य अन्तर को कहा जाता है:

A. वर्ग अन्तराल Class-interval
B. वर्ग-आमाप (Class-size)
C. मध्य-मान (Mid-value)
D. वर्ग-सीमा (Class-limit)

उत्तरमाला

1	2	3	4	5	6	7	8	9	10
D	C	D	C	C	D	C	B	B	B
11	**12**	**13**	**14**	**15**					
C	D	C	A	B					

कुछ चुने हुए प्रश्नों के व्याख्यात्मक उत्तर

1. दैनिक औसत वर्षा

$$= \frac{20\times1+22\times1+24\times1+25\times2+26\times1 +27\times3+28\times3+30\times2+32\times1+36\times3 +37\times1+38\times3+39\times1+40\times2}{1+1+1+2+1+3+3+2+1+3+1+3+1+2}$$

$= \frac{777}{25} = 31.08$ मि.मी.।

2. ताप मान का माध्य

$$= \frac{25\times2+26\times2+27\times1+28\times4 +30\times3+32\times2+35\times1+36\times4 +38\times5+40\times3+41\times1+42\times2}{2+2+1+4+3+2+1+4+5+3+1+2}$$

$= \frac{1009}{30} = 33.633$ डिग्री।

4. प्रेक्षणों की संख्या $(n) = 10$

माध्यिका $= \frac{1}{2}$ (5वाँ प्रेक्षण + 6वाँ प्रेक्षण)

$= \frac{1}{2}\times(50+61) = \frac{111}{2} = 55.5$

5. प्रेक्षण 14 सर्वाधिक (4) बार आया है अतः बहुलक = 14

7. ग्राफ के अनुसार, क्रिकेट पर खर्च सर्वाधिक है अतः क्रिकेट सर्वाधिक जनप्रिय खेल है।

8. ग्राफ के अनुसार, हॉकी और फुटबॉल पर बराबर राशि खर्च किया जाता है।

9. फुटबॉल पर खर्च = कुल खर्च का 15%
हॉकी पर खर्च = 15%
अतः दोनों खेलों पर खर्चों का अनुपात = 1 : 1.

10. वर्ष 2002 एवं 2004 में कुल उत्पादन = 20 हजार टन + 15 हजार टन = 35 हजार टन यह कुल उत्पादन वर्ष 2001 में हुए उत्पादन के बराबर है।

11. वर्ष 2001 एवं 2005 में हुए उत्पादन में अन्तर = 35 हजार टन − 30 हजार टन = 5 हजार टन।

12. अनाज के उत्पादन में प्रतिशत वृद्धि $= \frac{30-15}{15}\times100$
= 100%.

अनुकूल ही बालक में संवेगात्मक क्षमता का विकास होता है। बालक में जिस प्रकार के संवेगों का जिस रूप में विकास होगा वह उसके सामाजिक, मानसिक, नैतिक शारीरिक तथा भाषा संबंधी विकास को पूरी तरह प्रभावित करने की क्षमता रखता है। यदि बालक अत्यधिक क्रोधित या भयभीत रहता है अथवा यदि उसमें ईर्ष्या एवं वैमनस्य की भावना अधिक होती है तो उसके विकास की प्रक्रिया पर इन सबका प्रतिकूल प्रभाव पड़ना स्वाभाविक ही है। संवेगात्मक रूप से असंतुलित बालक पढ़ाई में या किसी अन्य गंभीर कार्यों में ध्यान नहीं दे पाते, फलस्वरूप उनका मानसिक विकास भी प्रभावित होता है। बुद्धि की श्रेष्ठता प्रजाति के कारण भी होती है।

नैतिक/चारित्रिक विशेषक

नैतिकता के अंतर्गत् वे सभी गुण आ जाते हैं, जो स्वार्थ को छोड़कर दूसरों की भलाई का भी ध्यान रखते हैं। इनमें सच बोलना, हिंसा न करना, भ्रष्टाचार से दूर रहना, व्यभिचार को बुरा समझना, दूसरों पर दया करना आदि सभी गुण आ जाते हैं। यदि गहराई से विचार किया जाए तो मनुष्य के बाह्य रूप का दूसरों पर इतना प्रभाव नहीं पड़ता है, जितना कि उसके आंतरिक गुणों का और विशेषकर उसकी नैतिक विचारधारा का।

डगडेल नामक एक मनोवैज्ञानिक ने अपने प्रयोगों के आधार पर यह बताया है कि माता-पिता के चरित्र का प्रभाव भी उसके बच्चे पर पड़ता है। व्यक्ति के चरित्र में उसके वंशानुगत कारकों का प्रभाव स्पष्ट तौर पर देखा जाता है। इसलिए बच्चे पर वंशानुगत कारकों का प्रभाव स्वाभाविक ही है।

वातावरण का प्रभाव

वातावरण में शामिल प्रत्येक घटक व्यक्ति के जीवन को आरंभ से ही प्रभावित करते हैं। गर्भावस्था से लेकर जीवनपर्यंत अनेक प्रकार की घटनाएं व्यक्ति के व्यक्तित्त्व एवं उसके विकास को प्रभावित करती हैं। गर्भावस्था के दौरान एक स्त्री को मानसिक एवं शारीरिक स्वास्थ्य बनाए रखने के लिए इसलिए सलाह दी जाती है कि उससे न केवल गर्भ के अंदर बालक के विकास पर असर पड़ता है बल्कि आगे के विकास की बुनियाद भी मजबूत होती है। यदि माता का स्वास्थ्य अच्छा न हो तो उसके बच्चे के अच्छे स्वास्थ्य की आशा कैसे की जा सकती है? यदि बच्चे का स्वास्थ्य अच्छा न होगा तो उसके विकास पर प्रतिकूल असर पड़ना स्वाभाविक है।

जीवन में घटने वाली प्रत्येक घटनाएं किसी न किसी रूप में बालक के जीवन को प्रभावित करती हैं। यदि बालक के साथ सहज और ठीक व्यवहार हुआ है तो उसके विकास की गति सही होती है अन्यथा उसके विकास पर प्रतिकूल प्रभाव पड़ता है। प्रायः ऐसा देखा जाता है कि जो मां अपने बच्चे को बचपन में छोड़ देती है वह बच्चा मां के प्यार के लिए तड़पता है। ऐसी स्थिति में बच्चे का सर्वांगीण विकास नहीं हो पाता है। जीवन में घटने वाली कुछ घटनाओं का भी बालक के विकास पर प्रतिकूल प्रभाव पड़ता है। बालक का जन्म किस परिवेश में हुआ, वह किस परिवेश में तथा कैसे लोगों के साथ रह रहा है, इन सब का प्रभाव बालक के विकास पर पड़ता है। परिवेश, प्रदूषण, भौतिक सुविधाओं की उपलब्धता आदि से संबद्ध बातें भी बालक के विकास को प्रभावित करती हैं।

बालक के विकास पर उसके सामाजिक एवं आर्थिक कारकों का भी प्रभाव पड़ता है। गरीब परिवार के बच्चों को विकास के लिए सीमित अवसर ही उपलब्ध हो पाते हैं। उनकी आर्थिक दुर्बलता उन्हें अच्छी शिक्षा और अच्छे परिवेश से वंचित करती हैं। ऐसे में उनका संतुलित विकास नहीं हो पाता है। दूसरी ओर सामाजिक एवं आर्थिक संसाधनों की प्रचुरता के कारण शहरी बच्चों का सर्वांगीण विकास संतुलित रूप से होता है।

वातावरण और उसका प्रभाव

व्यक्ति के व्यक्तित्व के विभिन्न क्षेत्रों पर वातावरण के पड़ने वाले कुछ महत्त्वपूर्ण प्रभावों को निम्न रूप से देखा जा सकता है–

1. **शारीरिक संरचना :** व्यक्ति के शारीरिक संरचना पर वंशानुक्रम का तो प्रभाव पड़ता ही है किंतु इस पर वातावरण के प्रभाव को भी स्पष्ट रूप से देखा जा सकता है। पहाड़ी क्षेत्र के लोगों का कद प्रायः छोटा होता है जबकि मैदानी क्षेत्रों में रहने वाले लोगों का शरीर लंबा एवं गठीला होता है। इतना ही नहीं पीढ़ी दर पीढ़ी से निवास स्थलों में परिवर्तन करने वाले पहाड़ी एवं मैदानी क्षेत्र के लोगों के कद एवं रंग में अंतर भी देखने को मिलता है। यह अंतर वातावरण के प्रभाव के कारण होता है।
2. **प्रजातीय क्षेष्ठता :** कभी-कभी ऐसा देखा जाता है कि कुछ प्रजातियों में बौद्धिक श्रेष्ठता वंशानुगत न होकर वातावरण से प्रभावित होता है। ऐसा इसलिए होता है कि उनके पास श्रेष्ठ सामाजिक, शैक्षिक एवं सांस्कृतिक वातावरण उपलब्ध है। यदि किसी विद्वान एवं महान व्यक्ति के बच्चे को ऐसी जगह छोड़ दिया जाए जहां का शैक्षिक, सांस्कृतिक एवं सामाजिक वातावरण उचित न हो तो उसका अपने पिता की तरह महान बनना बहुत ही कठिन हो सकता है।
3. **व्यक्तित्त्व विकास :** किसी भी व्यक्ति के व्यक्तित्त्व निर्माण में वंशानुक्रम की अपेक्षा वातावरण का अधिक प्रभाव पड़ता है। कोई भी व्यक्ति उपयुक्त वातावरण में रहकर अपने व्यक्तित्त्व का निर्माण करके आगे बढ़ सकता है और महान बन सकता है। ऐसे अनेक उदाहरण ऐतिहासिक एवं वर्तमान जीवन में देखने को मिलते हैं जिसमें निर्धन परिवार में जन्म लिए और पले-बढ़े व्यक्तियों ने अपने परिश्रम एवं लगन से श्रेष्ठ सफलताएं प्राप्त की है।
4. **बालक का सर्वांगीण विकास :** बालक के सर्वांगीण विकास में वातावरण का बहुत योगदान होता है। बालक

के शारीरिक, मानसिक, सामाजिक एवं संवेगात्मक विकास आदि पर वातावरण का सकारात्मक प्रभाव देखने को मिलता है। इस बात की पुष्टि 'एवेरॉन के जंगली बालक' के उदाहरण से होती है। इस बालक को जन्म के बाद एक भेड़िया उठा ले गया था और उसका पालन-पोषण जंगली पशुओं के बीच में हुआ था। कुछ शिकारियों ने उसे सन् 1799 ई. में पकड़ लिया। उस समय उसकी आयु ग्यारह अथवा बारह वर्ष की थी। उसकी आकृति पशुओं-सी हो गई थी। वह उनके समान ही हाथ-पैर से चलता था। वह कच्चा मांस खाता था एवं उसमें मनुष्य के समान बोलने एवं विचारने की शक्ति नहीं थी। उसको मनुष्य के समान सभ्य और शिक्षित बनाने के सभी प्रयास विफल हुए।

5. **मानसिक विकास : गोर्डन** नामक मनोवैज्ञानिक का मत है कि उचित सामाजिक और सांस्कृतिक वातावरण मिलने पर मानसिक विकास की गति धीमी हो जाती है। उसने यह बात नदियों के किनारे रहने वाले बच्चों का अध्ययन करके सिद्ध की। इन बच्चों का वातावरण गंदा और समाज के अच्छे प्रभावों से दूर था। अध्ययन में यह बात सामने आई कि गंदे एवं समाज के अच्छे प्रभावों से दूर रहने के कारण बच्चों के मानसिक विकास पर प्रतिकूल असर पड़ा था।

वंशानुक्रम एवं वातावरण के उपर्युक्त वर्णन से स्पष्ट है कि ये एक-दूसरे के पूरक एवं सहायक हैं। जिस प्रकार स्कूटर के लिए इंजन एवं पेट्रोल का समान महत्त्व है उसी प्रकार किसी बालक के उचित विकास के लिए वंशानुक्रम एवं वातावरण का समान रूप से महत्त्व है। इस तरह दोनों एक दूसरे के सहायक एवं सहयोगी हैं। वस्तुतः बालक के संपूर्ण व्यवहार की सृष्टि, वंशानुक्रम और वातावरण की अंतःक्रिया द्वारा होती है। उपर्युक्त बातों से स्पष्ट है कि शिक्षा की किसी भी योजना में वंशानुक्रम और वातावरण को एक-दूसरे से पृथक नहीं किया जा सकता। जिस तरह आत्मा और शरीर का संबंध है, उसी तरह वंशानुक्रम और वातावरण का भी संबंध है। इस प्रकार स्पष्ट है कि बालक के सम्यक् एवं संतुलित विकास के लिए वंशानुक्रम एवं वातावरण दोनों का संयोग अनिवार्य है।

4. समाजीकरण की प्रक्रिया

समाजीकरण का अर्थ

समाजीकरण एक प्रक्रिया है जिसके द्वारा व्यक्ति सामाजिक प्राणी बनता है। अन्य शब्दों में, समाजीकरण एक ऐसी प्रक्रिया है जिसके द्वारा व्यक्ति को समाज अपनी परम्पराओं, मान्यताओं तथा आदर्शों के अनुसार बनाता है तथा स्वीकृति प्रदान करता है। इस प्रकार समाजीकरण का अर्थ उस प्रक्रिया से है जिसके द्वारा व्यक्ति अन्य व्यक्तियों से अन्तः प्रक्रिया करता हुआ सामाजिक आदतों, विश्वासों, रीति-रिवाजों तथा परम्पराओं एवं अभिवृत्तियों (Attitudes) को सीखता है। इस प्रक्रिया के द्वारा व्यक्ति जन-कल्याण की भावना से प्रेरित होते हुए अपने आपको अपने परिवार, पड़ोस तथा अन्य सामाजिक वर्गों के अनुकूल बनाने का प्रयास करता है जिससे वह समाज का एक श्रेष्ठ, उपयोगी तथा उत्तरदायी सदस्य बन जाये तथा उक्त सभी सामाजिक संस्थाएं तथा वर्ग उसकी प्रशंसा करते रहें।

समाजीकरण की परिभाषा

विभिन्न विद्वानों द्वारा दी गयी समाजीकरण की परिभाषाएं इस प्रकार हैं–

- **वाटसन (Watson):** "समाजीकरण एक सामाजिक तथा मनोवैज्ञानिक प्रक्रिया है।"
- **सोरोकिन (Sorokin):** "समाजीकरण सांस्कृतिक तथा वैचारिक कारकों के अन्तरीकरण की प्रक्रिया है।"
- **ड्रेवर (Drever):** "समाजीकरण वह प्रक्रिया है जिसके द्वारा व्यक्ति अपने सामाजिक वातावरण से समायोजन करता है और सामाजिक मान्यता प्राप्त करके वह समाज का मान्य, सहयोगी तथा कुशल सदस्य बनता है।"
- **रॉस (Ross):** "समाजीकरण सहयोग करने वाले व्यक्तियों में सामूहिक भावना का विकास करता है और उनमें एक साथ कार्य करने की इच्छा तथा क्षमता में वृद्धि करता है।"

समाजीकरण की प्रक्रिया

बालक का समाजीकरण की प्रक्रिया जन्म के कुछ दिन बाद से प्रारंभ हो जाती है। बालक के समाजीकरण की प्रक्रिया का प्रारंभ परिवार में होता है। परिवार के सदस्य के रूप में बालक परिवार के अन्य सदस्यों से अन्तः क्रियात्मक सम्बध स्थापित करता है और उनके व्यवहारों का अनुकरण करता है। इस प्रकार अनुकरण करते हुए जाने अनजाने बालक परिवार के अन्य सदस्यों की भूमिका भी अदा करने (acquisition of roles) लगता है। अनुकरण के आधार पर ही वह माता-पिता, भाई-बहन आदि की भूमिकाओं को सीखता है। उसके ये व्यवहार धीरे-धीरे स्थिर हो जाते हैं। धीरे-धीरे बालक अपने तथा पिता और अपने तथा माता के मध्य के अंतर को समझने लगता है। वह यह भी समझने लगता है कि वह स्वयं क्या है? इस प्रकार 'आत्म' (Self) का विकास होता है जो समाजीकरण का एक आवश्यक तत्त्व है। आत्म के विकास से बालक न केवल अपने व्यक्तित्व के सम्बंध में ही अपितु अपने तथा दूसरों के बीच समानता व अन्तर के विषय में जागरूक हो जाता है। इस प्रकार स्पष्ट है कि समाजीकरण की प्रक्रिया में पारिवारिक अन्तः क्रियाएं महत्त्वपूर्ण भूमिकाएं अदा करती है।

बालक का समाजीकरण करने वाले तत्त्व

बालक जन्म के समय कोरा पशु होता है। जैसे-जैसे वह समाज के अन्य व्यक्तियों तथा सामाजिक संस्थाओं के सम्पर्क में

ज्यामिति

(*i*) **बिन्दु :** एक सूक्ष्म ज्यामितीय आकृति जो केवल स्थान का निर्धारण करता है बिन्दु कहलाता है। बिन्दु एक बहुत छोटी सी बिन्दी है जिसमें लम्बाई अथवा चौड़ाई नहीं होती।

उदाहरण : परकार (compass) का नोक, सूई का अग्रसिरा, आदि।

(*ii*) **रेखा-खण्ड :** एक ज्यामितीय आकृति जिसमें लम्बाई होता है किन्तु चौड़ाई नहीं। इसके दो अन्तिम बिन्दु होते हैं। रेखा-खण्ड एक रेखा का भाग होता है। यह बिन्दुओं के बीच सबसे छोटी दूरी है। यदि किसी रेखाखण्ड में दो अन्त बिन्दु X और Y हों तो इसे $\overline{XY}$ या $\overline{YX}$ से सूचित करते हैं।

उदाहरण : बक्सा का किनारा, किताब का किनारा, पैंसिल आदि।

(*iii*) **रेखा :** यदि एक रेखाखण्ड को दोनों दिशाओं में अनन्त तक बढ़ाया जाय तो इसे रेखा कहते हैं। हम न तो एक पूरी रेखा खींच सकते हैं और न ही इसकी लम्बाई निर्धारित कर सकते हैं। क्योंकि दोनों दिशाओं में इसका कोई अन्त बिन्दु नहीं होता। अतः इसकी अनन्तता को प्रदर्शित करने के लिए हम दोनों ओर तीर का निशान लगा देते हैं।

जैसेः 

रेखा को निर्धारित करने के लिए हम कम से कम दो बिन्दु किसी रेखा पर रखते हैं और रेखा को $\overleftrightarrow{AB}$ या $\overleftrightarrow{BA}$ के रूप में प्रदर्शित करते हैं।

(*iv*) **किरण :** किरण रेखा का एक भाग है। इसकी केवल एक अन्त बिन्दु होती है। यह एक बिन्दु से प्रारम्भ होकर दूसरी दिशा में अनन्त तक जाती है। किरण की लम्बाई भी निर्धारित नहीं की जा सकती। किरण इस प्रकार 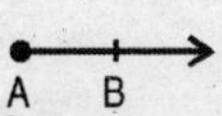

खींचा जाता है और $\overrightarrow{AB}$ के रूप में व्यक्त किया जाता है।

उदाहरण : सूर्य की किरण, टॉर्च से निकलती रौशनी, आदि।

(*v*) **प्रतिच्छेदी :** जब दो रेखाओं में एक उभयनिष्ठ बिन्दु हो तो दोनों परस्पर प्रतिच्छेदी रेखाएँ कहलाती हैं।

उदाहरण : 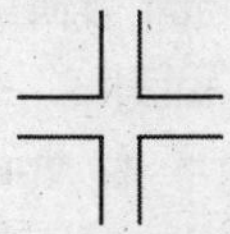 × (अंग्रेजी वर्णमाला का अक्षर, गुणा का चिह्न, रोड-क्रॉसिंग आदि।

(*vi*) **समान्तर रेखाएँ :** यदि दो रेखाएँ अपने अनन्त बिन्दु तक एक-दूसरे को प्रतिच्छेदित नहीं करती तो दोनों परस्पर समान्तर कही जाती हैं। दूसरे शब्दों में, ऐसी दो रेखाएँ जो कभी एक-दूसरे से नहीं मिलती समान्तर कहलाती हैं।

उदाहरण : रेलवे की पटरी, स्केल के विपरीत किनारे, मेज के विपरीत किनारे आदि।

(*vii*) **वक्र रेखाएँ:** यदि कोई रेखा अपनी दिशा बदलती है तो उसे वक्र रेखा कहते हैं। यदि हम बिना रूलर का प्रयोग किए और कागज पर से बिना पेंसिल हटाए कोई रेखा खींचते हैं तो ये वक्र रेखाएं होती हैं।

(*a*) **सामान्य वक्र:** यदि कोई वक्र स्वयं को नहीं काटती तो यह सामान्य वक्र या खुला वक्र कहलाती है।

(*b*) **बन्द वक्र:** यदि कोई वक्र खुद को काटती है और इस प्रकार कुछ स्थान को घेर लेती है तो उसे बन्द वक्र कहते हैं।

(*viii*) **संगामी रेखाएँ:** जब तीन या तीन से अधिक रेखाएं एक ही बिन्दु पर कटती है तो वे सभी रेखाएँ संगामी कहलाती है।

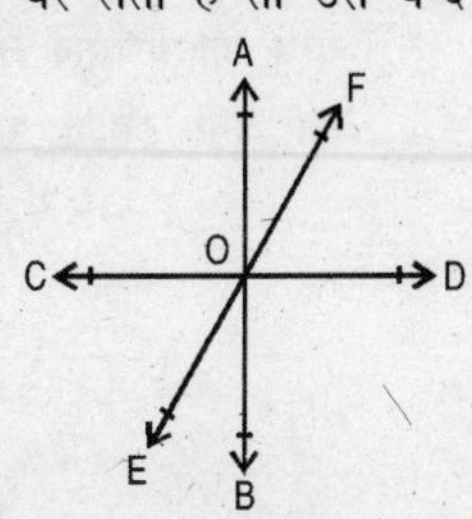

(*ix*) **कोण:** एक ज्यामितीय आकृति जिसमें एक ही आरम्भ बिन्दु से दो किरणें निकलती है कोण कहलाता है।

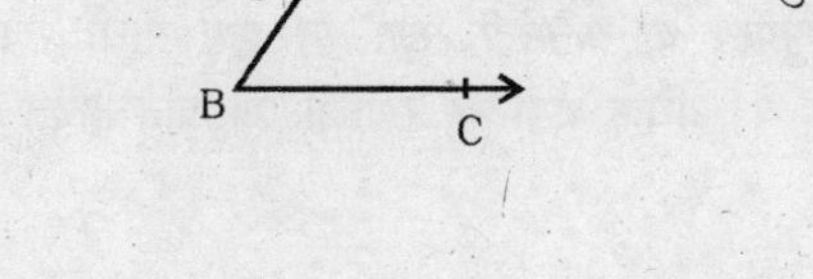

(*x*) **कोण के प्रकारः**

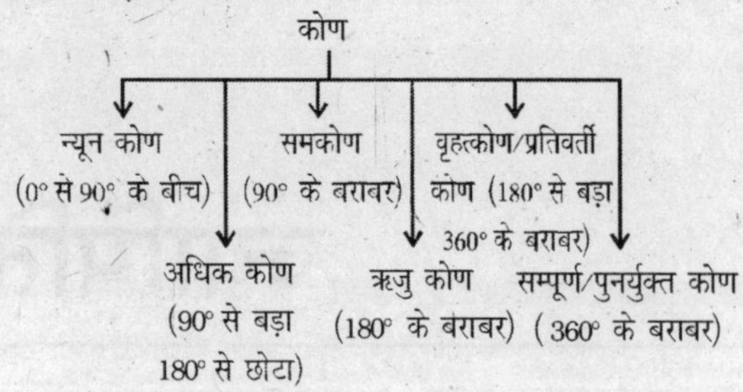

(*xi*) **कोटिपूरक कोण:** कोटिपूरक कोणः जब दो कोणों का योग 90° के बराबर हों तो दोनों कोण परस्पर कोटिपूरक कहलाते हैं। जैसेः θ का कोटिपूरक = (90° – θ)

(*xii*) **सम्पूरक कोण:** जब दो कोणों का योग 180° के बराबर हों तो दोनों कोण परस्पर सम्पूरक कहलाते हैं। जैसेः θ का सम्पूरक = (180° – θ)

(*xiii*) **आसन्न कोण:** यदि दो कोणों के शीर्ष उभयनिष्ठ हों तो वे आसन्नकोण कहे जाते हैं।

यहाँ, ∠BAC एवं ∠CAD आसन्न कोण हैं।

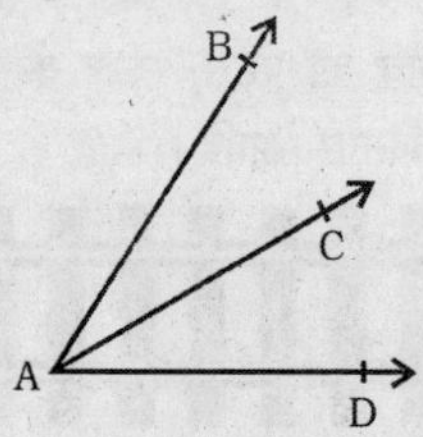

(*xiv*) **रैखिक युग्म:** यदि आसन्न कोणों का युग्म परस्पर सम्पूरक भी हों तो दोनों रैखिक युग्म कहलाते हैं।

यहाँ, ∠ABC एवं ∠CBD आसन्न कोण हैं तथा ∠ABC + ∠CBD = 180°

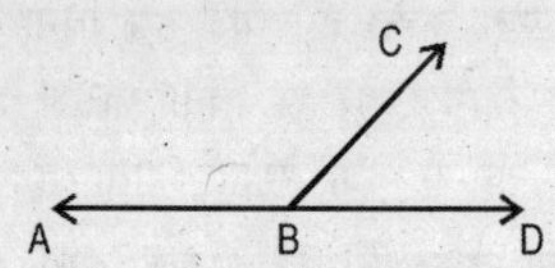

अतः, दोनों कोण रैखिक युग्म हैं।

(*xv*) **शीर्षाभिमुख कोण:** यदि दो रेखाएँ एक ही बिन्दु पर परस्पर प्रतिच्छेद करती है तो बिन्दु के गिर्द एकान्तर कोणों का युग्म शीर्षाभिमुख कोण कहलाता है। शीर्षाभिमुख कोणों का युग्म हमेशा परस्पर समान होता है।

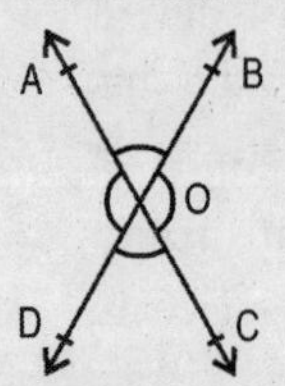

यहाँ ∠AOB एवं ∠DOC

तथा ∠AOD एवं ∠BOC शीर्षाभिमुख कोण हैं।

अतः ∠AOB = ∠DOC एवं ∠AOD = ∠BOC

(*xvi*) **समान्तर रेखाओं पर कोण:**

अनुप्रस्थ या प्रतिछेदी रेखा: जब एक सीधी रेखा दो या दो से अधिक समान्तर रेखाओं को प्रतिच्छेदित करती है तो इसे प्रतिच्छेदी या अनुप्रस्थ रेखा कहते हैं। जब एक प्रतिच्छेदी रेखा दो समान्तर रेखाओं को काटती है तो यह आठ कोण बनाती है।

(*a*) **संगत कोण:** माना कि AB तथा CD दो समान्तर रेखाएं हैं और *l* प्रतिच्छेदी रेखा है तब, संगत कोणों के युग्म बराबर होते हैं। अर्थात्

∠1 = ∠6   ∠3 = ∠8

∠2 = ∠5   ∠4 = ∠7

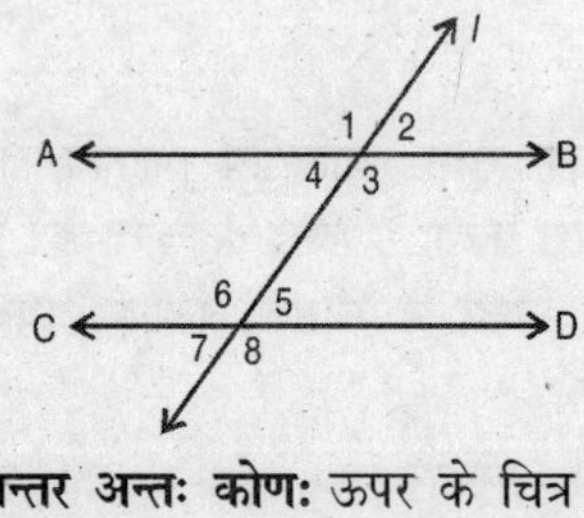

(*b*) **एकान्तर अन्तः कोण:** ऊपर के चित्र में ∠4 एवं ∠5 तथा ∠3 एवं ∠6 एकान्तर अन्तः कोणों के युग्म हैं। एकान्तर अन्तः कोणों के युग्म परस्पर समान होते हैं।

अतः ∠4 = ∠5 एवं ∠3 = ∠6

* **प्रतिच्छेदी रेखा के एक ही ओर के अन्त कोणों का योग हमेशा 180° होता है।**

अर्थात्, ∠3 + ∠5 = 180° तथा ∠4 + ∠6 = 180°.

त्रिभुज

तीन भुजाओं से घिरा वह समतल क्षेत्र जिसमें तीन शीर्ष और तीन कोण होते हैं, त्रिभुज कहलाता है।

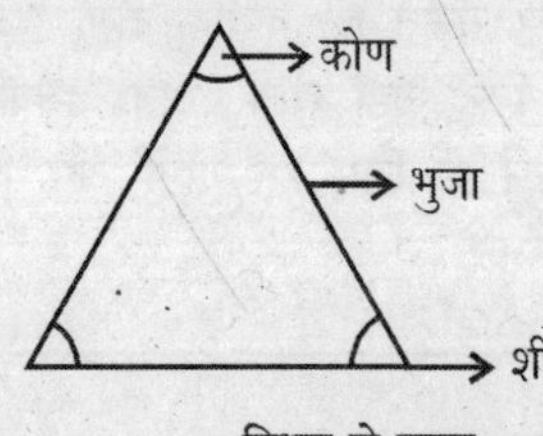

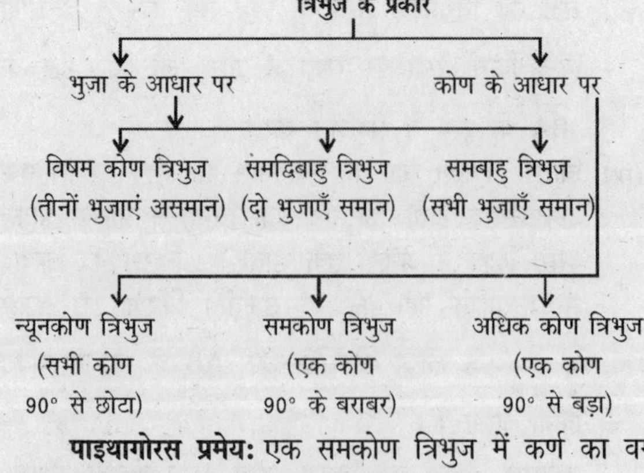

पाइथागोरस प्रमेय: एक समकोण त्रिभुज में कर्ण का वर्ग अन्य दो भुजाओं के वर्ग के बराबर होता है।

अर्थात् $AC^2 = AB^2 + BC^2$

$\Rightarrow \quad b^2 = c^2 + a^2$

$= a^2 + c^2$

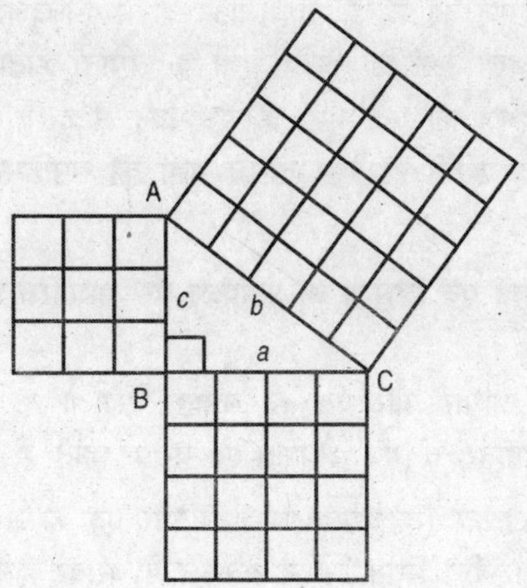

कोणों और रेखाओं पर आधारित अभिगृहीत एवं प्रमेयः

अभिगृहीत

1. यदि एक किरण एक रेखा पर खड़ी हो, तो इस प्रकार बने दोनों आसन्न कोणों का योग 180° होता है।
2. यदि दो आसन्न कोणों का योग 180° है, तो उनकी उभयनिष्ठ भुजाएँ एक रेखा बनाती हैं।
3. यदि एक तिर्यक रेखा दो समांतर रेखाओं को प्रतिच्छेद करे, तो संगत कोणों का प्रत्येक युग्म बराबर होता है।
4. यदि एक तिर्यक रेखा दो रेखाओं को इस प्रकार प्रतिच्छेद करे कि संगत कोणों का एक युग्म बराबर है, तो दोनों रेखाएँ परस्पर समांतर होती हैं।

प्रमेय

1. यदि दो रेखाएँ परस्पर प्रतिच्छेद करती हैं, तो शीर्षाभिमुख कोण बराबर होते हैं।
2. यदि एक तिर्यक रेखा दो समांतर रेखाओं को प्रतिच्छेद करे, तो एकांतर अंतः कोणों का प्रत्येक युग्म बराबर होता है।
3. यदि एक तिर्यक रेखा दो रेखाओं को इस प्रकार प्रतिच्छेद करे कि एकांतर अंतः कोणों का एक युग्म बराबर हो, तो दोनों रेखाएँ परस्पर समांतर होती हैं।
4. यदि एक तिर्यक रेखा दो समांतर रेखाओं को प्रतिच्छेद करे, तो तिर्यक रेखा के एक ही ओर के अंतः कोणों का प्रत्येक युग्म संपूरक होता है।
5. यदि एक तिर्यक रेखा दो रेखाओं को इस प्रकार प्रतिच्छेद करे कि तिर्यक रेखा के एक ही ओर के अंतः कोणों का एक युग्म संपूरक हो, तो दोनों रेखाएँ परस्पर समांतर होती हैं।
6. वे रेखाएँ जो एक ही रेखा के समांतर हों, परस्पर समांतर होती हैं।
7. किसी त्रिभुज के तीनों कोणों का योग 180° होता है।
8. यदि एक त्रिभुज की एक भुजा बढ़ाई जाए, तो इस प्रकार बना बहिष्कोण दोनों अंतः अभिमुख (विपरीत) कोणों (interior opposite angles) के योग के बराबर होता है।

त्रिभुजों पर आधारित अभिगृहित एवं प्रमेय

अभिगृहीत

(SAS सर्वांगसमता नियम): दो त्रिभुज सर्वांगसम होते हैं, यदि एक त्रिभुज की दो भुजाएँ और उनके अंतर्गत कोण दूसरे त्रिभुज की दो भुजाओं और उनके अंतर्गत कोण के बराबर हों।

प्रमेय

1. **(ASA सर्वांगसमता नियम):** दो त्रिभुज सर्वांगसम होते हैं, यदि एक त्रिभुज के दो कोण और उनकी अंतर्गत भुजा दूसरे त्रिभुज के दो कोणों और उनकी अंतर्गत भुजा के बराबर हों।
2. एक समद्विबाहु त्रिभुज की बराबर भुजाओं के सम्मुख कोण बराबर होते हैं।
3. किसी त्रिभुज के बराबर कोणों की सम्मुख भुजाएँ बराबर होती हैं।
4. **(SSS सर्वांगसमता नियम):** यदि एक त्रिभुज की तीनों भुजाएँ एक अन्य त्रिभुज की तीनों भुजाओं के बराबर हों, तो दोनों त्रिभुज सर्वांगसम होते हैं।
5. **(RHS सर्वांगसमता नियम):** यदि दो समकोण त्रिभुजों में, एक त्रिभुज का कर्ण और एक भुजा क्रमशः दूसरे त्रिभुज के कर्ण और एक भुजा के बराबर हों, तो दोनों त्रिभुज सर्वांगसम होते हैं।
6. यदि किसी त्रिभुज की दो भुजाएँ असमान हों, तो लम्बी भुजा का सम्मुख कोण बड़ा होता है।
7. किसी त्रिभुज में, बड़े कोण की सम्मुख भुजा बड़ी (लम्बी) होती है।
8. त्रिभुज की किन्हीं दो भुजाओं का योग तीसरी भुजा से बड़ा होता है।

चतुर्भुज

एक ज्यामितीय आकृति जो चार असंरेख बिन्दुओं के मिलने से बनता है अथवा एक आकृति जो चार भुजाओं, चार कोणों और चार शीर्षों से बना हो चतुर्भुज कहते हैं। चतुर्भुज के चारों कोणों का योग 360° होता है।

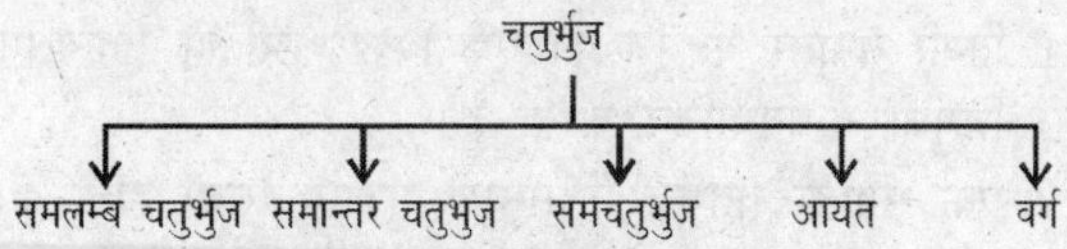

(*i*) **समान्तर चतुर्भुजः** यदि किसी चतुर्भुज के आमने सामने का कोण बराबर हो तथा आमने-सामने की भुजाएँ परस्पर समान्तर और बराबर हो तो इसे समान्तर चतुर्भुज कहते हैं।

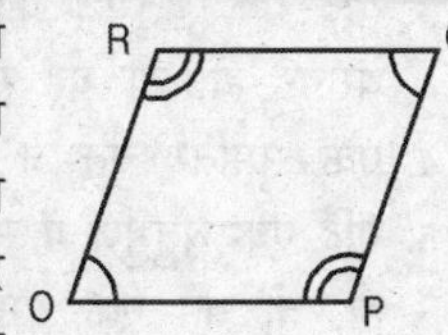

यहाँ, (*a*) QR ∥ OP एवं OR ∥ PQ

(*b*) ∠ORQ = ∠QPS एवं ∠ROP = ∠PQR

(*c*) RQ = OP एवं OR = PQ

(*d*) विकर्ण परस्पर समद्विभाजित करते हैं।

(*ii*) **समलम्ब चतुर्भुज:** यदि किसी चतुर्भुज के आमने-सामने की भुजाओं का एक युग्म (जोड़ा) समान्तर हो तो इसे समलम्ब चतुर्भुज कहते हैं।

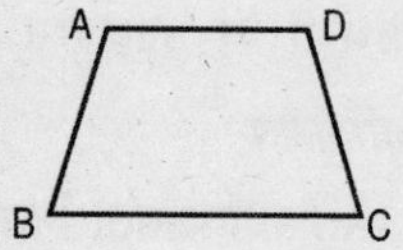

यहाँ, AD ∥ BC

(*iii*) **समचतुर्भुज:** यदि एक समान्तर चतुर्भुज की सभी भुजाएं बराबर हो तो उसे समचतुर्भुज कहते हैं।

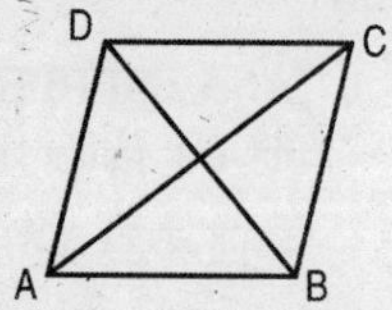

यहाँ, (*a*) चतुर्भुज ABCD समान्तर चतुर्भुज है।

(*b*) AB = BC = CD = AD

(*c*) इसके विकर्ण परस्पर 90° पर समद्विभाजित करते हैं।

(*iv*) **आयत:** यदि किसी समान्तर चतुर्भुज के सभी कोण समकोण व आमने सामने की भुजा बराबर हो तो उसे आयत कहते हैं।

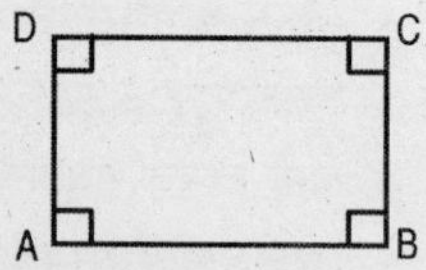

यहाँ, (*a*) ABCD एक समान्तर चतुर्भुज है।

(*b*) AB = CD एवं AD = BC

(*c*) सभी कोण समकोण हैं।

(*d*) विकर्ण बराबर हैं और परस्पर समद्विभाजित करते हैं।

(*v*) **वर्ग:** यदि किसी समान्तर चतुर्भुज के सभी कोण समकोण व सभी भुजाएँ बराबर हो तो इसे वर्ग कहते हैं।

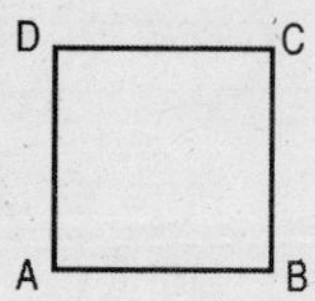

यहाँ, (*a*) AB = BC = CD = AD

(*b*) AB ∥ CD एवं AD ∥ BC

(*c*) सभी कोण समकोण

(*d*) विकर्ण बराबर होते हैं और परस्पर 90° पर समद्विभाजित करते हैं।

चतुर्भुज पर आधारित प्रमेय

1. किसी समांतर चतुर्भुज का एक विकर्ण उसे दो सर्वांगसम त्रिभुजों में विभाजित करता है।
2. एक समांतर चतुर्भुज में सम्मुख भुजाएँ बराबर होती हैं।
3. यदि एक चतुर्भुज की सम्मुख भुजाओं का प्रत्येक युग्म बराबर हो, तो वह एक समांतर चतुर्भुज होता है।
4. एक समांतर चतुर्भुज में सम्मुख कोण बराबर होते हैं।
5. यदि एक चतुर्भुज में सम्मुख कोणों का प्रत्येक युग्म बराबर हो, तो वह एक समांतर चतुर्भुज होता है।
6. समांतर चतुर्भुज के विकर्ण एक दूसरे को (परस्पर) समद्विभाजित करते हैं।
7. यदि एक चतुर्भुज के विकर्ण एक दूसरे को समद्विभाजित करें, तो वह एक समांतर चतुर्भुज होता है।
8. कोई चतुर्भुज एक समांतर चतुर्भुज होता है, यदि उसकी सम्मुख भुजाओं का एक युग्म बराबर और समांतर हो।
9. किसी त्रिभुज की किन्हीं दो भुजाओं के मध्य-बिंदुओं को मिलाने वाला रेखाखंड तीसरी भुजा के समांतर होता है।
10. किसी त्रिभुज की एक भुजा के मध्य-बिंदु से दूसरी भुजा के समांतर खींची गई रेखा तीसरी भुजा को समद्विभाजित करती है।

समान्तर चतुर्भुजों एवं त्रिभुजों के क्षेत्रफल पर आधारित प्रमेय

प्रमेय

1. एक ही आधार और एक ही समांतर रेखाओं के बीच स्थित समांतर चतुर्भुज क्षेत्रफल में बराबर होते हैं।
2. एक ही आधार (या बराबर आधारों) और एक ही समांतर रेखाओं के बीच स्थित त्रिभुज क्षेत्रफल में बराबर होते हैं।
3. एक ही आधार (या बराबर आधारों) वाले और बराबर क्षेत्रफलों वाले त्रिभुज एक ही समांतर रेखाओं के बीच स्थित होते हैं।

वृत्त

वृत किसी समतल पर बिन्दुओं का एक समुच्चय है जो किसी निश्चित बिन्दु से समान दूरी पर होते हैं।

यहाँ, निश्चित बिन्दु O है जो केन्द्र कहलाता है। समान दूरी त्रिज्या कहलाती है। PR वृत्त का व्यास है। व्यास त्रिज्या का दोगुना होता है।

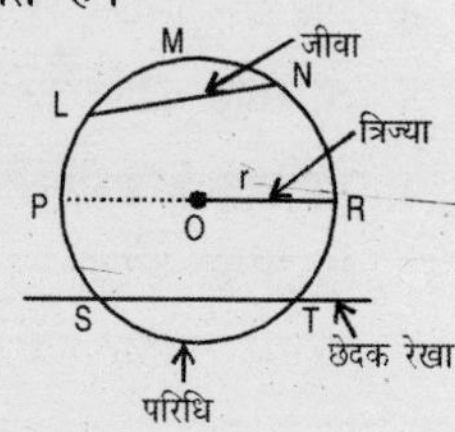

चाप: वृत्त की परिधि का एक हिस्सा चाप कहलाता है। यह परिधि पर स्थिति कम-से-कम तीन बिन्दुओं से व्यक्त किया जाता है। जैसे ऊपर के चित्र में LMN वृत्त का एक चाप है।

छेदक रेखा: एक रेखा जो वृत्त को दो बिन्दुओं पर काटती है।

चापकर्ण/जीवा: वृत्त के परिधि के किसी बिंदुओं को मिलाने वाला रेखा-खण्ड।

वृत्तखण्ड: एक जीवा वृत्त को दो भागों में बाँटती है, प्रत्येक भाग वृत्तखण्ड कहलाता है।

अर्द्धवृत्त: व्यास वृत्त को दो बराबर भागों में बाँटती है, प्रत्येक भाग अर्द्धवृत्त कहलाता है।

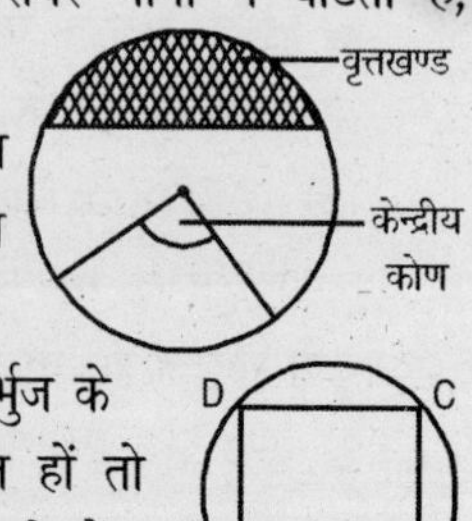

केन्द्रीय कोण: एक कोण जिसका शीर्ष वृत्त का केन्द्र हो केन्द्रीय कोण कहलाता है।

चक्रीय चतुर्भुज: यदि किसी चतुर्भुज के सभी शीर्ष वृत्त की परिधि पर स्थित हों तो ऐसे चतुर्भुज को चक्रीय चतुर्भुज कहते हैं।

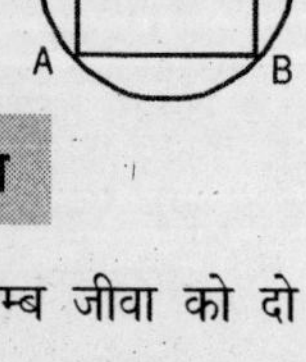

कुछ महत्त्वपूर्ण परिणाम

- किसी जीवा पर केन्द्र से डाला गया लम्ब जीवा को दो बराबर भागों में बाँटता है।

- जीवा के मध्य बिन्दु से केन्द्र को मिलाने वाली रेखा जीवा पर लम्ब होती है।
- दो सर्वांगसम वृत्त की समान जीवाएँ अपने केन्द्र से समान दूरी पर स्थित होती है।
- सर्वांगसम वृत्त की जीवाएं यदि संगत केन्द्र से समान दूरी पर हो तो जीवाएं समान लम्बाई की होगी।
- एक ही वृत्त की समान जीवाएं केन्द्र से समान दूरी पर स्थित होती है।
- एक वृत्त की समान जीवाएं केन्द्र पर समान कोण अंतरित करती है।
- एक वृत्त के चाप द्वारा केन्द्र पर अन्तरित कोण, इसी चाप द्वारा शेष वृत्त के अन्य बिन्दु पर अन्तरित कोण का दुगुना होता है।
- किसी समान वृत्त खण्ड के कोण समान होते हैं।
- यदि किसी चतुर्भुज आमने-सामने के कोणों के युग्म का योग $180°$ हो तो वह चतुर्भुज चक्रीय हो सकता है।
- अर्द्धवृत्त के कोण हमेशा समकोण होते हैं।
- वृत्त के किसी चाप द्वारा इसके एकान्तर खण्ड में किसी बिन्दु पर यदि समकोण बनाया जाय तो यह अर्द्धवृत्त होता है।

वृत्त पर आधारित प्रमेय

1. वृत्त की बराबर जीवाएँ केन्द्र पर बराबर कोण अंतरित करती हैं।
2. यदि एक वृत्त की जीवाओं द्वारा केन्द्र पर अंतरित कोण बराबर हों, तो वे जीवाएँ बराबर होती हैं।
3. एक वृत्त के केन्द्र से एक जीवा पर डाला गया लम्ब जीवा को समद्विभाजित करता है।
4. एक वृत्त के केन्द्र से एक जीवा को समद्विभाजित करने के लिए खींची गई रेखा जीवा पर लंब होती है।
5. तीन दिए गए असंरेखी बिन्दुओं द्वारा होकर जाने वाला एक और केवल एक वृत्त है।
6. एक वृत्त की (या सर्वांगसम वृत्तों की) बराबर जीवाएँ केन्द्र से (या केन्द्रों से) समान दूरी पर होती हैं।
7. एक वृत्त के केन्द्र से समदूरस्थ जीवाएँ लम्बाई में समान होती हैं।
8. एक चाप द्वारा केन्द्र पर अंतरित कोण वृत्त के शेष भाग के किसी बिन्दु पर अन्तरित कोण का दुगुना होता है।
9. एक ही वृत्तखंड के कोण बराबर होते हैं।
10. यदि दो बिन्दुओं को मिलाने वाला रेखाखण्ड उसको अन्तर्विष्ट करने वाले रेखा के एक ही ओर स्थित दो अन्य बिन्दुओं पर समान कोण अंतरित करे तो चारों बिन्दु एक ही वृत्त पर स्थित होते हैं।
11. चक्रीय चतुर्भुज के सम्मुख कोणों के प्रत्येक युग्म का योग $180°$ होता है।
12. यदि किसी चतुर्भुज के सम्मुख कोणों के एक युग्म का योग $180°$ हो, तो चतुर्भुज चक्रीय होता है।

साधित प्रश्न

उदाहरण 1: यदि $AB \parallel CD$ और $CD \parallel EF$ तथा $EA \perp AB$ और यदि $\Delta BEF = 55°$ तो x, y और z का मान ज्ञात करें।

हल: $y + 55° = 180°$

(तिर्यकच्छेदी रेखा के एक ही और के अन्त कोण)

अतः, $y = 180° - 55° = 125°$

पुनः $x = y$

(AB||CD, संगत कोण)

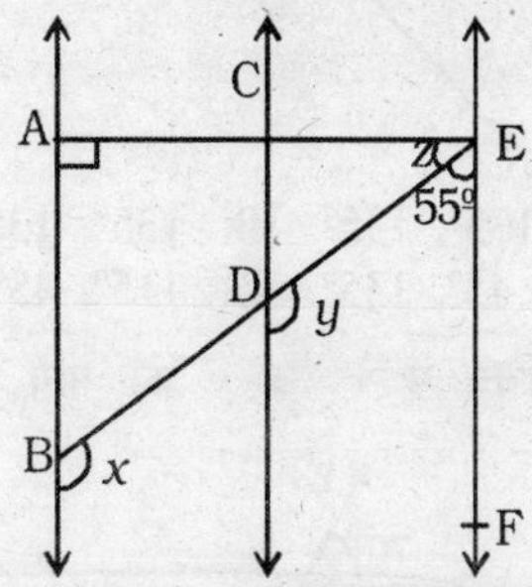

अतः $x = 125°$

अब चूँकि $AB \parallel CD$ और $CD \parallel EF$ अतः $AB \parallel EF$,

$\therefore \quad \angle EAB + \angle FEA = 180°$

$\therefore \quad 90° + z + 55° = 180°$

$\therefore \quad z = 35°$

उदाहरण 2: यदि ABCD एक चक्रीय चतुर्भुज है जिसमें AC और BD विकर्ण हैं एवं $\angle DBC = 55°$ तथा $\angle BAC = 45°$ तो $\angle BCD$ प्राप्त करें।

हल : $\angle CAD = \angle DBC = 55°$

(एक ही वृत्तखण्ड के कोण)

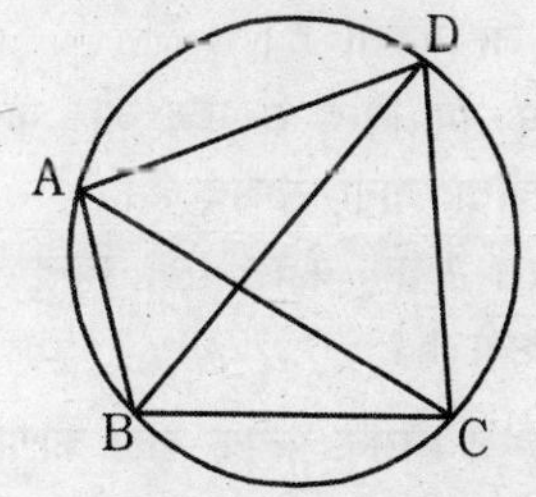

यहाँ, $\angle DAB = \angle CAD + \angle BAC$
$= 55° + 45° = 100°$

किन्तु, $\angle DAB + \angle BCD = 180°$

(चक्रीय चतुर्भुज के आमने-सामने का कोण)

अतः $\angle BCD = 180° - 100° = 80°$

उदाहरण 3: दिये गए चित्र में x की माप निकालें।

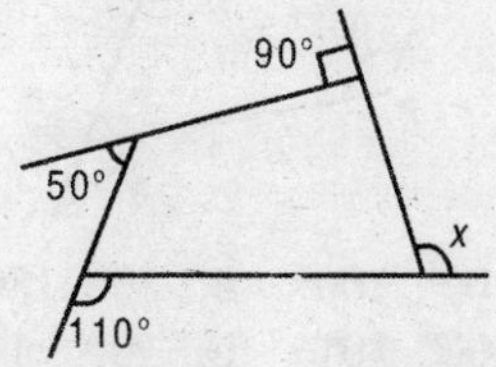

हल : $x + 90° + 50° + 110° = 360°$

$x + 250° = 360°$

$x = 110°$

बहुवैकल्पिक प्रश्न

1. दो रेखाएँ परस्पर दिए गए चित्रानुसार O बिन्दु पर कटती है। यदि $x = 45°$ तो y, z और u का मान होगाः

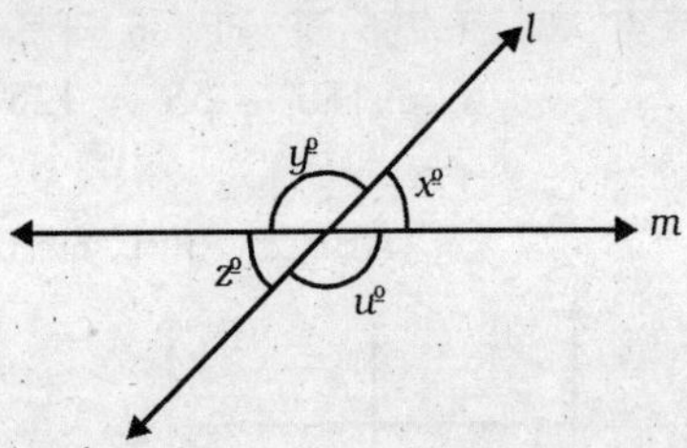

A. 45°, 135°, 135°   B. 135°, 135°, 45°
C. 135°, 45°, 135°   D. 115°, 45°, 115°

2. दिए गए चित्र में x एवं y का मान होगाः

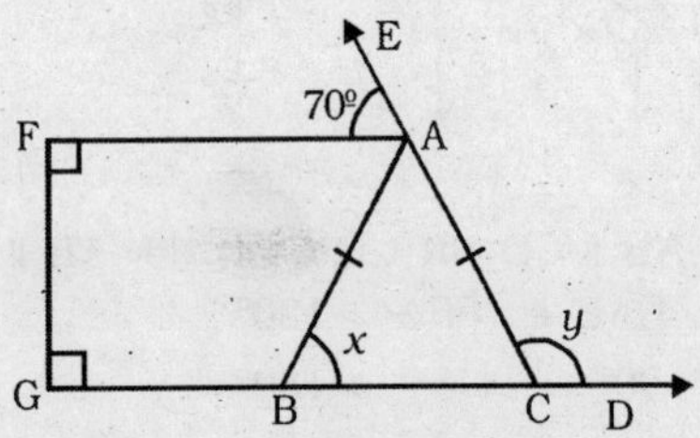

A. 70°, 110°   B. 110°, 70°
C. 120°, 60°   D. 70°, 90°

3. निम्न में कौन कथन असत्य है?

A. रेखाखण्ड किसी भी लम्बाई की खींची जा सकती है।

B. दिए हुए किसी एक बिन्दु से केवल एक सरल रेखा खींची जा सकती है।

C. दो दिए गए बिन्दु से एक और केवल एक सरल रेखा खींचा जाना सम्भव है।

D. दो सरल रेखाएँ केवल एक बिन्दु पर प्रतिच्छेदित हो सकती हैं।

4. एक समबहुभुज जिसके प्रत्येक बाह्य कोणों की माप 45° है तो इसके भुजाओं की संख्या हैः

A. 7   B. 5
C. 10   D. 8

5. ABCD एक समान्तर चतुर्भुज है तो x, y और z का मान हैः

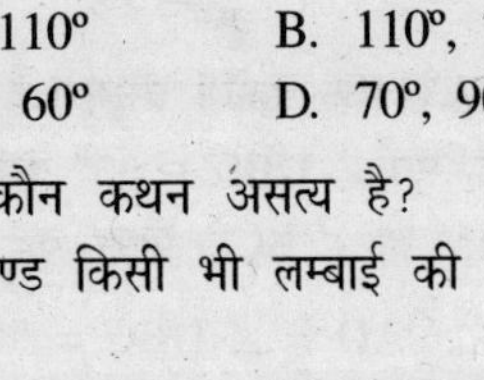

A. 80°, 100°, 100°   B. 80°, 180°, 100°
C. 80°, 100°, 80°   D. 100°, 100°, 80°

6. समान्तर चतुर्भुज RSTU में, यदि $m\angle R = 70°$ तो शेष अन्य कोण x, y एवं z की माप हैः

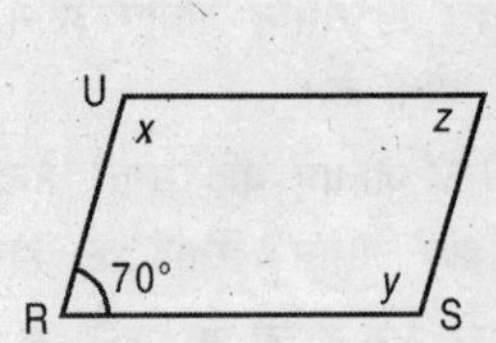

A. 101°, 101°, 70°   B. 110°, 70°, 110°
C. 110°, 110°, 70°   D. इनमें से कोई नहीं

7. यदि ABCD एक समान्तर चतुर्भुज है और OB = 4 एवं AC, BD से 5 ज्यादा है तो OA बराबर होगाः

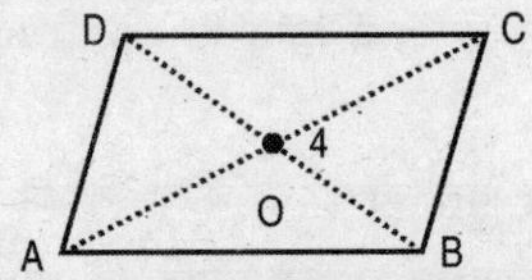

A. 6.6   B. 6.5
C. 5.5   D. 5.6

8. यदि ABCD एक आयत है और इसके विकर्ण O पर मिलते हैं, तो x का मान क्या होगा, यदि OA = $2x + 4$ और OD = $3x + 1$?

A. 3   B. 4
C. 5   D. इनमें से कोई नहीं

9. यदि कोई कोण अपने कोटिपूरक की दो तिहाई है तो कोण की माप होगीः

A. 45°   B. 63°
C. 90°   D. 36°

10. दिए गए चित्रानुसार, x मान होगाः

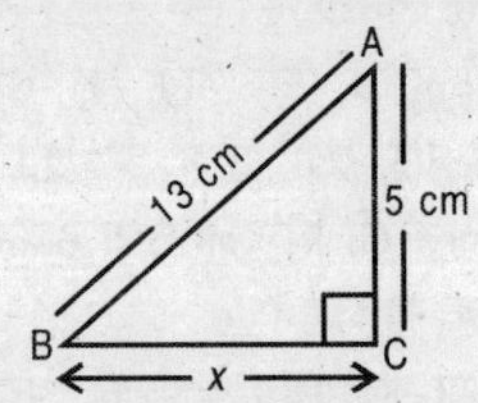

A. 13 cm   B. 5 cm
C. 12 cm   D. इनमें से कोई नहीं

11. यदि किसी वृत्त की जीवा वृत्त के केन्द्र से 6 से.मी. की दूरी पर है और वृत्त के त्रिज्या की लम्बाई 10 से.मी. हो तो जीवा की लम्बाई होगीः

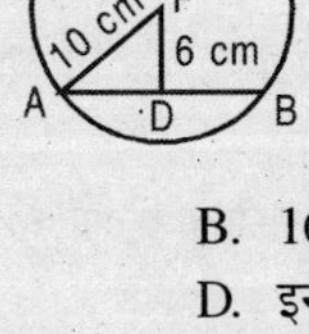

A. 8 cm   B. 16 cm
C. 6 cm   D. इनमें से कोई नहीं

12. यदि $\angle PQR$ और $\angle RQS$ एक रैखिक युग्म बनाते हों तो x का मान होगाः

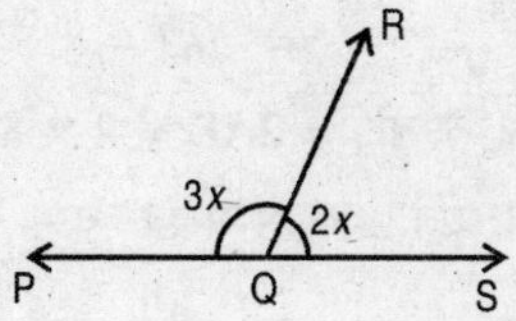

A. 45º B. 54º
C. 63º D. 36º

13. दो रेखाएं l तथा m परस्पर बिन्दु O पर काटती है और यदि $a = 72º$ तो x, y और z का मान होगाः

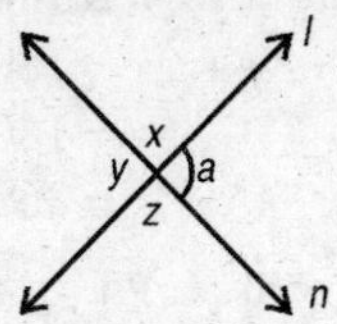

A. 72º, 72º, 108º
B. 108º, 108º, 72º
C. 72º, 108º, 72
D. 108º, 72º, 108º

14. दिए गए चित्र में, ΔXYZ एक समद्विबाहु त्रिभुज है जिसमें XY = XZ एवं ∠XYZ = 60° तो ∠YPZ की माप होगीः

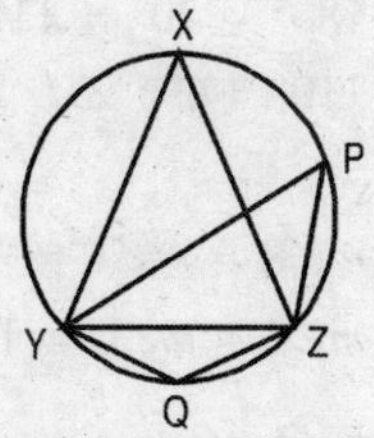

A. 120º
B. 60º
C. निर्धारित नहीं की जा सकती
D. इनमें से कोई नहीं

15. दिए गए चित्रानुसार, यदि $\overline{AB} \parallel \overline{CD}$ तो x का मान होगाः

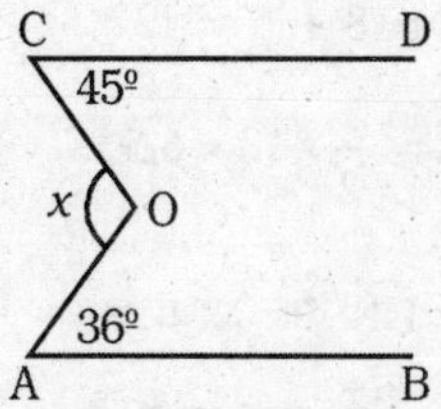

A. 9º B. 90º
C. 80º D. 81º

उत्तरमाला

1	2	3	4	5	6	7	8	9	10
C	A	B	D	D	C	B	A	D	C
11	**12**	**13**	**14**	**15**					
B	D	D	B	D					

कुछ चुने हुए प्रश्नों के व्याख्यात्मक उत्तर

1. $x = z$ [∵ शीर्षाभिमुख कोण]

⇒ $x = 45º$ ⇒ $z = 45º$

$y + x = 180º$ [∵ रैखिक युग्म]

⇒ $y = 180º - 45º$

∴ $y = 135º$

तथा, $y = u$ [∵ शीर्षाभिमुख कोण]

⇒ $u = 135º$.

2. Δ ABC में,

∠ ABC = ∠ ACB = x

एवं $x + y = 180º$

अब, ∠ EAF = ∠ ACB = 70º

[संगत कोण]

∴ $x = 70º$

⇒ $y = 180º - 70º$

∴ $y = 110º$.

3. चूँकि दिए गए बिन्दु से अनगिनत रेखाएँ खींची जा सकती है। अतः (b) असत्य कथन है।

4. सभी बहिष्कोणों की कुल माप = 360°

प्रत्येक बहिष्कोणों की माप = 45°

∴ बहिष्कोणों की संख्या = $\frac{360}{45} = 8$

अतः बहुभुज में 8 भुजाएँ हैं।

5. C, A के आमने-सामने है।

अतः, $x = 100°$ (समान्तर चतुर्भुज के सामने का कोण)

$y = 100°$ (x का संगत कोण)

$z = 80°$ (∴ ∠y, ∠x रैखिक युग्म है।)

6. दिया है, m∠R =70° तो m∠T = 70º

चूँकि,∠R एवं ∠T समान्तर चतुर्भुज के आमने-सामने का कोण है और ∠R एवं ∠S परस्पर कोटिपूरक है।

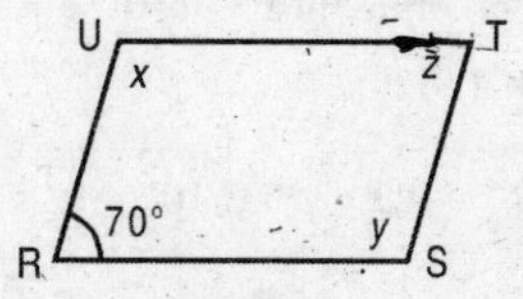

$m\angle S = 180° - 70° = 110°$

तथा, $m\angle U = 110°$ क्योंकि $\angle U$, $\angle S$ के आमने-सामने है।

इस प्रकार, $m\angle R = m\angle T = 70°$

एवं $m\angle S = m\angle U = 110°$

7. OB = 4 तो OD भी बराबर 4

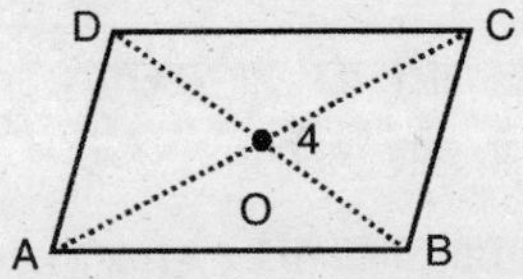

अतः, PB = 8,

अतः AC = 8 + 5 = 13

अतः $OA = \frac{1}{2} \times 13 = 6.5$

8. $\overline{OD}$ विकर्ण $\overline{DB}$ का आधा है।

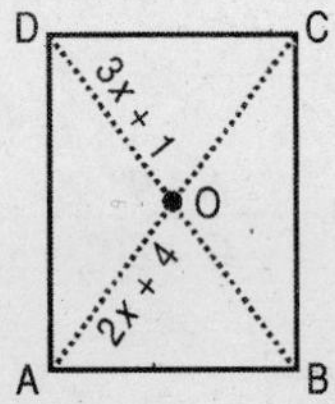

$\overline{OA}$ विकर्ण $\overline{AC}$ का आधा है।

दोनों विकर्ण बराबर है।

अतः इनका आधा भी बराबर होगा।

$3x + 1 = 2x + 4$

$\Rightarrow \quad x = 3.$

9. माना कि कोण = $x°$

प्रश्नानुसार, $x° = \frac{2}{3}(90° - x)$

$\Rightarrow \quad x = \frac{180° - 2x°}{3}$

$\Rightarrow \quad 3x° = 180° - x°$

$\Rightarrow \quad 5x° = 180°$

$\therefore \quad x° = \frac{180°}{5} = 36°$.

10. पाइथागोरस प्रमेय से,

$AC^2 + BC^2 = AB^2$

$\Rightarrow \quad 5^2 + x^2 = 13^2$

$\Rightarrow \quad x^2 = 169 - 25$

$\therefore \quad x = \sqrt{144} = 12$ से.मी.

11. माना कि AB वृत्त की त्रिज्या, P केन्द्र तथा त्रिज्या की लम्बाई 10 से.मी. है।

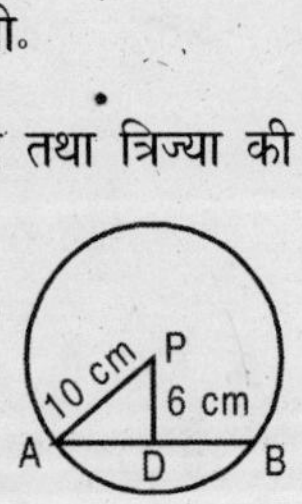

चित्रानुसार,

PD = 6 से.मी. PA = 10 से.मी.

हम जानते हैं कि केन्द्र से खीचा गया लम्ब जीवा को समद्विभाजित करता है। अब ADP एक समकोण त्रिभुज है।

$AD = \sqrt{AP^2 - PD^2} = \sqrt{10^2 - 6^2} = \sqrt{100 - 36}$

$= \sqrt{64} = 8$ से.मी.

अतः जीवा की लम्बाई = 2AD = 2 × 8 = 16 से.मी.।

12. चूँकि $\angle PQR$ एवं $\angle RQS$ रैखिक युग्म बनाती है।

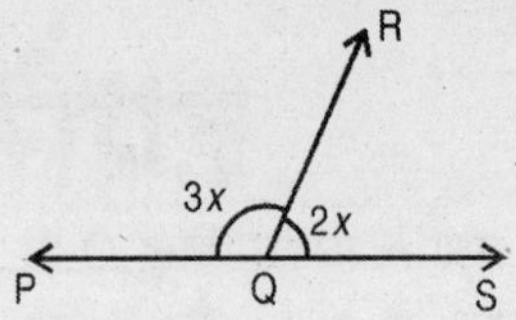

अतः $\angle PQR + \angle RQS = 180°$

$\Rightarrow \quad 3x + 2x = 180°$

$\Rightarrow \quad 5x = 180°$

$\therefore \quad x = 36°.$

13. चूँकि, y एवं a तथा x एवं z शीर्षाभिमुख कोण के युग्म हैं और ये हमेशा परस्पर समान होते हैं।

अतः $\angle y = 72°$

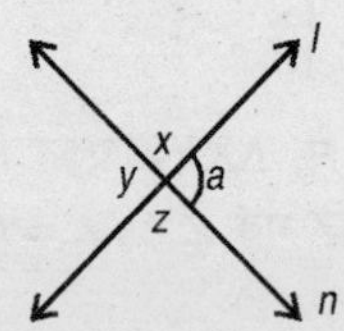

पुनः चूँकि $\angle x$ एवं $\angle y$ रैखिक युग्म हैं

अतः $\angle x + \angle y = 180°$

$\therefore \quad x = 180° - 72° = 108°$

एवं $\angle z = 108°$ (शीर्षाभिमुख कोण)

14. चूँकि XY = XZ

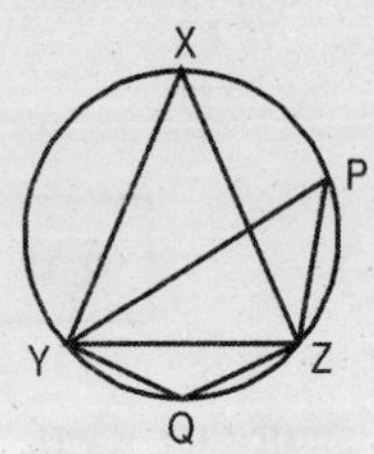

$\Rightarrow \quad \angle XYZ = \angle XZY = 60°$

ΔXYZ में,

$\angle YXZ = 180° - (60° + 60°) = 60°$

$\therefore \quad \angle YPZ = \angle YXZ = 60°$

(एक ही वृत्त खण्ड के कोण)

15. बिन्दु O से एक रेखा PQ ∥ AB खींचने पर,

AB ∥ PQ ∥ CD

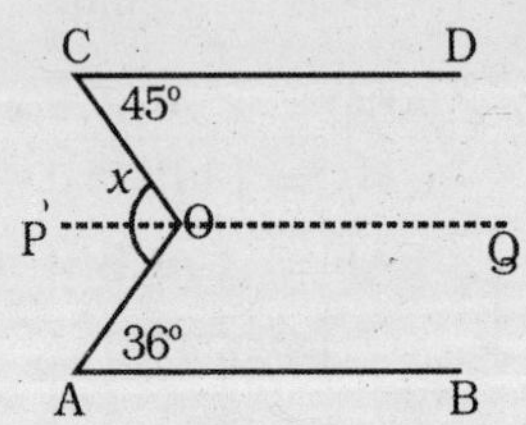

$\left.\begin{array}{l}\angle POA = \angle OAB = 36° \\ \angle POC = \angle OCD = 45°\end{array}\right\}$ एकान्तर कोणों का युग्म

अतः $x = \angle POA + \angle POC = 36° + 45° = 81°.$

हमारे आस-पास की ठोस वस्तुएँ

हम अपने दैनिक जीवन में ठोस वस्तुओं से परिचित हैं। हम इन चीजों को खेलने, खाने, पीने और कई अन्य कार्यों में प्रयोग करते हैं। जैसेः किताब, कप, ईंट, पासे, गिलास आदि। इन चीजों को हम विभिन्न प्रकारों में बाँट सकते हैं।

आकृति का नाम	उदाहरण
गोला	गेन्द, कंचे
बेलन	पानी की बोतल, गिलास
घन	पासे
घनाभ	ईंट, बक्सा
शंकु	शंक्वाकार टोपी

घनाभ

आयतन = लम्बाई × चौड़ाई × ऊँचाई

सम्पूर्ण पृष्ठ का क्षेत्र = 2(लम्बाई × चौड़ाई + चौड़ाई × ऊँचाई + ऊँचाई × लम्बाई)

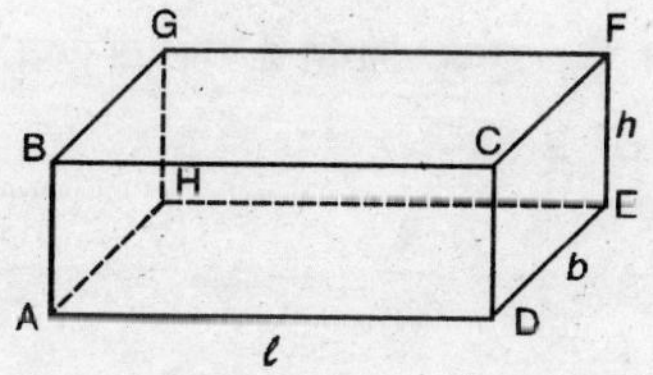

$$\text{विकर्ण} = \sqrt{(\text{लम्बाई})^2 + (\text{चौड़ाई})^2 + (\text{ऊँचाई})^2}$$

कमरे के चारों दीवारों का

क्षेत्रफल = 2 × ऊँचाई (लम्बाई + चौड़ाई)

घन

आयतन = $(\text{लम्बाई})^3$

लम्बाई = $\sqrt[3]{\text{आयतन}}$

सम्पूर्ण पृष्ठ का क्षेत्रफल = 6 × $(\text{लम्बाई})^2$

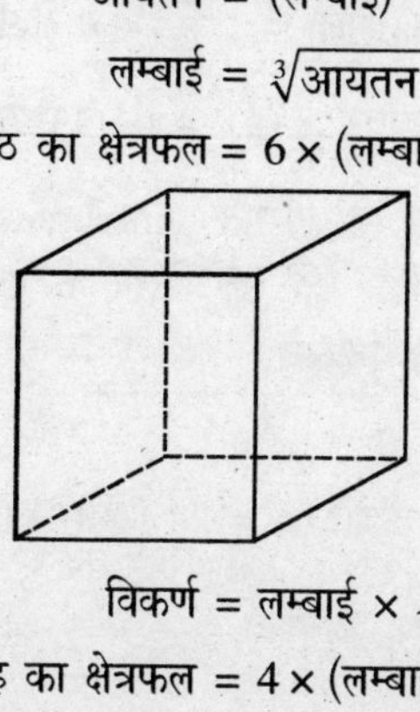

विकर्ण = लम्बाई × $\sqrt{3}$

पार्श्व सतह का क्षेत्रफल = 4 × $(\text{लम्बाई})^2$

बेलन

आयतन = $\pi r^2 h$

वक्र पृष्ठ का क्षेत्रफल = $2\pi rh$

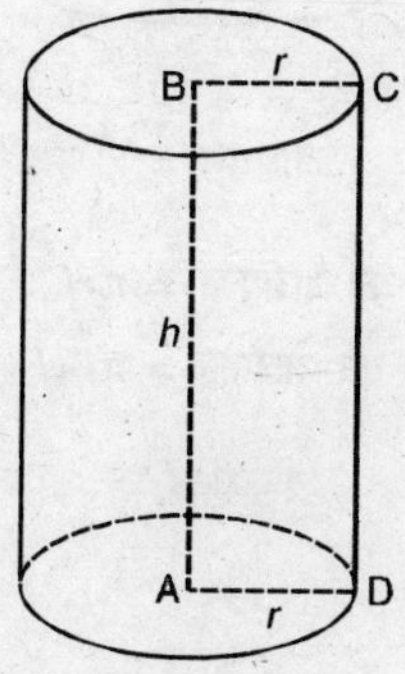

सम्पूर्ण पृष्ठ का क्षेत्रफल = $2\pi r(r+h)$

जहाँ r = त्रिज्या, h = ऊँचाई

गोला

आयतन = $\frac{4}{3}\pi r^3$

सम्पूर्ण पृष्ठ का क्षेत्रफल = $4\pi r^2$

खोखला गोला

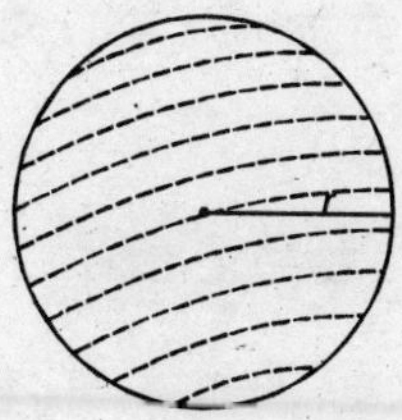

आयतन = $\frac{4}{3}\pi\left(R^3 - r^3\right)$

सम्पूर्ण पृष्ठ का क्षेत्रफल = $4\pi(R^2 - r^2)$

जहाँ R = बाह्य त्रिज्या एवं r = आंतरिक त्रिज्या

अर्द्धगोला

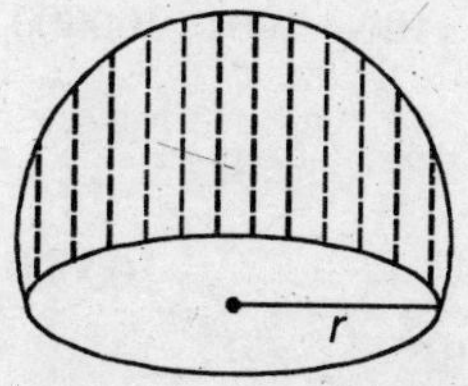

आयतन = $\frac{2}{3}\pi r^3$

वक्र पृष्ठ का क्षेत्रफल = $2\pi r^2$

सम्पूर्ण पृष्ठ का क्षेत्रफल = $3\pi r^2$

शंकु

तिरछी ऊँचाई (l) = $\sqrt{r^2+h^2}$

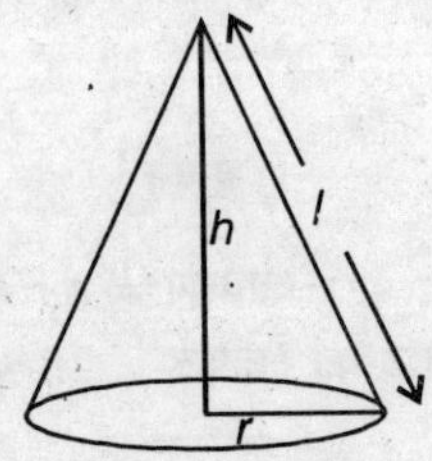

आयतन = $\frac{1}{3}\pi r^2 h$

वक्र पृष्ठ का क्षेत्रफल = πrl

सम्पूर्ण पृष्ठ का क्षेत्रफल = $\pi r(l+r)$

छिन्नक

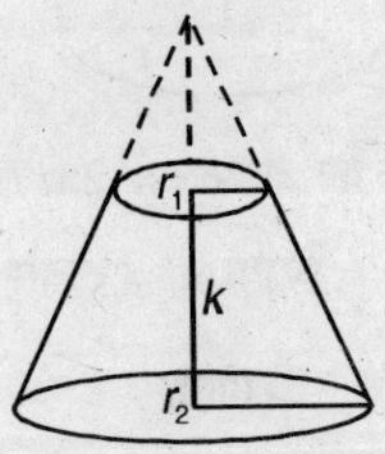

तिरछी ऊँचाई = $\sqrt{k^2+(r_1-r_2)^2}$

वक्र पृष्ठ का क्षेत्रफल = $\pi(r_1+r_2)\,l$

आयतन = $\frac{\pi k}{3}\left(r_1^2+r_1r_2+r_2^2\right)$

जहाँ k = छिन्नक की गहराई, r_1 तथा r_2 दोनों छोर की त्रिज्याएँ हैं।

साधित प्रश्न

उदाहरण 1: एक 15 मी. लम्बा, 8 मी. चौड़ा और 5 मीटर ऊँचा प्लेट फॉर्म बनाने में कितने ईंटों की आवश्यकता होगी?

हल: प्लेटफॉर्म का आयतन = 15 × 8 × 5 = 600 घन मीटर

ईंट का आयतन

$= \frac{6}{100}\times\frac{5}{100}\times\frac{4}{100}=\frac{12}{100000}$ घन मीटर

$\therefore$ ईंटों की अभीष्ट संख्या $=\dfrac{600}{\frac{12}{100000}} = 5000000$

$= 5\times 10^6$.

उदाहरण 2: एक गोले को पिघलाकर बेलन बनाया गया है जिसकी ऊँचाई गोले की त्रिज्या के $4\frac{1}{2}$ गुनी है तो गोले एवं बेलन के त्रिज्याओं में क्या अनुपात है?

हल: यहाँ $\frac{4}{3}\pi r_1^3 = \pi r_2^2 \times \frac{9}{2} r_2$

$\Rightarrow \frac{r_1^3}{r_2^3} = \frac{9}{2}\times\frac{3}{4} \quad \therefore \frac{r_1}{r_2}=\frac{3}{2}$

अतः अभीष्ट अनुपात = 3 : 2.

उदाहरण 3: 346.5 वर्गमीटर सतह क्षेत्रफल एवं 14 मीटर ऊँचाई वाले शंक्वाकार तम्बू के निर्माण के लिए आवश्यक कैनवास की लम्बाई क्या होगी, यदि कैनवास की चौड़ाई 1.1 मीटर है?

हल: यहाँ $\pi r^2 = 346.5$

$\Rightarrow r^2 = \frac{346.5\times 7}{22} = 110.25 \quad \therefore r = 10.5$ मीटर

अब, तिरछी ऊँचाई

$l = \sqrt{(14)^2+(10.5)^2} = \sqrt{306.25} = 17.5$ मीटर

शंक्वाकार तम्बू के वक्र पृष्ठ का क्षे. = $\frac{22}{7}\times 10.5 \times 17.5 = 577.5$ वर्गमीटर

अतः कैनवास की लम्बाई = $\frac{577.5}{1.1} = 525$ मीटर।

उदाहरण 4: एक गोलाकार और एक घन का समान पृष्ठ क्षेत्रफल है। इनके आयतनों का अनुपात निकालें।

हल: यहाँ $4\pi r^2 = 6a^2$

$\Rightarrow \frac{r^2}{a^2} = \frac{6}{4\pi} = \frac{3}{2\pi} \qquad \therefore \frac{r}{a} = \sqrt{\frac{3}{2\pi}}$

अब, $\frac{\frac{4}{3}\pi r^3}{a^3} = \frac{4\pi}{3}\times\left(\sqrt{\frac{3}{2\pi}}\right)^3 = \frac{4\pi}{3}\cdot\frac{3\sqrt{3}}{2\pi\sqrt{2\pi}} = \frac{\sqrt{6}}{\sqrt{\pi}}$

अतः, अभीष्ट अनुपात = $\sqrt{6} : \sqrt{\pi}$

उदाहरण 5: उस घन का आयतन निकालें जिसके विकर्ण की माप $4\sqrt{3}$ से.मी. है।

हल: घन की एक भुजा = $\frac{4\sqrt{3}}{\sqrt{3}} = 4$ से.मी.

घन का आयतन = $(4)^3 = 64$ घन से.मी.।

उदाहरण 6: बेलन से परिगत (Circum-scribing) गोला के पृष्ठीय क्षेत्रफल एवं उस बेलन के वक्र पृष्ठ के क्षेत्रफल का अनुपात निकालें।

हल: इस स्थिति में,

बेलन की ऊँचाई $h = 2r$ (गोले का व्यास)

अतः अभीष्ट अनुपात = $\frac{4\pi r^2}{2\pi r.2r} = \frac{1}{1} = 1 : 1$

बहुवैकल्पिक प्रश्न

1. एक टंकी 3 मीटर लम्बा, 2 मीटर चौड़ा और 1 मीटर गहरा है तो इसकी धारिता होगी:
   A. 8000 लीटर B. 10000 लीटर
   C. 6500 लीटर D. 6000 लीटर

2. एक घन का पृष्ठीय क्षेत्रफल 1014 वर्ग से.मी. है तो इसका आयतन होगा:
   A. 2197 घन से.मी. B. 2297 घन से.मी.
   C. 2179 घन से.मी. D. 2117 घन से.मी.

3. दो घनाकार पिण्ड के आयतनों का अनुपात 8 : 1 है तो उसके किनारों का अनुपात होगा:
   A. 1 : 2 B. 2 : 1
   C. 4 : 1 D. 2 : 3

4. दो गोले के पृष्ठीय क्षेत्रफल का अनुपात 9 : 16 है तो उसके आयतन का अनुपात होगा:
   A. 64 : 27 B. 27 : 64
   C. 16 : 27 D. 11 : 27

5. 12 मीटर लम्बे 9 मीटर चौड़े व 8 मीटर ऊँचे कमरे में रखे जा सकने वाले बृहत्तम छड़ की लम्बाई होगी:
   A. 17 मीटर B. 18 मीटर
   C. 25 मीटर D. 16 मीटर

6. 10 से.मी. भुजा वाले दो घनों को सटाकर रखा गया है तब इस प्रकार बने घनाभ का पृष्ठीय क्षेत्रफल होगा:
   A. 1200 वर्ग से.मी. B. 5000 वर्ग से.मी.
   C. 1000 वर्ग से.मी. D. 1250 वर्ग से.मी.

7. एक रोलर का व्यास 2.4 मीटर तथा लम्बाई 1.68 मीटर है। यह एक मैदान को समतल करने में 1000 घूर्णन लेते हैं तो मैदान का क्षेत्रफल होगा:
   A. 12672 वर्ग मीटर B. 12671 वर्ग मीटर
   C. 12762 वर्ग मीटर D. 11768 वर्ग मीटर

8. यदि किसी घन के किनारे की लम्बाई 10% बढ़ा दी जाय तो उसके पृष्ठीय क्षेत्रफल में वृद्धि होगी:
   A. 21% B. 18%
   C. 15% D. 20%

9. एक कमरा घनाकार है जिसकी भुजा 10 मीटर है। यदि रूई की एक गठरी 5 वर्ग मीटर स्थान घेरता हो तो कमरे में रूई की कितनी गठरी रखी जा सकेगी?
   A. 100 B. 175
   C. 200 D. 225

10. एक घन का पृष्ठीय क्षेत्रफल 600 वर्ग मीटर है तो इसका विकर्ण होगा:
    A. $10\sqrt{3}$ से.मी. B. $5\sqrt{3}$ से.मी.
    C. $4\sqrt{2}$ से.मी. D. $10\sqrt{2}$ से.मी.

11. यदि किसी गोले को एक ऐसे घन में रखा जाय कि गोला घन में सटीक समा सके तो घन के आयतन व गोले के आयतन का अनुपात होगा:
    A. 7 : 12 B. 22 : 21
    C. 21 : 11 D. 20 : 7

12. एक शंकु और एक गोले की त्रिज्या व आयतन समान है तो गोले का व्यास और शंकु के ऊँचाई का अनुपात होगा:
    A. 1 : 3 B. 3 : 2
    C. 1 : 2 D. 2 : 3

13. दो बेलनों के त्रिज्याओं का अनुपात 2 : 3 और ऊँचाइयों का अनुपात 5 : 3 है तो इनके आयतनों का अनुपात होगा:
    A. 4 : 9 B. 9 : 4
    C. 20 : 27 D. 27 : 20

14. घनाभ के आकार के एक टंकी की लम्बाई 7.2 मी. एव चौड़ाई 2.5 मीटर है इसको भरने के लिए लगे पाइप जिसका अनुप्रस्थ माप 5 से.मी. × 3 से.मी. है। जिसमें पानी का बहाव 10 मी./से. है। यदि टंकी 40 मिनट में भरता है तो टंकी की ऊंचाई है:
    A. 1 मीटर B. 2 मीटर
    C. 3 मीटर D. 4 मीटर

15. एक कुँआ का आन्तरिक व्यास 7 मीटर है और इसे 22.5 मीटर गहरा खोदा गया है। इससे निकाली गई मिट्टी को कुँए के चारों ओर 10.5 मीटर की चौड़ाई में फैलाया गया है। किनारे की ऊँचाई निकालें।
    A. 1 मीटर B. 1.5 मीटर
    C. 2 मीटर D. 2.5 मीटर

उत्तरमाला

1	2	3	4	5	6	7	8	9	10
D	A	B	B	A	C	A	A	C	A
11	**12**	**13**	**14**	**15**					
C	C	C	B	B					

कुछ चुने हुए प्रश्नों के व्याख्यात्मक उत्तर

1. टंकी का आयतन = $l \times b \times h = 3 \times 2 \times 1$
= 6 घन मीटर
($\because$ 1 घन मीटर = 1000 लीटर)
$\therefore$ टंकी की क्षमता = 6×1000
= 6000 लीटर

2. यहाँ $6 \times$ भुजा^{2} = 1014
$\Rightarrow$ भुजा = $\frac{1014}{6} = 169$
$\therefore$ भुजा = $\sqrt{169}$ = 13 cm
अतः घन का आयतन = भुजा^{3} = $(13)^3$
= 2197 घन से.मी.

3. यहाँ $a_1^3 : a_2^3 = 8 : 1$
$\therefore \left(\frac{a_1}{a_2}\right)^3 = \left(\frac{2}{1}\right)^3 \Rightarrow a_1 : a_2 = 2 : 1$
अतः उनके किनारों का अनुपात = 2 : 1

4. यहाँ $4\pi r_1^2 : 4\pi r_2^2 = 9 : 16 \Rightarrow r_1^2 : r_2^2 = 9 : 16$
$\Rightarrow \left(\frac{r_1}{r_2}\right)^2 = \left(\frac{3}{4}\right)^2 \Rightarrow r_1 : r_2 = 3 : 4$
$\Rightarrow \frac{r_1^3}{r_2^3} = \frac{27}{64} \Rightarrow r_1^3 : r_2^3 = 27 : 64.$
अतः उनके आयतनों का अनुपात
$= \frac{4}{3}\pi r_1^3 : \frac{4}{3}\pi r_2^3 = r_1^3 : r_2^3 = 27 : 64$

5. बृहत्तम छड़ जो घनाभाकार कमरे में रखी जा सकती है
= कमरे के विकर्ण की लम्बाई
$= \sqrt{l^2 + b^2 + h^2} = \sqrt{(12)^2 + (9)^2 + (8)^2}$
$= \sqrt{144 + 81 + 64} = \sqrt{289}$ = 17 मीटर

6. यहाँ, घनाभ की लम्बाई = प्रथम घन का किनारा + दूसरे घन का किनारा = 10 + 10 = 20 से.मी.
$\therefore$ घनाभ का पृष्ठीय क्षेत्रफल
$= 2(20 \times 10 + 10 \times 10 + 10 \times 20)$
$= 2(200 + 100 + 200)$
$= 2 \times 500 = 1000$ वर्गमीटर

7. रोलर का पृष्ठीय क्षेत्रफल = $2\pi rh$
$= 2 \times \frac{22}{7} \times 1.2 \times 1.68 = 12.672$ वर्ग मीटर
एक सम्पूर्ण घूर्णन में रोलकर द्वारा समतल किया गया क्षेत्रफल 12.672 वर्ग मीटर
$\therefore$ 1000 घूर्णन में समतल किया गया क्षेत्रफल
$= 12.672 \times 1000 = 12672$ वर्ग मीटर
अतः मैदान का क्षेत्रफल = 12672 वर्ग मीटर

8. घन के पृष्ठीय क्षेत्रफल में प्रतिशत वृद्धि
$= \left(x + y + \frac{xy}{100}\right)\% = \left(10 + 10 + \frac{10 \times 10}{100}\right)\%$
= 21%.

9. घनाकार कमरे का आयतन = $(10)^3$ = 1000 घन मीटर
गठरी की कुल संख्या जो कमरे में रखा जा सके
$= \frac{\text{कमरे का आयतन}}{\text{गठरी का आयतन}} = \frac{1000}{5} = 200.$

10. यहाँ, $6 \times$ (भुजा)^2 = 600
$\Rightarrow$ भुजा^{2} = 100
$\Rightarrow$ भुजा = $\sqrt{100}$ = 10 से.मी.
$\therefore$ घन का विकर्ण
$= \sqrt{3} \times$ भुजा $= \sqrt{3} \times 10 = 10\sqrt{3}$ से.मी.

11. गोला, घन में सटीक समाता है अर्थात् घन की भुजा = गोले का व्यास
गोले का आयतन = $\frac{4}{3}\pi r^3$
और घन का आयतन = (भुजा)^3
$\therefore$ घन को आयतन तथा गोले के आयतन का अनुपात
= भुजा^{3} : $\frac{4}{3}\pi r^3$
$\Rightarrow (2r)^3 : \frac{4}{3}\pi r^3 = 6 : \frac{22}{7} = 21 : 11$

12. यहाँ, $4/3\pi r^3 = \frac{1}{3}\pi r^2 h \Rightarrow 4r = h$
$\Rightarrow 2d = h \quad \therefore \frac{d}{h} = \frac{1}{2}$
अतः, अभीष्ट अनुपात = 1 : 2

13. यहाँ $\frac{V_1}{V_2} = \frac{\pi \times 2^2 \times 5}{\pi \times 3^2 \times 3} = \frac{20}{27}$
अतः, अभीष्ट अनुपात = 20 : 27.

14. यहाँ, 40 मिनट में जल स्तम्भ की लम्बाई
$= 10 \times 40 \times 60$ मीटर
चूँकि, $7.2 \times 2.5 \times h = \frac{5}{100} \times \frac{3}{100} \times 10 \times 40 \times 60$
$\Rightarrow h = \frac{36 \times 100}{72 \times 25} = 2$ मीटर

15. यहाँ, $\pi\left[(10.5 + 3.5)^2 - (3.5)^2\right]h = \pi(3.5)^2 \times 22.5$
$\Rightarrow (196 - 12.25)h = 12.25 \times 22.5$
$\therefore h = \frac{12.25 \times 22.5}{183.75} = 1.5$ मीटर

आकृति एवं स्थानिक समझ

हम समतल आकृति और ठोस आकृति के बारे में जान चुके हैं। समतल आकृति को द्विविमीय आकृति भी कहते हैं। जिसके दो माप होते हैं: लम्बाई और चौड़ाई। जबकि ठोस आकृति की तीन विमाएँ और तीन माप होते हैं: लम्बाई, चौड़ाई और ऊँचाई या गहराई। अतः ठोस आकृति को त्रि-विमीय आकृति कहते हैं। द्विविमीय आकृति को 2D से सूचित किया जाता है। उसी प्रकार, त्रिविमीय आकृति को 3D से सूचित किया जाता है। नीचे हमारे दैनिक जीवन में काम आने वाली द्विविमीय व त्रिविमीय आकृतियों का उदाहरण दिया गया है:

आकृति के प्रकार	आकृति का नाम	उदाहरण
द्विविमीय आकृति	वर्ग	कैरम बोर्ड की सतह
	आयत	किताब या कॉपी की सतह
	त्रिभुज	मार्गपट्ट (sign post) की सतह
	बहुभुज	सजावट हेतु कागज का डिजाइन
	वृत्त	थाली की सतह, CD की सतह
त्रिविमीय आकृति	घन	पासा
	घनाभ	ईंट, बक्सा
	बेलन	पानी की बोतल, गिलास
	शंकु	आइसक्रीम की शंकु शंक्वाकार टोपी
	गोला	गेन्द, कंचे, ग्लोब

स्थानिक समझ की अवधारणा

(*i*) छोटा - बड़ा

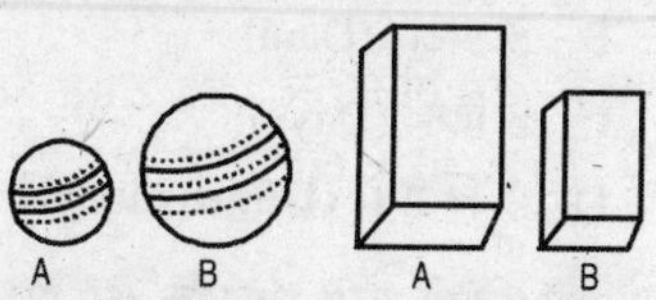

(*ii*) सबसे छोटा - सबसे बड़ा

(*iii*) अन्दर - बाहर

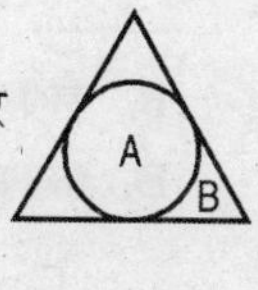

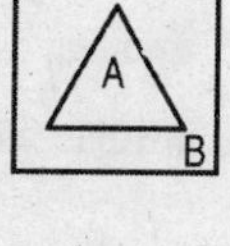

(*iv*) पास - दूर

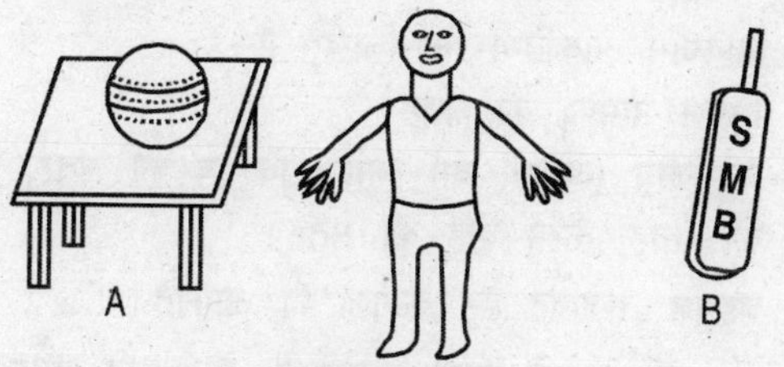

(*v*) ऊपर - नीचे

फलक, किनारे और शीर्ष

फलक: किसी ठोस सतह का बहुभुजीय क्षेत्र फलक कहलाता है।

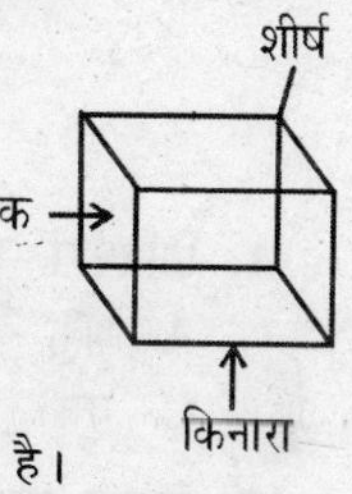

किनारा: जहाँ दो फलकें मिलती हैं उसे किनारा कहते हैं।

शीर्ष: जहाँ दो या दो से अधिक किनारे मिलते हैं वह बिन्दु शीर्ष कहलाता है।

बहुफलक (Polyhedron): वह ठोस आकृति जिसमें फलक, किनारे व शीर्ष हों बहुफलक कहलाते हैं।

उदाहरण: घन, घनाभ, प्रिज्म, पिरामिड

अबहुफलक: गोला, शंकु, बेलन

उत्तल बहुफलक: इस प्रकार के बहुफलक के फलक किनारे व शीर्ष बाहर की ओर उभरे होते हैं। जैसे:

अनुत्तल बहुफलक: इस प्रकार के बहुफलक में सतह, किनारे व शीर्ष अन्दर की ओर धँसे होते हैं जैसे:

नियमित बहुफलक: यदि एक बहुफलक नियमित बहुभुज से बना है और प्रत्येक शीर्ष पर समान संख्या में सतह मिलते हैं तो इसे नियमित बहुफलक कहा जाता है। जैसे:

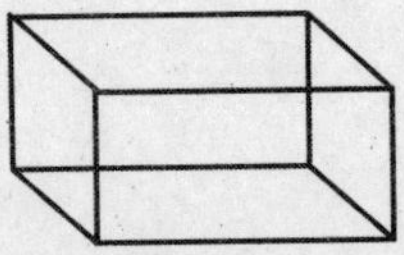

यह एक नियमित बहुफलक है। इसके सतह सर्वांगसम और नियमित बहुभुज हैं। इसके शीर्ष समान संख्या के सतहों से निर्मित हैं।

साधित प्रश्न

उदाहरण 1: कम से कम एक उदाहरण के साथ द्विविमीय आकृति की सूची बनाएँ।

हल: द्विविमीय आकृतियाँ निम्नलिखित हैं–

त्रिभुजः मार्गपट्ट की सतह

चतुर्भुजीय (आयत, वर्ग आदि): किताब की सतह, टेबुल की सतह, कैरम बोर्ड की सतह।

बहुभुजः सजावट हेतु कागज की आकृति।

वृत्तः सी.डी. की सतह, बाल्टी के पेन्दी की सतह।

उदाहरण 2: बहुफलक के सतहो, किनारों व शीर्षों की संख्या लिखें।

हल: एक बहुफलक में कम से कम छः सतह, बारह किनारे व आठ शीर्ष होते हैं।

उदाहरण 3: सूची I से सूची II का मिलान करें।

सूची-I	**सूची-II**
(*i*) घन	(*a*) फुटबॉल
(*ii*) गोला	(*b*) ईंट
(*iii*) बेलन	(*c*) लुडो का पासा
(*iv*) शंकु	(*d*) ट्यूब लाइट
(*v*) घनाभ	(*e*) जादूगर की टोपी

हल: (*i*) — (*c*), (*ii*) — (*a*), (*iii*) — (*d*), (*iv*) — (*e*), (*v*) — (*b*)

उदाहरण 4: एक उत्तल बहुफलक में होता हैः

(*a*) उभरा हुआ फलक (*b*) धँसा हुआ फलक

(*c*) चौड़ा फलक (*d*) संकीर्ण फलक

हल: एक उत्तल बहुफलक में उभरा हुआ फलक होता है।

उदाहरण 5: एक नियमित बहुफलक में शीर्ष बने होते हैं।

(*a*) विषम संख्या के फलकों द्वारा

(*b*) सम संख्या के फलकों द्वारा

(*c*) अनिश्चित संख्या के फलकों द्वारा

(*d*) समान संख्या के फलकों द्वारा

हल: एक नियमित बहुफलक समान संख्या के फलकों द्वारा निर्मित होता है।

बहुवैकल्पिक प्रश्न

1. द्विविमीय आकृति का उदाहरण हैः

A. शंकु B. घन

C. वृत्त D. इनमें से कोई नहीं

2. त्रिभुज एक .... है।

A. एकल विमीय आकृति

B. द्विविमीय आकृति

C. त्रिमीय आकृति

D. इनमें से कोई नहीं

3. द्विविमीय आकृति में नहीं होते हैंः

A. अस्तित्व B. लम्बाई

C. गहराई D. चौड़ाई

4. ईंट एक उदाहरण हैः

A. आयत का B. घन का

C. घनाभ का D. वर्ग का

5. निम्न में से कौन कथन **सत्य** है?

A. एक घन में आठ फलक होते हैं।

B. एक गोले में कोई शीर्ष नहीं होते।

C. एक घनाभ में छः किनारे होते हैं।

D. इनमें से कोई नहीं

6. निम्न में से कौन कथन **असत्य** है?

A. द्विविमीय आकृति में अधिकतम चार शीर्ष होते हैं।

B. पासा घन का एक उदाहरण है।

C. एक बहुफलक में फलक, किनारे एवं शीर्ष होते हैं।

D. इनमें से कोई नहीं

7. वृत्त का एक उदाहरण हैः

A. आइसक्रीम कोन

B. गेन्द

C. श्यामपट्ट (Black Board)

D. सीडी (Compact Disk) की सतह

8. 3D पद .... के लिए प्रयोग किया जाता है।

A. 3 डायमीटर्स (Diameters)

B. 3 डाटा (Data)

C. 3 दिन (Days)

D. 3 विमीय (Dimensional)

9. जहाँ किसी ठोस आकृति का दो फलक मिलता है उसे कहते हैंः

A. आकृति B. किनारा

C. शीर्ष D. बहुफलक

10. द्विविमीय आकृति को .... भी कहा जाता है।

A. बहुफलक B. ठोस आकृति

C. समतल आकृति D. फलक

11. पृथ्वी एक उदाहरण हैः

A. वृत्त का B. गोले का

C. बहुभुज का D. इनमें से कोई नहीं

12. एक उत्तल बहुफलक में होता हैः

A. असंख्य फलक एवं शीर्ष

B. धँसा हुआ फलक एवं शीर्ष

C. उभरा हुआ फलक एवं शीर्ष

D. इनमें से कोई नहीं

13. पिरामिड एक .... है।

A. बहुभुज B. द्विविमीय आकृति

C. बहुफलक D. चतुर्विमीय आकृति

14. एक बक्से में होता है।

A. चार फल, बारह किनारे एवं आठ शीर्ष

B. छः फलक, आठ किनारे एवं बारह शीर्ष

C. छः फलक, बारह किनारे एवं आठ शीर्ष

D. इनमें से कोई नहीं

उत्तरमाला

1	2	3	4	5	6	7	8	9	10
C	B	C	C	B	D	D	D	B	C
11	**12**	**13**	**14**						
B	C	C	C						

गणित

SECTION b

शिक्षाशास्त्रीय मुद्दे (PEDAGOGICAL ISSUES)

गणित की प्रकृति

गणित क्या है?

गणित मापन एवं गणनाओं का विज्ञान है। यह तार्किक समझ युक्त, क्रमबद्ध, व्यवस्थित एवं विज्ञान की यथार्थ शाखा है।

गणित की विशालता के कारण इसकी कोई सार्वभौमिक परिभाषा नहीं दी जा सकती। बहुत से गणितज्ञों ने अपने तरीकों से गणित को परिभाषित किया है। किन्तु, वे गणित के सभी पहलुओं को छू भी नहीं पाये हैं।

जैसेः–

"गणित मापन, मात्रा और विस्तार का विज्ञान है।"

–ऑक्सफोर्ड शब्दकोश

"गणित को एक ऐसे विषय के रूप में परिभाषित किया जा सकता है जिसमें हम कभी नहीं जानते कि हम किस विषय पर बात कर रहे हैं और न यह जानते हैं कि वह सत्य है भी या नहीं।" –बट्रेण्ड रसेल

"गणित एक भाषा है जिसमें ईश्वर ने ब्रह्माण्ड की रचना की है।" –गैलेलियो

"गणित गूढ़ तत्वों से बने गूढ़ तंत्र का अध्ययन है। ये तत्व मूर्त्त रूप में वर्णित नहीं है।"

–मार्शल एँच. स्टोन

"गणित बच्चों के मस्तिष्क में तार्किक आदत को व्यवस्थित करने का तरीका है। –लॉक

"गणित एक विज्ञान है जो आवश्यक निष्कर्षों को प्राप्त करती है।" –बेंजामिन पियर्स

"गणित के नियम जितना ज्यादा वास्तविकता से सम्बन्ध रखते हैं उतना ही निश्चित नहीं होते और जितना ज्यादा निश्चित होते हैं उतना ही वास्तविकता से सम्बन्ध नहीं रखते।"

–अल्बर्ट आइंस्टीन

उपरोक्त परिभाषाओं के अनुसार हम निम्न निष्कर्ष प्राप्त कर सकते हैं–

(*i*) गणित एक ऐसा विज्ञान है जो आवश्यक निष्कर्षों को प्राप्त कर सकता है।
(*ii*) यह क्रमबद्ध, व्यवस्थित और विज्ञान की यथार्थ शाखा है।
(*iii*) यह तार्किक आदतों को मस्तिष्क में व्यवस्थित करता है।
(*iv*) यह तार्किक समझ का विज्ञान है।
(*v*) यह संख्या और गणना का भी विज्ञान है।
(*vi*) गणित अंतरिक्ष, मापन, विस्तार व मात्रा का विज्ञान है।
(*vii*) यह मात्रात्मक तथ्यों एवं उसके बीच के सम्बन्धों का अध्ययन करता है।
(*viii*) गणित एक अमूर्त (गूढ़), प्रयोगात्मक और आगमनात्मक विज्ञान है।

गणित का महत्त्व

आधुनिक समाज में गणितीय सोच कार्यस्थल, व्यवसाय और वाणिज्य एवं व्यक्तिगत निर्णय लेने में तथा मानसिक अवस्था के रूप में एक सार्थक पहलू है। राष्ट्र की समृद्धि के लिए गणित अति आवश्यक है। यह विज्ञान, प्रौद्योगिकी, तकनीकी एवं अन्य सम्बन्धित विषयों के लिए साधन प्रदान करता है। यह सार्वजनिक निर्णय लेने एवं ज्ञानार्जन की जटिलता में बहुत महत्त्वपूर्ण साधन है। गणित छात्रों को संसार का वर्णन करने, विश्लेषण करने एवं परिवर्तित करने हेतु सशक्त तरीका प्रदान करता है। इसके पास खुशी व आश्चर्य के क्षणों की रचना करने की शक्ति है। जब छात्र किसी समस्या का पहली बार

समाधान करता है, एक बेहतर समाधान ढूँढ़ता है या किसी छिपे हुए सम्बन्धों का अन्वेषण करता है तब उन्हें ये क्षण प्राप्त होते हैं। यदि कोई छात्र गणित में बहुत अच्छा है और तेज सोच सकने में सक्षम है तो वह प्रायोगिक व काल्पनिक दोनों तरीकों से स्वतंत्र रूप से सोचने में सक्षम होता है और वह समस्या का कारण जान सकता है, समाधान कर सकता है तथा खतरे का अनुमान लगा सकता है। सच्चाई यह है कि शिक्षा हमेशा गणित से ही शुरू होनी चाहिए क्योंकि यह अच्छे मस्तिष्क की रचना करता है जो सही समझ के योग्य होता है। यह भी सिद्ध किया जा चुका है कि जिसने बचपन से ही गणित पढ़ा है उसने ठोस आधार प्राप्त कर लिया है।

गणित केवल एक विषय नहीं है जो छात्रों को उच्च शैक्षणिक योग्यता या भविष्य में काम पाने के लिए तैयार करता है। यह केवल बीजगणित, सांख्यिकी और प्रतीक गणित की गणना अभ्यास के लिए भी नहीं है। यह कार्य तो कम्प्यूटर भी करने में सक्षम है। बल्कि यह मानव मस्तिष्क को समस्याओं, सिद्धान्तों और समाधान के तरीकों को सूत्रबद्ध करने को बाध्य करता है। यह बच्चों को उन सामान्य से लेकर अत्यधिक जटिल चुनौतियों का सामना करने के लिए तैयार करता है, जिन चुनौतियों का प्रत्येक व्यक्ति दैनिक जीवन में सामना करता है। जीवन में अपने महत्त्व का ख्याल किए बिना यदि आपकी दक्षता प्रारंभिक है फिर भी आप गणित का अनुप्रयोग करते हैं अर्थात् कर सकते हैं। इन दैनिक क्रियाकलापों में सांसारिक वस्तुओं के साथ ही आप फोन नम्बर याद करते हैं, सब्जी खरीदने में, खाना पकाने में, बजट सन्तुलित करने में, बिल भुगतान करने में, गैस के खपत का अनुमान लगाने में, दूरी मापने में एवं अपने समय प्रबंधन में भी आप गणित का इस्तेमाल करते हैं।

विविध प्रकार के कारखाने जो आपके आस-पास अस्तित्व में हैं के साथ ही व्यवसाय व अर्थशास्त्र के क्षेत्र में भी प्रारंभिक से लेकर जटिल गणितीय सक्रियाएँ निर्णायक होती हैं।

संसार में कहीं भी, विभिन्न क्षेत्रों जैसे आयुर्विज्ञान, प्रौद्योगिकी, प्राकृतिक विज्ञान, सामाजिक विज्ञान, शारीरिक विज्ञान, तकनीकी शास्त्र, व्यवसाय व वाणिज्य इत्यादि में गणित मूल उपकरण की तरह व्यवहृत होता है। अध्ययन और कार्य के प्रत्येक क्षेत्र में गणितीय ज्ञान का उपयोग नए विषय की खोज व उन्नति का सृजन करता है। संसार के सभी अभिनव परिवर्तन और तकनीकी के सभी उत्पाद जिनसे मनुष्य आनन्द प्राप्त करते हैं, ये सभी विज्ञान और गणित के सह उत्पाद हैं। कम्प्यूटर, स्वचालित मशीनें, वायुयान, पारिवारिक एवं व्यक्तिगत सामान जैसे आराम और सुविधा की वस्तुएँ जिनका आज लोग उपयोग करते हैं कभी संभव नहीं होता यदि इनमें तकनीकी साधनों का उपयोग न होता।

विभिन्न प्रकार के भविष्य निर्माण में गणित के विभिन्न विभागों का अलग-अलग उपयोग है। प्रतिरूप विश्लेषण, तार्किक सोच, समस्या समाधान व सम्बन्ध निर्णय जैसे गणित के अभ्यास से प्राप्त दक्षता आपको अपना भविष्य चुनने में मदद करता है। यह संसार में कहीं भी पसंदीदा और उच्च वेतन वाले कार्य को प्राप्त करने योग्य बनाता है। चाहे आपने गणित से संबंधित विषय-वस्तु नहीं भी लिया है किन्तु यदि आपके पास मजबूत गणितीय पृष्ठभूमि है तो अन्य उम्मीदवार के अपेक्षा नौकरी पाने की प्रतियोगिता में ज्यादा कुशल होंगे। चूँकि गणित मानव जीवन के सभी पहलुओं को समाहित करता है, यह शिक्षा के क्षेत्र में निस्संदेह महत्त्वपूर्ण है। यह न केवल छात्रों को बल्कि सभी लोगों को जिन्दगी के हरेक कदम पर मदद करता है। गणित दैनिक कार्यों के दक्षतापूर्वक सम्पादन में एवं उसे उत्पादक बनाने मे महत्त्वपूर्ण भूमिका निभाता है।

गणित की प्रकृति

छात्रों को उन विषयों का लक्ष्य एवं उद्देश्य अवश्य समझना चाहिए जो पाठ्यक्रम में शामिल है। क्योंकि यह विषय की प्रकृति को निर्धारित करता है। गणित का पाठ्यक्रम में अन्य विषयों की तुलना में अटूट और मजबूत स्थान है। यह अन्य विषयों जो विद्यालय के पाठ्यक्रम में पढ़ाए जाते हैं, के अपेक्षा ज्यादा स्थाई व महत्त्वपूर्ण है। यह वे पहलू है जो किसी विषय की संरचना, सत्यता, संभावना और विश्वसनीयता को निर्धारित करती है।

गणित तर्क और रचनात्मकता दोनों पर निर्भर है। यह विविध प्रकार के व्यावहारिक उद्देश्यों एवं इसके मूलभूत अभिरूचि की खोज में लगा रहता है। न केवल पेशेवर गणितज्ञों बल्कि आम लोगों के सौंदर्य एवं बौद्धिक चुनौतियों में गणित विद्यमान होता है। अभियंताओं वैज्ञानिकों के साथ अन्य लोगों के कार्यों में भी गणित के प्रमुख मूल्य व्यवहृत होते हैं क्योंकि गणित नई संस्कृति में कुछ ऐसी भूमिका का निर्वाह करता है कि वैज्ञानिक चेतना के लिए इसके (गणित के) प्रकृति की मौलिक समझ की आवश्यकता होती है। इसे प्राप्त करने के लिए छात्रों को गणित को एक वैज्ञानिक उद्यम के एक हिस्से के रूप में समझना, गणितीय सोच की प्रकृति को समझना तथा गणितीय विचार व दक्षताओं से वाकिफ होना होता है।

गणित प्रतिरूपों और सम्बन्धों का विज्ञान है। सैद्धान्तिक नियमों की तरह गणित अमूर्तों के बीच सम्बन्धों की खोज करता है। यह इस बात को महत्त्व नहीं देता कि इन अमूर्त चीजों का वास्तविक जीवन में दूसरा भी पक्ष है या नहीं। ये अमूर्त चीजें संख्याओं के कतार से लेकर भौगोलिक परिदृश्य या फिर समीकरणों के समूह में से कुछ भी हो सकती है। जब हम यह कहते हैं कि क्या अभाज्य संख्याओं का अन्तराल एक प्रतिरूप का निर्माण करते हैं?" सैद्धान्तिक प्रश्नों की तरह गणित केवल प्रतिरूपों को खोजने या यह बताने में कि ऐसा नहीं है, तक दिलचस्पी रखता है। वह यह नहीं बताता कि इस प्रकार के ज्ञान का क्या उपयोग हो सकता है। उदाहरणस्वरूप यह किसी नियमित ठोस के सतह के क्षेत्रफल में परिवर्तन जिससे उसका आयतन शून्य हो जाता है, के लिए एक व्यंजन प्राप्त कर सकता है। किन्तु वास्तविक जीवन में किसी भौतिक वस्तु या भौगोलिक वस्तु में ऐसा हो सकता है कि नहीं इस बात में इसे कोई दिलचस्पी नहीं है।

सैद्धान्तिक गणित के खोज का मुख्य विषय अध्ययन के प्रत्येक क्षेत्र में मौलिक विचारों एवं नियमों के एक छोटे समूह की पहचान करना है जिससे उस क्षेत्र के अन्य सभी दिलचस्प विचारों एवं नियमों का तार्किक परिणाम निकाला जा सके। अन्य वैज्ञानिकों की तरह गणितज्ञ भी विशेषतः तब खुश होते हैं जब गणित के पूर्ववर्ती असम्बद्ध हिस्से एक दूसरे से उत्पन्न होने योग्य या कुछ और सामान्य नियमों से सम्बद्ध पाया जाता है। मजे की बात यह है कि बहुत से लोग यह महसूस कर चुके हैं कि गणित सर्वाधिक विस्तार या जटिलता पाने में नहीं बल्कि सर्वाधिक किफायत, अभिव्यक्ति की सादगी एवं प्रमाणों में निहित है। जैसे-जैसे गणित का विकास हुआ है इसके विभागों के बीच क्रमशः ज्यादा सम्बन्ध पाया गया है। उदाहरणस्वरूप, बीजगणित की सांकेतिक निरूपण एवं ज्यामिति की स्थानिक निरूपण। ये परस्पर सम्बन्ध विभिन्न विभागों में विकसित होने के लिए अन्तर्दृष्टि प्रदान करते हैं। साथ ही, वे संपूर्ण संरचना की निहित एकता और उपयुक्तता में विश्वास को मजबूत करते हैं।

गणित एक व्यावहारिक विज्ञान भी है। बहुत से गणितज्ञ अपना ध्यान समस्याओं के समाधान पर केन्द्रित करते हैं जो अनुभवों की दुनिया में उत्पन्न होता है। वे भी प्रतिरूपों और सम्बन्धों की खोज करते हैं और इस क्रम में वे तकनीकी का प्रयोग करते हैं।

यह उन तकनीकी के समान होता है जो शुद्धतः सैद्धान्तिक गणित में प्रयुक्त होता है। इसमें एक बड़ा अन्तर उद्देश्यों का है। सैद्धान्तिक गणित एवं प्रायोगिक गणित के परिणाम एक-दूसरे को प्रभावित करते हैं। सैद्धान्तिक गणितज्ञों की खोजें अभूतपूर्व प्रायोगिक मूल्य प्राप्त करने के लिए बार-बार उपस्थित होते हैं–कभी-कभी दशकों बाद। यादृच्छिक घटनाओं के गणितीय गुणों का अध्ययन उदाहरणस्वरूप, सामाजिक एवं प्राकृतिक विज्ञान में प्रयोग के स्वरूप को सुधारने में जो बाद में ज्ञान के परिणामस्वरूप संभव बनाया। विलोमतः लम्बी दूरी वाले टेलीफोन उपभोक्ता की साफ-सुथरी बिल बनाने की समस्या को हल करने की कोशिश में गणितज्ञों ने जटिल नेटवर्क की गणना के लिए मौलिक खोज की है। सैद्धान्तिक गणित दूसरे विज्ञान की तरह वास्तविक दुनिया से बँधा नहीं है। लेकिन दीर्घावधि में यह उस दुनिया की बेहतर समझ पैदा करता है।

अपनी अमूर्तता के कारण गणित इस अर्थ में सार्वभौमिक है कि मानवीय सोच के अन्य क्षेत्र सार्वभौमिक नहीं है। यह व्यापार, उद्योग, संगीत, ऐतिहासिक विद्वता, राजनीति, खेल, आयुर्विज्ञान, कृषि, प्रौद्योगिकी सामाजिक तथा प्राकृतिक विज्ञान में उपयोगी अनुप्रयोगों की खोज करता है। गणित एवं अन्य मौलिक व प्रायोगिक विज्ञान के क्षेत्र के बीच का संबंध विशेषतः मजबूत है। यह अन्य कई कारणों के अलावा निम्न कारणों से है–

- विज्ञान और गणित के बीच संबंधों का पिछले कई शताब्दियों का लम्बा इतिहास है। विज्ञान गणित के माध्यम से दिलचस्प समस्याएँ खोजने को देती है और गणित विज्ञान के साथ आँकड़ों के विश्लेषण के लिए शक्तिशाली साधन प्रदान करता है। अमूर्त प्रतिरूप जिसका प्रायः वैज्ञानिकों द्वारा अपने शर्तों पर अध्ययन किया गया या विज्ञान में उपयोगी होने के लिए बाद में उपस्थित हुआ है। विज्ञान और गणित दोनों सामान्य प्रतिरूपों व सम्बन्धों को खोजने की कोशिश कर रहे हैं और इस अर्थ में वे एक ही उद्यम के हिस्से हैं।
- गणित विज्ञान की मुख्य भाषा है। गणित की सांकेतिक भाषा वैज्ञानिक विचारों की स्पष्ट अभिव्यक्ति के लिए नितांत महत्त्वपूर्ण है। यह कथन कि $a = F/m$ केवल यह कहने का कि किसी वस्तु का त्वरण इसके द्रव्यमान पर लगाए गए बल पर निर्भर करता है, का संक्षिप्त तरीका मात्र नहीं है। बल्कि यह उन चरों के मध्य गणितीय सम्बन्धों का संक्षिप्त कथन है। उससे भी महत्त्वपूर्ण है कि गणित, विज्ञान को व्याकरण तथा वैज्ञानिक विचारों व आँकड़ों का परिशुद्धता के साथ विश्लेषण करने के लिए नियम प्रदान करता है।
- गणित और विज्ञान के बहुत से गुण समान हैं। जिसमें समझ योग्य क्रम में विश्वास, परिकल्पना और परिशुद्धता, तर्क में पारस्परिक प्रभाव, उन्मुक्तता और ईमानदारी का विचार, समकक्ष की समीक्षा का आलोचनात्मक महत्त्व, कार्यक्षेत्र में अन्तर्राष्ट्रीय होना, शक्तिशाली कम्प्यूटर के विकास में सहयोगी, अनुसंधान के नए क्षेत्र को खोलने में तकनीकी का प्रयोग के योग्य होना।
- गणित और तकनीकी ने एक-दूसरे के साथ मिलकर उपयोगी संबंधों का विकास किया है। कम्प्यूटर हार्डवेयर और प्रोग्रामिंग तकनीक के विकास में संयोजनों के गणित और तार्किक शृंखला में महान योगदान किया है। इंजिनीयरिंग में भी गणित ज्यादा उदारतापूर्वक योगदान करता है जैसे कि जटिल पद्धति के वर्णन में। इसी व्यवहार का नकल बाद में कम्प्यूटर द्वारा किया गया। इन अनुरूपणों में आदर्श अभिकल्पना प्राप्त करने हेतु साधन के रूप में अभिकल्पना के लक्षण और संचालन की शर्तें विभिन्न हो सकती है। इसके विभाग के लिए कम्प्यूटर तकनीकी ने गणित में पूरी तरह एक नया क्षेत्र खोल दिया है।

यह आवश्यक नहीं है कि सभी विषयों की समान प्रकृति हो। तुलनात्मक रूप से गणित की एक अनोखी प्रकृति है। इस प्रकार इस आधार पर हम प्रायः इसे अन्य विषयों से तुलना करते हैं। बेशक दो या दो से अधिक विषयों के तुलना का आधार उनकी प्रकृति है। निम्नलिखित लक्षणों/गुणों के आधार पर गणित की प्रकृति को समझना आसान हो सकता है:–

(*i*) गणित तर्क और रचनाशीलता पर निर्भर करता है।

(*ii*) यह विभिन्न प्रकार के व्यावहारिक उद्देश्यों और इसके आंतरिक दिलचस्पी के खोज में लगा रहता है।

(*iii*) गणित आधुनिक संस्कृति में मुख्य भूमिका निभाता है।

(*iv*) यह प्रतिरूपों और सम्बन्धों का विज्ञान है।

(*v*) गणित अमूर्तो (रहस्यों) के बीच एक सैद्धान्तिक विषय के रूप में सम्बन्धों की खोज करता है।

(*vi*) यह एक अनुप्रयुक्त विज्ञान (applied science) है।

(*vii*) गणित इस अर्थ में सार्वभौमिक है कि मानवीय सोच का दूसरा क्षेत्र ऐसा नहीं है।

(*viii*) यह व्यापार, उद्योग, संगीत, ऐतिहासिक विद्वता, राजनीति, खेल, आयुर्विज्ञान, कृषि, प्रौद्योगिकी एवं सामाजिक और प्राकृतिक विज्ञान एवं मानव जीवन के अन्य क्षेत्रों में उपयोगी अनुप्रयोगों की खोज करता है।

(*ix*) सैद्धान्तिक और प्रायोगिक गणित के परिणाम एक-दूसरे को प्रभावित करते हैं।

(*x*) गणित और मौलिक तथा प्रायोगिक विज्ञान के अन्य क्षेत्रों के बीच का सम्बन्ध विशेषतः मजबूत होता है।

(*xi*) गणित विज्ञान की मुख्य भाषा है।

(*xii*) गणित और विज्ञान के गुण/लक्षण समान हैं।

(*xiii*) यह अमूर्त संकल्पनाओं को निश्चित रूप देने में शामिल होता है।

(*xiv*) यह दिए गए आँकड़े और सूचनाओं के आधार पर संख्यात्मक अनुमान निकालता है।

(*xv*) गणित सिद्धान्त, नियम व सूत्र सार्वभौमिक होते हैं।

(*xvi*) इसकी अपनी भाषा होती है जो सुपरिभाषित, उपयोगी और स्पष्ट होती है। इस भाषा में गणितीय पद, संकल्पनाएँ, सूत्र, सिद्धान्त, नियम व संकेत होते हैं।

(*xvii*) यह आत्मविश्वास व आत्मनिर्भरता की आदतों का विकास करता है।

(*xviii*) गह संदेहरहित एवं त्रुटिरहित सिद्धान्त, नियग ब संकल्पनाएँ आदि प्रदान करता है।

(*xix*) यह समालोचना की समझ और वैज्ञानिक मनावृत्ति के विकास में मदद करता है।

(*xx*) यह वैज्ञानिक विधियों का प्रशिक्षण देता है।

(*xxi*) यह ज्ञानेन्द्रियों पर आधारित सटीक एवं विश्वसनीय ज्ञान प्रदान करता है।

अब हम गणित की प्रकृति को समझ सकते हैं और निष्कर्ष प्राप्त कर सकते हैं कि वास्तव में गणित की संरचना ही इसकी प्रकृति का आधार है। यह अन्य विषयों के अपेक्षा मजबूत है। रोजर बेकन ने भी कहा है कि गणित सभी विज्ञानों का मुख्य रास्ता और चाबी है।

तार्किक चिंतन

तार्किक चिन्तन एक प्रक्रिया है जिसमें किसी निष्कर्ष पर पहुंचने के लिए एक व्यक्ति अनुकूल तार्किक शक्ति का प्रयोग करता है। समस्याएँ या परिस्थितियाँ जो तार्किक सोच को जटिल बनाता है, संरचनाओं, तथ्यों के बीच सम्बन्धों, और तार्किक शक्ति की श्रृंखला जो समझ विकसित करता है, के लिए आवश्यक है।

डा. कार्ल अल्ब्रेट के अनुसार, श्रृंखलाबद्ध सोच सभी तार्किक चिन्तन का आधार है। यह प्रक्रिया महत्त्वपूर्ण विचारों तथ्यों एवं ऐसे निष्कर्षों को शामिल करती है जो स्वयं को श्रृंखलाबद्ध श्रेणी में व्यवस्थित करते हुए समस्या में शामिल है और एक अर्थ ग्रहण करता है। विभिन्न चरणों में सोचना ही तार्किक रूप से सोचना है।

यह सिद्ध किया जा चुका है कि तार्किक सोच-प्रक्रिया में विशेष लोगों को अपेक्षाकृत ज्यादा चतुर या हाजिर-जवाब बना सकता है।

तार्किक सोच बच्चे को त्वरित उत्तर जैसे कि 'मैं नहीं जानता' या 'यह बहुत मुश्किल है।' को नकारने की प्रवृत्ति देता है। इसके लिए यह प्रश्नों की गहन खोज करने, सोच की प्रक्रिया और विधि को बेहतर समझने और समाधान तक पहुँचने की शक्ति प्रदान करता है।

तार्किक सोच गणित की एक महत्त्वपूर्ण मौलिक कौशल भी है। गणित सीखना एक उच्चस्तरीय श्रृंखलाबद्ध प्रक्रिया है। यदि आप किसी संकल्पना, तथ्य या प्रक्रिया को नहीं समझते, तो आप इस पर आधारित बाद में आने वाली चीजों को समझने की उम्मीद नहीं कर सकते। उदाहरणस्वरूप : भिन्न को समझने के लिए आपको पहले भाग समझना होगा। बीज गणित में सामान्य समीकरण को समझने के लिए यह आवश्यक है कि आप पहले भिन्न को समझें। शाब्दिक समस्या का समाधान इस बात पर निर्भर करता है कि समीकरण को कैसे संगठित किया जाता है और कैसे उससे काम निकाला जा सकता है, आदि।

तार्किक सोच कोई जादुई प्रक्रिया या आनुवंशिक प्रतिभा की बात नहीं है यह एक पांडित्यपूर्ण मानसिक प्रक्रिया है।

गणित के विभिन्न उद्देश्यों में एक यह भी है कि बच्चे को तार्किक रूप से सोचने को सिखाया जाये। तार्किक सोच को अभ्यास का सावधानीपूर्वक श्रेणीकरण किया जाता है। उदाहरणस्वरूप, तार्किक सोच अभ्यास के पहले उदाहरण में एक बच्चे को रंगीन खण्ड की श्रृंखला को उनके सामने बायें से दायें व्यवस्थित करने को कहा जा सकता है।

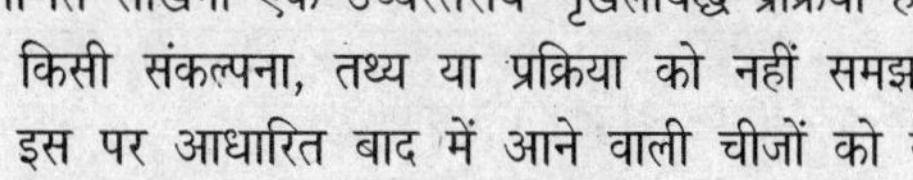

तब कोई बच्चे से पूछे – "यदि तुम्हें ऊपर की श्रृंखला के अनुसार एक और खण्ड जोड़ने को कहा जाये तो कौन-सा रंग चुनोगे?" बेशक, उत्तर गहरा काला होगा।

बच्चों की सोच को समझना

गणितीय शिक्षाशास्त्र के सुधार की मौलिक विशेषता है कि शिक्षक प्रत्येक बच्चों के गणितीय सोच को समझ कर उत्साहित

होते हैं और इस ज्ञान का उपयोग वे अपने शैक्षणिक योजना में करते हैं। पच्चीस वर्ष पूर्व के प्रतीकात्मक शिक्षाशास्त्र की तुलना में आज शिक्षक द्वारा किया गया व्याख्या/निरूपण कम महत्त्वपूर्ण है। जबकि छात्रों की सोच का पता लगाने के लिए प्रश्न पूछना ज्यादा महत्वपूर्ण है। इस अवधि का एक प्रभाव यह है बच्चे अपने सोच की विवेचना में क्या कहते हैं इसका अर्थ लगाना शिक्षक के लिए बोझ बन जाता है। अर्थ लगाने में न केवल संबंधित सोच की जो विवरण का आधार हो सकता है, के समझ की जरूरत होती है बल्कि छात्रों के गणितीय समझ के विकास को समझना पड़ता है कि छात्रों ने किस दिशा में कितनी तेजी से समझ विकसित की है। प्रत्येक छात्रों के गणितीय विकास को समझना शिक्षक के ध्यान का आलोचनात्मक केन्द्र होता है।

प्रश्न पूछना : शिक्षक विभिन्न तरीकों से छात्रों के सोच के बारे में जानकारी प्राप्त कर सकते हैं। उदाहरणस्वरूप, प्रश्न पूछना, निरीक्षण, छात्रों के लेखक का विश्लेषण, जाँच एवं परियोजना कार्य। संभवतः इनमें से सबसे ज्यादा महत्वपूर्ण, प्रश्न पूछना है। क्योंकि यह सभी तकनीकों में सबसे ज्यादा प्रतिक्रियात्मक है। प्रश्नों की एक शृंखला द्वारा एक शिक्षक, एक या एक से अधिक लक्ष्यों को पूरा कर सकता है। पहला, सावधानीपूर्वक शृंखलाबद्ध किए गए प्रश्न छात्रों को सही उत्तर देने में मार्गदर्शन करता है। सचमुच बहुत से शिक्षक आसानी से सबकुछ पूछ लेने में बड़े कुशल होते हैं। यद्यपि इसका दूसरा पक्ष यह कि छात्रों के लिए यह स्पष्ट नहीं हो सकता है कि वे प्रश्न क्यों पूछे गए हैं या अन्तिम सही उत्तर का आशय क्या है?

दूसरा, प्रश्न छात्रों को प्रक्रिया में, एक उत्तर को खुद से सुधारने में मदद कर सकता है। जब कभी गणना, प्रक्रिया या प्रक्रिया के चुनाव आदि में चूक हो रहा होता है तो शिक्षक हमेशा जानता है। छात्रों के कार्य के बारे में प्रश्न पूछना उस कार्य के पुनर्विश्लेषण के क्रम में छात्रों की गतिविधि में कमी का प्रभाव हो सकता है। यह पुनर्विचार छात्रों को गलतियों के देखने और सुधारने के लिए पर्याप्त होता है।

तीसरा, प्रश्न छात्रों के सोच को प्रकट करने में मदद कर संकता है, ताकि शिक्षक इसे समझ सके। कभी-कभी शिक्षक वास्तव में शीघ्र ही यह नहीं देख पाता कि एक छात्र कैसे सोच रहा है या प्रतिक्रिया देने में किस विधि का प्रयोग कर रहा है। उस परिस्थिति में प्रश्न छात्रों के सोच को प्रकट करने में मदद करता है ताकि शिक्षक यह तय कर सके कि सोची गयी प्रक्रिया स्वीकार्य है या नहीं। यह इस तरह के प्रश्न पूछने की प्रक्रिया है कि शिक्षकों के लिए छात्रों की सोच को जानने की कला सीखने में शायद सर्वाधिक उपयोगी है। किन्तु प्रक्रिया के बारे में शिक्षक सबसे कम जानते हैं। यह प्रश्न पूछने की ऐसी भी प्रक्रिया है जिसमें शिक्षक को सबसे ज्यादा मदद की जरूरत होती है कि इसे कैसे करना है।

आमने-सामने के संवाद के दौरान प्रश्न पूछने की प्रक्रिया में वास्तविक समयान्तराल रखना होता है। शिक्षक को शीघ्र और बहुत कम अन्तराल पर प्रश्न पूछना होता है। शिक्षकों के पास जितना वह कक्षा में काम करता है स्पष्टतः उससे ज्यादा समय उसे कक्षा से बाहर मिलता है। अतः एक विकल्प के रूप में भले ही शायद उतना प्रभावी न हो किन्तु छात्रों के सोच को समझने की तकनीक छात्रों के लिखावट का विश्लेषण है। छात्र रोजनामचा (journal) में समस्या का समाधान दर्ज कर सकते हैं, विशेष और तत्काल उठाए गए प्रश्नों का उत्तर दे सकते हैं, परियोजना रिपोर्ट तैयार कर सकते हैं या उनके द्वारा सम्पूर्ण समय में किए गए कार्यों को अपने फाइल में दर्ज कर सकते हैं। यह कई तरीकों में, शिक्षक के लिए सबसे आसान तरीका है। खासकर मध्य व उच्च विद्यालय की कक्षाओं में ताकि वह छात्रों को प्रश्न पूछकर अगली चीज याद दिलाएं। संभवतः इन अनुबोधनों (prompts) में सर्वाधिक बार प्रयोग किया गया अनुबोधन है–"अपना कार्य दिखाओ"। इन अनुबोधनों के साथ कठिनाई यह है कि जो इन कार्यों का सृजन करता है उनसे शिक्षक और छात्र प्रायः समान दृष्टिकोण साझा नहीं करते। शिक्षण के हिस्से के रूप में यह महत्वपूर्ण है कि शिक्षक और छात्र इस सहमति पर पहुँचे जिस पर लिखा जाना चाहिए, जिससे कि शिक्षक उस सोच को समझे जो किसी खास समस्या के समाधान के पीछे निहित है।

लेखन की उपयोगिता इस बात से प्रकट होती है कि छात्रों की सोच उसकी भाषा और लिखने की योग्यता से प्रभावित होती है। यह प्राथमिक स्तर में उच्च स्तर के अपेक्षा कम उपयोगी होता है और तब भी कम उपयोगी होता है जब छात्रों से उनके दूसरी भाषा में लिखने की उम्मीद की जाती है। हमें विचार करना चाहिए यद्यपि गणितीय सांकेतिकता (Symbolism) बहुत से छात्रों के लिए दूसरी भाषा ही है। लिखित संवाद के इस स्वरूप पर विशेषज्ञता पाने हेतु शिक्षकों द्वारा शिक्षण में एवं छात्रों द्वारा अधिगम में प्रयास को अवश्य आगे बढ़ाना चाहिए।

बच्चों के सोच को समझने पर केन्द्रित व्यावसायिक विकास

बहुत से व्यावसायिक विकास योजनाएं हैं जिसने शिक्षकों को दक्षता एवं बच्चों की सोच की समझने की प्रक्रिया का ज्ञान पाने में मदद किया है। उनमें से एक जिससे हम सबसे ज्यादा परिचित हैं, "संज्ञानात्मक रूप से निर्देशित शिक्षण (सीजीआई) Cognitively Guided Instruction (CGI)। सी.जी.आई. गणित शिक्षण का एक अभिगम (approach) है जिसमें निर्देशात्मक निर्णय लेने में बच्चों की सोच का ज्ञान केन्द्र में है। शिक्षक खास छात्रों को खास चीजें सीखने में उसकी मदद के लिए गणितीय सोच के बारे में शोध पर आधारित ज्ञान का प्रयोग करते हैं और तब निर्देशों को समायोजित करने के लिए छात्रों के निष्पादन (Performance) की तुलना करते हैं।

शिक्षक छात्रों के सोच का मूल्यांकन करना सीखते हैं और तब उस ज्ञान का उपयोग शिक्षण योजना में करते हैं। यदि शिक्षक छात्रों को उसके सोच के परिष्करण (Sophistication) के स्तर को बढ़ाने में मदद करने जा रहा हो तो विकास के रूप में अधिगम नाजुक लगता है। शिक्षक को दोनों दृष्टिकोण की जरूरत होती है, जिस स्तर का परिष्करण वह छात्रों को

प्राप्त कराना चाहता है और जहां प्रत्येक छात्र उस दृष्टिकोण के साथ है का भाव। इसके अतिरिक्त शिक्षकों को इस विषय में सोचते रहने की जरूरत होती है कि शिक्षण को कैसे संगठित किया जाए ताकि छात्र वांछित लक्ष्य की दिशा में चले।

एक प्रक्रिया के रूप में विचारशील कल्पना महत्वपूर्ण है जिससे शिक्षक अपना शिक्षण बेहतर कर सके। यह छात्रों के लिए भी इस अर्थ में महत्वपूर्ण है कि बच्चों को अपने गणितीय विकास पर चिन्तन करना चाहिए। इस प्रकार, शिक्षकों को अपने कार्यों पर चिन्तन करना चाहिए और छात्रों के अपने सोच पर चिन्तन में मदद करना चाहिए। उदाहरणस्वरूप, अपने सहपाठियों से सुनकर उत्तरों की व्याख्या करना, उत्तरों के प्रस्तुतिकरण को स्पष्ट करने के लिए प्रश्न पूछना सीखना, और उनके उत्तरों का लिखित रिकार्ड रखना जो चिन्तन के लिए आँकड़ों का निर्माण कर सके।

सी.जी.आई. वर्ग कक्ष में संवाद विशेषतः महत्वपूर्ण है किन्तु संवाद होने के लिए सभी संलग्न पक्षों को एक दूसरे को सुनना चाहिए। सी.जी.आई. के कार्यान्वयन के दौरान शिक्षकों को सुनने की विशेष जिम्मेदारी होती है। सी.जी.आई. के पूर्व के कार्यान्वयन के दौरान शिक्षक छात्रों की व्याख्या इस उम्मीद से सुनते हैं। कि वे यानि शिक्षक छात्रों की सोच को इस आधार पर सही मान लेते हैं कि जो बच्चे कहते हैं, वे सामान्यतः समझते ही हैं। इस प्रकार के सुनने को 'निष्क्रिय श्रवण' (passive listening) कहा जा सकता है। इसके विपरीत जो शिक्षक सी. जी.आई. के कार्यान्वयन में विशेष रूप से प्रभावी हैं वे शायद यह समझते हैं कि बच्चों के सोच (चिन्तन) का अर्थ लगाना दोनों की जिम्मेदारी है। शिक्षक एवं बच्चे दोनों की सोच के विषय में साझा ज्ञान पैदा करने में योगदान करना चाहिए। ये शिक्षक प्रायः बच्चों को समाधान की रणनीति के बारे में बातचीत में लगाए रखते हैं ताकि शिक्षक और बच्चे दोनों को समझ में आ जाए कि जो कहा गया है वह वास्तविक सोच को प्रतिबिम्बित करता है। इस प्रकार के सुनने के क्रिया को 'सक्रिय श्रवण' (active thinking) कहा जा सकता है। एक शिक्षक के या तो निष्क्रिय श्रवण या सक्रिय श्रवण कला का विकास छात्रों के व्यक्तिगत अर्थ के विकास को स्वीकारने (होने देने) के अनुकूल है।

सुनने का एक दूसरा फायदा है कि यह शिक्षक और छात्र दोनों उसी समय प्राप्त करता है। जब एक शिक्षक चाहता है कि वह सुने तो वर्ग में सभी बच्चों को सोचने और अर्थ के विकास का समय होता है। जब सुनना प्रश्न करने के साथ जुड़ा होता है वांछित समय और बढ़ जाता है, चूँकि छात्रों को उन प्रश्नों के उत्तर देने के लिए समय की जरूरत होती है। शिक्षक के पास किसी प्रश्नों के हल के किसी खास पहलू पर छात्रों का ध्यान केन्द्रित करने के लिए प्रश्नों के उपयोग का अवसर होता है ताकि सोच के उन पहलुओं पर उनका विचार ज्यादा भावप्रवण (intense) हो। छात्रों को गणित की अवधारणा की गहरी समझ की अनुभूति होने देने तक धैर्य रखना एक प्रभावशाली शिक्षक के आवश्यक गुण हैं।

आधुनिक पाठ्यक्रम योजना ने भी शिक्षकों को छात्रों की सोच को समझने में मदद करने की कोशिश की है। ये चीजें व्यावसायिक विकास के लिए प्रभावशाली साधन हो सकते हैं। उदाहरणस्वरूप, अनुसंधान की वस्तु में संवाद पेटी (dialogue box) है, जो यह दिखाती है कि कैसे बच्चे किसी खास प्रश्न पर प्रतिक्रिया देते हैं; प्रश्न सूची, जिसे शिक्षक छात्रों की सोच को जाँचने में उपयोग कर सकता है और परामर्श जिसे निरीक्षण के दौरान खोजते हैं। संबंधित गणित परियोजना वस्तु में क्रिया-कलाप के लिए आरम्भ करने/खोज करने/सार प्रस्तुत करने की रणनीति की सलाह दी गई है और लेख में इनमें से प्रत्येक के लिए जो छात्र जानते हैं और कर सकते हैं, के मूल्यांकन के तरीकों के लिए असंख्य सलाह हैं। ये सहायक सामग्री शिक्षकों के लिए तैयार किए जाते हैं। ताकि इसकी मदद से शिक्षक बच्चों की सोच में और गहरी समझ पाने हेतु कक्षा संवाद कर सकेंगे। साथ ही यह उम्मीद की जाती है कि शिक्षक इस जानकारी का उपयोग बेहतर शिक्षण निर्णय में कर सकेंगे। यह वह प्रक्रिया है जिसे कक्षा मूल्यांकन कहा जाता है। बच्चों को सहयोग करने वाले शिक्षकों को कक्षा-मूल्यांकन में उसका लाभ मिलता है। यह एक बेहतर शिक्षण योजना है जो बाद में छात्रों को बेहतर अधिगम की ओर प्रेरित करता है।

बहुत से अनुसंधानों ने छात्रों के सोच में आए परिवर्तन को समझने में मदद की कोशिश की है। इसने छात्रों के सोच में अबाध विकास को रेखांकित किया है जिससे छात्रों के समस्याओं के समाधान की रणनीति उजागर हुई है। जब शिक्षक विकास की प्रक्रिया को समझता है तब वह बच्चों के सोच का अनुमान लगा सकता है और परिष्कृत सोच की विकसित करने में बच्चों को मदद करने हेतु योजनाएँ बना सकता है।

व्यावसायिक विकास की वस्तुएँ एवं कार्यक्रम बच्चों की सोच को समझने में मदद करता है। इसके अलावे छात्रों को जानने का एक स्पष्ट लाभ शिक्षकों को यह मिलता है कि वे खुद को हमेशा अद्यतन महसूस करते हैं और एक सफल शिक्षक बनने हेतु ज्यादा उत्साहित रहते हैं। इस तरह का नवीकरण अपने आप में एक मूल्यवान लक्ष्य है किन्तु बेहतर छात्र अधिगम उससे भी बड़ी उपलब्धि है जो शिक्षकों के शिक्षण के बारे में नित नए उत्साह से आती है।

पाठ्यक्रम में गणित का स्थान

पाठ्यक्रम में गणित का महत्व

"विज्ञान व गणित को सामान्य शिक्षा के अन्तर्गत सभी विद्यालयों के लिए पहली कक्षा से लेकर दसवीं कक्षा तक अनिवार्य विषय बना देना चाहिए।"

—कोठारी आयोग (1964-66)

"गणित की प्रगति राष्ट्र की समृद्धि से जुड़ा हुआ है।"

—नेपालियन

"गणित सभी शास्त्रों की रानी है जिसका कोई राजा नहीं है।"

—अज्ञात

गणित पाठ्यक्रम में सबसे महत्वपूर्ण विषय है। वास्तव में मातृभाषा को छोड़कर ऐसा कोई विषय नहीं है जो इस हद तक हमारे दैनिक जीवन से जुड़ा हो जितना कि गणित जुड़ा है। आजकल पाठ्यक्रम में इसे महत्वपूर्ण स्थान मिल रहा है, क्योंकि इसका केवल हमारे दैनिक जीवन में उपयोग ही नहीं है बल्कि इसका सामाजिक व सांस्कृतिक महत्व भी है। यह हमारे अंतः अनुशासन को विकसित करने में मदद करता है। गणित का अपना अनुशासनिक मूल्य है और इसे पाठ्यक्रम में जगह पाने के लिए विशेष मूल्यांकन या जाँच की आवश्यकता नहीं है। जब कोई व्यक्ति अपने बच्चे को विद्यालय भेजता है तो वह प्रायः उम्मीद करता/करती है कि बच्चा ज्ञान, कौशल, व्यवहार एवं विचार प्राप्त कर पाएगा। बच्चों के माता-पिता यह उम्मीद करते हैं कि बच्चा बौद्धिक आचरण और विभिन्न प्रकार की शक्तियाँ जैसे—अनुशासन, मूल्य, नैतिकता आदि अर्जित कर लेगा। निस्सन्देह गणित बच्चों को उपरोक्त गुण हासिल करने में मदद करता है। इसके अलावे, गणित को उचित महत्व देने और अनिवार्य विषय बनाने के बहुत फायदे हैं।

पाठ्यक्रम में गणित का स्थान

प्रत्येक व्यक्ति को गणित के कुछ ज्ञान की आवश्यकता होती है लेकिन एक सामान्य जन की दृष्टि में यह अनुभव किया जाता है कि प्राथमिक व मध्य विद्यालय में अर्जित ज्ञान ही पर्याप्त होगा। परिणामस्वरूप विद्यालय के पाठ्यक्रम में गणित के स्थान पर कुछ विवाद है।

कुछ लोगों की दृष्टि में गणित अत्यन्त मुश्किल विषय है अर्थात् इसके अध्ययन के लिए विशेष योग्यता और बुद्धि की जरूरत होती है। यह अनुभव किया जाता है कि हरेक व्यक्ति इसे सफलतापूर्वक सीखने के योग्य नहीं होता। अतः हरेक व्यक्ति पर इसके अध्ययन का बोझ नहीं डाला जाना चाहिए। इसके संदर्भ में यह भी तर्क दिया जाता है कि इस विषय में अनुत्तीर्ण छात्रों की संख्या ज्यादा व उत्तीर्ण छात्रों की संख्या कम होती है। यह न्यून परिणाम भी इस दृष्टिकोण का समर्थन करता है कि गणित को एक वैकल्पिक विषय बना देना चाहिए।

गणित को उच्च विद्यालय स्तर पर ऐच्छिक विषय बनाने के दृष्टिकोण का औचित्य दिखता है चूँकि गणित तो अनुशासनिक मूल्य और मानसिक अनुशासन के लिए प्रारंभ में ही पढ़ा दिया जाता है अतः मध्य विद्यालय स्तर के बाद गणित पढ़ाने की कोई जरूरत नहीं है।

यह भी सत्य है कि गणित विभिन्न विज्ञानों एवं व्यवसायों के लिए अपरिहार्य है किन्तु हरेक व्यक्ति एक इंजीनियर या सांख्यिकी विशेषज्ञ तो नहीं बनने जा रहा है। केवल वही जिसे इस पेशे में जाना है, इसका अध्ययन जारी रख सकता है। औसत बुद्धि वाले छात्रों पर इस विषय के अध्ययन का बोझ डालने की आवश्यकता नहीं है विशेषकर तब जबकि एक औसत नागरिक गणित के बिना किसी विशेष ज्ञान के इसके साधारण ज्ञान से ही सफल जीवन जी सकता है।

यदि हम परिस्थिति का विस्तृत दृष्टिकोण लें तो यह निष्कर्ष निकाल सकते हैं कि इसकी आलोचना में विश्वास रखने वाले भ्रम में है। जहाँ तक गणित सीखने में विशेष योग्यता के जरूरत का प्रश्न है तो प्रयोगों से यह स्थापित हो चुका है कि गणित में विशेष योग्यता से ज्यादा सामान्य बुद्धि की जरूरत है।

ज्यादातर पेशे और विशिष्ट पाठ्यक्रम के लिए गणित एक उपयोगी विषय है। यद्यपि विद्यालय में पढ़ने वाला प्रत्येक व्यक्ति एक इंजीनियर या वैज्ञानिक नहीं बनने जा रहा लेकिन एकदम आरंभिक स्तर पर यह भी तय करना मुश्किल है कि कौन इस प्रकार के पेशों से जुड़ने जा रहा है। अतः विद्यालय का यह कर्तव्य है कि वह एक व्यापक दृष्टिकोण प्रदान करे जो छात्रों को भविष्य में कुछ प्राप्त करने योग्य बना सके। उच्च विद्यालय के स्तर पर बच्चे को इस विषय के ज्ञान से वंचित करने का अर्थ है उसके लिए अर्द्ध पेशागत पाठ्यक्रम, प्रारंभिक पाठ्यक्रम एवं पेशों के विकल्प को सीमित करना। गणित की अनभिज्ञता उसके भविष्य की पढ़ाई या कार्य की खोज के राह में बड़ी बाधा होगी।

शिक्षा विशेषज्ञों ने यह अनुभव करना शुरू दिया है कि आज नागरिकों को मध्य विद्यालय स्तर तक की गणित शिक्षा पर्याप्त नहीं है। अनिवार्य गणित शिक्षा को मध्य विद्यालय स्तर से उच्च विद्यालय स्तर तक बढ़ाने की जरूरत है। अनिवार्य

गणित शिक्षा के आठ से दस या ग्यारह वर्ष की अवधि के विस्तार के बाद गणित को कई वर्षों तक अनिवार्य विषय बनाए रखना होगा।

भारत में उच्च विद्यालय स्तर पर छात्र ज्यादा ही छोटा व अपरिपक्व होता है कि वह खुद से अपना पेशा या कार्यक्षेत्र चुन सके। उनके माता-पिता ज्यादातर अशिक्षित होते हैं और इस अवस्था में नहीं होते कि वे अपने बच्चों के भविष्य की पढ़ाई एवं पेशे के चुनाव में अंतिम निर्णय दे सकें।

गणित को अनिवार्य रखने से दोनों तरह के छात्रों की दिलचस्पी बनी रहेगी। अतः इस प्रकार के विषयों की विषयवस्तु ऐसी होनी चाहिए कि जो छात्र उच्च विद्यालय स्तर के बाद अपनी शिक्षा समाप्त कर सामान्य जिन्दगी जीना चाहते हों उसके लिए भी उपयोगी बनी रहे। इसमें इस तरह का ज्ञान जैसे गणितीय सिद्धान्तों का स्पष्टीकरण और प्रक्रिया आदि भी समाहित रहना चाहिए ताकि जो छात्र बाद में विश्वविद्यालय की शिक्षा पाना चाहते हों वे पाठ्यक्रम स्तर के अचानक ऊपर उठ जाने से खुद को कमजोर महसूस न करें।

फिर भी उच्च माध्यमिक स्तर के अंतिम दर्जे में इसके विविधता और विशिष्टता की आवश्यकता के संबंध में दो राय नहीं हो सकता। यहाँ अन्य विषयों की तरह गणित को भी ऐच्छिक या विशिष्ट विषय के रूप में प्रयोग किया जाना चाहिए।

आज संसार में अभूतपूर्व परिवर्तन हो रहे हैं जो आज के छात्रों के भविष्य पर भी प्रभाव डालेंगे। संसार जहाँ ये रहते हैं की मांग को देखते हुए छात्रों को इन-परिवर्तनों के अनुकूल खुद को ढालना होगा और स्वतंत्र रूप से अध्ययन करना होगा। उन्हें तकनीकी के उपयोग की योग्यता एवं बड़ी मात्रा में सांख्यिकीय सूचनाओं के प्रसरण (processing) की दक्षता की जरूरत होगी। आज के गणित का पाठ्यक्रम छात्रों को भविष्य में समाज में उसकी भूमिका को ध्यान में रखकर तैयार करना चाहिए। इसे गणित के आवश्यक ज्ञान व दक्षता के साथ-साथ तार्किक योग्यता, समस्या समाधान और संचार से भी सुसज्जित किया जाना चाहिए। इससे भी ज्यादा महत्वपूर्ण यह कि वह योग्यता व प्रोत्साहन के साथ खुद के बल पर अध्ययन जारी रखे। यह पाठ्यक्रम इन लक्ष्यों के प्राप्ति की रूपरेखा प्रदान करती है।

गणितीय ज्ञान का विकास एक क्रमिक प्रक्रिया है। गणित में निहित सिद्धान्तों या बड़े परिणाम को पाने में छात्रों की मदद के लिए एक सुसंगत एवं सतत् कार्यक्रम की आवश्यकता है। यह पाठ्यक्रम इस विश्वास को प्रतिबिम्बित करती है कि जब छात्रों को प्रारंभ में स्वतंत्रतापूर्वक किसी विचार या सिद्धान्त आदि को खोजने का मौका दिया जाता है और तब उसमें निहित अमूर्त (गूढ़) गणित को समझने में मार्गदर्शन किया जाता है तो वह गणित को प्रभावशाली तरीके से सीख पाता है।

माध्यमिक स्तर पर गणित का सन्तुलित कार्यक्रम बीजगणितीय दक्षता में विकास कराता है। पाठ्यक्रम का निर्माण इस तरह से किया जाना चाहिए कि छात्र बीजगणितीय दक्षता से सुसज्जित हो सके साथ ही समस्याओं के अर्थपूर्ण समाधान हेतु गणित के जिन पहलुओं का वे अध्ययन कर रहे हैं उन्हें समझ सकें। साथ ही, अगर वे भविष्य में गणित का अध्ययन जारी रखते हैं तो उसमें सफलता पाते रहें।

गणित का पाठ्यक्रम में स्थान क्यों?

किसी खास विषय को पढ़ाने से पूर्व यह जानना आवश्यक है कि हम इस विषय को क्यों पढ़ाने जा रहे हैं। लक्ष्यहीनता किसी कार्य को नीरस बना देता है और यह समय, ऊर्जा एवं अन्य संसाधनों की बर्बादी है। अतः सर्वप्रथम हमें किसी कार्य का लक्ष्य और उद्देश्य तय करना चाहिए। इस प्रकार, गणित शिक्षण के भी कुछ लक्ष्य और उद्देश्य हैं। क्योंकि गणित की लक्ष्यहीन पढ़ाई भी शिक्षकों व छात्रों के लिए नीरस, समय, ऊर्जा व अन्य संसाधनों की बर्बादी हो जाएगी। गणित शिक्षण के कुछ लक्ष्य निम्नलिखित हैं–

(*i*) बौद्धिक शक्ति व अनुशासन का विकास करना।
(*ii*) बच्चों के दैनिक जीवन में गणित के उपयोग के योग्य बनाना।
(*iii*) छात्रों को सामाजिक व नैतिक मूल्यों को पाने में मदद करना।
(*iv*) अन्य विषयों एवं भविष्य में गणित के अध्ययन में मदद करना।
(*v*) गणित के विभिन्न शाखाओं एवं प्रकरणों के बीच सम्बन्धों को पहचानने के लिए अन्तर्दृष्टि देना।
(*vi*) बच्चों के विभिन्न अभिरुचियों को पूरा करना, उसके सौन्दर्य विषयक योग्यता का विकास करना एवं उसके खाली समय के उपयोग करने की शक्ति का विकास करना।
(*vii*) गणित की समस्याओं एवं नए प्रकरणों पर अधिकार पाने हेतु आत्मविश्वास विकसित करने में छात्रों की मदद करना।
(*viii*) सभ्यता एवं संस्कृति के विकास में गणित के योगदान को समझाना।
(*ix*) भविष्य के पेशा या व्यवसाय के लिए छात्रों को तैयार करना।

सभी शिक्षाविदों यथा-पेस्टालॉजी, दिनाकरन, हर्बर्ट, फिशर आदि ने भी गणित को मानव विकास का आधार मानते हुए पाठ्यक्रम में सर्वाधिक महत्व देने की वकालत की है। गणित को पाठ्यक्रम में क्यों स्थान दिया जाए इसके निम्न आधार हो सकते हैं।

(*i*) गणित का मानव जीवन में घनिष्ठ सम्बन्ध है।
(*ii*) गणित बच्चों में तार्किक दृष्टिकोण पैदा करता है।
(*iii*) गणित एक विशेष प्रकार से सोचने का दृष्टिकोण प्रदान करता है।

(*iv*) गणित मानसिक शक्तियों को विकसित करने का अवसर प्रदान करता है।

(*v*) बच्चों में अनुशासन सम्बन्धी गुण या विशेषता का विकास होता है।

(*vi*) गणित का ज्ञान चरित्र निर्माण एवं नैतिकता के विकास में सहायक है।

(*vii*) गणित की भाषा सार्वभौमिक होती है।

(*viii*) यह विज्ञान विषयों का आधार है।

(*ix*) गणित का ज्ञान अन्य विषयों के अध्ययन के सहायक होता है।

(*x*) प्रत्येक विषय के अध्ययन में गणित के ज्ञान की प्रत्यक्ष तथा अप्रत्यक्ष रूप से आवश्यकता पड़ती है क्योंकि गणित को सभी विज्ञानों का विज्ञान तथा समस्त कलाओं की कला माना जाता है।

(*xi*) गणित के अध्ययन से ही छात्रों में नियमित तथा क्रमबद्ध रूप से ज्ञान ग्रहण करने की आदतों का विकास होता है।

(*xii*) गणित ही एक ऐसा विषय है जिसमें बच्चों को अपनी तर्क-शक्ति, विचार-शक्ति, अनुशासन, आत्म-विश्वास तथा भावनाओं पर नियन्त्रण रखने का प्रशिक्षण मिलता है।

(*xiii*) गणित का ज्ञानार्जन करने के लिए गणित सम्बन्धी ऐसी कोई जन्म-जात विशेष योग्यता एवं कुशलता नहीं होती, जोकि दूसरे विषयों के अध्ययन की योग्यता से अलग हो।

(*xiv*) यदि गणित विषय को पाठ्यक्रम में उचित स्थान न दिया गया तो बच्चों को मानसिक प्रशिक्षण के अवसर नहीं मिल सकेंगे जिसके अभाव में उनका बौद्धिक विकास प्रभावित हो सकता है।

उपरोक्त विवरण के आधारण पर निर्विवाद रूप से यह कहा जा सकता है कि गणित की आवश्यकता मंत्री से लेकर संतरी तक एवं इंजीनियर से लेकर मिस्त्री तक सबको पड़ती है। अतः यदि पाठ्यक्रम के निर्माण में केवल रोजी-रोटी का ही ध्यान रखा जाए तब भी गणित का स्थान पाठ्यक्रम में सबसे ऊपर ही होना चाहिए और इसे कम से कम दसवीं कक्षा तक अनिवार्य विषय अवश्य बनाया जाना चाहिए।

गणित की भाषा

भाषा क्या है?

"वाक्यों का एक समुच्चय (सीमित या असीमित), जिसमें प्रत्येक वाक्य की लम्बाई सीमित हो और तत्वों के सीमित समुच्चय से निर्मित हो।" –नोम चोम्स्की

"एक कूट जिसका हम खुद को व्यक्त करने में एवं दूसरों से संवाद करने में उपयोग करते हैं।"

–स्पीच एण्ड लैंग्वेज थैरेपी ग्लोसरी ऑफ टर्म्स

"ध्वनि एवं पारस्परिक संकेतों के उपयोग द्वारा संवाद का एक सुव्यवस्थित साधन भाषा कहलाती है।" –नेट वर्ल्ड

उपरोक्त परिभाषाएं भाषा के निम्नलिखित अवयवों की व्याख्या करती है–

- संकेतों या शब्दों का संग्रह
- एक व्याकरण जिसमें नियम दिया गया है और यह भी कि इन संकेत का प्रयोग कैसे किए जा सकते है।
- लोगों का एक समुदाय जो इन संकेतों का प्रयोग करता है व समझता है।
- इन संकेतों द्वारा प्रसारित अर्थो का एक क्षेत्र।

ये सभी अवयव गणित की भाषा में पाये जाते हैं। गणितीय भाषा गणितज्ञों के बीच गणितीय विचारों को संचारित करने की एक प्रणाली है। इस भाषा में कुछ भाषाओं (जैसे-अंग्रेजी) का तत्व पाया जाता है। इसमें जो तकनीकी शब्द और व्याकरणीय परिपाटी का प्रयोग किये गये हैं, वे गणितीय प्रबन्ध के लिए अनूठे हैं। गणितीय सूत्र के लिए इसमें अतिविशिष्ट सांकेतिक अंकन पद्धति का उपयोग किया जाता है।

गणितीय शब्दावली

गणितीय अंकनपद्धति में कई वर्णमालाओं व टंकन आकृतियों से संकेतों को अपनाया गया है। इसमें वैसे संकेत भी शामिल हैं जो खासकर गणित के ही हैं। जैसे– $\exists \nabla \wedge \infty$ आदि।

गणितीय अंकन पद्धति आधुनिक गणित की केन्द्रीय शक्ति है। यद्यपि अल-ख्वरिज़्मी का बीजगणित ऐसे संकेतों का प्रयोग नहीं किया है। इसने कई ऐसे नियमों के मदद से समीकरण को हल किया है जिसका उपयोग आज सांकेतिक अंकन पद्धति में होता है और इस कार्य में उसे बहुत मुश्किलें आयी हैं। कभी-कभी सूत्र बिना लिखित या मौखिक रूप में ही पर्याप्त होते हैं। कभी-कभी उसे बोलकर पढ़ना मुश्किल होता है या शब्द का अनुवाद करने पर सूचनाएं गुम हो जाती हैं, जैसे कि जब निक्षिप्त (कोष्टक में स्थित) तथ्य शामिल होते हैं या जब जटिल संरचना जैसे कि आव्यूह (Matrix) रो कग लिया जाता है।

अन्य विषयों की भांति गणित के तकनीकी शब्दों की भी अपनी पहचान है, कुछ स्थितियों में सामान्य प्रयोग के शब्दों का गणित से खास अर्थ होता है। जैसे–वर्ग या समूह (group), वलय या चक्र (ring), क्षेत्र (field), वर्ग (category), पद (term), और अपवर्तक (factor) इत्यादि।

अन्य स्थिति में विशिष्ट पद दिए जा रहे हैं जो गणित के बाहर नहीं पाये जाते। उदाहरणस्वरूप–तानिका (Tensor), फ्रेक्टल (fractal) [वक्र रेखा या प्रतिरूप जिसके साथ उससे छोटी किन्तु ठीक वैसी आकृति होती है।] फंक्टर (functor) [गणितीय क्रियाओं के चिह्न जैसे +, –, × आदि] गणितीय कथनों का अपने तरह का जटिल वर्गीकरण होता है। ये अभिगृहित (axioms), अनुमान (conjectures), प्रमेय (theoresms), प्रमेयिका (lemmas) एवं उपप्रमेय (corollaries) में बँटे होते हैं। $\forall$

साथ ही गणित में बहुत से मुहावरे हैं जो विशिष्ट अर्थों के साथ प्रयुक्त होते हैं जैसे–"यदि और केवल यदि" (if and only if) "आवश्यक व पर्याप्त" (necessary and sufficient) "व्यापकता के लोप के बिना" (without loss of generatlity) इस प्रकार के मुहावरे गणित की विशिष्ट शब्दावली (mathematical jargon) कहलाता है।

गणितीय शब्दावली में दृश्य तत्व भी होते हैं। श्याम पट्ट (Black board) पर अनौपचारिक रूप से आरेख का प्रयोग किया जाता है या फिर प्रकाशन कार्यों में ज्यादा औपचारिक रूप से आरेख का प्रयोग होता है। जब आरेख का प्रयोग उचित ढंग से होता है तब विच्छेदकारी (schematic) सूचनाएँ यह बड़ी आसानी से प्रदर्शित करता है। आरेख दृश्य रूप में भी मदद करता है और सहजानभूत (intuitive) गणना में मदद करता है।

कभी-कभी साध्य (proposition) के लिए आरेख दृश्य-साक्ष्य के रूप में पूर्ण औचित्य की तरह कार्य करता है। आरेख परिपाटी का एक निकाय गणितीय अंकन पद्धति में विकसित हो सकता है।

गणित का भाषा समुदाय

गणित गणितज्ञों द्वारा प्रयोग किए जाते हैं जो कई भाषाएं बोलने वालों का एक वैश्विक समुदाय का निर्माण करते हैं। इसका प्रयोग गणित के छात्रों द्वारा भी किया जाता है। प्राथमिक शिक्षा

के एक अंग के रूप में लगभग सभी देशों के लगभग सभी शिक्षित लोगों का गणित शिक्षा के सैद्धान्तिक क्षेत्र में कुछ योगदान है। यह जानना काफी दिलचस्प है कि आधुनिक गणित में सांस्कृतिक निर्भरता या रुकावट काफी कम है। गणित की कुछ अन्तर्राष्ट्रीय प्रतियोगिता है जैसे–अन्तर्राष्ट्रीय गणितीय ओलम्पियाड (International Mathematical Olympaid) एवं आम स्थानों पर व्यावसायिक गणितज्ञों के बीच सहयोग।

गणित एक भाषा

"मेरे विचार में, जिसे मैं अपने कई सहकर्मियों से साझा करता हूँ, यह सामान्य बात है कि गणित एक भाषा है। अंग्रेजी, लैटिन या चीनी भाषा की तरह गणित में भी निश्चित संकल्पनाएँ हैं। यह उसके लिए है जिसके द्वारा गणित विशेष रूप से अच्छी तरह पढ़ा गया है। प्यार की कविता लिखने की तरह अंग्रेजी भाषा का प्रयोग कर बीजगणित का मौलिक प्रमेय लिखने की कोशिश मूर्खता ही होगी।" –आर.एल. स्वार्जेनबर्गर (2000)

एक प्राकृतिक भाषा की तरह गणित अर्थ के एक विस्तृत क्षेत्र का संचार कर सकता है। यहाँ इनकी विस्तृत कोटि है–

- **गणित वास्तविक संसार की व्याख्या करता है**–खेतों की माप (ज्यामिति) से लेकर सेब के गिरने (कलकुलस) और जुआ खेलने (प्रायिकता) से लेकर पृथ्वी की गति (गति विज्ञान) जानने जैसे विश्व परिदृश्य का वर्णन करने और उसकी समस्याओं के समाधान की कोशिश सभी गणित से जुड़ा होता है। गणित का भौतिकी एवं प्रौद्योगिकी में बड़े पैमाने पर प्रयोग होता है। यह हमारे चारों ओर ब्रह्माण्ड के विस्तार से लेकर क्वाण्टम जैसे छोटे चीजों को समझने में बहुत ही सफल सिद्ध हो रहा है। वास्तव में गणित की सबसे बड़ी सफलता इस अर्थ में है कि यह आज भी दार्शनिकों के लिए उलझन है।
- **गणित अमूर्त संरचना का वर्णन करता है**–दूसरी ओर सैद्धान्तिक गणित का क्षेत्र है जो अमूर्त संरचना से सम्बन्धित है। जिसमें भौतिकी प्रतिरूप का कोई ज्ञान नहीं है फिर भी यहाँ उस कोटि का कोई उदाहरण देना मुश्किल है। सबसे गूढ़ संरचना को भौतिकी की कुछ शाखाओं में मॉडल के रूप में सहयोजित (co-opted) किया जा सकता है।
- गणित खुद गणित का वर्णन करता है–गणित को खुद इसके वर्णन के लिए प्रयोग किया जा सकता है। यह भी गणित का ही एक क्षेत्र है जिसे परागणित (Metamathematics) कहते हैं।

भाषा के रूप में गणित के अपने संकेत, शब्द और वाक्य के नियम हैं। जो मान्यताओं के एक निश्चित और सुसंगत समूह पर आधारित है और ये मान्यताएँ नियमों व तर्कों से बने हैं। इस प्रकार के तर्क गणितीय सोच के विकास के लिए आवश्यक है। इसकी समझ और अनुप्रयोग सामान्य भाषा के विकास के स्तर पर निर्भर करता है। जैसे–"सभी आयत एक समान्तर चतुर्भुज है किन्तु सभी समान्तर चतुर्भुज एक आयत नहीं है।" यहां केवल योजकों (conjunctions) अर्थात्, अतः, चूँकि, या, एवं, इत्यादि के प्रयोग के विकास के बाद साधारण भाषा जो गणित में भी प्रयोग किए जाते हैं, के लिए तैयार होते हैं। किन्तु इन शब्दों का एक सटीक गणितीय अर्थ होता है। जैसे–कुल (योग), अन्तर, जोड़, घात, गुणा, भाग, घटाव आदि।

वैकल्पिक दृष्टिकोण

भाषाओं की कुछ परिभाषाएँ उसके वाचक प्रकृति पर जोड़ देते हैं। इस परिभाषा के अन्तर्गत गणित एक भाषा नहीं सिद्ध होती। जबकि प्रारंभिक तौर पर लिखित संवाद के रूप में यह भाषा है। जबकि ये परिभाषाएं सांकेतिक भाषाओं को भी अयोग्य ठहराती है जो कि अब वाचक भाषा से अलग अपनी तरह की एक भाषा के रूप में जानी जाती है।

अन्य भाषाविद् मानते हैं कि भाषा और गणित में कोई विधिगत तुलना ही नहीं की जा सकती क्योंकि दोनों सामान्यतः काफी अलग-अलग हैं।

मूल्यांकन

मूल्यांकन कक्षा में दिये गये अधिगम अनुभवों के प्रभाव को निर्धारित करने वाली सुव्यवस्थित एवं सतत् प्रक्रिया है।

—राष्ट्रीय शैक्षिक अनुसंधान एवं प्रशिक्षण परिषद्

"मूल्यांकन एक सतत् प्रक्रिया है; यह शिक्षा के सम्पूर्ण तंत्र के समग्र भाग का निर्माण करती है और यह शैक्षिक उद्देश्यों से सघन रूप से जुड़ा है। इसका प्रयोग बच्चों के अध्ययन सम्बन्धी आदतों और शिक्षकों के शिक्षण विधि पर अच्छा प्रभाव डालता है। इस प्रकार यह न केवल शैक्षणिक उपलब्धियों के मापन में बल्कि इसके सुधार में भी मदद करता है। मूल्यांकन की तकनीक वांछित दिशा में छात्रों के विकास के बारे में साक्ष्य संग्रह के साधन हैं।"

—कोठारी आयोग

"मूल्यांकन, मापन की व्यापक अवधारणा को स्पष्ट करने हेतु प्रस्तुत किया गया अपेक्षाकृत एक नया तकनीकी शब्द है, जो अनौपचारिक जाँच और परीक्षाओं में प्रयुक्त होता है।"

—इनसाइक्लोपिडिया ऑफ एजुकेशन रिसर्च

जो शैक्षिक उद्देश्य बच्चों द्वारा प्राप्त की जाती है; मूल्यांकन को उसके सीमा निर्धारण की सुव्यवस्थित प्रक्रिया के रूप में परिभाषित किया जा सकता है। —दाण्डेकर

मूल्यांकन एक समग्र अवधारणा है जिसमें वांछित उपलब्धियों के गुणों, मूल्यों व प्रभावों का पता लगाने के लिए सभी तरह के साधनों को निर्दिष्ट करता है। यह वस्तुनिष्ठ प्रमाण एवं वस्तुनिष्ठ निरीक्षण का मिश्रण है। यह कुल एवं अंतिम आंकलन है। यह नीतियों के संशोधन एवं अन्य कार्यों का बहुमूल्य एवं अपरिहार्य मार्गदर्शन है। —वेस्ले

उपरोक्त कथनों के आधार पर कहा जा सकता है कि मूल्यांकन एक ऐसी प्रक्रिया है जिसके द्वारा एक शिक्षक यह जानने की कोशिश करता है कि कक्षा में शिक्षण द्वारा शिक्षण उद्देश्यों की प्राप्ति किस सीमा तक हुई है। शिक्षक यह जानना चाहता है कि उसके छात्रों ने प्राप्त ज्ञान को किस सीमा तक स्वांगीकृत किया है। उनकी रुचि, व्यवहार आदि में किस हद तक परिवर्तन हुआ है। विषय के प्रति उनकी अभिरुचि कितनी है, समझ का स्तर क्या है आदि। मूल्यांकन में ये सारी प्रक्रिया सम्मिलित होती है। निष्कर्षतः शिक्षा में मूल्यांकन का अभिप्राय उस प्रक्रिया से है जिसमें एक शिक्षक अपने छात्र की शैक्षिक उपलब्धियों का पता लगाता है।

हालाँकि मूल्यांकन और परीक्षा को प्रायः समान माना जाता है किन्तु वास्तव में परीक्षा मूल्यांकन का एक अंग मात्र है। मूल्यांकन के लिए शिक्षक को परीक्षा व अन्य विधियों द्वारा मापन करना होता है। अंकन (scoring) मापन का अंतिम चरण होता है। इन अंकों को सांख्यिकी द्वारा विभिन्न रूपों में जोड़े-तोड़े जाते हैं। परन्तु मूल्यांकन में यह प्रक्रिया आगे भी जारी रहती है। इसमें मापन द्वारा प्राप्तांकों के आधार पर मूल्यात्मक निर्णय (value judgement) भी लिया जाता है। सारांशतः मूल्यांकन में मापन एवं मूल्यात्मक निर्णय सम्मिलित है। मूल्यांकन एक गुणात्मक निर्णय लेने की प्रक्रिया है जबकि मापन का रूप आंकिक है। मापन मूल्यांकन का अनिवार्य अंग है।

उद्देश्य, अधिगम अनुभव एवं मूल्यांकन के बीच संबंध

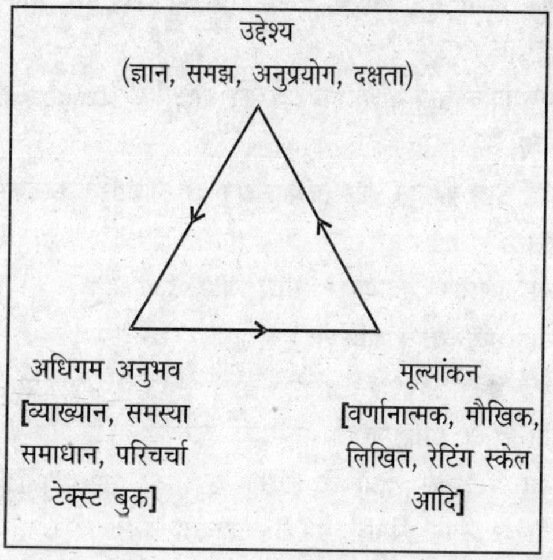

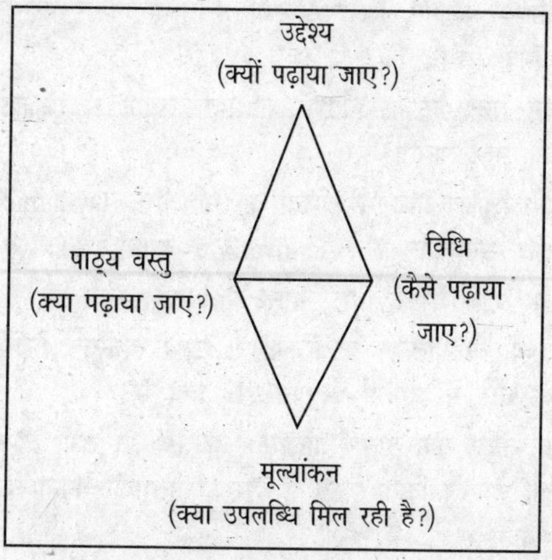

उद्देश्य, अधिगम अनुभव और मूल्यांकन सभी एक-दूसरे से सम्बंधित हैं। मूल्यांकन शिक्षण उद्देश्य और अधिगम अनुभव पर आधारित है और यह उसी समय उद्देश्यों का भी मूल्यांकन करता है। इस प्रकार, कक्षा-शिक्षण में शिक्षक छात्रों के व्यवहार

में वांछित परिवर्तन के प्रोत्साहन के क्रम में उपयुक्त शिक्षण-अधिगम क्रिया-कलाप की व्यवस्था करता है। यह जाँच और परीक्षा से ज्यादा व्यापक पद है। यह केवल छात्रों के आकलन के साथ नहीं जुड़ा है बल्कि शिक्षा की सम्पूर्ण प्रक्रिया से संबंधित है। यह कि क्या पढ़ाया जाए? (पाठ्यवस्तु), कैसे पढ़ाया जाए? (शिक्षण विधि) और क्यों पढ़ाया जाए? (शिक्षण उद्देश्य) तय करने के बाद यह प्रश्न उठता है कि उपलब्धि क्या हो रही है? इस प्रकार मूल्यांकन इस प्रश्न का उत्तर देने में मदद करता है कि छात्रों की उपलब्धि क्या है? इस प्रकार, मूल्यांकन एक प्रक्रिया है जिसके द्वारा शिक्षण कार्यक्रम का आकलन, उपलब्धि और प्रभावशीलता निर्धारित की जाती है।

मूल्यांकन की महत्वपूर्ण विशेषताएं

1. इसका प्रयोग पाठ्यक्रम, शिक्षण-विधि और परीक्षा में सुधार के लिए किया जा सकता है।
2. यह नैदानिक (diagnostic) है ताकि वह उपचारात्मक शिक्षण के लिए आधार प्रदान कर सके।
3. यह दिशा एवं व्यापक व्यावहारिक परिवर्तन का मापन करता है।
4. मूल्यांकन सम्पूर्ण शैक्षिक तंत्र की प्रतिपुष्टि (feedback) देता है।
5. यह छात्र केन्द्रित और क्रियाकलाप पर आधारित कार्यक्रम है।
6. यह शिक्षण प्रक्रिया से सीधे जुड़ा हुआ है।
7. यह एक सतत् प्रक्रिया है।
8. यह बच्चों की अंतःशक्ति (कार्य क्षमता) और उसकी रुचि का पता लगाने में मदद करता है।
9. यह न केवल छात्रों के शैक्षिक उपलब्धि को मापता है बल्कि उसके प्रगति में भी सहायता करता है।
10. शैक्षिक उद्देश्यों, शिक्षण-प्रक्रिया व मूल्यांकन में परस्पर घनिष्ठ संबंध है।
11. यह बच्चों के कठिनाइयों का पता लगाने में शिक्षकों की मदद करता है।
12. यह शिक्षण-अधिगम प्रक्रिया को गतिशील (Dynamic) और नवप्रवर्तनकारी (innovative) बनाता है।
13. यह जाँच परीक्षा और मापन से विस्तृत संकल्पना है।
14. बच्चों के प्रतिदिन के रिकार्ड से उसके वर्तमान स्थिति के बारे में जानना आसान हो जाता है।
15. मूल्यांकन एक सम्पूर्ण प्रक्रिया है जिसमें उन सभी चीजों को शामिल किया जाता है जिसका मूल्यांकन किया जा सकता है।
16. मूल्यांकन सुव्यवस्थित एवं वैज्ञानिक प्रक्रिया है।
17. मूल्यांकन में परिमाणात्मक और गुणात्मक दोनों पहलू शामिल हैं।
18. यह एक निर्णय देने वाली प्रक्रिया है।
19. मूल्यांकन शिक्षा को प्रयोजन केन्द्रित बनाता है।
20. मूल्यांकन बच्चों के वृद्धि और विकास से संबंधित है उसके सामूहिक स्थिति से नहीं।

मूल्यांकन के उद्देश्य एवं कार्य

1. **अभिप्रेरण :** बच्चों को बेहतर अधिगम के लिए प्रेरित करना।
2. **बच्चों की वर्तमान स्थिति :** मूल्यांकन शिक्षण-अधिगम प्रक्रिया में बच्चों की वर्तमान स्थिति को निर्धारित करने में मदद करता है।
3. **मार्गदर्शन एवं सलाह :** मूल्यांकन बच्चों में व्यक्तिगत अन्तर की पहचान कर उसके मार्गदर्शन एवं सलाह के लिए आधार प्रदान करता है।
4. **समस्याओं की पहचान करना :** मूल्यांकन प्रक्रिया बच्चों की कमी को जानने और आगे के शिक्षण हेतु उसकी कमजोरी एवं ताकत का पता लगाने में शिक्षक की मदद करता है।
5. **परीक्षा व्यवस्था का मापन :** मूल्यांकन शिक्षकों को परीक्षा व्यवस्था के मापन में भी मदद करता है अर्थात् यह इस बात की भी जानकारी देता है कि कक्षा में सर्वश्रेष्ठ या असफल छात्र कौन है। आदि।
6. **बच्चों में प्रगति की दर :** मूल्यांकन बच्चों में प्रगति की दर को निर्धारित करने में मदद करता है। अर्थात् किसी छात्र ने प्रथम आवधिक (Terminal) परीक्षा में एवं अंतिम परीक्षा में कितने अंक प्राप्त किए। आदि।
7. **छात्रों का वर्गीकरण :** मूल्यांकन बच्चों को विभिन्न श्रेणियों में वर्गीकरण में मदद करता है जैसे–विशिष्ट, पिछड़े या औसत छात्र।
8. **चुनाव का आधार :** विभिन्न अभियोग्यता व अभिरुचि जाँच की मदद से विभिन्न पाठ्यक्रमों हेतु चयन, नियोजन (placement) आदि में मूल्यांकन महत्वपूर्ण भूमिका अदा करता है।
9. **नवप्रवर्तनकारी** (Innovative) **एवं प्रभावी शिक्षण विधि की खोज :** मूल्यांकन द्वारा बच्चों की कमजोरी एवं ताकत (दक्षता) का अनुमान लगाने से नवप्रवर्तनकारी एवं प्रभावी शिक्षण विधि की खोज में मदद मिलती है।
10. **पाठ्यक्रम में सुधार :** मूल्यांकन द्वारा शिक्षक पाठ्यक्रम में सुधार के लिए साक्ष्य जुटाते हैं।
11. **शिक्षण में सफलता :** मूल्यांकन द्वारा शिक्षक अपने शिक्षण की सफलता का आकलन करते हैं।
12. **शिक्षण-अधिगम प्रक्रिया में सुधार :** मूल्यांकन शिक्षकों को बच्चों की कमजोरी जानने में मदद करता है और इस आधार पर वे अपनी शिक्षण अधिगम प्रक्रिया में सुधार लाते हैं।
13. **छात्रों का श्रेणीकरण :** मूल्यांकन छात्रों के त्रैमासिक, अर्द्धवार्षिक व वार्षिक परीक्षाओं के आधार पर उसकी श्रेणीकरण (grading) में मदद करता है। इस प्रकार, कक्षा में छात्रों का श्रेणी-क्रम जाना जाता है।

14. **बच्चों में व्यावहारिक परिवर्तन :** मूल्यांकन द्वारा बच्चों में व्यावहारिक परिवर्तनों यथा–उसकी रुचि, शारीरिक, भावनात्मक, नैतिक एवं सामाजिक विकास आदि के बारे में भी जानकारी मिलती है।
15. **क्रियात्मक खोज** (Action Research) **हेतु शिक्षकों को प्रोत्साहन :** मूल्यांकन के आधार पर शिक्षक क्रियात्मक खोज की नई रणनीति अपनाते हैं।
16. **शिक्षक एवं छात्रों को प्रतिपुष्टि** (feedback) **:** मूल्यांकन शिक्षक व छात्र दोनों को अभिप्रेरण (Reinforcement) और प्रतिपुष्टि (feedback) देने में मदद करता है।
17. **उपचारात्मक कार्य हेतु :** मूल्यांकन छात्रों को उसके समस्याओं के समाधान ढूँढने में मदद करता है ताकि बेहतर परिणाम प्राप्त किया जा सके।
18. **शिक्षा के उद्देश्यों का स्पष्टीकरण :** मूल्यांकन उद्देश्यों पर आधारित है। शिक्षक प्रत्येक विषय-वस्तु का शिक्षा में उसकी उपयोगिता के दृष्टिकोण से उद्देश्य समझने की कोशिश करता है।
19. **प्रवेश का आधार :** छात्रों की प्रगति का मूल्यांकन विविध पद्धतियों यथा–जाँच, वार्षिक परीक्षा आदि द्वारा किया जाता है और इसी के आधार पर छात्रों को अगली कक्षा में प्रवेश दिया जाता है।
20. **छात्रवृत्ति देने में :** मूल्यांकन छात्रों की प्रगति के निर्णय में मदद करता है और इस आधार पर उसे छात्रवृत्ति दी जाती है।

मूल्यांकन प्रक्रिया

मूल्यांकन प्रक्रिया में निम्न चरण होते हैं–

1. उद्देश्यों का चयन एवं प्रतिपादन (formulation)
2. व्यावहारिक परिवर्तन के दृष्टिकोण से उद्देश्य को परिभाषित करना।
3. मूल्यांकन के उपकरणों (tools) एवं तकनीकों का चुनाव
4. परिणामों की व्याख्या एवं सामान्यीकरण (Generalisation)
5. शिक्षण-अधिगम प्रक्रिया में सुधार हेतु परिणामों की प्रतिपुष्टि

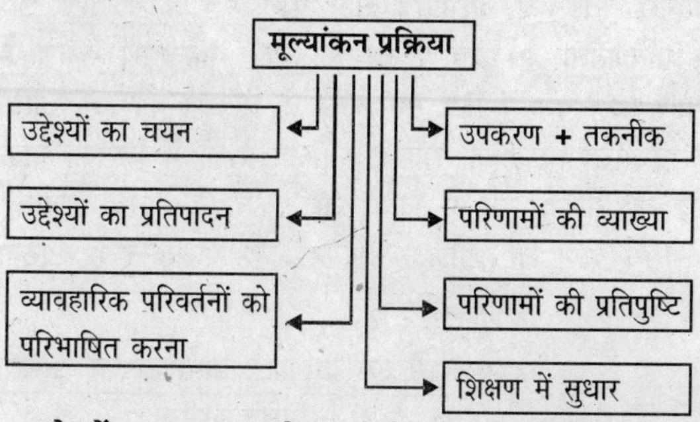

1. **उद्देश्यों का चयन :** जिन चीजों की जाँच की जानी है मूल्यांकन से पूर्व उनके उद्देश्यों का चयन किया जाता है। अतः शिक्षकों को निर्देशों के प्रति बहुत सावधान चाहिए। क्योंकि निर्देशों में मामूली परिवर्तन मूल्यांकन के उद्देश्यों को प्रभावित कर सकता है।
2. **उद्देश्यों का प्रतिपादन :** एक शिक्षक को विभिन्न कक्षाओं के शिक्षण-उद्देश्यों के प्रति बहुत सावधान रहना पड़ता है। इसी आधार पर विभिन्न कक्षाओं के लिए विशिष्ट उद्देश्यों वाले जाँच की वस्तु तैयार किए जाते हैं।
3. **व्यावहारिक दृष्टि से उद्देश्यों को परिभाषित करना :** जिन चीजों की जाँच की जानी है उसके उद्देश्यों के चयन एवं प्रतिपादन के बाद शिक्षकों को छात्रों के व्यवहार में अपेक्षित परिवर्तन की दृष्टि में रखकर उसके उद्देश्यों को स्पष्टतः परिभाषित करना चाहिए। ये अपेक्षित बिन्दु निम्न हो सकते हैं– *(i)* ज्ञान, *(ii)* समझ, *(iii)* अनुप्रयोग, *(iv)* दक्षता।
4. **मूल्यांकन के उपकरण एवं तकनीकी का चुनाव :** उपयुक्त उपकरण एवं तकनीकी का चुनाव अपेक्षित प्रमाणों के प्रकार पर निर्भर करता है। उपकरण व तकनीक को संबंधित शिक्षण-उद्देश्यों को अवश्य प्रमाण प्रस्तुत करना चाहिए। उन्हें अच्छे मापन एवं अच्छे मूल्यांकन के मापदण्डों को अवश्य संतुष्ट करना चाहिए।
5. **उपकरणों एवं तकनीकों का उपयोग एवं परिणाम निर्धारण :** उपकरणों के चयन एवं विकास के पश्चात् शिक्षक उनका प्रयोग जाँच स्थितियों में करता है। वह व्यावहारिक परिवर्तनों से संबंधित अन्य प्रमाणों को भी एकत्र करता है। एकत्रित प्रमाणों एवं सूचनाओं के आधार पर निष्कर्ष निकाले जाते हैं।
6. **परिणामों की व्याख्या एवं सामान्यीकरण :** जब तक कि परिणामों की सही व्याख्या न की जाए, मूल्यांकन के विभिन्न उपकरणों व तकनीकों से प्राप्त प्रमाणों का छात्रों, शिक्षकों या फिर अभिभावकों के लिए कोई अर्थ नहीं रहता। तब कक्षा में किसी छात्र के तुलनात्मक प्रदर्शन के परिणामों की व्याख्या प्रगति के दर के उद्देश्यों के रूप में की जाती है। ये संग्रहित आँकड़े प्रत्येक कक्षा या छात्र विशेष आदि के उपलब्धि स्तर के सामान्यीकरण में मदद करते हैं।
7. **परिणामों में प्रतिपुष्टि :** जाँच के परिणामों के विश्लेषण या अंकित प्रमाणों के आधार पर छात्रों की प्रगति रिपोर्ट बनाई जाती है और अभिभावकों को दिखाई जाती है। माता-पिता के लिए यह आवश्यक है कि वे बच्चों के स्वमूल्यांकन शक्तियों (दक्षता) एवं कमजोरियों को उचित निदान हेतु बच्चों की प्रगति की जानकारी लें।
8. **शिक्षण-अधिगम प्रक्रिया में सुधार :** परिणामों के प्रतिपुष्टि के आधार पर एवं नैदानिक मापक के बाद पुनर्शिक्षण एवं उपचारात्मक शिक्षण की व्यवस्था की जाती है तथा शिक्षक छात्रों के प्रगति में बेहतर उपलब्धि के लिए शिक्षण-अधिगम प्रक्रिया में कुछ नए रणनीतियों को अपनाते हैं।

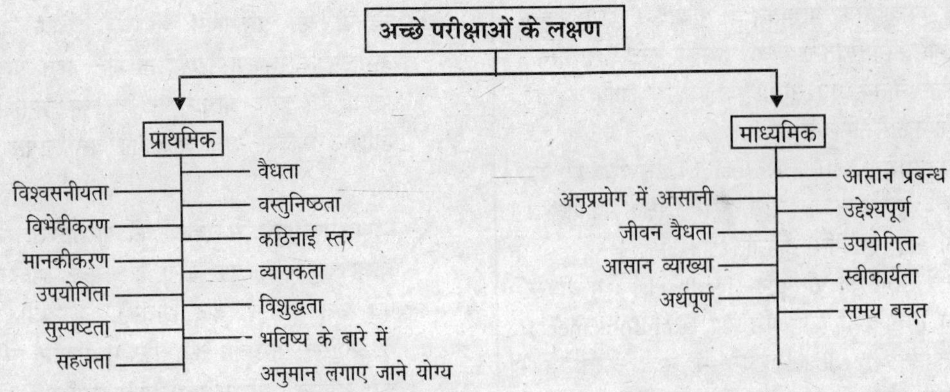

वैधता (Validity)

"वैधता उस मात्रा की एक अभिव्यक्ति का नाम है जहाँ तक एक परीक्षा उन गुणों, योग्यताओं, कौशलों तथा सूचनाओं को मापती है, जिन्हें मापने के लिये वह वांछित होती है।"–ग्रीन

यदि कोई परीक्षण वही मापन करता है जिसके मापन के लिए इसका निर्माण हुआ है तो वह परीक्षण वैध (Valid Test) कहलाता है। इस प्रकार वैधता गुणांक (Validity Index) यह सूचित करता है कि किसी परीक्षण ने वस्तुतः उसी विशेषता (Trait) का मापन किस सीमा तक किया है जिसका मापन करने के लिए वह दावा करता है। जैसे गणित की परीक्षा को वैध तभी कहेंगे जबकि उसके द्वारा हम गणित की योग्यता का ही मापन करें, इसके अतिरिक्त भाषा की योग्यता, स्वच्छता अथवा सामान्य बुद्धि का नहीं।

विश्वसनीयता (Reliability)

"विश्वसनीयता उस विश्वास (Faith) को प्रकट करती है जो कि एक परीक्षा में स्थपित की जा सकती है।" –रिजलैण्ड

यदि किसी परीक्षा के परिणाम समान परिस्थितियों में एक समान बने रहते हैं तो उस परीक्षा को विश्वसनीय (Reliable) माना जाता है। इस प्रकार किसी परीक्षा की विश्वसनीयता परीक्षा में प्रतिदर्श की मात्रा (Sample Size) तथा अंकों की वस्तुनिष्ठता (Objectivity in Scoring) पर निर्भर करती है। अर्थात् विश्वसनीयता = प्रतिदर्श की मात्रा + अंकों की वस्तुनिष्ठता।

कोई प्रश्न तभी विश्वसनीय माना जाएगा जब उसके उत्तर विद्यार्थी की सही उपलब्धि अथवा स्तर का ज्ञान कराए अर्थात् परिणामी अंक त्रुटियों की सम्भावना से मुक्त हों। त्रुटियों की सम्भावना प्रायः निर्देशों की अस्पष्टता के कारण होती है। यह दो स्तरों पर ही हो सकती है–प्रथम, जब विद्यार्थी प्रश्न का उत्तर दे रहा हो और दूसरा, जब परीक्षक उत्तर का मूल्यांकन कर रहा हो।

वस्तुनिष्ठता (Objectivity)

जो परीक्षा परीक्षक के व्यक्तिगत प्रभाव से मुक्त हो वह वस्तुनिष्ठ कहलाती है और परीक्षा का यह गुण वस्तुनिष्ठता कहलाती है। वस्तुनिष्ठता परीक्षा का एक आवश्यक गुण है क्योंकि इसका विश्वसनीयता व वैधता पर बहुत ही गहरा प्रभाव पड़ता है। इसकी सबसे बड़ी कसौटी यह कि एक बार जब प्राप्तांक कुंजी (Scorning key) बन जाए तो यह प्रश्न ही नहीं उठना चाहिए कि प्रश्न अस्पष्ट तो नहीं है या उसके उत्तर के बारे में सटीक निर्णय नहीं लिया जा सकता। फिर मूल्यांकन कोई भी करे छात्र को उतना ही अंक मिलना चाहिए, यही वस्तुनिष्ठता कहलाती है। निबन्धात्मक या व्याख्यात्मक प्रश्नों में परीक्षक का व्यक्तिगत निर्णय अधिक महत्व रखता है। यही कारण है कि नवीन परीक्षा प्रणाली में वस्तुनिष्ठ प्रश्नों को ज्यादा महत्व दिया जाता है।

विभेदीकरण (Discrimination)

विभेदीकरण से तात्पर्य परीक्षण के उस गुण से है जिसके द्वारा पढ़ने में तेज, सामान्य एवं पिछड़े छात्रों के मध्य काफी सीमा तक भेद किया जा सके। इसके द्वारा यह जाना जा सकता है कि पूरे परीक्षण पर प्राप्तांकों के आधार पर अधिकतम अंक (Maximum Score) एवं न्यूनतम अंक (Minimum Score) पाने वाले छात्रों को अलग करने में प्रत्येक प्रश्न का क्या योगदान रहा। परीक्षण मदों की विभेदीकरण क्षमता ज्ञात करने के लिए प्रत्येक प्रश्न का विश्लेषण किया जाता है, जिसे मद विश्लेषण प्रक्रिया (Item Analysis) कहते हैं। इससे प्रत्येक प्रश्न के कठिनाई स्तर का पता चल जाता है।

कठिनाई स्तर (Difficulty level)

कठिनाई स्तर का अभिप्राय सही प्रश्न हल करने वाले छात्रों की प्रतिशतता है। यह परीक्षा का बहुत महत्वपूर्ण लक्षण है। सम्पूर्ण प्रश्न पत्र में दिए गए अंकों के वितरण को इसी आधार पर निर्धारित किया जा सकता है। उन प्रश्नों में जिसका अंकन शुद्ध या अशुद्ध रूप में किया जा सकता है। निबन्धात्मक व लघुत्तरीय प्रश्न जो आंशिक रूप से शुद्ध हो सकते हैं कठिनाई स्तर का सूत्र निम्नलिखित है–

$$\text{कठिनाई स्तर} = \frac{\text{प्रश्न में उस वर्ग द्वारा प्राप्तांकों का औसत}}{\text{निर्धारित पूर्णांक}}$$

प्रश्न ज्यों-ज्यों सरल होगा कठिनता सूचक बढ़ता जाएगा।

मानकीकरण (Standardization)

मानकीकरण भी परीक्षा का एक अपरिहार्य लक्षण है। इसके अन्तर्गत प्रश्न ऐसे होने चाहिए जिसका उत्तर सभी छात्रों द

परीक्षकों के लिए समान हो। अर्थात् पूछे गए प्रश्नों के उद्देश्यों में स्पष्टता हो और छात्र तथा परीक्षकों का प्रश्न पर समान दृष्टिकोण हो।

व्यापकता (Comprehensiveness)

व्यापकता के अन्तर्गत परीक्षण का वह प्रारूप आ जाता है जिसके द्वारा परीक्षण उस योग्यता (Trait) के विभिन्न पक्षों का मापन करने में समर्थ हो सकता है जिसके मापन हेतु उसको निर्मित किया गया है। परीक्षण की व्यापकता के बारे में निर्णय करना स्वयं एक निर्माता की सूझ-बूझ एवं क्षमता पर निर्भर करता है।

उपयोगिता (Utility)

यह परीक्षण का वह गुण है जिसमें प्रश्न ऐसे होने चाहिए जिसका छात्रों के जीवन में उपयोग हो। उदाहरणस्वरूप गणित के प्रश्न ऐसे होने चाहिए कि छात्र उसका उपयोग अपने जीवन में कर सके। यही कारण है कि नवीन परीक्षा पद्धति में व्यावहारिक प्रश्नों का प्रमुखता से स्थान दिया जाता है।

विशुद्धता (Accuracy)

इस गुण के अन्तर्गत प्रश्न शुद्ध होने चाहिए जिससे छात्र प्रश्नों को पढ़कर उसके पूछे जाने के उद्देश्यों एवं दृष्टिकोणों को सही ढंग से समझ सके और प्रश्न का सटीक उत्तर दे सके। प्रश्नों में वर्तनी संबंधी या व्याकरणिक दोष नहीं होने चाहिए जिससे छात्र प्रश्नों को पढ़कर भ्रमित या असमंजस की स्थिति में हो जाए और उसका यथेष्ट उत्तर न दे सके।

सुस्पष्टता (Unambiguity)

परीक्षण में प्रश्नों के निहितार्थ स्पष्ट होने चाहिए जिससे उसके पूछे जाने का उदेश्य समझा जा सके। ऐसा न हो कि प्रश्नों के दो अलग-अलग अर्थ हों। परिणामस्वरूप छात्र किसी एक अर्थ को समझकर उत्तर दे और परीक्षक दूसरे अर्थ को समझकर मूल्यांकन करे। ऐसे में छात्र का सही मूल्यांकन नहीं हो पाएगा।

भविष्य के बारे में अनुमान लगाए जाने योग्य (Predictability)

परीक्षण में प्रश्न ऐसे होने चाहिए जिससे छात्रों का उत्तर पढ़कर उसकी रुचि, दक्षता, समझ आदि का भी मूल्यांकन किया जा सके जिससे उसके भविष्य के बारे में सोचना आसान हो और उसके आगे की पढ़ाई व पेशे के बारे में सही दृष्टिकोण अपनाया जा सके।

सहजता (Usability)

"सहजता वह मात्रा है, जिस तक परीक्षा अथवा अन्य साधन को, अध्यापकों तथा पाठशाला प्रबन्धकों द्वारा बिना समय तथा शक्ति के अपव्यय के सफलतापूर्वक प्रयुक्त किया जा सकता है। एक शब्द में सहजता का अर्थ व्यावहारिकता है।"

– सी.सी. रॉस

वह परीक्षण जो निर्माण करने, छात्रों द्वारा उसका उत्तर देने एवं अंकदान करने, तीनों पक्षों की दृष्टि से सरल हो, एक अच्छा परीक्षण कहलाता है। अर्थात्, वह परीक्षण जिसके निर्माण में कठिनाई न हो, छात्रों को भी उसके उत्तर देने में सहजता हो तथा अंकन की प्रक्रिया में भी किसी प्रकार की जटिलता न आए, सहजता के गुण वाला परीक्षण कहलाता है।

मूल्यांकन के आधारभूत सिद्धान्त

किसी इमारत की नींव या आधार काफी मजबूत होना चाहिए। यदि इमारत काफी सुन्दर है लेकिन उसकी नींव या आधार कमजोर है तो इमारत निश्चित रूप से नष्ट हो जाएगी। इसी प्रकार, यदि मूल्यांकन निश्चित आधारभूत सिद्धान्तों पर आधारित नहीं हो तो मूल्यांकन पद्धति को प्रभावशाली नहीं कहा जा सकता और शिक्षण उद्देश्यों को प्राप्त नहीं किया जा सकता। मूल्यांकन के कुछ आधारभूत सिद्धान्त निम्न हैं–

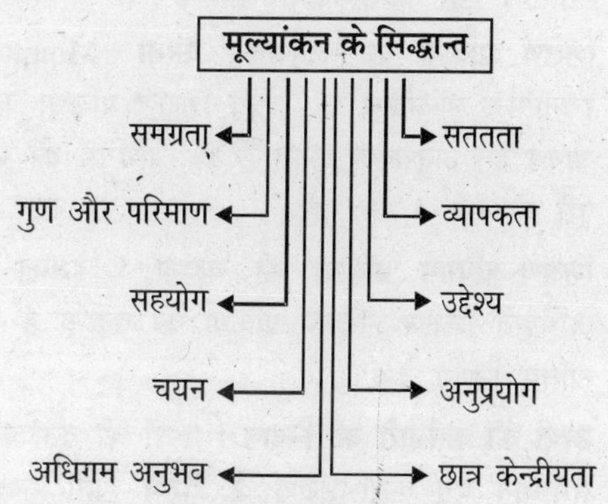

मूल्यांकन के प्रकार

1. नैदानिक मूल्यांकन (Diagnostic Evaluation)
2. पूर्वानुमान मूल्यांकन (Prognosis Evaluation)
3. रचनात्मक मूल्यांकन (Formative Evaluation)
4. संकलनात्मक मूल्यांकन (Summative Evaluation)
5. व्यापक मूल्यांकन (Comprehensive Evaluation)
6. सतत् मूल्यांकन (Continuous Evaluation)

रचनात्मक मूल्यांकन

जब कोई शिक्षक किसी अध्याय का एक हिस्सा या कुछ प्रकरण (topic) या अंश या कोई संकल्पना पढ़ा चुका होता है तो वह छात्रों का निष्कर्ष जानना चाहता है। इसी प्रकार, छात्र भी यह जानना चाहता है कि वह उस हिस्से या प्रकरण या संकल्पना को कितना समझ सका है। रचनात्मक मूल्यांकन शिक्षक एवं छात्र दोनों के लिए इस अर्थ में मददगार है कि यह दोनों को उसकी शिक्षण और अधिगम की शक्ति व कमजोरी के बारे में सूचना देता है।

रचनात्मक शब्द का अर्थ शिक्षण कार्यक्रम के क्रम में छात्रों की उपलब्धियों का लगातार या सुव्यवस्थित आकलन है।

गणित

रचनात्मक मूल्यांकन रचनात्मक अवस्था में होता है जब शिक्षण-अधिगम प्रक्रिया चल रही होती है पूर्ण नहीं हो जाती।

नई शिक्षा नीति (1986) के अनुसार रचनात्मक मूल्यांकन शिक्षण-अधिगम प्रक्रिया का एक अनिवार्य अंग है। रचनात्मक मूल्यांकन रचनात्मक अवस्था में पाठ्यक्रम के निर्माण में भी सहायक होता है।

रचनात्मक मूल्यांकन औपचारिक (जैसे–प्रश्नोत्तर, गृहकार्य, जाँच, प्रश्नोत्तरी (quiz), लेखकार्य आदि) एवं अनौपचारिक (जैसे–संवाद, छात्रों की प्रतिक्रिया, निरीक्षण आदि) दोनों में कार्यान्वित होता है।

रचनात्मक मूल्यांकन के गुण/ महत्व/आवश्यकता

1. **अधिगम का निम्नतम स्तर :** रचनात्मक मूल्यांकन का शिक्षकों द्वारा यह तय करने के लिए प्रयोग किया जा सकता है कि कक्षा में सभी छात्रों द्वारा अधिगम का निम्नतम स्तर प्राप्त किया गया है कि नहीं।
2. **शिक्षण प्रक्रिया का अनुश्रवण करना** (Monitor) **:** रचनात्मक मूल्यांकन का उद्देश्य शिक्षण प्रक्रिया का यह जानने हेतु अनुश्रवण करना है कि अधिगम की प्रक्रिया पूरी हो रही है या नहीं।
3. **शिक्षण-अधिगम प्रक्रिया को बढ़ाना :** इसका मुख्य अभिप्राय शिक्षण-अधिगम प्रक्रिया को बढ़ाना है न कि अंतिम निर्णय देना।
4. **छात्रों की कमजोरी का निदान :** छात्रों की कमजोरी का समाधान पूरी कक्षा-शिक्षण के दौरान होता रहता है। अतः रचनात्मक मूल्यांकन अधिगम की सफलता या विफलता को निर्धारित करने हेतु शिक्षक व छात्र दोनों लगातार प्रतिपुष्टि (feedback) देता है।
5. **शिक्षकों व छात्रों को प्रतिपुष्टि :** रचनात्मक मूल्यांकन एक ओर जहां बच्चों को उसके अधिगम की प्रतिपुष्टि देता है। वहीं दूसरी ओर शिक्षकों को शिक्षण की प्रतिपुष्टि देता है और शिक्षक उसी के अनुसार अपने शिक्षण प्रक्रिया को सुधार सकता है।
6. **छात्रों के अधिगम प्रक्रिया का अनुश्रवण** (Monitoring) **:** यह छात्रों के सीखने की प्रक्रिया में मददगार होता है। छात्र रचनात्मक मूल्यांकन द्वारा यह जान पाता है कि पढ़ाए गए किस अंश में किस हद तक वह तथ्यों को आत्मसात् कर चुका है और आगे उस दिशा में कितना प्रयास किया जाना चाहिए।
7. **स्मरण बढ़ाने में सहायक :** यह छात्रों के स्मरण को बढ़ाने एवं पढ़ाए गए इकाई या प्रकरण (topic) के अधिगम के हस्तांतरण को सुगम बनाने में मदद करता है।
8. **स्वमूल्यांकन :** रचनात्मक मूल्यांकन स्वमूल्यांकन के रूप में भी प्रयुक्त हो सकता है। इसका उपयोग बच्चों द्वारा स्वमूल्यांकन के रूप में भी किया जा सकता है।
9. **अधिगम में कमी को सुधारना :** यह छात्रों के अधिगम अपूर्णता (learning deficiency) एवं कमजोरी में सुधार में भी मदद करता है।
10. **छात्रों को सजग रखना :** रचनात्मक या निर्माणात्मक मूल्यांकन छात्रों को सजग बनाये रखता है। छात्र लगातार प्राप्त किए गए प्रतिपुष्टि द्वारा अपनी स्थिति से अवगत होता रहता है और अपने अधिगम के प्रति सजग बना रहता है।
11. **शीघ्र निर्णय करना :** छात्र जिन परिस्थितियों में होता है उसके विरुद्ध शीघ्र निर्णय लेने में भी निर्माणात्मक मूल्यांकन सर्वाधिक उपयोगी सिद्ध होता है।
12. **विभिन्न तकनीकों का प्रयोग :** यह शिक्षण का सतत् व अनिवार्य अंग है जहाँ कोई विभिन्न प्रकार के तकनीक का प्रयोग करता है अर्थात् अभियोग्यता, अभिरुचि, तालिका (inventories), चेकलिस्ट, रेटिंग स्केल आदि तथा सजग श्रोता व छात्र पढ़ाए जा रहे प्रकरणों से अवगत होता है।
13. **विभिन्न अवधारणाओं का स्वांगीकरण** (assimilation) **:** निर्माणात्मक मूल्यांकन यह निर्धारित करता है कि छात्रों ने विभिन्न संकल्पनाओं, दक्षताओं एवं व्यावहारिक परिवर्तनों को कितने अच्छे तरह से आत्मसात् (assimilate) किया है।
14. **शैक्षिक व्यवहार के सुधार में मदद :** निर्माणात्मक मूल्यांकन विकास की अवस्था में शैक्षिक व्यवहार के सुधार में मदद करता है। बल्कि कार्यक्रम की समाप्ति के बाद इसकी असफलता के कारण कठिनाई में होने पर भी मदद करता है।
15. **असफलता का कोई कारण नहीं :** जब छात्रों का रचनात्मक मूल्यांकन द्वारा लगातार मूल्यांकन होता है, उसका मार्गदर्शन किया जाता है तो फिर अंतिम परीक्षा में उनके असफलता का कोई कारण ही नहीं हो सकता।

संकलनात्मक मूल्यांकन

जब छात्र सम्पूर्ण पाठ्यक्रम से भली-भांति परिचित हो जाता है तब संकलनात्मक मूल्यांकन संचालित किया जाता है। इस प्रकार, संकलनात्मक (Summative) मूल्यांकन सत्र के अंत में होता है। इसके आधार पर छात्र का परीक्षा परिणाम अर्थात् उत्तीर्ण या अनुत्तीर्ण निर्धारित किया जाता है और इसी आधार पर उसे नई कक्षा में प्रोन्नति दी जाती है।

संकलनात्मक (Summative) शब्द का अर्थ है–शिक्षण कार्यक्रम के एक सत्र के अन्त में छात्रों को एक श्रेणी (grade) में बाँटना। इस प्रकार के मूल्यांकन पाठ या इकाई के अन्त में कार्यान्वित किया जाता है। यह छात्रों के शिक्षण के प्रगति के परिणाम के रूप में उसके द्वारा की गई उन्नति की अंतिम जाँच या माप को प्रदर्शित करता है।

इस प्रकार, जहाँ रचनात्मक मूल्यांकन अपने अंतिम चरण में पहुंच जाता है वहाँ संकलनात्मक मूल्यांकन की तत्काल आवश्यकता होती है। यह सत्र या अवधि के अन्त में होता है जो छात्रों की सफलता का मापन करता है और यह पता करता है कि छात्रों द्वारा क्या उपलब्धि पाई गई। संकलनात्मक मूल्यांकन हेतु दोनों तरह की मूल्यांकन तकनीक यथा–औपचारिक और अनौपचारिक दोनों प्रयुक्त की जा सकती है। औपचारिक तकनीक में मानकीकृत (Standardised) जाँच जैसे–शिक्षक निर्मित जाँच, प्रश्नावली, साक्षात्कार, प्रदत्त कार्य (assignments), रेटिंग स्केल आदि आते हैं। अनौपचारिक तकनीक में निरीक्षण, बातचीत, प्रतिक्रिया एवं छात्रों द्वारा दी गई प्रतिपुष्टि आते हैं।

संकलनात्मक मूल्यांकन के गुण/ महत्व/आवश्यकता

1. **अंतिम प्रगति :** यह छात्रों के पाठ्यक्रम की समाप्ति के बाद परिणाम के रूप में अंतिम प्रगति के बारे में बताता है।
2. **प्रतिपुष्टि में कमी :** संरचनात्मक मूल्यांकन की अपेक्षा इसमें शिक्षक-छात्रों के बीच संवाद बहुत सीमित होता है और प्रतिपुष्टि बहुत ही कम मिलता है।
3. **शैक्षिक वर्ष का अन्त :** यह सत्र के शैक्षिक वर्ष के अन्त में होता है।
4. **उत्तीर्ण या अनुत्तीर्ण की घोषणा :** संकलनात्मक मूल्यांकन के आधार पर छात्रों के उत्तीर्ण या अनुत्तीर्ण होने की घोषणा की जाती है और इस आधार पर वे अगली कक्षा में प्रोन्नति पाते हैं।
5. **परीक्षा का आयोजन :** यह वार्षिक परीक्षा, आवधिक (terminal) परीक्षा, बाहरी (external) परीक्षा (जैसे CBSE की परीक्षा) आदि के रूप में होती है।
6. **छात्रों की प्रोन्नति :** यह छात्रों के श्रेणी में वर्गीकरण और प्रोन्नति में मदद करता है। जिससे छात्रों को अपने ज्ञान स्तर का भी पता चलता है और इसी आधार पर इनकी अगली कक्षा में प्रोन्नति भी मिलती है।
7. **पाठ्यक्रम की समाप्ति :** इसे पाठ्यक्रम गतिविधि की समाप्ति के रूप में व्यवहृत किया जाता है अर्थात् संकलनात्मक मूल्यांकन के पूर्व यह मान लिया जाता है कि पाठ्यक्रम गतिविधि का एक सत्र समाप्त हो गया है।
8. **परिणाम जीविका की तलाश में मदद करता है :** छात्रों का परीक्षा परिणाम, उसकी जीविका (career) के चुनाव, नियोजन (placement) और भविष्य की सफलता के पूर्वानुमान में मदद करता है।

उपरोक्त विवरणों के आधार पर यह स्पष्ट है कि औपचारिक एवं अनौपचारिक विधि एक तकनीक है जो रचनात्मक एवं संकलनात्मक दोनों ही मूल्यांकन में समान रूप से प्रयोग किए जाते हैं किन्तु दो मूल्यांकनों में तकनीकी का उद्देश्य भिन्न होता है।

मूल्यांकन क्यों?

प्रभावशाली शिक्षक यह निर्धारित करने के लिए कि उनके छात्र कितनी मात्रा में और कितने अच्छे ढंग से अधिगम कर रहे हैं, विभिन्न प्रकार के साधन जैसे कुछ औपचारिक एवं अन्य अनौपचारिक साधनों का प्रयोग करते हैं। उदाहरणस्वरूप, ज्यादातर शिक्षक छात्रों के अधिगम का औपचारिक मूल्यांकन हेतु प्रश्नोत्तरी (quizes), जाँच, परीक्षा, गृहकार्य, टर्न पेपर, लैब रिपोर्ट आदि का प्रयोग करते हैं। ये औपचारिक तकनीक शिक्षकों को छात्रों के उपलब्धि मूल्यांकन करने एवं उन्हें श्रेणी (grade) प्रदान करने में मदद करते हैं।

कक्षा अधिगम के अनौपचारिक मूल्यांकन हेतु भी शिक्षक कई प्रकार के तकनीकों का इस्तेमाल करते हैं। उदाहरणस्वरूप शिक्षक प्रश्न प्रस्तुत करता है फिर छात्रों के उत्तर और प्रतिक्रिया को सुनता है और चेहरे के भाव व शारीरिक भाषा को अनुश्रवण करता है। अनौपचारिक मूल्यांकन प्रायः अप्रत्यक्ष होता है जो शिक्षकों को उसके शिक्षण में समन्वय (adjustment) की अनुमति देता है। यह गतिविधि की गति को कम करने या प्रश्नों, उलझनों एवं भ्रम पर प्रतिक्रिया देने में पाठ्य-वस्तुओं के पुनरावलोकन की भी अनुमति देता है या जब छात्र का प्रदर्शन उम्मीद से हो वैसी स्थिति में आगे बढ़ने की भी अनुमति देता है।

परम्परागत कक्षा शिक्षण के मुकाबले सुदूर शिक्षा में शिक्षकों को कई प्रकार के चुनौतियों का सामना करना पड़ता है। उदाहरणतः शिक्षक के पास निम्न चीजें नहीं होती–

- ☆ एक परम्परागत परिचित कक्षा
- ☆ अपेक्षाकृत एक जैसे छात्रों का समूह
- ☆ कक्षा के दौरान आमने-सामने की प्रतिपुष्टि (जैसे–छात्रों से प्रश्न पूछना, प्रतिक्रिया, शारीरिक भंगिमा एवं चेहरे का भाव)
- ☆ सुदूर हस्तांतरण व्यवस्था पर पूर्ण नियंत्रण
- ☆ छात्रों से व्यक्तिगत संवाद का सुविधाजनक अवसर

इन कारणों से सुदूर शिक्षक (Distance educators) न केवल छात्रों को जाँच एवं गृहकार्य द्वारा औपचारिक रूप से मूल्यांकन में उपयोगी पा सकते हैं बल्कि आँकड़ों के संग्रह में अनौपचारिक उपायों का भी प्रयोग कर सकते हैं।

गणित शिक्षण की समस्याएँ

हमारे विद्यालय में गणित शिक्षा का प्रत्येक विश्लेषण जटिल मुद्दों की एक शृंखला की पहचान करता है। हम निम्नलिखित चार समस्याओं जिन्हें हम संबंधित क्षेत्र का केन्द्र समझते हैं के इर्द-गिर्द मुद्दों की समझ बनाते हैं:

(1) ज्यादातर बच्चों में गणित के प्रति असफलता एवं भय का भाव

(2) पाठ्यक्रम जो अल्पसंख्यक प्रतिभावान छात्रों के साथ ही बहु-संख्यक ऐसे छात्र जो गणित की कक्षा में भाग नहीं लेते, दोनों को एक साथ निराश करता है।

(3) आकलन की अपरिष्कृत विधि जो गणित को एक यांत्रिक संगणना (Mechanical Computation) के रूप में बोध को बढ़ाता है।

(4) शिक्षकों की तैयारी एवं गणित शिक्षण में मदद का अभाव इनमें से प्रत्येक को विस्तारित किया जा सकता है और विस्तारित करने की जरूरत भी है। चूँकि वे पाठ्यक्रम की रूपरेखा से आवश्यक रूप से जुड़े हैं।

भय एवं असफलता

यदि अध्ययन का कोई विषय-क्षेत्र विस्तृत भावनात्मक प्रतिक्रिया का आह्वान करता है तो वह गणित है। जबकि तमिल में शिक्षित कोई व्यक्ति (बिना शर्मिंदगी के) यह स्वीकार नहीं करेगा कि वह किसी तिरूक्कुरल को नहीं जानता। सगर्व यह घोषणा करना कि वह कभी भी गणित नहीं सीख सका, यह किसी व्यक्ति का मुक्त सामाजिक मानदण्ड है। जबकि ये वयस्कों की मनोवृत्ति हो सकती है, बच्चों में हमेशा गणित को लेकर भय और चिन्ता होती है। प्रसिद्ध साहित्य में इसके लिए 'गणित की चिंता' (Mathematics anxiety) एवं 'गणित का भय' (Math-phobia) नाम दिया गया है।

भारतीय परिप्रेक्ष्य में इस प्रकार की चिन्ता का खास आयाम है। प्राथमिक शिक्षा के वैश्वीकरण के बाद इसे राष्ट्रीय प्राथमिकता एवं कानूनी अधिकार बना दिया गया है। इस ऐतिहासिक परिस्थिति में प्रत्येक पहलुओं की जांच के लिए एक गंभीर प्रयास अवश्य किया जाना चाहिए जो बच्चों को इससे विमुख करता है और गणित की कक्षा में भाग न लेने में महत्वपूर्ण भूमिका निभाता है। यहाँ तक कि उसे व्यवस्था से अलग कर देता है। यदि कोई विषय जो विद्यालय में पढ़ाया जाता है, बच्चे को कक्षा से विमुख करने में भूमिका निभाता है और विद्यालय आने से रोकने का कारण है तो वह निश्चय ही गणित है। जो भय को इतना ज्यादा बल देता है कि दोष का एक बड़ा हिस्सा ले लेता है।

इस प्रकार का भय असफलता के भाव से काफी नजदीकी से जुड़ा है। तीसरी या चौथी कक्षा से ही बहुत बच्चे गणित की जरूरतों का सामना करने से खुद को अयोग्य देखना प्रारंभ कर देते हैं। उच्च विद्यालय में जो बच्चे वर्षान्त परीक्षा में एक या दो विषयों में अनुत्तीर्ण हो जाते हैं और इसलिए उसी कक्षा में रोक लिए जाते हैं उनमें से अधिकतर बच्चे गणित में ही अनुत्तीर्ण होते हैं। यह आंकड़ा दसवीं कक्षा तक हमारा पीछा करता है जब शिक्षा बोर्ड किसी छात्र के लिए प्रमाण पत्र जारी करता है। बोर्ड परीक्षा में बड़ी संख्या में छात्र गणित में ही अनुत्तीर्ण होते हैं।

बहुत से अध्ययन और विश्लेषण विद्यालयों में गणित के भय का कारण हैं। उनमें से एक गणित की संचयी प्रकृति है। यदि आप दशमलव से आगे बढ़ेंगे तो प्रतिशत से आगे बढ़ेंगे; यदि प्रतिशत से आगे बढ़ेंगे तो बीज गणित से आगे बढ़ेंगे इसी प्रकार क्रमिक रूप से गणित के अन्य प्रकरणों तक पहुँच सकेंगे। गणित के भय का दूसरा मुख्य कारण सांकेतिक भाषाओं का आधिपत्य माना जाता है। जब संकेतों का बिना समझ के उपयोग किया जाता है तो एक सीमा के बाद बच्चों के ऊपर उब (boredom) और घबराहट (bewilderment) छा जाता है और इससे विषय के प्रति अलगाव (disassociation) पैदा होता है।

एक खास बात की चर्चा अवश्य की जानी चाहिए जो खासकर प्राथमिक स्तर पर समस्या पैदा करती है, वह है पाठ्य-पुस्तकों में प्रयुक्त भाषा। देश के अधिकांश बच्चों के लिए विद्यालय में सिखाई गई गणित की भाषा उसके प्रतिदिन बोले जाने वाले भाषाओं से काफी भिन्न और भयंकर है।

निराशाजनक पाठ्यक्रम

गणित का कोई पाठ्यक्रम जो इसकी क्रिया-विधि एवं सूत्रों के समझ व ज्ञान पर बल देता है वह चिन्ता को बढ़ाता है। विद्यालय में गणित का प्रचलित अभ्यास इसे प्रोत्साहन देता है। दूसरी ओर यह बड़े पैमाने पर माना जाता है कि एक से ज्यादा किसी अन्य अध्ययन के विषयों में गणित एक ऐसा विषय है जिसमें प्रारंभिक स्तर पर बहुत कम बच्चों में बहुत ज्यादा अभिप्रेरणा (motivation) एवं प्रतिभा देखी जाती है। ये वे बच्चे हैं जो संख्या पद्धति एवं बीजगणित को बहुत सहजता से लेते हैं और बहुत आसानी से हल करते हैं।

पाठ्यक्रम जो कुछ देते हैं वह इस प्रकार के बच्चों के लिए भी अधिक निराशाजनक है। पाठ्यक्रम न तो संकल्पनात्मक गम्भीरता देता है, न ही चुनौती देता है, बल्कि बच्चों के

अभिप्रेरण के न्यूनतम उपयोग को भी स्वीकार कर लेता है। उनके लिए अधिगम प्रक्रिया आसान हो सकती है किन्तु तार्किक शक्ति के लिए उनकी समझ और क्षमता अभ्यास के अन्तर्गत ही रहती है।

अपरिष्कृत आकलन

हम गणित के भय और असफलता पर बात कर चुके हैं। क्या होता है जबकि बच्चे कक्षा से विमुख होते हैं? कक्षा से विमुख होना परीक्षा की तरह भय उत्पन्न नहीं करता। ऊपर चिह्नित ज्यादातर समस्याएँ विद्यालय में पढ़ाये जाने वाले गणित के सूत्रों को याद करने और व्यवहार में लाने के जुल्म से संबंधित हैं। अर्थात् छोटे बच्चों को विद्यालय में गणित के सूत्र याद कराना एवं उसका अनुप्रयोग कराना उसके प्रति अत्याचार है। साथ ही क्रियाविधि के आधिपत्य का मुख्य कारण आकलन और मूल्यांकन की प्रकृति है। प्रश्नपत्र केवल छात्रों के क्रिया-विधि के ज्ञान एवं तथ्यों तथा सूत्रों के स्मरण के आकलन के लिए तैयार किए जाते हैं। प्रश्न-पत्र निर्माण परीक्षा में प्रदर्शन को ध्यान में रखकर किया जाता है। संकल्पना के अधिगम का स्थान क्रिया-विधि के स्मरण ने ले लिया है। वे बच्चे जो इस प्रकार का परिवर्तन सफलतापूर्वक नहीं कर सकते वे भय का अनुभव करते हैं और असफल हो जाते हैं।

जबकि गणित विद्यालय में औपचारिक समस्या के समाधान का बड़ा आधार है। यह बच्चों का एक मात्र रंगस्थली भी है जहाँ ये प्रश्नों का उत्तर देकर खेलने की थोड़ी सी जगह देखते हैं। गणित में ऐसा दिखता है कि प्रश्न का एक अनूठा उत्तर होता है उसे या तो आप जानते हैं या नहीं। भाषा में, सामाजिक अध्ययन में यहां तक कि विज्ञान में भी आप आंशिक ज्ञान का उपयोग एवं प्रदर्शन कर सकते हैं किन्तु गणित में ऐसा करने की कोई गुंजाइश नहीं है। स्पष्टतः इस स्तर का बोध (perception) चिन्ता को और बढ़ाता है।

आश्चर्यजनक तो यह है कि गणित की शिक्षा पर बड़ी मात्रा में अनुसंधान हो रहे हैं और इनमें से कुछ गणित के पाठ्यक्रम एवं शिक्षण विधि में परिवर्तन की बात करते हैं किन्तु सौ वर्ष या उससे भी ज्यादा समय के बाद भी हमारे विद्यालय में गणित के मूल्यांकन पद्धति में कुछ ज्यादा बदलाव नहीं आया है। यह सातवीं कक्षा की त्रैमासिक परीक्षा दसवीं के बोर्ड परीक्षा से ज्यादा अलग नहीं है और पाठ्यक्रम में अध्याय की समाप्ति के बाद के अभ्यास प्रश्न भी समान पद्धति पर आधारित है। यह प्रासंगिक नहीं है। अध्याय में दी गई जानकारी आंशिक है और कुछ खास सवालों को हल करने के लिए दिया उद्धरण (text) परम्परागत हैं। यदि इस संबंध में मौलिक परिवर्तन किया जाना हो तो आकलन के इस प्रकार के पुराने एवं अपरिष्कृत (rude) तरीके को पूरी तरह बदलना होगा।

शिक्षकों की अपर्याप्त तैयारी

गणित की शिक्षा पाठ्यवस्तु की नियमावली एवं उसकी तैयारियों पर बहुत ज्यादा निर्भर होता है। शिक्षकों को गणित की प्रकृति एवं उसके शिक्षण तकनीक की अपनी समझ होनी चाहिए। पाठ्यक्रम केन्द्रित शिक्षण विधि शिक्षक के अपने गणितीय गतिविधि को कुंठित करता है। इस सम्पूर्ण शृंखला के दोनों ओर गणित शिक्षण के सामने खास समस्याएँ हैं। प्राथमिक स्तर पर ज्यादातर शिक्षक यह मानते हैं कि वे सभी गणितीय जरूरतों को जानते हैं और खास शैक्षणिक विधि के प्रशिक्षण के अभाव में प्रायः उन तकनीकों का प्रयोग करते हैं जिनका अनुभव उन्होंने खुद विद्यालय में पढ़ने के दौरान पाया है। प्रायः यह समस्या को समय और स्थान के परे स्थाई और अप्रत्यशित स्थिति में पहुँचा देता है।

माध्यमिक एवं उच्चतर माध्यिमिक स्तर पर कुछ शिक्षक अलग प्रकार के परिस्थितियों का सामना करते हैं। उनके विद्यालय में पढ़ाई के दिनों के अपेक्षा आज का पाठ्यक्रम काफी बदला हुआ होता है। शिक्षक के लिए सुव्यवस्थित एवं सतत् शिक्षा कार्यक्रम के अभाव में कई संकल्पनाओं के क्षेत्र में उनका मौलिक ज्ञान मजबूत नहीं होता। यह बच्चों को अत्यल्प ज्ञान देने वाले बाजारू नोट्स पर निर्भरता को बढ़ावा देता है।

शिक्षकों की अपर्याप्त तैयारी एवं सहयोग विद्यालय में गणित शिक्षण पर नकारात्मक प्रभाव डालता है। प्राथमिक स्तर पर इसके मुख्य परिणाम हैं कि गणित शिक्षण विधि बच्चों के शिक्षण विधि के अनुसंधान से प्राप्त निष्कर्ष के साथ अनुकूलता का अनुभव करता है। उच्च प्राथमिक स्तर पर जब कल्पना की भाषा बीजगणित में औपचारिक रूप लेती है तब शिक्षकों की अपर्याप्त तैयारी प्रायोगिक अधिगम का औपचारिक गणित के साथ जोड़ने की अयोग्यता के रूप में प्रतिबिम्बित होती है। अर्थात् शिक्षक पर्याप्त तैयारी के अभाव में प्रायोगिक अधिगम को औपचारिक गणित के साथ जोड़ने में नाकाम होते हैं। इसके बाद यह गणित या विषय के बाहर के क्षेत्र का विज्ञान में अनुप्रयोग के साथ संबंध बनाने में अक्षम दिखता है। इस प्रकार, यह छात्रों को महत्वपूर्ण अभिप्रेरणा एवं रसास्वादन से वंचित करता है।

अन्य समस्याएँ

हम कुछ व्यवस्थाजन्य समस्याओं की संक्षिप्त में चर्चा करना चाहते हैं। एक बड़ी समस्या श्रेणीकरण की है। प्राथमिक विद्यालयों एवं उच्च विद्यालयों के गणित-शिक्षकों के बीच बकायदा संवाद बहुत कम है। इसी प्रकार कॉलेज के गणित शिक्षकों का उच्च विद्यालय के गणित शिक्षकों के बीच संवाद नहीं है। ज्यादातर विद्यालय-शिक्षक शोधकर्ता गणितज्ञों से बातचीत नहीं की है, सम्पर्क नहीं किया है यहाँ तक कि देखा भी नहीं है। जो शिक्षकों की शिक्षा से जुड़े हैं वे भी एक तरह से कॉलेज और गणित के शोध से बाहर ही हैं।

दूसरी महत्वपूर्ण समस्या पाठ्यक्रम की गत्यात्मकता है। एक पीढ़ी पूर्व कॉलेज में छात्रों को सबसे पहले 'कलन' (Calculus) से सामना होता था। उससे भी एक पीढ़ी पूर्व विश्लेषणात्मक ज्यामिति को कॉलेज का गणित माना जाता था। किन्तु अब ये सभी विद्यालय पाठ्यक्रम का हिस्सा है।

जबकि हमने लिंग-भेद को व्यवस्थागत मुद्दे के रूप में चर्चा की है किन्तु इस समस्या को विस्तृत रूप से समझने की जरूरत है। गणित को 'पुरुष केन्द्रित' माना जा रहा है। यह समझ गणित के पाठ्यक्रम में या फिर गणित के शोध के क्षेत्र में महिलाओं की अनुपस्थिति के कारण पैदा हुई है। वर्ग कक्ष के शोध भी लड़कियों का स्पष्टतः व्यवस्थागत अवमूल्यन करता है कि लड़कियाँ गणित पर पकड़ बनाने में अक्षम है जबकि वे मौखिक एवं संज्ञानात्मक दोनों ही कार्यों में गणित में उल्लेखनीय रूप से अच्छा प्रदर्शन कर रही है। यह देखा जाता है कि शिक्षक लड़कियों के अपेक्षा लड़कों को ज्यादा सम्बोधित करते हैं, जो पुरुष के रूप में आदर्श गणित शिक्षार्थी के निर्माण का पोषण करता है। अध्ययन यह दिखाता है कि शिक्षकों का ज्यादा झुकाव छात्रों की गणितीय सफलता को उसकी 'योग्यता' मानने में तथा लड़कियों की गणितीय सफलता को उसका 'प्रयास' मानने में होता है। इस प्रकार कक्षा का माहौल भी गणित को पुरुष केन्द्रित बनाये रखने में मदद करता है।

इसके अलावा भी गणित शिक्षण की कई समस्याएँ है जो प्रत्यक्षतः या परोक्षतः गणितीय ज्ञान के प्रसार में बाधा डालती है। यथा–

1. **शिक्षक का दोषपूर्ण व्यवहारः** शिक्षक का व्यवहार छात्रों के सीखने को प्रत्यक्ष रूप से प्रभावित करता है। शिक्षक में एक आदर्श शिक्षक के सभी गुण होने चाहिए। उसके व्यवहार में सहानुभूति, सहयोग, समानता शिक्षण कला में निपुणता, मृदुभाषी, संयम आदि गुण हैं तो छात्र कक्षा वातावरण में सहज रूप से सब कुछ सीख सकेंगे। लेकिन यदि शिक्षक का व्यवहार अत्यन्त कठोर है तो छात्र उसकी कक्षा से पलायन करने लगते हैं, जो शिक्षण के दौरान एक प्रमुख समस्या है।
2. **दोषपूर्ण शिक्षण विधिः** शिक्षण विधि का सीधा सम्बन्ध अधिगम प्रक्रिया से होता है। साथ ही, प्रत्येक शिक्षक के पढ़ाने का तरीका भी भिन्न होता है तथा सभी छात्र एक ही विधि से नहीं सीख पाते। शिक्षण की विधि जितनी अधिक वैज्ञानिक एवं प्रभावशाली होगी उतनी ही सीखने की प्रक्रिया सरल एवं लाभप्रद होगी। बच्चों के सन्दर्भ में खेल विधि द्वारा सीखना, करके सीखना, निरीक्षण द्वारा सीखना, योजना विधि द्वारा सीखना, खोज द्वारा सीखना आदि का अपना अलग-अलग महत्त्व है। लेकिन शिक्षक छात्रों की रुचि के अनुरूप उन्हें शिक्षा न देकर पुरानी विधियों पर ही निर्भर रहते हैं।
3. **अध्यापक को विषय का यथेष्ठ ज्ञान न होनाः** अध्यापक का किसी विषय से सम्बन्धित ज्ञान, अनुभव एवं योग्यता आदि छात्रों को प्रत्यक्ष रूप से प्रभावित करते हैं। यदि अध्यापक को अपने विषय की गहन जानकारी नहीं है तो वह छात्रों को बहुत कुछ नहीं दे पाएगा। इसके विपरीत, यदि अध्यापक को अपने विषय का पूर्ण ज्ञान है तो आत्मविश्वास के साथ छात्रों को नवीन ज्ञान देने में सक्षम होगा तथा उसका शिक्षण प्रभावी होगा। आजकल गणित शिक्षण से जुड़ी यह एक प्रमुख समस्या है।
4. **छात्रों में व्यक्तिगत भेदः** प्रत्येक छात्र की बुद्धि रुचि, योग्यता, क्षमता, अभिवृत्ति आदि अलग-अलग होती है तथा यही विशेषता शिक्षण की एक समस्या बन जाती है। इन्हीं विशेषताओं के कारण कुछ छात्र तो अध्यापक द्वारा प्रदत्त ज्ञान को आसानी से आत्मसात् कर लेते हैं और कुछ देर से कर पाते हैं या बिल्कुल ही नहीं कर पाते। सामान्यतः एक कक्षा में अध्यापक को तीन प्रकार के छात्रों का सामना करना होता है–मेधावी, सामान्य तथा पिछड़े हुए छात्र। इसी समस्या को व्यक्तिगत भेद की समस्या की संज्ञा दी जाती है।

   आजकल शिक्षक अपने शिक्षण की व्यवस्था इनके अनुरूप सुचारु रूप से व्यवस्थित करने में असफल हो रहे हैं।
5. **समय-चक्र में गणित का गलत स्थानः** यदि छात्र अधिक देर तक किसी क्रिया को करता रहता है तो वह थकान का अनुभव करने लगता है और थकान अनुभव होने से सीखने की प्रक्रिया में शिथिलता उत्पन्न हो जाती है। विद्यालयों में समय-चक्र बनाते समय इस बात का ध्यान रखा जाना चाहिए कि गणित जैसे कठिन विषयों को पहले तथा सरल विषयों को समय-चक्र में बाद में पढ़ाने की व्यवस्था बनाई जाए साथ ही मध्यान्तर की व्यवस्था भी आवश्यक रूप से की जानी चाहिए। समय चक्र में इस बात का भी ध्यान रखा जाना चाहिए कि एक कक्षा की समय अवधि कितनी है।
6. **अभ्यास की उचित व्यवस्था न होनाः** अभ्यास, गणित शिक्षण का एक महत्त्वपूर्ण अंग है। गणित शिक्षण में अभ्यास का उचित विभाजन नहीं है, गणित शिक्षण में अभ्यास का मापदण्ड आवश्यक है। अभ्यास उतना होना चाहिए जितना कि छात्र उसे बिना थकावट का अनुभव कर, कर सके तथा यह प्रक्रिया निरन्तर होनी चाहिए। माध्यमिक स्तर पर गणित शिक्षण में अभ्यास की प्रक्रिया का स्वरूप एक समान नहीं है जो गणित शिक्षण में एक प्रमुख समस्या है। आवश्यकता से अधिक अभ्यास कराने से सीखने की क्षमता का ह्रास होता है।
7. **छात्रों का शारीरिक एवं मानसिक स्वास्थ्यः** गणित शिक्षण के अन्तर्गत छात्रों का शारीरिक तथा मानसिक रूप से स्वस्थ होना नितान्त आवश्यक है। क्योंकि बालक के ध्यान, रुचि व एकाग्रता पर इसका प्रभाव पड़ता है। किसी भी प्रकार की मानसिक विकृति,

शारीरिक रुग्णता तथा मानसिक तनाव का प्रत्यक्ष प्रभाव बालकों के शिक्षण पर प्रतिकूल पड़ता है। शारीरिक एवं मानसिक रूप से अस्वस्थ बालक शीघ्र ही थक जाते हैं।

8. **पाठ्यक्रम की दोषपूर्ण संरचनाः** गणित शिक्षण में पाठ्यक्रम की संरचना का बड़ा महत्त्व है। पाठ्यक्रम सरल से कठिन की ओर 'बाल केन्द्रित' तथा 'जीवनोन्मुखी' सिद्धान्तों पर आधारित होना चाहिए। लेकिन माध्यमिक स्तर पर पाठ्यक्रम की संरचना का व्यवस्थित ना होना भी गणित शिक्षण की एक प्रमुख समस्या है।

9. **प्राथमिक स्तर पर छात्रों का कमजोर गणितीय आधारः** माध्यमिक स्तर पर गणित शिक्षण की एक प्रमुख समस्या यह भी है कि छात्रों का प्राथमिक स्तर पर गणित शिक्षणे बहुत कमजोर रूप में होता है। जिस कारण माध्यमिक स्तर पर छात्र गणित को ठीक से नहीं समझ पाते तथा इसी कारण से गणित शिक्षण के प्रति उनकी रुचि कम हो जाती है। जिस कारण माध्यमिक स्तर पर गणित शिक्षण का कार्य सुचारु रूप से नहीं हो पाता। जो माध्यमिक स्तर पर गणित की एक प्रमुख समस्या बन जाती है।

10. **गणित शिक्षण के लिए उचित वातावरण का अभावः** विद्यालयों में गणित शिक्षण के लिए उचित वातावरण की समस्या आज गणित शिक्षण की एक प्रमुख समस्या बन गई है। गणित शिक्षण में गणित कक्ष, गणित, प्रयोगशालाओं, पुस्तकालय, कक्षा कक्ष में प्रकाश व वायु की व्यवस्था आदि का उत्तम प्रबन्ध न होना प्रमुख है।

विशेष टिप्पणी

जबकि समस्याओं और चुनौतियों की एक लम्बी शृंखला उपरोक्त दृष्टिकोण के लक्ष्य तक जहां तक में जाने की जरूरत है के बीच की दूरी को बढ़ाता है बल्कि यह हमें एक उम्मीद भी देता है यह इशारा करके कि हमें कहां और किधर जाने की जरूरत है तथा कौन सा उपाय किया जाना चाहिए। हम संक्षिप्त रूप में उन केन्द्रीय दिशा-निर्देशों को प्रस्तुत करते हैं जो निर्धारित दृष्टिकोण को कार्यान्वित करने के लिए उपयोगी हो सकते हैं। इन्हें हम पुनः चार केन्द्रीय प्रकरणों में बाँटते हैं:

(i) संकीर्ण लक्ष्य की प्राप्ति से उच्च लक्ष्य की प्राप्ति के रूप में गणित शिक्षा के केन्द्र बिन्दु में परिवर्तन

(*ii*) प्रत्येक छात्र को सफलता बोध के साथ गणित कक्षा में शामिल करना वहीं दूसरी ओर उभरते गणितज्ञों को अवधारणात्मक चुनौती प्रस्तुत करना।

(*iii*) क्रिया-विधि ज्ञान के बदले छात्रों की गणितीय ज्ञान को जांचने के लिए आकलन विधि में परिवर्तन करना।

(*iv*) विभिन्न प्रकार के गणितीय संसाधनों शिक्षक को उपलब्ध कराना।

त्रुटि विश्लेषण

छात्रों द्वारा त्रुटि

अधिगम अयोग्यता वाले छात्रों एवं धीमा प्रदर्शन वाले छात्रों के लिए खास त्रुटियों की पहचान विशेष रूप से महत्वपूर्ण है। छात्रों के त्रुटियों का सही-सही निरूपण कर शिक्षक छात्रों के जरूरत के क्षेत्र का लक्ष्य के अनुरूप शिक्षा दे सकता है। सामान्यतः वैसे छात्र जिन्हें गणित सीखने में कठिनाई होती है, उनमें कई कारणों से महत्त्वपूर्ण संकल्पनात्मक ज्ञान का अभाव होता है। यथा–शिक्षण गति के अनुरूप सूचनाओं को संसाधित (Process) करने की अयोग्यता, प्रतिक्रिया या उत्तर देने के लिए पर्याप्त अवसरों का अभाव, भ्रांति या न समझने की स्थिति में शिक्षक से विशेष प्रतिपुष्टि (feedback) का अभाव, गणित के विषय में चिन्ता एवं दृश्य-श्रव्य माध्यम में कठिनाई।

ज्ञान का अभाव

छात्रों के ज्ञान का अभाव एक बहुत बड़ा कारण हो सकता है कि क्यों वे बार-बार एक निश्चित सवाल को हल नहीं कर पाते। जैसा कि ऊपर कहा गया है, तीन तरह की त्रुटियाँ होती है– क्रिया-विधि संबंधी (procedural) तथ्यों पर आधारित (factual) एवं अवधारणात्मक (conceptual)। यदि एक छात्र सही क्रिया-विधि का अनुसरण नहीं करता तो यह क्रिया-विधि संबंधी या व्यावहारिक त्रुटि है। तथ्यात्मक त्रुटि वे गलतियां है जो छात्र तब करता है जब एक तथ्य सवालों को हल करने के लिए आवश्यक होता है और छात्र उसे याद नहीं रख पाता या छात्रों को आधारभूत तथ्यों पर पकड़ नहीं होती। क्रिया-विधि संबंधी एवं तथ्यात्मक त्रुटि (जिसे असावधानी भी कहा जाता है) भ्रांतियों के कारण नहीं होता। असावधानी, (Slips) याद्दाश्त में कमी, आवेगशीलता (inpulsivity) या दृश्य प्रेरक संघटन (visual motor integration) की समस्या के कारण होती है, इसकी पहचान अवधारणात्मक त्रुटियों के अपेक्षा ज्यादा आसान है। अवधारणात्मक या संकल्पनात्मक त्रुटि (Bugs) क्रिया-विधि संबंधी त्रुटि की तरह दिख सकता है। किन्तु यह तब होता है जब छात्र गणित के किसी खास संकल्पना को पूरी तरह नहीं समझ पाता। यह अन्य त्रुटियों के अपेक्षा ज्यादा गंभीर त्रुटि है। यदि कोई त्रुटि संकल्पनात्मक है तो उसे निर्धारित करने के लिए शिक्षकों को छात्रों को ठोस उदाहरण द्वारा समस्या को प्रस्तुत करने या सवाल को हल करने के लिए प्रयुक्त चरणों (Steps) को दिखाने और उसकी व्याख्या करने के लिए कहना चाहिए।

एकाग्रता में कमी या असावधानी

छात्रों द्वारा किए गए त्रुटि का अन्य संभव कारण एकाग्रता में कमी या असावधानी है। इस मुद्दे के समाधान के लिए शिक्षक को सर्वप्रथम निर्देशों पर विचार करना चाहिए, फिर छात्रों की योग्यता और कार्य पर। उदाहरणस्वरूप, एकाग्रता में कमी लम्बे भाग के दौरान जबकि छात्र ने भाग करना नहीं सीखा है या पूर्व की आवश्यक दक्षता नहीं हासिल की है के समान होता है। यहां निर्देशों एवं छात्र की योग्यता में मेल नहीं होता। जहां छात्रों को एक लम्बी अवधि तक सुनने की जरूरत होती है पाठ के उस हिस्से के शिक्षण के दौरान अएकाग्रता (Inattention) हो सकती है। इस स्थिति में, शिक्षकों को एक स्फूर्तिकारक विषय-वस्तु प्रस्तुत करना चाहिए; वह भी उत्साह पूर्ण तरीके से और यह निश्चित करते हुए कि छात्रों को पाठ से जुड़ने एवं प्रश्नों पर प्रतिक्रिया या उत्तर देने का पर्याप्त अवसर दिया गया है। जब स्वतंत्र कार्यों के दौरान एकाग्रता में कमी हो तब शिक्षक को कार्य पूरा करने की अपेक्षाओं (Expectations) को स्पष्ट कर देना चाहिए। इन्हें छात्रों के कार्यों का अनुश्रवण (Monitor) करना चाहिए तथा सुधारात्मक प्रतिपुष्टि भी प्रदान करना चाहिए।

त्रुटि विश्लेषण करना

निम्नलिखित चरण (Steps) गणित में प्रयुक्त त्रुटि विश्लेषण प्रक्रिया की व्याख्या करते हैंः

1. छात्रों के प्रत्येक तरह के समस्याओं के लिए (जैसे-एक अंक का जोड़, दो अंकों गुणा) छात्रों के कार्यों का नमूना एकत्र करना। इनमें प्रत्येक तरह की समस्याओं के लिए कम-से-कम तीन से पाँच चीजें होनी चाहिए।
2. बिना किसी तरह के संकेत या प्रोत्साहन के छात्रों द्वारा जैसे कि वह सवालों को हल किया है का विवरण रखना।
3. छात्रों के सभी लिखित व मौखिक रूप में प्रतिक्रियाओं का संग्रह करना।
4. प्रतिक्रियाओं का विश्लेषण करना एवं समान तरह के समस्याओं में एकरूपता का पता लगाना।
5. एक स्पष्ट प्रतिरूप में अपवाद के उदाहरणों का पता लगाना। सटीक अपवाद यह संकेत देता है कि छात्र क्रिया-विधि या संकल्पना को पूरी तरह नहीं समझता है।

6. निरीक्षण किए गए प्रतिरूपों एवं छात्रों की समस्याओं को संभव कारणों का सामान्य भाषा में वर्णन करना। जैसे कि यदि छात्र ने दो अंक वाले जोड़ के सवालों का पुनः समूहीकरण नहीं किया है तो इसका यह संकेत हो सकता है कि वह छात्र स्थानीय मान की अवधारणा (Concept) को नहीं समझता।
7. छात्रों का यह पूछकर साक्षात्कार लेना कि उसने प्रश्नों को कैसे हल किया ताकि संदेहास्पद त्रुटि प्रतिरूपों की पुष्टि की जा सके।

मूल्यांकन में त्रुटि

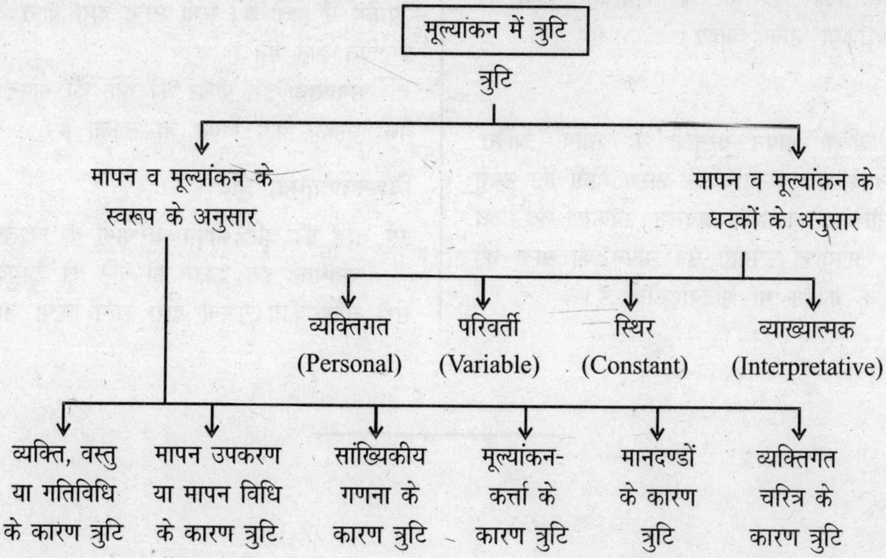

व्यक्ति, वस्तु या गतिविधि के कारण त्रुटि

वह त्रुटि जो उस व्यक्ति वस्तु या गतिविधि के कारण होता है जिसका मापन या मूल्यांकन किया जाना है। उदाहरणस्वरूप, ऐसे छात्र के वास्तविक योग्यता का मापन या मूल्यांकन कठिन है जो मानसिक या शारीरिक रूप से सामान्य नहीं है या वह थका हुआ, डरा हुआ या बीमार है या फिर उसे यह अनुभव नहीं है कि जाँच परीक्षा कैसे संचालित की जाती है।

समाधानः इस प्रकार की त्रुटि को छात्रों को परीक्षा के बारे में सम्पूर्ण जानकारी देकर और सहानुभूतिपूर्वक व्यवहार कर कम किया जा सकता है।

मापन उपकरण एवं मापन विधि के कारण त्रुटि

इस प्रकार की त्रुटि तब होती है जब छात्रों की योग्यता को मापने में अपर्याप्त उपकरण एवं विधि का प्रयोग किया जाता है। जैसे, यदि योग्यता के मापन में उपलब्धि परीक्षण का प्रयोग नहीं किया जाय तो मापन सही नहीं हो पायेगा।

समाधानः इस प्रकार के त्रुटियों को उचित उपकरण एवं विधि के निर्माण द्वारा सुधारा जा सकता है किन्तु ये उपकरण एवं विधियां वस्तुनिष्ठ, वैध एवं विश्वसनीय होना चाहिए।

सांख्यिकीय गणना के कारण त्रुटि

यदि कोई मूल्यांकनकर्त्ता उचित सांख्यिकीय विधि या गणना के चुनाव में त्रुटि करता है तो मूल्यांकन का परिणाम गलत होगा। इस प्रकार की त्रुटि इसके अन्तर्गत आती है।

समाधानः इस प्रकार की त्रुटि को सांख्यिकी एवं गणना के स्पष्ट ज्ञान द्वारा खत्म किया जा सकता है।

मूल्यांकनकर्त्ता के कारण त्रुटि

यदि मापनकर्त्ता या मूल्यांकनकर्त्ता उपकरण एवं विधि के साथ-साथ उपयुक्त सांख्यिकीय तरीका उपयोग करने में सक्षम नहीं है तो इस प्रकार की त्रुटि होती है। उदाहरणस्वरूप यदि मूल्यांकनकर्त्ता चिढ़ा हुआ या ईर्ष्याग्रस्त है तब वह सही-सही मूल्यांकन नहीं कर सकता।

समाधानः इस प्रकार के त्रुटि का समाधान मूल्यांकनकर्त्ता के निष्पक्ष व तटस्थ होने पर हो सकता है।

मानदण्ड के कारण त्रुटि

यदि एक मूल्यांकनकर्त्ता को मूल्यांकन परिणाम की व्याख्या के मानदण्डों का स्पष्ट ज्ञान नहीं है तो वह मापन के परिणामों की सही व्याख्या नहीं कर सकता।

समाधानः इस प्रकार की त्रुटि का समाधान मूल्यांकनकर्त्ता का मानदण्डों की स्पष्ट जानकारी देकर किया जा सकता है।

व्यक्तिगत चरित्रों के कारण त्रुटि

यदि एक मूल्यांकनकर्त्ता छात्र के चरित्र के मापन के प्रति सजग नहीं है। उन्हें यह भी नहीं मालूम है कि बच्चों के किस प्रकार के गुणों का मापन किया जाना है, तो वह उपयुक्त जाँच की रचना करने में सक्षम नहीं हो सकता। परिणामतः वह छात्र के गुणों का उचित ढंग से मापन नहीं कर सकता।

समाधानः इस प्रकार की त्रुटि को गुणों के मापन के निर्धारण द्वारा समाप्त किया जा सकता है।

व्यक्तिगत त्रुटि

मूल्यांकनकर्त्ता की शारीरिक एवं मानसिक अवस्था, उसका व्यक्तिगत दृष्टिकोण, उसकी, पसन्द और नापसन्द आदि प्रत्यक्षतः अथवा परोक्षतः मापन एवं मूल्यांकन प्रक्रिया का प्रभावित करते हैं। इस प्रकार की त्रुटि प्रायः वर्णनात्मक उत्तरों में पाये जाते हैं।

समाधानः इस प्रकार की त्रुटि का समाधान प्रश्नों को वस्तुनिष्ठ बनाकर किया जाना चाहिए।

परिवर्ती त्रुटि

इस प्रकार की त्रुटियाँ मापन वस्तुओं के प्रयोग, व्यक्ति, गतिविधि, गुण, उपकरण एवं विधि के कारण होती हैं। छात्रों के असामान्य शारीरिक व मानसिक अवस्था, उपकरण एवं विधि की अनुपयुक्तता, अपर्याप्त उपयोग एवं मापन की मात्रा की अस्पष्टता आदि के कारण भी त्रुटियाँ होती हैं।

समाधानः इस प्रकार के त्रुटियों का निराकरण छात्रों के साथ सहानुभूतिपूर्वक व्यवहार, सर्वाधिक उपयुक्त विधि का चुनाव, पर्याप्त उपयोग एवं मापन योग्यता की स्पष्टत समझ द्वारा की जा सकती है।

स्थिर त्रुटि

इस प्रकार की त्रुटि उपकरण, विधि के स्वरूप एवं उसके उपयोग में होती है। सभी छात्रों द्वारा प्राप्त अंक इस त्रुटि से प्रभावित होते हैं।

समाधानः इस प्रकार की त्रुटि को मापन विधि को ज्यादा वैध बनाकर कम किया जा सकता है।

विश्लेषणात्मक त्रुटि

इस तरह की त्रुटि मापन परिणामों के विश्लेषण में होती है।

समाधानः इस प्रकार की त्रुटि को उपयुक्त मानदण्डों एवं सही सांख्यिकीय गणना द्वारा खत्म किया जा सकता है।

नैदानिक परीक्षण एवं उपचारात्मक शिक्षण

एक शिक्षक के रूप में हमारी भूमिका बच्चों में गुणात्मक अधिगम को प्रोत्साहित करना है। यह तभी सम्भव है जब है जब हम मार्गदर्शक की भूमिका निभाएं और छात्र अधिगम प्रक्रिया में सक्रिय रूप से हिस्सा लें। शिक्षण-अधिगम प्रक्रिया में हमें उन क्षेत्रों की पहचान एवं निर्धारण करना होगा जहां छात्र गलतियाँ करते हैं। यह शिक्षण-अधिगम प्रक्रिया की निर्णायक अवस्था है जहाँ हमें अधिगम के वांछित गुणों को सुनिश्चित करने के हेतु उपचारात्मक शिक्षण के लिए शैक्षणिक विषय-वस्तु की पहचान करनी होगी एवं उसका निर्माण भी करना होगा।

इस अवस्था में शिक्षक की भूमिका एक चिकित्सक (Doctor) की होती है। जो रोग को पहचानने के लिए विभिन्न परीक्षणों द्वारा सभी आवश्यक कदम उठाते हैं। तब पहचान किए गए रोगों के लिए दवा की सलाह देते हैं।

शिक्षा के मामले में नैदानिक परीक्षण की क्रिया रोगों की पहचान तथा उपचारात्मक शिक्षण इसके समाधान हेतु सलाह है। अतः नैदानिक परीक्षण एवं उपचारात्मक शिक्षण प्रभावशाली अधिगम सुनिश्चित करने एवं शिक्षा की गुणवत्ता को सुधारने हेतु बहुत आवश्यक है।

नैदानिक परीक्षण के उपाय

- शैक्षणिक (Education)
- शारीरिक रोग विषयक (Physical/Clinical)

नैदानिक परीक्षण के उद्देश्य

- ☆ नैदानिक परीक्षण का अर्थ व महत्त्व समझने के लिए।
- ☆ नैदानिक परीक्षण की प्रकृति व उसका अभिप्राय समझने के लिए।
- ☆ कक्षा में शिक्षण-अधिगम प्रक्रिया में नैदानिक परीक्षण के चरणों एवं उनकी अवस्थाओं के अनुसरण के लिए।
- ☆ कक्षा की अवस्थानुसार गणित में उपचारात्मक शिक्षण संचालन के लिए।

नैदानिक परीक्षण के गुण

- ☆ शिक्षकों के लिए यह एक प्रभावशाली उपकरण है जिसकी मदद से शिक्षक उपचारात्मक शिक्षण का आयोजन करता है।
- ☆ यह विषय-वस्तु के अधिगम में छात्रों की कमी और कमजोरी का पता लगाता है।
- ☆ यह शैक्षिक समूह के निर्माण का आधार है, इस प्रकार यह कमजोर छात्रों को उसकी कमी को दूर कर उसके कार्य प्रदर्शन को सुधारने में मदद करता है।
- ☆ यह एक गुणात्मक परीक्षण है, मात्रात्मक नहीं।
- ☆ इन परीक्षणों में सही प्रश्नों के लिए अंक निर्धारित नहीं किए जाते बल्कि पाठ्य-वस्तु के शिक्षण के दौरान गलत उत्तर या प्रतिक्रिया पर ही नजर रखा जाता है।
- ☆ इसमें केवल वस्तुनिष्ठ प्रश्न ही होते हैं।
- ☆ इस परीक्षण में गलत उत्तरों के कारण जानने के लिए कुशल एवं विशेषज्ञ व्यक्ति की जरूरत होती है।
- ☆ यह सभी अधिगम एवं शिक्षण बिन्दुओं पर पूरा जोर देते हैं।
- ☆ इसमें बातों को सुनने के क्रम में अपने भीतर संजोया जाता है अतः अधिगम अवस्था में परिवर्तन लाकर बातों को समझाने में मदद किया जा सकता है।

नैदानिक परीक्षण के कार्य

- वर्गीकरण
  - (i) अभियोग्यता स्तर (Aptitude level)
  - (ii) व्यावसायिक स्तर (Vocational level)
  - (iii) बौद्धिक स्तर (Intellectual level)
- निम्न बिन्दुओं के संदर्भ में विशिष्ट योग्यताओं का आकलन
  - (i) असामान्यता का स्तर (Level of Abnormality)
  - (ii) समायोजन का स्तर (Level of Adjustment)
  - (iii) दबाव एवं चिंता का स्तर (Level of Depression and Anxiety)
- उपचार
  - (i) विकलांगों के लिए विशेष शिक्षा
  - (ii) मानसिक रोग के लिए परामर्श
  - (iii) अधिगम में कमजोर के लिए उपचारात्मक शिक्षण
  - (iv) शारीरिक रोग के लिए रोग-विषयक (Clinical) उपचार
- रोग के कारणों का वैज्ञानिक अध्ययन
  - (i) रोग के कारणों का अध्ययन

नैदानिक परीक्षण: अर्थ एवं महत्त्व

सामान्यतः एक खास अध्याय की समाप्ति के बाद छात्रों की उपलब्धि के आकलन के लिए हम एक परीक्षण (जांच) की व्यवस्था करते हैं। मूल्यांकन के पश्चात् हम कुछ निष्कर्ष निकालते हैं और हम पाते हैं कि कुछ छात्रों ने बहुत अच्छा प्रदर्शन किया है और छात्रों के एक खास समूह ने हमारे उम्मीद से बहुत कम उपलब्धि प्राप्त की है। अब हमें इस निम्न उपलब्धि एवं धीमे अधिगम का कारण जानना है। इस निम्न परिलब्धि का एक निश्चित कारण हो सकता है। अब यह पता लगाना बहुत आवश्यक है कि छात्रों को किस क्षेत्र में कठिनाई है या कौन सी वह खास संकल्पना है जहां छात्र गलतियाँ करते हैं। अधिगम में कठिनाई के इस क्षेत्र को पहचानने एवं निर्धारित करने की जरूरत हमें नैदानिक परीक्षण को प्रेरित करता है।

त्रुटि वाले क्षेत्रों की पहचान के बाद हमें उन कारणों का पता लगाना होगा जिसके कारण किसी खास बच्चे/बच्चों के समूह ने अच्छी तरह जवाब नहीं दिया। इस अवस्था में हमें चिकित्सक (Doctor) की भूमिका निभानी होगी। जब कोई रोगी किसी डॉक्टर के क्लीनिक में जाता है तो उसके रोग के लक्षणों का निरीक्षण कर उससे संबंधित विभिन्न प्रकार परीक्षण (जांच) करवाने की सलाह देता है। परीक्षणों की रिपोर्ट पाने के बाद वह रोग की पहचान कर पाता है और तब इसके वह दवा लेने की सलाह देता है।

इसी तरह, एक शिक्षक के रूप में हमें उस क्षेत्र की पहचान करनी होगी जहां त्रुटियां पायी जाती हैं। शिक्षण अवस्था में इस प्रक्रिया को अपनाएं जाने को ही नैदानिक परीक्षण के रूप में जाना जाता है। हम कह सकते हैं कि नैदानिक परीक्षण में अधिगम समस्याओं का विस्तृत अध्ययन अंतर्निहित होता है।

नैदानिक परीक्षण के दौरान निम्नलिखित बिन्दुओं पर अवश्य ध्यान रखना चाहिए:

(*i*) कौन छात्र है जिसे मदद की जरूरत है?

(*ii*) त्रुटियाँ कहाँ हुई है?

(*iii*) त्रुटियाँ क्यों हुई है?

माना कि हमने दो अंकों वाली संख्या के घटाव की साधारण विधि को पढ़ाया और एक परीक्षण का आयोजन किया जिसमें एक छात्र द्वारा निम्नलिखित हल प्रस्तुत किया गया:

98	77	85	81	97
– 62	– 52	– 35	– 40	– 67
36	25	55	41	37

परीक्षण के बाद हम पूरे समूह के आकलन की स्थिति में हैं। यह आकलन एक विश्लेषण के बाद का है। अर्थात् हमें प्रत्येक व्यक्ति के उन क्षेत्रों का पता लगाना है जहाँ छात्रों ने गलती की है। उदाहरणस्वरूप, 'अंशु' ने दो अंकों वाली संख्या के घटाव (बिना उधारवाली) के सभी प्रश्नों को सही-सही हल किया है किन्तु जहां किसी अंक में से समान अंक को घटाना था वहां उसने त्रुटि की है। जैसे–5 – 5 = 5 एवं 7 – 7 = 7। अब हम उस संकल्पना की पहचान कर सकते हैं जिसे 'अंशु' नहीं समझ सकी। यही नैदानिक परीक्षण कहलाता है।

नैदानिक परीक्षण के दौरान किसी खास प्रकरण या इकाई में छात्रों द्वारा किए गए प्रगति की सही प्रकृति का विश्लेषण करना हमारा विशेष लक्ष्य होता है। साथ ही हमें त्रुटि/कमजोरी के विशिष्ट क्षेत्रों को जानना होता है जिसके लिए सावधानीपूर्वक एवं श्रेणीबद्ध परीक्षणों के एक श्रृंखला की विश्लेषण करना होता है, आकलन करना नहीं। यह निम्न उदाहरण से ज्यादा स्पष्ट होगा:

छात्र का नाम–आशीष

370	590	860	870
– 210	– 230	– 330	– 353
160	360	530	520
513	654	845	
– 206	– 352	– 203	
307	202	602	

असावधानी के कारण त्रुटि

260	280	370
– 109	– 140	– 143
100	240	230

घटाव के निष्पादन की दक्षता का विश्लेषण

हमने कक्षा में घटाव में दक्षता के आकलन हेतु एक परीक्षण का संचालन किया। इस आकलन के बाद हमें यह पता लगाना है कि कितने छात्र इस दक्षता को नहीं हासिल कर सके और वे कौन हैं। वह संकल्पना जो छात्रों के लिए स्पष्ट नहीं है या वह खास चरण जहाँ बच्चे गलतियाँ करते हैं, का पता लगाने के लिए हमें खास समूह के छात्रों की सूची बनानी होगी। उदाहरणस्वरूप, आशीष के मामले में हमने पाया है कि घटाव (उधार वाले) के प्रश्न में जब शून्य में से किसी संख्या को या किसी संख्या में से शून्य को घटाना होता है तभी वह गलतियाँ करता है। आशीष शून्य में से शून्य को घटाना जानता है। इस विश्लेषण से हम निष्कर्ष निकाल सकते हैं कि आशीष केवल तभी गलती करता है जब घटाव में शून्य और एक संख्या एक साथ आती है। अधिगम समस्या के इन क्षेत्रों की पहचान और शामिल प्रक्रिया तथा समस्याओं का परीक्षण नैदानिक परीक्षण कहलाती है।

नैदानिक परीक्षण का निर्माण

☆ उद्देश्यों या पाठ्य-वस्तु की रूपरेखा को सूत्रबद्ध करना।

☆ पाठ्य-वस्तुओं एवं अवयवों का उपप्रकरण के संदर्भ में विश्लेषण करना।

☆ उपप्रकरण (Subtopic) के क्रम में समस्याओं की पहचान करना।

☆ मदों का विश्लेषण करना एवं उसे रूपान्तरित करना।

☆ परीक्षण का अंतिम प्रारूप तैयार करना।

☆ परीक्षण की नियमावली तैयार करना।

☆ उपचारात्मक उपाय एवं साधन

नैदानिक परीक्षण का उद्देश्य एवं प्रकृति

यदि हम गुणात्मक एवं मात्रात्मक दोनों दृष्टिकोण से अंकगणितीय उपलब्धि पर विचार करें तो इन्हें चार मुख्य बिन्दुओं में विभाजित कर सकते हैं–(*i*) यथार्थता या परिशुद्धता (Accuracy), (*ii*) लिखने की गति (*iii*) काम करने का तरीका और (*iv*) गणितीय विधि का विस्तार जिसमें दक्षता मिल गई हो।

यह स्पष्ट है कि हम उपरोक्त चार निर्देशों के आधार पर वर्ग-कार्य, साप्ताहिक या मासिक परीक्षा जो छात्रों की योग्यता को रेखांकित करते हैं, द्वारा प्रतिपुष्टि प्राप्त करने की कोशिश करेंगे। किन्तु यह खासकर मन्दबुद्धि छात्रों के शिक्षक के लिए पर्याप्त नहीं है। इस समूह के छात्रों के उपलब्धि का हमें ज्यादा विश्लेषणात्मक आकलन प्राप्त करने की जरूरत है। इसके लिए हम निम्नलिखित उदाहरण ले सकते हैं:

छात्रों के एक समूह को गणित की मौलिक क्रिया (जोड़, घटाव, गुणा एवं भाग) पढ़ाने के बाद हम 10 मदों (Items) की एक परीक्षा संचालित करते हैं जिसका परिणाम संक्षिप्त रूप में निम्नलिखित हैं:

मद	त्रुटि	मद	त्रुटि
1	2	6	10
2	1	7	8
3	3	8	9
4	2	9	32
5	3	10	32

ऊपर के आँकड़ों से जाँच मदों का विश्लेषण संभव है। यह स्पष्ट है कि मद संख्या 9 एव 10 में ज्यादातर छात्रों ने गलती की है। इस स्थिति में हमें मद संख्या 9 एवं 10 में बदलाव पर पुनर्विचार करना होगा। यही वह अवस्था है जहां हमने समस्याओं की पहचान तथा इनका निर्धारण किया है और इसलिए यह छात्रों द्वारा की गई त्रुटि का पहचान किया क्षेत्र है। इसी प्रकार मद संख्या 6, 7 एवं 8 के लिए हम पुनर्विचार करेंगे और अधिगम में गुणात्मक सुधार हेतु शिक्षण-सामग्री तैयार करेंगे। उपरोक्त उदाहरण में गुणात्मक सुधार हेतु शिक्षण-सामग्री तैयार करेंगे। उपरोक्त उदाहरण हमें बता देते हैं कि नैदानिक परीक्षण की प्रकृति विश्लेषणात्मक है जहां शिक्षक को परीक्षण के दौरान छात्रों का प्रदर्शन देखना होता है। उन्हें यह जानना होता है कि क्यों छात्र किसी खास संकल्पना को नहीं सीख पाया या उसकी दक्षता नहीं हासिल कर पाया। व्यक्तिगत रूप से प्रत्येक छात्रों के लिए जिस तरह की त्रुटि वह करता है उसके संदर्भ में शिक्षकों को एक दृष्टिकोण बनाना पड़ता है। यह विश्लेषण शिक्षकों के सामान्य विचार पर नहीं बल्कि प्रदर्शन की तारीख पर निर्भर करता है। इसकी व्याख्या प्रत्येक छात्र के संबंध में, छात्रों के समूह के संबंध में प्रत्येक संकल्पना/सामर्थ्य (competency) के संबंध में एवं प्रत्येक प्रश्न के लिए हो सकती है।

आखिर शिक्षकों को छात्रों के प्रदर्शन में इस प्रकार की तहकिकात की जिम्मेदारी लेने की जरूरत क्यों पड़ती है। इसका स्पष्ट उत्तर है कि वे अधिगम की गुणवत्ता को कायम रखना चाहते हैं तथा यह जानने के प्रति उत्सुक रहते हैं कि वांछित परिणाम प्राप्त करने के लिए कौन से विशिष्ट कदम उठाये जाएँ। इस प्रकार नैदानिक-परीक्षण का मुख्य उद्देश्य उपचारात्मक शिक्षण के संबंध में सुधारात्मक उपाय विकसित करने के लिए छात्रों के कठिनाई को चिह्नित करना है।

नैदानिक परीक्षण में विभिन्न चरण एवं अवस्थाएँ

शैक्षिक निरूपण (diagnosis) में आवश्यक चरण है:

(*i*) उन छात्रों की पहचान करना जिन्हें समस्या है और मदद की जरूरत है।

(ii) त्रुटियों एवं अधिगम की समस्याओं की खोज करना।

(iii) मन्द अधिगम के कारण-सम्बन्धी पहलुओं की खोज करना।

***(i)* उन छात्रों की पहचान करना जिन्हें समस्या है और मदद की जरूरत है:** सर्वप्रथम, उन छात्रों के बारे में जानना चाहिए जिन्हें मदद चाहिए। इसके लिए हम पहले पढ़ाए गए पाठों पर आधारित सामान्य उपलब्धि परीक्षण का आयोजन कर सकते हैं। मूल्यांकन के पश्चात् हम औसत से नीचे, औसत एवं औसत से ऊपर के छात्रों की सूची बना सकते हैं। उनके बाद छात्रों की कठिनाइयों में गहरी अन्तर्दृष्टि रखते हुए उन क्षेत्रों को चिह्नित कर सकते हैं जहाँ गलतियाँ हुई हैं।

***(ii)* त्रुटियों एवं अधिगम की समस्याओं की खोज करना:** जिन छात्रों को मदद की जरूरत है उसकी पहचान एवं अधिगम में गुणात्मक सुधार हेतु अतिरिक्त शिक्षण सामग्री की आवश्यकता की कल्पना के बाद हमारी मुख्य भूमिका यह पता करने में है कि बच्चे कहाँ गलती करते हैं या किस क्षेत्र में अधिगम की समस्या है। उदाहरण के तौर पर हम छात्रों के उत्तर का निम्न प्रकार परीक्षण करते हैं।

(*i*) $\frac{3}{4}+\frac{5}{4}=\frac{8}{4}$ (*ii*) $\frac{7}{12}+\frac{4}{12}=\frac{11}{12}$

(*iii*) $1+\frac{3}{4}=\frac{\textcircled{4}}{4}$ (*iv*) $5+\frac{1}{7}=\frac{\textcircled{7}}{7}$

(*v*) $\frac{1}{2}+\frac{1}{3}=\frac{\textcircled{2}}{\textcircled{5}}$ (*vi*) $\frac{3}{7}+\frac{4}{5}=\frac{\textcircled{7}}{\textcircled{12}}$

ऊपर के उदाहरण उदाहरण से हम मानते हैं कि छात्रों को समान हर (denominator) वाले भिन्न के जोड़ का ज्ञान है जबकि विभिन्न हरों वाले भिन्न के जोड़ की समझ स्पष्ट नहीं है। इस प्रकार हमने उस क्षेत्र की पहचान कर ली जहाँ अधिगम की समस्या है।

***(iii)* मन्द अधिगम के कारण-सम्बन्धी पहलुओं की खोज करना:** अधिगम में कठिनाई के कुछ मामलों में कारण-सम्बन्धी पहलू

अपेक्षाकृत सामान्य होते हैं। एक छात्र शिक्षण अधिगम के दौरान असावधान (inattentive) हो सकता है या हो सकता है कि वह अपर्याप्त अभ्यास के कारण या फिर अनियमित उपस्थिति के कारण गलतियाँ करता हो।

कभी-कभी गलतियाँ छात्रों के खराब स्वास्थ्य या काम के दोषपूर्ण आदतों की वजह से भी होती हैं। कई बार ऐसा भी देखा जाता है कि निम्न उपलब्धि छात्रों का असहाय महसूस करने या विषय वस्तु की जटिलता जो छात्रों के समझ स्तर से काफी ऊपर होता है, के कारण भी होता है।

नीचे का श्रृंखलाबद्ध प्रदर्शन दिखाता है कि कैसे नैदानिक परीक्षण अधिगम के गुणात्मक सुधार को प्रोत्साहित करता है।

शिक्षण अधिगम ⟶ मूल्यांकन ⟶ छात्रों का असंतोष-जनक प्रदर्शन
↓
उन छात्रों की पहचान जिन्हें मदद की जरूरत है। ⟵ एक सामान्य उपलब्धि परीक्षण का आयोजन या पूर्व परीक्षण के आंकड़ों का उपयोग करना ⟵ समस्या पहचान का मामला
↓
कठिनाई के क्षेत्रों की पहचान करना ⟶ कारण-संबंधी पहलुओं की पहचान करना ⟶ उपचारात्मक साधन उपलब्ध कराना
↓
अधिगम का उन्नत गुण

उपचारात्मक शिक्षण

जबकि समस्या निरूपण (diagnosis) छात्रों के कठिनाइयों की खोज करने की प्रक्रिया है। इसके बाद वे कार्य किए जाते हैं जो बच्चों को उनकी कमी को पूरी करने में मदद करता है। इसे उपचारात्मक शिक्षण (Remedial Teaching) नाम दिया गया है। अतः हमें इस प्रकार की सामग्री तैयार करने या व्यवस्थित करने में कुशलता रखनी होगी जिसका सुधारात्मक शिक्षण में उपयोग किया जा सके और इस प्रकार अधिगम की गुणवत्ता को बढ़ाया जा सके।

1. अध्यापकों को भी निदानात्मक परीक्षणों (Diagnostic tests) के निर्माण में दक्ष (Expert) होना चाहिए।
2. अध्यापक एवं छात्र में निकट सम्बन्ध (Rapport) स्थापित किया जाए।
3. कार्यानुभव (Work-Experience) हमारे उपचारात्मक शिक्षण का एक अनिवार्य अंग होना चाहिए।
4. उपचार की सम्पूर्ण व्यवस्था की योजना स्पष्ट रूप से बना लेनी चाहिए एवं उसके कार्यान्वयन (Execution) में सावधानी से काम लेना चाहिए।
5. प्रक्रिया के दौरान विद्यार्थी को अधिक से अधिक सक्रिय (Active) रखा जाए।
6. अध्यापक अपने अनुभवों के आधार पर विस्तृत दृष्टिकोण अपनाए।
7. उपचार विधि की यह विशेषता होनी चाहिए कि उससे विद्यार्थी को अपनी सफलता के सम्बन्ध में शीघ्र परिणाम मिल सकें।
8. उपचारात्मक शिक्षण का प्रत्येक पहलू बालकों की आयु, रुचि, योग्यता एवं अनुभवों के अनुकूल हो।
9. उपचारात्मक शिक्षण के दौरान बालकों की रुचि को बनाए रखने के लिए उन्हें पर्याप्त प्रोत्साहन देते रहना चाहिए।

सामग्री का चयनः उपचारात्मक शिक्षण के लिए उपयुक्त शिक्षण सामग्री के चुनाव के समय निम्न बातों को ध्यान में रखा जाना चाहिएः

(*i*) सुधारात्मक सामग्री का निर्माण इस उद्देश्य से किया जाना चाहिए कि वह छात्रों के व्यक्तिगत कठिनाई को सुधार सके।

(*ii*) हमें निरीक्षण, साक्षात्कार एवं नैदानिक परीक्षण द्वारा मन्द बुद्धि के छात्रों के कार्यों का विश्लेषण करना होगा। इन तीनों पर सावधानीपूर्वक विचार करने पर यह तय करने में मदद मिलेगा कि किस प्रकार की सुधारात्मक सामग्री तैयार किया जाय और क्या उक्त सामग्री छात्रों के विशिष्ट कठिनाइयों को सुधारने के लिए प्रर्याप्त है?

(*iii*) सुधारात्मक सामग्री श्रेणीकृत और स्व निर्देशित होनी चाहिए तथा छात्रों को स्वतंत्रतापूर्वक कार्य करने देना चाहिए। लिखित निर्देश जो सामग्री के साथ दिया होता है छात्रों के लिए आसानी से पढ़ने व समझने योग्य होना चाहिए।

(*iv*) व्यक्ति को उसकी स्वाभाविक गति के अनुसार सुधारात्मक सामग्री से प्रगति करने देना चाहिए।

(*v*) सुधारात्मक सामग्री द्वारा छात्रों के प्रगति के प्रमाण के सुव्यवस्थित रिकार्ड को प्रोत्साहन मिलना चाहिए।

प्रतिभाशाली बालकों के लिये उपचारात्मक शिक्षण

1. प्रतिभाशाली छात्र गणित की खोजों में अत्यधिक-रुचि लेते हैं। अतः उन्हें गणित सम्बन्धी नवीन आविष्कारों को सीखने एवं जानने के पर्याप्त अवसर देने चाहिए।
2. ऐसे छात्रों के लिये मानसिक एवं मौखिक गणित की अपेक्षा लिखित गणित पर अधिक ध्यान देना चाहिए।
3. इन छात्रों के सम्मुख स्थूल या प्रत्यक्ष वस्तुओं के स्थान पर पर गूढ़ (Abstract) प्रत्यय सीधे ही प्रस्तुत किए जा सकते हैं।
4. प्रतिभाशाली छात्रों को सुनियोजित कार्यक्रम के माध्यम से व्यवस्थित ढंग से कार्यरत रखा जाना चाहिए।

5. प्रतिभाशाली छात्रों को एक ही समस्या को विभिन्न तरीकों से हल करने को प्रोत्साहन देना चाहिए।
6. ऐसे छात्रों को कभी-कभी कक्षा पढ़ाने का कार्य भी सौंपा जाना चाहिए। ऐसा करने से उनमें आत्म-विश्वास की वृद्धि होगी।
7. इनको आधुनिक गणित (Modern Mathematics), की विभिन्न शाखाओं में समन्वय स्थापित करके (Integrated Approach) पढ़ाना चाहिए।
8. ऐसे छात्रों से अध्यापक को गणित शिक्षण सम्बन्धी आकर्षक सहायक सामग्री बनवानी चाहिए।
9. इन छात्रों को व्यवस्थित सामग्री (Programmed Material) के माध्यम से पढ़ाना चाहिए।
10. इन छात्रों के मूल्यांकन हेतु विशेष परीक्षाओं (Tests) का आयोजन किया जाना चाहिए।
11. इन छात्रों के शिक्षण में निगमन, संश्लेषण, प्रयोगशाला, ह्यूरिस्टिक एवं प्रोजेक्ट विधियों का प्रयोग करना चाहिए।
12. शिक्षक को चाहिए कि वह ऐसे छात्रों को गणित के पाठ्य-क्रम के अतिरिक्त गणित सम्बन्धी इतिहास, गणित का विकास, पत्रिकाएँ (Journals) तथा सम्बन्धित साहित्य को पढ़ने के लिए प्रोत्साहित करें।

पिछड़े छात्रों के लिए उपचारात्मक शिक्षण

1. अंकगणित तथा बीजगणित के आधारभूत उप-विषयों को पढ़ाते समय पूरी सावधानी बरती जाए। दशमलव, प्रतिशत, अनुपात, ऐकिक नियम, समीकरण, लेखाचित्र आदि गणित के आधारभूत उप-विषय हैं जिनका व्यापक प्रयोग समस्याओं को हल करने में किया जाता है। इन उप-विषयों को अत्यन्त सावधानी से पढ़ाया जाए।
2. कक्षा में उदाहरणों का चयन विषय-वस्तु के विस्तार एवं कठिनाई के स्तर को ध्यान में रखकर किया जाए।
3. श्यामपट्ट पर लिखी हुई सामग्री व्यवस्थित, स्पष्ट एवं उपयोगी होनी चाहिए। श्यामपट्ट-कार्य का विकास छात्रों के सक्रिय सहयोग से किया जाए।
4. छात्रों में शुद्ध तथा बड़ा लिखने की आदत डाली जाए जिसमें उन्हें गणना करते समय सुविधा रहे।
5. कक्षा में छात्रों को जागरूक रखने के लिये प्रभावी प्रश्नोत्तर प्रविधि का प्रयोग किया जाए।
6. कमजोर छात्रों को कक्षा में आगे बैठाना चाहिए।
7. समस्याओं को हल करने से पहले छात्रों को यह स्पष्ट कर दिया जाए कि 'क्या ज्ञात करना है' तथा 'अभीष्ट उत्तर' कैसे ज्ञात किया जाना चाहिए? समस्याओं की भाषा सरल एवं स्पष्ट हो।
9. छात्रों को कक्षा में सोचने तथा तर्क करने के पर्याप्त अवसर मिलने चाहिए।
10. छात्रों को कक्षा में तथा कक्षा के बाद आवश्यकतानुसार व्यक्तिगत परामर्श देकर गणित के सीखने में सहायता की जानी चाहिए।
11. प्रत्येक उप-विषय के अभ्यास प्रश्न छात्र स्वयं करें तथा विभिन्न प्रत्ययों, प्रक्रियाओं, सिद्धान्तों आदि का विवेचन कर याद करें, जिससे उनमें आत्म-विश्वास की भावना का विकास हो।
12. कमजोर छात्रों के लिए मॉडल, चार्ट आदि का प्रयोग कर प्रत्ययों को स्पष्ट किया जाए।
13. कमजोर छात्रों को मौखिक तथा मानसिक गणना करने का पर्याप्त अभ्यास कक्षा में देना चाहिए।
14. कक्षा गें गणित की रागरयाओं को हल करते रागय छात्रों का ध्यान विशेष रूप में उन प्रत्ययों, सिद्धान्तों, प्रक्रियाओं आदि की ओर खींचा जाए जिनमें छात्र त्रुटियाँ करते हैं।
15. ऐसे छात्रों को हतोत्साहित नहीं करना चाहिए।

अभ्यास प्रश्न

1. "गणित बच्चों के मस्तिष्क में तार्किक आदत को व्यवस्थित करने का तरीका है।" यह कथन किसका है?
   A. लॉक B. गैलिलियो
   C. बट्रेण्ड रसेल D. बेंजामिन पियर्स
2. निम्न में से कौन गलत है?
   A. गणित का अध्ययन विश्लेषण की शक्ति देता है।
   B. यह अच्छे मस्तिष्क की रचना करता है।
   C. यह असंभव को संभव बनाता है।
   D. गणित का हमारे व्यावहारिक जीवन से गहरा सम्बन्ध है।
3. गणित शिक्षण में शिक्षक को निम्नलिखित बात पर ध्यान नहीं देना चाहिए–
   A. व्यावहारिक जीवन से विषय का सम्बन्ध हो
   B. मानसिक शक्तियों का विकास हो
   C. जातीय प्रतिष्ठा का उपाय हो
   D. आनन्द की प्राप्ति ना हो
4. गणित में क्रियात्मक विधि की निम्न में से कौन-सी विशेषता नहीं है?
   A. छात्रों में विभिन्न कौशलों का विकास करना
   B. इस विधि के द्वारा शिक्षा ग्रहण कर विद्यार्थी श्रम के महत्त्व को समझता है
   C. छात्रों में विभिन्न सामाजिक गुणों का विकास होता है
   D. उपरोक्त में से कोई नहीं
5. निम्न में से कौन-सी गणित शिक्षक की एक विशेष योग्यता है?
   A. गणित उपकरणों को प्रयोग करने की क्षमता
   B. गणित कक्षा संचालन की योग्यता
   C. विभिन्न शिक्षण विधियों का ज्ञान
   D. उपरोक्त सभी
6. छात्र को आयत तथा वर्ग का अवबोध है, यदि वह–
   A. दोनों की परिभाषा व सारांश बता सके
   B. दोनों में समानताएँ तथा असमानताएँ बता सके
   C. दोनों की परिभाषा के साथ चित्र भी बना सके
   D. दोनों को देखते ही पहचान सके
7. गणित का शिक्षक अज्ञात से ज्ञात की ओर शिक्षण सिद्धान्त का पालन किस विधि में करता है?
   A. खेल विधि B. प्रदर्शन विधि
   C. आगमन विधि D. निगमन विधि
8. गणित निर्भर है–
   A. तर्क और रचनात्मकता पर
   B. कल्पना और विश्वास पर
   C. धर्म और आस्था पर
   D. उपरोक्त सभी पर
9. गणित विज्ञान है–
   A. प्रतिरूपों का B. संबंधों का
   C. A और B दोनों का D. इनमें से किसी का नहीं
10. इनमें से कौन गलत है?
    A. गणित विज्ञान की मुख्य भाषा है।
    B. यह एक अनुप्रयुक्त विज्ञान है।
    C. यह वैज्ञानिक विधियों का प्रशिक्षण देता है।
    D. इनमें से कोई नहीं
11. वर्तमान पाठ्यक्रम का दोष है–
    A. पुस्तकीय ज्ञान पर बल
    B. विषयों में सह-सम्बन्ध का अभाव
    C. लचीलेपन का अभाव
    D. उपरोक्त सभी
12. वह उद्देश्य जो शिक्षक गणित पढ़ाने के बाद कक्षा में ही प्राप्त कर लेता है, उसे कहा जाता है?
    A. सांस्कृतिक उद्देश्य B. शैक्षणिक उद्देश्य
    C. सामाजिक उद्देश्य D. ये सभी
13. जहाँ तक तर्क देने का क्रम विशिष्ट से सामान्य की ओर बढ़ता है, वह विधि है–
    A. आगमन विधि B. प्रदर्शन विधि
    C. योजना विकार विधि D. निगमन विधि
14. प्रचलित पाठ्यक्रम का दोष है–
    A. जीवन से असम्बन्धित B. संकुचित दृष्टिकोण
    C. परीक्षा की प्रधानता D. ये सभी
15. "गणित की प्रगति राष्ट्र की समृद्धि से जुड़ा है" यह कथन किसका है
    A. मार्शल एच. स्टोन B. गैलिलियो
    C. डॉ. कार्ल अल्ब्रेट D. नेपोलियन
16. गणित को पाठ्यक्रम में स्थान मिलना चाहिए क्योंकि–
    A. यह छात्रों को सामाजिक व नैतिक मूल्यों को पाने में मदद करता है।
    B. यह बौद्धिक शक्ति व अनुशासन का विकास करता है।

C. यह अन्य विषयों एवं भविष्य में गणित के अध्ययन में मदद करता है।
D. उपरोक्त सभी

17. गणित की वह कौन-सी विधि है जो 'करके सीखने के सिद्धान्त' पर काम करती है, जिसमें छात्र अधिक सक्रिय रहते हैं व जिसके द्वारा नवीन तथ्यों की खोज की जा सकती है?
A. प्रदर्शन विधि B. प्रयोगशाला विधि
C. संश्लेषणात्मक विधि D. प्रायोजना विधि

18. रेखागणित के किसी साध्य का हल ज्ञात करने हेतु प्रायः किस विधि का प्रयोग किया जाता है?
A. आगमन विधि B. संश्लेषण विधि
C. विश्लेषण विधि D. निगमन विधि

19. विश्लेषण विधि के ठीक विपरीत विधि है–
A. संश्लेषण विधि B. निगमन विधि
C. खोज विधि D. खेल विधि

20. गणित के सिद्धान्त, नियम व सूत्र होते हैं–
A. अनुपयुक्त B. सार्वभौमिक
C. क्षेत्रीय D. इनमें से कोई नहीं

21. बच्चों की सोच को जानने का सबसे प्रभावशाली उपाय है–
A. उससे मित्रता करना B. उस पर नजर रखना
C. प्रश्न पूछना D. इनमें से कोई नहीं

22. निम्न में से कौन-सा गुण शिक्षक में नहीं होना चाहिए?
A. गणत की विषय-वस्तु का उपयुक्त ज्ञान
B. अभ्यास कार्य को अधिक महत्त्व देना
C. पक्षपात रहित व्यवहार
D. वार्षिक योजना तैयार नहीं करनां

23. व्यावहारिक गणित का भाग है–
A. संख्याओं का हिसाब लगाना
B. जोड़ व बाकी करना
C. समीकरणों को हल करना
D. बैंकों की कार्यप्रणाली की जाँच करना

24. वह विधि जो 'देखो, सुनो और समझो' सिद्धान्त पर आधारित है–
A. प्रदर्शन विधि B. प्रयोगशाला विधि
C. विश्लेषणात्मक विधि D. संश्लेषणात्मक विधि

25. छात्रों की सोच को समझने का मुख्य उद्देश्य है–
A. शिक्षण योजना में उसका उपयोग
B. उनके द्वारा किए जाने वाले शरारतों पर रोके
C. उसके माता-पिता या अभिभावक को अवगत कराना
D. इनमें से कोई नहीं

26. गणित को दसवीं कक्षा तक अनिवार्य विषय रखना चाहिए क्योंकि–
A. इसके अध्ययन के लिए विशेष योग्यता व बुद्धि की जरूरत होती है।
B. हरेक व्यक्ति सफलतापूर्वक इसे नहीं सीख सकता।
C. यह एक व्यापक दृष्टिकोण प्रदान करता है जो उसे भविष्य में कुछ भी बनने में मदद कर सकता है।
D. इनमें से कोई नहीं

27. पाठ्यक्रम में गणित विषय का महत्त्व है–
A. बौद्धिक मूल्य B. नैतिक महत्त्व
C. सांस्कृतिक महत्त्व D. ये सभी

28. 'गणित' विषय में छात्र की रुचि पैदा करने के लिए प्रभावी तरीका होगा–
A. कमजोर छात्रों के लिए अतिरिक्त कक्षाओं की व्यवस्था करना
B. समय-विभाग-चक्र में गणित विषय को अधिक कालांश देना
C. विद्यालय में अधिक पुस्तकें खरीदना
D. खेल विधि से शिक्षण करवाना

29. वह विधि जिसमें उदाहरणों के द्वारा नए नियमों की स्थापना की जाती है, उसे कहते हैं–
A. आगमन विधि B. विश्लेषण विधि
C. संश्लेषण विधि D. निगमन विधि

30. रेखागणित में प्रायोगिक अवस्था में प्रयुक्त होने वाली शिक्षण विधि है–
A. प्रदर्शन विधि B. निगमन विधि
C. आगमन विधि D. ये सभी

31. मूल्यांकन की कार्यसूचक क्रिया है–
A. चिहित करना B. निर्णय लेना
C. भूल खोजना D. ये सभी

32. गणित शिक्षण की मुख्य विधि है–
A. व्याख्यान विधि B. प्रदर्शन विधि
C. आगमन-निगमन विधि D. ये सभी

33. आगमन विधि का आधार है–
A. तर्क B. निर्णय
C. उदाहरण D. लक्ष्य

34. गणित शिक्षण में अभ्यास कार्य देते समय ध्यान रखना चाहिए–
A. अभ्यास कार्य का उद्देश्य स्पष्ट होना चाहिए
B. अभ्यास कार्य की गति उपयुक्त होनी चाहिए
C. पुनरावृत्ति उचित कालान्तर से होनी चाहिए
D. उपरोक्त सभी

35. गणित शिक्षण में अभ्यास कार्य का निम्न से क्या महत्त्व नहीं है?
A. निपुणता एवं कुशलता प्राप्त करने के लिए
B. गणित सम्बन्धी कुशलताओं का विकास होना
C. एकाग्रता एवं आत्मविश्वास के विकास हेतु
D. व्यावसायिक कुशलता प्राप्त करने हेतु

36. एकभाषा के रूप में गणित के बारे में कौन-सा कथन गलत है?

A. गणित वास्तविक संसार की व्याख्या करता है।
B. गणित संरचना का वर्णन करता है।
C. गणित खुद गणित का वर्णन करता है।
D. इनमें से कोई नहीं

37. मूल्यांकन के संबंध में निम्न में से क्या गलत है?
A. इसके द्वारा शिक्षक यह जानने की कोशिश करता है कि शिक्षण उद्देश्यों की प्राप्ति किस सीमा तक हुई है।
B. छात्रों ने प्राप्त ज्ञान को किस सीमा तक स्वांगीकृत किया है।
C. शिक्षक यह जानने की कोशिश करता है कि विषय के प्रति उसकी अभिरुचि एवं समझ का स्तर क्या है।
D. इनमें से कोई नहीं।

38. विद्यार्थी गणित की संकल्पनाओं और सिद्धान्तों के अर्थ को समझता है, यह अधिगम के किस उद्देश्य की प्राप्ति है?
A. कौशल B. पूर्व ज्ञान
C. अनुप्रयोग D. अवबोधन

39. उच्च प्राथमिक स्तर पर गणित शिक्षण का सर्वाधिक महत्त्व किस रूप में है?
A. भौतिक B. मानसिक
C. व्यावहारिक D. आध्यात्मिक

40. गणित विषय में सहायक सामग्री का कौन-सा एक उपयोग नहीं है?
A. पाठ को आकर्षक व रुचिकर बनाना
B. नवीन भाषा शैली का ज्ञान
C. मन्दबुद्धि व प्रतिभाशाली बालकों के लिए आवश्यक
D. छोटी कक्षाओं के बालकों के विकास हेतु

41. इनमें से कौन मूल्यांकन की विशेषताओं में शामिल नहीं है?
A. यह एक सतत् प्रक्रिया है।
B. यह शिक्षा को प्रयोजन केन्द्रित बनाता है।
C. यह छात्रों पर पाठ-यार्द करने के लिए दबाव डालने का साधन है।
D. यह सम्पूर्ण शैक्षिक तंत्र की प्रतिपुष्टि देता है।

42. मूल्यांकन के उद्देश्यों में निम्न में से कौन शामिल नहीं है?
A. अभिप्रेरण
B. मार्गदर्शन
C. वार्षिक रिपोर्ट तैयार करना
D. समस्याओं की पहचान

43. निम्न में से कौन मूल्यांकन के कार्य नहीं है?
A. पाठ्यक्रम में सुधार
B. छात्रों में प्रतिस्पर्द्धा पैदा करना
C. बच्चों में व्यावहारिक परिवर्तन लाना
D. छात्रों का श्रेणीकरण

44. मूल्यांकन प्रक्रिया में निम्न में से कौन शामिल नहीं है?
A. छात्रों को पूर्व सूचना
B. उद्देश्यों का चयन
C. उपकरण एवं तकनीकी का चुनाव
D. परिणामों की व्याख्या

45. गणित में निम्न में से कौन-सा चरण समस्या समाधान विधि का नहीं है?
A. शारीरिक सौष्ठव को अधिक महत्त्व देना
B. आँकड़ों का संकलन तथा व्याख्या करना
C. निष्कर्ष निकालना तथा सामान्यीकरण करना
D. समस्या को समझना तथा परिभाषित करना

46. गणित को कहा जाता है–
A. विद्यार्थियों का दुश्मन B. शक्तिशालियों की शक्ति
C. मन की भाषा D. मस्तिष्क का व्यायाम

47. अच्छी परीक्षा के लक्षण हैं–
1. प्रश्नों का समावेश 2. वैद्यता
3. विश्वसनीयता 4. विजयनिष्ठता
5. विभेदीकरण
A. 1, 2 एवं 5 B. 2, 3 एवं 5
C. 3, 4 एवं 5 D. उपरोक्त सभी

48. रचनात्मक मूल्यांकन–
A. छात्रों द्वारा किए गए रचनात्मक कार्यों का मूल्यांकन है।
B. छात्रों के रचनात्मक कार्यों को महत्त्व देता है।
C. छात्रों व शिक्षकों की क्रमशः अधिगम व शिक्षण की उपलब्धियों का लगातार व सुव्यवस्थित आकलन है।
D. उपरोक्त सभी

49. संकल्पनात्मक मूल्यांकन के गुण हैं–
A. यह छात्रों की अंतिम प्रगति बताता है।
B. यह वर्ष या सत्र के अंत में होता है।
C. यह छात्रों के श्रेणीकरण एवं प्रोन्नति में मदद करता है।
D. उपरोक्त सभी

50. गणित के नियम व निष्कर्ष होते हैं–
A. वस्तुनिष्ठ
B. सार्वभौमिक
C. उपरोक्त में से कोई नहीं
D. A व B दोनों ही

51. मनुष्य के जीवन की जिन गतिविधियों में गणित का सर्वाधिक प्रयोग होता है, वह हैं–
A. मनोवैज्ञानिक B. सांस्कृतिक
C. सामाजिक D. आर्थिक

52. अबेकस का प्रयोग छोटी कक्षाओं में किस शिक्षण में प्रभावी होता है?
A. गिनती सिखाने में B. बोलना सिखाने में
C. लिखना सिखाने मे D. हस्तलेख सिखाने में

53. गणित शिक्षण की समस्याओं में कौन शामिल नहीं है?
A. भय एवं असफलता
B. निराशाजनक पाठ्यक्रम
C. अपरिष्कृत आकलन
D. अभिभावकों का असहयोगपूर्ण व्यवहार

54. गणित शिक्षण की समस्या के समाधान हेतु आवश्यक है–
A. छात्रों में आत्मविश्वास का सृजन
B. सुरुचिपूर्ण एवं आकर्षक पाठ्यक्रम
C. आकलन विधि में परिवर्तन
D. उपरोक्त सभी

55. गणित में पाठ्य की संरचना–
A. सरल से कठिन की ओर होना चाहिए
B. बालकेन्द्रित एवं जीवनोन्मुखी होना चाहिए
C. उपरोक्त दोनों
D. इनमें से कोई नहीं

56. छात्रों द्वारा त्रुटि का मुख्य व कारण नहीं है–
A. संकल्पनात्मक या क्रिया-विधि संबंधी ज्ञान का अभाव
B. शिक्षकों को परेशान करने की मानसिकता
C. एकाग्रता में कमी
D. असावधानी

57. NCERT ने गणित शिक्षक के गुण के अपेक्षा की है–
A. उत्साह एवं उपलब्धिजनक व्यवहार से
B. सारांश प्रस्तुत करने की क्षमता से
C. अभिव्यक्ति की सुस्पष्टता एवं विधि रूपों से
D. उपरोक्त सभी

58. गणित की प्रकृति एवं संरचना में निम्न विशेषता पायी जाती है–
A. गणिता विषय में अकमबद्धता
B. गणित की भाषा असांकेतिक है
C. गणित एक रसहीन विषय है
D. गणित एक मूर्त विषय है

59. व्यक्ति, वस्तु या गतिविधि के कारण मूल्यांकन त्रुटि को कम किया जा सकता है:
A. परीक्षा के समय पूरी सतर्कता दिखाकर
B. समय से पाठ्य-क्रम को पूरा कर
C. परीक्षा के बारे में सम्पूर्ण जानकारी देकर तथा सहानुभूतिपूर्वक व्यवहार कर
D. इनमें से कोई नहीं

60. व्यक्तिगत मूल्यांकन त्रुटि पाई जाती है–
A. वस्तुनिष्ठ प्रश्नों में
B. विषयनिष्ठ प्रश्नों में
C. दोनों प्रकार के प्रश्नों में
D. इनमें से कोई नहीं

61. निदानात्मक परीक्षण के संदर्भ में क्या असत्य है?
A. यह विषयवस्तु अधिगम छात्रों की कमी एवं कमजोरी का पता लगाता है।
B. यह मात्रात्मक परीक्षण है गुणात्मक नहीं।
C. इसमें केवल वस्तुनिष्ठ प्रश्न होते हैं।
D. इसकी मदद से शिक्षक उपचारात्मक शिक्षण करता है

62. जिस विधि में पहले उदाहरण बाद में नियम बताये जाएँ, वह है–
A. समस्या समाधान विधि B. आगमन विधि
C. निगमन विधि D. इनमें से कोई नहीं

63. गणित किट निर्मित करने वाली संस्था का नाम है?
A. राजस्थान राज्य शैक्षिक अनुसन्धान एवं प्रशिक्षण संस्थान, उदयपुर
B. काजरी, जोधपुर
C. डाइट
D. एन. सी. ई. आर. टी., दिल्ली

64. छात्र को विभिन्न रेखागणितीय आकृतियाँ देकर उनमें से त्रिभुजाकार आकृतियाँ अलग से करवायी गई हैं। इसका उद्देश्य होता है–
A. अनुप्रयोगात्मक B. अवबोधात्मक
C. ज्ञानात्मक D. ये सभी

65. आप वृत्त की परिधि ज्ञात करने के लिए किस शिक्षण विधि को प्रयोग में लायेंगे?
A. निगमन विधि B. आगमन विधि
C. संश्लेषण विधि D. इकाई विधि

66. यदि ज्यामितीय आकृतियों का अवबोधन हो जाता है तो छात्रों के व्यवहार में परिवर्तन होगा–
A. आकृतियों के वर्गीकरण करने का
B. वैसी आकृतियों को खींचने का
C. आकृतियों की प्रशंसा करने में
D. गणित परिषद् पट्ट ज्यामितीय आकृतियों का, प्रदर्शन करने का

67. शिक्षण प्रक्रिया का आखिरी चरण है–
A. मूल्यांकन B. अधिगम
C. उद्देश्य D. अनुदेशवाद

68. अंक गणित शिक्षण का महत्त्व है–
A. घरेलू कार्य हेतु
B. मजदूरी व व्यवसाय हेतु
C. व्यावहारिक उपयोग हेतु
D. ये सभी

69. आगमन विधि का प्रमुख दोष है?
A. ज्ञानार्जन बहुत धीमी गति से होता है
B. ज्ञान अस्थायी व अल्पकालीन होता है
C. विषय निरस्त हो जाता है
D. उपरोक्त में से कोई नहीं

70. बीजगणित शिक्षण की विधि है–
A. समीकरण विधि B. खेलकूद विधि
C. प्रदर्शन विधि D. इनमें से कोई नहीं

71. रेखागणित शिक्षण की निम्न में से श्रेष्ठ विधि है–
A. सूत्र आधारित विधि
B. खेलकूल विधि
C. अभ्यास विधि
D. प्रदर्शन विधि

72. तर्क प्रधान विधि है–
A. खोज विधि B. आगमन बिधि
C. व्याख्यान विधि D. विश्लेषण विधि

73. ज्यामिति का सम्बन्ध किस क्षेत्र से है–
A. मापन B. मूल्यांकन
C. अधिगम D. सांख्यिविधि

74. नैदानिक परीक्षण निर्माण में निम्न में से कौन-सा कार्य शामिल नहीं है?
A. उद्देश्यों एवं पाठ्य-वस्तुओं की रूपरेखो को सूत्रबद्ध करना
B. मदों का विश्लेषण एवं उनका रूपान्तरण करना
C. परीक्षण की नियमावली तैयार करना
D. इनमें से कोई नहीं

75. प्रतिभाशाली छात्रों के लिए उपचारात्मक शिक्षण के अन्तर्गत–
1. मानसिक एवं मौखिक गणित के अपेक्षा लिखित गणित पर ज्यादा ध्यान देना चाहिए।
2. सुनियोजित कार्यक्रम के माध्यम से व्यवस्थित ढंग से कार्यरत रखा जाना चाहिए।
3. इनके लिए विशेष रूप से प्रशिक्षित शिक्षक की व्यवस्था करनी चाहिए।
4. मूल्यांकन हेतु विशेष परीक्षाओं का आयोजन किया जाना चाहिए।

A. केवल 1, 2 एवं 4 B. केवल 1, 2 एवं 3
C. केवल 2, 3 एवं 4 D. उपरोक्त सभी

76. निम्नलिखित में से सत्य कथनों को चुनें–
A. गणित का ज्ञान अन्य विषयों के अध्ययन में सहायक होता है।
B. गणित के अध्ययन से छात्रों में नियमित तथा क्रमबद्ध ज्ञान ग्रहण करने की आदतों का विकास होता है।
C. गणित का ज्ञान चरित्र निर्माण एवं नैतिकता के विकास में सहायक है।
D. उपरोक्त सभी

उत्तरमाला

1	2	3	4	5	6	7	8	9	10
A	C	D	D	D	B	C	A	C	D
11	**12**	**13**	**14**	**15**	**16**	**17**	**18**	**19**	**20**
D	B	A	D	D	D	B	C	A	B
21	**22**	**23**	**24**	**25**	**26**	**27**	**28**	**29**	**30**
C	D	D	A	A	C	D	D	A	D
31	**32**	**33**	**34**	**35**	**36**	**37**	**38**	**39**	**40**
D	D	A	D	D	D	D	D	C	B
41	**42**	**43**	**44**	**45**	**46**	**47**	**48**	**49**	**50**
C	C	B	A	A	D	B	C	D	D
51	**52**	**53**	**54**	**55**	**56**	**57**	**58**	**59**	**60**
D	A	D	D	C	B	D	C	C	B
61	**62**	**63**	**64**	**65**	**66**	**67**	**68**	**69**	**70**
B	B	A	B	A	A	A	D	A	A
71	**72**	**73**	**74**	**75**	**76**				
D	B	A	D	A	D				

पर्यावरण अध्ययन

SECTION a

पर्यावरण अध्ययन (ENVIRONMENTAL STUDIES)

परिवार

परिवार के संबंध में **मर्डोक** (Murdoch) की अवधारणा है कि परिवार एक ऐसा सामाजिक समूह है जिसका एक सामान्य निवास होता है, आर्थिक सहयोग होता है तथा जिसमें प्रजनन क्रिया पायी जाती है। सामाजशास्त्री **गेराल्ड लेसिले** (Gerald Leslie) के अनुसार 'परिवार दो भिन्न लिंगों के वयस्क लोगों का समूह है जो सामाजिक मान्यता प्राप्त यौन संबंध स्थापित करते हुए रहते हैं। उनके साथ ही उनके बच्चे अथवा गोद लिए हुए बच्चे भी होते हैं।' अनेक कार्यों का निष्पादन करते हुए परिवार प्रजनन और जैविक (Biological) इकाई का वह समूह होता है जिसमें स्त्री व पुरुष को यौन संबंधों को स्थापित करने तथा संतान को जन्म देने की सामाजिक स्वीकृति मिली होती है। परिवार के कार्यों और उसके सामाजिक महत्व को रेखांकित करते हुए समाजशास्त्री **लुण्डबर्ग** (Lundberg) ने कहा है कि 'सामाजिक व्यवस्था में यदि पुनरुत्पादन (Reproduction) का कार्य रुक जाय, यदि बच्चों का पालन पोषण न किया जाय और इन्हें विचारों को आगामी पीढ़ी के लिए संचरित करना तथा एक दूसरे से सहयोग करना न सिखाया जाय तब संभवत समाज का अस्तित्व की समाप्त हो जाएगा।' इस प्रकार यह जाहिर है कि परिवार का दायित्व सामाजिक अस्तित्व की रक्षा करना है। परिवार के माध्यम से ही व्यक्ति की मौलिक आवश्यकताओं की पूर्ति संभव हो पाती है। ऐसा अन्य समूहों में होना कठिन है। **एण्डरसन** (Anderson) के मुताबिक 'परिवार का एक रूप वह है जिसमें हम जन्म लेते हैं (Family of Orientation) और दूसरा वह रूप है जिसमें वह बच्चों को जन्म देते हैं परिवार की सार्वभौमिकता का स्पष्टीकरण इसी बात से हो जाता है कि इसमें ऐसा कोई भी व्यक्ति नहीं है जो परिवार के इन दोनों रूपों में से किसी का भी सदस्य न हो।' आधुनिक दौर में मनुष्य ने सुविधाओं को ध्यान में रखते हुए तमाम वस्तुओं का आविष्कार कर लिया है जिनके कारण अनेक सामाजिक संस्थाओं ने अपनी प्रासंगिकता खो दी है परन्तु विवाह और परिवार का केंद्रीय महत्व अनवरत बना हुआ है।

अर्थ एवं परिभाषा

परिवार शब्द से तात्पर्य ऐसे लोगों के समूह से है जो आपस में सेवाभाव से रहते हैं। अंग्रेजी शब्द family जो लैटिन भाषा के Famalus शब्द से बना है उसका अर्थ भी सेवक होता है। विभिन्न समाजशास्त्रियों ने परिवार की भिन्न-भिन्न परिभाषा दी है। एक संस्था के रूप में परिवार का महत्व लगभग समान माना गया है लेकिन परिवार के आकार-प्रकार के बारे में भिन्न-भिन्न नजरिया है। **बर्गेस और लॉक** के कथनानुसार परिवार ऐसे व्यक्तियों का समूह है जो विवाह रक्त अथवा गोद लेने में संबंधों द्वारा संगठित हैं। एक छोटी-सी गृहस्थी का निर्माण करते हैं और पति-पत्नी, माता-पिता, पुत्र-पुत्री, भाई-बहन के रूप में एक दूसरे से अन्त:क्रियाएं करते हैं तथा एक सामान्य संस्कृति का निर्माण तथा देखरेख करते हैं। इस बारे में **मैकाइवर और पेज** के विचार हैं कि, 'परिवार ऐसा समूह है जो यौन-संबंधों ५र आश्रित है तथा इतना छोटा और शक्तिशाली है कि संतान के जन्म और पालन-पोषण की व्यवस्था करने की क्षमता रखता है।' **मैकाइवर** की परिभाषा के अनुसार परिवार के लिए यौन संबंध ही एक प्रमुख तत्व है। लेकिन यह विचार जितना पश्चिमी समाज के अनुकूल उतना भारतीय पारिवारिक व्यवस्था के प्रति नहीं। **प्रभु** का मत है कि 'दक्षिण भारत में नायर समुदाय के व्यक्ति तो यौन संबंधों को परिवार के कार्यों से बिल्कुल बाहर मानते हैं इससे स्पष्ट होता है कि यौन संबंध परिवार का एक उद्देश्य तो हो सकता है लेकिन सर्वप्रमुख और केंद्रीय नहीं।'

परिवार के संबंध में अनेक नृतत्व शास्त्रीय अध्ययनों से पता चला है कि आदिम समाजों में परिवार आर्थिक उद्देश्यों की पूर्ति के सबसे बड़े और केंद्रीय माध्यम थे। माता-पिता के बीच संबंध केवल इसी कारण नहीं होते हैं कि वे दोनों एक दूसरे से शादी के बंधन में बंधे होते हैं क्योंकि अनेक प्राचीन समाजों में विवाह पूर्व यौन-संबंधों को मान्यता दी जाती है और अनेक समाजों में निर्धारित संबंधियों के साथ कई अवसरों पर विवाह से पूर्व यौन-संबंधों की अनुमति होती है। **टॉम वी बोटोमोर** (Tom V. Votomore) ने लेवी स्त्रॉत की किताब से एक उद्धरण दिया है—

''लेवी स्त्रॅात ने अधिकांश आदिम समाजों में अविवाहित व्यक्तियों की तकलीफदेह हालत का जीवंत चित्रण किया है। वह मध्य ब्राजील के एक नौजवान की हालत के बारे में लिखता है—'एक झोपड़ी में कोने में घंटों दुबका रहने वाला उदास, देखभाल बगैर, दुबला-पतला और लगता है पूरी तरह विषादग्रस्त ... वह अकेले शिकार करने के लिए बाहर जाने के अलावा शायद ही कभी बाहर निकलता हो। आग को घेर कर जब पारवारिक भोज होता है तो वह आमतौर पर भूखा ही रह जाता, अगर एक संबंधी उसकी ओर कभी-कभी थोड़ा भोजन सरका न देता जिसे वह चुपचाप खा लेता, मुझे लगा कि उसे कोई गंभीर बीमारी हो गई इसलिए मैंने पूछा कि उसके साथ गड़बड़ी क्या है तो मेरे संदेह पर लोग हंसे और मुझे बताया कि वह कुंआरा है।''

परिवार की विशेषताएं

संसार भर के समाजों में परिवार का महत्व है। परिवार के सन्दर्भ में अलग-अलग दृष्टिकोण होने के बावजूद इसकी कुछ ऐसी विशेषताएं हैं जो सार्वभौमिक और सर्वमान्य हैं। **मैकाइवर और पेज** ने परिवार की आठ विशेषताओं का उल्लेख किया है जो निम्नवत हैं—

1. सर्वव्यापकता (Universality)—सभी संस्थाओं और समितियों में परिवार का स्थान बहुत महत्वपूर्ण तथा अधिक व्यापकता लिए हुए है। सभी प्रकार के सभ्य और आदिम समाजों में परिवार विद्यमान है तथा सामाजिक विकास के सभी स्तरों पर यह किसी न किसी रूप में अस्तित्व मान रहा है। आने वाले समय में इसके स्वरूप अथवा कार्यों में कितना भी बदलाव क्यों न हो जाय किंतु इसका महत्व कम नहीं होगा। परिवार की सार्वभौमिकता का पहला कारण मनुष्य की मूल आवश्यकताओं की पूर्ति करने में इसकी भूमिका है। दूसरा प्रमुख कारण परिवार द्वारा किए जाने वाले सांस्कृतिक धार्मिक सामाजिक एवं मनोरंजन संबंधी कार्य हैं जो कि बुनियादी राज्य से लगभग सभी समाजों में परिवार के द्वारा पूरे किए जाते हैं।

2. भावनात्मक आधार (Emotional Basis)—भावनात्मक आधार परिवार की एक महत्वपूर्ण विशेषता है। इसके सदस्य आपस में मिल-जुल कर भावनात्मक आधार पर कार्य करते हैं। दाम्पत्य, मातृत्व और पितृत्व द्वारा मनुष्य को जीवन के विभिन्न चरणों में जो सुरक्षा एवं सहयोग मिलता है वह परिवार के द्वारा ही संभव है। परिवार के सदस्यों के बीच पारस्परिक त्याग की भावना एक ऐसी विशेषता है जो भावनात्मक आधार पर परिवार के सदस्यों को एक सूत्र में बांधे रखती है। इन विशेषताओं के कारण परिवार शांति और सद्भावना का केन्द्र बना रहता है। वास्तव में भावनात्मक आधार ही परिवार के लिए मजबूत आधार होता है।

3. रचनात्मक प्रभाव (Formative Influence)—सामाजिक व्यवस्था में परिवार एक ऐसी इकाई है जहां यथार्थत: सभी की भूमिकाएं वास्तविक रूप से निर्धारित होती हैं। परिवार का प्रभाव दिखावा न होने के कारण ही की रचनात्मक है। इसकी क्रियात्मकता और उद्देश्य किसी व्यक्ति विशेष को लाभ पहुँचाने के बजाय सभी के हितों की समान रूप से सुरक्षा करना और उनके महत्व को समझना है। माता-पिता के व्यवहार का प्रभाव बच्चों पर स्थायी रूप से पड़ता है। इसलिए परिवार को प्राथमिक और केन्द्रीय व्यवहार विद्यालय के रूप में रेखांकित किया जाता है।

4. छोटा आकार (Limited Size)—परिवार की प्रमुख विशेषता उसका आकार होती है। समाज के सदस्यों की एक निश्चित संख्या ही एक परिवार बनाती है। प्राचीन परिवारों का आकार बड़ा होता था। लेकिन आधुनिक परिवार बहुत छोटे होते हैं। इसके बावजूद दोनों ही परिवारों की स्थापना उसके निकट सम्बन्धियों द्वारा ही होती है। औद्योगीकरण तथा आधुनिक युग में परिवार का आकार इतना छोटा होता गया कि उसमें पति-पत्नी तथा उनके अविवाहित बच्चों के अलावा और कोई भी सम्मिलित नहीं रहता।

5. सामाजिक ढांचे का केन्द्र (Centre of Social Structure)—परिवार सम्पूर्ण सामाजिक ढांचे में न केवल केन्द्रीय स्थान रखता है बल्कि वह सामाजिक ढांचे का केन्द्र भी है। जिस प्रकार सभी व्यक्तियों, वस्तुओं और स्थानों में केन्द्रीय भाग का विशेष महत्व होता है उसी प्रकार परिवार भी समाज का केंद्रीय भाग होता है। इस कारण इसका भी विशेष महत्व है। यदि परिवार का कोई सदस्य कोई नया कार्य करता है तो वह परिवार के हितों का सदैव ढांचे पर भी पड़े। इसी कारण अरस्तू ने समुदाय की परिभाषा करते हुए उसे परिवारों का संकल्प कहा था। इस का तात्पर्य यही था कि पारिवारिक संरचना समुदाय अथवा सामाजिक ढांचे का आधार है।

6. सदस्यों का असीमित दायित्व (Unlimited Responsibility of the Members)—परिवार के सदस्यों के उत्तरदायित्व पारिवारिक स्नेह के कारण बहुत अधिक होते हैं उसके बावजूद सभी सदस्य इसकी पूर्ति में कोताही नहीं करते। पारिवारिक सदस्यों के प्रयत्नों और उनकी निष्ठा से परिवार एक ऐसा मंच बन जाता है जहां किसी प्रकार का वैर-भाव, संघर्ष नहीं होने पाता वरन उनके स्थान पर पारिवारिक सहयोग और सहानुभूति का वातावरण बन जाता है। इसीलिए सामंजस्य पूर्ण परिवार को लोग स्वर्ग की उपाधि देते हैं। इस वातावरण के निर्माण में पारिवारिक सदस्यों का एक दूसरे के प्रति असीमित दायित्व का निर्वाह है। उत्तरदायित्व निर्वाह की यह भावना परिवार के अतिरिक्त अन्य सामाजिक संस्थाओं में नहीं दिखाई पड़ती। परिवार वह स्थान है जहां व्यक्ति व्यक्तिगत हितों को नजरदांज करके अपनी आवश्यकता और क्षमता से भी अधिक दायित्व पूरा करने को तैयार होता है।

7. सामाजिक संगठन का आधार (Base of Social Organisation)—समाज के निर्माण में परिवार की सबसे प्रमुख भूमिका होती है। पारिवारिक नियमों के कारण ही सामाजिक व्यवस्था का निर्माण संभव होता है। परिवार के नियम किसी एक क्षेत्र में व्यक्ति के जीवन को प्रभावित नहीं करते बल्कि पारस्परिक संबंधों, शिष्टाचार, व्यवहार, रीति-रिवाज, धर्म, शिक्षा और कर्त्तव्यबोध आदि सभी क्षेत्रों में परिवार के नियम ही निर्णायक भूमिका निभाते हैं, तथा मनुष्य के सामाजिक जीवन को नियमित बनाते हैं।

8. स्थायी तथा अस्थायी स्वभाव (Permanent and Temporary Nature)—परिवार एक समिति भी है और संस्था भी। **मैकाइवर** का यह कथन परिवार संस्था के सार्वभौमिक और सार्वकालिक महत्व को स्थापित करता है। एक समिति के रूप में परिवार पति-पत्नी-बच्चों तथा कुछ अन्य व्यक्तियों का समूह है। उसका यह रूप अस्थायी है क्योंकि विवाह-विच्छेद, मृत्यु, विवाह तथा नए शिशु के जन्म के कारण परिवार का आकार बदलता रहता है। लेकिन परिवार कुछ नियमों और कार्यप्रणालियों की व्यवस्था भी करता है। इस प्रकार वह एक संस्था के रूप में विद्यमान है। पति, पत्नी अथवा कुछ अन्य सदस्यों के न रहने पर भी परिवार के नियम सदैव बने रहते हैं। इन विशेषताओं के कारण परिवार का स्वभाव स्थायी और अस्थायी दोनों प्रकार का होता है।

परिवार के प्रकार

समाजशास्त्रियों ने परिवार के तीन प्रकार बताए हैं। के.पी. चट्टोपाध्याय ने तीन प्रकार के परिवारों का निर्धारण किया है—(1) साधारण (Simple) परिवार , जिसे केन्द्रीय परिवार भी कहा जाता है, (2) मिश्रित (Compound) परिवार तथा (3) संश्लिष्ट (Composite) परिवार।

लेकिन विभिन्न आधारों पर परिवार को कम-से-कम पांच श्रेणियों में बांटा गया है। ये पांच श्रेणियां निम्न प्रकार की हैं—(1) सदस्यों की संख्या के आधार पर तीन प्रकार के परिवार माने गए हैं-केंद्रीय परिवार, विवाह संबंधी परिवार और संयुक्त परिवार, (2) निवास के आधार पर भी तीन प्रकार के परिवार माने गए हैं-पितृ स्थानीय परिवार, मातृ स्थानीय परिवार तथा सेवा स्थानीय परिवार, (3) सत्ता तथा वंश परिवार, (4) विवाह के आधार पर तीन प्रकार के परिवार होते हैं—एक विवाही परिवार, बहुपति विवाही परिवार तथा बहुपत्नी विवाही परिवार और (3) सामाजिक परिस्थिति के आधार पर दो प्रकार के परिवार माने गए हैं-ग्रामीण परिवार तथा नगरीय परिवार। इतने विभाजनों के बावजूद एक संस्था के रूप में परिवार का महत्व सर्वव्यापी है। उनका मौलिक गुण भी सामान्य रूप से समान है। यदि परिवार को एक समूह के रूप में देखा जाय तो विभिन्न समाजों में उसका चरित्र अलग-अलग प्रकार का मिलता है। सभी के विचारों, मूल्यों, जीवन पद्धतियों तथा धार्मिक विश्वासों में अधिक भिन्नता पाई जाती है। अनेक परिवार आज भी आदिम स्वरूपों में पाए जाते हैं और अनेक परिवार समय के साथ प्रगति करते हुए भौतिक, संस्कृति और उपलब्धियों में बहुत आगे तक पहुंच गए हैं। पारिवारिक संगठन में भी अनेक प्रकार के बदलाव आए हैं। परिवार के वर्गीकरण के बावजूद यह नहीं कहा जा सकता है कि एक प्रकार की विशेषताएं केवल उसी प्रकार के परिवार में पाई जाती है। सदैव एक प्रकार के परिवार की विशेषताएं दूसरे प्रकार के परिवारों में प्रचुरता से पाई जाती है।

सदस्यों की संख्या के आधार पर तीन प्रकार पाए जाते हैं जिनमें केंद्रीय परिवार, विवाह संबंधी परिवार तथा संयुक्त परिवार हैं। उनका विवरण निम्न प्रकार से दिया जा सकता है—

1. साधारण परिवार (Simple family)—साधारण परिवार का आकार छोटा होता है। इसमें पति-पत्नी और उनके अविवाहित बच्चे सम्मिलित होते हैं। इसे केंद्रीय परिवार (Nuclear family) भी कहा जाता है। इसकी परिभाषा करते हुए **हैरिस** (Harris) ने लिखा है कि, ''एक केंद्रीय परिवार उन व्यक्तियों का छोटा समूह है जो जैविकीय भूमिका निभाने के अतिरिक्त एक दूसरे के प्रति संस्थागत सामाजिक दायित्वों को पूरा करते हैं तथा ऐसा करने के साथ ही उन विश्वासों और मूल्यों का पालन करते हैं जिनकी परिवार के अन्तर्गत करने की आशा की जाती है।'' ऐसे परिवार प्राथमिक और तात्कालिक परिवार भी कहे जाते हैं।

कभी-कभी बच्चे के जन्म के बाद जब जीवन साथी की मृत्यु हो जाती है और पुनर्विवाह के पश्चात् जब दूसरी पत्नी से बच्चे पैदा होते हैं तो उन्हें शामिल करने पर उस परिवार को साधा(रण परिवार नहीं कहा जा सकता क्योंकि यह बच्चों के दो प्रकार के समुच्चय (sets) की इकाई होती है। इस तरह की इकाई में दो साधारण परिवार हैं। **चट्टोपाध्याय** ने दोनों ही परिवारों को मिश्रित परिवारों में रखा है। इसे साधारण परिवार से इस अर्थ में भिन्न पाया है कि इसमें बच्चों के दो समुच्चय हैं। एक मृत साथी से और दूसरा उस जीवित साथी से जिससे पुनर्विवाह हुआ है। लेकिन बच्चों के दो समुदायों में मां या बाप समान है।

2. विवाह संबंधी परिवार (Conjugal family)—विवाह संबंधी परिवार उस परिवार को कहते हैं जिसमें रहने वाले सदस्यों का जन्म भिन्न-भिन्न परिवारों में हुआ है। इसमें पत्नी पक्ष के कुछ दूसरे व्यक्तियों को भी सम्मिलित कर लिया जाता है। यह परिवार केंद्रीय परिवार की अपेक्षा कुछ बड़ा होता है। साधारणतया ऐसे परिवार केवल उन्हीं समूहों में पाए जाते हैं जो विवाह को दो व्यक्तियों का समूह न मानकर दो परिवारों का संबंध मानते हैं। भारत की बहुत-सी जनजातियों में विवाह संबंधी परिवारों का प्रचलन है। इनमें **खरिया** जनजाति प्रमुख है। इसके अतिरिक्त अभी तक पासी और गौंड लोगों में भी ऐसे परिवार पाए जाते हैं। हांलाकि आधुनिक समाज में इस तरह के परिवारों की संख्या लगातार घटती जा रही है।

3. संयुक्त परिवार (Joint family)—संयुक्त परिवार के बारे में समाजशास्त्री **श्यामाचरण दुबे** का कहना है कि, ''यदि अनेक केंद्रीय परिवार एक साथ रहते हों, वे एक ही साथ एक स्थान पर भोजन करते हों, तथा एक ही आर्थिक इकाई के रूप में कार्य करते हों तब ऐसे सम्मिलित परिवार को ही संयुक्त परिवार कहा जा सकता है।'' इस संयुक्तता के संबंध में अनेक विद्वानों ने अलग-अलग व्याख्याएं दी हैं। **इरावती कर्वे** ने संयुक्तता के लिए सहनिवास को आवश्यक माना है। **कर्वे** के अनुसार प्राचीन भारत में परिवार निवास, सम्पत्ति और प्रकार्यों के आधार पर संयुक्त था। उन्होंने ऐसे परिवार को परम्परागत तथा संयुक्त परिवार कहा है। **कपाड़िया** का कथन है कि ''हमारा आदि परिवार केवल संयुक्त या पितृसत्तात्मक ही नहीं था। इसके साथ-साथ हमारे परिवार व्यक्तिशः भी होते थे।'' **एफ.जी. बेली** ने संयुक्त सम्पत्ति स्वामित्व को अधिक महत्व दिया है। **देसाई** नातेदारों के प्रति दायित्वों को पूरा करने को महत्व देते हैं। भले ही उनके निवास अलग-अलग हों तथा सम्पत्ति में सहस्वामित्व न हों। दायित्व को पूरा करने का अर्थ है अपने को परिवार का सदस्य मानना, वित्तीय और अनेक प्रकार की सहायता देना तथा संयुक्त

परिवार के नियमों को मानना। **इरावती कर्वे** ने पाश्चात्य परिवार की पांच विशेषताएं चिन्हित की हैं-सहनिवास, सहरसोई, सहसम्पत्ति, सह-पूजा और कोई नातेदारी संबंध।

भारत की पारस्परिक सामाजिक व्यवस्था में संयुक्त परिवार एक प्राचीन संगठन है। **कर्वे** ने रामायण तथा महाभारत काल के पारिवारिक संगठन का उल्लेख करते हुए जिन आधारों का हवाला दिया हैं वे ही आधार प्राय: सभी समाजशास्त्रियों ने रेखांकित किया है। **कर्वे** की परिभाषा का ही समर्थन अन्य समाजशास्त्रियों ने किया है—"एक ऐसे व्यक्तियों का समूह जो (व्यक्ति) आमतौर पर एक ही छत के नीचे रहते हैं, एक ही चूल्हे पर पका भोजन करते हैं, साझी सम्पत्ति रखते हैं, पविार की सह-पूजा में भाग लेते हैं तथा एक दूसरे से एक विशेष प्रकार के नातेदारी संबंधों से जुड़े होते हैं।" संयुक्त परिवार में दादा, दादी, चाचा, चाची, ताऊ, ताई, चचेरे भाई-बहन तथा अपवाद स्वरूप बुआ भी एक साथ रहते हैं। लेकिन **आर. पी. देसाई** का कथन है कि "सहनिवास और सहरसोई को संयुक्त परिवार की परिसीमा के लिए आवश्यक समझना ठीक नहीं है क्योंकि ऐसा करने से संयुक्त परिवार को सामाजिक संबंधों का समुच्चय एवं प्रकार्यात्मक इकाई नहीं माना जाएगा।" वे कहते हैं एक घर के सदस्यों के बीच के आपसी संबंधों तथा अन्य घरों के सदस्यों के साथ संबंधों पर ही परिवार के प्रकार का निर्धारण किया जा सकता है। एकाकी परिवार को संयुक्त परिवार से अलग देखने के लिए संबंधों (Role Relations) के अन्तर को एवं विभिन्न रिश्तेदारों के बीच व्यवहार के मानदंडीय प्रतिमान (Normative pattern) को समझना पड़ेगा। जब दो एकाकी परिवार नातेदारी संबंधों के होने पर भी अलग-अलग रहते हों लेकिन एक ही व्यक्ति के अधिकार क्षेत्र में कार्य करते हों तो वह परिवार संयुक्त परिवार होगा। ऐसा परिवार 'प्रकार्यात्मक संयुक्त परिवार (Functional joint family)' कहा जाता है।

आर.के. मुखर्जी ने पांच प्रकार के संबंधों का निर्धारण करते हुए संयुक्त परिवार को परिभाषित किया है। ये पांच संबंध हैं—वैवाहिक (Conjugal), माता-पिता-पुत्र-पुत्री (Parental-filial), भाई-भाई, भाई-बहन, (Inter sibling), समरेखीय (Linieal), और विवाह मूलक (Affinal) इत्यादि। उनके मुताबिक "संयुक्त परिवार वह है जिसके सदस्यों में उपरोक्त पहले तीन संबंधों में से एक या अधिक और या समरेखीय या विवाह मूलक या दोनों संबंध पाए जाते हैं।"

परम्परागत रूप से भारतीय परिवार संयुक्त परिवार कहे जाते हैं क्योंकि यहाँ सामूहिकता को सदैव सामाजिक जीवन का महत्वपूर्ण आधार माना जाता है। वर्तमान समय में औद्योगीकरण तथा शहरीकरण के कारण लोगों का पलायन गांव से तेजी से हो रहा है और संयुक्त परिवार टूट रहे हैं।

आवासीय आधार वाले परिवार

आवास के आधार पर तीन प्रकार के परिवारों का निर्धारण किया गया है—

1. पितृ स्थानीय परिवार (Patrilocal Family)—जो व्यक्ति अषने माता-पिता के निवास-स्थान पर रहता है तो उसका परिवार पितृस्थानीय परिवार कहा जाता है। इस परिवार में सामाजिक नियमानुसार पत्नी को अपने पति के घर जाकर रहना होता है। भारत के अधिकांश हिन्दू परिवार पितृस्थानीय परिवार की श्रेणी में आते हैं। मुस्लिम, सिख और ईसाई परिवार भी मूलत: पितृस्थानीय परिवार माने जाते हैं। **एम.एन. श्रीनिवास** ने दक्षिण भारतीय कुर्गों का अध्ययन किया और इस निष्कर्ष पर पहुंचे कि **ओक्का** या पितृमूलक और पितृस्थानीय परिवार कुर्गों में बुनियादी समूह है। किसी कुर्ग के बारे में उसके **ओक्का** के बगैर, जिसका वह सदस्य है, कल्पना करना असंभव है। यह उसके जीवन को हरेक बिंदु पर प्रभावित करता है और बाहरी दुनिया के साथ उसके संबंधों को निर्धारित करता है। जो लोग किसी **ओक्का** से नहीं जुड़े होते उनका कोई सामाजिक अस्तित्व नहीं होता, और संबद्ध पक्षों पर बुजुर्ग हमेशा यह दबाव डालते रहते हैं कि विवाह के बाद पैदा होने वाली संतान पिता या माता के **ओक्का** की सदस्यता ग्रहण कर लें।

किसी **ओक्का** की सदस्यता जन्म से ही प्राप्त हो जाती है और बाहरी दुनिया किसी व्यक्ति को उसके **ओक्का** के जरिए ही पहचानती है। व्यक्ति की उसके **ओक्का** के साथ संबद्धता मृत्यु के बाद भी समाप्त नहीं होती, क्योंकि उसके बाद वह देवता बन चुके पूर्वजों (करनवा) के झुण्ड में शामिल हो जाता है जो उस **ओक्का** की देखरेख करते रहते हैंजिसके सदस्य वे जीवितावस्था में थे। पूर्वजों की पूजा होती है और भोजन पानी का चढ़ावा (भरनी) उन्हें कभी-कभी अर्पित किया जाता है।

किसी **ओक्का** के बच्चे सपिंडज पुरुषों के सभी लड़के, **ओक्का** के पशुओं को साथ चराते हैं, एक साथ पक्षियों का शिकार करते हैं और खेल खेलते हैं। जब वे बड़े हो जाते हैं तो वे सभी मिलकर **ओक्का** के मुखिया के निर्देशन में पैतृक सम्पत्ति की देखरेख करते हैं।

किसी **ओक्का** की सदस्यता बहुत हद तक जीवन साथी के चुनाव को निर्धारित कर देती है। सबसे पहले तो एक ही **ओक्का** के सदस्यों के बीच वैवाहिक संबंध वर्जित होते हैं। जहां सपिंडजता **ओक्का** के बाहर तक चली जाती है, वहां यह निषेध उन सपिंडज संबंधों तक पहुंचता है जो **ओक्का** के सदस्य नहीं होते। फिर, बहनों के बच्चे भी आपस में विवाह नहीं कर सकते।

पहले किसी **ओक्का** की पैतृक, अचल स्थिति अविभाज्य मानी जाती थी। आमतौर पर यह सपिंडज पुरुषों की एक पीढ़ी से दूसरी पीढ़ी तक इस प्रक्रिया में बिना बंटवारे के चली आती थी। बहरहाल, बंटवारा होता था जब **ओक्का** के सभी वयस्क पुरुष ऐसा चाहें। लेकिन ऐसा बहुत कम होता था कम-से-कम यही बताया गया। बंटवारे की कठिनाई और नियोगात्मक संबंधों की वरीयता **ओक्का** की शक्ति बढ़ाते थे। एक **ओक्का** के सदस्य जन्म से मृत्यु तक एक ही साथ रहते थे।

2. मातृस्थानीय परिवार (Matrilocal Family)—इस तरह के परिवार में विवाह के बाद पति को अपनी पत्नी के घर में आकर रहना पड़ता है तथा बच्चों का पालन-पोषण भी वहीं करना पड़ता है। परिवारों का सामाजिक आधार मातृसत्तात्मक पारिवारिक संरचना है। भारत में मलाबार के नायरों में उस प्रकार के परिवार बहुतायत पाए जाते थे लेकिन वर्तमान समय में यह

प्रचलन कम होता जा रहा है। खासी जनजाति तथा गारो जनजाति में भी इस प्रकार के विवाह प्रचलित थे तथा ऐसे परिवार बड़ी संख्या में पाए जाते थे।

3. सेवास्थानीय परिवार—ऐसे परिवारों को जो बढ़ते हुए औद्योगीकरण तथा सामाजिक गतिशीलता के कारण अस्तित्व में आते हैं उन्हें सेवास्थानीय परिवार कहा जाता है। इसकी प्रमुख विशेषता है कि दम्पत्ति अपने कार्य स्थान के अनुरूप अपने आवास का निर्धारण करते हैं। अर्थात् न तो वे पति के माता-पिता के साथ रहते हैं और न ही पत्नी के माता-पिता के साथ। कभी-कभी ये परिवार में किसी घटना के कारण अपने माता-पिता के पास लौट आते हैं लेकिन ऐसा अक्सर नहीं होता। ये परिवार आधुनिक सभ्यता के परिणामस्वरूप प्रचलन में आए। वस्तुत: ये व्यक्ति की आर्थिक क्रियाओं के कारण विकसित हुए हैं। इन क्रियाओं में परिवर्तन के साथ-साथ परिवार का स्वरूप भी बदलता गया है। वर्तमान भारत में राजकीय तथा अन्य सार्वजनिक सेवाओं के कारण इस प्रकार के परिवारों की संख्या में भारी वृद्धि हुई है।

सत्ता एवं वंशनाम के आधार वाले परिवार

संसार भर में दो तरह की पारिवारिक संरचनाए पायी जाती है। जिन परिवारों की सत्ता स्त्री के हाथ में होती है उन्हें मातृसत्तात्मक परिवार कहा जाता है और जिन परिवारों में सत्ता पुरुष के हाथ में होती है उसे पितृसत्तात्मक परिवार कहते हैं। दोनों प्रकार के परिवारों की विशिष्टताएं विपरीत प्रकार की होती हैं लेकिन कार्य और उद्देश्य समान पाया जाता है।

1. मातृसत्तात्मक परिवार (Matriarchal Family)—**श्यामाचरण दुबे** का कहना है कि 'मातृसत्तात्मक परिवारों में पुरुष, स्त्रियों की ओर से (On behalf of) सत्ता का उपयोग करता हैं।' इस प्रकार यह जाहिर है कि जिस प्रकार के परिवार में सामाजिक, धार्मिक और आर्थिक क्षेत्र में पुरुषों की अपेक्षा स्त्रियों की प्रधानता पायी जाती है उसे मातृसत्तात्मक परिवार कहा जाता है। इस परिवार की मुखिया कोई स्त्री होती है और उसी को पारिवारिक मामलों में निर्णय लेने का अधिकार होता है। परिवार में पुरुष सदस्यों का दायित्व उन नियमों और आदेशों का पालन करना होता है। मातृसत्तात्मक परिवारों में स्त्रियों का आपसी संबंध मां, पुत्री, बहन, मामा, भांजी के होते हैं। पुरुष इन स्त्रियों के भाई, पुत्र, नाती और भांजे लगते हैं। पुरुषों के बीच आपस में भाई, मामा, भांजे का संबंध होता है। ये सभी संबंध रक्त संबंध होते हैं। लेकिन इनमें पति और पत्नी के संबंध भी होते हैं। ऐसी स्थिति में परिवार में पति की भूमिका कार्यपालक की होती हैं तथा वंश परम्परा माता के नाम पर चलती है। भारत की जनजातियों के बीच ऐसे परिवार बहुतायत पाए जाते हैं। नायर, खासी तथा असम (असोम) के पूर्वी हिस्सों में पायी जाने वाली जनजातियों में इस तरह के परिवार प्रचलन में हैं। उत्तर प्रदेश की थारु जनजाति में भी इस तरह के लक्षण पाए जाते हैं।

2. पितृसत्तात्मक परिवार (Patriarchal Family)—जिन परिवारों की सत्ता पुरुषों के हाथ में होती है उन्हें पितृसत्तात्मक परिवार कहते हैं। इस प्रकार के परिवार में परिवार की सत्ता पुरुष सदस्य के हाथ में होती है जिसे कर्ता कहा जाता है। ऐसे परिवारों में निर्णय लेने का अधिकार पुरुषों के हाथ में होता है। वंश परम्परा भी पिता के नाम पर चलती है। संसार भर में पितृसत्तात्मक परिवार पाए जाते हैं। अनेक जनजातियों में जहां मातृसत्तात्मक परिवारों का अस्तित्व था वहां भी धीरे-धीरे पितृसत्तात्मक परिवार व्यवस्था में वृद्धि होती जा रही है।

विवाह के आधार वाले परिवार

विवाह के आधार पर संसार भर के परिवार-व्यवस्था को तीन श्रेणियों में वर्गीकृत किया गया है— (1) एक विवाही परिवार, (2) बहुपति विवाही परिवार, तथा (3) बहुपत्नी विवाही परिवार आदि।

1. एकविवाही परिवार (Monogamous Family)—जब कोई स्त्री अथवा पुरुष एक विवाह द्वारा अपने परिवार का निर्माण करते हैं तो उसे एक विवाही परिवार कहा जाता है। इस तरह के परिवार में पति,पत्नी तथा उनके अविवाहित बच्चे शामिल होते हैं। एक जीवन साथी के रहते हुए पति अथवा पत्नी सामान्यतया दूसरे व्यक्ति से विवाह संबंध नहीं स्थापित कर सकते। एक विवाही परिवार की महत्ता सारे संसार में है। इस विषय में **हार्वर्ड** का कथन है कि "विवाह यद्यपि एक सर्वव्यापी और अनिवार्य संस्था है लेकिन प्रगतिशील समाजों में एक पत्नी विवाह प्रथा ही विवाह का स्वाभाविक और आदर्श रूप है। विवाह के अन्य स्वरूप या तो पतन के सूचक हैं अथवा आदिमकाल की पुनरावृत्ति के।" आज सभी हिन्दू, मुस्लिम, सिख, ईसाई, जैन और बौद्ध परिवार इसी श्रेणी में आते हैं। भारत की अनेक जनजातियां भी सभ्यता के नजदीक आने पर एक विवाही परिवार को प्राथमिकता देती जा रही है।

2. बहुपति विवाही परिवार (Polyandrous Family) —भारत में अनेक प्रदेशों की जनजातियों के बीच इस श्रेणी का परिवार प्राचीन काल से ही पाया जाता था जिसमें एक स्त्री के साथ अनेक पुरुष परिवार का निर्माण करते हैं। इसमें भ्रातृ और अभ्रातृ दोनों ही प्रकार के बहुपति विवाही परिवार होते हैं। भारत में खास कोटा, टोजा, नायर, टिपान, कुटुम्ब और कम्मल आदि जनजातियों में आज भी इस प्रकार के परिवार पाए जाते हैं। लेकिन वर्तमान समय तथा आधुनिकता के प्रभाव में आकर जनजातियों के बीच भी ऐसे परिवार लुप्त होते जा रहे हैं।

3. बहुपत्नी विवाही परिवार (Polygamous Family) —जब एक पुरुष दो या अधिक स्त्रियों से विवाह संबंध स्थापित करता है और परिवार का निर्माण करता है तो ऐसे विवाह को बहुपत्नी विवाह के रूप में अभिहित किया जाता है। भारत में ऐसे परिवार बहुतायत से पाए जाते हैं। अनेक समाजों में बहुपत्नी विवाह समृद्धि और पौरुष का प्रतीक समझा जाता रहा है। मुसलमानों में अब भी बहुपत्नी विवाही परिवार पाए जाते हैं। सन् 1955 के पश्चात् हिन्दू, सिख, जैन और बौद्ध समाजों के लिए बहुपत्नी विवाह प्रथा पर रोक लगा दी गयी। भारत की अनेक जनजातियां अब भी बहुपत्नी विवाह प्रथा को अपनाए हुए हैं। नागा, बैंगा, गोंड लुशाई, खस और हो जनजातियों में बहुपत्नी विवाही परिवार पाए जाते हैं।

परिस्थिति के आधार वाले परिवार

परिवार की पारम्परिक संरचना में परिस्थितियों की बहुत बड़ी भूमिका होती है। इससे जाहिर है कि सामाजिक परिवेश जिस प्रकार का होगा परिवार का संगठन उससे गंभीर रूप में प्रभावित होगा। दूसरी ओर जिस प्रकार का पारिवारिक संगठन रहेगा उसका प्रभाव भी समाज पर पड़ता है। इस तरह परिवार और समाज एक दूसरे पर बहुत गहरा प्रभाव डालते हैं। परिस्थितियों के आधार पर परिवार दो प्रकार के मिलते हैं। जो निम्नलिखित हैं–

1. ग्रामीण परिवार (Rural Family)—भारत को ग्रामों का देश कहा जाता है। यहां 80% जनता गावों में निवास करती है तथा कृषि संबंधी कार्यों द्वारा जीवनयापन करती है। ग्रामीण परिवार की संरचना परम्परागत है। परम्परागत संस्कृति के कारण परिवार का केंद्रीय महत्व है। एक लंबे समय से ग्रामीण और शहरी संस्कृति में भिन्नता होने के कारण ग्रामीण और नगरीय परिवारों के स्वरूप में भी भिन्नता हो गई है। ग्रामीण जीवन की परिस्थितियां (Ecological Condition) तथा आवश्यकता नगरीय जीवन से भिन्न होने के कारण तथा गांवों के जीवन के भिन्न स्वरूप के कारण यहां आरंभिक काल से ही एक ऐसी परिवार प्रणाली को महत्व दिया जाता रहा है। जहां अनेक पीढ़ियों के सदस्य एक साथ रहते हैं तथा सम्पत्ति, निवास और निमंत्रण के भोज में सामूहिंकता को सर्वाधिक महत्व देते हैं। **श्यामाचरण दुबे** का कहना है कि, ''ग्रामीण परिवारों की प्रकृति में संयुक्त परिवारों तथा विस्तृत परिवारों की विशेषताओं का संयुक्त रूप से समावेश है।'' विस्तृत परिवार की व्याख्या करते हुए **दुबे** ने कहा है कि ''जब अनेक केंद्रक परिवार एक समय साथ रहते हों, उनमें निकट का नाता हो तथा वे एक आर्थिक इकाई के रूप में कार्य करते हों, तब ऐसे परिवार को एक विस्तृत अथवा संयुक्त परिवार कहा जा सकता है। स्पष्ट है कि यह परिवार केवल आजीविका उपार्जित करने वाले सदस्यों को ही महत्व नहीं देते बल्कि निराश्रित व्यक्तियों को सामाजिक सुरक्षा प्रदान करने का भी सर्वोत्तम माध्यम है।''

2. नगरीय परिवार (Urban Family)—भारत में औद्योगिक और नगरीकरण के विकास के साथ ही इनसे जुड़े लोगों की संख्या में वृद्धि हुई है। इस प्रकार बनने वाले परिवारों को नगरीय परिवार कहते हैं। **टी.वी. बोटोमोर** ने इनके पीछे आर्थिक परिवर्तनों को महत्वपूर्ण माना है। रोजगार विविधता, व्यक्तिवादी प्रवृत्ति के कारण एकलपरिवार, जो नगरीय परिवारों की खास विशेषता है, बढ़े। यह प्रवृत्ति सम्पत्ति कानूनों के परिवर्तन में भी अभिव्यक्त हो रही है। भारत में ब्रिटिश शासन की स्थापना के बाद हिन्दू लोग अधिकाधिक सम्पत्ति के वसीयती विवरण की शरण में जाने लगे, और 1870 का एक कानून अंग्रेजी कानून की तर्ज पर वसीयत को मान्यता देता है। बाद के कानूनों ने संयुक्त परिवार की कानूनी स्थिति में और सुधार किए। **गेन्स ऑफ लर्निंग एक्ट (1930)** परिवार के खर्चे पर प्राप्त शिक्षा के जरिए कमाई गई सम्पत्ति पर व्यक्ति को अधिकार प्रदान करता है, जब कि 'हिन्दू लॉ आफ इन हैरिटेंस (अमेंडमेंट) एक्ट (1929) ने मातृसम्पत्ति की वसीयत की अनुमति दे दी। 1956 का हिन्दू सक्सेशन एक्ट सम्पत्ति पर व्यक्तिगत अधिकारों की स्थापना में एक और आगे बढ़ा कदम है।'' नगरीय परिवारों का आकार छोटा होता है। इनमें सामाजिक और सांस्कृतिक गतिशीलता पायी जाती है तथा इसके कर्ता को सर्वाधिकार सम्पन्न नहीं समझा जाता और न ही परिवार की स्थिति के निर्धारण में आयु विशेष महत्व होता है।

इन विवेचनों से स्पष्ट होता है कि आधुनिक समाज विविधतावादी समाज है।

परिवार के कार्य

परिवार की भूमिका के बारे में **एण्डरसन** का कथन है कि ''एक कार्यात्मक इकाई के रूप में परिवार इतनी महत्वपूर्ण संस्था है कि सभी समाज परिवार के माध्यम से ही अपनी मान्यता प्राप्त लक्ष्यों को प्राप्त करने का प्रयत्न करते हैं।'' इस प्रकार परिवार व्यक्ति तथा समाज दोनों के लिए सबसे महत्वपूर्ण इकाई है। परिवार का विकास मानव सभ्यता के विकास की सीढ़ी है। परिवार के कारण ही संस्कृतियों का विकास संभव हुआ तथा नए-नए आविष्कारों को करते हुए संसार आधुनिक युग में पहुंच गया। इसी के कारण मनुष्य में त्याग की भावना का प्रसार हुआ था। उसने अनेक नैतिक उपलब्धियों को प्राप्त किया। परिवार ही समाज की संरचना का बुनियादी आधार है। इसी से समाजीकरण का विकास होता है। परिवार अनेक प्रकार से अपने सदस्यों की आवश्यकताओं की पूर्ति करता है तथा उनके विकास में सर्वाधिक महत्वपूर्ण भूमिका निभाता है। **किंग्सले डेविस** का कहना कि ''परिवार के सभी कार्य इतने स्वतंत्र प्रकृति के होते हैं कि उन सभी कार्यों को अन्य संस्थाओं के द्वारा भी किया जा सकता है लेकिन परिवार के अतिरिक्त ऐसी कोई संस्था नहीं है जिसमें इन कार्यों को असीमित उत्तरदायित्व की भावना के साथ किया जाता हो।''

1. जैविकीय कार्य—परिवार पति-पत्नी और बच्चों का संगठन होता है जिसका सबसे महत्वपूर्ण कार्य संतति की निरंतरता बनाए रखना है। न केवल निरंतरता बल्कि पालन-पोषण की व्यवस्था करना भी परिवार का महत्वपूर्ण कार्य है। जैविकीय कार्यों का संबंध मानव की आंतरिक प्रवृत्तियों की संतुष्टि करने से है। परिवार के जैविकीय कार्यों में यौन-संबंधों के अवसर प्रदान करता है। यदि कोई व्यक्ति इसका उल्लंघन करता है तो उसके सामाजिक दंड की व्यवस्था करता है। परिवार के जैविकीय कार्यों में सन्तानोत्पत्ति की व्यवस्था करना दूसरा सबसे महत्वपूर्ण कार्य है। यदि ऐसा न हो तो समाज और सभ्यता का विकास रुक जाएगा। परिवार के अभाव में संतान का पालन-पोषण अव्यवस्थित हो जाएगा। अवैध संतानों की संख्या भी बढ़ेगी। **विलियम मुड** का कहना है कि परिवार ही बच्चों को वैधता प्रदान कर सकता है। परिवार का तीसरा महत्वपूर्ण कार्य पारिवारिक सदस्यों को शारीरिक सुरक्षा प्रदान करना है। बच्चे को जन्म देने से लेकर उसके पालन पोषण तथा एक सामाजिक प्राणी के रूप में उसके रूपांतरण तक का सारा दायित्व परिवार निभाता है। सदस्यों को दुर्घटना, बीमारी, बेकारी इत्यादि से सुरक्षित रखना, आयु और लिंग के अनुसार सुविधाएं देना तथा मानसिक सुरक्षा प्रदान करना परिवार का महत्वपूर्ण कार्य है।

2. **सामाजिक कार्य**—परिवार का महत्वपूर्ण कार्य व्यक्ति का सामाजीकरण है। यह जैविकीय कार्यों की तुलना में कम महत्वपूर्ण नहीं है। **एण्डरसन** के अनुसार, ''व्यक्ति की पाशविक प्रवृत्ति पर नियंत्रण रखना, सामाजिक सीख देना, आदतों का निर्माण करना, उत्तरदायित्वों को समझाना तथा व्यक्ति में स्वाभिमान का विकास करना परिवार का सामाजिक कार्य है।'' परिवार पद और कार्य प्रदान करने वाला प्रतिनिधि भी कहा जाता है। परिवार सभी सदस्यों के पारिवारिक दायित्व का निर्धारण करता है। एक सदस्य की बदनामी और अपमान से पूरा परिवार अपमानित माना जाता है। इसी तरह एक व्यक्ति का सम्मान पूरे परिवार का सम्मान माना जाता है। परिवार व्यक्तियों को सामाजिक नियंत्रण में रखता है। यदि परिवार के संस्कारों से बच्चे को वंचित रखा जाएगा तो वह अपने सामाजिक दायित्व के प्रति लापरवाह होगा। सामाजिक गुणों का मूल स्रोत परिवार ही है तथा इसी के कारण उसे सामाजिक जीवन का अमिट स्रोत कहा जाता है। दया, सहानुभूति, प्रेम, एकता, सद्भावना और भाईचारे की भावना का विकास करने में परिवार की केंद्रिय भूमिका होती है।

3. **आर्थिक कार्य**—परिवार आर्थिक क्रियाओं की धुरी भी माना जाता है। परिवार में उत्पादन, विनिमय से लेकर उपभोग तक सारी प्रक्रियाएं अपनी भूमिका निभाती हैं। आर्थिक कार्यों को कुछ विद्वानों ने जीवन यापन संबंधी कार्यों के रूप में अभिहित किया है। परिवार सदस्यों की आवश्यकतानुसार सुविधाएं प्रदान करता है। इस प्रकार वह कोई व्यक्तिवादी इकाई न होकर एक समाजवादी इकाई के रूप में प्रतिष्ठित होती है। परिवार श्रम विभाजन करता है तथा आप की व्यवस्था करता है। आदिमकाल से ही यह परिवार का प्रमुख कार्य रहा है। पुरुषों और स्त्रियों की भूमिकाओं का निर्धारण केंद्र भी परिवार रहा है। आयु के आधार पर बच्चों, व्यस्कों तथा वृद्धों की भूमिका को तय करना तथा कौन अपने कार्यों को क़ुशलतापूर्वक कर रहा है इसका निर्धारण करना परिवार का कार्य रहा है। यहीं से उत्तराधिकार की भी व्यवस्था होती है। इससे संबद्ध नियगों का निर्गाण भी गरिवार ही करता है। सम्पत्ति का प्रबंध करने के लिए परिवार सभी सदस्यों के बीच इसका उचित विभाजन करता है जिससे संघर्ष की बजाय परस्पर सहयोग भावना का विकास होता है।

4. **धार्मिक कार्य**—मनुष्य के जीवन में धर्म की भूमिका जीवन भर बनी रहती है। इस भूमिका का संदर्भ भी परिवार ही बनाता है। प्रत्येक परिवार किसी न किसी धर्म में विश्वास करता है। इसी से संबंधित मूल्यों, आदर्शों तथा आचरणों की सीख परिवार द्वारा अपनी आगामी पीढ़ियों को मिलती है। धर्म की पवित्रता परिवार की पवित्रता मानी जाती है। सभी परिवार इसी मान्यता के अंतर्गत अपने धार्मिक कार्यों को पूरा करते हैं। अनेक विद्वान यह मानते है कि धार्मिक कार्यों की सम्पूर्ण संरचना परिवार पर ही आधारित होती है। भारतीय परिवारों में धर्म एक अनिवार्य भावना है। इसी कारण भारतीय मनीषा विवाह को 'काम तुष्टि' का साधन न मानकर धर्म कार्य की पूर्ति मानती है। विवाह का धार्मिक महत्व इतना अधिक है कि जिस व्यक्ति ने शादी करके अपने परिवार का निर्माण नहीं किया और बच्चे को जन्म नहीं दिया वह पितृऋण से मुक्त नहीं माना जाता। पिण्ड दान, तर्पण इत्यादि के माध्यम से ही पैतृक आत्माओं की संतुष्टि संभव मानी जाती है और इन सभी में धर्म की भूमिका सर्वोपरि होती है। इन कर्तव्यों अथवा कर्मकाण्डों की पूर्ति किसी अन्य संस्था अथवा समूह के द्वारा पूरी नहीं हो सकती। परिवार के कारण ही जीवन में हर कदम पर धर्म एक अनिवार्य तत्व के रूप में मौजूद होता है।

5. **सांस्कृतिक कार्य**—परिवार व्यक्ति को सामाजिक व्यवहारों की शिक्षा देता है। संस्कृति को समाज का सबसे बुनियादी आधार माना जाता है। क्योंकि इसी के माध्यम से लोगों की रुचियों और मनोवृत्तियों का विकास होता है तथा इन्हीं से सामाजिक जीवन को स्थायित्व मिलता है। समाज के सभी आदतों; नियमों, लोकाचारों, रिवाजों तथा परंपराओं का विकास संस्कृति के ही माध्यम से होता है। यदि परिवार लोगों को सांस्कृतिक रूप से विकसित न करे तो सामाजिक संगठन टूट जाएगा। परिवार के कारण की एक पीढ़ी से दूसरी पीढ़ी के बीच सांस्कृतिक संचरण (Cultural Transition) संभव है। परिवार अपने समय और समाज से जुड़े मूल्यों, आदर्शों, विश्वासों, नैतिकताओं का अर्थ स्पष्ट करके आगामी पीढ़ी को देता है। इस तरह परिवार सांस्कृतिक निरंतरता के लिए एक प्राकृतिक और सुविधाजनक साधन हैं।

इसके साथ ही परिवार सदस्यों के चरित्र निर्माण हेतु मनोरंजन का कार्य भी करता है। इसके मद्देनजर अच्छा साहित्य, अच्छी कला तथा अच्छे सिनेमा का चुनाव भी करता है। यदि इसमें किसी प्रकार की लापरवाही होगी तो परिवार के सदस्य गलत रुचियों के ही शिकार नहीं होंगे बल्कि उनमें कई तरह की दुष्प्रवृत्तियां भी पनपेंगी। धार्मिक उत्सव-समारोह भी परिवार के मनोरंजन के साधन हैं। अनेक लोग मनोरंजन को हल्के तरीके से ग्रहण करते हैं लेकिन यह एक महत्त्वपूर्ण सांस्कृतिक कार्य है।

6. **राजनीतिक कार्य**—परिवार के राजनीतिक कार्यों के संबंध में प्रसिद्ध चीनी विचारक **कन्फ्यूशियस** का मानना है कि, ''मनुष्य सबसे पहले अपने परिवार का सदस्य है और फिर राज्य का। इस प्रकार राज्य का रूप परिवार पर ही आधारित होना चाहिए।'' अनेक समाजशास्त्रियों ने परिवार को प्रशासनिक इकाई माना है। राज्य के ही समान परिवार भी भूमि, जनसंख्या, नियमों और परंपराओं की देखरेख करता है तथा इनके संतुलित कार्यान्वयन की समीक्षा भी करता है। परिवार जैसी स्थानीय इकाई में कर्ता की प्रभुसत्ता होती है। कर्त्ता ही सभी सदस्यों के व्यवहारों को नियंत्रित करता है। यदि कोई परिवार के बनाए अथवा निर्धारित नियमों की अवहेलना करता है तो उसे दंड देने की व्यवस्था भी कर्ता करता है। परिवार के मुख्य कामों में से एक काम ऐसे गुणों का विकास करना भी है जिससे व्यक्ति पारिवारिक तथा राजनीतिक अनुशासन को बनाए रख सके। वर्तमान समय में परिवार भी एक प्रकार की जनतांत्रिक प्रणाली में विश्वास करने लगा है जहां अनुशासन, समानता, स्वतंत्रता और बंधुत्व की भावना का विकास करके उन्हें सफल नागरिकों के रूप में विकसित करना एक महत्त्वपूर्ण दायित्व होता है।

मित्र

बच्चे अपने माता-पिता के बाद जिनके सबसे करीब होते हैं– वे हैं मित्र। बच्चे अपने आसपास के सभी बच्चों को अपना मित्र नहीं बनाते। वे ऐसे बच्चे को अपना मित्र बनाते हैं– जो उनके साथ उठते-बैठते, खेलते-कूदते एवं पढ़ाई करते हैं। एक तरह से उनके हाव-भाव एवं विचार समान होते हैं। उनकी मित्रता स्वार्थ रहित होती है। उनकी रुचि एवं अरुचि ही उन्हें एक-दूसरे के करीब लाती है। उनकी दोस्ती के आधार हैं–साथ-साथ पढ़ना, साथ-साथ खेलना एवं एक समान रुचि।

सच्ची मित्रता को ईश्वर का वरदान कहा जाता है। सच्चा मित्र वह होता है जो कठिन परिस्थिति में अपने मित्र का साथ देता है। वह अपने स्वार्थ एवं हित से ऊपर उठकर अपने मित्र के भले के बारे में सोचता है।

बच्चा अपने मित्रों से बहुत कुछ सीखता है। कहा जाता है–''संगत से गुण आत है, संगत से गुण-जात'' अतः बच्चों को अच्छे बच्चों की संगति करनी चाहिए। यदि किसी बच्चे की दोस्ती शांत एवं जिज्ञासु प्रवृत्ति के बच्चे के साथ है तो उसमें भी इन प्रवृत्तियों का विकास होगा। इसके विपरीत उसकी दोस्ती अगर गुस्सैल या झगड़ालू बच्चे से होगी तो वह भी इन्हीं अवगुणों का अपना लेगा।

आज शहरों में एक नयी समस्या देखने को मिल रही है। प्रायः माता-पिता के बीच खराब संबंधों या उनकी नौकरी पेशागत व्यस्तता के कारण बच्चों की उचित परवरिश नहीं हो पाती, वे बुरे लड़कों की संगति में पड़ जाते हैं। इससे उनका पूरा कैरियर एवं भविष्य बर्बाद हो जाता है। अतः माता-पिता को भी इस बात का ख्याल रखना चाहिए कि उनका बच्चा किन बच्चों के साथ उठता-बैठता एवं समय व्यतीत करता है। इस संदर्भ में माता-पिता को बच्चों का सही मार्ग दर्शन करना चाहिए।

रिश्तेदार

बच्चे जैसे-जैसे बड़े होते हैं, वे अपने माता-पिता एवं भाई-बहन के साथ अपने रिश्ते-नाते के लोगों के साथ भी संपर्क में आते हैं। बच्चों में ग्रहणशीलता अधिक होती है, वे जिनके भी संपर्क में आते हैं– उनकी आदतों एवं व्यवहारों की नकल करते हैं। वे जीवन के कई सारे व्यवहार एवं गुण जैसे—उठना-बैठना, अभिवादन, हाथ मिलाना, प्रेम, सहानुभूति, सहनशीलता एवं सहयोग आदि रिश्ते एवं नातेदारों से ही सीख पाते हैं।

रिश्ते एवं नाते के लोगों के संपर्क में आने से बच्चों का सामाजिक ज्ञान बढ़ता है। वे माता-पिता के अतिरिक्त अन्य संबंधियों से परिचित होते हैं। परिवार एवं रिश्तेदार के संपर्क से वह सामाजिक मूल्यों एवं आदर्शों को सीखता है। इस प्रकार परिवार, मित्र एवं रिश्तेदार बच्चे के समाजीकरण की पहली पाठशाला हैं।

कार्य एवं खेल

खेल-कूद जीवन में अनेक उत्तम गुणों का विकास करते हैं। इनसे शरीर चुस्त, फुर्तीला और बलिष्ठ होता है। शारीरिक क्षमताओं के विकास हेतु खेलों से बढ़कर अन्य कोई साधन नहीं। सुडौल और पुष्ट शरीर खेलों का उपहार है। स्वास्थ्य रक्षा और सशक्त शरीर के लिए खेल-कूद अनिवार्य है। शरीर की श्रम साध्यता इन्हीं पर निर्भर है। खेल-कूद शरीर को स्फूर्तिमय बनाने के साथ-साथ अनेक सामाजिक, मानसिक एवं राष्ट्रीय गुणों का विकास करते हैं जैसे पारस्परिक सहयोग, मैत्रीभाव, टीम-भावना, लगन, साहस, धैर्य, न्यायप्रियता, उत्साह, कर्त्तव्यनिष्ठा, स्वाभिमान, लक्ष्यपूर्ति के लिए निरन्तर प्रयास, पराजय से निराश न होना, विजय-पराजय दोनों के प्रति एक-सी प्रतिक्रिया और निरन्तर आगे बढ़ते रहने का संकल्प। कहना न होगा कि उपरोक्त गुण दुर्लभ गुण हैं और चरित्र के निर्माण व जीवन की सफलता में इनकी विशिष्ट महत्ता है। नेतृत्व और अनुशासन जैसे राष्ट्रीय गुणों के निर्माण में भी खेलों का महत्वपूर्ण योगदान होता है। इन्हीं तथ्यों को ध्यान में रखते हुए बहुसंख्यक शिक्षण संस्थाओं में खेल-कूद अनिवार्य है। आशय यह है कि हर बालक, किशोर और युवा, जो कल का नागरिक है, खेल-कूद के माध्यम से अपने चरित्र का निर्माण करे ताकि उसका जीवन स्वयं के लिए और साथ ही समाज व देश के लिए उपयोगी बन सके।

खेलकूद का शारीरिक क्षमताओं के विकास के साथ गहरा सम्बन्ध है। खेल-कूद शरीर को स्वस्थ और स्फूर्तिमय बनाये रखते हैं। खेल-कूद के दौरान शरीर के लगभग सभी अंगों का व्यायाम हो जाता है, शरीर की मांसपेशियां सुदृढ़ बनती हैं और काया निरोग रहती है। स्वास्थ्य की महिमा अपरम्पार है। किसी ने ठीक ही कहा है ''स्वास्थ्य ही सम्पत्ति है।'' निरोग शरीर जीवन का सर्वश्रेष्ठ सुख है। रोगी शरीर वाला व्यक्ति जीवन में किसी सुख का भोग नहीं कर सकता। स्वस्थ शरीर होने पर मनुष्य अपने उत्तरदायित्वों का निर्वहन और जीवन के सुखों का आनन्द उठा सकता है। शरीर को स्वस्थ बनाने में खेल-कूद की मूल्यवान भूमिका होती है।

एक कहावत है कि ''स्वस्थ शरीर में ही स्वस्थ मन का निवास होता है''। कहने का अभिप्राय यह है कि यदि शरीर स्वस्थ नहीं है, तो मन भी स्वस्थ नहीं हो सकता। यदि मन रोगी हो गया, तो नाना प्रकार की व्याधियां जीवन भर संत्रस्त करती रहेंगी। अतः मन को स्वस्थ रखने हेतु शरीर का स्वस्थ होना जरूरी है और शरीर को स्वस्थ रखने हेतु खेलकूद आवश्यक है।

खेलकूद का सर्वोत्कृष्ट योगदान 'स्पोर्ट्समैनशिप' है; स्पोर्ट्समैनशिप की धारणा व्यापक है जिसके अधीन खेल के प्रति समर्पण के साथ खेल में निष्पक्षता, न्याय और हार-जीत दोनों को समान भाव से ग्रहण करना और अपने प्रतिद्वन्द्वी के प्रति सहज मैत्री भाव की भावनाएं सम्मिलित हैं। एक सच्चा

'स्पोर्ट्समैन' अर्थात् खिलाड़ी खेल को गरिमा प्रदान करता है और खेल में पूरी ईमानदारी बरतता है। वह खेल में निष्पक्ष रहता है और न्यायमार्ग का अनुसरण करता है। वह न हारने पर चिढ़ता और रोता है और न जीतने पर प्रमाद करता है। वह जानता है कि खेल में कभी जीत होती है, तो कभी हार होती है। वह अपने प्रतिद्वन्द्वी के बढ़िया खेल की खुलकर सराहना करता है; उसकी जीत पर उसे मुक्त कण्ठ से बधाई देता है और द्वेष की भावना को पास नहीं फटकने देता। वह कभी भी ओछा वार नहीं करता। ये सब चारित्रिक गुण उसके जीवन में बहुत काम आते हैं।

एक सच्चा खिलाड़ी कभी भी निराश नहीं होता। उसमें अपरिमित साहस और लगन का समावेश होता है। अपने अदम्य साहस और पूर्ण कौशल से वह कठिन-से-कठिन परिस्थिति का सामना करता है। वह कभी भी हताश नहीं होता। कभी-कभी तो इसी गुण के बल पर वह हारी हुई बाजी भी जीत लेता है।

आदर्श खिलाड़ी खेल में पूर्णतः निष्पक्ष और ईमानदार रहता है। वह नियमों का पालन करता है। अपने विपक्षी की दुर्बलता का अनुचित लाभ उठाने का प्रयत्न नहीं करता। साथ ही वह अपने प्रतिद्वन्द्वी से भी नियमों के पालन की अपेक्षा करता है। इस गुण का विकास खेलों के माध्यम से ही होता है।

खेल-कूद में अनुशासन का पालन अति आवश्यक है। इसके बिना खेल चल ही नहीं सकता। टीम के कप्तान अथवा रेफ्री के आदेश या निर्णय को स्वीकार करना सच्चे खिलाड़ी का सर्वश्रेष्ठ लक्षण है। खेल के मैदान में सीखा गया अनुशासन जीवन की सफलता की कुंजी है। यह अनुशासन जीवन के हर क्षेत्र में प्रगति का मार्ग प्रशस्त करता है। राष्ट्रीय और सामाजिक जीवन में अनुशासन की कितनी महत्ता है, यह बताने की आवश्यकता नहीं। अनुशासन का पाठ खेल के मैदान में सरलता से सीखा जा सकता है।

खेल-कूद का एक अन्य वरदान 'टीम स्पिरिट' का विकास है। 'टीम स्पिरिट' का आशय यह है कि हर खिलाड़ी अपने पृथक-पृथक व्यक्तित्व को टीम के व्यक्तित्व में विलीन कर दे। टीम का हर खिलाड़ी सम्पूर्ण टीम के लिए खेलता है, अपने लिए नहीं। ऐसे खेलों में हार या जीत टीम की होती है, किसी एक खिलाड़ी की नहीं। अतः हर खिलाड़ी टीम की प्रतिष्ठा के लिए और उसकी विजय के लिए पूरी लगन से प्रयत्न करता है। 'टीम स्प्रिट' की भावना का एक पहलू यह भी है कि सारी टीम को साथ लेकर चलो। यदि कोई खिलाड़ी इस भ्रान्ति में रहे कि वह स्वयं इतना बढ़िया खिलाड़ी है कि अकेले ही (अन्य साथियों की सहायता व उनके सहयोग के बिना) प्रतिद्वन्द्वी टीम को हरा देगा, तो निश्चय ही इसे टीम भावना का अभाव माना जायेगा। खेल के मैदान में ऐसी भावना घातक होती है और इस भावना के फलस्वरूप सारी टीम को पराजय व अपमान का सामना करना पड़ता है। टीम वाले सभी खेलों में खिलाड़ियों के बीच पूरा तालमेल परम आवश्यक होता है। हर खिलाड़ी अपने को पूरी टीम का प्रतिनिधि मानकर यथाशक्ति निर्धारित लक्ष्य की पूर्ति का प्रयत्न करता है। 'टीम स्पिरिट' के अभाव में एक खिलाड़ी की गलती से सारी टीम को हानि उठानी पड़ती है। इस भावना की शिक्षा और इसका पूर्ण विकास खेल के मैदान से ही होता है। व्यावहारिक जीवन में समस्याओं का सामना करने में यह भावना अत्यधिक लाभदायक सिद्ध होती है।

एक सच्चा खिलाड़ी अपने लक्ष्य के प्रति समर्पित होता है। लक्ष्य के प्रति समर्पण का अर्थ है खेलों के साथ तन्मय हो जाना। जब खिलाड़ी खेले तो जी-जान से खेले और उसमें अपने व्यक्तित्व को विलीन कर दे। इसे लक्ष्य के प्रति बलिदान और अनन्यता की भावना भी कहा जा सकता है। आदर्श खिलाड़ी हर अवस्था में अपने लक्ष्य या गन्तव्य की ओर बढ़ता रहता है– कम से कम बढ़ते रहने का प्रयत्न अवश्य करता है। आगे बढ़ते रहने की इच्छा-शक्ति विकसित होने पर कठिनाइयां ठहर नहीं पातीं। सांसारिक जीवन में ऐसी शक्ति मनुष्य को सफलता के एक शिखर से दूसरे शिखर तक पहुंचाती रहती हैं। खेल के मैदान में हर खिलाड़ी स्वाभिमान की शिक्षा ग्रहण करता है। वह न किसी का अपमान करता है और न स्वयं अपमान सहता है। वह न गलत काम करता है और न किसी के गलत काम को बर्दाश्त करता है। प्रतिकूल परिस्थितियों से जूझने की शक्ति खेल के मैदान में ही विकसित होती है। खेल के दौरान उतार-चढ़ाव आते रहते हैं; उनसे भागने वाला या उनके सामने घुटने टेकने वाला खिलाड़ी आदर्श खिलाड़ी नहीं कहा जा सकता। श्रेष्ठ व सच्चा खिलाड़ी तो इस आत्म-विश्वास के साथ खेलता है कि वह प्रतिकूल परिस्थितियों को भी अनुकूल बना लेगा। संयम अच्छे खिलाड़ी का आभूषण है। अच्छा खिलाड़ी भावुक नहीं होता। वह मर्यादित रहकर अपने कर्त्तव्य में लीन रहता है। तुच्छ, अनर्गल एवं निराधार तथ्यों से वह कभी प्रभावित नहीं होता।

खेल-कूद में पारस्परिक सम्मान का विकास होता है। खेल के मैदान से हर खिलाड़ी से अपेक्षा की जाती है कि वह दूसरे खिलाड़ियों का सम्मान करेगा। सम्मान पाने का उपाय ही यही है कि दूसरों का सम्मान करो। दूसरे खिलाड़ियों को समुचित सम्मान न देने वाले खिलाड़ी को आदर्श खिलाड़ी नहीं कहा जा सकता। प्रत्येक श्रेष्ठ खिलाड़ी अपने साथी खिलाड़ियों का सम्मान करता है और उनको प्रोत्साहित करता है।

भारत में पारंपरिक रूप से खेलकूद और शारीरिक चुशती को महत्त्व दिया जाता रहा है। खेलों के महत्त्व को देखते-समझते हुए 1982 में एक पृथक् विभाग की स्थापना की गई। प्रथम बार राष्ट्रीय खेल नीति की घोषणा 1984 में की गई। 1985 में गठित मानव संसाधन विकास मंत्रालय ने विभिन्न क्षेत्रों में जिनमें खेल भी शामिल हैं, मानवीय क्षमताओं के विकास पर बल दिया।

विभिन्न खेल सुविधाओं के अधिकतम उपयोग और खेलों के उन्नयन तथा प्रबंधन के सभी पहलुओं पर प्रभावी ढंग से नियंत्रण

हेतु 1984 में भारतीय खेल प्राधिकरण की स्थापना की गई। असाधारण प्रतिभा का प्रदर्शन करने वाले सभी श्रेष्ठ खिलाड़ियों को उनकी पहचान दी गई है। इस प्रकार असाधारण प्रदर्शन करने वाले व्यक्तिगत खिलाड़ी अथवा टीम को राजीव गांधी खेल रत्न पुरस्कार से सम्मानित किया जाता है। 1961 में स्थापित अर्जुन पुरस्कार विशिष्ट खेल प्रतिभा को राष्ट्रीय पहचान देने हेतु प्रदान किया जाता है जबकि 1985 में स्थापित द्रोणाचार्य पुरस्कार बेहतरीन योगदान देने वाले परिश्रमी कोचों को प्रदान किया जाता है।

पारंपरिक खेलकूद और मार्शल आर्ट भारत की प्राचीन संस्कृति के अंग रहे हैं। ये खेल क्षेत्र विशेष की संस्कृति में समाविष्ट हैं और उनका लक्ष्य है स्वस्थ और मजबूत तथा दृढ़ मानसिक शक्तिवाले व्यक्ति का निर्माण। कुछेक भारतीय पारंपरिक खेल इस प्रकार हैं :

तीरंदाजी	गेला-कुल्ट	कंग सनोबा	सगोल कंजेई
असोल आप	कबड्डी	खोंग कंजेई	यूबी-लकपी
नौका दौड़	खो-खो	मल्ल खम्भ	
धूप खेल	किरिप	मुकना	

खेल कैसे खेले जाते हैं

एथलेटिक्स

इसमें अनेक स्पर्द्धाएं होती हैं जिनमें प्रतिभागियों को दौड़ना, कूदना और भाला, गोला आदि फेंकना पड़ता है। कुछ महत्त्वपूर्ण स्पर्द्धाएं हैं :

(क) ऊंची कूद : प्रतिभागी एक छोटी-सी दूरी से दौड़ता हुआ आता है और एक क्षैतिज राड को बिना गिराए पार करता है। सबसे ऊंची कूद के लिए पुरस्कार प्रदान किया जाता है।

(ख) लम्बी कूद : इसमें एक प्रतिभागी थोड़ी दूर से तेजी से दौड़ता हुआ आता है और तय किए गए स्थान से लम्बी कूद लगाकर बालू भरे गड्डे में गिरता है। उसके द्वारा तय की गई दूरी को मापा जाता है।

(ग) ट्रिपल जम्प : इस कूद में तीन चरण होते हैं। प्रतिभागी दौड़ता हुआ आता है और एक पैर से इस तरह से उछाल भरता है कि वह फिर उसी पैर को जमीन पर गिराए जिससे उसने उछाल भरी थी। दूसरे चरण में वह दूसरे कदम से उछाल भरकर उसी पैर को जमीन पर गिराता है और अंततः दोनों पैरों के सहारे एक लंबी कूद लगाता है। तीनों चरणों में तय की गई कुल दूरी को जोड़ लिया जाता है।

(घ) दौड़ : साधारणतः दौड़ में सभी प्रतिभागी अलग-अलग लेनों में एक साथ दौड़ना प्रारंभ करते हैं और जो प्रतिभागी सबसे पहले दूरी को पूरा करता है उसे विजेता घोषित किया जाता है।

(ङ) बाधा दौड़ : इसमें सभी प्रतिभागी अलग-अलग लेन में एक साथ दौड़ आरंभ करते हैं और नियमित अंतराल पर रखी गई अनेक बाधाओं को पार करते हैं।

(च) रिले रेस : प्रत्येक टीम में चार सदस्य होते हैं। प्रत्येक टीम के पास एक झंडा होता है। पहला प्रतिभागी उसे लेकर दौड़ता है और अपनी तय सीमा (दूरी) पर पहुंच कर उसे अपने दूसरे सहयोगी को थमा देता है। इसी प्रकार दूसरा तीसरे को और तीसरा चौथे को थमाता है। जो टीम सबसे पहले दौड़ पूरी करती है वही विजेता होती है। प्रत्येक खिलाड़ी के लिए लैप की दूरी या तो 100 मीटर होती है या 400 मीटर।

(छ) स्टेपल चेस : इस दौड़ में प्रतिभागी को न सिर्फ राह में खड़ी की गई बाधाओं को पार करना होता है बल्कि पानी से होकर भी गुजरना पड़ता है।

(ज) भाला फेंक : इसमें एक डंडे में लगे तीखे नोंक वाले एक भाले को तय स्थान से फेंका जाता है। जो प्रतिभागी सबसे अधिक दूरी तक भाला फेंकता है उसे विजेता घोषित किया जाता है।

(झ) गोला फेंक : इसमें प्रतिभागी एक ठोस लोहे के गोले को फेंकते हैं।

(ञ) बांस कूद : इसमें प्रतिभागी दो बिंदुओं पर टिके एक क्षैतिज बार को बांस के डंडे की सहायता से पार करते हैं।

बैडमिंटन

इस खेल में नेट के एक-दूसरी तरफ खिलाड़ी रैकेट लेकर आते हैं और शटल को नेट के पार प्रतिपक्षी के कोर्ट में गिराते हैं। स्कोरिंग केवल सर्विस के दौरान ही की जा सकती है जो एक-एक अंक कर आगे बढ़ता है। एक अंक तब बनता है जब प्रतिद्वंद्वी शटल को लौटा न सके, कोर्ट के बाहर डाल दे या कोई फाउल कर दे। बैडमिंटन एकल और युगल रूप में खेली जाती है।

बेसबॉल

यह खेल एक मैदान में खेला जाता है जहां चार आधार होते हैं। प्रत्येक टीम का लक्ष्य दूसरे से अधिक रन बनाना होता है। एक रन तब बनता है जब एक खिलाड़ी चारों बेसों का चक्कर काट बिना आउट हुए अपने घर में सुरक्षित लौट आता है। सामान्यतः इस खेल में नौ पारियां होती हैं पर मुकाबला बराबरी पर छूटने पर एक और पारी की अनुमति दी जाती है। खिलाड़ी अपने खेमे में लगातार क्रम से बैटिंग करते हुए रन जोड़ते हैं। प्रतिपक्षी पियर बाल फेंकता है और बैटिंग करने वाला खिलाड़ी इसे अधिक-से-अधिक दूर मारने का प्रयास करता है।

बास्केटबॉल

एक आयताकार कोर्ट में 5-5 सदस्यों वाली दो टीमें आपस में मुकाबला करती हैं। यह खेल 20-20 मिनट के दो हिस्सों में खेला जाता है। प्रत्येक टीम बॉल को अपने प्रतिपक्षी के बास्केट में डालने का प्रयास करती है, जो दोनों सिरों से खुला होता है और धातु के एक रिंग से लटका होता है। यह बास्केट जमीन से ऊपर की ओर खड़े एक बैकबोर्ड पर लगा होता है। जो टीम खेल अवधि के दौरान अधिक अंक प्राप्त करती है उसे विजेता घोषित किया जाता है।

बिलियर्ड्स

यह टेबल पर केवल तीन बॉलों के सहारे खेली जाती है। टेबल में 6 खुले मुंह वाले खड्डे होते हैं जिन्हें पॉकेट कहते हैं। खिलाड़ी एक विशिष्ट छड़ी 'क्यू' के सहारे छोटी गेंद को दूसरे गेंद से टकराकर उसे पॉकेट में डालने का प्रयास करता है। चैम्पियनशिप स्तर पर आमतौर से खेल दो घंटे के सत्र में खेले जाते हैं और अमूमन दो सत्र आयोजित किए जाते हैं।

बॉक्सिंग

इसमें प्रत्येक बॉक्सर हाथ में बंधे हुए गद्देदार दस्ताने के मुट्ठी वाले हिस्से से प्रतिपक्षी के कमर के ऊपर शरीर पर और सिर के आस-पास क्षेत्रों पर प्रहार करता है। एक मुक्केबाज जो सर्वाधिक बार अपने प्रतिपक्षी पर अंक बटोरने वाले प्रहार करता है तो उसे विजेता घोषित किया जाता है। कभी-कभी मुठभेड़ का निर्णय प्रतिद्वंद्वी को जमीन सूंघा देने या अयोग्यता के आधार पर भी किया जाता है। वर्ग और प्रतियोगिता के दृष्टिगत राउण्डों की संख्या अलग-अलग हो सकती है।

क्रिकेट

इस खेल में दो टीमें होती हैं जिसमें 11-11 खिलाड़ी होते हैं। एक टीम बल्लेबाजी करती है और दूसरी टीम क्षेत्ररक्षण तथा गेंदबाजी करती है। एक गेंदबाज पिच के एक सिरे से बल्लेबाज को गेंद डालता है और दूसरे सिरे पर खड़ा बल्लेबाज अपने विकेटों की सुरक्षा करते हुए उस गेंद को बल्ले से मारने का प्रयास करता है। एक बल्लेबाज बोल्ड हो जाने पर, कैच हो जाने पर, स्टंप हो जाने पर, लेग विफोर विकेट हो जाने पर, हिट विकेट हो जाने पर और रन आउट हो जाने से आउट हो जाता है। अधिक रन बनाने वाली टीम मैच जीत लेती है। एक मैच सीमित ओवरों का, एक या दो पारी का हो सकता है। एक मैच को तब ड्रा घोषित किया जा सकता है जबकि दोनों पक्षों की पारियां तय समय अवधि में, जो कि 3 या 5 दिन को होता है, पूरी न हो सकें।

गोल्फ

गोल्फ कोर्स में 18 छिद्र या दोहरा कर गेंद डालने वाले 9 छिद्र होते हैं। यह छिद्र व्यास में 4½ इंच होता है जबकि इसकी गहराई 4 इंच होती है। प्रतिभागी एक रबर की गेंद को एक विशिष्ट छड़ी की सहायता से छिद्रों की क्रमिक शृंखला बनाता है और जो कम स्ट्रोक में अधिक-से-अधिक छिद्रों की शृंखला बनाता है, वह विजयी होता है।

हॉकी

इस खेल में दो टीमें हिस्सा लेती हैं जिसमें प्रत्येक में 11-11 खिलाड़ी होते हैं। यह खेल सेंटर लाइन से शुरू होता है जहां दोनों टीमें आमने-सामने होती हैं। प्रत्येक टीम विपक्षी के गोल-पोस्ट में गेंद डालने का प्रयास करती है जो दोनों टीमों के लिए अलग-अलग सिरे पर स्थित होते हैं। स्ट्राइकिंग सर्किल से ही गोल किया जा सकता है जो एक सेमी सर्किल होता है तथा गोल पोस्ट से 16 गज की दूरी पर स्थित होता है। वह टीम विजेता बनती है जो दो हाफ में खेले जाने वाले 70 मिनट के इस खेल में प्रतिद्वंद्वी से अधिक गोल करती है। इस खेल में खिलाड़ी का मुख्य लक्ष्य विपक्षी टीम के रक्षकों और गोलकीपर को छकाते हुए गेंद को गोल-पोस्ट में डालना होता है तभी जाकर वह गोल बना पाता है। कभी-कभी मैच का निर्णय करने हेतु अतिरिक्त समय और 'शूट आउट' का सहारा लेना पड़ता है।

सॉकर (फुटबॉल)

इस खेल में 11-11 खिलाड़ियों से सुसज्जित दो टीमें भाग लेती हैं। प्रत्येक सिरे के मध्य में एक गोल-पोस्ट होता है जो 8 फीट ऊंचा और 24 फीट चौड़ा होता है, जिसके पीछे एक जाली लगी होती है। गोल पोस्ट के समानांतर एक मध्य रेखा होती है जो मैदान को दो हिस्सों में बांटती है। यह खेल हवा से भरे एक चमड़े की गेंद के सहारे खेला जाता है। जिसकी परिधि 27 से 28 इंच होती है। गेंद को मारने के लिए खिलाड़ी हाथ को छोड़कर शरीर के अन्य अंगों का इस्तेमाल कर सकते हैं। हालांकि यह खेल मुख्यत: पैरों से खेला जाता है इसलिए इसे फुटबॉल भी कहते हैं। गोल करने के लिए खिलाड़ी को विपक्षी टीम की सुरक्षा पंक्ति को तोड़ते हुए और गोलकीपर को छकाते हुए गेंद को गोल-पोस्ट में डालना पड़ता है। यह खेल 45-45 मिनट के दो हाफ में खेला जाता है और प्रथम हाफ की समाप्ति के बाद दोनों टीमें अपना छोर बदल लेती हैं।

टेबल टेनिस

यह खेल 9 × 5 फीट के एक टेबल पर एकल या युगल रूप में खेला जाता है। टेबल के बीच में एक 6 इंच ऊंचा नेट लगा होता है। प्रत्येक खिलाड़ी के पास एक ''बैट'' होता है और इसकी सहायता से वह एक छोटी-सी बिल्कुल हल्की गेंद को इस तरह से मारता है कि वह नेट को पार करते हुए विपक्षी की तरफ वाले टेबल पर गिरे। यदि प्रतिपक्षी गेंद को सही तरीके से नहीं लौटा पाता या कोई फाउल कर बैठता है तो खिलाड़ी को एक अंक प्राप्त होता है। प्रत्येक खिलाड़ी को 5 बार सर्विस करने का मौका मिलता है; इसके बाद प्रतिपक्षी को भी 5 बार सर्विस करने का मौका मिलता है। युगल खेल के मामले में दोनों खिलाड़ियों को

अदल-बदल करके शॉट (एक के बाद दूसरा) मारना पड़ता है। जब तक दोनों टीमें बीस अंक नहीं प्राप्त कर लेतीं यह खेल चलता रहता है। वह खिलाड़ी या जोड़ा विजयी होता है जो सबसे पहले 21 अंक बना लेता है। 20-20 की अंक संख्या पर पहुंच जाने पर वह खिलाड़ी या जोड़ा विजयी होता है जो प्रतिपक्षी से 2 अंक अधिक बनाता है। यह खेल 'बेस्ट ऑफ थ्री' या 'बेस्ट ऑफ फाइव' के आधार पर भी खेला जा सकता है।

टेनिस

यह खेल इंडोर या आउट डोर दोनों तरह से खेला जा सकता है। यह घास पर, मिट्टी पर या सीमेंट से बने कोर्ट पर खेला जाता है। एकल के लिए कोर्ट की माप 78 × 27 फीट होती है जबकि युगल खेल के लिए कोर्ट की माप 78 × 36 फीट होती है। कोर्ट के बीचों-बीच दो खंभों के सहारे एक नेट लगा होता है इस तरह से कि किनारे पर इसकी ऊंचाई 3½ और बीच में 3 फीट होती है। यह खेल एक सर्विस पक्ष द्वारा प्रतिद्वंद्वी के लिए बॉल को नेट के ऊपर से सर्विस करने के साथ आरंभ होता है। इस गेंद को अनिवार्य तौर पर प्रतिपक्षी के सर्विस कोर्ट में गिरना चाहिए। इस गेंद को बॉली पर या एक उछाल लेने पर वापस नेट की दूसरी तरफ लौटाया जाता है। इस गेंद को न तो 'रूफ' से टकराना चाहिए और न ही प्ले लाइन से ऊपर जाना चाहिए। जब एक खिलाड़ी पहला स्ट्रोक जीतता है तो उसे 15 अंक मिलते हैं, दूसरी बार जीतने पर अंक 30 और तीसरी बार जीतने पर अंक 40 हो जाते हैं। यदि विपक्षी का स्कोर 40 न हो तो चौथे स्ट्रोक के साथ ही गेम जीता जा सकता है। यदि दोनों खिलाड़ियों का स्कोर 40 हो तो 'ड्यूस' की स्थिति बन पड़ती है। जो खिलाड़ी या जोड़ा पहले 6 गेम जीत लेता है वह पहला सेट जीत जाता है। यदि सेट 5-5 से बराबर हो तो विजय पाने वाले खिलाड़ी को 7वां गेम जीतना पड़ता है। 'बेस्ट ऑफ थ्री' या 'बेस्ट ऑफ फाइव' के आधार पर खेल का निर्णय होता है।

वॉलीबॉल

एक सेंटर लाइन के जरिए वॉलीबॉल का 60 × 30 फीट माप वाला आयताकार कोर्ट दो हिस्सों में विभाजित होता है। एक तीन इंच ऊंची जाली मध्य लाइन के बीचों-बीच लटकती होती है जिसका ऊपरी सिरा जमीन से 8 फीट ऊंचा होता है। केवल सर्विस पर ही प्वाइंट हासिल किए जा सकते हैं। यदि प्रतिपक्षी टीम कोई भूल या फाउल करती है तो सर्विस करने वाली टीम को एक अंक मिल जाता है लेकिन यदि सर्विस करने वाली टीम गलती करती है तो वह सर्विस खो देती है। सर्विस के बाद गेंद को आवश्यक तौर पर तीन बार में नेट के दूसरी तरफ कोर्ट की सीमा के भीतर गिराना पड़ता है। न्यूनतम 15 अंक हासिल करने के बाद जो टीम अपने विपक्षी से दो अंक आगे रहती है वह खेल जीत जाती है। यह मैच "बेस्ट ऑफ थ्री" या "बेस्ट ऑफ फाइव" के आधार पर खेला जा सकता है।

पशु एवं पादप

पशु एवं पादप मिलकर हमारे आसपास के पर्यावरण का निर्माण करते हैं। अपनी कई जरूरतों के लिए मानव पशु एवं पादपों पर निर्भर है। अतः इनके बारे में आधारभूत जानकारी आवश्यक है।

पौधों के भाग

जड़ : जड़ पौधे का बेलनाकार भाग है जो जमीन के भीतर होता है, जिसका विकास मूल से होता है तथा जो लम्बवत् रूप से जमीन के अंदर बढ़ता है। जड़ों में पत्तियां, गांठें और कलियां आदि नहीं होते। जड़ रंगहीन होता है। जड़ों में रोम (रूट हेयर) मौजूद होते हैं। जड़ का प्राथमिक कार्य पौधे को दृढ़ता के साथ जमीन से बांधना तथा जल और खनिज पोषकों का अवशोषण करना है। कुछ पौधों में जड़ भोजन के संश्लेषण, श्वसन, भोजन संग्रह में, कमजोर तने को ऊपर चढ़ने में और वानस्पतिक प्रजनन में सहायता करते हैं। चना, मूंगफली, फलियों आदि पौधों की गांठदार जड़ों में नाइट्रोजन को स्थिरीकृत करने वाले बैक्टिरिया होते हैं। कुछ पौधों की जड़ें जमीन की सतह पर भी होती हैं।

तना : तना पौधों की मुख्य धुरी होती है। यह भ्रूण के प्रांकुर से विकसित होता है और सूर्य की तरफ ऊपर की ओर बढ़ता है। इसका मुख्य कार्य जल खनिज और खाद्य सामग्री का संवहन करना, पत्तियों को उत्पन्न करना तथा पत्तियों एवं प्रजनन संरचना को सहारा प्रदान करना है। कुछ तने जमीन के भीतर ही रहते हैं या फिर इतने कमजोर होते हैं कि उन्हें ऊपर चढ़ने के लिए सहारा देना पड़ता है। तने में पत्तियां, फल-फूल और कलियां लगती हैं। तने की प्रकृति, पौधे की ऊंचाई और जीवन अवधि के आधार पर पौधों का शाक, झाड़ी और पेड़ों के रूप में वर्गीकरण किया जाता है। पौधे के जीवनकाल के आधार पर उन्हें वार्षिक (ऐसे पौधे जो अपना जीवन-चक्र एक ऋतु में पूरा कर लेते हैं।) द्विवार्षिक (ऐसे पौधे जो अपना जीवन-चक्र दो ऋतुओं में पूरा करते हैं) और बहुवार्षिक (ऐसे पौधे जो अनेक ऋतुओं तक बढ़ते रहते हैं और प्रत्येक वर्ष फल देते हैं) कहा जाता है।

पत्तियां : पत्तियां पौधों के लिए भोजन बनाने का कार्य करती हैं। प्रत्येक पत्ती में एक डंठल होती है और वह ब्लेड के समान फैली होती है जिसे झिल्ली कहते हैं, जिसके अलग-अलग आकार हो सकते हैं। पत्तियों पर विभिन्न शिराएं और उपशिराएं मौजूद होती हैं। हरी पत्तियों में क्लोरोफिल मौजूद होता है जो भोजन बनाने के लिए उत्तरदायी होता है। पत्तियों की सतह से जल की क्षति होती है जिसे वाष्पोत्सर्जन कहते हैं जो भोज्य सामग्री, जल और पोषक पदार्थों तक पहुंचने हेतु तनाव उत्पन्न करता है। पत्तियों के माध्यम से पौधों और वातावरण के बीच गैसों का विनिमय होता है। कुछ पौधों में पत्तियां भोजन एवं जल को संग्रहित करके रखती हैं, पौधे को चरने वाले पशुओं से बचाती हैं, वानस्पतिक प्रजनन में सहायता करती हैं तथा कमजोर तने वाले पौधे को ऊपर चढ़ने में सहायता पहुंचाती हैं।

प्रकाश संश्लेषण : पृथ्वी पर यही एकमात्र प्रक्रिया है जहां स्वजीवी प्राणियों द्वारा सूर्य की ऊर्जा अवशोषित की जाती है तथा उसे भोजन में बदला जाता है। अजैविक यौगिक कार्बन डाइऑक्साइड और जल क्लोरोफिल और सूर्य के प्रकाश की उपस्थिति में कार्बोहाइड्रेट का निर्माण करते हैं तथा इस प्रक्रिया में ऑक्सीजन उत्सर्जित होती है। रासायनिक सूत्र है :

$$6CO_2 + 6H_2O \longrightarrow C_6H_{12}O_6 + 6\ O_2$$

प्रकाश संश्लेषण मनुष्यों के लिए भी अत्यंत महत्त्वपूर्ण है क्योंकि यह खाद्य सामग्रियों का निर्माण करता है तथा ऑक्सीजन उत्पन्न करता है। पौधों में प्रकाश संश्लेषण प्रकाश की तीव्रता, गुणवत्ता और समयावधि, कार्बन डाइऑक्साइड और जल की पर्याप्त उपलब्धता, उपयुक्त तापमान (20° से. से 35° से.) क्लोरोफिल के घटक और पत्तियों की संरचना पर निर्भर करता है।

पौधों में अलिंगी प्रजनन : कुछ पौधे अलिंगी अथवा वानस्पतिक प्रजनन विधियों से बहुगुणित होते हैं जहां बिना निषेचन के ही नए पौधों की उत्पत्ति होती है। नए पौधे मूल पौधे के वानस्पतिक भागों से उत्पन्न होते हैं और उनमें ठीक वही गुण होते हैं जो मूल (जनक) पौधे में मौजूद होते हैं। गन्ना, केला, अनन्नास जैसे पौधे इसी विधि से उगते हैं। वानस्पतिक भाग जैसे जड़, तनां या पत्तियां इस प्राकृतिक प्रसरण में शामिल हो सकती हैं। कृत्रिम रूप से अलिंगी प्रजनन कटिंग, लेयरिंग, ग्राफ्टिंग या टिशु कल्चर के माध्यम से किया जा सकता है।

पौधों में लैंगिक प्रजनन : एक फूल तना की शाखा के समान होता है जो खासतौर से लैंगिक प्रजनन के लिए परिवर्द्धित होता है। पुंकेसर और अण्डय क्रमश: नर और मादा के जननांगों का प्रतिनिधित्व करते हैं। पुटचक्र और दलपुंज फूलों के अनावश्यक भाग हैं क्योंकि वे लैंगिक प्रजनन में भाग नहीं लेते। पराग कण पुंकेसर में निर्मित होते हैं जबकि अण्डाणु अण्डय में। जब पराग कण और अंडाणु का मिलन होता है तो निषेचन की प्रक्रिया संपन्न होती है। भ्रूण का विकास आरंभ हो जाता है। निषेचन के बाद पंखड़ी, पुंकेसर और वर्त्तिका नष्ट हो जाते हैं तथा फल का निर्माण होता है।

परागण : परागकोष से गिरे परागकण विभिन्न अभिकर्ताओं द्वारा फैलाए जाते हैं। परागकोष से स्त्रीकेसर के वर्तिकाग्र तक परागकण के स्थानांतरण को परागण कहते हैं। पराग समान पुष्प या किसी दूसरे पुष्प के वर्तिकाग्र में स्थानांतरित हो सकते हैं। अन्य पुष्पों तक पराग वायु, जल, पशु, पक्षी और कीट-पतंगों आदि के माध्यम से पहुंचते हैं। परागकण के आकार, आकृति और अन्य गुणों के आधार पर उपर्युक्त में से किसी भी माध्यम का इस्तेमाल किया जा सकता है। नारियल के परागकण जल द्वारा फैलाए जाते हैं।

अंकुरण : यह वह प्रक्रिया है जिसमें प्रसुप्त अवस्था में पड़ा भ्रूण जाग जाता है तथा बीच के कवच से बाहर आकर एक नवजात पौधे के रूप में अपना अस्तित्व कायम करता है। जब अंकुरण के लिए उपयुक्त परिस्थितियां मौजूद हों तो बीज से कोंपल निकल सकती है। अंकुरण के लिए बीज को अनिवार्य तौर पर जल, पोषक पदार्थ और वायु का उपयुक्त संतुलन प्रदान किया जाना चाहिए।

प्राणि-जगत्

प्राणि-जगत को 24 बड़े जातीय (फाइला) समूहों में विभाजित किया गया है जिसमें से 10 महत्त्वपूर्ण समूह निम्नवत् हैं :

1. ***प्रोटोजोआ :*** ये एककोशिकीय अत्यंन्त सूक्ष्म प्राणी होते हैं जिनकी अनेक किस्में हैं, इनमें से कुछ में एक ही केंद्रक होता है जबकि अन्य में अनेक केन्द्रक होते हैं। इनमें से कई अपने लहरदार बालों की सहायता से तैर सकते हैं जैसे फ्लैजेला, बरौनी। ये समुद्र, ताजे जल और मिट्टी में पाए जाते हैं। कुछ सूक्ष्म होते हैं और मानव तथा पशुओं में रोग उत्पन्न करते हैं।
2. ***पोरिफेरा :*** स्पंज अत्यंत प्राचीन बहुकोशीय प्राणी हैं। मुख्यत: समुद्रों में पाए जाते हैं तथा उनका शरीर ऐसा होता है जो कंटिकाओं और रेशों की संरचना के आधार पर पेड़ों की शाखाओं-सा बन जाता है।
3. ***कोएलन्टेरेट्स :*** ये साधारण समुद्री जीव होते हैं, जैसे हाइड्रा, जेलीफिश। मूंगा चट्टानें इन प्राणियों के चूनेदार अस्थियों से बनती हैं।
4. ***प्लेटिहेल्मिंथ्स :*** ये सपाट कृमि होते हैं जो स्वतंत्रतापूर्वक जल में रहते हैं, साथ ही फीता कृमि जो अपनी प्रकृति में परजीवी होते हैं। उनमें तीसरे स्तर के रूप में मेसोडर्म का निर्माण होता है।
5. ***नेमेटोड्स :*** ये गोलकृमि होते हैं। इनका शरीर चिकना होता है तथा दोनों सिरों पर बिंदु के समान होता है। ये सभी पर्यावरणीय दशाओं में परजीवी के रूप में विद्यमान होते हैं।
6. ***एनेलिड्स :*** ये खंडदार कृमि होते हैं जैसे केंचुए और जोंक। उनके अंदर विकसित बॉडी कैविटी होती है तथा अनेक प्रणालियां भी मौजूद होती हैं।
7. ***एंथ्रोपोड :*** यह एक बहुत बड़ा और विविधतापूर्ण समुदाय है जिसमें शामिल हैं परतधारी जैसे केकड़े, झींगा, बहुपाद जैसे कि कनखजूरा, मिलीपेड्स, कीट, मकड़ी वंशी जैसे कि मकड़ी और सर्प। इन प्राणियों में जोड़, कठोर बहि:कंकाल, चलने के लिए पैर कंकाल के अंदर विकसित मांसपेशियां होती हैं।
8. ***मॉलूस्क्स :*** सीप, अष्टपाद, घोंघा इत्यादि। इनकी शारीरिक संरचना जटिल होती है। इनके अखंडित शरीर के लिए एक सुरक्षा कवच मौजूद होता है।
9. ***एकिनोडर्म्स :*** स्टारफिश, जलसाही, समुद्री लिली आदि। ये मुख्यत: जटिल जीव होते हैं जिनकी संरचना अत्यधिक

सुडौल होती है। ये सैकड़ों ट्यूबनुमा पैरों से चलते हैं।

10. ***कॉर्डेट्स :*** ये अत्यधिक विकसित प्राणी होते हैं जिनमें मछलियां, उभयचर प्राणी, रेंगनेवाले जीव, पक्षी और स्तनपायी जीव शामिल हैं। जिन प्राणियों में रीढ़ की हड्डी मौजूद होती है उन्हें कशेरुकी प्राणी कहते हैं तथा जिसमें यह हड्डी मौजूद नहीं होती, उन्हें अकशेरुकी प्राणी कहते हैं। मछलियां, उभयचर प्राणी और रेंगनेवाले जीव ठंडे रक्त वाले प्राणी हैं जबकि पक्षी और स्तनपायी प्राणी गर्म खून वाले होते हैं। ठंडे रक्त वाले प्राणियों में उनके शरीर का तापमान वातावरण के साथ साम्य अवस्था में बना रहता है। हालांकि गर्म खून वाले प्राणियों के शरीर का तापमान स्थिर होता है। स्तनपायियों के शिशु स्तनों से दूध चूसते हैं जिसके लिए स्तनपायियों में दूध उत्पन्न करनेवाली ग्रंथि मौजूद होती है।

ऊतक : कोशिकाओं का एक ऐसा समूह जो संयोजित होकर एक विशिष्ट कार्य को संपन्न करता है उसे ऊतक कहते हैं। वे अपने प्रारूप, संरचना और उत्पत्ति में एक समान हो सकते हैं। उनके कार्य के आधार पर चार प्रकार के ऊतक होते हैं : बाह्यत्वचा (इपिथेलियल-सुरक्षा के लिए), मांसपेशीय (मस्कुलर-चलने फिरने के लिए), कनेक्टिव (शरीर के विविध अवयवों को जोड़ने के लिए) और नर्वस (तंत्रिका की संवेदना के संवहन के लिए)।

ग्रंथि: ये संरचनाएं उपयोगी रासायनिक पदार्थ उत्सर्जित करते हैं। यदि यह उत्सर्जित सामग्री वाहिकाओं द्वारा क्रियास्थल तक पहुंचती हैं तो उन्हें ग्रंथि कहते हैं। उदाहरण के लिए—लार ग्रंथि, जिगर ग्रंथि, स्वेद ग्रंथि आदि। यदि ये ग्रंथियां हारमोन को सीधे रुधिर में उत्सर्जित करती हैं जिसे लक्षित अंग तक ले जाया जाता है तो उन्हें अंत:स्रावी ग्रंथि कहते हैं। उदाहरण के लिए, थॉयरायड, पिट्युटरी, एड्रेनल, पाराथॉयरायड।

अस्थियां : अस्थियां शरीर का सबसे कठोर ऊतक होती हैं और शरीर का अधिकांश वजन उन पर ही आधारित होता है। अस्थियों में जैव के साथ अजैव सामग्री मौजूद होती है। आयु बढ़ने के साथ-साथ अजैव सामग्री का अंश बढ़ता जाता है, जिससे हड्डियां अधिक भंगुर होती जाती हैं। लंबी हड्डियां जैसे कि ह्यूमेरस और फीमर खोखली होती हैं जबकि छोटी हड्डियां ठोस होती हैं। हड्डियां टेंडन और मांसपेशियों से जुड़ी होती हैं।

रुधिर : यह पशुओं में मौजूद लाल रंग का अपारदर्शी, चिपचिपा और गाढ़ा द्रव्य होता है। यह थोड़ा-सा क्षारीय (पी.एच.7.4) होता है, जल से भारी होता है (एचपी ग्राम = 1.05) तथा डिस्टिल्ड जल से 5 गुणा अधिक गाढ़ा होता है। शरीर के 6 से 10 प्रतिशत वजन में रक्त की हिस्सेदारी होती है।

औसत रूप से एक वयस्क के शरीर में 6.8 लीटर खून होता है। रक्त में प्लाज्मा और रक्त कण मौजूद होते हैं। प्लाज्मा इसके आयतन का 50 से 60 प्रतिशत हिस्सा होता है। प्लाज्मा फीके पीले रंग वाला अजैव द्रव्य होता है जिसमें जल, इनऑर्गेनिक साल्ट्स, ऑर्गेनिक यौगिक और प्लाज्मा प्रोटीन मौजूद होता है। प्लाज्मा जैव संघटकों, उपापचयित अवशिष्टों और हार्मोनों का संवहन करता है, शरीर के तापमान को बनाए रखता है तथा रक्त जमाव में सहायता करता है।

इराइथ्रोसाइट या लाल रक्तकण (RBCs), ल्यूकोसाइट या श्वेत रक्त कण (WBCs) और ब्लड प्लेटलेट रुधिर के अन्य भाग हैं। मनुष्यों में लाल रक्तकण नाभिकविहीन होते हैं। वयस्क मनुष्यों में 300 खरब लाल रक्त कण होते हैं। लौह युक्त रंजक जिसे हिमोग्लोबिन कहा जाता है कि उपस्थिति के कारण RBCs का रंग लाल होता है। ये RBCs ऑक्सीजन और कार्बन डाइऑक्साइड के आदान-प्रदान के लिए अत्यंत महत्त्वपूर्ण हैं। WBCs केन्द्रक युक्त गैर-रंजक कोशिकाएं होती हैं। उनका आकार RBCs से बड़ा होता है परंतु उनकी संख्या अनुपातिक रूप से काफी कम होती है अर्थात 1 : 600। शरीर की प्रतिरक्षण प्रणाली में WBCs अत्यंत महत्त्वपूर्ण भूमिका निभाते हैं।

ब्लड प्लेटलेट्स रक्त के जमने में और उनके थक्के बनाने में सहायक होते हैं ताकि अत्यधिक रक्त स्राव न हो जाए। मानव के रक्त को चार प्रमुख वर्गों में विभाजित किया गया है : ए, बी, एबी और ओ। वर्ग ए के रक्त समूह में प्रतिपक्षी बी कारक और वर्ग बी के रक्त समूह में प्रतिपक्षी ए कारक मौजूद होते हैं जिसके कारण दोनों रक्त वर्गों के लोग एक-दूसरे के रक्त को स्वीकार नहीं कर सकते। समूह एबी में न तो एंटी-ए और न ही एंटी-बी मौजूद होता है तथा इस रक्त वर्ग के लोग दोनों रक्त वर्गों के लोगों से रक्त ले सकते हैं परंतु उन्हें दे नहीं सकते। समूह-ओ में एंटी ए और एंटी बी दोनों मौजूद होते हैं तथा वे केवल ओ वर्ग वाले व्यक्ति से रक्त ले सकते हैं जबकि किसी भी रक्त वर्ग वाले व्यक्ति को रक्त दे सकते हैं। इसी वजह से ग्रुप ओ को सार्वभौमिक दाता कहते हैं। एबी समूह को यूनिवर्सल एक्सेप्टर कहते हैं क्योंकि वे सभी वर्गों से रक्त ले सकते हैं। ए और बी रक्त वर्ग वाले लोग केवल अपने वर्ग से या ओ वर्ग से रक्त ले सकते हैं। वे केवल अपने वर्ग को या एबी वर्ग को रक्तदान कर सकते हैं। ए-बी-ओ रक्त समूह से अलग एक और पद्धति विकसित की गई है जिसे रेशस पद्धति अथवा Rh-पद्धति कहते हैं। रेशस कारक की उपस्थिति के आधार पर प्रत्येक व्यक्ति या तो Rh-पॉजेटिव होगा या Rh-नेगेटिव। इस पद्धति को ए बी ओ पद्धति से अलग विकसित किया गया है।

वन संसाधन

स्थल का वह भाग जो कृषि विहीन हो और जहाँ लम्बे-घने वृक्ष उगते हों, वन कहलाते हैं। वनों की महत्ता से हम सभी परिचित हैं। क्षेत्र के पारिस्थितिकी सन्तुलन के लिए वन एवं वन्य जीवन आवश्यक है। वन हमारे पर्यावरण के साथ-साथ अर्थव्यवस्था का भी महत्त्वपूर्ण अंग है। वन पारिस्थितिकी तन्त्र में मुख्यतया वृक्ष पाये जाते हैं जिनकी विश्वभर में भिन्न-भिन्न

जातियाँ मिलती हैं। जैसे मानसूनी वन, सदाबहार वन, पतझड़ वन आदि। दूसरे शब्दों में ऐसे स्थान जहाँ से ईंधन, लकड़ी, चारा व अन्य वन उपजें मिलती हों और समीपस्थ निवासी उसे अपने जीवनयापन के या उनके निजी उपयोग में काम में आने वाली वस्तुओं को प्रदान करने का माध्यम मानते हों, वन कहलाते हैं।

वैज्ञानिक दृष्टि से वनों का आशय उन क्षेत्रों से है जो वन अधिनियम में वर्णित विभिन्न श्रेणियों में से किसी एक श्रेणी के अन्तर्गत घोषित कर दिये गए हों।

पर्यावरण की दृष्टि से वन पेड़-पौधों और वनस्पति से आच्छादित वे क्षेत्र हैं जो वायुमण्डल की कार्बन डाइऑक्साइड को अवशोषित करते हैं और प्रकाश संश्लेषण की संक्रिया से वापिस ऑक्सीजन देकर वायुमण्डल को सन्तुलित रखते हैं।

अतः परिभाषा की दृष्टि से वन पेड़-पौधों, वनस्पति तथा जीव-जन्तु के ऐसे स्थान हैं जो प्राकृतिक संसाधन के महत्त्वपूर्ण घटक के रूप में जाने जा सकते हैं और जिन पर प्राणी मात्र का अस्तित्व टिका है।

राज्य की वन रिपोर्ट 2005 के अनुसार (वर्ष 2005 के मूल्यांकन के अनुसार) देश में कुल 677,088 किमी॰ वन क्षेत्र है और यह देश के कुल भौगोलिक क्षेत्र का 20.60 प्रतिशत है। 54,569 किमी॰ (1.66%) अत्यंत सघन वन, 3,32647 किमी॰ (10.21%) औसत घने वन और 2,89,872 किमी॰ (8.82%) खुले वन क्षेत्र हैं। इसमें बाद में जुड़ा वन क्षेत्र है, 38,457 किमी॰ (1.17%)।

वनों के प्रकार

वृक्षों के प्रकार तथा अन्य वनस्पति के आधार पर वनों को निम्नलिखित पाँच वर्गों में रखा गया है–

1. विषुवत् रेखीय उष्ण आर्द्र या सदाबहार वन–विषुवत् रेखीय वन का विस्तार दक्षिण अमेरिका के अमेजन बेसिन और मध्य अमेरिका, अफ्रीका के कांगो बेसिन, एशिया के दक्षिणी पूर्वी द्वीप समूहों में है। ये वन उष्ण कटिबंधीय प्रदेशों में पाये जाते हैं, जिनका विस्तार विषुवत् रेखा के दोनों ओर 5° उत्तर और 5° दक्षिण अक्षांशों के मध्य है। इन प्रदेशों में सदैव ऊँचे तापमान और वर्ष भर भारी वर्षा होने के कारण वन घने और सदाहरित रहते हैं। समुद्र की समीप्यता के कारण मलेशिया-इण्डोनेशिया के वन जायरे और अमेजन नदी घाटियों के वनों से अलग होते हैं। अमेजन नदी की घाटी में इन वनों को सेल्वास के नाम से जाना जाता है। इन वनों में महोगनी, आबनूस, सागौन, बाँस, रोजवुड, सिनकोना, रबर, नारियल आदि के वृक्ष उगते हैं। इन वनों का करीब 55 प्रतिशत दक्षिणी अमेरिका में, 20 प्रतिशत अफ्रीका में, 18 प्रतिशत दक्षिणी-पूर्वी एशिया और शेष 7 प्रतिशत ऑस्ट्रेलिया और अन्य महाद्वीपों में मिलते हैं। ऊपर से देखने पर ये वन स्तरित संरचना में दिखते हैं। ये वन हमेशा हरे-भरे रहते हैं क्योंकि इनके सभी वृक्ष एक साथ अपनी पत्तियाँ न गिराकर समय-समय पर गिराते हैं। इन वनों में मिलने वाले सिनकोना वृक्ष से मलेरिया की रोकथाम हेतु कुनैन दवा बनायी जाती है। इन वनों को काटकर मलेशिया और इण्डोनेशिया में रबर की कृषि की जा रही है।

2. भूमध्य सागरीय वन या शीतोष्ण कटिबंधीय चौड़ी पत्ती वाले शुष्क सदापर्णी वन–ये वन 30° से 45° अक्षांशों के बीच महाद्वीपों के पश्चिमी भाग में पाये जाते हैं। इन वनों की पत्तियां चौड़ी, चमकदार और चिकनी होती है, जिससे वाष्पीकरण कम होता है। इसके वृक्षों की जड़ें लम्बी और छाल मोटी होती है और उनके बीच में झाड़ियां पायी जाती हैं। इन वनों के प्रमुख क्षेत्र हैं–भूमध्यसागर के तटवर्ती देश, मध्यवर्ती चिली, दक्षिणी अफ्रीका का केप प्रान्त, दक्षिण-पश्चिमी ऑस्ट्रेलिया और मध्य कैलीफोर्निया। यहाँ के मुख्य वृक्ष हैं– ओक, जैतून, शहतूत, फर, पाइन (ताड़), स्प्रूस, बलूत, सनोवर आदि। यहाँ नींबू, नारंगी, अंगूर, अनार, नाशपाती और रसदार फलों के वृक्ष भी पाये जाते हैं।

3. उष्ण कटिबन्धीय चौड़ी पत्ती वाले पर्णपाती या मानसून वन–इन वनों का विस्तार भूमध्य रेखा के दोनों ओर महाद्वीपीय भागों में 5° से लेकर 30° उत्तरी तथा दक्षिणी अक्षांशों के मध्य है। यह उत्तरी-पूर्वी भारत, म्याँमार (बर्मा), वियतनाम, थाइलैण्ड, फिलीपीन्स, लाओस, कम्बोडिया, ब्राजील, बांग्लादेश, दक्षिणी चीन, नेपाल, उत्तरी ऑस्ट्रेलिया, वेनेजुएला, कोलम्बिया के उत्तरी सागर तट और मेडागास्कर में पाये जाते हैं। गर्मी के मौसम में पत्तियां गिराने के कारण इन वनों को पतझड़ वन के नाम से भी जाना जाता है। पत्ती चौड़ी होने के कारण चौड़ी पत्ती वन तथा मानसूनी जलवायु में स्थित होने के कारण इन्हें मानसूनी वन भी कहते हैं। ये वन मानसून एशिया में 150 सेंमी. से 200 सेंमी. तक वर्षा वाले क्षेत्रों में उगते हैं। आर्थिक दृष्टि के बहुमूल्य वृक्ष जैसे–साल, शीशम, सागौन, आम, महुआ, बांस, इमली, चन्दन, पीपल, जामुन, नीम, देवदार और महोगनी आदि यहाँ उगते हैं। इन वनों का दोहन आसानी से हुआ है।

4. समशीतोष्ण कोणधारी (शंकुल) वन–ये वन 50° से 70° उत्तरी अक्षांशों के बीच उत्तरी अमेरिका और यूरेशिया के उत्तरी भागों में मिलते हैं। इनकी एक विस्तृत पेटी और उत्तरी गोलार्द्ध के कनाडा, स्वीडन, नार्वे, फिनलैण्ड, रूस के बाल्टिक क्षेत्र तथा मध्य पूर्वी साइबेरिया में पायी जाती है। इसे साइबेरिया में टैगा वनस्पति के नाम से जाना जाता है। समुद्र-तल से 1500 से 2000 मीटर तक की ऊँचाई के बीच पर्वतीय भागों में भी इस प्रकार की वनस्पतियां पायी जाती हैं। ये वृक्ष लम्बे, सीधे और सदाहरित होते हैं। एशिया में ये वन 55° उत्तरी अक्षांश, यूरोप में 60° उत्तरी अक्षांश और उत्तरी अमेरिका के पूर्व में 50° उत्तरी अक्षांश तक फैले हैं। वनों के वृक्षों की पत्तियाँ नुकीली या शंकुल या कोणधारी होती हैं।

यूरोप के मध्यवर्ती पर्वतों और हिमालय के ढाल वाले क्षेत्रों में ऐसे ही वृक्ष मिलते हैं। दक्षिणी गोलार्द्ध में ये वन दक्षिणी चिली, दक्षिणी ब्राजील और न्यूजीलैण्ड में मिलते हैं। इस प्रकार के वन शीतल प्रदेशों के सदाबहार कोणधारी वन होते है। शंकुल वन ग्रीष्म ऋतु में अपनी पत्तियाँ नहीं गिराते हैं जो सदाबहार वन से अलग होते हैं और हमेशा हरे-भरे रहते हैं। इनकी ऊपरी चादर मोटी और चिकनी होती है, जिससे इनकी हिम, पाला और कठोर शीत से रक्षा होती है। इनमें नरम लकड़ी के वृक्ष जैसे–चीड़, फर, स्प्रूस आदि अधिकांश संख्या में मिलते हैं। इसके अलावा हैमलॉक, बर्च, सीडर, साइप्रस, डगलस फर, ब्लू पाइन आदि वृक्ष इन जंगलों में उगते हैं।

5. शीतोष्ण कटिबन्धीय चौड़ी पत्ती वाले पतझड़ वन–ये वन उत्तरी गोलार्द्ध में 40° से 50° अक्षांशों के बीच पाए जाते हैं। इन वनों का विस्तार मध्य और पश्चिमी यूरोप, चीन, जापान, कोरिया, मंचूरिया, दक्षिणी साइबेरिया और पूर्वी संयुक्त राज्य अमेरिका, कनाडा आदि क्षेत्रों में मिलता है। शीतोष्ण कटिबन्ध के उपोष्ण प्रदेशों में जहाँ ग्रीष्म ऋतु में वर्षा और शीत ऋतु में हिमपात होता है, ये वन पाये जाते हैं। इन वनों के वृक्ष शीत ऋतु के प्रारम्भ में अपनी पत्तियाँ गिरा देते हैं और पूरी शीत ऋतु में चौड़ी पत्तियों से विहीन रहते हैं। अतः इन्हें चौड़ी पत्तों वाले पर्णपाती वन भी कहते हैं। इनकी लकड़ियाँ मजबूत और टिकाऊ होती है। इन वनों में चेस्ट नट, हैमलॉक, वालनट, बीच, मैपिल, ओक, बर्च, पाइन, हिकारो, यूकेलिप्टस आदि वृक्ष उगते हैं। इन वनों का आर्थिक दोहन बहुत अधिक हुआ है।

घासभूमि

घास भूमियों का विस्तार उन भू-भागों पर पाया जाता है जहाँ पर्याप्त नमी विद्यमान रहती है। विश्व के बहुत बड़े भू-भाग पर घास के मैदान पाए जाते हैं। घासों का विकास ज्यादातर उन्हीं क्षेत्रों में होता है, जहाँ अन्य प्रकार की वनस्पतियाँ के उगने और विकसित होने की अनुकूल दशाएं उपलब्ध नहीं होती। घासों के विकास के लिए 35 सेंमी. से 70 सेंमी. तक औसत वार्षिक वर्षा पर्याप्त होती है। घास के मैदान के एक ओर मानूसनी वनस्पतियां मिलती हैं, जिनमें वृक्षों के नीचे घासों का विकास होता है और दूसरी ओर उष्ण मरुस्थलीय छोटी घासों का क्षेत्र पाया जाता है। इन दोनों के बीच सवाना वनस्पतियां पायी जाती हैं।

घास भूमियों के प्रकार

विश्व में पायी जाने वाली घास-भूमियों को मुख्यतः दो वर्गों में विभाजित किया गया है–

1. उष्ण कटिबंधीय घास भूमियाँ–इन घास वनों के एक तरफ सदाबहार वन होते हैं और दूसरी ओर मरुस्थल पाये जाते हैं। उष्ण कटिबंधीय घास भूमियाँ विषुवत्वृत्तीय वनों के दोनों ओर 25° अक्षांशों के बीच पायी जाती है। इनका विस्तार मुख्यतः अफ्रीका के सूडान, बाम्बेजी नदी बेसिन, पूर्वी अफ्रीका की उच्च भूमियों में, दक्षिणी अमेरिका के वेनेजुएला, ब्राजील के दक्षिणी भाग, आरेनीको बेसिन, उत्तरी ऑस्ट्रेलिया और न्यूजीलैण्ड में है। वार्षिक वर्षा का औसत 16 सेंमी. है। वर्षा प्रायः गर्मियों में होती है। वृक्षों की संख्या बहुत कम होती है। मोटी खुदरी और लम्बी घासें मिलती हैं, जिनकी लम्बाई 2 मीटर से 4 मीटर तक होती है तथा जो विषुवतीय क्षेत्रों में मरुस्थलों की तरफ जाने पर कम होती जाती है। इन घास भूमियों में घास खाने वाले पशुओं, जैसे–नीलगाय, जिराफ, बारहसिंघा तथा मांस खाने वाले पशुओं में चीता, तेंदुआ आदि मिलते हैं। उष्ण कटिबंधीय घास भूमि क्षेत्रों में वर्षा की कम मात्रा पायी जाती है।

एशिया, अफ्रीका और ऑस्ट्रेलिया में इस प्रकार की घास भूमियों को सवाना के नाम से जाना जाता है। अमेजन नदी के उत्तर में स्थित ओरेनीको नदी घाटी में इसे लानोज (Llanos) अमेजन नदी के दक्षिण ब्राजील के मैदानी क्षेत्र में कैम्पास और मध्य अफ्रीका में पार्कलैण्ड कहा जाता है।

2. शीतोष्ण कटिबंधीय घास भूमियाँ–ये घास के मैदान एशिया, यूरोप, उत्तरी अमेरिका, दक्षिणी अमेरिका, ऑस्ट्रेलिया और न्यूजीलैण्ड में फैले हुए हैं। ये शीतोष्ण कटिबंधीय घास भूमियाँ 25° से 60° उत्तरी और दक्षिणी अक्षांशों के मध्य महाद्वीपों के आन्तरिक भागों में मध्य अक्षांशीय वनों की सीमा पर स्थित हैं। वर्षा ऋतु में 30 से 60 सेंमी. तक वर्षा होती है, जिसका अधिकतम भाग गर्मी में प्राप्त होता है। घास मुलायम होती है। वर्षा की कमी के कारण वृक्ष कम दिखाई पड़ते हैं। मुलायम घास की वजह से ये घास भूमियां पशुपालन के लिए उपयुक्त होती हैं। इन घास के मैदानों को उपजाऊ कृषि भूमि में परिवर्तित कर दिया गया है।

शीतोष्ण कटिबंधीय घास भूमियों में विश्व के प्रमुख घास के मैदान प्रेयरी और स्टेपी प्रसिद्ध हैं। उत्तरी अमेरिका की प्रेयरी और एशिया की स्टेपी घास भूमियां घास मैदानों के लिए आदर्श हैं। इनका परिवर्तन अनाज उत्पादन के लिए बड़े पैमाने पर किया गया है। प्रेयरी उन घास भूमियों के नाम हैं, जिनकी घासों की लम्बाई अधिक होती है। रॉकीज पर्वत के पूर्व में प्रेयरी घास भूमियों का विकास तीन बड़े भागों में हुआ है। पहले, शुष्क क्षेत्र वाले बड़े मैदान में 1 मी. से कम ऊँची घासों का मैदान क्षेत्र है। दूसरे, इसके पूर्व में मिश्रित प्रेयरी घास भूमियों पर घास की लम्बाई 1 से 2 मीटर तक होती है और तीसरे भाग में घासों की लम्बाई 3 से 4 मीटर तक होती है। इन घास के मैदानों का बहुत बड़े पैमाने पर परिवर्तन करके कृषि की फसलों, मुख्य रूप से गेहूँ की सबसे ज्यादा पैदावार ली जाती है। मध्य एशिया के घास के मैदान को स्टेपी कहा जाता है, जिसको विश्व की रोटी की टोकरी के नाम से जाना जाता है। इन घासों को अलग-अलग क्षेत्रों में अलग-अलग नाम से जाना जाता है। उदाहरण के लिए, अर्जेण्टीना में पम्पास, ऑस्ट्रेलिया में डाऊन्स, दक्षिण अफ्रीका के नेटाल प्रान्त में वेल्ड (Veld) और न्यूजीलैण्ड में कैंटरबरी (Canterbury) घास आदि नामों से विश्व में प्रसिद्ध है।

भारत में पाये जाने वाले वनों के प्रकार

हमारे देश का अधिकांश भाग उष्ण कटिबन्ध (Tropical) में स्थित है, परन्तु इसका कुछ भाग समुद्री तट से अत्यधिक ऊँचाई पर होने के कारण शीत कटिबन्ध में माना जाता है। इन दोनों भागों के मध्य में शीतोष्ण कटिबन्ध के भाग माने जाते हैं। भारत के कुछ भागों में औसत से भी अधिक वर्षा होती है तथा कुछ भाग प्रायः सूखे रहते हैं। हमारे देश में भूमि एवं जलवायु की असमानता के कारण यहाँ पर विभिन्न प्रकार की वनस्पतियाँ पायी जाती हैं। 50 सेंटीमीटर वर्षा वाले प्रदेशों में कँटीली झाड़ियाँ एवं छोटे वृक्षों वाले वन पाये जाते हैं। इन प्रदेशों में खेजड़ी, बबूल आदि अधिक पैदा होते हैं। जिसमें 100 सेंटीमीटर से अधिक वर्षा होती है, वहाँ पर चौड़ी पत्तियों वाले सदाबहार वन पाये जाते हैं। 100 से 200 सेंटीमीटर वर्षा वाले प्रदेशों में मानसूनी वन पाये जाते हैं। इन वनों में मुख्यतः रोजवुड, पाइन, सागौन आदि वृक्ष अधिक मात्रा में पाये जाते हैं।

भारत में लगभग 72 लाख हैक्टेयर भूमि पर कोणधारी वन (Coniferous Forests) तथा 670 लाख हैक्टेयर भूमि पर चौड़ी पत्ती वाले सदाबहार वन फैले हैं अर्थात्, कुल वन प्रदेशों का 7% शीतोष्ण वन, (3% कोणधारी वन 4% चौड़ी पत्ती के वन) 93% उष्ण कटिबन्धीय वन, (80% मानसूनी वन, 12% सदाबहार वन तथा 1% अन्य वन) हैं।

भारत में लगभग 750 लाख हैक्टेयर भूमि पर वन हैं। हमारे देश में सम्पूर्ण भौगोलिक क्षेत्रफल के 20.6% भाग पर वनों का विस्तार है। विभिन्न राज्यों में वनों का सम्पूर्ण क्षेत्रफल भिन्न-भिन्न है। उदाहरण के लिए, उत्तर प्रदेश में 11.9%, पंजाब में 2.6%, बिहार में 22.5%, आन्ध्र प्रदेश में 20.5%, मध्य प्रदेश में 3.5%, उड़ीसा में 22.5%, तमिलनाडु में 13.9%, राजस्थान में 4.1% तथा पश्चिम बंगाल में वनों का क्षेत्रफल 8.8% है। सम्पूर्ण देश के वनों का केवल 80% भाग ही काम आने लायक लकड़ियाँ प्रदान करता है। विश्व के अन्य देशों की तुलना में हमारे देश में वनों का क्षेत्रफल कम है। भारत में जनसंख्या के बढ़ते हुए भार व ईंधन की माँग के कारण नदी तटों तथा अन्य अनुपजाऊ प्रदेशों में भी वन क्षेत्रों का होना अति-आवश्यक माना गया है।

विभिन्न प्रकार के भारतीय वनों का क्षेत्रफल, क्षेत्र एवं प्रमुख प्रजातियाँ

वन के प्रकार	क्षेत्रफल (है.)	क्षेत्र	प्रमुख प्रजातियाँ
1. उष्ण कटिबंधीय सदाबहार वन	6.4 मिलियन	आर्द्र, अर्द्ध एवं सदाबहार वन अण्डमान में पाया जाता है। आर्द्र सदाबहार वन पश्चिमी घाट के साथ-साथ तटवर्ती क्षेत्रों में तथा ऊपरी असम के चाचर में तथा उड़ीसा एवं हिमालय के निचले ढालों पर पाया जाता है।	मिसुआ, सफेद सिडार, होपिया एवं बांस आर्द्र एवं अर्द्ध आर्द्र सदाबहार वनों में पाए जाते हैं। खासकर आर्द्र सदाबहार वनों में जामुन, बेंत तथा अर्द्ध आर्द्र सदाबहार वन में कदम इरूल, रोजवुड, अखरोट, चम्पा एवं आम के वृक्ष पाए जाते हैं।
2. उष्ण कटिबंधीय आर्द्र पतझड़ वन	23.3 मिलियन	अण्डमान, उत्तर प्रदेश का आर्द्र भाग, मध्य प्रदेश, गुजरात, महाराष्ट्र, कर्नाटक एवं केरल का आर्द्र भाग।	आंवला, सागौन, साल, जामुन, महुआ, बेंत, बांस एवं अन्य वृक्ष।
3. उष्ण शुष्क पतझड़ वन	29.2 मिलियन	कोमोरीन अंतरिप से हिमालय पर्वत तक असमान रूप से उत्तर-दक्षिण पट्टी के रूप में विस्तृत लेकिन राजस्थान में अभाव, पश्चिम बंगाल तथा पश्चिमी घाट पर।	सागौन, ताड़, साधारण बांस, साल, लाल चन्दन एवं अन्य वृक्ष।
4. उष्ण कटिबंधीय कटीले वन	5.2 मिलियन	दक्षिण पंजाब की एक बड़ी पट्‌टी, राजस्थान, उत्तरी गंगा का मैदान, दक्कन का पठार एवं निम्न प्रायद्वीपीय भारत।	खैर, नीम, चन्दन, बबूल, खेजड़ा एवं पलाश आदि।
5. उष्ण शुष्क सदाबहार वन	700,000	सिर्फ कोंकण क्षेत्र तक सीमित।	जामुन, रीटा, नरेपा, टोडी पाम एवं बेंत आदि।
6. ज्वारीय वन	600,000	नदी डेल्टाओं एवं दलदली क्षेत्रों में।	सुंदरी, अगर, केड़ा, नरेपा, आदि।

वन के प्रकार	क्षेत्रफल (है.)	क्षेत्र	प्रमुख प्रजातियाँ
7. उप-उष्ण कटिबंधीय चौड़ी पत्ती वाले पहाड़ी वन	300,000	खासी, नीलगिरि, महाबलेश्वर एवं पश्चिम बंगाल तथा असम के निम्न हिमालय वाले क्षेत्र।	जामुन, मिलिसम, सिंटीस एवं माचिलस।
8. उप-उष्ण कटिबंधीय पाइन वन	3.7 मिलियन	हिमाचल के उत्तर-पश्चिम भाग में 1,000 से 1,8000 मीटर की ऊँचाई तक, कश्मीर को छोड़कर।	चीड़, जामुन, ओक।
9. उप-उष्ण कटिबंधीय शुष्क सदाबहार वन	200,000	भाबर, शिवालिक रेंज पश्चिमी हिमालय में 1000 मीटर की ऊँचाई तक।	जैतून, अकाशीय पोडेस्टा एवं पिस्टासीया।
10. पर्वतीय आर्द्र शीतोष्ण वन	1.6 मिलियन	तमिलनाडु एवं केरल के 150 मीटर से ऊँचे भागों में। पूर्वी हिमालय के पश्चिम बंगाल वाले भाग में।	माचिलस, लिटसिया, मैग्नोलिया, भारतीय चेस्टनट, ब्रिच, बेर।
11. हिमालयन शीतोष्ण कटिबंधीय वन	2.9 मिलियन	आर्द्र शीतोष्ण वन हिमालय के अल्पाइन एवं उप-अल्पाइन वनों के बीच पाए जाते हैं। हिमाचल प्रदेश, पंजाब, उत्तर प्रदेश, पश्चिम बंगाल एवं सिक्किम में यह वन 1500 एवं 3300 मीटर की ऊँचाई के बीच पाए जाते हैं। हिमाचल के आंतरिक भाग–लद्दाख, लाहुल, चम्बा में पाए जाते हैं। हिमालय के आंतरिक भाग–लद्दाख, लाहुल, चम्बा, गढ़वाल एवं सिक्किम में शुष्क शीतोष्ण वन पाए जाते हैं।	ओक, देवदार, मैपल आदि दोनों जलवायु प्रदेश आर्द्र एवं शुष्क वनों में पाए जाते हैं। आर्द्र हिमालय शीतोष्ण वन के प्रमुख वृक्ष हैं–चेस्टनट, कैल, मेयू एवं शुष्क शीतोष्ण वनों में चिलगोजा, ऐश, पैरोतीया एवं जैतुन प्रमुख वृक्ष हैं।
12. अल्पाइन वन	3000	ये तीनों प्रकार के वन हिमाचल के ऊँचाई वाले भागों में पाए जाते हैं। उप-अल्पाइन वन, अल्पाइन वन के आस-पास ही पनपते हैं, जो 3000 मीटर की ऊँचाई पर विकसित होते हैं।	रोडोडेनड्रन एवं ब्रिच उप-अल्पाइन वनों के सामान्य वृक्ष हैं जबकि आर्द्र अल्पाइन झाड़ियों में फर, स्प्रूस, बेर एवं येल विशेष हैं। उप-अल्पाइन आर्टीमिसोमा एवं पोटेण्टिला।

वनों की उपयोगिता

वन प्रकृति की अमूल्य धरोहर है। वनों को राष्ट्र की सामाजिक, आर्थिक व धार्मिक सम्पदा का दर्जा प्राप्त है। वन प्रत्यक्ष व परोक्ष दोनों प्रकार से हमारे लिए महत्त्वपूर्ण हैं।

वनों की औद्योगिक उपयोगिता

1. वन से लोग अपना जीविकोपार्जन भी करते हैं। जैसे–लकड़ी काटकर या फल-फूल एकत्रित कर लोग अपना जीवन-यापन करते हैं।
2. वनों की उपज को निर्यात करने से देश को आय होती है।
3. आधुनिक आविष्कार लकड़ी के स्टोव (Wood Stove) में ईंधन के रूप में लकड़ी के टूकड़े (Wood Pellets) काम में लाये जाते हैं जिन्हें अनुपयोगी वस्तु जैसे–लकड़ी की छीलन, लकड़ी के बुरादे से बनाया जाता है।
4. वन्य क्षेत्रों को मनोरंजन स्थान के रूप में प्रयोग किया जाता है। प्रकृति को समीप से देखने के इच्छुक व्यक्ति वनों में प्रकृति के सानिध्य में समय बिताना पसन्द करते हैं।
5. वनों से कई प्रकार की औषधियाँ प्राप्त होती हैं जिनसे सामान्यजन तो अपना इलाज करते ही हैं साथ ही इनका बड़े पैमाने पर औद्योगिक उत्पादन भी किया जाता है।
6. द्वितीयक उत्पाद के रूप में निर्मित गोंद, लाख, कत्था, शहद, रबर जैसी अनगिनत वस्तुएँ हमारे लिए अत्यन्त उपयोगी हैं। ये भी प्रमुख वन उत्पाद हैं।
7. वनों से प्राप्त होने वाली लकड़ी व्यावसायिक व घरेलू उपयोग में समान महत्त्व रखती है।
8. वनों में निवास करने वाले वन्य जीवों से कई प्रकार की कीमती वस्तुएँ, जैसे–हाथी दाँत एवं फर आदि प्राप्त होती हैं।
9. वनों से प्राप्त होने वाले फलों व बीजों से तेल निकाले जाते हैं।

10. वन पशुओं को खाद्य-सामग्री उपलब्ध कराते हैं।
11. अनेक उद्योगों, जैसे–कागज व दियासलाई आदि का कच्चा सामान वनों की ही देन है।

वनों की पर्यावरणीय उपयोगिता

वनों की पर्यावरणीय उपयोगिता को निम्नलिखित बिन्दुओं द्वारा स्पष्ट किया जा सकता है–

1. वन, जल-चक्र व वायु-चक्र को नियमित करने में अहम् भूमिका निभाते हैं।
2. वृक्षों पर लगी पत्तियाँ वर्षा की बूँदों के वेग को कम करके तथा प्रवाह को धीमा करके मृदा अपरदन को रोकती हैं।
3. वन देश के प्राकृतिक सौन्दर्य में वृद्धि करते हैं।
4. वन अनेक पशु-पक्षियों व जीव-जन्तुओं के आश्रय स्थल हैं जो पारिस्थितिकी तन्त्र कों सन्तुलित बनाये रखने में हमारी मदद करते हैं।
5. वन पानी के प्रवाह को कम करके बाढ़ व मिट्टी के कटाव को रोकते हैं।
6. वृक्षों से भूमि पर गिरने वाली पत्तियाँ सड़-गलकर खाद में बदल जाती हैं, जिससे भूमि उपजाऊ बनती है।
7. वनों से वायुमण्डल की आर्दता में वृद्धि होती है, तापमान में कमी आती है व वर्षा की सम्भावना बढ़ती है।
8. वन ऑक्सीजन के ऐसे संचित कोष-स्थल (Reservoir) हैं जो कार्बन-डाइऑक्साइड को अवशोषित कर हमें ऑक्सीजन देते हैं व पर्यावरण में गैसों का सन्तुलन बनाये रखते हैं।
9. वन, उद्योगों से निकलने वाली विषैली गैसों व ध्वनि से होने वाले प्रदूषण को कम करते हैं। अनुसंधानों से यह ज्ञात हुआ है कि वृक्ष शोर प्रदूषण को भी नियन्त्रित करते हैं।
10. ये पानी और मिट्टी जैसे महत्त्वपूर्ण संसाधनों की सुरक्षा एवं संरक्षण (Preservation and Conservation) करते हैं। भू-सतही जल को रोककर उसे स्वच्छ कर भूमि में भेजते हैं तथा जमीन की नमी बनाये रखते हैं।
11. ये नदियों के प्रवाह को नियमित करते हैं, उनके प्रदूषण को कम करते हैं, मिट्टी को बहकर जाने से रोकते हैं व बाढ़ की सम्भावना कम करते हैं।

अंत में हम निष्कर्ष के रूप में कह सकते हैं कि वन हर दृष्टिकोण से मानव के लिए उपयोगी हैं।

जैव-विविधता एवं संरक्षण

जैव-विविधता सभी जीवों व पारिस्थितिक तंत्रों की विभिन्नता एवं असमानता को कहा जाता है। यह एक समूहवाची शब्द है, जिसमें सृष्टि के सभी प्रकार के पौधे, प्राणी, सूक्ष्म-जन्तु समाहित हैं। मरुस्थलों से लेकर घने उष्ण-कटिबंधीय वनों तक हिम-आच्छादित पर्वत-शिखरों से महासागरों की गहराइयों तक विभिन्न आकार, प्रकार, रंग एवं रूपों में प्राणी जगत् विद्यमान हैं। जरा विचार कीजिए, अगर विश्व में कुछ प्रजातियाँ ही होती, तो जीवन कितना नीरस बनकर रह जाता।

अन्तर्राष्ट्रीय संघ की साधारण सभा ने प्रकृति संरक्षण के लिए फरवरी 1988 में कोस्टारिका में एक बैठक आयोजित की थी। इस बैठक में सर्वसम्मति से प्रकृति संरक्षण हेतु एक प्रस्ताव पारित किया गया। *प्रजातियों और उनकी समष्टियों* के अन्तर्गत विभिन्नता तथा परिवर्तित प्रजातियों, उनके जीव रूपों की विविधता, सह-सम्बन्धित प्रजातियों के संकुल की भिन्नता तथा उनकी अन्योन्य क्रियाएँ पारिस्थितिकीय प्रक्रियाओं द्वारा प्रभावित अथवा सम्पन्न होती हैं। कहने का आशय यह है कि विविधता चाहे प्रजाति के भीतर हो, प्रजातियों के बीच हो या समुदाय में इसे पारिस्थितिकीय प्रक्रियाएँ ही सम्पन्न और प्रभावित करती हैं।

ब्राजील के रियो-डी-जेनेरियो में 2-14 जून, 1992 को आयोजित **पृथ्वी शिखर** सम्मेलन में अनुबंधित पार्टियों में जैव-विविधता के संरक्षण तथा दस्तावेज में निर्धारित अनुच्छेद 1 से 42 को सुनिश्चित करने पर सहमति बनी। इस पर विश्व के 156 देशों और यूरोपीय समुदाय ने हस्ताक्षर किए। इस सहमति पर भारत ने भी हस्ताक्षर किए हैं। इस अधिवेशन के अनुसार जैव-विविधता की परिभाषा इस प्रकार है–धरातलीय, महासागरीय एवं अन्य जलीय पारिस्थितिक तंत्रों में उपस्थित अथवा उससे सम्बन्धित तंत्रों में पाए जाने वाले जीवों के बीच विभिन्नता जैव-विविधता है।

22-23 अगस्त, 1994 को बंगलौर में जैव-विविधता के संरक्षण सम्बन्धी उद्देश्यों को पूरा करने के लिए एक बैठक बुलायी गयी। इस बैठक में विभिन्न देशों जैसे–बांग्लादेश, भूटान, भारत, जापान, मलेशिया, मालदीव, म्यांमार, फिलीपीन्स, थाइलैण्ड और वियतनाम आदि के प्रतिनिधि एवं अन्तर्राष्ट्रीय संगठनों के विशेषज्ञों ने भी भाग लिया। इस बैठक का आयोजन पर्यावरण एवं वन मंत्रालय भारत सरकार तथा संयुक्त राष्ट्र पर्यावरण कार्यक्रम नेरोबी (केन्या) के संयुक्त तत्त्वाधान में किया गया। इसमें कुछ अनुकरणीय उद्देश्य निर्धारित किए गए। जैव विविधता पर एशिया क्षेत्रीय अनुबन्ध भी हुआ है।

स्थलीय, समुद्री तथा अन्य जलीय पारिस्थितिक तंत्रों और इनसे सम्बन्धित सभी स्रोतों के जीवधारियों तथा इसके पारिस्थितिक संकुलों में पाई जाने वाली विभिन्नता जैव-विविधता है। इसमें प्रजातियों के मध्य पारिस्थितिक तंत्र की विविधता शामिल है। इस प्रकार किसी क्षेत्र में जीनों, प्रजातियों तथा पारिस्थितिक तंत्रों की समग्रता जैव-विविधता है।

वर्तमान में यह महसूस किया जाने लगा है कि भूमण्डल के चारों ओर जैविक समुदाय धीरे-धीरे लुप्त होने लगा है जिसका कारण है, मनुष्य द्वारा आवासीय विनाश, जैसे–वनों को काटना, अतिचारण, वनभूमियों का अवगाहन और पारिस्थितिक तंत्र को प्रदूषित करना, परन्तु जैव-विविधता का संरक्षण मानव जाति के लिए अति महत्त्वपूर्ण है।

जैव-विविधता का स्तर–इसे तीन स्तरों में उपविभाजित किया जा सकता है–

(*i*) पारिस्थितिक तंत्र विविधता,

(*ii*) आनुवंशिक-विविधता,

(*iii*) प्रजातीय विविधता।

पारिस्थितिक तन्त्र विविधता

यह पारिस्थितिकीय जटिलता जैसे–आवास, खाद्य-स्तर, खाद्य-जाल एवं पदार्थ-चक्रण आदि के बीच पाई जाने वाली विविधता है। पारिस्थितिक तंत्र भौतिक घटकों जैसे–तापमात, आर्द्रता, ऊँचाई एवं वर्षण आदि के साथ भी विभिन्नता दर्शाता है। अतः पारिस्थितिक तंत्र के इन घटकों के बीच भी असमानता है। विभिन्न प्रकार के जंगलों में, जहाँ मुख्यतः पेड़ों का बाहुल्य है, वहाँ भी अलग-अलग क्षेत्रों में विविधता देखने को मिलती है। उष्ण कटिबंधीय वनों, पतझड़ वनों और शीतोष्ण वनों में इन्हीं भौतिक घटकों की विविधता के कारण जैव-विविधता विकसित हुई है। यह विविधता करोड़ों वर्षों में विकसित हुई है और इसका संरक्षण अति आवश्यक है। जैव-विविधता को नुकसान पहुँचाने का अर्थ है, पर्यावरणीय असंतुलन। हम जैव-विविधता को एक स्थान से दूसरे स्थान पर स्थानांतरित भी नहीं कर सकते क्योंकि यह विविधता क्षेत्र-विशेष की जलवायु पर निर्भर करती है। यह संभव नहीं है कि हम शीतोष्ण वनों की विविधता को बढ़ाने के लिए उष्ण कटिबंधीय वनों की प्रजातियों को वहाँ स्थानान्तरित कर दें। प्रकृति के हर क्षेत्र की जैव विविधता वर्षों के प्राकृतिक चयन द्वारा विकसित हुई है।

आनुवंशिक विविधता

यह जैविक-विविधता का मुख्य स्रोत है। जीवों में पाई जाने वाली 'जीन' विभिन्न प्रकार से मिलकर जीवों में विविधता लाने के लिए उत्तरदायी है। 'जीन' एक पीढ़ी से दूसरी पीढ़ी तक विभिन्न लक्षणों को ले जाने वाली मूल इकाई है। जब एक ही प्रजाति के जीन विभिन्न प्रकार से मिलकर जीवों में अंतर पैदा कर दें तो इसे आनुवंशिक विविधता कहते हैं।

उदाहरण के लिए, 'मानव' की सभी प्रजातियाँ 'होमोसेपियन्स' (*Homosapions*) से बनी हैं। इसी तरह आम की सभी किस्में एक ही प्रजाति से बनी हैं, परन्तु आनुवंशिक विविधता के कारण इनका रंग, आकार, खुशबू एवं पोषक तत्त्व विभिन्न प्रकार के हैं। इसी प्रकार मटर की सभी किस्में 'पाइसम सटाइवम' (*Pisum sativum*) से तैयार हुई हैं।

आनुवंशिक विविधता की उपयोगिता

आनुवंशिक विविधता दो कारणों से अनिवार्य है–

1. प्रकृति में विकासीय प्रक्रियाओं के संचालित बने रहने के लिए तथा
2. न्यूनतम जीवन क्षय समष्टि के अनुरक्षण द्वारा जाति को विलुप्त होने से बचाने के लिए।

प्रजातीय विविधता

इसके अन्तर्गत किसी समुदाय में जीवों की समृद्धता एवं प्रचुरता को दर्शाया जा सकता है। प्रजाति-विविधता को आंकने के दो मापक हैं–'शैनन-वीनर इन्डेक्स' और 'सिम्पसन इन्डेक्स'। 1992 में विल्सन द्वारा दिए गए आँकड़ों के अनुसार प्रजातियों की कुल संख्या 1 करोड़ से 5 करोड़ के बीच है। आज तक केवल 10 लाख 50 हज़ार जीवित एवं 3 लाख जीवाश्मों की पहचान कर उनके वैज्ञानिक नाम दिए गए हैं। संभावना है कि इनको खोज कर सूचीबद्ध करने से पहले ही बहुत-सी प्रजातियाँ इस धरती से विलुप्त हो जाएंगी और हम इनसे मिलने वाले लाभों के बारे में जानने से पहले ही प्रकृति के इन उपहारों को खो देंगे।

प्रजाति-विविधता का महत्त्व

प्रजाति-विविधता निम्नलिखित कारणों से महत्त्वपूर्ण है–

1. स्थानीय लोगों के उपयोग के लिए।
2. वन्य जीव पर्यटन के लिए।
3. शिक्षा एवं विकास के लिए।
4. उपयोगी पालतू जानवर विकसित करने के लिए।
5. पादप एवं जन्तु अभिजनन द्वारा वन्य पौधों से फसलों की उन्नत किस्में तथा वन्य जन्तुओं से उन्नत नस्ल के पालतू जानवर विकसित करने के लिए।
6. शोध या अनुसंधान के बेहतर अवसर प्रदान करने के लिए।

जैव-विविधता का संरक्षण

जैव-विविधता का पारिस्थितिकी संतुलन में महत्त्वपूर्ण स्थान है, क्योंकि परितंत्र में परिवर्तन की क्रिया सतत चलती रहती है, सजीव अवयव एवं पारिस्थितिकीय जटिलताओं की जैव-विविधता, जिसका वे एक भाग है, परिवर्तनशील है। इसमें प्रजातियों एवं पारितंत्रों के अंदर की विविधता भी शामिल है। भोजन, कृषि औषधि एवं उद्योग में जैव-विविधता की सापेक्ष खपत होती है। जैव-विविधता के संरक्षण से संबंधित विभिन्न मुद्दों से जुड़ी विभिन्न एजेंसियों के बीच समन्वय सुनिश्चित करने तथा उसके लिए पर्याप्त नीतिगत दस्तावेजों की समीक्षा करने, उन पर निगरानी रखने तथा उन्हें तैयार करने के लिए जैव-विविधता पर एक योजना शुरू की गई थी।

जैव-विविधता संरक्षण के निम्नवत् दो स्थल हैं–

1. **यथा स्थल संरक्षण**–जैव-विविधता को उसके सभी स्तरों जननिक (genetic) प्रजातियों के रूप में और अप्रभावित पारितंत्रों के रूप में यथास्थल ही सबसे अच्छी तरह सुरक्षित रखा जा सकता है और इसके लिए निर्जन क्षेत्र का पर्याप्त भाग संरक्षित क्षेत्र के रूप में अलग कर देना ही सबसे अच्छा तरीका है। यह क्षेत्र राष्ट्रीय पार्कों और अभ्यारण्यों का तंत्र होना चाहिए और इस तंत्र में हर विशेष पारितंत्र शामिल होना चाहिए। ऐसा कोई तंत्र किसी क्षेत्र की पूरी जैव-विविधता को सुरक्षित रखेगा। अतीत में बाघ, शेर, हाथी और हिरन जैसे बड़े वन्य प्राणियों के संरक्षण के लिए ही भारत में राष्ट्रीय पार्क और अभ्यारण्य अधिसूचित किए जाते थे। फिर इन क्षेत्रों के उद्देश्य को बढ़ाकर उनमें ऐसे अपेक्षाकृत अप्रभावित प्राकृतिक पारितंत्र भी शामिल कर लिए गए जिनमें सूक्ष्म एककोशिय पौधों और प्राणियों से लेकर विराट वृक्षों और विशाल स्तनपाइयों तक सारी जैव-विविधता सुरक्षित रखी जा सके। लेकिन प्रजातियों का अलग-अलग संरक्षण

असंभव है क्योंकि वे सब एक-दूसरे पर निर्भर हैं, इसलिए पूरे परितंत्र का संरक्षण किया जाना चाहिए।

जीवविज्ञानी का संबंध ऐसे क्षेत्र से होता है जो अपेक्षाकृत प्रजाति-समृद्ध हों या जहाँ दुर्लभ, संकटग्रस्त प्रजातियाँ रहती हों या जहाँ 'स्थानिक' प्रजातियाँ हों जो कहीं और न मिलें। चूँकि दुर्लभ स्थानिक प्रजातियाँ एक छोटे-से क्षेत्र में ही पाई जाती हैं, इसलिए मानव के कार्यकलाप के कारण ये आसानी से नष्ट हो जाती है। हाथी जैसे पशुओं को विभिन्न मौसमों में भोजन के लिए अलग-अलग प्रकार के आवास चाहिए। वे वर्षा के बाद घास के खुल मैदानों में रहते हैं जहाँ नई उगी घास काफी पौष्टिक होती है। घास सूखने लगती है तो हाथी पेड़ों के पत्तों की चाह में जंगलों में चले जाते हैं। इसलिए हाथियों के लिए बना संरक्षित क्षेत्र काफी बड़ा होना चाहिए और परस्पर संबंधित प्रजातियों के एक पूरे समूह को सहारा देने के लिए उसमें विभिन्न प्रकार के आवास होने चाहिए।

2. बहिःस्थल संरक्षण–प्रकृति में विभिन्न प्रकार की प्रजातियाँ रहती हैं। अतः यदि उन्हें संरक्षण प्रदान करना है तो इसमें सबसे अच्छा ढंग उसके आवास को उन तमाम दूसरी प्रजातियों के साथ सुरक्षित रखना है जो उसमें प्राकृतिक ढंग से रहती हैं। इसे यथास्थल संरक्षण (*in-situ* conservation) कहा जाता है जिसका मतलब राष्ट्रीय पार्कों और अभयारण्यों का निर्माण करके उस प्रजाति को उसके अपने वातावरण में संरक्षण करना है। इस रणनीति को बहिःस्थल संरक्षण कहते हैं, अर्थात पौधों के लिए वानस्पतिक उद्यान या प्राणियों के लिए चिड़ियाघर जैसे नियंत्रित स्थितियाँ पैदा करके उस प्रजाति को उसके प्राकृतिक आवास से बाहर संरक्षित करना। ऐसी जगहों पर कृत्रिम ढंग से बनाई गई दशाओं में उनकी संख्या बढ़ाने की विशेषज्ञता भी होती है। लेकिन किसी संरक्षित क्षेत्र के प्रबंध की अपेक्षा दुर्लभ पौधों और प्राणियों के लिए ऐसे प्रजनन कार्यक्रम अधिक महंगे होते हैं। इसलिए इनके संरक्षण के लिए पर्याप्त धन की आवश्यकता होती है।

पौधों के संरक्षण का एक और ढंग उनके जननद्रव्य (germplasm) को जीन बैंक में सुरक्षित रखना है ताकि भविष्य में आवश्यकता पड़ने पर उनका उपयोग किया जा सके। यह और भी महंगा होता है।

कोई प्राणी अगर विनाश के कगार पर हो तो सावधानी से उसका प्रजनन किया जाना चाहिए ताकि अंतःप्रजनन (inbreeding) के कारण उसकी जीन संरचना कमजोर न पड़े। एक ही मूल के प्राणियों के आपसी प्रजनन से संतान की अनुकूलन क्षमता कम होती है, और पर्याप्त संतान पाने की क्षमता भी नष्ट हो सकती है। प्रजनन के आधुनिक कार्यक्रम चिड़ियाघरों में चलाए जाते हैं जो वन्यप्राणी की सभी आवश्यकताएँ प्रदान करते हैं–ऐसे बाड़ों समेत जो उसके वन्य आवास के समान होते हैं। कृत्रिम प्रजनन में सहायता देने की आवश्यकता भी पड़ सकती है। इस तरह जहाँ अधिकांश चिड़ियाघरों का उद्देश्य दर्शकों को करीब से वन्य प्राणियों को देखने का अनुभव और प्रजातियों के बारे में सूचनाएँ प्रदान करना होता है, वहीं एक आधुनिक चिड़ियाघर को इन कार्यों से आगे जाकर संकटग्रस्त प्रजातियों के प्रजनन का कार्यक्रम भी संरक्षण के एक उपाय के रूप में चलाना होता है।

भारत में बहिःस्थल संरक्षण के सफल कार्यक्रम हमारे मगरमच्छों की तीनों प्रजातियों के लिए चलाए गए हैं; ये अत्यधिक सफल रहे हैं। सबसे सफल उदाहरण मद्रास क्रोकोडाइल ट्रस्ट बैंक का है जिसमें मगरमच्छ 10 से बढकर 8,035 हो चुके हैं और यहाँ वे साल में दो बार अंडे देते हैं जबकि निर्जन में एक बार देते थे। हाल की एक और सफलता गुवाहटी चिड़ियाघर में बहुत ही दुर्लभ प्राणी पिग्गी सूअर का प्रजनन है।

दिल्ली के चिड़ियाघर ने भी नोकदार सींगवाले दुर्लभ मणिपुरी हिरन का प्रजनन कराया है। लेकिन किसी प्रजाति के मूल निर्जन आवास में उसे फिर से खपाना एक सफल प्रजनन कार्यक्रम का सबसे महत्त्वपूर्ण चरण होता है। इसके लिए लिए विनष्ट आवास की पुनर्स्थापना की और शिकार, विघ्न-बाधाओं और अन्य मानव-निर्मित प्रभावों जैसे दूसरे कारणों को दूर करने की आवश्यकता होती है क्योंकि इन्हीं मानवीय क्रियाओं के परिणामस्वरूप जैव संरक्षण में समस्या उत्पन्न होती है।

जैव-विविधता संरक्षण अंतर्राष्ट्रीय संधिं (सीबीडी)

सबसे महत्त्वपूर्ण समझौता 1992 में रियो डी जेनेरो (ब्राजील) में 1992 में विश्व शिखर वार्ता के दौरान किया गया जो कि जैव-विविधता से संबंधित सभी पहलुओं पर किया गया एक व्यापक समझौता है। सीबीडी के 196 सदस्य देश हैं। यह सम्मेलन सदस्य देशों के जैविक स्रोतों के अधिकारों की संप्रभुता को बनाये रखने के लिए आयोजित किया गया था। इसके मुख्य उद्देश्य–जैव-विविधता का संरक्षण, इसके अवयवों का स्थायी इस्तेमाल और जैनेटिक संसाधनों के इस्तेमाल के लाभों का उचित एवं सही भागीदार है। भारत सीबीडी का सदस्य देश है।

सीबीडी की अब तक आठ बैठकें हो चुकी हैं। इसकी आठवीं बैठक ब्राजील में क्यूरिटिबा में 20-31 मार्च 2006 को आयोजित की गई थी। नौवीं बैठकी मई, 2008 में जर्मनी, बॉन में 19-30 मई को आयोजित की गई। दक्षिण एवं पश्चिमी एशिया क्षेत्र में संरक्षित क्षेत्रों पर सीबीडी की क्षमता बढ़ाने और उसकी समीक्षा के लिए लिए भारत में उप-क्षेत्रीय कार्यशाला (सीओपी-8) आयोजित की गई। यह कार्यशाला 2-4 अप्रैल, 2007 से देहरादून में भारतीय वन्यजीव संस्थान द्वारा आयोजित की गई। सीओपी-8 के निर्णयों के बाद सीबीडी के अंतर्गत 4 अंतर्राष्ट्रीय बैठकें आयोजित की गई। इस दिशा में 2-6 जुलाई, 2007 को फ्रांस, पैरिस में वैज्ञानिक, तकनीकी और प्रौद्योगिकी परामर्श पर सहायक निकाय की 12वीं बैठक शामिल है। दूसरी बैठक 9-13 जुलाई, 2007 को पैरिस में ही आयोजित की गई।

ओपन एंडिड वर्किंग ग्रुप की पांचवीं बैठक कनाडा में 8-12 अक्टूबर, 2007 को मांट्रीयल, कनाडा में आयोजित की गई। उसके बाद 15-19 अक्टूबर, 2007 को मांट्रीयाल में ही आयोजित की गई। 2006 में मंत्रिमंडल द्वारा राष्ट्रीय पर्यावरण नीति की स्वीकृति के बाद राष्ट्रीय जैविक नीति और कार्ययोजना पर संयुक्त राष्ट्र विकास कार्यक्रम की अंतिम तकनीकी रिपोर्ट को देखते हुए कार्य किया जा रहा है।

जैव-विविधता संरक्षण को बढ़ावा देने तथा इसके संतुलन को बनाए रखने के उद्देश्य से जैव विकास प्राधिकरण की स्थापना चेन्नई में 1 जुलाई, 2008 को की गई। यह प्राधिकरण जैव-विविधता अधिनियम 2002 के कार्यान्वयन के लिए स्थापित

किया गया था। अनुसंधान पर दिशा-निर्देश की अधिसूचना और जैनेटिक संसाधनों को ध्यान में रखते हुए प्राधिकरण की तीन बैठकें हुई। इसके अलावा प्राधिकरण ने अधिनियम के प्रावधानों के प्रति जागरूकता जगाने के लिए कई सेमीनार और गोष्ठियाँ भी आयोजित कीं।

वन्य जीवन

विश्व के सम्पूर्ण वन क्षेत्र का मात्र 2 प्रतिशत भाग भारत में है, जबकि यहाँ विश्व के 5 प्रतिशत जीव-जन्तु पाए जाते हैं। वनों एवं जीव जन्तुओं पर मानवीय क्रियाकलापों का बहुत अधिक दबाव है। आज लगभग 15000 वानस्पतिक प्रजातियाँ एवं 75,000 जीव प्रजातियाँ मानवीय क्रियाकलाप के दबाव से विलुप्तप्राय हो चुकी हैं। हमारे देश में भी लगभग 10 प्रतिशत से ज्यादा वनस्पति समाप्त होने के कगार पर है। इनमें से कई प्रजातियाँ तो ऐसी हैं जिसके गुणों को मानव समुदाय पहचाने उससे पहले ही वे समाप्त हो जाएँगी। भारत के लगभग 134 सर्वाधिक संकटापन्न पौधों की प्रजातियों में से 99 हिमालय एवं उत्तर पूर्व के हैं। किसी समय सम्पूर्ण भारत वर्ष में हाथी पाये जाते थे, लेकिन आज महाराष्ट्र, मध्य प्रदेश एवं आन्ध्र प्रदेश से हाथी समाप्त हो चुके हैं।

वन्य जीवन संरक्षण के लिए 1952 में 'केन्द्रीय सलाहकार समिति' (इण्डियन बोर्ड ऑफ वाइल्ड लाइफ) के अतिरिक्त बॉम्बे नेचुरल हिस्ट्री सोसायटी, मुम्बई, द वाइल्ड लाइफ प्रिजर्वेशन सोसायटी ऑफ इण्डिया एवं द वाइल्ड लाइफ फण्ड ऑफ इण्डिया इत्यादि अनेक संस्थाएँ वन्य जीवन के संरक्षण तथा प्रबंधन में महत्त्वपूर्ण भूमिका निभा रहे हैं। राष्ट्रीय वन्य जीवन कार्य योजना, वन्य जीवन संरक्षण के लिए कार्य नीति और कार्यक्रम की रूपरेखा प्रस्तुत करती है।

पहली वन्य जीवन कार्ययोजना, 1983 को संशोधित करके अब नई वन्य जीवन कार्ययोजना (2002-2016) स्वीकृत दी गई है। भारतीय वन्य जीवन बोर्ड, जिसके अध्यक्ष प्रधानमंत्री होते हैं, वन्य जीवन संरक्षण की अनेक योजनाओं के क्रियान्वयन की निगरानी और निर्देशन करने वाला शीर्ष सलाहकार निकाय है। इस समय संरक्षित क्षेत्र के अंतर्गत 104 राष्ट्रीय उद्यान और 550 अभ्यारण्य आते हैं, जो देश के सकल भौगोलिक क्षेत्र के 1 लाख 65 हजार वर्ग किमी॰ पर फैले हैं। वन्य जीवन संरक्षण अधिनियम, 1972 जम्मू और कश्मीर को छोड़कर (इसका अपना अलग अधिनियम है) शेष सभी राज्यों द्वारा लागू किया जा चुका है, जिसमें वन्य जीवन संरक्षण और विलुप्त होती जा रही प्रजातियों के संरक्षण के लिए दिशा-निर्देश दिये गए हैं। दुर्लभ और समाप्त होती जा रही प्रजातियों के व्यापार पर इस अधिनियम ने रोक लगा दी है।

वन्य जीवन संरक्षण अधिनियम, 1972 तथा अन्य कानूनों की समीक्षा के लिए एक अंतर्राज्यीय समिति गठित की गई है। वनों से विलुप्त हो रहे जानवरों तथा वनस्पतियों के व्यापार पर आयोजित सम्मेलन में हुए समझौते पर हस्ताक्षर करने वाले देशों में भारत भी है। जैव कल्याण विभाग (जो अब पर्यावरण एवं वन मंत्रालय का अंग है) का शासनादेश जानवरों पर बेवजह की यंत्रणा पर रोक लगाने के संबंध में पारित किया गया है। पशुओं पर क्रूरता रोकने संबंधी 1960 के अधिनियम में दिसंबर 2002 में कुछ अन्य नियम शामिल किए गए। इनमें जीव जन्म नियंत्रण नियम 2001 को अधिसूचित किया गया।

वन के संरक्षण के लिए सरकार ने विभिन्न अधिनियम बनाकर इसकी सुरक्षा की व्यवस्था की है। इसके बावजूद की इसका सही संरक्षण नहीं हो रहा है।

महत्वपूर्ण राष्ट्रीय उद्यान एवं वन्यजीव अभ्यारण्य

जीव आरक्षित क्षेत्र नाम/राज्य/के.शा.प्र.	क्षेत्रफल (वर्ग किमी.)	स्थापना वर्ष	जैव भौगोलिक क्षेत्र
1. नीलगिरि (तमिलनाडु, आन्ध्र प्रदेश, कर्नाटक)	5520	1986	दक्कन प्रायद्वीप
2. नंदा देवी (उत्तराखण्ड)	5860.69	1988	पश्चिमी हिमालय
3. नेकरेक (मेघालय)	820	1988	उत्तर-पूर्वी भारत
4. ग्रेट निकोबार	885	1989	द्वीप समूह
5. मन्नार की खाड़ी (तमिलनाडु)	10500	1989	तटवर्ती क्षेत्र
6. मानस (असम)	2837	1989	उत्तर-पूर्वी भारत
7. सुन्दरवन (पश्चिम बंगाल)	9630	1989	गंगा का मैदान
8. सिमिलीपाल (उड़ीसा)	4374	1994	दक्कन का प्रायद्वीप
9. डिबरु शिखोवा (असम)	765	1997	उत्तर-पूर्वी भारत
10. देहांग-देबांग (अरुणाचल प्रदेश)	5111.5	1998	उत्तर-पूर्वी भारत
11. पंचमढ़ी (मध्य प्रदेश)	4981.72	1999	केन्द्रीय भारत
12. कंचनजंगा (सिक्किम)	2931.12	2000	पूर्वी हिमालय
13. अगस्त्य मलाई (मध्य प्रदेश)	3500.36	2001	नेय्यर, पिप्पारा, शेन्दुरुनी
14. अचन्नक्मार (छत्तीसगढ़)	3835.51	2005	मध्य प्रदेश के अनुपुर और डिंडोरी जिला का भाग और छत्तीसगढ़ का विलासपुर
15. कच्छ (गुजरात)	12454	2008	कच्छ, राजकोट, सुंदरगढ़ एवं पाटन जिले
16. शेशाचलम (आंध्रप्रदेश)	4755.99	2010	--
17. कोल्ड डेजर्ट (हिमाचल प्रदेश)	7770	2009	--
18. पन्ना (मध्य प्रदेश)	2998.98	2011	--

भारत के प्रमुख राष्ट्रीय उद्यान व वन्य जीव अभ्यारण्य

राष्ट्रीय उद्यान व वन्य जीव अभयारण्य	राज्य/क्षेत्र	पायी जाने वाली दुर्लभ प्रजातियाँ
1. माउंट हैरियट नेशनल पार्क	अंडमान-निकोबार द्वीपसमूह	जंगली सुअर, घड़ियाल, कच्छप (कछुआ)।
2. कावल वन्य जीव अभयारण्य	आन्ध्र प्रदेश	चीता, तेंदुआ, चीतल, गौर, सांभर, भालू, जंगली सुअर।
3. किन्नरसानी जीव अभयारण्य	आन्ध्र प्रदेश	चीता, बघेरा, तेंदुआ, भेड़िया, गौर, चीतल, नील गाय, भालू, सांभर।
4. कोलेरू पेलिकेनरी	आन्ध्र प्रदेश	सारस, अबाबील, विभिन्न पक्षी।
5. मालापट्टी पक्षी बिहार	आन्ध्र प्रदेश	मुर्गावी, जलकाक, फाख्ता, बत्तख, हरियल।
6. टडवई वन्य जीव अभयारण्य	आन्ध्र प्रदेश	चीता, गौर, काला हिरण, बघेरा, सांभर, चौसिंगा, चीतल, विभिन्न पक्षी।
7. पखाल वन्य जीव अभयारण्य	आन्ध्र प्रदेश	चीता, तेन्दुआ, सांभर, नीलगाय, चीतल।
8. नमदफा राष्ट्रीय उद्यान	अरुणाचल प्रदेश	हाथी, चीता, तेन्दुआ, बघेरा, गौर, हिरण, जंगली भैंसा, तेन्दुआ, हाथी, अजगर, सांभर, काला हिरण।
9. पखुई वन्य जीव अभयारण्य	अरुणाचल प्रदेश	बाघ, जंगली भैंसा, तेन्दुआ, हाथी, अजगर, सांभर, काला हिरण ।
10. मानस राष्ट्रीय उद्यान	असम	हाथी, चीता, बघेरा, गौर, सांभर, भालू, एक सींग वाला गैंडा, लंगूर, हिरण, चीता/गौर, जंगली सुअर, जंगली भैंसा, जल पक्षी।
11. काजीरंगा राष्ट्रीय उद्यान	असम	चीता/गौर, जंगली सुअर, भैंसा, बघेरा, एक सींग वाला गैंडा, जल पक्षी।
12. सोनाई रूपाई वन्य जीव अभयारण्य	असम	हाथी, सांभर, भालू, जंगली सुअर, एक सींग वाला गैंडा।
13. ओरांग वन्य जीव अभयारण्य	असम	हाथी, चीता, सांभर, हिरण, एक सींग वाला गैंडा, कलहंस, बाज।
14. गरमपानी वन्य जीव अभयारण्य	असम	हाथी, जंगली भैंसा, लंगूर।
15. सिमलीपाल अभयारण्य	उड़ीसा	हाथी, बाघ, चीता, तेंदुआ, गौर, सांभर, चीतल, बघेरा, हिरण मगरमच्छ, उड़ती हुई गिलहरी।
16. चिल्का अभयारण्य	उड़ीसा	इग्रेट, क्रेन बुज्जा, जलकौवा, पेलीवन, प्रवासी जलीय पक्षी।
17. भितरकनिका अभयारण्य	उड़ीसा	हायना, मगरमच्छ, जगंली सुअर, चीतल, सांभर, बड़ी गिलहरी, समुद्री कच्छप।
18. सतकोसिया जॉर्ज अभयारण्य	उड़ीसा	बाघ, तेंदुआ, भालू, चौसिंगा, जंगली बिल्ली, घड़ियाल, धनेश।
19. किशनपुर वन्य जीव बिहार	उत्तर प्रदेश	बाघ, चीता, तेन्दुआ, सांभर, हिरन, चीतल, नीलगाय।
20. दुधवा राष्ट्रीय उद्यान	उत्तर प्रदेश	बाघ, चीता, तेन्दुआ, सांभर, हिरण, चीतल, नीलगाय।
21. कैमूर अभगारण्ग	उत्तर प्रदेश	तेन्दुआ, काला हिरण, चिंकारा, भेड़िया।
22. चंदप्रभा अभयारण्य	उत्तर प्रदेश	चीता, तेन्दुआ, सांभर, भालू, हिरण, चीतल, नीलगाय, जंगली सुअर।
23. जिम कार्बेट राष्ट्रीय उद्यान	उत्तराखण्ड	हाथी, बाघ, चीता, बघेरा, सांभर, भालू, हिरण, चीतल, नीलगाय, जंगली सुअर।
24. जल्दापारा अभयारण्य	उत्तराखण्ड	गैंडा, हाथी, बाघ, तेन्दुआ, गौर, सांभर, हिरण, जंगली सुअर, विभिन्न पक्षी।
25. सोमेश्वर अभयारण्य	कर्नाटक	चीता, तेन्दुआ, सांभर, चीतल, गौर, हिरण, जंगली कुत्ता।
26. शारावथी घाटी अभयारण्य	कर्नाटक	हाथी, चीता, तेन्दुआ, गौर, बघेरा, सांभर, हिरण, जंगली सुअर, लंगूर, अजगर।
27. बन्नरघट्टा राष्ट्रीय उद्यान	कर्नाटक	हाथी, चीतल, भालू, हिरण, पक्षी।
28. भद्रा अभयारण्य	कर्नाटक	हाथी, सांभर, तेन्दुआ, हिरण, भालू।
29. बांदीपुर राष्ट्रीय उद्यान	कर्नाटक	हाथी, चीता, तेन्दुआ, चीतल, सांभर, हिरण।
30. रंगनथिटटु पक्षी अभयारण्य	कर्नाटक	चमचमचोंच, बगुला, जलकौवा, बुज्जा, घोंघिल, घड़ियाल, बड़ी कुररी, सारस मुर्गावी, हरियल चकोर।
31. मुकम्बिका अभयारण्य	कर्नाटक	हाथी, तेन्दुआ, सांभर, जंगली सुअर।
32. नागरहोल राष्ट्रीय उद्यान	कर्नाटक	हाथी, चीता, तेन्दुआ, सांभर, चीतल, भालू, तीतर, चकोर।
33. तुंगभद्रा अभयारण्य	कर्नाटक	तेन्दुआ, चीतल, काला हिरण, चिन्कारा, चौसिंगा, गौणव, विभिन्न पक्षी।
34. पेरियार अभयारण्य	केरल	हाथी, चीता, तेन्दुआ, सांभर, चीतल, भालू, तीतर, चकोर।

राष्ट्रीय उद्यान व वन्य जीव अभयारण्य	राज्य/क्षेत्र	पायी जाने वाली दुर्लभ प्रजातियाँ
35. इराविकुलम राष्ट्रीय उद्यान	केरल	हाथी, तेन्दुआ, गौर, चीता, सांभर, नीलगाय, भालू, हिरण, जंगली सुअर।
36. पराम्बिकुलम अभयारण्य	केरल	चीता, तेन्दुआ हाथी, गौर, सांभर, नीलगाय, भालू, हिरण, जंगली सुअर।
37. शांत घाटी राष्ट्रीय उद्यान	केरल	हाथी, गौर, जंगली सुअर, तेदुआ, सांभर, लघुपुच्छ वानर।
38. गिर राष्ट्रीय उद्यान	गुजरात	एशियाई शेर, तेन्दुआ, सांभर, चीतल, चौसिंगा, जंगली सुअर, चिन्कारा।
39. नल सरोवर अभयारण्य	गुजरात	जल पक्षी।
40. वेलावदार राष्ट्रीय उद्यान	गुजरात	काला हिरण, भेड़िया।
41. मेरीन अभयारण्य	गुजरात	समुद्री कच्छप, आलिव रिडले कच्छप, डाल्फिन समुद्री गाय।
42. भगवान महावीर राष्ट्रीय उद्यान एवं मोलेम वन्य जीव अभयारण्य	गोवा	गौर, सांभर, चूहा, हिरण, उड़ने वाली गिलहरी, साही।
43. इंद्रावती राष्ट्रीय उद्यान	छत्तीसगढ़	चीतल, सांभर, नील गाय, चौसिंगा, चिंकारा, गौर, भालू, जंगली सुअर, लकड़बग्घा, हायना, भेड़िया।
44. उदयन्ती अभयारण्य	छत्तीसगढ़	बाघ, तेन्दुआ, सांभर, जंगली भैंसा, चीतल, भालू।
45. सीतानदी अभयारण्य	छत्तीसगढ़	बाघ, तेन्दुआ, सांभर, चीतल।
46. दचिग्राम राष्ट्रीय उद्यान	जम्मू-कश्मीर	तेन्दुआ, काला भालू, लाल भालू, हिरण, हंगुल।
47. किश्तवार राष्ट्रीय उद्यान	जम्मू-कश्मीर	पहाड़ी तेन्दुआ, जंगली याक, तिब्बती गधा, काला हिरण।
48. पलामू राष्ट्रीय उद्यान	झारखण्ड	हाथी, तेन्दुआ, बघेरा, गौर, हिरण, चीतल, सांभर, जंगली सुअर।
49. दलमा वन्य जीव अभयारण्य	झारखण्ड	हाथी तेन्दुआ, हिरण भालू, जंगली सुअर।
50. पारसनाथ अभयारण्य	झारखण्ड	–
51. पालकोट अभयारण्य	झारखण्ड	–
52. महुआदौर, अभयारण्य	झारखण्ड	भेड़िया।
53. हजारीबाग वन्य जीव अभयारण्य	झारखण्ड	चीता, तेन्दुआ, चीतल, सांभर, जंगली सुअर, भालू, विभिन्न जलीय पक्षी।
54. मुदुमलाई अभयारण्य	तमिलनाडु	हाथी, चीता, तेन्दुआ, गौर, सांभर, चीतल, हिरण, जंगली कुत्ते।
55. वेदांतंगल अभयारण्य	तमिलनाडु	विभिन्न जलीय पक्षी।
56. इंदिरा गांधी अभयारण्य	तमिलनाडु	हाथी, बाघ, तेन्दुआ, गौर, चीतल, सांभर, रीछ, भालू, जंगली कुत्ता, लघुपुच्छ बन्दर, नीलगिरि लंगूर, नीलगिरि ताहर।
57. कालाकद अभयारण्य	तमिलनाडु	हाथी, लघुपुच्छ बन्दर, विभिन्न पक्षी।
58. इनटाकी अभयारण्य	नागालैण्ड	हाथी, चीता, तेन्दुआ, जंगली सुअर, गौर, हिरण, जंगली भालू, पेंगोलिन।
59. अबोहर अभयारण्य	पंजाब	हिरण, जंगली सुअर, नीलगाय, काला हंस, कबूतर, मरुस्थलीय बिल्ली, लोमड़ी, स्याहगोश, चिंकारा, पक्षी।
60. सुन्दरवन राष्ट्रीय उद्यान	पं. बंगाल	बाघ, चीता, हिरण जंगली सुअर, मगरमच्छ।
61. सजनाखाल अभयारण्य	पं. बंगाल	बाघ, चीतल, जंगली सुअर, गुलाबी बगुला, पेलीकन।
62. कैमूर वन्य जीव अभयारण्य	बिहार	बाघ, सांभर, नीलगाय, तेन्दुआ, चिंकारा, घड़ियाल।
63. संजय गांधी जैविक उद्यान	बिहार	गैंडा सांप।
64. गौतम बुद्ध वन्य जीव अभयारण्य	बिहार	चीता, सांभर, तेन्दुआ, हिरन आदि।
65. बाल्मिकी नगर वन्य जीव अभयारण्य	बिहार	बाघ।
66. बोरी अभयारण्य	मध्य प्रदेश	चीता, तेन्दुआ, चीतल, सांभर, हिरण, जंगली सुअर, जंगली भैंसा।
67. वांधवगढ़ राष्ट्रीय उद्यान	मध्य प्रदेश	बाघ, तेन्दुआ, सांभर, चीतल, नीलगाय, जंगली सुअर।
68. माधव राष्ट्रीय उद्यान	मध्य प्रदेश	चीता, तेन्दुआ, भालू, बघेरा, चीतल, भालू, लकड़बग्घा, सांभर, नीलगाय, हिरण, चौसिंगा, जंगली सुअर।
69. गांधी सागर अभयारण्य	मध्य प्रदेश	तेन्दुआ, चीतल, सांभर, नीलगाय, चीतल, बघेरा, हिरण, भालू, जंगली, भैंसा।
70. कान्हा-किसली राष्ट्रीय उद्यान	मध्य प्रदेश	बाघ, तेन्दुआ, चीतल, सांभर, नीलगाय, चिंकारा, हिरण, विभिन्न पक्षी।
71. पंचमढ़ी अभयारण्य	मध्य प्रदेश	बाघ, तेन्दुआ, सांभर, नीलगाय, चीतल, बघेरा, हिरण, भालू, जंगली भैंसा।

राष्ट्रीय उद्यान व वन्य जीव अभयारण्य	राज्य/क्षेत्र	पायी जाने वाली दुर्लभ प्रजातियाँ
72. पेंच राष्ट्रीय उद्यान	मध्य प्रदेश	बाघ, चीता, गौर, चीतल, सांभर, नीलगाय।
73. संजय राष्ट्रीय उद्यान	मध्य प्रदेश	बाघ, चीता, गौर, सांभर, जंगली सुअर, नीलगाय।
74. नवगांव राष्ट्रीय उद्यान	महाराष्ट्र	चीता, तेन्दुआ, सांभर, चीतल, भालू, जंगली भैंसा।
75. तदोबा राष्ट्रीय उद्यान	महाराष्ट्र	चीता, तेन्दुआ, गौर, सांभर, चीतल, भालू, चिंकारा।
76. तंसा अभयारण्य	महाराष्ट्र	तेन्दुआ, सांभर, चीतल, चौसिंगा, जंगली सुअर, विभिन्न पक्षी।
77. बोरीवली राष्ट्रीय उद्यान	महाराष्ट्र	तेन्दुआ, सांभर, हिरण, लंगूर, जंगली सुअर।
78. भेलघाट अभयारण्य	महाराष्ट्र	बाघ, चीता, सांभर, चीतल, भालू, जंगली सुअर।
79. कैबुल लामजाओ राष्ट्रीय उद्यान	महाराष्ट्र	बो एटर्ड हिरण, जंगली बकरी, विभिन्न जलीय पक्षी।
80. दम्पा अभयारण्य	मिजोरम	कोबरा, पायथन, होर्नबिल, फीजेंट, चीता, बिल्ली।
81. नोंगरवाइलेम अभयारण्य	मेघालय	बिनटुरंग, क्लाउडेड तेन्दुआ, स्वर्णिम बिल्ली, हाथी, बाघ, चीता, सांभर, हिरण, हिमालय भालू, जंगली सुअर, जंगली कुत्ता, गौर, किंग।
82. केवलादेव घना पक्षी बिहार	राजस्थान	सांभर, चीतल, काला हिरण, जंगली सुअर, मुर्गावी, हरियल, साइबेरियन क्रेन।
83. रणथम्भौर अभयारण्य	राजस्थान	बाघ, चीता, शेर, तेन्दुआ, सांभर, चीतल, लकड़बग्घा, भालू, नीलगाय, जंगली सुअर, जंगली बिल्ली।
84. सरिस्का अभयारण्य	राजस्थान	बाघ, चीता, हायना, सांभर, चौसिंगा, नीलगाय, जंगली बिल्ली, चिंकारा।
85. कुंभलगढ़ अभयारण्य	राजस्थान	चीता, सांभर, नीलगाय, जंगली सुअर, भालू।
86. मरुस्थल राष्ट्रीय उद्यान	राजस्थान	खस्सी, सुअर, शाक।
87. खंगचेंदजोंगा राष्ट्रीय उद्यान	सिक्किम	भालू, पहाड़ी तेन्दुआ, ब्लू भेड़, तिब्बती गधा, हिरण, लाल पंडा, पहाड़ी भालू।
88. सुल्तानपुर झील अभयारण्य	हरियाणा	जल पक्षी।
89. ग्रेट हिमाचल राष्ट्रीय उद्यान	हिमाचल प्रदेश	पहाड़ी तेन्दुआ, पहाड़ी बकरी, माक, क्रेन, भूरा भालू, काला भालू।
90. रोहिया राष्ट्रीय उद्यान	हिमाचल प्रदेश	पहाड़ी तेन्दुआ, कस्तूरी हिरण, भूरा भालू, कबूतर, पहाड़ी मुर्गा।
91. शिकारी देवी अभयारण्य	हिमाचल प्रदेश	कस्तूरी मृग, तेन्दुआ, काला भालू, लोमड़ी, पहाड़ी बघेरा, चकोर।

प्रोजेक्ट टाइगर

बाघ संरक्षण के लिए 1 अप्रैल, 1973 को केन्द्र द्वारा 'बाघ परियोजना' चालू की गई। इस परियोजना के अन्तर्गत वर्तमान में देश के 32,761 वर्ग किमी॰ में 42 बाघ संरक्षण केन्द्र स्थापित किए जा चुके हैं। 1910 में देश में रॉयल बंगाल बाघों की संख्या 40,000 थी, जो 2014 में घटकर 2226 रह गई है।

1979-80 तक परियोजना को 100% केन्द्रीय वित्त पोषित योजना के रूप में प्रचालित किया गया, किन्तु छठी पंचवर्षीय योजना (1980-85) के दौरान केन्द्रीय वित्त पोषण व्यय की आवर्ती मद के लिए 50% (राज्य सरकार द्वारा अनुरूप आवंटन) तक घट गया और गैर-आवर्ती मदों को 100% केन्द्रीय वित्त पोषण प्रदान किया गया।

परियोजना के उद्देश्य–बाघ परियोजना के उद्देश्य निम्नलिखित हैं–

(*i*) रिजर्व में प्राकृतिक परितंत्र को विस्तृत रूप से नवीकृत करने के उद्देश्य से मानव प्रभाव से मुक्त व सुरक्षित करना।

(*ii*) जैव वैज्ञानिक महत्त्व के स्थानों को राष्ट्रीय विरासत के रूप में संरक्षित करने तथा शिक्षा एवं मनोरंजन के लिए लोगों को सुविधा प्रदान करना।

(*iii*) बाघ रिजर्वों के भीतर आतंकवादी स्थितियों और बढ़ती लूटपाट की घटनाओं से निपटने के लिए स्ट्राइक फोर्स तैयार करना।

(*iv*) बाघों की एक निश्चित संख्या को भारत में वैज्ञानिक, आर्थिक, सौन्दर्य, सांस्कृतिक एवं पारिस्थितिक मूल्यों को बनाए रखने के लिए सुरक्षित रखना।

प्रोजेक्ट एलिफैण्ट

इस योजना का प्रारम्भ 1992 में किया गया था। इस परियोजना का मुख्य उद्देश्य वन्य हाथियों की फ्री रेंजिंग वाले राज्यों की हाथियों के प्राकृतिक वासस्थलों में निर्धारित व्यावहारिक संख्या की दीर्घावधि उत्तरजीविता को सुनिश्चित करना है। इस परियोजना का क्रियान्वयन भारत के 12 राज्यों में किया जा रहा है। यथा–आन्ध्र प्रदेश, अरुणाचल प्रदेश, असम (असोम), झारखण्ड, कर्नाटक, केरल, मेघालय, नागालैंड, उड़ीसा, तमिलनाडु, उत्तराखण्ड और पश्चिम बंगाल। परियोजना के लक्ष्यों को प्राप्त करने हेतु राज्यों को वित्तीय और तकनीकी सहायता दी जा रही है। हाथियों की कम संख्या वाले राज्यों को भी उनकी गणना, फील्ड स्टाफ को प्रशिक्षण तथा मानव-जानवर भिडंत की घटनाओं को कम करने हेतु सहायता दी जाती है।

एलिफैण्ट परियोजना की मुख्य रणनीतियाँ–इस परियोजना की मुख्य रणनीतियां इस प्रकार हैं–

(*i*) पारिस्थितिकी विकास और पशुचिकित्सा देखभाल।

(*ii*) महत्त्वपूर्ण आबादी वाले स्थानों में मनुष्य-हाथियों के संघर्ष को कम करने के उपायों को बढ़ावा देना तथा हाथियों की आबादी वाले महत्त्वपूर्ण स्थानों में मानव और पशुधन के दबाव को कम करना।

(*iii*) अवैध शिकारियों से जंगली हाथियों की सुरक्षा हेतु उपायों को सुदृढ़ करना।

(*iv*) फील्ड स्टाफ, महावती और पशु चिकित्सकों के लिए क्षमता निर्माण।

(*v*) जनशिक्षा और जागरूकता कार्यक्रम।

(*vi*) हाथियों के परियोजना प्रबन्ध से सम्बद्ध मुद्दों पर अनुसंधान।

(*vii*) भारत में एशियाई हाथियों के वासस्थलों और उनकी व्यावहारिक संख्या के संरक्षण के लिए वैज्ञानिक एवं योजनाबद्ध प्रबन्धन करना।

(*viii*) हाथियों के विद्यमान प्राकृतिक आवास और प्रवासी मार्गों का पारिस्थतिकीय पुनःस्थापन।

राष्ट्रीय चिड़ियाघर नीति

शिक्षण और जागरण का नागरिक केन्द्र बनाने के लिए, अक्टूबर 1998 में राष्ट्रीय चिड़ियाघर नीति बनाई गई। इस नीति का लक्ष्य चिड़ियाघरों के प्रबंधकों को सभी संबद्ध लोगों का सहयोग तथा भागीदारी जुटाकर उन्हें निर्देश और बल प्रदान करना है। इस नीति की प्रमुख विशेषता ऐसी संकटापन्न प्रजातियों, जिनके वन्य जगत में बने रहने की कोई सम्भावना नहीं है, का एक्स-सीटु स्थितियों में समन्वित प्रजनन कराकर तथा उन्हें जीवित रखने का एक अंतिम अवसर प्रदान करके जब भी उपयुक्त और अपेक्षित हो, वन्य जगत में पुनर्वासित करने हेतु उनके स्टाफ में वृद्धि करके संकटापन्न प्रजातियों के संरक्षण को प्रोत्साहन देना है।

साथ ही चिड़ियाघर में जाने वाले लोगों के मन में वन्य के प्रति सहानुभूति तथा प्राकृतिक स्रोतों के संरक्षण और पारिस्थितिक-संतुलन (Ecological Balance) बनाए रखने की आवश्यकता के बारे में समझ और जागरूकता विकसित करना है।

केन्द्रीय चिड़ियाघर प्राधिकरण–केन्द्रीय चिड़ियाघर प्राधिकरण का गठन भारत सरकार ने फरवरी 1992 में किया, ताकि चिड़ियाघरों को संरक्षण का माध्यम बनाया जा सके। इसमें एक अध्यक्ष, दस सदस्य तथा एक पूर्वकालिक सदस्य सचिव होता है। केन्द्रीय चिड़ियाघर प्राधिकरण के कार्यों को करने के लिए प्रशासनिक समिति और तकनीकी समिति का गठन किया गया।

पशुधन

विश्व में भारत के पशुधन का हिस्सा 15 प्रतिशत है। देश में देशी नस्ल के गाय-बैलों की 27 और भैंसों की 7 नस्लें हैं। प्रति व्यक्ति दूध की उपलब्धता बढ़ाने तथा गाय, बैल और भैंसों में आनुवंशिक सुधार लाने के लिए कई केंद्रीय और केंद्र द्वारा प्रायोजित कार्यक्रम चलाए जा रहे हैं।

पशुपालन एवं डेयरी विकास की ग्रामीण अर्थव्यवस्था में प्रमुख स्थान है। ग्रामीण परिवार खासकर भूमिहीन और छोटे किसान, इन्हें आय के पूरक स्रोत के रूप में अपनाते हैं। इस व्यवसाय से अर्द्ध-शहरी क्षेत्रों, सूखे की आशंका वाले क्षेत्रों, पर्वतीय और जनजातीय क्षेत्रों में रहने वाले लोगों को सहायक रोजगार मिलता है। वहाँ केवल फसल की उपज से परिवार का गुजर-बसर नहीं हो सकता। देश के कृषि उत्पादन में पशुपालन का 30 प्रतिशत योगदान है।

पशुपालन क्षेत्र की उपलब्धियाँ

वर्तमान समय में भारत विश्व का सबसे बड़ा (176.4 मिलियन टन 2017-18 के दौरान) दुग्ध उत्पादक राष्ट्र है। भारत का विश्व में अण्डा उत्पादन में तीसरा स्थान है।

रेनडरपेस्ट (गाय-बैलों की एक बीमारी) एक भयंकर बीमारी, जो "रूमिनेल्स" के कारण फैलती है इसे भारत से पूर्णतः समाप्त किया जा चुका है।

भैंस

दूध प्राप्त करने के उद्देश्य से भारत में भैंस अत्यधिक मात्रा में पाली जाती हैं। इनका दूध अधिक पौष्टिक, भारी और चिकना होता है। ये सबसे अधिक आर्द्र प्रदेशों, यथा–उत्तर प्रदेश, आन्ध्र प्रदेश और महाराष्ट्र में पाली जाती हैं। इनकी प्रमुख नस्लें निम्नवत हैं–

(1) **मुर्रा**–यह नस्ल विशेष रूप से उत्तर प्रदेश में मिलती है। दक्षिणी पंजाब, हरियाणा, उत्तरी व दक्षिण पूर्वी राजस्थान और दिल्ली में भी यह नस्ल अधिकता से मिलती है। इसका रंग काला, शरीर भारी और सुगठित एवं सिर छोटा होता है। प्रति दुग्धकाल में इससे औसतन 1,800 से 2,800 लीटर तक दूध मिलता है।

(2) **भदावरी**–यह नस्ल उत्तर प्रदेश की बाह तहसील तथा इटावा और ग्वालियर जिले में यह विशेष रूप से मिलती है। इस नस्ल से 1,200 लीटर तक दूध मिलता है।

(3) **जफराबादी**–यह नस्ल सौराष्ट्र के गिर वन प्रदेश में पायी जाती है। इसका रंग काला, सींग बड़े और झुके हुए एवं सिर बड़े होते हैं। इस नस्ल से प्रतिवर्ष 1,800 से 3,000 लीटर तक दूध मिलता है।

उपरोक्त नस्लों या प्रजातियों के अतिरिक्त भारत में सूरती, मेहसाना, नीली, पंडरपुरी, तेलंगाना, एलिच्बेरी, रावी तथा परलाकीवेदी आदि नस्लें भी पाई जाती हैं। भारत में 8.42 करोड़ भैंसें पायी जाती हैं, जो विश्व की कुल भैंसों की 57 प्रतिशत हैं।

गाय

हमारे देश में विभिन्न नस्लों की गायें पायी जाती हैं। कुछ दुधारू नस्लों की गायों का उल्लेख नीचे किया गया है–

1. **देवनी**– इस प्रकार की गायें हैदराबाद के सीमावर्ती क्षेत्रों में पायी जाती हैं।
2. **कंकरेज**–भारत के पश्चिमी क्षेत्रों में ये नस्लें अधिक पायी जाती हैं। इसका मूल स्थान कच्छ की खाड़ी का तटीय प्रदेश है। यह बनास और सरस्वती नदी के निकटवर्ती क्षेत्रों में विशेष रूप से मिलती है। इस नस्ल का शरीर भारी, सींग मोटे और बड़े होते हैं। इनसे औसतन 1500 लीटर दूध प्रति दुग्धकाल में प्राप्त होता है।
3. **मेवाती**–मेवाती प्रजाति की गायें पश्चिमी उत्तर प्रदेश तथा पूर्वी राजस्थान में पायी जाती हैं। इस नस्ल की गायों की दूध उत्पादन क्षमता 1000-1200 लीटर है। इसका रंग सफेद, सिर, गला और कंधा कुछ भूरे तथा सींग मुड़े हुए होते हैं।
4. **थरपारकर**–पाकिस्तान के सिंध क्षेत्र में थरपारकर प्रजाति पायी जाती है। भारत में यह जोधपुर, जैसलमेर और गुजरात के कच्छ क्षेत्र में पाई जाती है। इसके सींग तथा सिर छोटे होते हैं। इस नस्ल के बैल बोझ ढोने तथा हल जोतने के काम आते हैं। इस प्रजाति की गायों का औसत दूध उत्पादन 1474 लीटर तथा अधिकतम उत्पादन 4763 लीटर है।
5. **गिर**–इसका मूल स्थान गुजरात में गिर वन प्रदेश है। यह नस्ल महाराष्ट्र और राजस्थान में भी मिलती है। इस नस्ल को दक्कन, काठियावाड़ी तथा सूरती इत्यादि नामों से जाना जाता है। इसका रंग काला या लाल होता है तथा सींग लम्बे एवं ऐंठे होते हैं। इस नस्ल से प्रति दुग्धकाल (वर्ष में 325 दिन) में 2,000 लीटर तक दूध मिलता है।
6. **साहीवाल**–यह प्रजाति भारत में हरियाणा के करनाल जिले, उत्तर प्रदेश, मध्य प्रदेश, बिहार तथा दिल्ली राज्यों में मिलती हैं। ये गायें सामान्यतः भारी-भरकम, लाल बादामी रंग की, छोटे सींगों वाली तथा दुधारू होती हैं। इनसे प्रति दुग्ध काल (300 दिन) में 2150 लीटर तक दूध मिलता है, किन्तु उत्तम अवस्थाओं में इनसे 5000 लीटर तक दूध की प्राप्ति होती है। इस नस्ल के बैल बोझा ढोने में दुर्बल होते हैं।
7. **सिंधी**– इनका मूल स्थान पाकिस्तान है। भारत में यह नस्ल सौराष्ट्र, कर्नाटक, तमिलनाडु, केरल, उड़ीसा और पंजाब में पाई जाती है। इनसे प्रति दुग्धकाल में 1474 लीटर तक दूध प्राप्त होता है तथा उत्तम अवस्था में यह मात्रा 5400 लीटर तक हो सकती है। इस नस्ल के बैल छोटे और कम बोझ ढोने वाले होते हैं किन्तु, सड़क या मैदान के काम में उपयोगी होते हैं।
8. **हरियाणा**–यह नस्ल हरियाणा के रोहतक, करनाल, हिसार और गुड़गांव में पाई जाती है। यह सफेद व हल्के स्लेटी (धूसर) रंग की दुधारू प्रजाति होती है। इनका सिर हल्का पर बड़ा तथा मुँह पतला होता है। इस नस्ल के बैल बोझा ढोने एवं हल जोतने के काम आते हैं। इस नस्ल की गायों से 1400 लीटर तक दूध प्रति दुग्धकाल में प्राप्त किया जाता है।

बकरियाँ

भारत में बकरियों का पालन मांस और दूध दोनों के लिए किया जाता है। ये विभिन्न क्षेत्रों में पाली जाती हैं, किन्तु दो क्षेत्रों में इन्हें विशेष रूप से पाला जाता है–पहला क्षेत्र सौराष्ट्र और गुजरात से आरम्भ होकर पूर्वी राजस्थान होता हुआ पंजाब तक फैला है। पूर्वी राजस्थान से यह क्षेत्र पूर्वी उत्तर प्रदेश और उत्तरी बिहार होता हुआ पश्चिम बंगाल तक चला गया है। दूसरा क्षेत्र महाराष्ट्र, आन्ध्र प्रदेश, कर्नाटक और तमिलनाडु राज्यों में फैला है।

भारत में बकरियों की विभिन्न प्रजातियाँ पायी जाती हैं जिनमें से कुछ प्रमुख निम्नवत् हैं–

1. **बड़वारी**–ये पंजाब, हरियाणा, उत्तरी राजस्थान व दिल्ली में पाली जाती हैं।
2. **पश्मीना**–यह प्रजाति ऊँचे ठण्डे हिमालयी क्षेत्रों में पाली जाती है। यह उत्तम ऊन व भार ढोने के लिए प्रसिद्ध है। एक बकरी से प्रतिवर्ष 2.5 से 5.0 किग्रा. ऊन प्राप्त होता है।
3. **बंगाली**–सुदूरपूर्वी भारत में सूरत, गुजरात व महाराष्ट में दुग्ध व मांस हेतु यह प्रजाति पाली जाती है।
4. **हिमालय क्षेत्र की पहाड़ी बकरी**–हिमालय के पश्चिमी क्षेत्र में पाली जाने वाली यह प्रजाति दूध, उत्तम बाल व बोझा ढोने के लिए है। इनमें चम्बा, गद्दी, एवं कश्मीरी मुख्य हैं।
5. **जमुनापारी**–यह पश्चिमी उत्तर प्रदेश एवं पूर्वी राजस्थान में पायी जाती है। यह दुग्ध, मांस व भार ढोने के लिए उपयोगी है। एक बकरी से उत्पादन काल में 4 से 5 लीटर दुग्ध प्रतिदिन प्राप्त हो जाता है।

भेड़पालन

ग्रामीण अर्थव्यवस्था में भेड़ों की महत्त्वपूर्ण भूमिका है। भारत के जिन क्षेत्रों में चरागाह पर्याप्त मात्रा में हैं क्षेत्रों में तथा जिन क्षेत्रों में 30 से 75 सेंमी. वर्षा होती है वहाँ भेंड़ें अधिक मात्रा में पायी जाती हैं। भारत में लगभग 5.08 करोड़ भेड़ें हैं। ये अधिकतर शीतल और सूखे क्षेत्रों में मिलती हैं। गर्म और आर्द्र भागों में इनकी संख्या बहुत ही कम है। भारत में भेंड़ पालन के तीन क्षेत्र हैं–

(1) **पश्चिमी क्षेत्रः** बीकानेरी भेड़ें राजस्थान व हरियाणा के सूखे भागों और पंजाब के फिरोजपुर जिले में पायी जाती हैं। ऊन प्राप्ति के लिए ये सर्वोत्तम मैदानी भेड़ें मानी जाती हैं। प्रतिवर्ष प्रति भेड़ से 4 से 8 किग्रा. तक ऊन मिलता है। यह ऊन अधिकतर गलीचे बनाने के काम में आता है। लोही भेड़ें राजस्थान के दक्षिणी जिलों और पंजाब के अमृतसर जिले में पाली जाती हैं। ये भेड़ें मुख्यतः मांस और दूध के लिए पाली जाती हैं, किन्तु इनकी ऊन खुरदरी होती है। मारवाड़ी भेड़ें राजस्थान के जोधपुर, पाली और बाड़मेर जिलों में पाली जाती है। प्रतिवर्ष प्रति भेड़ से 1.5 से 2.5 किग्रा. हल्के किस्म का ऊन मिलता है। अच्छी नस्ल कच्छ और उत्तरी गुजरात में मिलती है। इससे मांस, ऊन और दूध प्राप्त होते हैं। ये बोझ ढोने में अच्छी होती हैं।

(2) **उत्तरी क्षेत्रः** कश्मीर की गुरैज तहसील में पायी जाने वाली भेड़ें बिना सींग वाली होती हैं। इनसे वर्ष में दो बार में 6 से 9 किग्रा. सफेद ऊन प्राप्त होता है। कश्मीर में करणा तहसील के पहाड़ी ढालों पर भी ऊन प्राप्ति हेतु भेड़ें पाली जाती हैं। **भक्खरवाल** कश्मीर के निचले ढालों पर तथा पीर-पंजाल के ऊँचे ढालों पर श्रीनगर की घाटी में पाली जाती हैं। इनका ऊन मोटा और महीन दोनों ही प्रकार का होता है। **गद्दी** या **भद्दरवाह** नस्ल की बिना सींग की भेड़ें जम्मू की भद्दरवाह और किश्तवार तहसीलों में पाली जाती हैं। इनसे कम्बल और शालें बनाने के लिए अच्छे किस्म की ऊन प्राप्त होती है। सिक्किम नस्ल की भेड़ें सिक्किम में तथा हिमालय के पूर्वी भागों में पायी जाती हैं। ये हृष्ट-पुष्ट और काले चेहरे वाली होती हैं। इन्हें मुख्यतः मांस के लिए पाला जाता है।

(3) **दक्षिणी क्षेत्र :** दक्कनी भेड़ें दक्षिणी महाराष्ट्र और कर्नाटक राज्य में मिलती हैं। इससे ऊन की अपेक्षा मांस अधिक मिलता है। प्रति भेड़ से 1.5 किग्रा. ऊन वर्ष भर में प्राप्त होता है। नेलोरी नस्ल तमिलनाडु और कर्नाटक में पायी जाती हैं। इनसे सफेद, गहरा भूरा, पीला या सिन्दूरी रंग का ऊन प्राप्त होता है।

सूअर पालन

एक सर्वेक्षण के मुताबिक भारत में आज लगभग 128 लाख से भी अधिक सूअर हैं। इनमें लगभग 14.5% उत्तम किस्म तथा विदेशी प्रजाति के है। वर्तमान भारत में राज्य सरकारों/केंद्रशासित क्षेत्रों की सरकारों द्वारा चलाए जा रहे करीब 158 सूअर-पालन फार्म हैं। इन फार्मों में लार्ज व्हाइट यार्कशायर, हैंपशायर एवं लैंडरेस आदि उन्नत नस्लों के सूअर पाले जाते हैं।

मुर्गीपालन

मुर्गीपालन एक लघु उद्योग के अन्तर्गत आता है। इसके पालन से मांस और अण्डा दोनों उपलब्ध होते हैं। सामान्य रूप से भारत के विभिन्न क्षेत्रों में मुर्गियाँ पायी जाती हैं जो अल्प अनाज व कूड़े-करकट पर आश्रित होती हैं। इनकी विशेष देख-रेख की आवश्कयता नहीं होती। विश्व के शीर्ष पाँच चिकेन उत्पादक देशों में भारत भी शामिल है। भारत में अभी भी आधुनिक व्यावसायिक स्तर पर मुर्गीपालन का विकास व्यापक स्तर पर नहीं हो पाया है। स्वदेशी नस्ल की मुर्गियों की प्रजाति बहुत उन्नत नहीं होने के कारण काफी कम अंडे देती हैं, जो व्यावसायिक दृष्टि से बहुत लाभदायक नहीं है। अधिकांश मुर्गियाँ देशी नस्ल की हैं, जो प्रतिवर्ष प्रति मुर्गी 90 अण्डे ही देती हैं, जबकि न्यूजीलैण्ड में 160, बेल्जियम में 140, जापान में 130, डेनमार्क में 120 और संयुक्त राज्य में 112 अण्डे मुर्गियों से प्राप्त होते हैं। अब नस्ल सुधार एवं व्यवस्थित पालन द्वारा नगरों के निकट प्रति मुर्गी से प्रतिवर्ष 150/180 अण्डे प्राप्त किए जाते हैं। वर्तमान समय में देश में 3,000 करोड़ अण्डों का उत्पादन हो रहा है।

अन्य क्षेत्रों की अपेक्षा राजस्थान में सबसे कम मुर्गियाँ पायी जाती हैं। आन्ध्र प्रदेश में इनकी संख्या सबसे अधिक है। आंध्र प्रदेश को एशिया के अंडे की टोकरी कहा जाता है। इसके बाद क्रमशः पश्चिम बंगाल, तमिलनाडु, महाराष्ट्र, असम (असोम), केरल, कर्नाटक, उड़ीसा, मध्य प्रदेश, उत्तर प्रदेश और गुजरात का स्थान है।

मुर्गियों की मुख्य देशी नस्लें (**असील**–उत्तर प्रदेश में रामपुर और लखनऊ जिलों में, तथा आन्ध्र प्रदेश के हैदराबाद जिले में; **चिटगांव** पश्चिम बंगाल में; और **घगुस** आन्ध्र प्रदेश और कर्नाटक में पाली जाती हैं) के अतिरिक्त **व्हाइट लैघोर्न, रोड आइलैण्ड रैंड, ब्लेक मिनोर्का, प्लाइमाऊथ रॉक, ऑस्ट्रेलप, लाइट ससैक्स, व्हाइट कार्निश और न्यू हैम्पशायर** जैसी विदेशी नस्लें भी पायी जाती हैं।

	रोग	रोग कारक	मुख्य लक्षण
1.	रानीखेत रोग (न्यूकैसल रोग)	विषाणु	भूख न लगना, प्रावाहिका (डायरिया), श्वसन लक्षण (दम घुटना) और अन्त में लकवा।
2	मार्क रोग (कुक्कुट लकवा)	विषाणु	टांगों और पंखों का लकवा, लसीकाभ अर्बुद (लिम्फेटिक ट्यूमर) बनना।
3.	कुक्कुट प्लेग	विषाणु	उच्च तापमान, सिर तथा नाक का ऐडमा, जल्दी मर जाना
4	कुक्कुट माता (एवियन डिपथीरिया)	विषाणु	कलगी पर मस्से जैसी गांठें, खाल पर छाले, आंख, नाक और मुंह पीले चीज जैसे स्राव से ढके।
5	कुक्कुट टाइफाइड	साल्मोनेला गैलीनेरम	संक्रामक सेप्टीसेमिया रोग।

पशुओं के बारे में अन्य जानकारी

- पशु के मुँह में कुल दाँतों की संख्या 32 होती है।
- पशु के मुँह में कृन्तक दाँतों की संख्या 8 होती है।
- कृन्तक दाँत निचले जबड़े में पाये जाते हैं।
- पशुओं में जन्म के समय कृन्तक दाँतों की संख्या एक जोड़ा होती है।
- पूरे अस्थायी कृन्तक दाँत 21 दिन में निकल आते हैं।
- अस्थायी कृन्तक दाँतों में घिसावट 6-9 माह की उम्र से प्रारम्भ हो जाती है।
- पशु पूर्ण दन्त 5.5 वर्ष की उम्र में हो जाता है।
- भेड़-बकरियाँ 4 वर्ष में पूर्ण दन्त हो जाती है।
- पशु में अस्थायी अगली दाढ़ों की संख्या 12 होती है।
- अस्थायी अगली दाढ़ें जन्म के 2-3 सप्ताह में निकल आती हैं।
- स्थायी पिछली दाढ़े की संख्या 12 होती है।
- सभी स्थायी दाढ़ें 28 महीने में निकल आती हैं।

पशु आहार

"पशुओं को 24 घण्टें के लिए उनकी विभिन्न आवश्यकताओं की पूर्ति हेतु चारा व दाना दिया जाता है, उसे **पशु आहार** कहते हैं।" पशुओं को खिलाये जाने वाले खाद्य पदार्थों को दो भागों में बाँटा गया है–

(1) मोटे चारे, (2) दाने।

(1) मोटे चारे–वे चारे जिनमें रेशा (Crude fibre) की मात्रा 18 प्रतिशत से अधिक तथा सम्पूर्ण पाचनीय तत्व (Total digestible nutrient—T.D.N.) की मात्रा 60 प्रतिशत से कम हो, **मोटे चारे** कहलाते हैं। मोटे चारे निम्न दो प्रकार के होते हैं–

मोटे चारे

- हरे चारे (इनमें नमी की मात्रा अधिक तथा टी.डी.एन. व शुष्क पदार्थ कम पायी जाती है।)
  - फलीदार (जैसे– बरसीम, लुसर्न, लोबिया, मटर, ग्वार आदि)
  - बिना फलीदार (जैसे– मक्का, ज्वार, बाजरा, जई, नेपीयर घास आदि)
- सूखे चारे (इनमें नमी की मात्रा बहुत कम तथा टी.डी.एन. व शुष्क पदार्थ अधिक पायी जाती है।)
  - फलीदार (जैसे– बरसीम तथा लुसर्न की हे, अरहर, चना तथा मटर का भूसा)
  - बिना फलीदार (जैसे– गेहूँ व जौ का भूसा, ज्वार व बाजरा की कड़वी, सूखी घास)

(2) दाने–वे पदार्थ जिनमें रेशे की मात्रा 18 प्रतिशत से कम तथा सम्पूर्ण पाचक तत्वों (T.D.N.) की मात्रा 60 प्रतिशत से अधिक पायी जाती है, **दाने** कहलाते हैं।

उदाहरण–अनाज के दाने (मक्का, ज्वार, जौ, अरहर, सोयाबीन आदि के दाने); दानों के उपजात (दाने से प्राप्त चूनी व भूसी); खलियाँ (मूँगफली, सरसों आदि की खली); पशु उपजात (वसा निकला दूध, मट्ठा, मछली का चूर्ण, अस्थि चूर्ण आदि); औद्योगिक उपजात (ईस्ट, शीरा आदि)।

खाद्य पदार्थ

एक प्राणी अपने विकास हेतु, कार्य हेतु, नष्ट कोशिकाओं की पुनर्बहाली हेतु तथा अपनी जीवन प्रक्रियाओं को बनाए रखने के लिए पोषक पदार्थों का सेवन करता है। यह भोजन उसे कार्य करने तथा शरीर के तापमान को बनाए रखने के लिए ऊर्जा प्रदान करता है। यह पोषक पदार्थ शरीर के विकास हेतु सामग्री उपलब्ध कराता है, प्रजनन के लिए आवश्यक सामग्री का निर्माण करता है तथा हमारे शरीर की नष्ट हुई कोशिकाओं और ऊतकों की मरम्मत करने में सहायक होता है। भोजन के अनेकों संघटक हैं तथा इनमें से प्रत्येक एक अथवा दूसरे कार्य के लिए आवश्यक हैं। जिनमें प्रमुख पोषक हैं— कार्बोहाइड्रेट, वसा, प्रोटीन, खनिज, विटामिन, जल और रफेज।

कार्बोहाइड्रेट : ये तीन तत्वों से मिलकर बने होते हैं : कार्बन, हाइड्रोजन और ऑक्सीजन। यहां हाइड्रोजन और ऑक्सीजन का अनुपात जल में इसके अनुपात के समरूप होता है। ग्लूकोज ($C_6H_{12}O_6$), सुक्रोज ($C_{12}H_{22}O_{11}$) और स्टार्च $(C_6H_{10}O_5)_n$ कार्बोहाइड्रेट के उदाहरण हैं। कार्बोहाइड्रेट हमारे शरीर की ऊर्जा के प्रमुख स्रोत होते हैं। ऑक्सीकरण के फलस्वरूप 1 ग्राम कार्बोहाइड्रेट लगभग 17 किलो जूल्स ऊर्जा उत्पन्न करता है। एक सामान्य व्यक्ति के लिए दैनिक रूप से 400 से 500 ग्राम कार्बोहाइड्रेट की आवश्यकता होती है लेकिन खिलाड़ियों, बढ़ते बच्चों और प्रसूताओं को अधिक ऊर्जा की आवश्यकता होती है। सैलुलोज, जो पौधों की कोशिकाओं में सैल वॉल का निर्माण करता है, एक तरह का कार्बोहाइड्रेट होता है लेकिन यह मनुष्यों के काम आने वाला भोज्य पदार्थ नहीं है क्योंकि मनुष्यों में सैलुलोज को पचाने वाले इंजाइम उत्पन्न नहीं होते। हालांकि सैलुलोज स्वस्थ पाचन तंत्र को बरकरार रखने में मदद करता है। चीनी एक प्रकार का कार्बोहाइड्रेट है जो मीठी होती है। ग्लूकोज, फ्रक्टोज और सुक्रोज सुगर के उदाहरण हैं। हमारे भोजन में मौजूद कार्बोहाइड्रेट वनस्पति स्रोतों जैसे—गेहूं, चावल, मक्का, आलू, मटर, सेम और फलों से आता है। श्वसन के दौरान कार्बोहाइड्रेट का ऑक्सीकरण होता है। इसे निम्न रूप से दर्शाया जाता है :

$$C_6H_{12}O_6 + 6O_2 \ 6CO_2 + 6H_2O + \text{ऊर्जा}$$

वसा : ये लंबी कड़ी वाले फैट्टी एसिड और ग्लिसरॉल नामक अल्कोहल के इस्टर्स होते हैं। वसा में कार्बन, हाइड्रोजन और ऑक्सीजन के अणु भी होते हैं। हालांकि कार्बोहाइड्रेट की तुलना में वसा में ऑक्सीजन का अनुपात कम होता है। शरीर में वसा का मुख्य कार्य ऊर्जा का स्थिर स्रोत उपलब्ध कराना है और इसके लिए वे शरीर की कोशिकाओं में जमा हो जाते हैं। वसा की 1 ग्राम मात्रा 37 किलो जूल ऊर्जा उत्पन्न करती है जो कार्बोहाइड्रेट द्वारा निष्पादित ऊर्जा के दोगुने से भी अधिक है। हमारे शरीर में ऊर्जा का सबसे समृद्ध माध्यम उत्तरवर्ती आवश्यकताओं के लिए शरीर में संग्रहित हो सकते हैं। चूंकि वसा जल में अघुलनशील होती है, अत: हमारे शरीर द्वारा अवशोषित नहीं की जा सकती और इन्हें साधारण पदार्थ के रूप में हाइड्रोलाइज किया जाता है जो जल में घुलनशील होती है। प्रत्येक दिन एक औसत आहार में वसा की 75 ग्राम मात्रा सम्मिलित होनी चाहिए। हमारे शरीर को वसा मक्खन, घी, पनीर, दूध, अंडे के पीले भाग, मांस, गिरी, सोयाबीन और खाद्य तेलों से प्राप्त होती है। सैचुरेटेड

फैट्‌टी एसिड से युक्त वसा कमरे के तापमान पर ठोस अवस्था में होती है जबकि असंतृप्त फैट्‌टी एसिड युक्त वसा द्रव रूप में होती है। सैचुरेटेड फैट्स स्थिर होते हैं इसलिए वे शरीर में संग्रहित हो जाते हैं। हमारा शरीर कार्बोहाइड्रेट को कुछेक फैट्‌टी एसिड में बदल सकता है लेकिन कुछ अन्य को भोजन के साथ लेना पड़ता है क्योंकि ये शरीर के भीतर संश्लेषित नहीं हो सकते। ये फैट्‌टी एसिड जिसकी भोजन के जरिए आपूर्ति की जाती है को अनिवार्य फैट्‌टी एसिड कहते हैं। अपनी प्रकृति में ये असंतृप्त होते हैं। अत: बेहतर यह है कि हमें भोजन में असंतृत्व वसा का उपभोग करना चाहिए।

ऊर्जा आवश्यकताएं : आयु, लिंग, जीवनशैली, व्यवसाय, जलवायु और विशेष परिस्थितियों जैसे प्रसव काल में और शिशु को दुग्धाहार कराने आदि के आधार पर शरीर की ऊर्जा-आवश्यकताएं भिन्न-भिन्न होती हैं। कम मात्रा में लिया गया भोजन अपर्याप्त ऊर्जा प्रदान करता है जिसके कारण कमजोरी उत्पन्न होती है। अत्यधिक मात्रा में लिया गया भोजन भी समस्याएं उत्पन्न करता है। निम्नलिखित तालिका ऊर्जा की औसत दैनिक आवश्यकता का विवरण देती है जहां एक ही आयु वर्ग के पुरुषों की तुलना में स्त्रियों को कम ऊर्जा की आवश्यकता होती है।

आयु	*ऊर्जा आवश्यकता*
5 वर्ष	6,000 किलो जूल प्रतिदिन
11 वर्ष	9,000 किलो जूल प्रतिदिन
18 वर्ष	11,000 किलो जूल प्रतिदिन
वयस्क (सामान्य कार्य)	9,600 किलो जूल प्रतिदिन
वयस्क (भारी कार्य)	12,000 किलो जूल प्रतिदिन
वयस्क (बहुत भारी कार्य)	16,000 किलो जूल प्रतिदिन

प्रोटीन : ये जटिल आर्गेनिक यौगिक होते हैं जो कार्बन, हाइड्रोजन, ऑक्सीजन और नाइट्रोजन से बने होते हैं। प्रोटीन की आधारभूत संरचनात्मक इकाई अमीनो अम्ल है तथा ये अमीनो अम्ल काफी बड़ी संख्या में मौजूद हैं। कुछ प्रोटीन में सल्फर और फास्फोरस भी मौजूद होते हैं। प्रोटीन बच्चों और किशारों के विकास हेतु आवश्यक है तथा वे वयस्कों में नए ऊतकों का निर्माण करने के साथ-साथ क्षतिग्रस्त ऊतकों की भी मरम्मत करती है। प्रोटीन नाइट्रोजन से बने होते हैं जिनमें अमीनो अम्ल नामक यौगिक मौजूद होते हैं। एक वयस्क को अपने शरीर के प्रत्येक किलो वजन हेतु 1 ग्राम प्रोटीन की आवश्यकता होती है। प्रोटीन को वनस्पतियों के साथ-साथ पशुओं से भी प्राप्त किया जा सकता है। वनस्पतियों के अंतर्गत मूंगफली, सेम, दालें, अनाज जैसे गेहूं और मक्का आदि आते हैं जबकि मछली, अंडा, दूध, पनीर, मांस आदि से भी प्रोटीन प्राप्त होती है। दूध, मांस, अंडे में वे सभी अमीनो एसिड मौजूद होते हैं जिनकी हमारे शरीर को आवश्यकता होती है।

खनिज : हमारे शरीर को कुछ गैर आर्गेनिक पदार्थों की आवश्यकता होती है। जैसे धातु, अधातु और उनके लवण। हालांकि इन पदार्थों की आवश्यकता काफी कम मात्रा में होती है। इन खनिजों की आवश्यकता हड्डियों, दांतों और लाल रक्त कणिकाओं के निर्माण, रक्त के जमने, मांसपेशियों, नाड़ियों और ग्रंथियों के कार्य करने आदि के लिए पड़ती है।

हमारे शरीर को जिन प्रमुख खनिजों की आवश्यकता है वे हैं: लोहा, आयरन, कैल्शियम, फास्फोरस, सोडियम, पोटाशियम, जस्ता, तांबा, मैग्नीशियम, क्लोराइड, फ्लोराइड और सल्फर। हम अधिकांश खनिजों को मिलीजुली अवस्था में वनस्पतियों से प्राप्त करते हैं। इन खनिजों की कमी से अनेक रोग उत्पन्न हो जाते हैं। एक सामान्य व्यक्ति को दैनिक रूप से लोहे की लगभग 30 मिलीग्राम मात्रा, आयोडीन की 1 मिलीग्राम मात्रा तथा 1 ग्राम कैल्शियम और फास्फोरस की आवश्यकता होती है।

विटामिन : ये जटिल आर्गेनिक यौगिक होते हैं जो सामान्य शारीरिक विकास, अच्छे स्वास्थ्य, अच्छी दृष्टि, उपयुक्त पाचन और स्वस्थ दांतों, मसूड़ों और हड्डियों के लिए आवश्यक हैं। ये हमारे शरीर में उपापचयन की कुछेक रासायनिक अभिक्रियाओं में उत्प्रेरक का कार्य करते हैं। ये न तो हमारे शरीर को ऊर्जा प्रदान करते हैं और न ही शरीर के ऊतकों का निर्माण करते हैं। विटामिनों की आवश्यकता अल्प मात्रा में पड़ती है तथा उनकी कमी से आंखें, चमड़ी, हड्डियां, बाल और सामान्य वृद्धि प्रभावित होते हैं। 15 से अधिक प्रकार के विटामिन ज्ञात हैं तथा इनमें से केवल दो विटामिन डी और के हमारे शरीर के अंदर निर्मित हो सकते हैं। बाकी या तो भोजन के द्वारा प्राप्त किए जा सकते हैं या अलग से इन्हें सिंथेटिक प्रारूप में लिया जा सकता है। विटामन बी-काम्प्लेक्स और सी जल में घुलनशील हैं जबकि विटामिन ए, डी, ई और के वसा में घुलनशील हैं। विटामिन बी-काम्प्लेक्स 11 विटामिनों का मिश्रण है। निम्नलिखित तालिका विटामिनों की आवश्यकता और उनके स्रोतों का विवरण देती है :

विटामिन	आवश्यकता	स्रोत
विटामिन ए	अच्छी दृष्टि तथा बेहतर त्वचा और बालों के लिए	कॉड लीवर आयल, मछली, अंडे, दूध, गाजर, पत्तेदार सब्जियां
विटामिन $बी_1$	वृद्धि हेतु, कार्बोहाइड्रेट के उपापचयन हेतु, हृदय, नाड़ियों और मांसपेशियों के कार्य हेतु	दूध, सोया से बने खाद्य, मांस, अनाज, हरी सब्जियां
विटामिन सी	दांत, मसूड़ों और जोड़ों को स्वस्थ बनाए रखने के लिए, संक्रमण के प्रति शरीर की प्रतिरक्षण शक्ति में वृद्धि के लिए	खट्‌टे फल, अमरूद, टमाटर
विटामिन डी	हड्डियों और दांतों की सामान्य वृद्धि के लिए	दूध, अंडे, मक्खन, कॉड लीवर आयल, सूर्य का प्रकाश
विटामिन ई	सामान्य प्रजनन हेतु, मांसपेशियों के कार्य हेतु तथा जिगर की सुरक्षा हेतु	हरी पत्तेदार सब्जियां, दूध, मक्खन, टमाटर
विटामिन के	रक्त के थक्के बनाने हेतु तथा जिगर के सामान्य कार्य हेतु	हरी पत्तेदार सब्जियां, सोयाबीन, टमाटर

जल : यह हमारे शरीर के लिए अत्यंत आवश्यक है क्योंकि यह भोजन के परिपाचन में सहायता करता है। मानव के शरीर का दो-तिहाई भाग जल से बना है जो ऊतकों में मौजूद होता है। जल पाचन, वाहन, उत्सर्जन और शरीर के तापमान को संचालित करने में भी सहायक होता है। जल के बिना अधिक देर तक जिंदा नहीं रहा जा सकता। जल की आवश्यकता एक व्यक्ति की आयु, उसके कार्य के प्रकार और जलवायु पर निर्भर करती है। शरीर से अत्यधिक मात्रा में जल निकल जाने से निर्जलीकरण (डिहाइड्रेशन) हो जाता है।

रफेज : यह पौधों और उनके उत्पादों में विद्यमान रेशेदार पदार्थ होता है। इसमें मुख्यत: गैर पाचन योग्य पौधों के कार्बोहाइड्रेट होते हैं, जिसे सैलुलोज कहते हैं। हालांकि यह शरीर को किसी प्रकार की ऊर्जा प्रदान नहीं करता फिर भी यह शरीर में जल की पुनर्बहाली में और शरीर की संरचना को बनाए रखने में सहायता पहुंचाकर पाचन प्रणाली को दुरुस्त बनाए रखता है। रफेज के मुख्य स्रोत हैं—सलाद, गोभी, मक्के की रोटी, दलिया, सब्जियां तथा फल और तने।

संतुलित आहार

हमारे शरीर की वृद्धि और अच्छे स्वास्थ्य को बनाए रखने के लिए हमारे आहार में वे सभी पोषक, उचित मात्रा में होने चाहिए जिनकी हमारे शरीर को आवश्यकता है। कोई भी पोषक न अत्यधिक हो और न बहुत कम। हमारे आहार में पर्याप्त मात्रा में रुक्षांश तथा जल भी होना चाहिए। इस प्रकार के आहार को **संतुलित आहार** कहते हैं।

दालें, मूँगफली, सोयाबीन, अंकुरित बीज (मूँग व चना), किण्वित भोजन (दक्षिण भारतीय भोजन जैसे, इडली), आटे का मिश्रण (मिस्सी रोटी, थेपला-अनाज व दालों से बना) केला, पालक, सत्तू, गुड़, उपलब्ध सब्जियाँ तथा इसी प्रकार के अन्य भोजन, कई पोषक उपलब्ध कराते हैं। इसलिए कोई व्यक्ति अल्प व्यय में भी संतुलित आहार खा सकता है।

उचित प्रकार का भोजन करना ही पर्याप्त नहीं है। इसे उचित तरीके से पकाना भी चाहिए ताकि इसके पोषक तत्त्व नष्ट न हों।

छिलका उतार कर यदि सब्जियों और फलों को धोया जाता है तो यह संभव है कि उनके कुछ विटामिन नष्ट हो जाएँ। सब्जियों और फलों की त्वचा में कई महत्वपूर्ण विटामिन तथा खनिज-लवण होते हैं। चावल और दालों को बार-बार धोने से उनमें उपस्थित विटामिन और कुछ खनिज-लवण अलग हो सकते हैं।

पकाने से भोजन का स्वाद बढ़ता है तथा इसे पचाने में आसानी होती है। इसके साथ-साथ पकाने में कुछ पोषक तत्त्वों की हानि भी हो सकती है। यदि भोजन पकाने में अत्यधिक जल का उपयोग किया जाता है और बाद में उसे फेंक दिया जाता है तो कई लाभदायक प्रोटीन तथा खनिज-लवणों की हानि हो जाती है।

पकाने में विटामिन C आसानी से गर्मी से नष्ट हो जाता है।

अभावजन्य रोग

एक व्यक्ति खाने के लिए पर्याप्त भोजन पा रहा है, लेकिन कभी-कभी उसके भोजन में किसी विशेष पोषक की कमी हो जाती है। यदि यह कमी लंबी अवधि तक रहती है तो वह व्यक्ति उसके **अभाव** से ग्रसित हो सकता है। एक या अधिक पोषक तत्त्वों का अभाव हमारे शरीर में रोग अथवा विकृतियाँ उत्पन्न कर सकता है। वे रोग जो लंबी अवधि तक पोषकों के अभाव के कारण होते हैं, उन्हें **अभावजन्य रोग** कहते हैं।

यदि कोई व्यक्ति अपने भोजन में पर्याप्त प्रोटीन नहीं ले रहा है तो उसे कुछ रोग हो सकते हैं जैसे वृद्धि का अवरुद्ध होना, चेहरे पर सूजन, बालों के रंग का उड़ना, त्वचा की बीमारियाँ और पेचिश आदि।

यदि प्रोटीन तथा कार्बोहाइड्रेट दोनों ही किसी व्यक्ति के आहार से एक लंबे समय तक अनुपस्थित रहें तो उसकी वृद्धि पूरी तरह से अवरुद्ध हो जाएगी। ऐसा व्यक्ति बहुत दुबला-पतला हो जाएगा। वह इतना दुर्बल हो जाएगा कि चलने में भी असमर्थ होगा।

विभिन्न विटामिनों और खनिज लवणों के अभाव से विभिन्न रोग अथवा विकृतियाँ हो सकती हैं। इनमें से कुछ सारणी में दर्शाए गए हैं।

सभी अभावजन्य रोगों की रोकथाम संतुलित आहार लेने से की जा सकती है।

विटामिन और खनिज लवणों के अभाव के कारण होने वाले कुछ रोग/विकार

विटामिन/खनिज	अभावजन्य रोग/ विकार	लक्षण
विटामिन A	क्षीणता दृष्टि हीनता	कमजोर दृष्टि, अंधेरे (रात) में कम दिखाई देना, कभी-कभी पूरी तरह से दिखाई देना बंद हो जाना
विटामिन B_1	बेरी-बेरी	दुर्बल पेशियाँ और काम करने की ऊर्जा में कमी
विटामिन C	स्कर्वी	मसूढ़ों से खून निकलना, घाव भरने में अधिक समय का लगना
विटामिन D	रिकेट्स	अस्थियों का मुलायम होकर मुड़ जाना
कैल्सियम	अस्थियाँ और दंतक्षय	कमजोर अस्थियाँ, दंतक्षय
आयोडीन	घेंघा (गॉयटर)	गर्दन की ग्रंथि का फूल जाना बच्चों में मानसिक विकलांगता
लौह	अरक्तता	कमजोरी

खाद्य-शृंखला

किसी भी पारिस्थितिक तन्त्र में सभी जीव आपस में, खाद्य व्यवहार के आधार पर एक क्रमबद्ध शृंखला में जुड़े होते है। दूसरे शब्दों में खाने एवं खाए जाने की क्रमबद्ध प्रक्रिया को खाद्य-शृंखला कहते हैं।

मनुष्य (Man) ← भेड़ (Sheep) ← चारा (Fodder)

उदाहरण के लिए, एक घास-स्थल पारिस्थितिक-तन्त्र में पौधों का पूरा समूह सूर्य की प्रकाश-किरणों की सहायता से प्रकाश संश्लेषण द्वारा खाद्य बनाता है जिन्हें स्वपोषी कहा जाता है। इन पौधों को शाकाहारियों द्वारा खाया जाता है, जिनको पहले प्राथमिक मांसाहारी खाते हैं। प्राथमिक मांसाहारी को द्वितीय मांसाहारियों द्वारा या उनसे उच्च स्तर के मांसाहारियों द्वारा खाया जाता है।

बैक्टीरिया अपघटन के पश्चात ← बिल्ली या बाज

← चिड़िया ← कीट ← पौधे

उदाहरण के लिए एक कीट पौधे की पत्ती को खाता है। एक चिड़िया उस कीट को खाती है, एक बिल्ली या बाज उस चिड़िया को खाती है, और इन सबकी मृत्यु के पश्चात् बैक्टीरिया उन मृत पदार्थों का अपघटन कर उन्हें खा जाते हैं। तात्पर्य यह कि पारिस्थितिक-तन्त्र में एक ऐसी व्यवस्था बनी हुई है कि कुछ भी व्यर्थ नहीं जाता।

खाद्य-शृंखला के कुछ उदाहरण–

(1) घास क्षेत्र पारिस्थितिक तन्त्र में
घास → टिड्डी → मेंढक → सांप → बाज

(2) टुण्ड्रा पारिस्थितिक-तन्त्र में–
लाइकेन (काई) → रेडियर → मनुष्य

(3) तालाब पारिस्थितिक-तन्त्र में–
पादप-प्लवक → जल के पिस्सू → छोटी मछली → बड़ी मछली

किसी भी खाद्य-शृंखला में हरे पौधे हमेशा पहला स्तर बनाते हैं इसीलिए इन्हें प्रायः 'प्राथमिक उत्पादक' का नाम दिया जाता है। इन उत्पादकों में संचित ऊर्जा, शाकाहारियों द्वारा ले ली जाती है। फिर शाकाहारी मांसाहारियों का भोजन बनते हैं तभी इन्हें द्वितीय उपभोक्ता एवं तृतीय उपभोक्ता कहते हैं। कुछ जीवों को सर्वाहारी (Omnivorous) कहा जाता है क्योंकि ये उत्पादकों एवं उपभोक्ताओं (मांसाहारियों) दोनों को खाद्य-शृंखला के आरम्भ में ही खाते हैं।

खाद्य शृंखलाओं के प्रकार

प्रकृति में प्रायः दो प्रकार की खाद्य-शृंखलाएँ होती हैं–
(अ) अपरद खाद्य-शृंखला
(ब) चराई खाद्य-शृंखला।

(अ) अपरद खाद्य-शृंखला–ये खाद्य-शृंखलाएँ मृत जैविक पदार्थ पर निर्भर होती हैं जिसे अपरद (Detritus) भी कहते हैं। अतः यह शृंखलाएँ सीधे सूर्य ऊर्जा पर निर्भर होती हैं।

अपरद खाद्य-शृंखला का आरम्भ बिन्दु अपघटित जैविक पदार्थ है। यह अपरद पहले अपघटनकारी जीवों, जैसे–बैक्टीरिया, कवक तथा प्रोटोज़ोआ का भोजन बनता है। इनको प्राथमिक उपभोक्ता कहा जाता है। इन जीवों को इसी कारण अपरद-पोषी जीव कहते हैं। फिर अपरद-पोषी जीव कुछ शिकारी जीवों, जैसे–कीट-लार्वे, नैमाटोड का भोजन बनते हैं। अपरद-पोषी जीवों का मुख्य कार्य मृत जैविक पदार्थ को अपघटित करके अजैविक तत्त्वों को निकालकर, पारिस्थितिक-तन्त्र में भेजना होता है। पारिस्थितिक-तन्त्रों में अजैविक तत्त्वों का पुनर्चक्रण इन तन्त्रों को सुचारु रखता है। चराई खाद्य-शृंखलाओं के मुकाबले में अपरद-खाद्य-शृंखलाएँ प्रायः छोटी होती हैं।

अपरद खाद्य-शृंखला का एक महत्त्वपूर्ण उदाहरण मैंग्रोव में देखने को मिलता है। लाल मैंग्रोव में राइजोफोरा के गिरे पत्ते इस शृंखला का पहला स्तर बनाते हैं। फिर अपरद खाने वाले जीव जैसे बैक्टीरिया, कवक, प्रोटोजोआ आदि इस मृत जैविक पदार्थ पर अपना कार्य करते हैं तथा इन्हें साधारण अजैविक तत्त्वों में बदल देते हैं। फिर ये अपरद-पोषी अन्ततः उपभोक्ताओं, जैस–कीट, लार्वे, केकड़े, सीपियां, कोपियॉड, नैमेटोड आदि का भोजन बन जाते हैं। इस खाद्य-शृंखला का आखिरी स्तर अपरद-भक्षी का उपभोक्ताओं, जैसे–मछली, आदि द्वारा खाया जाना है जो बड़े मांसाहारी जीव हैं।

(ब) चराई खाद्य-शृंखला–यह शृंखला घास स्थल पारिस्थितिक तन्त्र में घास से शुरू होकर शाकाहारी से होती हुई–मांसाहारियों प्राथमिक, द्वितीय एवं तृतीय उपभोक्ता तक जाती है तथा जलीय पारिस्थितिक तन्त्र में पादप-प्लवकों (phytoplankton) से शुरू होकर प्राणि-प्लवकों (Zooplanktons) से होती हुई छोटी मछलियों से जाकर-बड़ी मछलियों तक पहुँचती है।

घास-स्थल में हरे पौधे (उत्पादक) पहला स्तर बनाते हैं। ये पौधे शाकाहारियों जैसे–कीट, चूहे, मूषक, चरने वाले पशु का भोजन बनते हैं, जो अन्त में मांसाहारियों द्वारा खाए जाते हैं। चराई खाद्य शृंखलाएँ सीधे तौर पर सूर्य की किरणों के पड़ने पर निर्भर करती हैं। हरे पौधे सूर्य की किरणों की सहायता से प्रकाश-संश्लेषण की विधि से खाद्य पदार्थ बनाते हैं। ये लम्बी खाद्य-शृंखलाएँ होती हैं तथा ये सदा अपघटनकारी जीवों पर आकर समाप्त होती हैं। ऊर्जा की दृष्टि से, ये चराई खाद्य-शृंखलाएँ बहुत महत्त्वपूर्ण होती हैं।

खाद्य-स्तर

खाद्य-शृंखलाओं में क्रमशः कई स्तर होते हैं जिन्हें खाद्य-स्तरों का नाम देते हैं। उदाहरण के लिए हरे पौधे पहला खाद्य-स्तर बनाते हैं जिसे उत्पादक स्तर भी कह सकते हैं। फिर शाकाहारी जिन्हें प्राथमिक उपभोक्ता भी कहते हैं, दूसरा खाद्य-स्तर बनाते हैं। इस स्तर को प्राथमिक उपभोक्ता स्तर भी कहते हैं। उसके बाद मांसाहारी, जिन्हें द्वितीयक उपभोक्ता का नाम देते हैं, तीसरा

खाद्य स्तर बनाते हैं। इसे द्वितीयक उपभोक्ता स्तर भी कहा जा सकता है।

यहाँ वर्णन करना आवश्यक है कि एक खाद्य-शृंखला में विभिन्न स्तरों पर उपलब्ध ऊर्जा की मात्रा एक के बाद एक कम होती जाती है, क्योंकि हर स्तर पर कुछ ऊर्जा व्यर्थ जाती है। जिसे ऊष्मा गतिकी के दूसरे सिद्धान्त के आधार पर समझाया जा सकता है। इस सिद्धान्त के अनुसार ऊर्जा का एक से दूसरे रूप में परिवर्तन सुचारु नहीं होता तथा इस प्रक्रिया में ऊर्जा व्यर्थ भी जाती है। यह क्रिया खाद्य-शृंखला की लम्बाई को कम करके केवल 4-5 स्तरों तक ही सीमित कर देती है।

खाद्य-जाल

खाद्य-जाल कई खाद्य-प्रणालियों का एक जाल होता है जो परस्पर विभिन्न खाद्य स्तरों द्वारा जुड़ा होता है तथा जिनसे एक जैविक समुदाय के जीवों में एक-दूसरे को खाने के क्रमबद्ध सम्बन्ध होते हैं।

प्रत्येक पारिस्थितिकी तन्त्र में एक से अधिक खाद्य-शृंखला होती है। ऊर्जा का प्रवाह जीवों की एक विशेष शृंखला के द्वारा होता है। परन्तु यह एक विशेष रैखिक-व्यवस्था पारिस्थितिक तन्त्र में उपस्थित सभी जीवों के पारस्परिक सम्बन्धों का पूर्ण चित्र प्रस्तुत नहीं करता है। वस्तुतः खाद्य-शृंखलाओं के विभिन्न पोषण स्तरों पर उपस्थित जीवों में एक जटिल सम्बन्ध पाया जाता है। कोई भी जीव एक से अधिक पोषण स्तरों से अपना भोजन प्राप्त कर सकता है।

दूसरे शब्दों में कोई भी प्रथम, द्वितीयक या तृतीयक उपभोक्ता की भाँति व्यवहार कर सकता है। प्रकृति में ऊर्जा स्थानान्तरण की प्रक्रिया साधारण रैखिक रूप में न होकर जटिल शृंखला के रूप में होती है।

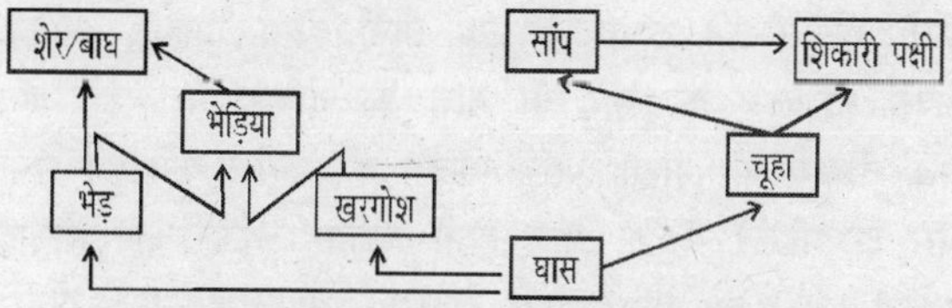

उदाहरण के लिए एक घास-स्थल पारिस्थितिक-तन्त्र में चरने वाले पशु घास को खाते हैं, परन्तु इन पशुओं के अभाव में यही घास खरगोशों द्वारा भी खाई जा सकती है। इन दोनों की अनुपस्थिति में चूहे एवं मूषक भी घास को खा सकते हैं। इसी प्रकार चूहे एवं मूषक को शिकारी पक्षी अथवा साँप खा सकते हैं, तथा साँप भी शिकारी पक्षियों द्वारा खाए जा सकते हैं। तात्पर्य यह है कि प्रकृति में भोजन-सम्बन्धी कई विकल्प मौजूद रहते हैं। अतः खाद्य जालों में कोई एक प्रजाति एक ही समय में एक से अधिक खाद्य-स्तर पर सक्रिय हो सकती है।

एक घास के मैदान में खाद्य-जाल के निम्न वैकल्पिक जाल हो सकते हैं–

(i) घास →खरगोश → बाज

(ii) घास → टिड्डी → बाज

(iii) घास → चूहा → बाज

(iv) घास → टिड्डी → छिपकली → बाज

(v) घास → चूहा → साँप → बाज।

खाद्य जाल, भोजन उपलब्धि के वैकल्पिक मार्ग प्रदान करता है। उदाहरणतः यदि पारिस्थितिक-तन्त्र में कोई एक प्रजाति रोग आदि के कारण समाप्त हो जाए तो वहाँ के शाकाहारी किसी दूसरी प्रजाति के उत्पादकों को अपना भोजन बना सकते हैं। इसी प्रकार द्वितीय उपभोक्ता, जैसे–शिकारी पक्षी, चूहों एवं मूषकों को खा सकते हैं, यदि उस स्थान पर खरगोश की संख्या कम हो गई हो जिन पर कि वे सामान्यतः निर्भर होते हैं।

खाद्य-जाल में, यदि वैकल्पिक मार्ग अधिक होंगे तो वह खाद्य-जाल उतना ही स्थिर होगा।

उष्ण-कटिबंधीय क्षेत्रों में खाद्य-जाल अपेक्षाकृत जटिल होते हैं और यहाँ भोजन एवं भक्षण सम्बन्धी पर्याय भी अधिक उपलब्ध हैं। अपेक्षाकृत जटिल खाद्य-जालों वाले पारिस्थितिक-तन्त्र अधिक स्थाई एवं सुचारु होते हैं।

खाद्य-शृंखला व खाद्य-जाल का महत्त्व

खाद्य-शृंखला व खाद्य-जाल एक पारिस्थितिक तन्त्र में पोषण चक्र तथा ऊर्जा प्रवाह में मूल भूमिका अपनाते हैं क्योंकि इन्हीं कड़ियों के माध्यम से पोषक तत्त्वों व ऊर्जा का स्थानान्तरण होता है। खाद्य-शृंखला के महत्त्व को निम्नलिखित बिन्दुओं के अन्तर्गत स्पष्ट किया जा सकता है–

1. खाद्य-शृंखला के माध्यम से कुछ रासायनिक पदार्थों का क्रमशः हर अगले स्तर पर अधिक-से-अधिक मात्रा में संचय होता है। जिसे जैव-सान्द्रता (Biomagnification) कहा जाता है।
2. खाद्य-जाल अधिक उत्पत्ति करने वाले जीवों की बढ़ती आबादी पर भी रोक लगाते हैं।
3. खाद्य-जाल पारिस्थितिक-तन्त्र के विकास में भी सहायता करते हैं।

आश्रय (आवास)

मानव की तीन मूलभूत आवश्यकताएं हैं–भोजन, वस्त्र और आवास। आवास मानव का आश्रय स्थल है। प्रायः आवास और आश्रय एक ही अर्थ में इस्तेमाल किए जाते हैं। मनुष्य ने अपने आश्रय के लिए बस्तियाँ बसानी शुरू की। बस्तियाँ, वे स्थान हैं जहाँ लोग अपने लिए घर बनाते हैं। प्रारंभिक मनुष्य वृक्षों एवं गुफाओं में निवास करते थे। जब उन्होंने फसलें उगाना आरंभ किया, तो उनके लिए एक जगह स्थायी घर बनाना आवश्यक हो गया। बस्तियों का विकास नदी घाटियों के निकट हुआ, क्योंकि वहाँ पर्याप्त मात्रा में जल उपलब्ध था एवं भूमि उपजाऊ थी। व्यापार, वाणिज्य एवं विनिर्माण के विकास के साथ ही मानव बस्तियाँ बड़ी होती गईं। नदी घाटी के निकट बस्ती पनपने लगीं एवं सभ्यता का विकास हुआ।

बस्तियाँ, स्थायी या अस्थायी हो सकती हैं। जो बस्तियाँ कुछ समय के लिए बनाई जाती हैं, उन्हें अस्थायी बस्तियाँ कहते

हैं। घने जंगलों, गर्म एवं ठंडे रेगिस्तानों तथा पर्वतों के निवासी अक्सर अस्थायी बस्तियों में रहते हैं। वे आखेट, संग्रहण, स्थानांतरी कृषि एवु ऋतु-प्रवास करते हैं। यद्यपि अधिकांश बस्तियाँ आज स्थायी बस्तियाँ हैं। इन बस्तियों में लोग रहने के लिए घर बनाते हैं।

ग्रामीण क्षेत्रों में लोग अपने पर्यावरण के अनुकूल घर बनाते हैं। अत्यधिक वर्षा वाले क्षेत्रों में ढाल वाली छत बनाते हैं। जिन स्थानों में वर्षा के समय जल का जमाव होता है, वहाँ ऊँचे प्लेटफॉर्म अथवा स्टिल्ट पर घर बनाए जाते हैं।

गर्म जलवायु वाले क्षेत्रों में मिट्टी की मोटी दीवार वाले घर पाए जाते हैं, जिनकी छतें फूस की बनी होती हैं। स्थानीय सामग्री, जैसे–पत्थर, पंक, चिकनी मिट्टी, तृण आदि का उपयोग घर बनाने में किया जाता है।

नगरीय बस्तियों में नगर छोटी एवं शहर उनसे बड़ी बस्तियाँ होती हैं। नगरीय क्षेत्रों में लोग निर्माण, व्यापार एवं सेवा क्षेत्रों में कार्यरत होते हैं।

किसी सजीव का वह परिवेश जिसमें वह रहता है, उसका **आवास** कहलाता है। अपने भोजन, वायु, शरण स्थल एवं अन्य आवश्यकताओं के लिए जीव अपने आवास पर निर्भर रहता है। आवास का अर्थ है वास स्थान (एक घर)। विभिन्न प्रकार के पौधे एवं जंतु एक ही आवास में संयुक्त रूप से रह सकते हैं।

स्थल (जमीन) पर पाए जाने वाले पौधों एवं जंतुओं के आवास को **स्थलीय आवास** कहते हैं। वन, घास के मैदान, मरुस्थल, तटीय एवं पर्वतीय क्षेत्र स्थलीय आवास के कुछ उदाहरण हैं। जलाशय, दलदल, झील, नदियाँ एवं समुद्र, जहाँ पौधे एवं जंतु जल में रहते हैं, **जलीय आवास** हैं। विश्व के विभिन्न भागों में पाए जाने वाले वनों, घास के मैदानों, मरुस्थलों, तटीय एवं पर्वतीय क्षेत्रों में भी बहुत विषमताएँ हैं। यह सभी जलीय आवासों के लिए भी सत्य है।

किसी आवास में पाए जाने वाले सभी जीव जैसे कि पौधे एवं जंतु उसके **जैव घटक** हैं। चट्टान, मिट्टी, वायु एवं जल जैसी अनेक निर्जीव वस्तुएँ आवास के **अजैव घटक** हैं। सूर्य का प्रकाश एवं ऊष्मा भी परिवेश के अजैव घटक हैं।

पहले मकान केवल सुरक्षा की भावनाओं को ध्यान में रखकर बनाया जाता था पर आज शान्तिपूर्ण स्वास्थ्यप्रद जीवन व्यतीत करते हुए अपना तथा बच्चों का सर्वांगीण विकास के उद्देश्य से घर बनाए जाते हैं।

अपना मकान बनवाने के लिए स्वास्थ्य सम्बन्धी सभी बातों को देखने के बाद सबसे आवश्यक वस्तु है, उपयुक्त नक्शा। जिस प्रकार योजनाबद्ध कार्य कुशलता पूर्वक सम्पन्न होकर आशातीत फल प्रदान करता है उसी प्रकार उपयुक्त नक्शा रहने पर मकान हर दृष्टि से उपयोगी होता है। इसीलिए नक्शा किसी योग्य एवं निपुण ऑर्कीटेक्चर द्वारा जमीन एवं आवश्यकताओं को मद्देनजर रखकर तैयार करवाना चाहिए। नक्शा बन जाने पर मकान में लगने वाली राशि का भी अनुमान किया जा सकता है। मानचित्र बनवाते समय आर्कीटेक्चर को अपनी आवश्यकता, व्यय करने की स्थिति तथा भूमि का क्षेत्रफल का सम्पूर्ण ज्ञान देने से मनोनुकूल घर की पृष्ठभूमि तैयार करने में सहायता मिलती है।

गृह निर्माण में किन बातों पर ध्यान देना चाहिए–

1. नींव या आधार–सुदृढ़ नींव पर ही अच्छे घर का निर्माण सम्भव है। अतः नींव ठोस, गहरी, चौड़ी तथा लोहे की सरिया और कंक्रीट अथवा प्रचलित सीमेन्ट कंक्रीट की ही होनी चाहिए। आजकल बड़ी-बड़ी इमारतें प्रचलित कंक्रीट स्थूलों पर बनती हैं। इसमें प्रचलित कंक्रीट के मोटे-मोटे खूटें भूमि में काफी नीचे तक विद्युत् हथौड़े द्वारा ठोंक दिए जाते हैं और सभी स्थूलों को आपास में मोटे-मोटे प्रचलित कंक्रीट के धारनों द्वारा जमीन की सतह पर जोड़ दिया जाता है, जिसे तान धारण कहते हैं। इसी तान धारण पर ईंट की दीवार खड़ी की जाती है। ऐसा मकान बनाने में नींव खोदने की आवश्यकता नहीं पड़ती है।

कहीं-कहीं नीव न खोद कर भूमि में 20 से 30 सेमी तक के व्यास की गोलाई में 2.50 मीटर से 3.75 मीटर तक गड्ढा बर्मा से कर दिया जाता है। ऐसे गड्ढों में लोहे की मोटी छड़ों, सीमेन्ट और पत्थरों के टुकड़ों को भर दिया जाता है। फिर इन खम्भों को एक तान धारण से जमीन की सतह पर जोड़ दिया जाता है। इनमें से कुछ खम्भे जरूरत के अनुसार छत की ऊँचाई तक पाये के रूप में रखे जाते हैं। इन्हीं पर छतों का भार रहता है। ऐसा मकान बनवाने में नींव के अन्दर सतह पर कंक्रीट का आधार नहीं बनाना पड़ता है तथा दीवार अधिक नीचे नींव से नहीं उठानी पड़ती है।

2. दीवारें–दीवारों की सुदृढ़ता पर भी मकान की मजबूती निर्भर करती है। दो या अधिक मंजिले मकान में क्रमशः नीचे वाली मंजिल की दीवार अधिक चौड़ी होनी चाहिए, क्योंकि ऊपरी मंजिल का भार भी नीचे की दीवारों पर रहता है। अतः दीवारों की मोटाई पहले मंजिल की कम-से-कम 34 सेमी और दो मंजिले में 25 सेमी होनी चाहिए। कमरों की ऊँचाई कम-से-कम 3.50 मीटर होनी चाहिए। आजकल, प्रायः दीवारें ईंटों की बनती हैं। ईंटों को सीमेन्ट, बालू, सीमेन्ट-चूना, सुखा-चूना, छाई-चूना या मिट्टी से जोड़ा जाता है। सीमेन्ट बालू से जोड़ी गई दीवार अधिक मजबूत होती है। दीवार की भीतरी एवं बाहरी भाग पर कम-से-कम एक इंच प्लास्टर चढ़ाना जरूरी होता है। इस पर सफेदी या कोई भी रंग पेन्ट किया जा सकता है। इस प्रकार की बनी दीवार स्वास्थ्य तथा मजबूती के दृष्टिकोण से अच्छी होती है और मकान की सुन्दरता भी बढ़ाती है।

3. फर्श–सामान्यतः फर्श, जमीन से एक मीटर ऊँचा भर कर ही बनाया जाता है। उसमें भरने के लिए मिट्टी एवं बालू उपयुक्त रहता है। बालू भरने से नीचे से किसी प्रकार के बिल बनने का खतरा नहीं रहता है। ऊपर में फर्श ईंटों और सीमेन्टों, टाइलों, कंक्रीट, पत्थर की सिलों से बनाया जाता है। फर्श किसी

भी प्रकार का क्यों न हो उसकी उचित ढलाई बाहर की ओर जाने वाली नाली की तरफ होना चाहिए। फर्श ऐसे पदार्थ का अवश्य बनवाना चाहिए जो पानी न सोखे और उसे आसानी से धोया जा सके।

4. छतें–दीवारें खड़ी करने के बाद मकान में छत डालना महत्वपूर्ण कार्य है। छतें कई प्रकार की होती हैं, जैसे–बाँस और फूस, लकड़ी की कड़ियाँ और खपड़ों की, ईंटों और पट्टियों की, एस्वेस्टस, सीमेंट या टिन के चादरों की टाइलों की, मंगलोरी ईंटों की या प्रचलित सीमेन्ट और कंक्रीट की—जिसमें प्रचलित सीमेन्ट कंक्रीट की छतें अन्य छतों की अपेक्षा अधिक उपयोगी होती है और सुदृढ़ भी। कंक्रीट की छतों वाले कमरों में गर्मी अधिक रहती है। ऐसी छतों में ऊष्मा पृथग्न्यास लगा देने से गर्मी में कमरा ठंडा और सर्दी में गर्म रह सकता है। इसके लिए आजकल बाजारों में थर्मोकोल मिलते हैं। छत की उभरी सतह ढलुवाँ होनी चाहिए, ताकि बरसात का पानी नाली द्वारा निकल जाए। छत के चारों ओर कम-से-कम एक मीटर ऊँची दीवार अवश्य बनानी चाहिए, ताकि छत से नीचे गिरने का खतरा न रहे।

5. खिड़कियाँ एवं दरवाजे–प्रकाश एवं वायु-गमन को दृष्टि में रखते हुए खिड़कियाँ एवं दरवाजे को यथास्थान लगाना आवश्यक है। खिड़कियाँ एवं दरवाजे दोनों का फ्रेम काफी मजबूत लकड़ी का बना होता है। खिड़कियों में लोहे का मजबूत छड़ या ग्रिल सुरक्षा की दृष्टि से लगाया जाता है। पल्लों में मजबूत लकड़ी या फिर शीशा या तन्तु काँच की बनी पट्टियाँ लगाई जाती हैं। मक्खी एवं मच्छर आदि से बचाव के लिए जालीदार दरवाजा भी लगवाया जाता है। घर के भीतर का वायुमण्डल उसमें रहने वाले मनुष्यों के श्वांस निकलने वाले कार्बन डाइऑक्साइड एवं जलवाष्प आदि से गंदा होता रहता है। ऐसी हवा पुनः श्वास में लेने पर ऑक्सीजन के अभाव में रक्त में ऑक्सी-हीमोग्लोबिन की क्रिया ठीक से नहीं हो पाती है। फलतः सिरदर्द और जुकाम होने का खतरा बना रहता है। हम जानते हैं कि दूषित वायु गर्म और हल्की होने के कारण ऊपर उठती है। अतः खाली स्थानों को भरने के लिए दरवाजे और खिड़कियों से ताजी हवा प्रवेश करती है। अतः अशुद्ध वायु के निकास के लिए रोशनदान छत के पास ही दीवार पर बनवाना चाहिए।

6. मल-मूत्र तथा गंदे जल के निकास का प्रबन्ध– मल-मूत्र तथा गंदे जल आदि के निकास का उचित प्रबन्ध हमारे शारीरिक एवं मानसिक स्वास्थ्य के लिए आवश्यक है। इसके लिए नालियाँ पक्की तथा ढलवाँ होनी चाहिए, ताकि गंदगी जमने न पाए। नालियों का निकास घर से दूर किसी गड्ढे में होना चाहिए या उसे शहर से दूर बड़े नालों के साथ सम्बन्धित होना चाहिए। मकान में शौचालय का प्रबन्ध करना उत्तम होता है।

वेदों के अनुसार मानव शरीर की रचना पांच प्राकृतिक तत्वों से मिलकर हुई है, जिसमें एक तत्त्व जल है। इन पांच तत्वों में जल ऐसा तत्त्व है जो प्रकृति में तीन अवस्थाओं क्रमशः ठोस, द्रव तथा गैस के रूप में विद्यमान है। इस धरती पर जल ही एक ऐसा संसाधन है जिस पर समस्त जीव आश्रित हैं। धरती का लगभग 76% भाग पानी से ढंका है तथा प्राणियों के शरीर में एवं पौधों में 60 से 65% भाग पानी है। विश्व स्तर पर कुल जल सम्पदा लगभग 1404 लाख घन किमी. है जो अलग-अलग भौगोलिक स्थितियों के कारण विभिन्न मात्राओं में विद्यमान है। उष्ण कटिबंधीय वनों में सर्वाधिक वर्षा होती है जबकि 20° से 40° उत्तर तथा दक्षिण में वर्षा बहुत कम होती है। इसी कारण विश्व के प्रमुख मरुस्थल यहीं पाये जाते हैं।

गोशे के मतानुसार–'प्रत्येक वस्तु जल से ही उत्पन्न हुई है और प्रत्येक वस्तु जल के द्वारा ही जीवित है।' मानव के लिए शारीरिक क्रियाओं के अतिरिक्त जल-आर्थिक, जैविक व सांस्कृतिक दृष्टि से भी महत्त्वपूर्ण है। इसका उपयोग हम अपने दैनिक क्रियाकलापों ऊर्जा, शक्ति प्राप्त करने तथा परिवहन व मनोरंजन के लिए करते हैं। विश्व की प्राचीन सभ्यताएँ, जैसे–मिस्र की सभ्यता, मेसोपोटामिया की सभ्यता, सिन्धु घाटी की सभ्यता एवं ह्वांगहो नदी की सभ्यता आदि भी जल संसाधन के आधार पर ही विकसित हुई है। लेकिन वर्तमान में आर्थिक विकास की दौड़ में अन्धा हुआ मानव इस विकास के मूल आधार जल की गुणवत्ता को नजरअन्दाज कर रहा है। वह हर प्रकार से जल को प्रदूषित कर रहा है, जिसका प्रभाव सम्पूर्ण जीवमण्डल में दृष्टिगत हो रहा है। एक ओर जलचरों का अस्तित्व खतरे में है तो दूसरी ओर अन्य जीवों का, क्योंकि इन्हें शुद्ध पेयजल उपलब्ध नहीं हो पा रहा है। इसका प्रधान कारण औद्योगिकीकरण, नगरीकरण तथा तीव्र जनसंख्या वृद्धि है।

जल स्रोत

पृथ्वी पर जल का मुख्य स्रोत वर्षा है। वर्षा से प्राप्त जल भू-सतह पर स्थित विभिन्न स्रोतों में ठहरता है, वहाँ से सूर्य का ताप पाकर वाष्पित हो जाता है। यह वाष्पित जल वायुमण्डल में पहुँचता है और संघनन द्वारा वर्षा के रूप में पुनः पृथ्वी पर स्थित जल स्रोतों तक पहुँच जाता है। इस तरह एक चक्र हमेशा प्रकृति में चलता रहता है। इस चक्र को *जल चक्र* कहते हैं। जल चक्र को इस प्रकार परिभाषित किया जा सकता है–जल का अपने विभिन्न भौतिक रूपों में परिवर्तित होते हुए पुनः उसी रूप में लौट आना जल चक्र कहलाता है। जल स्रोत को दो भागों में वर्गीकृत किया जा सकता है–

(क) भूमिगत जल स्रोत

(ख) धरातलीय जल स्रोत।

(क) भूमिगत जल स्रोत

भूमि के नीचे तलछट की तह पारगम्य होती है। इसी तह के नीचे विद्यमान जलस्रोत को भूमिगत जल कहते हैं। रेत एवं रोड़ी

की तहें अच्छे जल **झरने** बनाती हैं, जबकि चिकनी मिट्टी एवं पथरीली तहें अधिक छिद्रल नहीं होती। उपयोग-योग्य कुल जल का 9.86% भाग भूमिगत जल से प्राप्त होता है। यह सतही जल से 35-50 **गुना अधिक है। कुछ** समय पूर्व तक इस भूमिगत जल को शुद्ध समझा जाता था। परन्तु अब तो भूमिगत स्रोत भी भू-क्षरण के स्राव से प्रदूषित होने लगा है।

भूमिगत जल झरने दो प्रकार के होते हैं–

(i) **असंकुचित जल झरने**–जो जल स्रोत पारगम्य एवं छिद्रल परतों वाली चट्टानों के बीच विद्यमान होते हैं असंकुचित जल झरने कहे जाते हैं। इनमें वर्षा और पिघलते हुए बर्फ का पानी रिस कर आता रहता है।

(ii) **संकुचित जल झरने**–ऐसे जल-झरने जो सख्त एवं अपारगम्य चट्टानों के बीच फँसे होते हैं। यह चट्टानें छिद्रल नहीं होती। ऐसे जल-झरनों में पानी केवल वहीं से रिसता है जहाँ ये भूमि के ऊपरी धरातल से मिलते हैं। कई बार तो पानी के रिसने का स्थान असली कुएँ से कई किलोमीटर की दूरी पर स्थित हो सकता है। भूमिगत जल एक स्थान पर ठहरा नहीं होता बल्कि बहुत धीमी गति से एक वर्ष में लगभग एक मीटर की रफ्तार से बहता रहता है।

(ख) धरातलीय जल स्रोत

इसमें वे जल स्रोत आते हैं जो धरातल पर स्थित हैं कुछ ऐसे धरातलीय जलस्रोत हैं, जिनसे हमें जल प्राप्त होता है। ये निम्नलिखित हैं–

(i) जलाशय
(ii) कुण्ड
(iii) नदियाँ
(vi) झीलें
(v) तालाब।

जल प्रयोग

भारत में जनता के लिए जल आपूर्ति में 5,000 कोलीफार्म प्रति 100 मिली जल में होने चाहिए, किन्तु बनारस में गंगा के स्नान घाटों में इनकी संख्या काफी अधिक है। अतः यात्रियों को स्नान से हानि की संभावना है।

विभिन्न उपयोगों के लिए मानदंड

पेयजल के लिए–

(1) **कोलीफार्म सूचकांक**–जल नमूने में ई. कोलाई की संख्या का प्रयोग होता है या अब इसके स्थान पर जीवाणु घनत्व का प्रयोग होता है।

(2) **भौतिक गुण-धर्म**–सप्ताह में एक बार जाँच होनी चाहिए। स्वीकार्य मान इस प्रकार हैं–

अविलेयता	5 इकाई
रंग	15 इकाई
गंध	3 इकाई

(3) **रासायनिक गुण-धर्म**–घातक मात्राएं नहीं होनी चाहिए।

मनोरंजनार्थ नौका चालन–5.0 मिग्रा.ली. से कम 16 घंटे प्रतिदिन, सदैव 3 मिग्रा./ली., $CO_2$40 मिग्रा./ली. 20 मिग्रा./ली., पीएच 5-9, (प्रतिदिन 6.5-8.5), ताप 20° से, विषैले पदार्थ 0.1 मीडियन 48 घंटे सहिष्णुता।

स्नानार्थ–0.4 पी.पी.एम मुक्त क्लोरीन होना आवश्यक DO संतृप्तता तक।

प्रदूषण सूचक	**अतिक्रमण स्तर**
मल कोलीफार्म	200/100 मिली. से ऊपर
घुलित ऑक्सीजन (DO)	5 मिग्रा./ली.
कुल P	0.1 मिग्रा./ली.
कुल Cd	4 माइक्रोग्राम मिग्रा.ली. से 10 माइक्रोग्राम
कुल Pb	1.51 माइक्रोग्राम/ली.
कुल Hg	0.05 माइक्रोग्राम/ली.

पशुओं के लिए जल मानक–वैसे तो मनुष्यों के लिए जो मानक हैं उन्हें ही पशुओं पर लागू किंया जाता है, किंतु यह पशुओं के झुंड, उनके आकार तथा उनकी चरने की आदतों पर निर्भर करेगा। अमेरिका में जल की विद्युत चालकता (कुल विलेय लवण की मात्रा) को मानदंड माना गया है। उदाहरणार्थ 1,000 मिग्रा./ली. (विद्युत चालकता 1.5 ms/cm) सभी वर्ग के पशुओं तथा पक्षीपालन के लिए उत्तम है। यह मात्रा 3000 (विद्युत चालकता (EC) = 1.5-5) तक बढ़ जाने पर भी संतोषजनक मानी जाती है, किंतु अत्यधिक खारा पानी पशु-स्वास्थ्य के लिए हानिकारक है। अन्य यौगिकों की उपस्थिति के मानक निम्न सारणी में दिए हुए हैं–

कैडमियम (Cd)	0.05 मिग्रा./ली.
क्रोमियम (Cr)	1.0 मिग्रा./ली.
ताँबा (Cu)	0.5 मिग्रा./ली.
फ्लोरीन (F)	2.0 मिग्रा./ली.
सीसा (Pb)	0.1 मिग्रा./ली.
पारा (Hg)	0.01 मिग्रा./ली.
नाइट्राइट + नाइट्रेट	100.00 मिग्रा./ली.
सेलेनियम	0.01 मिग्रा./ली.

उद्योगों के लिए जल मानक–जल की गुणवत्ता आवश्यकताओं को उद्योग के लिए निर्धारित कर पाना अत्यंत कठिन है। ये आवश्कयताएँ देश, उद्योग तथा प्रक्रम के साथ परिवर्तित होती हैं और किसी एक उत्पाद के लिए विशिष्ट होती हैं; फिर भी जल की कुछ गुणवत्ताएँ एवं सहिष्णुताएँ सुझाई गई हैं।

वास्तव में औद्योगिक जल की गुणवत्ता की सबसे बड़ी समस्या है बॉयलर में प्रयुक्त होने वाला जल, जिसमें उच्च ताप तथा दाब रखना पड़ता है। ऐसी अवस्था में जल में उपस्थित कार्बोनेट तथा सल्फेट निर्धारक लवण हैं।

भौम जल तथा मृदा के संबद्ध निर्माण उद्योग में सल्फेट महत्त्वपूर्ण है क्योंकि कंक्रीट के बिगड़ने में इसकी भूमिका होती है, किन्तु अब सल्फेट प्रतिरोधी सीमेंट तैयार होने लगे हैं।

सिंचाई जल के मानक–कुल लवणों की मात्रा प्रायः विद्युत चालकता द्वारा व्यक्त की जाती है। चालकता के अनुसार सिंचाई जल की चार श्रेणियाँ बनाई गई हैं–

C_1	250	कम लवणता जल–अधिकांश मिट्टियों में अधिकांश फसलों की सिंचाई के लिए उपयुक्त।
C_2	250-750	मध्यम लवणता जल–मध्यम लवण सहिष्णुता वाली फसलों के लिए।
C_3	750-2250	उच्च लवणता जल–प्रतिबंधित जल निकासी वाली मिट्टियों के लिए व्यर्थ।
C_4	2250-5000	अत्युच्च लवणता जल–सिंचाई के लिए व्यर्थ।

अनेक राष्ट्रों के विभिन्न संगठनों ने सर्वेक्षण करने के बाद यह स्पष्ट किया कि जल गुणवत्ता में लगातार कमी आती जा रही है, जिससे अन्य कई बीमारियां के फैलने की आशंका बढ़ रही है। राष्ट्रीय जल संसाधनों के प्रदूषण संबंधी समस्याओं के मद्देनजर पर्यावरण एवं वन मंत्रालय ने 22 जून, 2001 के जारी अधिसूचना के द्वारा 29 मई, 2001 से जल गुणवत्ता मूल्यांकन प्राधिकरण का गठन किया। सन् 1976 में बैंकूवर में हुई 'हैबिटेट कान्फ्रेंस' सम्मिलित सभी राष्ट्रों ने मिलकर यह संकल्प लिया था कि सन् 1990 तक सभी को पीने का शुद्ध जल उपलब्ध कराया जाए। इस सराहनीय उद्देश्य को मार्च 1977 में मारडेल प्लाटा में हुए संयुक्त राष्ट्र जल सम्मेलन में स्वीकृति प्रदान की गई थी। 1980-91 अवधि को 'अंतर्राष्ट्रीय पेयजल आपूर्ति और स्वच्छता दशक' के रूप में मनाने का निर्णय लिया गया था। सन् 1977 के अंत गें संयुक्त राष्ट्र की 31वीं आग सभा ने इसका अनुमोदन किया। भारत सरकार ने भी 1990-91 तक देश की जनता के लिए शुद्ध पेयजल और सफाई की न्यूनतम सुविधाएँ उपलब्ध कराने के संकल्प पर हस्ताक्षर किए थे और तदनुसार 1 अप्रैल, 1981 से भारत में दशक कार्यक्रम का शुभारंभ हुआ।

जलीय पारिस्थितिक-तन्त्र

जलीय परितंत्र के अन्तर्गत समुद्रों के पर्यावरण तथा झीलों, नदियों, तालाबों और नमभूमियों जैसे ताजे जल के पारितंत्र आते हैं। ये पारितंत्र मनुष्य को बहुत-से प्राकृतिक संसाधन देते हैं। ये मछली और झींगों जैसे खाद्य पदार्थ प्रदान करते हैं। नदी और समुद्र जैसे प्राकृतिक जलीय पारितंत्र मनुष्य द्वारा उत्पन्न रासायनिक और जैविक कचरों का विघटन करते हैं। लेकिन इस कार्य की अपनी सीमाएँ हैं। जलीय पारितंत्र कचरे की वर्तमान भारी मात्रा का निबटारा नहीं कर सकता। एक सीमा के बाद प्रदूषण इस प्राकृतिक कार्य में अवरोध की स्थिति उत्पन्न कर देगा।

जलीय पारितंत्रों का अगर दुरुपयोग या अति-उपयोग किया जाएगा तो कुछ समय में उनकी संसाधन देने की क्षमता कम हो जाएगी। अधिक मछलियाँ मारने से मछलियों की पैदावार कम होती है। बिजली बनाने के लिए बाँध नदियों के मार्ग को बदल देते हैं, जिससे निचले क्षेत्रों में रहने वाले हज ारों लोग प्रभावित होते हैं जिनको दैनिक उपयोग के लिए जल बराबर नहीं मिलता। जब दलदलों को सुखाया जाता है तो यह उनसे जुड़ी नदियों में बाढ़ का कारण बन जाता है। ये सभी उदाहरण उन सभी प्राकृतिक संसाधनों तथा प्राकृतिक पारितंत्रों के उपयोग में अनिर्वहनीय परिवर्तनों के हैं जो जल-चक्र की व्यवस्थाओं पर निर्भर हैं। जल हमारे सभी पारितंत्रों का एक महत्त्वपूर्ण घटक है। ताजे जल और समुद्री जल में अनेक पारितंत्र होते हैं। पृथ्वी पर ताजा जल जो विश्व भर के लोगों के लिए महत्त्वपूर्ण संसाधन है, प्रकृति में अल्प मात्रा में विद्यमान है।

जलीय पारितंत्र का अर्थ

जलीय पारितंत्रों में पौधे और प्राणी दोनों जल में रहते हैं। ये प्रजातियाँ विभिन्न प्रकार के जलीय आवासों में रहने में समर्थ हैं। जलीय पारितंत्र की विशिष्ट अजैविक विशेषताएँ इसके भौतिक पक्षों में होती हैं, जैसे पानी की किस्म जिसमें उसकी स्वच्छता, खारापन, ऑक्सीजन की मात्रा और प्रवाह की दर शामिल हैं। जलीय पारितंत्रों को स्थिर (stagnant) पारितंत्रों और प्रवाहमान जल वाले (running water) पारितंत्रों में बाँटा जा सकता है। जलीय पारितंत्रों की तलहटी के कीचड़, कंकड़ और चट्टानी टुकड़े उसकी विशेषताओं को परिवर्तित करते हैं और उसके पौधे और प्राणियों की संरचना को प्रभावित करते हैं। जलीय पारितंत्रों को ताजे जल (fresh water), मटमैले जल (brackish water) और सागर जल (marine water) के पारितंत्रों में भी वर्गीकृत किया जा सकता है, जो खारेपन के स्तर पर आधारित होता है। ताजे जल के जिन पारितंत्रों में जल प्रवाहमान होता है वे हैं नदियाँ और नाले। ताल-तलैये और झीलें ऐसे पारितंत्र हैं जिनमें ज्यादातर जल प्रवाहमान नहीं होता। नगभूगियाँ (wetlands) ऐरो विशेष पारितंत्र हैं जिनमें विभिन्न मौसमों में जल के स्तर में नाटकीय परिवर्तन आते रहते हैं। ये जलीय वनस्पतियों से भरे, छिछले जल वाले क्षेत्र हैं जो मछलियों, झींगों और जलचर परिंदों के लिए जल में ठहरने का उनका आवास है।

समुद्र में पाये जाने वाले जो पारितंत्र होते हैं वे खारे किस्म के होते हैं। नदी के डेल्टा जैसे मटमैले जल वाले क्षेत्रों में खारापन कम होता है। प्रवाल भित्तियाँ (coral reefs) प्रजातियों से भरी होती हैं और ये छिछले उष्णकटिबंधीय समुद्रों में ही पाई जाती हैं। भारत में सबसे समृद्ध प्रवाल भित्तियाँ अंडमान-निकोबार द्वीपों के आस-पास और कच्छ की खाड़ी में पायी जाती है।

नदियों के डेल्टों में मटमैले जल वाले पारितंत्रों में मैनग्रोव वन पाए जाते हैं और ये जैवभार के उत्पादन की दृष्टि से विश्व के सबसे उत्पादक पारितंत्र हैं। मैनग्रोव की सबसे बड़ी दलदल गंगा नदी के डेल्टा में स्थित सुंदरवन है।

जलीय पारिस्थितिक-तन्त्र को जल के गुणों के आधार पर दो भागों में वर्गीकृत किया गया है–महासागरीय एवं ताजा जल पारिस्थितिक तन्त्र। ताजा-जल पारिस्थितिक-तन्त्र को स्थिर (Lentic)

और अस्थिर (Letic) दो वर्गों में वर्गीकृत किया गया है। यहाँ कुछ प्रमुख जलीय पारिस्थितिक तंत्र पर संक्षेप में प्रकाश डाला जा रहा है।

1. तालाब पारिस्थितिक-तन्त्र–यह एक छोटा एवं स्थिर जलीय पारिस्थितिक-तन्त्र है। ये तालाब बरसाती भी हो सकते हैं। तालाब उथले जल के स्रोत हैं। गाँवों में अधिकतर गतिविधियाँ इन्हीं तालाबों से जुड़ी रहती हैं। इनमें अनेक प्रकार की काई, जलीय पौधे, कीट, मछली और पक्षी पाए जाते हैं। तालाबों पर मानव-गतिविधियों का दबाव अकसर बना रहता है। इनका प्रयोग कपड़ा धोने, नहाने, तैरने, पशुओं को नहलाने आदि के लिए किया जाता है जिससे ये प्रदूषित हो रहे हैं।

2. झील पारिस्थितिक-तन्त्र–झील ताजा जल का बड़ा एवं स्थिर स्रोत है। इसके उथले क्षेत्र को उथला तटीय अनुक्षेत्र (Littoral zone), खुले क्षेत्र जहाँ सूर्य का प्रकाश आसानी से उपलब्ध है खुला प्रकाशीय अनुक्षेत्र (Linnetic zone) और गहरे क्षेत्र जहाँ सूर्य का प्रकाश उपलब्ध नहीं है, नितल अनुक्षेत्र (Profundal zone) कहते हैं।

श्रीनगर की डल झील (जम्मू-कश्मीर), नैनीताल की नैनी झील (उत्तराखंड) और मणिपुर की लोकटक झील भारत की कुछ प्रमुख झीलें हैं।

प्राणी–झीलों में विभिन्न प्रकार के प्राणी पाए जाते हैं–

(क) **प्लवक**–ये जल की सतह पर तैरते हैं जैसे–पादप-प्लवक (काई व शैवाल) और प्राणि-प्लवक (सूक्ष्म जीव जैसे रोटिफर)।

(ख) तैरने वाले जीव (जैसे–मछली)

(ग) सतह पर तैरने वाले जीव

(घ) नितल अवसादों पर रहने वाले जीव

(ङ) **सहजीवी**–जो दूसरे पौधों और जीवों पर रहते हैं।

स्तरीकरण–झीलों का विभाजन तापमान में अन्तर के आधार पर किया जाता है। ग्रीष्म ऋतु में सतही जल निचले क्षेत्रों की अपेक्षा अधिक गर्म हो जाता है। अतः केवल सतही परत गति करती है और यह ठंडे जल की परत से अलग ही रहती है।

झीलों के मुख्य प्रकार अग्रलिखित हैं–

(a) **ओलिगोट्रोफिक झील**–इन झीलों में पोषक तत्त्वों की मात्रा कम होती है।

(b) **यूट्रोफिक झील**–इन झीलों में कृषि क्षेत्रों से आए जलवाह के कारण, नाइट्रेट और फॉस्फेट की अधिकता होती है। इनमें काई की अधिक वृद्धि दर्ज की गई है। उदाहरणार्थ–डल झील।

(c) **डायस्ट्रोफिक झील**–इन झीलों के जल का रंग भूरा, pH कम (अम्लीय) और ह्यूमिक अम्ल की मात्रा अधिक होती है।

(d) **एंडेमिक झील**–ये झीलें अत्यन्त प्राचीन और गहरी हैं। इनमें पाए जाने वाले जीव इन झीलों तक ही सीमित हैं। उदाहरणार्थ–रूस की बाइकल झील जो सबसे गहरी है, आजकल औद्योगिक प्रदूषण की चपेट में है।

(e) **मरुस्थलीय लवणीय झील**–ये मरुस्थलों में स्थित हैं और अधिक वाष्पीकरण के कारण इनके जल में लवणों की मात्रा बढ़ गई है। उदाहरण–राजस्थान की साँभर झील।

(f) **ज्वालामुखी झील**–ये झीलें ज्वालामुखी विस्फोट के पश्चात् मैग्मा से जल प्राप्त करती हैं। उदाहरण के लिए जापान की कई झीलें। यहाँ जीवों की संख्या सीमित है।

(g) **मिरोमिक्टिक झील**–इन झीलों का जल लवणीय है और इनका स्थायी स्थिरीकरण हो चुका है। उदाहरण–नेवादा झील।

(h) **कृत्रिम झील**–यह मानव निर्मित झील है, इसका निर्माण बाँधों के कारण हुआ है। भाखड़ा-नांगल की गोविन्द सागर झील कृत्रिम झील का प्रमुख उदाहरण है।

3. नदी निर्झर पारिस्थितिक तंत्र–यह ताजा जल का पारिस्थितिक-तन्त्र है, जिसमें धाराएँ महत्त्वपूर्ण घटक हैं। इनमें ऑक्सीजन और पोषक-तत्त्वों की मात्रा समान है और जल-धरातल सम्पर्क विस्तृत है। हालाँकि नदी निर्झर में पाए जाने वाले जीवों को तापमान में अन्तर और धाराओं के वेग का दबाव सहना पड़ता है। प्राकृतिक रूप से इन्हें ऑक्सीजन की कमी नहीं होती है। इसका कारण इनका उथला जल व धाराओं के कारण जल और वायु का निरन्तर होने वाला सम्पर्क है। जलीय पौधों की संख्या कम होने के बावजूद इनमें विलयित ऑक्सीजन की मात्रा झीलों के जल की अपेक्षा अधिक है। इनमें पाए जाने वाले जीव ऑक्सीजन की मात्रा के प्रति संवेदनशील होते हैं। यही कारण है ये जीव प्रदूषण से सर्वाधिक प्रभावित हैं और नदी-निर्झर औद्योगिक प्रदूषण का प्रमुख शिकार हैं।

4. नदी पारिस्थितिक-तन्त्र–नदियाँ पर्वतों से निकलकर मैदानी क्षेत्रों में जल प्रवाहित करती है और अन्त में समुद्र में जाकर मिल जाती है। इसी कारण नदी पारिस्थितिक-तन्त्र की विभिन्न दशाएँ दर्शाती है।

ऊँचे पर्वतीय क्षेत्रों में नदी का जल शीतल, स्वच्छ एवं तेज वेग से बहता है। इनमें घुलित ऑक्सीजन (D.O.) की मात्रा भी अधिक होती है। पौधे चट्टानों के बीच उगते हैं और मछलियाँ ठंडे पानी में पनपने वाली प्रजातियाँ होती हैं।

दूसरे चरण में ढलान अपेक्षाकृत कम होता है और जल गर्म होने के कारण वनस्पति और जीव भरपूर मात्रा में पनपते हैं।

तीसरे चरण में, नदी जल में जैव-विविधता समृद्ध होती है। नदियाँ मैदानी भागों में बहती हैं। नदियों के साथ लाई गई जलोढ़ मिट्टी मैदानी क्षेत्रों में जमा होती रहती है।

5. महासागर पारिस्थितिक तंत्र–धरातल का 70% भाग महासागर के जल से ढका हुआ है। महासागरीय जल में लगभग 2,50,000 प्रजातियाँ निवास कर रहे हैं। ये सभी प्रजातियाँ किसी-न-किसी रूप से मानव के लिए उपयोगी हैं।

महासागर पृथ्वी की जलवायु, जल-चक्र व कार्बन-डाईऑक्साइड को संग्रहित करने में भी महत्त्वपूर्ण भूमिका अदा कर रहे हैं।

महासागर को दो भागों में विभाजित किया गया है–

(क) तटीय क्षेत्र–महासागरों का यह क्षेत्र पोषक तत्वों से भरा हुआ है। इन भागों का जल गदला और गर्म है। पोषक तत्त्वों के भंडार और सूर्य के प्रकाश की उपलब्धता के कारण ये प्राथमिक उत्पादन के केन्द्र हैं।

(ख) खुला समुद्र–यह महासागरों का भीतरी और गहरा क्षेत्र है जो तटरेखा से दूर है। इस क्षेत्र को तीन भागों में बाँटा गया है–अतल क्षेत्र, प्रकाशमय क्षेत्र व प्रकाशरहित क्षेत्र।

(i) **अतल क्षेत्र**–यह अन्धकार से पूर्ण क्षेत्र है जो 2,000 से 5,000 मीटर गहरा है। यहाँ सूर्य का प्रकाश उपलब्ध नहीं है और यह अधूरा पारिस्थितिक-तन्त्र है।

(ii) **प्रकाशमय क्षेत्र**–यहाँ सूर्य के प्रकाश की उपलब्धता में प्रकाश संश्लेषण क्रिया सम्भव है।

(iii) **प्रकाशरहित क्षेत्र**–यहाँ सूर्य का प्रकाश उपलब्ध नहीं है। ये गहरे क्षेत्र हैं और यहाँ भूगर्भ सक्रिय है।

6. नदी-मुहाना पारिस्थितिक तंत्र–ये समुद्री तट का एक हिस्सा है जहाँ नदी का ताज़ा जल और महासागरीय जल मिलते हैं। ये ज्वार से प्रभावित क्षेत्र हैं। निरन्तर जल बहाव के कारण यहाँ पोषक तत्त्व काफी मात्रा में उपलब्ध हैं। समय और स्थान के जलवायु परिवर्तन के साथ जल के गुणों में भी परिवर्तन दर्ज किया गया है और इन क्षेत्रों में उपस्थित जीव इन परिवर्तनों को आसानी से झेल जाते हैं। ये तापमान और लवणता से अधिक प्रभावित नहीं होते। तटीय खाड़ी और दलदली क्षेत्र नदी-मुहानों के उदाहरण हैं।

नदी-मुहानों में समृद्ध जैव-विविधता है जो इन क्षेत्रों तक ही सीमित है। यहाँ 'ईल' और 'सालमन' जैसी प्रवासी मछलियाँ भी पाई जाती हैं जो अपना आधा जीवन-काल ताजा-जल में व्यतीत करती हैं और शेष महासागरीय जल में। नदी-मुहानों में इनके लिए भरपूर भोजन उपस्थिति है। ये अति उत्पादक पारिस्थितिक-तन्त्र हैं। नदी का प्रवाह और ज्वार-भाटा इस क्षेत्र की उत्पादकता को अतिरिक्त ऊर्जा प्रदान करते हैं। भोजन के असीम भंडार के रूप में नदी मुहाने मानव के लिए भी उपयोगी हैं। इन पारिस्थितिक-तन्त्रों का संरक्षण और प्रबन्धन आवश्यक है।

7. वेलासंगम पारिस्थितिकी तंत्र–वेलासंगम एक नदी का मुख है जहाँ ज्वार द्वारा समुद्री व स्वच्छ जल मिलते हैं। इस वातावरण का दूसरा लक्षण तीव्र धाराएँ हैं। लवणता व अन्य अवस्थाएँ स्वच्छ व समुद्री जल के मध्यवर्ती होती हैं।

उत्पादक–वेलासंगमों में जलीय पौधे कम होते हैं। जो पौधे रहने में समर्थ होते हैं, उनमें परिवर्तित लवणता को सहन करने की क्षमता के अनुसार अनुक्षेत्र वर्गीकरण पाया जाता है। दलदली आवासों में प्रारूपिक पादप-पोषी वनस्पति समूह पाया जाता है जो शाकाहारी मौलस्का के उपनिवेशक का आधार होता है। जेंकस मेरिटाइमस, सीरक कार्ड घास वेलासंगमों में सामान्य रूप से पाई जाती है।

उपभोक्ता–समुद्र में समुद्री एनीमोन, समुद्री पैन्जी जैसे स्थावर (Sessile) जन्तु समुदाय में प्रमुख रूप से पाये जाते हैं जो कि पौधों के सदृश परिलक्षित होते हैं। कई समुद्री जीव जातियों में सहभोजिता (Commensalism) तथा सहोपकारिता (Mutualism) पाई जाती है। लवण सहन करने की क्षमता वाले समुद्री प्राणी जैसे तटीय केकड़ा, कासिन, गेमेरस की अनेक जातियाँ आदि भी वेलासंगमों में आ जाती हैं।

जलीय पारितंत्रों का उपयोग

जल ही जीवन है। जल के अभाव में मनुष्य ही नहीं पूरा विश्व समाप्त हो जायेगा। जल पशु, पक्षियों तथा प्राणियों के लिए भी महत्त्वपूर्ण है। मनुष्य जलीय पारितंत्रों का उपयोग स्वच्छ जल के लिए करता है जिस पर उसका जीवन पूरी तरह निर्भर है। हमें पीने और घरेलू कार्यों के लिए स्वच्छ जल चाहिए। पानी कृषि के लिए भी अनिवार्य है। मछुआरे जलीय पारितंत्र से जीविका निर्वाह करते हैं। लोग मछलियाँ और केकड़े पकड़ते हैं, खाने योग्य पौधे भी जमा करते हैं। ये स्थानीय स्तर पर खाए जाते हैं या बाज ार में बेचे जाते हैं। अधिक मछलियाँ मारने से खेप काफी कम हो जाती है और आगे चलकर मछुआरों की आय मारी जाती है। मछली, झींगे, नरकुल (reeds), घास और अन्य वस्तुओं पर निर्भर व्यक्तियों के लिए नमभूमियों और दलदलों का भारी आर्थिक महत्त्व होता है।

वर्तमान समय में पाया गया है कि मनुष्य वर्षा के जल बाँध बनाकर सुरक्षित रखता है जिसका उपयोग कृषि व उद्योग के लिए करता है। इससे जनजातीय जनता के लिए समस्याएँ पैदा होती हैं जो बाँध बनने के पहले वहाँ रह रही थी और बाँध बनने के बाद विस्थापित हो गई है। बाँध विद्युत उत्पादन के लिए नदियों पर बनाए जाते हैं। इस ऊर्जा का एक बड़ा भाग नगरवासियों को किसानों और भारी मात्रा में उद्योगों के काम आता है। नदियों के प्राकृतिक पारितंत्रों पर बड़े बाँध गंभीर दुष्प्रभाव डालते हैं। सिंचाई के लिए बाँधों के जल के प्रयोग से कुछ क्षेत्रों में आर्थिक समृद्धि आई है, पर जिन अर्धशुष्क क्षेत्रों की कृत्रिम सिंचाई होती है उनमें वाष्पीकरण की तीव्र दर के कारण भारी खारापन पैदा होता है, क्योंकि लवण मिट्टी की सतह पर आ जाती हैं। बाँध का किसी क्षेत्र में लाभ है तो किसी क्षेत्र में नुकसान, कहीं-कहीं इसके दुष्प्रभाव से भूमि की उर्वरता नष्ट हो जाती है।

जलीय पारितंत्रों के खतरे

बढ़ती हुई जनसंख्या अपनी आवश्यकता की पूर्ति के लिए विभिन्न क्षेत्रों में कूड़े-कचड़े तथा अपशिष्ट पदार्थों को नदियों, झीलों आदि में फेंकता है, जिससे प्रदूषण की स्थिति पैदा होती है। गंदे पानी से "अतिपोषण" (eutrophication) प्रक्रिया आरंभ होती हैं जिसमें ऑक्सीजन की मात्रा भी काफी कम होने से जलीय जीवन नष्ट होता है। मछलियाँ और झींगें साँस न ले पाने के कारण मर जाते हैं, जिससे बदबू होती है, और जलीय पारितंत्र के प्राकृतिक पौधे और प्राणी धीरे-धीरे नष्ट हो जाते हैं। ग्रामीण क्षेत्रों में रासायनिक खादों के अति-उपयोग से

पोषक तत्त्वों में वृद्धि होती है, जो अतिपोषण का कारण होता है। पास के खेतों में प्रयुक्त कीटनाशक जल को प्रदूषित करते हैं और जलीय प्राणियों को मारते हैं। उद्योगों का रासायनिक प्रदूषण पास के जलीय पारितंत्रों में बड़ी संख्या में जीवनरूपों की हत्या करता है। भारी धातुओं और अन्य विषैले रसायनों का प्रदूषण इन क्षेत्रों के पास रहने वाली जनता के स्वास्थ्य को प्रभावित करता है, क्योंकि वे इसी जल पर निर्भर होते हैं। विभिन्न प्रकार के कूड़े-कचरों से जो प्रदूषण फैल रहा है इस पर रोक लगाकर जलीय पारितन्त्रों के खतरों को कम किया जा सकता है।

जलीय पारितंत्रों का संरक्षण

नदियों, तालाबों में विभिन्न प्रकार के कूड़े-कचरों के प्रयोग से भी जल प्रदूषित हो रहा है। इसके संरक्षण के लिए जलीय प्रदूषण को रोकना होगा। एक बहते जल के पारितंत्र की प्रकृति को बदलकर उसे स्थिर जल का पारितंत्र बनाने से उसकी प्राकृतिक जैव-विविधता नष्ट हो जाती है। इसी कारण नदियों पर बने बाँध उन प्रजातियों की संख्या घटाते हैं जिनके लिए बहते जल की आवश्यकता होती है। दूसरी ओर, ये स्थिर जल चाहने वाली प्रजातियों के अनुकूल होते हैं।

जलीय पारितंत्रों का और खासकर नमभूमियों को अभ्यारण्यों और राष्ट्रीय पार्कों में शामिल करके उनका संरक्षण उसी प्रकार करना आवश्यक है जैसे हम अपने प्राकृतिक वनों का संरक्षण करते हैं। जलीय पारितंत्रों के ये अभ्यारण्य अनेक जीवनरूपों को संरक्षण देते हैं, तथा महशीर जैसी दुर्लभ मछलियां भी आज बुरी तरह संकटग्रस्त हैं। नमभूमियों वाले अभ्यारण्यों और राष्ट्रीय पार्कों का सबसे अधिक महत्त्व इसलिए है कि ये हमारे सबसे अधिक संकटग्रस्त पारितंत्रों में एक हैं। चूँकि पृथ्वी की सतह पर नमभूमियों का भाग वनों या घास के मैदानों की तुलना में बहुत ही कम है, इसलिए नमभूमि वाले पारितंत्रों के लिए संकट बहुत गंभीर है।

जल प्रदूषण

जल केवल तरल पदार्थ ही नहीं है बल्कि पृथ्वी के पर्यावरण में जल का सर्वाधिक महत्त्व हैं। जल ही जीवन है। पृथ्वी पर जल के कारण ही जीवन सम्भव है। ऋग्वेद मं यह वर्णित है कि पृथ्वी पर जीवन की उत्पत्ति जल के कारण हुई हैं।

मनुष्य इतने कीमती तत्त्व को अपने कार्यों द्वारा प्रदूषित करने में लगा हुआ है और आज जल प्रदूषण ने वायु प्रदूषण की तरह मानव जीवन के लिए गंभीर समस्या पैदा कर दिया है। जल अपना शुद्धीकरण स्वयं कर लेता है लेकिन जब मनुष्य जल में ज्यादा प्रदूषकों को उत्सर्जित कर देता है तो जल की शुद्धीकरण क्षमता कम हो जाती है। ऐसी दशा में जल प्रदूषित हो जाता है।

लगभग 127×10^2 घन किलोलीटर जल वायुमण्डल में विद्यमान है, जिसमें से मानव आवश्यकताओं की पूर्ति के लिये 1% जल ही सुलभ है। इस एक प्रतिशत जल की प्राप्ति भूमिगत झीलों, जल, मृदापार्श्विका, नदियों, वायुमण्डल व जैविक तंत्र से होती है। सुलभ जल का 66% भूमिगत जल से प्राप्त होता है। भारत में भूमिगत जल व सतही जल की मात्रा 167 मीलियन हेक्टेयर मीटर आँकी गयी है।

जल की उपलब्धता

स्रोत	जल की मात्रा (घन किलोमीटर में)
1. समुद्र	123×10^7
2. वायुमंडल	127×10^2
3. नदियाँ	12×10^2
4. भूगर्भ	4×10^6
5. झीलें	123×10^3
6. बर्फ एवं ग्लेशियर	286×10^5

'जल की भौतिक-रासायनिक और जैविक विशेषताओं में परिवर्तन को जल प्रदूषण कहते हैं जो परिवर्तन मानव व जलीय जीवन पर हानिकारक प्रभाव का कारण बनते हैं। 'मानव क्रिया-कलापों या प्राकृतिक प्रक्रियाओं द्वारा जल के रासायनिक, भौतिक तथा जैविक गुणों में परिवर्तन को जल प्रदूषण कहते हैं।'

जल प्रदूषक के प्रकार

जो तत्त्व जल की गुणवत्ता को ह्रास करते हैं उन्हें जल प्रदूषक कहते हैं। वही पेयजल शुद्ध है जिसमें अपद्रव्य निश्चित सीमा से अधिक न हो तथा pH मान 7 से 8.5 हो।

जल प्रदूषण के कई भेद हो सकते हैं। कीटाणु, मानव व पशुओं के मलमूत्र, खून, थूक, औद्योगिक उपक्रमों के अपशिष्ट पदार्थ व रसायन, अनाच्छादित नलियों के वाहित मल, मृत वनस्पतियाँ, खनिज अंश इत्यादि ऐसे जल प्रदूषक हैं जो जल में मिलकर जल प्रदूषण उत्पन्न करते हैं।

जल प्रदूषकों की प्रकृति के आधार पर उन्हें निम्न दो वर्गों में विभक्त किया गया है–

1. **रासायनिक प्रदूषक**–क्लोराइड, कार्बन-डाईऑक्साइड, कार्बोनेट, सल्फाइड, अमोनिया, नाइट्राइट्स, नाइट्रोजन, नाइट्रेट, बोरॉन, जिंक, सीसा, पारा, डिटरर्जेन्ट, रोगनाशक, कीटनाशक, व शाकनाशक कृत्रिम रसायन आदि जल प्रदूषक इसके अंतर्गत आते हैं जो जल में घोल के रूप में मिले रहते हैं।

   जल प्रदूषकों की प्राप्ति के स्रोतों के आधार पर ये चार प्रकार के होते हैं जो निम्नलिखित हैं–

   (1) **उद्योग जनित जल प्रदूषक**–जैसे औद्योगिक अपशिष्ट जल व विभिन्न रसायन इत्यादि।

   (2) **नगर वाहित जल प्रदूषक**–विभिन्न प्रकार के ऑक्साइड वाहित मल इत्यादि।

   (3) **प्रकृति जन्य जल प्रदूषक**–जैसे–ज्वालामुखी, धूल व राख।

   (4) **कृषि जन्य जल प्रदूषक**–जैसे–कीट, रासायनिक उर्वरक, रोग व शाकनाशी दवायें तथा विविध कृषि अपशिष्ट।

2. **भौतिक प्रदूषक**–रंग, स्वाद, गंदलापन, अवसाद, ज्वालामुखी धूल व राख, तेल, ग्रीज, औद्योगिक अपशिष्ट पदार्थ इत्यादि इसके अंतर्गत आते हैं।

जल प्रदूषण के विविध स्रोत

जल प्रदूषण के प्रमुख दो स्रोत हैं–

(क) **प्रकृति जनित स्रोत**–इस स्रोत से उत्पन्न प्रदूषक जल में मिश्रित होकर जल प्रदूषण पैदा करते हैं। ज्वालामुखी राख व धूल, भूस्खलन के मलवे, मिट्टी अपरदन से उत्पन्न अवसाद, पौधों व जीवों के विघटन व वियोजन से उत्पन्न पदार्थ आदि इसी प्रकार के जल प्रदूषक हैं। जल में इन प्रदूषकों को समाहित करने व शुद्ध करने की क्षमता होती है लेकिन जब ये जल में समाहित करने व शुद्ध करने की क्षमता से ज्यादा हो जाते हैं तो जल प्रदूषण पैदा करते हैं।

(ख) **मानव जन्य स्रोत**–जल को प्रदूषित करने का यह बहुत बड़ा व मुख्य स्रोत है। इसके अन्तर्गत मानव क्रिया-कलापों से उत्पन्न प्रदूषक जल में पहुँचकर उसे अपेय व प्रदूषित कर देते हैं। मानव जन्य जल प्रदूषक निम्नलिखित स्रोतों से में मिलते हैं।

1. **प्रवाहित मल-जल**–नगरों का प्रवाहित मल-जल नदियों, झीलों तथा सागरों आदि में पहुँच कर उसे प्रदूषित करता है। वाहित मल के स्रोत हैं–घरेलू गंदा जल, मूत्र, कूड़ा, मानव मल, कचरा आदि। इस मल-जल में बैक्टीरिया, प्रोटोजोआ, वाइरस, कवक, शैवाल, आदि सूक्ष्म जीव शीघ्रता से जन्म लेते हैं और जल में जैविक संक्रमण (Biological Contamination) पैदा करते हैं। वाराणसी में लगभग 75 नालों द्वारा 15 मिलियन गैलन वाहित मल जल प्रतिदिन गंगा नदी में बहाया जा रहा है जिससे वहाँ का जल प्रदूषित हो गया है।

2. **औद्योगिक अपक्षय**–महानगरों, नगरों में विभिन्न प्रकार के उद्योगों का बाहुल्य होता है। ये वे उद्योग होते हैं जो सामान्यतया जल स्रोतों यथा झीलों, नदियों एवं सागरों इत्यादि के निकट लगाये जाते हैं। इन उद्योगों के अपशिष्ट पदार्थों यथा धात्विक तत्वों, रसायनों, अम्ल, क्षार, तेल, वसा, विभिन्न खनिज धुलाई, रासायनिक लवण, रंग रोगन, चर्म शोधन, कीटनाशक, रासायनिक उर्वरक, सीसा, पारा तथा उष्ण जल इत्यादि को नजदीकी नदियों में बहाया जाता है, जिससे नदी का जल प्रदूषित हो जाता है। यही अपशिष्ट पदार्थ नदियों के माध्यम से सागरों, झीलों, महासागरों इत्यादि में पहुँचते हैं तो वहाँ का जल प्रदूषित हो जाता है। उदाहरण के तौर पर गंगा नदी का जल ऋषिकेश तक शुद्ध रहता है परंतु ऋषिकेश स्थित एन्टीबायोटिक कारखाना, भारत हैवी इलेक्ट्रिकल्स, हरिद्वार स्थित भारतीय औषधि निर्माण लिमिटेड, कानपुर स्थित कारखाने इत्यादि के अपशिष्ट पदार्थ गंगा में बहाये जाते हैं जिससे कानपुर के आगे गंगा का जल अति प्रदूषित हो जाता है। बरौनी तेलशोधक कारखाने से खनिज तेल का अपक्षय गंगा में मिलाया जाता है, जिससे गंगा का जल अति प्रदूषित होता जा रहा है। जहाँ औद्योगिक इकाइयों का अपक्षय छोटी-छोटी नदियों अथवा नालों में बहाया जाता है वहाँ जल प्रदूषण की समस्या और भयंकर हो जाती है। जैसे–उत्तर प्रदेश की चीनी मिलों का सीरा, कचरा आदि अपक्षय पदार्थ छोटी-छोटी नदियों में डाला जाता है, जिससे उनका जल ज्यादा प्रदूषित हो जाता है। एक अनुमान के अनुसार जल प्रदूषण का 40% हिस्सा औद्योगिक अपक्षय पदार्थों से हो रहा है।

3. **खनिज तेल टैंकर का डूब जाना**–खनिज तेल का विश्व में असमान वितरण होने के कारण उसकी ढुलाई समुद्री मार्गों से की जाती है। दुर्भाग्यवश ये खनिज तेल टैंकर सागर में डूब जाते हैं अथवा उनमें रिसाव के कारण खनिज तेल समुद्री सतह पर फैल जाता है तो उससे महासगरीय जल प्रदूषित हो जाता है। खाड़ी युद्ध काल में इराक ने फारस की खाड़ी में अत्यधिक मात्रा में खनिज तेल बहाया था, जिससे वहाँ के सागरीय जल के प्रदूषित हो जाने के कारण पेयजल की समस्या उत्पन्न हो गई थी। ज्ञातव्य है कि महासागर विश्व की ऑक्सीजन आपूर्ति का 70 प्रतिशत सृजित करता है। इस प्रकार समुद्र में प्रदूषकों के जाने से न केवल समुद्री-परिस्थितिकी प्रभावित होती है बल्कि समुद्र के पानी में घुलनशील ऑक्सीजन की मात्रा भी घटती जाती है जिससे खाद्य शृंखला में असंतुलन पैदा होता है।

4. **उत्खनन**–नदियाँ उत्खनन कार्य होने वाले क्षेत्रों से होकर गुजरती हैं, जिससे जल प्रदूषित हो जाता है। उदाहरणार्थ कोयला क्षेत्र से बहने वाली नदियों का जल प्रदूषित हो जाता है, क्योंकि कोयले में आइरन पाइराइट के रूप में सल्फर होता है। कोयला क्षेत्रों में कोयला धुलाई प्लान्ट होते हैं जिनके अपशिष्ट जल को प्रदूषित कर देते हैं। दामोदर नदी जल का प्रदूषित होने का एक वजह उसका कोयला क्षेत्रों से होकर बहना भी है।

5. **आणविक विस्फोट**–परमाणु बमों का परीक्षण अणुशक्ति सम्पन्न देश समुद्री द्वीपों में करते हैं, जिससे समुद्री जल में विषैले पदार्थ मिल जाते हैं तथा जल को प्रदूषित कर देते हैं और कई जीव जन्तुओं का जीवन खतरे में पड़ जाता है। यही कारण है कि न्यूजीलैंड, आस्ट्रेलिया इत्यादि अपने निकटस्थ समुद्री द्वीपों में अणु परीक्षण होने पर नाराजगी व्यक्त करते हैं।

6. **शवों का जल में प्रवाह**–हिन्दू धर्मावलम्बी अपनी धार्मिक मान्यता के अनुरूप शवों को नदियों में प्रवाहित करते हैं। इस प्रकार लाखों शवों के हर वर्ष

जल प्रवाह से नदी जल प्रदूषित हो रहा। केवल वाराणसी में प्रति वर्ष 25 हजार से 30 हजार तक शवदाह किए जाते हैं, जिसमें 10 हजार से 15 हजार टन लकड़ी जलाई जाती है। अतः लकड़ियों की राख, अधजली लकड़ियाँ, अधजले शव इत्यादि को गंगा नदी में बहाया जाता है। इससे गंगा जल ज्यादा प्रदूषित हो रहा है। इसी प्रकार कई तरह के मृत पशुओं का शव नदियों में प्रवाहित करने से भी नदियों का जल प्रदूषित हो रहा है। जल में कई जीव जन्तु होते हैं। जब वे मरते हैं तो उनके सड़ने गलने से जल प्रदूषित हो जाता है।

7. **विकसित कृषि प्रणाली**–लगातार बढ़ती जनसंख्या का पेट भरने के लिये विकसित कृषि पद्धति द्वारा ज्यादा से ज्यादा खाद्यान्न उत्पादित किया जा रहा है। इसमें रासायनिक उर्वरकों, कीटनाशी, रोगनाशी एवं शाकनाशी इत्यादि दवाओं का प्रयोग किया जा रहा है। ये रसायन वर्षा जल के साथ घुलकर नदियों, जलाशयों एवं सागरों आदि में पहुँचकर जल प्रदूषण पैदा करते हैं।
8. **अन्य स्रोत**–इनके अलावा घरेलू पदार्थ, जनसंख्या वृद्धि, रेडियो धात्विक पदार्थ, सक्रिय तत्व, स्वचालित वाहनों से उत्सर्जित कणीय पदार्थों के वर्षा जल के साथ गन्दी बस्तियाँ, अवपातु, धार्मिक व सांस्कृतिक सम्मेलन इत्यादि भी मानव जन्य स्रोत हैं, जो जल प्रदूषण को बढ़ाने में मददगार सिद्ध हो रहे हैं।

जल प्रदूषण का वर्गीकरण

जल स्रोतों के आधार पर जल प्रदूषण को निम्नलिखित प्रकार है–

1. महासागरीय जल प्रदूषण, 2. नदी जल प्रदूषण, 3. भूमिगत जल प्रदूषण, 4. झील जल प्रदूषण।

1. महासागरीय जल प्रदूषण–आंशिक रूप से समुद्र भी मानवी क्रिया-कलापों द्वारा प्रदूषित हो रहा है जिसके कारण निम्नांकित जल प्रदूषण हो रहा है–

(क) इयूट्रीफिकेशन की क्रिया के कारण समुद्र तटीय भाग धीरे-धीरे उथले होते जा रहे हैं, जहाँ प्रदूषण की संभावना है।

(ख) समुद्र तटीय स्थित नगरों से मल-जल के उत्सर्जन के कारण जल प्रदूषण हो रहा है।

(ग) तेल वाहक टैंकरों के दुर्घटना ग्रस्त होने से रिसाव हो जाने के कारण समुद्री जल में तेल फैलकर प्रदूषण पैदा करता है। प्रतिवर्ष साधारणतया लगभग 16 लाख टन खनिज तेल समुद्र में गिर रहा है। भारत में 30 जुलाई, 1987 को बाम्बे हाई में 117 हजार टन खनिज तेल टैंकर के दुर्घटनाग्रस्त हो जाने के कारण समुद्री जल पर फैल गया।

(घ) रेडियो सक्रिय कचरों के उत्सर्जन से समुद्री जल उत्सर्जित हो रहा है। अब तक यूरोपीय देशों द्वारा अटलांटिक महासागर में 94 हजार टन अणु कचरा डाला जा चुका है।

(ङ) समुद्र तट पर स्थित औद्योगिक इकाइयों के अपशिष्ट पदार्थों के सागर जल में उत्सर्जन के कारण जल प्रदूषण हो रहा है।

विश्व में अनेक ऐसे सागर व समुद्र तटीय भाग हैं जिनका जल अधिक प्रदूषित हो गया है। जैसे–भूमध्य सागर जो कभी तटवर्ती भागों के विकास का प्रतीक था, वह आज धीरे-धीरे विनाश का पर्याय बनता जा रहा है। तटीय नगरवासियों के मल-जल उत्सर्जन, औद्योगिक अपशिष्ट पदार्थों के विसर्जन व तेल वाहक टैंकरों के तेल के रिसाव की वजह से भूमध्य सागर का जल अधिक प्रदूषित हो गया है। तेल टैंकरों के रिसाव तथा औद्योगिक अपशिष्टों के उत्सर्जन से फारस की खाड़ी का जल अधिक प्रदूषित हो गया है। खाड़ी युद्ध के दौरान इराक द्वारा फारस की खाड़ी में खनिज तेल के बहाये जाने के कारण अनेक प्रकार के जलीय जीव मर गए थे। यूरोपीय देशों के द्वारा अटलांटिक में रेडियो सक्रिय कचरों को जमा करने से जल प्रदूषण हो रहा है। औद्योगिक अपशिष्ट पदार्थों के डम्पिंग से भारत में अण्डमान व निकोबार द्वीप समूह के जलीय भागों में प्रवाल जीव मर रहे हैं। मुंबई व चेन्नई के तटीय भागों में शिपयार्ड से निःसृत तेल, ग्रीज एवं औद्योगिक अपशिष्ट के मल-जल उत्सर्जन से वहाँ का जल प्रदूषित हो रहा है। जापान के मिनामाता नगर स्थित औद्योगिक उपक्रम से पारे के अपक्षय पदार्थों का प्रवाह मीनामाता खाड़ी में हुआ जहाँ की मछलियों को खाने से कई मछुआरे मर गए जो समुद्री जल प्रदूषण का ज्वलंत उदाहरण है।

2. नदी जल प्रदूषण–मानव के लिए नदियाँ अत्यंत उपयोगी हैं। इससे पीने के लिए शुद्ध जल, आवागमन की सुविधा, सिंचाई के लिए जल, उपजाऊ कृषि भूमि की प्राप्ति, जलीय जीवों की प्राप्ति तथा कारखानों के लिये जल आदि की प्राप्ति होती है। यही वजह है कि मानव सभ्यतायें नदी घाटियों में ही विकसित हुईं। विश्व के अधिकांश नगर व औद्योगिक उपक्रम नदियों के किनारे ही अवस्थित हैं। लेकिन मानव अपने क्रिया कलापों द्वारा नदी जल को कलुषित बना रहा है। नदियों में प्रकृति जन्य व मानव जन्य दोनों स्रोतों से जल प्रदूषित होता है। ज्वालामुखी राख व धूल, मिट्टी अपरदन, भूमि स्खलन आदि प्रकृति जन्य हैं, जिससे नदी जल प्रदूषित हो रहा है, लेकिन नदियों में स्वयं जल शुद्धीकरण क्षमता होती है, जिससे नदी जल प्रकृति जनित स्रोतों से बहुत कम प्रदूषित होता है। नदी जल मानव जनित स्रोतों यथा औद्योगिक, कृषिगत, नगरीय धार्मिक व सांस्कृतिक सम्मेलनों में एकत्रित जनसमूह आदि स्रोतों से उत्पन्न प्रदूषकों द्वारा ही सबसे अधिक प्रदूषित हो रहा है। निम्नलिखित उदाहरणों द्वारा नदी जल प्रदूषण का अनुमान लगाया जा सकता है।

जैव ऑक्सीजन मांग प्रति लीटर जल में मिसीसीपी नदी में 2.4 मि. ग्रा., राइन 6.1 मि. ग्रा., कानपुर में गंगा में 18 मि.ग्रा., भारत में गोमती नदी में 16 मि. ग्रा., पाया जाता है। यमुना नदी दिल्ली के पास मानव मल-जल वाहित नदी होकर रह गई है। दिल्ली महानगर का लगभग 32 करोड़ गैलन मल-जल इस नदी में हर दिन उत्सर्जित हो रहा है। दामोदर नदी गोदावरी, कावेरी, कालू (मुंबई), पेरियार, तुंगभद्रा, चम्बल

इत्यादि नदियों का जल ज्यादा प्रदूषित हो चुका है। चीन की ज्यादातर नदियाँ मल-जल प्रवाह एवं औद्योगिक अपशिष्टों आदि से प्रदूषित हो चुकी हैं। इटली की टाइवर नदी, इंग्लैण्ड की टेम्स नदी तथा मलेशिया की अधिकांश नदियों में जल प्रदूषण मिलता है।

3. भू-जल प्रदूषण–भूमिगत जल भी मानव जन्य स्रोतों से प्रदूषित होने लगा है लेकिन अभी इस जल प्रदूषण की व्यापकता कम है। सर्वप्रथम 1932 में न्यूयार्क नगर में भूमिगत जल के प्रदूषित होने की जानकारी तब हुई जब उस जल के सेवन से कई हजार लोग हैजे का शिकार हुए। संयुक्त राज्य अमेरिका के कैलीफोर्निया, विसकांसिन तथा फ्लोरिडा आदि राज्यों में भूमिगत जल प्रदूषित हो चुका है। सउदी अरब में अति गहरे भाग से जल निकाला जा रहा है जहाँ भूमि सतह के नीचे बने कोटर में खारे पानी के रिसकर चले जाने का खतरा पैदा हो गया है। कई यूरोपीय देशों के भूमिगत जल में नाइट्रेट की मात्रा ज्यादा हो गई है। डेनमार्क में अधिक रासायनिक उर्वरकों के प्रयोग के कारण प्रति लीटर भूमिगत जल में नाइट्रेट की मात्रा 14 मि.ग्रा. से अधिक हो गई है। भारत में मेडक जनपद (आन्ध्र प्रदेश) में 1989 में कुओं के जल के प्रदूषित होने का पता चला जहाँ कई गाँवों में कुएं का रंग हरा हो गया था और उस जल को पीने वालों को उल्टी होने लगी थी।

मिट्टी की संरचना, वर्षा की प्रकृति, भूमिगत जल तल की गहराई इत्यादि भूमिगत जल प्रदूषण के स्तर पर निर्भर करता है। बलुई मिट्टी, उच्च जल तल, तथा उच्च वार्षिक वर्षा वाले क्षेत्रों में भूमिगत जल में ज्यादा जल प्रदूषण मिलता है। भूमिगत जल प्रदूषकों के भूमि में अन्तःस्पन्दन के कारण प्रदूषित होता है। भूमिगत जल निम्नलिखित रूपों में प्रदूषित हो रहा है–

(क) कृषि जन्य स्रोतों से उत्पन्न कीटनाशी, रोगनाशी व शाकनाशी इत्यादि रसायनों के वर्षा जल के साथ भूमि में अन्तःस्पन्दन से प्रदूषित होता है।

(ख) कच्चे सुलभ शौचालयों का प्रदूषित जल भूमि में जाकर भूमिगत जल को प्रदूषित करता है।

(ग) प्रदूषित जल वाले तालाबों, गड्ढों एवं झीलों इत्यादि के जल रिसकर भूमि में चले जाने से भूमिगत जल में प्रदूषण होता है।

(घ) गड्ढों में औद्योगिक अपशिष्टों को डाला जाता है, जिससे जल प्रदूषित होकर रिसता हुआ भूमि में चला जाता है।

(ङ) भूमिगत सीवर पाइपों के क्षतिग्रस्त होने पर उनका गंदा जल भूमि में जाने लगता है।

(च) सागर तटीय भागों में यदा-कदा भूमिगत जल के ज्यादा निकाले जाने के कारण सतह के नीचे कोटर बन जाते हैं जिसमें सागर का खारा जल रिसकर चला जाता है और कोटर के जल को खारा बना देता है, जिससे वह जल अपेय हो जाता है।

(छ) खनिज तेल क्षेत्रों में तेल रिसाव से भू-जल प्रदूषित हो जाता है।

4. झील जन्य प्रदूषण–प्रकृति जन्य व मानव जन्य दोनों स्रोतों से झीलों में जल प्रदूषण बढ़ रहा है। मृदा के अपरदन के कारण अवसादीकरण से झीलों का जल प्रदूषित हो रहा है। उत्तराखंड के कुमायूँ हिमालय की कई झीलें अवसादीकरण के कारण समाप्ति की तरफ अग्रसर हैं। कुमायूँ हिमालय में सूखा ताल, सड़िया ताल, नैना झीलें ऐसी ही झीले हैं। स्वीडन, नार्वे व फिनलैंड की अधिकांश झीले अम्ल वर्षा के कारण प्रदूषित हो चुकी हैं। संयुक्त राज्य अमेरिका की ईरी व ओन्टेरियो झीलें नगरीय ठोस अपशिष्टों एवं औद्योगिक अपशिष्टों के उत्सर्जन के कारण ज्यादा प्रदूषित हो चुकी हैं। ईरी झील में जल प्रदूषण के कारण मछलियाँ समाप्त हो गई हैं। एसबेस्ट्स के कणों के सान्द्रण के कारण सुपीरियर झील में जल अधिक प्रदूषित हो गया है, जिससे इस झील के जल का सेवन करने वाले लोगों में फेफड़े का कैंसर होने का खतरा पैदा हो गया है। जापान की सबसे बड़ी बीवा झील औद्योगिक अपक्षयों के उत्सर्जन के कारण ज्यादा प्रदूषित हो गई है।

जल प्रदूषण का दुष्प्रभाव

इसका सर्वाधिक दुष्प्रभाव यह है कि प्रदूषित जल पीने से कई विषाणु व रोगाणु मानव शरीर में प्रवेश कर प्राणघातक बीमारियों को जन्म देते हैं जिससे अनेक लोग प्रतिवर्ष काल के ग्रास हो जाते हैं। जल प्रदूषण से जलीय जीव जन्तु व पौधे मर जाते हैं। जल प्रदूषण के दुष्प्रभावों का विवरण निम्नवत् है–

जल प्रदूषण का मानव स्वास्थ्य पर दुष्प्रभाव–मानव स्वास्थ्य पर जल प्रदूषण के सेवन या स्पर्श से बुरा प्रभाव पड़ता है। प्रदूषित जल पीने से कई विषाणु व रोगाणु मानव शरीर में पहुँचते हैं और अनेक रोगों को शरीर में पैदा करते हैं जिससे कई लोग मर जाते हैं। प्रदूषित जल के सेवन से आंत संबंधी रोग, टाइफाइड, हैजा, पीलिया, पारा टाइफाइड, पेचिश आदि रोग होते हैं। गंदे जल में मच्छर व कई प्रकार के कीड़े जन्म लेते हैं जो मलेरिया, फाइलेरिया आदि रोगों का कारण बनते हैं। अब यह सिद्ध हो चुका है कि प्रदूषित जल का कई वाइरल रोगों जैसे मस्तिष्क ज्वर, छुआछूत के रोग, काक्ससैकी, पोलियो माइक्लिटिश इत्यादि से घनिष्ठ संबंध है। प्रदूषित जल को पीने से अफ्रीका में विलहजाशि रोग पूरी तरह फैल रहा है। प्रदूषित जल के सेवन से मानव की कार्य क्षमता पर दुष्प्रभाव पड़ता है, जिससे विकास में बाधा आती है।

जो श्रमिक चमड़े के उद्योग में काम करते हैं उन्हें चर्म रोग ज्यादा होता है क्योंकि चमड़ा तैयार करने की प्रक्रिया में कई रसायनों का प्रयोग किया जाता है। ये रसायन चर्म छिद्रों से शरीर में प्रवेश करते हैं और चर्म रोग पैदा करते हैं। डर्माटिश व कैलोसिटीज ऐसे ही चर्म रोग हैं। चमड़ा उद्योगों में जीव पदार्थों के प्रयोग से उत्पन्न दुर्गंध भी स्वास्थ्य के लिये हानिकारक होती है।

प्रदूषित जल के पीने से पीलिया, फ्लोरीसिस व टाइफाइड रोग होते हैं। अप्रत्यक्ष रूप से जापान का मीनामाता रोग प्रदूषित जल का ही कुपरिणाम है। कारखाने से निःसृत पारा विष मिनामाता खाड़ी में पहुंचता है जिसका उपयोग मछलियाँ करती हैं। ऐसी मछलियों को खाने से मछुआरों में यह रोग फैल गया था, जिससे अनेक मछुआरे मर गए। जल प्रदूषण से स्थानिकमारी रोग भी होते हैं। झारखंड जल में खनिज अंश का बाहुल्य होने

के कारण वहाँ के लोगों में पेट का रोग ज्यादा पाया जाता है। एसबेस्ट्स के कणों से युक्त जल के सेवन से ऐसबेस्टोसिस रोग होता है।

विश्व स्वास्थ्य संगठन के एक आंकलन के अनुसार प्रदूषित जल के सेवन से विश्व में प्रति वर्ष 5 लाख बच्चे मरते हैं तथा 500 मीलियन व्यक्ति प्रदूषित जल पीने से उत्पन्न अनेक रोगों से दुष्प्रभावित होते हैं। 20 लाख लोग भारत में अशुद्ध जल पीने से प्रति वर्ष मरते हैं, 50% से 60% तक व्यक्ति बीमार पड़ते हैं तथा 30% से 40% व्यक्ति मरते हैं। यूरोप में 1940-50 तथा भारत में 1950-60 के बीच इसी कारण से महामारियाँ फैल चुकी थी जिससे काफी लोगों को अपने जान से हाथ धोना पड़ा।

जलीय जीवों पर कुप्रभाव–जलीय जीवों पर प्रदूषित जल का कई प्रकार से कुप्रभाव पड़ता है। जलीय पारिस्थितिकी तंत्र में जैव व अजैव पदार्थ भोजन श्रृंखला द्वारा आपस में रहते हैं और तंत्र की कार्यशीलता को बनाये रखते हैं। लेकिन उनमें अस्थिरता या असन्तुलन उत्पन्न होने पर कई प्रदूषण जन्य दुष्प्रभाव पड़ने लगते हैं। जलीय स्वपोषी व परपोषी संघटकों के मध्य असन्तुलन होने पर ऑक्सीजन व शैवाल की वृद्धि में अपघटन (Depletion) होने लगता है। जैसे–जैविक प्रदूषण होने के कारण श्वसन क्रिया ज्यादा होने लगती है, जिससे रेडाक्स क्रिया के जटिल अनुक्रम के माध्यम से जैविक पदार्थों का वियोजन होने लगता है।

प्रदूषित जल में ऑक्सीजन की कमी होने लगती है, जिससे मछलियाँ तथा अन्य जीव मरने लगते हैं। औद्योगिक बहिःस्राव झीलों, नदियों, व समुद्र तटीय भागों में होने वाले शैवाल में ज्यादा वृद्धि होने लगती है तथा संवहनीय पौधों (Vascular Plants) की जड़ें गहराई तक चली जाती हैं। इससे श्वसन हेतु ऑक्सीजन की मांग बढ़ जाती है तथा शैवाल नष्ट होने लगते हैं जिससे मछलियाँ मरने लगती हैं और उन पर निर्भर रहने वाले दूसरे जीवों में कमी आने लगती है।

खनन एवं औद्योगिक प्रदेशों में यदा-कदा अम्ल प्रधान लौह क्षेत्रों से वाहित जल के फेरोहाइड्रो ऑक्साइड निक्षेप से जलीय भाग की तली कड़ी हो जाती है, जिससे मछलियों का भोजन नष्ट हो जाता है।

महासागरीय जल में परमाणु परीक्षणों व तेल वाहक टैंकरों से खनिज तेल के रिसाव के कारण जलीय जीव मरने लगते हैं। खाड़ी युद्ध में खनिज तेल के फारस की खाड़ी में बहाये जाने के कारण ऐसी समस्या पैदा हुई थी।

विषैले रसायनों जैसे–**डी.डी.टी.** के जल में कभी-कभी मिश्रण होने पर घरेलू पशु भी मरने लगते हैं।

पादपों पर कुप्रभाव–वनस्पतियों पर जल प्रदूषण का कई रूपों में दुष्प्रभाव पड़ता है। ताप विद्युत गृहों अथवा धातु कारखाने से जो बहिःस्राव होता है वह जल में मिश्रित होकर उसके तापमान को बढ़ाता है, जिससे शैवालों व कवकों में तेजी से वृद्धि होने लगती है, जिससे श्वसन में वृद्धि होने से ऑक्सीजन की कमी होने लगती है और जीव मरने लगते हैं। वहाँ का पारिस्थितिक तंत्र असंतुलित होने लगता है।

वाहित मल-जल के जलीय भाग में पहुँचने पर शैवाल, कवक व जीवाणु में तेजी से वृद्धि होती है, जिससे जलीय तंत्र अव्यवस्थित हो जाता है।

सूर्य का प्रकाश प्रदूषित जल गहराई तक नहीं पहुँच पाता है। प्रकाश संश्लेषण की क्रिया में अवरोध होने से जलीय पौधे नष्ट हो जाते हैं।

जहरीली दवाओं से मिश्रित जल पौधों के संश्लेषण क्रिया को बाधित करता है।

संसाधनों की गुणवत्ता तथा प्राप्ति में कमी–प्रदूषित जल द्वारा सिंचाई करने पर मिट्टी की गुणवत्ता में ह्रास होता है, फसलें नष्ट हो जाती हैं एवं उसमें उत्पन्न खाद्य पदार्थ हानिकारक होते हैं। मिट्टी में क्षारीय अंश खारे पानी से सिंचाई के कारण बढ़ जाता है। बालू युक्त जल से सिंचाई करने पर मृदा में बालू की मात्रा में वृद्धि होती है। जैसाकि बाढ़ के दिनों में देखा जाता है कि बालू युक्त नदियाँ रेत का निक्षेपण करती हैं, जिससे उपजाऊ मिट्टी बालू से आच्छादित हो जाती है। शुष्क व अर्ध शुष्क भागों में प्रदूषित जल के कारण ही पानी का अभाव बना रहता है।

जलीय स्रोतों पर दुष्प्रभाव–जल प्रदूषण की वजह से संयुक्त राज्य की ईरी झील निर्जीव हो चुकी है। ओन्टेरियो और सुपीरियर झीलें जीव रहित होने के कगार पर है। यूरोप की बेहद स्वच्छ राइन नदी दुर्गंधयुक्त बहते नाले के रूप में परिवर्तित हो गई है। कनाडा, फिनलैंड, नार्वे, संयुक्त राज्य अमेरिका एवं स्वीडन आदि की झीलें प्रदूषित हो गई हैं। अमृत सलिला व पापहारिणी गंगा नदी पर्वतीय भाग में शुद्ध रहती है लेकिन कानपुर से आगे बढ़ने पर ज्यादा प्रदूषित होती जाती है। बरौनी तेल शोधक कारखाने के बहिःस्राव से 1968 से ही बिहार के मुंगेर जिले में गंगा नदी का जल प्रदूषित हो चुका है।

समुद्री क्षमता में कमी–ऐसा पाया जा रहा है कि जल प्रदूषण के कारण मछली व पौधों को उत्पन्न करने में सागरों में 30% से 35% तक की कमी आई है। 1840 में सागरीय जल के नमूनों में ऑक्सीजन की मात्रा जहाँ प्रति लीटर जल में 2.5 घन से.मी. थी, वहीं वर्तमान समय में यह मात्रा 0.1 घन. सेमी. रह गई है।

अतः हम कह सकते हैं कि प्रदूषित जल से मानव, जलीय जीव, पशु, पौधे इत्यादि दुष्प्रभावित हो रहे हैं।

जलीय प्रदूषण के रोकथाम व उपाय

औद्योगिक मेखलाओं, विविध प्रदेशों, नगर केन्द्रों तथा ग्रामीण क्षेत्रों में जल प्रदूषण रोकने के लिये कई सुझाव दिए गए हैं। **फ्रैंक** के द्वारा जल प्रदूषण को नियंत्रित करने के लिये निम्नलिखित सुझाव दिये हैं–

1. जल प्रदूषण पर नियंत्रण पाने के लिये अपशिष्टों के नियंत्रण का उत्तरदायित्व व्यक्ति, उद्योग, राज्य और देश सभी पर समान रूप से होना चाहिए।
2. प्रत्येक नदी बेसिन में अपशिष्टों के नियंत्रण, उनके प्रभाव की मात्रा, उनके प्रकार का निर्णय और फैक्ट्री से बाहित जल का विसर्जन एवं प्रयोग प्रादेशिक सुझाव पर आधारित होना चाहिए।

3. उर्वरकों व रसायनों का प्रयोग सीमित मात्रा में करना चाहिए।
4. प्रदूषक अपशिष्ट जो नदियों में बहाये जाते हैं, उन पर नियंत्रण करना आवश्यक है।
5. राष्ट्रीय एवं अंतर्राष्ट्रीय जल प्रदूषण नियंत्रण कार्यक्रमों पर राज्यीय व अंतर्राष्ट्रीय नियंत्रण एजेन्सियों का शासन होना चाहिए।

औद्योगिक क्षेत्रों में सबसे अधिक जल प्रदूषण मिलता है। इसलिये जहाँ सरकारी या लघु उद्योग लगाये जाते हैं, वहाँ जल प्रदूषण रोकने हेतु निम्नांकित उपाय किए जाने चाहिए–

1. नदी में औद्योगिक अपक्षयों को परिष्कृत करके उत्सर्जित करना चाहिए ताकि उनका न्यूनतम दुष्प्रभाव पड़े।
2. नए उद्योगों को लगाते समय इसका ध्यान रखना चाहिए कि जो अपक्षय पदार्थ उत्पन्न होंगे वे ठोस, तरल या गैस अवस्था में होंगे एवं उन अपशिष्टों का प्रभाव कितना होगा, इन तथ्यों को ध्यान में रखकर नवीन उद्योगों के विकास का भावी नियोजन प्रदेशों में करना चाहिए।
3. कुछ उद्योग खतरनाक ढंग से प्रदूषण उत्पन्न करते हैं, जैसे चमड़ा उद्योग, डिस्टीलरी उद्योग, चीनी उद्योग, पशु वध आदि ऐसे उद्योग हैं। अतएव ऐसे उद्योगों को नगर के बाहर दूरस्थ स्थान पर स्थापित करना चाहिए। यदि ऐसे उद्योग पहले से ही स्थापित हैं तो अपशिष्ट जल का विसर्जन उसे शोधित करके करना चाहिए। वाहित जल परिषद द्वारा निर्धारित जैविक ऑक्सीजन माँग के मानक (बी.ओ.डी.) से अधिक अपशिष्ट नदी में नहीं बहाना चाहिए।
4. ऐसे प्रशिक्षित व्यक्तियों को तैयार करना चाहिए जो नदियों की भार वहन क्षमता को जान सके एवं सरकार या व्यक्तिगत उद्यमियों को उचित परामर्श दे सकें।
5. औद्योगिक नगरों को मण्डलों में बाँटकर नियोजन द्वारा जल प्रदूषण को नियंत्रित करना चाहिए।
6. औद्योगिक अपशिष्टों को जिस नदी में उत्सर्जित किया जाता है उसमें जल की मात्रा कितनी एवं क्या है तथा वह कितनी मात्रा में अपक्षय बहा ले जाने में समर्थ है? इसका भी ध्यान रखना चाहिए।
7. किसी क्षेत्र में यदि नई इकाई **स्थापित** करनी है तो यह देखना चाहिए कि अगर नदी पहले से ही अपशिष्टों के भार से भरी है तो वहाँ नई इकाई नहीं लगाना चाहिए।
8. जल प्रदूषण का कानून बनाकर और कड़ाई से उनका पालन कराकर रोकना चाहिए। जापान ने ऐसा कानून बनाया है। भारत सरकार ने जल प्रदूषण विधेयक पारित किया है और जो औद्योगिक इकाइयाँ इसका पालन नहीं करती हैं उनको दंड देने का प्रावधान किया गया है। जल प्रदूषण नियंत्रण अधिनियम 1974 द्वारा भारत में जल प्रदूषण रोकने का प्रयास किया जा रहा है।

अन्य उपाय–प्रदूषण की रोकथाम के अन्य उपाय निम्नलिखित हैं–

(*i*) प्रदूषित जल को शुद्ध करके पुनः उसका प्रयोग करना चाहिए।

(*ii*) प्रदूषित जल को खेतों, नहरों के किनारे या निर्जन स्थानों में बहाना चाहिए।

(*iii*) औद्योगिक इकाइयों को प्रदूषण नियंत्रण करने वाले उपकरणों का उपयोग करना चाहिए।

(*iv*) उचित ढंग से अपशिष्ट पदार्थों का निपटान किया जाना चाहिए।

(*v*) जल प्रदूषण के विभिन्न पक्षों के बारे में मानव समुदाय में जन चेतना तथा जन जागरण पैदा किया जाना चाहिए। इस दिशा में स्वयं-सेवी संगठन महत्त्वपूर्ण भूमिका निभा सकते हैं।

(*vi*) मृतक शरीरों, मृत पशुओं, जानवरों आदि को जलाशयों में डालने पर रोक लगानी चाहिए तथा सामान्य जन-मानस को इससे उत्पन्न होने वाले खतरों से अवगत कराकर जागरुक बनाना चाहिए। शवों के लिये विद्युत शवदाह गृह का प्रयोग करना चाहिए, वर्तमान में विद्युत शवदाह गृहों की कमी है। इसके लिये पर्याप्त विद्युत शवदाह गृह बनाने की आवश्यकता है।

(*vii*) मवेशियों को तालाबों में धोने पर पाबंदी लगानी चाहिए।

(*viii*) नगर महापालिकाओं को सीवर शोधन संयंत्रों की व्यवस्था कर शोधित जल को ही नदियों में बहाना चाहिए।

जलीय प्रदूषण पर नियंत्रण–जल प्रदूषण की रोकथाम व नियंत्रण के लिए भारत में सरकार द्वारा अनेक प्रकार के अधिनियम व कानून बनाये गए हैं, जिनमें जल प्रदूषण नियंत्रण अधिनियम 1974 मुख्य हैं जिसका मुख्य लक्ष्य जल की गुणवत्ता को बनाये रखना है। भारत सरकार ने केन्द्रीय प्रदूषण नियंत्रण बोर्ड के अंतर्गत केन्द्रीय गंगा प्राधिकरण का गठन किया है, जिसका उद्देश्य गंगा के प्रदूषित जल को स्वच्छ बनाना तथा उसकी गुणवत्ता को बनाये रखना है। गंगा एक्शन प्लान के अन्तर्गत गंगा जल को शुद्ध बनाये रखने के लिए कार्यक्रम चलाया जा रहा है। भारत की अन्य नदियों के जल में फैलने वाले प्रदूषण का भी अध्ययन किया जा रहा है ताकि उनके जल को स्वच्छ व पेय बनाये रखा जाय। आज भारत में आवश्यकता केवल इस बात की है कि जो भी इस दिशा में कानून बनाये जा रहे हैं, उनका कड़ाई से पालन होना चाहिए।

पर्यटन

पर्यटन सम्पूर्ण विश्व में एक वृहत् सामाजिकता का आभास दिलाता है। यह प्रत्येक मानव के नए अनुभव हासिल करने और शिक्षा एवं मनोरंजन, दोनों की कामना की स्वाभाविक प्रेरणा से आगे बढ़ता है। पर्यटन की प्रेरणा में धार्मिक एवं व्यापारिक रुचियां शामिल हैं। शिक्षा के प्रसार ने विश्व के अलग-अलग हिस्सों के विषय में अधिक जानकारी प्राप्त करने की इच्छा

को बढ़ावा दिया है। नए अनुभव एवं ज्ञान के लिए मौलिक मानव जिज्ञासा अधिक मजबूत हुई है, क्योंकि संचार की बाधाएं तकनीकी उन्नति से दूर हो रही हैं। हवाई परिवहन में प्रगति एवं पर्यटक सुविधाओं में विकास ने सीमाओं से बाहर निकलकर साहसी कार्य करने के लिए लोगों को प्रोत्साहित किया है।

विशेष रूप से दूरस्थ एवं पिछड़े क्षेत्रों में आर्थिक विकास तथा रोजगार सृजन के तंत्र के रूप में पर्यटन के महत्त्व को विश्व भर में पहचान मिली है। सकल राजस्व के साथ-साथ विदेशी मुद्रा आय के मामले में यह संपूर्ण विश्व में वृहत सेवा उद्योग है। देश में पर्यटन की पहचान आर्थिक वृद्धि तथा रोजगार पैदा करने वाले एक सशक्त इंजन के रूप में हुई। देश की जीडीपी और कुल नौकरियों में पर्यटन की हिस्सेदारी 2007–08 के दौरान क्रमशः 5.92 प्रतिशत तथा 9.24 प्रतिशत थी। 2007–08 के दौरान पर्यटन में नौकरियों की कुल संख्या 4.98 करोड़ थी।

पर्यटन क्षेत्र में भारत का योगदान काफी प्रभावी रहा है। 2002 से 2009 की अवधि के दौरान भारत में विदेशी पर्यटन आगमन (एफटीए) 2.38 मिलियन से बढ़कर 5.11 मिलियन हो गया। वैश्विक मंदी, आतंकी हमलों, एच1एन1, एन्फ्लुएंजा, महामारी आदि के कारण 2009 के दौरान विदेशी पर्यटक आगमन की वृद्धि दर में 3.3 प्रतिशत की कमी आई।

भारत पर्यटन के ब्रांड के रूप में भारत में पर्यटन ने अपना विशेष स्थान बनाया है। 2009–10 में मंत्रालय की पर्यटन नीति में अनेक नई पहल की गई है। हेलीपोर्ट पर्यटन, चिकित्सा पर्यटन, वेलनेस पर्यटन, रोमांचकारी पर्यटन, क्रूज़ पर्यटन, और कारवां पर्यटन जैसे विशिष्ट पर्यटन उत्पादों के सृजन ने इस क्षेत्र को बढ़ाने का कार्य किया है। विश्वस्तरीय पर्यटन अवसंरचना के विकास हेतु राज्य सरकारों/संघ राज्य क्षेत्र प्रशासनों को दिशा-निर्देश जारी करना एक बड़ा कदम रहा है।

भारतीय पर्यटन विकास निगम लिमिटेड (आईटीडीसी) : पर्यटन मंत्रालय के एकमात्र सार्वजनिक क्षेत्र उपक्रम भारतीय पर्यटन विकास निगम का गठन अक्तूबर, 1966 में किया गया। पर्यटन ढांचे के विस्तृत विकास सहित देश को विश्व में पर्यटन का एक प्रमुख केंद्र बनाना ही इसका प्रमुख ध्येय है। निगम ने समूचे देश में एक वृहद होटल श्रेणी बनाने में सफलता हासिल की है। प्रत्येक होटल में पर्यटकों के ठहरने की व्यवस्था, खान-पान, परिवहन, घरेलू पर्यटक एजेंसी, करमुक्त खरीददारी (ड्यूटी-फ्री शॉपिंग), मनोरंजन, प्रचार सेवाएं आदि उपलब्ध हैं। निगम निजी व सार्वजनिक क्षेत्र के संगठनों को पर्यटन विकास परामर्श सेवाएं भी उपलब्ध कराता है।

भारतीय पर्यटन एवं यात्रा प्रबंध संस्थान : ग्वालियर स्थित भारतीय पर्यटन एवं यात्रा प्रबंध संस्थान (आईआईटीएम) निजी और सार्वजनिक दोनों क्षेत्रों में पर्यटन और यात्रा उद्योग हेतु विशिष्ट प्रशिक्षण और शिक्षा प्रदान करने हेतु यात्रा और पर्यटन शिक्षण और प्रशिक्षण के क्षेत्र में अग्रणी है। ग्वालियर, भुवनेश्वर और दिल्ली प्रत्येक केंद्र में 60 छात्रों के प्रवेश के साथ, निम्न कार्यक्रमों को चलाता है :

(*i*) दो वर्षीय स्नातकोत्तर मैनेजमेंट डिप्लोमा (टूरिज्म एंड ट्रेवल) ग्वालियर और भुवनेश्वर से।

(*ii*) दो वर्षीय स्नातकोत्तर मैनेजमेंट डिप्लोमा (इंटरनेशनल बिजनेस) ग्वालियर और भुवनेश्वर से।

(*iii*) दो वर्षीय स्नातकोत्तर मैनेजमेंट डिप्लोमा (सर्विस सेक्टर) ग्वालियर से।

(*iv*) दो वर्षीय स्नातकोत्तर मैनेजमेंट डिप्लोमा (टूरिज्म और लेजर) दिल्ली से।

राष्ट्रीय जल क्रीड़ा संस्थान, गोवा : जल आधारित साहसिक क्रीड़ाओं की पेशकश करने वाली भारत की तटरेखा की संभावना का दोहन करने के उद्देश्य से पर्यटन मंत्रालय ने (गोवा में) राष्ट्रीय जल क्रीड़ा संस्थान एनआईडब्ल्यूएस की स्थापना की है। एनआईडब्ल्यूएस डाइविंग, स्क्रूबा डाइविंग, स्कीइंग आदि विभिन्न प्रकार की गतिविधियों में पाठ्यक्रमों का संचालन करता है। संस्थान देश में जल क्रीड़ा केंद्रित पर्यटन गतिविधियों के एक नोडल केंद्र के रूप में भी कार्य करता है।

होटलों का अनुमोदन एवं वर्गीकरण

पर्यटकों के विभिन्न वर्गों विशेषकर अंतर्राष्ट्रीय पर्यटकों के स्तर के अनुकूल होने के विचार से संभावित स्तर को सुनिश्चित करने के लिए पर्यटन मंत्रालय ने एक से पांच सितारा डीलक्स और हैरिटेज होटलों (वर्ष 1994 में शुरु) की छः श्रेणियों में सितारा व्यवस्था के अंतर्गत होटलों का वर्गीकरण किया, जिसे पर्यटन मंत्रालय द्वारा गठित होटल एवं रेस्तरां अनुमोदन एवं वर्गीकरण समिति (एचआरएसीसी) द्वारा संचालित किया जाता है।

हेरिटेज होटल : हेरिटेज होटलों की लोकप्रिय धारणा की शुरुआत सन् 1950 से पूर्व निर्मित पुराने महलों, हवेलियों, दुर्गों, किलों और आवासों को आवासीय इकाइयों में परिवर्तित करने के लिए की गई क्योंकि यह विगत युग के परिवेश एवं जीवनशैली को पुनः प्रस्तुत करते हैं और पर्यटकों में काफी मशहूर हैं। स्कीम का उद्देश्य ऐसी संपदा को अनुमोदित क्षेत्र में लाने की है ताकि यह सुनिश्चित किया जा सके कि क्षति और दुरुपयोग के चलते यह खो न जाए।

अतुल्य भारत बेड एंड ब्रेकफास्ट योजना

यह योजना विदेशी और घरेलू पर्यटकों को स्वच्छ एवं वहन करने वाली भारतीय परिवार के साथ रहने तथा स्नेही आतिथ्य एवं भारतीय संस्कृति एवं व्यंजनों के सुस्वादन का आनंद लेने का अवसर प्रदान करती है। ऐसी स्थापनाओं की वृद्धि को प्रोत्साहित करने एवं अनुमोदन की प्रक्रिया को सरल बनाने के विचार से भी पर्यटन मंत्रालय ने हाल ही में योजना की समीक्षा की है और कुछेक मानकों में संशोधन करके दिशा-निर्देशों को सरल बनाया है।

विभिन्न पर्यटन कार्यक्रमों का आयोजन

अपने 14 विदेश स्थित कार्यालयों के जरिये पर्यटन मंत्रालय पर्यटन उत्पादों के बाजार में भारत की पसंदीदा पर्यटन स्थान,

विभिन्न पर्यटन उत्पादों का संवर्धन और वैश्विक पर्यटन बाजार में भारत की हिस्सेदारी बढ़ाने जैसे क्षेत्रों में भारत की स्थिति मजबूत करने का कार्य करता है। पर्यटन मंत्रालय भारत सरकार विश्व आर्थिक मंदी और मुंबई में हुए आतंकी हमले के नकारात्मक प्रभाव को कम करने और भारत में पर्यटन को बढ़ावा देने वाली गतिविधियों की एक श्रृंखला चलाने का कार्य हाल में लिया।

(*i*) भारत में आने वालों को प्रोत्साहित करने के लिए एयरलाइनों, होटलों, टूअर ऑपरेटरों सहित सभी पूंजीधारकों के साथ मिलकर अप्रैल 2009 में पर्यटन मंत्रालय द्वारा ए विजिट इंडिया ईयर 2009 स्कीम शुरू की गई थी। स्कीम के तहत, भागीदार एयरलाइनों, होटलों और टूअर ऑपरेटरों को यात्रा करने वाले के साथी को पूरक एयर पैकेज, पर्यटक द्वारा बुक होटल में एक रात पूरक ठहराव और किसी एक शहर में पूरक भ्रमण जैसे प्रोत्साहन दिए गए। इसके अतिरिक्त, विदेशी पर्यटकों को ग्रामीण ईको-पैकेज और वेलनेस पैकेज भी प्रदान किए गए थे।

(*ii*) सितंबर 2009 में साहसी पर्यटन पर फोकस करते रोड शो न्यूजीलैंड और आस्ट्रेलिया में आयोजित किए गए।

(*iii*) चिकित्सा पर्यटन को बढ़ावा देने के लिए दुबई, रियाद, कुवैत और दोहा में अक्तूबर में रोड शो आयोजित हुए। रोड शो में चिकित्सा और समृद्धि सुविधाओं पर केंद्रित प्रस्तुतीकरण के साथ विभिन्न पर्यटन उत्पादों का भी प्रदर्शन किया गया।

(*iv*) यात्रा मेलों और प्रदर्शनियों में भागीदारी। इसमें शामिल हैं – दुबई में अरेबियन ट्रेवल मार्केट (एटीएम), हेग्झोड चीन में पीटीए ट्रेवल मार्ट, शंघाई में चाइना इंटरनेशनल ट्रेवल मार्ट, सिंगापुर में आईटीवी – एशिया, लंदन में वर्ल्ड ट्रेवल मार्ट (डब्ल्यूटीएम), आइमेक्स (फ्रेंकफुर्ट में), मेड्रिड में एफआईटीयूआर तथा बर्लिन में आईटीबी आदि।

पर्यटन के साधन

रेल

देश में माल ढोने और यात्री परिवहन का मुख्य साधन रेलें हैं। देश के कोने-कोने तक लोगों को आपस में जोड़ने के अलावा इसने कारोबार, देशाटन, तीर्थयात्रा और शिक्षा को सुलभ बनाया है। रेलें राष्ट्रीय एकता स्थापित करने में पिछले 165 वर्ष से प्रमुख कड़ी साबित हुई हैं। इसने राष्ट्रीय अर्थव्यवस्था को एक सूत्र में पिरोया है और साथ ही कृषि तथा औद्योगिक विकास को तीव्र गति प्रदान की है। हमारे देश में रेल-परिचालन की शुरुआत 1853 में हुई थी। पहली रेलगाड़ी मुम्बई से थाणे तक (34 किलोमीटर की दूरी तक) चलाई गई थी। आज देशभर में रेलों का व्यापक जाल बिछा हुआ है। 31 मार्च, 2017 तक रेलवे स्टेशनों की संख्या 7349 तथा रेलमार्ग की कुल लंबाई 67,368 किलोमीटर है। इसमें 61,680 किमी ब्रॉड गेज, 3,479 किमी मीटर गेज तथा 2,209 किमी नैरो गेज की थी। इतने विशाल रेलमार्ग के साथ भारतीय रेलवे एशिया की सबसे बड़ी व विश्व की दूसरे स्थान की रेल प्रणाली हो गई है। 31 मार्च, 2017 की स्थिति के अनुसार भारतीय रेलवे के पास 11,461 इंजन, 69,322 यात्री डिब्बे, और 2,77,987 माल डिब्बे हैं। 31 मार्च, 2017 तक के रेल चल स्टॉक में 39 भाप इंजन, 6,023 डीजल व 5,399 बिजली रेल इंजन थे। मार्च 2017 के अन्त तक भारत के कुल रेलमार्ग के लगभग 37.65% (25,367 किमी) भाग का विद्युतीकरण किया जा चुका था। भारतीय रेलवे में लगभग 13.08 लाख श्रमिकों को रोजगार मिला हुआ है, जो देश के किसी भी उपक्रम में सबसे अधिक है तथा केन्द्रीय कर्मचारियों की कुल संख्या का 40% है।

सड़कें

हमारा देश विश्व की सबसे बड़ी सड़क प्रणाली वाले देशों में से एक है। इस समय देश में सड़कों की कुल लंबाई 56,17,812 किलोमीटर है। देश के सड़क नेटवर्क में राष्ट्रीय राजमार्ग, राज्यों के राजमार्ग, प्रमुख/अन्य जिला सड़कें और ग्रामीण/देहाती सड़कें शामिल हैं। राष्ट्रीय राजमार्गों की व्यवस्था का दायित्व केंद्र सरकार का है। इनकी लंबाई, 1,15,530 किलोमीटर है जो सड़कों की कुल लंबाई का मात्र 2 प्रतिशत है, लेकिन यातायात का 40 प्रतिशत इन्हीं राष्ट्रीय राजमार्गों से गुजरता है।

राष्ट्रीय राजमार्ग/एक्सप्रेस मार्ग	1,15,530 किलोमीटर
राज्यों के राजमार्ग	1,76,166 किलोमीटर
बड़ी और अन्य जिला सड़कें	53,26,166 किलोमीटर

सड़कों से लगभग 65 प्रतिशत माल यातायात और 87.4 प्रतिशत यात्री यातायात होता है। यद्यपि राष्ट्रीय राजमार्ग सड़क नेटवर्क का केवल लगभग 2 प्रतिशत ही हैं। इन पर कुल सड़क यातायात का 40 प्रतिशत यातायात होता है। वाहनों की संख्या में प्रति वर्ष (वर्ष 2001-02 से 2005-06) औसतन 10 प्रतिशत की गति से वृद्धि होती रही है। सन् 1950-51 में कुल माल यातायात और यात्री यातायात में सड़क का हिस्सा क्रमशः अनुमानतः 13.8 प्रतिशत और 15.4 प्रतिशत था और 2017 के अंत तक माल यातायात और यात्री यातायात में सड़क का हिस्सा बढ़कर क्रमशः 65 प्रतिशत और 87.4 प्रतिशत हो था।

जहाजरानी

जहाजरानी उद्योग वैश्विक उद्योग का उच्चतम प्रतियोगी व्यापारिक इकाई है जो अन्य उद्योगों से अधिक उदार है। परिवहन क्षेत्र

में देश की अर्थव्यवस्था को मजबूत करने में जहाजरानी की प्रमुख भूमिका है।

देश की जहाजरानी नीति की विशेषता यह है कि इसमें देश को विदेश व्यापार में आत्मनिर्भर बनाए रखने के साथ-साथ आयात-निर्यात व्यापार में पूंजी निवेशकों के हितों को भी सुरक्षित रखा गया है। राष्ट्रीय ध्वजपात कच्चे तेल और पेट्रोलियम उत्पादों के आयात के लिए परिवहन का अनिवार्य माध्यम है। विदेशी मुद्रा आर्जित करने में राष्ट्रीय जहाजरानी का महत्त्वपूर्ण योगदान है।

हमें क्या करना चाहिए

हम और हमारे आसपास की चीजें मिलकर पर्यावरण का निर्माण करते हैं। हमारे आसपास की सभी चीजें जैसे जीव-जंतु, पेड़-पौधे एवं मानव आदि एक-दूसरे पर निर्भर करते हैं। जैव के साथ अजैव तत्व भी हमारे पर्यावरण के हिस्से हैं–जैसे कार्बन, नाइट्रोजन, ऑक्सीजन जैसे गैस, धूलकण, जलवाष्प, मिट्टी आदि। पर्यावरण की शुद्धता के लिए जैव एवं अजैव तत्वों में संतुलन आवश्यक है। इनमें होने वाले किसी भी परिवर्तन से हमारे पर्यावरण का संतुलन बिगड़ने लगता है और धरती पर कई तरह की पर्यावरणीय समस्याएँ पैदा हो जाती हैं, जैसे–वातावरण प्रदूषण, भू-तापन (Global Warming) अम्ल वर्षा, वर्षा की सामान्य मात्रा में कमी आदि।

एक जागरूक नागरिक होने के कारण हमें अपने आसपास के वातावरण के प्रति सजग रहना चाहिए। सामान्य व्यवहार में हमें कुछ ऐसे कार्यकलापों को बढ़ावा देना चाहिए, जिससे हमारा वातावरण शुद्ध रहे। ऐसे कुछ कार्य निम्न हैं–

1. घर में ऊर्जा के अनावश्यक खर्च पर रोक लगानी चाहिए। प्रायः हम घर में बिजली के बल्व एवं अन्य उपकरणों को चलता छोड़ देते हैं। इससे बिजली की अधिक खपत होती है। कार्य पूरा होने के बाद हमें बिजली के बल्व एवं उपकरण बंद कर देने चाहिए। दिन के समय रौशनी के लिए घर की खिड़की एवं दरवाजे खुले रखने चाहिए।
2. जहाँ तक संभव हो ऊर्जा चालित मशीनों का कम से कम प्रयोग करना चाहिए। इसके साथ ही ऊर्जा की बचत करने वाले उपकरण प्रयोग में लाने चाहिए।
3. घर के अपशिष्ट पदार्थ को अन्यत्र फेंकने के बदले बागवानी या खेत में कंपोस्ट खाद के रूप में इस्तेमाल किया जा सकता है। इन अपशिष्टों का इस्तेमाल बायो गैस तैयार करने में भी किया जा सकता है।
4. जल हमारे जीवन के लिए आवश्यक है। इसका विवेकपूर्ण इस्तेमाल करना चाहिए। देश के कई गाँव एवं शहरों में आज जल संकट की स्थिति है। जल के सीमित एवं विवेकपूर्ण प्रयोग द्वारा जल संकट की समस्या को हल किया जा सकता है। घर में इस्तेमाल के साथ कृषि एवं उद्योग में भी जल का प्रयोग किया जाता है। सिंचाई के कार्य में जल का काफी दुरूपयोग होता है। अधिकांश जल नदियों में बह जाते हैं ऐसे में जल का उचित संग्रहण एवं उपयोग आवश्यक है। सिंचाई के लिए ड्रीप एवं स्प्रिंकलर पद्धति का प्रयोग करना चाहिए।
5. हमें अपने घर के लॉन एवं बागीचे में वृक्षारोपण करना चाहिए। इससे भू-तापन के प्रभाव को कम किया जा सकता है। पेड़-पौधे हमारे घर के वातावरण को ठंडा बनाए रखते हैं, इससे घर को ठंडा करने में ऊर्जा की खपत को कम किया जा सकता है। पेड़-पौधों से ध्वनि प्रदूषण में कमी आती है तथा ये धूलकण को भी नियंत्रित करते हैं।
6. शहरों में घरों के निर्माण में इस बात का ध्यान रखना चाहिए कि घर की खिड़की एवं दरवाजे बड़े आकार के बनाए जाएं ताकि स्वच्छ हवा एवं रौशनी मिलती रहे।
7. घरेलू ऊर्जा की आवश्यकता की पूर्त्ति के लिए जैव एवं सौर ऊर्जा के अधिकाधिक प्रयोग को बढ़ावा देना चाहिए। कपड़े सुखाने एवं घर में रौशनी के लिए सौर ऊर्जा का प्रयोग किया जा सकता है।
8. शहरों में मोटरगाड़ियों की बढ़ती संख्या के कारण प्रदूषण एवं सड़क जाम की समस्याएं बढ़ रही हैं। ऐसे में निजी वाहनों की तुलना में सार्वजनिक वाहनों का प्रयोग हमें इन समस्याओं से निजात दिला सकता है। शहरों में पैदल चलने एवं साइकिल की सवारी को भी बढ़ावा दिया जा सकता है।
9. हम रोजमर्रे की जिंदगी में जैव उत्पादों का अधिकाधिक प्रयोग कर सकते हैं। सरकार सब्सिडी प्रदान कर जैव उत्पादों की बिक्री को प्रोत्साहित कर सकती है।
10. प्लास्टिक के बैग पर्यावरण के लिए काफी खतरनाक हैं। इससे सीवेज में भी रूकावट आती है। अतः हमें जूट एवं टाट के बने बैग एवं बोरे का प्रयोग करना चाहिए।

SECTION b

शिक्षाशास्त्रीय मुद्दे (PEDAGOGICAL ISSUES)

पर्यावरण अध्ययन की संकल्पना

पर्यावरण की परिभाषाएँ

कुछ विद्वानों द्वारा निम्नलिखित परिभाषायें दी गयी हैं–

बोरोन के मतानुसार, "एक व्यक्ति के पर्यावरण में वह सब कुछ सम्मिलित किया जाता है, जो उसके जन्म से मृत्यु तक प्रभावित करता है।"

डॉ. डेविस के मतानुसार, "मनुष्य के सम्बन्ध में भौगोलिक वातावरण से अभिप्राय भूमि या मानव के चारों ओर फैले उन सभी भौतिक स्वरूपों से है, जिसमें वह रहता है, जिसका उसकी आदतों और क्रियाओं पर प्रभाव पड़ता है।"

सोरोकिन के मतानुसार, "भौगोलिक पर्यावरण का तात्पर्य ऐसी दशाओं से है, जिसका अस्तित्व मनुष्य के कार्यों में स्वतन्त्र है, जो मानव रहित नहीं है और जो बिना मानव के अस्तित्व एवं कार्यों से प्रभावित हुए बिना स्वतः परिवर्तित होता है।"

आर.एम. मैकाइवर के शब्दों में, "भू-पृष्ठ तथा उसकी समस्त प्राकृतिक दशाएं प्राकृतिक संसाधन, भूमि, जल, पर्वत, मैदान, खनिज, पादप, जन्तु आदि तथा प्राकृतिक शक्तियां जो पृथ्वी पर विद्यमान होकर मानव जीवन को प्रभावित करती हैं, पर्यावरण के अन्तर्गत आती है।"

गिंस्बर्ट के मतानुसार, "पर्यावरण में उन सभी तत्वों को शामिल किया जाता है, जो जैव स्वरूप या वस्तु को निकट में घेरे होते हैं एवं उन्हें प्रत्यक्ष रूप से प्रभावित करते हैं।"

एम. जे. हर्सकोविट्ज के मतानुसार, "पर्यावरण उन सभी बाह्य दशाओं और प्रभावों का योग है जो भू-पृष्ठ पर जैविक तत्वों के विकास-चक्र को प्रभावित करते हैं।"

एच. फिटिंग के मतानुसार, "जीवों के पारिस्थितिक कारकों का योग पर्यावरण है।"

वैज्ञानिक तथा तकनीकी शब्दावली आयोग भारत सरकार के मतानुसार, "पर्यावरण चारो ओर की उन बाहरी दशाओं का सम्पूर्ण योग है, जिसके अंदर एक जीव अथवा समुदाय रहता है या कोई वस्तु उपस्थित रहती है।"

विश्व कोष के अनुसार, "पर्यावरण के अन्तर्गत उन सभी दशाओं, संगठन एवं प्रभावों को सम्मिलित किया जा सकता है, जो किसी जीवन अथवा प्रजाति के उद्भव विकास एवं मृत्यु को प्रभावित करते हैं।"

सी. सी. पार्क के अनुसार "मनुष्य एक विशेष स्थान पर विशेष समय पर जिन सम्पूर्ण परिस्थितियों से घिरा हुआ है, उसे पर्यावरण कहा जाता है।"

जे. एस. रॉस के शब्दों में, "पर्यावरण या वातावरण वह बाह्य शक्ति है, जो हमें प्रभावित करती है।"

एन.एच. एनास्टसी के मतानुसार, "पर्यावरण वह प्रत्येक वस्तु है, जो जीन्स के अतिरिक्त प्रत्येक व्यक्ति को प्रभावित करता है।"

वुडवर्थ के मतानुसार, "पर्यावरण शब्द का अभिप्राय उन सभी बाहरी शक्तियों और तत्वों से है, जो व्यक्ति को आजीवन प्रभावित करते हैं।"

डगलस एवं रोमन हॉलैण्ड के मतानुसार "पर्यावरण उन सभी बाहरी शक्तियों एवं प्रभावों का वर्णन करता है, जो प्राणी जगत् के जीवन स्वभाव, व्यवहार, विकास और परिपक्वता को प्रभावित करता है।"

उपर्युक्त परिभाषाओं के अध्ययन से स्पष्ट हो जाता है कि जो कुछ भी हमारे चारों ओर विद्यमान है, वह हमारी रहन-सहन दशाओं तथा मानसिक क्षमताओं को प्रभावित करता है, पर्यावरण कहलाता है। पृथ्वी के जिस भाग में जीवधारी रहते हैं, उसे जीवमण्डल कहते हैं। जीवमण्डल की माप लगभग स्थिर है। यह क्षेत्र धरती से लगभग 16 किमी॰ ऊँचाई तक फैला है और इसका क्षेत्रफल 45 करोड़ वर्ग किमी॰ है। जीवमण्डल में पृथ्वी (जमीन), वायु, जल, पेड़-पौधे और सभी जीव-जन्तु रहते हैं। जीवमण्डल धरती, वायु, ताप और जल से समृद्ध है और ये चारों ही जीव के अस्तित्व के लिए आवश्यक अंग हैं। इसके बिना कोई जीवधारी जीवित नहीं रह सकता। जनसामान्य के शब्दों में हमारी सम्पूर्ण पृथ्वी और उस पर उपस्थित प्रत्येक वस्तु हमारा पर्यावरण है। पर्यावरण

में वे सभी परिस्थितियां भी आती हैं, जो हमारे जीवन पर प्रभाव डालती है। हमारा घर, मोहल्ला, गांव, शहर या नगर सभी हमारे पर्यावरण के अंग हैं क्योंकि वे सभी हमारे जीवन पर प्रभाव डालते हैं। 'पर्यावरण' मानव जीवन के प्रत्येक क्षेत्र में समाविष्ट है।

पर्यावरण एक व्यापक शब्द है। यह उन सम्पूर्ण शक्तियों, परिस्थितियों एवं वस्तुओं का योग है जो मानव को परावृत्त करती है तथा उसके क्रिया-कलापों को अनुशासित करती है।

पर्यावरण के घटक

पर्यावरण दो अवयवों से मिलकर बना होता है–जैविक व अजैविक।

(1) **जैविक अवयव**–हरेक परिस्थितिकी तन्त्र में उपस्थित सजीव जैविक घटक के अन्तर्गत सम्मिलित किए जाते हैं। जैसे–पेड़-पौधे, जन्तु तथा मानव आदि। प्रकृति का प्रत्येक जीव किसी-न-किसी रूप में एक-दूसरे को प्रभावित करते हैं। कोई भी पूर्णतः आत्मनिर्भर नहीं होता है। इस प्रकार पारिस्थितिकी तन्त्र के सभी जैविक घटक परस्पर एक वर्ग के सदस्य के रूप में व्यवहार करते हैं। इन्हें ही जैविक घटक के रूप में जाना जाता है।

(2) **अजैविक अवयव**–सभी अजैविक तत्त्व यथा–जल, भूमि, हवा आदि पर्यावरण के अजैविक अवयव में सम्मिलित किए जाते हैं। अजैविक घटक को दो भागों में वर्गीकृत किया जाता है–भौतिक घटक व रासायनिक घटक।

(i) **भौतिक घटक**–मुख्य भौतिक घटक हैं–ताप, प्रकाश, जल, आर्द्रता, मिट्टी, प्रवाह तथा दाब। ये सभी घटक जीवधारियों को जीवन भर प्रभावित करते हैं तथा उनकी वृद्धि, विकास, स्वास्थ्य आदि क्रियाओं को नियंत्रित करते हैं। प्रमुख भौतिक घटकों की व्याख्या अग्रलिखित प्रस्तुत है–

(a) **आर्द्रता**–यह पर्यावरण का एक महत्त्वपूर्ण अजैविक घटक है। आर्द्रता का तात्पर्य वायु में उपस्थित जलवाष्प की मात्रा से है। इसे सम्पूर्ण आर्द्रता और सापेक्ष आर्द्रता दो रूपों में प्रदर्शित किया जाता है।

(b) **मृदा**–सामान्य रूप से पृथ्वी की ऊपरी सतह को मृदा कहते हैं। इसका निर्माण मिट्टी से ठीक नीचे वाली चट्टानों के विघटन और उन पर कार्बनिक पदार्थों और सूक्ष्म जीवधारियों के निरन्तर अनुक्रिया के फलस्वरूप होता है। इसमें अधिकांश वनस्पतियां और जन्तु स्थायी रूप से निवास करते हैं।

(c) **ताप**–वातावरण की गर्मी मापने का यह एक पैमाना है। इसे हम फॉरेनहाइट, सेल्सियस या कैल्विन डिग्री में प्रदर्शित करते हैं। वातावरण के अलग-अलग क्षेत्रों में ताप में अन्तर आता है। जैसे–ठण्डे समुद्रों में 3ºC, स्वच्छ जल में 0ºC तथा साइबेरिया के भू-भागों में –7ºC से भी नीचे ताप मिलता है। जबकि सहारा मरुस्थल में कुछ स्थानों पर 60ºC तक पाया जाता है। धरातल से प्रत्येक 150 मी. की ऊँचाई पर लगभग 1ºC तापक्रम कम होता जाता है। इसलिए पहाड़ों पर मैदानों की अपेक्षा ठंड अधिक होती है। इसका उदाहरण दिल्ली और मंसूरी के तापमान का अन्तर है। धरातल पर तापान्तर का मुख्य कारण निम्नलिखित है–

(i) समुद्र से दूरी,

(ii) समुद्रतल से ऊँचाई,

(iii) विषुवत वृत्त से दूरी है।

(d) **प्रकाश**–सूर्य प्रकाश का मुख्य स्रोत है। उसके विकिरण द्वारा ऊर्जा प्राप्त करके पौधे भोजन बनाते हैं। वास्तव में प्रकाश द्वारा संश्लेषित ऊर्जा ही सभी जीवधारियों के जीवन का मूलभूत आधार है। वह भी अत्यन्त महत्त्वपूर्ण घटक है। इसके अतिरिक्त जन्तुओं और वनस्पतियों की अनेक जैविक-क्रियाएं भी सीधे प्रकाश से प्रभावित होती हैं।

(e) **जल**–पृथ्वी का लगभग दो-तिहाई भाग जल से ढका हुआ है। इसका सभी जैव-भूमण्डल के जीवधारियों के लिए प्रत्यक्ष या परोक्ष रूप से असीमित महत्त्व है। जल के अभाव में जीवन की कल्पना ही कठिन है। धरातल पर जल का वितरण असमान है। कहीं-कहीं जल स्रोतों की गहराई 1 मी. भी नहीं है, जबकि विश्व के कुछ सागर जैसे प्रशांत महासागर 10,924 मी. तक गहरे नापे जा चुके हैं।

(ii) **रासायनिक घटक**–पर्यावरण के मुख्य रसायनिक घटक इस प्रकार हैं–

(a) **पोषक तत्त्व**–ये जीवधारियों के विकास, वृद्धि और वितरण पर प्रभाव डालते हैं। पोषक तत्त्वों को उनकी उपयोग की मात्रा के आधार पर दो उप-समूहों में बाँटा गया है–(क) सूक्ष्म पोषक तत्त्व तथा (ख) बृहत पोषक तत्त्व।

(b) **वायुमण्डल एवं वायुमण्डलीय गैसें**–यह प्रमुख रासायनिक घटक हैं। वायु के प्रमुख तत्त्व ऑक्सीजन, नाइट्रोजन, कार्बन-डाईऑक्साइड व निष्क्रिय गैसें हीलियम, नियॉन, आर्गन, क्रीप्टन, जेनॉन और रेडॉन होती हैं। वायु में ऑक्सीजन का प्रतिशत लगभग 21, नाइट्रोजन का 78 तथा कार्बन-डाईऑक्साइड का 0.03 है। इसके अतिरिक्त मौसम के अनुरूप वायु में जलवाष्प की मात्रा भी रहती है। अक्रिय गैसों को छोड़कर सभी गैसें महत्त्वपूर्ण उपापचय के रूप में उपयोगी हैं तथा वायु के रूप में समस्त भूमण्डल के चारों ओर सदैव चक्कर काटती रहती हैं।

(c) **पी.एच. या हाइड्रोजन आयन की सान्द्रता–** भूमण्डल पर जितनी भी वस्तुएँ विद्यमान हैं उनकी प्रकृति अम्लीय, क्षारीय या उदासीन होती है। क्षारीयता या अम्लीयता का गुण वस्तु विशेष में उपस्थित हाइड्रोजन आयन की सान्द्रता पर निर्भर करता है। वस्तु की इस प्रकृति को pH में दर्शाते हैं। pH-7 उदासीन बिन्दु है तथा 7 से नीचे अम्लीयता व 7 से ऊपर क्षारीयता का सूचक है।

पर्यावरण अध्ययन का क्षेत्र

हमारे रोजमर्रा के जीवन का हमारे परिवेश से अटूट सम्बन्ध है और इससे हमारा परिवेश प्रभावित भी होता है। उदाहरण के तौर पर नगर में रहने वाले लोग अपनी विभिन्न आवश्यकताओं को पूरा करने के लिए आस-पास के परिवेश पर निर्भर करते हैं। वे खाद्य पदार्थों के लिए आस-पास के गाँवों की कृषि पर निर्भर करते हैं। इसी तरह जल, ईंधन, चारा, मछलियाँ आदि के लिए वे जंगल, घास के मैदान, नदियाँ व समुद्रतटों पर निर्भर करते हैं। ये हमारा परिवेश ही हमारा पर्यावरण है और हमारा जीवन इस पर्यावरण को यथा संभव सुरक्षित रखने पर निर्भर करता है।

प्रकृति पर हमारी निर्भरता इतनी अधिक है कि पृथ्वी के पर्यावरण संसाधनों की रक्षा किए बिना हम जीवित नहीं रह सकते। इसीलिए अधिकांश संस्कृतियाँ पर्यावरण को 'माँ प्रकृति' कहती है और अधिकांश परंपरागत समाज जानते हैं कि प्रकृति का सम्मान करना उनकी अपनी जीविका की रक्षा के लिए कितना आवश्यक है। इस विचारधारा से ऐसे अनेक सांस्कृतिक कार्यकलाप विकसित हुए हैं जिन्होंने परम्परागत समाजों को उनके प्राकृतिक संसाधनों के संरक्षण में सहायता दी है। भारत में प्रकृति और सभी जीवित प्राणियों का ध्यान रखना कोई नई बात नहीं है। हमारी तमाम परंपराएँ इन्हीं जीवनमूल्यों पर आधारित हैं। प्राचीनतम ग्रन्थ, ऋग्वेद में तो पर्यावरण को पिता, धरती को माता, चन्द्रमा को भाई तथा अदिति को बहन का स्थान दिया गया है। सम्राट अशोक के शिलालेखों में इस बात का उल्लेख किया गया है कि विश्व में जो कुछ भी है वह मनुष्य के लिए बनायी गई है इसी से मनुष्य का कल्याण होगा। वर्तमान युग वैज्ञानिक युग कहा जाता है। दिन प्रतिदिन नए-नए अनुसंधान हो रहे हैं। जैसे–कृत्रिम खादों और कीटनाशक दवाओं का उपयोग करके खाद्य-उत्पादन बढ़ाना, पालतु पशुओं और फसलों की बेहतर किस्मों का विकास करना, विशालकाय बाँधों से खेतों को सींचना और उद्योगों का विकास करना। इन सबका परिणाम है तीव्र आर्थिक संवृद्धि, (rapid economic growth), लेकिन इस तरह के अविचारित विकास ने स्वाभाविक रूप से पर्यावरण को क्षति पहुँचाई है। हमारे अधिकाधिक उपभोगमुखी समाज के लिए वस्तुओं की आपूर्ति करने वाले औद्योगिक विकास और गहन कृषि बड़ी मात्रा में जल, खनिज, पेट्रोलियम उत्पादों और लकड़ी आदि प्राकृतिक संसाधनों का उपयोग कर रहे हैं।

खनिज और तेल ऐसे अनवीकरणीय संसाधन हैं कि अगर हम भावी पीढ़ियों का ध्यान रखे बिना इनका दोहन करते रहे तो ये भविष्य में समाप्त हो जाएँगे। इमारती लकड़ी और जल जैसे नवीकरणीय संसाधन का उपयोग किया जाता है, पर उन्हें पुनर्वृद्धि या वर्षा जैसी प्राकृतिक प्रक्रियाएँ फिर से पैदा कर सकती हैं। लेकिन प्रकृति जिस गति से उन्हें पैदा करती है उससे तीव्रतर गति से हम उनका उपयोग करते रहे तो ये भी समाप्त हो जाएँगे। यदि किसी जंगल में पेड़ों के उगने और उनके बढ़ने की गति से अधिक तेज ी से हम इमारती और जलावन लकड़ी लेते रहे तो लकड़ी की आपूर्ति की भरपाई नहीं हो सकती। जंगल की हानि से न सिर्फ जंगल के संसाधनों, जैसे इमारती लकड़ी और लकड़ी से भिन्न दूसरी वस्तुओं की ही हानि होती है इससे हमारे जल संसाधन भी प्रभावित होते हैं क्योंकि एक सही-सलामत प्राकृतिक वन एक स्पंज की तरह काम करता है जो वर्षाकाल में जल को सोखता है और सूखे मौसमों में धीरे-धीरे उसे छोड़ता जाता है। वन हमारी राष्ट्रीय सम्पत्ति हैं। प्राकृतिक संतुलन को बनाये रखने के लिए इसका संरक्षण बहुत ही आवश्यक है। वन का ह्रास होने से प्राकृतिक संतुलन बिगड़ जाता है इसका परिणाम यह होता है कि वर्षा के न होने से नदियां सुख जाती हैं तथा असामयिक मौसम में परिवर्तन आने लगता है। इस बात से आम सहमति है कि अब पर्यावरणीय समस्याओं ने विश्वव्यापी आयाम धारण कर लिया है। विश्वव्यापी प्रयास के अन्तर्गत पृथ्वी को एक कुटुम्ब के रूप में देखना होगा तथा एक राष्ट्र को दूसरे राष्ट्र की सामाजिक एवं आर्थिक विविधता को ध्यान में रखकर कार्य करना होगा और आवश्यकताओं के अनुरूप पर्यावरणीय प्राथमिकताओं को निर्धारित करते हुए विकास के फलों को समानता में वितरित करना होगा।

पर्यावरण से सम्बन्धित अध्ययनों का विषय क्षेत्र

मानव एवं पर्यावरण के अन्तर्सम्बन्ध के क्रम विकास से यह स्पष्ट है कि सक्रिय मानव का अध्ययन प्राकृतिक पर्यावरण के सन्दर्भ में किया जाता है। इसके विषय क्षेत्र के अन्तर्गत विभिन्न प्रदेशों के मानव समुदाय से सम्बन्धित ऐसे तत्वों का अध्ययन किया जाता है जिनसे सांस्कृतिक भूदृश्य का निर्माण एवं विकास होता है। इन तत्वों में स्वयं मानव, समुदाय की जनसंख्या एवं उसकी संरचना, उसका क्षेत्रीय वितरण, प्रतिरूप, मानव अधिवास, परिवहन मार्ग तथा आर्थिक कार्यलाप के अन्य मूर्त रूप जैसे खेत, कारखानें आदि को इसके अंतर्गत सम्मिलित करते हैं। ब्रून्स जैसे विद्वान अधिवास तथा परिवहन मार्ग तथा आर्थिक कार्य-कलाप के अन्य मूर्त रूप जैसे खेत, कारखानें आदि सम्मिलित हैं। कृषि एवं पशुपालन सम्बन्धी तत्व भूतल के उत्पादन उपयोग के प्रतीक हैं। खनिज उत्खनन, वनदोहन आदि सम्बन्धित कार्यों को भी वे मानव एवं पर्यावरण के सम्बन्धों की परिसीमा में रखते हैं। इसी सन्दर्भ में मानव द्वारा पर्यावरण

के परिष्कार हेतु अपनाई गई प्राविधिकी, जैसे सिंचाई तथा नये पौधों की कृषि को भी महत्व प्रदान किया जाता है।

कालान्तर में मानव के आर्थिक विकास कार्यकलाप आर्थिक भूगोल का विषय क्षेत्र बन गये, जबकि अन्य सांस्कृतिक तत्वों जैसे अधिवास, राजनीतिक संगठन आदि का भी अध्ययन विलग शाखाओं में होने लगा। अब मानव भूगोल जनसंख्या के वितरण प्रतिरूप एवं उसकी प्रजातिगत-सामाजिक संरचना के ऐतिहासिक परिप्रेक्ष्य में विवेचन तक सीमित रह गया है।

मानव भूगोल के अध्ययन का एक दूसरा पक्ष भविष्य के परिप्रेक्ष्य में मानव पर्यावरण तन्त्र का अध्ययन करता है। बीसवीं शताब्दी में मानव द्वारा जीवन-स्तर में अधिकाधिक वृद्धि के चक्कर में प्राकृतिक संसाधनों में अधिकाधिक शोषण से वातावरण में पारिस्थितिक असन्तुलन क़ी समस्या प्रकट हुई है। निश्चित परिमाण में उपलब्ध संसाधनों जैसे खनिज की पूर्ण समाप्ति की आशंका के साथ वायु प्रदूषण की समस्या भी विकट हो रही है। अब यह विश्वव्यापी चिन्ता है कि इस प्रकार पर्यावरण का गुणात्मक ह्रास होते रहने से मानव जीवन का पृथ्वी पर अस्तित्व रह पायेगा? अतएव पर्यावरण नियोजन भी मानव एवं पर्यावरण के अध्ययन क्षेत्र का अभिन्न अंग हो गया है।

मानव समुदाय का पर्यावरण से अन्तर्सम्बन्ध का स्वरूप स्थायी नहीं है। किसी भी प्रदेश में निवास करने वाले मानव समुदाय का प्राकृतिक पर्यावरण से सम्बन्ध परिवर्तनशील होता है। वस्तुतः यह सम्बन्ध मानव समुदाय की तकनीकी क्षमता के अनुसार बदलता जाता है। पुरापाषाण काल के मानव समुदाय के लिए उसका पर्यावरण नियन्त्रणकारी था। नवपाषाण काल में मनुष्य ने पशुओं को पालतु बनाकर पशु ऊर्जा का उपयोग करना सीख लिया तथा वह विभिन्न प्रकार के फसलों का उत्पादन करने लगा। ऐसी दशा में उसी पर्यावरण की संसाधनता बढ़ गई। लगभग 200 वर्ष पूर्व जब मनुष्य के अजैव ऊर्जा स्रोतों जैसे कोयला की मदद से विभिन्न प्रकार की मशीनें एवं उपकरण बनाना सीख लिया, तब प्राकृतिक पर्यावरण से प्राप्त विभिन्न पदार्थों (लोहा, बाक्साइट) से वह नाना प्रकार की वस्तुओं का निर्माण करने लगा। प्रकट है कि पर्यावरण एवं उसकी संसाधनता मनुष्य की प्राविधिक क्षमता एवं ज्ञान-विज्ञान में अभिवृद्धि के साथ बढ़ती गई है। इस परिवर्तनशील सम्बन्ध के स्वरूप के विषय में निम्न तथ्यों पर ध्यान देना आवश्यक है।

पर्यावरण अध्ययन का महत्त्व

पर्यावरण के अन्तर्गत मनुष्य तथा प्राकृतिक परिवेशों का अध्ययन किया जाता है। पर्यावरण कोई अनजान शब्द नहीं है। यह मनुष्य के पृथ्वी पर आने के पहले से ही उसके संबंधों का अध्ययन करता है। जिनमें विज्ञान और सामाजिक अध्ययन दोनों शामिल हैं। अपने पर्यावरण के विभिन्न पहलुओं को समझने के लिए हमें जीव विज्ञान, रसायन, भौतिकी, भूगोल, संसाधन प्रबंध, अर्थशास्त्र और जनसंख्या के प्रश्नों को समझना होगा। इस तरह पर्यावरण अध्ययन का विषय क्षेत्र अत्यंत व्यापक है और यह लगभग हर प्रमुख शास्त्र (discipline) के कुछ पहलुओं को समेटता है। हम ऐसे विश्व में रहते हैं जिसमें प्राकृतिक संसाधन सीमित हैं। जल, वायु, खनिज, तेल, जंगल, घास के मैदान, सागर, कृषि और मवेशियों से मिलने वाली वस्तुएँ ये सभी हमारी जीवन रक्षक व्यवस्थाओं के अंग हैं।

आधुनिक युग, विज्ञान एवं तकनीकी का युग कहा जाता है दिन प्रतिदिन नए-नए आविष्कार किए जा रहे हैं। विज्ञान की दिशा में नए-नए आविष्कार से ही पता चलता है कि विश्व में जटिल रसायनों की संख्या कितनी अविश्वसनीय और अनगिनत है। नई दवाओं और औद्योगिक उत्पादों के विकास के लिए कच्चा माल का भंडार है जिससे भविष्य में हज रों नए उत्पादों का विकास किया जा सकता है। इस तरह फूल देने वाले पौधे और कीड़े, जो प्रजातियों की दृष्टि से जीवित प्राणियों के सबसे समृद्ध समूह हैं, मानव के भावी विकास के लिए महत्त्वपूर्ण हैं। अगर हम उनके आवास का ह्रास और नाश करते हैं तो ये प्रजातियाँ लुप्त हो जाएँगी। अगर हम गैरकानूनी ढंग से मारी गई जंगली प्रजातियों से बनी वस्तुओं का प्रयोग या विक्रय होते देखें और अधिकारियों को इसकी सूचना न दें तो हम भी उनके विलोप में भागीदार होंगे। एक बार कोई प्रजाति विलुप्त हो जाए तो मनुष्य उसे वापस नहीं ला सकता। अगर हम जंगलों, नम-भूमियों या अन्य प्राकृतिक क्षेत्रों का विनाश होने देते रहे तो वह दिन दूर नहीं जब हमें जीने के लिए हवा नहीं मिल पायेगी।

इस तरह सभी जीवित प्राणियों की सुरक्षा ऐसी धारणा है, जिसे समझना और जिस पर अमल करना हमारे लिए महत्त्वपूर्ण है। व्यक्तिगत स्तर पर हम शायद सीधे-सीधे किसी प्रजाति के विनाश को न रोक सकें। लेकिन प्रजातियाँ जिन राष्ट्रीय पार्कों और अभ्यारण्यों में रहती हैं उनकी रक्षा करने के लिए मजबूत जनमत तैयार करना निर्वहनीय जीवन का एक अहम् पहलू है। कृषि और वन के बीच गहरा संबंध है जो उसके उत्पादक मूल्य को दर्शाता है। फ सलों की सफलता के लिए यह आवश्यक है कि फलदार पेड़ों और वनस्पतियों के फूल कीड़ों, चमगादड़ों और परिंदों द्वारा परागित हों। लेकिन उनके जीवन-चक्र अक्सर सुरक्षित जंगलों की माँग करते हैं।

अतः यह स्पष्ट है कि जैव विविधता हमारे भोजन, औषधि, वस्त्र, संस्कृति की बुनियाद हैं। आधुनिक सभ्यता बहुत हद तक जैव संसाधनों पर ही निर्भर है। जैव विविधता अमूल्य हैं। यह समस्त जानकारी हम पर्यावरण अध्ययन के द्वारा ही प्राप्त करते हैं।

प्रकृति के मनोरंजक व विहंगम दृश्य का मनुष्य आनन्द उठाता है। प्रकृति के अभाव में मनुष्य का वास्तविक रूप क्या है इसका सही आकलन नहीं किया जा सकता है। यह काम अपेक्षाकृत शांत क्षेत्रों में राष्ट्रीय पार्कों और अभ्यारण्यों का विकास करके किया जा सकता है। किसी निर्जन क्षेत्र में समय व्यतीत करने के अनुभव का मनोरंजन संबंधी मूल्य तो होता ही है, साथ ही एक अपार ज्ञानदायी अनुभव भी होता है।

हमारे देश में बहुत से ऐसे सुन्दर पार्क हैं जहाँ मनुष्य गर्मियों की छुट्टियों में भ्रमण एवं मनोरंजन करता है एवं इसे प्रकृति-पर्यटन या वन्यजीवन पर्यटन या पारिस्थितिकी-पर्यटन भी कहा जाता है, यह दुस्साहस भरे पर्यटन का भी एक पहलू है। मनोरंजन की ये सुविधाएँ सुखद अनुभव ही नहीं देतीं, बल्कि प्रकृति के प्रति गहरे सम्मान और प्रेम का भाव भी पैदा करती हैं। ये पर्यावरण की नजाकत और निर्वहनीय जीवनशैलियों की आवश्यकता के बारे में जनता को शिक्षित करने के बुनियादी साधन भी हैं। एक नगरीय परिवेश में हरे-भरे क्षेत्र और बाग-बगीचे नगरवासियों के मानसिक-शारीरिक स्वास्थ्य के लिए अनिवार्य हैं। उनका सौंदर्य देखने योग्य तो होता ही है, वे यह भी सुनिश्चित करती हैं कि हर व्यक्ति को एक सीमा तक सुख-चैन मिल सके। इसलिए नगरों के पर्यावरण की योजना बनाने वालों को यह सुनिश्चित करना चाहिए कि बढ़ते नगरीय आवास समूहों में ऐसी सुविधाएँ शामिल हों।

ऐसे क्षेत्रों में जहाँ प्राणी या वनस्पति उद्यान जैसे संरक्षित क्षेत्र न हों, वहाँ छोटे-छोटे ऐसे प्रकृति सचेतना क्षेत्र (nature awareness areas) कायम किए जा सकते हैं जो प्राकृतिक पारितंत्र की नकल हों और जिनकी विशेषताओं के बारे में लोगों को समझाया जा सके। ऐसे तरीके लोगों में प्रकृति संरक्षण सचेतना और जागरूकता जगाने में अत्यंत महत्त्वपूर्ण साबित हो सकते हैं।

मनुष्य अपनी आवश्यकता की पूर्ति के लिए प्रकृति प्रदत्त संसाधनों का उपभोग करता है। मनुष्य को शायद इस बात का ज्ञान नहीं है कि प्राकृतिक संसाधनों के दोहन से भावी पीढ़ी के लिए आने वाले समय में इस पर संकट के बादल मड़रा रहे हैं। लेकिन हमें यह बात अच्छी तरह समझ लेनी चाहिए कि दैनिक जीवन में हमारी हर क्रिया का प्रकृति की अखंडता पर प्रतिकूल प्रभाव पड़ता है। मसलन, अगर हम अपने सारे संसाधनों का इस्तेमाल कर लें, पृथ्वी पर पौधों और जीवों की प्रजातियों को मार डालें या विलुप्त हो जाने दें, वायु और जल को प्रदूषित कर भूमि को बेकार बना डालें और अपार मात्रा में व्यर्थ पदार्थ पैदा करें तो वर्तमान पीढ़ी अपनी भावी पीढ़ियों के लिए कुछ नहीं छोड़ पाएगी। वर्तमान पीढ़ी ने जीवन के अनिर्वहनीय ढर्रों पर अपनी अर्थव्यवस्थाओं और जीवनशैलियों का विकास किया है। लेकिन प्रकृति, उसकी वस्तुओं और सेवाओं का कैसे उपयोग किया जाए, इसके बारे में अनेक विकल्प देती है। हम लोभी की तरह उसकी वस्तुओं और सेवाओं का उपयोग करके उसकी अखंडता और उसके दीर्घकालिक महत्त्व को खत्म कर सकते हैं या फिर एक सज्जन की तरह उसके संसाधनों का निर्वहनीय उपयोग करके पर्यावरण पर अपने कार्यकलाप से पड़ रहे दुष्प्रभावों को कम कर सकते हैं। यह विकल्प हमें उसके संसाधनों का निर्वहनीय उपयोग करने की और भविष्य के लिए उसकी वस्तुओं और सेवाओं का संरक्षण करने का ज्ञान उपलब्ध कराता है।

पर्यावरण अध्ययन एवं पर्यावरण शिक्षा

पर्यावरणीय शिक्षा पर्यावरण प्रबन्धन का एक महत्वपूर्ण पक्ष है। इसमें पर्यावरण के विभिन्न पक्षों व घटकों का मानव के साथ अन्तर्सम्बन्धों का अध्ययन किया जाता है। इसमें जीवमण्डलीय पारिस्थितिक तन्त्र को प्रभावित करने वाले घटकों की भी जानकारी मिलती है। पर्यावरणीय शिक्षा के निम्न उद्देश्य हैं–

(क) सचेतना (Awareness), (ख) ज्ञान (Knowledge) पर्यावरण एवं सम्बन्धित समस्याओं के बारे में ज्ञान, (ग) पर्यावरणीय दृष्टिकोण विकसित करना, (घ) पर्यावरणीय समस्याओं के समाधान के लिए आवश्यक मानसिक योग्यता, (ङ) पर्यावरण मूल्यांकन की क्षमता विकसित होना, (च) सहभागिता, (छ) पर्यावरण के विभिन्न पक्षों की जानकारी प्रदान करना, (ज) विभिन्न पर्यावरणीय प्रदूषणों के कारणों तथा प्रभावों का ज्ञान देना, (झ) पर्यावरण संरक्षण एवं प्रबन्धन के लिए साहित्य उपलब्ध करवाना, (ञ) पर्यावरण चेतना तथा अवबोध विकसित करना।

पर्यावरणीय शिक्षा को प्रभावशाली बनाने के लिए इसकी विषय-वस्तु को अधिक वैज्ञानिक बनाया जाना चाहिए। 1981 में 'पर्यावरणीय शिक्षा' पर भारतीय पर्यावरण संस्था ने निम्न सुझाव प्रस्तुत किए–

(*i*) पर्यावरण शिक्षा का स्वरूप पर्यावरण नीति के विकास में सहायक हो तथा मानव के प्राकृतिक पर्यावरण के प्रति सम्बन्धों का द्योतक हो। पर्यावरण शिक्षा के अध्ययन से प्रत्येक व्यक्ति में यह भावना विकसित हो कि वह अपने आपको पर्यावरण का महत्वपूर्ण घटक समझे।

(*ii*) पर्यावरण शिक्षा की गुणवत्ता इतनी हो कि वह विविध पर्यावरणीय संकल्पनाओं तथा सिद्धान्तों की जानकारी देने में समर्थ हो।

(*iii*) अध्यापन के विभिन्न स्तरों (माध्यमिक तथा विश्वविद्यालय स्तर पर) में पर्यावरण शिक्षा का समन्वय होना चाहिए, जिससे विद्यार्थियों में पर्यावरण के प्रति जागरूकता विकसित हो सके।

(*iv*) पर्यावरण शिक्षा के द्वारा स्थानीय एवं क्षेत्रीय पर्यावरण के उपयोग, समस्याओं तथा उसके निवारण का ज्ञान करवाना चाहिए।

(*v*) शिक्षा के प्रत्येक स्तर पर विद्यार्थियों को पर्यावरण जागरूकता तथा प्रशिक्षण देना चाहिए।

(*vi*) एकीकृत ग्रामीण विकास की प्रक्रिया में पर्यावरणीय सम्बन्धी पक्षों को सम्मिलित करना चाहिए।

(*vii*) विश्वविद्यालय स्तर पर विद्यार्थियों को मानव एवं पर्यावरण के मध्य सम्बन्धों का अध्यापन कराना चाहिए, इसके लिए उनसे विभिन्न पर्यावरणीय घटकों पर केस अध्ययन कराकर प्रतिवेदन तैयार करवाना चाहिए।

(*viii*) विभिन्न दिशा-निर्देश कार्यक्रम आरम्भ करके पर्यावरण से जुड़े अध्यापकों, चिकित्सकों, इंजीनियरों, नियोजकों, सामाजिक कार्यकर्ताओं तथा प्रशासकों व राजनीतिज्ञों को पर्यावरण शिक्षा कार्यक्रम को सुदृढ़ बनाने के पक्ष में महत्वपूर्ण कार्य करने चाहिए।

पर्यावरण एक पक्ष पर केन्द्रित न होकर विस्तृत है। इसमें विभिन्न पर्यावरण संघटकों का अध्ययन किया जाता है। इसका अध्ययन जीव-विज्ञान, भौतिकी, रसायन, अभियान्त्रिकी, प्राकृतिक एवं सामाजिक विज्ञानों आदि में किया जाता है, अतः यह अन्तर्विषयी विषय है। सामान्यतः पर्यावरण के शिक्षा के अन्तर्गत निम्न तथ्यों का समावेश आवश्यक है।

(I) पर्यावरण के घटक

(*i*) उच्चावच
(*ii*) जलवायु → (अ) तापमान, (ब) वर्षा, (स) आर्द्रता, (द) हवाएँ;
(*iii*) प्राकृतिक वनस्पति;
(*iv*) मृदा;
(*v*) जल राशियाँ;
(*vi*) जीव-जन्तु।

(II) पर्यावरण उपयोग एवं विकसित आर्थिक परिदृश्य

(*i*) कृषि;
(*ii*) पशुपालन;
(*iii*) सिंचाई;
(*iv*) उद्‌योग;
(*v*) ऊर्जा;
(*vi*) खनिज खनन;
(*vii*) परिवहन।

(III) विकास द्वारा उत्पन्न पर्यावरणीय समस्यायें

(*i*) जलवायु में परिवर्तन;
(*ii*) विभिन्न प्रकार के प्रदूषण;
(*iii*) हरित गृह प्रभाव;
(*iv*) ओजोन का क्षयीकरण;
(*v*) ऊर्जा संकट;
(*vi*) विश्व तापमान में वृद्धि;
(*vii*) मरूस्थलीकरण;
(*viii*) जल संकट;
(*ix*) प्राकृतिक आपदाएं;
(*x*) शहरीकरण तथा औद्योगीकरण।

(IV) पर्यावरण प्रबन्धन

(*i*) वन प्रबन्धन;
(*ii*) भूमि प्रबन्धन;
(*iii*) जल प्रबन्धन;
(*iv*) वन्य जीवों का प्रबन्धन;
(*v*) ऊर्जा संसाधनों का प्रबन्धन;
(*vi*) प्रदूषण नियन्त्रण;
(*vii*) पर्यटन स्थलों, अभयारण्यों का विकास;
(*viii*) पर्यावरण चेतना का विकास।

(V) पर्यावरण संरक्षण

(*i*) प्रदूषण पर नियन्त्रण;
(*ii*) वनों की रक्षा एवं वनारोपण;
(*iii*) खनिज संसाधनों का संरक्षण;
(*iv*) ऊर्जा संरक्षण;
(*v*) जनसंख्या नियन्त्रण।

पर्यावरण प्रबन्धन में पर्यावरणीय शिक्षा का महत्वपूर्ण योगदान है। पर्यावरण शिक्षा के अन्तर्गत प्रबन्धन के विभिन्न पक्षों का विश्लेषण किया जाता है। उनके लिए भावी रणनीति तैयार की जाती है।

पर्यावरण संरक्षण हेतु जन-जागरूकता की आवश्यकता

जिस गति से जनसंख्या में वृद्धि हो रही है इससे यह अंदाजा लगाया जा सकता है कि अगर सभी लोग जागरूक होकर इस पर विचार नहीं करेंगे तो हमें रहने के लिए भूमि व खाने के लिए अन्न उपलब्ध नहीं हो पायेगा, इसलिए ज ाहिर है कि कुछ तो करना ही होगा। अकसर हम सोचते हैं कि यह सब ऐसे काम हैं जो सरकार को करने चाहिए। लेकिन अगर हम अपने पर्यावरण के लिए खतरे पैदा करते रहे तो सवाल ही पैदा नहीं होता कि सरकार को इस क्षेत्र में सफलता मिलेगी। पर्यावरण के ह्रास की रोकथाम हम सबके जीवन का अंग होना चाहिए। जिस तरह किसी भी रोग का इलाज से बेहतर विकल्प उसकी रोकथाम होती है, ठीक उसी तरह पर्यावरण को हानि पहुँचने के बाद उसकी भरपाई करने की तुलना में पर्यावरण का संरक्षण अधिक व्यावहारिक है।

पर्यावरण के प्रबंध में हम व्यक्ति-रूप में अहम् भूमिका निभा सकते हैं। हम प्राकृतिक संसाधनों की बरबादी रोक सकते हैं और ऐसे प्रहरियों का काम कर सकते हैं जो पर्यावरण के प्रदूषण और ह्रास के स्रोतों की जानकारी सरकार को दें। यह केवल जन-जागरूकता के द्वारा ही संभव है। समाचारपत्रों, रेडियो और टेलीविज न जैसे जनसंचार माध्यम जनमत पर ज ोरदार प्रभाव डालते हैं। अगर हममें से हर कोई पर्यावरण के बारे में संवेदनशील रहे तो प्रेस और संचार माध्यम हमारे प्रयासों को और धारदार बनाएँगे। लोकतंत्र में राजनीतिज्ञ जनता के ज बरदस्त समर्थन वाले आंदोलन पर हमेशा सकारात्मक प्रतिक्रिया दिखाते हैं। इसलिए अगर आप संरक्षण के समर्थक किसी गैर-सरकारी संगठन का साथ दें तो हो सकता है कि आप राजनीतिज्ञों को हरित नीतियों के निर्माण के लिए प्रभावित कर सकें।

जन जागरूकता के लिए कुछ प्रमुख सुझाव–

(1) डब्ल्यू-डब्ल्यू एफ.आई (WWF-I), बी.एन.एच.एस. (BNHS) या किसी अन्य पर्यावरण संरक्षण समूह में शामिल होना चाहिए।

(2) डाउन टू अर्थ, डब्ल्यू-डब्ल्यू एफ.आई.न्यूजलेटर, बी.एन.एच.एस, हार्नबिल, सैंक्चुअरी आदि पत्र-पत्रिकाओं से प्रकाशित होने वाले लेखों को पढ़ना चाहिए।

(3) कागज एवं जल संरक्षण प्लास्टिक का अल्पतम उपयोग, कचरा का सही-सही निबटारा आदि मुद्दों पर काम करना चाहिए तथा उनका प्रचार करना चाहिए।

(4) पेड़ बचाओं जैसे स्थानीय आंदोलनों में शामिल होना चाहिए।
(5) व्यर्थ पदार्थों का पुनर्चालन करना चाहिए।
(6) पर्यावरण-स्नेही वस्तुएँ खरीदनी चाहिए।
(7) अच्छी नागरिक-भावना और सफाई का व्यवहार-प्रचार करना चाहिए। इधर-उधर नहीं थूकना चाहिए, सड़क पर कचरा नहीं फेंकना चाहिए, सार्वजनिक स्थानों पर धूम्रपान नहीं करना चाहिए तथा इधर-उधर मल-मूत्र नहीं त्यागना चाहिए।
(8) सड़कों के किनारे ध्वनि अवशोषक वृक्षों एवं जहरीली गैसों को अवशोषित करने वाले वृक्षों का वैज्ञानिक तरीकों से वृक्षारोपण किया जाए।
(9) विश्व पर्यावरण दिवस, वन्यजीवन सप्ताह आदि कार्यक्रमों में भाग लेना चाहिए।
(10) जन-साधारण को पर्यावरण-प्रदूषण के खतरों से अवगत कराया जाय।

पर्यावरण से जुड़ी संस्थाएँ

पर्यावरण के संरक्षण के लिए सरकार द्वारा पर्यावरण से संबंधित विभिन्न योजनाएँ चलायी जा रही है जिससे प्राकृतिक ह्रास को रोका जा सके। लेकिन संरक्षण की वे परंपरागत विधियाँ धीरे-धीरे गायब हो चुकी हैं जो प्राचीन भारत की संस्कृति का अंग थीं। इस तरह पर्यावरण-सुरक्षा को बढ़ावा देने के लिए जन-जागरूकता एक बुनियादी आवश्यकता है। संस्थाओं की जिस बड़ी संख्या का पर्यावरण सुरक्षा और संरक्षण से संबंध है, उनमें कुछ प्रसिद्ध संस्थाएँ बी एस आई (BSI) और जेड एस आई (ZSI) जैसे सरकारी संगठन तथा बी एन एच एस (BNHS), डब्ल्यू डब्ल्यू एफ -आई (WWF-I) आदि गैर-सरकारी संगठन हैं। यहाँ कुछ प्रमुख संस्थाओं के विषय में संक्षेप में जानकारी प्रदान की जा रही है।

बांबे नेचुरल हिस्ट्री सोसायटी (BNHS), मुंबई : इसका आरंभ 1883 में छह व्यक्तियों की एक छोटी-सी समिति के रूप में हुआ। शिकारियों तथा जीवन के अनेक क्षेत्रों से सम्बन्धित व्यक्तियों के समूह से आगे बढ़कर यह समिति अब एक महत्त्वपूर्ण शोध संगठन बन चुकी है और देश में संरक्षण संबंधी नीति-निर्धारण में मदद देती है। वन्यजीवन संबंधी नीतियों के निर्माण, अनुसंधान, लोकप्रिय प्रकाशनों और जनता की कार्यवाही पर इस बहुमुखी सोसायटी का प्रभाव इसकी अनोखी विशेषता है। वन्यजीवन संबंधी अनुसंधान में निःसंदेह इसका प्रमुख योगदान है।

अनुसंधान पर आधारित भारत का सबसे पुराना गैर सरकारी संगठन BNHS है जो प्रजातियों और पारितंत्रों के संरक्षण के क्षेत्र में सबसे आगे है। यह सोसायटी हार्नबिल नाम से एक लोकप्रिय पत्रिका प्रकाशित करती है और अंतर्राष्ट्रीय ख्यातिप्राप्त पत्रिका जर्नल ऑन नेचुरल हिस्ट्री भी इसी सोसाइटी की पत्रिका है। सलीम अली कृत हैंडबुक ऑन बर्ड्स, जे सी डेनियल कृत बुक ऑफ इंडियन रेप्टाइल्स, एस एच प्रेटर कृत बुक आफ इंडियन मैमल्स और पी वी बोले कृत बुक आफ इंडियन ट्रीज इसके कुछ अन्य प्रकाशन हैं। इसके सबसे महान वैज्ञानिकों में एक डॉ. सलीम अली थे जिनका भारतीय उपमहाद्वीप के पक्षियों से सम्बन्धित योगदान विश्वविख्यात है। कालक्रम में इस सोसायटी ने सरकार को वन्यजीवन संबंधी कानून बनाने में सहायता पहुँचाई और 'खामोश वादी को बचाओ' जैसे अभियान चलाए। प्राकृतिक अस्तित्व को बनाये रखने के लिए इस दल ने महत्त्वपूर्ण कार्य किया।

वर्ल्डवाइड फंड फॉर नेचर-इंडिया (WWF-I), नई दिल्ली: इसका आरंभ 1969 में मुंबई में हुआ, पर इसका मुख्यालय बाद में दिल्ली आ गया। पूरे भारत में इसकी अनेक शाखाएँ हैं। आरंभ के वर्षों में इसने वन्यजीवन संबंधी शिक्षा और जागरूकता पर ध्यान केंद्रित किया। यह विद्यालयों के बच्चों के लिए भारतीय प्रकृति क्लब जैसे कार्यक्रम समेत अनेक कार्यक्रम चलाता है तथा पर्यावरण और विकास के मुद्दों पर विचार और कार्यवाही करता है।

विज्ञान और पर्यावरण केंद्र (Centre for Science and Environment, CSE), नई दिल्ली : अभियान चलाना, कार्यशालाएँ और सम्मेलनों का आयोजन करना तथा पर्यावरण से सम्बन्धित प्रकाशन करना इस केंद्र के कार्यों में शामिल हैं। इसने स्टेट आफ इंडियाज इनवायरनमेंट नाम से एक बड़ी रिपोर्ट प्रकाशित की है जो पर्यावरण पर एक नागरिक की रिपोर्ट के रूप में अपने ढंग की पहली रिपोर्ट है। यह केंद्र लोकप्रिय पत्रिका डाउन टू अर्थ भी प्रकाशित करता है जो विज्ञान और पर्यावरण संबंधी एक पाक्षिक पत्रिका है। यह पुस्तकों, पोस्टरों, विडियो फिल्मों के रूप में सामग्री तैयार करता है तथा जैव-विविधता के मुद्दों पर कार्यशालाओं और संगोष्ठियों का आयोजन करता है। इसके माध्यम से पर्यावरण की जानकारी लोगों तक पहुंचायी जाती है तथा जागरूक किया जाता है।

सी पी आर इनवायरमेंटल एजुकेशन सेंटर (CPR Environmental Education Centre) : इसकी स्थापना 1988 में मद्रास में की गयी थी। इस कार्यक्रम के अंतर्गत पर्यावरण के विषय में लोगों तक ज्ञान उपलब्ध कराना तथा जागरूक करना है। यह अनेक कार्यक्रम चलाकर लोगों तक पर्यावरण के विषय में अवगत कराता है। प्रकृति और प्राकृतिक संसाधनों के संरक्षण को बढ़ावा देने के लिए यह आम तौर पर गैर-सरकारी संगठनों, अध्यापकों, महिलाओं, युवकों और बच्चों पर ध्यान केंद्रित करता है। वन्यजीवन और जैव-विविधता संबंधी प्रश्न भी इसके कार्यक्रमों में शामिल होते हैं। यह बड़े पैमाने पर प्रकाशन कार्य भी करता है।

पर्यावरण शिक्षा केंद्र (Centre for Environment Education, CEE) : पर्यावरण शिक्षा केन्द्र की स्थापना गुजरात के अहमदाबाद में 1989 में हुई थी। पर्यावरण पर इसके कार्यक्रमों का क्षेत्र बहुत बड़ा है और यह अनेक प्रकार की शिक्षा-सामग्री तैयार करता है। इसके पर्यावरण शिक्षा प्रशिक्षण (टी ई ई) कार्यक्रम ने अनेक पर्यावरण-शिक्षकों को प्रशिक्षित किया है।

भारती विद्यापीठ इंस्टीट्यूट आफ़ इनवायरनमेंट एजुकेशन एंड रिसर्च (Bharati Vidyapeeth Institute of Environment Education and Research, BVIEER), पुणे : यह भारती विद्यापीठ अर्द्ध-विश्वविद्यालय का एक अंग है। इस संस्थान में पर्यावरण विज्ञान में पी-एच. डी., स्नातकोत्तर और स्नातक स्तर के पाठ्यक्रम संचालित किये जा रहे हैं। यह सेवारत अध्यापकों के लिए पर्यावरण शिक्षा का एक प्रवर्तनकारी (innovative) डिप्लोमा (Diploma in Environment Education) भी चलाता है। यह एक व्यापक बहिर्मुखी कार्यक्रम (outreach program) चलाता है जिसके अंतर्गत यह संस्थान लगभग 435 विद्यालयों के अध्यापकों को प्रशिक्षित करता है और वार्षिक पर्यावरण शिक्षा कार्यक्रम चलाता है। जैव-विविधता का संरक्षण इसके शोध संबंधी पहलू का एक प्रमुख तत्त्व है। यह प्राकृतिक और वास्तविक स्थलों के लिए कम लागत वाले व्याख्या केंद्र स्थापित करता है जो अत्यधिक स्थान-विशिष्ट (locale-specific) है तथा विभिन्न लक्ष्य समूहों के लिए भारी मात्रा में प्रवर्तनकारी पर्यावरण शिक्षा सामग्री तैयार करता है। इसकी विशेषता यह है कि प्राथमिक शिक्षा से स्नातकोत्तर स्तर तक पर्यावरण शिक्षा का प्रबंध करता है। इस संस्थान द्वारा पर्यावरण शिक्षा संबंधी पर्याप्त सहायक सामग्री विकसित की गई है। इसने विद्यालयों की पाठ्यचर्या से सम्बन्धित एक अध्यापक पुस्तिका तथा पर्यावरण पर एक अनिवार्य स्नातक पाठ्यक्रम के सिलसिले में विश्वविद्यालय अनुदान आयोग के लिए एक पाठ्य पुस्तक तैयार की है। इसके निदेशक ने भारत की जैव-विविधता पर एक सीडी (CD) तैयार किया है। इससे छात्र विभिन्न स्थानों की प्रकृति, जलवायु तथा उसके द्वारा पड़ने वाले प्रभावों का अध्ययन कर सकते हैं।

उत्तराखंड सेवा निधि (Uttarakhand Seva Nidhi), अल्मोड़ा: यह एक शीर्ष संगठन है जो पर्यावरण संबंधी गतिविधियों के लिए धन देकर अनेक गैर-सरकारी संगठनों की मदद करता है। अपने स्थान-विशिष्ट पर्यावरण शिक्षा कार्यपुस्तिका के उपयोग के लिए विद्यालयों के अध्यापकों को संगठित और प्रशिक्षित करना इसका मुख्य कार्यक्रम है। विद्यालयी बच्चों के प्रशिक्षण द्वारा गाँव के स्तर पर संसाधनों का निर्वहनीय उपयोग संभव बनाना इसका प्रमुख लक्ष्य है।

कल्पवृक्ष (Kalpavriksh) : यह एक गैर सरकारी संगठन है, इसकी स्थापना पहले दिल्ली में की गयी थी वर्तमान समय में इसे स्थानान्तरित कर पुणे में स्थापित किया गया है। यह केवल पुणे में ही नहीं बल्कि भारत के अन्य राज्यों में भी सक्रिय भूमिका निभा रहा है। कल्पवृक्ष अनेक लक्ष्यों पर काम करता है। शिक्षा और चेतना, अन्वेषण और अनुसंधान, सीधी कार्यवाही और प्रचार, पर्यावरण और विकास के सवालों पर मुकदमेबाज ी, विद्यालयों और महाविद्यालयों में वार्ताएँ और दृश्य-श्रव्य कार्यक्रम, प्रकृति-भ्रमण और शिविरों का आयोजन, सड़कों पर प्रदर्शन समेत जारी अभियानों में छात्रों की भागीदारी की व्यवस्था, खाद्य पदार्थों के बारे में उपभोक्ताओं में चेतना जगाना आदि विविध कार्यक्रमों के माध्यम से लोगों को जन जागरूक कर रहा है। प्रेस वक्तव्य, हरित चेतावनी और नगरों के प्रशासकों से मुलाकातें इसके कार्यों में शामिल हैं। यह विद्यालयों के अध्यापकों के लिए स्थल-विशिष्ट (site-specific) पर्यावरण हस्तपुस्तिकाओं की तैयारी में रत है। कल्पवृक्ष उन संगठनों में से एक है जो 2003 में भारत की राष्ट्रीय जैव-विविधता रणनीति और कार्यवाही योजना विकास में शामिल थे।

सलीम अली सेंटर फ़ॉर आर्निथोलॉजी एण्ड नेचुरल हिस्ट्री (The Salim Ali Centre for Ornithology and Natural History, SACON), कोयम्बटूर : यह सलीम अली का सपना था जो उनके निधन के बाद साकार हुआ। वे संरक्षण-प्रेमी वैज्ञानिकों के एक प्रतिबद्ध समूह को स्थायी आधार पर सहायता देना चाहते थे। आरंभ में इसकी परिकल्पना बांबे नेचुरल हिस्ट्री सोसायटी की एक शाखा के रूप में की गई थी। आगे चलकर 1990 में यह कोयम्बटूर में केंद्रित एक स्वतंत्र संस्था बन गई। इसने अनेक क्षेत्र-आधारित कार्यक्रम चलाए हैं जिन्होंने हमारी संकटग्रस्त जैव-विविधता के बारे में देश में ज्ञान का प्रसार किया है। इस संस्था ने पर्यावरण के महत्त्व के विषय में लोगों तक सूचनाओं को उपलब्ध कराने में महत्त्वपूर्ण योगदान दिया है।

वाइल्डलाइफ़ इंस्टीट्यूट ऑफ इंडिया (The Wildlife Institute of India, WII) : इस संस्थान की स्थापना 1982 में देहरादून में की गयी थी। यह वन अधिकारियों को प्रशिक्षण देता है और वन्यजीवन प्रबंध संबंधी अनुसंधान कार्य करता है। प्लानिंग ए वाइल्डलाइफ प्रोटेक्टेड एरिया नेटवर्क फ ार इंडिया (रोजर्स एंड पँवार, 1988) इसका सबसे महत्त्वपूर्ण प्रकाशन है। पिछले कई वर्षों से यह संगठन भारत की जैविक संपदा संबंधी जानकारियाँ जुटाता रहा है और बड़ी संख्या में वन विभाग के अधिकारियों और कार्मिकों को वन्यजीवन प्रबंधकों के रूप में प्रशिक्षण दे रहा है। इसके स्नातकोत्तर पाठ्यक्रम के लिए वन्यजीवन के उत्तम वैज्ञानिक तैयार किए हैं। इसके पास एक पर्यावरण प्रभाव आंकलन प्रकोष्ठ (Environment Impact Assessment Cell) भी है। यह वन विभाग के कर्मियों को सम्बन्धित प्रशिक्षण देता है।

बॉटनिकल सर्वे ऑफ इंडिया (The Botanical Survey of India, BSI)–बॉटनिकल सर्वे आफ इंडिया का प्रमुख कार्य क्षेत्र वनस्पति संसाधनों का सर्वेक्षण करना है। इसकी स्थापना रॉयल बॉटनिकल गार्डेन, कोलकाता में 1890 में हुई थी। लेकिन 1939 के बाद यह अनेक वर्षों तक बंद रहा और 1954 में फिर से इसकी शुरुआत हुई। इसका पुनर्गठन करने और इसके उद्देश्यों को निरूपित करने के लिए 1952 में योजनाएँ बनाई गई थीं। 1955 तक कोलकाता इसका मुख्यालय बन चुका था और इसके मण्डल कार्यालय कोयम्बटूर, शिलांग, पुणे और देहरादून में थे। 1962 और 1979 के बीच इलाहाबाद, जोधपुर, पोर्ट ब्लेयर, इटानगर और गंगटोक में इसके कार्यालय खुल चुके थे। आज इसके नौ क्षेत्रीय केंद्र हैं। अलग-अलग क्षेत्रों की वनस्पति संसाधनों का संरक्षण इसके लिए महत्त्वपूर्ण है।

जूलॉजिकल सर्वे ऑफ इंडिया (Zoological Survey of India, ZSI)–1916 में कोलकाता में इस जूलॉजिकल संस्थान

की स्थापना की गयी थी। कोलकाता में स्थापित इस चिड़ियाघर में तरह-तरह के पशु पक्षियों की प्रजातियाँ पायी जाती है। कालक्रम में इसने 'प्रजातियों के नमूने' जमा किए जिनके आधार पर वर्षों से हमारे यहाँ प्राणी जीवन का अध्ययन किया जाता रहा है। इसका काम 1875 में स्थापित भारतीय संग्रहालय, कोलकाता में जमा इन नमूनों से आरंभ हुआ। 1814 और 1875 के बीच एशियाटिक सोसायटी आफ बंगाल में संग्रहीत नमूने तथा 1875 और 1916 के बीच भारतीय संग्रहालय में संग्रहीत नमूने फिर इस संगठन को सौंप दिए गए। आज यहाँ दस लाख से अधिक संग्रहीत नमूने हैं। इसी वजह से यह एशिया में उपलब्ध प्रजातियों के नमूनों का सबसे बड़ा खजाना है। इसने वर्गिकी (taxonomy) और पारिस्थितिकी पर बहुत काम किया है। आज इस संगठन के 16 क्षेत्रीय केंद्र हैं।

मद्रास क्रोकोडाइल बैंक ट्रस्ट (The Madras Crocodile Bank Trust, MCBT)–इसकी स्थापना 1976 में मद्रास में की गयी थी। यह भारत ही नहीं बल्कि एशिया का पहला संरक्षित मगरमच्छ प्रजनन केंद्र है जिसे भारतीय मगरमच्छों के संरक्षण के लिए तथा संकटग्रस्त सरीसृपों की दूसरी प्रजातियों के संरक्षण और वंशवृद्धि के कार्यक्रम शुरू करने के लिए स्थापित किया गया। पिछले कई वर्षों में विभिन्न राज्यों के वन विभागों को 1500 से अधिक मगरमच्छ तथा इस जंतु के कई सौ अंडे दिए जा चुके हैं। इसका उद्‌देश्य भारत के दूसरे राज्यों और पड़ोसी देशों में इस जीव की वंशवृद्धि के कार्यक्रम चलाना और प्रजनन केंद्र स्थापित करना है। इस ट्रस्ट ने भारत में समुद्री कछुओं के सर्वेक्षण और संरक्षण का पहला कार्यक्रम शुरू किया है जिसमें एक प्रजनन केंद्र स्थापित करना भी शामिल है। ग्रामों और विद्यालयों के लिए यह एक पर्यावरण शिक्षा कार्यक्रम चला रहा है। इसके अंतर्गत प्रकृति-शिविर लगाना तथा अध्यापकों, युवा मछुआरों और संसाधन व्यक्तियों के लिए प्रशिक्षण कार्यशालाएँ आयोजित करना शामिल है। सरीसृप विज्ञानी और अन्य परिस्थिति के अध्ययन के लिए 1992 में अंडमान एवं निकोबार इनवायरमेंट टीम (एएनईटी) का गठन किया गया है। यह मद्रास क्रोकोडाइल बैंक ट्रस्ट का एक प्रयास है। हैरी एंड्रयूज (दक्षिणी अंडमान) में एक आधार केन्द्र भी बनाया गया है। क्रोकोडाइल बैंक में इरूला स्नेक कैचर्स कोआपरेटिव सोसायटी भी है। यह एक आदिवासी आत्मसहायक परियोजना है। यह विषमारक दवाओं के उत्पादन और चिकित्सकीय उपयोग के लिए भारत के साँपों और बिच्छुओं का जितना ज हर ज रूरी होता है, उसकी यह आपूर्ति करती है। ट्रस्ट के कार्मिकों ने इरूला आदिवासी महिला कल्याण समाज का भी गठन किया है, जिसका मुख्य उद्देश्य बंजर ज मीनों पर जंगल लगाना और इरूला महिलाओं के लिए आय का सृजन करना है।

अधिगम सिद्धान्त

हिलगार्ड के अनुसार "सीखना (अधिगम) वह प्रक्रिया है जिससे कोई क्रिया आरम्भ होती है अथवा सामना की गयी परिस्थिति से प्रतिक्रिया के द्वारा परिवर्तित की जाती है। बशर्ते क्रिया के परिवर्तन के लक्षण स्वाभाविक प्रतिक्रिया की प्रवृत्तियाँ, परिपक्वता अथवा जीव को अस्थायी दशाओं के आधार पर न समझाई जा सकें।"

अधिगम (सीखने) के प्रमुख सिद्धान्त

सीखने की प्रक्रिया को और अधिक स्पष्ट करने के लिये विभिन्न मनोवैज्ञानिकों ने विभिन्न सिद्धान्त प्रस्तुत किये हैं, जिनमें प्रमुख हैं–

1. अन्तर्दृष्टि द्वारा अधिगम का सिद्धान्त अथवा पूर्णाकार सिद्धान्त।
2. संयोजनवाद या सम्बन्धवाद अथवा परीक्षण द्वारा भूल-सुधार सिद्धान्त।
3. स्किनर का क्रिया प्रकरण अनुकूलन का सिद्धान्त।
4. पावलोव का क्लासिकी सिद्धान्त।

अन्तर्दृष्टि द्वारा सीखने का सिद्धान्त

अन्तर्दृष्टि द्वारा सीखने के सिद्धान्त का प्रतिपादन जर्मनी के मनोवैज्ञानिक कोहलर ने किया। पहले इस सिद्धान्त के वैज्ञानिक पक्ष को समझाने के लिए पशुओं पर प्रयोग किये गये थे। बाद में इनका प्रयोग मनुष्यों को समझाने के लिये किया गया। कोहलर ने चिम्पैंजी (Chimpanzees) पर प्रयोग किये। उन्होंने इन चिम्पैंजियों को प्राकृतिक स्थिति में रखकर उनकी बुद्धि पर प्रयोग किये और यह निष्कर्ष निकाला कि पशु भी बुद्धि का प्रयोग करते हैं। ऐसी स्थिति में यदि मनुष्य को रख दिया जाए तो वह भी उस प्रकार के व्यवहार करेगा।

अन्तर्दृष्टि से तात्पर्य है समस्या के सभी पक्षों को गम्भीरता से देखना। अन्तर्दृष्टि से सीखने में इकाई (Whole Unit) का उसके अंगों की अपेक्षा उसके भागों का अधिक महत्व होता है। इस विधि में भूल और प्रयास विधि का प्रयोग भी होता है। इस विधि के आवश्यक तत्व हैं– सम्पूर्ण इकाई का ज्ञान या बोध, स्पष्ट उद्देश्य, सामान्यीकरण की शक्ति आकस्मिक समाधान की सूचना, वस्तुओं का नया रूप, सीखने का स्थानान्तरण तथा व्यवहार में परिवर्तन आदि।

अन्तर्दृष्टि का शैक्षिक महत्व

***(i)* कठिन विषयों में उपयोगी :** कठिन से कठिन कार्यों को करने और सीखने के लिये सूझबूझ का सिद्धान्त अधिक लाभकारी रहता है। उदाहरणार्थ–विज्ञान व गणित विषय।

***(ii)* अभिप्रेरणा का महत्व :** यदि सीखने से होने वाले लाभों का पहले से ज्ञान हो जाये तो बालक अपनी सूझबूझ और बुद्धि का भरपूर प्रयोग करेगा। अतएव अभिप्रेरणा का इस विधि में भी बहुत महत्व है। इससे बच्चों में कार्य सीखने की रुचि भी बनी रहेगी।

***(iii)* बौद्धिक शक्तियों के विकास में सहायता :** बालकों के बौद्धिक विकास के लिए उनकी अन्तर्दृष्टि या सूझबूझ बहुत सहायक होती है। अतः इस विधि से अधिक से अधिक कार्यों को करने के लिये बालकों को प्रोत्साहित करना चाहिए।

(*iv*) पाठ्यक्रम निर्माण में उपयोगिता : पाठ्यक्रम के निर्माण में अन्तर्दृष्टि अथवा सूझ-बूझ प्रक्रिया को ध्यान में रखकर पाठ्यक्रम के विभिन्न अंगों को एकीकृत किया जाता है। दूसरे शब्दों में एकीकृत पाठ्यक्रम, इस सिद्धान्त के परिणामस्वरूप बनाया जाता है कि सारा विषय एक इकाई के समान हो।

(*v*) वैज्ञानिक खोजों के लिए उपयोगी : वैज्ञानिक खोजों के लिये अन्तर्दृष्टि का सिद्धान्त ही सहायता करता है। इसके बिना खोज कार्य नहीं हो सकते।

संयोजनवाद या सम्बन्धवाद

इस सिद्धान्त को उद्दीपन-अनुक्रिया एवं प्रसन्नता-दुख का सिद्धान्त भी कहा जाता है। इस सिद्धान्त का प्रतिपादन सन् 1968 में अमेरिका के मनोवैज्ञानिक **थार्नडाईक** (Thorndike) ने किया था। इस सिद्धान्त के अनुसार मनुष्य एवं पशु प्रयास एवं भूल के द्वारा बहुत कुछ सीखते रहते हैं। व्यक्ति प्रयास करता जाता है और परिणामस्वरूप धीरे-धीरे उसकी सीखने की प्रक्रिया होती रहती है। प्रयास एवं भूल द्वारा सीखने के लिये मनुष्य को प्रेरणा, बाधा, निरर्थक प्रतिक्रियायें, सफलता का आकस्मिक अवसर, उचित अनुक्रियाओं को स्थायी रखना तथा लक्ष्यों की प्राप्ति आदि तत्त्वों की आवश्यकता होती है तभी वह इस सिद्धान्त के अनुसार सीख सकेगा। इस सिद्धान्त के कुछ दोष भी हैं जैसे इस विधि द्वारा सीखने में बुद्धि का अधिक प्रयोग नहीं होता। सीखने में समय अधिक लगता है। सूझ-बूझ का प्रयोग भी कम होता है। यह विधि पिछड़े बच्चों के लिए ही उपयुक्त है, प्रतिभावान बालक इस विधि को अधिक पसन्द नहीं करते।

संयोजनवाद का शैक्षिक महत्व

(*i*) अभ्यास द्वारा सीखना : अभ्यास मनुष्य को परिपक्वता की ओर ले जाता है। अभ्यास प्रयास और भूल विधि की मुख्य विशेषता है।

(*ii*) कौशल अर्जित करना : छोटा बालक कई कौशल प्रयास और भूल विधि से ही सीख पाता है, जैसे–बैठना, खड़े होना, चलना, भागना। शिक्षण में भी बालक लेखन में गलतियाँ करके ही सुधार लाता है।

(*iii*) प्रेरणा पर बल : इस सिद्धान्त में प्रेरणा पर अधिक बल दिया जाता है। बालकों को सीखने से पहले अभिप्रेरित करना अति आवश्यक है।

(*iv*) सूझबूझ द्वारा सीखना : प्रयास और भूल विधि में सूझ का प्रयोग भी होता है। कई समस्याओं में इनका सम्मिश्रण करना पड़ता है।

(*v*) दोहराना : किसी कार्य को सीखने के लिये उसे दोहराना आवश्यक है। प्रयास और भूल विधि में कार्यों का दोहराव होता रहता है।

(*vi*) सरल से कठिन की ओर : इस सिद्धान्त द्वारा कार्य सरल पक्ष से प्रारम्भ किया जाता है और कठिनाई की ओर धीरे-धीरे बढ़ा जाता है। इससे कमजोर व पिछड़े बालकों को लाभ होता है।

सक्रिय अनुबन्धन का सिद्धान्त

पावलोव के अनुकूलित अनुक्रिया की तरह ही स्किनर (Skinner) ने सक्रिय अनुबन्धन के सिद्धान्त का प्रतिपादन किया। सक्रिय अनुबन्धन इस सिद्धान्त पर आधारित है कि व्यवहार के किसी एक पक्ष को पुरस्कृत किया जा सकता है।

सक्रिय अनुबन्धन का आधार पुनर्बलन है। पुनर्बलन का अर्थ निम्न प्रकार है–

सक्रिय अनुबन्धन का अर्थ है–जब किसी पुरस्कार से कोई अनुक्रिया हो तो उसी अनुक्रिया के दोहराये जाने की प्रवृत्ति रहती है।

''सक्रिय अनुबन्धन में किसी भी घटना का उद्दीपन जो किसी प्रकार की अनुक्रिया उत्पन्न करता है, पुनर्बलन कहलाता है।''

इस प्रकार बार-बार दिया जाने वाला पुनर्बलन भावी व्यवहार का निर्णायक हो जाता है।

उदाहरणार्थ, खाने की मेज पर यदि कोई भूखा व्यक्ति 'कृपया शब्द कहता है तो उसे खाना दे दिया जाता है। हर बार यह बात दोहराई जाती है और इस बात की सम्भावना बढ़ जाती है कि जब वह व्यक्ति भूख लगने पर 'कृपया' शब्द कहेगा तो उसे 'खाना' मिल जायेगा। इस प्रकार 'भोजन' उसके 'कृपया' अनुक्रिया के लिए सकारात्मक पुनर्बलक कहलायेगा। अतः स्किनर ने यह अवधारणा विकसित की कि सक्रिय अनुबन्धन एक अधिगम प्रक्रिया है जिसमें जब अनुक्रिया संभावित होती है, उस समय सक्रियता की शक्ति बढ़ जाती है।

स्किनर के अनुसार समस्त व्यवहार सक्रिय पुनर्बलन के द्वारा होता है। जीवन के हर क्षेत्र में पुनर्बलन द्वारा ही परिवर्तन आते हैं। अतः जब भी किसी व्यवहार को पुनर्बलित किया जाता है तो उस व्यवहार की पुनरावृत्ति के अवसर अधिक होते हैं।

सक्रिय अनुबन्धन का शैक्षिक महत्व

स्किनर का मानना है कि सक्रिय-अनुबन्धन द्वारा शिक्षण-प्रक्रिया को प्रभावी बनाया जा सकता है। इसी सिद्धांत के अनुसार पशुओं को भी प्रशिक्षित किया जा सकता है। शिक्षा के क्षेत्र में सक्रिय अनुबन्धन का महत्व निम्नलिखित है–

(*i*) व्यवहार को स्वरूप प्रदान करना : सक्रिय-अनुबन्धन के सिद्धांत द्वारा शिक्षक विद्यार्थियों के व्यवहारों को वांछित स्वरूप एवं दिशा प्रदान कर सकता है। इस कार्य के लिये शिक्षक को उद्दीपन नियन्त्रित करना पड़ेगा।

(*ii*) निदानात्मक शिक्षण : स्किनर के अनुसार कई जटिल तथा मानसिक रोगियों को सक्रिय अनुबन्धन द्वारा प्रशिक्षित किया जा सकता है तथा उनका अधिगम प्रभावशाली बनाया जा सकता है।

(*iii*) परिणाम की जानकारी : यदि छात्रों को उनके प्रयासों के परिणाम का ज्ञान करा दिया जाए तो छात्र अपने कार्य में अधिक उन्नति कर सकते हैं। गृह कार्य की जाँच करके उसमें संशोधन करने से छात्र उन्नति कर सकता है।

(iv) **अधिक्रमित अधिगम :** स्किनर ने इस सिद्धान्त का प्रयोग अभिक्रमित अधिगम के लिए किया है। इसी सिद्धान्त द्वारा शब्द भण्डार में भी वृद्धि की जा सकती है।

(v) **पुनर्बलन का महत्व :** सक्रिय अनुबन्धन में पुनर्बलन का बहुत महत्व है। पुनर्बलन के विभिन्न रूप हो सकते हैं, जैसे– पुरस्कार, दण्ड, परिणाम का ज्ञान आदि।

अनुकूलित अनुक्रिया सिद्धान्त

इस सिद्धान्त द्वारा अनुबन्धन से सीखा जाता है। इस सिद्धान्त का प्रतिपादन **पावलोव** और **वाटसन** ने किया था। इस विधि के अनुसार सम्बद्ध स्थिति से भी अधिगम अधिक हो जाता है। दूसरे शब्दों में अनुकूलित या अनुबन्धित अनुक्रिया से तात्पर्य है–कृत्रिम उत्तेजना या उद्दीपन के प्रति स्वाभाविक क्रिया का पैदा होना। रूसी वैज्ञानिक वाटसन ने खरगोश पर प्रयोग करके और पावलोव ने कुत्ते पर प्रयोग करके यह सिद्ध कर दिया कि अनुकूलित या अनुबन्धित अनुक्रिया द्वारा पशु काफी कुछ सीखते हैं। यदि मानव को उन्हीं परिस्थितियों में रखा जाए तो वे भी पर्याप्त मात्रा में सीखते हैं। इस विधि में प्रमुख आवश्यक तत्व हैं: अनुक्रिया का प्रभुत्व, दो उद्दीपनों में समय का सम्बन्ध, उद्दीपनों की पुनरावृत्ति और उद्दीपनों की क्षमता आदि। इस सिद्धान्त के प्रमुख दोष हैं– यान्त्रिकता पर अधिक बल, अस्थायित्व तथा मनुष्य की अपेक्षा पशुओं पर किये गये अधिक प्रयोग।

अनुकूलित या अनुबन्धित अनुक्रिया पर अनेक कारक प्रभाव डालते हैं, उनमें प्रमुख हैं अभ्यास, प्रेरक, समय, बाहरी रुकावटें, बुद्धि, आयु व मानसिक स्वास्थ्य आदि। इन कारकों के प्रभाव से अनुकूलित अनुक्रिया की गति अधिक अथवा कम हो सकती है।

अनुकूलित अनुक्रिया सिद्धान्त का शैक्षिक महत्व

(i) **समायोजन में सहायक :** अनुबन्धन क्रिया छात्रों को नये-नये वातावरण में समायोजन में सहायक सिद्ध होती है।

(ii) **भ्रम दूर करना :** अनावश्यक भ्रमों और वहमों को दूर करने के लिये इस विधि का प्रयोग किया जाना आवश्यक है।

(iii) **भाषा के प्रशिक्षण में सहायक :** अनुकूलन या अनुबन्ध भाषा के प्रशिक्षण में बहुत उपयोगी होती है। उचित भाषा के प्रयोग से बालक उसके प्रयोग के लिए अनुकूलित हो जाता है।

(iv) **भय, प्रेम तथा घृणा को जागृत करना :** इस विधि के द्वारा छात्र तथा अध्यापक के मध्य भय, प्रेम तथा घृणा के भाव जागृत किए जाते हैं। एक अध्यापक यदि छात्र को मारता-पीटता है तो छात्र उसके नाम से ही घृणा अथवा भय के भाव प्रदर्शित करेगा, यह उसका अनुबन्धन होता है।

(v) **दंड पुरस्कार का सिद्धान्त :** दंड और पुरस्कार अनुकूल या अनुबन्ध पर बहुत निर्भर करता है। बुरे कार्यों के लिए दंड व अच्छे कार्यों के लिए पुरस्कार का मिलना बालक के अनुकूल या अनुबन्ध के लिये परम आवश्यक है। उचित समय पर दिया गया दंड या पुरस्कार बालक के व्यवहार को परिवर्तित करता है या उसमें संशोधन लाता है।

विज्ञान एवं सामाजिक विज्ञान के साथ संबंध

हमारा पर्यावरण अनेक जैविक एवं अजैविक कारकों से बना है। जैविक कारकों में पादप, जीवाणु, विषाणु, जन्तु जैसे कीट, पक्षी, जल प्लवक, जन्तु प्लवक, रीढ़धारी मानव, चूहा, दुग्धधारी व जंगली जीव इत्यादि सम्मिलित हैं। जबकि अजैविक कारकों में भौतिक कारक जैसे प्रकाश, ताप अथवा विकिरण, गुरूत्व इत्यादि तथा जलवायवीय कारक जैसे मिट्टी, जल, वायुमण्डलीय गैस, अग्नि इत्यादि सम्मिलित हैं। यह सभी कारक एक दूसरे से प्रभावित होते हैं। यदि ताप में बढ़ोत्तरी होती है तो यह दूसरे अजैविक व जैविक कारकों को भी प्रभावित करता है। इस तरह पर्यावरण विज्ञान एक विशाल व जटिल संगठन है जिसमें इतने सारे कारक एक साथ मिल कर संरचनात्मक एवं प्रकार्यात्मक रूप से समन्वति रूप से व्यवस्थित रहते हुए पारस्परिक प्रक्रियाएं व अन्योन्य क्रियाएं करते हैं। इसीलिये किसी भी पारिस्थितिकी अध्ययन करते समय इन सभी कारकों से सम्बन्धित अध्ययन होने पर ही सही तरीके से मूल्यांकन किया जा सकता है। अतः पर्यावरण अध्ययन को विविध विषयी व विविध आयामी माना गया है जिसके आकलन के लिये अनेक विषयों की जानकारी मौके पर ही उपलब्ध होनी चाहिए। यह विभिन्न विषय से सम्बन्धित नाना प्रकार के वैज्ञानिकों के एक ही स्थान पर एकत्रित होकर एकजुट अनुसन्धान से सम्भव हो पाता है। आजकल सरकार भी ऐसे प्रोजेक्ट्स को प्रोत्साहन देती है, जो बहुविषयी, बहुआयामी व बहुद्देश्यी होते हैं जिनसे सभी पक्षों की महत्वपूर्ण जानकारी प्राप्त होने की सम्भावना रहती है।

पर्यावरण के अध्ययन हेतु निम्न विषय एवं उनसे सम्बन्धित विशेषज्ञों की आवश्यकता होती है–

अजैविक कारकों के अध्ययन हेतु

- भूविज्ञान ⇒ भूवैज्ञानिक
- जलीय विशेषज्ञ ⇒ जल वैज्ञानिक
- मृदा विज्ञान ⇒ मृदा वैज्ञानिक
- रसायन शास्त्र ⇒ रसायनविज्ञ
- भौतिक शास्त्र ⇒ भौतिक शास्त्री
- मौसम विज्ञान ⇒ मौसमविज्ञ

जीवित कारकों के अध्ययन हेतु

- सूक्ष्मजीव विज्ञान ⇒ सूक्ष्मजीवी विज्ञान
- पादप विज्ञान ⇒ पादप विज्ञानी
- टेक्सोनोमी (Taxonomy) ⇒ टेक्सोनोमिस्ट (Taxonomist)
- शैवाल विज्ञान (Algology) ⇒ शैवाल विज्ञानी (Algologist)
- जन्तु विज्ञान (Zoology) ⇒ जन्तु विज्ञानी (Zoologist)
- फायटोलोजी ⇒ फायटोलोजिस्ट

- समाजशास्त्र ⇒ समाजशास्त्री
- फायकोलोजी (Phycology) ⇒ फायकोलोजिस्ट (Phycologist)
- मछली विज्ञान ⇒ मछली विज्ञानी
- कृषिविज्ञान ⇒ कृषि विज्ञानी
- अभियांत्रिकी (Engineering) ⇒ अभियांत्रिक (Engineer)
- अर्थशास्त्र ⇒ अर्थशास्त्री

इनके अतिरिक्त अनेक विषय और भी हैं जिनके अलग-अलग पर्यावरण व जलवायवीय स्थिति के अनुसार भिन्न-भिन्न विशेषज्ञों की आवश्यकता होती है। अतः अब यह स्पष्ट है कि पर्यावरण अध्ययन के लिये भिन्न-भिन्न विषय के विशेषज्ञों को एकजुट होकर कार्य करना पड़ता है, इसीलिये यह एक बहुविभागीय विषय माना गया है।

अवधारणाएँ प्रस्तुत करने के दृष्टिकोण

पर्यावरण से जुड़े विवादित विषयों के अध्ययन के समय यह आवश्यक हो जाता है कि प्रभावी अधिगम की अभिरुचियों को बनाए रखते हुए विषय के विभिन्न उपागमों को स्पष्ट किया जाए। साथ ही विज्ञान की विभिन्न अवधारणाओं एवं नीतियों को स्पष्ट करते समय छात्रों की अभिरुचि बनाए रखने के लिए कौन सी प्रविधि अपनाई जाय, इस बात का ध्यान रखना भी महत्वपूर्ण है।

1. विज्ञान संबंधी अवधारणाओं को पहले स्पष्ट करना चाहिए। यद्यपि पर्यावरण से जुड़े अनेक टॉपिक विज्ञान, नीति, अर्थशास्त्र एवं मानव प्रभाव के समिश्र रूप हैं–इन्हें तीन विभिन्न उपखण्डों में बांट लेना उपयोगी होता है। सर्वप्रथम विज्ञान से जुड़ी अवधारणाओं को स्पष्ट करना चाहिए। इससे जुड़े आँकड़े एवं संबंधित उदाहरण का भी उपयोग करना चाहिए। फिर उस विषय से जुड़ी नीतियों एवं अन्य दृष्टिकोण को स्पष्ट करना चाहिए। इस तरह से एक बार यदि विषय की अवधारणाओं को स्पष्ट कर दिया जाए तो उस विषय में छात्रों की रुचि बढ़ जाती है।
2. अध्ययन के दौरान आंकड़ों का पर्याप्त प्रयोग करना चाहिए। पृथ्वी पर के जीव-जंतुओं की संख्या घटती जा रही है; दलदली भूमि का अधिकाधिक प्रयोग नगरीकरण के लिए किया जा रहा है तथा जलवायु दिनोंदिन गर्म होती जा रही है आदि कथन भावनात्मक प्रकार के हैं जिससे छात्रों की अवधारणाएँ स्पष्ट नहीं हो पाती। इसके लिए सही तरीका यह है कि कुछ वर्षों के आंकड़े सामने रखकर तथ्य को स्पष्ट किया जाए। इससे पढ़ने वाले छात्र आंकड़ों के आधार पर स्वयं ही सही निष्कर्ष निकाल पाएंगे।
3. शिक्षक को अध्यापन के दौरान शिक्षण की प्रभावी तकनीक का इस्तेमाल करना चाहिए। इसके लिए शिक्षण प्रक्रिया में छात्रों की भागदारी सुनिश्चित की जानी चाहिए। इसके लिए स्थानीय स्तर पर आंकड़े इकट्ठा करने में छात्रों को भागीदार बनाना, पर्यावरण से जुड़े विषय पर परिचर्चा आयोजित करना एवं पर्यावरण से जुड़े किसी प्रोजेक्ट में उन्हें भागीदार बनाना शामिल है।
4. विवादित, अनेकार्थक, अपर्याप्त एवं तथ्यों की कमी वाले विषयों का अध्यापन करते समय संतुलित एवं रचनात्मक दृष्टिकोण अपनाना चाहिए। छात्रों को इस बात के लिए प्रेरित करना चाहिए कि वे इस बारे में सही तथ्य को जानें और समस्या के हल के लिए उचित तथ्यों का संकलन करें। छात्रों में आंकड़ों एवं तथ्यों के आधार पर तार्किक क्षमता के विकास को प्रोत्साहित करना चाहिए।
5. शिक्षण के उद्देश्य एवं रणनीति का पूरी तरह स्पष्ट होना आवश्यक है। शिक्षक कक्षा में पाठ्यक्रम आरंभ करे इसके पहले उसे अपनी भूमिका का स्पष्ट ज्ञान होना चाहिए। क्या वह कक्षा में सिर्फ विषय से जुड़ी अवधारणाओं को स्पष्ट करना चाहता है? क्या वह पर्यावरण के प्रति छात्रों में जागरूकता पैदा करना चाहता है? या छात्रों को अपने आसपास उचित पर्यावरण के निर्माण के लिए प्रेरित करना चाहता है। इन सभी प्रकार के उद्देश्यों एवं रणनीतियों के अपने-अपने लाभ हैं, पर शिक्षक के दिमाग में यह बात स्पष्ट होनी चाहिए कि उसका उद्देश्य क्या है और वह उसे किस प्रकार प्राप्त करेगा।

पर्यावरण संबंधी क्रियाकलाप

हमारे आसपास की सभी चीजें जो हमारे पर्यावरण का निर्माण करती हैं, पृथ्वी पर मानव एवं जीव-जंतुओं के अस्तित्व के लिए आवश्यक हैं। हमारा पर्यावरण हमारे दैनिक जीवन के व्यवहार, क्रिया-कलाप, जीवन शैली एवं स्वास्थ्य सभी को प्रभावित करता है। इतना ही नहीं हमारे पर्यावरण में पाए जाने वाले सभी जीव-जंतु अपनो आवश्यकता के लिए एक-दूसरे पर निर्भर हैं। ऐसे में अपनी पर्यावरण को जानना एवं उसके साथ उचित तालमेल बिठा कर चलना हमारा दायित्व बन जाता है। हमारे क्रिया-कलापों से पर्यावरण को होने वाले नुकसान से अंततः इस धरती पर रहने वाले जीव-जंतुओं को ही नुकसान उठाना पड़ेगा। अतः आवश्यक है कि पर्यावरण के प्रति छात्रों, अभिभावकों, शिक्षकों एवं समाज के अन्य वर्गों को जागरूक बनाया जाए तथा ऐसे प्रयास किए जाएँ जिससे हमारा पर्यावरण शुद्ध बना रहे। इसके लिए निम्न क्रियाकलापों पर बल दिया जाना चाहिए।

1. हमें अपने आसपास की खाली जगह पर वृक्षारोपण करना चाहिए। अपने आवास एवं स्कूल स्तर से ही इसकी शुरुआत करनी चाहिए। 'एक बच्चा, एक पौधा' के सिद्धांत को अगर हम अपने जीवन में उतारें तो पर्यावरण को हो रही क्षति को काफी हद तक रोका जा सकता है।

2. विभिन्न प्राकृतिक घटनाओं, जिससे हमारे पर्यावरण को नुकसान होता है–जैसे, ज्वालामुखी, भूकंप, परमाणु विस्फोट आदि के चार्ट एवं मॉडल बनाकर उससे होने वाले नुकसान के बारे में छात्रों को अवगत कराना चाहिए।
3. जलवायु, मिट्टी, कृषि, जीव-जंतुओं आदि के बारे में संगोष्ठी का आयोजन।
4. पर्यावरण के विभिन्न घटकों के बारे में पर्यटन के माध्यम में छात्रों को जानकारी देना।
5. पर्यावरण की सुरक्षा एवं देखभाल के लिए छात्र कमांडो का गठन करना एवं उन्हें प्रशिक्षण देना।

प्रयोगात्मक कार्य

प्रयोग 1

उन पौधों के तने एवं शाखाओं को ध्यानपूर्वक देखिए:

- जो आपसे कम लंबे हैं।
- जिनकी लंबाई लगभग आपके बराबर है तथा
- जो आपसे बहुत अधिक लंबे हैं।

तने को स्पर्श कीजिए तथा यह जानने के लिए कि तना कोमल है अथवा कठोर, इसे धीरे से एक ओर मोड़ने का प्रयास कीजिए। लंबे पौधों के तने की मोटाई मापें और उसे अपने नोटबुक में दर्ज करें।

प्रयोग 2

आवश्यक सामग्रीः अरहर और चने के बीज, रुई, कटोरी तथा जल।

दो कटोरियाँ लीजिए। इनमें भीगी हुई रुई रखिए। एक कटोरी में चने के 3-4 बीज और दूसरी में अरहर के दाने रखिए। जल डालकर रुई को हमेशा नम रखिए जब तक कि बीज अंकुरित होकर नवोद्भिद नहीं बन जाएँ। एक सप्ताह बाद उन्हें खींचकर रुई से बाहर निकालने का प्रयास कीजिए।

क्या नवोद्भिद सरलता से रुई से बाहर खिंच आता है? क्यों?

प्रयोग 3

आप अपने निकट के वन क्षेत्र में जाइए। वहाँ पाए जाने वाले सभी पौधों, जंतुओं एवं वस्तुओं का अवलोकन कीजिए। अब इन सबकी एक सूची बनाइए। अपने माता-पिता, अध्यापक एवं मित्रों से भी इस बारे में चर्चा कीजिए। एक अन्य कॉलम में विभिन्न स्थानों पर पाए जाने वाले जंतुओं एवं पौधों की सूची भी तैयार कीजिए। पुस्तकालय में उपलब्ध पुस्तकों की सहायता से इस सूची में नई-नई जानकारियों को शामिल कीजिए।

	वन क्षेत्र	अन्य क्षेत्र
जंतु		
पौधे		
अन्य वस्तु		

प्रयोग 4

अपने कमरे की खिड़की जिससे दिन के समय धूप आती हो, के पास एक फूल का गमला रखिए। कुछ दिनों तक फूल को नियमित जल देते रहें। क्या यह फूल खुले स्थान पर रखे फूल की तरह सीधा बढ़ता है? अगर नहीं तो ज्ञात कीजिए वह किस ओर मुड़ता है? क्या यह किसी उद्दीपन के प्रति प्रतिक्रिया है?

प्रयोगात्मक कार्य का महत्वः प्रयोग करके सीखना किसी विषय को पढ़कर सीखने से कहीं आसान है। प्रयोग के दौरान छात्र अपनी सृजनात्मक शक्ति का प्रयोग करता है। इससे छात्रों की सृजनात्मक क्षमता का विकास होता है। प्रायोगिक ज्ञान अधिक टिकाऊ एवं दीर्घ काल तक मस्तिष्क में बना रहता है। विभिन्न प्रयोग करने से छात्र को आनन्द की प्राप्ति होती है तथा उसके आत्मविश्वास में वृद्धि के साथ-साथ उसमें उस विषय के प्रति रुचि भी जागृत हो जाती है। अतः छात्रों में रुचि जागृत करने हेतु प्रयोगात्मक विधि एक श्रेष्ठ प्रणाली है। प्रयोगात्मक विधि द्वारा छात्र को कक्षा के बाहर भी अध्ययन का मौका मिलता है।

परिचर्चा

जल-संरक्षण

जल प्रकृति द्वारा दिया गया एक बहुमूल्य उपहार है। इसके अभाव में जीवन का कोई अस्तित्व ही नहीं रह जाता। इस बहुमूल्य घटक की तुलना अमृत से किया गया है। अतः इसका संरक्षण बहुत जरूरी है। जल-संरक्षण हेतु हमें निम्नलिखित तथ्यों पर विचार करना चाहिए–

1. **मृदा में जल संचय**–मृदा में अपनी क्षेत्र-क्षमता के अनुसार जल का एक महत्त्वपूर्ण भाग जमा करने की क्षमता है। एक अनुमान के अनुसार नम क्षेत्रों में कुछ रामय तक भूमि को परती छोड़ देने से आने वाले वर्ष की उपज के लिए भूमि में स्वतः जल संचय हो जाता है।
2. **सिंचाई द्वारा होने वाली जल-हानि में कमी**–इसके लिए अग्रलिखित उपाय किए जा सकते हैं–
    1. सिंचाई के लिए बनी नहरें और नालियों का पक्कीकरण हो।
    2. सुबह या शाम में की गई सिंचाई से वाष्पीकरण अपेक्षाकृत कम होती है, अतः सुबह या शाम में सिंचाई की जाए।
    3. सिंचाई में फव्वारे का प्रयोग 30-50% पानी की बचत में सहायक है, अतः फव्वारे का प्रयोग हो।
    4. खारे पानी व कम पानी को सहने वाली फसलों की उन्नत किस्में विकसित की जाएँ।
3. **जलवाह की रोकथाम**–वर्षा का अधिकतर जल धरती में सोख लिये जाने की अपेक्षा बह कर नष्ट हो जाता है जिसे 'जलवाह' कहा जाता है। इसे रोकने के निम्नलिखित प्रमुख उपाय है–

1. जलवाह को रोकने के लिए पहाड़ी क्षेत्रों में सीढ़ीनुमा खेत, मेढ़ आदि बनाये जाते हैं।
2. सीढ़ीनुमा खेती में जलवाह कम करने के लिए अवरोध बनाये जाते हैं। समतल व नीचे क्षेत्रों में अवरोध बनाकर भी जल का संचय किया जाता है। विस्तृत भू-भाग में जलवाह ज्यादा होता है।
3. अवरोधों की श्रृंखला बनाकर भी ज्यादा से ज्यादा जल का संचय सम्भव है।
4. जलवाह को नियन्त्रित करने के लिए नालियों का निर्माण और संग्रह करने के लिए तालाबों का निर्माण भी आवश्यक है।
5. पेड़-पौधों के अवशेष, खाद आदि को भूमि की सतह पर बिछाना भी जल संचय में लाभदायक होता है।
6. जिप्सम ($CaSO_4.2H_2O$) व एच.पी.ए.एन. (हाइड्रोलाइज्ड पॉली एक्राइलोनाइट्राइल) जैसे रासायनिक तत्त्वों को मृदा में मिलाने से मृदा की पारगम्यता बढ़ती है अर्थात् जल धीरे-धीरे मिट्टी में रिसता रहता है। इससे भी जलवाह कम होता है।
7. खेतों व खुले स्थानों में जल जमा करने के लिए तालाब बनाने से जलवाह में तो कमी आती है साथ ही भू-जल-स्तर भी बढ़ता है।

4. **वाष्पीकरण में कमी**—धरती तक पहुँचने वाले जल का बहुत बड़ा अंश वाष्पित हो जाता है। नम क्षेत्रों में मृदा की सतह के नीचे 'एसफाल्ट' के अवरोध बनाकर पानी को सोखकर वाष्पन की दर को कम किया जाता है। इससे कृषि उत्पादों में भी 35-40% वृद्धि हो सकती है। यह बलुई मिट्टी में अधिक उपयोगी है। 'स्टार्च' व 'एक्राइलोनाइट्राइल' से बना बहुलक 'सुपर स्लर्पर' अपने भार से 1400 गुना अधिक पानी सोखने की क्षमता रखता है। यह रसायन रेतीले क्षेत्रों में जल-जमाव की दृष्टि से बहुत उपयोगी सिद्ध हुआ है।

ये सभी तरीके वर्षा जल-संग्रहण के सस्ते उपाय हैं जिन पर मरम्मत का खर्च भी बहुत कम आता है। वर्षा जल-संग्रहण से मृदा-अपरदन व जलवाह की दर भी कम होती है। साथ ही मृदा की उर्वरता, मृदा-जल व भू-जलस्तर में सुधार होता है।

जलाशय प्रबन्धन

जलाशय ऐसा क्षेत्र है जहाँ से जल गुरुत्वाकर्षण के प्रभाव से एक जल धारा में जाकर मिलता है। अतः जलाशय की सीमाएँ निर्धारित हैं और उससे जल की निकासी एक स्थान से होती है। यह भी लगभग तय होता है। किसी जलाशय की सीमाएँ, कुछ वर्ग किलोमीटर से हजारों वर्ग किलोमीटर तक हो सकती है। इनमें जल से सम्बन्धित स्थितियाँ ऐसी होती हैं कि जल का प्रवाह एक ही दिशा में केन्द्रित होता है, जहाँ से जल की निकासी होती है। जलाशय उस क्षेत्र की भूमि के गुण, वनस्पति, भूमि-उपयोग, जल व इनके बीच की जटिल प्रक्रियाओं का सम्मिलित रूप है। मनुष्य और पशु-पक्षी भी किसी जलाशय का अभिन्न अंग हैं जिनका एक-दूसरे पर पारस्परिक प्रभाव पड़ता है।

हिमालय में जलाशय प्रबन्धन का विशेष महत्त्व हैं, क्योंकि अधिकतर जलाशय इसी क्षेत्र में सीमित हैं। मृदा-अपरदन जंगलों की कटाई अनियोजित खनन आदि की रोकथाम करके जलाशयों के प्रबन्धन पर बल दिया जाना आवश्यक है। ढलानों पर तार लगाकर, वृक्षारोपण द्वारा व बेड़े लगाकर भूस्खलन पर रोक लगाने का प्रयास किया जाना चाहिए ताकि मृदा जल और वनस्पति का संरक्षण हो सके।

जलाशयों का अपघटन—अनियन्त्रित, अनियोजित और गैर-वैज्ञानिक भूमि उपयोग के चलते प्रायः जलाशयों के अपघटन की स्थिति उभरकर सामने आ जाती है। जंगलों की कटाई, पशुओं द्वारा अति चराई, खनन, औद्योगीकरण, झूम कृषि, प्राकृतिक या अन्य कारणों से जंगल में लगने वाली आग, मृदा-अपरदन और लोगों का सीमित ज्ञान जलाशयों के अपघटन के लिए सबसे ज्यादा उत्तरदायी हैं।

जलाशय-प्रबन्धन के प्रमुख उद्देश्य—जलाशय प्रबन्धन के प्रमुख उद्देश्य निम्न प्रकार हैं—

1. प्राकृतिक आपदाएँ जैसे—बाढ़, अकाल और भू-स्खलन पर नियंत्रण हो।
2. ग्रामीण क्षेत्रों का सामाजिक व आर्थिक विकास हो।
3. जलाशयों का पुनःस्थापना हो जिससे भूमि-क्षरण व मृदा-अपरदन कम-से-कम हों और भूमि की उर्वरा शक्ति में वृद्धि हो।
4. घरेलू उपयोग के लिए जल, सिंचाई व ऊर्जा उत्पादन में वृद्धि हो।

जलाशय प्रबन्ध को पांचवी पंचवर्षीय योजना के अन्तर्गत राष्ट्रीय नीति में शामिल किया गया और इससे सम्बन्धित कार्यक्रम चलाये। जलाशय प्रबन्धन हमेशा क्षेत्र विशेष में उपस्थित संसाधनों के आधार पर किया जाता है। भूमि व जल संरक्षण विकास से सम्बन्धित योजना लोगों के हितों और सुस्थिर विकास को ध्यान में रखकर बनाई जाती है। जलाशय-प्रबन्धन के लिए अपनाई गई योजनाएँ निम्नलिखित हैं—

1. अनुचित ढंग से किए गए खनन में भूमि व पहाड़ियों की स्थिरता कम हुई है, जिसके परिणाम की घटना, बढ़ी भूस्खलन और अपरदन है। खुदाई के बाद बचे अवशिष्ट, मलबे के ढेर और खाली पड़ी भूमि पर वृक्षारोपण से खनन क्षेत्रों में जलाशय प्रबन्धन में सहायता मिली है। अतः खनन में वैज्ञानिक ढंग का उपयोग जरूरी है।
2. जलाशय प्रबन्धन कार्यक्रम में लोगों का सहयोग कुंजी के समान है विशेषकर मृदा और जल संरक्षण की दृष्टि से। इस क्षेत्र में लोगों का सहयोग जुटाना बहुत आवश्यक है। लोगों को जलाशयों के विकास, वृक्षारोपण की गई भूमि की देखभाल और सरकार तथा स्वयंसेवी संस्थाओं द्वारा अपनाई गई योजनाओं में शामिल करना चाहिए। लोगों को उचित ज्ञान, जागरूकता और विशेष सहयोग के लिए आर्थिक लाभ भी देना आवश्यक है। हरियाणा

के पंचकुला में सुखोमाजरी, जलाशय निर्माण की सफलता में जन-सहयोग का बहुत बड़ा महत्त्व है।

3. सूखे के दिनों में जल की आपूर्ति हेतु जल-संग्रह किया जाता है। इससे बाढ़ों को रोकने में सहायता मिलती है तथा ऊर्जा उत्पादन की जाती है।
4. जलाशय-प्रबन्धन में वानिकी का महत्त्वपूर्ण योगदान है। इससे मृदा अपरदन कम होता है और मृदा की नमी में वृद्धि होती है। अधिक वर्षा वाले क्षेत्रों में फसलों के बीच में लगाए गए पेड़ मृदा-अपरदन की दर को कम करते हैं। देहरादून क्षेत्र में मृदा अपरदन को रोकने के लिए 'सफेदा' और घास को फसलों को लगाया जाना इस प्रक्रिया का उदाहरण है। यमुना से जुड़े जलाशय क्षेत्रों में शीशम, सागौन और कीकर के पेड़ वानिकी कार्यक्रम के अन्तर्गत लगाए गए हैं।
5. बाँध, अवरोध, सीढ़ीनुमा खेत की मेढ़, वानिकी आदि ऐसे यान्त्रिक ढाँचे हैं जो मृदा-अपरदन और जलवाह को रोकने में सहायक हैं, विशेषकर ढलानों पर। पहाड़ी क्षेत्र जैसे देहरादून और शिवालिक क्षेत्रों में मेंढ़ और बाँध लगाने के बाद मृदा-अपरदन और जलवाह में विशेष कमी आई है।

जलाशयों का हमारे ऊपर सीधा प्रभाव पड़ता है। जैसे–भोजन उत्पादन, जल-आपूर्ति, सिंचाई, ऊर्जा उत्पादन, कृषि, परिवहन, मृदा-अपरदन, वनस्पति, बाढ़, सूखा इन सब पर इनका प्रत्यक्ष प्रभाव पड़ता है। इस प्रकार जलाशयों का प्रबन्धन एक महत्त्वपूर्ण विषय है। दामोदर घाटी निगम ने पहली बार 1949 में 'एकीकृत जलाशय प्रबन्धन' की नींव रखी थी।

भूमण्डलीय ताप

समताप मण्डल वायुमण्डल की सबसे निचली परत है। इस परत में व्याप्त गैसें ऊष्मा को सोख लेती हैं। इस प्रभाव को हरितगृह प्रभाव कहते हैं। वायुमण्डल में तापमान की वृद्धि हरितगृह गैसों की सान्द्रता पर निर्भर करती है। प्रमुख हरितगृह गैसें कार्बन-डाईऑक्साइड, ओजोन, मीथेन, नाइट्रस ऑक्साइड, क्लोरोफ्लोरोकार्बन और जलवाष्प हैं। पृथ्वी का औसत तापमान 15°C है। अगर हरितगृह प्रभाव न हो तो पृथ्वी का तापमान −18°C होगा। इस प्रकार पृथ्वी का 33°C तापमान बनाए रखने में हरितगृह प्रभाव का प्रमुख योगदान होता है और पृथ्वी पर इसकी महत्त्वपूर्ण भूमिका होती है। प्रमुख ग्रीनहाउस गैसें जलवाष्प व कार्बन- डाईऑक्साइड क्रमशः जल-चक्रण और कार्बन-चक्रण द्वारा नियंत्रित होती हैं। सामान्य रूप से समतापमण्डल में जलवाष्प की मात्रा स्थिर बनी हुई है। औद्योगीकरण और शहरीकरण के कारण वायुमण्डल में कार्बन-डाईऑक्साइड, नाइट्रस ऑक्साइड और क्लोरोफ्लोरो कार्बन (सी.एफ.सी.) जैसी गैसों की मात्रा बढ़ती रहती है। जंगलों की कटाई भी कार्बन-डाईऑक्साइड की बढ़ती मात्रा का एक प्रमुख कारण है। पृथ्वी का औसत तापमान यदि हरित गृह गैसों के प्रभाव से 2°C बढ़ जाता है तो यह विनाश का सूचक हो जायेगा। बाढ़, सूखा एवं महासागरों का जल-स्तर बढ़ने के कारण समुद्रों के तट पर स्थित बहुत-से स्थान जीवन-रहित भी हो सकते हैं।

तापमान वृद्धि को रोकने के कुछ प्रमुख सुझाव: तापमान वृद्धि को रोकने के लिये सबसे पहले भूमण्डलीय कार्बन-डाईऑक्साइड के उत्सर्जन में 60 प्रतिशत की कमी लानी होगी। वर्तमान में प्रत्येक व्यक्ति को ऊर्जा के उपभोग के संदर्भ में अपना दृष्टिकोण बदलना होगा तथा नई प्रौद्योगिकीयों द्वारा हानिकारक गैसों के उत्सर्जन में कमी लानी होगी। वाहनों, उद्योगों आदि को नई प्रौद्योगिकीयों की मदद से कम से कम धुँआ छोड़ने वाला बनाना होगा। यहीं नहीं अपरम्परागत ऊर्जा स्रोतों में सौर ऊर्जा, पवन ऊर्जा आदि को उपयोग में लाने की दिशा में प्रयासों की आवश्यकता हैं।

तापमान वृद्धि को रोकने के कुछ प्रमुख सुझाव निम्नलिखित हैं–

1. सुस्थिर कृषि की तकनीक अपना कर।
2. जनसंख्या वृद्धि पर रोक लगाकर।
3. उद्योगों और वाहनों की संख्या कम करके।
4. प्रदूषण नियन्त्रण की नई तकनीकों का प्रयोग करके।
5. वृक्षारोपण करके।
6. ईंधन की खपत में कमी करके।
7. ऊर्जा का उपयोग बुद्धिमानी से करके।
8. नवीकरणीय ऊर्जा स्रोत अपनाकर।
9. ऊर्जा उत्पादन में नाभिकीय ऊर्जा का प्रयोग करके।
10. प्राकृतिक गैस के उपयोग पर बल देकर।
11. काई और शैवाल की मदद से वायुमण्डलीय CO_2 में कमी करके।

अम्लीय वर्षा

अम्लीय वर्षा के प्रमुख कारक सल्फर और नाइट्रोजन के ऑक्साइड हैं जो उद्योगों और वाहनों में पेट्रोलियम के दहन से निकलते हैं। वायुमण्डल में इनके ऑक्सीकरण के उपरान्त सल्फ्यूरिक ओर नाइट्रिक अम्ल बनते हैं जो अम्लीय वर्षा करते हैं। अम्लीय वर्षा, दो रूपों में होती है–शुष्क अम्लीय वर्षा और आर्द्र अम्लीय वर्षा। CO_2 गैस भी कार्बनिक अम्ल बनाकर अम्लीय वर्षा करती है। न्यूयार्क शहर की 'एडिरोनडैक' झील अम्लीय जल के लिए जानी जाती है। अम्लीय वर्षा में अधिकांश भाग सल्फ्यूरिक अम्ल का होता है तथा अन्य अम्लों का प्रभाव अपेक्षाकृत कम होता है। कैल्शियम, मैग्नीशियम व अमोनियम आयन जल की अम्लता को कम करते हैं। शुष्क अम्लीय वर्षा में SO_2, NO_X और अन्य अम्ल धूल के कणों के साथ पौधों, इमारतों व पृथ्वी की सतह पर जमा होते हैं। ये कण जल के साथ मिलकर अम्ल बनाते हैं। वायुमण्डल में इन गैसों का प्रभाव 1979 में अमेरिका में देखने को मिला। यहाँ वर्षा का pH 5.0 से कम मापा गया। सामान्य वर्षा के पी-एच का मान लगभग 5.6 होता है। जल का pH 5.6 से कम होने पर इसे अम्लीय माना जाता है। भारत के कोडइकनाल, मिनिकाय और मोहनबाड़ी शहरों में भी वर्षा की pH क्रमशः 5.18, 5.52 और 5.50 दर्ज की गई है।

अम्लीय वर्षा के प्रभाव: अम्लीय वर्षा के प्रभाव को अधोलिखित बिन्दुओं द्वारा स्पष्ट कर सकते हैं–

1. यह अमूल्य पत्थरों और प्रतिमाओं को भी हानि पहुँचाती है।
2. यह धातुओं की चमक कम करती है।
3. झीलों और नदियों का जल अम्लीय हो तो इस पर निर्भर रहने वाले जीवों पर भी प्रतिकूल प्रभाव पड़ता है।
4. अम्लीय वर्षा के कारण भारी धातुएँ जल में घुल जाती हैं जिसका प्रभाव जलीय जीवों पर भी बहुत अधिक पड़ता है।
5. अम्लीय जल में मछलियों की संख्या व प्रजनन की क्षमता घट जाती है।
6. यह पेड़ों पर भी प्रतिकूल प्रभाव डालती है।
7. अम्लीय वर्षा के बाद पेड़-पौधों की रोग-रोधी क्षमता घट जाती है।
8. यह इमारतों के पत्थरों की मजबूती और चमक को कम करती है। ताजमहल के संगमरमर का पीला पड़ना अम्लीय वर्षा के ही प्रभाव का एक उदाहरण है।
   - अम्लीय वर्षा के कारण पौधे के प्रकाश संश्लेषण की दर तथा उसकी वृद्धि भी प्रभावित होती है।
   - अम्लीय वर्षा के कारण पौधों की कीट संक्रमण प्रतिरोधिता तथा बाह्य जलवायु परिवर्तन आदि की स्थिति को सहन करने की क्षमता में कमी आती जाती हैं।
   - मृदा की अम्लीयता के कारण पेड़-पौधे अपने तन्त्र में कुछ घातक धात्विक आयनों (Metals alloys) जैसे–Cd, Al तथा Cr का अवशोषण करने लगते है। ऐसे घातक आयन खाद्य शृंखला के द्वारा मनुष्यों तथा जीव-जन्तुओं में विषाक्त प्रभाव उत्पन्न कर सकते है।
   - अम्लीय वर्षा के कारण मृदा की उपजाऊपन बढ़ाने में सहायक केचुए आदि जीव मर जाते है।

अम्लीय वर्षा के नियंत्रण के उपाय: अम्लीय वर्षा के नियंत्रण के निम्नलिखित उपाय हैं–

1. उद्योगों व ऊर्जा संयंत्रों से निकलने वाली हानिकारक गैसों को नियन्त्रित किया जाना चाहिए।
2. ऐसे ईंधनों को उपयोग में लायें जिसमें सल्फर की मात्रा अल्पतम हों।
3. ईंधन के दहन के पूर्व उसके सल्फर यौगिकों को पृथक कर दिया जाये। ऐसा करने से ईंधन के जलने पर सल्फर डाईऑक्साइड की मात्रा अल्पतम उत्सर्जित होगी।
4. वैकल्पिक स्रोतों जैसे सौर ऊर्जा का अधिकतम उपयोग किया जाये।

ओजोन परत का क्षरण

पर्यावरण को संतुलित रखने में ओजोन परत महत्त्वपूर्ण भूमिका अदा करता है। यह पृथ्वी का सुरक्षा कवच माना जाता है। यह सूर्य से पृथ्वी पर आने वाली हानिकारक पराबैंगनी किरणों को रोकती है। 242 नैनोमीटर से कम तरंगदैर्ध्य की अल्ट्रावायलेट किरणें ओजोन के निर्माण में सहायक हैं। सूर्य के प्रकाश की उपस्थिति में ऑक्सीजन (O_2) के अणु दो परमाणुओं में टूट जाते हैं। इस प्रक्रिया को इस प्रकार स्पष्ट किया जा सकता है–

$$O_2 \xrightarrow{\text{सूर्य का प्रकाश}} O + O$$

पहले ऑक्सीजन का एक परमाणु ऑक्सीजन के अणु के साथ अभिक्रिया करके ओजोन (O_3) का एक अणु बनाता है।

$$O + O_2 + M \rightarrow O_3 + M$$

यहाँ *M* एक तीसरा अणु है जो उत्पन्न हुई ऊर्जा का वाहक होता है।

इस प्रकार बनी ओजोन क्षोभमण्डल में समान रूप से वितरित हो जाती है। पराबैंगनी किरणों के प्रभाव से ओजोन हमेशा टूटती और बनती रहती है।

$$O_3 \xrightarrow{\text{सूर्य का प्रकाश}} O_2 + O$$

इन रासायनिक अभिक्रियाओं के बीच परस्पर सन्तुलन ओजोन को निश्चित अनुपात में बनाए रखता है। क्षोभमण्डल में ओजोन 16 कि.मी. से 40 कि.मी. की ऊँचाई तक फैली हुई है। लगभग 24 कि.मी. से 27 कि.मी. तक ओजोन की मात्रा अधिकतम है। वायुमण्डल में क्लोरीन, ब्रोमीन व अन्य गैसें ओजोन के साथ अभिक्रिया करके इसे निष्क्रिय कर देते हैं। परिणामस्वरूप ओजोन परत की मोटाई घटती जा रही है जिसे हम 'ओजोन छिद्र' की संज्ञा देते हैं। ओजोन परत की मोटाई घटने पर पृथ्वी का ताप बढ़ रहा है जिसके हानिकारक प्रभाव होंगे।

ओजोन को 'डोब्सन स्पैक्ट्रोमीटर' की सहायता से मापा जाता है। एक डोब्सन इकाई 1 atm. (ऐटमोस्फेरिक) वायुदाब पर शुद्ध ओजोन की 0.01 मि.मी. की परत के बराबर है। शीत कटिबंध के ऊपर ओजोन की परत की मोटाई 350 डोब्सन इकाई है, उष्ण कटिबंध के ऊपर 250 डोब्सन इकाई और ध्रुवीय कटिबंधों में 450 डोब्सन इकाई है। इसका कारण क्षोभमण्डलीय वायुधाराएँ ओजोन को भूमध्यरेखा से ध्रुवों की ओर ले जाती हैं। अंटार्कटिका महाद्वीप के ऊपर ओजोन छिद्र के ब्रिटिश अंटार्कटिक सर्वेक्षण में कार्यरत **डॉ. जे.सी. फर्मन** और सहयोगियों ने पहली बार अनुभव किया। दक्षिणी ध्रुव की बसंत ऋतु अर्थात् सितम्बर से नवम्बर में ओजोन क्षरण सबसे अधिक होता है। 1970 के पश्चात् ओजोन की परत में निरन्तर कमी दर्ज की गई है। ओजोन की सबसे कम मात्रा अक्टूबर 1993 में आँकी गई थी।

क्षोभमण्डल में ओजोन क्षरण के लिए क्लोरोफ्लोरोकार्बन (CFC) उत्तरदायी है। इनका उपयोग रेफ्रीजरेटर, वातानुकूलन एवं यंत्र विलायक इत्यादि के रूप में होता है। CFC वायुमण्डल में पहुँचकर 65-110 वर्षों तक ओजोन को क्षति पहुँचाते रहते हैं। 1974 में मोलिना रौलैंड ने बताया कि CFC ओजोन क्षरण

के लिए उत्तरदायी हैं तथा ओजोन परत की सुरक्षा हेतु CFC के निर्माण में कमी लाना आवश्यक है। 1985 में यह बात प्रकाश में आई कि प्रतिवर्ष 50% क्षरण सितम्बर से दिसम्बर के बीच होता है।

जेट विमानों से निकली नाइट्रस ऑक्साइड गैस भी ओजोन क्षरण के लिए उत्तरदायी है। नाइट्रिक अम्ल से नाइट्रोजन-डाईऑक्साइड गैस निकलती है जो क्लोरीन से अभिक्रिया करके ओजोन को निष्क्रिय कर देती है।

ओजोन-क्षरण के प्रभावः ओजोन क्षरण से ओजोन परत पर निम्नलिखित प्रभाव पड़ते हैं–

1. इनके प्रभाव से पादप-प्लवक अर्थात् जल की सतह पर तैरने वाले सूक्ष्म पौधों की संख्या पर प्रतिकूल प्रभाव पड़ेगा और अप्रत्यक्ष रूप से प्राणी-प्लवक मछलियों व अन्य समुद्री जीवों पर भी प्रभाव पड़ेगा।
2. मुख्य फसलों की पैदावार कम हो जाती है।
3. ओजोन क्षरण के कारण सूर्य की हानिकारक पराबैंगनी किरणें सीधे पृथ्वी पर आ सकती है। इन किरणों के प्रभाव से आनुवांशिक परिवर्तन, कैंसर व अन्य रोग तथा आँखों के मोतियाबिन्द आदि को बढ़ावा मिलेगा।
4. त्वचा में गहरा रंग बनाने वाली कोशिकाएँ निष्क्रिय हो जाएँगी और रोग रोधी क्षमता घटेगी तथा त्वचा के कैंसर को बढ़ावा मिलेगा।
5. पेंट, प्लास्टिक व अन्य बहुलकों पर भी प्रभाव पड़ेगा जिससे आर्थिक नुकसान हो सकता है।

सतत् एवं व्यापक मूल्यांकन (CCE)

सतत् एवं व्यापक मूल्यांकन स्कूल आधारित छात्रों के मूल्यांकन की वह पद्धति है जिसके अंतर्गत छात्रों के समग्र विकास का मूल्यांकन किया जाता है। इस मूल्यांकन पद्धति के मूलतः दो उद्देश्य हैं–इससे छात्र का निरंतर मूल्यांकन होता है, साथ ही उसके व्यापक अध्ययन एवं व्यावसायिक पहलुओं की भी जांच होती है।

सतत् एवं व्यापक मूल्यांकन पद्धति को अपनाए जाने का मुख्य कारण यह है कि चूंकि बालक के पुस्तकीय ज्ञान, सामाजिक-सांस्कृतिक क्रिया का निरंतर विकास होता रहता है; अतः इन् स्थितियों का मूल्यांकन भी निरंतर होना चाहिए। इसके द्वारा छात्र एवं शिक्षक दोनों को ही अपनी कमियों एवं क्षमताओं का ज्ञान हो जाता है और उन्हें उसमें सुधार का मौका मिलता है।

व्यापक मूल्यांकन के द्वारा छात्र के शैक्षिक एवं सह-शैक्षिक गतिविधियों एवं क्रियाकलापों का मूल्यांकन साथ-साथ होता रहता है। इसमें न सिर्फ छात्र के पुस्तकीय ज्ञान की बल्कि उसके व्यक्तित्व के अन्य पहलुओं की भी जांच की जाती है, जैसे–

- छात्र के ज्ञान का स्तर
- छात्र की समझ
- ज्ञान को लागू करने की उसकी क्षमता
- छात्र की विश्लेषण क्षमता
- छात्र की मूल्यांकन क्षमता
- छात्र की सृजन क्षमता आदि।

सतत् एवं व्यापक मूल्यांकन का उद्देश्य

1. ज्ञानात्मक, मनोमिति एवं प्रभावी कौशल के विकास में मदद करना।
2. स्मरण शक्ति के स्थान पर सोच-विचार की शक्ति को विकसित करना।
3. शिक्षण-अधिगम प्रक्रिया के आंतरिक पहलुओं की जांच करना।
4. उपचारात्मक निर्देश के अंतर्गत की जाने वाली नियमित उपचार के दौरान छात्र एवं शिक्षण-अधिगम उपलब्धियों में सुधार का आकलन करना।
5. उपलब्धियों के लक्षित स्तर को बनाए रखने के लिए मूल्यांकन (गुण) को नियंत्रक पद्धति के रूप में इस्तेमाल करना।
6. किसी कार्यक्रम की सामाजिक उपयोगिता, उपादेयता एवं प्रभावशीलता का आकलन करने एवं छात्र, अधिगम प्रक्रिया एवं अधिगम वातावरण के बारे में उपयुक्त निर्णय लेना।
7. शिक्षण एवं अधिगम प्रक्रिया को छात्र-उन्मुख बनाना।

सतत् मूल्यांकन के साधन

सतत् मूल्यांकन के अंतर्गत कई साधनों का प्रयोग किया जाता है, जैसे–साक्षात्कार, प्रश्नावली, निरीक्षण, जांच सूची आदि।

1. साक्षात्कारः साक्षात्कार के द्वारा ज्ञान की मौखिक जांच की जाती है। साक्षात्कार में पूछे जाने वाले प्रश्न सरल होते हैं और दैनदिन से जुड़े हुए प्रश्न ही पूछे जाते हैं। इसका उद्देश्य छात्र की अपने आसपास के वातावरण एवं चीजों के प्रति उसकी जानकारी एवं रुचि का परीक्षण करना होता है। इस विधि के अंतर्गत छात्र एवं शिक्षक एक-दूसरे के करीब आते हैं और उनमें घनिष्टता भी बढ़ती है।

2. प्रश्नावलीः इस विधि के अंतर्गत 0-6 वर्ष तक के बच्चों से चित्र आधारित प्रश्न पूछे जाते हैं। बच्चों से यह अपेक्षा की जाती है कि वे चित्रों की सही-सही पहचान कर सकें।

3. निरीक्षणः इस विधि के द्वारा छात्रों के सामूहिक व्यवहार की जांच की जाती है। इसमें छात्र की सामूहिक कार्य के प्रति रूचि, समूह के साथ उसकी क्रिया-प्रतिक्रिया आदि की जांच की जाती है। इस विधि की सबसे बड़ी विशेषता है–इसकी वस्तुनिष्ठता एवं प्रामाणिकता।

4. जांच-सूचीः इस विधि के अंतर्गत छात्र की संवेगात्मक क्षमता, सहपाठियों के साथ उसके व्यवहार एवं भाषा प्रयोग जैसे अभिलक्षणों की जांच की जाती है।

सतत् मूल्यांकन के लाभ

1. यह शिक्षक को प्रभावी शिक्षण रणनीति अपनाने की प्रेरणा देता है।

2. यह इस बात के मूल्यांकन में सहायक है कि सीखने वाले छात्र ने कितनी और कैसी प्रगति की है? इससे छात्र में होने वाले शैक्षिक एवं गैर-शैक्षिक दोनों ही तरह की प्रगति के बारे में जानकारी प्राप्त हो जाती है।
3. सतत् मूल्यांकन किसी विशेष छात्र की कमियों का उपचार करने और उसकी विशेषताओं एवं जरूरतों के बारे में पता लगाने में शिक्षक की मदद करता है। इससे शिक्षक को अपने कार्य का फीडबैक भी प्राप्त होता रहता है। इसी के आधार पर शिक्षक अपनी अगली कक्षा में किसी विषय पर विस्तार से चर्चा करने या न करने का निर्णय लेता है।
4. इसके द्वारा छात्र अपनी कमियों एवं विशिष्टताओं के बारे में अच्छी तरह जान पाते हैं और उन्हें भी अपने में सुधार लाने का मौका मिलता है। यह छात्रों के लिए आत्ममूल्यांकन का अवसर उपलब्ध कराता है। यह छात्रों को अपने लक्ष्य को प्राप्त करने एवं तदनुकूल पढ़ाई की सही रणनीति अपनाने की प्रेरणा देता है।
5. सतत् एवं व्यापक मूल्यांकन के द्वारा छात्र अपनी अभिरुचियों के बारे में भी भलीभांति जान पाते हैं। यह उन्हें अपनी मनोवृत्ति एवं मूल्यों में परिवर्तन लाने में मदद करता है।
6. सतत् एवं व्यापक मूल्यांकन छात्रों को उनकी भावी योजनाओं एवं कैरियर के बारे में सही निर्णय लने में उनकी सहायता करता है।

शिक्षण-अधिगम सामग्री

शिक्षण प्रक्रिया को सुचारू रूप से संपन्न करने के लिए अनेक प्रकार की सामग्री की आवश्यकता होती है। मोटे तौर पर शिक्षण में प्रयुक्त सामग्री को दो वर्गों में रखा जा सकता है। पहले वर्ग में वह सामग्री आती है, जिसका शिक्षक तथा शिक्षार्थी दोनों ही नियमित रूप से प्रयोग करते हैं, जैसे–पाठ्यपुस्तक, पूरक पुस्तक तथा अभ्यास-पुस्तिका (विशेषतः प्राथमिक स्तर पर)। वस्तुतः इस प्रकार की सामग्री शिक्षण प्रक्रिया का अभिन्न अंग है, क्योंकि शिक्षक तथा शिक्षार्थी दोनों को ही इसके प्रयोग की आवश्यकता होती है।

दूसरे वर्ग में वह सामग्री आती है जो कक्षा में प्रस्तुत विषयवस्तु को विद्यार्थियों के लिए सुस्पष्ट, सुबोध, सुग्राह्य एवं सजीव बनाने में शिक्षक की सहायता करती है। इसके अंतर्गत श्यामपट्ट, चार्ट, चित्र, मॉडल जैसे–पारंपरिक उपकरण तथा स्लाइड, पारदर्शी चित्र, टेप (कैसेट) जैसे आधुनिक उपकरण और रेडियो, दूरदर्शन, चलचित्र जैसे जनसंचार माध्यम आते हैं।

पाठ्यपुस्तक

शिक्षण प्रक्रिया में पाठ्यपुस्तक का अपना एक विशिष्ट स्थान है। वास्तव में यह संपूर्ण शिक्षण प्रक्रिया की आधारशिला है। यह एक ओर अध्यापक का शिक्षण-विषय के पाठ्यक्रम की सीमा के संदर्भ में मार्गदर्शन करती है तो दूसरी ओर विद्यार्थी के सम्मुख लक्ष्य का स्वरूप स्पष्ट करती है।

जब हम मातृभाषा का अध्ययन करते हैं तो पाठ्यपुस्तक का महत्त्व और भी बढ़ जाता है, क्योंकि मातृभाषा का विषय क्षेत्र अत्यंत व्यापक और बहुमुखी होने के कारण उसकी पाठ्यपुस्तक की सामग्री व्यापक एवं विविधतापूर्ण होती है। इतना ही नहीं, मातृभाषा की पाठ्यपुस्तक में समाहित सामग्री में वैचारिक तथा भाषिक दोनों पक्षों का ध्यान भी रखना होता है और साथ में विविध साहित्यिक रूपों एवं विधाओं का समावेश भी करना होता है।

किसी भी पाठ्यपुस्तक के दो पक्ष होते हैं :

1. भाव पक्ष, तथा
2. कला पक्ष

1. **भाव पक्ष :** पाठ्यपुस्तक इस उद्देश्य से तैयार की जाती है कि उसके अध्ययन से विद्यार्थियों में अपेक्षित योग्यताओं का विकास हो सके। ये योग्यताएँ शिक्षण उद्देश्य कहलाती हैं। इन शिक्षण उद्देश्यों के अन्तर्गत विभिन्न प्रकार की विषयवस्तु का ज्ञान, भाषाई कौशल और सद्प्रवृत्तियाँ आती हैं। पाठ्य-सामग्री के भाव पक्ष के संदर्भ में उस विषय के शिक्षण उद्देश्यों का अत्यंत महत्त्व है। इस संबंध में निम्नलिखित तीन बातों को ध्यान में रखा जाता है :

   (*i*) भावों का चयन।

   (*ii*) भावों का क्रमिक स्तरीकरण।

   (*iii*) भावों का प्रस्तुतीकरण।

2. **कला पक्ष :** पाठ्य-सामग्री के कला पक्ष के अंतर्गत उसके बाहरी और आंतरिक दोनों रूप आते हैं। बाहरी रूप के अंतर्गत पुस्तक का आकार तथा उसकी मोटाई ऐसी होनी चाहिए जिससे उस आयु वर्ग के बच्चों को उसे एक स्थान से दूसरे स्थान तक ले जाने में सुविधा हो और पुस्तक को हाथ में उठाकर पढ़ने में भी असुविधा न हो।

   पुस्तक की छपाई, शुद्ध वर्तनी एवं चित्र रूप पक्ष के अंतर्गत ही आते हैं। छोटे बालकों के लिए टाइप का आकार बड़ा होना चाहिए। बढ़ती हुई कक्षाओं में यह आकार छोटा होता जाता है।

   पुस्तक की वर्तनी के संबंध में सबसे प्रमुख बात यह है कि शब्दों की वर्तनी शुद्ध हो। दूसरी बात भिन्न रूपों वाले– अ, फ, क्ष, झ आदि जैसे अक्षरों का मानक रूप ही पूरी पुस्तक में प्रयुक्त हो। चाहिए, जाए, लाए जैसे शब्दों को पुस्तक में एक ही रूप में प्रस्तुत किया जाना चाहिए।

   पाठ्य सामग्री में चित्र बहुत महत्त्वपूर्ण होते हैं। पाठ्य-सामग्री में केवल वे चित्र दिए जाने चाहिएँ जो उनका अंग बन सकें और उसके पूरक हों। इनमें से कुछ चित्र काल्पनिक होते हैं और कुछ तथ्यात्मक। छोटी कक्षाओं की शिक्षण सामग्री में फोटो तथा तस्वीर वाले चित्र अधिक उपयोगी होते हैं और बड़ी कक्षाओं

की सामग्री में कार्टूनों तथा रेखा वाले और तथ्यात्मक फोटो आवश्यक और उपयोगी हैं। चित्रों का स्थान भी इसी आधार पर निर्धारित किया जाता है जिससे उनका लिखित सामग्री के साथ तादात्म्य स्थापित हो सके। यदि किसी चित्र को बार-बार देखने की आवश्यकता हो तो वह सामग्री के बीच में देना चाहिए। यदि कोई चित्र सामग्री की पृष्ठभूमि के रूप में कार्य करता हो तो उसे पूरे पृष्ठ पर फैलाना चाहिए। यदि लिखित सामग्री को पढ़ने की प्रेरणा देना चित्र का उद्देश्य हो तो वह सामग्री के प्रारंभ में दिया जा सकता है। चित्रों के रंग भी बहुत महत्त्वपूर्ण होते हैं।

चित्र

विषय के कठिन एवं गहन स्थलों को स्पष्ट करने में चित्रों तथा चित्र-शृंखलाओं की उपयोगिता सर्वमान्य है। चित्रों से अभिव्यक्ति में विस्तार एवं गहनता आती है। चित्र शब्दों और कहानियों का प्रतिनिधित्व करते हैं। क्रियाशील चित्र-शृंखला रचना और कहानी शिक्षण का श्रेष्ठ साधन है। शब्दों और चित्रों का समन्वय पर्यावरण शिक्षण की प्रक्रिया को जीवंत बना देता है।

रेखाचित्र

इसके अंतर्गत चार्टों, पोस्टरों, कार्टूनों, हास्य-व्यंग्य चित्रों, मानचित्रों आदि का समावेश होता है। फ्लैनलग्राफ पर क्रमबद्ध रूप में पर्यावरण के विभिन्न घटकों, उनके ह्रास एवं प्रभाव आदि को चार्ट के रूप में प्रदर्शित किया जा सकता है। मानचित्रों के प्रयोग से प्रदेशों का भाषावार वर्गीकरण दिखाया जा सकता है। पोस्टर, कार्टून और हास्य-व्यंग्य चित्र किसी व्यक्ति, विचार एवं स्थिति के चित्र होते हैं जिनका जनसमूह पर गहरा प्रभाव पड़ता है। इनसे उपहासात्मक किंतु विचारपरक हास्य-व्यंग्य एवं अतिश्योक्तिपूर्ण स्थलों के गूढ़ भावों का स्पष्टीकरण होता है। ये विचारों को क्रमबद्ध तथा गतिमय रूप में प्रस्तुत करते हैं।

फ्लैश कार्ड

ये शिक्षण के प्रभावशाली दृश्य उपकरण हैं। ये चित्रात्मक और लिखित दोनों प्रकार के हो सकते हैं।

वर्णमाला-शिक्षण में फ्लैश कार्डों का विशेष महत्त्व है। एक वर्ण को सिखाने के लिए फ्लैश कार्ड पर अनेक शब्द दिए जाते हैं जो उस वर्ण से आरंभ होते हैं।

इनमें शब्दों के साथ उनके चित्र भी दिए जाते हैं। आरंभिक कक्षाओं में शब्दों और वाक्यों के चित्र सहित फ्लैश कार्ड अधिक उपयोगी सिद्ध होते हैं। इनसे किसी एक वस्तु, घटना या तथ्य की झलक एक दृष्टि में प्रस्तुत की जा सकती है।

ग्रामोफोन और लिंग्वाफोन

इनके रिकार्डों द्वारा उच्चारण के विभिन्न अभ्यासों के अंतर्गत बलाघात, सुर, विवृत्ति और अनुतान का सहज रूप में अभ्यास कराया जा सकता है। इनमें महापुरुषों के भाषणों, उत्कृष्ट कवियों की पर्यावरण विषयक कविताओं और नाटकीय संवाद को सुना जा सकता है। उच्चारण, सस्वर पाठ और भाषण कला की प्रवीणता प्राप्त करने में इनका प्रयोग विशेष उपयोगी है।

टेप

उत्कृष्ट वक्ता के पर्यावरण विषयक भाषणों, गीतों, नाटकीय कथनोपकथन, कविताओं और भाषा कौशलों विशेषतः उच्चारण और वाचन पाठों का अंकन करके ''प्लेबैक उपकरण'' (रिकार्ड प्लेयर) द्वारा जब चाहे, तब सुना और सुनाया जा सकता है।

रेडियो

शिक्षण का एक अत्यंत उपयोगी एवं सुलभ साधन है। समाचार, नाटक, भजन, गीत, संगीत, कहानियों, कविताओं, संवादों आदि की आकर्षक एवं प्रभावशाली प्रस्तुति से विद्यार्थी मनोरंजनात्मक ढंग से पर्यावरण के प्रति जागरूकता विकसित कर सकते हैं।

दूरदर्शन और चलचित्र

दूरदर्शन और चलचित्रों के कार्यक्रम देश-विदेश की घटनाओं, कार्यकलापों और दृश्यों को सजीव एवं यथार्थ रूप में प्रस्तुत करते हैं। दूरदर्शन आधुनिक युग की सबसे बड़ी देन है। इसके कार्यक्रम हमारी सामाजिक संस्कृति की झलक प्रदर्शित करते हैं। इनसे राष्ट्र के नागरिकों और विद्यार्थियों में एकता और सद्भावना उत्पन्न होती है और वे राष्ट्र की मुख्य धारा में समाहित होने की प्रेरणा ग्रहण करते हैं।

इनके माध्यम से जन शिक्षा का आसानी से प्रचार-प्रसार और विस्तार किया जा सकता है। ये जीवन के सभी पक्षों से संबंधित कार्यक्रमों का प्रसारण करते हैं। इनके द्वारा समाज की मान्यताओं, जीवन मूल्यों, सांस्कृतिक परंपराओं आदि की जानकारी विद्यार्थियों को प्राप्त होती है। इसके अतिरिक्त भाषाई पाठों का प्रसारण भी दूरदर्शन पर होता है जिससे विद्यार्थी सरल एवं रोचक वातावरण में पाठ की विषयवस्तु को अनायास ही सीख लेते हैं। इन कार्यक्रमों से शिक्षकों और छात्राध्यापकों को कक्षा शिक्षण में प्रयुक्त होने वाली विधियों, तकनीकों और उपागमों का भी व्यावहारिक ज्ञान प्राप्त होता है।

पर्यावरण अध्ययन शिक्षण की समस्याएँ

एक स्वतंत्र विषय के रूप में पर्यावरण का अध्ययन काफी बाद में आरंभ हुआ। यद्यपि पर्यावरण के बारे में थोड़ी-बहुत जानकारी अन्य विषयों में भी दी जाती रही है। हाल के वर्षों में पर्यावरण संबंधी समस्याओं के चर्चा में आने के बाद पर्यावरण के विशेष अध्ययन पर जोर दिया जाने लगा।

पर्यावरण अध्ययन में विषयगत अंतर्सबद्धता अधिक है। इसके विषय-वस्तु में भी विविधता एवं व्यापकता है। इस कारण पर्यावरण अध्ययन के शिक्षण में कई समस्याएँ हैं।

1. इस विषय का पाठ्यक्रम अधिक सैद्धांतिक एवं तकनीकी है। इसमें विशेषज्ञ के निजी अनुभवों एवं केस स्टडी का पर्याप्त समावेश नहीं है। यद्यपि इस ओर अब ध्यान दिया जा रहा है, लेकिन इस क्षेत्र में काफी काम किया जाना बाकी है।

2. पर्यावरण का अध्ययन विज्ञान के अन्य विषयों से भिन्न है। विज्ञान के अन्य विषयों में जहां प्रयोग प्रयोगशाला के अंदर ही संभव है, वहीं पर्यावरण अध्ययन के दौरान प्रयोग उन विशिष्ट पर्यावरण स्थितियों के बीच ही किया जा सकता है। इसके लिए अधिक संसाधनों की आवश्यकता होती है। संसाधनों का पर्याप्त आवंटन न हो पाना भी इस विषय के अध्ययन की एक बड़ी समस्या है।
3. हमारे यहां शिक्षकों के प्रशिक्षण की व्यवस्था अत्यंत दयनीय है। प्रशिक्षण प्रदान करने वाली संस्थाएँ आज केवल डिग्रियाँ बांट रही हैं। ये संस्थाएं अध्यापन व्यवसाय की तत्कालीन एवं भावी आवश्यकताओं के साथ तालमेल बिठाने में असमर्थ रही हैं। विषय विशेष में विकसित हो रहे नवीनतम ज्ञान तथा शिक्षण तकनीकों से अध्यापकों को अवगत कराने पर हमारे अध्यापक शिक्षा कार्यकमों में कोई ध्यान नहीं दिया जाता है। नियुक्ति एवं सेवा शर्तों की कमजोर स्थिति के कारण योग्य एवं मेधावी लोग इस क्षेत्र में आना नहीं चाहते।
4. प्रायः छात्र एवं शिक्षक दोनों में ही प्रायोगिक कार्यक्रम के प्रति रूझान की कमी देखी जाती है। इसे अध्ययन-अध्यापन के दौरान मात्र एक औपचारिकता मान लिया जाता है। इसे पर्यावरण अध्ययन का कार्य कमजोर पड़ जाता है।
5. किसी भी विषय के अध्ययन के दौरान छात्र का शारीरिक-मानसिक स्तर, अनुभव, रुचि उसका परिवेश एवं सांस्कृतिक पृष्ठभूमि उसके सीखने के स्तर को प्रभावित करता है। इस कारण यह आवश्यक हो जाता है कि छात्रों पर व्यक्तिगत रूप से ध्यान दिया जाए। संभव हो तो छात्रों को उनकी मानसिक स्थिति के आधार पर अलग-अलग समूहों में बांटकर अध्यापन की योजना बनाई जाए।

अभ्यास प्रश्न

1. अमृता देवी स्मृति पुरस्कार जिसके लिए दिया जाता है, वह है–
A. वृक्षारोपण में श्रेष्ठ प्रयास
B. वन्य सुरक्षा पर श्रेष्ठ साहित्य
C. उद्यानों का सौंदर्यीकरण
D. वन एवं वन्य जीवों की सुरक्षा के लिए

2. निम्नलिखित युग्मों पर विचार कीजिए–
1. सेंटर फॉर एनवायरनमेंटल मैनेजमेंट आफ डिग्रेडेड इकोसिस्टम, नई दिल्ली
2. सेंटर ऑफ सोशल फारेस्ट्री एण्ड इकोरिहैबलिटेशन, इलाहाबाद
3. नेशनल कोरल रीफ रिसर्च सेन्टर, तिरुवनंतपुरम्

उपर्युक्त युग्मों में से कौन-सा/से सही सुमेलित है/हैं?
A. केवल 1 B. केवल 1 और 2
C. केवल 2 और 3 D. केवल 1, 2 और 3

3. 'ग्रीन अकांउटिंग' का अर्थ है,....... के आकलन को ध्यान में रखते हुए देश की राष्ट्रीय आय को मापना–
A. देश के कुल वन क्षेत्र
B. देश के वन आच्छादन के विनाश
C. प्रदूषण और पर्यावरणीय क्षति
D. उद्धार की गई परती भूमि के क्षेत्रफल

4. जैव–सुरक्षा (Bio–safety) का कार्टाजेना प्रोटोकाल निम्नलिखित केन्द्रीय मन्त्रालयों में से कौन कार्यान्वित करता है?
A. विज्ञान एवं प्रौद्योगिकी मन्त्रालय
B. पर्यावरण एवं वन मन्त्रालय
C. रसायन एवं उर्वरक मन्त्रालय
D. स्वास्थ्य एवं परिवार कल्याण मन्त्रालय

5. स्व. सलीम अली का सम्बन्ध निम्नलिखित में से किससे था?
A. शरीर क्रिया विज्ञान B. शब्द विज्ञान
C. पक्षी विज्ञान D. कीट शास्त्र

6. मानव–जनित पर्यावरणीय प्रदूषक (Man–Made Pollutants) कहलाते हैं–
A. परजैविक (Xenobiotics)
B. प्रतिजैविक (Antibiotics)
C. ह्यूमेलिन (Humalins)
D. एनल्जेसिक (Analgesics)

7. किन उपलब्धियों के लिए 'ग्लोबल-500' पुरस्कार दिया जाता है?
A. जनसंख्या नियंत्रण
B. आतंकवाद के विरुद्ध अभियान
C. पर्यावरण प्रतिरक्षण हेतु
D. मादक पदार्थों के विरुद्ध अभियान

8. निम्न में से कौन-सा सीसे (Lead) का विष निवारक है?
A. निकल (Nickel)
B. सिस प्लेटिन (Cis Platin)
C. अण्डे का सफेद भाग (White part of egg)
D. ई डी टी ए (EDTA)

9. प्याज में तीखापन होने का प्रमुख कारण है-
A. एलाइल प्रोपाइल डाइसल्फाइड
B. कैप्सेसिन
C. कुकरबिटेसिन
D. कुरकुमिन

10. ऊर्जा संकट से तात्पर्य है–
A. जलविद्युत् की कमी
B. कुपोषण के कारण शरीर में ऊर्जा का ह्रास
C. तापीय ऊर्जा की कमी
D. कोयला तथा पेट्रोल जैसे जीवाश्म ईंधन के समाप्त होने का खतरा।

11. पारिस्थितिक तंत्र के दो अवयव हैं–
A. वनस्पति एवं जानवर B. जैवीय एवं अजैवीय
C. घास-पात एवं वृक्ष D. मनुष्य एवं जानवर

12. भारतीय 'हरित–क्रान्ति' की जन्म स्थली है–
A. पंतनगर B. बंगलौर
C. कानपुर D. दिल्ली

निर्देश (Q. 13 से 14) : *आगामी दो (2) प्रश्नांशों में दो वक्तव्य हैं। एक को* ***कथन (A)*** *तथा दूसरे को* ***कारण (R)*** *कहा गया है। इन दोनों- वक्तव्यों को सावधानी पूर्वक परीक्षण कर इन प्रश्नांशों का उत्तर नीचे दिए गए कूट की सहायता से करें–*

कूटः
A. (A) और (R) दोनों सही हैं और (R), (A) का सही स्पष्टीकरण है।
B. (A) और (R) दोनों सही हैं परन्तु (R), (A) का सही स्पष्टीकरण नही है।
C. (A) सही है, परन्तु (R) गलत है।
D. (A) गलत है, परन्तु (R) सही है।

13. कथन (A) : मिथेन गैस एक महत्वपूर्ण ग्रीन हाउस गैस है।

कारण (R) : प्रशीतक प्रणोदक आदि के द्वारा मुख्यतः इसका उत्सर्जन होता है।

14. कथन (A) : ध्रुवों के समीप ओजोन क्षरण की समस्या सर्वाधिक गम्भीर हैं।

कारण (R) : ध्रुवों के समीप ओजोन मण्डल की धरातल से ऊँचाई अपेक्षाकृत कम है।

15. निम्नलिखित कथनों पर विचार कीजिए–

1. द्रवित प्राकृतिक गैस (LNG) को अत्यधिक शीत ताप तथा उच्च दाब में द्रवित किया जाता है। जिससे विशेष रूप से अभिकल्पित पात्रों में उसका संग्रहण अथवा परिवहन सुसाध्य हो सके।
2. भारत में प्रथम LNG टर्मिनल हसन में निर्मित हुआ।
3. द्रवित पैट्रोलियम गैस से प्राकृतिक गैस द्रव्यों (NGL)का पृथक्करण किया जाता है और इनमें इथेन, प्रोपेन, ब्यूटेन तथा प्राकृतिक गैसोलीन सम्मिलित हैं। उपर्युक्त कथनों में से कौन–सा/से सही है/हैं?

A. केवल 1 B. 1 और 3
C. 2 और 3 D. 1, 2 और 3

16. वायुपोत में प्रयोग के लिए हाइड्रोजन की तुलना में हीलियम का प्रयोग क्यों बेहतर माना जाता है?

A. हीलियम का घनत्व कम होता है
B. हीलियम का घनत्व अधिक होता है
C. हीलियम कम रासायनिक सक्रिय होता है
D. हीलियम अधिक रासायनिक सक्रिय होता है

17. निम्नलिखित कथनों पर विचार कीजिए-

(1) अन्तर्राष्ट्रीय मानकीकरण संघ (ISO) का मुख्यालय रोम में है।
(2) ISO 9000 गुणवत्ता प्रबन्धन तंत्र और मानकों से सम्बद्ध है।
(3) ISO 14000 पर्यावरण प्रबन्धन तंत्र मानकों से सम्बद्ध है।

उपर्युक्त कथनों में से कौन–सा/कौन से सही है/हैं?

A. 1, 2 और 3 B. केवल 3
C. 2 और 3 D. कोई भी नही

18. तैरने के तालाब में तैरने से मनुष्य की त्वचा जल जाती है–

A. अवरक्त किरण (Infrared ray) के कारण
B. क्लोरीन के कारण
C. ऊष्मा के कारण
D. पराबैंगनी (Ultraviolet) किरण के कारण

19. गोमती कार्य योजना के अन्तर्गत निम्नलिखित में से किस जनपद में प्रदूषण न्यूनीकरण (Pollution abatement) कार्यों पर समुचित बल नहीं दिया गया है?

A. जौनपुर B. लखनऊ
C. सीतापुर D. सुल्तानपुर

20. परम शून्य ताप (Absolute zero temperature) पर निम्नलिखित में कौन-सी परिघटना होती है?

A. सभी गैस द्रव बन जाती है।
B. जल जम जाता है।
C. सभी पदार्थ ठोस बन जाते हैं
D. गैस में अणुगति-समाप्त हो जाती है।

21. औद्योगिक मलबे (Industrial Effluents) से सर्वाधिक रासायनिक प्रदूषण होता है-

A. चमड़ा उद्योग से B. कागज उद्योग से
C. रेयॉन उद्योग से D. वस्त्र उद्योग से

22. 'गंगा कार्य योजना' का लक्ष्य है-

A. पानी की गुणवत्ता में सुधार
B. सिंचाई की सुविधाएं
C. जलमार्ग का विकास
D. उपरोक्त सभी

23. पर्यावरण प्रदूषण (Atmospheric Pollution) के निम्नलिखित प्रभाव हैं–

A. धरातल पर पहुँचने वाले सूर्य के प्रकाश की मात्रा को कम करता है।
B. कोहरे (Fog) में वृद्धि करता है।
C. वातावरण के तापीय गुणों को परिवर्तित कर देता है।
D. उपर्युक्त सभी

24. बायोगैस पशुओं के गोबर से किस प्रक्रिया से बनाई जाती है।

A. सुखा करके
B. जला करके
C. अवायवीय किण्वन करके
D. धात्विक अम्लों के साथ उपचार करके

25. निम्नलिखित कथनों पर विचार कीजिए–

1. राष्ट्रीय पार्क विशिष्ट वर्ग के स्थल एवं समुद्री तट के संरक्षित क्षेत्र हैं, जिनमें मानव तंत्र के अभेदी भाग हैं।
2. अभयारण्य का सम्बन्ध विशिष्ट प्रजातियों के संरक्षण से है।
3. जीवमण्डल रिजर्व एक विशेष वन्य जन्तु आवास से सम्बंधित है।

उपर्युक्त कथनों में से कौन-सा/से सही है/हैं?

A. 1, 2 और 3 B. केवल 2
C. केवल 1 और 2 D. केवल 1 और 3

26. निम्नलिखित ऊर्जा स्रोतों में से कौन-सा सर्वोत्तम पर्यावरण अनुकूल है?

A. वन उत्पाद
B. सौर सैल (Solar Cells)
C. पेट्रोलियम उत्पाद
D. नाभिकीय विखण्डन (Nuclear Fission)

27. पर्यावरण का जैविक कारक है–

A. वायु B. मृदा
C. बनस्पति D. खनिज

28. संसार के किस देश में संरक्षित भूमि का सर्वोत्तम तन्त्र है?

A. चीन B. कोस्टारिका
C. भारत D. स्विट्जरलैण्ड

29. निम्नलिखित में से कौन-सा एक राष्ट्रीय पार्क भारत में सर्वप्रथम स्थापित किया गया?

A. बाँदीपुर B. पेरियार
C. कार्बेट D. वेल्वादर

30. भारत के सभी जैवमण्डलीय आरक्षित क्षेत्रों में से चार को UNESCO द्वारा विश्व जालतंत्र में मान्यता दी गई है। निम्नलिखित में से कौन-सा एक उनमें से नहीं है?

A. मन्नार की खाड़ी B. कंचनजंघा
C. नन्दा देवी D. सुन्दर वन

31. प्रोबायोटिक खाद्य (Probiotic Food) से सम्बद्ध निम्नलिखित कथनों पर विचार कीजिए–

1. प्रोबायोटिक खाद्य में सजीव जीवाणु विद्यमान होते हैं, जो मानव के लिए लाभकारी माने जाते हैं।
2. प्रोबायोटिक खाद्य अन्त्र फ्लोरा (Gut Flora) के अनुरक्षण में सहायता देता है।

उपर्युक्त कथनों में से कौन-सा/से सही नहीं है/हैं?

कूटः

A. केवल 1 B. केवल 2
C. 1 और 2 दोनों D. न तो 1 और न ही 2

32. निम्नलिखित में से कौन सा/से भारत सरकार द्वारा आरम्भ की गई नई राष्ट्रीय जैव ईंधन नीति–2008 का/के भाग है/हैं?

1. समय-समय पर संशोधन के प्रावधान के साथ न्यूनतम समर्थन मूल्य।
2. बायोडीजल पर शुल्क या कर नहीं लगाया जाएगा।
3. बायोडीजल का उत्पादन बंजर/सीमान्त भूमि में अखाद्य तिलहन से किया जाएगा।

A. केवल 1 B. केवल 2
C. केवल 3 D. 1, 2 व 3 सभी

33. निम्नलिखित में से प्रतिवन गतिविधि कौन-सी है?

A. अग्नि की रोकथाम
B. वन्य प्राणियों की रक्षा
C. लकड़ी काटकर सफाई करना
D. लकड़ी काटने की मितव्ययता

34. वनोन्मूलन का भयप्रद प्रभाव होता है–

A. भूमि अपरदन पर B. सूर्यप्रकाश पर
C. खरपतवार नियंत्रण पर D. चारण क्षेत्र की वृद्धि में

35. वनों के किस निम्नलिखित कार्य द्वारा सूखे के नियन्त्रण करने में सहायता मिलती है?

A. जल-संभर का कार्य
B. भूमि अपरदन को रोकना
C. वन वर्षा लाते हैं
D. वनों मे अनेक जलीय पौधे भी होते हैं

36. मरुस्थलीकरण के लिये मुख्य कारक निम्नलिखित में से कौन-सा है–

A. पर्यटन B. विकास की गतिविधियाँ
C. सिंचित कृषि D. अतिचारण

37. वातावरणीय सुन्दरता और आर्थिक विकास के उद्देश्य से किये गये वृक्षारोपण को कहते हैं–

A. सामाजिक वानिकी B. वैज्ञानिक वन-संरक्षण
C. समाकलित वनारोपण D. उपरोक्त सभी

38. नीचे दी गई सूची से उसे चुनिए जो ''वर्ल्ड हेरीटेज साइट'' (विश्व धरोहर स्थल) घोषित हुआ है?

A. नन्दा देवी जीवमण्डल रिजर्व
B. गिर फारेस्ट
C. कार्बेट नेशनल पार्क
D. राजाजी नेशनल पार्क

39. निम्नलिखित मे कौन-सा भारत में वाणिज्यिक ऊर्जा का प्रधान स्रोत है?

A. प्राकृतिक गैस B. कोयला
C. खनिज तेल D. नाभिकीय ऊर्जा

40. वाहितमल के पुनः चक्रण द्वारा शुद्धीकरण के लिये क्रियाशील होते हैं-

A. सूक्ष्मजीव B. पेनिसिलीन
C. मछलियाँ D. जलीय पौधे

41. भूमि अपरदन रोका जा सकता है–

A. चारण बढ़ाकर B. वनारोपण से
C. अतिचारण से D. वनस्पति हटाकर

42. वनोन्मूलन अवसर कम करता है–

A. मृदा की सतह के अपरदन का
B. बर्फ की चट्टान का
C. बवंडर के
D. वर्षा के

43. भूमि संरक्षण के अन्तर्गत आता है–

A. मृदा अपरदन
B. मृदा का वातन
C. उर्वरकों को डालना
D. मृदा के नुकसान को रोकना

44. वायुमण्डल में ओजोन परत के ह्रास के लिये निम्नलिखित में से कौन-सा रासायनिक द्रव्य उत्तरदायी है?

A. नाइट्रस ऑक्साइड B. कार्बन डाइऑक्साइड
C. क्लोरोफ्लोरोकार्बन D. सल्फर डाइऑक्साइड

45. निम्नलिखित कथनों पर विचार कीजिए–

कथन (A) : प्राकृतिक वनस्पति जलवायु का सही सूचकांक है।

कथन (R) : जल-प्रिय पौधे (water loving plants) आर्द्र जलवायु में पाये जाते हैं।

नीचे दिए कूट से सही उत्तर चुनिए–

A. (A) और (R) दोनों सही हैं तथा (R), (A) की सही व्याख्या है।

B. (A) और (R) दोनों सही हैं परन्तु (R), (A) की सही व्याख्या नहीं है।

C. (A) सही है परन्तु (R) गलत है।

D. (A) गलत है, परन्तु (R) सही है।

46. जीवीय समुदाय के प्राथमिक उपभोक्ता हैं

A. शाकाहारी B. मांसाहारी

C. सर्वभक्षी D. अपभक्षी

47. यदि हम पारिस्थितिक तन्त्र से अपघटकों को हटा दें तब पारिस्थितिक तंत्र के कार्य भयंकर रूप से प्रभावित होंगे क्योंकि

A. ऊर्जा का प्रवाह रूक जायेगा

B. खनिजों का प्रवाह रूक जायेगा

C. अन्य घटकों के अपघटन की दर अत्यन्त अधिक होगी

D. शाकाहारी सौर ऊर्जा नहीं पायेंगे

48. खाद्य शृंखला के आधार पर जीवधारी होते हैं–

A. प्रकाश संश्लेषी पौधे B. मांसाहारी

C. मृतजीवी पौधे D. शाकाहारी

49. एक ही पोषण स्तर के जीवधारी हैं–

A. कौवा और गाय B. साँप और केंचुआ

C. हिरन और मधुमक्खी D. चीता और जंगली सुअर

50. निम्नलिखित को खाद्य–शृंखला कहते हैं–

A. भोजन के स्रोत के पास अनेक प्राणियों से बनी खाद्य शृंखला

B. खाद्य ऊर्जा का हरे पौधों से उपभोक्ता जीवधारियों की शृंखला द्वारा स्थानांतरण

C. भोजन के स्रोत के पास अनेक मानवों से बनी हुई मानव की शृंखला

D. उपरोक्त में से कोई नहीं

51. निम्नलिखित में कौन-सा सर्वाधिक स्थायी पारिस्थितिक तंत्र है?

A. समुद्र B. जंगल

C. रेगिस्तान D. पर्वत

52. जब मोर सांप को खाता है जो हरे पौधों पर निर्भर कीटों को खाता है, तब मोर है–

A. प्राथमिक उपभोक्ता

B. प्राथमिक अपघटक

C. खाद्य पिरामिड का शिखर

D. पौधों का अन्तिम अपघटक

53. ऊर्जा का पिरामिड होता है–

A. सदैव सीधा

B. सदैव उल्टा

C. दोनो सीधा और उल्टा

D. उपरोक्त में से कोई नहीं

54. जीव वैज्ञानिक संतुलन पाया जाता है–

A. उत्पादक और अपघटकों के बीच

B. उत्पादक और उपभोक्ताओं के बीच

C. केवल उत्पादकों के बीच

D. उत्पादक, उपभोक्ताओं और अपघटकों के बीच

55. पारिस्थितिक तन्त्र के तत्वों के चक्रण को कहते हैं–

A. जीवीय भू–रासायनिक चक्र

B. भू–रासायनिक चक्र

C. भूगर्भ चक्र

D. रासायनिक चक्र

56. पृथ्वी की जलवायु को प्रभावित करने वाला सर्वोच्च कारक है–

A. पृथ्वी का सूर्य की परिक्रमा करना

B. अक्षांशीय स्थिति

C. सूर्याताप

D. पृथ्वी को अपने अक्ष पर घूमना

57. कौन–सा धरातलीय जीवोम (Terrestrial biome) वानस्पतिक विकास व जीव समुदाय के दृष्टिकोण से सर्वाधिक उन्नत है–

A. टैगा

B. शीतोष्ण पर्णपाती वन

C. उष्ण सदाबहार कटिबन्धीय वन

D. शंकुधारी सदाबहार वन

58. वायुमण्डल का कौन–सा भाग पराबैंगनी (Ultraviolet) प्रकाश की किरणों को पृथ्वी की सतह पर आने से रोकता है–

A. क्षोभमण्डल B. समतापमण्डल

C. आयनमण्डल D. मध्यमण्डल

59. पौधों के प्लवी प्रकार होते हैं

A. परपोषी B. स्वपोषी

C. कीट भक्षी प्रकार के D. रसायन पोषी

60. पारिस्थितिक तन्त्र हैं

A. बन्द इकाई

B. खुली इकाई

C. दोनों खुली और बन्द इकाई जो उपस्थित जीवभार पर निर्भर होती हैं।

D. दोनो बन्द और खुली इकाई जो समुदाय के प्रकार पर निर्भर होती हैं।

61. शिक्षक, मां, पत्नी के पद के साथ संबंधित भूमिकाओं को क्या कहते हैं?

A. बहु–भूमिकाएं (Multiple role)

B. भूमिका पुंज (Role sets)

C. भूमिका (Role)

D. भूमिका ग्रहण करना (Role taking)

62. एक व्यक्ति के रक्त से संबंधित सभी रिश्तेदार जिसमें पितृ और मातृ दोनों पक्षों के संबंधी होते हैं, कहलाते हैं—

A. एकोदर बंधु B. सहोदर बंधु

C. पितृ बंधु D. मातृ बंधु

63. निम्नलिखित में से कौन-सा कथन गलत है?
A. अधिकांश जनजातियों में स्त्रियों का अनुपात अधिक होने के कारण बहु-पत्नी विवाह पाया जाता है।
B. बहुपत्नी विवाह करने वाले व्यक्ति उच्च या निम्न स्थिति के हो सकते हैं।
C. बहुपत्नी प्रथा के कारण किसी समूह में अच्छे वंशानुक्रम की संतानों के जन्म की संभावना बढ़ जाती है।
D. एक विवाह उत्तराधिकारी व्यवस्था के समान है और इनमें स्त्रियों के शोषण होने की संभावना बढ़ जाती है।

64. निम्न कथनों पर विचार कीजिए —
कथन (अ) : परिवार अब उपभोग की प्रमुख इकाई हो गया है।
कारण (ब) : परिवार उत्पादन की प्रमुख इकाई नहीं रह गया है।
A. अ, ब दोनों सही हैं, ब, अ की सही व्याख्या है।
B. अ, ब दोनों सही हैं, अ, ब की सही व्याख्या नहीं है।
C. अ सही है, ब गलत है।
D. ब सही है, अ गलत है।

65. भारत में नातेदारी शब्द किससे संबंधित है?
A. किसी जनजाति की सामाजिक संरचना से
B. किसी जनजाति के बहिर्विवाही वर्गों के विभाजन से
C. श्रम विभाजन की प्रकृति से
D. जनजातियों की विवाह संबंधी रीतियों से

66. परिवार की महत्वपूर्ण विशेषता मनुष्य की प्राथमिक आवश्यकताओं की पूर्ति करना है। ये आवश्यकताएं हैं—
A. यौन-संबंध B. सन्तानोत्पत्ति
C. जीविकोपार्जन D. उपरोक्त सभी

67. कौन परिवार सबसे उत्तम माने जाते हैं?
A. एक विवाह द्वारा संगठित
B. द्विविवाह द्वारा संगठित
C. बहुविवाह द्वारा संगठित
D. इनमें से कोई नहीं

68. जिस परिवार में व्यक्ति जन्म लेता है, उसे कहते हैं—
A. शास्त्रीय परिवार B. जन्म परिवार
C. जनता का परिवार D. इनमें से कोई नहीं

69. हिन्दू परिवार का उद्देश्य किस पुरुषार्थ को पाना है?
A. धर्म B. अर्थ
C. काम D. मोक्ष

70. हिंदू परिवार आधारित है–
A. पारिवारिक स्नेह पर B. व्यक्तिवादिता पर
C. आर्थिक स्वार्थ पर D. उनमें से किसी पर नहीं

71. निम्नलिखित में से कौन शिक्षा प्रभाव का घटक नहीं है?
A. व्यक्ति B. वातावरण
C. समय D. पुस्तक

72. शिक्षा का सामान्य उद्देश्य निम्नलिखित में से कौन-सा हो सकता है?
A. अगली कक्षा में प्रवेश B. डिग्री प्राप्त करना
C. व्यक्तित्व का विकास D. इनमें से कोई नहीं

73. चरित्र-निर्माण को शिक्षा का एकमात्र उद्देश्य स्वीकार कर लेने से क्या हानियाँ हो सकती हैं?
A. व्यवहारकुशलता की अवहेलना होती है
B. जीविकोपार्जन में सहायता नहीं मिलती है
C. व्यक्ति के सर्वांगीण विकास की अवहेलना हो सकती है
D. उपरोक्त सभी

74. शिक्षा द्वारा निम्नलिखित में से क्या सम्भव नहीं है?
A. आधुनिकीकरण
B. राष्ट्रीय एकता
C. सामाजिक मूल्यों का विकास
D. उपरोक्त सभी सम्भव हैं

75. बालक के व्यवहार के अध्ययन की निम्नलिखित में से किस विधि में बालक के माता-पिता, भाई-बहन एवं शिक्षकों से जानकारी प्राप्त की जाती है?
A. वैयक्तिक इतिहास विधि
B. निरीक्षण विधि
C. प्रश्नावली विधि
D. साक्षात्कार विधि

76. बालक के व्यवहार में परिवर्तन के लिए व्यवहार अध्ययन की किस विधि का सहारा लिया जाता है?
A. साक्षात्कार विधि B. प्रश्नावली विधि
C. उपचारात्मक विधि D. प्रयोगात्मक विधि

77. निम्नलिखित में से किसका प्रभाव बालक के विकास पर पड़ता है?
A. परिवार B. समाज
C. विद्यालय D. ये सभी

78. बालक के सामाजिकता का परीक्षण किस विधि द्वारा किया जाता है?
A. उपचारात्मक विधि B. समाजमिति विधि
C. साक्षात्कार विधि D. प्रयोगात्मक विधि

79. बालक की रुचि विद्यालय में बढ़ाने के लिए क्या किया जाना चाहिए?
A. विद्यालय का वातावरण बालक के अनुकूल किया जाना चाहिए
B. बालक को विद्यालय में रोककर रखा जाना चाहिए
C. बालक के माता-पिता को विद्यालय आने से रोका जाना चाहिए
D. उपरोक्त सभी

80. प्राथमिक स्तर पर सबसे कम प्रभावी विधि है
A. बहिदर्शन विधि B. अन्तर्दर्शन विधि
C. A व B दोनों D. इनमें से कोई नहीं

81. शिक्षा के लिए उपयुक्त है
A. सेमिस्टर पद्धति B. वर्तमान परीक्षा पद्धति
C. सपुस्तक परीक्षा पद्धति D. वस्तुनिष्ठ प्रश्न-पत्र

82. 'खेल' सिखाते हैं
A. अनुशासन B. सामाजिकता
C. रचनात्मकता D. ये सभी

83. 'खेल-खेल' में ज्ञान प्रदान करने की पद्धति है
A. किण्डरगार्टन B. मॉण्टेसरी
C. ह्यूरिस्टिक D. प्रोजेक्ट पद्धति

84. 'प्रोजेक्ट पद्धति' का प्रतिपादन किया था
A. रेबर्न ने B. हेलेन पार्कहर्स्ट ने
C. फ्रोबेल ने D. किलपैट्रिक ने

85. निम्न में बौद्धिक खेल नहीं है
A. चौपड़ B. शतरंज
C. पहेलियाँ D. आँख मिचौनी

86. 'करके सीखना' किस अवस्था के लिए उपयुक्त है?
A. शैशवावस्था B. बाल्यावस्था
C. किशोरावस्था D. इन सभी के लिए

87. शैशवावस्था के लिए उत्तम शिक्षण विधि है–
A. माण्टेसरी विधि B. खेल विधि
C. किण्डरगार्टन विधि D. ये सभी

88. सफल एवं प्रभावी शिक्षण के लिए आवश्यक है–
A. व्यक्तिगत विभिन्नताओं का ज्ञान
B. अपने वेतन का ज्ञान
C. सहकर्मी की योग्यताओं का ज्ञान
D. उपरोक्त सभी का ज्ञान

89. छात्रों को अभिप्रेरणा प्रदान करने के लिए अपनाएँगे
A. पुरस्कार एवं दण्ड B. नवाचार
C. प्रतिस्पर्धात्मक शिक्षण D. उक्त सभी

90. सीखने की प्रभावी विधि है
A. स्वयं करके B. निरीक्षण द्वारा
C. परीक्षण द्वारा D. उक्त सभी

91. भारत के निम्नलिखित क्षेत्रों पर विचार कीजिए–
1. पश्चिमी घाट
2. अरावली
3. पूर्वी हिमालय श्रेणियाँ
उपर्युक्त में से कौन-सा/से जैव–विविधता का/के प्रमुख स्थल है/हैं?
A. केवल 1 B. केवल 1 और 3
C. केवल 2 और 3 D. 1, 2 और 3

92. जैव-विविधता शब्द का इस्तेमाल सर्वप्रथम किस वैज्ञानिक ने किया-
A. ओडम B. इ. ओ. विल्सन
C. टेन्सले D. कार्ल मोबियस

93. जीव मण्डल (Biosphere) आरक्षित परिरक्षण क्षेत्र है–
A. घास स्थल (Grasslands)
B. कृषि उत्पादन के
C. वायुमण्डलीय सन्तुलन (Atomospheric balance) के
D. आनुवंशिक विभिन्नता (Genetic diversity) के

94. भारत का प्रथम तितली उद्यान (Butterfly park) कहाँ पर स्थित है?
A. बन्नरघट्टा जैविकी उद्यान, बंगलुरू
B. काजीरंगा राष्ट्रीय उद्यान
C. राष्ट्रीय पशु उद्यान, कोलकाता
D. उपर्युक्त में से कोई नहीं

95. भारत में प्रोजेक्ट टाइगर प्रारम्भ किया गया था–
A. 1970 में B. 1973 में
C. 1981 में D. 1984 में

96. झील–पर्यावरण में जीवीय अनुक्रमण (Biotic succession) के साथ–साथ पादपों एवं जन्तुओं की संख्या एवं विविधता–
A. बढ़ती है
B. घटती है
C. न घटती है न बढ़ती है
D. पहले घटती है और फिर बढ़ती है

97. निम्नलिखित राज्यों में से उस राज्य को चुनिए, जिसमें सर्वाधिक संख्या में वन्य–जीव अभयारण्य (नेशनल पार्क और अभयारण्य) हैं?
A. उत्तर प्रदेश B. राजस्थान
C. मध्य प्रदेश D. पश्चिम बंगाल

98. **कथन (A):** वन नवीकरणीय (Renewable) संसाधन हैं।
कारण (R): ये पर्यावरण की गुणवत्ता को बढ़ाते हैं।
नीचे दिये गये कूट से सही उत्तर चुनिए–
कूटः
A. (A) तथा (R) दोनों सही हैं तथा (R), (A) की सही व्याख्या है।
B. (A) तथा (R) दोनों सही हैं परन्तु (R), (A) की सही व्याख्या नही है।
C. (A) सही है, परन्तु (R) गलत है।
D. (A) गलत है, परन्तु (R) सही है।

99. सूर्य में ऊर्जा का निरन्तर सृजन किस कारण होता है?
A. नाभिकीय सलंयन B. नाभिकीय विखण्डन
C. रेडियो–सक्रियता D. कृत्रिम–रेडियो सक्रियता

100. राष्ट्रीय नदी संरक्षण निदेशालय, भारत सरकार में किस मन्त्रालय के अन्तर्गत है?
A. कृषि मंत्रालय
B. पृथ्वी विज्ञान मंत्रालय
C. पर्यावरण एवं वन मंत्रालय
D. जल–संसाधन मंत्रालय

101. निम्नलिखित में से कौन भारत में जनसंख्या वृद्धि का प्रतिफल नही है?
A. बाढ़ों के आने में वृद्धि
B. प्रदूषण में वृद्धि
C. कृषित भूमि में कमी
D. जंगली जानवरों की अभिवृद्धि

102. बक्सा बाघ परियोजना (Baxa Tiger Project) भारत के किस राज्य में स्थित है?
A. पश्चिम बंगाल B. राजस्थान
C. गुजरात D. मध्य प्रदेश

103. गिर के शेरों को रखे जाने हेतु किस राष्ट्रीय पार्क/अभयारण्य का चयन किया गया है?
A. पालपुर कूनों
B. पेंच
C. बांधवगढ़
D. कान्हा

104. पौधे को संकटाग्रस्त तब कहा जाता है जब
A. वह विलुप्त हो गया हो
B. अब वह उपयोगी नही रहा हो
C. जिस आवास में उगता है वह नहीं बदला हो
D. उसकी संख्या क्रांतिक सीमा से कम रह गयी हो

105. वानस्पतिक उद्यानों (Botanical gardens) में उगाये जाने वाले दुर्लभ पौधे की सूची दी गयी है
A. लाल आंकड़े की पुस्तक में
B. हरी पुस्तक में
C. ब्रिटिश फ्लावरिंग प्लान्टस् में
D. उपरोक्त सभी में

106. बाघ आरक्षित क्षेत्र और उसके प्रदेश के सही संबंध को पहचानिये?
A. पलामू–उड़ीसा
B. मानस–असोम
C. बान्दीपुर–तमिलनाडु
D. कार्बेट–मध्यप्रदेश

107. वन उन्मूलन किसके अवसर कम करता है
A. मृदा की सतह के अपरदन के
B. बवंडर के
C. वर्षा के
D. बारंबार भूस्खलन के

108. निम्नलिखित में से कौन-सा एक पौधा, अधिक उपयोग के कारण संकट ग्रस्त हो गया है?
A. गेहूँ
B. चावल
C. मक्का
D. डायोस्कोरिया

109. वन उन्मूलन साधारणतः करता है–
A. अधिक मृदा अपरदन
B. मृदा को अधिक उपजाऊ बनाता है।
C. अधिकाधिक वर्षा
D. उपरोक्त में कोई नहीं।

110. निम्नलिखित प्राणियों में से कौन-सा अपने शरीर में जल का संग्रह कर लेता है?
A. मोलाक
B. ऊँट
C. जेबरा
D. यूरोमैस्टिम्स

111. निम्नलिखित कथनों पर विचार कीजिए–

कथन (A): प्रवाल भि त्तियों 'को 'महासागरों का 'वर्षा वन' (Rain Forests) कहा जाता है।

कारण (R): वे जैव-विविधता (Biodiversity) से अति सम्पन्न हैं।

कूटः
A. (A) तथा (R) दोनों सही हैं तथा (R), (A) की सही व्याख्या है।
B. (A) तथा (R) दोनों सही हैं परन्तु (R), (A) की सही व्याख्या नहीं है।
C. (A) सही है परन्तु (R) गलत है।
D. (A) गलत है, परन्तु (R) सही है।

112. सभी वन्य पादप एवं जन्तु, जो विलुप्त होने के कगार पर हैं, से सम्बंधित सूचना रखने वाली पुस्तक' रेड डाटा बुक' का प्रकाशन निम्नलिखित में से किस एक ने किया है?
A. विश्व संरक्षण संघ (WCU)
B. विश्व वन्य जीवन निधि (WWF)
C. प्रकृति एवं प्राकृतिक संसाधनों के संरक्षण हेतु अन्तर्राष्ट्रीय संघ (IUCN)
D. संयुक्त राष्ट्र पर्यावरण प्रोग्राम (UNEP)

113. गिर के शेरों को रखे जाने हेतु किस राष्ट्रीय पार्क/अभयारण्य का चयन किया गया है?
A. पेंच
B. कान्हा
C. बांधवगढ़
D. पालपुर कूनों

114. भारत में एनिमल वेलफेयर बोर्ड का मुख्यालय कहाँ स्थित है?
A. अहमदाबाद
B. हैदराबाद
C. कोलकाता
D. चेन्नई

115. निम्नलिखित में से कौन–सा एक उत्तराखण्ड में जैव-विविधता (Biodiversity) के ह्रास का कारण नही है?
A. सड़कों का विस्तार
B. नगरीकरण
C. कृषि का विस्तार
D. बंजर भूमि का वनीकरण

116. गुजरात के कच्छ की रण में पाई जाने वाली दुर्लभ जाति निम्नलिखित में से कौन-सी है?
A. जंगली भैंस
B. जंगली गधा
C. कस्तुरी मृग
D. चित्तीदार मृग

117. किसी प्रजाति को विलुप्त माना जा सकता है जब वह अपने प्राकृतिक आवास में नहीं देखी गई हो–
A. 15 वर्ष से
B. 25 वर्ष से
C. 40 वर्ष से
D. 50 वर्ष से

118. वन्य पौधे वे होते हैं जो–
A. प्राकृतिक आवासों में उगते है
B. विकास के दृष्टिकोण से आवश्यक हैं
C. उगाये जाते हैं
D. वनों में उगते हैं

119. बायोस्फीयर रिजर्व की अभिकल्पना किसके द्वारा की गई?
A. जुलॉजिकल सर्वे ऑफ इण्डिया द्वारा
B. बॉटनिकल सर्वे ऑफ इण्डिया द्वारा
C. यूनेस्को (UNESCO) द्वारा
D. भारत सरकार द्वारा

120. निम्नलिखित में से कौन–सा संकटग्रस्त औषधियुक्त पौधा है-
A. रावोल्फिया सर्पेन्टिना
B. मैंजिफेरा इण्डिका
C. डलबर्जिया सिसों
D. ब्रेसिका केम्प्रेस्ट्सि

121. निम्नलिखित विलुप्तता कारणों में से कौन–सा कारण मानव की गतिविधियों का परिणाम हो सकता है?

A. भूकंप B. प्रदूषण

C. रोग D. वर्षा

122. जनन द्रव्य का संग्रह किस रूप में किया जाता है-

A. परागकण B. बीज

C. अण्ड कोशिकायें D. उपरोक्त सभी

123. उष्णकटिबंधीय वानस्पतिक उद्यान और अनुसंधान संस्थान, अवस्थित है?

A. तिरुवअनन्तपुरम B. कुनुर

C. हैदराबाद D. कटक

124. जैव-विविधता को अत्यधिक खतरा किससे है?

A. भंगुर पारिस्थितिक तंत्र, यथा-मैनग्रोव और आर्द्र भूमियाँ।

B. हिमालय की दुर्गम निवास भूमियाँ।

C. प्राकृतिक निवास, भूमियों और वनस्पतियों का विनाश एवं झूम खेती।

D. उपरोक्त किसी से नहीं।

125. सुमेलित कीजिए-

सूची-I	सूची-II
(a) राजदेवड़ा	I. चीता
(b) सिम्पलीवाल	II. हिरण
(c) कान्हेरी	III. भेड़िया
(d) शिवपुरी	IV. बंदर

कूट-

	(a)	(b)	(c)	(d)
A.	IV	I	II	III
B.	I	II	IV	III
C.	II	III	IV	I
D.	III	IV	I	II

126. सूची-I को सूची-II के साथ सुमेलित कीजिए और सूचियों के नीचे दिए गए कूट का प्रयोग कर सही उत्तर चुनिए-

सूची-I (ग्रीन हाउस गैस)	सूची-II (प्रमुख स्रोत)
(a) कार्बन-डाइऑक्साइड	1. मवेशियो में आंत्रीय किण्वन
(b) मीथेन	2. जीवाश्म का जलना
(c) क्लोरोफ्लोरो कार्बन	3. अपशिष्ट जल में पारा यौगिक
(d) नाइट्रस ऑक्साइड	4. नाइलॉन उत्पादन
	5. वातानुकूलक और प्रशीतक-यन्त्र

कूटः

	(a)	(b)	(c)	(d)
A.	2	1	5	4
B.	3	4	2	1
C.	3	2	4	1
D.	1	2	3	5

127. वायुमण्डल में ग्रीन हाउस गैसों की बढ़ती हुई प्रचुरता निम्नलिखित में से किस एक के सिवाय अन्य सभी का कारण है?

A. सार्वभौम तापन (Global warming)

B. समताप मण्डल में ओजोन परत का रिक्तीकरण

C. ऑक्सीजन उर्वरण (Fertilization) प्रभाव

D. कार्बन डाइ-ऑक्साइड उर्वरण प्रभाव

128. निम्नलिखित कथनों में से कौन-सा/से कार्बन डाइ ऑक्साइड के सम्बन्ध में सही है/हैं?

1. चूने पर जल क्रिया द्वारा इसका वृहत् पैमाने पर उत्पादन होता है।
2. ठोस अवस्था में इसका प्रशीतक के रूप में प्रयोग होता है।

नीचे दिए गए कूट का प्रयोग कर सही उत्तर चुनिए-

A. केवल 1

B. केवल 2

C. 1 और 2 दोनों

D. न तो 1 और न ही 2

129. निम्नलिखित में कौन-सा द्वितीयक प्रदूषक है?

A. ओजोन B. कार्बन मोनोक्साइड

C. मेथेन D. सीसा

130. वायु में निम्नलिखित तत्वों में से किसके कण मानव के लिए अति हानिकारक हैं?

A. सीसा (लेड) और आर्सेनिक

B. सीसा (लेड) और पारा

C. पारा और कैडमियम

D. जस्ता (जिंक) और लौह

131. सर्विस स्टेशन पर मोटर कारों के 'प्रदूषण जाँच' में निम्नलिखित में से किसकी पहचान तथा उसकी मात्रा को मापा जाता है?

A. सीसा तथा कार्बन कण

B. नाइट्रोजन सल्फर की ऑक्साइड

C. कार्बन मोनोक्साइड

D. कार्बन डाई-ऑक्साइड

132. निम्नलिखित में से कौन-सा एक यातायात संकुलित नगरों में भूरी वायु बनने से सम्बद्ध हैं?

A. सल्फर डाइ-ऑक्साइड B. नाइट्रोजन ऑक्साइड

C. कार्बन डाइ-ऑक्साइड D. कार्बन मोनोक्साइड

133. निम्नलिखित में से मीथेन गैस के स्रोत कौन हैं?

1. धान (Paddy) के खेत
2. कोयले का खनन
3. घरेलू पशु
4. आर्द्र भूमि क्षेत्र (wetlands)

अपना उत्तर नीचे दिये गये कूट की सहायता से ढूँढिए–

कूटः

A. केवल 1 और 4 B. केवल 2 और 3

C. केवल 1, 2 और 3 D. 1, 2, 3 और 4

134. **कथन (A):** ध्रुवों के समीप ओजोन क्षरण की समस्या सर्वाधिक गम्भीर है।

कारण (R): ध्रुवों के समीप ओजोन मण्डल की धरातल से ऊँचाई अपेक्षाकृत कम है।

A. यदि (A) और (R) दोनों सही हैं और (R) व्याख्या है (A) की।
B. यदि (A) और (R) दोनों सही हैं, लेकिन (R) व्याख्या नहीं है (A) की।
C. यदि (A) सही है परन्तु (R) गलत है।
D. यदि (A) गलत है, परन्तु (R) सही है।

135. जल स्रोतों की गुणवत्ता बनाए रखने के लिए निर्धारित अनुश्रवणीय प्राचलों में सर्वाधिक महत्वपूर्ण प्राचल किसे माना जाता है?

A. pH मान
B. जैव–रसायन ऑक्सीजन माँग (BOD)
C. कोलीफार्म
D. (B) तथा (C)

136. कठोर जल से कैल्सियम और मैग्नीशियम निकालने की प्रक्रिया को कहते हैं–

A. अवसादन B. निस्यंदन (फिल्टरेशन)
C. स्कंदन D. जल मृदुकरण

137. ठण्ड के कारण एक झील जमने लगती है पहले यह जमेगी (Freeze)–

A. तलहटी में
B. मध्य भाग में
C. सबसे ऊपरी तल पर
D. पूरे जल में एक समान रूप से

138. फिटकरी (Alum) गँदले पानी को किस प्रक्रिया द्वारा स्वच्छ करती है?

A. स्कंदन (Coagulation)
B. अवशोषण (Absorption)
C. अधिशोषण (Adsorption)
D. अपोहन (Dialysis)

139. तालाब में प्रदूषण बढ़ने के लिये निम्न जन्तु अधिक संवेदनशील होने के कारण सूचकांक (index) है–

A. आर्टिमिया B. डैफ्निया
C. मेढक D. इनमें से कोई नहीं

140. मिनामाता घटना का, जो पर्यावरणीय निम्नीकरण का एक उदाहरण है, निम्नलिखित में से कौन–सा एक कारण है?

A. वायु प्रदूषण (Air pollution)
B. न्यूक्लीय दुर्घटना (Nuclear disaster)
C. जल–प्रदूषण (Water pollution)
D. तापीय प्रदूषण (Thermal pollution)

141. पेंट उद्योग के श्रमिकों को, निम्नलिखित जोखिमों में से किस एक का सामना करना पड़ता है?

A. निकिल प्रदूषण B. सीसा प्रदूषण
C. कैडमियम प्रदूषण D. स्ट्रॉशियम प्रदूषण

142. निम्नलिखित में से कौन-सा एक, 'ब्लू बेबी' संलक्षण (Syndrome) का कारण है?

A. फ्लोराइड B. नाइट्रेट
C. आर्सेनिक D. सीसा

143. निम्नलिखित वनों के प्रकारों में से किसमें सिनकोना जिससे क्विनीन औषधि बनती है, प्राकृतिक ढंग से पैदा होता है?

A. उष्ण कटिबंधीय (Tropical) वर्षा वन
B. शीतोष्ण (Temperate) पर्णपाती वन
C. शंकुवृक्षी (Coniferons) वन
D. मैंग्रोव (Mangroove) वन

144. आन्त्रज्वर (Typhoid) के निम्नलिखित में से कौन लक्षण है?

1. सिरदर्द तथा ज्वर जो अपराह्न में अधिक हो जाता है।
2. प्रथम सप्ताह में प्रत्येक दिन ज्वर में वृद्धि
3. दूसरे सप्ताह में उच्च ज्वर
4. बारम्बार होने वाले दस्त तथा वमन (vomiting) जिसके कारण निर्जलीकरण (dehydration) हो जाता है।

नीचे दिए गए कूट का प्रयोग कर सही उत्तर चुनिए–

A. 1, 2 और 3
B. 2, 3 और 4
C. 1 और 4
D. 1, 2, 3 और 4

145. किसी रोग की चिकित्सा के लिए रासायनिक पदार्थों का उपयोग कहलाता है–

A. कीमोथेरेपी B. आयडोथेरेपी
C. मेगाथेरेपी D. बेंजोथेरेपी

146. टीके (वैक्सीन) और जीव विषाभ (टाक्साइड) में मुख्य अन्तर यह है कि–

A. टीके अल्पमात्रा में शरीर में प्रविष्ट वे सजीव रोगजनक (पैथोजन्स) हैं जो प्रतिरक्षण करते हैं जब कि जीव विषाभ मृत जीव हैं।
B. टीके वे रोगजनक जीव हैं जो मुख द्वारा शरीर में प्रविष्ट कर दिये जाते हैं, जब कि जीव विषाभ अन्तः क्षेपण द्वारा प्रविष्ट किये जाते हैं।
C. टीके जीव विष (Toxin) हैं, जो विषाणु द्वारा उत्पन्न किये जाते हैं जबकि जीव विषाभ जीवाणु द्वारा उत्पन्न किये जाते हैं।
D. टीके मृत जीव अथवा तनुकृत रोगजनक कारक हैं जबकि जीव विषाभ रोगजनक के निराविषीकृत आविष हैं।

147. हे–बुखार (Hay–Fever) और दमा किस वर्ग के रोग हैं?

A. कमी के रोग B. अपह्रासक रोग
C. हार्मोन सम्बन्धी रोग D. एलर्जी

148. सुमेलित कीजिए–

सूची–I (रोग)	**सूची–II (कारक)**
(a) क्षय रोग	1. बैक्टीरिया
(b) चेचक	2. कवक(फंजाई)
(c) दाद	3. वाइरस
(d) पेचिश	4. प्रोटोजोआ

कूटः

	(a)	(b)	(c)	(d)
A.	1	3	4	2
B.	3	1	2	4
C.	1	3	2	4
D.	3	1	4	2

149. **कथन (A):** प्रोटीन शरीर की कोशिकाओं में वृद्धि एवं उन्हें सुरक्षित रखने का कार्य करते हैं।

कारण (R): प्रोटीन एण्टीबाडीज के रूप में शरीर की सुरक्षा करते हैं।

कूटः

A. (A) और (R) दोनों सही हैं तथा (R), (A) की सही व्याख्या करता है।

B. (A) और (R) दोनों सही हैं तथा (R), (A) की सही व्याख्या नहीं करता है।

C. (A) सही है, किन्तु (R) गलत है।

D. (A) गलत है, किन्तु (R) सही है।

150. निम्नलिखित कथनों पर विचार कीजिए–

1. डेंगू, मच्छरों द्वारा संचरित प्रोटोजोआ रोग (Protozoan disease) है।
2. प्रत्येक नेत्र–गुहा पीड़ा (Retro orbital pain) डेंगू का लक्षण नहीं है।
3. त्वचा पित्तिका (Skin Rash) तथा नाक से रक्त स्राव डेंगू के लक्षण है।

उपर्युक्त कथनों में से कौन-सा/से सही है/हैं?

A. 1 और 2 B. केवल 3

C. केवल 2 D. 1 और 3

उत्तरमाला

1	**2**	**3**	**4**	**5**	**6**	**7**	**8**	**9**	**10**
B	B	C	B	C	A	C	C	A	D
11	**12**	**13**	**14**	**15**	**16**	**17**	**18**	**19**	**20**
B	A	C	A	B	C	C	B	C	D
21	**22**	**23**	**24**	**25**	**26**	**27**	**28**	**29**	**30**
A	A	D	C	B	B	C	D	C	B
31	**32**	**33**	**34**	**35**	**36**	**37**	**38**	**39**	**40**
C	D	C	A	B	D	A	A	B	A
41	**42**	**43**	**44**	**45**	**46**	**47**	**48**	**49**	**50**
B	D	D	C	A	A	B	A	C	B
51	**52**	**53**	**54**	**55**	**56**	**57**	**58**	**59**	**60**
C	C	A	D	A	B	C	B	B	A
61	**62**	**63**	**64**	**65**	**66**	**67**	**68**	**69**	**70**
B	C	B	B	A	D	A	B	D	A
71	**72**	**73**	**74**	**75**	**76**	**77**	**78**	**79**	**80**
D	C	D	D	A	C	D	B	A	B
81	**82**	**83**	**84**	**85**	**86**	**87**	**88**	**89**	**90**
A	D	B	D	D	D	D	A	A	D
91	**92**	**93**	**94**	**95**	**96**	**97**	**98**	**99**	**100**
B	B	D	A	B	A	C	B	A	C
101	**102**	**103**	**104**	**105**	**106**	**107**	**108**	**109**	**110**
D	A	A	D	B	B	C	D	A	B
111	**112**	**113**	**114**	**115**	**116**	**117**	**118**	**119**	**120**
A	C	D	D	D	B	C	A	C	A
121	**122**	**123**	**124**	**125**	**126**	**127**	**128**	**129**	**130**
B	D	A	C	A	A	C	B	A	B
131	**132**	**133**	**134**	**135**	**136**	**137**	**138**	**139**	**140**
A	A	D	A	D	D	C	A	B	C
141	**142**	**143**	**144**	**145**	**146**	**147**	**148**	**149**	**150**
B	B	A	A	A	A	D	C	A	B

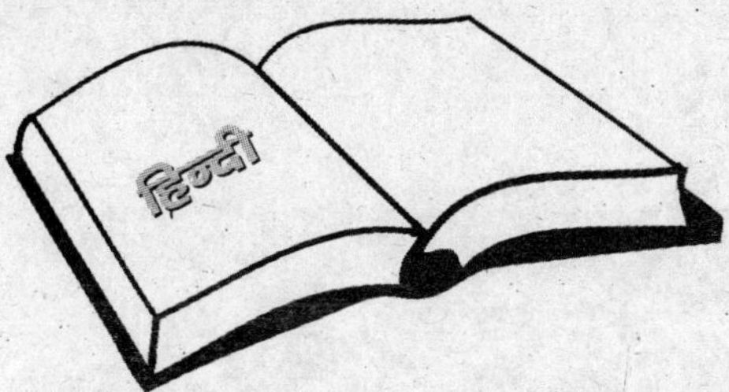

हिन्दी

SECTION a

भाषा बोध (COMPREHENSION)

परिचय

भाषा बोध के अंतर्गत व्यक्ति की समग्र अवबोधन क्षमता का मूल्यांकन किया जाता है। इससे अभ्यर्थी की समझ क्षमता एवं दिए गए अवतरण में छुपे गूढ़ विचारों को ग्रहण करने की क्षमता आंकी जाती है। इसके द्वारा अभ्यर्थी के निर्णय लेने की क्षमता की भी जांच की जाती है। ऐसा दिए गए प्रतिपाद्य के हृदयंगम द्वारा ही संभव है। इस प्रकार भाषा बोध व्यक्तित्व के बहुआयामी पहलुओं के परीक्षण की पद्धति है। इसके द्वारा भाषा-ज्ञान, निहितार्थ की समझ एवं अवबोधन क्षमता, निर्णय क्षमता एवं सही निष्कर्ष तक पहुंचने की क्षमता की जांच एक साथ की जाती है। जाहिर है, इतने सारे परीक्षणों के द्वारा व्यक्तित्व का समग्र उभार एवं निखार प्रकट हो जाता है। ऐसे में भाषा बोध के प्रश्नों को हल करने में अतिरिक्त सावधानी एवं सचेतता आवश्यक है। इस प्रकार के प्रश्नों के सही उत्तर देने के लिए निरंतर अभ्यास की आवश्यकता होती है।

सर्वप्रथम अवतरण को पढ़कर उसके मूलभाव या निहितार्थ को समझने की कोशिश करनी चाहिए। एक बार पढ़कर मूलभाव को समझने में कठिनाई हो तो उसे एक से अधिक बार पढ़ें। जबतक निहितार्थ समझ में न आए उसे दुबारा एवं तिबारा पढ़ें। निहितार्थ समझ लेने पर प्रश्नों का उत्तर देना आसान हो जाता है।

इस बात का ध्यान रखें कि प्रश्नों के उत्तर दिए गए अवतरण पर ही आधारित हों। अपनी पूर्व की जानकारी के आधार पर निष्कर्ष न निकालें। यह संभव है कि अवतरण में दी गई जानकारी आपकी पूर्व की जानकारी या राय से भिन्न हो। ऐसे में अपनी जानकारी को अवतरण में दी गई सूचना के साथ घालमेल न करें। ऐसा करना आत्मघाती कदम हो सकता है।

अवतरण को पढ़ते-समय महत्वपूर्ण बिंदुओं को रेखांकित करते चलें। ऐसे में मूल बिंदुओं को शीघ्रता से दुहरा सकते हैं। हो सकता है समयाभाव के कारण मूल अवतरण को बार-बार पढ़ना संभव न हो।

अवतरण में दिए गए मोटे (Bold) शब्द एवं वाक्यांशों पर विशेष ध्यान दें। और उन्हें मूल अवतरण एवं वाक्य से जोड़ने का प्रयास करें। ऐसा करना अवतरण के मूल भाव को समझने में सहायक होगा।

कभी-कभी अवतरण में किसी शब्द के समानार्थक या विपरीतार्थक शब्द पूछे जाते हैं। ऐसे प्रश्नों के उत्तर देने में जल्दबाजी न करें। जाहिर है किसी एक शब्द के कई समानार्थक एवं विपरीतार्थक शब्द हो सकते हैं। ऐसे में उपयुक्त शब्द का चुनाव आवश्यक है। इसके लिए लेखक के मूल कथ्य और विचार को समझना आवश्यक है।

नकारात्मक अंक मिलने की स्थिति में प्रश्न का उत्तर अनुमान के आधार पर न दें। ऐसे प्रश्नों को छोड़ देना ही उचित होगा।

कभी-कभी दिए गए अवतरण के लिए उपयुक्त शीर्षक लिखना होता है। यह प्रश्न काफी आसान भी है और कठिन भी। आसान इसलिए कि इनका उत्तर दिए अवतरण के आधार पर ही देना होता है और कठिन इसलिए कि अवतरण के मूल भाव को समझे बिना विषयांतर हो जाने की संभावना अक्सर बनी रहती है।

अंत में, सबसे जरूरी चीज है–अभ्यास! अभ्यास के बिना आसान प्रश्न भी कठिन लगने लगते हैं। भाषा-बोध के प्रश्नों को हल करने के लिए भाषा में अभिरुचि एवं समझ विकसित करनी चाहिए।

अभ्यास-1

कर्त्तव्य एक नैतिक बंधन है। यह एक तरह से ऋणी होने के समान है, जिस सामाजिक प्राणी के साथ हम रह रहे होते हैं। हमें अपने साथ रहने वालों के लिए इसकी अनुमति मिलनी चाहिए। हमारे जीवनवृत्ति का अधिकार संकेत देता है कि यह हमारा कर्त्तव्य है कि हम उन साथ रहने वाले प्राणियों को भी

अपने समान ही जीवन की परिस्थितियां उपलब्ध कराएं। वास्तव में अधिकार और कर्त्तव्य परस्पर संबद्ध हैं। किसी एक के संबंध में अधिकार दूसरे का कर्त्तव्य हो सकता है। अधिकार और कर्त्तव्य एक सिक्के के दो पहलू हैं। हमें दूसरे के ओहदों का हमेशा ख्याल रखना चाहिए। नैतिक कर्त्तव्य, वैधानिक अधिकार की अपेक्षा ज्यादा प्रभावी होते हैं। नैतिक कर्त्तव्य वह कर्त्तव्य है जो लोगों को नैतिक स्तर पर बांध कर रखती है। यह हमारा नैतिक कर्त्तव्य है कि हम गरीबों की मदद करें क्योंकि वह एक प्राणी और समाज का अंग है।

हमें उन परिस्थितियों के निर्माण के लिए हमेशा प्रयास करना चाहिए जिनसे मानवता का कल्याण हो सके। यह हमारा अनुकरणीय कर्त्तव्य है कि हम अपने माता-पिता की आज्ञा मानें और उन्हें सम्मान दें। यह कर्त्तव्य जिम्मेवारी की चेतना से पैदा होता है जो कि प्रत्यक्षतः हमारे अंतःकरण से संबंधित है। इस प्रकार से यह एक नैतिक कर्त्तव्य है जिसमें कोई व्यक्ति बिना वैधानिक बंधन के ही ऋणी है।

कर्त्तव्य की चेतना, सही तरीके से सभ्यता के विकास की सर्वश्रेष्ठता है। पाखंड कर्त्तव्य की चेतना के एकदम विपरीत है। पाखंड में जहां दुरात्मा का समावेश है, वहीं कर्त्तव्य में यथार्थता और विश्वस्तता का समावेश है।

1. गद्यांश के अनुसार, अधिकार और कर्त्तव्य हैं:
A. एक सिक्के के दो पहलू
B. अंतःसंबद्ध
C. (A) और (B) दोनों
D. (A) और (B) में से कोई नहीं

2. गद्यांश के अनुसार वैधानिक कर्त्तव्य है:
A. नैतिक कर्त्तव्य की अपेक्षा अधिक महत्त्वपूर्ण
B. नैतिक कर्त्तव्य की अपेक्षा कम महत्त्वपूर्ण
C. नैतिक कर्त्तव्य की अपेक्षा अधिक प्रभावी
D. नैतिक कर्त्तव्य की अपेक्षा कम प्रभावी

3. कर्त्तव्य आता है:
A. जिम्मेवारी से B. वैधानिक बंधन से
C. पाखंड से D. इनमें से कोई नहीं

4. निम्न में से कौन-सा वाक्य गद्यांश के अनुसार सही नहीं है?
A. पाखंड में दुष्टता का समावेश
B. पाखंड का कर्त्तव्य के विपरीत होना
C. कर्त्तव्य में यथार्थता का समावेश
D. कर्त्तव्य की चेतना का सभ्यता के विकास के लिए महत्त्वपूर्ण न होना

5. निम्न में से किन नैतिक कर्त्तव्यों का उल्लेख गद्यांश में नहीं किया गया है?
A. नैतिक कर्त्तव्य हमारी मातृभूमि से बढ़कर है
B. नैतिक कर्त्तव्य हमारे माता-पिता से बढ़कर है
C. नैतिक कर्त्तव्य गरीब से बढ़कर है
D. नैतिक कर्त्तव्य मानव-कल्याण में योगदान है

6. निम्न में से कौन नैतिक कर्त्तव्य से संबंधित नहीं है?
A. जिम्मेवारी की चेतना
B. सद्विचार
C. पाखंड
D. यथार्थता

7. गरीबों की मदद करना एक कर्त्तव्य है, क्योंकि:
A. हम गरीब हैं
B. हम अमीर हैं
C. हम उस समाज से संबंध रखते हैं
D. हम उनकी अच्छाई चाहते हैं

8. हमें माता-पिता के प्रति आज्ञाकारी और सम्मानपूर्ण होना चाहिए, क्योंकि:
A. यह जिम्मेवारी की चेतना है
B. यह वैधानिक बाध्यता है
C. यह सभ्यता है
D. यह पाखंड है

9. 'हमें दूसरे के ओहदों का हमेशा ध्यान रखना चाहिए। ' यह एक है:
A. साधारण वाक्य B. जटिल वाक्य
C. मिश्रित वाक्य D. मुहावरा

10. 'हमें दूसरे के ओहदों का हमेशा ध्यान रखना चाहिए।' इसे वाक्य में प्रयुक्त 'हमेशा' है:
A. क्रिया-विशेषण B. विशेषण
C. संज्ञा D. क्रिया

अभ्यास-2

ऐसे महान् चिन्तकों को जिनकी शिक्षाएँ वैश्विक हैं, अपने समय के संदर्भ से ही समझा जा सकता है। बुद्ध को व्यापक रुप में गलत समझा गया है। व्यवहारवादियों, अज्ञेयवादियों, निरीश्वरवादियों तथा नैतिक मानवतावादियों ने उन्हें अपने दर्शन का प्रचार करने वाला माना है। बुद्ध की शिक्षाओं को भारत की ईसा-पूर्व छठी शताब्दी को समझकर ही ठीक प्रकार से समझा जा सकता है क्योंकि उनका आविर्भाव उसी शताब्दी में हुआ था किन्तु ऐसा करना अपेक्षाकृत कठिन कार्य है।

ईसा-पूर्व छठी शताब्दी के भारत में बहुत प्रकार की विचारधाराएँ और सम्प्रदाय थे तथापि सभी सम्प्रदाय आत्मा के पुनर्जन्म, कर्म के दर्शन एवं मानव के चरम लक्ष्य निर्वाण के विषय में सहमत थे। बुद्ध ने इन सिद्धान्तों को स्वीकार किया है, यद्यपि उन्होंने धार्मिक सिद्धान्तवाद को अस्वीकार किया है, किन्तु उनका योगदान नैतिकता तथा सदाचार की उत्कृष्टता को महत्वपूर्ण मानने में था। उन्होंने हृदय को शान्ति प्रदान करने की आवश्यकता तथा नैतिकता के नियमों के अनुसरण पर विशेष बल दिया। दुःखों का अन्त शरीर की भूख को शान्त करने तथा हमारे संवेगों पर दृढ़ता से नियंत्रण करने से हो सकता है।

बुद्ध की रुचि ईश्वर में नहीं थी बल्कि मनुष्य और मानव-प्रयासों में थी। अपनी साधना और अपने प्रयत्नों से मानव अपने आपको देवत्व की ऊँचाई तक उठा सकता है, यद्यपि भक्ति-सम्बन्धी तत्त्वों के बिना भी बुद्ध की शिक्षाएँ मुख्य रूप से धार्मिक हैं। बुद्ध के अन्दर आध्यात्मिक गहराई, नैतिक दृढ़ता तथा बौद्धिक स्पष्टता का भण्डार समाहित है। समय के व्यतीत होने के साथ-साथ उनके द्वारा की गई मानवता की सेवा का विश्वव्यापी समादर हो रहा है। उनका संदेश सभी काल के लिए सार्थक है।

1. परिच्छेद के अनुसार क्या बुद्ध की शिक्षाओं को धार्मिक कहा जा सकता है?
- A. नही, क्योंकि उन्होंने ईश्वर के बारे में शिक्षा नहीं दी
- B. हाँ, अवश्य ही
- C. नहीं, क्योंकि उनकी शिक्षाओं में भक्ति-तत्वों का अभाव है
- D. इस विषय में सन्देह है

2. बुद्ध के समय में प्रचलित विचारों के विभिन्न सम्प्रदायों का विश्वास था
- A. आत्मा के पुनर्जन्म (आवागमन) में
- B. कर्म के सिद्धान्त में
- C. निर्वाण में
- D. उपर्युक्त सभी में

3. बुद्ध ने किस पर जोर दिया?
- A. ईश्वर की भक्ति पर
- B. कर्मकाण्ड पर
- C. प्रार्थना पर
- D. आचारशास्त्र तथा नैतिक नियमों पर

4. परिच्छेद के अनुसार बुद्ध की शिक्षाएँ मुख्य रूप से धर्मसम्बन्धी हैं,
- A. आध्यात्मिक गहराई के कारण
- B. नैतिक दृढ़ता के कारण
- C. क्योंकि विशुद्ध रूप से बौद्धिक नहीं हैं
- D. उपर्युक्त सभी के कारण

5. बुद्ध ने अधिक महत्व प्रदान किया
- A. ईश्वर को न कि मनुष्य को
- B. मनुष्य तथा ईश्वर दोनों को
- C. न ईश्वर को और न मनुष्य को
- D. मनुष्य-मात्र को न कि ईश्वर को

6. संवेगों पर उचित नियंत्रण से होगा
- A. दुःखों का अन्त
- B. सर्वश्रेष्ठ और सर्वोच्च बनेंगे
- C. हठधर्मिता को बढ़ावा मिलेगा
- D. व्यक्ति ईश्वर की सन्निकटता प्राप्त करेगा

7. "उनके संदेशों की सार्वकालिक सार्थकता है।" यह कथन है
- A. साधारण वाक्य B. मिश्रित वाक्य
- C. संयुक्त वाक्य D. सूक्ति

8. "बुद्ध की शिक्षाएँ मुख्य रूप से धार्मिक हैं" - इस वाक्य में 'मुख्य रूप से' यह शब्द है
- A. संज्ञा B. क्रिया
- C. विशेषण D. क्रिया-विशेषण

9. महान विचारकों को ठीक से किसके द्वारा समझा जा सकता है?
- A. ई. पू. छठी शताब्दी के भारत को समझने से
- B. जिस काल में वे रहे हैं उस काल की सापेक्षता में उन्हें समझने से
- C. बुद्ध की शिक्षाओं का ठीक-ठीक समादर करने से
- D. उनके विचारों और दर्शन का अध्ययन करने तथा समझने से

10. परिच्छेद के अनुसार
- A. बुद्ध ने उन सिद्धान्तों को स्वीकार नहीं किया जो उनके समय प्रचलन में थे
- B. बुद्ध का नैतिक शास्त्र में अधिक योगदान नहीं है
- C. बुद्ध का विश्वास हठवादी सैद्धान्तिक दर्शन में नहीं था
- D. बुद्ध के समय कर्म का सिद्धान्त स्वीकार नहीं किया गया था

अभ्यास-3

मनुष्य का सुखी जीवन संतुलित प्राकृतिक पर्यावरण पर निर्भर करता है। मानव की बढ़ती जनसंख्या और तज्जन्य आवश्यकताएँ प्रकृति के संतुलन को बिगाड़ रही हैं। पर्यावरण में दूषित तत्त्वों की मात्रा आवश्यकता से अधिक बढ़ जाती है तो पर्यावरण का यह असन्तुलन प्रदूषण का रूप ले लेता है। मानव की आवासीय, औद्योगिक नगरीकरण, कृषि उत्पादन में वृद्धि करने की समस्याओं ने प्रकृति के संतुलन को बिगाड़कर प्रदूषण को बढ़ाया है। यातायात-साधनों की वृद्धि, वृक्षों की अंधाधुंध कटाई से वातावरण में ऑक्सीजन की कमी और कार्बन डाइ-आक्साइड की वृद्धि हो गई है। पॉप संगीत और रॉक संगीत तथा हॉर्न बजाने से ध्वनि प्रदूषण बढ़ रहा है। वातावरण को प्रदूषित कर हम अपनी मृत्यु को स्वयं ही निमंत्रण दे रहे हैं। प्रदूषण की वृद्धि के लिए मानव ही उत्तरदायी है। अतः इसके निवारण के लिए सर्वप्रथम अपने मानसिक प्रदूषण को दूर करना होगा। वृक्षारोपण, पेयजल-शुद्धीकरण, रासायनिक विस्फोटों पर नियंत्रण, कर्णभेदी ध्वनि विस्तारक यंत्रों, वाहनों और संगीत को रोकने के उपायों से मानव जीवन को प्रदूषण मुक्त बनाना होगा, तभी मानव जीवन सुखमय हो सकता है।

1. पर्यावरण असन्तुलन के लिए कौन उत्तरदायी है?
- A. मानसिक प्रदूषण
- B. ध्वनि प्रदूषण

C. वृक्षों की अंधाधुंध कटाई

D. प्राकृतिक प्रकोप

2. कर्णभेदी संगीत से किस प्रकार का प्रदूषण होता है?

A. वायु प्रदूषण B. ध्वनि प्रदूषण

C. पर्यावरण प्रदूषण D. मानसिक प्रदूषण

3. 'अपनी मृत्यु को स्वयं निमंत्रण देने' का अभिप्राय क्या है?

A. आत्महत्या करना

B. जीने की इच्छा छोड़ देना

C. हताश हो जाना

D. वातावरण को प्रदूषित करना

4. 'वृक्षारोपण' से प्रमुख लाभ क्या है?

A. मृदा संरक्षण

B. जड़ी-बूटियों, औषधियों की पूर्ति

C. वातावरण में वायुशुद्धि

D. रेगिस्तान वृद्धि की रोकथाम

5. मानव जीवन को सुखी कैसे बनाया जा सकता है?

A. औद्योगीकरण से

B. जनसंख्या नियंत्रण से

C. संतुलित पर्यावरण से

D. यातायात साधनों की वृद्धि से

अभ्यास-4

विकसित देशों के लोगों की अपेक्षा अविकसित देशों के लोगों की सोच ग्राम्यता के उत्प्रेरकों के सम्बन्ध में एकदम भिन्न है। वहाँ यह एक प्रकार से मानव के जीवित रहने की क्रिया के लिए केवल भौतिक आवश्कता है। तीसरी दुनिया के देशों में, जो मुख्य रूप से ग्रामीण हैं, उनका एकमात्र आधार ग्रामीण विकास ही है, जिसके द्वारा मानव जीवन को इसके वर्तमान अवमानव स्तर से ऊपर उठाया जा सकता है। उन देशों में शताब्दियों से ग्रामीण जीवन जहाँ का तहाँ खड़ा अवरोधित है। उस ग्रामीण जनसंख्या की दशाओं को सुधारने के लिए कुछ नहीं किया गया जो अन्य चार पैर वाले प्रतिरूपों की तुलना में मामूली ढंग से भिन्न है। अविकसित एवं अर्द्धविकसित देशों में अज्ञान, कुस्वास्थ्य तथा गरीबी ग्रामीण जीवन के पर्याय बन गये हैं। लेकिन सबसे दुःखद स्थिति यह है कि इस प्रकार की मानव जनसंख्या ने ऐसा स्वीकार कर लिया है कि यह दुरवस्था अपरिवर्तनीय है। यह एक ऐसी स्थिति है जिसकी कोई दवा नहीं है। उनके जीवन से आशा की सभी किरणें दूर हो गयी हैं। इस प्रकार के देशों में, ग्रामीण विकास किसी प्रकार की भौतिक अथवा अभौतिक विकास के लिए अपरिहार्य शर्त है। इसलिए इन सभी देशों का प्रबुद्ध वर्ग ग्रामीण विकास के प्रश्न पर निरन्तर बढ़-चढ़कर रुचि ले रहा है।

उनके स्वतंत्रता संघर्ष की विरासत का यह एक अंग भी था। भारत जैसे देश में, इस बात को सभी जानते हैं कि स्वतंत्रता आन्दोलन में ग्रामीण विकास की कोशिश एक अविभाज्य अंग था। गाँधीजी जैसे नेताओं को भली-भाँति यह एहसास था कि वास्तविक भारत अवरोधग्रस्त ग्रामों में निवास करता है। शहर जो ज्यादातर पश्चिमी उपनिवेशवाद की उपज हैं, केवल दिखावटी दर्शनीय वस्तुएँ हैं। तब भी दो प्रकार की दुनिया थी वह जहाँ तड़क-भड़क के जीवन वाले जो शाही रुचियों के सुविधासम्पन्न कुछ गिने-चुने सम्भ्रान्त क्षेत्रवासी रहते थे। वे क्षेत्र छोटे-छोटे टापू जैसे थे जिनको धूल-मिट्टी और गंदगी के विशाल समुद्र ने घेर रखा है और बहुसंख्यक लोग उन स्थानों का प्रतिनिधित्व करते थे।

भारत नगरों से किसी भी तरह अपरिचित नहीं रहा। प्राचीन भारत में, नगर देश के अंगभूत भाग थे जो मूलरूप से शेष सारे देश और समग्र समाज से सम्बन्धित थे। वे संस्कृति के सुमन की भाँति तथा राष्ट्र की कलात्मक उत्कृष्टता के परिचायक थे। आधुनिक नगर केवल दूसरों के शिकार करने वाले परजीवीमात्र हैं जो देश को कमजोर बना रहे हैं।

इसीलिए गाँधीजी ने 'गाँवों की ओर लौट चलो' यह ग्राम आन्दोलन प्रारम्भ किया था। उनके मतानुसार यह आन्दोलन ही भारत को स्वतंत्रता दिलवा सकता था और स्वतंत्रता को सुरक्षित रख सकता था। राष्ट्र की स्वतंत्रता के लिए अपनायी गयी उनकी रणनीति में ग्रामीण विकास गर्व का स्थान रखता था। इस प्रकार ग्रामीण विकास का उद्गम स्वतंत्रता संग्राम के मूल में सन्निहित है।

1. लोग ग्रामीण विकास में अत्यधिक रुचि ले रहे हैं क्योंकि

A. उन्हें इसकी अपरिहार्यता का अनुभव हो चुका है

B. वे घोर स्वास्थ्य-समस्याओं से दुःखी हैं

C. निकट भविष्य में कुछ भी सार्थक करना सम्भव नहीं है

D. अब वे इसके सम्बन्ध में आशावादी हो गए हैं

2. परिच्छेद के अनुसार निम्नलिखित में से कौन-सा 'सहारा' (उत्तोलक का काम करने वाला) है?

A. अभौतिक विकास

B. ग्रामीण जीवन में अवरोधन

C. ग्रामीण जनता के स्तर को ऊँचा उठाना

D. समाज के कुछ खास वर्गों को प्रबुद्ध बनाना

3. निम्नलिखित में से लेखक की दृष्टि से कौन-सी सर्वाधिक दुःखद घटना है?

A. ग्रामों में लोगों की अवमानवीय दशा

B. ग्रामीण लोगों में स्व की दुर्दशा की ओर से निराशावाद

C. ग्रामीण विकास के महत्त्व का एहसास होने की कमी

D. नगर निवासियों के द्वारा ग्रामीणजनों का शोषण

4. इस परिच्छेद के सन्दर्भ में निम्नलिखित में से कौन-सा कथन सत्य नहीं है?

A. तीसरी दुनिया के देशों की ग्रामीण जनता की यह

सोच है कि उनकी अवमानवीय स्थिति सुधर नहीं सकती।

B. तीसरी दुनिया के देशों के लोगों का जीवन-स्तर केवल ग्रामीण विकास द्वारा उठाया जा सकता है।

C. आधुनिक नगरों में रहने वाले अधिकांश धनाढ्य लोग वास्तव में ग्रामीण विकास के सम्बन्ध में चिन्तित हैं।

D. किसी भी प्रकार की अन्य उन्नति और विकास के लिए ग्रामीण विकास सर्वप्रथम आवश्यक है।

5. ग्रामीण विकास को भारत के स्वातंत्र्य आन्दोलन का एक अंग समझा गया था, क्योंकि

A. केवल ग्रामों में ही शाही रुचि निवास करती थी

B. देश मुख्य रूप से ग्रामों से बना था

C. गाँधीजी पश्चिमी उपनिवेशवाद के विरुद्ध थे

D. उस समय वास्तविक भारत ब्रिटिश हुकूमत के मातहत था

6. तीसरी दुनिया के देशों में लोगों के रहन-सहन के स्तर

A. बहुत शीघ्रता से सुधर रहे हैं

B. किसी भी सुधार के लिए निरापद हैं

C. सुधार लाने के बड़े से बड़े उपाय के बावजूद अवमानवीय है

D. एक जानवर की स्थिति से किसी भाँति अच्छे नहीं हैं

7. निम्नलिखित में कौन-सा कथन आधुनिक नगरों वाली दो विपरीत दुनिया का सबसे उपयुक्त वर्णन करता है?

A. कुछ धनी लोग और अधिक गरीब लोग

B. चमक-दमक का क्षेत्र और धनाढ्य लोग

C. वाणिज्यिक तथा औद्योगिक शोषण

D. पश्चिमी उत्पादों के संरक्षक तथा शाही रुचियों के पोषक

8. परिच्छेद के सन्दर्भ में निम्नलिखित में से कौन-सा कथन सत्य है?

A. तीसरी दुनिया के अधिकांश देशों का त्वरित गति से नगरीकरण हो रहा है।

B. भारत का स्वतंत्रता आन्दोलन ग्रामीण विकास का अंगभूत समझा जाता है।

C. ग्रामीण जनता अपनी दशा सुधारने के बारे में बहुत आशावादी है।

D. वर्तमान सन्दर्भ में अज्ञान, निर्धनता तथा रुग्ण-स्वास्थ्य ग्रामीण जीवन के अविभाज्य अंग हैं।

9. वह शब्द चुनिए जो परिच्छेद में प्रयुक्त शब्द 'मुख्य रूप से' जैसा हो।

A. रोगी

B. असंदिग्ध रूप से

C. अभाव रूप से

D. स्पष्ट रूप से दिखायी देने वाला

10. परिच्छेद में प्रयुक्त 'सुधारने के लिए' शब्द का विपरीतार्थक शब्द चुनिए।

A. खराब होना B. कम होना

C. शीघ्र पूरा करना D. जल्दी करना

अभ्यास-5

शिष्टजनों द्वारा अनुष्ठित आचरण मात्र कल्पना-उद्‌भूत सामाजिक शिष्टाचार नहीं है अपितु गंभीर वैज्ञानिक रहस्यों से ओत-प्रोत ऐसा संस्कार है जो मानव जीवन में गुणाधान प्रक्रिया को प्रशस्त करता है। भारतीय संस्कृति में शिष्टाचार का श्रीगणेश सामाजिक व्यवहार के सिंहद्वार अभिवादन से होता है। ईश्वराभिवादन, पूज्यजनों को प्रणाम, नमस्कार, प्राञ्जलि, अर्ञ्जलिपुट, प्रणिपात, नामोच्चारणपूर्वक नमन, प्रदक्षिणापूर्वक सम्मान तथा साष्टांग प्रणाम पर्यायभेद से अभिवादन के ही विविध रूप हैं। प्रतिदिन या विशिष्ट अवसरों पर कर्म में सफलता और दीर्घायुष्य-प्राप्ति हेतु माता-पिता तथा गुरुजनों को अभिवादन करना केवल भारतीय संस्कृति में ही विद्यमान है। अध्यात्म-विज्ञान की मान्यता है कि किसी वरेण्य व्यक्ति के आगमन पर प्राणस्पन्दन की गति ऊर्ध्वमुखी होकर ऊर्जस्वित हो जाती है। उनका आशीर्वाद प्राप्त कर प्राण ऊर्जावान् बन जाते हैं। आज अन्य क्षेत्रों की भाँति शिष्टाचार के विधि-विधान में प्रदूषण और अवमूल्यन निर्बाध गति से हो रहा है। 'हाय', 'ही', 'हेलो' करने वालों को भला हाथ जोड़कर मस्तक झुकाना कैसे रास आ सकता है? त्याग-वैराग्यसम्पन्न अल्पवयस्क या वयोवृद्धों को अभिवादन करना हमारी पुरातन आचार-पद्धति है।

1. शिष्टाचार का प्रथम सोपान क्या है?

A. कुशलक्षेम पूछना B. मुस्कराते हुए बात करना

C. अभिवादन करना D. भेंट देना

2. गुरुजनों को अभिवादन करने का कौनसा कृत्य विधिसम्मत नहीं है?

A. चरण स्पर्श करना

B. हाथ जोड़कर सिर झुकाना

C. साष्टांग प्रणाम करना

D. हाथ मिलाना

3. आशीर्वाद ग्रहण करने का वैज्ञानिक रहस्य क्या है?

A. मन प्रसन्न हो जाता है

B. प्राण ऊर्जस्वित हो जाते हैं

C. असम्भव कार्य सम्भव हो जाता है।

D. हमारा आत्मविश्वास बढ़ता है

4. सामाजिक कुशलता प्राप्त करने का सिंहद्वार क्या है?

A. श्रीगणेश का पूजन

B. सहभोज का आयोजन

C. प्रत्येक व्यक्ति को अपना गुरु मानना

D. विधिपूर्वक यथायोग्य अभिवादन

हिन्दी

5. 'सबहिं मानप्रद आप अमानी' का अभिप्राय है
   A. स्वयं सम्मान की चाह न कर सबको सम्मान देना
   B. सबके मान की परवाह करने से पहले अपनी चिन्ता करना
   C. मान पाकर आपा न खोना
   D. अपने सम्मान के समान दूसरों का भी सम्मान करना

अभ्यास-6

शैक्षिक योजना का उद्देश्य सभी उम्र के वर्ग समूहों की कुल जनसंख्या की शैक्षिक आवश्यकताओं की पूर्ति करना होना चाहिए। निस्संदेह प्राथमिक स्तर से विश्वविद्यालयी स्तर तक शिक्षा का तीन स्तरीय पदानुक्रम परम्परागत शिक्षा की संरचना का सार भाग है तथापित हमें परिधीय शिक्षा जो उतनी ही महत्त्वपूर्ण है, की अवहेलना नहीं करनी चाहिए। आधुनिक अवस्थाओं के अंतर्गत, कार्यकर्त्ताओं को अपने उत्साह को तरोताजा करने की आवश्यकता है अथवा उन्हें एक नई दिशा में बढ़ने या अपने कौशलों को विश्वविद्यालयी प्रोफेसर के स्तर तक बढ़ाने की आवश्यकता है। सेवानिवृत और वृद्धों की भी अपनी आवश्यकताएँ होती हैं। शैक्षिक योजना ऐसी होनी चाहिए जिसमें प्रत्येक की आवश्यकताओं को ध्यान में रखा जाए। शिक्षा की हमारी संरचना इस मान्यता पर आधारित है कि शिक्षा का एक सीमावर्ती बिन्दु होता है। आजकल यह मूलभूत त्रुटि और अधिक हानिकारक बन गई है। एडगर फौरे तथा अन्य सदस्यों द्वारा रचित युनेस्को का 'लर्निंग टू बी' नामक प्रतिवेदन, जो 1973 में प्रकाशित हुआ, यह दावा करता है कि बच्चों की शिक्षा द्वारा स्व-अधिगम के विभिन्न रूपों के लिए भावी प्रौढ़ तैयार होने चाहिएँ। एक व्यवहार्य भावी शिक्षा पद्धति में ऐसे मोड्यूल होने चाहिए जिसमें विभिन्न प्रकार के प्रकार्य सम्मिलित हों और वह विविध सामाजिक अवयवों के लिए उपयोगी हों। और प्रमाण-पत्रों का आधार अध्ययन अवधि न होकर निष्पादन होना चाहिए। इसकी इबारत पहले से ही दीवार पर लिखी हुई है।

इस बात या तथ्य को ध्यान में रखते हुए कि जीवन-पर्यन्त अधिगम या आजन्म शिक्षा के प्रति प्रतिबद्धता के महत्त्व को आजकल शैक्षिक रूप से विकसित देशों में भी विवेचित किया जा रहा है, परंतु इस बात की सम्भाव्यता कि यह विचार शैक्षिक चिंतन का अभिन्न अंग बन जाए बहुत दूर की बात है। क्योंकि इस दिशा में आगे बढ़ने का अर्थ है वर्तमान शैक्षिक संगठनों की पुनर्व्यवस्था से कुछ अधिक करना। कम-से-कम विभिन्न वर्गों के वयस्क अध्येताओं के लिए मुक्त विश्वविद्यालयी प्रोग्राम विकसित करके और परम्परागत महाविद्यालयों और विद्यालयों में प्रसार-सेवाएँ आरंभ करके इसका शुभारंभ किया जा सकता है। साथ ही इन संस्थाओं को चाहिए कि असंख्य सामुदायिक संगठनों, जैसे पुस्तकालय, संग्रहालय, म्युनिसिपल मनोरंजन कार्यक्रम, स्वास्थ्य सेवाएँ आदि, के साथ सहयोग करते रहें।

1. लेखक का मुख्य बल किस बात पर है?
   A. परम्परागत पद्धतियों को सुदृढ़ किया जाना चाहिए।
   B. औपचारिक शिक्षा, गैर-औपचारिक शिक्षा से अधिक महत्त्वपूर्ण है
   C. व्यक्ति को सीखना कभी बंद नहीं करना चाहिए
   D. मुक्त शिक्षा प्रणाली का कोई विकल्प नहीं है
2. निम्नलिखित में से कौन-सा कथन लेखक के प्रयोजन को वर्णित करता है?
   A. वर्तमान शैक्षिक प्रणाली की आलोचना करना
   B. वर्तमान शैक्षिक प्रणाली को मजबूत बनाना
   C. गैर-परम्परागत शैक्षिक संगठनों का समर्थन करना
   D. इनमें से कोई नहीं
3. परिच्छेद के अनुसार, वर्तमान शैक्षिक संरचनाएँ निम्नलिखित में से किसको मान्यता देती हैं?
   A. सभी व्यक्तियों को उनकी आवश्यकताओं के अनुसार शिक्षित किया जा सकता है
   B. वर्तमान में शैक्षिक योजना बहुत अधिक व्यवहार्य है
   C. शिक्षा एक निश्चित समय में पूर्ण होने वाली प्रक्रिया है
   D. जीवन-पर्यन्त शिक्षा (अधिगम) पर चर्चाएँ चलती रहनी चाहिए
4. दिए गए परिच्छेद के संदर्भ में निम्नलिखित में से कौन-सा सही नहीं है?
   A. जीवन-पर्यन्त शिक्षा एक आधुनिक अवधारणा है
   B. कर्मियों का ज्ञान तथा उनके कौशलों का निरंतर रूप से अद्यतन होते रहना चाहिए
   C. 'लर्निंग टू बी' नामक ग्रंथ इस बात का समर्थन करता है कि शिक्षा का एक सीमांत बिन्दु होता है
   D. विद्यालयों तथा महाविद्यालयों में भी विस्तार सेवाएँ आरंभ की जानी चाहिए
5. लेखक के अनुसार, 'जीवन-पर्यन्त शिक्षा' की अवधारणा है
   A. इतनी पुरानी जितनी परम्परागत शिक्षा होती है
   B. जो अभी भी निर्माण अवस्था में हो
   C. जो विकसित देशों में प्रचलित है
   D. जो व्यवहार्य अथवा वांछनीय न हो
6. जीवन-पर्यन्त शिक्षा को शैक्षिक संरचना के साथ समेकित करने का अभिप्रेत होगा
   A. परम्परागत विद्यालयों और महाविद्यालयों को बंद कर देना
   B. सभी औपचारिक पाठ्यक्रमों के लिए अधिक समयावधि
   C. वर्तमान शैक्षिक संगठनों का सामान्य पुनर्व्यवस्थापन
   D. इनमें से कोई नहीं
7. परिच्छेद के संदर्भ में इस वाक्य का क्या अर्थ है "इसकी इबारत पहले से ही दीवार पर लिखी हुई है"?
   A. आजकल सभी कुछ अनिश्चित है

B. परिवर्तन पहले से ही हो चुके हैं
C. परिवर्तन के संकेत पहले ही स्पष्ट हैं
D. आप भविष्य को परिवर्तित नहीं कर सकते

8. निम्नलिखित में से कौन-सा शब्द परिच्छेद में प्रयुक्त 'पूर्ति करना' शब्द के अर्थ के सबसे समीप है?
A. पहुँच B. संपर्क करना
C. आरंभ करना D. संतुष्ट करना

9. परिच्छेद में प्रयुक्त 'अभिन्न' शब्द का विपरीतार्थक शब्द निम्नलिखित में से कौन-सा है?
A. अनिवार्य B. स्वतंत्र
C. मुख्य या प्रधान D. लघु या अप्रधान

10. परिच्छेद में प्रयुक्त शब्द 'परिधीय' का विपरीतार्थक शब्द निम्नलिखित में से कौन-सा है?
A. वास्तविकता B. सैद्धांतिक सुझाव
C. बहुत मजाकिया D. लगभग असंभव

अभ्यास-7

मानव-जीवन के सौ वर्षों को चार भागों में बाँटा गया है। वास्तव में सम्पूर्ण जीवन सतत प्रयत्न करते हुए व्यक्तित्व का विकास करने के लिए है। व्यक्तित्व के विकास की दिशा अवस्था के अनुसार बदलती है। विशेष प्रकार की योग्यताओं को विकसित करने के लिए अनुकूल वातावरण की आवश्यकता पड़ती है। आश्रम-व्यवस्था के अनुसार जीवन-भार श्रम करते हुए मानव अधिकाधिक सफलता प्राप्त कर सकता है। जीवन का प्रथम आश्रम ब्रह्मचर्य अधिक से अधिक ज्ञान करने के लिए था। ब्रह्मचर्याश्रम में जो ज्ञान प्राप्त किया जाता है उसी की मात्रा के अनुरूप जीवन की सफलता होती है। इसी के बल पर गृहस्थाश्रम में वह अधिक से अधिक धन कमा कर लोक-कल्याण कर सकता है। मनुष्य की आध्यात्मिक प्रवृत्तियाँ स्वान्तः सुखाय होती हैं। इनके द्वारा वह वानप्रस्थ और संन्यास में शान्ति प्राप्त करता है।

1. वास्तव में सम्पूर्ण जीवन किसलिए है?
A. सतत प्रयत्न करते हुए व्यक्तित्व के विकास के लिए
B. श्रम करते हुए सफलता प्राप्त करने के लिए
C. अधिक से अधिक धन कमाने के लिए
D. अधिक से अधिक ज्ञान प्राप्त करने के लिए

2. व्यक्तित्व के विकास की दिशा कैसे बदलती है?
A. योग्यताओं के विकास के अनुसार
B. अनुकूल वातावरण के अनुसार
C. अवस्था के अनुसार
D. सतत प्रयत्नों के अनुसार

3. प्राप्त ज्ञान की मात्रा के अनुरूप क्या होता है?
A. जीवन की सफलता
B. सुख की प्राप्ति
C. धन की प्राप्ति
D. शान्ति की प्राप्ति

4. लोक-कल्याण कब अधिक किया जा सकता है?
A. ब्रह्मचर्याश्रम में B. वानप्रस्थ में
C. गृहस्थाश्रम में D. संन्यास में

5. मनुष्य शान्ति किसके द्वारा प्राप्त करता है?
A. ज्ञान के द्वारा
B. धन के द्वारा
C. लोक-कल्याण के द्वारा
D. आध्यात्मिक प्रवृत्तियों के द्वारा

अभ्यास-8

इन्द्र यह सुनकर स्वयं महर्षि दधीचि के आश्रम में गए और उन्हें मजबूरी कह सुनायी। ऋषि जग-कल्याण के लिए सहर्ष अपना शरीर त्यागने के लिए तैयार हो गए। उनकी हड्डियों से त्वष्ठा ने वज्र बनाया। इस वज्र को हाथ में लेकर इन्द्र दुगुने उत्साह से वृत्रासुर के सम्मुख गए। उनके मेघरूपी रथ के गर्जन से एक बार वृत्रासुर का कलेजा काँप गया। उनके साथ चलते हुए मरुत जोर-जोर से उनकी जयजयकार कर रहे थे। इन्द्र ने सबसे पहले अपने वज्र से वृत्रासुर की माया को काट दिया। फिर भी वह दैत्य बड़ा शक्तिशाली था। अपनी माया से विछिन्न होकर भी वह बहुत देर तक इन्द्र से जूझता रहा। लेकिन अन्त में इन्द्र ने वज्र के प्रहार से वृत्रासुर का सिर काट दिया। वृत्रासुर के मरते ही रुका हुआ जल बह निकला, नदी-नाले फिर से भर उठे और देखते-ही-देखते खेत लहलहा उठे।

1. महर्षि दधीचि एक ऐसे ऋषि थे जिन्होंने :
A. देवताओं की रक्षा के लिए अपने शरीर का त्याग किया था
B. योग बल से अपने शरीर को त्याग कर वृत्रासुर के वध हेतु वज्र बनाने के लिए इन्द्र को अपनी अस्थियाँ सुलभ करा दी थीं
C. वृत्रासुर के वध में इन्द्र की सहायता की थी
D. वृत्रासुर का वध किया था

2. हमें इस अवतरण से यह प्रेरणा मिलती है कि परोपकार के लिए आवश्यकता पड़ने पर :
A. अपने शरीर भी दे देना चाहिए
B. अपना सर्वस्व दे देना चाहिए
C. अपनी अस्थियाँ दे देनी चाहिए
D. अपनी सम्पत्ति दे देनी चाहिए

3. इस गद्यांश का उपयुक्त शीर्षक हो सकता है :
A. दधीचि का आत्मदान
B. दधीचि का सर्वस्व दान
C. वृत्रासुर वध
D. इन्द्र का कोप

4. निम्नलिखित में से सही कथन पर निशान लगाइए :
A. वृत्रासुर इन्द्र का प्रतिद्वन्द्वी था
B. वृत्रासुर एक आततायी राक्षस था

C. वृत्रासुर एक महाप्रतापी राक्षस था, जिसने जलावरोध कर रखा था

D. वृत्रासुर उपर्युक्त में से कोई नहीं था

इस उद्धरण में प्रयुक्त निम्नलिखित शब्दों के सही अर्थों पर निशान लगाइए :

5. महर्षि

A. मुनि

B. ऋषि जो ब्राह्मण न हो

C. ऋषि जो ब्राह्मण हो

D. ऋषियों का एक पद विशेष

6. जगकल्याण :

A. संसार का हित

B. संसार की भलाई

C. संसार को सुख देना

D. संसार के लिए आनन्द की व्यवस्था करना

7. वज्र :

A. एक प्रकार का बाजा

B. एक प्रकार का शस्त्र

C. एक प्रकार का आघात

D. पत्थर गिरना या बिजली गिरना

अभ्यास-9

आचार्य शुक्ल जी के गंभीर निबंध 'चिंतामणि' में संग्रहीत हैं। उनमें दो प्रकार के निबंध हैं, एक तो भावों के विश्लेषण से सम्बन्ध रखने वाले निबंध जो भाव-विषयक होते हुए भी आवश्यक नहीं हैं वरन् उच्चकोटि के विचारात्मक हैं, दूसरे साहित्यिक जिनमें कुछ सैद्धांतिक आलोचना से संबंध रखते हैं, जैसे—'साधारणीकरण और व्यक्ति वैचित्र्यवाद' और कुछ व्यावहारिक आलोचनाओं के हैं, जैसे 'भारतेन्दु हरिश्चन्द्र'। आचार्य शुक्ल जी के मनोवैज्ञानिक निबंधों की भी अन्विति उनकी आलोचनाओं से की जा सकती है, वे भारतीय रस सिद्धान्त पर अवलम्बित हैं और उनका सम्बन्ध जीवन सागर के निजी अवगाहन से है। इन निबंधों के भावों का विश्लेषण पर्याप्त मात्रा में हुआ है किन्तु जीवन से चुने हुए उपयुक्त उदाहरणों के कारण यह विश्लेषण दुरूह नहीं होने पाया है। 'लज्जा और ग्लानि' का आधार भारत की आत्मग्लानि है, 'लोभ और प्रीति' का अन्तर समझ लेने पर जायसी के 'रत्नसेन' के प्रेम की आलोचना भली प्रकार समझी जा सकती है।

—काव्य के रूप, डॉ. गुलाब राय

1. उक्त गद्यांश का सम्यक् अनुशीलन करने से पता चलता है कि लेखक ने :

A. शुक्ल जी को समझने में काफी प्रयास किया था

B. शुक्ल जी के साहित्य का सम्यक् अध्ययन किया था

C. शुक्ल जी से दिशाबोध ग्रहण किया था

D. शुक्ल जी को समीप से देखा था

2. डॉ. गुलाब राय की शैली थी :

A. कथा शैली B. भावना प्रवण शैली

C. विवेचना प्रधान शैली D. विश्लेषणात्मक शैली

3. डॉ. गुलाब राय ने आचार्य शुक्ल की शैलियों का जो वर्गीकरण किया है वह :

A. अत्यन्त वैज्ञानिक है B. शोधपूर्ण है

C. सर्वांगीण है D. यथातथ्य है

4. उक्त गद्यांश के लिए उचित शीर्षक होगा :

A. आचार्य शुक्ल की निबंध-शैली

B. शुक्ल जी की निबंध-कला

C. निबंध कला और शुक्ल जी

D. हिन्दी के श्रेष्ठ निबंधकार शुक्ल जी

5. अन्विति का अर्थ है :

A. अनुरक्ति B. तालमेल

C. आलोचना D. अर्चना

अभ्यास-10

चीन में न तो वर्ण व्यवस्था थी न जाति-पाँति का भेदभाव। परम्परा के अनुसार सम्मान के मुख्य पात्र क्रमशः विद्वान्, राज्य पदाधिकारी, योद्धा और अध्यापक थे। साधारण लोगों में नौ श्रेणियाँ थीं। अन्न उत्पन्न करने वाले, माली, लकड़हारे, पशु-पक्षी पालने वाले, बुनकर, नौकर-चाकर, कारीगर, व्यापारी और फुटकर काम करने वाले। कुलीनों तथा साधारण लोगों में अथवा श्रेणियों और व्यवसायों में ऊँच-नीच का भेद कायम था। पर यह विभेद नगण्य-सा था। अपनी योग्यता के अनुसार मनुष्य का स्थान घटता-बढ़ता था। लोग आपस में विवाह आदि बिना किसी बाधा के करते थे। चीनियों में विद्वान् और सेनापति विशेष आदर के पात्र समझे जाते थे। हिजड़े, भाँड, गुलाम, हरकारे, वेश्याएँ नीचे के स्तर के लोग थे। चीन में गुलामों की दशा उतनी खराब नहीं थी जितनी रोम तथा यूरोप के देशों के मध्य युग में थी। गुलामों से घरेलू काम कराये जाते थे। उनकी विशेष जाति नहीं थी। उन्हें यद्यपि खरीदा-बेचा जा सकता था तथापि उनसे न तो नीच काम कराए जाते थे और न उन्हें सताया जाता था।

—विश्व इतिहास, डॉ. रामप्रसाद त्रिपाठी

1. उक्त उद्धरण के अध्ययन से पता चलता है कि मध्यकालीन चीन में :

A. जाति प्रथा प्रचलित थी

B. सामाजिक जीवन काफी समुन्नत था

C. सामाजिक जीवन वैभवपूर्ण था

D. वर्ण-व्यवस्था से रहित था

2. उक्त उद्धरण का उपयुक्त शीर्षक हो सकता है :

A. मध्यकालीन चीन का सामाजिक जीवन

B. मध्यकालीन चीन में सामाजिक व्यवस्था

C. चीनी समाज में विविधता

D. चीनी समाज में गिरावट

3. उक्त गद्य खण्ड का सारांश एक पंक्ति में इस प्रकार व्यक्त किया जा सकता है :

A. अन्य तत्कालीन समाजों की तुलना में मध्यकाल में चीन का सामाजिक जीवन समुन्नत था

B. चीन का मध्यकालीन समाज विकास के शिखर पर था
C. चीन मध्यकालीन राज्यों में अग्रणी था
D. मध्यकालीन चीन का सामाजिक जीवन विकासोन्मुख था

4. चीन के सामाजिक इतिहास का अनुशीलन करने से पता चलता है कि चीन में :
A. सामाजिक भेदभाव अवश्य था भले ही वहाँ वर्ण-व्यवस्था नहीं थी
B. समाज के सभी सदस्य एक-सा जीवन नहीं जीते थे
C. चीनी समाज गुलामों को उत्पीड़ित करता था
D. मध्यकालीन चीन में नागरिक सुविधाओं का अभाव था

5. चीन में विशेष आदर के पात्र समझे जाते थे :
A. हिजड़े और भाँड B. विद्वान् और वेश्याएँ
C. विद्वान् और सेनापति D. कारीगर और व्यापारी

अभ्यास-11

आज से सप्तदशक पूर्व सम्पादकाचार्य पराड़करजी ने कहा था—हम सब सम्पादक पत्रों की उन्नति चाहते हैं। पर हमें स्मरण रखना चाहिए कि इस उन्नति के साथ-साथ हमारी स्वातंत्र्य-हानि अवश्यम्भावी है। उन्नति व्यापारी ढंग से ही हो सकती है; इसके लिए पूँजीपति और संचालक व्यवसाय की आवश्यकता है। इनके कथनानुसार और भी पत्र का सम्पादन करना असम्भव हो जाता है। इंग्लैण्ड और अमेरिका के पत्रों में स्पष्ट देखा जाता है कि इनके समाचार स्तम्भ, मनोरंजन स्तम्भ जितने ही अच्छे हो रहे हैं, उनके सम्पादकीय स्तम्भ उतने ही निकम्मे बनते जा रहे हैं। लन्दन के 'टाइम्स' जैसे दो-तीन पत्र इसके अपवाद हैं। पर साधारण नियम वही है जो बताया जा चुका है। एडिटर की अपेक्षा मैनेजिंग एडिटर का प्रभाव और गौरव अधिक बढ़ गया है। भावी हिन्दी समाचार-पत्रों में ऐसा ही होगा। पत्र निकालकर सफलतापूर्वक चलाना बड़े-बड़े धनियों अथवा सुसंघटित कम्पनियों के लिए संभव होगा। पत्र सर्वांगसुन्दर होंगे। आकार बड़े होंगे, छपाई अच्छी होगी, मनोहर, मनोरंजक और ज्ञानवर्द्धक चित्रों से सुसज्जित होंगे, लेखों में विविधता होगी, कल्पकता होगी, गम्भीर गवेषणा की झलक होगी और मनोहारिणी शक्ति भी होगी, ग्राहकों की संख्या लाखों में गिनी जाएगी। यह सब कुछ होगा पर पत्र प्राणहीन होंगे। पत्रों की नीति देशभक्त, धर्मभक्त अथवा मानवता के उपासक महाप्राण सम्पादकों की नीति न होगी—इन गुणों से सम्पन्न लेखक विकृत मस्तिष्क समझे जाएँगे, सम्पादक की कुर्सी तक उनकी पहुँच भी न होगी। वेतनभोगी सम्पादक मालिक का काम करेंगे और बड़ी खूबी के साथ करेंगे। वे हम लोगों से अच्छे होंगे। पर आज भी हमें जो स्वतन्त्रता प्राप्त है वह उन्हें न होगी। वस्तुतः पत्रों के जीवन में यही समय बहुमूल्य है। इंग्लैण्ड और अमेरिका के पत्रों ने उन्हीं दिनों सच्चा काम किया था जब उनके आकार छोटे थे, समाचार कम होते थे, ग्राहक थोड़े होते थे पर सम्पादक की लेखनी में ओज था और प्राण था। उन देशों की इस उन्नति के बहुत कुछ कारण वे ही सम्पादक थे जिनसे धनी घृणा करते थे, शासक क्रुद्ध रहा करते थे और जो हमारे ही जैसे, एक पैर जेल में रखकर धर्मबुद्धि से पत्र सम्पादन किया करते थे। उनके परिश्रम से और कष्ट से पत्रों की उन्नति हुई पर उनके वंश का लोप हो गया। अब संचालक और व्यवस्थापक सर्वेसर्वा हैं, सम्पादक कुछ नहीं है।

–(ध्रुवतारा, अप्रैल-जून, 1996 के सौजन्य से)

1. नीचे लिखे विकल्पों में से कौन-सा उपर्युक्त गद्यांश की विषयवस्तु का सही प्रतिपादन करता है?
A. समाचार-पत्र B. समाचार-पत्र के स्वामी
C. सम्पादक का महत्त्व D. लेखक

2. समाचार-पत्रों की उन्नति कैसे हो सकती है?
A. अच्छी मशीन लगाने से
B. व्यापारी ढंग से
C. सम्पादक के कारण
D. पूँजी लगाने से

3. इंग्लैण्ड और अमेरिका के समाचार-पत्रों की क्या विशेषता है?
A. मनोरंजन स्तम्भ अच्छे हैं
B. सम्पादक स्तम्भ अच्छे हैं
C. रंग-बिरंगे हैं
D. सस्ते हैं

4. लन्दन के 'टाइम्स' आदि पत्र कैसे हैं?
A. उनमें व्यापारिक स्तम्भ हैं
B. वे महँगे हैं
C. उनकी खबरें झूठी होती हैं
D. उनके सम्पादकीय स्तम्भ महत्त्वपूर्ण हैं

5. स्वातन्त्र्य-हानि का क्या अर्थ है?
A. स्वतन्त्रता का नाश
B. पराधीनता
C. मनमानी करने पर रोक
D. कृपा

6. 'सर्वांगसुन्दर' का क्या तात्पर्य है?
A. सभी गुणों का होना
B. समाचार-पत्र हर प्रकार से अच्छा हो
C. सबसे श्रेष्ठ
D. सबको लुभाने वाला

7. '..णहीन पत्र' का क्या अर्थ है?
A. प्राण से रहित
B. महत्त्वपूर्ण गुणों से रहित
C. जो चल फिर न सके
D. जिसे दूसरे उठायें

8. 'गवेषणा' शब्द का पर्याय बताइए।
A. इच्छा B. भावना
C. अनुसंधान D. तात्पर्य

9. 'विविधता' का विलोम बताइए।

A. श्रेष्ठता B. हीनता
C. समानता D. एकता

10. 'गौरव' का विलोम बताइए।

A. हीनता B. श्रेष्ठता
C. मार्दव D. लाघव

अभ्यास-12

हम विज्ञान युग में जी रहे हैं। हमसे ये आशा नहीं की जाती कि हम अविश्वसनीय मतों अथवा एकांतिक दैवी-संदेशों को सोचे-समझे बगैर आसानी से स्वीकार कर लेंगे। आज के युग में विज्ञान और प्रौद्योगिकी के नित-नूतन आविष्कार हो रहे हैं। प्रकृति के रहस्यों पर से आवरण क्रमशः हटता जा रहा है। यह युग मानववाद का भी है, जिसमें वे धर्म जो मानवीय बुराइयों तथा सामाजिक अपराधों के प्रति संवेदनशील नहीं हैं, आधुनिक व्यक्ति के गले नहीं उतरते। वे धर्म जो विभेद, वैमनस्य और अनैतिकता को बढ़ावा देते हैं तथा एकता, सद्भावना और सामंजस्य को प्रोत्साहित नहीं करते, वे मनुष्य को मनुष्य से लड़ाकर धर्मद्रोहियों के हाथ में अस्त्र बन जाते हैं। विज्ञान की प्रकृति कभी धर्म-विरोधी नहीं रही है। धार्मिक मतों के पक्ष में मुख्य तर्क प्रायः ब्रह्मांड संबंधी वस्तुपरक विचारों पर आधारित होते हैं। प्राकृतिक धर्म कभी भी किन्हीं आप्त स्रोतों, इल्हामों या परंपराओं पर निर्भर नहीं करता, वह तो अनुभूत अनुभव सिद्ध प्रत्यक्ष तथ्यों के अध्ययन और व्यावहारिकता पर अवलंबित होता है। वैज्ञानिक विधि का अनुसरण करते हुए, प्राकृतिक तथ्यों का सर्वेक्षण करके, युक्तियुक्त तर्क देकर परमसत्ता-विषयक सिद्धान्त का प्रतिपादन किया जाता है। वैज्ञानिक धर्म में ब्रह्मांड को समझने की जिज्ञासा पर बल दिया जाता है। प्राकृतिक ऊर्जा व पदार्थों के जन्म तथा विनाश को समझ सकने की इच्छा होती है। विकास का क्रम ऊर्ध्वमुखी रहा है : यह अप्राण से सप्राण तक; सप्राण से संवेदनशील तक; संवेदनशील से सज्ञान जीवन तक विकसित होता है। सज्ञान प्राणी को आध्यात्मिक प्राणी के रूप में आत्मविकास करना पड़ता है। आध्यात्मिक प्राणी–विशुद्ध ज्ञानी या विचारवान् प्राणी से उतना ऊँचा होता है जितना ज्ञानवान प्राणी संवेदनशील प्राणी से उन्नत होता है। विज्ञान की चेतना में कहीं यह संकेत नहीं मिलता कि पदार्थ से ही सृष्टि का आरंभ हुआ था। परमाणु को विखंडित करने वाले मनुष्य का मन निश्चय ही परमाणु से कहीं अधिक श्रेष्ठ है। प्रकृत की व्यवस्था और प्रगति के अवलोकन से स्पष्ट हो जाता है कि अगणित क्रमबद्ध प्रणालियों का संचालन, किसी सर्वद्रष्टा परम-आत्मा द्वारा किया जा रहा है।

—(ध्रुवतारा—जनवरी, मार्च, 1996 के सौजन्य से)

1. नीचे दिए गए विकल्पों में से कौनसा उपर्युक्त गद्यांश की विषय-वस्तु का सही प्रतिपादन करता है?

A. वैज्ञानिक गुण B. धर्म के गुण दोष
C. मानव-विकास D. वैज्ञानिक मानव धर्म

2. वर्तमान युग का मनुष्य कैसे धर्म को सही समझ सकता है?

A. जो भय पैदा करे
B. वैज्ञानिक व सद्भावना पैदा करने वाला हो
C. जो वैमनस्य और अनैतिक को बढ़ावा दे
D. जो परंपरा पर आधारित हो

3. प्रकृति के रहस्यों पर से आवरण हटाने में कौनसा कारक प्रमुख है?

A. विज्ञान B. धर्म
C. मानववाद D. दैवी-संदेश

4. 'सामंजस्य' शब्द का सही अर्थ चयन करें :

A. सामना करना
B. आलस्य दूर करना
C. भेद-भाव हटाकर एक करना
D. अपना पक्ष प्रबल करना

5. 'विखंडित' का अर्थ स्पष्ट करें।

A. बहुमंजिला B. विभाजित
C. पराजित D. विकसित

6. 'संवेदनशील' का सही अर्थ चुन कर बताएँ।

A. दूसरे को दु:ख देने वाला
B. दूसरे का कष्ट महसूस करने वाला
C. दूसरे का संदेश देने वाला
D. दूसरों की भलाई सोचने वाला

7. उपर्युक्त गद्यांश में से 'निर्भर' शब्द का समानार्थी शब्द चुनें।

A. आप्त B. अनुभूत
C. उन्नत D. अवलम्बित

8. उपर्युक्त गद्यांश में से 'प्राचीन' शब्द का विलोम चुनिए।

A. आधुनिक B. नित-नूतन
C. पारंपरिक D. ऊर्ध्वमुखी

9. उपर्युक्त गद्यांश में से 'सद्भावना' शब्द का विलोम चुनिए।

A. बुराई B. विभेद
C. वैमनस्य D. अपराध

10. 'आशा', 'अविश्वसनीय', 'प्रोत्साहित' तथा 'यह' शब्दों को क्रिया, विशेषण, सर्वनाम तथा संज्ञा के क्रम में व्यवस्थित करिए।

A. आशा, अविश्वसनीय, प्रोत्साहित, यह
B. यह, आशा, अविश्वसनीय, प्रोत्साहित
C. अविश्वसनीय, प्रोत्साहित, यह, आशा
D. प्रोत्साहित, अविश्वसनीय, यह, आशा

अभ्यास-13

शान्ति और विश्वकल्याण की इसी उदात भावना के कारण युगों-युगों से विश्व हमारी संस्कृति हमारे साहित्य और हमारे विश्वबंधुत्व की ओर आकर्षित रहा है। इसी से प्रेरित होकर लोग भारत से सम्पर्क बढ़ाने के लिए हमारी राष्ट्रभाषा को सीखते-पढ़ते रहे हैं। उसी का सुफल है कि सोवियत संघ से लेकर अमेरिका तक, दक्षिण अफ्रीका से लेकर एशिया तक, यूरोप से लेकर कनाडा तक लाखों-लाखों विदेशी भारत प्रेमी लोग आज हिन्दी पढ़-लिख रहे हैं। इसलिए नहीं कि हिन्दी विश्व की तीसरी सबसे बड़ी भाषा है,

इसलिए भी नहीं कि भारत विश्व का सबसे बड़ा लोकतंत्रीय देश है, इसलिए भी अधिक नहीं वह निर्गुट राष्ट्रों का एक मुखिया देश है, बल्कि सबसे अधिक इसलिए कि भारत के प्रति समीपता से उन्हें आत्मिक शान्ति प्राप्त होती है। वे भौतिकता से आध्यात्मिकता की ओर उन्मुख होते हैं। वे मनोविकारों से ऊपर उठकर स्वस्थ चिंतन में प्रवृत्त होते हैं और सबसे अधिक इसलिए कि भौतिकवाद की जिस कुन्ठा ने उन्हें ग्रसित कर रखा है उससे त्राण पाने का मार्ग उन्हें भारतीय संस्कृति और भारत की वाणी से सहज में ही सुलभ हो जाता है। क्योंकि हिन्दी आक्रान्ताओं की नहीं, आक्रमणों से मुक्ति पाने का सन्देश है। वह विश्व के साम्राज्यवादियों की भाषा नहीं, उनके द्वारा शोषित, सताए, लूटे और दलित बनाए जाने वाले लोगों की आत्मा की अदमनीय अनुगूंज है। वह समता का सन्देश देती है। वह सहअस्तित्व का पाठ पढ़ाती है। विश्व को युद्धों की विभीषिका से बचाकर उन्हें शांति का कर्त्तव्य बोध कराती है।

विश्व के लोगों के लिए हिन्दी वह भाषा है जो उन्हें वही देती है जिसकी वे तलाश में हैं। इसीलिए हम हिन्दी को भाषा नहीं विचार कहते हैं, संस्कृति कहते हैं और हम उसे मानवता का शांतिपाठ मानते हैं क्योंकि हिन्दी तलवार के बल पर नहीं, संतों के वचनामृत से फैली है। उसने द्वेष और छल से राष्ट्रों और व्यक्तियों का शोषण नहीं किया है। उसके साहित्य की पंक्ति-पंक्ति में प्रेम का सन्देश बिखरा हुआ है। वह प्रेम जो मनुष्य को मनुष्य से जोड़ता है और आत्मा को परमात्मा से जोड़ता है। इसलिए हिन्दी को हम जोड़ने वाली कड़ी कहते हैं, तोड़ने वाली हथौड़ी या छैनी नहीं। पढ़िए सूर को, तुलसी को, गाइए मीरा को और गुनगुनाइए कबीरा को, सुनिए मैथिलीशरण गुप्त को, प्रसाद को, महादेवी या निराला को। इन सभी महात्मा कवियों में आपको मानवीय संवेदना और प्रेम का एक ऐसा मधुर संगीत सुनाई देगा जो आपकी आत्मा को रसविभोर कर देगा। हिन्दी के उदात्त साहित्य में रस है, कामुकता नहीं, बौद्धिकता है, परन्तु जड़ शुष्कता नहीं, आनन्द की अनुभूति है, विरह के आँसू हैं, लेकिन जीवन की दुखान्त परिणति और कलुषित आक्रोश नहीं।

हिन्दी अपने इन्हीं गुणों के कारण विश्वमंच पर आज आदर से प्रतिष्ठित है। स्वार्थ और स्वामित्व की कुटिल विश्वनीति कितनी ही उसके मार्ग में बाधाएं उपस्थित करे, उनका कुहासा हिन्दी के दिव्य प्रकाश को फैलने से नहीं रोक सकता। क्योंकि हिन्दी के पीछे अन्य साम्राज्यवादी भाषाओं की तरह परपीड़न और शोषण का इतिहास नहीं है। उसने उपनिवेशों का शोषण करके अपने देश और अपनी भाषा को ज्ञान-विज्ञान के मारक अस्त्र प्रदान नहीं किए। साम्राज्यवादी भाषाओं ने औपनिवेशिक देशों को जनता को ही नहीं वहां की संस्कृति, कला और साहित्य को भी दबाया है तथा उनके उत्कर्ष और विकास की खिल्ली उड़ाई है। उनके बुद्धिजीवियों और रचनाधर्मियों को सदैव अपने से हीन समझा है। जहां-जहां ये साम्राज्यवादी गए वहां-वहां अपनी संस्कृति और भाषा को थोपते रहे। जब वहां से हटे तो ऐसा कुचक्र रच गए कि वहां के शासक, श्रीमंत और बुद्धिजीवी इस तरह मानसिक दासता के चक्र में फंस गए कि उन्हें अपनी भाषा, कला, साहित्य-संस्कृति सब दीन-हीन लगने लगे। लेकिन भारत और अन्य देशों के साम्राज्यशाही चुंगल से छूटने के बाद शनैः-शनैः यह व्यामोह छूटने लगा है। राष्ट्रों में स्वाभिमान और स्वावलम्बन की प्रवृत्तियां उभर रही हैं। यह प्रक्रिया भाषा के क्षेत्र में भी प्रारंभ हुई है। राष्ट्रों में अपनी-अपनी भाषाएं अपना स्थान बना रही हैं और सम्पर्क सूत्र के रूप में अब अंग्रेजी ही नहीं अनेक देशों में विशेषकर तीसरी दुनिया के देशों में हिन्दी की भी छवि निखर कर ऊपर आने लगी है।

1. हिन्दी भाषा नहीं विचार है क्योंकि :
A. वह विश्व को सह-अस्तित्व का पाठ पढ़ाती है
B. वह विश्व को संत बनने का उपदेश देती है
C. वह विश्व को असंत बनाती है
D. वह विश्व को शान्ति का कर्तव्य-बोध कराती है

2. हिन्दी का मुख्य सन्देश है :
A. आक्रान्ताओं से मुक्ति पाने का सन्देश
B. कुन्ठा से ग्रसित होने का सन्देश
C. आक्रमणों से मुक्ति पाने का सन्देश
D. अकर्मण्यता का सन्देश

3. विदेशी आज हिन्दी सीख-पढ़ रहे हैं, क्योंकि :
A. हिन्दी विश्व की तीसरी सबसे बड़ी भाषा है
B. विदेशी हमसे सम्पर्क बढ़ाना चाहते हैं
C. भारत विश्व का सबसे बड़ा लोकतंत्रीय देश है
D. भारत निर्गुट राष्ट्रों का एक मुखिया देश है

4. विश्व हमारी संस्कृति की ओर आकर्षित हुआ :
A. शान्ति और विश्वकल्याण की उदात्त भावना के कारण
B. हमारी परमाणु शक्ति के विकास के कारण
C. अन्तर्राष्ट्रीय व्यापार मेलों के आयोजन के कारण
D. अनेक धार्मिक स्थलों के संरक्षण के कारण

5. तीसरी दुनिया के देशों में छवि निखर कर आने लगी है :
A. लैटिन की B. जर्मन की
C. हिन्दी की D. तमिल की

6. हिन्दी को हम कह सकते हैं :
A. समाज को तोड़ने वाली कड़ी
B. समाज को संकट में डालने वाली कड़ी
C. समाज को आतंकित करने वाली कड़ी
D. समाज को जोड़ने वाली कड़ी

7. हिन्दी मनुष्य को वही देती है :
A. जिसे वह नहीं चाहता है
B. जिसकी उसे चाह नहीं है
C. जिसकी उसे तलाश है
D. जिसे वह चाहती है

8. हिन्दी के उदात्त साहित्य का मूल है :
A. रस B. कामुकता
C. कलुषित आक्रोश D. दुखान्त परिणति

9. हिन्दी का विकास हुआ है :
A. तलवार के बल से B. संतों के वचनामृत से
C. द्वेष और छल से D. मिथ्याचरण से

हिन्दी

10. उपर्युक्त अवतरण का सर्वाधिक उपयुक्त शीर्षक है :
A. हिन्दी की उदात्त भावना
B. राष्ट्रभाषा हिन्दी
C. तीसरी दुनिया की भाषा : हिन्दी
D. हिन्दी और उसका साहित्य

अभ्यास-14

अभिप्रेरण की संकल्पना अत्यंत जटिल है। इसका संबंध अनेक अभिलाषाओं, इच्छाओं, आवश्यकताओं एवं अनुभूतियों से है। वस्तुत: अभिप्रेरण की पूरी संकल्पना इन्हीं बलों पर आधारित है। यदि अभिप्रेरणा के विविध पक्षों का गंभीर अध्ययन करें तो यह सहज ही स्पष्ट हो जाता है कि यह वस्तुत: एक प्रकार की वैयक्तिक एवं आंतरिक भावना है या व्यक्ति विशेष के अंत:करण में उत्पन्न होने वाला एक तरह का मनोवैज्ञानिक क्रम है। यह एक व्यावहारिक संकल्पना है जिससे मनुष्य का व्यवहार किसी निश्चित लक्ष्य की ओर निर्देशित और अग्रसर होगा। यह एक निरंतर चलती रहने वाली प्रक्रिया है। पर यदि एक ओर यह सकारात्मक हो सकती है तो दूसरी ओर नकारात्मक भी हो सकती है। प्रेरणा से व्यक्ति का व्यवहार प्रभावित होता है। प्रेरणा अभिप्रेरण के मूल में है। दूसरे शब्दों में यह अभिप्रेरण का मूलतत्व है। प्रेरणा के कारण व्यक्ति को कार्य करने की दिशा मिलती है। अत: किसी लक्ष्य या पुरस्कार की प्राप्ति के लिए ऊर्जा बढ़ाने की चाहत ही अभिप्रेरण है। यह एक ऐसी शक्ति है जिससे सुप्त ऊर्जा सक्रिय हो जाती है और व्यक्ति कार्य के प्रति उत्साहित एवं उन्मुख हो उठता है। मस्तिष्क किस प्रकार कार्य करता है इसे पूरी तरह समझ पाना अब संभव नहीं हो पाया है।

किंतु यह अवश्य ही सत्य है कि किसी भी व्यवस्था/तंत्र में मानवीय अंत:क्रिया की गुणवत्ता से ही संतोषजनक परिणाम मिल पाना संभव होता है। यह किसी ऐसे प्रतिफल की मांग द्वारा निर्धारित नहीं होती जिसे समाज में अनिवार्यत: हमेशा महत्व दिया जाता है बल्कि इसके मूल में एक ऐसे प्रतिफल की मांग होती है जो किसी खास संदर्भ में आवश्यक होता है। अत: यह समझना अपरिहार्य है कि अभिप्रेरण की वास्तविक दिशा क्या है? इसके लिए विभिन्न प्रकार की पद्धतियां अपनाई जाती हैं जिन्हें सामूहिक रूप से अभिप्रेरण-निर्देश की संज्ञा दी जाती है। इनमें से सबसे महत्वपूर्ण निर्देश वह है जिसके द्वारा यह ज्ञात करने की चेष्टा की जाती है कि अभिप्रेरित व्यक्ति या व्यक्ति समूह दायित्व से दूर भाग रहा है अथवा दायित्व के प्रति अभिमुखन दर्शा रहा है।

इस प्रकार के निर्देशों की दूसरी कोटि वह है जिनके जरिए यह निर्धारित करने का प्रयास किया जाता है कि अभिप्रेरण का मूलभाव स्व:अंतर्मुखी है अथवा अन्य-बहिर्मुखी है। तात्पर्य यह है कि अभिप्रेरित व्यक्ति स्वकेन्द्रित, आत्मसंतुष्टि पर आधारित प्रयोजनों के लिए अभिप्रेरित होता है या दूसरे व्यक्ति अथवा व्यक्तियों के लिए अभिप्रेरित होता है। तीसरे अभिप्रेरण निर्देश का आधार समानता और अंतर तथा चौथे निर्देश का आधार समग्र विवरण है।

1. अभिप्रेरण के मूल में है :
A. भावना B. आवेग
C. प्रेरणा D. संपर्क

2. अभिप्रेरण एक व्यावहारिक संकल्पना है जिससे मनुष्य का व्यवहार किसी निश्चित लक्ष्य की ओर निर्देशित और :
A. आधारित होता है B. अग्रसर होता है
C. निर्धारित होता है D. रूपायित होता है

3. अभिप्रेरण वस्तुत: एक प्रकार की वैयक्ति एवं :
A. बाह्य अभिव्यक्ति है B. अंत:करण का स्वर है
C. मानसिक आवेग है D. आंतरिक भावना है

4. अभिप्रेरण का संबंध अनेक अभिलाषाओं, इच्छाओं, आवश्यकताओं एवं :
A. अनुभूतियों से है B. भावनाओं से है
C. प्रकृति से है D. उत्थान से है

5. प्रेरणा के कारण व्यक्ति को कार्य करने :
A. का आधार मिलता है B. की शक्ति मिलती है
C. की दिशा मिलती है D. की दृष्टि मिलती है

6. पहले महत्त्वपूर्ण अभिप्रेरण निर्देश का संबंध है :
A. दायित्व से B. लक्ष्य से
C. अनुभव से D. आदर्श से

7. दूसरे अभिप्रेरण-निर्देश के मूल में है :
A. व्यक्ति का अभिमुखन B. व्यक्ति का दृष्टिकोण
C. व्यक्ति का लक्ष्य D. व्यक्ति की लक्ष्य चेतना

8. तीसरे अभिप्रेरण निर्देश का आधार है :
A. सहजता B. समानता
C. सहिष्णुता D. सामाजिकता

9. चौथे अभिप्रेरण निर्देश का आधार है समग्र :
A. विवरण B. विवेचन
C. विश्लेषण D. विस्तार

10. अभिप्रेरण निर्धारित होता है :
A. प्रतिकार की मांग से
B. प्रतिकृति की मांग से
C. आवश्यक प्रतिफल की मांग से
D. प्रतिवाद से

अभ्यास-15

शस्त्र की परंपरा आगे बढ़ती जाती है। मानव की मूल प्रकृति में असुरक्षा का भय समाया रहता है। इसी भय से शस्त्र और सेना का जन्म होता है। प्रत्येक मानव किसी देश का निवासी है। देश रक्षा उसका प्रमुख कर्त्तव्य है। वह जन-जीवन, आत्म सम्मान और अपने धर्म की रक्षा करना, सर्वोपरि मानता है। युद्ध एक आवेश और मजबूरी है। युद्ध दीर्घकालीन जीवन शैली नहीं होता। युद्ध द्वारा आवेश की उत्तेजना का विरेचन हो जाता है। युद्ध केवल राष्ट्र के लिए खतरे में ही प्रासंगिक होता है, युद्ध की हिंसा में विनाश है शांति की अहिंसा में ही विकास है। युद्ध के बिना सारे विश्व जीवन का कार्य संभव है पर शांति के बिना असंभव। जब तक शस्त्रों का अस्तित्व है तो उसकी परंपरा अनिवार्यत: बढ़ती जाएगी।

पूर्व प्रस्तर एवं प्रस्तर युगों में पत्थर के चाकू, कुल्हाड़ी और गदा जैसे शस्त्र थे। कालांतर में तीरकमान, भाले, तलवार, बंदूक, तोप, बारूद व विस्फोटक बम एवं परमाणु बम की परंपरा चलती गई। सभी देश एक-दूसरे से भयभीत होकर, शस्त्र निर्माण पर, देश की संपत्ति लुटाते जा रहे हैं। हिंसा से भय और भय से हिंसा का अन्तहीन, गतिमान अधोगामी चक्र चलता रहता है। मौलिक शस्त्र तो हमारा मन है, जो वाणी और कर्म द्वारा शस्त्रों की परंपरा को चलाता है, क्रिया-प्रतिक्रिया की मानसिक चेतना ही शस्त्र और अशस्त्र होती है। डार्विन के विकासवाद की आधारशिला संघर्ष और आक्रामकता है। डार्विन 'अस्तित्व के लिए संघर्ष और श्रेष्ठ का कायम रहना' विकास की प्रक्रिया मानते हैं। इस विचारधारा को खंडित सत्य ही मानना होगा। संसार के अनेक धर्म, आत्मा, को जड़-द्रव्य की कारा से विमुक्ति के लिए, सतत संघर्षरत मानते हैं। जड़-द्रव्य के आवरणों का निरंतर विरल होते जाना ही चेतना का अंत: प्रकाशन है। यही मानव का सच्चा विकास है। सामाजिक चेतना की मूल प्रेरणा का स्रोत प्रेम और सहयोग में निहित है। शस्त्र द्वारा तो हम भयजनित तनावयुक्त संतुलन को अस्थायी आधार पर कायम रखने का प्रयास करते हैं। तनाव अपनी सीमा पार करके स्वयं अशांति व मरणेच्छा में बदल जाता है। यह मन का बांध टूटते ही विनाश जन्म ले लेता है। मन से भय भगाकर ही हम सचमुच नि:शस्त्र हो सकते हैं। मन के अभय होने पर सच्ची शांति प्राप्त होती है।

1. नीचे दिए विकल्पों में से कौन-सा उपयुक्त गद्यांश की विषय वस्तु का प्रतिपादन करता है?
A. शस्त्र परम्परा B. वास्तविक विकास
C. नि:शस्त्रीकरण D. शस्त्र और शांति

2. शस्त्रों की परंपरा चलाने वाला वास्तविक शस्त्र क्या है?
A. ज्ञान B. बल
C. उत्साह D. मन

3. शस्त्र व सेना के जन्म का मूल कारण है :
A. असुरक्षा
B. शक्ति प्रदर्शन
C. वैभव एवं समपन्नता
D. साम्राज्यवादी महत्वाकांक्षाएं

4. 'सतत' का सही अर्थ चुन कर बताएं
A. सत्व B. सतर्क
C. सत्त D. निरंतर

5. 'प्रस्तर' का अर्थ स्पष्ट करें :
A. ऊंचाई B. पत्थर
C. परत D. नीचे वाला

6. 'प्रासंगिक शब्द का सही अर्थ चुनकर बताएं।
A. तराजू की डंडी से संबंधित
B. दरबान
C. मामले से जुडा हुआ
D. साथ निभाने वाला

7. उपर्युक्त गद्यांश में से 'चमू' शब्द का समानार्थी चुनिए :
A. सेना B. शस्त्र
C. प्रमुख D. प्रेम

8. उपर्युक्त गद्यांश में से 'चेतन' का विलोम चुनिए।
A. विरेचन
B. गतिमान
C. जड़
D. जन्म

9. 'मजबूरी', 'बांध', 'बम', 'सतत' शब्दों को तत्सम, तद्भव, देशज और विदेशज के शब्दक्रम में रखिए :
A. बांध, सतत, बम, मजबूरी
B. सतत, बांध, मजबूरी, बम
C. सतत, बम, बांध, मजबूरी
D. बम, बांध, सतत, मजबूरी

10. उपर्युक्त गद्यांश में से 'निर्भीक' शब्द का विलोम चुनिए :
A. भक्त
B. भयभीत
C. भिखारी
D. भीगा हुआ

अभ्यास-16

भारत की सांस्कृतिक शक्ति लोगों को आकर्षित करती है। सिकन्दर पूरब की ओर आया, तो उसने राज कायम कर लौटने का रास्ता पकड़ा। बाबर आया, तो वह भी लौटने की तैयारी में था। फिर भी उसे भारत ने आकर्षित किया। भारत में पश्चिम के लोग अपने लिए बेहद शांतिप्रिय बसेरा पाते हैं। निकोलोई-श्वेतास्लाव रोरिख, नारा रिचर्ड, एल्फ्रेड बुर्फल ऐसे अनेक नामी गिरामी लोगों ने, जो बीसवीं शताब्दी में ऊँचाइयों पर पहुँचे, बिना किसी संकोच के भारत को अपना घर बनाया। सरला बहन और मीरा बहन गांधी जी की दो शिष्याएं थीं। मीरा बहन ने पक्षी कुंज में अपना निवास बनाया था, जहां से वह हर समय हिमालय की बर्फ से लदी चोटियां देखती थी। मुंबई शहर को एक जर्मन विद्वान लाइफर ने आवास चुना।

भारतीय संस्कृति अपनी शक्ति उस वैविध्य से पाती है, जिसे मोटे तौर पर हम बहुलतावाद के रूप में देखते हैं। तथापि वैविध्य में गुणसूत्रों में जो लोकव्यापी होने का सामर्थ्य रहता है, वही तत्व संस्कृति का जीवनदायी तत्व निर्धारित हो जाता है। यानी भारतीय संस्कृति को सजीव और सक्रिय रखने की प्रक्रिया के भीतर गुणों को आत्मसात कर अपना बनाने की जो प्रवृत्ति है, यही वह मूल बिंदु है, जिसका बोध कर हम आसानी से कह सकते हैं कि भारतीय संस्कृति वैश्वीकरण, विश्व बाजार या नयी प्रौद्योगिकी से जन्मे कल-पुर्जो के अति उपयोगकर्ता सभ्यता के हमले भी झेल लेगी।

1. पश्चिमी दुनिया के लोगों के भारत की ओर आकर्षित होने का मुख्य कारण क्या है?
A. भारत की संपदा
B. भारत की आकर्षक जलवायु
C. भारत की बहुलतावादी संस्कृति
D. उपरोक्त सभी

2. निम्न में से किसने मुम्बई को अपना आवास स्थल बनाया?
A. लाइफर B. सरला बहन
C. एल्फ्रेड बुर्फल D. उपरोक्त सभी

3. भारतीय संस्कृति को जीवनदायी तत्त्व मिलते हैं–
A. लोक जीवन से
B. सांस्कृतिक आदान-प्रदान से
C. सांस्कृतिक विक्षेप से
D. B एवं C दोनों से

4. उपरोक्त उद्धरण के आधार पर निम्न में से कौन-सा कथन सही है?
A. भारत की संस्कृति ने सर्वदा ही विदेशियों को अपनी ओर आकर्षित किया है।
B. भारत की संस्कृति अन्य संस्कृतियों से श्रेष्ठ है।
C. भारत की संस्कृति एक बंद संस्कृति रही है।
D. A एवं B दोनों

अभ्यास-17

अफ्रीका में चीन के बढ़ते हुए प्रभाव से अमेरिका को एक और चिंता ने घेर लिया है। इराक, ईरान और उत्तरी कोरिया के बारे में तो अमेरिकी शासक खुलकर बात करते आये हैं, किंतु चीन से मुचैटा लेने के मामले में वे भारी सावधानी बरतते हैं। आखिर वे चीन के भारी कर्जदार तो हैं ही और शायद ये भुलाना भी आसान नहीं है कि किस प्रकार दशकों तक चीन से शत्रुता रखने के बाद उन्हें शीतयुद्ध जीतने के लिए पाकिस्तान की मध्यस्थता के माध्यम से, चीन की ओर मित्रता का हाथ बढ़ाना पड़ा था। चीन जैसी बड़ी ताकत से अपने रिश्तों में विश्व की सोल-सुपरपावर भी वो रुख नहीं अपना सकती, जो वह इराक जैसे बरसों से पिटे-पिटाए देश के साथ अपना सका था, यह बात समझना कठिन नहीं है।

लेकिन फिर भी अगर खतरा बढ़ने लगे, प्रतिस्पर्धा से कतराना संभव न रहे और वामपंथियों का दबाव बढ़ता चला जाये तो आखिर कब तक उनका राष्ट्रपति हाथों पर हाथ रखकर बैठा रह सकता है? इसीलिए तमाम उलझनों के बावजूद पूर्व राष्ट्रपति बुश को चीन की चुनौती की ओर ध्यान देने के लिए विवश होना पड़ा।

1. अमेरिका के लिए सबसे बड़ी चुनौती क्या है?
A. चीन का बढ़ता आर्थिक प्रभाव
B. शीत युद्ध के बाद सुपर पावर बने रहने की चिंता
C. दक्षिण पंथ का विस्तार
D. उपरोक्त सभी

2. चीन से मुचैटा लेने में अमेरिका अक्सर सावधानी बरतता है, क्यों?
A. चीन की बड़ी पूँजी अमेरिका के बाजार में लगी हुई है।
B. अमेरिका चीन के साथ बेहतर संबंध बनाना चाहता है।
C. चीन शीत युद्ध के दौरान तटस्थ रहा था।
D. A एवं C दोनों

3. निम्न में कौन-सा कथन सही है?
A. चीन एशिया एवं अफ्रीका में अपने प्रभाव क्षेत्र का विस्तार कर रहा है।
B. अमेरिका चीन के साथ संबंध खराब न हो जाए, इसलिए उत्तरी कोरिया के खिलाफ खुलकर कुछ नहीं कहता।
C. शीत युद्ध के दौरान अमेरिका ने चीन की ओर मित्रता का हाथ बढ़ाया था।
D. अमेरिका को वास्तविक खतरा विश्व आतंकवाद से है।

4. अमेरिकी राष्ट्रपति बुश को चीन की चुनौती की ओर क्यों ध्यान देना पड़ा?
A. चीन के बढ़ते आर्थिक प्रभाव के कारण
B. चीन द्वारा पाकिस्तान को मिलने वाले समर्थन के कारण
C. उत्तरी कोरिया का चीन द्वारा समर्थन के कारण
D. वामपंथ के बढ़ते दबाव के कारण

अभ्यास-18

समकालीन विश्व राजनीति में पश्चिम एशिया एक ऐसे क्षेत्र के तौर पर कुख्यात हो चुका है जहां केवल आतंक, अशांति और अराजकता का बोलबाला है। दूसरे विश्व युद्ध के बाद से ही मिडिल ईस्ट या पश्चिम एशिया कई छोटे-बड़े युद्ध और अनगिनत हिंसक झगड़े झेल चुका है। हाल ही में फतह और हमास द्वारा फिलिस्तीन के अलग-अलग इलाकों पर कब्जा करने के बाद तो पश्चिम एशिया का सामरिक वातावरण और उलझ गया है। अगर आतंक के खिलाफ विश्वव्यापी जंग की बात करें तो वर्तमान हालात यही इशारा कर रहे हैं कि अगर अमेरिका यह जंग हार नहीं रहा तो जीत भी उससे कोसों दूर है। पूरा पश्चिम एशिया समस्याग्रस्त है और अमेरिकी विदेश नीति के पास इन समस्याओं से जूझने के लिए कोई ठोस रणनीति नहीं है।

फिलहाल सबसे विकट समस्या इराक को लेकर है। इराक पर हुए अमेरिकी हमलों के कई साल गुजर चुके हैं। लेकिन वहाँ अभी तक शांति कायम नहीं की जा सकी है। रोजमर्रा के शिया-सुन्नी झगड़ों और अमेरिकी आधिपत्य के खिलाफ जिहादी हिंसा ने इराक को जर्जर बना दिया है। दोनों प्रमुख सम्प्रदायों को समान रूप से स्वीकार्य एक राजनीतिक व्यवस्था अभी नहीं पनप पाई है। दरअसल इराक को शिया, सुन्नी और कुर्द इलाकों में बाँटने की केवल औपचारिक घोषणा होना ही शेष है। अमेरिका के लिए गले की फांस बन चुका इराक दुनिया भर में जिहादियों के लिए प्रशिक्षण केंद्र में तब्दील हो चुका है। सितम्बर 2010 में अमेरिकी राष्ट्रपति बराक ओबामा ने ऑपरेशन 'इराकी फ्रीडम' खत्म होने की घोषणा की है। अब वहाँ स्थिति और बिगड़ सकती है। आत्मघाती हमलों में बेगुनाह इराकियों का मरना जारी है। अलकायदा दिन-प्रतिदिन अपनी

ताकत में इजाफा कर रहा है। कट्टरपंथियों की फौज खड़ी हो रही है।

1. इराक में अमेरिका के लिए सबसे बड़ी चुनौती क्या है?
   A. इराक में एक प्रतिनिधि सरकार स्थापित करना
   B. इराक में शांति कायम करना
   C. इराक में गठबंधन सेना के बीच समन्वय स्थापित करना
   D. उपरोक्त सभी
2. उपरोक्त उद्धरण के आधार पर सही कथन का चयन कीजिए।
   A. फतह एवं हमास गुट की सक्रियता के कारण पश्चिम एशिया की समस्या और भी उलझ गई है।
   B. इराक में अमेरिका विरोधी जिहादी गुट लगातार सक्रिय हैं।
   C. इराक पर अमेरिकी हमले के बाद वैश्विक आतंकवाद में कमी आई है।
   D. A एवं B दोनों
3. इराक में शांति स्थापना में सबसे बड़ी बाधा क्या है?
   A. अल कायदा की इस क्षेत्र में बढ़ती गतिविधियाँ
   B. शिया-सुन्नी झगड़े
   C. जिहादी हिंसा
   D. A एवं C दोनों
4. पश्चिमी एशिया की पहचान निम्न में से किसके कारण है?
   A. अरब-इजराइल युद्ध के कारण
   B. इराक युद्ध के कारण
   C. सीरिया में होने वाली शांति प्रक्रिया के कारण
   D. उपरोक्त सभी के कारण

अभ्यास-19

किसी भी लोकतांत्रिक समाज का भविष्य, उसकी प्रगतिशीलता, वैज्ञानिकता और संवेदनशीलता पर निर्भर करता है। लोकतंत्र में मताधिकार योग्य व्यक्ति के चयन की कारगर व्यवस्था नहीं है। मतदाता की बौद्धिकता, वैज्ञानिकता और संवेदनशीलता ही सही निर्णय लेने में सहायक हो सकती है वरना चुनाव में तमाम हत्यारे अपराधी और गुंडे चुने जा सकते हैं। हमारे देश के ज्यादातर मतदाताओं में इन गुणों का अभाव है। वह मोबाइल युग में परम अवैज्ञानिक है। हम मतदाताओं की बौद्धिकता का अंदाज ऐसे लोगों को देखकर आसानी से लगा सकते हैं जो ओझा-तांत्रिक और नीम-हकीमों के चक्कर में फंसकर तिल-तिल मरने को मजबूर हैं। वह यह समझ पाने की स्थिति में नहीं है कि ओझा-तांत्रिक, नीम- हकीम वगैरह उनकी अज्ञानता का लाभ उठाकर, शोषण कर रहे हैं।

हम वर्तमान शिक्षा व्यवस्था में पनपे उस गरीब समाज को देखकर बौद्धिकता की असलियत जान सकते हैं, जो अपनी औलादों की बलि देकर कल्याण ढूंढ़ता है। जो पढ़ने-पढ़ाने का हक मांगने के बजाय, उन्हें 'मिड-डे-मिल' खाना खिलाकर धन्य हो रहा है। बौद्धिकता की असलियत समाज के उन वयस्क मतदाताओं से जानी जा सकती है, जो असामाजिक तत्वों, अपराधियों के गले में माला डालकर उनकी जय-जयकार करते हैं। ये मतदाता वैज्ञानिकों या समाजशास्त्रियों को चुनने के बजाय फूलनदेवी, मलखान सिंह, मुख्तार अंसारी या शहाबुद्दीन जैसे लोगों को चुनते हैं।

1. उपरोक्त उद्धरण के आधार पर सही कथन का चयन कीजिए।
   A. भारतीय मतदाता पिछड़ी सोच वाला और अवैज्ञानिक है।
   B. भारतीय लोकतंत्र में मताधिकार, योग्य व्यक्ति के चयन की कारगर व्यवस्था नहीं है।
   C. भारतीय मतदाता अशिक्षित है।
   D. उपरोक्त सभी।
2. लोकतंत्र का भविष्य किस पर निर्भर करता है?
   A. समाज की प्रगतिशीलता पर
   B. सामाजिक संवेदनशीलता पर
   C. A एवं B दोनों पर
   D. सामाजिक सुव्यवस्था पर
3. भारतीय लोकतांत्रिक व्यवस्था का सबसे बड़ा अंतर्विरोध क्या है?
   A. भारत में गरीबी एवं असमानता व्याप्त है।
   B. समाज में भूखमरी एवं अज्ञानता है।
   C. बौद्धिकता के युग में ज्यादातर मतदाता घोर अवैज्ञानिक हैं।
   D. उपरोक्त सभी।
4. चुनाव में अपराधी किस्म के लोगों का चुना जाना किस बात का संकेत है?
   A. जनता की तटस्थता का
   B. जनता की अबौद्धिक निर्णय क्षमता का
   C. जनता की सक्रिय भागीदारी का
   D. प्रशासनिक विफलता का

अभ्यास-20

देह-प्रदर्शन स्वेच्छा से कियां जाए या सामाजिक दबाव के कारण, लेकिन उसके दुष्प्रभावों को नजरअंदाज नहीं किया जा सकता है। नारियों से छेड़छाड़, अश्लील हरकतें, बलात्कार, यौन अपराध, देह व्यापार आदि बुराइयों की जड़ देह प्रदर्शन है। यदि पुरुषों से यह पूछा जाए कि क्या नारी के देह-प्रदर्शन से तुम को लज्जा महसूस नहीं होती है तो उनका तर्क होता है कि जब नारी को देह-प्रदर्शन करने में लज्जा नहीं आती है तो हमको देखने में लज्जा क्यों आएगी? देह-प्रदर्शन करने वाली नारी को समाज में हेय दृष्टि से देखा जाता है। ऐसी नारी को सिर्फ देह मानकर उसे इस्तेमाल किया जा रहा है।

आजकल माता-पिता के लिए लड़की की परवरिश करना चुनौतीपूर्ण होता जा रहा है क्योंकि यौन अपराधों की संख्या में वृद्धि होती जा रही है। माता-पिता सोचते हैं कि यदि हम बेटी की इज्जत की रक्षा न कर पाए तो बेटी को जन्म देने

का क्या फायदा होगा? माता-पिता की यह सोच कन्या भ्रूण-हत्या का महत्त्वपूर्ण कारण है। जो नारी आर्थिक लाभ के लिए अंग प्रदर्शन करती है उसका यौवन व आकर्षण समाप्त हो जाने पर वह कुंठित हो जाती है। विषादग्रस्त होकर वह आत्महत्या भी कर सकती है। नारी देह के प्रति पुरुषों का आकर्षण यौवनावस्था में होता है, इसमें स्थायित्व नहीं होता है। ऐसी नारियाँ आकर्षणहीन हो जाने पर स्वयं को एकाकी महसूस करती हैं तथा कई प्रकार के मानसिक रोगों से ग्रस्त हो जाती हैं।

1. नारी देह-प्रदर्शन का स्वाभाविक परिणाम है–
A. उनके साथ छेड़छाड़
B. अश्लील हरकतें
C. यौन अपराध
D. उपरोक्त सभी

2. नारी देह-प्रदर्शन की बढ़ती प्रवृत्ति का मुख्य कारण है–
A. नारी की स्व इच्छा
B. सामाजिक दबाव एवं लोलुपता
C. शिक्षा का माहौल
D. A एवं B दोनों

3. लेखक के अनुसार कन्या भ्रूण-हत्या का महत्वपूर्ण कारण क्या है?
A. महिलाओं के साथ होनेवाला यौन शोषण
B. बच्चियों का उचित परवरिश न हो पाना
C. सामाजिक असुरक्षा की भावना
D. उपरोक्त सभी

4. उपरोक्त उद्धरण के आधार पर सही कथन का चयन कीजिए।
A. आर्थिक लाभ के कारण नारी में शरीर-प्रदर्शन की प्रवृत्ति बढ़ती जा रही है।
B. नारी के देह-प्रदर्शन के पीछे सामाजिक दबाव एक मुख्य कारण है।
C. अंग-प्रदर्शन करनेवाली नारियों को यौवन का आकर्षण समाप्त हो जाने पर कुंठा का सामना करना पड़ता है।
D. उपरोक्त सभी।

अभ्यास-21

'वर्तमान इतिहास में दो प्रवृत्तियां दिखाई देती हैं। एक प्रवृत्ति की दिशा वर्चस्व (हेजीमनी) की ओर है जो मानव-अस्तित्व (सरवाइवल) के लिए खतरा बन कर पागलपन के सैद्धांतिक चौखटे में तर्कपूर्ण ढंग से काम कर रही है। दूसरी प्रवृत्ति इस विश्वास को समर्पित है कि 'एक नयी दुनिया संभव है', जिन शब्दों से विश्व सामाजिक मंच प्रेरित है, जो शासक विचारात्मक प्रणालियों को चुनौती दे रहा है और जो विचार, कर्म और संस्थाओं का नया सृजनात्मक विकल्प बनाना चाहता है। इनमें कौन-सी प्रवृत्ति जीतेगी, कोई इसकी भविष्यवाणी नहीं कर सकता है। यह प्रक्रिया समूचे इतिहास में दिखाई देती है।'

चोमस्की का कहना है कि अस्सी के दशक में मुख्यधारा के अमेरिका, खासकर मध्य अमेरिका से संबंधित जो मानव एकता आंदोलन चले उन्होंने साम्राज्यवाद के इतिहास में नयी जमीन जोड़ी। इससे पहले कभी भी शासक समाज के लोग बड़ी संख्या में दुष्टतापूर्ण हमले के शिकार लोगों के साथ रहने और उन्हें कुछ मात्रा में सुरक्षा प्रदान करने नहीं गये थे। वैसे आम जनता में मानव अधिकारों की यह जागरूकता 1960 के दशक में तेज हुई थी और कई क्षेत्रों में जन-सक्रियता ने अपना सभ्यताकारी प्रभाव डाला। इससे अल्पसंख्यक समूहों, स्त्रियों, भावी पीढ़ियों के अधिकारों के आंदोलन और फिर पर्यावरण सुरक्षा के आंदोलन विकसित हुए थे।

1. वर्तमान इतिहास की दो महत्वपूर्ण प्रवृत्तियाँ कौन-सी हैं?
A. आशा एवं निराशा की।
B. हिंसा एवं सभ्यता की।
C. विश्व वर्चस्व की एवं एक नई दुनिया बसाने की।
D. साम्राज्यवाद एवं उदारवाद की।

2. आज मानव अस्तित्व के लिए सबसे बड़ा खतरा क्या है?
A. वर्चस्व की प्रवृत्ति
B. हिंसा की प्रवृत्ति
C. अधीनस्थता की प्रवृत्ति
D. उपरोक्त सभी

3. मानव एकता आंदोलन ने किस रूप में सकारात्मक भूमिका निभाई?
A. इसने शासक वर्ग की मानसिकता में बदलाव लाया।
B. इसने साम्राज्यवाद के इतिहास में एक नई जमीन जोड़ी।
C. इसने मानव अधिकारों को और भी सशक्त बनाया।
D. उपरोक्त सभी।

4. उपरोक्त उद्धरण के आधार पर सही कथन का चयन कीजिए।
A. हेजीमनी मानव अस्तित्व को बनाए रखने में सहायक है।
B. 'एक नई दुनिया संभव है' का विचार शासक विचारात्मक प्रणाली के लिए खतरा है।
C. मानव एकता आंदोलन का आरंभ दक्षिण अमेरिका से हुआ।
D. उपरोक्त सभी।

अभ्यास-22

इंडिया के लिए कॉमनवेल्थ गेम्स की सफलता ने एक साथ कई काम किए हैं। गेम्स शुरू होने से पहले दुनिया भर में बनी देश की नेगेटिव छवि धुलकर पॉजिटिव हो गई। इंडिया में निवेश करने वाले इन्वेस्टर्स अब शायद बेधड़क यहां पैसा लगाएंगे। ऑस्ट्रेलियाई और अंग्रेज अब शायद एक हिंदुस्तानी को नीचे नजर से न देख पाएं। इस सफलता ने भविष्य में ओलंपिक गेम्स जैसे बड़े आयोजन को लेकर भारत की दावेदारी

को भी पुख्ता किया है। भारतीय खिलाड़ियों ने 71 देशों में दूसरा स्थान हासिल कर देश के युवाओं को दिखाया है कि कैसे खेल भी उसके लिए नाम और रुतबे का जरिया बन सकते हैं। खेलों के आयोजन में हजारों करोड़ रुपये खर्च जरूर हुए मगर इससे देश की दो पीढ़ियों के करोड़ों लोगों में खेलों के प्रति नया जज्बा भी पैदा हुआ है। इन खेलों ने हमारे कई खिलाड़ियों को गुमनामी से निकाल कर रोशनी के घेरे में खड़ा कर दिया। दीपिका कुमारी, कृष्णा पूनिया, सुरंजय, ओंकार सिंह, जिन्हें मुट्ठी भर लोग ही जानते थे, अब नेशनल हीरो बन गए हैं। इनमें कई खिलाड़ी ऐसे हैं जिन्होंने अपने माता-पिता की सुरक्षित और बेहतर करियर अपनाने की नसीहतों के खिलाफ जाकर खेलों को अपनाया। गेम्स ने देश को उनकी कामयाबी दिखाई, उन्हें अपने देशवासियों के सामने अपनी मेहनत और अपनी जिद का उत्सव मनाने का मौका दिया।

देश की गरीब जनता की जरूरतों को भुलाकर एक सर्कस शो पर करोड़ों रुपये फूंकने की दलील देने वाले गेम्स के आलोचक आगे की बजाय पीछे देखते हुए ऐसा कह रहे हैं। वे यह नहीं समझ रहे कि भारत का एक बड़ी ताकत बनने का दावा सिर्फ आंकड़ों में कैद नहीं रहना चाहिए, तमाम क्षेत्रों में दिखना चाहिए। गेम्स की कामयाबी ने यही किया है। उसने इंडिया के फ्यूचर की तस्वीर पेश की है–आत्मविश्वास से भरा, बुनियादी सुविधाओं से लैस, सफलता का जश्न मनाता हुआ इंडिया।

1. कॉमन वेल्थ गेम्स की सफलता का सबसे बड़ा लाभ क्या हुआ है?
- A. भारतीय खिलाड़ियों ने अंतर्राष्ट्रीय स्तर की खेल प्रतिभा का प्रदर्शन किया।
- B. खेल के आयोजन में करोड़ों रुपये का घोटाला हुआ।
- C. गेम्स के दौरान खिलाड़ियों को स्तरहीन सुविधाएँ उपलब्ध कराई गई।
- D. भविष्य में ओलंपिक खेल जैसे बड़े आयोजन को लेकर भारत की दावेदारी पुख्ता हुई है।

2. आलोचकों की नजर में कॉमनवेल्थ गेम्स एक सर्कस शो क्यों था?
- A. क्योंकि इसमें सर्कस की तरह तमाशे हुए।
- B. आयोजन की तैयारी पूरी न हो पाने के कारण गेम्स एक तमाशा बनकर रह गया।
- C. इसमें देश की गरीब जनता की जरूरतों को भुलाकर अनावश्यक खर्च किए गए।
- D. उपरोक्त सभी

3. 'गुमनामी से निकालकर रोशनी के घेरे में खड़ा कर दिया' पदबंध का अर्थ बताइए–
- A. अचानक प्रसिद्धि मिलना
- B. अचानक बड़ी धनराशि मिलना
- C. रोशनी से चकाचौंध होना
- D. ऊँचा पद प्राप्त होना

4. उपरोक्त उद्धरण के आधार पर सही कथन का चयन कीजिए।
- A. कॉमनवेल्थ गेम्स से दुनिया भर में देश की अच्छी छवि बनी है।
- B. इससे दुनिया भर के निवेशक भारत में निवेश के लिए प्रोत्साहित होंगे।
- C. इससे युवाओं में एक नई स्फूर्ति पैदा हुई है।
- D. उपरोक्त सभी।

अभ्यास-23

देश में खाद्यान्न भंडारण की समस्या ने विकराल रूप धारण कर लिया है। इसकी भयावहता का अंदाजा इसी बात से लगाया जा सकता है कि एफसीआई के गोदामों में 67,542 टन अनाज नष्ट हो गया। इसकी कीमत 60 हजार करोड़ रुपए बताई गई है। सुप्रीम कोर्ट ने इसमें दखल देते हुए कहा है कि गोदामों में अनाज सड़ाने की जगह इसे गरीबों में बाँट देना चाहिए। सुप्रीम कोर्ट ने 12 अगस्त, 2010 को केन्द्र सरकार को आदेश देते हुए कहा कि वह फूड कॉरपोशन ऑफ इंडिया के गोदामों में अनाज सड़ाने की जगह गरीबों को मुफ्त बाँट दें।

जस्टिस दलवीर भंडारी और जस्टिस दीपक वर्मा की बेंच ने कहा कि और अनाज न सड़ने पाए, इसके लिए सरकार तुरंत कदम उठाए। वह उतने ही अनाज की खरीदारी करे, जितने को संभाल सकती है। साथ ही कोर्ट ने केन्द्र से प्रत्येक राज्य में एक बड़ा गोदाम और अलग-अलग जिलों व संभागों में विभिन्न गोदाम बनाने की व्यवस्था करने को कहा। इसके अलावा सरकार से यह सुनिश्चित करने को भी कहा कि उचित मूल्य की दुकानें पूरे महीने खुली रहें। कोर्ट ने सरकार को निर्देश दिया है कि वह 2010 के आंकड़ों के आधार पर बीपीएल (गरीबी रेखा से नीचे), एबीपीएल (गरीबी रेखा से ऊपर), एएवाई (अंत्योदय अन्न योजना) परिवारों का नए सिरे से सर्वे कराए। अधिकारी फायदे बांटने के लिए एक दशक पुराने आंकड़े पर भरोसा नहीं कर सकते।

बेंच ने अपना पहले का आदेश दोहराया कि एबीपीएल परिवार सब्सिडी वाला अनाज न हासिल करने पाएं। अगर सरकार उन्हें लाभ देना ही चाहती है तो उन परिवारों को दे, जिनकी सालाना आय 3 लाख रुपये से कम हो।

सुप्रसिद्ध अर्थशास्त्री डॉ. अमर्त्य सेन द्वारा 1981 में लिखी गई 'पावर्टी एंड फैमीन एंड एस्से ऑन इनटाइटिलमेंट एंड डिप्राइवेशन' (गरीबी और अकाल और पात्रता और वंचना पर निबंध) कृति में तर्क दिया गया कि अधिकांश मामलों में भूख और अकाल अनाज की उपलब्धता की कमी के कारण नहीं पड़ते, बल्कि उनका कारण असमानता और वितरण व्यवस्था की कमी होती है। उन्होंने जो बात 1981 में कही थी, संभवतः वह 2010 में भी सही है। हालांकि स्वतंत्रता प्राप्ति के बाद विगत तिरसठ वर्षों में भूख और वंचना से लड़ने के क्रम में हमने काफी अनुभव प्राप्त किया है।

1. अनाजों के भंडारण को लेकर सर्वोच्च न्यायालय ने कौन-से आदेश दिए हैं?
   A. सरकार भंडारण के बराबर क्षमता के अनाज का ही क्रय करे।
   B. सरकार अलग-अलग जिलों एवं संभागों में गोदाम बनाने की व्यवस्था करे।
   C. उचित मूल्य की दुकानें महीने भर खुली रहें।
   D. उपरोक्त सभी
2. देश में खाद्यान्न भंडारण की समस्या का मुख्य कारण क्या है?
   A. खाद्यान्न भंडारण की सीमित क्षमता
   B. अत्यधिक खाद्यान्नों की खरीद
   C. समय पर खाद्यान्नों का वितरण न हो पाना
   D. उपरोक्त सभी
3. प्रसिद्ध अर्थशास्त्री अमर्त्य सेन के अनुसार भूख एवं अकाल का कारण है–
   A. राष्ट्रीय कृषि उपज में कमी
   B. कृषि निर्यात की असमानता
   C. अनाजों के उपयुक्त वितरण की समस्याएं
   D. A एवं C
4. कोर्ट ने किस आधार पर बीपीएल, एबीपीएल एवं एएवाई परिवारों का सर्वे कराने को कहा है?
   A. 2011 की जनगणना के आधार पर
   B. 2005 के आंकड़ों के आधार पर
   C. 2007 के योजना आयोग के आंकड़ों के आधार पर
   D. 2010 के आंकड़ों के आधार पर

अभ्यास-24

वैश्वीकरण की दौड़ में क्षेत्रीय संगठनों का महत्व बढ़ा है। आज विश्व की स्थिति यह है कि राष्ट्र अपने आपसी मतभेदों को भुलाकर व्यापार एवं आर्थिक क्षेत्रों में एक-दूसरे को सहयोग कर रहे हैं। राष्ट्रों की पारस्परिक निर्भरता पहले की अपेक्षा काफी बढ़ी है। सार्क विश्व की 22 प्रतिशत आबादी को अपने दामन में रखने वाला विश्व का सबसे बड़ा क्षेत्रीय संगठन है। भारत विश्व की उभरती हुई आर्थिक शक्ति है। सार्क के सदस्य देश आपस में एक-दूसरे का आर्थिक सहयोग करें तो इस क्षेत्र से गरीबी, भुखमरी, अशिक्षा को सदा के लिए समाप्त किया जा सकता है। आज यूरोपियन संघ एवं आसियान जैसे क्षेत्रीय संगठनों ने जो आर्थिक सफलता पायी है। उससे सार्क के नेताओं को प्रेरणा लेनी चाहिए। इन क्षेत्रीय संगठनों ने आर्थिक एकजुटता के बल पर काफी उपलब्धियाँ हासिल की हैं। अब यह स्थिति स्पष्ट हो चुकी है कि आर्थिक विकास में क्षेत्रीय वैश्वीकरण की भूमिका अतिमहत्वपूर्ण है।

जनवरी 2009 में इस्लामाबाद में हुए सम्मेलन में इस तरह की स्पष्ट अभिव्यक्ति सामने आई। इस सम्मेलन में सार्क देशों ने 2012 तक दक्षिण एशियाई स्वतंत्र व्यापार क्षेत्र (साफ्टा) बनाने की इच्छा व्यक्त की है, लेकिन इस दिशा में अभी तक कोई ठोस कार्य नहीं हुआ है। साफ्टा के बारे में छोटे-छोटे देशों को यह भ्रम पैदा हो गया कि इससे भारत को ही अधिक लाभ होगा, जबकि सच्चाई यह नहीं है। उदाहरणस्वरूप अभी हम भारत, श्रीलंका के मुक्त व्यापार को देखें। दोनों देशों के बीच मुक्त व्यापार पिछले तीन वर्ष से चल रहा है। श्रीलंका का भारत को निर्यात 135 प्रतिशत सालाना की दर से बढ़ा है। इस तुलना में भारत का श्रीलंका को निर्यात 32 प्रतिशत की दर से बढ़ा है। अपितु मुक्त व्यापार के होने से श्रीलंका भारत की अपेक्षा अधिक लाभ की स्थिति में है। यही बात नेपाल एवं भूटान के साथ हैं। पाकिस्तान एवं बांग्लादेश के साथ भारत का व्यापार उतना नहीं बढ़ा है जितना बढ़ना चाहिए। इन देशों के असहयोग के कारण भी साफ्टा को लागू करने में कठिनाई है।

1. वैश्वीकरण के कारण क्षेत्रीय संगठनों का महत्व बढ़ा है–
   A. क्योंकि वैश्वीकरण के दौरान विभिन्न देशों के बीच व्यापार बढ़ा है।
   B. राष्ट्र अपने आपसी मतभेद को भूलाकर आर्थिक क्षेत्र में एक-दूसरे को सहयोग कर रहे हैं।
   C. सभी राष्ट्रों ने व्यापार को सीमाकर मुक्त कर दिया है।
   D. अंतर्राष्ट्रीय बाजार में डॉलर का मूल्य घटा है।
2. उपरोक्त उद्धरण के आधार पर सही कथन का चयन कीजिए।
   A. हाल के वर्षों में राष्ट्रों के बीच पारस्परिक निर्भरता बढ़ी है।
   B. सार्क दुनिया का सबसे बड़ा क्षेत्रीय संगठन है।
   C. सार्क देशों में दुनिया की लगभग 1/4 आबादी रहती है।
   D. उपरोक्त सभी।
3. सार्क देशों के बीच आपसी व्यापार में पर्याप्त वृद्धि नहीं हुई है, इसका क्या कारण है?
   A. सार्क देशों के बीच व्यापार प्रतिबंध
   B. आपसी सहयोग का अभाव
   C. पश्चिमी देशों पर अत्यधिक निर्भरता
   D. व्यापारिक निवेश का अभाव
4. साफ्टा को लेकर सार्क देशों में कौन-सा भ्रम फैला हुआ है?
   A. इससे भारत को अधिक लाभ होगा।
   B. भारत एक आर्थिक महाशक्ति बन जाएगा।
   C. भारत का प्रभाव दुनिया के अन्य देशों में बढ़ जाएगा।
   D. भारतीय रुपया और भी मजबूत होगा।

अभ्यास-25

महामशीन के महाप्रयोग का उद्देश्य परमाणु कणों की आपसी टक्कर को देखना है, जिनसे नए कण बन सकते हैं। उनका

वेग और ऊर्जा मापकर मालूम हो सकता है कि आखिर शुरू में ब्रह्माण्ड कैसे बना और बाद में कैसे उसकी उत्पत्ति हुई। एलएचसी के इस प्रयोग में परमाणु कणों की बहुत अधिक वेग से अब तक की सबसे अधिक ऊर्जा से टक्कर हुई। आशा की जा रही है कि अब वैज्ञानिक भौतिकी की अनेक गुत्थियों को सुलझा लेंगे।

50,000 करोड़ रुपए की लागत से बना लार्ज हैड्रॉन कोलाइडर (LHC) 2008 में असफल हो गया था। उस समय इस सबसे बड़े एटम स्मैशर में दो शक्तिशाली चुम्बकों के बीच विद्युत कनेक्शन फ्यूज हो गया था। इन चुम्बक प्रोटॉनों को स्टीआर कहते हैं। इस खराबी से सुरंग में बड़े जोर का विस्फोट हुआ था, लेकिन इस बार का प्रयोग सफल रहा। एलएचसी प्रसिद्ध ईश्वरीय कण 'हिग्स बोसोन' के चिह्न की भी पहचान करेगा। बताया जाता है कि इसी कण के कारण ब्रह्माण्ड की सभी चीजों को पिण्ड भार मिलता है। इसके अलावा रहस्यमयी 'ब्लैक होल' की भी पहचान की जाएगी, जिससे काफी हद तक ब्रह्माण्ड बना है, लेकिन इसमें अंधेरा होने के कारण अब तक इसके दर्शन नहीं हुए हैं। वैज्ञानिकों का कहना है कि एलएचसी में जब कणों की टक्कर हुई, तब अनेक ऐसे मिनी बिग बैंग बने, जैसे आज से 13 अरब, 70 करोड़ वर्ष पहले बने थे।

इन असाधारण खोजों के अतिरिक्त मशीन बिग बैंग के पहले और बाद के कणों की नकल करेगी। गुरुत्वाकर्षण के रहस्य भी जानने के प्रयत्न किए जाएंगे। इस अनुसंधान में लगे वैज्ञानिकों का कहना है कि जब कणों की बीमों की टक्कर हुई तब सभी डिटेक्टरों ने अपने परमाणु कणों के बहुरंगी मार्गों की पहचान की। ये कण प्रत्येक दिशा में कार्यशील थे। भौतिकविद् का कहना है कि जब उप परमाणु कण बड़े वेग से आपस में टकराते हैं तो वे टूटकर नए तत्व बनाते हैं। आशा की जा रही है कि इसमें से एक तत्व हिग्स बोसोन होगा जिससे हमारे ब्रह्माण्ड बनने की गुत्थी सुलझेगी। वैज्ञानिकों का कहना है कि प्रयोग में उत्सर्जित ऊर्जा फील्ड को यदि ऊष्मा में बदल दिया जाए तो यह सूर्य की सतह से भी ज्यादा गर्म होगा।

1. महामशीन ब्रह्माण्ड की उत्पत्ति की जाँच किस आधार पर करेगा?
   A. परमाणु कणों की आपसी टक्कर से उत्पन्न वेग के आधार पर
   B. परमाणु कणों के बीच आपसी आकर्षण के आधार पर
   C. परमाणु कणों की आपसी टक्कर से उत्पन्न वेग एवं ऊर्जा के आधार पर
   D. परमाणु कणों के गुरुत्वाकर्षण के आधार पर

2. लार्ज हैड्रॉन कोलाइडर की पिछली असफलता का क्या कारण था?
   A. चुम्बकीय विद्युत कनेक्शन का फ्यूज होना
   B. हिग्स बोसोन कण का रिसाव
   C. परमाणु कणों के बीच तीव्र विकर्षण
   D. परमाणु कणों का विस्फोट

3. ब्रह्मांड के पिंडों का पिंड भार किस पर निर्भर करता है?
   A. पिंड के द्रव्यमान पर
   B. पिंड के घनत्व पर
   C. हिग्स बोसोन कण पर
   D. A एवं B दोनों पर

4. हिग्स बोसोन कण का निर्माण होता है–
   A. जब उप परमाणु कण तीव्र वेग से आपस में टकराते हैं।
   B. परमाणु कणों के बीच तीव्र आकर्षण बल के कारण।
   C. परमाणु कणों के बीमों के साथ टक्कर से।
   D. A एवं B दोनों

अभ्यास-26

विज्ञान शब्द की परिभाषा तथा इसके विस्तार, और प्रौद्योगिकी से इसके भेद को भी स्पष्ट रूप से समझ लेना जरूरी है। मानव जाति के भविष्य की कुंजी जिन कुछ शक्तिशाली ताकतों के हाथ में है, उनमें से विज्ञान संभवतः एकमात्र ऐसी ताकत है, जिसे एक अनूठा स्थान प्राप्त है क्योंकि वस्तुतः निरपवाद रूप से इसे सभी स्वीकार करते हैं। उन गिने-चुने व्यक्तियों के मामले में भी, जो विज्ञान के प्रति नफरत रखने वाले दिखाई देते हैं, उनके साथ भी एक बार बातचीत करने पर यह तथ्य उभरकर सामने आएगा कि वे वास्तव में विज्ञान के विरुद्ध नहीं हैं, बल्कि प्रौद्योगिकी के विरुद्ध हैं, जिसका सम्बन्ध मानव की विविध जरूरतों को पूरा करने के लिए विज्ञान के निष्कर्षों के अनुप्रयोगों से है।

वर्तमान समय में विज्ञान से हमारा अभिप्राय है हमारे विश्व तथा इसके परिवेश का मौलिक ज्ञान, उस ज्ञान का इसके सभी पहलुओं में, नियंत्रित तथा निरन्तर अनुसरण करना, इसके लिये जरूरी नहीं कि उसका प्रयोग सार्वजनिक प्रयोजनों के लिए किया जाए। प्रौद्योगिकी से हमारा आशय विज्ञान को मानव सेवा में लगाने के विभिन्न तरीकों से है, उन तरीकों का संकेंद्रित अध्ययन जिनमें चीजों को मानव-प्रयोजन के लिए रचा या बदला जा सकता है। दोनों में स्पष्ट अन्तर करने के लिए इस समय आण्विक विज्ञान तथा टेक्नोलॉजी के सर्वाधिक लोकप्रिय क्षेत्रों से उदाहरण दिए जा सकते हैं। जब भारी धात्विक तत्व यूरेनियम के केन्द्रक का विखंडन या विस्फोटन होता है तब उससे निःसृत होने वाले कणों की संख्या तथा प्रकृति का मापन विज्ञान द्वारा ही किया जाता है। लेकिन, जब इस वैज्ञानिक ज्ञान का प्रयोग विद्युत उत्पादन के लिये परमाणु बिजली घर डिजाइन करने तथा बनाने अथवा एक परमाणु बम डिजाइन करने और बनाने के लिए किया जाता है तो यह प्रौद्योगिकी होती है। इस प्रकार, यह प्रौद्योगिकी ही होती है जो नैतिक रंग ले लेती है और इसे नैतिक या अनैतिक कहा जा सकता है। विज्ञान तटस्थ या नैतिकता से परे होता है और वह नैतिक-आचार या मानव कल्याण के विरुद्ध नहीं होता, हालांकि एक वैज्ञानिक एक मनुष्य

तथा टेक्नोलाजिस्ट होने के नाते इसके विरुद्ध हो सकता है।

1. लेखक
   A. विज्ञान के प्रति बेहतर रवैया अपनाये जाने के लिए वकालत करने की कोशिश कर रहा है
   B. यह सुझाव देने की कोशिश कर रहा है कि हम विज्ञान का सार्वजनिक हित के लिए प्रयोग करें
   C. भौतिक विज्ञान के बजाय नैतिक विज्ञान का अध्ययन करने की कोशिश कर रहा है
   D. विज्ञान तथा प्रौद्योगिकी (टेक्नोलाजी) के बीच भेद करने की कोशिश कर रहा है
2. लेखक के अनुसार, विज्ञान
   A. एकमात्र ऐसी ताकत है, जो मानवजाति के भविष्य का निर्धारण करती है
   B. मानव की नियति को निर्धारित करने वाली चन्द एक ताकतों में से एक है
   C. भविष्य में मानवजाति की एकमात्र चिन्ता होगी
   D. उन अनेक बाधाओं में से एक है जो मनुष्य की प्रगति में रुकावट डालती है
3. यह अवतरण
   A. आलंकारिक है B. वर्णनात्मक है
   C. वृत्तात्मक है D. व्याख्यात्मक है
4. यूरेनियम केन्द्रक के विस्फोट के अध्ययन को
   A. आधुनिक प्रौद्योगिकी (टेक्नोलाजी) का एक उदाहरण कहा जा सकता है
   B. विद्युत-सिद्धांतों का एक अनुप्रयोग कहा जा सकता है
   C. ऐसा अध्ययन कहा जा सकता है जिसके कोई भौतिक निहितार्थ नहीं हैं
   D. समूची मानवजाति के कल्याण के लिए महत्त्वपूर्ण कहा जा सकता है

अभ्यास-27

बच्चे किसी देश के सामाजिक तथा राजनीतिक दर्शन का अंग होते हैं। उनके प्रति जो रवैये अपनाये जाते हैं वे इस बात का निर्धारण करने में महत्त्वपूर्ण कारक होते हैं कि क्या उनकी जरूरतें पूरी होंगी तथा उनके अधिकार उन्हें मिलेंगे। भविष्योन्मुख कोई भी समाज इस बात का ध्यान रखेगा कि विपदा के समय बच्चों का ख्याल रखा जाये। इस समय विश्व के अनेक भागों में बच्चों को शांति तथा भाई-चारे की भावना के साथ पाले-पोसे जाने का कोई अवसर प्राप्त नहीं है। युद्ध तथा आतंकवाद के जो अत्यधिक भयावह रिकार्ड मिलते हैं वे हमेशा अपने घरों के खण्डहरों तथा अपने परिवारों के शवों के पास रोने के लिए बचे हुए शिशुओं या छोटे बच्चों की (या इतने सहमे हुए बच्चों की जो रो भी नहीं पाते) तस्वीरें होती हैं। ऐसे देशों में जहां लड़ाई-झगड़ा चल रहा हो या ऐसे समाजों में जहां ऐसी कार्यवाहियों को मनमोहक ढंग से पेश किया जाता हो, वहां बच्चों का निर्बाध रूप से खेलना जीवन की घटनाओं तथा/या ऐसी घटनाओं की सामाजिक स्वीकृति को परिलक्षित करेगा, जो हम सभी को यह सोचने पर मजबूर कर देगा कि क्या इस प्रकार के राष्ट्रीय दर्शनों से प्रभावित करोड़ों बच्चों को शांति की भावना के साथ बड़े होने के उनके अधिकार मिलने की कोई संभावना है। और निश्चय ही, "जाति, रंग, लिंग, राष्ट्रीय या सामाजिक मूल के धर्म" पर अकेले या कुछेक के मेल पर आधारित भेदभाव करोड़ों बच्चों को, जरूरतों की सार्वत्रिकता के बावजूद, जिन पर अधिकार आधारित होते हैं, इन अधिकारों से वंचित रखता है।

1. निम्नलिखित में से कौन-सा कथन बच्चों में शांति तथा भाई-चारे की भावना के विकास के लिए सहायक नहीं है?
   A. जब वयोवृद्ध बच्चों को युद्ध के संत्रासों का अनुभव करने के लिए छोड़ देते हैं
   B. जब प्रौढ़ लोग जातीय भेद-भाव का व्यवहार करते हैं
   C. जब किसी देश का राजनीतिक दर्शन विश्वव्यापी भाई-चारे की वकालत करता है
   D. जब समाज युद्ध के कार्यकलापों को मनमोहक ढंग से पेश करता है
2. प्रौढ़ों का बच्चों के प्रति एक कर्त्तव्य है। किसी समाज विशेष में बच्चों की देखभाल कितनी अच्छी तरह से होती है इसका पता इस बात से चल सकता है कि
   A. विपदा के समय उनके लिए क्या किया जाता है
   B. वे प्रौढ़ों का कितना ख्याल रखते हैं
   C. प्रौढ़ उनके अधिकारों के प्रति कितने संवेदनशील हैं
   D. समाज कितना समृद्ध है
3. लेखक की धारणा है कि
   A. युद्धों के बावजूद बच्चे शान्तिपूर्वक रहने के अपने अधिकारों को प्राप्त कर लेते हैं
   B. बच्चों के अधिकार सामाजिक दशाओं पर निर्भर होने चाहिए
   C. बच्चों को शांति की भावना के साथ बड़ा होने का अधिकार है
   D. राष्ट्रीय दर्शन बच्चों के अधिकारों का समर्थन करते हैं
4. युद्ध सम्बन्धी कार्यकलापों
   A. का समाजों द्वारा परिहार किया जाता है
   B. को समाजों द्वारा परिलक्षित किया जाता है
   C. की समाजों द्वारा निन्दा की जाती है
   D. को समाजों द्वारा स्वीकार किया जाता है

अभ्यास-28

हम सभी चिकित्सा विज्ञान के क्षेत्र में हुई कतिपय उल्लेखनीय खोजों से परिचित हैं। मिसाल के तौर पर, हम वेक्सीनों की खोज के बारे में जानते हैं। हम चेचक तथा पोलियो जैसे रोगों

की रोकथाम को समझ सकते हैं। हम अनेक साधारण एंटीबायोटिक्स के बारे में भी जानते हैं। यह जानकारी कि हम उपदंश रोग पर पेनिसिलीन और तपेदिक पर आइसोनाइजिड से काबू पा सकते हैं, कुछ हद तक आश्वासनदायक है। हम इस विश्वास के आधार पर निश्चय ही अपने आपको झूठी तसल्ली दे सकते हैं कि संक्रामक रोग अब कोई खतरा नहीं रहे हैं। लेकिन यह सत्य नहीं है और समाचारों तथा मेडिकल जर्नलों में हाल में छपे समाचार हमें संक्रामक रोगों के विभिन्न तथा कभी-कभी 'नए' खतरों की याद दिलाते हैं।

ऐसे समाचारों में अपेक्षाकृत अधिक यथार्थवादी दृष्टिकोण को स्वीकार किया गया है। इस दृष्टिकोण का निहितार्थ यह है कि संक्रामक रोग बने रहेंगे और यह कि उनके अन्दर कुछ ऐसी क्षमताएं हैं कि वे उन्हें खत्म कर देने की हमारी कोशिशों के खिलाफ लड़ सकते हैं। कतिपय मानव-व्याधियों, जैसे सुजाक रोग, तत्त्व-गुण (Strains) विकसित हो गए हैं जिन पर कतिपय एंटीबायोटिक्स का कोई असर नहीं होता।

1. चेचक तथा पोलियो जैसे रोगों की रोकथाम किसकी खोज के कारण संभव हो सकी है?

A. पेनिसिलीन B. आइसोनाइजिड

C. वेक्सीन D. एंटीबायोटिक्स

2. चिकित्सा विज्ञान के क्षेत्र में खोजों के द्वारा अब तक क्या संभव नहीं हो पाया है?

A. चेचक तथा पोलियो की रोकथाम

B. पेनिसिलीन की सहायता से उपदंश रोग के फैलाव पर नियंत्रण करने की संभावना

C. संक्रामक रोगों का उन्मूलन

D. आइसोनाइजिड की सहायता से तपेदिक के फैलाव पर नियंत्रण करने की संभावना

3. कुछ संक्रामक रोग उन्हें खत्म कर देने के हमारे प्रयासों के खिलाफ कैसे लड़ते हैं?

A. अन्य क्षेत्रों में अंतरित होकर

B. वेक्सीनों को प्रभावहीन बनाने की शक्ति विकसित करके

C. पहले की तरह भ्रांतिजनक बने रहकर

D. मानव-तंत्रिका में गहरे पैठ कर

4. यह अवतरण

A. सूचना देने वाला है B. वृत्तात्मक है

C. नाटकीय है D. प्रोत्साहक है

अभ्यास-29

प्रत्येक व्यवसाय अथवा व्यापार, कला और विज्ञान की अपनी तकनीकी शब्दावली होती है, जिसका कार्य अंशतः उन प्रक्रियाओं और वस्तुओं को दर्शाना होता है जिनके नाम सामान्य अंग्रेजी में नहीं मिलते और अंशतः पारिभाषिक शब्दावली में पूर्ण यथार्थता प्राप्त करना होता है। किसी भी प्रकार की तकनीकी बातचीत में ऐसी विशिष्ट भाषिका अथवा शब्दजाल की आवश्यकता होती है। विज्ञान अथवा कला विशेष के अध्येताओं के लिए सर्वविदित होने के साथ-साथ गणितीय सूत्र जैसी सूक्ष्मता रखते हैं। साथ ही, वे समय बचाते हैं, किसी प्रक्रिया का वर्णन करने की अपेक्षा उसका नाम लेना अधिक किफायती है। ऐसे हजारों पारिभाषिक शब्द बहुत अच्छी तरह इन शब्दकोशों में संकलित किए गए हैं, फिर भी, कुल मिलाकर, वे अंग्रेजी भाषा की मूल शब्दावली के बजाय उसके आस-पास ही ठहरते हैं। फिर भी विभिन्न व्यवसाय अपनी विशिष्ट शब्दावली की दृष्टि से पर्याप्त भिन्नता लिए हुए हैं। व्यापार, हस्तकला, कृषि और मछलीपालन जैसे अन्य व्यवसायों में जहाँ लम्बे समय से भारी संख्या में लोग लगे हैं, तकनीकी शब्दावली बहुत पुरानी है। इसमें अधिकतर स्थानीय शब्द मिलते हैं अथवा ऐसे आयातित शब्द हैं जो हमारी भाषा में घुल-मिल गए हैं। अतः अनेक रूपों में पूर्णतः तकनीकी होते हुए भी ये शब्दावलियां बोलने में अधिक परिचित-सी हैं और अन्य अधिकांश तकनीकीय तुलना में अधिक सहजता से समझी जाती हैं।

कानून, औषधि, धर्मविज्ञान और दर्शन की विशिष्ट भाषिका भी अपने प्राचीन रूप में परिष्कृत व्यक्तियों में पर्याप्त परिचित हो गई है, और प्रचलित शब्दावली में काफी योगदान कर चुकी है फिर भी प्रत्येक व्यवसाय आज भी ऐसी बहुत-सी तकनीकी शब्दावली लिए हुए है जो मूलतः विदेशी हैं। यह अनुपात पिछले पचास वर्षों में अधिक बढ़ा है विशेषतः यांत्रिक कलाओं, प्राकृतिक विज्ञान और राजनीति विज्ञान के विभिन्न क्षेत्रों में। यहाँ पूरी आजादी से नए शब्दों को शामिल कर लिया गया है और व्यर्थ हो जाने पर छोड़ दिया गया है। अधिकतर नए पद विशिष्ट बातचीत तक सीमित रहे हैं, कभी-कभी ही सामान्य बातचीत अथवा साहित्य जुड़ पाए हैं। पर आज कोई भी व्यवसाय, जैसा कि पहले सभी थे बंद निकाय नहीं हैं। वकील, चिकित्सक, वैज्ञानिक और पादरी अपने साथी सृजनकर्त्ताओं से जुड़ता है और ऐसा नहीं है कि मात्र व्यावसायिक रूप से ही मिलता है। बल्कि आज का प्रचलित विज्ञान प्रत्येक व्यक्ति को आधुनिक विचारों और खोजों से जोड़ता है। कोई भी महत्त्वपूर्ण प्रयोग चाहे वह दूर अथवा क्षेत्रीय प्रयोगशाला में किया गया हो, समाचार-पत्रों में तुरंत प्रकाशित हो जाता है और हर एक व्यक्ति उसके बारे में ऐसे ही बात करना शुरू कर देता है जैसे विकिरण किरणों और बेतारी तार-संचार के बारे में बात करता है। अतः हमारी सामान्य बोली सदैव नए तकनीकी शब्दों को अपना रही है और उन्हें प्रचलित कर रही है।

1. तकनीकी शब्दावली बढ़ाई जा सकती है :

A. नए शब्द बनाकर, विदेशी भाषाओं से शब्द ग्रहण करके और पुराने हुए शब्दों को निकालकर

B. नई अवधारणाओं के लिए नए शब्द गढ़कर

C. नए शब्द ढालकर और विदेशी भाषाओं से शब्द आयात करके

D. विदेशी शब्दों का अपनी भाषा में अनुवाद करके

2. प्रचलित विज्ञान, प्रत्येक व्यक्ति को परिचित कराता है

A. आधुनिक विचारों और नवीन खोजों से

B. नवीन खोजों और आविष्कारों से

C. आधुनिक विचारों, नवीन खोजों और तकनीक से
D. विज्ञान और तकनीक में नए विकास से

3. तकनीकी शब्दावली सभी की भाषा का अंग बन गई है :
A. व्यावसायिकों के प्रयासों द्वारा
B. विदेशी भाषा पढ़कर
C. प्रचलित वैज्ञानिक लेखों और समाचारपत्रों द्वारा
D. भाषा के परिवर्तनों द्वारा

4. तकनीकी शब्द हैं :
A. संक्षिप्त, किफायती और नामात्मक
B. नवीन, कठिन पर आवश्यक
C. भाषा की मूल शब्दावली से चुने हुए
D. सभी द्वारा सामान्य रूप से समझे जाने वाले

अभ्यास-30

मैं इस अंधविश्वास को जानता हूँ कि आत्म-ज्ञान जीवन की चौथी अवस्था में ही सम्भव है और वह है संन्यास। पर इस बात को सभी जानते हैं कि जो इस अमूल्य अनुभव को जीवन के अन्तिम क्षणों के लिए टालते हैं वे आत्म-ज्ञान प्राप्त नहीं करते बल्कि द्वितीय और दयनीय बचपन के समान बुढ़ापे को प्राप्त करते हैं और पृथ्वी पर एक भार की तरह जीते हैं। मुझे पूरी तरह याद है कि जब मैं 1911-12 में पढ़ाता था तब भी इसी विचार को मानता था भले ही इसी तरह की भाषा में उसे अभिव्यक्त न किया हो।

तब किस प्रकार यह आध्यात्मिक प्रशिक्षण दिया जाना था? मैंने बच्चों को भजन याद कराये और उनका अभ्यास कराया और उन्हें नैतिक शिक्षा की पुस्तकों से पढ़कर सुनाया। पर यह सब मेरे लिए संतोषजनक नहीं था। जब मैं उनके और अधिक निकट आया तो पाया कि अध्यात्म का प्रशिक्षण केवल पुस्तकों के माध्यम से नहीं कराया जा सकता। उसी प्रकार जैसे शारीरिक प्रशिक्षण व्यायाम के माध्यम से दिया जाता है और बौद्धिक अभ्यास के द्वारा, अतः अध्यात्म का प्रशिक्षण भी अध्यात्म के अभ्यास से संभव था। और अध्यात्म का प्रशिक्षण पूर्णतः अध्यापक के जीवन और चरित्र पर निर्भर करता है। अध्यापक चाहे विद्यार्थियों के बीच में है अथवा नहीं उसे सदैव अपने व्यवहार और चरित्र का ध्यान रखना है।

1. ऊपर उधृत पाठ सामग्री के लिए सर्वाधिक उपयुक्त शीर्षक है :
A. बौद्धिक अभ्यास B. अंधविश्वास
C. आध्यात्मिक विकास D. प्रशिक्षण

2. व्यापक स्तर पर आत्म-ज्ञान के बारे में लोगों के बीच अंधविश्वास है कि यह
A. अनवरत प्रक्रिया है
B. केवल संन्यास द्वारा संभव है
C. केवल आरम्भिक जीवन में संभव है
D. एक मिथक है

3. लेखक के अनुसार बच्चों का आध्यात्मिक प्रशिक्षण मुख्यतः किसके चरित्र पर निर्भर है?
A. अभिभावकों के B. अभिजात वर्ग के
C. सामाजिक नेताओं के D. अध्यापकों के

4. लेखक का बुढ़ापे के बारे में पहले विचार था कि यह
A. एक गुण है B. एक अभिशाप है
C. विचारों की स्मृति है D. संतोष है

अभ्यास-31

क्या विद्यार्थियों द्वारा प्राप्त किये गये परिणामों से अध्यापन-कार्य का मूल्यांकन किया जा सकता है? कुछ हद तक अध्यापकों को इसी प्रकार आँका जाता है, प्रायः सामूहिक रूप से, किसी संस्थान की ख्याति के रूप में। परन्तु इसमें कुछ कठिनाइयाँ हैं। विशेष रूप से उल्लेखनीय कठिनाई, जिसे स्क्राइवन (1988) ने 'हार्वर्ड फैलेसी (भ्रामकता)' के नाम से वर्णित किया है, इस प्रकार है :

...यह मान लेने की भ्रामकता कि हार्वर्ड में पढ़ाई अच्छी होती होगी क्योंकि यहां के स्नातक अपने बाद के जीवन में अच्छी तरक्की करते हैं ...इन आँकड़ों से यही परिणाम निकाला जा सकता है कि हार्वर्ड में मस्तिष्क को स्थायी हानि नहीं पहुँचाई जाती—सामान्यतया। बाकी की युक्ति केवल इतनी-सी है कि प्रतिभाशाली विद्यार्थियों का चयन कर कक्षाओं में भेजा जाए और उनके मार्ग में कोई रुकावट खड़ी न की जाए। उन्हें पुस्तकालय, प्रयोगशाला, पीयर ट्यूटरिंग और परिवार के प्रभाव या नाम के प्रति आदर का उपयोग करने दिया जाए। अध्यापकों का योगदान यदि कोई है तो वह अवशेष जो दूसरे कारणों से अलग करने के बाद बचता है जैसे कि ...'पुराने विद्यार्थियों के जाल' और नाम की मान्यता का नौकरी के लिए चयन और पदोन्नति पर प्रभाव। यद्यपि हार्वर्ड प्रमाण्यतः एक महान विश्वविद्यालय है तथापि निश्चित रूप से यह प्रमाण्यतः एक महान अध्यापन विश्वविद्यालय नहीं है बल्कि केवल एक भव्य रूप से सुसज्जित विश्वविद्यालय।

दूसरे देशों के विश्वविद्यालयों को स्पष्टतः हार्वर्ड के स्थान पर रखा जा सकता है। लेकिन फिर भी यदि एक जैसे संस्थानों के एक जैसे पाठ्यक्रमों के परिणामों की तुलना करना सम्भव हो तो भी सफलता का श्रेय दूसरे कारणों को देने की बजाय अध्यापन को देने के बारे में स्क्राइवन का तर्क विचारणीय रहेगा। किसी प्रकार के 'मूल्य-जुड़े' पैमाने से भी यह सम्भव नहीं होगा और ऐसे पैमाने या तो इतने अपक्व होंगे कि उनका कोई अर्थ ही नहीं होगा या फिर इतने जटिल होंगे कि जाँचने और आँकने के लिए पढ़ाने और सीखने की केन्द्रित गतिविधियों के मुकाबले में बहुत अधिक समय की आवश्यकता होगी। एक ही संस्थान में एक वर्ष के परिणामों की अगले वर्ष के परिणामों से तुलना करने में भी कठिनाइयाँ सामने आती हैं क्योंकि विभागों में और विद्यार्थियों में परिस्थितियाँ बदलती रहती हैं।

1. इस परिच्छेद का शीर्षक क्या हो सकता है?
   A. हार्वर्ड विश्वविद्यालय में अध्यापन
   B. विद्यार्थियों के परिणामों से अध्यापन-कार्य का मूल्यांकन
   C. संस्थानों की प्रतिष्ठा
   D. अध्यापकों के मूल्यांकन के लिए अवशिष्ट पद्धति
2. हार्वर्ड फैलेसी (भ्रामकता) का अर्थ है :
   A. यह मान लेना कि प्रतिष्ठित संस्थानों में पढ़ाई अच्छी होती है
   B. जो कुछ हार्वर्ड में भ्रामक रूप से किया जा रहा है
   C. कि हार्वर्ड में प्रतिभाशाली विद्यार्थियों को दाखिला दिया जाता है और अच्छे परिणाम प्राप्त किये जाते हैं
   D. कि हार्वर्ड में जो अध्यापन कार्य होता है उसमें बहुत-सी भ्रामकतायें हैं
3. विद्यार्थियों की उपलब्धियों में अध्यापकों के योगदान को स्क्राइवन के अनुसार किस बात से आँका जाना चाहिए?
   A. स्नातकों द्वारा बाद के जीवन में अर्जित उपलब्धियों से
   B. विद्यार्थियों के दाखिले के लिए संस्थानों द्वारा निर्धारित मानदण्डों से
   C. बाकी सभी कारणों को निकालने के बाद बचे अवशिष्ट प्रभाव से
   D. संस्थानों में उपलब्ध सुविधाओं से
4. स्क्राइवन के अनुसार हार्वर्ड की प्रतिष्ठा किस कारण से है?
   A. इसका प्रचुर मात्रा में सुविधाओं से सम्पन्न होना
   B. प्रतिभाशाली विद्यार्थियों को दाखिला और उनके मार्ग में रुकावट न डालना
   C. इसका एक महान अध्यापन विश्वविद्यालय होना
   D. इसके अपक्व और अर्थहीन तरीके जिनसे अध्यापन-कार्य की प्रभाविकता को माना जाता है

अभ्यास-32

भिखारी की भाँति गिड़गिड़ाना प्रेम की भाषा नहीं है। यहाँ तक कि मुक्ति के लिए भगवान् की उपासना करना भी अधम उपासना में गिना जाता है। प्रेम कोई पुरस्कार नहीं चाहता। प्रेम सर्वथा प्रेम के लिए ही होता है। भक्त इसलिए प्रेम करता है कि बिना प्रेम किए वह रह ही नहीं सकता। जब तुम किसी मनोहर प्राकृतिक दृश्य को देखकर उस पर मोहित हो जाते हो तो तुम किसी फल की याचना नहीं करते और न वह दृश्य ही तुमसे कुछ माँगता है। फिर भी उस दृश्य का दर्शन तुम्हारे मन को आनंद से भर देता है।

1. प्रेम का उद्देश्य क्या होता है?
   A. मुक्ति B. उपासना
   C. भक्ति D. प्रेम
2. मुक्ति का अर्थ है:
   A. आजादी B. स्वतंत्रता
   C. परतंत्र D. निर्वाण
3. कैसी उपासना अधम मानी गई है?
   A. प्रेम की उपासना
   B. भगवान की उपासना
   C. मुक्ति की उपासना
   D. भक्ति की उपासना
4. मनोहर शब्द है:
   A. विशेषण
   B. संज्ञा
   C. सर्वनाम
   D. अव्यव
5. प्राकृतिक शब्द का अर्थ है:
   A. ईश्वरीय
   B. मानव संबंधी
   C. प्रकृति संबंधी
   D. प्रेम संबंधी

अभ्यास-33

कुछ लोग भाग्यवादी होते हैं और सब-कुछ भाग्य के सहारे छोड़कर कर्म से विरत हो जाते हैं। ऐसे लोग समाज के लिए बोझ हैं। वे कभी कोई बड़ा काम नहीं कर पाते। बड़ी-बड़ी खोज, बड़े-बड़े आविष्कार और बड़े-बड़े निर्माण कार्य कर्मशील लोगों के द्वारा ही संभव हो सके हैं। हम अपनी बुद्धि और प्रतिभा तथा कार्य-क्षमता के बल पर सही मार्ग पर चल सकते हैं, किन्तु बिना कठिन श्रम के अपने लक्ष्य तक नहीं पहुँच सकते। कठिन परिश्रम करने के बाद पाई गई सफलता हमारे मन को अलौकिक आनंद से भर देती है। यदि हम अपने कार्य में अपेक्षित श्रम नहीं करते तो हमारा गन ग्लानि का अनुभव करता है।

1. "आविष्कार" शब्द का अर्थ है :
   A. अनुसंधान B. खोज
   C. निर्माण D. विनाश
2. **अलौकिक** शब्द का क्या अर्थ है?
   A. संसारिक B. भौतिक
   C. अमानुषी D. प्राकृतिक
3. सफलता का विलोम क्या है?
   A. सफल B. असफल
   C. सफलतापूर्वक D. असफलता
4. परिश्रम करने और न करने से हमारे जीवन पर क्या प्रभाव पड़ता है?
   A. लोग भाग्यवादी बन जाते हैं
   B. कर्म से विरत हो जाते हैं
   C. मन में ग्लानि का अनुभव होता है
   D. इनमें से कोई नहीं

5. किस प्रकार के लोग समाज के लिए बोझ हैं?
A. भाग्यवादी B. कर्मठ
C. परिश्रमी D. प्रतिभाशाली

अभ्यास-34

वैदिक काल से हिमालय के पहाड़ बहुत पवित्र माने जाते हैं। इसमें कोई सन्देह नहीं कि हिमालय के पहाड़ों का दृश्य अति सुन्दर है। उसकी विशालता को देखकर मन में आनन्द और कृतज्ञता की लहर उठती है। ऐसा लगता है कि यह विशाल सृष्टि प्रभु की अनुपम देन है। सारी सृष्टि के प्रति समभाव जाग्रत होता है। वस्तुतः यह दृष्टि कोरी कल्पनात्मक या आध्यात्मिक नहीं है। देखा जाए तो सारे भारत की जलवायु का समतोल करने वाले यह हिमालय के पहाड़ हैं, विशेषकर उत्तरी भारत को वर्षा और पानी देने वाले ये ही हैं। गंगोत्री, यमुनोत्री, बद्री, केदार को तीर्थ माना जाता है, जो व्यर्थ कल्पना नहीं है। उन स्थानों से निकलने वाली पवित्र नदियाँ ही वास्तव में हमारी प्राणदात्री रही हैं।

1. हिमालय के पर्वत बहुत पवित्र कब से माने जाते हैं?
A. पाषाण काल से
B. वैदिक काल से
C. प्राचीन काल से
D. आधुनिक काल से

2. विशालता शब्द है :
A. जातिवाचक B. भाववाचक
C. विशेषण D. सर्वनाम

3. भारत की जलवायु को समतोल कौन करता है?
A. गंगोत्री B. यमुनोत्री
C. केदार D. हिमालय

4. सृष्टि का समानार्थक शब्द है :
A. सृजन B. रचना
C. प्रकृति D. संसार

5. प्राणदात्री का क्या अर्थ है?
A. गंगोत्री
B. यमुनोत्री
C. प्राणसंचार करने वाली
D. समभाव जाग्रत करने वाली

अभ्यास-35

सच्चा मित्र एक शिक्षक की भाँति होता है। जिस प्रकार शिक्षक अपने छात्र को सन्मार्ग की ही ओर अग्रसर करता है, उसी प्रकार एक सच्चा मित्र अपने मित्र को पाप के गर्त में गिरने से बचाता है। मानव-जीवन अधिक रहस्यपूर्ण है। कभी-कभी जीवन में ऐसे अवसर उपस्थित हो जाते हैं, जब मनुष्य की धर्मबुद्धि नष्ट हो जाती है और उसका मन द्रुत गति से पाप की ओर दौड़ता है। ऐसे समय में मित्र का ही उपदेश अधिक कल्याणकारी सिद्ध होता है। मित्र के उपदेश का जितना प्रभाव हृदय पर पड़ता है, उतना और किसी का नहीं पड़ता है।

1. सच्चा मित्र किस प्रकार का होता है?
A. विपत्ति में सहायता देने वाला
B. गलत मार्ग पर चलने से रोकने वाला
C. शिक्षक की भाँति
D. धार्मिक गुरु की तरह

2. सन्मार्ग शब्द का विपरीत शब्द है :
A. अग्रसर B. कुमार्ग
C. सुमार्ग D. मार्गदर्शक

3. व्यक्ति को पाप के गर्त्त में गिरने से कौन बचाता है?
A. शिक्षक
B. भाई
C. पिता
D. सच्चा मित्र

4. मानव पाप की ओर कब दौड़ता है?
A. जब स्वार्थी बन जाता है
B. जब धर्म-बुद्धि नष्ट हो जाती है
C. जब सच्चामित्र साथ छोड़ देता है
D. जब धनवान बन जाता है

5. उपदेश में कौन-सा उपसर्ग है?
A. उ B. उप
C. दे D. देश

अभ्यास-36

सब तरह के भावों को प्रकट करने की योग्यता रखने वाली और निर्दोष होने पर भी यदि कोई भाषा अपना निज का साहित्य नहीं रखती, तो वह रूपवती भिखारिन की तरह कदापि आदरणीय नहीं हो सकती। उनकी शोभा, उसकी बडी सम्पन्नता, उसकी मान-मर्यादा उसके साहित्य पर ही अवलम्बित रहती है। उसके विचारों और राजनैतिक स्थितियों का प्रतिबिम्ब देखने को यदि कहीं मिल सकता है,-तो उसके ग्रन्थ साहित्य में मिल सकता है। सामाजिक शक्ति या सजीवता, सामाजिक अशक्ति या निर्जीवता और सामाजिक सभ्यता तथा असभ्यता का निर्णायक एकमात्र साहित्य है।

1. साहित्य विहीन भाषा किस प्रकार की होती है?
A. आदरणीय B. भिखारिन
C. रूपवती D. रूपवती भिखारिन

2. रूपवती का पुल्लिंग रूप है:
A. रूपवान B. सुन्दर
C. सुन्दरी D. रूपवत

3. भाषा की मान मर्यादा किस पर निर्भर करती है?
A. लिपि पर B. साहित्यकार पर
C. भक्ति पर D. साहित्य पर

4. ''सम्पन्नता'' शब्द का विपरीत शब्द है:

A. गरीबी B. विपन्न

C. अमीर D. विपन्नता

5. राजनैतिक, सामाजिक शक्ति का दर्शन हमें किसमें मिलता है?

A. समाज B. राज्य

C. नेता D. साहित्य

अभ्यास-37

स्वतंत्र भारत का सम्पूर्ण दायित्व आज विद्यार्थियों के ही ऊपर है, क्योंकि आज जो विद्यार्थी हैं, वे ही कल स्वतंत्र भारत के नागरिक होंगे। भारत की उन्नति, उसका उत्थान उन्हीं की उन्नति और उत्थान पर निर्भर करता है। अतः विद्यार्थियों को चाहिए कि वे अपने भावी जीवन का निर्माण बड़ी सतर्कता और सावधानी के साथ करें। उन्हें प्रत्येक क्षण अपने राष्ट्र, अपने समाज अपने धर्म, अपनी संस्कृति को अपनी आँखों के सामने रखना चाहिए, जिससे उनके जीवन से राष्ट्र को कुछ बल प्राप्त हो सके। जो विद्यार्थी राष्ट्रीय दृष्टिकोण से अपने जीवन का निर्माण नहीं करते, वे राष्ट्र और समाज के लिए भार-स्वरूप हैं।

1. भारत की उन्नति किस पर निर्भर करती है?

A. युवाओं पर

B. नेताओं पर

C. साहित्यकारों पर

D. विद्यार्थियों पर

2. **उन्नति** का समानार्थक शब्द है :

A. पतन B. उत्थान

C. विकास D. उदय

3. **उत्थान** का विपरीत शब्द है :

A. उदय B. पतन

C. पराजय D. हार

4. किसे अपने जीवन का निर्माण सतर्कता और सावधानी से करना चाहिए?

A. युवाओं को B. नेताओं को

C. बच्चों को D. विद्यार्थियों को

5. धर्म, संस्कृति तथा समाज का रक्षक कौन है?

A. नागरिक B. ग्रामीण

C. विद्यार्थी D. युवा

अभ्यास-38

हास्य एक ऐसा माध्यम है, जो नीरस-जीवन को भी सुखद बना देता है। हास्य का जादू इतना प्रभावशाली होता है कि वह छूत के रोग की तरह चारों ओर फैल जाता है। जिसने कभी हँसना नहीं सीखा, सचमुच उसने जीना नहीं सीखा। सामान्यतः मनुष्य को जीवन में इतनी मुसीबतें झेलनी पड़ती हैं कि वह अपने जीवन को पहाड़ समझने लगता है। ऐसे दूभर जीवन को यदि जीने योग्य बनाना हो तो उसके लिए आवश्यक है कि जीवन में हँसने की गुंजाइश हो। हँसी के सहारे मनुष्य अपने कष्टों को भुलाने का प्रयत्न करता है। संघर्ष, तनाव, व्यस्तता, घुटन यदि आज के जीवन की सहज देन हैं, जिनसे बचने के लिए यह आवश्यक है कि हम हँसना सीखें।

1. नीरस जीवन को कौन सुखद बना देता है?

A. संगीत B. गीत

C. आमोद प्रमोद D. हास्य

2. **नीरस** का संधि विच्छेद है :

A. नी + रस B. नि + रस

C. निः + रस D. नीः + रस

3. किसका जीवन व्यर्थ है?

A. जिसने रोना नहीं सीखा

B. जिसने हँसना नहीं सीखा

C. जिसने गाना नहीं सीखा

D. इनमें से कोई नहीं

4. **हँसना** शब्द है :

A. संज्ञा B. विशेषण

C. क्रिया विशेषण D. क्रिया

5. तनाव और घुटन से बचने के लिए क्या करना चाहिए?

A. रोना चाहिए

B. गाना चाहिए

C. हँसना चाहिए

D. काम करना चाहिए

अभ्यास-39

किसी पुस्तक को पढ़ने में जल्दी नहीं करनी चाहिए, जो कुछ लेखक कहता है, उसे समझने की चेष्टा करनी चाहिए। प्रत्येक शब्द का अर्थ समझने की चेष्टा करनी चाहिए। यदि लेखक योग्य है, तो दूसरी बार वह पुस्तक और अधिक आनन्द देगी और तीसरी बार और अधिक। प्रत्येक बार अध्ययन करने पर आपको नवीन सुन्दर और नए विचार मिलेंगे और उसे आप जितना ही पढ़ेंगे, उतना ही स्नेह करने लगेंगे। सहस्रों व्यक्तियों ने गीता और रामायण तथा कुरान और बाइबिल को बार-बार पढ़ा है। उनका अनुभव है कि प्रत्येक बार उन्हें नई सूझ और नए विचार मिलते गए। कुछ लोग तो इस बात पर गर्व करते हैं कि उन्होंने अमुक पुस्तक को अनेक बार पढ़ा है, उन्हें कंठस्थ हो गई है।

1. किसे समझने की चेष्टा करनी चाहिए?

A. पुस्तक B. रामायण

C. महाभारत D. गीता

2. पुस्तक की सजीवता किस पर निर्भर करती है?

A. लेखक B. प्रकाशक

C. पाठक D. चिन्तक

3. **आनन्द** का विपरीत शब्द है :

A. शोक B. दुःख
C. संताप D. खुशी

4. नवीन, सुन्दर और नए विचार हमें कहाँ से प्राप्त होते हैं?

A. पुस्तक को बार-बार पढ़कर
B. सुनकर
C. भाषण से
D. अच्छे व्यक्तियों से मिलने पर

5. **कंठस्थ** शब्द का शब्दार्थ है :

A. कंठ में स्थित B. सुंदर कंठ
C. जबानी याद D. पंडित जी

अभ्यास-40

अहिंसा परम धर्म है और हिंसा आपद् धर्म। मनुष्य बराबर अहिंसा की ओर चलना चाहता है, किन्तु परिस्थितियाँ उससे हिंसा कराती है, अर्थात् परमधर्म की रक्षा के लिए आदमी बराबर आपद्धर्म से काम लेता रहा है। भारत अपनी सेनाओं को विघटित कर दे, तब भी उसका अपमान उससे अधिक होने वाला नहीं, जितना नेफा में हुआ। किन्तु परमधर्म पर टिकने की सामर्थ्य अगर भारत में नहीं है, तो आपद्धर्म पर उसे आना चाहिए। व्यवहारतः आपद्धर्म परमधर्म का विरोधी नहीं, उसका रक्षक है।

1. **परमधर्म** का विपरीत शब्द है :

A. महान धर्म B. आपद्धर्म
C. सच्चाधर्म D. इनमें से कोई नहीं

2. आपद्धर्म किसे कहा जाता है?

A. अहिंसा B. सत्याग्रह
C. विपत्ति D. हिंसा

3. मानव से हिंसा कौन करवाती है?

A. लोभ B. स्वार्थ
C. द्वेष D. परिस्थितियाँ

4. **सामर्थ्य** का शब्दार्थ है :

A. संघर्ष B. परिश्रम
C. शक्ति D. पराक्रम

5. **परमधर्म** की रक्षा कौन करता है?

A. अहिंसा B. हिंसा
C. आपद्धर्म D. युद्ध

अभ्यास-41

वर्तमान काल विज्ञापन का युग माना जाता है। समाचार-पत्रों के अतिरिक्त रेडियो और टेलीविजन भी विज्ञापन के सफल साधन हैं। विज्ञापन का मूल उद्देश्य उत्पादक और भोक्ता में सीधा सम्पर्क स्थापित करना होता है। जितना अधिक विज्ञापन किसी पदार्थ का होगा, उतनी ही उसकी लोकप्रियता बढ़ेगी। इन विज्ञापनों पर धन तो अधिक व्यय होता है, पर इनसे बिक्री बढ़ जाती है। ग्राहक जब इन आकर्षक विज्ञापनों को देखता है तो वह उस वस्तु-विशेष के प्रति आकृष्ट होकर उसे खरीदने को बाध्य हो जाता है।

1. वर्तमान को किसका युग माना जाता है?

A. फैशन B. विज्ञापन
C. संगीत D. धन

2. उत्पादक तथा भोक्ता के बीच कौन संबंध स्थापित करता है?

A. टेलीविजन B. समाचार-पत्र
C. रेडियो D. विज्ञापन

3. **वर्तमान** शब्द का विपरीत शब्द है :

A. अर्वाचीन B. आधुनिक
C. आजकल D. प्राचीन

4. **आकर्षक** का शब्दार्थ है :

A. विकर्षक B. सुन्दर
C. मनमोहक D. आश्चर्यजनक

5. भोक्ता किस कारण वस्तुओं को खरीदने के लिए बाध्य हो जाता है?

A. विज्ञापन
B. आकर्षक विज्ञापन
C. लोकप्रियता के कारण
D. आसानी से उपलब्ध होना

अभ्यास-42

लगभग दो सौ वर्ष की गुलामी ने भारत के राष्ट्रीय स्वाभिमान को पैरों से रौंद डाला, हमारी संस्कृति को समाप्त कर दिया, हमारे विश्वासों को हिला दिया और हमारे आत्मविश्वास को चकनाचूर कर दिया, किन्तु अपने इस बूढ़े देश से प्यार करने वाले, इसके एक सामान्य संकेत पर प्राण न्यौछावर करने वाले दीवानों का अभाव न था। एक आवाज उठी और देखते ही देखते राष्ट्र का दबा हुआ आत्माभिमान उन्मत्त हो उठा। इतिहास साक्षी है जाने और अनजाने सहस्त्रों देशभक्त स्वतंत्रता की अनमोल निधि को पाने के लिए शहीद हो गए।

1. **स्वाभिमान** का संधि विच्छेद है:

A. स्वा + भिमान B. स्वः + अभिमान
C. स्व + अभिमान D. स्वा + अभिमान

2. भारत का राष्ट्रीय स्वाभिमान किस कारण समाप्त हो गया था?

A. लम्बे गुलामी से C. निरंकुश शासक से
B. स्वार्थी मानव से D. धर्म के विनाश से

3. **आत्मविश्वास** का शब्दार्थ है

A. घमण्ड B. गर्व
C. अपने पर विश्वास D. अभिमान

4. भारत की अनमोल निधि को पाने के लिए कौन शहीद हो गए?

A. देशभक्त	B. नेता
C. युवा	D. युवती

5. **अनमोल निधि** का शब्दार्थ है:
A. अनन्त खजाना	B. अमूल्य खजाना
C. बहुमूल्य	D. स्वतंत्रता

अभ्यास-43

दुनिया के विभिन्न देशों के विकास पर विहंगम दृष्टि डालने से यह स्पष्ट हो जाता है कि आज जिस देश ने वैज्ञानिक उपलब्धियों के सहारे अपना औद्योगीकरण कर लिया, उसी को उन्नत देश कहा जाता है। जिस देश में औद्योगीकरण का स्तर नीचा है, वह पिछड़ा हुआ देश कहा जाता है। वैज्ञानिक आविष्कारों और औद्योगीकरण के आधार पर ही किसी देश की प्रगति को आँका जाता रहा है। विज्ञान ने मानव को पूरी तरह बदल दिया है।

1. **विहंगम दृष्टि** का क्या अर्थ है?
A. एक झलक
B. गहन दृष्टि
C. गहन चिन्तन
D. इनमें से कोई नहीं

2. **विकास** का विपरीत शब्द है :
A. उत्थान	B. उदय
C. पतन	D. विनाश

3. **वैज्ञानिक** शब्द में कौन-सा प्रत्यय है?
A. निक	B. वै
C. ईक	D. इक

4. मानव जीवन को किसने बदल दिया है :
A. विकास	B. वैज्ञानिक
C. विज्ञान	D. उद्योग

5. किसी भी देश के स्तर को किससे नापा जाता है?
A. उपलब्धियों से	B. औद्योगीकरण से
C. वैज्ञानिकों से	D. आविष्कारों से

अभ्यास-44

विश्व का वर्तमान उन्नत रूप मानव-श्रम की ही कहानी कह रहा है। गगन चुंबी अट्टालिकाएँ, लंबी-चौड़ी सड़कें, बड़े-बड़े विशाल नगर आकाश में उड़ते वायुयान तथा मानव-जीवन को सुखी और समृद्ध बनाने में योगदान करने वाले ज्ञान-विज्ञान के अनन्त रूप-ये सभी मनुष्य के श्रम का जयघोष करते हैं। स्पष्ट है कि मनुष्य और उसका शरीर विधाता की अनुपम रचना है जो निश्चय ही महान उद्देश्यों की संपूर्ति के लिए दिया गया है। इस दुर्लभ तन को यदि हम आलस्य, प्रसाद अथवा घटिया कामों में गँवा देते हैं तो उस विधाता के प्रति अन्याय करते हैं।

1. विश्व का वर्तमान रूप किसका द्योतक है?
A. चिन्तन का	B. नेतृत्व का
C. विज्ञान का	D. मानव श्रम का

2. **गगन चुंबी अट्टालिकाएँ** का अर्थ है :
A. आकाश में उड़ने वाला
B. आकाश को छूने वाला
C. बहुमंजिली इमारत
D. इनमें से कोई नहीं

3. आकाश का समानार्थक शब्द है :
A. वसुन्धरा	B. धरा
C. पयोद	D. गगन

4. **सुखी** का विपरीत शब्द है :
A. प्रसन्न	B. अप्रसन्न
C. दुःखी	D. उदासी

5. विधाता की अनुपम रचना क्या है?
A. मानव शरीर	B. समुद्र
C. वन	D. पृथ्वी

अभ्यास-45

हमारे देश में एक ऐसा भी युग था जब नैतिक और आध्यात्मिक विकास ही जीवन का वास्तविक लक्ष्य माना जाता था। अहिंसा की भावना सर्वोपरि थी। आज पूरा जीवन दर्शन ही बदल गया है। सर्वत्र पैसे की हाय-हाय तथा धन का उपार्जन ही मुख्य ध्येय हो गया है, भले ही धन-उपार्जन के तरीके गलत ही क्यों न हों? इन सबका असर मनुष्य के प्रतिदिन के जीवन पर पड़ रहा है। समाज का वातावरण दूषित हो गया है

बाह्य वातावरण तो दूषित है ही, आज सब जानते हैं पर्यावरण की समस्याएँ कितनी चिन्तनीय हो उठी हैं। इन सबके कारण मानसिक और शारीरिक तनाव-खिंचाव और व्याधियाँ पैदा हो रही हैं।

1. भारत का प्राचीन आदर्श था :
A. सत्य और अहिंसा
B. नैतिक और आध्यात्मिक विकास
C. धन उपार्जन
D. इनमें से कोई नहीं

2. **अहिंसा** का विपरीत शब्द है :
A. हिंसा	B. सत्याग्रह
C. विनम्रता	D. नैतिकता

3. जीवन दर्शन क्यों बदल गया है?
A. हिंसा के कारण
B. अहिंसा के कारण
C. धन लिप्सा के कारण
D. आध्यात्मिक विकास के कारण

4. समाज का वातावरण दूषित क्यों हो गया है?
A. शारीरिक तनाव के कारण

B. मानसिक व्याधियों के कारण
C. पर्यावरण की समस्याओं के कारण
D. धन उपार्जन के गलत तरीके के कारण

5. **पर्यावरण** का शब्दार्थ है:
A. जलमंडल B. स्थलमंडल
C. वायुमंडल D. वातावरण

अभ्यास-46

मनुष्य का यह दावा है कि वह सक्षम है, समर्थ है। हिमालय की तराई में घने जंगलों के बीच में बना एक छोटा-सा स्टेशन, जो दोपहर के बाद वाली ढलती धूप में भी बुरी तरह जल रहा था, मानो मनुष्य के इस दावे का प्रमाण था। प्रकृति इस मनुष्य के वश में है, वह इस प्रकृति को मनचाहा नवीन रूप देता है। वह इस प्रकृति के साथ न जाने कितने खिलवाड़ करता है। तराई का वह जंगल भी तो उसी प्रकृति का एक भाग था।

1. **सक्षम** शब्द समानार्थक शब्द है :
A. समर्थ का B. शक्तिशाली का
C. कायर का D. निर्माता का

2. सक्षम और समर्थ होने का दावा कौन करता है?
A. प्रकृति B. मानव
B. दानव D. पशु

3. छोटा-सा स्टेशन कहाँ स्थित है?
A. घने जंगलों में
B. हिमालय की तराई में
C. नदी के किनारे
D. नगर में

4. प्रकृति के साथ कौन खिलवाड़ करता है?
A. मानव B. वैज्ञानिक
C. नेता D. युवा

5. **नवीन** का विपरीत शब्द है :
A. पुराना B. नूतन
B. नवनीत D. अतीत

अभ्यास-47

पता नहीं जंगल में भी प्राण होते हैं या नहीं। वैसे जन्म लेना, मरना, शैशव, युवावस्था और वृद्धावस्था, जीवन के सब चिह्न जंगल में होते हैं। न जाने कितने पशु-पक्षी इन जंगलों की गोद में आश्रय लिए हुए हैं। कभी भयानक रूप से क्रुद्ध और उबलते हुए और कभी निष्प्राण से सुखे हुए नदी-नाले। ये सब जंगल के भाग हैं और जंगल के अन्दर इन अनगिनत प्राणियों में जीवन-मरण का संघर्ष चला करता है। रोज ही जन्म होते हैं, रोज ही मृत्यु के फेरे लगते हैं। जीवन-मरण की सीमाओं में बद्ध जो प्रकृति का क्रम है। वह तो चलता ही रहता है।

1. जीवन के सब चिह्न किसमें होते हैं?
A. जंगल में B. मानव में
C. पशु में D. पादप में

2. **शैशव** का शब्दार्थ है :
A. युवा B. बुढ़ापा
C. बचपन D. नश्वर

3. जंगलों में कौन आश्रय लेता है :
A. पशु-पक्षी B. जन्तु
C. पादप D. मानव

4. **निष्प्राण** का समानार्थक शब्द है :
A. सजीव B. निर्जीव
C. शाश्वत D. नश्वर

5. **जीवन** का विपरीत शब्द है :
A. मरण B. अमर
C. प्राण D. नश्वर

अभ्यास-48

यह आदान-प्रदान ही मानव-सभ्यता का मूल स्रोत है; इस आदान-प्रदान के लिए ही मनुष्य ने पहाड़ों को लाँघकर और सागरों को पार करके दुनिया के हर-एक कोने का पता लगाया। इस आदान-प्रदान की क्रिया-प्रतिक्रिया के रूप में न जाने कितने युद्ध लड़े गए, न जाने कितने देश बरबाद किए गए, न जाने कितनी सभ्यताएँ नष्ट की गई और यह आदान-प्रदान चल रहा है।

1. मानव-सभ्यता का मूल स्रोत क्या है?
A. आदान
B. प्रदान
C. आदान-प्रदान
D. इनमें से कोई नहीं।

2. **मानव** का विपरीत शब्द है :
A. नर B. मनुष्य
C. दानव D. दुष्ट

3. दुनिया के हर एक भाग का पता किसने किया है?
A. मानव B. खोजकर्ता
C. आविष्कारक D. दानव

4. युद्ध क्यों लड़े गए थे :
A. क्रिया-प्रतिक्रिया के कारण
B. आदान-प्रदान के कारण
C. स्वार्थ के कारण
D. धन उपार्जन के कारण

5. **आदान-प्रदान** शब्द है :
A. विपरीत शब्द B. क्रिया विशेषण
C. पर्यायवाची शब्द D. सहचर-शब्द

अभ्यास-49

दुःख, कष्ट और प्रतिकूलता को सहन करने का नाम सहिष्णुता है। यह नारी जाति का स्वाभाविक गुण है। नारी पुरुष की अपेक्षा बहुत अधिक सहती है और सहने की शक्ति रखती

है। साधारणतः सहिष्णुता गुण की तुलना वृक्षों के साथ की जाती है। लोग पत्थर मारते हैं तो फल का वृक्ष सुन्दर, सुपक्व मधुर फल देता है। लोग काटकर जलाते हैं तो वह स्वयं जलकर उनका भोजन पकाता है और शीत से ठिठुरते हुए शरीर में गरमी पहुँचाकर जीवनदान फलवान् वृक्ष बनता भी है। अनेकों आँधी-पानी, झड़-बिजली आदि बाधा-विपत्तियों को झेलकर।

1. सहिष्णुता क्या है?
A. दुःख-कष्ट की सहन शक्ति
B. दुःख, कष्ट और प्रतिकूलता की सहन शक्ति
C. भाईचारा
D. आपसी प्रेम

2. नारी जाति का स्वाभाविक गुण है :
A. सहनशीलता B. ईर्ष्या
C. सहिष्णुता D. स्नेह

3. नारी किसके समान है?
A. वृक्षों के समान B. पृथ्वी के समान
C. पुरुषों के समान D. गगन के समान

4. सहिष्णुता शब्द है :
A. विशेषण B. अव्यय
C. भाववाचक संज्ञा D. सर्वनाम

5. फलवान् वृक्ष कैसे बनता है?
A. अनेक बाधाओं को झेलकर
B. सहिष्णुता के गुण से
C. परोपकार की भावना से
D. सहन शक्ति से

अभ्यास-50

अमेरिका के भूतपूर्व राष्ट्रपति रुजवेल्ट महोदय ने अपनी जीवन स्मृति में कहा है मेरी उम्र उस समय दस वर्ष की थी, मैं बीमार था। बिछौने पर पड़ा हुआ पुस्तक की तस्वीर देखा करता। बगल में बैठी हुई माँ मुझे तस्वीरों का भाव समझाया करती। मुझे बड़ा अच्छा लगता। नींद नहीं आती तो मेरी मैया मुझे सान्त्वना देतीं। पिता और माता दोनों ही मुझे लेकर व्यस्त रहते। कितनी कहानियाँ कहते। कहानियाँ वह माता पिता के स्नेह। उस स्नेह ने ही मेरे सारे कष्टों को मिटा दिया। यदि ऐसा न होता, यदि मुझे बीमार को बिछौने पर फेंक दिया जाता ओर दो-तीन नर्सों को मेरा भार देकर मेरे माँ-पिता बाहर चले गए होते पार्टी में, नाटक में, या राजनैतिक आलोचना समिति में तो यह विचार करते ही मेरा शरीर काँप जाता है फिर मेरा न जाने क्या होता। फिर रुजवेल्ट के पलने की कोई आशा नहीं रहती।

1. उपर्युक्त गद्यांश में किसका वर्णन है?
A. वाशिंगटन का B. रुजवेल्ट का
C. अब्राहम लिंकन का D. जार्ज बुश का

2. जीवन स्मृति शब्द का अर्थ है :
A. जीवन काल B. आत्म कथा
C. आत्म स्मरण D. जीविका

3. रूजवेल्ट कब बीमार पड़ा था?
A. 5 वर्ष की उम्र में B. 10 वर्ष की उम्र में
C. 15 वर्ष की उम्र में D. 20 वर्ष की उम्र में

4. **''सान्त्वना देना''** का अर्थ है :
A. भरोसा देना B. हिम्मत देना
C. समझाना D. स्नेह देना

5. आलोचना शब्द का विपरीत शब्द है :
A. स्तुति B. समालोचना
C. प्रशंसा D. चापलूसी

अभ्यास-51

बसंत ऋतुराज के आगमन पर मानव का मन-मयूर भी नृत्य कर उठता है। बसंत का स्वागत करने के लिए बसन्त पंचमी के दिन जनमानस नृत्य-गान करके अपनी प्रसन्नता व्यक्त करता है। विद्यालयों में भी विविध प्रकार के सांस्कृतिक कार्यक्रमों और खेल-प्रतियोगिताओं का आयोजन किया जाता है। इसी दिन विद्या की देवी सरस्वती का पूजन होता है। बसन्त के आगमन पर प्रकृति को नववधू की तरह सजा देखकर मानव हृदय उल्लास से भर जाता है।

1. **आगमन** का शब्दार्थ है :
A. प्रस्थान B. जाना
C. आ जाना D. विदाई

2. किसके आगमन पर मानव मन झूम उठता है?
A. महापुरुष B. सन्त
C. सावन D. बसन्त

3. बसन्त के स्वागत के लिए क्या किया जाता है?
A. होली उत्सव B. फाल्गुनी गीत
C. नृत्य D. बसंत पंचमी

4. **प्रसन्नता** शब्द है :
A. विशेषण B. भाववाचक संज्ञा
C. क्रिया विशेषण D. अव्यय

5. **उल्लास** का समानार्थक शब्द है :
A. उत्साह B. दुःख
C. प्रसन्नता D. ताजगी

अभ्यास-52

होली का त्योहार फाल्गुन मास की पूर्णिमा को मनाया जाता है। इस दिन होलिका का दहन होता है। होलिका के अगले दिन धुलेंडी या रंग-क्रीड़ा होती है। इस दिन लोग अपने मित्रों के घर जाकर खुशियाँ मनाते हैं। बरसाने की होली विश्व-भर में प्रसिद्ध है। इस अवसर पर सारा ब्रज प्रदेश राधा-कृष्णमय हो जाता है। होली का त्योहार भाईचार की भावना को पुष्ट करता है। इस दिन छोटे-बड़े का और ऊँच-नीच का भेद समाप्त हो जाता है। जाति-बंधन टूट जाते हैं।

1. होली का त्यौहार कब मनाया जाता है?
   A. फाल्गुन मास
   B. फाल्गुन की पूर्णिमा
   C. बसन्त पंचमी
   D. चैत मास
2. रंग-क्रीड़ा कब होती है?
   A. दीपावली
   B. बसंत पंचमी
   C. होलिका दहन के एक दिन बाद
   D. होलिका दहन के दिन
3. कहाँ की होली विश्व में प्रसिद्ध है?
   A. मथुरा की B. वाराणसी की
   C. बरसाने की D. हरिद्वार की
4. किस त्यौहार से भाई-चारे की भावना को पुष्टि मिलती है?
   A. होली B. दशहरा
   C. दीपावली D. ईद
5. जाति बंधन किस दिन टूट जाता है?
   A. होली B. दीपावली
   C. बसंत पंचमी D. छठ

अभ्यास-53

विजयादशमी को दशहरा भी कहते हैं। कुछ लोगों के मतानुसार इस दिन भगवान श्रीराम ने लंका के राजा रावण का वध किया था। दशहरे के दिन रावण तथा उसके भाई कुम्भकरण और बेटे मेघनाथ के पुतलों में आग लगाई जाती है। दशहरा बुराई पर अच्छाई की विजय का प्रतीक है। प्राचीन काल से चला आ रहा यह त्यौहार आज भी अपनी गरिमा बनाए हुए है। मानव के मन में विजयी होने की आकांक्षा रहती है। वह हर क्षेत्र में विजयी होना चाहता है। उसे राम के आदर्शों के आधार पर विजय की कामना करनी चाहिए न कि रावण की भाँति।

1. **मतानुसार** का सन्धि-विच्छेद है :
   A. मता + अनुसार
   B. मत + अनुसार
   C. मतः + अनुसार
   D. मता + नुसार
2. विजयादशमी को और किस नाम से जाना जाता है?
   A. दीपावली B. दशहरा
   C. होली D. भैया दूज
3. बुराई पर अच्छाई की विजय का प्रतीक है :
   A. राम, B. रावण
   C. मेघनाथ D. दशहरा
4. **गरिमा** शब्द का अर्थ है :
   A. महत्व B. सम्मान
   C. प्रतिष्ठा D. आकांक्षा
5. अच्छाई का विपरीत शब्द है :
   A. गरिमा B. आकांक्षा
   C. विजय D. बुराई

उत्तरमाला

अभ्यास-1

1	2	3	4	5
C	D	A	D	A
6	**7**	**8**	**9**	**10**
C	C	A	A	A

अभ्यास-2

1	2	3	4	5
B	D	D	B	D
6	**7**	**8**	**9**	**10**
A	A	D	B	C

अभ्यास-3

1	2	3	4	5
A	B	D	C	C

अभ्यास-4

1	2	3	4	5
A	C	B	C	B
6	**7**	**8**	**9**	**10**
D	A	D	D	A

अभ्यास-5

1	2	3	4	5
C	D	B	D	A

अभ्यास-6

1	2	3	4	5
C	B	A	C	B
6	**7**	**8**	**9**	**10**
D	C	D	B	A

अभ्यास-7

1	2	3	4	5
A	C	A	C	D

अभ्यास-8

1	2	3	4	5
B	B	C	C	C
6	**7**			
A	B			

अभ्यास-9

1	2	3	4	5
B	C	D	A	B

अभ्यास-10

1	2	3	4	5
D	B	A	A	C

अभ्यास-11

1	2	3	4	5
C	B	A	D	A
6	**7**	**8**	**9**	**10**
B	B	C	C	D

अभ्यास-12

1	2	3	4	5
D	B	A	C	B
6	**7**	**8**	**9**	**10**
B	D	A	C	D

अभ्यास-13

1	2	3	4	5
D	C	B	A	C
6	**7**	**8**	**9**	**10**
D	C	A	B	A

अभ्यास-14

1	2	3	4	5
C	B	D	A	C
6	**7**	**8**	**9**	**10**
A	A	B	A	C

अभ्यास-15

1	2	3	4	5
D	D	A	D	B
6	**7**	**8**	**9**	**10**
C	A	C	B	B

अभ्यास-16

1	2	3	4
C	A	A	A

अभ्यास-17

1	2	3	4
A	D	C	D

अभ्यास-18

1	2	3	4
B	D	B	A

अभ्यास-19

1	2	3	4
D	C	C	B

अभ्यास-20

1	2	3	4
D	D	A	D

अभ्यास-21

1	2	3	4
C	A	D	B

अभ्यास-22

1	2	3	4
D	C	A	D

अभ्यास-23

1	2	3	4
D	A	C	D

अभ्यास-24

1	2	3	4
B	D	B	A

अभ्यास-25

1	2	3	4
C	A	C	A

अभ्यास-26

1	2	3	4
A	B	D	C

अभ्यास-27

1	2	3	4
B	C	C	B

अभ्यास-28

1	2	3	4
C	C	B	A

अभ्यास-29

1	2	3	4
C	A	C	A

अभ्यास-30

1	2	3	4
C	B	D	B

अभ्यास-31

1	2	3	4
B	A	C	B

अभ्यास-32

1	2	3	4	5
D	D	C	A	C

अभ्यास-33

1	2	3	4	5
B	D	D	C	A

अभ्यास-34

1	2	3	4	5
B	B	D	A	C

अभ्यास-35

1	2	3	4	5
C	B	D	B	B

अभ्यास-36

1	2	3	4	5
B	A	D	D	D

अभ्यास-37

1	2	3	4	5
D	B	B	D	C

अभ्यास-38

1	2	3	4	5
D	C	B	D	C

अभ्यास-39

1	2	3	4	5
A	A	A	A	C

अभ्यास-40

1	2	3	4	5
B	D	D	C	C

अभ्यास-41

1	2	3	4	5
B	D	D	C	B

अभ्यास-42

1	2	3	4	5
C	A	C	A	B

अभ्यास-43

1	2	3	4	5
A	D	C	C	B

अभ्यास-44

1	2	3	4	5
D	C	D	C	A

अभ्यास-45

1	2	3	4	5
B	A	C	D	D

अभ्यास-46

1	2	3	4	5
A	B	B	A	A

अभ्यास-47

1	2	3	4	5
C	C	A	B	A

अभ्यास-48

1	2	3	4	5
A	C	A	B	D

अभ्यास-49

1	2	3	4	5
B	C	A	C	A

अभ्यास-50

1	2	3	4	5
B	C	B	D	C

अभ्यास-51

1	2	3	4	5
C	D	D	B	C

अभ्यास-52

1	2	3	4	5
B	C	C	A	A

अभ्यास-53

1	2	3	4	5
B	B	D	A	D

SECTION b भाषा विकास का शिक्षा शास्त्र (PEDAGOGY OF LANGUAGE DEVELOPMENT)

भाषा, भाव, विचार तथा अनुभवों को अभिव्यक्त करने का सर्वोत्तम साधन है। भावों का प्रकाशन व्यक्ति कई प्रकार से करता है, जैसे अंग संचालन द्वारा, वस्तु अथवा चित्र दिखाकर, विभिन्न क्रियाकलापों के माध्यम से और भाषा व्यवहार द्वारा। परन्तु केवल अंग संचालन और विभिन्न क्रियाओं द्वारा भावों की अभिव्यक्ति में वैसी पूर्णता नहीं होती जैसी ध्वनि संकेतों द्वारा होती है।

भाषा व्यवहार के माध्यम से व्यक्ति अपने भावों तथा विचारों की अभिव्यक्ति दो रूपों में करता है बोलकर और लिखकर। मौखिक तथा लिखित रूप में विचारों को प्रकट करने के लिए भाषा का सहारा लिया जाता है। भाषा ध्वनि प्रतीकों से निर्मित होती है। अतः भाषा को सार्थक ध्वनि प्रतीकों की व्यवस्था कहा जाता है जिसके द्वारा किसी समाज के लोग आपस में अपने भावों तथा विचारों का आदान-प्रदान बोलकर या लिखकर करते हैं।

भाषा की निम्नलिखित विशेषताएँ होती हैं:

1. भाषा संप्रेषण अर्थात् अभिव्यक्ति और बोधन का सर्वश्रेष्ठ साधन है, जो मूलतः सामाजिक और पारंपरिक होती है।
2. भाषा एक अर्जित सामाजिक निधि है, अर्थात् प्रत्येक व्यक्ति को इसे सीखना होता है और यह समाज में रहकर ही संभव होता है। कोई व्यक्ति इसे जन्म से ही प्राप्त नहीं कर लेता है। वह जिस समाज में रहता है, उस समाज की भाषा वह सीख लेता है। भाषा का यह अर्जन उसी प्रकार होता है जैसे बालक अन्य सामाजिक आचरण या क्रियाकलापों को सीखता है।
3. भाषा विविध रूपी होती है। जहाँ एक ओर भाषा के अनेक रूप उसके बोलने वाले समाज के वर्ग तथा स्तर-भेद के अनुसार होते हैं, वहीं, उस समाज के इतिहास और भूगोल (भौगोलिक वितरण) के अनुसार भी भाषा के अनेक रूप होते हैं। इस प्रकार सामाजिक वर्ग-भेद के अनुसार विभिन्न जातियों या सामाजिक वर्गों की विभिन्न बोलियाँ होती हैं और वर्ग में स्तर-भेद के अनुसार उच्च, मध्य और निम्न वर्ग की बोलियाँ होती हैं। इन सभी भौगोलिक, सामाजिक आदि बोलियों में मानक बोली भी एक होती है, जिसे उच्च स्तर पर शिक्षा, साहित्य, राजकाज, जनसंचार, पत्रकारिता आदि के क्षेत्र में प्रयुक्त किया जाता है।

शिक्षण, अधिगम एवं अधिग्रहण

शिक्षण का उद्देश्य है— छात्रों में समाजोपयोगी व्यावहारिक बदलाव लाना। छात्रों को उनकी सामाजिक मान्यताओं एवं आवश्यकताओं के अनुरूप बदलना। उन्हें एक सामाजिक प्राणी बनाना। ये सभी चीजें तभी संभव हैं जब शिक्षण प्रभावी हो। शिक्षण का प्रभावी होना, शिक्षण के तरीके पर निर्भर है। शिक्षण के प्रभावी होने में शिक्षण के सिद्धान्तों की महत्त्वपूर्ण भूमिका होती है।

शिक्षण के तीन महत्त्वपूर्ण आयाम हैं शिक्षक, छात्र एवं विषय। इन तीनों में से किसी एक की अनुपस्थिति से शिक्षण नहीं हो सकता है। शिक्षण में शिक्षक का एक अहम रोल है। किसी भी व्यक्ति में शिक्षक के गुण जन्मजात होते हैं। शोध एवं प्रशिक्षण उसके इन गुणों को परिवर्द्धित करते हैं। शोध एवं प्रशिक्षण एक अच्छे शिक्षक को और अच्छा या बेहतर तथा एक बेहतर शिक्षक को सर्वश्रेष्ठ बनाते हैं। शिक्षा किसी भी व्यक्ति के अन्दर मौजूद अच्छाई एवं ज्ञान को जागृत करने का माध्यम माना जा सकता है। शिक्षण के उद्देश्य को पूरा करने के लिए शिक्षक को समय के साथ विकसित हुए विभिन्न तरीकों का प्रयोग करना चाहिये। छात्रों में सोचने, विचार करने एवं विश्लेषण करने की आदत को बढ़ावा देना चाहिये। छात्रों के प्रश्न करने पर उन्हें यथोचित समाधान देना चाहिए और उनके प्रश्न पूछने की आदत को बढ़ावा देना चाहिये। सोचने, विचारने, विश्लेषण करने का प्रारंभ कौतुहल के साथ होता है। अतः शिक्षक को छात्रों में कौतुहल जागृत करना होगा। किसी भी विषय का शिक्षण प्रारंभ करते समय उस विषय में छात्रों

की उत्सुकता को जगाना चाहिये तभी छात्र पूर्णरूप से उस विषय में अपनी सहभागिता प्रकट करते हैं। बिना छात्रों की सहभागिता के शिक्षण पूर्ण नहीं हो सकता है।

शिक्षा उन सभी प्रक्रियाओं का सम्मिलित रूप है जिनके द्वारा किसी भी व्यक्ति में सामाजिक व्यवहार विकसित किया जाता है ताकि वह समाज का एक अंग बन सके और समाज के विकास में योगदान दे सके। प्रत्येक व्यक्ति में गुण एवं क्षमताएं जन्म से ही होती हैं यद्यपि इनका पोषण एवं विकास अलग-अलग तरीकों से किया जा सकता है। हर व्यक्ति अपने-आप में अन्य लोगों से अलग होता है। अतः शिक्षण में हर व्यक्ति के लिये अलग-अलग तकनीकों एवं तरीकों को अपनाना पड़ सकता है जबकि कुछ मूल बातें सबके लिये समान होती हैं।

अधिगम एक प्रक्रिया है जो सतत चलती है। यह एक जटिल सामाजिक, सांस्कृतिक एवं आचार सम्बन्धी प्रक्रिया है जिसे एक सामाजिक एवं सांस्कृतिक प्रकरण हेतु तैयार एवं विकसित किया जाता है। यह सामाजिक व्यवस्था, सांस्कृतिक वातावरण, सामाजिक एवं मानवीय मूल्यों, आचार-विचार अर्थात् तत्कालीन सामाजिक संगठन से सीधे सम्बन्धित है। सामाजिक संगठन में हमेशा बदलाव होता रहता है। अतः शिक्षा की व्यवस्था एवं परिभाषा भी समय स्थान एवं समाज के अनुसार परिवर्तित होती रहती है।

शिक्षा की परिभाषा

अलग-अलग विचारकों ने शिक्षण एवं शिक्षा को अलग-अलग तरह से परिभाषित किया है।

मैरिसन : शिक्षण एक ऐसी अनुशासित सामाजिक प्रक्रिया है जिसमें शिक्षक अपने से कम अनुभवी लोगों के व्यवहार को प्रभावित करता है और उन्हें समाजोपयोगी बनाने में सहायक होता है।

ब्रुबैकर : शिक्षण में छात्र मुख्य भूमिका का निर्वहन करते हैं और शिक्षक सीखने योग्य स्थितियाँ बनाता है।

स्मिथ : शिक्षण एक ऐसा व्यवस्थित प्रक्रम है जिसमें छात्र विभिन्न क्रियाकलापों द्वारा कुछ सीखता है।

इनके अतिरिक्त विभिन्न शिक्षाशास्त्रियों ने शिक्षण एवं शिक्षा को अलग-अलग तरह से परिभाषित किया है। सभी परिभाषाओं का विश्लेषण करने पर हम पाते हैं कि कोई भी परिभाषा शिक्षण को पूर्णतः परिभाषित करने में असमर्थ है। कोई भी परिभाषा तब सम्पूर्ण मानी जाती है जब वह बताये कि :

1. परिभाषित शब्द या शब्द समूह प्रक्रिया है अथवा उत्पादन
2. परिभाषित शब्द या शब्द समूह के संगठनात्मक कारक क्या हैं?
3. परिभाषित शब्द या शब्द समूह के मूल उद्देश्य क्या हैं?
4. और इन तीनों के साथ इसके संगठन जन्य और संरचनात्मक कारकों की भी चर्चा होनी चाहिये।

इन सभी बिन्दुओं को सम्मिलित करते हुए शिक्षण को परिभाषित करना बहुत कठिन है, जो सर्वमान्य हो। फिर भी कार्यकारी रूप में शिक्षण को निम्नलिखित रूप में परिभाषित कर सकते हैं "शिक्षण एक ऐसा त्रिध्रुवीय प्रक्रम है जिसमें छात्र, शिक्षक एवं समाज तीनों ध्रुवों का निर्माण करते हैं और शिक्षक छात्रों में समाजोपयोगी बदलाव लाता है।" शिक्षण एक आधारभूत संकल्पना नहीं है क्योंकि यह सामाजिक एवं मानवीय कारकों से प्रभावित होता है जो स्वयं में परिवर्तनशील है। शिक्षण में कला एवं विज्ञान दोनों समाहित हैं। यह एक ऐसा पेशेवर कार्य है जिसमें शिक्षक एवं छात्र दोनों शामिल होते हैं, जिसका उद्देश्य छात्रों में समाजोपयोगी बदलाव लाना होता है। शिक्षण का मूल्यांकन शिक्षण की कमियों को दूर करने के लिये और इसमें सुधार के लिये आवश्यक है।

शिक्षण में सम्प्रेषण बहुत महत्त्वपूर्ण होता है। यह एक ऐसी पारस्परिक क्रिया है जिसे किसी प्रयोजन या उद्देश्य के साथ किया जाता है। शिक्षण के कई रूप एवं स्वरूप हो सकते हैं। औपचारिक, अनौपचारिक, दैशिक, अनुदैशिक, रचनात्मक, conditional, indoctrination, remedial इत्यादि। शिक्षण एक व्यापक शब्द है। Condition, प्रशिक्षण, निर्देशन जैसे शब्द शिक्षण के एक भाग को व्यक्त करते हैं। ये शब्द शिक्षण के पर्यायवाची नहीं हैं। शिक्षण का उद्देश्य छात्रों के व्यवहार को समाजोपयोगी बनाना है और ये सभी जैसे प्रशिक्षण इत्यादि उसके आचरण एवं व्यवहार को उपयोगी बनाने में सहायक होते हैं। निर्देशन या Indoctrination ज्ञानार्जन एवं विश्वास निर्माण के कारक हैं। प्रशिक्षण एवं शिक्षण के बीच के अन्तर को हम उनके द्वारा उत्पादित बुद्धिमतापूर्ण व्यवहार में आने वाले अन्तर के रूप में देख सकते हैं। Instruction और Indoctrination, Conditioning और Training की अपेक्षा ऊँचे बौद्धिक स्तर पर कार्य करता है जहाँ हम किसी भी व्यक्ति में विश्वास एवं विचारों का निर्माण करते हैं।

विश्लेषण के आधार पर हम शिक्षण को पूर्ण परिभाषित संभागों में विभाजित कर सकते हैं। शिक्षण एक अन्योन्यक्रिया है अतः यह केवल शिक्षण क्षमता पर ही निर्भर नहीं है। हां, शिक्षण क्षमता, शिक्षण का एक महत्त्वपूर्ण उपबन्ध है। शिक्षक केवल एक क्षमतावान उद्यमी नहीं है बल्कि उसमें उत्कृष्ट स्तर पर कार्य करने की क्षमता, उपयुक्त निर्णय लेने की क्षमता एवं व्यवहार में आवश्यक परिवर्तन लाने के लिये आवश्यक प्रभाव डालने की भी क्षमता होनी चाहिये।

शिक्षण एवं शिक्षण विधियों में समयानुकूल परिवर्तन कर हम इसे और प्रभावी बना सकते हैं। इसके लिये नये शिक्षण सामग्रियों एवं प्रविधियों का भी प्रयोग किया जा सकता है। शिक्षा मनुष्य को समाजोपयोगी बनाने का साधन है। यह सभी उम्र के लोगों में सृजनात्मक क्षमता बढ़ाने में उपयोगी है। मानवीय जीवन के दो पक्ष हैं जैविक एवं सामाजिक। सामाजिक पक्ष का संरक्षण एवं संप्रेषण शिक्षा के द्वारा किया जाता है।

यह एक त्रिकोणीय व्यवस्था है जिसके तीनों मूल बिन्दुओं के रूप में शिक्षक छात्र एवं समाज होते हैं। छात्र एक Dependent Variable है जबकि शिक्षक Independent Variable. सामाजिक वातावरण इन दोनों को सम्बन्धित कर इन्हें दिशा प्रदान करता है। शिक्षण एक सामाजिक आवश्यकता है। यह व्यक्ति को सामाजिक बनाता है। किसी भी व्यक्ति के सामाजिक स्वीकार्यता एवं समायोजन में सहायक होता है। शिक्षक इस पूरी प्रक्रिया में सबसे महत्त्वपूर्ण भूमिका का निर्वहन करता है। शिक्षा राष्ट्र के विकास में सबसे महत्त्वपूर्ण कारक है। शिक्षक को पाठ्यचर्या के अनुरूप चलना पड़ता है। लेकिन उसका कार्य इससे अधिक होता है। उसे बौद्धिक एवं सामाजिक नेतृत्व देना होता है। शिक्षक, शिक्षा के सम्पूर्ण प्रक्रिया के केन्द्र में होता है।

शिक्षक के कुछ विशेष गुण हैं–

1. अच्छा स्वास्थ्य क्योंकि स्वस्थ तन में ही स्वस्थ मन होता है।
2. कार्य के प्रति उत्सुकता एवं उत्साह
3. अपने ज्ञान का लगातार परिमार्जन एवं परिवर्द्धन
4. धैर्य एवं सहनशीलता
5. प्यार एवं दया की भावना ताकि वह कक्षा में शिक्षा के लायक वातावरण बना सके।
6. समानता की भावना अर्थात् सभी छात्र उसके लिये एक समान हों।
7. पूर्वाग्रह मुक्त होना
8. Well Dressed होना
9. साफ एवं मधुर आवाज
10. आत्मविश्वास एवं मजबूत इच्छाशक्ति
11. ईमानदारी
12. सामाजिक अनुभव
13. कोई गलत आदत नहीं होनी चाहिए।
14. अपने पेशे के प्रति रुचि, Devotion होना चाहिये।
15. अपने विषय का विशेषज्ञ होना चाहिये। अपना ज्ञान बढ़ाने के लिए उसे हमेशा एक विचारक, विश्लेषक एवं Voracious Reader होना चाहिये।
16. शिक्षण के विभिन्न तरीकों का प्रशिक्षण जैसे पाठ की तैयारी, योजना, उसका कक्षा में संप्रेक्षण, प्रयोगशाला व्यवस्था आदि का प्रशिक्षण प्राप्त होना चाहिये।
17. उसे बाल मनोविज्ञान एवं सीखने की प्रक्रिया का प्रायोगिक अनुभव हो।
18. अच्छा शोधकर्त्ता होना चाहिये।
19. छात्रों पर नियंत्रण होना चाहिये ताकि छात्र उसकी बात मानें एवं कक्षा में शान्ति व्यवस्था बनी रहे।
20. शिक्षक को सामाजिक एवं व्यक्तिगत आवश्यकताओं की पूर्ण जानकारी होनी चाहिये जिसके लिये वह शिक्षण कार्य कर रहा होता है। अर्थात् उसे छात्रों की समस्याओं एवं उनके समाधान के तरीकों की जानकारी होनी चाहिये।
21. हर छात्र को कार्य करने के लिए पर्याप्त अवसर प्रदान करे। वह यह न सोचे कि उसे हर प्रश्न का उत्तर ज्ञात है। जब भी उसे किसी प्रश्न का उत्तर ज्ञात न हो तो वह छात्र से समय लेकर यथाशीघ्र एवं यथासंभव उस प्रश्न का उत्तर उपलब्ध कराये। कभी भी छात्रों को गलत सूचना न दे। साथ ही वह छात्रों को प्रश्न पूछने एवं उत्तर खोजने के लिये प्रोत्साहित करे।
22. छात्रों को नये विषयों एवं क्षेत्रों की जानकारी दे एवं उनके विषय में जानने के लिये प्रोत्साहित करे।
23. शिक्षकों को Idealist in Method एवं Pragmatic in Approach होना चाहिये।
24. अगर छात्र कभी भी शिक्षक का ध्यान उसकी किसी गलती की तरफ दिलाता है तो उसे हतोत्साहित न करे।
25. छात्रों में सीखने के प्रति उत्साह जगाए और सीखने की प्रक्रिया के प्रति रुचि जागृत करे।
26. शिक्षक को यह पूर्णतः सुनिश्चित करना होगा कि छात्रों के पाठ को पूरी तरह समझ लिया है। कमजोर छात्रों में ज्यादा ध्यान देना चाहिए।
27. शिक्षक को Extra Curricular Activity जैसे नाटक, सैर, खेलकूद इत्यादि को भी आयोजित करना चाहिये। साथ ही छात्रों को इनमें भाग लेने के लिये प्रोत्साहित करना चाहिये।
28. शिक्षक को co-curricular activities जैसे वाद-विवाद प्रतियोगिता, निबन्ध लेखन, क्विज, सेमिनार इत्यादि का भी आयोजन करना चाहिये जो छात्रों की समझ को विकसित करते हैं।
29. शिक्षक को Grading, Marking इत्यादि में कभी भी पक्षपात नहीं करना चाहिये।

शिक्षण के पाँच पायदान

शिक्षण के पाँच महत्त्वपूर्ण पायदान हैं

1. **तैयारी :** यह शिक्षण का आरंभिक पायदान है। किसी भी विषय को समझने के लिये शिक्षक एवं छात्र दोनों की तैयारी महत्त्वपूर्ण है। सबसे पहले नये पाठ या विषयवस्तु को Introduce करना चाहिये। इसके लिये कई ढंग अपनाये जा सकते हैं। शिक्षक पिछले पाठ से प्रश्न पूछ कर उसे नये पाठ से सम्बन्धित कर सकता है। वह कुछ Relevant Topics की चर्चा भी कर सकता है। किसी कहानी का प्रयोग भी पाठ की प्रस्तुति के लिये किया जा सकता है। लेकिन यह पाठ्य परिचय हमेशा संक्षेप में होना चाहिये और इससे छात्रों में नये पाठ के प्रति अभिरुचि जागृत होनी चाहिए।
2. **प्रस्तुतीकरण :** यहाँ से वास्तविक पाठ प्रारंभ होता है। शिक्षक को यहाँ अपने पाठ से सम्बन्धित लक्ष्य को

बताना चाहिये। छात्रों को यह जानकारी होनी चाहिये कि वे क्या सीखने जा रहे हैं। उन्हें नई चीज को सीखने के लिये तैयार होना चाहिए। शिक्षक का विषय के मूल या लक्ष्य को बताना छात्रों को तैयार होने में मदद करता है। तथ्यों को शिक्षक व्यवस्थित करता है। वह छात्रों को प्रस्तुत किये गये तथ्यों को observe, compare and contrast करने के लिए उत्साहित करता है। आवश्यक तथ्यों को Black Board पर लिखा जाता है। प्रस्तुतीकरण में छात्रों की मानसिकता भी महत्त्वपूर्ण भूमिका निभाती है।

प्रस्तुति में विषय या पाठ से चुने गये क्षेत्र भी महत्त्वपूर्ण होते हैं। शिक्षक के लिये यह आवश्यक नहीं है कि वह पाठ्यक्रम में दिये गये सभी क्षेत्रों को एक साथ ले, वह कुछ भागों को छात्रों की स्वयं शिक्षा के लिये भी छोड़ सकता है। उसे विषय को इस तरह प्रस्तुत करना होता है कि सभी छात्र आसानी से उसे समझ सकें।

3. **तुलना :** यह सीखने-सिखाने की प्रक्रिया का तीसरा पायदान है। इसमें किसी भी विषय के विषय-वस्तु पर दो तरह के विचारों को रखा जाता है एवं छात्र से उन दोनों का विश्लेषण कर उनकी तुलना के लिये कहा जाता है। इससे छात्र की विषय के प्रति जागरूकता एवं समझ दोनों बढ़ती है। फिर उनके द्वारा विश्लेषित तथ्यों की व्याख्या की जाती है।

4. **सामान्यीकरण :** दिये गये तथ्यों के निरीक्षण, तुलनात्मक अध्ययन एवं उन पर विचार के द्वारा अलग-अलग निष्कर्ष निकाले जाते हैं। उन्हें एक निश्चित तरीके से व्यवस्थित कर एक सार्वभौमिक सत्य की स्थापना की जाती है। गणित का कोई भी प्रमेय, विज्ञान का कोई भी नियम या व्याकरण में कोई परिभाषा, पाठ का सामान्यीकरण कहलाता है। इसमें सबसे महत्त्वपूर्ण होता है कि छात्र बताये गये नियमों या सिद्धान्तों को समझ ले।

5. **उपयोग :** यह सीखने-सिखाने की प्रक्रिया का अंतिम पायदान है। इसमें सामान्यीकृत किये गये बिन्दुओं के प्रयोग के विषय में बताया जाता है। उपयोग के बिना ज्ञान अधूरा या अपूर्ण होता है। ज्ञान का कोई महत्त्व नहीं होता अगर उससे आगे कोई अन्य खोज न हो या नई परिस्थितियों में वह अनुपयोगी हो जाये। अतः ज्ञान के आगे अन्य खोजों में प्रयोग एवं नई परिस्थितियों में उसका उपयोग ही सीखने की प्रक्रिया को अर्थपूर्ण, वास्तविक एवं स्थायी बनाता है। छात्रों ने कितना सीखा है इसके लिये हम विभिन्न तरह की प्रश्नावलियों का प्रयोग कर सकते हैं।

भाषा अध्यापन के सिद्धान्त

शिक्षण एक जटिल सामाजिक प्रक्रिया है और शिक्षक इसमें महत्त्वपूर्ण भूमिका का निर्वहन करते हैं। शिक्षण कुछ सिद्धान्तों पर आधारित होता है

1. विषय का प्रभावी प्रस्तुतीकरण। व्याख्या स्पष्ट होनी चाहिये। छात्रों में कौतुहल एवं जिज्ञासा जागृत करनी चाहिये ताकि वे विषय में रुचि लें।
2. छात्रों की समस्याओं का समाधान करना चाहिये और उन्होंने पाठ को ठीक से समझा है कि नहीं इसके लिये उपयुक्त प्रश्न पूछने चाहिए।
3. विषय वस्तु को तर्क संगत ढंग से Organise एवं Arrange करना चाहिये।
4. शिक्षण लोकतंत्र के सिद्धान्तों पर होना चाहिये अर्थात् इसमें शिक्षक एवं छात्रों के बीच close interaction होना चाहिये ताकि वे अपने संदेह, विचार एवं धारणा को व्यक्त कर सकें।
5. एक Resourceful शिक्षक जिसमें शिक्षण अभिरुचि एवं शिक्षण के प्रति विशुद्ध लगाव हो, अपने छात्रों के प्रति लाभदायक होता है।
6. शिक्षण छात्रों में रुचि एवं कौतुहल जगाने वाला होना चाहिये यह छात्रों को प्रेरित करने वाला होना चाहिये इसके लिये Innovative Teaching Methods एवं दूसरे तकनीकों को प्रयोग किया जा सकता है।
7. सीखने के लिये मनोवैज्ञानिक एवं भौतिक वातावरण होना चाहिये।
8. संप्रेषण क्षमताएं शिक्षण के लिये निर्णायक होती हैं। इसमें वाचन क्षमता के अतिरिक्त वाचिक मुद्रायें जैसे gesture, expression इत्यादि भी महत्त्वपूर्ण होते हैं।
9. छात्र एवं शिक्षक के बीच सम्बन्ध मधुर होने चाहिये एवं एक विश्वास होना चाहिये।
10. आधुनिक तकनीकों, तरीकों एवं उपकरणों का प्रयोग भी होना चाहिये क्योंकि ये छात्र में सीखने की उत्सुकता पैदा करते हैं।
11. कक्षा में सीखने योग्य वातावरण बनाने के लिए छात्रों की आवश्यकताओं को ध्यान में रखना आवश्यक है।
12. अच्छे व्यवहार एवं प्रदर्शन के लिये ईनाम देने चाहिये एवं दुर्व्यवहार के लिए दंड। सामान्यतः दण्ड देने से बचना चाहिये।

श्रवण की भूमिका

बालक की अधिकांश भावी शिक्षा उसकी श्रवण शक्ति पर ही अवलम्बित होती है। जनधारणा तो यहाँ तक है कि वीर अभिमन्यु ने चक्रव्यूह भंग करने की शिक्षा अपनी माता के गर्भ

में उस समय सीख ली थी जब अर्जुन सुभद्रा को व्यूह-भंग करने की विधि सुना रहे थे।

वैदिककालीन और उत्तर वैदिककालीन जितना भी साहित्य था वह सुनकर ही याद किया जाता था। यही कारण है कि वेद को श्रुति भी कहा जाता है। ऋषि-मुनि विभिन्न वैदिक शाखाएँ अपने ज्ञान को वंश परम्परा में सुनकर ही स्मरण रखते थे। यही शाखाएँ तत्कालीन पुस्तकें और उन शाखाओं के बहुसंख्यक शिष्य ही उन पुस्तकों के बोलते पृष्ठ थे।

श्रेष्ठ श्रोता श्रेष्ठ बुद्धि वाला भी होता है। बालक में अच्छे श्रोता के लक्षणों का विकास प्रयत्न पूर्वक करके उसके ज्ञान में असाधारण वृद्धि की जा सकती है।

अच्छा वक्ता होने के लिए अच्छा श्रोता होना आवश्यक है। श्रवण चिंतन-मनन करने एवं अपना मंतव्य स्थिर करने का श्रेष्ठ साधन है। चिंतन-मनन से वाणी में प्रखरता आती है और अभिव्यक्ति में तीक्षणता।

श्रवण की शिक्षा के महत्त्व को देखते हुए प्राथमिक, माध्यमिक, उच्चतर-माध्यमिक तथा विश्वविद्यालय के स्तर पर भी इसकी परीक्षा का प्रावधान किया जाता है। प्राथमिक स्तर पर यह भाषाकला शिक्षण के रूप में, बड़ी कक्षाओं तथा विश्वविद्यालयों में इसे भाषणमाला (Speech Courses) के रूप में तथा उद्योग के क्षेत्र में इसे संपर्क और प्रबंध पाठ्यक्रम के रूप में स्थान दिया जाता है।

मौखिक अभिव्यक्ति (बोलने) की भूमिका

शिक्षा के क्षेत्र में बोलचाल की शिक्षा या मौखिक अभिव्यक्ति का ऐतिहासिक महत्त्व है। वैदिक युग का समग्र ज्ञान मौखिक रूप से ही गुरु-शिष्यों में चलता रहा।

बौद्ध तथा जैन काल में भी शिक्षा का मुख्य माध्यम बोलचाल ही रहा। मिस्र, यूनान तथा इंग्लैंड आदि के शिक्षा शास्त्र के इतिहास के अवलोकन से ज्ञात होता है कि इन देशों में भी मौखिक अभिव्यक्ति का शिक्षा में प्रमुख स्थान था।

ब्रिटिश शासन काल में शिक्षा के क्षेत्र में बोलचाल की शिक्षा का ह्रास हुआ क्योंकि उनको क्लर्कों की आवश्यकता थी, स्वतंत्र रूप से विचार अभिव्यक्त करने वालों की नहीं।

भारत के स्वतंत्र होने के बाद प्रजातांत्रिक प्रणाली में बोलचाल की शिक्षा के महत्त्व को पुनः स्थापित किया गया। कुशल वक्ताओं द्वारा ही प्रजा के हितों की रक्षा संभव है।

भाषा शिक्षण के प्रायः सभी स्तरों पर बोलचाल की शिक्षा का महत्त्व है। आरंभिक कक्षाओं में तो बोलचाल की शिक्षा की और भी अधिक आवश्यकता होती है। आरंभिक कक्षा में बालक सामाजिक, आर्थिक, धार्मिक तथा बौद्धिक दृष्टि से भिन्न-भिन्न परिवारों से आते हैं। वे भिन्न-भिन्न प्रकार की बोलियाँ बोलते हैं। पर उन्हें अध्ययन में एक मानक भाषा की आवश्यकता होती है। स्वभावतः पठन से पहले मौखिक अभिव्यक्ति पर बल देना आवश्यक है।

बोलचाल में पटुता, मधुरता एवं प्रभावोत्पादकता कई रोजगारों के लिए आवश्यक होती है। ऐसे क्षेत्र में उन्नति के लिए स्पष्टता एवं व्यावहारिकता आवश्यक होती है।

भाषा का कार्य एवं महत्त्वः बच्चों के लिए एक साधन के रूप में भाषा

भाषा व्यक्ति, समाज, राष्ट्र तथा अन्तर्राष्ट्रीय विकास के लिए संजीवनी है। इस प्रकाश-स्रोत के अभाव में सर्वत्र अज्ञान और अंधकार है। सद्-असद्, करणीय-अकरणीय, गमनीय-अगमनीय का बोध भाषा ही कराती है।

1. भाषा व्यक्ति और उसके व्यक्तित्व के विकास का महत्त्वपूर्ण आधार है। व्यक्ति अपने अन्तस् को भाषा के माध्यम से अभिव्यक्त करता है। इसी अभिव्यक्ति के साथ उसके अन्दर छिपी अनंत शक्ति अभिव्यक्त होती है। जिसकी अभिव्यक्ति जितनी स्पष्ट होगी उसके व्यक्तित्व का विकास भी उतना प्रभावशाली ढंग से होगा।

   भाषा के माध्यम से ही व्यक्ति बाह्य जगत का ज्ञान प्राप्त करता है। मूक और बधिर व्यक्ति के व्यक्तित्व का पूर्ण विकास इसलिए संभव नहीं हो पाता कि वह भाषा-सी अलौकिक देन से वंचित रह जाता है।

2. भाषा के माध्यम से समाज के दैनिक व्यापार सम्पन्न होते हैं, संस्कृति भी अनुजीवित रहती है। जीव-जगत, आत्मा-परमात्मा, लोक-परलोक, प्रकृति-पुरुष आदि के विषय में निर्धारित धारणाएँ आज भी भाषा के माध्यम से हमारे पास संचित हैं।

   विभिन्न जातियों, धर्मों, क्षेत्रों के लोगों के बीच में एकता का आधार भी भाषा ही है।

3. राष्ट्र के विस्तृत भू-भाग के शासन का संचालन भाषा के माध्यम से होता है। राष्ट्रों के बीच विचार-विनिमय, व्यापार, सांस्कृतिक आदान-प्रदान का साधन भी कोई न कोई भाषा ही होती है। यदि भाषाएँ न होतीं तो विभिन्न राष्ट्रों के महापुरुषों की विचारधारा राष्ट्र विशेष तक सीमित होकर रह जाती।

4. प्रत्येक भाषा में साहित्यिक और कलागत विविधताएँ होती हैं। गद्य तथा पद्य साहित्य के महत्त्वपूर्ण अंग हैं। इसी प्रकार कहानी, निबन्ध, जीवनी, आत्मकथा, संस्मरण, पत्र लेखन, नाटक, उपन्यास आदि साहित्य की कुछ महत्त्वपूर्ण विधाएँ हैं। भाषा शिक्षण के माध्यम से इन विधाओं का परिचय विद्यार्थियों को दिया जाता है।

   इसी प्रकार छन्द और अलंकार भाषा के कलापक्ष को निखारते हैं। ये भाषा में एक नए रक्त का संचार करते हैं। भाषा शिक्षण इन महत्त्वपूर्ण अवयवों की ओर विद्यार्थी का ध्यान आकर्षित करता है। सुनने और पढ़ने के विविध अवसरों से इस पक्ष की सराहना करने

तथा बोलने और लिखने के माध्यम से इनका प्रयोग करने के अवसर मिलते हैं।

5. जीविका उपार्जन मानव की आधारभूत आवश्यकताओं में से है। साधारण श्रमिक से लेकर उच्च पदों तक की सफलता के लिए भाषा कौशल की आवश्यकता है। तकनीकी युग में साधारण श्रमिक को देश-विदेश के कितने शब्द दैनिक व्यवहार में लाने पड़ते हैं। भाषा की कुशलता उसे अपने व्यवसाय की आधारभूत शब्दावली को समझने में सहायक होती है। कार्यालयों में काम-काज करने वाले बाबुओं को टाइप, अशुलिपि, टिप्पण आदि में भाषा का कुशल प्रयोग ही सहायक होता है। अध्यापन व्यवसाय में भाषा की निपुणता ही विद्यार्थियों के व्यक्तित्व को प्रभावित करती है। जीवन का कोई भी ऐसा कार्यक्षेत्र नहीं जहाँ भाषा जीविका-उपार्जन में सहायक न होती हो।

विचारों के संप्रेषण के लिए भाषा के अध्ययन में व्याकरण की भूमिका

1. उच्चारण की शुद्धता के लिए व्याकरण का अध्ययन आवश्यक है। अतः अन्य शास्त्र न पढ़ने पर उतनी हानि नहीं होती जितनी व्याकरण न पढ़ने से। उच्चारण भेद के कारण अर्थ का अनर्थ हो जाता है।
2. व्याकरण से भाषा की रचना, शब्दों की व्युत्पत्ति, शब्दों का शुद्ध प्रयोग आदि के विषय में जानकारी प्राप्त होती है।
3. किसी भाषा के पूर्ण ज्ञान के लिए व्याकरण का ज्ञान होना परम आवश्यक है।
4. व्याकरण भाषा के नियमों का पता लगाकर इसके सिद्धांतों को स्थिर करता है।
5. तुलनात्मक विधि से अन्य भाषा सीखने में व्याकरण के अध्यापन से मदद मिलती है।

कक्षा में भाषा अध्यापन की चुनौतियाँ

विविधता वाले क्लास में शिक्षण की चुनौतियाँ

कक्षा में विभिन्न पृष्ठभूमि वाले छात्र होते हैं। इनकी मातृभाषा एवं ज्ञान का स्तर भिन्न-भिन्न होता है। इनके उच्चारण एवं बोलचाल में इनकी मातृभाषा का प्रभाव अधिक होता है। अध्यापन आरंभ करने से पहले अध्यापक को छात्रों के पूर्व ज्ञान का पता होना चाहिए। ऐसा न होने पर छात्र एवं अध्यापक के बीच दूरी बनी रहती है। बच्चों के पूर्व ज्ञान का पता लगने पर पाठ का आरंभ उसी से संबंधित करके होना चाहिए। इससे बच्चों को यह अनुभूति होती है कि जो ज्ञान वे प्राप्त करेंगे उसका संबंध पिछले ज्ञान से है। जहाँ तक संभव हो अध्यापक को मानक भाषा का प्रयोग करना चाहिए।

बच्चों में वैयक्तिक भिन्नता प्रकृति प्रदत्त होती है। कोई बच्चा भावुक होता है तो कोई कम संवेदनशील। किसी का हृदय पक्ष प्रबल होता है तो किसी का बुद्धि पक्ष। ज्ञान की ग्रहणशील शक्ति भी सबमें समान नहीं होती। अध्यापक को सभी की प्रकृति को उदारता से स्वीकार करना चाहिए और सभी को सम्मान देना चाहिए।

क्लास में तीव्र बुद्धि छात्र अक्सर बाजी मार ले जाते हैं। वे शिक्षक का अधिकांश समय अपने लिए अर्जित कर लेते हैं। ऐसे में क्लास में उनका एकाधिकार स्थापित हो जाता है। शिक्षक को चाहिए कि वह क्लास में ऐसा माहौल बनाए जिसमें सभी छात्र निर्भीक होकर प्रश्न पूछ सकें एवं अपनी शंका का निवारण कर सकें।

ऐसे क्लास में अध्यापक को शिक्षण की विभिन्न युक्तियों का प्रयोग करना चाहिए। जैसे स्लाइड, मानचित्र, ग्राफ, तस्वीर, वीडियो आदि। ये अलग-अलग पृष्ठभूमि के छात्रों को संतोषप्रद निदान प्रस्तुत करते हैं।

भाषागत कठिनाइयाँ एवं दोष

1. संयुक्त वर्ण का लेखन

संयुक्त वर्ण देवनागरी लिपि की विशेषता है। इनकी आवश्यकता शुद्ध उच्चारण के लिए अनुभव की गई। नीचे संयुक्त वर्णों की एक सूची दी जा रही है

क् + क = क्क	पक्का
क् + म = क्म	रुक्मणी
क् + र = क्र	क्रम
क् + ष = क्ष	क्षमा
क् + त = क्त	भक्त
क् + ल = क्ल	क्लेश
क् + श = क्श	नक्शा

2. इ की मात्रा का प्रयोग

अर्धव्यंजन के कुछ उदाहरण ऐसे हैं जिनके साथ ह्रस्व "इ" की मात्रा का योग विशेष प्रकार से होता है। "इ" की मात्रा एक नहीं बल्कि दो व्यंजन पीछे चली जाती है। जैसे

1. पण्डित
2. मस्जिद
3. अग्नि
4. चिट्ठियाँ
5. पश्चिम

3. पंचम–अक्षर का प्रयोग

ङ, ञ, ण, न, म क्रमशः कवर्ग, चवर्ग, टवर्ग, तवर्ग तथा पवर्ग के पंचम अक्षर हैं। जिस समय ये व्यंजन स्वर विहीन होते हैं तो इनको विकल्प से अनुस्वार या वर्ण पर बिन्दी के रूप में लिखा जाता है। लेखन और प्रकाशन सुविधा के लिए विकल्प से अनुस्वार को प्रोत्साहन देना अच्छा है लेकिन भाषा के सीखने वाले को पंचम अक्षर नियम का ज्ञान अवश्य होना चाहिए।

नियम अनुसार प्रत्येक वर्ग के किसी वर्ण से पहले यदि स्वर विहीन पंचम वर्ण आए तो सवर्गी अर्थात् उसी वर्ग का

पंचम वर्ण लगेगा अन्य का नहीं। नीचे इस बात को शुद्ध और अशुद्ध शब्दों के उदाहरण देकर स्पष्ट किया गया है

	शुद्ध	अशुद्ध
अड्ग/	अङ्ग/अंग	अण्ग
शङ्ख/	शङ्ख/शंख	शञ्ख
पञ्जा/	पंजा	पन्जा
पञ्छी/	पंछी	पन्छी
झण्डा/	झंडा	झन्डा
ठण्डा/	ठंडा	ठन्डा
आनन्द/	आनंद	आन्नद
कम्पन/	कंपन	कम्पन

4. र के योग संबंधी अशुद्धियाँ

ट ड न ह आदि ध्वनियों में र का योग वर्ण के नीचे होता है। जैसे ट्रंक। ड्रामा। द्रष्टा। ह्रास आदि। क, ग, फ, स आदि वर्णों में इसका योग खड़ी पाई के साथ होता है। जैसे

ग्राम	पात्र
क्रम	फ्राक

5. र और ऋ में भ्रम

ऋ की मात्रा प्रायः अक्षर के नीचे लगाई जाती है, जबकि र की मात्रा अक्षर से संयुक्त होती है।

- "ऋ" मात्रा वाले शब्द
  गृह। पृथक। वृथा। श्रृंगार। सृष्टि। वृद्धि।
- "र्" युक्त शब्द
  ह्रास। ग्रह। स्रष्टा। ब्रज।

6. रेफ (र्) का प्रयोग

'र्' से बनने वाले शब्दों के पठन और लेखन दोनों में भूल हो जाती है। र् जिस वर्ण के साथ जोड़ा जाता है उससे पहले बोला जाता है। जैसे मर्मज्ञ। ऐसे कुछ शब्द नीचे दिए जा रहे हैं।

मूर्ख	मार्ग	दीर्घ
अर्जुन	निर्झर	कर्ण
दर्द	निर्धन	दर्पण, आदि।

यदि किसी शब्द में र् के बाद दो या दो से अधिक अध र्ा वर्ण हों तो र् का योग पूर्ण वर्ण पर ही होता है, जैसे वर्त्स्य। यहाँ र् त् से पूर्व उच्चरित होता है।

7. कहीं-कहीं अनुस्वार और अनुनासिक में भी भ्रम होता है। यथाः

शुद्ध	अशुद्ध
चाँद	चांद
दाँत	दांत
हँसना	हंसना

8. प्रत्यय प्रयोग

कुछ प्रत्ययों के योग से मूल शब्द में परिवर्तन आ जाता है। उदाहरण के लिए "इक" प्रत्यय के योग में पूर्व स्वर की वृद्धि होती है :

मंगल	मांगलिक
समाज	सामाजिक
इतिहास	ऐतिहासिक
भूगोल	भौगोलिक
एक	ऐकिक
उद्योग	औद्योगिक

9. वचन परिवर्तन

एकवचन को बहुवचन बनाते समय अंत की दीर्घ ई तथा ऊ ह्रस्व हो जाते हैं। यथा :

एकवचन	बहुवचन
नदी	नदियाँ
बिन्दी	बिन्दियाँ
भालू	भालुओं
हिन्दू	हिन्दुओं

10. लिंग परिवर्तन सम्बन्धी

(क) लिंग परिवर्तन के समय "इन" प्रत्यय जुड़ने पर जो स्त्रीलिंग रूप बनाया जाता है उससे अंत की दीर्घ "ई" बहुधा ह्रस्व हो जाती है। जैसे

धोबी	धोबिन
स्वामी	स्वामिन

(ख) हिन्दी में स्त्रीलिंग के रूप कुछ स्थितियों में स्वतंत्र होते हैं, "ई" प्रत्यय लगा कर नहीं। यथाः

सम्राट	साम्राज्ञी
कवि	कवयित्री

11. संधि

दो शब्दों में संधि करते समय भी उनमें आने वाले परिवर्तन के प्रति सावधान रहने की आवश्यकता होती है। नीचे इसी प्रकार के कुछ उदाहरण दिए गए हैं :

सत् + गति = सदगति
निर् + अपराध = निरपराध
जन्म + अष्टमी = जन्माष्टमी
महत् + त्व = महत्त्व
निः + रोग = नीरोग
निः + काम = निष्काम

12. समास

दो शब्दों का सामासिक रूप बनने पर उनमें परिवर्तन हो जाता है। प्रथम शब्द के अंत की दीर्घ "ई" ह्रस्व "इ" में परिवर्तन हो जाती है। यथा

मंत्री + मंडल = मंत्रिमंडल
खेती + हर = खेतिहर

13. विभक्ति चिह्न

हिंदी में विभक्ति चिह्नों के प्रयोग में एकरूपता नहीं है। कभी ये शब्द के साथ लिखे जाते हैं तो कभी उससे अलग। हिंदी के विभक्ति-चिह्न सभी प्रकार के संज्ञा शब्दों में प्रातिपदिक

से पृथक् लिखने चाहिए, जैसे — राम ने, रावण को, सीता से आदि। सर्वनाम शब्दों में ये चिह्न प्रातिपदिक के साथ मिलाकर लिखे जाने चाहिए, जैसे मैंने, उसको, इसकी, उसपर।

सर्वनामों के साथ यदि दो विभक्ति चिह्न हों तो उनमें से पहला सर्वनाम के साथ एवं दूसरा पृथक लिखा जाना चाहिए, जैसे

उसके लिए
उसपर से
इसमें से

14. क्रियापद

संयुक्त क्रियाओं में सभी अंगभूत क्रियाएँ पृथक्-पृथक् लिखी जानी चाहिए, एक साथ नहीं, जैसे

खाया करता है।
कर सकता है।
जा सकता है।
चलता रहेगा।
मिला करता था।
हंसा करता था।
बढ़ रहा होगा, आदि।

15. अव्यय

सम्मान सूचक अव्यय जी और श्री के प्रयोग में द्विरूपता मिलती है, कभी तो ये शब्द के साथ मिलाकर लिखे जाते हैं तो कभी शब्द से अलग, जैसे

गांधीजी	गांधी जी
श्रीराम	श्री राम

ये शब्द अव्यय के साथ मिलाकर ही लिखे जाने चाहिए।

समस्त पदों में प्रति, मात्र, यथा आदि जैसे अव्यय शब्द के साथ ही लिखने चाहिए, जैसे

प्रतिदिन
मानवमात्र
यथाशक्ति, आदि

न कि इस रूप में

प्रति-दिन
मानव मात्र
यथा शक्ति।

16. श्रुति मूलक 'य' एवं 'व', का प्रयोग

हिंदी में स्वर ध्वनियों के विकल्प में श्रुति मूलक 'य' एवं 'व' का प्रयोग किया जाता है। ऐसे में स्वर ध्वनियों के प्रयोग को ही जारी रखना चाहिए। जैसे

शुद्ध	–	अशुद्ध
गए		गये (य-श्रुति)
नई		नयी (य-श्रुति)
हुआ		हुवा (व-श्रुति)

पर जिन शब्दों के मूल में 'य' ध्वनि है, उसके स्थान पर स्वर का प्रयोग उचित नहीं है, जैसे

शुद्ध	--	अशुद्ध
अव्ययी भाव		अव्यई भाव (स्वर)
दायित्व		दाइत्व (स्वर)

17. विदेशी ध्वनियाँ

अंग्रेजी एवं अरबी-फारसी के वे शब्द जो हिंदी के अंग बन चुके हैं और जिन विदेशी ध्वनियों का हिंदी ध्वनियों में रूपांतरण हो चुका है, वे हिंदी रूप में ही स्वीकार किए जा सकते हैं, जैसे

हिंदी	अरबी-फारसी
कलम	क़लम
जिद	ज़िद
किला	क़िला

परंतु जहाँ उसका शुद्ध विदेशी रूप में प्रयोग अभीष्ट हो अथवा उच्चारणगत भेद बताना आवश्यक हो, वहां हिंदी में प्रयुक्त शब्द के नीचे नुक्ते लगाए जा सकते हैं। जैसे

हिंदी	अरबी-फारसी
गजल	ग़ज़ल
फनकार	फ़नकार
जिस्म	ज़िस्म

शारीरिक-मानसिक विकार (Disorder)

विद्यालयों में ऐसे बच्चे भी प्रवेश पाते हैं जो शारीरिक एवं मानसिक रूप से बाधित होते हैं। शारीरिक रूप से बाधित बच्चों में प्रायः तीन प्रकार की असमर्थताएं पाई जाती हैं दृष्टि संबंधी, श्रवण संबंधी एवं वाक् संबंधी। ऐसे बच्चों को सुनना, बोलना, पढ़ना तथा लिखना सीखने संबंधी विशेष आवश्यकताएँ होती हैं।

बुद्धि की मंदता एवं शारीरिक दोष वर्तनी की अशुद्धियों के कारण बनते हैं। यदि कोई बालक मंदबुद्धि है तो उसे मारपीट कर या डरा-धमका कर हतोत्साहित नहीं करना चाहिए। उसकी मानसिक सीमाओं को देखकर सहानुभूति का व्यवहार करना चाहिए।

बच्चों के शारीरिक दोष का पता चलने पर अभिभावकों की सहायता से उन बच्चों का उपचार कराना चाहिए। पढ़ाई-लिखाई से पहले उत्तम स्वास्थ्य आवश्यक है।

भाषा कौशल

श्रवण (Listening)

भाषायी कौशलों में श्रवण एक महत्त्वपूर्ण कौशल है। शिशु के जन्म से ही इस कौशल के सीखने का क्रम आरंभ हो जाता है।

सुनना एक प्रकृति प्रदत्त शक्ति है। इसका लाभ वही उठा सकते हैं जिनकी श्रवणेन्द्रिय ठीक हो। इसमें विकार होने से श्रवण दोष उत्पन्न हो जाते हैं।

सामान्यतः श्रवण का अर्थ किसी ध्वनि, बातचीत, वाद्य-संगीत आदि के सुनने से लिया जाता है। किन्तु यह सुनने का बहुत

सीमित अर्थ है। भाषा शिक्षण के संदर्भ में "श्रवण" का अर्थ सुनकर भाव-अधिगम या भावग्रहण करना है।

श्रवण में किसी कथन को ध्यानपूर्वक सुनने, सुनी हुई बात पर चिन्तन-मनन करने, अपना मंतव्य स्थिर करने और तदनुसार आचरण या व्यवहार करने जैसी जटिल प्रक्रियाएँ सम्मिलित हैं।

श्रवण कौशल के विकास के अवसर

विद्यार्थियों को मोटे तौर पर निम्नलिखित स्थितियों में सार्थक श्रवण के अवसर प्राप्त होते हैं:

(1) कक्षा शिक्षण के दौरान

(2) सहशैक्षिक क्रियाओं के दौरान

(3) कक्षेतर कार्यकलापों के दौरान

(1) कक्षा शिक्षण के दौरान

कक्षा शिक्षण के दौरान विद्यार्थियों को बालगीत, कविता, कहानी आदि के माध्यम से श्रवण कौशल के विकास के अवसर उपलब्ध कराए जाते हैं।

(2) सहशैक्षिक क्रियाओं के दौरान

सहशैक्षिक क्रियाओं द्वारा भी श्रवण शक्ति का विकास कराया जा सकता है। उदाहरण के लिए जिस एकांकी को विद्यार्थियों ने कक्षा में पढ़ा है उसका कक्षाभिनय कराया जा सकता है। इससे विद्यार्थियों को श्रवण लाभ होगा और साथ ही साथ मनोरंजन भी। ऐसे श्रवण बाधित विद्यार्थी जिन्हें कुछ कम या ऊँचा सुनता है, उन्हें इन कार्यक्रमों में विशेषरूप से सम्मिलित कर लाभान्वित किया जा सकता है।

सहशैक्षिक कार्यक्रमों के आयोजन से विद्यार्थी उत्तरोत्तर लाभान्वित हो सकते हैं:

1. समाचार वाचन
2. कविता वाचन प्रतियोगिता
3. कहानी प्रतियोगिता
4. वाद विवाद प्रतियोगिता
5. आशुभाषण प्रतियोगिता

(3) कक्षेतर कार्यकलापों के दौरान

कक्षेतर कार्यकलापों द्वारा भी श्रवण कौशल का विकास कराया जा सकता है, जैसे

1. **आकाशवाणी कार्यक्रम द्वारा:** अनेक राज्यों में आकाशवाणी से विद्यार्थियों के लिए कार्यक्रमों का प्रसारण होता है। कक्षा के अनुसार इन कार्यक्रमों का लाभ विद्यार्थी उठा सकते हैं। शिक्षण अभ्यास के दौरान अध्यापन को आकाशवाणी के कार्यक्रम के अनुसार आयोजित किया जा सकता है।
2. **दूरदर्शन द्वारा:** दूरदर्शन के कुछ उपयोगी कार्यक्रमों को देखकर सुनने के लिए विद्यार्थियों को प्रोत्साहित किया जाना चाहिए।
3. **वृत्त चल-चित्रों द्वारा:** वृत्त चल-चित्रों को दिखाकर सुनने के अवसर देना भी विद्यार्थियों के लिए लाभदायक हो सकता है।
4. **टेप-रिकार्ड द्वारा:** उपयोगी कार्यक्रमों को टेप-रिकार्डर पर रिकार्ड करके विद्यार्थियों को सुनाना।
5. **साप्ताहिक छात्र सभाओं द्वारा:** विद्यार्थियों को इन सभाओं में सम्मिलित होने को प्रेरित करना चाहिए।

मौखिक अभिव्यक्ति (Speaking)

अपने भावों और विचारों को प्रभावी ढंग से सार्थक शब्दों में बोलकर व्यक्त करने को 'मौखिक अभिव्यक्ति' कहते हैं। इसमें वक्ता तथा श्रोता दोनों का होना आवश्यक होता है। प्राथमिक तथा उच्च प्राथमिक कक्षा में पहुँचते-पहुँचते बालकों में मौखिक अभिव्यक्ति संबंधी योग्यता का उचित विकास होने से उनके व्यवहार में कुछ परिवर्तन आ जाते हैं। मौखिक अभिव्यक्ति को प्रभावी बनाने के लिए निम्नांकित पक्षों पर ध्यान देना आवश्यक होता है

1. शुद्ध उच्चारण 2. उचित गति, बलाघात तथा अनुतान 3. उचित हाव-भाव 4. निस्संकोच भावाभिव्यक्ति 5. विचारों में क्रमबद्धता।

1. **शुद्ध उच्चारण :** शुद्ध उच्चारण शिक्षित व्यक्ति का लक्षण है। वक्ता के शुद्ध उच्चारण का श्रोता पर गहरा प्रभाव पड़ता है। श-स, न-ण, छ-क्ष, व-ब, त्र, द्य, प्र, आदि ऐसी ध्वनियाँ या व्यंजन गुच्छ हैं जिनका अशुद्ध उच्चारण उपहास का कारण बनता है। उच्चारण के समय एक-एक वर्ण या शब्द स्पष्ट रूप से व्यक्त होना चाहिए।
2. **उचित गति, बलाघात तथा अनुतान :** बोलने की गति तेज, मन्द या सामान्य होती है। यदि वक्ता तेज गति से भावाभिव्यक्ति करता है तो श्रोता को भाव ग्रहण करने में कठिनाई होती है। बहुत धीमे बोलने से भी विचारों का तारतम्य टूट जाता है। अतः भावाभिव्यक्ति की गति सामान्य होनी चाहिए।

   अपने किसी कथ्य को प्रमुखता देने के लिए वक्ता एक वाक्य में किसी अक्षर/शब्द पर बल देता है ताकि श्रोता को भाव विशेष की गंभीरता या विशेषता का पता लग जाए।
3. **उचित हाव-भाव :** श्रोता पर वक्ता के उचित हाव-भाव या अंग संचालन का भी प्रभाव पड़ता है। हाव-भाव या अंग संचालन से अभिप्राय है गर्दन घुमा कर दाएँ और बाएँ बैठे श्रोताओं को निहारना ताकि वे वक्ता से निकटता का संबंध अनुभव कर सकें, मुखाकृति पर भावानुकूल हर्ष, उत्साह, करुणा, क्रोध आदि भाव लाना, हाथ की मुद्राओं द्वारा अपनी बात को प्रभावोत्पादक बनाना। अंग संचालन के समय यह ध्यान रहे कि

उसमें किसी प्रकार का बनावटीपन न आए। इसी प्रकार हाव-भाव उचित सीमा तक रहने चाहिए।

4. **निस्संकोच भावाभिव्यक्ति :** आरम्भ से ही बच्चों को बिना झिझके बोलने के लिए प्रोत्साहित करना चाहिए। यदि किसी कारणवश वे अपनी बात प्रकट करने में झिझकते हैं तो उस कारण का पता लगाकर उसे दूर करने का प्रयास करना चाहिए। कक्षा में विद्यार्थियों को समय-समय पर बोलने के लिए प्रेरित करते रहना चाहिए।
5. **विचारों में क्रमबद्धता :** शुद्ध उच्चारण के साथ अपने भावों व विचारों को सुव्यवस्थित तथा क्रमबद्ध रूप में प्रकट करना मौखिक अभिव्यक्ति को प्रभावी बनाता है।

मौखिक अभिव्यक्ति के रूप

मौखिक अभिव्यक्ति के मोटे-तौर पर दो रूप हैं अनौपचारिक तथा औपचारिक। घर-परिवार, हाट-बाजार, यात्राकाल तथा खेल-कूद आदि स्थानों पर व्यक्तियों के बीच जो बातचीत होती है वह अनौपचारिक वार्ता कहलाती है। अनौपचारिक अभिव्यक्ति की शब्दावली, वाक्य विन्यास तथा विषय बहुत अधिक व्यवस्थित नहीं होते। औपचारिक अभिव्यक्ति का विषय सीमाबद्ध होता है। विचारों में श्रृंखलाबद्ध व्यवस्था होती है तथा शब्दावली और वाक्य विन्यास में शुद्धता पर ध्यान रखा जाता है।

औपचारिक मौखिक अभिव्यक्ति को दो उप भागों में बांटा जा सकता है साहित्यिक तथा व्यावहारिक।

साहित्यिक मौखिक अभिव्यक्ति से अभिप्राय है साहित्यिक विधाओं के रूप में अपने विचारों को श्रोताओं के सामने प्रस्तुत करना, जैसे कहानी, नाटक, कविता-पाठ, भाषण, वाद-विवाद आदि।

हम समाज में अनेक व्यक्तियों से मिलते हैं, उनका स्वागत करते हैं, उनके प्रति धन्यवाद ज्ञापन करते हैं तथा परिचय अथवा विदाई के समय शिष्टाचार के कुछ शब्दों का प्रयोग करते हैं। यह औपचारिक मौखिक अभिव्यक्ति का व्यावहारिक पक्ष है।

मौखिक अभिव्यक्ति का विकास

अनौपचारिक रूप में बातचीत करने से भी बालक विचारों को प्रकट करना सीखता है। विभिन्न स्थितियों खेलकूद के मैदान में, रेलवे स्टेशन पर, मेले में, प्रदर्शनी में वह बातचीत में भाग लेता है और अभिव्यक्ति की नई-नई शब्दावली सीखता है।

प्रौद्योगिकी के इस युग में मौखिक अभिव्यक्ति को विकसित करने के लिए ध्वनि यंत्रों की सहायता भी ली जाती है।

बाल सभा के समय माइक्रोफोन पर बुलवाने का अभ्यास करवाना चाहिए। आजकल कहानियों तथा कविताओं को कैसेट रूप में प्रस्तुत करने का प्रचलन हो गया है। सुनी हुई कहानी या कविता को टेपरिकार्डर पर टेप करवाया जा सकता है। विद्यार्थी आदर्श वाचन भी सुन सकते हैं और अपना वाचन भी। इस प्रकार अपने पठन का आदर्श वाचन से मिलान कर अपनी कमियों का पता लगा सकते हैं और अपने वाचन में स्वयं सुधार कर सकते हैं।

पठन (Reading)

पठन भाषा के चार कौशलों (सुनना, बोलना, पढ़ना, लिखना) में से एक कौशल है किन्तु पठन-योग्यता पर ही बहुत कुछ अन्य कौशलों (सुनकर समझना, बोलना, लिखना) का उत्तरोत्तर विकास संभव है। हम जितना ही अधिक पढ़ते हैं उतना ही अधिक समझने की शक्ति बढ़ती है। परिणामतः उतना ही अच्छा बोल और लिख सकते हैं।

पठन भाषा-ज्ञान का ही नहीं, अपितु समस्त विषयों के ज्ञानार्जन का मुख्य साधन है। इस कारण उसका अर्थ व्यापक हो गया है और वह शिक्षा का पर्याप्य बन गया है।

पठन के प्रकार

पठन के दो प्रकार हैं सस्वर और मौन। सस्वर पठन में शब्दों का उच्चारण, वाक्यों का सार्थक शब्द समूहों में विभाजन, अनुतान, विराम चिह्न, प्रवाह आदि महत्त्वपूर्ण हैं क्योंकि वह मौखिक अभिव्यक्ति के बहुत निकट है। मौन पठन में स्वरहीनता, पठन गति, तथा अर्थग्रहण पर विशेष ध्यान दिया जाता है।

सस्वर

सस्वर पठन एक कौशल है। सस्वर पठन दूसरों के लिए किया जाता है, अतएव यह औपचारिक है। इसके अंतर्गत निम्न बातों पर ध्यान दिया जाता है

- शब्दों का शुद्ध उच्चारण
- शुद्ध बलाघात
- अनुतान, वाक्यों का सार्थक पदबंधों में विभाजन
- विराम चिह्नों का प्रयोग
- सामग्री की प्रकृति के अनुकूल भावपूर्ण वाचन, आदि।

मौन पठन

मौन पठन में अर्थग्रहण पर बल होता है। इसीलिए यह ज्ञानार्जन का मुख्य आधार है।

मौन पठन विभिन्न संदर्भों में अपने लिए ही किया जाता है। अतएव यह अनौपचारिक है। इसके अन्तर्गत सभी प्रकार की शैक्षिक, कार्यालयी, व्यावसायिक, अनौपचारिक सामग्री का पठन सम्मिलित है। मौन पठन में पठन की गति तीव्र होती है।

लेखन (Writing)

लेखन एक कला है जो दो चरणों में विकसित होती है। पहला चरण भाषा की ध्वनियों को लिपिबद्ध करके उनको शुद्ध, सुपाठ्य एवं सुंदर रूप में प्रस्तुत करने की कुशलता से संबंधित है तो दूसरे चरण में लिपि-प्रतीकों के माध्यम से अपने भावों/विचारों की सुस्पष्ट, अर्थपूर्ण एवं प्रभावी अभिव्यक्ति की योग्यता सन्निहित है।

हिन्दी

लेखन के प्रकार

सामान्यतया यह अभ्यास तीन प्रकार का होता है : सुलेख, अनुलेख और श्रुतलेख।

1. **सुलेख :** सुन्दर लेख को सुलेख कहते हैं। यह लेखन का प्रथम और आवश्यक गुण है। सुलेख लिखते समय वर्ण के विभिन्न अवयवों की बनावट, उनकी स्पष्टता तथा सुडौलता, वर्णों में स्वर-मात्राओं का उचित योग, वर्ण से वर्ण और शब्द से शब्द के बीच की उचित दूरी, सीधी शिरारेखा आदि बिन्दुओं पर भी विशेष ध्यान दिया जाता है।
2. **अनुलेख :** अनुलेख से अभिप्राय है पुस्तक की सामग्री को ज्यों का त्यों देखकर लेख लिखना। अनुलेख का मुख्य उद्देश्य है ~ शुद्ध वर्तनी सहित लेख का अभ्यास कराना।
3. **श्रुतलेख :** सुनकर लिखे गए लेख को श्रुतलेख कहते हैं। इसका उद्देश्य वक्ता द्वारा उच्चरित ध्वनियों को कान लगाकर सुनना तथा तदनुरूप उचित गति स्पष्टता एवं शुद्धता से लिखने का अभ्यास करना है।

   श्रुतलेख सूक्ष्म ध्वनि भेद वाले वर्णों तथा ड-ढ, ढ-ढ़, ड-ड़ आदि का लेखन अथवा ह्रस्व-दीर्घ मात्रा के श्रवण अभ्यास के लिए देना आधिक उपयुक्त रहता है।

भाषा बोध एवं प्रवीणता का मूल्यांकन

मूल्यांकन विद्यार्थी के ज्ञानात्मक, भावात्मक तथा मनोप्रेरित (साइकोजेनिक) क्षेत्र को परखने के लिए निरन्तर चलती रहने वाली वह प्रक्रिया है जिसमें मानक तथा अमानक परीक्षा-साधनों का प्रयोग करते हुए निदानात्मक तथा उपचारात्मक पद्धति अपनाकर विद्यार्थी के गुण-दोषों का वर्णन किया जाता है। इस पद्धति के अनुसार विद्यार्थी के भावी चलन के बारे में भविष्यवाणी की जा सकती है।

मूल्यांकन का क्षेत्र परीक्षा से विस्तृत है। परीक्षा या मापन केवल यह बता सकता है कि किसी विशेष समय में परीक्षार्थी की बौद्धिक क्षमता की स्थिति क्या है। मूल्यांकन में परीक्षार्थी की स्थिति विशेष के अतिरिक्त उस स्थिति का कारण और उसके सुधारने के उपायों पर भी विचार किया जाता है।

मूल्यांकन उद्देश्य आधारित होता है। मूल्यांकन के लिए ऐसी विधियों का प्रयोग किया जाता है जिसका हर बिन्दु किसी न किसी उद्देश्य की जाँच करता है। भाषा के मूल्यांकन के लिए भी इस प्रकार की विधियों का प्रयोग किया जा सकता है।

मूल्यांकन उद्देश्य प्रेरित होता है। भाषा के विभिन्न कौशलों सुनना-बोलना, लिखना-पढ़ना के मूल्यांकन के समय भी इन बातों का ध्यान रखना चाहिए।

सुनने की योग्यता का मूल्यांकन

सुनने की योग्यता के मूल्यांकन के लिए निम्नलिखित श्रुतसामग्री का प्रयोग किया जा सकता है:

1. सस्वर वाचन
2. वार्तालाप
3. वाद-विवाद
4. कविता
5. कहानी
6. आकाशवाणी तथा दूरदर्शन से प्रसारित कार्यक्रम
7. टेप पर रिकार्ड की गई सामग्री

सुनने की योग्यता के मूल्यांकन के समय बालक में हुए निम्नलिखित परिवर्तनों की ओर ध्यान देना चाहिए:

1. वह सुनने के शिष्टाचार का कितना पालन करता है?
2. वह कितनी तन्मयता से सुनता है?
3. वह कितने मनोयोगपूर्वक सुनता है?
4. क्या वह बलाघात व अनुतान के उतार-चढ़ाव के अनुसार अर्थ ग्रहण कर पाता है?
5. वह श्रुत सामग्री के विषय, महत्त्वपूर्ण विचारों, भावों तथा तथ्यों को कितना समझता है?
6. वह श्रुत सामग्री के केन्द्रीय भावों को कितना ग्रहण कर पाता है?
7. वह भाषा एवं शैली की दृष्टि से साहित्यिक अंशों की व्यापक तुलना कर पाता है या नहीं।
8. वह श्रुत सामग्री के सुन्दर स्थलों को पहचान कर पाता है या नहीं।

सुनकर अर्थ ग्रहण करने की योग्यता का मूल्यांकन हमारे विद्यालयों में नहीं के समान है। यही कारण है कि बालसभा, विद्यालय के उत्सव, पास-पड़ोस के उत्सव, राजनीतिक भाषणों आदि का श्रोताओं पर वांछित प्रभाव नहीं पड़ पा रहा है। विद्यालयों का दायित्व है कि वे भाषा के इन महत्त्वपूर्ण गुणों की ओर विद्यार्थियों का ध्यान आकृष्ट कराएँ।

मौखिक अभिव्यक्ति की योग्यता का मूल्यांकन

मौखिक अभिव्यक्ति का मूल्यांकन करते समय विद्यार्थी के निम्नलिखित गुणों का मूल्यांकन होना चाहिए:

1. सुश्रव्य वाणी में बोलना।
2. शुद्ध उच्चारण, उचित बलाघात और अनुतान के उतार चढ़ाव के अनुसार बोलना।
3. उचित विराम या उचित प्रवाह के साथ बोलना।
4. व्याकरण सम्मत भाषा का प्रयोग करना।
5. क्रमबद्धता, सुसम्बद्धता बनाए रखना।
6. प्रसंगानुकूल उचित शब्दों, मुहावरों और सूक्तियों का प्रयोग करना।
7. भावानुकूलन ढंग से विचारों को प्रकट करना।
8. विचारों को अपनी भाषा में व्यक्त करना।
9. विषय की एकता बनाए रखना।
10. प्रसंगानुसार उचित गति के साथ बोलना।

मौखिक अभिव्यक्ति का मूल्यांकन प्राथमिक कक्षा से उच्च कक्षाओं तक निरन्तर चलता रहना चाहिए। इससे विद्यार्थियों को साक्षात्कार के समय सफलता प्राप्त करने में सहायता मिलेगी।

पढ़कर अर्थग्रहण करने की योग्यता का मूल्यांकन

आज विद्यालयों में पढ़कर अर्थ ग्रहण करने की शक्ति के मूल्यांकन पर ही अधिक बल दिया जाता है। हमारी परीक्षा प्रणाली इसके लिए अनेक अवसर प्रदान करती है। इस योग्यता के मूल्यांकन के लिए विद्यार्थी के निम्नलिखित पक्षों की ओर विशेष ध्यान रखना चाहिए:

1. मनोयोगपूर्वक पढ़ पाने की क्षमता।
2. ग्रहणशीलता की स्थिति बनाए रखना।
3. भावानुरूप सस्वर वाचन करना।
4. शुद्ध उच्चारण, बलाघात व अनुतान के उतार-चढ़ाव।
5. शब्दों, मुहावरों तथा उक्तियों का प्रसंगानुकूल भाव ग्रहण।
6. छन्द, अलंकार, प्रस्तुत-अप्रस्तुत तथा मूर्त-अमूर्त विधानों को पहचान पाना।
7. भावपक्ष की दृष्टि से सुन्दर स्थलों की पहचान कर पाना।
8. महत्त्वपूर्ण विचारों, भावों, तथ्यों का चयन करना।
9. पठित सामग्री का सारांश तथा केन्द्रीय भाव ग्रहण कर पाने की क्षमता।
10. लेखक के मनोभावों को समझ पाना।

पठित सामग्री की अर्थग्रहण कुशलता के मूल्यांकन के लिए मौखिक तथा लिखित दोनों प्रकार की परीक्षाओं का प्रयोग किया जा सकता है।

लिखित अभिव्यक्ति की योग्यता का मूल्यांकन

लिखित अभिव्यक्ति का हमारी परीक्षा पद्धति में महत्त्वपूर्ण स्थान है। फिर भी अधिकांश विद्यार्थियों की लेखन अभिव्यक्ति संतोष जनक नहीं है। इस असंतोषजनक स्थिति का प्रमुख कारण यह है कि हमारे मूल्यांकन के मापदण्ड बहुधा दोषपूर्ण होते हैं। जिन पक्षों का मूल्यांकन होना चाहिए वे उपेक्षित रह जाते हैं। मूल्यांकनकर्ता लिखित अभिव्यक्ति के मुख्य उद्देश्यों को सम्मुख रख कर प्रश्न पत्र का निर्माण नहीं करते तथा परीक्षक भी इनके प्रति उदासीन भाव से कार्य लेते हैं।

विद्यार्थी की लिखित अभिव्यक्ति का मूल्यांकन करते समय निम्नलिखित उद्देश्यों को ध्यान में रखना चाहिए:

1. शुद्ध वर्तनी का प्रयोग।
2. विराम चिह्नों का सही प्रयोग।
3. व्याकरण सम्मत भाषा का प्रयोग।
4. प्रसंगानुकूल उचित शब्दों, मुहावरों, लोकोक्तियों का प्रयोग।
5. विषय तथा अभिव्यक्ति के अनुकूल शैली का प्रयोग।
6. यथोचित अनुच्छेदों का निर्माण।
7. क्रमबद्धता बनाए रखना।
8. उचित गति से लिखने की क्षमता।
9. लेखन में मौलिक शैली का प्रयोग।

लिखित अभिव्यक्ति के मूल्यांकन के लिए अनुच्छेद लेखन, निबंध लेखन, कहानी लेखन, पत्र लेखन, सारांश लेखन आदि विधियाँ अपनाई जा सकती हैं।

शिक्षण-अधिगम सामग्री

शिक्षण प्रक्रिया को सुचारू रूप से संपन्न करने के लिए अनेक प्रकार की सामग्री की आवश्यकता होती है। मोटे तौर पर शिक्षण में प्रयुक्त सामग्री को दो वर्गों में रखा जा सकता है। पहले वर्ग में वह सामग्री आती है, जिसका शिक्षक तथा शिक्षार्थी दोनों ही नियमित रूप से प्रयोग करते हैं, जैसे पाठ्यपुस्तक, पूरक पुस्तक तथा अभ्यास-पुस्तिका (विशेषतः प्राथमिक स्तर पर)। वस्तुतः इस प्रकार की सामग्री शिक्षण प्रक्रिया का अभिन्न अंग है, क्योंकि शिक्षक तथा शिक्षार्थी दोनों को ही इसके प्रयोग की आवश्यकता होती है।

दूसरे वर्ग में वह सामग्री आती है जो कक्षा में प्रस्तुत विषयवस्तु को विद्यार्थियों के लिए सुस्पष्ट, सुबोध, सुग्राह्य एवं सजीव बनाने में शिक्षक की सहायता करती है। इसके अंतर्गत श्यामपट्ट, चार्ट, चित्र, मॉडल जैसे पारंपरिक उपकरण तथा स्लाइड, पारदर्शी चित्र, टेप (कैसेट) जैसे आधुनिक उपकरण और रेडियो, दूरदर्शन, चलचित्र जैसे जनसंचार माध्यम आते हैं।

पाठ्यपुस्तक

शिक्षण प्रक्रिया में पाठ्यपुस्तक का अपना एक विशिष्ट स्थान है। वास्तव में यह संपूर्ण शिक्षण प्रक्रिया की आधारशिला है। यह एक ओर अध्यापक का शिक्षण-विषय के पाठ्यक्रम की सीमा के संदर्भ में मार्गदर्शन करती है तो दूसरी ओर विद्यार्थी के सम्मुख लक्ष्य का स्वरूप स्पष्ट करती है।

जब हम मातृभाषा का अध्ययन करते हैं तो पाठ्यपुस्तक का महत्त्व और भी बढ़ जाता है, क्योंकि मातृभाषा का विषय क्षेत्र अत्यंत व्यापक और बहुमुखी होने के कारण उसकी पाठ्यपुस्तक की सामग्री व्यापक एवं विविधतापूर्ण होती है। इतना ही नहीं, मातृभाषा की पाठ्यपुस्तक में समाहित सामग्री में वैचारिक तथा भाषिक दोनों पक्षों का ध्यान भी रखना होता है और साथ में विविध साहित्यिक रूपों एवं विधाओं का समावेश भी करना होता है।

किसी भी पाठ्यपुस्तक के दो पक्ष होते हैं :

1. भाव पक्ष, तथा
2. कला पक्ष

1. भाव पक्ष : पाठ्यपुस्तक इस उद्देश्य से तैयार की जाती है कि उसके अध्ययन से विद्यार्थियों में अपेक्षित योग्यताओं का विकास हो सके। ये योग्यताएँ शिक्षण उद्देश्य कहलाती हैं। इन शिक्षण उद्देश्यों के अन्तर्गत विभिन्न प्रकार की विषयवस्तु का ज्ञान, भाषाई कौशल और सद्प्रवृत्तियाँ आती हैं। पाठ्य-सामग्री के भाव पक्ष के संदर्भ में उस विषय के शिक्षण उद्देश्यों का अत्यंत महत्त्व है। इस संबंध में निम्नलिखित तीन बातों को ध्यान में रखा जाता है :

(*i*) भावों का चयन।

(*ii*) भावों का क्रमिक स्तरीकरण।

(*iii*) भावों का प्रस्तुतीकरण।

2. **कला पक्ष :** पाठ्य-सामग्री के कला पक्ष के अंतर्गत उसके बाहरी और आंतरिक दोनों रूप आते हैं। बाहरी रूप के अंतर्गत पुस्तक का आकार तथा उसकी मोटाई ऐसी होनी चाहिए जिससे उस आयु वर्ग के बच्चों को उसे एक स्थान से दूसरे स्थान तक ले जाने में सुविधा हो और पुस्तक को हाथ में उठाकर पढ़ने में भी असुविधा न हो।

पुस्तक की छपाई, शुद्ध वर्तनी एवं चित्र रूप पक्ष के अंतर्गत ही आते हैं। छोटे बालकों के लिए टाइप का आकार बड़ा होना चाहिए। बढ़ती हुई कक्षाओं में यह आकार छोटा होता जाता है।

पुस्तक की वर्तनी के संबंध में सबसे प्रमुख बात यह है कि शब्दों की वर्तनी शुद्ध हो। दूसरी बात भिन्न रूपों वाले अ, फ, क्ष, झ आदि जैसे अक्षरों का मानक रूप ही पूरी पुस्तक में प्रयुक्त हो। चाहिए, जाए, लाए जैसे शब्दों को पुस्तक में एक ही रूप में प्रस्तुत किया जाना चाहिए।

पाठ्य सामग्री में चित्र बहुत महत्त्वपूर्ण होते हैं। पाठ्य-सामग्री में केवल वे चित्र दिए जाने चाहिएँ जो उनका अंग बन सकें और उसके पूरक हों। इनमें से कुछ चित्र काल्पनिक होते हैं और कुछ तथ्यात्मक। छोटी कक्षाओं की शिक्षण सामग्री में फोटो तथा तस्वीर वाले चित्र अधिक उपयोगी होते हैं और बड़ी कक्षाओं की सामग्री में कार्टूनों तथा रेखा वाले और तथ्यात्मक फोटो आवश्यक और उपयोगी हैं। चित्रों का स्थान भी इसी आधार पर निर्धारित किया जाता है जिससे उनका लिखित सामग्री के साथ तादात्म्य स्थापित हो सके। यदि किसी चित्र को बार-बार देखने की आवश्यकता हो तो वह सामग्री के बीच में देना चाहिए। यदि कोई चित्र सामग्री की पृष्ठभूमि के रूप में कार्य करता हो तो उसे पूरे पृष्ठ पर फैलाना चाहिए। यदि लिखित सामग्री को पढ़ने की प्रेरणा देना चित्र का उद्देश्य हो तो वह सामग्री के प्रारंभ में दिया जा सकता है। चित्रों के रंग भी बहुत महत्त्वपूर्ण होते हैं।

चित्र

भाषा के कठिन एवं गहन स्थलों को स्पष्ट करने में चित्रों तथा चित्र-शृंखलाओं की उपयोगिता सर्वमान्य है। चित्रों से अभिव्यक्ति में विस्तार एवं गहनता आती है। चित्र शब्दों और कहानियों का प्रतिनिधित्व करते हैं। क्रियाशील चित्र-शृंखला रचना और कहानी शिक्षण का श्रेष्ठ साधन है। शब्दों और चित्रों का समन्वय भाषा शिक्षण की प्रक्रिया को जीवंत बना देता है।

रेखाचित्र

इसके अंतर्गत चार्टों, पोस्टरों, कार्टूनों, हास्य-व्यंग्य चित्रों, मानचित्रों आदि का समावेश होता है। फ्लैनलग्राफ पर क्रमबद्ध रूप में व्याकरण के लिंग, वचन, कारक, क्रिया, विशेषण आदि के भेदों को चार्ट के रूप में प्रदर्शित किया जा सकता है। मानचित्रों के प्रयोग से प्रदेशों का भाषावार वर्गीकरण दिखाया जा सकता है। पोस्टर, कार्टून और हास्य-व्यंग्य चित्र किसी व्यक्ति, विचार एवं स्थिति के चित्र होते हैं जिनका जनसमूह पर गहरा प्रभाव पड़ता है। इनसे उपहासात्मक किंतु विचारपरक हास्य-व्यंग्य एवं अतिश्योक्तिपूर्ण स्थलों के गूढ़ भावों का स्पष्टीकरण होता है। ये विचारों को क्रमबद्ध तथा गतिमय रूप में प्रस्तुत करते हैं।

फ्लैश कार्ड

ये शिक्षण के प्रभावशाली दृश्य उपकरण हैं। ये चित्रात्मक और लिखित दोनों प्रकार के हो सकते हैं।

वर्णमाला-शिक्षण में फ्लैश कार्डों का विशेष महत्त्व है। एक वर्ण को सिखाने के लिए फ्लैश कार्ड पर अनेक शब्द दिए जाते हैं जो उस वर्ण से आरंभ होते हैं।

इनमें शब्दों के साथ उनके चित्र भी दिए जाते हैं। आरंभिक कक्षाओं में शब्दों और वाक्यों के चित्र सहित फ्लैश कार्ड अधिक उपयोगी सिद्ध होते हैं। इनसे किसी एक वस्तु, घटना या तथ्य की झलक एक दृष्टि में प्रस्तुत की जा सकती है।

ग्रामोफोन और लिंग्वाफोन

इनके रिकार्डों द्वारा उच्चारण के विभिन्न अभ्यासों के अंतर्गत बलाघात, सुर, विवृत्ति और अनुतान का सहज रूप में अभ्यास कराया जा सकता है। इनमें महापुरुषों के भाषणों, उत्कृष्ट कवियों की कविताओं और नाटकीय संवाद को सुना जा सकता है। उच्चारण, सस्वर पाठ और भाषण कला की प्रवीणता प्राप्त करने में इनका प्रयोग विशेष उपयोगी है।

टेप

उत्कृष्ट वक्ता के भाषणों, गीतों, नाटकीय कथनोपकथन, कविताओं और भाषा कौशलों विशेषतः उच्चारण और वाचन पाठों का अंकन करके "प्लेबैक उपकरण" (रिकार्ड प्लेयर) द्वारा जब चाहे, तब सुना और सुनाया जा सकता है।

रेडियो

शिक्षण का एक अत्यंत उपयोगी एवं सुलभ साधन है। समाचार, नाटक, भजन, गीत, संगीत, कहानियों, कविताओं, संवादों आदि की आकर्षक एवं प्रभावशाली प्रस्तुति से विद्यार्थी मनोरंजनात्मक ढंग से शुद्ध उच्चारण एवं आत्मप्रकाशन की क्षमता विकसित कर सकते हैं।

दूरदर्शन और चलचित्र

दूरदर्शन और चलचित्रों के कार्यक्रम देश-विदेश की घटनाओं, कार्यकलापों और दृश्यों को सजीव एवं यथार्थ रूप में प्रस्तुत करते हैं। दूरदर्शन आधुनिक युग की सबसे बड़ी देन है। इसके कार्यक्रम हमारी सामाजिक संस्कृति की झलक प्रदर्शित करते हैं। इनसे राष्ट्र के नागरिकों और विद्यार्थियों में एकता और सद्भावना उत्पन्न होती है और वे राष्ट्र की मुख्य धारा में समाहित होने की प्रेरणा ग्रहण करते हैं।

इनके माध्यम से जन शिक्षा का आसानी से प्रचार-प्रसार और विस्तार किया जा सकता है। ये जीवन के सभी पक्षों से संबंधित कार्यक्रमों का प्रसारण करते हैं। इनके द्वारा समाज की मान्यताओं, जीवन मूल्यों, सांस्कृतिक परंपराओं आदि की

जानकारी विद्यार्थियों को प्राप्त होती है। इसके अतिरिक्त भाषाई पाठों का प्रसारण भी दूरदर्शन पर होता है जिससे विद्यार्थी सरल एवं रोचक वातावरण में पाठ की विषयवस्तु को अनायास ही सीख लेते हैं। इन कार्यक्रमों से शिक्षकों और छात्राध्यापकों को कक्षा शिक्षण में प्रयुक्त होने वाली विधियों, तकनीकों और उपागमों का भी व्यावहारिक ज्ञान प्राप्त होता है।

उपचारात्मक शिक्षण

विशेष आवश्यकता वाले बच्चों की कठिनाइयों की पहचान कर उन कठिनाइयों को दूर करते हुए शिक्षण कार्य करना उपचारात्मक शिक्षण कहलाता है। अध्यापक छात्रों के दोषों में यथासंभव सुधार लाने तथा उसकी भाषा संबंधी कठिनाइयों को दूर करने के लिए निम्नलिखित उपचारात्मक सहायता कर सकते हैं:

1. ऊँचा सुनने/कम सुनने तथा मानसिक रूप से बाधित बच्चों को कक्षा में अगली पंक्ति में बैठाने की व्यवस्था करनी चाहिए ताकि वे अध्यापक के चेहरे के हाव-भाव को ध्यान से देख सकें तथा उसके द्वारा कही गई बात को अच्छी तरह समझ सकें।
2. पढ़ाते समय शब्दों को ऊँची और स्पष्ट आवाज में तथा उचित गति से बोलना चाहिए।
3. श्रवण शक्ति तथा स्मरण शक्ति की कमी को पूरा करने के लिए अधिकाधिक दृश्य संकेतों तथा दृश्य सामग्री जैसे चार्ट, चित्र, मॉडल आदि का प्रयोग करना उचित होता है। मनोरंजक कार्यकलापों का आयोजन करके ऐसे विद्यार्थियों को कक्षा में अतिरिक्त श्रवण के अवसर प्रदान किए जा सकते हैं। जैसे चित्र कार्डों को दिखाकर छोटी-छोटी कहानियाँ तथा बालगीत अभिनयपूर्ण ढंग से सुनाना और घटनाओं का वर्णन करना आदि।
4. कठिन शब्दों या वाक्यांशों के अर्थ को स्पष्ट करने के लिए उसे बालक के अनुभव या ठोस वस्तु या परिस्थिति से जोड़कर।
5. श्रवण कौशल के विकास के लिए लघु प्रश्न पूछने की पद्धति अपनानी चाहिए।
6. संवेगात्मक तथा सूक्ष्म संकल्पनाओं को समझाने के लिए कक्षा में क्रियात्मक परिस्थितियाँ निर्मित करना, जैसे प्रसन्नता, नाराजगी, घृणा, आशा, निराशा आदि भावों की अभिव्यक्ति को नाटकीय स्थिति में ढालकर व्यक्त करना।

मौखिक अभिव्यक्ति संबंधी दोषों तथा उनके कारणों का पता लगा लेने के पश्चात् अध्यापक उन्हें सुधारने के लिए निम्नलिखित उपचारात्मक उपाय कर सकते हैं :

1. तुतलाने वाले बच्चों को ध्वनियों का निरंतर उच्चारण अभ्यास कराना चाहिए।
2. हकलाने तथा मानसिक रूप से बाधित बच्चों को यथासंभव बोलने तथा सस्वर पठन का अतिरिक्त अवसर देना चाहिए। उनका मनोबल ऊँचा करने के लिए उन पर व्यक्तिगत रूप से ध्यान देना चाहिए। उनके साथ प्रेम एवं सहानुभूति का व्यवहार करना चाहिए।
3. अन्य बच्चों को उनके साथ घुलने-मिलने के लिए प्रोत्साहित करना चाहिए।
4. कक्षा में उनके प्रति उदारतापूर्ण दृष्टिकोण अपनाना चाहिए।
5. कठिन ध्वनियों का शुद्ध उच्चारण सिखाने के लिए टेप-रिकार्डर, ग्रामोफोन, रेडियो, टेलीविजन आदि दृश्य-श्रव्य साधनों का प्रयोग करना चाहिए।

पठन कौशल संबंधी दोषों को दूर करने के लिए निम्न प्रयास किए जाने चाहिए।

- इन बच्चों को अभ्यास और आवृत्ति की आवश्यकता सामान्य बच्चों से अधिक होती है। अतः इन्हें वर्णों एवं मात्रा चिह्नों का बार-बार अभ्यास कराना चाहिए।
- जिन वर्णों या शब्दों की पढ़ने की अशुद्धियाँ वे अक्सर करते हैं उनकी सूची बनाकर उन वर्णों की मूर्त या ठोस वस्तुओं के माध्यम से पढ़ना सिखाएँ, जैसे वर्ण विशेष की आकृति, चित्र, फ्लैश कार्ड दिखाकर उसे पढ़ने का अभ्यास कराना।
- सही सस्वर वाचन करने पर इन बच्चों की तुरन्त प्रशंसा करें।

लेखन संबंधी दोष को दूर करने के लिए निम्न उपाय किए जाने चाहिए

1. 5 वर्ष से अधिक आयु का बच्चा शारीरिक और मानसिक रूप से लिखना सीखने के योग्य हो जाता है। इस अवस्था से पूर्व लिखना सीखने का अभ्यास नहीं कराना चाहिए।

2. व्यक्तिगत स्तर पर अशुद्धि संशोधन के बिना लेखन दोषों का निराकरण कठिन होता है। प्राथमिक स्तर पर तो इस ओर विशेष ध्यान देने की आवश्यकता है।

3. विद्यार्थी जिन शब्दों को अशुद्ध लिखता है बहुत संभव है उसका कारण अशुद्ध उच्चारण हो। यथा श-ष-स, प्र-पर, छ-क्ष, त्र-तर आदि का उच्चारण अशुद्ध होने से लेखन में भी दोष आ सकता है। अतः इन ध्वनियों से युक्त शब्दों के शुद्ध उच्चारण और लेखन का अभ्यास कराया जाना चाहिए।

4. शब्दों के शुद्ध उच्चारण को सुनने, उचित गति से लिखने तथा अशुद्धियों की जाँच के लिए श्रुतलेख श्रेष्ठ साधन है। इसका अभ्यास छात्रों को नियमित रूप से कराया जाना चाहिए।

5. हर बच्चे की अपनी शारीरिक और मानसिक सीमा होती है। प्रत्येक बालक के प्रति स्नेह और सम्मान का बर्ताव किया जाए और उसे उचित विधि से लेखन के प्रति प्रोत्साहित किया जाए। विशेष आवश्यकता वाले विद्यार्थियों को लेखन सिखाने के लिए और भी सावधानी बरतनी चाहिए।

अभ्यास प्रश्न

1. अध्यापक को कक्षा में अपनी आवाज को रखना चाहियेः
   A. पर्याप्त ऊंची B. धीमी
   C. मध्यम D. कभी धीमी कभी तेज
2. यदि कुछ विद्यार्थी परीक्षा में फेल हो जाते हैं तो यह गलती है :
   A. अध्यापकों की B. प्रधानाध्यापक की
   C. स्वयं छात्रों की D. पाठ्यपुस्तकों की
3. वह अध्यापक जो अपने छात्रों का ध्यान आकर्षित करने में सफल न हो रहा हो तो उसे चाहिये कि
   A. वह अपनी शिक्षण विधि का मूल्यांकन करके उसमें सुधार लाये
   B. वह अपने पद से त्यागपत्र दे दे
   C. वह अपने शिष्यों में गलती ढूंढे
   D. वह डिक्टेशन देना आरम्भ कर दे
4. यदि पीछे बैठने वाले सदैव बातचीत में ही व्यस्त हों तो अध्यापक को चाहिये कि वह
   A. उन्हें जो कुछ वे कर रहे हैं करने दे
   B. उन्हें दन्ड दे
   C. उन्हें आगे बिठाये और उन पर नजर रखे
   D. उपरोक्त कोई नहीं
5. अध्यापक को
   A. अध्यापन आरम्भ करने से पूर्व पाठ का परिचय कराना चाहिये
   B. अपनी भाषा में दक्ष होना चाहिये
   C. अपने विषय में निपुण होना चाहिये
   D. उपरोक्त सभी
6. यदि अध्यापक छात्र के प्रश्न का उत्तर देने में असमर्थ हो तो उसे चाहिये कि वह
   A. कहे कि वह जानकारी प्राप्त करने के बाद उत्तर देगा
   B. शिष्यों को डांटे-फटकारे
   C. कहे कि प्रश्न ही गलत है
   D. उपरोक्त कोई नहीं
7. निम्न शिक्षण-प्रक्रियाओं को क्रम में लिखो :
   (*i*) वर्तमान ज्ञान को पिछले ज्ञान से सम्बद्ध करना
   (*ii*) मूल्यांकन
   (*iii*) पुनर्शिक्षण
   (*iv*) उद्देश्यों की संरचना
   (*v*) सामग्री को प्रस्तुत करना
   A. (*i*), (*ii*), (*iii*), (*iv*), (*v*)
   B. (*ii*), (*i*), (*iii*), (*iv*), (*v*)
   C. (*v*), (*iv*), (*iii*), (*i*), (*ii*)
   D. (*iv*), (*i*), (*v*), (*ii*), (*iii*)
8. दूरदर्शन सामग्री का प्रयोग :
   A. ध्यान केन्द्रण तथा ज्ञान को बढ़ाता है
   B. अध्यापक के बोझ को कम करता है
   C. स्मरणशक्ति में वृद्धि करता है
   D. उपरोक्त सभी
9. यदि छात्र आपकी बात नहीं समझ पा रहे हैं तो
   A. आपको उन्हें संकेत (prompt) देना चाहिये
   B. सामग्री को सरल बनाना चाहिये
   C. उदाहरण देकर समझाना चाहिये
   D. उपरोक्त सभी
10. सूक्ष्म शिक्षण लाभदायक है :
    A. प्राथमिक कक्षा के छात्रों के लिए
    B. जूनियर कक्षा के छात्रों के लिए
    C. 10 + 2 कक्षा के छात्रों के लिए
    D. उच्च तथा प्राथमिक दोनों कक्षाओं के छात्रों के लिए
11. यदि छात्र आप पर फब्तियां कसते हैं तो आप
    A. उन्हें दन्ड देंगे
    B. उन्हें कॉलेज से निकाल देंगे
    C. उनकी परीक्षा-पुस्तिकाओं का मूल्यांकन करते समय आप उनसे बदला लेंगे
    D. उनकी परीक्षा-पुस्तिकाओं का मूल्यांकन के समय भी आप गैर-जानिबदार रहेंगे
12. शिक्षण में छात्रों की सर्वाधिक भागीदारी सम्भव है :
    A. व्याख्यान विधि द्वारा
    B. चर्चा विधि द्वारा
    C. पुस्तक विधि द्वारा
    D. ऑडियो-विजुअल एड द्वारा
13. नये आये अध्यापक की सफलता के लिए निम्न में से कौन-सा घटक सर्वाधिक महत्त्वपूर्ण है?
    A. विद्वता
    B. संप्रेषण योग्यता
    C. अध्यापक का व्यक्तित्व तथा उसकी छात्रों तथा कक्षा से मेल खाने की अभिक्षमता
    D. संगठनात्मक योग्यता

14. निम्न सभी एक प्रभावशाली शिक्षक की विशेषताएं हैं केवल एक को छोड़कर :

A. स्टैन्डर्ड को बनाये रखने पर जोर देना

B. लक्ष्यों के स्पष्टीकरण हेतु सामूहिक चर्चा पर बल देना

C. समस्या उत्पन्न करने वाली परिस्थितियों के तुरन्त नियन्त्रण पर जोर देना

D. कक्षा के छात्रों के साथ विभेदात्मक व्यवहार करना

15. एक प्रभावशाली शिक्षण का तात्पर्य नहीं है :

A. अध्यापक उत्साहपूर्वक पढ़ाता है

B. अध्यापक अपने छात्रों में गलती ढूंढता है

C. अध्यापक शिक्षण पर अधिक तथा कक्षा-नियन्त्रण पर कम जोर देता है

D. अध्यापक की रुचि विषय-सामग्री को छात्रों को समझाने में है न कि पाठ्यक्रम पूरा करने में

16. शिक्षा की के. जी. प्रथा का तात्पर्य है बच्चों का उद्यान। इसका जन्मदाता है :

A. डेवी B. फ्रूबेल

C. प्लेटो D. स्पेन्सर

17. प्रजातान्त्रिक समाज वह है, जो

A. स्वतन्त्रता, समानता, बन्धुत्व तथा न्याय के सिद्धान्तों का पालन करता है

B. सूझ-बूझ रखने वाले व्यक्तियों का तिरस्कार नहीं करता है

C. समान शिक्षा के अवसर में विश्वास रखता है

D. उपरोक्त सभी

18. एक प्रभावशाली अध्यापक पालन करता है :

A. प्रजातान्त्रिक समाज के नियमों का

B. स्वतन्त्र समाज के नियमों का

C. तानाशाही समाज के नियमों का

D. परिस्थितियों के अनुसार सभी का

19. सहायक शिक्षण सामग्री के रूप में टी. वी., रेडियो से उत्तम है क्योंकि

A. यह मंहगा है

B. इसमें दो इन्द्रियां सुनना तथा देखना दोनों साथ-साथ प्रयोग होती हैं। जिसके फलस्वरूप लड़कों को अधिक आसानी से समझ में आता है

C. यह छात्रों द्वारा आमतौर पर पसन्द किया जाता है

D. उपरोक्त सभी

20. सबसे बड़ा उत्तरदायित्व जो स्कूल में काम करने वालों पर आता है वह यह है कि

A. वे बच्चों तथा समाज दोनों की आवश्यकताओं में सामन्जस्य स्थापित करते हैं जिससे दोनों को लाभ होता है

B. वे बच्चों को नौकरी पाने के योग्य बनाते हैं

C. वे स्कूल के कार्यक्रमों को बच्चे की आवश्यकता तथा रुचि के अनुसार तैयार करते हैं

D. A तथा C दोनों

21. सबसे उत्तम शिक्षा कार्यक्रम वह है जो कि

A. बच्चों की आवश्यकतानुसार हो

B. बच्चों की योग्यतानुसार हो

C. बच्चों की रुचि के अनुसार हो

D. उपरोक्त सभी

22. लेक्चर देते समय यदि कक्षा में कुछ व्यवधान (शोर) हो रहा हो तो अध्यापक को चाहिये कि वह

A. थोड़ी देर चुप रहे फिर पढ़ाना आरम्भ करे

B. कक्षा में जो कुछ हो रहा है उसकी कोई चिन्ता न करे

C. शोर शराबा करने वाले लड़कों को दन्ड दे

D. उपरोक्त सभी

23. Learning (सीखना) का सबसे समुचित अर्थ है :

A. ज्ञान देना

B. व्यवहार में परिवर्तन

C. व्यक्तिगत रूप से माहौल में ढलना

D. हुनर की प्राप्ति

24. अन्तिम विश्लेषण में शिक्षण को विशेष रूप से समझना चाहिये :

A. प्रश्न पूछने तथा ज्ञान के मूल्यांकन की प्रक्रिया

B. विद्यार्थियों की गतिविधियों को निर्दिष्ट करना

C. विद्यार्थियों के वाचन का श्रवण

D. उपरोक्त सभी

25. अध्यापक के कार्य हैं :

A. बच्चे का मार्गदर्शन करना, प्रगति में उनकी सहायता करना तथा मूल्यांकन

B. घर का काम चेक करना, उनका मार्गदर्शन करना तथा आगे का काम देना

C. उपरोक्त दोनों

D. कोई नहीं

26. कक्षा में अध्यापक है :

A. समूह का अध्यक्ष

B. समूह का निर्देशक

C. समूह का नेता तथा मार्गदर्शक

D. उपरोक्त सभी

27. अध्यापक का प्राथमिक उत्तरदायित्व निहित है :

A. शैक्षिक अनुभवों को सुनियोजित करने में

B. नीतियों को लागू करने में

C. छात्रों का रिकार्ड रखने में

D. उपरोक्त सभी

28. अपने विद्यार्थियों से गहरा तालमेल बनाने के लिए आपको

A. उनका मार्गदर्शन करना चाहिये

B. उनके साथ खुलेपन का व्यवहार करना चाहिये

C. संप्रेषण में सक्षम होना चाहिये

D. उपरोक्त सभी

29. मौखिक मार्गदर्शन सबसे कम प्रभावशाली है :

A. अभिवृत्ति के शिक्षण में

B. अवधारणा तथा तथ्य के शिक्षण में
C. परस्पर सम्बन्ध के शिक्षण में
D. हुनर (skills) के शिक्षण में

30. अध्यापन आरम्भ करने से पूर्व शिक्षक को चाहिये कि
A. वह अपने विद्यार्थियों के वर्तमान तथा भूत के विषय में जाने
B. वह विद्यार्थियों के मस्तिष्क पर काम कर रहे वातावरण के विचलनों से भिज्ञ हो
C. वह अपने विद्यार्थियों की जिज्ञासा को उजागर करने में सक्षम हो
D. उपरोक्त सभी

31. किसी स्कूल/कॉलेज में शिक्षा की गुणवत्ता को मापा जा सकता है :
A. उपलब्ध बुनियादी सुविधाओं द्वारा
B. उपलब्ध जनशक्ति, अध्यापक तथा प्रधानाचार्य के माध्यम से
C. छात्रों की शैक्षिक प्रगति के माध्यम से
D. उपरोक्त सभी द्वारा

32. UNESCO प्रकाशन की व्याख्या के अनुसार अध्यापक के अन्दर कौन-सा व्यावसायिक गुण होना चाहिये?
A. अपने विषय में दक्षता तथा शिक्षण में निपुणता
B. शिक्षण-पद्धति में प्रतिक्षण नयापन
C. व्यवसाय के प्रति न्याय व ईमानदारी
D. उपरोक्त सभी

33. शिक्षण का पहला चरण है :
A. पहले से योजना बनाना
B. पाठ्यसामग्री को सुसंगठित करना
C. विद्यार्थियों की बैकग्राउन्ड को जानना
D. कोई नहीं

34. यदि कोई छात्र कक्षा में बेहोश हो जाता है तो आप सबसे पहले क्या करेंगे?
A. प्रधानाचार्य के कार्यालय की ओर दौड़ेंगे तथा सहायता के लिए कहेंगे
B. बच्चे के माता-पिता को टेलीफोन करेंगे तथा उनकी प्रतीक्षा करेंगे
C. उसे प्रथम सहायता चिकित्सा देंगे तथा किसी निकट के डॉक्टर से सम्पर्क करेंगे
D. उस लड़के को घर भेजने का प्रबन्ध करेंगे

35. यदि सामान्य लड़कों के साथ आपको किसी नेत्रहीन को पढ़ाने का अवसर मिले तो आपका व्यवहार कैसा होगा?
A. आप सहानुभूति से उसकी देख-रेख करेंगे
B. आप उस पर कोई अतिरिक्त ध्यान नहीं देंगे क्योंकि इससे शेष छात्रों की क्षति होगी
C. आप उसको आगे की सीट पर बिठायेंगे और अपने अध्यापन को उसकी क्षमतानुसार इस प्रकार सुनियोजित करेंगे कि उससे अन्य छात्रों को क्षति न हो
D. उपरोक्त कोई नहीं

36. एक नया अध्यापक, जिसके साथ कक्षा में कुछ बच्चे गलत ढंग से व्यवहार करते हैं, वह उनसे निपटेगा
A. दण्डात्मक तरीकों को अपना कर
B. अपने अन्दर सुधार लाकर और उसे छात्रों के सामने अच्छे अन्दाज से पेश करके
C. प्रधानाचार्य से सलाह के बाद अपनी कक्षा को बदल कर
D. उन्हें स्कूल से निकाल देने की धमकी देकर

37. यदि कोई लड़का पीछे बैठता है और श्यामपट को ठीक से नहीं देख पाता है, परिणामस्वरूप वह बार-बार खड़ा होकर देखता है और बैठ जाता है। इस केस के सम्बन्ध में आप क्या निष्कर्ष निकालेंगे?
A. अपने सहपाठियों की तुलना में वह छात्र नाटा है
B. श्यामपट पर रोशनी की चमक पड़ रही है
C. बच्चा दूरदृष्टि दोष रखता है
D. A और C दोनों

38. बच्चे की श्रवण-क्षमता में विकार हो सकता है यदि
A. वह असामान्य रूप से बहुत ज़ोर से बोलता है
B. बातचीत के दौरान वह वक्ता के निकट आ जाता है
C. वह अध्यापक से आमतौर पर फिर से कहिये, फिर से कहिये, कहता रहता है
D. उपरोक्त सभी

39. यदि कोई छात्रा आपसे अपनी डाक आपके पते पर मंगाने के लिए कहती है तो
A. आप उसे इसकी अनुमति नहीं देंगे क्योंकि यह आपके सिद्धान्तों के विरुद्ध है
B. आप उसे अपना पता नहीं देंगे कि कहीं यह आप के विरुद्ध कोई चाल न हो
C. आप उसे इसकी अनुमति दे देंगे क्योंकि एक अध्यापक के नाते आपको ऐसा करना चाहिये
D. आप उसे व्यक्तिगत लगाव के कारण इसकी अनुमति दे देंगे

40. यदि कोई उच्च जाति का अध्यापक किसी नीची जाति के छात्र के साथ भेदभाव करता है तो उसका व्यवहार
A. उसके अपने धर्मानुसार सही है
B. राष्ट्रीय सोच तथा समय की जरूरत के विरुद्ध है
C. संवैधानिक प्रावधानों के विरुद्ध नहीं है
D. UNESCO के अध्यापकों के व्यवसायवाद के नियमों के विरुद्ध नहीं है

41. पद्य पाठ का सर्वाधिक महत्त्वपूर्ण सोपान है
A. प्रस्तावना B. भाव विश्लेषण
C. समभावी कविता D. आदर्श प्रस्तावना

42. 'कलेजा मुंह को आना' मुहावरे का सही अर्थ है
A. बहुत दुखी होना B. क्रोध करना
C. धोखा खाना D. मूर्ख बनना

43. आकाश का विलोम है
A. धरती B. पाताल
C. गगन D. नभ

44. निम्न में से कौन एक भिन्न है?

A. अहं B. दर्प
C. अहंकार D. निराला

45. सहिष्णुता शब्द है

A. विशेषण B. अव्यय
C. भाववाचक संज्ञा D. सर्वनाम

46. उल्लास का समानार्थक शब्द है

A. उत्साह। B. दुःख
C. प्रसन्नता D. ताजगी

47. सज्जन शब्द का संधि विच्छेद है

A. सज् + जन B. सः + जन
C. सत् + जन D. सा + जन

48. पर्यावरण का शब्दार्थ है

A. जलमंडल B. स्थलमंडल
C. वायुमंडल D. वातावरण

49. निम्नलिखित में से रचनात्मक शिक्षण की विधि नहीं है

A. कक्षा नियम विधि B. आदर्श अभिनय विधि
C. व्याख्या विधि D. भाषा-संसर्ग विधि

50. समवाय विधि प्रयुक्त होती है

A. निबंध शिक्षण में B. कहानी शिक्षण में
C. कविता शिक्षण में D. उपरोक्त सभी में

51. निम्न में कौन दृश्य-श्रव्य उपकरण है

A. दूरदर्शन B. टेलीफोन
C. ग्रामोफोन D. रेडियो

52. बालकों के शब्दकोष होने चाहिए

A. भाषात्मक B. काव्यात्मक
C. चित्रात्मक D. मनोविश्लेषणात्मक

53. सक्षम शब्द का समानार्थक है

A. समर्थ B. शक्तिशाली
C. कायर D. निर्माता

54. विहंगम दृष्टि का अभिप्राय है

A. एक झलक B. गहन दृष्टि
C. गहन चिंतन D. इनमें से कोई नहीं

55. विधाता की अनुपम रचना है

A. मानव B. समुद्र
C. वन D. पृथ्वी

56. नीरस का संधि विच्छेद है

A. नी + रस B. नि + रस
C. निः + रस D. नीः + रस

57. अक्षर बोध प्रणाली से छात्रों का

A. उच्चारण शुद्ध होता है
B. वाक्यों का क्रमबद्ध ज्ञान होता है
C. विवरण दोष नहीं आ पाता है
D. उपरोक्त सभी

58. नैदानिक परीक्षण का उद्देश्य है

A. छात्र की कमजोरियों का पता लगाना
B. छात्र में सद्वृत्तियों का विकास करना
C. छात्र की अभिव्यक्ति में सुधार लाना
D. छात्र की भाषा संबंधी क्षमता का मूल्यांकन करना

59. निर्देशित स्वाध्याय प्रणाली का सोपान है

A. नियोजन B. क्रियान्वयन
C. उपरोक्त दोनों D. कोई भी नहीं

60. पेडागॉजी कहलाता है

A. शिक्षण विज्ञान
B. सीखने की कला
C. शिक्षण-अधिगम विज्ञान व कला दोनों
D. संप्रेषण विज्ञान

61. निम्नलिखित में से कौन सा वैकल्पिक पाठशाला का अर्थ नहीं है?

A. चरवाहा विद्यालय
B. विद्यालय से बाहर रहे बच्चों की शिक्षा
C. आसपास/पड़ोस के बच्चों की शिक्षा उनके पड़ोस में
D. निर्माण कार्य के पास बच्चों की शिक्षा

62. निम्नलिखित में सें कौन सी बात कौशल सीखने की एक प्रावस्था नहीं हो सकती है?

A. संविधि B. भेद बोध
C. अभ्यास D. कल्पना

63. शिक्षण कार्य के लिए निम्नलिखित में से कौन सबसे अधिक निर्णायक है?

A. अधिगम को प्रभावी बनाना
B. ज्ञान देना
C. कक्षा का संप्रबंधन
D. छात्रों के साथ संप्रेषण

64. गरीबों की मदद करना एक कर्त्तव्य है, क्योंकि

A. हम गरीब हैं
B. हम अमीर हैं
C. हम उस समाज से संबंध रखते हैं
D. हम उनकी अच्छाई चाहते हैं

65. 'हमें दूसरे के ओहदों का हमेशा ध्यान रखना चाहिए।' यह एक है

A. साधारण वाक्य B. जटिल वाक्य
C. मिश्रित वाक्य D. मुहावरा

66. वर्ण को कहते हैं

A. मौलिक ध्वनि B. लघुत्तम अक्षर
C. मूल ध्वनियां D. वृहत्तम अक्षर

67. नीलकंठ शब्द किस वर्ग का है?

A. रूढ़ि B. योगरूढ़
C. यौगिक D. इनमें से कोई नहीं

हिन्दी

68. बुढ़ापा क्या है
A. भाववाचक संज्ञा B. व्यक्तिवाचक संज्ञा
C. क्रिया विशेषण D. जाति वाचक संज्ञा

69. प्रत्यय कहाँ जोड़े जाते हैं?
A. शब्द के आरंभ में
B. शब्द के अंत में
C. शब्द के बीच में
D. शब्द के उस भाग में जहां उपयुक्त लगे

70. नमस्ते में कौन सी संधि है?
A. व्यंजन संधि B. स्वर संधि
C. विसर्ग संधि D. इनमें से कोई नहीं

71. संचय का संधि विग्रह है
A. सत् + चय B. सम् + चय
C. सं + चय D. सः + चय

72. जन्मांध में कौन सा समास है?
A. तत्पुरुष B. द्वन्द्व
C. बहुव्रीहि D. अव्ययीभाव

73. अकथ का विपरीतार्थक शब्द होगा
A. कथनीय B. मान्य
C. कथ्य D. चिंतनीय

74. अक्ल का दुश्मन का क्या तात्पर्य है?
A. बेवकूफ B. महामूर्ख
C. पागल D. बुद्धिहीन

75. हमारी परीक्षा प्रणाली में सुधार का सर्वोत्तम तरीका होगा
A. आंतरिक मूल्यांकन B. बाह्य मूल्यांकन
C. उपरोक्त दोनों D. इनमें से कोई भी नहीं

76. वर्तमान नर्सरी विद्यालयों में प्रवेश विवाद के मूल में है
A. कोर्ट का फैसला B. गांगुली कमेटी रिपोर्ट
C. नई शिक्षा नीति D. कोठारी कमीशन

77. भाषा शिक्षण की किस विधि का प्रयोग लाभकर होता है?
A. प्रश्नोतर विधि B. खेल विधि
C. डाल्टन विधि D. इनमें से कोई नहीं

78. कविता किसका विषय है?
A. अनुभूति का B. विधा का
C. रस का D. आनन्द का

79. सम्प्रेषण की कुशलता बढ़ती है
A. अंतःक्रिया से B. अनुभव से
C. धन से D. प्रशिक्षण से

80. रूपरेखा शिक्षण विधि का संबंध है
A. गद्य शिक्षण से B. कहानी शिक्षण से
C. व्याकरण शिक्षण से D. रचना शिक्षण से

81. जीवन में सफल होने के लिए छात्रों को क्या करने के लिए प्रोत्साहित करना चाहिए?
A. चयनित अध्ययन
B. आकस्मिक अध्ययन
C. गहन अध्ययन
D. कण्ठस्थीकरण करके सीखना

82. बुनियादी शिक्षा का विचार निम्न में से किसने दिया?
A. डॉ. जाकिर हुसैन B. डॉ. राजेन्द्र प्रसाद
C. महात्मा गांधी D. रवीन्द्रनाथ टैगोर

83. बालिकाओं की शिक्षा को प्राथमिकता देनी चाहिए, क्योंकि
A. लड़कियाँ लड़कों की अपेक्षा अधिक होशियार होती हैं
B. लड़कियाँ संख्या में लड़कों से कम हैं
C. भूतकाल में लड़कों की तुलना में लड़कियों के साथ भेदभाव किया गया है
D. केवल लड़कियां ही सामाजिक परिवर्तन का नेतृत्व करने में सक्षम हैं

84. सम्मिलित (Inclusive) शिक्षा की सफलता निर्भर करती है
A. समुदाय के सहारे पर
B. शिक्षण-अधिगम सामग्रियों की उच्च कोटि की गुणवत्ता पर
C. पाठ्य-पुस्तकों की उत्कृष्टता पर
D. अध्यापकों में अभिवृत्यात्मक परिवर्तन पर

85. पाठ्य-सहगामी क्रियाओं का आयोजन करना किसका दायित्व होना चाहिए?
A. प्रधानाध्यापक का
B. इस कार्य के लिए नियुक्त अध्यापक का
C. उन अध्यापकों का जो इसमें रुचि रखते हैं
D. सभी अध्यापकों का

86. छात्रों के अनुतीर्ण रहने पर समझना चाहिए कि
A. व्यवस्था ही असफल हो गई है
B. अध्यापक की असफलता है
C. पाठ्य-पुस्तकों की असफलता है
D. व्यक्तिगत छात्र की असफलता है

87. छात्रों का सामयिक परीक्षण होना चाहिए ताकि
A. छात्रों की प्रगति उनके अभिभावकों को सूचित की जा सके
B. नियमानुसार निर्धारित अभ्यास करवाया जा सके
C. छात्रों को अंतिम परीक्षाओं के लिए प्रशिक्षित किया जा सके
D. परिणामों से प्राप्त प्रतिपुष्टि के आधार पर सुधारात्मक उपाय अपनाए जा सकें

88. गृहकार्य जांचने का सबसे अच्छा उपाय है
A. प्रबुद्ध छात्रों द्वारा इसे संपन्न करा देना
B. कक्षा में सामूहिक रूप से उत्तरों की जांच करा देना
C. नमूने के आधार पर इन्हें जांच डालना
D. नियमित रूप से स्वयं अध्यापक/अध्यापिका द्वारा उनकी जांच करना

89. कण्ठ का विशेषण है
A. कण्ठी B. काठी
C. कण्ठक D. कण्ठ्य

90. निम्न में कौन सी वर्तनी शुद्ध है?

A. श्रीहरी B. पूजनीय
C. मनः कामना D. कवित्री

91. इनमें कौन सा वाक्य अशुद्ध है?

A. मैंने थोड़ी देर बाद जाना है
B. आप सपरिवार आमंत्रित हैं
C. कृपया हमारे घर आइए
D. आप जब भी आएं, मुझसे मिलें

92. अभिमुख होने के अर्थ में किस मुहावरे का प्रयोग है?

A. छत्तीस का आंकड़ा होना
B. एक और एक ग्यारह होना
C. निन्यानवे का चक्कर
D. तिरेसठ की तरह होना

93. 'बतरस लालच लाल की
मुरली धरी लुकाई
सौंह करैं, भौंहनि हंसै
देन कहैं नट जाँइ।'
यहां नट शब्द का क्या अर्थ है?

A. नाटक करना B. छिप जाना
C. मना करना D. झगड़ा करना

94. 'कमर टूट जाना' का अर्थ है

A. कमर की हड्डी टूटना B. घबरा जाना
C. असफल होना D. शक्ति या साहस न रहना

95. हमारे जीवन का उद्देश्य है कि दूसरों की सहायता करें। यह किस प्रकार का वाक्य है?

A. संयुक्त B. सरल
C. साधारण D. मिश्र

96. 'लाली मेरे लाल की ....' यहां लाल से क्या अभिप्राय है?

A. बेटा B. कीमती पत्थर
C. ईश्वर D. मनुष्य

97. नीरव में कौन सी संधि है?

A. स्वर संधि B. व्यंजन संधि
C. विसर्ग संधि D. दीर्घ संधि

98. मधुकर का समानार्थक शब्द क्या है?

A. शहद B. भ्रमर
C. रीछ D. रोटी

99. हथेली पर सरसों जमाना का क्या अर्थ है?

A. जादू दिखाना B. काम झटपट कर लेना
C. अच्छी खेती करना D. असंभव कार्य कर लेना

100. विकलांग बच्चों के साथ किस प्रकार का व्यवहार किया जाना चाहिए?

A. उन्हें सामान्य विद्यालयों एवं सामान्य बच्चों से दूर रखा जाए
B. सामान्य बच्चों की तरह उन्हें भी अवसर दिए जाएं
C. उन्हें एक जिम्मेदारी समझ कर दया की भावना से उनकी सहायता की जाए
D. विशेष सुविधाएं प्रदान कर उन्हें सामान्य विद्यालयों में समाकलित की जाए

101. 'सीता हँसती है' वाक्य में कौन सी क्रिया है?

A. अकर्मक B. द्विकर्मक
C. विकर्मक D. सकर्मक

102. 'राम से बैठा नहीं गया' यहां कौन सा वाच्य है?

A. भाव वाच्य B. कर्मवाच्य
C. कर्तृवाच्य D. मिश्रवाच्य

103. तत्पुरुष समास में कौन-सा पद प्रधान होता है?

A. पूर्व पद B. अन्य पद
C. उभय पद D. उत्तर पद

104. ब्रजभाषा का विकास किस भाषा से हुआ?

A. अर्धमागधी B. शौरसेनी
C. पालि D. पैशाची

105. विकलांग बच्चों के संदर्भ में प्रारंभिक शिक्षा के सार्वभौमिकरण के लिए कौन सी अधिकतम आयु निर्धारित की गई है?

A. 11 वर्ष B. 14 वर्ष
C. 16 वर्ष D. 18 वर्ष

106. विकलांग बच्चों की समेकित शिक्षा का निहितार्थ है

A. कुछ शिक्षा सामान्य विद्यालयों में हो और कुछ विशेष विद्यालयों में हो
B. ऐसे बच्चों को केवल विशेष अध्यापक ही पढ़ाएँ
C. सामान्य बच्चों के साथ ही उनकी पढ़ाई का प्रावधान हो
D. विकलांगता के अनुरूप विशेष विद्यालयों में दाखिला

107. देवनागरी लिपि किस भाषा की लिपि है?

A. तमिल B. पंजाबी
C. हिन्दी D. उर्दू

108. हिंदी का सबसे बड़ा गुण यह है कि

A. इसमें वैज्ञानिक आविष्कारों को स्वीकार करने की क्षमता है
B. इसने अपने को दूसरी भाषाओं के संपर्क से अलग रखा है
C. इसने संस्कृत के साथ अन्य भाषाओं के शब्दों को भी अपनाया है
D. यह भारत की सबसे समृद्ध भाषा है

109. हिंदी राष्ट्रभाषा इसलिए रही क्योंकि

A. गांधीजी इसके पक्षपाती थे
B. यह अंतरप्रांतीय भाषा थी
C. यह सार्वजनिक व्यापार की भाषा थी
D. यह देश में उत्तर से दक्षिण और पूरब से पश्चिम तक परस्पर बातचीत और विचार-विनिमय के लिए प्रयोग में लाई जाती थी

110. राष्ट्र भाषा में

A. हिंदू संस्कृति के गुण होने चाहिए

B. राजभाषा के गुण होने चाहिए
C. सामासिक संस्कृति के गुण होने चाहिए
D. शुद्ध भाषा के गुण होने चाहिए

111. हिंदी के उदात्त साहित्य का मूल है
A. रस B. कामुकता
C. कलुषित आक्रोश D. दुखान्त परिणति

112. प्रासंगिक शब्द का सही अर्थ चुनकर बताएं
A. तराजू की डंडी से संबंधित
B. दरबान
C. मामले से जुड़ा हुआ
D. साथ निभाने वाला

113. उद्देश्य निष्ठ मूल्यांकन की विशेषताएँ हैं
A. वस्तुनिष्ठता और विभेदकारी
B. व्यापकता और व्यावहारिकता
C. विश्वसनीयता और वैधता
D. उपरोक्त सभी

114. देवनागरी लिपि अन्य लिपियों की तुलना में कहीं अधिक
A. ध्वन्यात्मक है B. कलात्मक है
C. वैज्ञानिक है D. उपरोक्त सभी

115. वाद-विवाद प्रतियोगिता में आपको निर्णायक बनाए जाने पर आप
A. साथी निर्णायक के निर्णय के अनुरूप निर्णय करेंगे
B. प्रभावी वक्ता को प्रमुखता देंगे
C. अपने विद्यालय के छात्र को प्रमुखता देंगे
D. छात्र नेता को प्रमुखता देंगे

116. आप कक्षा में धीरे-धीरे सीखने वाले छात्र के लिए क्या करेंगे?
A. अन्य छात्रों की अपेक्षा अधिक गृह कार्य देंगे
B. उसको पारितोषिक प्राप्त करने को प्रोत्साहित करेंगे
C. उसका व्यक्तित्व शिक्षण करेंगे
D. उसका कारण जानकर उपचारात्मक विधि अपनाएंगे

117. एक अच्छे अध्यापक के लिए संतोष की वस्तु है
A. उच्च पद B. धन
C. आदर-सम्मान D. जन समर्थन

118. कक्षा में शिक्षक को अधिकाधिक प्रश्न पूछने चाहिए, क्योंकि इससे
A. प्रधानाचार्य प्रसन्न होते हैं
B. कक्षा का अनुशासन बनता है
C. छात्रों को अभिव्यक्ति का अवसर मिलता है
D. शिक्षक को अभिव्यक्ति का अवसर मिलता है

119. अपेक्षा का विपरीत शब्द है
A. अनादर B. आदर
C. सत्कार D. उपेक्षा

120. अंधाधुंध शब्द का अर्थ है
A. तीव्र गति से B. धीमी गति से
C. विवेक रहित D. विवेक सहित

उत्तरमाला

1	2	3	4	5	6	7	8	9	10
A	C	A	C	D	A	D	A	C	D
11	12	13	14	15	16	17	18	19	20
D	B	C	C	B	B	D	A	B	D
21	22	23	24	25	26	27	28	29	30
D	A	B	B	A	C	A	D	D	D
31	32	33	34	35	36	37	38	39	40
D	D	A	C	C	B	D	D	A	B
41	42	43	44	45	46	47	48	49	50
B	A	B	D	C	A	C	D	D	A
51	52	53	54	55	56	57	58	59	60
A	C	A	A	A	C	A	A	C	C
61	62	63	64	65	66	67	68	69	70
A	A	A	C	A	C	B	A	B	C
71	72	73	74	75	76	77	78	79	80
B	A	A	D	C	B	B	A	D	D
81	82	83	84	85	86	87	88	89	90
C	C	C	A	D	A	D	D	D	B
91	92	93	94	95	96	97	98	99	100
A	D	C	D	A	A	C	B	D	B
101	102	103	104	105	106	107	108	109	110
A	C	D	B	D	D	C	C	D	C
111	112	113	114	115	116	117	118	119	120
A	C	D	D	B	D	C	C	D	C

English

SECTION a COMPREHENSION

INTRODUCTION

Reading Comprehension determines the ability of an examinee to grapple with abstract thoughts hidden in the text. It also judges his ability to draw conclusions from the given set of information that is in the form of running text. This test can be solved by reading the given paragraph and answering the questions that are given below it. Answers may be given either by ticking the right choices in the question paper or filling the relevant boxes (showing options) in the answer sheet with pencil. The passage can vary in length; it could be as small as a paragraph of 50 words or, it could be a type of small essay of nearly 500 words, conveniently divided into some paragraphs. Single paragrpahs are also given in many a test. The topic of the paragraph generally deals with abstract subjects whereas figures or tables are generally avoided.

Reading Comprehension is an art. Our readers will do well to answer this test by:

(*a*) developing a broad frame of reference;

(*b*) reading as many passages as is possible and answer questions given below them;

(*c*) developing the reading habit and imbibing the "flow of English language" throughly to understand its style and grammatic intricacies.

While treating the test from an artistic viewpoint, readers will have to develop the sense of making logical conclusions. These conclusions must be based on the text given in the passage; they cannot imagine phenomenon, conclusions or facts. They have to limit their imagination and the power to comprehend the abstract points (the "fine things" stated in the topic) to the passage only.

Reading Comprehension is a science too. In order to solve this test in a scientific manner, readers will have to proceed according to the following steps:

(1) Read the passage at fast pace.

(2) Now, read the passage again at slow pace and also underline important points.

(3) Read those words carefully that are in bold face letters. Try to connect them to the lines in which, they have been carefully embedded.

(4) Now, read the first question given below the passage. If you know the answer fully well, tick the relevant option in the answer sheet.

(5) Now, go to next question and answer it. Proceed in a similar manner and answer all the questions.

(6) If you find a question to be too difficult to answer, skip it and go to the next question. In the end, you can read the passage (only in parts) and answer these question that were left by you.

(7) If the examination has a system of negative marking, do not answer the difficult questions through guess- work or your imagination. It is better not to answer those questions if negative marks are likely to be earned by you by answering them.

(8) Many passages have tests of antonyms and synonyms appended in the end of their questions. Do not imagine the antonym or synonym of the given word or the bold-faced word of the passage. Instead, link that word to the line in which, it is embedded. Try to find out what the author is saying in that line. Now, answer the question (antonym or synonym) keeping in mind the "true spirit" of the word in its sentence.

(9) In many tests, you may be asked to give a suitable title to the passage. Scan through the passage quickly and read the underlined

phrases carefully. Give such a title to the passage as would encompass all the vital points of the passage. Do not go beyond the "real essence" of the given passage. Do not use difficult words in the title decided by you.

As an artist, you have to comprehend the fine aspects of the text that you will read. As a logician, you will be required to deduct and conclude.

Practice will make you perfect.

PASSAGE–1

Indians have a long history of travelling, trading and establishing settlements abroad. Buddhist pilgrims and missionaries penetrated most of Central and East Asia. Several Hindu dynasties ruled parts of Indonesia and South East Asia, and Hindu businessmen established themselves in Afghanistan and parts of Central Asia. Indian contacts with East Africa were among the oldest and the closest. According to one Arab tradition Aristotle advised Alexander the Great to establish a Greek colony on the island of Sokorta off north eastern Africa. The enthusiastic Greeks subdued the Indians who were established there, took possession of Sokorta and removed a colossal idol to which Indians paid homage. As the famous *Periplus of the Erythraean Sea* makes clear, Indian traders continued to visit trading centres along the East African coast well into the first century A.D. Chinese blue-and-white porcelain that found its way to East African during the mediaeval period owed its origin largely to Gujarati ships. Gujarati commercial establishments existed in Africa from the thirteenth century onwards, and Gujarati businessmen, many of them Muslims, acted as bankers. money changers and money-lenders. Their business acumen endeared them to the Arabs who had acquired a hold over the coastal areas of East Africa and who offered them protection and commercial immunity in return for finance and successful economic management. Indian merchants, mainly Muslims, also financed some of the Arab slave traders. By 1860 they are said to have controlled almost the whole of Zanzibari trade. Indian traders married or had liaisons with African women, and their offsprings were to be found not only on the East African coast where they were called 'Chotara', but also in the coastal regions of Gujarat where their racially mixed features earned them the name of 'habsi' or habsi-like' people.

1. Buddhist pilgrims went to different parts of Asia
   A. to remove the Hindu rulers
   B. to establish colonies
   C. to propagate Buddhism
   D. to enhance Indian commercial interests

2. In the long past Indians travelled
   A. for trade and commerce
   B. for labour
   C. for missionary activities
   D. A and C

3. The interest of the Hindus in Indonesia, South East and Central Asia was
   A. religious
   B. commercial
   C. political
   D. both political and commercial

4. Gujarati ships sailed to East Africa as early as
   A. prehistoric period
   B. mediaeval period
   C. modern period
   D. none of these

5. India's relations with East Africa date back to
   A. the Pre-Christian era
   B. the third century A.D.
   C. the thirteenth century A.D.
   D. the eighteenth century A.D.

6. Most of the Gujarati businessmen in Africa in the thirteenth century were
   A. Muslim businessmen
   B. Hindu businessmen
   C. Buddhist missionaries
   D. Hindu and Muslim money-lenders

7. The Indian merchants in Afrcia
   A. discouraged slave trade
   B. encouraged slave trade
   C. financed slave trade
   D. kept themselves away from slave trade

8. 'Chotara' are
   A. offsprings of the immigrants
   B. offsprings of the local people
   C. offsprings of the local people and the Arabs
   D. offsprings of the local people and the immigrants

9. The Indian immigrants were endeared to the Arabs because of their
   A. liberal view of life
   B. strong religious sentiment
   C. wealth
   D. business acumen

10. The Gujarati traders in Africa were offered protection by
   A. the Africans
   B. the local businessmen
   C. the rulers
   D. the Arabs

PASSAGE–2

The happy man is the man who lives objectively, who has free affections and wide interests, who secures his happiness through these interests and affections and through the fact that they, in turn, make him an object of interest and affection to many others. To be the recipient of affection is a potent cause of happiness, but the man who demands affection is not the man upon whom it is bestowed. The man who receives affection is, speaking broadly, the man who gives it. But it is useless to attempt to give it as a calculation, in the way in which one might lend money at interest, for a calculated affection is not genuine and is not felt to be so by the recipient.

What then can a man do who is unhappy because he is encased in self? So long as he continues to think about the causes of his unhappiness, he continues to be self-centred and therefore does not get outside the vicious circle, if he is to get outside it, it must be genuine interests, not by simulated interests adopted merely as a medicine. Although this difficulty is real, there is nevertheless much that he can do if he has rightly diagnosed his trouble. If, for example, his trouble is due to a sense of sin, conscious or unconscious, he can first persuade his conscious mind that he has no reason to feel sinful and then proceed, to plant his rational conviction in his unconscious mind, concerning himself meanwhile with some more or less neutral activity. If he succeeds in dispelling the sense of sin, it is possible that genuine objective interests will arise spontaneously. If his trouble is self pity, he can deal with it in the same manner after first persuading himself that there is nothing extraordinarily unfortunate in his circumstances.

If fear is his trouble, let him practice exercises designed to give courage. Courage has been recognised from time immemorial as an important virtue, and a great part of training of boys and young men has been devoted to producing a type of character capable of fearlessless in battle. But moral courage and intellectual courage have been much less studied, they also, however, have their technique. Admit to yourself everyday atleast one painful truth, you will find this quite useful. Teach yourself to feel that life still be worth living even if you were not, as of course you are, immeasurably superior to all your friends in virtue and in intelligence. Exercises of this sort prolonged through several years will at last enable you to admit facts without flinching and will, in so doing, free you from the empire of fear over a very large field.

1. Who according to the passage is the happy man?
A. who is encased in self
B. who has free affection and wide interests
C. who is free from wordly passions
D. who has externally centre passions
E. None of these

2. According to the passage, calculated affection
A. appears to be false and fabricated
B. makes other person to love you
C. turns into permanent affection over a period of time
D. leads to self-pity
E. gives a feeling of courage

3. Which of the following virtues, according to the passage, has been recognised for long as an important virtue?
A. Patriotism
B. Sacrifice
C. Courage
D. Self-consciousness
E. None of these

4. Which of the following, according to the passage, has not been studied much?
A. Feeling of guilt and self-pity
B. The state of mind of an unhappy man
C. How to get absorbed in other interests
D. Moral and intellectual courage
E. None of these

5. If a man is suffering from a sense of sin
A. he should invite opinion of others
B. he should admit his sin at once
C. he should consciously realize that he has no reason to feel sinful
D. he should develop a fearless character
E. he should develop an internal locus of control

6. What happens to a man who demands affection?
A. His feelings are reciprocated by others
B. He tends to take a calculated risk
C. He becomes a victim of a viscious circle
D. He takes affection for granted from others
E. None of these

7. What should a man do who is suffering from the feeling of self-pity?
A. He should control his passions and emotions
B. He should persuade himself that everything is alright in his circumstances
C. He should seek affection from others
D. He should develop a feeling of fearlessness
E. He should consult an expert to diagnose his trouble

8. How to get out of the viscious circle mentioned in the passage?
A. By practicing skills of concentration
B. By inculcating the habits of self-absorption
C. Being true to others and one's internal circumstances
D. Admitting to oneself that others could be right.
E. None of these

9. Which of the following statements is not true in the context of the passage?
A. Happy man has wide interests

B. Courage has been recognized as an important virtue
C. Unhappy man is encased in self
D. A man who suffers from the sense of sin must tell himself that he has no reason to be sinful
E. Issue of intellectual courage has been extensively studied

10. Which of the following words is SIMILAR in meaning of the word 'bestowed' as used in the passage?
A. Conferred B. Accommodated
C. Trusted D. Withdrawn
E. Directed

11. Which of the following statements is true in the context of the passage?
A. All passions stem from unhappiness
B. The happy man lives in subjectively
C. Any virtue has a dark side also
D. One feels happy if one receives affection
E. Any affection is always genuine

12. Which of the following words is SIMILAR in meaning to the word 'flinching' as used in the passage?
A. Wincing B. Convincing
C. Explaining D. Providing
E. Debating.

13. What happens when you think about cause of your unhappiness?
A. You try to introspect and look critically at yourself
B. You realize that the life can be lived in different ways
C. You try to practice exercise designed to give courage
D. You remain a self-centred person
E. None of these

14. What according to the passage is the real cause of happiness?
A. Material rewards and incentives received
B. Critical analysis of the happy state of mind
C. Affection received from others
D. Calculated risks taken
E. None of these

15. Which of the following words is OPPOSITE in meaning of the word 'dispelling' as used in the passage?
A. Giving B. Accumulating
C. Projecting D. Scattering
E. Receiving

PASSAGE–3

The Constitution of India ensured woman an equal position with man in regard to her rights and responsibilities; inheritance and other laws were enacted to safeguard her and to give her economic and psychological stability. We see how fragile legislation can be when it is not backed by **sturdy** and passionate human beings who ensure that legislation is translated into action.

In the last few years we find an erosion of woman's position not only in India but all over the world. There is a growing materialism and an increasing fundamentalism which seeks to **entangle** woman through an emphasis on tradition, heritage, custom, the Shastras, religious texts and so push her back centuries, through a man-made social code that limits woman's initiative, creativity and **growth**.

With the explosion in technology, in computer literacy and an increasing search for extending areas of artificial intelligence, new challenges have appeared on the horizon. Labour based on the male physique which dominated employment and defined a woman's role for centuries is being replaced by skill and intelligence-oriented systems for creating wealth. It is possible in the coming decades to erase **discrimination** based on gender; but in India to introduce such systems that render the human beings less and less important in the production processes, when seen against a scenario of exploding populations, of growing unemployment, can only accentuate tension and conflict. As of today no social, economic and psychological solutions to the problem of employment are available. Reservations for women remain valid on paper. The woman remains a victim.

Economic freedom and the independence that arises from it is essential for women. We have to ensure through field studies, through education, through right use of franchise, through an **observing** eye and ear to **unravel** this knot of employement for women. This is only possible with a right use of technology and the examination and strengthening of existing technologies.

A growing fundamentalism is evident in the horrors that have been perpetrated on woman. We are aware how through TV, radio, advertising, magazines, visual and language traps are set up in which woman inevitably falls. This is further accentuated through an educational system, through outdated values and through a close-box culture which binds woman to her man-made role as daughter, wife and mother, so that she exists only in relation to man. In our culture the woman has no independent existence.

Can we create a new agenda for woman based on skill, creativity, knowledge, austerity, compassion and responsibility?

1. Why could legislation not give women their due share?
A. Because legislation has remained merely on paper

B. Men have resisted legislation in a vehement way
C. Women's position has deteriorated all over the world
D. Women have been denied economic opportunities
E. None of these

2. Why does the Constitution give equal position to woman with man?
A. To enable her to carry out her domestic responsibilities in a better way
B. To help her enjoy more rights over ancestral property
C. To make her monetarily independent and psychologically stable
D. To maintain the dominance of males as per the social demand
E. None of these

3. Why has women's status been worsening these days?
A. There is more emphasis on superficial aspects of life
B. The social codes have always remained gender-biased
C. Society expects women not to do what they did centuries ago
D. Women have been unwilling to do anything creative
E. The religious texts recommend that women should remain merely home-makers

4. How does growing unemployment in India come in the way of upliftment of women?
A. There are no solutions to the socio-psychological problems of unemployment
B. There are no special reservations for women
C. It makes the use of modern techniques which are gender-biased
D. Human beings have become less important in the present industrial world
E. None of these

5. What is one of the ways of attaining self-sufficiency for women according to the passage?
A. Gaining respect in the eyes of men
B. Being financially independent
C. Learning new skills
D. Doing some productive work at home
E. Getting higher education

6. Why do women have no independent existence in our country?
A. We have an obsolete educational system
B. The mass media project her in the wrong light
C. Men are bent on exploiting women for their benefit
D. She has to play the roles men assign to her
E. None of these

7. Which of the following is the result of technological explosion?
A. The Act of Indian Constitution to give equal status to women
B. Growing fundamentalism and its undesirable results
C. Physical activities can now be replaced by skill and intelligence-oriented systems
D. Outdated educational system and its implementation
E. None of these

8. What was the basis of differentiation between the male and female roles?
A. Intellectual superiority of males
B. Skills that men possessed and women did not
C. Technological innovations
D. Superior physical attributes of males
E. None fo these

9. Which of the following statements is **NOT TRUE** with reference to the above passage?
A. Gender inequality should be eliminated
B. Legally men and women have equal rights
C. The present educational system needs to be revamped
D. The importance of physical strength in comparison to intellectual power has decreased
E. Tackling the social, economic and psychological problems of unemployment, is very easy

Directions (Qs. 10 to 12): *Which of the following is most nearly the SAME in meaning as the word given in bold as used in the passage?*

10. **Growth**
A. increase B. development
C. enlargement D. expansion
E. cultivation

11. **Observing**
A. looking B. watching
C. adhering D. examine
E. critical

12. **Sturdy**
A. bold B. vigorous
C. spontaneous D. stout
E. rugged

Directions (Qs. 13 to 15): *Which of the following is the most **OPPOSITE** in meaning of the word given in **bold** as used in the passage.*

13. **Discrimination**
A. equality B. incrimination
C. partiality D. justice
E. honour

14. **Entangle**
A. arrest B. wrap

ENGLISH

C. free D. relief
E. escape

15. Unravel

A. real B. fictitious
C. lose D. solve
E. tighten

PASSAGE–4

For years now, George W. Bush has told Americans that he would increase the number of troops in Iraq only if the commanders on the ground asked him to do so. It was not a throwaway line : Bush said it from the very first days of the war, when he and Pentagon boss Donald Rumsfeld were criticized for going to war with too few troops. He said it right up until last summer, stressing at a news conference in Chicago that Iraq commander General George Casey "Will make the decisions as to how many troops we have there." Seasoned military people suspected that the line was a dodge—that the civilians who ran the Pentagon were testing their personal theory that war can be fought on the cheap and the brass simply knew better than to ask for more. In any case, the president repeated the mantra to dismiss any suggestion that the war was going badly. Who, after all, knew better than the generals on the ground?

Now, as the war nears the end of its fourth year and the number of Americans killed has surpassed 3,000, Bush has dropped the generals-know-best line. Sometime next week the President is expected to propose a surge in the number of U.S. forces in Iraq for a period of upto two years. A senior official said reinforcements numbering "About 20,000 troops," and may be more, could be in place within months. The **surge** would be achieved by extending the stay of some forces already in Iraq and accelerating the deployment of others.

The **irony** is that while the generals would have liked more troops in the past, they are **cool** to the idea of sending more now. That's in part because the politicians and commanders have had trouble agreeing on what the goal of a surge would be. But it is also because they are worried that a surge would further erode the readiness of the U.S.'s already stressed ground forces. And even those who back a surge are under no **illusions** about what it would mean to the casualty rate. "If you put more American troops on the front line," said a White House official, "You're going to have more casualties."

Coming from Bush, a man known for bold strokes, the surge is a strange half-measure—too large for the political climate at home, too small to crush the **insurgency** in Iraq and surely three years too late. Bush has waved off a bipartisan rescue mission out of pride, **stubbornness** or ideology, or some combination of the three. Rather than reversing course, as all the wise elders of the Iraq Study Group advised, the Commander in Chief is betting that more troops will lead the way to what one White House official calls "Victory."

1. Bush and Rumsfeld had received brickbats for—

A. waging a war against Iraq
B. testing their personal theories
C. their assertion in the news conference in Chicago
D. turning down the demands of General George Casey
E. None of these

2. George Bush gave an impression to his subjects that his army commanders were given the autonomy to decide—

A. when to start or stop the war in Iraq
B. the reasonable requirement of American troops to fight the war in Iraq
C. how many troops should Iraq use to fight against the Americans
D. the Pentagon policies regarding war in Iraq
E. None of these

3. From the content of the passage, which of the following can be definitely inferred?

1. **The U.S. troops in Iraq are happy with their victory**
2. **The troops already fighting the war in Iraq are sufficient enough to combat the situation effectively.**
3. **The generals who were earlier not in favour of increasing troops in Iraq are now insisting on surge.**

A. (1) and (2) only B. (2) and (3) only
C. (1) and (3) only D. None
E. All the three

4. Which of the following best describes Bush's persistent reaction to the observations that the Iraq war strategy was not effective due to inadequate American forces?

A. Such strategies are better left to Army Commanders to decide on the ground
B. Civilians are the best assessors of such strategies
C. Wars can be fought on the cheap
D. The brass knew better of war but not of politics
E. None of these

5. The author of the passage appears to be

A. in favour of enhancement of American troops in Iraq
B. critical about Bush's strategy of handling situation in Iraq
C. an impartial assessor of the US strategy related to the situation in Iraq

D. an indifferent onlooker of what is happening in Iraq

E. inclined to the idea of withdrawal of American troops to save casualty

6. Which of the following is the assessment of the Commander-in-Chief of U.S. forces in Iraq on the present situation there?

A. America's desired goal will be achieved if more troops are deployed in Iraq

B. Withdrawal of troops from Iraq is essential to raise the morale of the U.S. Army

C. Further strengthening of U.S. army in Iraq will be suicidal as it means more destruction of U.S. forces

D. Pentagon's civilians should not have been allowed to interfere with the army commanders' strategies

E. None of these

7. Which of the following strategies would achieve the desired increase in American forces in Iraq?

1. Continuation of stay of troops for a further period.
2. Expeditious deployment of additional troops
3. Seeking additional input from politicians and commanders of neighbouring friendly countries

A. (1) and (2) only B. (3) only
C. (2) only D. (1) and (2) only
E. None of these

8. Why do the army commanders disfavour enhancement of troops now?

1. More force means more casualties
2. Difference of opinion between politicians and commanders about the aim of the troop enhancement
3. Probable adverse psychological impact on ground forces

A. Only (1) and (2) B. Only (2) and (3)
C. All the three D. Only (1) and (3
E. None of these

9. Which of the following made Bush change his thinking about the requirement of forces in Iraq?

1. The unreasonably long period for which the war continued
2. The large number of American soldiers killed in the war
3. Demand from the Army Commanders

A. Only (1) and (3) B. Only (1) and (2)
C. Only (2) and (3) D. All the three
E. Only (3)

Directions (10 – 12) : Which of the following most OPPOSITE in meaning of the word given in **bold** as used in the passage ?

10. Cool

A. Warm B. Enthusiastic
C. Unwelcome D. Intemperate
E. Indifferent

11. Surge

A. Enhancement B. Trivializing
C. Reduction D. Strengthening
E. Upgradation

12. Stubbornness

A. Uncertainty B. Weakness
C. Acceptability D. Infirmity
E. Flexibility

Directions (13 – 15) : Which of the following is most nearly the **SAME** in meaning as the word given in **bold** as used in the passage ?

13. Illusion

A. Reality B. Reflection
C. Fantastic D. Delusion
E. Deviation

14. Insurgency

A. Rebellion B. Ingredient
C. Combat D. Debacle
E. Violation

15. Irony

A. Levelling B. Precaution
C. Controversy D. Mockery
E. Perception

PASSAGE–5

It all started twenty-five years ago. I was teaching Economics at a university in Bangladesh. The country was in the middle of a famine. I felt terrible. Here I was, teaching the **elegant** theories of Economics in the classroom with all the **enthusiasm** of a brand-new Ph.D. from the United States. But I would walk out of the classroom and see skeletons all around me, people waiting to die.

I felt that whatever I had learned, whatever I was teaching, was all make-believe stories, with no meaning for people's lives. So I started trying to find out how people lived in the village next door to the university campus. I wanted to find out whether there was anything I could do as a human being to delay or stop the death, even for one single person. I **abandoned** the bird's-eye view that lets you see everything from above, from the sky. I assumed a worm's-eye view, trying to find whatever comes right in front of you-smell it, touch it, see if you can do something about it.

One particular incident took me in a new direction. I met a woman who was making bamboo stools. After a long discussion, I found out that she made only two U.S. pennies each day. I couldn't believe anybody could work so hard and make such beautiful bamboo stools yet make such a tiny amount of profit. She explained to me that because she didn't have the money to buy the bamboo to make the stools, she had to borrow from the trader-and the trader imposed the condition that she had to sell the product to him alone, at a price that he decided.

And that explains the two pennies—she was virtually in bonded labour to this person. And how much did the bamboo cost? She said, "Oh, about twenty cents. For a very good one twenty-five cents." I thought, "People suffer for twenty cents and there is nothing anyone can do about it?" I debated whether I should give her twenty cents, but then I came up with another idea—let me make a list of people who needed that kind of money. I took a student of mine and we went around the village for several days and came up with a list of forty-two such people. When I added up the total amount they needed, I got the biggest shock of my life : It added up to twenty-seven dollars! I felt ashamed of myself for being part of a society which could not provide even twenty-seven dollars to forty-two hard-working, skilled human beings.

To escape that shame, I took the money out of my pocket and gave it to my student. I said, "You take this money and give it to those forty-two people that we met and tell them this is a loan, but they can pay me back whenever they are able to. In the meantime, they can get a good price. After receiving the money, they were very excited.

1. Which of the following can be inferred about the author?
   A. He studied in Bangladesh
   B. He also belonged to a poor family
   C. His Ph.D. was on poverty in Bangladesh
   D. His Ph.D. was in Economics
   E. He started teaching in Bangladesh 25 years after getting his Ph.D. from the United States
2. The author of the passage seems to have–
   A. inspired several people through his lecture to make a living
   B. transformed himself into an action-oriented person to eradicate poverty
   C. continued his teachings excellently and with a lot of enthusiasm
   D. helped his students in their endeavour to eradicate poverty
   E. contributed money for the needy
3. Which of the following is **most opposite** of the word **"Elegant"** as used in the passage?
   A. Irrelevant B. Diluted
   C. Crude D. Ill proportioned
   E. Ignoble
4. The contents of the passage prove that poverty can be alleviated if ....
   1. there is a strong will to do so.
   2. some funds and/or other resources are available.
   3. there is a vision to identify and remedy the problems

   A. Only (1) and (2) B. Only (2) and (3)
   C. Only (1) and (3) D. All the three
   E. None of these
5. The woman described in the passage could not earn reasonably good money because ....
   A. the quality of the goods she made was short of excellence
   B. the sale of her products was very scanty
   C. the raw material required to make finished products was in short supply
   D. there were very few buyers for her goods due to the devastating famine
   E. None of these
6. The trader's act to compel the woman to sell the stools only to him can be termed as...........
   A. an act of kindness towards the needy woman
   B. an ethical business strategy to maximize profit
   C. sheer exploitation of the hopeless and needy people
   D. contributing some help to the famine-stricken victims
   E. None of these
7. What made the author feel ashamed of himself?
   A. He lacked in thorough knowledge of Economics and therefore wanted to study more
   B. He was ignorant of the fact that even a small help was also going to be significant
   C. He was a party to the exploitation of the poor by the trader
   D. He was not in a position to take the culprit trader to task
   E. He was providing a small amount as a loan and not as donation
8. The survey conducted by the author revealed that............
   A. the amount needed to help the village poor to make a living was not very big'
   B. it was an unmanageable task for the author to help the needy people of the village
   C. there were forty-two traders who were engaged in the act of exploitation of the poor
   D. the number of the needy people in the village was very large
   E. none of these

Directions (9-10) : *Choose the word/group of words which is most nearly the **SAME** in meaning as the word given in bold as given in passage.*

9. **Abandoned**
   A. Gave up B. Escaped from

C. Accepted D. Took away
E. Enabled

10. Enthusiasm
A. Excellerce B. Happiness
C. Force D. Effervescence
E. Zeal

PASSAGE–6

Comfort is now one of the causes of its own spread. It has now become a physical habit, a fashion, an ideal to be pursued for its own sake. The more comfort is brought into the world, the more it is likely to be valued. To those who have known comfort, discomfort is a real torture. The fashion which now **decrees** the worship of comfort is quite as imperious as any other fashion. Moreover, enormous material interests are bound up with the supply of the means of comfort. The manufacturers of furniture, of heating apparatus, of plumbing fistures cannot afford to let the love of comfort die. In modern advertisements they have found a means for compelling it to live and grow. A man of means today, who builds a house is in general concerned primarily with the comfort of his future residence. He will spend a great deal of money on bathrooms, heating apparatus, padded furnishings, and having spent he will regard his house as perfect. His counterpart in an earlier age would have been primarily concerned with the impressiveness and magnificence of his dwelling—with beauty, in a word, rather than comfort. The money our contemporary would spend on baths and central heatings would have been spent on marble staircases, frescoes, pictures and statues. I am inclined to think that our present passion for comfort is a little exaggerated. Though I personally enjoy comfort, I have lived most happily in houses **devoid of** everything that Anglo-Saxons deem **indispensable**. Orientals and even South Europeans who know not comfort and live very much as our ancestors did centuries ago seem to go on very well without our elaborate apparatus and padded lusuries. However, comfort for me has a justification; it facilitates mental life. Discomfort handicaps thought; it is difficult to use the mind when the body is cold and aching.

1. Choose the word that is **SIMILAR** in meaning of the word **'devoid of'** as used in the passage.
A. available B. lacking
C. empty D. false
E. deficient

2. How people manage to keep the love of comfort alive?
A. By pumping in more comfort goods in the market
B. By sacrificing high profits on comfort goods
C. By targeting youth in the sales campaign
D. By appealing to the emotionality of people
E. None of these

3. What is the author's prediction about comfort?
A. The value of comfort will increase
B. People will value more spirituality thus reducing the value of comfort
C. People will desire simple life style
D. The advertisements will play down the comfort aspect of goods
E. None of these

4. What was the characteristic of affluent man of an **earlier age**?
A. He used to put higher premium on comfort
B. He was relying much on advertisements
C. He believed more in simple and cheaper things
D. He was more qualitative in his emphasis rather than being quantative
E. His emphasis was on beauty

5. What change according to the author has taken place in the attitude to comfort?
A. It is taken for granted in the modern way of living
B. It has become now an ideal to be pursued for its own sake
C. It is now believed that discomfort handicaps thought
D. It is thought that comfort helps body and mind to function effectively
E. None of these

6. Choose the word which is **SIMILAR** in meaning of the word **'decree'** as used in the passage.
A. order B. spread
C. projected D. attract
E. exhibit

7. Why does the author value comfort?
A. It helps to project one's image
B. It helps to project your values
C. It facilitates mental life
D. It encourages a blend of materialistic and spiritual thinking
E. None of these

8. Why would manufacturers of various devices not permit comfort to die?
A. The want to manufacture more and more comfort goods
B. Manufacturers are mainly interested in creating new things
C. Manufacturer's emphasis is on producing beautiful things
D. Their prosperity is closely linked with the people's desire for comfort
E. None of these

9. Choose the word which is **MOST OPPOSITE** in meaning of the word **'Indispensable'** as used in the passage.

A. unattractive B. avoidable
C. favourable D. inelegant
E. comfortable

10. Which of the following statements is **NOT TRUE** in the context of the passage?
A. Discomfort is not liked by those who live in comfort
B. The affluent man of an earlier age was interested more in beauty than in comfort
C. Discomfort handicaps thought
D. Orientals and South Europeans love comfort immensely
E. Author of the passage enjoys comfort

PASSAGE–7

Amnesty International's charge that 'tens of thousands' of political prisoners, including prisoners of conscience, are **languishing** in Indian jails and that prisoners are routinely tortured in this country has to be seen in a much wider contest than the organisation's annual report cares to do. In its overall appraisal of 151 countries, Amnesty has accused 112 of torturing prisoners, 63 of harbouring prisoners of conscience, 61 of resorting to political killings and 53 of detaining people without a trial. Of these apparently **overlapping** categories, India seems to have been excluded from the list of the 61 which undertake political killings. The report has, however, pointed out that **scores** of people in India die for torture in police and military custody and that many also simply disappear. Clearly, only a thin line separates the 61 charged with political murder from the rest. Before coming to such conclusions, however, it may also be necessary to classify the various countries according to their political systems. Torture by the security forces and killings at the behest of the government make no different to the victims whether they are in a democratic country or a totalitarian one. It is also nobody's case that a democratic country is less **culpable** than a dictatorship in the vent of human rights violations. But the point perhaps still needs to be made that torture or 'disappearances' represent a failure of the system in a democracy in contrast to being an integral part of state policy in a country ruled by an autocrat who in answerable to no one.

India may be guilty of keeping 'tens of thousands' behind bars and of the other human rights abuses mentioned by Amnesty, but it still remains a qualitatively different place from a totalitarian country. It is in this respect that Amnesty has been less than fair. It has chosen to ignore the distinctions between the good, the bad and the ugly. The openness of Indian soceity will be evident to anyone who spends half an hour in one of its chaotic market-places or visits the law courts or watches a political rally or reads a newspaper or **strikes up** a conversation with any person on the roads. There is no sense of fear in India, as in a dictatorship. There is also scope for securing relief from the heavy-handed behaviour of the authorities, even if the human rights commission has not yet lived up to expectations. Unless such points are recognised, Amnesty's assessment will seem to be a dry recital of statistics which may **pillory** India simply because of its larger population. Mercifully, Amnesty nowadays at least notes that the terrorists also indulge in human rights violations and that India has to cope with several insurgencies **fomented** by a country where the military does not always seem to be under the control of the elected government. True, there is much that is wrong in India's prison system and with the way the terrorist challenge in sometimes meet, but the stress should be on activating the self-correcting mechanism within a democracy and not merely on painting a grim, even biased, picture.

1. The author suggests classification of various countries on one additional dimension. Which of the following is that dimension?
A. Economic progress
B. Industrial progress
C. Political systems
D. Human rights
E. None of these

2. According to the passage, through which media or forum Amnesty International has hurled the charges?
A. Its International Meet
B. Its Annual Report
C. Seminar on Human Rights
D. Its Regional Meet
E. None of these

3. The author of the passage
A. agrees with the report
B. disagrees with the report
C. disagrees that conditions of prisons in India is bad
D. supports the totalitarian approach
E. disagrees with report on terrorists

4. The Amnesty International report is based on the information of how many countries?
A. 112 B. 63
C. 131 D. 115
E. None of these

5. In the report, India has been excluded from which of the following categories of violating human rights?
A. Political killings
B. Torturing prisoners
C. Detaining without trial
D. Harbouring prisoners of conscience
E. None of these

6. According to the passage, what does political murder in a democratic country signify?
   A. Policy of the country
   B. Need for autocratic rule
   C. Openness of society
   D. Failure of system
   E. Heavy-handed behaviour of the authorities
7. Which of the following seems to be the main purpose of writing this passage?
   A. To highlight the role of Amnesty International
   B. To further the cause of human rights
   C. To highlight the sufferings of prisoners
   D. To condemn political killings
   E. None of these
8. Which of the following is *not* true in the context of the passage?
   A. There is overlapping of cases in the categories of human rights abuses
   B. India was one of the countries appraised by Amnesty International
   C. India is guilty of some human rights abuses
   D. Amnesty International appraised all the democratic countries
   E. The report notes that the terrorists also violate human rights
9. Which of the following is the meaning of the phrase *strike up* as used in the passage?
   A. discussion   B. hit sharply
   C. protest   D. initiate
   E. undertake
10. According to the author, among the good, the bad and the ugly, what at worst is the situation in India?
   A. Good   B. Bad
   C. Ugly   D. Good or Ugly
   E. Bad of Ugly
11. Which of the following is *true,* according to the passage?
   A. The Human Rights Commission has done commendable service
   B. There is a need to check political killings in India
   C. There is a need to improve India's prison system
   D. India is not at all guilty of human rights violations
   E. None of these
12. Which of the following human rights violation is most prevalent among the countries?
   A. Torturing prisoners
   B. Detaining without trial
   C. Killing with political motive
   D. Harbouring prisoners of conscience
   E. None of these

PASSAGE–8

The most important reason for this state of affairs, perhaps, is that India was the only country in the world to truly recognise the achievements of the Soviet Union—rather than merely focus on the debilitating faults that Communism brought to its people. The people of India realised that the achievement of one hundred per cent literacy in a country much, much larger than its own and with similarly complicated ethnic and religious groupings, the rapid industrialisation of a nation that was a primarily agrarian society when the Bolshevik revolution took place in 1917, the attendant revolutionary steps in science and technology, the accessibility of health care (primeval according to Western standards, perhaps, but not according to Indian ones) to the general population, and despite prohibition of the government of the time the vast outpourings in literature, music, art, etc., are momentous and remarkable feats in any country.

In contrast, all that the West focussed on were the massive human rights violations by the Soviet State on its people, the deliberate uprooting and mass migrations of ethnic peoples from one part of the country to another in the name of industrialisation, the end of religion ..... in short, all the tools of information were employed to condemn the ideology of Communism, so much at variance with capitalist thinking.

The difference with the Indian perception, I think here is, that while the Indians reacted as negatively to what the Soviet governments did to its people in the name of good governance (witness the imprisonment of Boris Pasternak and the formation of an international committee to put pressure for his release with Jawaharlal Nehru at its head), they took the pain not to condemn the people of that broad country in black and white terms; they understood that mingled in the shades of grey were grains of uniqueness. (The Russians have never failed that characteristic in themselves; they have twice experimented with completely different ideologies, Communism and Capitalism both in the space of a century).

1. Which of the following statements according to the passage is correct ?
   A. India took heed on the weak faults of Russian policies and system
   B. India seriously commended the achievement of Russia, *i.e.,* cent per cent literacy and rapid industrialization
   C. The process of industrialization had already started when Russian revolution took place in 1917
   D. The literature, art and music received a

setback during the communist regime in Russia

2. The West did not focus on:
   A. rapid growth of nuclear weapons in Russia
   B. Massive human rights violation by the Soviet state on its people
   C. deliberate uprooting and mass migration of ethnic people in the name of industrialization.
   D. Both B and C
3. The India perception of the USSR was always
   A. negative
   B. neutral
   C. counter-reactionary
   D. applauding
4. The passage is (
   A. descriptive B. paradoxical
   C. analytical D. thought provoking

PASSAGE–9

India's role on the international stage was moulded by history rather than by the pomp and circumstances of war. As a separate entity of the British empire, India became a founder member of the League of Nations in the same way as Australia and Canada, and thus acquired a somewhat unique international status long before independence. During the days of the League when India's interests were affected, such as in matters of trade or the position of Indians overseas, the Indian delegation did not hesitate to make known its independent position, for what it was worth. Some Indian delegates were in demand for chairing meetings riddled with contention and controversy, because of their reputation for impartiality and talent for mediation.

These were the small beginnings of India's later entry into the United Nations in 1945, again as a founder member before independence. The drafting of Chapter IX and X of the UN Charter, which deal with international social and economic cooperation, was entrusted to a group that was presided over by an Indian. It is important, however, to bear in mind that fact that the Government of independent India had no part in the drafting of the UN Charter, although in accepted the obligations contained therein. The UN was primarily the creation of three powers—The USA, UK and Russia.

The size, population, resources and potential of India lent it the weight of a medium power in the functioning of the United Nations. The fact that India was among the first nations to liberate itself from the imperialist domination through non-violent means endowed it with a moral obligation to work in and outside the UN for the independence of nations still under colonial rule. India has served on the Security Council for 10 years or 5 terms, on the Trusteeship Council for 12 years or 4 terms and on the Economic and Social Council for 21 years or 7 terms.

1. The title below that best expresses the ideas of the passage is:
   A. India's role at the United Nations
   B. India and Her Neighbours
   C. India's International Prestige
   D. British Colonial Expansion
2. Through a part of the British Empire, India enjoyed great prestige at the League in as much as Indian delegates were in demand for chairing meeting to consider controversial issues. It was because:
   (I) Indian delegates were well known for their impartiality.
   (II) Indian delegates had talent for mediation.
   (III) India was considered a power to reckon with.
   A. I and III are correct
   B. I and II are correct
   C. I and III are correct
   D. only I is correct
3. Which articles of the UN Charter deal with International, Social and Economic Co-operation ?
   A. Articles IX and X
   B. Articles XI and XII
   C. Articles VIII and XIII
   D. Articles VI and VII
4. Which of the following countries does not find any coverage in the passage ?
   A. The USA B. Britain
   C. The Russia D. Sri Lanka

PASSAGE–10

Some religious teachers have taught that Man is made up of a body and a soul: but they have been silent about the Intellect. Their followers try to feed the body on earth and to save soul from perdition after death : but they neglected the claims of the mind. Bread for the body and Virtue for the soul: these are regarded as the indispensable requisites of human welfare here and hereafter. Nothing is said about knowledge and education. Thus Jesus Christ spoke much of feeding the hungry, healing the sick, and converting the sinners: but he never taught the duty of teaching the ignorant and increasing scientific knowledge. He himself was not a well educated man, and intellectual pursuits were beyond his horizon. Gautam Buddha also laid stress on morality, meditation and asceticism, but he did not attach great importance to history, science, art or literature. St. Ambrose deprecated scientific studies and wrote, "To discuss the nature and position of the earth does not help us in our hope for life to come". St. Basil said very frankly and foolishly, "It is not a matter of interest for us whether the earth is a sphere or a cylinder or disc." Thomas Carlyle also followed the Christian traditions when he declared that he honoured only two men and no third: the manual labour and the religious teacher. He forgot the scientist, the scholar and the artist. The cynics of Greece despised education at last ?

1. What have the religious teachers taught in the past ?
   A. That man is made up of body only
   B. That man is made up of soul only
   C. That man is made up of bubbles
   D. That man is made up of body and soul together
2. What is food for the soul ?
   A. Bread B. Virtue
   C. Vice D. Education
3. The following philosophers occur in the passage. But they are not in correct order. Correct the order.
   (I) Jesus Christ (II) Gautam Buddha
   (III) St. Ambrose (IV) Thomas Carlyle
   (V) St. Basil
   A. I, II, III, IV, V B. I, III, IV, V, II
   C. I, II, III, V, IV D. II, I, III, IV, V
4. Intellectual pursuits have been neglected because:
   (I) they are unnecessary and superfluous
   (II) they make people dwarf
   (III) they lead people to hell
   A. Only I is correct
   B. Only II is correct
   C. Only III is correct
   D. Only I and II are correct
5. The style of the passage is
   A. narrative B. expository
   C. critical D. Analytical

PASSAGE–11

The impact of technical advancement in armaments on man, needs to be analyzed with a rational mind, and heart free from prejudices of any kind towards modernisation. The most noticeable impact of this development certainly has been the loss of immunity from violence for successive generations ever since the invention of gunpowder. In modern times, the presence of technically advanced arms, not only at the fronts but also among the civilian population, has vastly undermined the value of human life, and endangered the very entity of those virtues of self restraint and discretion, on which a peaceful and amiable society rests. However, an unbiased view of the present scenario, would refrain one from attributing the rising trends of violence to the availability of technically superior weapons, for one must not overlook the fact that "Necessity is the mother of invention".

Every stage in the development of armaments has been marked by its distinct impact on society. When man fought with stones and his bare hands, the society was not yet compact. The discovery of metal and the use of spears, knives and arrows indicate the stage of the formation of small kingdoms. Fire continued to be an effective weapon of destruction. When man introduced the cavalry into the army and improved the strategies of making war, some small kingdoms gave away to form empires, but with no revolutionary advances in armaments forthcoming, the political structure of society remained more or less stagnant for the many coming centuries.

The next significant development was the use of gunpowder, which could be used to perform acts which were then thought to be impossible. Gunpowder was used to form the ammunition of several guns and canons. This sudden advances in weaponry not only facilitated the control of a large mass of people by relatively few armed men that helping to form strong empires, but the availability of the new technology to a select few nations enabled the formation of colonies in continents which did not have access to the modernized technologies of warfare. Modern technological advances in armaments aided the formation of nation states in Europe. The extensive use of the fire-power lent a lethal edge to the naval power which proved to be the greatest asset to any nation in the 19th century. Small United Nations States of Europe with strong navies, modern arms and disciplined men gained control of lands in foreign continents far greater in areas than the parent countries.

1. Necessity is the mother of invention means
   A. where there is mother there is invention
   B. when necessity arises invention is done
   C. most of the invention are preplanned
   D. nothing happens without creating congenial environment
2. The invention of modern weapons have resulted into
   A. loss of immunity from war in the society
   B. successive wars for the last two centuries
   C. arms race among the nations
   D. loss of life and property every now and then
3. Small kingdoms turned into big empires, after
   A. the invention of cavalry and canons and its introduction into the army
   B. the introduction of nuclear arms into the army

C. the end of the use of knives, arrows and swords

D. the end of the 19th century

4. The style of the passage is

A. informative B. analytical

C. retrospective D. provocative

PASSAGE-12

It was during one of the most dreadful smallpox epidemics in England that Edward Jenner, a country doctor, made a discovery which was to alter the course of history. Jenner noticed that the disease seldom struck those who lived in rural areas and worked around cattle. Most farmers and dairy workers had contracted cowpox and had recovered with nothing more serious than a putsule which left a scar. This observation led Dr. Jenner to think: Why not vaccinate people with cowpox to protect them from smallpox ? On May 14, 1876, Dr. Jenner took a healthy boy, James Phillips, to a dairy maid, Sarah Nelmes, who had a cowpox putsule on her hand resulting from an infection from her master's cow. Dr. Jenner made two shallow cuts on James Phillips' arm and inoculated them with matter taken from the cowpox sore. A putsule developed on the boy's arm formed a scab and healed. In July of the same year. Dr. Jenner inoculated James with matter from a smallpox putsule. During the next two weeks, the doctor watched for signs of smallpox. They did not develop. The vaccination was successful. Dr. Jenner wrote a paper explaining his method of vaccination. At first the doctors were hostile and would not listen to a ridiculous procedure. Many towns people organised anti vaccination campaigns. Gradually, however, the doctors and their patients accepted vaccination.

1. The fact that Edward Jenner was a country doctor, was important in the discovery of smallpox vaccine, because

A. he had enough time to pursue his research in the rural areas

B. he noticed that the disease was prevalent where people worked around cattle

C. he noticed that the disease seldom struck people who worked around the cattle

D. he found that he could convince rural people more easily than city people

2. Dr. Jenner was successful as cowpox virus produces

A. severe infection in humans resulting in deaths

B. a mild infection in humans which is not enough to produce active immunity

C. a mild infection in humans which is enough to produce active immunity

D. no infection in humans

3. Dr. Jenner made his experiment on a healthy boy who

A. died after experimentation

B. could not be relieved of his mark of putsule

C. developed the sings of putsule on his body when he was injected the matter of cowpox

D. was paid for it

4. Passage here is having a/an

A. narrative style

B. analytic style

C. provocative style

D. idiomatic style

PASSAGE-13

The Indian culture of our times is in the making. Many of us are striving to produce a blend of all cultures that seem today to be in clash with one another. No culture can live, if it attempts to be exclusive. There is no such things as pure Aryan culture in existence in India today. Whether the Aryans were indigenous to India or were unwelcome intruders, does not interest me much. What does interest me is the fact that may remote ancestors blended with one another with the utmost freedom and we of the present generation are a result of that blend. I do not want my house to be walled in, on all sides and my windows to be stuffed. I want the cultures of all lands to be blown about my house as freely as possible. But I refuse to be blown off my feet by any. I would have any young men and women with literary tastes to learn as much of English and other world-languages as they like, and then expect them to give the benefits of their learning to India and the world alike like a Bose, a Ray or Tagore. But I would not have a single Indian forget, neglect or be ashamed of his mother tongue, or feel that he or she cannot think or express the best thoughts in his or her own vernacular. Mine is not a religion of the prison house.

1. The author views Indian Culture as

A. pure Aryan culture.

B. a clash of cultures.

C. a continual blend of cultures.

D. the culture of remote ancestors.

2. The author thinks that

A. the Aryans were indigenous to India.

B. the Aryans were unwelcome intruders.

C. the question whether the Aryans were indigenous or not is not of interest.

D. the culture that we have inherited is the Aryan culture.

3. The author wants

A. the cultures of others to be kept out.

B. the cultures of others to replace our old culture.

C. the freedom to blend other cultures with our own.

D. the preservation of the culture of our ancestors.

4. The author wants Indians to

A. learn only English, as much as they like.

B. learn English and other world languages.

C. learn only the mother tongue or the vernacular.

D. English and other world languages in addition to the mother tongue.

PASSAGE–14

As civilization proceeds in the direction of technology, it passes the point of supplying all the basic essentials of life, food, shelter, clothes, and warmth. Then we are faced with a choice between using technology to provide and fulfil needs which have hitherto been regarded as unnecessary or, on the other hand, using technology to reduce the number of hours of work which a man must do in order to earn a given standard of living. In other words, we either raise our standard of living above that necessary for comfort and, happiness or we leave it at this level and work shorter hours. I shall take it as axiomatic that mankind has, by that time, chosen the latter alternative. Men will be working shorter and shorter hours in their paid employment.

1. "Then we are faced with a choice..." what does "then'' refer to?

A. When automation takes over many aspects of human life

B. The present state of civilization

C. The past stage of civilization

D. After having provided the basic essentials of lifc

2. What does the passage suggest about the use of technology?

A. It creates new and essential needs for mankind

B. It is opposed to the basic essentials of life

C. It is complementary to a raised standard of living

D. It is responsible for man's love of comfort and happiness

3. What does increased use of technology imply?

A. An advanced stage in human civilization

B. A backward step in human culture

C. Unnecessary comfort and happiness for mankind

D. Man's zest for more and more work

4. What does the author suggest?

A. Man will gradually rise above his present stage in civilization

B. Man will gradually settle down to the same stage with fewer hours of work

C. Man will gradually raise his standard of living by working longer hours

D. Man will gradually earn a given standard of living with the help of technology

PASSAGE–15

It is said that ideas are explosive and dangerous. To allow them unfettered freedom is, in fact, to invite disorder. But, to this position, there are at least two final answers. It is impossible to draw a line round dangerous ideas, and any attempt at their definition involves monstrous folly. If views, moreover, which imply disorder are able to disturb the foundations of the State, there is something supremely wrong with the governance of the State. For disorder is not a habit of mankind. We cling so eagerly to our accustomed ways that, as even Burke insisted; popular violence is always the outcome of a deep popular sense of wrong.

1. What is the central point that the passage emphasizes?

A. It is unnecessary to define dangerous ideas

B. Dangerous ideas are born out of the enjoyment of freedom

C. A well-governed State is unaffected by dangerous ideas

D. Dangerous ideas originate from man's preoccupation with politics

2. From a close study of the passage, which one of the following statements emerges most clearly?

A. The author is against the exercise of political freedom

B. He is indifferent to dangerous and explosive ideas

C. He welcomes violence as a method to change governments

D. He warns that violence is the outcome of popular dissatisfaction with the government

3. The author says, 'we cling eagerly to our accustomed ways'. Which one of the following statements may be considered as the assumption of the author?

A. We are afraid of social changes

B. Mankind is averse to any disorder

C. We have developed inertia that makes us incapable of social action

D. There is an all-round lack of initiative in the society

4. Which of the following statements may most correctly bring out the significance of the opinion of Burke quoted in the passage?

A. Bu ke advocated violence against injustice

B. Burke's opinion coincides with the author's opinion on explosive and dangerous ideas
C. Burke hated any popular uprising
D. Burke had no belief in political liberty

PASSAGE–16

The psychological causes of unhappiness, it is clear, are many and various. But all have something in common. The typical unhappy man is one who, having been deprived in youth of some normal satisfaction, has come to value this one kind of satisfaction more than any other, and has therefore given to his life a one-sided direction, together with a quite undue emphasis upon the achievement as opposed to the activities connected with it. There is, however, a further development which is very common in the present day. A man may feel so completely thwarted that he seeks no form of satisfaction, but only distraction and oblivion. He then becomes a devotee of "pleasure". This is to say, he seeks to make life bearable by becoming less alive. Drunkenness, for example, is temporary suicide - the happiness that it brings is merely negative, a momentary cessation of unhappiness.

1. Who is a typical unhappy man?
   A. One who has been deprived of normal satisfaction in youth
   B. One who finds life unbearable and attempts suicide
   C. One who does not mind momentary unhappiness
   D. One who seeks every form of satisfaction
2. "One sided direction" refers to the pursuit of which one of the following?
   A. Drinking and forgetfulness
   B. The satisfaction one had been deprived of
   C. Activities leading to happiness
   D. Every form of psychological satisfaction
3. Which one of the following is the correct statement?
   Drinking helps the unhappy only to
   A. forget their dissatisfaction
   B. get sublime happiness
   C. get the motivational needs fulfilled
   D. concentrate harder
4. What does "becoming less alive" imply?
   A. Neglect of health
   B. Decline in moral values
   C. Living in a make-believe world
   D. Leading a sedentary way of living

PASSAGE–17

What is to be the limit of forgiveness? It would probably have been allowed by many of the ancients that an unforgiving temper was not to be commended. They would have said, we are not to exact a penalty for every nice offence; we are to overlook some things; we are to be blind sometimes. But they would have said at the same time, we must be careful to keep our self-respect, and to be on a level with the world. On the whole, they would have said, it is the part of a man fully to requite to his friends their benefits and to his enemies their injuries.

1. Which one of the following is the correct statement?
   According to the writer we must
   A. ignore an offence if it is nice
   B. forgive people if they bring us nice presents
   C. forgive pretty offenders
   D. not punish each and every offence
2. Which one of the following is the correct statement?
   We must
   A. be blind if we want to forgive others
   B. be blind to the faults of our friends
   C. be indifferent to what others do
   D. overlook certain things
3. Which one of the following is the correct statement?
   In ancient times people were
   A. ordered to lose their tempers
   B. permitted to lose their tempers and not forgive their enemies
   C. told that it was not good to have an unforgiving temper
   D. advised to forgive each and every offence committed by both friends and foes
4. What is the underlying tone of the passage?
   A. We must be forgiving in general
   B. We must forgive our friends
   C. There is no limit whatsoever to our duty to forgive
   D. We must always punish the wrongdoer

PASSAGE–18

We should preserve Nature to preserve life and beauty. A beautiful landscape, full of green vegetation, will not just attract our attention but will fill us with infinite satisfaction. Unfortunately, because of modernization, much of nature is now yielding to towns, roads and industrial areas. In a few places some Natural reserves are now being carved out to avert the danger of destroying Nature completely. Man will perish without Nature, so modern man should continue this struggle to save plants, which give us oxygen, from extinction. Moreover, Nature is essential to man's health.

1. What does "Nature" in the passage mean?
   A. Countryside covered with plants and trees
   B. Physical power that created the world
   C. Inherent things that determine character
   D. Practical study of plants and animals
2. Which one of the following is the correct statement?
   According to the passage
   A. Beauty is only skin-deep
   B. Everything is beautiful in its natural state
   C. There is beauty in Nature
   D. Nature is a moral teacher
3. What does the writer suggest?
   A. We should not modernize, so that Nature can be preserved
   B. While modernizing we should be careful not to destroy Nature completely
   C. All Nature has been destroyed by modern living
   D. Carving out Natural reserves will hamper the growth of industries
4. What does "Struggle" in the passage mean?
   A. Man's Struggle to exist in the world
   B. Man's Struggle to save Nature
   C. Man's Struggle to catch up with modern trends
   D. Man's Struggle to conserve oxygen
5. Why a beautiful landscape will fill us with infinite satisfaction'?
   A. We love beauty
   B. It is full of green vegetation
   C. It will ensure our future existence
   D. It will show our command over Nature

PASSAGE-19

Finally, there arises the question as to our leadership potential. Although the entire younger generation by the very definition is a potential storehouse of leadership, I feel that our universities provide the richest reservoir from which the future leaders of this country will be forthcoming. I have had occasion to travel fairly extensively and to visit a number of university centres in the country. It is deeply encouraging to see that despite the economic and other difficulties which these young men and women have to face they are full of energy and idealism. The real question is whether we have the ability and imagination to tap this reservoir, to fan the sparks of youthful idealism into bright flames that would illumine the future of India — the India of our dreams for the building of which countless generations have struggled and sacrified; an India socially emancipated, economically prosperous, politically integrated, militarily strong and spiritually dynamic.

1. Which one of the following is correct?
   The writer believes that India is
   A. socially emancipated
   B. economically prosperous
   C. spiritually dynamic
   D. None of the above
2. What is the author's tone in the passage?
   A. Optimistic B. Autocratic
   C. Pessimistic D. Partisan
3. Where will the future leaders of the country mainly come from?
   A. The families of present political leaders
   B. The community of social scientists
   C. The universities
   D. The entire younger generation
4. Which one of the following is correct?
   For realizing the India of our dreams,
   A. we should have the imagination to exploit our budding leadership potential
   B. we should admire the sacrifices made by several generations
   C. we should bring about more technological advancements
   D. we should provide better facilities for sports
5. Which one of the following is correct?
   What is deeply encouraging about educated young men and women of India is that
   A. they come from the richest reservoirs of potential leaders
   B. they are full of energy and idealism because of quality education
   C, they are full of youthful idealism and imagination
   D. they are full of energy and idealism in spite of economic and other difficulties they face as students

PASSAGE-20

My own recollection is that I had not had any high regard for my ability. I used to be astonished whenever I won prizes and scholarships. But, I very assiduously guarded my character. The least little blemish drew tears from my eyes. When I merited, or seemed to the teacher to merit, a rebuke, it was unbearable for me. I remember having once received corporal punishment. I did not so much mind the punishment, as the fact that it was considered my desert. I wept piteously. That was when I was in the first or second standard. There was another such incident during the time when I was in the seventh standard. Dorabji Edulji Gimi was the Headmaster then. He was popular among the boys, though he was a disciplinarian. He was a man of method and a good teacher. He had made gymnastics and cricket compulsory for the boys of the upper standards. I disliked both. I never took part in any exercise, cricket or football, before they were made com-pulsory. My shyness was one of the reasons for this aloofness, which I now see as wrong. I then had the false notion that gymnastics had nothing to do with education. Today I know that physical training should have as much place in the curriculum as mental training.

1. Why did the author say that he did ***not*** have any high regard for his ability?
   A. He was a dunce
   B. He always used to miss his classes
   C. He never did well in studies or sports
   D. He was full humility
2. The author's idea that character is a treasure is revealed in which of the statements?
   A. "I won prizes and scholarships"
   B. "When I merited, or seemed to the teacher to merit, a rebuke, it was unbearable for me"
   C. "I very assiduously guarded my character"
   D. "I wept piteously"
3. Why did the author weep piteously?
   A. He felt insulted
   B. Punishment was considered his due
   C. He felt the physical pain
   D. He took the punishment to heart
4. Why did the author dislike gymnastics and cricket?
   A. They cut into his study time
   B. He had to spend money in buying bats, etc.
   C. He felt that physical education could cause injury
   D. He was shy

PASSAGE–21

According to the research findings of a team of American scientists published recently, the sea waves contain as much energy as the world is consuming at present. Scientists have found that through the application of two major devices called land-based systems and offshore devices, this source of energy can provide huge amount of electricity without cooling towers and pollution.

Land-based systems include tapered channels and fixed oscillating water column (OWC) devices whereas offshore devices include floating OWC devices, buoys, etc. Through these devices the mechanical energy of ocean waves is absorbed and converted into electrical energy. The wave power potential depends on numerous factors such as the device's capability to harness long wavelengths, period of waves and depth of water where they arise.

Compared to conventional power stations which require greater space and are difficult to maintain in critical situations, wave power devices are highly modular, cost effective and easier to upgrade. As the recent findings suggest, sea wave energy has much greater potential to be used for electricity generation than the hitherto known sources of renewable energy. Moreover, most of the renewable energy systems require hundreds of square acres of useful land for their installation. But in case of wave energy devices, space crunch' can never be a serious problem.

1. Which one of the following statements is correct?
   Harnessing energy from sea waves
   A. undermines ecological balance.
   B. requires huge capital.
   C. requires high technical expertise.
   D. results in saving of useful land area.
2. Which one of the following statements is correct?
   Wave power devices
   A. convert wind energy into mechanical power.
   B. convert mechanical energy of ocean waves into electrical energy.
   C. require costly transmission mechanism
   D. entail risk to human life.
3. Which one of the following statements is correct?
   A. Fixed as well as floating oscillating water column devices are required to harness ocean wave energy.
   B. Fixed oscillating water column devices are required for off shore based system.
   C. Floating oscillating water column devices are required for land-based system.
   D. Electricity generated from oceans is independent of the depth of water where waves arise.
4. Which one of the following statements is correct?
   The capacity of system to generate electricity from ocean waves
   A. can be increased only at exorbitant cost.
   B. can be easily upgraded.
   C. can be increased but it requires a great space.
   D. is only a few megawatts.
5. Which one of the following statements is ***not*** correct?
   A. Conventional power stations require cooling towers.
   B. Power generation from ocean waves also adds to pollution like conventional power stations.
   C. Ocean wave energy can meet all the present energy of the world.
   D. Period of waves is one of the relevant factors in power generation from ocean waves.

PASSAGE–22

The most important fact, which a leader who wishes to motivate others should bear in mind, is that an individual has an incessant and gnawing craving for importance. There is no exception to this psychological need. Barring his biological needs, practically all his actions are directed at satisfying his continuing need to feel important. According to William James, the deepest principle in human nature is the craving to be appreciated. The individual who can honestly satisfy this burning hunger for importance on the part of his fellow human beings can literally rule the world. He can motivate and influence any person, big or small, high or low, educated or uneducated, rich or poor, man or woman, provided he is capable of making the other person feel truly important. By discovering the special and particular gifts of an individual, by giving due recognition and sincere appreciation to that singular gift or talent, you can win him or her over to your side easily.

You have to create an eager want on the part of the other individual if you wish to motivate him. In other words, you have to make the horse feel thirsty if your aim is to make it drink. Fortunately for you, there is an inborn, ever-present, gnawing hunger on the part of every human being to gain recognition and appreciation. This want is already there and you don't have to create it. All you have to do is to satisfy this hunger. If you objectively analyse your own motives and needs you will find that this need for recognition is the strong driving factor behind your aspiration to become a leader. It was this urge for importance which made Alexander and Great embark on a world conquest, and made many emperors wage innumerable battles and wars. This urge has driven artists, authors, scientists, inventors and others to attain great heights in their chosen fields and produce the best results.

1. Which one of the following statements is correct?
   A. Many scientists and inventors have excelled because of the availability of research facilities.
   B. Artists and authors have made contribution to society because of their innate genius.
   C. Many athletes have won gold medals in the Olympics because of their coaches.
   D. People in different areas have been successful because of the need of recognition.
2. Which one of the following statements is ***not*** correct?
   A. Hunger for recognition has to be developed over the years in one's personality.
   B. Need to gain recognition is an inborn trait.
   C. Many wars have been waged to satisfy the need to get importance.
   D. Craving for importance is a natural psychological need of every human being.
3. Which one of the following statements is correct?
   A. A successful leader must be able to identify the need of importance of others.
   B. Need for recognition is a trait only of high professionals.
   C. To motivate a person, an increase of his salary is the best strategy.
   D. Monetary success is the driving force for a leader.

PASSAGE–23

Because goldfish can be kept easily in small ponds and aquariums, they make good pets, but like many other pets, they must have proper care and the right kind of place to live.

A two-inch fish requires a minimum of two gallons of water containing sufficient oxygen to support life. Some oxygen will make its way into the water of an aquarium from the air that touches the surface. Plants in an aquarium also help to furnish oxygen. Snails help to keep an aquarium clean. Thus, with plenty of plants and snails the water is an aquarium does not have to be changed frequently. A large lake may prove to be a quite unsuitable abode for goldfish.

It is important that goldfish not be overfed. They can be fed such things as dried insects in addition to commercially-prepared goldfish food, but they should never be fed more than once a day. Even then, they should not be given more food than can be consumed in about five minutes. This ensures prolonged life.

1. Which one of the following statements is correct?
   A. Snails eat up the goldfish in an aquarium
   B. A large lake may not be a suitable place for goldfish
   C. Plants provide food to the snails in an aquarium
   D. Goldfish come above the surface of water to get oxygen from air
2. Which one of the following statements is *not* correct?
   A. Goldfish can be made goods pets
   B. Plants in an aquarium provide oxygen to goldfish
   C. Goldfish must never be given too much food
   D. Snails make the aquarium clean by eating up goldfish

3. Which of the following helps supply goldfish with oxygen?
A. Snails
B. Dried insects
C. Goldfish food
D. Plants

4. Which one of the following statement is *not* correct?
A. Water in an aquarium has to be changed frequently because of plants and snails
B. Commercially-prepared goldfish is available
C. The place for the goldfish should be selected with care
D. Dried insects make good feed for goldfish

5. What is important to remember when feeding goldfish?
A. Goldfish should be fed more than once a day at regular intervals
B. Goldfish should be fed with plants and snails
C. Goldfish should be fed only once a day
D. Goldfish should be fed only in the evenings

PASSAGE–24

Ah ! whatever could be said was said. All held him guilty. Even his own mother who claimed to understand him the best. All had betrayed him in his hour of need. Yet, there he was, still with a sparkling hope and knew that the truth must prevail. In the cold, dark and damp cell he never for a moment lost faith in God and goodness and was waiting anxiously for an angel to come, plead non guilty for him and free him of his miseries.

1. Three of the following statements indicate that he had a sparkling hope. Which statement does not?
A. He had never lost faith in God.
B. He was sure there was goodness.
C. He could have evidence in his favour.
D. He knew that the truth must prevail.

2. Whatever others said about him, he
A. betrayed no one.
B. thought over the problem.
C. never lost faith in goodness.
D. raised his voice against injustice.

3. In the dark dungeon he always waited for
A. his mother.
B. the jailer.
C. the verdict freeing him of his miseries.
D. the angel to come and plead for him.

4. The truth must prevail means
A. he was true.
B. angel will reveal truth.
C. truth always wins in the end.
D. we must plead for the truth.

PASSAGE–25

Once while travelling by the local bus, I got a seat beside a very strange man. He seemed interested in every passenger aboard. He would stare at a person, scribble some odd mathematical notations on his long notebook and then move on to the next. Being quite interested in what he was doing I asked him what all those notations meant and then came the startling reply. He saw a man's face not as a single unit but as thousands of squares put together. He was in fact a statistical expert and a budding artist learning the art of graphics.

1. The man was scribbling down
A. the figures of co-passengers.
B. the details of thousands of squares put together.
C. some mathematical formulae and calculations.
D. some mathematical signs.

2. The man caught author's attention because
A. he was sitting next to him.
B. he was staring at every person in the bus.
C. he would stare at every person and then scribble down some mathematical notation.
D. he was a budding artist learning the art of graphics.

3. The author found that man's reply quite startling because
A. a statistical expert cannot be a budding scientist.
B. a budding artist cannot be a statistical expert.
C. graphics is still a rare art form and he was learning it while travelling in a bus.
D. the fact that "a man's face can be analysed as thousands of squares" was a strange concept.

4. From the passage we gather that
A. the author is very inquisitive.
B. the author tries to poke his nose in other people's business.
C. the author is interested in mathematical notations.
D. the author wants to talk to fellow passengers in the bus.

PASSAGE–26

With the inevitable growth of specialisation I see the universities facing two great dangers. First, it is very easy to get so involved in the technical details of education that the object of education is lost. And secondly, in an effort to condition a university to the needs of its students and to the needs of the state it may lose its power to make or mould those students into responsible men, capable of thinking for themselves and capable of expressing the results of their thoughts to others.

1. The author calls growth of specialisation 'inevitable'. Which one of the following statements is likely to be the most correct reason for this inevitability?
   A. Universities give grants only to do specialised work in different disciplines.
   B. The professors and researchers in universities are competent only for specialised work.
   C. Specialisation helps economic growth of the nation.
   D. In an age of science and technology specialisation becomes necessary.
2. Which one of the following statements most correctly suggests the central theme of the passage?
   A. The aim of education is specialisation.
   B. The aim of education is to mould the youth to work for the state.
   C. The aim of education is to make the youth capable of independent thought and expression.
   D. The aim of education is to enable the youth to earn a comfortable living.
3. Which one of the following statements most correctly suggests the warning implied in the passage?
   A. University education should not be concerned with technical details.
   B. Universities should not subordinate themselves to the interests of tile state.
   C. Universities should be concerned only with the needs of students.
   D. Universities should not go in for any specialisation.

PASSAGE–27

We shall go on to the end; we shall fight in France, we shall fight on the seas and oceans, we shall fight with growing confidence and strength in the air, we shall defend our island whatever the cost may be, we shall fight on the beaches, we shall fight on the landing grounds, we shall fight in the fields and in the streets, we shall fight in the hills. We shall never surrender, and even if this island or a large part of it were subjugated and starving, then our empire beyond the seas would carry on the struggle, untill the New World steps forth to the rescue and the liberation of the Old.

1. On the basis of the passage which of the following statements may be said to be correct?
   A. The speaker is encouraging his men for the conquest of France
   B. The speaker is aggressive and maniacal war-monger
   C. The speaker is not satisfied with the conquest of the island
   D. The speaker is a patriot urging the defence of his motherland
2. The speaker in the passage wants to go on fighting because
   A. he is a raving lunatic
   B. he is in a state of utter despair
   C. he expects help from other quarters
   D. he is the leader of a suicide squad
3. Which of the following pairs of the phrases helps best to bring out the intention of the speaker?
   A. "Go on to the end"; "shall never surrender"
   B. "Growing confidence"; " subjugated and starving"
   C. "Subjugated and starving"; "fight on the landing ground"
   D. "Fight in the streets"; "subjugated and starving"
4. The passage consists of repetitive patterns in syntax and vocabulary. The effect of this style is that it
   A. reveals the speaker's defects in giving a speech
   B. produces the impression of bad poetry
   C. conveys the speaker's helpless situation
   D. reinforces the speaker's basic intention

PASSAGE–28

It is said that once three old men set out on a Journey together. One of them was bald, the second was a philosopher and the third was a barber. At nightfall they decided that each one of them should sit for watch *turn* by turn. The *barber* was to keep watch first of all, the *philosopher* after that and the *bald* man last of all. So, the philosopher and the blad man went to sleep and the barber was on watch. For some time he kept awake but in the end, he felt tired of it and he thought of some *diversion* as otherwise it was difficult for him to *pass* time. Then he took out the razor from his box and shaved the head of the philosopher. At the fixed time he woke up the philosopher and himself went to sleep. when the philosopher got up and felt his head all over, he was startled and said in surprise, "It was my trun but this *wretched* fellow has *awakened* bald man."

1. Why did the philosopher get up?
   A. He realised that his head was being shaved off
   B. It was his turn to keep watch
   C. He was awakened by the barber
   D. he had a bad dream

ENGLISH

2. Who went to sleep first?
   A. The philosopher and the barber
   B. The barber and the bald man
   C. The bald man and the philosopher
   D. The barber
3. Why did the barber shave off the head of the philosopher?
   A. The barber was jealous of the philosopher
   B. The barber wanted to indulge in some fun
   C. The barber wanted the philosopher to keep watch
   D. The barber was feeling drowsy
4. Which one of the following is the correct sequence decided upon the three to keep watch turn by turn?
   A. Barber – bald man – philosopher
   B. Bald man – philosopher – barber
   C. Barber – philosopher – bald man
   D. Bald man – barber – philosopher
5. Which one of the following statements is ***not*** correct?
   A. All the three men decided to keep watch one by one
   B. The barber woke up the bald man
   C. The head of the philosopher was shaved off
   D. The philosopher was startled on feeling his head all over

PASSAGE–29

There can be only two explanations why countries like UK, US, Germany and Japan are willing to spend up to 5.5 million to make the Next Generation Linear Collider (NGLC) : Intellectual snobbery or complete indifference to the problems of the real world. To plan a 20-mile-long tunnel merely to go about smashing atoms, so as to recreate the Big Bang, is a frightful waste of public money. The project has no foreseeable practical application. Already, cyber-savvy cosmologists are engaged in simulating the Big Bang, or the beginning of the universe, in the virtual world, through number crunching and reverse engineering. Thye have successfully created a black hole on the desktop. So why go in for prohibitively expensive experimentation, when the virtual world is just a mouse-click away? Scientific ingenuity, remember, is not confined to reallife experiments; many of today's break-throughs have been inspired by research conductd almost entirely in cyberspace. Moreover, virtual research is 'clean'— without such fallouts as lab accidents and chemical leakages—and costs next to nothing.

1. Countries like UK, US, Germany and Japan wish to spend lot of money.
   A. to attend to the problems of humanity.
   B. to control AIDS.
   C. for defence research.
   D. to carry out atomic research.
2. Virtual research is carried out
   A. on computers.
   B. by experimentation in the field.
   C. by spending up billions of dollars.
   D. by experimentation in space.
3. Scientific research is not prohibitively costly when conducted
   A. by simulation in the virtual world.
   B. smashing atoms in a tunnel.
   C. making real-life models.
   D. using satellites.
4. Reverse engineering
   A. is commonly practised in research.
   B. is prohibitively expensive experimentation.
   C. is not used by cosmologists in the virtual world.
   D. is independent of analysis using computers.

PASSAGE–30

Failure and success are the ways of life. Constant efforts despite initial setbacks have brought us from the chrysalis of failures into the bright opportunity of triumphs. The conquest of Everest is a fitting example. Success eluded men for nearly twenty-five years. The leader of an unsuccessful expedition started, "Everest cannot add to its height, but spirit of man heightens even under repulse." Subsequent conquest of Everest has proved the truth of this. Indeed every newborn day is in itself an opportunity teeming with splendid chances for those who are alert, wide awake and aspiring.

1. According to the writer, the conquest of Everest proves that
   A. the spirit of man heightens under demanding circumstances.
   B. man cannot attain the unattainable.
   C. success is always elusive.
   D. the nature is most potent.
2. In this passage, "chrysalis of failure" means that
   A. failure involves a closed situation from which one cannot escape.
   B. failure can be compared to the pupa of the gold-coloured butterflies.
   C. failure is a transitional state.
   D. as an insect emerges in a different shape from chrysalis, so a human being changes after every failure.
3. The very style of the prose suggests that the writer intends the last sentence of the passage to be
   A. poetic

B. inspiring
C. vague
D. contradictory to the first sentence of the passage.

4. The expression "teeming with" in the passage can be replaced by
A. multiplying
B. abounding
C. fruitful
D. promising

5. Every new day brings fresh challenges for a person
A. who is young
B. whose head is teeming with bright ideas
C. who has come out of the chrysalis of failure
D. who is watchful and daring.

PASSAGE–31

Pisa offers a quiet holiday. Apart from the Leaning Tower Square where the tourists flock, the city is free of the kind of crowds one sees at Florence. An 11-km bus ride brings us to Marina de Pisa, the coastal extension of the city, where the Ligurian Sea and quaint buildings provide a few hours of relaxed walks. However, there is not much of a beach.

Gone is the tension of the previous night, when, flying into Italy in the late hours, my wife and I were a little apprehensive. Compared to Germany where we had spent three weeks, Italy, one thought, was 'unsafe'. The fears were compounded when the night bus from the airport terminated at the railway station, instead of going all the way to our hotel. "Ten Euros," said the cab driver at the station when asked how much the ride to the hotel would cost. Quite sure he was overcharging, we got in nevertheless. At 11.30 p.m. we anyway had little choice. The streets were dimly lit and the driver was uncommunicative. Stopping at a desolate building after we had clearly gone out of the city limits, he announced : "Your hotel." I gave him a 10-Euro bill and turned away. But the cabman stopped me. "Your change, sir," he said, pointing to the meter which read 8-20 Euros.

The small change I got back that day was like receiving the certificate of a nation's honesty. Italy, as it turned out, was just fine.

1. The author and his wife were
A. thrilled at the idea of travelling to Italy.
B. concerned about safety.
C. worried because of high cost.
D. worried because of language problem.

2. The author
A. was cheated by the taxi driver.
B. did not like the etiquette of the taxi driver.
C. was pleasantly surprised by the rectitude of the driver.
D. was irked because the driver was very talkative.

3. Pisa
A. has many traffic jams.
B. is full of business houses.
C. is a quiet town.
D. has major pollution problems.

4. Marina de Pisa
A. is known for its beautiful beaches.
B. is full of churches.
C. has many shopping centres.
D. is a coastal city.

PASSAGE–32

Much of our adult state of fear is linked up with the feeling that I, an individual, have to cope single-handed with a hostile world, the details of which have become far too complicated for me to understand. This feeling of isolation is in part a by-product of the way we have been educated and the stress that is pure on passing examinations. The more 'successful' your education, the more likely you are to feel alone, because the process of segregation has been more complete at every stage you proved how much cleverer you are than all those other fellows, until in the end you stand quite alone and afraid. It ought to be possible to manage things in a different way so that we go forward into the future, collaborating as a team instead of looking around for every possible opportunity to knife each other in the back.

1. An adult in the modern world is in a state of fear because
A. he has developed an individuality.
B. he feels lonely in an unfriendly world.
C. his life has become complicated.
D. he cannot understand the challenge.

2. The modern man feels isolated
A. because he has passed through the stress of examinations.
B. because he is the by-product of 'successful' social system.
C. because he fails to receive education.
D. because he nurses his feeling of isolation.

3. The writer thinks that fierce competitiveness in the modern educational system
A. makes them neurotic.
B. makes man clever.
C. does not make man care for his fellows.
D. makes man hostile to his environment.

4. Modern education makes man feel segregated
A. because of its emphasis on materialism.
B. by making him distrustful of others.
C. by making him stand on his own.
D. by inculcating the fear of society in him.

5. It would be a better educational system
A. if it would manage things differently.

B. if it inculcates the spirit of togetherness.
C. if it teaches collaboration with a team.
D. if it does not allows us to knife each other in the back.

PASSAGE-33

Diversity typically provides fresh perspectives on issues, but it makes it more difficult to unify the team and reach agreements. The strongest case for diversity on work teams is when these teams are engaged in problem-solving and decision-making tasks. Heterogeneous teams bring multiple perspective to the discussion, thus increasing the likelihood that the team will identify creative or unique solutions. Additionally, the lack of a common perspective usually means diverse teams spend more time discussing issues, which decrease the chances that a weak alternative will be chosen. However, keep in mind that the positive contribution that diversity makes to decision-making teams undoubtedly declines over time. Diverse groups have more difficulty working together and solving problems, but this dissipates with time expect the value-added component of diverse teams to decrease as members become more familiar with each other and the team becomes more cohesive.

1. Diversity on work team leads to
   A. human problems.
   B. creative solutions.
   C. economy in manufacturing.
   D. higher turnover.
2. With diversity in work-force there is
   A. difficulty in reaching a solution quickly.
   B. difficulty in designing wage formula.
   C. difficulty in managing international market.
   D. difficulty experienced in shop-floor management.
3. Advantages of diversity
   A. are sustained over long periods of time.
   B. lead to furhter increase with time.
   C. decline as the members come to know each other.
   D. decline as the absenteeism increases.
4. Problem-solving tasks can be handled by
   A. homogeneous groups.
   B. heterogeneous groups.
   C. management graduates.
   D. consultants.

PASSAGE-34

The world of today has achieved much, but for all its declared love for humanity it has based itself far more on hatred and violence than on the virtues that make man human. War is the negation of truth and humanity. War may be unavoidable sometimes but its progeny are terrible to contemplate. Not more killing, for man must die, but the deliberate and persistent propagation fo hatred and flasehood, which gradually become the normal habits of the peole. It is dangerous and harmful to be guided in our life's course by hatreds and aversions, for they are wasteful of energy and limit and twist the mind, and prevent it from perceiving the truth.

1. According to the author, the achievements of the world are not impressive because
   A. there is nothing much to boast of.
   B. they are mostly in the field of violence.
   C. its love of humanity is a pretence.
   D. the world has not made any achievement.
2. War is the negation of truth means
   A. wars do not exist.
   B. wars are evil.
   C. wars spread and advertise falsehood.
   D. wars kill human beings.
3. According to the author, the world's declared love of humanity is
   A. false.
   B. true.
   C. non-existent.
   D. not to be taken seriously.
4. Man should be guided by
   A. scientific discoveries.
   B. practical wisdom.
   C. generous human feelings.
   D. materialism.
5. Hatred and aversions are unwholesome as they are
   A. dangerous.
   B. harmful.
   C. narrow.
   D. barries in seeing the truth.

PASSAGE-35

Few people ask from books what books can give us. Most commonly we come to books with blurred and divided minds, asking of fiction that it shall be true, of poetry that it shall be false, of biography that it shall be flattering, of history that it shall enforce our own prejudices. If we could banish all such preconceptions when we read, that would be an admirable beginning.

1. According to this passage, most readers think that poetry is essentially
   A. imagination B. unrealistic
   C. realistic D. didactic
2. The author's reference to biography being viewed as something 'flattering' suggests that he thinks that it should be

A. offensive
B. critical
C. truthful
D. subjective

3. According to the passage, most books of history are
A. an objective of the past events
B. the author's views on the past events
C. reproduction of the records available from the past
D. an objective interpretation of the past records

4. According to this passage, most readers
A. expect too much from books
B. ignore the objective of the writer
C. do not know what to expect from a book
D. are positively inclined towards the author

5. The main intention of the author is to
A. point out the faults of the readers
B. define what various kinds of books are
C. suggest the correct approach to books
D. enumerate the readers' preconceptions

PASSAGE–36

I couldn't sleep that night. A vague feeling of impending misfortune affected me. My sister and I were twins, and you know how subtle the linsk are between such people. It was a wild night. Suddenly, there bursts forth the wild scream of a terrified woman. I knew that it was my sister's voice. I rushed into the corridor. By the light of the corridor lamp, I saw my sister at the door of her room, her face pale with terror, and her hands groping for help, and her whole figure swaying unsteadily. I ran to her and threw my arms around her, but her knees gave way and she fell to the ground.

1. The author couldn't sleep because
A. the night was wild
B. she apprehended some trouble
C. she knew that some calamity would befall her
D. she felt uneasy

2. It was well known that
A. she and her sister were twins
B. twins have a special bond between them
C. the relationship between twins is always cordial
D. twins can sense danger more easily than others

3. She rushed into the corridor because
A. she heard a terrifying cry
B. her sister called her to the room
C. she recognised the voic,e of the person who screamed
D. she dreamt that her sister needed her help

4. She realised that her sister
A. was in a state of excitement
B. needed support
C. was too weak to walk
D. was gripped with fear

5. She threw her arms around her sister to
A. express her affection
B. prevent her from running away
C. prevent her from falling down
D. save her from danger

PASSAGE–37

Because millions of years ago, a little tarsier-like creature began to use its hands and became inquisitive, the long trail of evolution towards man began. Those things are among man's characteristic features. Every year he delves deeper and deeper into the secrets of nature and his responsibilities grow more serious. In an age of mass production and machines, collective reason must control mass hysteria and mass instinct. That is the problem. The atomic bomb has only thrown it into higher relief. In the atomic bomb, man has used the fundamental energy process of the universe for destructive purposes, but that is largely an accident of the time and place. All around we have abundant evidence that without this energy, life itself could not exist.

1. The author believes, that man has evolved from a little tarsier-like creature because
A. his face resembles that of a tarsier
B. he uses his hands and walks like a tarsier
C. he is curious and walks like a tarsier
D. he is curious and uses his hands like a tarsier

2. The increasing human knowledge of the secrets of Nature has given rise to a problem which
A. involves a huge expenditure
B. makes man more and more irreligious and irreverential
C. is both a boon and a bane
D. necessitates a rational and humane approach to individual and social life

3. The invention of the atomic bomb has made this problem
A. more obscure
B. more prominent
C. more controversial
D. insignificant

4. Man has used atomic energy for destructive purposes because
A. it has no constructive purposes at all
B. he does not know how to sue it constructively
C. its constructive use is too expensive to be practicable
D. the force of circumstances compelled him to do so

5. The author thinks that the use of atomic energy
   A. will affect the society adversely
   B. is needed for the enrichment of life
   C. will ultimately destroy our civilization
   D. will lead to the end of the universe

PASSAGE–38

The jobs do not get changed around from time to time. I started off on one of the nicer ones. I sat at a conveyor belt slipping a piece of cardboard under each cake as it came down the line. At first it was difficult to keep up. An uneconomic movement, a fumble and four cakes have gone without cards. I got up to chase the four cakes, eight more appeared and for five minutes or so I had to work at twice the speed to work my way back to where I was sitting before. But it takes half a day or so to learn how it's done and soon it becomes quite automatic. The frenzy had quite worn off by the end of the first day and then there was only the monotony and the aching arms. Later I moved to another job on the line, as the girl who usually did it had left. I wasn't surprised. It was the nastiest job in that department. As the cake came out of a machine that had sliced it in three layers, two streams of artificial cream were poured over the layers. I had to stack the layers up again—a messy and very tiring job. The cakes are heavy and the cream is slippery. Anyone who has worked at all in a factory knows how deathly conveyor belt work is. At first it is difficult to keep up, and when you're tired it is quite merciless. After a while, when you have become fairly used to it, the fact that you can't work faster is also infuriating.

1. The writer's purpose in writing this piece is to
   A. make people who don't work in factories realise what it is like to work there
   B. plead to abolish manual labour from factories
   C. plead to get unskilled jobs made easier
   D. explain to young people how to handle a job in an automatized production unit
2. When the writer 'was moved to another job' she wasn't surprised to find that
   A. she had been moved
   B. her new job was very unpleasant
   C. the cream in the cakes was artificial
   D. the girl before her had left
3. The writer found it a messy job to
   A. separate the three layers of the cake
   B. pour artificial cream ove the layers
   C. stack the layers up again
   D. put the cake back on the conveyor belt again
4. The writer calls the conveyor belf 'merciless' because it
   A. could cause an injury if one makes a mistake
   B. is devoid of human feelings
   C. does not slow down even when the worker is tired
   D. is a hard taskmaster
5. After some time the writer got annoyed at the conveyor belt because
   A. she found it dull and monotonous to work with it
   B. she wanted to change her profession
   C. she found it merciless
   D. it always had the same speed

PASSAGE–39

The arrival of the train did not disturb Sir Mohan lal's sang-froid. He continued to sip his Scotch and ordered the bearer to tell him when he had moved the luggage to a first class compartment. Excitement, bustle, and hurry were exhibitiosn of bad breeding, and Sir Mohan was eminently well-bred. he wanted everything 'tickety-boo' and orderly. In his five years abroad, Sir Mohan had acquired the manners and attitudes of the upper classes. He rarely spoke Hindustani. When he did, it was like an Englishman's—only the very necessary words and properly anglicized. But he fancied his English, finished and refined at no less a place than the University of Oxford. He was fond of conversation and like a cultured Englishman he could talk on almost any subject—books, politics, people. How frequently had he heard English people say that he spoke like an Englishman!

1. Sir Mohan Lal is portrayed as
   A. an indophile B. a true Englishman
   C. a Hindu D. an anglophile
2. When Sir Mohan Lal spoke Hindustani it was
   A. Colloquial Hindi B. Literary Hindi
   C. Indian English D. Anglicized Hindi
3. According to Sir Mohan Lal, a well-bred person would
   A. remain aloof from the crowd
   B. like to drink only Scotch in public
   C. always be calm and orderly
   D. speak like an Englishman
4. From his description in this passage, Sir Mohan Lal appears to be
   A. a man of culture B. an aristocrat
   C. a snob D. a scholar
5. According to the passage, a cultured Englishman is able to talk effortlessly on
   A. art and culture
   B. human civilization
   C. modern science
   D. almost any subject

PASSAGE–40

The first and decisive step in the expansion of Europe overseas was the conquest of the Atlantic Ocean. That the nation to achieve this should be Portugal was the logical outcome of her geographical position and her history. Placed on the extreme margin of the old, classical Mediterranean world and facing the untraversed ocean. Portugal could adapt and develop the knowledge and experience of the past to meet the challenge of the unknown. From the seamen of Genoa and Venice, the had learned the organisation and conduct of a mercantile marine and from Jewish astronomers and mapmakers the rudiments of navigation. Largely excluded from the share in Mediterranean commerce, at a time when her population was making heavy demands on her resources. Portugal turned southwards and westwards for opportunities of trade and commerce. But ocean navigation was not the same as navigating the land-locked Mediterranean. The earliest of the band had neither the benefit of sailing directions nor traditional lore. Even the familiar heavenly constellations had been left behind. The challenge was formidable.

1. According to the passage, the most important step in the expansion of European power was
A. the emergence of Portugal as a power
B. the growth of Mediterranean commerce
C. the contact of Europeans with Jewish astronomers
D. the conquest of the Atlantic Ocean

2. The most important advantage that Portugal had, was its
A. geographical location
B. contact with the Arabs
C. contact with Genoa and Venice
D. cultural history

3. The Portuguese sailors were ready to explroe the world by sea because they
A. knew about many countries
B. had rich patrons to finance them
C. were prepared for the hazards of sea voyage
D. were in touch with seamen from Genoa and Venice

4. Portugal was motivated to pioneer ocean navigation because
A. it was encouraged by other European powers
B. it faced strong rivals in land-based trade
C. it collaborated with Venetian merchants
D. its limited resources could not support its growing population

5. The earliest group of Portuguese navigators going across the Atlantic did not find the venture
A. different from land-locked navigation
B. more difficult than coastal navigation
C. easy and comfortable
D. challenge and demanding

PASSAGE–41

Literature and history are twin sisters, inseparable. In the days of our own grandfathers and for many generations before them, the basis of education was the Greek and Roman classics for the educated, and the Bible for all. In the classical authors and in the Bbible history and literature were closely intervolved and it is that circumstances which made the old form of education to stimulating to the though and imagination of our ancestors. The read the classical authors and to read the Bible was to read at once the history and the literature of the three greatest races of the ancient world. No doubt the classics and the Bible were read in manner we now consider uncritical but they were read according to the best tenets of the time and formed a great humanistic education. Today the study both of the classics and of the bible has dwindled to small proportions. What has tkane their place? To some extent the vacuum has been filled by a more correct knowledge of history and a wider range of literature. But I fear that the graeter part of it has been filled up with rubbish.

1. Which of the following statements best reflects the underlying tone of the passage?
A. Literature and history and mutually exclusive
B. Literature and history and complementary to each other
C. The study of literature is meaning less without any knowledge of history
D. Literature and history are inseparably linked together in the classics and the Bible

2. The author of the above passage says that in the past the basis of education for all people, irrepsective of their intellectual calibre, was
A. Greek and Roman Classics
B. The Bible
C. A correct knowledge of history
D. A wider range of literature

3. The author of the above passage says that the classics and the Bible were read by his ancestors
A. methodically and with discretion
B. in a manner that broadened their view of life
C. with great emphasis on their literacy values
D. without critical discrimination but in the light of their humanistic culture

4. According to the author of the above passage the old form of education based the study of the classics and of the Bible, has
A. succeeded in creating interest in history
B. laid the basis of human civilization

C. had a gradual decline in our time
D. been rejuvenated in the context of modern education

5. The author of the above passage fears that the greater part of the vacuum created by lack of interest in the classic and the Bible has been filled up by
A. a richer sense of history
B. a wider range of literature
C. worthless ideas
D. a new philosophy of life

PASSAGE–42

During the early days as editor of the popular magazine, Saturday Evening Post, George Lorimer did much of the reading of unsolicited stories. This meant endless hours of sitting at the desk, pouring over big stacks of manuscrips, trying to decide which were worthy of publication and which were not. Lorimer became an expert at making these decisions.

One day he received a huffy letter from a wouldbe writer who had a omplaint. "Last week you rejected my story," she wrote. "I am positive you did not read it, because, as a test, I pasted together pages 14, 15 and 16. The manuscript came back with the pages still pasted. These is no question in my mind but that you are a sham and a disgrace to your profession."

Lorimer's reply was succinct: "Madam, at breakfast when I crack open an egg, I don't have to eat the whole egg to know it is bad."

1. Lorimer did much reading of the stories
A. if they were solicited ones
B. when they apeared to be bad
C. when they were from women writers
D. when they came unsolicited

2. Lorimer was a good editor because
A. his reply to the angry writer was polite
B. he apologized for rejecting the story without reading it
C. he could find the worth of a story with a little effort
D. he was promt in writing letters

3. The lady wrote a huffy letter because
A. her story was rejected
B. her story was rejected unread
C. her story was rejected although it was good
D. Lorimer was biased in his decision

4. Lorimer's reply was
A. irrelevant B. rude
C. wity D. funny

5. Lorimer read the stories
A. because he enjoyed reading them
B. in order to publish them
C. only to find fault with them
D. in order to review them

PASSAGE–43

As the tortoise tucks its feet and head inside the shell and will not come out even though you may break the shell into pieces, even so the character of the man who was has control over his motives and organs, is unchangeably established. He controls his own inner forces, and nothing can draw them out against his will. By this continuous reflex of good thoughts and good impressions moving over the surface of the mind, the tendency to do good becomes strong, and in consequence, we are able to control the Indriyas or sense organs.

1. The author uses the phrase 'inner forces' in this passage. Which of the following would be its most correct meaning in the context?
A. Emotional disturbances in man
B. Strength of the internal organs
C. Forces produced by sense organs
D. Reflection of the intellect

2. Which of the following statements would illustrate the metaphor in the passage?
A. Man is slow-moving and slow-witted
B. A man of character refuses to be influenced by outside compulsions against his will
C. Man confines himself to a life of isolation
D. Man cannot have a good character or strong will

3. Which of the following statements may be assumed to reflect the central theme of the passage?
A. Good thoughts lead to the control of the sense organs
B. Control of the sense organs leads to good thoughts
C. Character, though established, may be disturbed by outside forces
D. No man can aehieve success in destroying the inner forces

4. Which of the following statements would be most correct in explaining the metaphorical meaning of 'break the shell into pieces'?
A. Destruction of the human body
B. Breaking of the physical environment of man
C. Attempt to destroy man's character
D. Inflicting physical and mental agony on man

5. The passage consists of two long sentences and a short one. The purpose of this style should be to suggest that
A. it is impossible for man to attain perfection of character

B. the attainment of perfect character is the result of a long process of mental discipline
C. the whole life process is clumsy
D. there is a lot of confusion in our understanding of sense organs, character, etc.

PASSAGE–44

One of the most serious problems confronting our country is that of a fast-growing population. In fact, it is at the root of many other problems. At the moment, thanks to planning, we are able to produce food and cloth sufficient for our people and even in some excess. But if the population continues to grow at this rate, it will not be long before the surplus turns into a bare minimum and even a deficit. The position in regard to accomodation is even now far from satisfactory in spite of our efforts.

1. "It is at the root of many other problems" means that
A. it is found along with many other problems
B. it is caused by many other problems
C. it give rise to many other problems
D. it is buried under many other problems
2. The present satisfactory position in regard to food and cloth is due to
A. the fact that the population has been controlled
B. our good luch
C. good rainfall
D. our economic planning
3. If the population of India continues to increase at this rate, the situation in regard to food and cloth
A. is likely to reamain the same
B. is likely to become less satisfactory
C. is likely to improve
D. is likely to vary up and down
4. The situation in respect of accommodation
A. is less than satisfactory
B. is quite satisfactory
C. is improving rapidly
D. is the result of total neglect
5. At present Indians have
A. more provision for cloth than accommodation
B. more provision for accommodation than cloth
C. abundance of cloth and accommodation
D. scaracity of cloth and accommodation

PASSAGE–45

Punctually at midday he opened his bag and spread out his professional equipment, which consisted of a dozen cowrie shells, a square piece of cloth with obscure mystic charts on it, a note book, and a bundle of Palmyra writing. His forehead was resplendent with sacred ash and vermilion, and his eyes sparkled with a sharp abnormal gleam which was really an outcome of a continual searching look for customers, but which his simple clients took to be a prophetic light and felt comforted. The power of his eyes was considerably enhanced by their position placed as they were between the painted forehead and the dark whiskers which streamed down his cheeks : even a half-wit's eyes would sparkle in such a setting. To crown the effect he wound a saffron-coloured turban around his head. This colour scheme never failed. People were attracted to him as bees are attracted to cosmos or dahlia stalks.

1. From the description of this passage one can make out the person to be a:
A. Snake Charmer B. Footpath vendor
C. Astrologer D. Priest
2. The eyes of the person described sparkled because:
A. He was sitting under midday sun
B. He was always looking for possible clients
C. His forehead was bright with ash and vermilion
D. He was full of joy
3. The person opened his bag
A. to search for something he needed
B. to indicate the start of his work
C. to keep his professional equipment
D. to take out things for display
4. The tone of the description is
A. sad B. neutral
C. ironic D. sympathetic

PASSAGE–46

Fortunately it is as yet only through fantasy that we can see what the destruction of the scholarly and scientific disciplines would mean to mankind. From history we can learn what their existence has meant. The sheer power of disciplined thought is revealed in practically all the great intellectual and technological advances which the human race has made. The ability of the man of disciplined mind to direct this power effectively upon problems for which he has not specifically trained is proved by examples without number. The real evidence for the value of liberal education lies in history and in the biographies of men who have met the valid criteria of greatness. These support overwhelmingly the claim of liberal education that it can equip a man with fundamental powers of decision and action, applicable not only to boy-girl relationship, to tinkering hobbies, or to choosing the family dentist, but to all the great and varied concerns of human life ...... not least, those that are unforeseen.

1. Liberal education enables a person to
   A. read with more discernment than others
   B. apply general principles to resolve issues
   C. gain prestige
   D. develop a clearer understanding of history than others
2. In this passage, the author stresses the importance of
   A. education for living
   B. technological advances
   C. increased interest in the study of history
   D. satisfying the desire for security
3. In this passage, the expression 'specifically trained' refers to
   A. characteristically trained
   B. particularly trained
   C. peculiarly trained
   D. ostensibly trained
4. According to the author, 'the great and varied concerns of human life' are about
   A. fundamental rights
   B. challenges facing mankind
   C. tinkering hobbies
   D. liberal education

PASSAGE–47

A male jackdaw's courtship behaviour is astonishingly human. All his movements are consciously strained and his proudly reared head and neck are permanently in a state of self-display. He provokes the other jackdaws continually if the female jackdaw is looking on and he purposefully becomes embroiled in conflicts with otherwise deeply respected superiors. Above all, he seeks to impress his loved one with the possession of a potential nesting site, from which he drives all other jackdaws, irrespetive of their rank.

1. A 'courtship behaviour' may best be described as
   A. the behaviour of a jackdaw who shows off his feathers
   B. the behaviour of a male bird to attract a female bird
   C. the behaviour by which a male bird displays its beauty to the female bird
   D. the behaviour of any male to win a female of the same species
2. Which of the phrases best helps to bring out the precise meaning of 'consciously strained'?
   A. Proudly reared and exhibited
   B. Permanently in a state of display
   C. Purposefully put in a state of display
   D. Possession of nesting sight
3. The most important 'trick' of the jackdaw to win his female is:
   A. displaying his head and neck
   B. to be like a human being
   C. to become embroiled with other birds
   D. to possess a place for building a nest
4. The jackdaw fights with other jackdaws because:
   A. he does not respect the senior birds
   B. he wants to fight with his rivals
   C. he does not like to be challenged
   D. he wants to show off
5. Which of the following statements best describes the central theme of the passage?
   A. The courtship behaviour of birds
   B. The similarities between the courtship behaviour of birds and man
   C. The astonishing facts about the jackdaw's love life
   D. The scientific study of the jackdaw's life

PASSAGE–48

Young seekers after peace know that only equal trust shown to all the peoples of the earth and not just to a few of them, can lead to the healing of the wounds that tear them apart and so it is essential never to humiliate the members of a Essential also is boundless concern for so many men and women who today, as exiles or immigrants, live on foreign soil. If every home was open to somebody of foreign origin, the racial problem would be partially solved.

1. For the reconciliation and unity it is essential:
   A. to have no discrimination in the trust shown to the people of the earth
   B. to have young seekers after peace
   C. to have confidence in at least a few of the people
   D. to punish the leaders who committed inhuman sins
2. To make the members of a nation responsible for the inhuman acts of their leaders is:
   A. unimportant
   B. understandable
   C. unjust
   D. undesirable
3. Boundless concern should be shown to:
   A. one's own country men alone
   B. the people belonging to our friendly nations only
   C. the foreigners who just visit our country
   D. all the exiles living away from their native lands

4. The theme of the passage is:

A. rigid nationalism alone can help peaceful co-existence

B. trusting all the people of the earth may lead to serious problems

C. being cautious of others is a must to live in peace

D. concern for everyone irrespective of the race or country

ANSWERS

PASSAGE–1

1	2	3	4	5
C	D	D	B	A
6	**7**	**8**	**9**	**10**
D	C	D	D	D

PASSAGE–2

1	2	3	4	5
B	A	C	D	C
6	**7**	**8**	**9**	**10**
E	B	E	E	A
11	**12**	**13**	**14**	**15**
D	E	D	C	B

PASSAGE–3

1	2	3	4	5
A	C	B	C	C
6	**7**	**8**	**9**	**10**
D	C	D	E	B
11	**12**	**13**	**14**	**15**
B	B	A	C	E

PASSAGE–4

1	2	3	4	5
C	B	D	A	B
6	**7**	**8**	**9**	**10**
A	D	C	B	B
11	**12**	**13**	**14**	**15**
C	E	A	A	E

PASSAGE–5

1	2	3	4	5
D	B	E	C	E
6	**7**	**8**	**9**	**10**
C	B	A	A	E

PASSAGE–6

1	2	3	4	5
B	A	A	E	B
6	**7**	**8**	**9**	**10**
E	C	D	B	D

PASSAGE–7

1	2	3	4	5	6
D	B	B	E	A	D
7	**8**	**9**	**10**	**11**	**12**
C	D	D	D	C	A

PASSAGE–8

1	2	3	4
B	A	D	C

PASSAGE–9

1	2	3	4
A	B	A	D

PASSAGE–10

1	2	3	4
D	B	C	A

PASSAGE–11

1	2	3	4
B	A	A	C

PASSAGE–12

1	2	3	4
C	C	C	A

PASSAGE–13

1	2	3	4
C	C	C	D

PASSAGE–14

1	2	3	4
D	D	A	B

PASSAGE–15

1	2	3	4
B	D	C	B

PASSAGE–16

1	2	3	4
A	B	B	C

PASSAGE–17

1	2	3	4
D	D	C	C

PASSAGE–18

1	2	3	4	5
A	C	B	D	C

PASSAGE–19

1	2	3	4	5
D	A	C	A	D

PASSAGE–20

1	2	3	4
D	C	A	D

PASSAGE–21

1	2	3	4	5
D	B	A	B	B

PASSAGE–22

1	2	3
D	A	A

PASSAGE–23

1	2	3	4	5
B	D	D	A	C

PASSAGE–24

1	2	3	4
C	C	D	C

PASSAGE–25

1	2	3	4
A	C	D	A

PASSAGE–26

1	2	3
D	C	B

PASSAGE–27

1	2	3	4
D	C	A	D

PASSAGE–28

1	2	3	4	5
C	C	B	C	B

PASSAGE–29

1	2	3	4
D	A	A	A

PASSAGE–30

1	2	3	4	5
A	D	B	B	D

PASSAGE–31

1	2	3	4
B	C	C	D

PASSAGE–32

1	2	3	4	5
B	B	B	B	B

PASSAGE–33

1	2	3	4
B	A	A	B

PASSAGE–34

1	2	3	4	5
C	C	A	C	D

PASSAGE–35

1	2	3	4	5
C	B	D	B	C

PASSAGE–36

1	2	3	4	5
B	B	C	D	C

PASSAGE–37

1	2	3	4	5
D	D	B	D	B

PASSAGE–38

1	2	3	4	5
D	B	C	C	D

PASSAGE–39

1	2	3	4	5
D	D	C	A	D

PASSAGE–40

1	2	3	4	5
D	A	D	D	C

PASSAGE–41

1	2	3	4	5
D	B	D	C	C

PASSAGE–42

1	2	3	4	5
D	C	A	C	D

PASSAGE–43

1	2	3	4	5
D	B	A	C	B

PASSAGE–44

1	2	3	4	5
C	D	B	A	A

PASSAGE–45

1	2	3	4
C	B	D	C

PASSAGE–46

1	2	3	4
B	A	B	B

PASSAGE–47

1	2	3	4	5
D	C	D	D	C

PASSAGE–48

1	2	3	4
A	C	D	D

SECTION b

PEDAGOGY OF LANGUAGE DEVELOPMENT

English is not the most widely spoken language in the world in terms of the number of native speakers. There are many more Chinese speakers than native English speakers but Chinese is spoken little outside of Chinese communities. However English is the most widespread language in the world.

For Governance and Career

In many former British colonies, English is still used in the government and as a medium of communication among people who do not have another language in common. In some cases, it is a neutral language that is used to avoid giving any one indigenous language too much prestige. English is often used in India, because it is neutral. It is the language of the government. People who speak English have a certain status in society. It is used for books, music and dance. In Singapore, English is a second language, but it is necessary for daily life. Many companies there use English. In addition, sixteen countries in Africa have retained English as the language of the government. Now standard English is taught in schools in those countries, because it is necessary for careers.

For News and Information

English is commonly used as a medium for the communication of information and news. Three quarters of all telex messages and telegrams are sent in English. Eighty percent of computer data are processed and stored in English. Much satellite communication is carried in English. Five thousand newspapers, more than half of the newspapers published in the world, are published in English. Even in many countries where English is a minority language, there is at least one newspaper in English. In India alone, there are three thousand magazines published in English. In many countries, television news is broadcast in English. Because of the power of television, demonstrators in every country use signs printed in English for the benefit of the international press.

For Business, Diplomacy, and the Professions

English is a major language of international business, diplomacy, science and the professions. It is the language that an Iranian businessman and a Japanese businessman are likely to use to communicate. Important commodities such as silver, tin, and hard currency are traded in English. English is also an official language of many professional and international organizations including the United Nations.

For Entertainment

Popular culture has also played an important part in spreading English. American and British popular music are heard all over the world. American movies are seen in almost every country. Books in English are available even in countries where very few people actually use English. One reason that students give for learning English is to understand these songs, movies and books.

For Travel

English is also very important for international travel. Much of the information, countries disseminate about themselves outside of their borders, is in English. English is spoken in large hotels and tourist attractions, at airports, and in shops that tourists frequent. There are travel brochures printed in English, and TV news is available in English.

LEARNING

A considerable change in the behaviour of the organism is called learning. When organism comes in contact with his environment certain necessary adjustment in the behaviour is needed. This adjustment in behaviour is the result of acquision of various habits, skills, attitudes and knowledge which is actually learning in simple term.

Thus, learning means change in response or behaviour (modification, elimination or acquisition of responses involving some degree of performance) caused partly or wholly by conscious or unconscious experiences. This learning does not include physiological changes such as fatigue, temporary sensory resistance or non functioning even after continued stimulation.

Definition of Learning

It is very difficult to give a universally acceptable definition of learning because psychologists have defined the concept from different angles on the basis of their experiments. The common feature among these definitions is that learning in psychology has the status of a construct which means an idea or image that can not be directly observed like electrons or genes but they are inferred from the behaviour of the organism.

Melvin H Marx has defined learning in the following words;

"Learning is a relatively enduring change in behaviour which is a function of prior behaviour (usually called practice).

Explanation : According to the definition given above learning has three attributes:

1. Learning is a some what permanent change in behaviour. Changes occurred due to illness, fatigue, maturation or the consumption of intoxicants is not learning.
2. Learning is not directly observable. It is inferred from the behaviour of the organism in the form of construct.
3. Learning is a function of practice and experience. Experiences adds learning and practice gives it an enduring nature.

Some other **definitions** of learning are given below;

"Learning is modification of behaviour through experiences." **— Gates**

"Learning involves the acquisition of habit knowledge and attitudes". **—Crow and Crow**

"Learning is any change in behaviour resulting from behaviour." **—Guilford**

"Learning includes both acquisition and retention." **—Skinner**

Characteristics of Learning

On the basis of the meaning and definitions given above following characteristics of learning can be derived:

1. **Learning is a relatively permanent change in behaviour :** Temporary changes in behaviour brought about due to some accidents or consuming any drugs is not learning at all. Learning is a relatively permanent change in behaviour. It is in this context we can say that reading some selected material to pass an examination is not learning. It is because learnt material is forgotten immediately after the exam.
2. **Learning is a progress or growth of the organism :** Learning is a fundamental need of life. Without it, no progress or growth is possible. This process of growth is unending also. One achievement of the organism motivates him to go for further achievement and thus excellence in many cases is achieved.
3. **Learning is a life long process :** An organism needs learning (behavioural change) at every moment of life to adjust to new situations at every moment. He can not sit idle at any time. Situations all the time force him for the acquisition of new learning.
4. **Learning is not directly observable :** How much learning has taken place in an organism can not be directly observed. It is inferred from his behaviour which is manifested by some activities, mental or physical.
5. **Learning is the result of experiences :** Experiences are gained at every moment of life. Learning is the other name of these experiences.
6. **Learning is a goal directed process :** Learning is a purposeful activity. It is a goal directed process. Learning which is the result of unconscious efforts of the individual is not learning in actual sense.
7. **Learning is retained through practice :** Practice or exercise is a must to retain learning. If practice is not made, learning will be forgotten and the nature of learning will no longer remain permanent. Thus, learning is acquisition and retention both.
8. **Learning is aroused by individual and social needs :** Learning depends upon our social needs, problems, desires, and ideals. There are certain persons who learn very fast whereas others are slow in learning. It should be noticed that social environment affects learning. It is impossible to learn in the absence of environment.
9. **Learning is active and creative :** Learning is active and creative i.e. learning depends upon the active involvement of the learner. It is said that if the learner is not self active, he cannot learn.
   It is, therefore, said that learning is the result of active involvement and experience from the sender and the receiver both.
10. **Learning is universal :** Humans are not the only organism that learn ie, react to the

environment for adjustment. Animals also go through the process of learning though their speed of learning may be slower than humans.

ACQUISITION

Language acquisition is the process by which the language capability develops in a human. It is the process by which a child acquires its mother tongue. It is the most wonderful feat we perform in our whole life and we do it at an age when we can hardly do anything else. It is an active process by which children, taking cues available to them, construct their own utterances and say things they have never heard of. Language learning is a behaviour acquired by making conscious efforts. It involves certain skills – learning to understand when it is spoken, speaking, reading and writing. It is also forming a certain set of habits. It is acquired by imitation and practice. Since language is a learned activity, we have to learn it and teach it properly.

Distinction between Acquisition and Learning

There are many distinctions between the processes of acquisition and learning.

1. Children within 5 years of age learn their mother tongue through acquisition. A second language, is through conscious effort of learning.
2. Acquisition is an unconscious process where no formal classroom instruction is involved. Learning, however is about conscious knowledge and the application of rules and structures.
3. In language acquisition, the focus is on communication or reception of a message. But in language learning the thrust is on syntax and grammar.
4. The context is usually crucial and meaningful in language acquisition but it need not be important to that extent in language learning.
5. Motivation is a matter of urgent necessity for acquisition. It is not so for second learning.
6. Most importantly, the usual outcome of language acquisition is fluency which is by no means guaranteed in language learning.

It is the process by which humans acquire the capacity to perceive, produce and use words to understand and communicate. This capacity involves the picking up of diverse capacities including syntax, phonetics and an extensive vocabulary. This language might be vocal as with speech or manual as in sign. Language acquisition usually refers to first language acquisition, which studies infants' acquisition of their native language, rather than second language acquisition, which deals with acquisition (in both children and adults) of additional languages.

The capacity to acquire and use language is a key aspect that distinguishes humans from other organisms. While many forms of animal communication exist, they have a limited range of nonsyntactically structured vocabulary tokens that lack cross cultural variation between groups.

A major concern in understanding language acquisition is how these capacities are picked up by infants from what appears to be very input. A range of theories of language acquisition has been created in order to explain this apparent problem including innatism in which a child is born prepared in some manner with these capacities, as opposed to the other theories in which language is simply learned.

Social interactionist theory consists of a number of hypotheses on language acquisition. These hypotheses deal with written, spoken, or visual social tools which consist of complex systems of symbols and rules on language acquisition and development. The compromise between "nature" and "nurture" is the "interactionist" approach. In addition, for years, psychologists and researchers have been asking the same question. What are the language behaviours that nature provides innately and what are those behaviours that are realized by environmental exposure, which as nurture.

The relational frame theory (Hayes, Barnes-Holmes, Roche, 2001), provides a wholly selectionist/learning account of the origin and development of language competence and complexity. Based upon the principles of Skinnerian behaviorism the relational frame theory posits that children acquire language purely through interacting with the environment. The relational frame theorists introduced the concept of functional contextualism in language learning, which emphasizes the importance of predicting and influencing psychological events, such as thoughts, feelings and behaviours, by focusing on manipulable variables in their context. The relational frame theory distinguishes itself from Skinner's work by identifying and defining a particular type of operant conditioning known as derived relational responding, a learning process that to date appears to occur only in humans possessing a capacity for language. Empirical studies supporting the predictions of relational frame theory suggest that children learn language via a system of inherent reinforcements, challenging the view that language acquisition is based upon innate, language-specific cognitive capacities.

Emergentist theories, such as Mac Winney's competition model, posit that language acquisition is a cognitive process that emerges from the interaction of biological pressures and the environment. According to these theories, neither nature nor nurture alone is sufficient to trigger language learning; both of these influences must work together in order to allow children to acquire a language. The proponents of these theories argue that general cognitive processes subserve language acquisition and that the end result of these processes is language-specific phenomena, such as word learning and grammar acquisition. The findings of many empirical studies support the predictions of these theories, suggesting that language acquisition is a more complex process than many believe.

PRINCIPLES OF LANGUAGE TEACHING

1. Consider the whole person : Teacher should take into consideration who the student is. Know different aspects of the individual. (Student's psychology, social background, etc.) Consult with the guiding and class teachers. Don't grade only by looking at his learning English.
2. Language learning is both forming habit and also utilizing the student's innate capacity. Cognitive school of Psychology using the student's innate capacity for the language. The student uses his creative mental power.
3. Keep the students involved. Try to have a student centered class as far as possible. Keep the appropriate ratio of teacher talk and student talk.
4. Language learners learn to do by doing. Items of language should be practised. Practice is extermely important in foreign language learning. Practice, especially drilling, helps with habit formation.
5. Teach all 4 language skills : Listening, Speaking, Reading, Writing. Listening and reading are receptive, speaking and writing are productive skills. All four language skills should go hand-in-hand. They should be integrated. All people understand far more than they can produce. The child has the move following order in acquiring the four skills Listening-Speaking-Reading-Writing.
6. All learning should be functional and have meaning for the students in terms of their needs and life values. Start with their experiences.
7. Go from the known to the unknown. Build on what the students know either in their native language or in English. Compare and Contrast where possible. As a principle, try to have as meaningful language material as possible.
8. Teach only one thing at a time. Don't teach vocabulary and structure at the same time. Teach a new grammatical pattern with the known vocabulary items. While teaching new vocabulary items, use known grammatical patterns in your illustrated sentences.
9. Teach beginning (elementary) students only the forms most frequently used in normal speech. Help them realize that there may be more than one way of expressing the same ideas. But in the beginning, teach them only one form. e.g. the most commonly used request pattern is : Please open the door, Open the door, please.
10. Errors will naturally occur in language learning. It is not necessary to correct every error. Be selective in error correction. Be gentle in error correction. Errors are a natural, necessary, and inevitable part of learning. Never interrupt your student while he is talking or reading for a correction. Wait until he finishes his part of talking or reading. Gentle correction should be a principle. Correct only common mistakes.
11. Recognize individual differences. All students learn at different roles. In every class there will naturally be slow, average, and bright students. Give opportunity to all the students to participate in class activities. Do not let the bright students monopolize. You can give bright students difficult tasks to keep their interest alive. To form mixed ability groups we should do anything possible not to foster the feeling of impriority.
12. Keep the pace alive. Provide a variety of activities. Class activities should not go at a monotonous rate. There will be boredom and little or no learning. The activities should go dynamically not monotonously. If the students are not interested with the activity, stop that activity.
13. Teach with examples. Examples speak louder than language explanation. Examples can help the students learn much better than complicated explanations.
14. Relate form to meaning and contextualize. All class activities should be meaningful. Meaning should always be in the foreground. Whatever activity the students are involved in, the students should be able to understand the meaning of what they hear, say, read, or write. Teach new vocabulary items or a grammatical pattern or pronunciation in context. In teaching vocabulary give the meaning and pronunciation. Smallest context is a sentence meaning arises out of the situation. We can use dialogues, anectodes in the spoken form as context.

ENGLISH

15. Assign tasks in class. Involve the students as much as possible. A variety of tasks can be assigned in class.
16. Give students a feeling of confidence and success and encourage them. Education should be geared on success. When the grading time comes at the first semester, if there is a student on borderline, pass him.
17. Use Audio-visual aid as much as possible.
18. Teach well before you test. Students often fail because of poor teaching, poor testing, poor evaluation of the exams.

ROLE OF LISTENING

Listening is an active process that has three basic steps.

- **Hearing :** Hearing just means listening enough to catch what the speaker is saying. For example, say you were listening to a report on horses, and the speaker mentioned that no two are alike. If you can repeat the fact, then you have heard what has been said.
- **Understanding :** The next part of listening happens when you take what you have heard and understand it in your own way. Let's go back to that report on horses. When you hear that no two are alike, think about what that might mean. You might think, "Maybe this means that the colour is different for each horse."
- **Judging :** After you are sure you understand what the speaker has said, think about whether it makes sense. Do you believe what you have heard? You might think, "How could the colour to be different for every horse.

How to Become a Good Listener

- Give your full attention on the person who is speaking. Don't look out the window or at what else is going on in the room.
- Make sure your mind is focused, too. It can be easy to let your mind wander if you think you know what the person is going to say next, but you might be wrong! If you feel your mind wandering, change the position of your body and try to concentrate on the speaker's words.
- Let the speaker finish before you begin to talk. Speakers appreciate having the chance to say everything they would like to say without being interrupted. When you interrupt, it looks like you aren't listening, even if you really are.
- Let yourself finish listening before you begin to speak! You can't really listen if you are busy thinking about what you want say next.
- Listen for main ideas. The main ideas are the most important points the speaker wants to get across. They may be mentioned at the start or end of a talk, and repeated a number of times.
- Ask questions. If you are not sure you understand what the speaker has said, just ask. It is a good idea to repeat in your own words what the speaker said so that you can be sure your understanding is correct.
- Give feedback. Sit up straight and look directly at the speaker. Now and then, nod to show that you understand. At appropriate points you may also smile, frown, laugh, or be silent. These are all ways to let the speaker know that you are really listening. Remember, you listen with your face as well as your ears!

ROLE OF SPEAKING

Speaking English is the main goal of many learners. Their personalities play a large role in determining how quickly and how correctly they will accomplish this goal. Those who are risk-takers unafraid of making mistakes will generally be more talkative, but with many errors that could become hard-to-break habits. Conservative, shy students may take a long time to speak confidently, but when they do, their English often contains fewer errors and they will be proud of their English ability. It's a matter of quantity vs. quality, and neither approach is wrong. However, if the aim of speaking is communication and that does not require perfect English, then it makes sense to encourage quantity in your classroom. Break the silence and get students communicating with whatever English they can use, correct or not, and selectively address errors that block communication.

Speaking lessons often tie in pronunciation and grammar which are necessary for effective oral communication. Or a grammar or reading lesson may incorporate a speaking activity. Either way, students will need some preparation before the speaking task. This includes introducing the topic and providing a model of the speech they are to produce. A model may not apply to discussion-type activities, in which case students will need clear and specific instructions about the task to be accomplished. Then the students will practice with the actual speaking activity.

These activities may include imitating (repeating), answering verbal cues, interactive conversation, or an oral presentation. Most speaking activities inherently practice listening skills as well, such as when one student is given a simple drawing and sits behind another student, facing away. The first must give instructions to the second to reproduce the drawing. The second student asks questions to clarify unclear instructions, and neither can look at each other's page during the activity.

Some ideas to keep in mind as you plan your speaking activities.

- **Content :** As much as possible, the content should be practical and usable in real-life situations. Avoid too much new vocabulary or grammar, and focus on speaking with the language the students have.
- **Correcting Error :** You need to provide appropriate feedback and correction, but don't interrupt the flow of communication. Take notes while pairs or groups are talking and address problems to the class after the activity without embarrassing the student who made the error. You can write the error on the board and ask who can correct it.
- **Conversation Strategies :** Encourage strategies like asking for clarification, paraphrasing, gestures, and initiating ('hey,' 'so,' 'by the way').
- **Teacher Intervention :** If a speaking activity loses steam, you may need to jump into a role-play, ask more discussion questions, clarify your instructions, or stop an activity that is too difficult or boring.
- **Quantity vs. Quality :** Address both interactive fluency and accuracy, striving foremost for communication. Get to know each learner's personality and encourage the quieter ones to take more risks.

It is very important that teachers are aware if the aim of a speaking activity is fluency or accuracy, because the role of the teacher is radically different in each activity type.

In accuracy activities, the teacher needs to correct the students if they make mistakes. The whole point of the activity is to form correct sentences, so if a student gets it wrong, it needs to be immediately addressed in the form of correction.

In process oriented fluency activities, however, correcting students can be very counter productive indeed. If we want our students to communicate, we need to give them time and space to do so, in order that they can start to learn to deal with all the demands of oral interaction.

In fluency activities, the teacher becomes more of an organiser, a facilitator, a manager, a guide, a guru. The teacher sets up the activity, explains what needs to be done, organises the necessary groupings, and then lets the learners get on with it.

FUNCTIONS OF LANGUAGE

Six major functions of the English language are:

- A means of conveying information, example, "The Kyneton train is now approaching on platform 4." This example is conveying to those waiting for the Kyneton train that it has now arrived.
- An instrument of action, example, "Don't forget to feed the dog." This example is telling the second person in the conversation to do something.
- To maintain social relationships example, "Good Morning, how are you?" Here we see that this function allows us to make and keep friends. This function is usually more informal than others.
- Acting as a marker of groups example, "He was out for a duck." This example would only be heard by someone talking about the cricket, therefore establishing that the people involved in the conversation are involved with cricket in one way or another, marking them as a group.
- As an instrument of cognitive and conceptual development. This is the power of language to influence thinking. This is why we have many words that mean basically the same thing, because they all have slight differences or are used in different circumstances. For example if you could only say you were happy, but not excited, thrilled, etc, then you would not be able to give as much detail.
- As an art form, language can be purposed towards beauty for beauty's sake.

THE ROLE OF GRAMMAR IN LEARNING A LANGUAGE

One question always arise in my mind is learning grammar necessary for picking up a new language? Some linguists think grammar rules are usually considered core of any language learning class, without which a student would be completely lost. However, a language acquisition theory from Dr. Stephen Krashen, a renowned linguistics professor, suggests picking up a new language doesn't require any conscious knowledge of grammar; instead, the best and most effective methods of acquiring a new language occur through regular and useful conversation.

Dr. Krashen actually separates the way people learn languages into two separate categories: the ''acquired system'' and the ''learned system''. The acquired points to learning a new language in an almost subconscious manner, mostly through regular communication and interaction using the target language. The learned system, on the other hand, points to the traditional method of learning that many of us are used to, in which we learn conjugations, grammar rules, tenses, etc. The most important conclusion of Krashen's hypothesis, however, is that the ''acquired system'' is more effective and indeed better the ''learned system'' used by most language schools worlwide.

Language, which includes grammar, would emerge as a result of interaction and communication or that it would emerge as a result of comprehensible input. Krashen holds that given a ''natural order'' in acquistion, grammar teaching is unnecessary.

However, the acquisition of a second language is usually achieved in an acquisition—rich environment. In an acquisition—poor environment like China, there isn't much natural exposure to the target language. We cannot expect the students to achieve grammatical competence solely through interaction and communication.

In communicative language teaching, students could assimilates new structures through active practice and use. However, some also felt that ''more able and/or elder pupils wanted; and could benefit from systematic and explicit oresentation of grammatical rules and explanations, and also that grammatical expositions could assist pupils in shifting from rote learning to a more creative use of the target language''. Wilkins (1976) points out that acquiring the grammatical system of the target language is of central importance, because an inadequate knowledge of grammar would severely constrain linguistic creativity and limit the capacity for communication.

CHALLENGES OF TEACHING LANGUAGE IN A DIVERSE CLASSROOM

Language Difficulty

Students in bilingual and ESL classrooms manipulate more than one language and are influenced by more than one culture. Their experiences with these languages and cultures influence their learning. The more we understand the personal, socio-cultural, and linguistic backgrounds of bilingual students, the better equipped we will be to provide these students with an effective learning environment. This environment should be one that supports learning in a second language and culture, while fostering a positive attitude and respect for the other language and culture.

The responsibility for English language learning, academic progress, and integration of bilingual and ESL learners into the school community should be assumed by *all* personnel at the school, not just by the bilingual and ESL staff. School administrators should make certain that bilingual students have opportunities to integrate both socially and academically with monolingual English speakers. The following practices promote the inclusion of all students in a supportive, educational environment:

1. Create participatory, inquiry-based classrooms
2. Maintain high expectations for all students
3. Teach ESL through content-area instruction
4. Use thematic units
5. Incorporate culturally familiar learning strategies
6. Use a variety of strategies when teaching literacy
7. Provide appropriate and valid assessment
8. Recognize that students use both languages to learn

Errors

English is such a complex language, it is fraught with traps that we all frequently fall into. With this list I hope to clear up at least a few of the confusing words we use every day. This is a list of some of the more common errors people make with English.

Its / It's

As in the case above, the apostrophe denotes an abbreviation: it's = it is. Its means "belongs to it". The confusion arises here because we also use an apostrophe in English to denote possession – *except* in this case; if you want to say "the cat's bag" you say "its bag" not "it's bag". "It's" always means "it is" or "it has". "It's a hot day." "it's been fun seeing you."

Your / You're

Your means "belonging to you". You're means "you are". The simplest way to work out the correct one to use is to read out your sentence.

Practice / Practise

In US English, practice is used as either a verb (doing word), or noun (naming word). Hence, a doctor has a practice, and a person practices the violin. In UK english, practice is a noun, and practise is a verb. A doctor has a practice, but his daughter practises the piano.

Bought / Brought

Bought relates to buying something. Brought relates to bringing something. For example, I bought a bottle of wine which had been brought over from France.

Desert / Dessert

This is a confusing one because in English an 's' on its own is frequently pronounced like a 'z' and two 's's are usually pronounced as a n 's' (for example: prise, prissy). In this case, desert follow the rule – it means a large stretch of sand. However, dessert is pronounced "dez-urt" with the emphasis on the second syllable – ie, something we eat as part of our meal. To make matters worse, when a person leaves the army without permission, it is spelt desert.

Dryer / Drier

If your clothes are wet, put them in a clothes dryer. That will make them drier. A hair dryer also makes hair drier.

Chose / Choose

This is actually quite an easy one to remember – in English we generally pronounce 'oo' as it is written – such as "moo". The same rule applies here: choose is pronounced as it is written (with a 'z' sound for the 's') – and chose is said like "nose". Therefore, if you had to choose to visit Timbuktu, chances are you chose to fly there. Chose is the past tense, choose is the present tense.

Lose / Loose

This one is confusing. In this case, contrary to normal rules of English, the single 's' in loose is pronounced like an 's' – as in wearing trousers that are too loose. Lose on the other hand, relates to loss – for example: "I hope we don't lose this game". A good way to remember this is that in the word "lose" you have lost the second 'o' from loose. If you can't remember a rule that simple, you are a loser!

Literally

This one is not only often used in error, it is incredibly annoying when it is used in the wrong way. Literally means "it really happened" – therefore, unless you live on a parallel universe with different rules of physics, you can not say "he literally flew out the door".

Disorders

Children who have a condition of incomplete or less than normal mental development so that they are unable to adjust to day to day living in a normally efficient, useful, productive and harmonious manner are called mentally retarded. They are, hence, in constant need or care, protection, supervision and help.

Thus, mental retardation is a serious disability. It creates a lot of learning problems before mentally retarded children. These learning problems create obstacle in other areas of life as well. Thus, total life activities are affected by mental retardation.

General Characteristics of Mentally Retarded

On the basis of the definitions given above following common characteristics of mentally retarded children (less than 18 years of age) can be derived:

1. **Limited functioning :** Their level of functioning is very limited. They have difficulty not only in learning but also doing routine life job due to significant loss of conceptual, practical and social intelligence.
2. **Sub average intellectual functioning :** Their intellectual functioning is less than average (below 80 IQ) on an intelligence test. This is the fundamental criterion of diagnosing a mentally retarded child.
3. **Poor performance level :** If someone falls short in his performance of certain tasks from the performance of the majority of children of his own age, he is said to have low mental age or sub-normal intellectual functioning. For example, If eight years old child performs equal to the child of 6 years, his IQ will be (Mental Age/Chronological age × 100) or (6/8) × 100=75
4. **Slow acquisition of skills :** Academic (content related) and non academic (action related) both types of skills are acquired by them at a very slow rate.
5. **Low level of adaptive skills. :** They are not only slow in acquiring skills but they are always poor in adaptive skills also.
6. **Early manifestations :** Mental retardation manifests itself before the age of 18. From this perspective, mental retardation is viewed as a disorder of the life period characterized by the slow rate of development.

Identification (Diagnosis) of Mental Retardation

For early detection of mental retardation of a child, the parents and the teacher refer the cases to child guidance centres so that their mental level may be ascertained and they may be classified for the purpose of placement (education and training).

Following symptoms will help the teacher and the parents to decide whether the child should be sent to child study centres for screening or not. Screening test results must be interpreted and matched in terms of following clinical diagnostic symptoms.

1. **Social adjustment criterion :** If a person is functioning adequately in all socio-economic conditions as compared to his peers or age mates, there is no need of sending the person

ENGLISH

to child guidance centres (CGC) for proper screening. Mentally retarded person will surely exhibit adjustment problem in social situations.

2. **Learning ability criterion :** Failure in educational endeavours or low level of general aptitude is another criterion of mental retardation but effects of socio-economic and physical factors should also be taken into account because poor academic achievement is caused due to these factors also.
3. **Development criterion :** The developmental history of the suspected child should also be taken into account, e.g., when the child began to sit, crawl, stand, walk and talk, whether it is normal or not. Delayed development is generally seen in mentally retarded children so, retardation in these areas is certainly helpful in diagnosing the child.
4. **Academic achievement criterion :** These children are generally very slow in academic achievement due to low level of retention power and understanding ability. When they constantly perform poorly in content related skills despite repeated remedial measures adopted by the teachers, they are suspected to be mentally retarded.
5. **Size of the family criterion :** Larger the size of the family, lower will be the IQ scores of the family. Hence, it should also be taken into consideration while taking a decision of M.R.
6. **Medical examination :** It is generally done by experts in the field in CGCs.

   Important physical symptoms of mentally retarded children are given below :

   I. He has lips fairly apart with his tongue visible in between the teeth with saliva.

   II. He has a vacant look and a clumsy gait.

   III. He has flattered skull, stanting eyes and broad nose.

   IV. He has unusually large heads.
7. **Proper screening :** After identifying all the above symptoms, suspected mentally retarded children are properly screened by using different tests.

   The description of some of these tests are given below :

   (a) **Siguin Form Board Test :** This form board test was developed by Seguin a French physician in 1907 to identify and screen mentally retarded children. Here ten boards of different sizes are kept in different shelves of respective sizes in a tray. These boards are taken out of the tray at the time of testing. Then testee is asked to put these boards in the tray again in the same sequence as it was before in as less time as possible. This process is repeated three times and least time taking effort is taken for the purpose of scoring.

   (b) **Developmental Screening Test :** This test is used to measure the mental development of children from the age of 3 months to 15 years.

   Here different types of activities are given to children according to their ages to do. Mental development of the child is calculated on the basis of performance on these activities. Children and their parents and relatives are also interviewed here to gather some more informations about the child.

   (c) **General Mental Ability Test** : This test was developed by RP Srivastava and Kiran Saxena in 1985. Verbal and non-verbal both types of items have been included here. Both these sections have 50 items each. These sections have further been divided into five sub sections namely, analogy, classification, number series, reasoning problems and absurdities. Each item has four multiple choice responses out of which only one option is correct.

   Time allotted for verbal and non-verbal items is 15 minutes and 10 minutes respectively. One mark is given for every correct response and thus a child can score maximum 100 marks. This test can be administered in individual and group situations both.

Purpose of Diagnosing Mental Retardation

Diagnosis of mental retardation serves the following purposes:

1. It provides an estimate of the individual's present level of functioning in terms of the test performance, social adjustment and so on.
2. It provides information regarding the cause of the individual's inadequacies.
3. It helps us to provide them proper care and treatment.
4. It provides some predictions of the probable outcomes in future.
5. It helps us to take decision regarding their

placement in proper special educational programmes.

Mental Retardation and Age

Incidence of mental retardation rises with the increasing age, reaches at its peak at about 14-18 years and then drops off sharply.

Causes of Mental Retardation

Underlying causes of mental retardation can be divided into two categories :

(A) Endogenous causes

(B) Exogenous causes

(A) Endogenous causes

Endogenous literally means originating within the body of the organism, and should refer to those forms of mental retardation that are genetically determined. Heredity is the primary casual factor here. Important genetic factors active to cause mental retardation are given below :

1. **Action of dominant gene** : The transmission of defective dominant gene from one generation to the next is very rare but in some cases some of these conditions may occur in mild form in one generation or in certain members of the family of that generation and in more severe form in another generation or in other members of the same family.
2. **Action of recessive gene** : Such defective children typically come of normal parents. This defect occurs due to child's receiving two similar recessive genes one from each parent.

(B) Exogenous causes

They are also known as secondary, acquired or environmental causes. Some of these causes of mental retardation are given below :

(a) Prenatal causes : They work before the birth of the child, and are related to pregnant mothers. Important prenatal causes of mental retardation are as follows:

1. *Physical trauma :* Unsuccessful attempt at trauma and accident to pregnant mother so injure the fetus as to lower the child's mental level.
2. *Nutrition :* Malnutrition during the period of pregnancy may lower mental level of the child.
3. *Infectious diseases :* Infectious diseases of the mother during pregnancy may affect physical and mental development of the fetus and lower mental ability of the child.
4. *Blood incompatibility :* Incompatibility between maternal and fetal blood may cause the child severely jaundiced and mental deficiency is a possible accompaniment.
5. *Radioactivity :* Radiation may affect the germ cells in three ways.
   - They may be killed.
   - Their chromosomes maybe broken up.
   - They may be mutated.

   All these changes may lower mental ability of the child.
6. *Toxic agents :* Toxins such as lead, nicotine, and morphine affect the developing embryo and lower the mental level of off springs.
7. *Consumption of drugs and alcohols :* Consumption of wine, LSD, heroine etc., by the mother during pregnancy is also very fatal for the fetus development and it may cause permanent mental retardation of the child after birth.

(b) Perinatal (natal) causes : These causes are associated with the delivery of the child. Important likely causes of mental retardation are as follows:

1. *Pre-mature-birth :* Studies have shown that a large number of people born prematurely are mentally retarded. The brain structure of the premature infant is more fragile and thus it can be very easily damaged.
2. *Traumatic Birth injuries :* It is estimated that birth injuries are responsible for 1.5% of the total mental retardation in western countries.
3. *Delivery Complications :* If complications have emerged during the period of delivery, it may cause mental retardation to some extent.

(c) Post-natal causes : Important post natal causes of mental retardation are given below :

1. *Brain injury :* Traumatic brain injury from gun shot, wounds or fall is a rare cause of mental retardation.
2. *Infections :* Brain infection causes permanent brain damage or mental retardation. They include encephalitis of various types, meningitis, hydrocephally and the like infections.
3. *Severe malnutrition :* Deficiency in any particular nutrient like vitamins or minerals causes deficiency diseases

which may cause mental retardation in the long run.

4. *General health :* Mental and physical health are most of the time found associated though mental retardation due to poor physical health is not permanent. Heavy mental shock may also cause mental deficiency temporarily. However, good physical health does not necessarily mean good mental health.

5. *Cultural factors :* Low IQ does not always mean low level of intelligence. It is because intellectual level is influenced by the child's cultural background. If an intelligence test includes items representing a particular culture, children alien to that culture are not supposed to perform well on this test of intelligence and hence their IQ level will be low.

6. *Home and family background :* It also affects mental level and intellectual power but so far as mental retardation is concerned, its role is very limited.

7. *Social deprivation :* When a child is deprived of social environment for a very long period of time he is likely to become mentally retarded.

Methods of Identification of Mentally Retarded Children

Different criteria are used to classify mentally retarded into different categories. These criteria are given below:

1. **Normal distribution criterion :** In a normally distributed population, mentally retarded population is found beyond 2SD from the mean, i.e., about 2% of the population is generally found mentally retarded. If this population is tested on intelligence test, their IQ will be less than 90.

2. **IQ criterion :** American Association of Mental Deficiency has classified mentally retarded children on the basis of their IQ scores. Several other educationists have also classified them on this basis. Four broad categories of mentally retarded children are given below:

   (a) Border line cases or dullers : (IQ = 70-90)

   (b) Morons or feeble minded (IQ = 50-70)

   (c) Imbeciles (IQ = 25-50)

   (d) Idiots (IQ less than 25)

3. **Medical criterion :** Medical personnel and physician classify mentally retarded children on the basis of their physical/mental characteristics caused by a damage in the functioning of the brain due to genetic or environmental reasons. Some of these categories are given below:

   (a) Brain damaged child : It is a type of organic malfunctioning in the body which is caused by any serious disease or damage of the brain.

   (b) Mongoloids : These slow learners are very peculiar in the physical characteristics and behaviour such as they are very humble and friendly, they are very poor in taking initiative, they are obstinate in behaviour and they are so simpleton in their behaviour that we call them as cow of the God. Mongols are moderately mentally retarded whose IQ ranges 50-70.

   (c) Cretin child : Mental retardation in these children are caused due to any deformation in thyroid gland. They can be cured by the physician by correcting thyroid gland provided that they are identified in the early stage. They are similar to monogoloids in behaviour and characteristics.

   (d) Phenylketonurin (PKU) : This problem is caused due to metabolic disturbances but its incidence is very rare. When body fails to metabolise phelinylenin protein, a toxic material reaches the brain and enters it through blood circulation and brain cells are damaged resulting in mental retardation.

   (e) Microcephally and hydrocephally : The head becomes short in microcephally and large in hydrocephally, as a result cerebro spinal fluid which is responsible for mental action stops causing mental retardation permanently.

   (f) Cerebral palsy : It is a type of disease which causes uncontrolled action of some muscles and mental retardation is caused due to inadjustability of muscles.

4. **Social deprivation criteria :** Mental retardation is also caused when a person is deprived of social environment and interaction for a long period of time. When these children comes to the environment they fail to adjust there which again increases their mental retardation.

LANGUAGE SKILLS

There are, in general, four language skills, each based upon the modality of emphasis. These are the Listening, Speaking, Reading, and Writing skills.

Listening Skill

Listening in English is attending to and interpreting oral English. Listening is necessary to develop the speaking skill. The student listens to oral speech in English, then separates into segments the stretch of utterances he hears, groups them into words, phrases, and sentences, and, finally, he understands the message these carry. Listening prepares the students to understand the speech of the native speakers of English as they speak naturally in a normal speed and normal manner.

There are three approaches to listening: interactive (listening to a message and doing something as a consequence) and one-way communication or non-interactive (just listening and retaining the message, in activities such as conversations overheard, public address announcements, recorded messages, etc.) and self-talk. Listening to radio and watching TV and films, public performances, lectures, religious services, etc., generally reflect non-interactive listening. Responding to the commands given reflects interactive listening, which, in fact, is equally widespread in communicative situations. Self-talk is also an important process by which internal thinking and reasoning is carried out.

Role of Listening : In the classroom, students listen in order to repeat and to understand. In listening to repeat, students imitate and memorize linguistic items such as words, idioms, and sentence patterns. This is an important beginning task and focus of listening exercises. However, it is listening to understand that is real listening in its own right.

Students listen to understand as part of using English for communication purposes. In listening to understand, students may be involved in the question-oriented response model of learning or in the task-oriented model of learning. In the question-oriented response model, students may be asked to listen to a sentence, a dialogue, a conversation, a passage, or a lecture and asked to answer questions which may be presented in the form of true/false statements, multiple choice questions, fill in the blank, or short answers. In the task-oriented response model, students may be asked to listen to a passage and accomplish the task described in the passage through interaction with others or by themselves.

Listening Comprehension

The listening skill is the most neglected one, both in first and second language teaching. Teachers tend to focus on the rudimentary elements of listening briefly, and pass over to other aspects of language teaching. Discrimination of sounds and intonations often form the major part of listening practice in the classroom. Listening for content is often assumed. In reality, the listening skill is fundamental to the entire process of mastering and using a language, whether first or second or foreign.

In the past, listening was labeled as a passive skill, along with reading. No doubt, it is a receptive skill like reading. Speaking and writing were considered to be productive skills, but also active skills. While this categorization is somewhat justifiable because the focus of listening is on reception of information, listening itself cannot be fully and correctly characterized only as a passive skill.

There is a need for an active involvement of the self for the efficient performance of listening. The listener is often forced into guessing an approximation to what the speaker is communicating. The listener expects and anticipates what may be the form and content of the immediate message being delivered. He actively avoids the redundancies in the process of listening, focuses himself on the relevant, interesting and/or crucial points, and engages himself in some critical analysis of content. Listening becomes the stepping stone for action. In view of all these and other activities that are involved in listening, we should consider listening as an active skill demanding active participation of the listener.

In essence, listening is not mere recognition of linguistic units and their meanings. It comprises an ability to predict information based on linguistic context, and the situation and topic of the message conveyed by the linguistic code, as well as the expectations about the world. Listening helps also to understand and act according to the emotional state of the speaker.

No one should think that listening comprehension exercises are miniature tests. These generally come in the form of questions to be answered, action to be performed, or objects to be identified, etc. Because this format demands response in the form in which tests are generally prepared and presented, we tend to treat the exercise as a test. Consider listening comprehension only as practice and look for progress in student performance.

Brief listening comprehension exercises with content interesting to the student and which focus upon and incorporate his communicative needs will develop his listening comprehension to a satisfactory level. Students need to be attentive to the tone of the conversation, and should ask questions whenever they find it difficult to understand the conversation.

ENGLISH

What is the generally followed form of listening comprehension exercises? Students are given a specific task such as answering questions or solving problems. They listen to the teacher or the recorded material and perform the task asked for. Thus the teacher as well as materials on tape/cassette recorders become the major means to train the students in listening comprehension.

Speaking Skill

Imitation and repetition are important elementary steps in developing speaking skill in English. Imitation and repetition are inter-related, and yet they are distinct.

Imitation helps students to pronounce and produce the English utterance they hear from the teacher as closely as possible to the utterance produced by her. Imitation is not restricted to mere production of the sounds, phrases, and sentences. It includes also the capacity to produce the utterances in the contexts in which the original utterances were produced.

Some of the imitation and repetition exercises may be organized in the following manner: Present some simple sentence, phrase, or word and ask students to repeat after you. If you want them to understand and repeat a conversation, say the questions and the answers and have the students repeat the latter, or perhaps both, signaling the meaning in some way. The meaning can be demonstrated with realia (real objects brought into the classroom), pictures, gestures, or translating.

The teacher may use pictures, gestures, pantomime, translation, guessing, and drawing on the board to make the students understand the meaning. It is important that you use only meaningful words, phrases, and sentences for imitation and repetition. The props you use to explain or demonstrate the meaning should enable the student to learn the meaning with ease, along with the pronunciation.

Substitution of a word, phrase, or sentence by another is an elementary method which helps students to produce new utterances and to develop speaking skill.

Expressions of greeting, gratitude, small talk, introductions and making acquaintance, leave-taking, appreciation, expressions of regret and asking to be excused, etc., are very important communicative acts students need to master. For one thing, such expressions may take on different form and import in English than the ones students are accustomed to in their language and culture.

Simple question-answer dialogues around a given context and object/objects is another elementary method to develop speaking skill in students.

How does a teacher teach a dialogue? There are three types of drills one could use in the class: **choral drill** in which the entire class participates in one voice with the teacher modelling the utterance; **chain drill** in which one student asks the question and another answers, and in this way the entire class participates as a chain; and **individual drill** in which individual students are pointed out and asked to produce the utterance modelled by the teacher.

Eliciting is an important process which teachers must employ to get the class involved in what is going on in the class. For speaking practice eliciting is highly essential. It helps students to focus their attention, to think, and to use what they already know. It helps teachers to assess what the class already knew.

Translation is another helpful device to encourage students to speak in English. The students may be given some sentences in their own native language and asked to translate them and use these to answer or ask questions. There are several other ways of using translation as a tool to develop speaking skill.

Reading Skill

Scholors classify reading into three kinds: extensive reading, intensive reading, and oral reading. Extensive reading is used "to refer to the teaching of reading through reading. In this approach, there is no overt focus on teaching reading. Rather, it is assumed that the best way for students to learn to read is by reading a great deal of comprehensible material." Intensive reading is used to refer to the actual teaching skills in an instructional setting. Students are exposed to a variety of materials and asked to perform activities such as answering comprehension questions on the passage read. They may be trained to look for critical information in the passage they read, and make inferences, etc. Intensive reading is instruction-based and forms the core of teaching reading in the classroom. Oral reading does attract much attention from many teachers, but it is "an integral part of of reading.

At the beginning level, the focus is on the mechanics of reading. The beginner needs to be taught the relationship and the correspondence between the letters of the alphabet and the spoken language.

In a sense, the letters are all abstract symbols. The letter functions as a tag to the sounds it represents. By seeing (reading) the letter, the beginner identifies the appropriate sound value for that letter in that context.

This is not an easy task even for the adult learner. It is possible that the learner may come from a language in which the Roman alphabet similar to the one used in English is being used. And yet the sound values of letters in his language may vary context to context in his language also, which in their turn may be in conflict with the sound values of the letters as used in English.

Or, the learner may come from a language background in which syllabaries are used. That is, he may be accustomed to reading the syllables which more or less retain the same values wherever they are used. However, he will find that in character and chat, cha needs to be read differently.

Or, he may come from a language background where pictograms are used, as in Chinese in which there is no easy and manifest correspondence between the "letter" and the sound.

Keep the following in mind when you begin teaching reading at the beginner's level.

1. The background of the beginner: a child, an illiterate, a moderately educated person.
2. The Reading task involves decoding the system of abstract symbols to discover its relation to the spoken language system.
3. The time taken to master this relationship varies with age, maturation, previous experience, and other social factors.
4. With primary emphasis on mechanics one may master the mechanics of reading in four months.
5. Some recognition problems in English: capital, small, italics, handwriting, left to right, distinction between letters, mirror image problems.
6. Choose the words which express familiar meanings or meanings which can be recognized and retained in memory.
7. Choose only those words which focus on the item to be learned.
8. Do not choose those words which may have the same spelling in English as well as in the learner's language, but are read (pronounced) differently.
9. Do not ignore the stress.

Writing Skill

Writing is an individual effort. Individuals compose their thoughts often in privacy and then reduce their thoughts to writing, using the strict conventions followed in the language. Writing is an individual effort or work, but it must follow the rules laid down. The development of writing even in native English speaking children is conscious and is thus non-spontaneous.

In writing, the discrete nature of linguistic signs should be appreciated consciously. The learner must recognize the sound structure of each word, dissect it and reproduce it in alphabetical symbols, which he must have studied and memorized before. This same deliberate preparedness is needed to put words in a certain sequence to form a sentence.

"Writing is more an individual effort than speaking, while at the same time more rule-bound and therefore more error-prone. . . The speaker does not have to pronounce each word exactly according to one standard of pronunciation or one model of structure, while the writer is expected to produce according to one model of spelling, and usually a reduced range of structures, with 100 percent accuracy".

The writing classes have the potential to help consolidate and improve the students' speaking and reading skills. However, it is important for us to remember that writing is an important skill which can be taught as an end in itself, although none of the language skills is far removed from the other language skills. Focusing on writing as an independent skill helps us to identify the specific problems faced by the learners, and to identify the specific needs of the learners relating to writing. Mechanics of writing are distinct from the mechanics of other skills such as speaking and reading. While reading involves seeing and pronouncing, writing involves association of sounds with mental composition of thoughts and their orderly presentation, and hand movements.

Raimes classifies approaches to teaching writing into five types: controlled to free, free writing, paragraph pattern, grammar-syntax-organization, communicative, and process approaches. In the controlled to free approach, "students are first given sentence exercises, then paragraphs to copy or manipulate grammatically by, for instance, changing questions to statements, present to past, or plural to singular. They might also change words or clauses or combine sentences" (Raimes 1983).

In the free writing approach, students are asked to "write freely on any topic without worrying about grammar and spelling for five or ten minutes. . . . The teachers do not correct these short pieces of free writing; they simply read them and perhaps comment on the ideas the writer expressed" (Raimes 1983). In the paragraph pattern approach, "students copy paragraphs, analyze the form of model paragraphs, and imitate model passages. They put scrambled sentences into paragraph order, they identify general specific statements, they choose or invent an appropriate topic sentence, they insert or delete sentences" (Raimes 1983). In the communicative approach to writing, students are asked to assume the role of a writer who is writing for an audience to read. Whatever is written by a student is modified in some way by other students for better communicative effect.

In the process approach to writing, students "move away from a concentration on the written product to an emphasis on the process of writing" (Raimes 1983).

Note that a proper blend of these approaches to writing will give us best results. For example, the controlled to free approach to writing helps us to focus on proper mechanics in the beginning level, whereas communicative approach to writing will be very effective once our students have some control over the mechanics and have acquired a good number of words and sentence structures to help them match these with their thoughts. All successful texts and teachers have always tried to take the best and relevant aspects of every method to suit the learner's level and need.

EVALUATING LANGUAGE COMPREHENSION

Meaning of Evaluation

Evaluation is the criteria of success or failure of a task done. If it is done at the end of a task, total efforts, including the investment of time and money may be a failure but if it goes side by side of the task, immediate feedback received might alarm the performer to rectify his mistakes and thus there is 100% chance of success of the programme.

Education is also an investment in the sense that time, energy and money are spent to bring about behavioural change in learners. That is why when a teacher performs his teaching works in his class, he also simultaneously finds out whether the changes in behaviour of learners are in concurrence with the learning objectives or not. If it is not so there, then what types of modifications are needed and at what steps of teaching. He also finds out whether the problem lies in his teaching strategies or techniques or it is there in the students itself. Thus, teaching and evaluation run-hand in hand. Evaluation determines the behaviour of students on one hand and testifies to the teaching of the teacher on the other. This very purposeful behaviour of the teacher is called evaluation in education.

Characteristics of Evaluation

On the basis of the definitions given above, the following characteristics of evaluation can be derived.

1. **A Comprehensive Process :** All the three domains of human behaviour, cognitive, affective and psychomotor, can be accurately measured by evaluation. Apart from student's behaviour, teacher's behaviour (his task of teaching) is also evaluated.
2. **A Systematic Process** : Evaluation is a preplanned and systematic process which goes ahead keeping in view the pre-determined objectives. By this process we find out how much change has occurred in the behaviour of students and teachers and how much change is yet to be brought about by the task ahead.
3. **A Continuous Process** : Evaluation process can not be separated from teaching and both go side by side. By this process whatever changes take place in the behaviour of learners, its proper record is maintained and on this very base students are either ranked in a particular class or decision is taken to promote them to the next higher class.
4. **A Social Process** : Education is a purposeful activity fulfilling the requirements of learners and the society. Evaluation tells us to what extent teaching is fulfilling the requirements of both.
5. **An Information Collection Process** : When students progress step by step in the school system, all the informations regarding their progress are gathered by using a number of tests and by going through various techniques of measurement. After that these informations are interpreted in terms of predetermined objectives.
6. **A Combined Process :** While taking the final decision regarding a student and declaring him fail or pass, the reports of all the concerned teachers of school are taken into account. No such decision is taken by the evaluation report of one or two teachers. Thus, evaluation becomes a comprehensive process.
7. **A Process of Value Judgement** : Scoring 60 or 70 percent in any subject by any of the students in a class does not have any meaning unless the scores of the student is compared either with other students of his own class or it is presented with reference to any outside criterion. When it is done and stated that student has secured first division by scoring 60% or more marks or his rank is third or tenth in his class it becomes evaluation. Thus, evaluation is a value judgement process and tells how far a student is away from his destination.
8. **Evaluation includes Measurement** : Evaluation actually starts from some sorts of measurement then symbols are assigned to students by comparing the performance with cultural or scientific standard. It shows that evaluation reports may vary from culture to culture.

Purpose of Evaluation

Evaluation has following purposes to serve:

1. **Giving Details of Students' Progress** : Evaluation tells where a student is standing on the way to his destination of learning, how much he is ahead or behind his classmates, to what extent the behavioural changes occurred in him are acceptable, how far he can apply his present acquired knowledge to his future life or learning situations, at what point he is facing any difficulty and why and so on. Thus, evaluation here works like the diagnostic function of measurement.
2. **Predicting Future Achievement** : When evaluation covers the aptitude aspect of behaviour, it can predict the future performance of a student or a teacher on the basis of his present performance.
3. **Guidance and Motivation** : When a student comes to know about the actual position of his achievement, he gets motivated to do better. Besides, strengths and weaknesses of students become manifest through evaluation and a teacher can guide them accordingly.
4. **Improvement in the System** : Once proper guidance is given to students by the teacher after evaluation, teaching-learning process gets improved. A teacher can also come to know his own strength and weakness by the process and can change his own behaviour accordingly. Once he gets acquainted with his own shortcomings, he can remove them. Thus, process of evaluation is concerned with inputs and output both.
5. **Discovery of Effective Teaching Strategies** : Evaluation opens the new avenues of action researches in the class. When a teacher does not get the desired result by adopting a particular combination of teaching strategies, he adopts another combination and this process continues until a final effective combination of teaching strategies is discovered.
6. **Classification of Students** : By evaluation process we can classify students into different groups like talented, bright, average, slow learners and poor and adopt different strategies of teaching for different groups. We can also give remedial treatment to weak students in the class only after thorough evaluation of them.
7. **Providing Feedback to Students and Teachers Both** : When a teacher comes to know the results of his efforts he gets feedback. If result is good, he is motivated if result is not satisfactory, feedback pushes him to change his behaviour. Similarly, knowledge of progress and the feedback received thereof motivate the students also.

Steps in Evaluation

An evaluation is comprised of the following steps to be followed in order :

1. **Identification of Objectives** : First of all, a teacher decides which domain of behaviour of a student and upto which level he has to cover by his tests and what advantages he wants to gain by these tests.
2. **Matching the Objectives with the Content:** After identification of objectives a teacher matches the objectives with the subject-matter that he has to teach in the class. He also determines the level of teaching accordingly.
3. **Writing Objectives in Terms of Behavioural Change of Learners** : In the third step objectives are written in such a language which is clear and represent the change of students' behaviour.
4. **Taking the Students to the Environment of Testing** : Teacher takes the students from teaching environment to the testing one very smoothly so that students express their behaviour freely.
5. **Selection of Tools and Techniques** : At this step the teacher decides whether the test will be written, oral or practical and if written test is to be administered, it will be objective or subjective.
6. **Construction of the Test** : Here teacher constructs the test keeping in view the objectives already determined by matching them with the content.
7. **Administration of the Test :** Students are given the test constructed by the teacher and they take the test in stipulated time.
8. **Scoring :** Whatever changes have occurred in the behaviour of students are converted into numerals or grade by scoring.
9. **Interpretation of Result :** At this stage the marks obtained by the students are analysed by the teacher in order to see whether the changes in behaviour are in accordance with the objectives or not?
10. **Value Judgement :** At this step, teacher compares the behaviour of students with any internal norm or outside criteria in order to give it a value judgement, i.e., upto what level the achievement of students is satisfactory, average, excellent or poor.

11. **Feedback :** After preparing the result, it is sent to students and their guardians in order to give them feedback. Teachers also get feedback by the results and they come to know the strengths and weaknesses of their teaching.

Techniques of Evaluation

Evaluation is broader concept than measurement but no exact evaluation is possible without going through the process of measurement. All the three domains of behaviour are covered by evaluation, e.g.,

1. **Cognitive Domain :** Oral, written, essay type, objective type tests, practical examinations and observation techniques etc. are used for evaluating cognitive domain.
2. **Affective Domain :** This domain is evaluated by interest inventory, attitude scale, check list, rating scales and observation techniques.
3. **Psychomotor Domain :** Performance tests, practical examinations and observation techniques are used to evaluate this domain (See optional paper II for Educational Objectives).

There are basically two techniques of evaluation:

A. **Quantitative :** These techniques are highly reliable and valid. Important such techniques are as follows:

1. **Oral :** These techniques are basically used at lower grades of teaching. At higher level of education too viva voce is used to test the lower levels of cognitive behaviour. Debates or drama can also be used for this purpose.
2. **Written :** Objective type tests, essay type tests and short answer questions are important written techniques to evaluate cognitive achievement of students. They give more accurate results than oral tests.
3. **Performance Tests** : Here some works are assigned to students to accomplish them. Students practically do these works and then output is evaluated.

B. **Qualitative** : These techniques evaluate the quality of attributes and hence they are highly subjective. Important such techniques are given below:

1. **Cumulative Records :** Such records are prepared by the school to show all-round development of students individually. They reflect the total personality of the child, i.e., marks obtained by students in sessional tests and examinations, their participation in games, sports cultural programmes and other co-curricular activities, their regularity, punctuality, their etiquette.
2. **Anecdotal Records :** These records maintain the description of significant events or works of students. Here informations regarding the behaviour, attitudes or interests of students are systematically cumulated.
3. **Observation :** This is the most common technique of qualitative assessment of students. It is mostly used at lower grades of education. This is the only technique for the evaluation of classroom interaction.
4. **Check List :** This technique is used for evaluating attitude and affective domain of students. Here questions are given to students and they are asked to answer them in yes or no, e.g.,

   Item : 'Do you like doing mathematical sums-Yes/No.'
5. **Rating Scales :** Here some statements are given to students and agreed, indifferent or disagreed are written before the statements. Then students are asked to tick the option according to their own choice.

Types of Evaluation

1. Formative Evaluation : The purpose of formative evaluation is to monitor instructional process to know whether learning is taking place or not. It is designed to enhance and improve teaching-learning process and thus it becomes a continuous process in the school system.

These tests diagnose the weaknesses of students as well as teachers and thus, both of them can get feedback from these tests. Students and teachers both after identifying their difficulties change their behaviour and remove these difficulties. Thus, function of this evaluation is remedial in nature.

The second function of this evaluation is that if evaluation finds teaching-learning process satisfactory, it motivates the teachers and students to work harder for better results.

Tanner (1972) has defined formative evaluation in the following words :

"Formative evaluation refers to the use of tests and other evaluative procedures while the course and instructional programme is in progress."

Both criterion referenced and norm referenced tests are used to take the students to the mastery of the content. These tests are given in the following stages of learning.

(i) At the end of each unit of the lesson.

(ii) At the end of each whole lesson.

(iii) At the end of each unit of the total course.

Advantages of Formative evaluation :

(i) It provides sufficient information to teachers for modifying teaching.

(ii) It helps in formulating individual and group remedial programmes.

(iii) It provides feedback to students as well as teachers.

(iv) It facilitates retention and transfer of training.

(v) It enables the teacher to readjust his teaching according to the needs of the students.

(vi) Students can also modify their behaviour after getting feedback from this evaluation.

(vii) It gives reinforcement to high achievers.

(viii) It can work as a self-evaluation device for learners.

2. Summative Evaluation : This evaluation takes place at the end of the session to measure over all achievement of pupils. Annual, internal or external examinations are the examples of summative evaluation. The purpose of this evaluation is to certify fail or pass of the product. If formative evaluation is related to the process of teaching, it is related to the product of teaching. Here students are evaluated from the whole syllabus. On the basis of this evaluation, a decision is taken whether a student should be promoted to the next class or he should be kept in the same class again.

On the basis of above discussions we can say that summative evaluation works as a complement to formative evaluation and both of them combined together are necessary for all educational system.

TEACHING LEARNING MATERIALS

Text Book

Text book is the area in which the language material is presented prescribed for teaching and learning English.

Characteristics of Good Text Books

A good text books not only teaches but it also tests. A few essential characteristics of good text books are given below:

(i) The size of text book should be handy for the students.

(ii) The binding should be proper and strong.

(iii) The subject matter should be printed on good quality paper.

(iv) Heading and subheading should be printed on title page in bold form.

(v) Illustration should be attractive. For every young pupil, the picture should be well drawn and realistically coloured and not in black and white.

(vi) Clear and unambiguous instruction should be given along side the test and practice and exercise.

(vii) The introduction at the beginning and conclusion at the end of the chapter should be given in the text book.

(viii) The words and structure are carefully graded.

(ix) No difficult words and new words are given in good text book.

(x) The words and structure already learnt are repeated in the coming pages so that the students could revise them making them stable in their memory.

(xi) The subject matter of text book should provide new information so that students could get new knowledge.

(xii) There should be both practice and text exercise at the end of the chapter.

(xiii) The practice should be low which the majority of students could solve them easily.

Chalkboard

It is the closest friend of a teacher in the class and about 50% teaching task is completed with the help of the blackboard. Advantages of using a chalkboard in the class are as follows :

(i) It is a cheap material aid which does not cost much on its maintenance.

(ii) When a teacher writes important points of the lesson on the chalkboard along with his oral teaching and lectures, aural and visual both the senses of students work simultaneously. It increases learning many times.

(iii) Writing meaning of difficult words, drawing graphs or diagrams, solving the sums of mathematics, preparing the summary of the lesson, all these works can be done on the chalkboard and they help the students understand the facts, events or terminologies.

(iv) Blackboard works as a model for students. This can help the students mend their ways if they imitate the model.

Models

Models are the reflection or copy of the real objects. They are used in the class to clarify the concepts when either real objects are not available or it is not possible to bring real objects to the class. They are also the abbreviated version of real objects. Elephants, lions or other animals or birds can not be brought to the class, hence, it is better to use the models of these objects. Globe is the best example of model to be used in the class.

Through models knowledge of all types of historical, geographical and scientific facts and concepts can be given to students. Models are especially useful for teaching visually handicapped children who perceive the objects by touch. Since, clear dimensions of length, breadth and height are given in the model in a proportionate manner, they are more useful for concept formation than pictures.

How to use models

(*i*) Scale should be used for showing size, shape or structure of the real objects. Apart from this, teacher should also clarify the real shape, size or structure of the real object.

(*ii*) Students should be given opportunity to have a critical view on the model and their views on it.

(*iii*) All students should be given chance to have a close look at the model in the class.

(*iv*) Models should have direct relevance to the lesson and they should develop scientific temperament among learners.

(*v*) Models should be properly explained in the class in order to make the use of models effective.

Pictures

Pictures are used in the class as material aids when neither real objects nor models can be arranged. They are cheap and easily available in the market, therefore, a teacher should not be miserly in using them. Pictures are actually the outlines of the real objects and when they are shown in the class, they give clear concepts about the colour, physique, shape and size of the real objects. Attention of students can easily be drawn to the lesson through them. If pictures related to the lesson are not available in the market, the teacher should sketch them by using pencils and water colours. Pictures are used as material aids for teaching all the school subjects.

Diagrams

They are another option and used when even pictures can not be arranged. They can also clarify the concepts like models or pictures but at a lesser degree. Diagrams are drawn on the chalkboard by using coloured chalks and then students copy it on their notebooks. The biggest advantage of this material aid is that teacher need not spend even a single pie in using this material aid.

They help in clarifying the concepts, laws and principles of science and social sciences. Their role in teaching languages is very limited.

Graphs

Graphs are especially used in history, geography, science and mathematics. They help the teacher and the students to study, analyse and compare the data, facts or events. Whenever action research is made by a teacher in the class, graphs are used to show the data.

Maps

Maps are the flat representation of the surface of the earth on a paper where many informations are presented through lines, symbols dots, points or letters. They have special significance in teaching history and geography. We can also get information about the size and physical features of a country, state or continent through these maps and distance between different parts of the country or the world can also be read from them. Though printed maps of all states or countries are available in the market yet a teacher draws them also on roler boards. This will enable the students to draw such maps themselves.

Slide Projector

Simple 'slide projector' was known as "magic lantern" in the olden days. The principle here is that when we put the transparent slide on the socket and throw light from behind, the light passes through it and projects the image on the screen.

A slide projector typically consists of a quart, three halogen lamps, light to be reflected by the reflector, a heat filter and lastly, condenser lenses. The heat filter is a thermo crystal which absorbs most of the heat produced by three lamps. A cooling system is also needed which consists of a fan for convecting off the heat, filter and other components. The fan is thermostatically controlled. When projector is switched off, the fan is also switched off.

Classroom uses of the Slide Projector : Slides are prepared for selected topics and the informations contained by them may be in the form of written words, pictures, graphs, sketches, etc. The topic selected should be arranged frame by frame. The ideal ratio of length and breadth of slides is 2 : 3. Each frame should have only one concept for the ease of understanding.

The slides and the film strips are arranged in a sequential order. This arrangement is also coordinated with the teaching learning activity of the class. When slides are shown in the class, curtains are drawn on the windows in order to reduce the entry of natural light in the class.

Before showing these slides, teacher elaborates important points. Once the film is over, the teacher gives his own comments and relates the aid with the lesson to be taught.

Film Strips

They are used before a large group of students either for introducing a lesson or for elaborating some minute object not seen in ordinary situations. Film strips are projected on a big screen through a film projector and then the projector is switched on. Here, very minute objects look very big on the screen and we can study their parts. For example, knowledge about bacteria and viruses can be given to students through these film strips. Sometimes, sound recording is also used along with the film to clarify important points.

Advantages of Film Strips :

(*i*) The order or sequence of film strips is fixed and a teacher can prepare the relevant material to supplement the film according to the sequence.

(*ii*) We can have any part of the film on the screen as long as we desire so. As a result, a teacher can discuss a single topic as long as he needs. Thus, complete control over the equipment and the material is possible.

(*iii*) Handling of film projectors is also not complex. There is no problem of storing them because of their small size. Precautions are, however, needed against fungi or physical damage.

(*iv*) They have become very cheap today and any school can afford the cost of these projectors.

(*v*) They do not require complete darkness in the room as we do in using epidiascope or motion film projectors.

Limitations of Film Strips:

(*i*) They can be used only in small sized classes because of limited focal length. Modern projectors are, however, having large focal length.

(*ii*) Slide projection is not as effective as film projection. Inventions of 3D films have reduced the use of slides even further. In spite of this, fixed order of the film strips creates problem in handling individual frames.

(*iii*) Many schools do not have audio-visual workshops and thus, they depend on the cheap and unstandardized materials available in the market.

Film Projector

16 mm films are generally used for the purpose of training or teaching. These films are planned and executed by a pannel of experts who endeavour to prepare films of good quality.

As far as use of film projector for classroom teaching is concerned, it is very easy. Everything is automatic here. If electricity supply is not restricted, the film will not stop in the middle, after it is put on the projector.

Advantages of motion pictures :

(*i*) Motion pictures can especially be used for training purposes. Take the example of games and sports. If some actions of a player is wrong leading to defeat in the game, it can be corrected by viewing the films. After the game is over, the film of the game is later analysed to be discussed by the experts to bring in new strategies and tactics to counterplay.

(*ii*) In all training courses, perfection is needed everywhere. If action is recorded on films, we can see our own performance and remove our defects.

(*iii*) In the classroom teaching, motion pictures can highlight those aspects also that would have otherwise been missed. For example, by enlarging, close up and action replay techniques, motion pictures can highlight those movements also which are very minute and can be missed in ordinary situations.

(*iv*) Motion pictures are **multi-sensory technique** of instruction. It is because a combination of light, sound and actions are seen here.

(*v*) Motion pictures can develop imaginative and observational capacities of students simultaneously.

(*vi*) Whatever ideals are shown by the models in motion pictures are imitated by pupils and thus, good ideals and etiquettes can be developed in them.

(*vii*) They are helpful in giving clarity of concepts through concreteness and accuracy.

(*viii*) Facts and events related to industry, politics, history and geography and knowledge about scientific inventions, discoveries, laws and principles can be communicated to pupils very effectively through these motion pictures.

Kinescope

It is a sight and sound recording that can be made in the studio from the television screen for repeated use. What transcription is to radio, the kinescope is to TV. They are used for the following purposes :

(*i*) For delayed telecast.

(*ii*) For retelecast of the same programme.

(*iii*) For repeating the telecast when programme could not be seen due to failure of network.

(*iv*) For sending programmes abroad.

Only limitation of kinescope is that live element or spontaneity does not exist here.

It can be used in teaching learning process in the same way as television is used.

Epidiascope

Epidiascope is an equipment that can project all types of materials whether transparent or non-transparent (opaque). It has thus a twin facility and separate mechanism for projecting transparent and opaque materials.

In epidiascope, the word epi means 'upon' dia means 'through' and scope means 'projected material to be seen'.

While projecting a slide, beams pass through the slide and projects its image on the screen. In this way, transparent material is projected.

While projecting the opaque material the light bits upon the object which reflects the image on a very sensitive mirror and reflects the image of the opaque objects on the screen.

Despite the multipurpose functioning of this device, it is not very popular in educational institutions because of its poor quality image, total room darkening, very high need of energy, complexity of its use and poor range. It is to be installed in the middle of the class due to its low range, therefore, causing more interference than aiding something to the lesson. Because of its ability to project opaque objects on the screen, it is also known as opaque projector.

Overhead Projector (OHP)

Built on the basic principle of periscope, OHP is an important audio visual equipment. In the classroom it is placed in front of the teacher above his head to reflect an image on the screen (blackboard). This device consists of a strong energy source, (bulbs), fixed reflectors (mirrors), projection lens and a platen. This projector is called over head because the image goes over the head of the teacher and falls on the screen behind him. The teacher puts one slide over the other in order to give a sense of continuity of the subject matter projected on the screen.

Advantages of OHP : Its advantages lie in its special characteristics given below :

(*i*) No special training is required by the teacher to operate a projector.

(*ii*) OHPs are not very costly as compared to computers or film projectors.

(*iii*) It is handy and portable.

(*iv*) The image formed by the projector is also very bright and every pupil can see it. A 4 × 4 inches slide gives an image of 4 × 4 feet. This enlarged image is very easy to understand.

(*v*) It can create interests in pupils and hence it is a good motivator.

(*vi*) It is the best visual aid available to a teacher to supplement his oral teaching. He uses the screen of OHP as a blackboard without looking back. Transparencies, drawing, diagrams, figures and outlines etc. can be shown on the screen.

Television

TV differs from the radio in the sense that it is audio and visual both. We can see the incident occurring round the globe on it immediately after the occurrence of the incident through telecast. Thus, it is bisensory (multisensory) media. We get news, views and recreation through television in the same way as we do through the transistor but in a more compact and concrete way due to the facility of vision here.

As far as application of TV in education is concerned, it is still in the stage of infancy in India. It was only in 1961 that Indian television (Doordarshan) started a special service for schools in collaboration with the directorate of Education. This programme aimed at supplementing the regular classroom teaching in selected subjects. By 1972 only 400 schools of the capital received this telecast and two lakh students benefited from them. These programmes were telecast in the evening and on Sundays but there was no mechanism developed at that time to measure the effectiveness of such transmitting programmes.

After the introduction of distance education system in India, television is now regularly used as an instructional media. The enactment of Prasar Bharti Act is expected to boost the role of TV in the teaching learning process.

Advantages of television :

(*i*) It heightens the reality more than the physical presence. For example, if someone is watching a cricket match in a stadium, even then he can not see certain situations despite being present there. On the other hand, if he is viewing a match on a TV, he can see and analyse every situation by close up action replay. Thus, television experience may be more real than the actual one. It can show even those details which we can not see with the help of direct experiences. Thus, television can be used for all training programmes and behaviour of the trainees can be modified in the desired manner.

(ii) TV experiences are new and versatile. So, they can bring variety to classroom teaching by breaking monotony and strengthening the learning structures by its multisensory approach.

(iii) It widens the horizon of pupils' experiences by giving them upto date knowledge of the real situation and by making them conversant with the opinions of others.

(iv) It can motivate the pupils for learning by arousing and retaining their interest in the learning situation.

Limitations of Television:

(i) Speed of a television can not be changed as we can do in motion pictures.

(ii) A TV programme can not be adjusted to teaching and vice versa will have to be done. A teacher can take the help of video recording in such cases.

Tape Recorder and Audio Cassettes

Cassette type audio taps are available now which can play for 90 minutes on both sides. We can listen to our own recorded voice, recorded speeches of politicians and learned people, recorded poems of great composers, songs, music etc by the tape recorder.

Audio cassette recorder is used for the following purposes :

Such types of recording serve the following purposes:

(i) **Analysis of verbal messages :** Accuracy, speed and tone of verbal messages are studied here and if perfection is seen, reinforcement to the presenter is given.

(ii) **Drill and practice :** Accurate verbal messages are presented before the trainee for drill and practice.

(iii) **Teaching of specific skills :** Impressive oral presentation is actually a skill. This skill is taught to students through audio-recording in the individual and group situations.

(iv) **Speech improvement :** Style of speaking and phonetics can also be improved by using this technology.

(v) **Improvement in vocabulary :** Recorded verbal messages are full of many new words which pupils can learn by listening to the message.

(vi) **Recreation :** Many recorded songs and music entertain the listeners and remove their fatigue.

Radio

It is an important and easily accessable audio aid serving three important general purposes "news, views and recreation". It is the cheapest equipment of all and radio broadcast is now reachable to 100% population of the country. Pupils can get information about the incidents in any part of the globe immediately through radio. This increases their general awareness of the world. Students listen the ideas of learned people, politicians and educationists from across the world on the radio. This extends their own views and way of thinking. Apart from these, there are hundreds of programmes of music, songs and plays broadcast on the radio which entertain them round the clock.

Instructional Value of the Radio :

(i) It is a powerful means of developing listening comprehension.

(ii) It can also help the pupils to acquire correct pronunciation and phonetics like tape recorders.

(iii) Conversational style and language can be learned on the radio.

(iv) It improves word power of learners.

(v) Mass education goals can be achieved through radio broadcast. It was the realization of the people when radio came into being in 1917.

(vi) News listened on the radio can improve our general knowledge.

(vii) Radio listening does not require literacy. Even illiterates can take the benefit of it.

Radio Broadcast in India : The first radio station was established in India in July 1927 in Mumbai followed by one more station in Kolkata in the same year. This media is now able to penetrate to the remotest villages of the country and is covering more than 99% of the population.

School broadcasting in India was started in 1937. Radio broadcasting is now very much used for mass education as well as the education of school going children in selected areas. Central Institute for educational technology (CIET) under the supervision and control of NCERT produces quality radio broadcast programmes. Adult education Radio Programmes also started in 1956 to educate the adults in the age group of 15-35 in the vicinity of Pune as a project sponsord by UNESCO. Today, broadcast of adult education programmes are many under different titles. When Consumer Protection Act was passed in

1986, consumer education through radio was also given recognition. Today, it is a regular programme of all the radio stations in India. One more regular radio programme is the radio counseling programme of IGNOU which is broadcast from 4-5 pm on every Sunday.

Apart from these, radio broadcast is also making the people aware about various social and economic problems and people are also educated about how they can solve these problems.

Computer

It is the latest electronic device that is audio and visual both. It accepts data, performs operations on that data in sequence (decided by a programme) and outputs the results.

Computer in education : From input devices to output and its storage, computer has a wide range of applicability in education. In computers inputs are converted into output by a programme. Thus, input (data) plus programme form software or instructional programme. Inputs are converted into output in the CPU of the computer.

Computer always works according to the programme given to it. Whatever instruction or programme the students gives to the computers, it will always act accordingly and output will also come out on the same line. Application of computers in education can be understood by the following lines.

Videodiscs

This system is comprised of videodisc, where the information is stored, a video player and a TV set.

It is helpful in teaching learning process in the following ways :

(*i*) Students can get more informations through effective way of presentation.

(*ii*) By forwarding or reversing the CD player, learners can have access to any informations as many times as possible. This repeated action is necessary in understanding complex materials.

(*iii*) Live coverage given by the CD player can provide higher degree of motivation.

(*iv*) Auto stop system provided in the system can help those learners who study till late hours of night.

(*v*) The materials prepared by the effective teachers can be made available in the market for wide use.

Videotext

This system provides an interactive information retrieval service. It allows the home television to work as a computer terminal, which retrieves the textual material and graphic information from a remote data base.

Advantages of Videotext:

(*i*) It is useful for downloading the required information from a remote data base.

(*ii*) It raises the general awareness of learners.

(*iii*) The principal of a school can have access to any information about his or other schools any time if this system is available in the school.

(*iv*) It is especially useful for distance learning. A learner can connect himself with his study centre or regional officc any time.

(*v*) It is free from time schedule. We can have any information any time.

(*vi*) Two way interaction between the teacher and the taught is possible here with the help of alphanumeric keyboard. The learner can address to his tutor by typing questions and sending it to the tutor. Once he receives the answer, he gets immediate feedback.

(*vii*) It is faster than telephone or telegram because user need not wait here in queue.

Teleconferencing

Teleconferencing is a two way broadcast system in which learners can interact with the programme through a local telephone. It is a powerful medium of instruction for distance education. In this system three or four subject experts sit at different places and participate in the discussion on the given subject matter. Here learners do not take part in the teaching-learning process directly. They only hear the programme on their radio set or TV. They can however, interact with the experts through telephone which is connected to the radio or TV station where the discussion is being organised.

Thus, teleconferencing involves the use of many media and allows interactive group communication by means of a two way broadcast. All such conferencing need good quality audio device to facilitate immediate interaction among the participants for exchange of views.

Advantages of Teleconferencing :

(*i*) **Effective for distance learning :** When groups of students are scattered over a large area of the country and it is not possible for them to interact with their teachers personally, then learning through teleconferencing is the best option for them.

(*ii*) **Interaction between the teacher and the taught possible :** As far as interaction between teachers and learners are concerned, this approach does not differ in any way from classroom teaching.

(*iii*) **High quality instruction :** Since, very learned people and experts of the subject take part in these discussions, the quality of the programme is never questionable.

(*iv*) **Immediate feedback :** Learners get answer of their questions immediately from the experts and their problem is solved. In this way, they get immediate feedback.

(*v*) **Flexibility :** Experts do not teach here on a pre-determined track. Their instruction and its way of presentation always changes according to the questions asked by learners. Thus, this approach is very flexible.

Internet

It is the abbreviation of international network. The computers connected to this system are automatically connected to world wide website(www). Due to this we can hear and see any programme available on website any time when we want to do so. If we have missed any television or radio programme, we can not have access to that programme again but if that programme is loaded on the website, we can repeatedly hear and see the programme. We will only have to log on the website of the programme producer and it will be available for us. The major advantage of this system is that it has made 24 hour communication possible especially between those countries which have great differences in their local timings such as India and America have a time difference of 10 ½ hours. When there is day time in India, offices are closed in America.

Applications of internet in education :

(*i*) We can get any information any time at home through internet on one hand and we can store the information by creating our own website on the other. Thus, it is not necessary to have immediate print out of the textual matter.

(*ii*) The two talking persons can see each other in face to face situations also through internet. Thus, a teacher can teach millions of students scattered across the world together.

(*iii*) Many educational institutions have created their educational websites. We can download any information about them any time by logging on these websites.

(*iv*) Internet has also its role to play in classroom teaching. Teacher can show any educational programme through internet any time according to his own convenience and he will not have to adjust his time table according to the programme as he does while using radio or television as aids.

(*v*) Latest teaching strategies and latest researches in different fields can be obtained through internet immediately and we need not have to wait for their publication in magazines and journals.

(*vi*) Books, magazines and newspapers are also published on internet and it has made our access to them easy. Any Indian living in Canada even can read "Amar Ujala" or "Times of India" daily.

(*vii*) Research material and encyclopaedias are also published on internet to facilitate learning process.

REMEDIAL TEACHING

Remedial Teaching (RT) means that help is offered to pupils who need (pedagogical/didactic) assistance. These are often children who function at a lower than average level because of a certain learning- or behavioural problem/disorder, but RT can also be offered to pupils who achieve at a higher than average level, they too can do with the extra attention and care. The best known learning disorder is dyslexia.

The help includes the pupil who is being put forward for RT to the remedial teacher is examined by means of an intake conversation, checks, tests and/or observations. The remedial teacher tries to form a picture of the pupil also by way of talks with the group teacher and the parents in order to discover where the problem lies. When this is clear (diagnosis) a therapy plan is drawn up. In a therapy plan it states amongst others which aims should be achieved. The treatment that ensues is called remedial teaching. It is help that is completely specialized in the problem of the pupil, it is custom-made.

The therapy plan is drawn up for a fixed period of time. Remedial teaching is usually given during 6 weeks to 3 months, once or twice a week at school or in the remedial teacher's own practice. The aim being that the pupil can join his own group again after this period of time (or possibly after a continuation).

Remedial teaching is offered at many schools. However, a school is allowed to establish its own priorities and is not obliged to offer remedial teaching. There has to be a course of care though, the organization of which is determined by the whole team, although the directives and rules are laid down by the Ministry of Education an Science (OC&W).

Quizzing students more often is another commonly used method in a well balanced remedial teaching program. Taking the extra time to check each individual's progress gives the teacher an opportunity to regroup if necessary. It can also take the overall test pressure off students who tend to "freeze" when tested on larger amounts of material. From elementary to college, the best remedial teaching programs will include constant feedback from its students. This kind of communication provides a comfort level between student and teacher which leads to a more proficient, positive and rewarding outcome for both.

Too often, a lack of understanding among parents, school administrators and teaching staff gets in the way. Proper training of teachers and administrators go beyond their degree of specialties. Listening to each other, and to parents and children who live with specific special needs, is a huge first step in creating an exemplary remedial teaching program as opposed to another "one size fits all" classroom. Requesting conferences, discussing individual strengths and weaknesses, and respecting each others expertise and opinions are all important pieces, and are defining points of the best remedial teaching programs.

Remedial Teaching for Slow Learners

Remedial Teaching is identifying slow learners and giving them the necessary guidance to help them overcome their problems, after identifying their areas of difficulty. Contrary to what is said, remedial teaching is done perfunctorily without identifying their areas of difficulty and underlying cause for lagging behind. Some students are unsympathetically branded as 'block heads' without an earnest attempt to know the real cause of their slow learning.

In the present system of education, students are identified as slow learners purely on the basis of their poor performance in the examination, which, in most cases deviates from what is taught. Consequently even talented students are sometimes misconstrued as dullards. So, a slow learner is one whose performance is very dismal in the examination. He is neither mentally retarded nor is on the lower rungs of intelligence scale.

The reasons for some students learning slowly are innumerable. One of the main reasons is the 'no detention system' at the primary and upper primary level. Students are promoted to higher classes on the basis of attendance, even if they score low marks. The heterogeneous composition (mental age & physical age) of over crowded classes in all government run schools and private schools also produces slow learners. So the incapacity of the teacher to pay individual attention to a student over a long period makes a student a slow learner. A slow learner is thus a product of negligence of school at different stages of learning, inspite of his innate capacity to learn.

There are some problems very specific to the individual. Ill health, lack of concentration, less exposure to the subject taught and parental background are some causative factors for slow learning. Talents differ. A childs capacity to learn different subjects varies from student to student. For instance, learning mathematics is a knack. All students do not do well in mathematics just as they do in other subjects. While other subjects can be learnt at any stage, it is very difficult for students to learn mathematics without the basics. Students show interest in the subjects they like and neglect other subjects if not taken care of. An urban child learns languages like English well while a rural child cannot, however well the teacher tries to explain.

Remedial Measures

Learning takes place from simple to complex. If for some reason the student has not learnt the basics, it is futile to teach him the advanced topics. Remedial teaching is not revising the topics taught repeatedly. Careful analysis of the students' performance in the examination and diagnosing the areas of difficulty are key aspects in remedial teaching. Once the difficult areas are identified, the next task is to plan the learning experiences to teach the basics to understand the given topic.

Teachers often feel that what has not been learnt at the primary level, cannot be taught simultaneously with the prescribed topics at the secondary level as they are busy completing the syllabus. Experience shows that once the basics are taught, the learning process is accelerated and the slow learners comprehend and grasp the given topics of the class, since they have already attained the mental age.

In Jawahar Navodaya Vidyalayas nation wide, the students are admitted in class VI based on a selection test consisting of a variety of questions to test intelligence and aptitude of the students.

It has been observed that many students thus selected do not possess the basics which they are supposed to learn at the primary level. But these schools have produced excellent results over the years by introducing bridge courses in their academic planning.

Subjects like physics pose difficulty for students when compared to biology. In biological sciences, students can see and find meaning in what they study. Whereas physics is somewhat intricate and difficult for students without good knowledge of mathematics. Poor performance in physics can be remedied by first teaching the required basic mathematical operations.

Sometimes language becomes a barrier for students to understand the vast areas in subjects like geography. The innumerable new words used to describe various phenomena baffle the students. Students do not find these words in English language textbooks although they learn English language to pursue others subjects in an inter- disciplinary approach. The teacher has to explain all the words and their usage related to his subject before he teaches the concept.

The new words used in questions could confuse students and elicit wrong answers from them. Students should be exposed to a variety of questions with antonyms and synonyms - all the words used to frame a question to test the topic taught. Merely tagging the slow learners with bright students or segregating them into separate sections will not help the slow learners. Slow learners harbour themselves unobtrusively in the group of bright students.

Students learn a lot from the peer group. Unconscious learning does not take place if students are segregated. Keeping the slow learners in the peer group of bright students and paying individual attention to them by the teacher will enable them to overocme their difficulties.

Student is central in the learning process. The learning experiences should be activity-oriented and the teaching should motivate and create interest in the student to learn on his own. When group discussions are held in the classroom, the slow learners are benefited much.

Suitably tailored lesson plan by the teacher and careful monitoring by the school administration will help slow learners have a better grasp of all lessons in schools.

Various Approaches and Tools

Give your older kids a second chance to master grade-level reading.

A comprehensive literacy intervention curriculum for grades 1-12, LANGUAGE ! prepares students to return to conventional curricula by advancing them from current performance levels to grade placement level.

Lindamood-Bell

Lindamood-Bell is an organization dedicated to enhancing human learning. It has developed the sensory-cognitive processes that underlie reading, spelling, language comprehension, math, and visual motor skills. Its Process-Based education programs are for individuals ranging from severely learning disabled to academically gifted–ages 5 years through adult.

Open Court Reading

"Open Court Reading 2002 is a complete elementary basal reading program for Grades K-6. It maintains strong instruction in the areas of decoding (learning how to read), comprehension (understanding what you read), inquiry and investigation (learning how to apply what you have read), and writing (how to communicate with others in print). There are also applications for teaching spelling, vocabulary, grammar, usage, and mechanics, penmanship, and listening, speaking, and viewing."

Orton-Gillingham Approach

"The Orton-Gillingham approach is appropriate for teaching individuals, small groups, and classrooms. It is appropriate for teaching in the primary, elementary, intermediate grades, and at the secondary and college level as well as for adults. The explicit focus of the approach has been and continues to be upon persons with the kinds of language processing problems associated with dyslexia. Early intervention is highly desirable, but it is never too late to begin!"

Phono-Graphix

"The theoretical underpinnings of Phono-Graphix are remarkably straightforward and sensible, no doubt encouraging its rapid spread and popularity among teachers. It is based simply on the nature of the English code, the three skills needed to access that code, and teaching these in keeping with the way children learn.

Project Read

"Project Read/Language Circle is a research based mainstream language arts program for students who need a systematic learning experience with direct teaching of concepts and skills through multisensory techniques."

Reading Mastery Plus

"Reading Mastery Plus gives students the skills and the clear, explicit instruction and guidance they need to master the fundamentals of reading. Oral language, phonemic awareness, and systematic phonics are the starting point.

This program is set up so students are active participants throughout the learning process. Less-structured activities and opportunities for independent work help students develop self-reliance. Ongoing assessment tools are used by the instructor to ensure that no student "falls though the cracks."

Slingerland Institute for Literacy

"The Slingerland Institute for Literacy is a non-profit organization that trains teachers to work with dyslexic students in their classrooms using the Slingerland Multisensory Approach. This methodology is a simultaneous, multisensory, structured approach for teaching language arts in the classroom. The Slingerland Multisensory Approach for Teaching Language Arts Training Course is accredited at the Teacher and Instructor of Teaching levels by the International Multisensory Structured Language Educational Council (IMSLEC).''

SFA Components -Reading and Writing Programs

During reading periods, students are regrouped across age lines for 90 minutes so that each reading class contains students reading at one level. This eliminates the need to have reading groups within the class and increases the amount of time for direct instruction. Also, use of tutors as reading teachers during reading time reduces the size of most reading classes. The reading program in grades K-1 emphasizes the development of language skills and launches students into reading using phonetically regular storybooks supported by careful instruction that focuses on phonemic awareness, auditory discrimination, and sound blending as well as meaning, context, and self-monitoring strategies. Students become fluent as they read and reread to one another in pairs.

Reading Wings

A comprehensive, research-based approach to reading and writing for grades two and beyond. Reading Wings consists of four principal elements: listening comprehension, story-related activities, direct instruction in reading comprehension, and integrated writing/language arts. In all of these activities, students work in heterogeneous learning teams. Students are assigned to pairs or triads; then the pairs are assigned to teams. Mainstreamed, academically handicapped, and Title I-identified students are evenly distributed among the teams. All activities follow a regular cycle that involves teacher presentation, team practice, independent practice, peer pre-assessment, additional practice, assessment, and team recognition.

Wilson Language Training

At Wilson Language Training many people, regardless of their age, have not been able to acquire reading and writing skills because their learning needs have never been properly assessed. The majority of these people are subject to a core deficit at the most basic level of language skill: that of phonological coding.

PRACTICE PAPER

1. Which of the following is not a language skill?
A. Reading
B. Writing
C. Thinking
D. Speaking

2. By which method the students learn to the maximum extent?
A. By seeing
B. By reading
C. By listening
D. By doing themselves

3. Which quality of the teacher is liked the most by the students?
A. Punctuality
B. Impartiality
C. Love for discipline
D. Dominance

4. What should the teacher do to maintain the interest of students in class teaching?
A. Maximum use of blackboard
B. Extensive use of examples from the practical life
C. Extensive use of teaching materials/aids
D. Giving ample opportunity to students for discussion/delibrations

5. Children with disability must get education because—
A. They are vulnerable
B. They have special needs
C. It is a basic constitutional right
D. They are poor

6. Which of the following is a sensory disorder?
A. Hearing Impairment
B. Mental Retardation
C. Cerebral Palsy
D. Neuro Muscular Disorder

7. Learning depends on—
A. Intelligence
B. Parental attitude
C. Peer attitude
D. None of these

8. Which of the following can increase the quality of education?
A. To extend one hour time period
B. Service period teacher training
C. Solution and treatment teaching
D. By help-books

9. Which cannot be the stage of learning?
A. Procedure
B. Difference perception
C. Exercise
D. Imagination

10. Which of the following is decisive for teaching work?
A. To make effective the excellence
B. To educate
C. True management of classes
D. Communication with students

11. What will be the indication when a group of students gets more marks in the question paper made by any teacher?
A. It is a group of high achiever
B. Teacher has tought well
C. Question-paper is good
D. None of these

12. Choose the one which best expresses the meaning of the word 'Condone'.
A. Grieve
B. Endure
C. Forgive
D. Ignore

13. Change the following active voice into passive one :
Does the noise disturb you?
A. You are disturb by the noise.
B. Are you disturbed by the noise?
C. You are disturbing by the noise.
D. Are you disturbing by the noise?

14. A statement that can have a double meaning—
A. Verbose B. Ambivalent
C. Epigraph D. Ambiguous

15. We should always observe from the stand point of others. This is a —
A. Simple sentence
B. Complex sentence
C. Compound sentence
D. Phrase

16. Schools should be concerned with the development of child, which should include—

A. Acquisition of knowledge by the child
B. Acquisition of life skills by the child
C. Acquisition of skills required by the nation
D. Acquisition of skills required by the healthy person

17. A student gives a partially correct respond to your question. Then you will—
A. Seek further information
B. Provide reinforcement
C. Reframe your question
D. Tell the correct information

18. Which of the following is/are productive skill/ skills?
A. Speaking
B. Writing
C. Both A and B
D. None of the above

19. Language acquisition can be automatically attained favoured by—
A. Cognitivists
B. Behaviourists
C. Both of the above
D. None of the above

20. Which of the following grammar teaching method disturbs the teaching of a text book or composition writing at times?
A. Deductive Method
B. Inductive Method
C. Inductive Deductive Method
D. Incidental Method

21. Teaching aids are useful because they—
A. help teacher's work
B. activate all senses
C. help students to be attentive
D. make learning more meaningful

22. Teaching would be more effective if the teacher—
A. Makes his intent purposeful
B. Is master of the subject
C. Uses various instructional aids
D. Declares his objectives in the beginning

23. The word 'Tacit' means—
A. Formal B. Fear
C. Silent D. Celestial

24. One who is well-versed in the science of languages is called a—
A. Philosopher
B. Theologist
C. Philologist
D. Zoologist

25. Choose the correctly spelt word—
A. Coloqial
B. Coloquial
C. Colloqial
D. Colloquial

26. Choose what expresses the meaning of 'Pull the wool over one's eye'—
A. Delay B. Encourage
C. Suppress D. Deceive

27. Student's learning difficulties can be best addressed by—
A. Advising them to work hard
B. Suggesting private tuitions
C. Supervised study in the library
D. Remedial teaching

28. For being successful in life students should be encouraged to—
A. selective study
B. casual study
C. intensive study
D. learning by rote memorisation

29. Students who bring out alternative solutions and cite the books not prescribed by the teacher should be—
A. discouraged
B. encouraged
C. advised to talk to the teacher outside the class
D. advised to follow the class notes to score better in the examinations

30. Problem of school dropouts can be effectively tackled by—
A. reducing curriculum load
B. teachers empathy
C. attractive school environment
D. providing incentives

31. Choose the synonym of voracious—
A. Hungry
B. Wild
C. Quick
D. Angry

32. Choose the misspelt word—
A. Command
B. Appraise
C. Behaviour
D. Mentenance

33. Remedial teachers should observe the following when dealing with the behaviour problems of pupils—
A. should always pay attention to their misbehaviour
B. always observe the performance of pupils in class and their behaviour in groups
C. give positive reinforcement to pupils good behaviour
D. refer the cases to student Guidance Officers/ teachers for follow up action

34. Use stress and rhythmic patterns and intonation patterns of the language and 'use vocabulary appropriately' are the micro-skills involved in which of the following?

A. Speaking
B. Listening
C. Reading
D. Writing

35. Problems in language learning arise due to lack of—

A. methodology of teaching
B. availability of materials
C. teaching of mother tongue
D. teacher's competence

36. Usual teaching-learning processes can be supplemented by the following to improve the quality—

A. Extra coaching
B. Diagnostic and remedial teaching
C. Enrichment programmes
D. Inservice teacher education

37. School based evaluation can solve the problem of—

A. Mass copying
B. Student's indiscipline
C. Unrealistic assessment
D. Teacher's social reputation

38. Choose the correct meaning of the idioms: Hobson's choice—

A. feeling of insecurity
B. accept or leave the offer
C. excellent choice
D. no choice at all

39. Choose the meaning of the **bold** phrase in the sentence—

He has been working **on and off** for several years on this project.

A. at intervals
B. rarely
C. painstakingly
D. continuously

40. Pedagogy is considered to be the—

A. Science of Teaching
B. Art of Learning
C. Science of Communication
D. Art of Assimilation

41. Inductive approach of teaching means—

A. initiating the child to new subject
B. teaching through specific instruction
C. group learning as opposed to individualised learning
D. arriving at generalisations with the help of examples

42. Which of the following is an appropriate order for learning of a language?

A. Listening → Speaking → Writing → Reading
B. Speaking → Listening → Writing → Reading
C. Listening → Speaking → Reading → Writing
D. Listening → Reading → Speaking → Writing

43. The primary functions of language are—

A. Expression of feeling, meaning, communication and thinking
B. To control over other people, as language is a social act
C. Both A and B
D. None of these

44. Which of the following conditions must be satisfied in order to designate a person mentally retarded?

A. Sub-normal intellectual functioning
B. Very poor adaptive ability
C. Dependability on others
D. All of these

45. The best measure of identifying mildly mentally retarded is—

A. Administration of standardized intelligence test
B. Administration of behaviour test
C. Administration of adjustment test
D. A combination of all

46. Physical trauma during pregnancy may cause

A. Mental retardation
B. Blindness
C. Deafness
D. All of these

47. All of the following may cause mental retardation except

A. Blood incompatibility
B. Action of toxic agent
C. Radio-activity
D. None of these

48. Dullers do not differ from normal children in—

A. Physical characteristics
B. Level of social expectancy
C. Both of these
D. None of these

49. Which of the following things is not required for educating mildly mentally retarded children?

A. Regular counselling
B. Remedial teaching
C. Modification in the curriculum
D. Regular evaluation

50. Teaching of which of the following skills is not suitable to borderline cases?

A. Electric fitting
B. Repairing of electric or electronic equipments

C. Oratory skills
D. Activity based skills

51. Morons are slow in—
A. Physical growth
B. Thinking and planning
C. Taking initiative
D. All of these

52. Unsatisfactory relation of a mentally retarded child with the environment is technically called—
A. Autism
B. Maladjustment
C. Pseudo-dullness
D. None of these

53. Learning disabled children are—
A. Deficient in using potentials
B. Low in intelligence
C. Slow in activity
D. None of these

54. Learning disability is related to—
A. low listening and comprehension power
B. poor ability of expression
C. poor ability of mathematical operation
D. All of these

55. Learning disabled children perform very poorly in—
A. Academic areas B. Technical areas
C. Both of these D. None of these

56. Problem of learning disability is more complex than that of other disabilities because—
A. Its causes can not be easily ascertained by applying usual tests
B. It is associated to behaviour problems
C. Both of these
D. None of these

57. Educationally, learning disabled look similar to—
A. Dullers B. Backward children
C. Both of these D. None of these

58. In which of the following physical characteristics learning disabled children differ from the normal ones?
A. They are all the time clumsy and awkward
B. Poor coordination of motor abilities
C. Height, weight and health
D. All of these

59. Which of the following methods is most suitable for learning disabled children?
A. Behaviour guidance method
B. Remedial teaching
C. Brain storming
D. None of these

60. In order to improve work habits of learning disabled what should be done?
A. Unattending behaviour should be penalized
B. Close monitoring of the behaviour is needed
C. Cues and prompt should be given
D. All of these

61. Which of the following situations may lead to educational backwardness?
A. Sensory impairment
B. Motor disability
C. Long diseases and health problems
D. All of these

62. Which of the following is an important cause of educational backwardness at primary level of education in India?
A. Poor school organisation
B. Lack of accountability
C. Attitude of the masses towards education
D. All of these

63. Which of the following measures should be adopted by the teacher to check educational backwardness?
A. Continuous evaluation and regular feedback
B. Remedial teaching
C. Adjustment and behaviour training
D. All of these

64. Teaching by small steps and frequent short assignment techniques are useful for—
A. Slow learners
B. Learning disabled
C. Educationally backward children.
D. Children of all types of disabilities

65. Special schools are required for backward children when—
A. Backwardness is due to any serious physical handicap
B. The size of population of backward children in the society is very large as is the case of Gujarat where the achievement of students in mathematics is always seen very low
C. Both of these
D. None of these

ANSWERS

1	2	3	4	5	6	7	8	9	10
C	D	B	C	C	D	A	B	A	A

11	12	13	14	15	16	17	18	19	20
B	B	B	D	A	B	B	C	A	D
21	**22**	**23**	**24**	**25**	**26**	**27**	**28**	**29**	**30**
D	C	C	C	D	D	D	C	B	D
31	**32**	**33**	**34**	**35**	**36**	**37**	**38**	**39**	**40**
A	D	A	A	D	D	C	D	A	A
41	**42**	**43**	**44**	**45**	**46**	**47**	**48**	**49**	**50**
D	C	C	D	D	D	D	C	C	C
51	**52**	**53**	**54**	**55**	**56**	**57**	**58**	**59**	**60**
D	A	D	D	A	A	B	B	A	D
61	**62**	**63**	**64**	**65**					
D	D	D	D	C					

तार्किक योग्यता
(Reasoning Ability)

1

शृंखला (Series)

अक्षर शृंखला (Letter Series)

अक्षर शृंखला में निहित अक्षरों का एक निश्चित क्रम होता है। दी गई अक्षर शृंखला में अक्षर वर्णमाला के सीधे क्रम में भी हो सकते हैं और वर्णमाला के विपरीत क्रम में भी।

वर्णमाला के सीधे क्रम में अक्षरों की शृंखला है :

A B C D E F G H I J K L M N O P Q R S T U V W X Y Z

A ↓ पहला, E ↓ 5वाँ, J ↓ 10वाँ, O ↓ 15वाँ, T ↓ 20वाँ, Y ↓ 25वाँ

वर्णमाला के विपरीत या उल्टे क्रम में अक्षरों की शृंखला है :

Z Y X W V U T S R Q P O N M L K J I H G F E D C B A

Z ↓ पहला, V ↓ 5वाँ, Q ↓ 10वाँ, L ↓ 15वाँ, G ↓ 20वाँ, B ↓ 25वाँ

टिप्पणी : Z पर पहुंचकर शृंखला A से पुन: शुरू होती है और A पर पहुंचकर शृंखला Z से पुन: शुरू होती हैं।

अभ्यास

निर्देश : *नीचे दी गई प्रत्येक शृंखला में अक्षरों का क्रम निर्धारित करें। तत्पश्चात् दिए गए विकल्पों में से उस विकल्प का चयन करें जिससे दी गई शृंखला में प्रश्न चिह्न प्रतिस्थापित होता हो।*

1. B Y C X D W E ?
(*a*) S (*b*) T
(*c*) U (*d*) V

2. A D C G E ?
(*a*) G (*b*) J
(*c*) I (*d*) L

3. X O I F ?
(*a*) D (*b*) F
(*c*) B (*d*) E

4. Z A A Y B B X C ?
(*a*) W (*b*) C
(*c*) V (*d*) D

5. A Z Y B X W C V U D T S E ?
(*a*) R S (*b*) S T
(*c*) R Q (*d*) Q R

उत्तरमाला

1	2	3	4	5
(*d*)	(*b*)	(*b*)	(*b*)	(*c*)

व्याख्यात्मक उत्तर

1. दी गई शृंखला में बारी-बारी से दो अक्षर शृंखलाएं अंतर्निहित हैं।

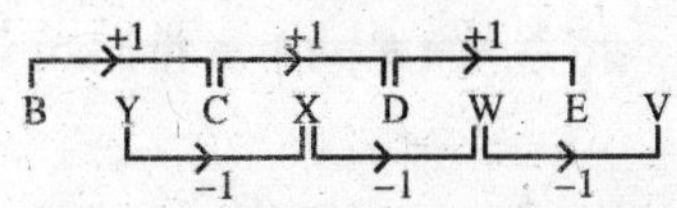

शृंखला I : BCDE (वर्णमाला के सीधे क्रम में)
शृंखला II : YXWV (वर्णमाला के विपरीत क्रम में)

3. शृंखला में दो सन्निकट अक्षरों के बीच वर्णमाला के विपरीत क्रम में क्रमश: 3 की कमी होती जाती है, अर्थात्

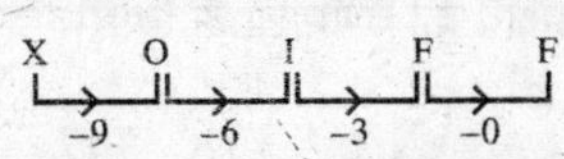

5. शृंखला में बारी-बारी से दो शृंखलाएं अंतर्निहित हैं।

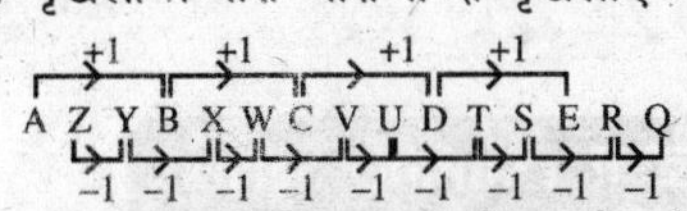

शृंखला I : ABCDE (वर्णमाला के सीधे क्रम में)
शृंखला II : ZY XW VU TS RQ (वर्णमाला के विपरीत क्रम में एक साथ दो अक्षर)

गलत या बेमेल अक्षर-शृंखला (Wrong Letter Series)

इस प्रकार के प्रश्नों में दी गई शृंखला में अभ्यर्थियों को ऐसे अक्षर या अक्षर-समूह ज्ञात करने की आवश्यकता नहीं होती जिनसे दी गई शृंखला पूर्ण होती है बल्कि उन्हें ऐसे अक्षर का पता लगाना होता है जो शृंखला में गलत या बेमेल हो।

अभ्यास

निर्देश : *नीचे के प्रत्येक प्रश्न में दी गई अक्षर-श्रृंखला में कौन-सा अक्षर या अक्षर-समूह गलत या बेमेल है ?*

1. C H M S W B
(*a*) C (*b*) S
(*c*) B (*d*) W

2. Z A W B X C
(*a*) D (*b*) C
(*c*) X (*d*) W

3. D K R Y F L
(*a*) L (*b*) D
(*c*) R (*d*) Y

4. XW, DC, CB, NM, PQ
(*a*) NM (*b*) CB
(*c*) PQ (*d*) XW

5. Z T P K H F
(*a*) Z (*b*) P
(*c*) T (*d*) F

उत्तरमाला

1	2	3	4	5
(*b*)	(*d*)	(*a*)	(*c*)	(*b*)

व्याख्यात्मक उत्तर

1. श्रृंखला में दो सन्निकट अक्षरों के बीच वर्णमाला के सीधे क्रम में +5 का अंतर है।

C H M R W B
+5 +5 +5 +5 +5

अत: श्रृंखला में S के स्थान पर R होना चाहिए। (श्रृंखला Z पर पहुंचने के बाद A से पुन: शुरू होती है।)

4. श्रृंखला कोई भी दो क्रमागत अक्षरों को वर्णमाला के विपरीत क्रम में शामिल करके निर्मित की गई है।

XW DC CB NM QP
← ← ← ← ←

संख्या-श्रृंखला (Number Series)

इस प्रकार की श्रृंखला में दी गई संख्याओं के समुच्चय एक दूसरे से एक विशेष पैटर्न या रुप में संबंधित होते हैं। संख्याओं के बीच संबंध—

(*i*) क्रमागत विषम/सम संख्याओं;
(*ii*) क्रमागत अविभाज्य संख्याओं;
(*iii*) किसी संख्या (या संख्याओं) का वर्गफल/घनफल जिसमें किसी संख्या को जोड़ने या घटाने पर परिवर्तन होता है/नहीं होता;
(*iv*) पूर्ववर्ती संख्याओं का योग/गुणनफल/अंतर;
(*v*) किसी संख्या से योग/घटाव/गुणा/भाग; और
(*vi*) उपर्युक्त संबंधों के अनेक और भी संयोजनों पर आधारित होता है।

अभ्यास

निर्देश : *श्रृंखलाओं को पूरा करने के लिए दिए गए विकल्पों में से लुप्त पद/संख्या ज्ञात करें।*

1. 1, 6, 12, 19, 27, ?
(*a*) 38 (*b*) 35
(*c*) 36 (*d*) 54

2. 2, 3, 6, 18, 108, ?
(*a*) 1944 (*b*) 1658
(*c*) 648 (*d*) 1008

3. 3, 8, 13, 24, 41, ?
(*a*) 65 (*b*) 75
(*c*) 70 (*d*) 80

4. 0, 5, 22, 57, ?, 205
(*a*) 198 (*b*) 116
(*c*) 172 (*d*) 92

5. 1, 2, 5, 12, 27, 58, 121, ?
(*a*) 246 (*b*) 247
(*c*) 248 (*d*) 249

उत्तरमाला

1	2	3	4	5
(*c*)	(*a*)	(*c*)	(*b*)	(*c*)

व्याख्यात्मक उत्तर

1. श्रृंखला के आरंभिक पदों अर्थात् 1 और 6 के बीच 5 का अंतर है और तत्पश्चात् श्रृंखला की आनुक्रमिक संख्याओं के बीच अंतर में क्रमशः 1 की वृद्धि होती जाती है।

1 6 12 19 27 36
+5 +6 +7 +8 +9

4. श्रृंखला निम्नलिखित पैटर्न का अनुपालन करती है :
1 से आरंभ करके प्राकृतिक संख्याओं का घनफल घटा 1 से आरंभ करके एकांतर विषम संख्याएं

0	5	22	57	116	205
↓	↓	↓	↓	↓	↓
1^3-1	2^3-3	3^3-5	4^3-7	5^3-9	6^3-11

आवृत्ति श्रृंखला (Repetitive Series)

इस प्रकार की श्रृंखला में अक्षरों का समुच्चय निर्मित करने के लिए अंग्रेजी वर्णमाला के छोटे अक्षरों का प्रयोग किया जाता है जिनकी श्रृंखला में पुनरावृत्ति होती है।

अभ्यास

निर्देश : *दी गई अक्षर-श्रृंखलाओं को पूरा करने के लिए दिए गए अक्षर-समूहों के विकल्पों में से सही विकल्प का चयन करें।*

1. ab---b-bbaa-
(*a*) babba (*b*) abaab
(*c*) abbab (*d*) baaab

2. aa-ab--aaa-a
(*a*) baaa (*b*) abab
(*c*) aaab (*d*) aabb

3. -baa-aab-a-a
   (*a*) baab (*b*) abab
   (*c*) aaba (*d*) aabb
4. -a cca-ccca-acccc-aaa
   (*a*) ccaa (*b*) acca
   (*c*) caac (*d*) caaa
5. c-bbb--abbbb-abbb-
   (*a*) abccb (*b*) bacbb
   (*c*) aabcb (*d*) abacb

उत्तरमाला

1	2	3	4	5
(*d*)	(*c*)	(*b*)	(*d*)	(*a*)

व्याख्यात्मक उत्तर

2. दी गई अक्षर शृंखला है : aaaaba, aaaaba

4. दी गई अक्षर शृंखला है : c, a, cc, aa, ccc, aaa, cccc, aaaa

5. दी गई अक्षर शृंखला है : cabbbb, cabbbb, cabbbb

•••

2 सादृश्य या संबंध (Analogies or Relationships)

शब्द सादृश्य (Word Analogy)

संबंध या सादृश्य परीक्षा में दिए गए दो शब्दों के बीच संबंध स्थापित किया जाता है और उसी संबंध को दिए गए अन्य शब्दों पर अनुप्रयुक्त किया जाता है। दिए गए दो शब्दों के बीच विभिन्न प्रकार के संबंध हो सकते हैं, अत: इस प्रकार के प्रश्नों को हल करते समय सर्वप्रथम यह ज्ञात करना होता है कि दिए गए दो शब्दों के बीच किस प्रकार का संबंध है।

अभ्यास

निर्देश (प्र.सं. 1–5): *पूछे गए प्रत्येक प्रश्न में पहले दिए गए दो शब्दों के बीच संबंध स्थापित करें। तत्पश्चात् दिए गए विकल्पों में से उस विकल्प का चयन करें जिसके शब्द और प्रश्न में दिए गए तीसरे शब्द के बीच ठीक वैसा ही संबंध या सादृश्य हो जैसा कि पहले के दो शब्दों के बीच है।*

1. जो संबंध 'उन्माद' और 'सनक' में है वही संबंध 'भय' और निम्नलिखित में से किसमें है?
   (*a*) इच्छा (*b*) शौक
   (*c*) आवश्यकता (*d*) डर
2. 'हकलाना' जिस प्रकार 'वाणी' से संबंधित है उसी प्रकार 'बहरापन' का संबंध निम्नलिखित में से किससे है?
   (*a*) कान (*b*) सुनना
   (*c*) शोर (*d*) चुप्पी
3. जिस प्रकार 'नेता', 'अनुयायी' से संबंधित है, उसी प्रकार .... संबंधित है सिपाही से।
   (*a*) कैप्टन (*b*) यूनिट
   (*c*) सेना (*d*) बैरक
4. जिस प्रकार 'चिल्लाहट', 'फुसफुसाहट' से संबंधित है, उसी प्रकार 'मारना' निम्नलिखित में से किससे संबंधित है?
   (*a*) थप्पड़ मारने (*b*) छूना
   (*c*) क्रोध (*d*) शोरगुल
5. जिस प्रकार 'पंजा', 'बिल्ली' से संबंधित है उसी प्रकार 'खुर' निम्नलिखित में से किससे संबंधित है?
   (*a*) घोड़ा (*b*) मेमना
   (*c*) हाथी (*d*) शेर

निर्देश (प्र.सं. 6–10): *नीचे दिए गए प्रत्येक प्रश्न में :: चिह्न की बाईं ओर दो शब्द दिए गए हैं। इन दोनों शब्दों में कुछ संबंध है। वैसा ही संबंध :: चिह्न की दाईं ओर के दो शब्दों में है जिनमें से एक शब्द के स्थान पर प्रश्नवाचक चिह्न (?) है। प्रश्नवाचक चिह्न (?) के स्थान पर दिए गए विकल्पों में से एक उपयुक्त विकल्प का चयन करें।*

6. शिकारी : बंदूक :: लेखक : ?
   (*a*) पुस्तक (*b*) कलम
   (*c*) कविता (*d*) पृष्ठ
7. भोजन : आमाशय :: ईंधन : ?
   (*a*) इंजन (*b*) ऑटोमोबाइल
   (*c*) रेल (*d*) वायुयान
8. जल : रेत :: महासागर : ?
   (*a*) द्वीप (*b*) नदी
   (*c*) मरुभूमि (*d*) तरंगें
9. वयस्क : बच्चा :: फूल : ?
   (*a*) बीज (*b*) कली
   (*c*) फल (*d*) तितली
10. मोती : कंठहार :: फूल : ?
    (*a*) पौधा (*b*) बगीचा
    (*c*) पँखुड़ी (*d*) गुलदस्ता

निर्देश (प्र.सं. 11–15): *दिए गए विकल्पों में से उस शब्द-युग्म का चयन कीजिए जिसमें युग्म के शब्दों के बीच ठीक उसी प्रकार का संबंध हो जिस प्रकार का संबंध प्रश्न में दिए गए मूल शब्द-युग्म के बीच है।*

11. राज्य : निर्वासन
(*a*) पुलिस : गिरफ्तार (*b*) न्यायाधीश : अभियुक्त
(*c*) संविधान : संशोधन (*d*) चर्च : धर्म-बहिष्करण

12. चंचलता : विश्वसनीयता
(*a*) तात्कालिक : भविष्य सूचक (*b*) अविश्वसनीय : अमानवीय
(*c*) दृढ़निश्चयी : व्यवहार्यता (*d*) स्वेच्छाचारी : सनकी

13. अनिच्छुक : बल-प्रयोग
(*a*) घृणित : दुलारा (*b*) चिढ़ना : प्यार करना
(*c*) क्रुद्ध : प्रतिरोध (*d*) विमुख : मान-मनोव्वल

14. शल्क : मछली
(*a*) महिला : ड्रेस (*b*) पेड़ : पत्तियां
(*c*) पक्षी : पंख (*d*) त्वचा : मुनष्य

15. वृक्ष : बालवृक्ष
(*a*) झोंपड़ी : महल (*b*) लंबा-तगड़ा : बौना
(*c*) घोड़ा : बछेड़ा (*d*) चींटी : हाथी

उत्तरमाला

1	2	3	4	5
(*d*)	(*b*)	(*a*)	(*b*)	(*a*)
6	7	8	9	10
(*b*)	(*a*)	(*c*)	(*b*)	(*d*)
11	12	13	14	15
(*d*)	(*d*)	(*d*)	(*d*)	(*c*)

व्याख्यात्मक उत्तर

1. संबंधित शब्द पर्यायवाची हैं।

3. जिस प्रकार 'अनुयायी' अपने 'नेता' से मार्ग-दर्शन प्राप्त करते हैं उसी प्रकार 'सिपाही' को अपने 'कैप्टन' से मार्गदर्शन प्राप्त होता है।

5. 'बिल्ली' के 'पैर में' 'पंजा' होता है जबकि 'घोड़ा' के पैर में 'खुर' होता है।

6. 'शिकारी' का हथियार 'बंदूक' है और 'लेखक' का हथियार 'कलम' है।

9. 'बच्चा' विकसित होकर 'वयस्क' बनता है और 'कली' खिलकर 'फूल' बनती है।

11. राज्य से बाहर कर देना 'निर्वासन' और चर्च से बाहर कर देना 'धर्म-बहिष्करण' कहलाता है।

14. मछली का शरीर 'शल्कों' से ढका होता है और मनुष्य का शरीर उसकी 'त्वचा' से ढका होता है।

15. नवजात वृक्ष को 'बालवृक्ष' कहते हैं और नवजात घोड़े को 'बछेड़ा' कहते हैं।

अक्षर सादृश्य (Letter Analogy)

इस प्रकार के सादृश्य में अक्षरों के दो दिए गए समुच्चयों के बीच संबंध स्थापित किया जाता है और तत्पश्चात् अक्षरों के दिए गए तीसरे समुच्चय पर पहले दो अक्षर समुच्चयों के बीच के संबंध को अनुप्रयुक्त करके अक्षरों के चौथे अपेक्षित समुच्चय को ज्ञात किया जाता है।

अभ्यास

निर्देश: *नीचे के प्रत्येक प्रश्न में एक लुप्त पद है। प्रश्न में :: चिह्न की बायीं ओर के दो अक्षर-समूहों में जो समानता या सादृश्य है वैसी ही समानता या सादृश्य :: चिह्न की दायीं ओर के दो अक्षर समूहों में है जिनमें से एक अक्षर समूह के स्थान पर प्रश्नवाचक चिह्न (?) लगा है। प्रश्न-वाचक चिह्न (?) के स्थान पर लुप्त पद ज्ञात करें।*

1. BCF : DEG : : MNQ : ?
(*a*) OPR (*b*) PQS
(*c*) OPP (*d*) QRT

2. NATION : ANITNO : : HUNGRY : ?
(*a*) HNUGRY (*b*) UNHGYR
(*c*) YRNGUH (*d*) UHGNYR

3. ACE : FGH : : LNP : ?
(*a*) QRS (*b*) PQR
(*c*) QST (*d*) MOQ

4. BOQD : ERTG : : ANPC : ?
(*a*) DQSF (*b*) FSHU
(*c*) SHFU (*d*) DSQF

5. RUX : TRP : : BEH : ?
(*a*) SQN (*b*) QON
(*c*) QOM (*d*) QNL

6. BCDE : WVUT : : QRST : ?
(*a*) EFHG (*b*) JIHG
(*c*) POML (*d*) GEDC

7. ABC : ZYX : : IJK : ?
(*a*) RST (*b*) RQP
(*c*) RTS (*d*) RPQ

8. CIRCLE : RICELC : : SQUARE : ?
(*a*) UQSERA (*b*) QUSERA
(*c*) QSUERA (*d*) UQSAER

9. PSQR : CFED : : JMKL : ?
(*a*) UXVW (*b*) WZYX
(*c*) YVXZ (*d*) YZWX

10. FHJL : VTRP : : MOQS : ?
(*a*) JHFD (*b*) IGFD
(*c*) IGED (*d*) JHED

उत्तरमाला

1	2	3	4	5
(*a*)	(*d*)	(*a*)	(*a*)	(*c*)
6	7	8	9	10
(*b*)	(*b*)	(*a*)	(*b*)	(*a*)

व्याख्यात्मक उत्तर

2. पहले समूह के अक्षरों को दो-दो अक्षरों के खंडों में विभाजित करके प्रत्येक खंड के अक्षरों को उल्टे क्रम में लिखने पर दूसरा अक्षर-समूह प्राप्त होता है।

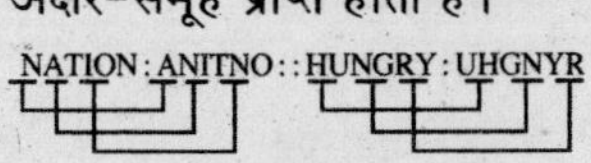

4. प्रत्येक अक्षर समूह में पहले और चौथे अक्षरों के बीच एक अक्षर छूटा हुआ है तथा दूसरे और तीसरे अक्षरों के बीच भी एक अक्षर छूटा हुआ है।

BOQD : ERTG :: ANPC : DQSF
(P, C) (S, F) (O, B) (R, E)

5. पहले समूह के अक्षरों में +3 का और दूसरे समूह के अक्षरों में –2 का अंतर है।

RUX : TRP :: BEH : QOM
+3 +3   –2 –2   +3+3   –2 –2

7. पहले अक्षर समूह में क्रमागत अक्षर वर्णमाला के सीधे क्रम में हैं और दूसरे अक्षर समूह में अक्षर वर्णमाला के विपरीत क्रम में समस्थानिक अक्षर हैं।

ABC : ZYX :: IJK : RQP

8. प्रथम अक्षर-समूह को दो बराबर खंडों में विभक्त करके प्रत्येक खंड के अक्षरों को उल्टे क्रम में लिखने पर दूसरा अक्षर-समूह प्राप्त होता है।

CIRCLE : RICELC :: SQUARE : UQSERA

संख्या सादृश्य (Number Analogy)

संख्या सादृश्य में भी पहले दो दी गई संख्याओं के बीच संबंध स्थापित किया जाता है और तत्पश्चात् इस ज्ञात संबंध को संख्याओं के दूसरे जोड़े पर प्रयुक्त करके उसके लुप्त पद को ज्ञात किया जाता है। संख्याओं के बीच संबंध किसी भी एक पैटर्न पर आधारित हो सकता है,

अभ्यास

निर्देश : *नीचे के प्रत्येक प्रश्न में चिह्न ': :' के पहले दो संख्याएं दी गई हैं जिनमें आपस में एक संबंध है तथा ': :' चिह्न के बाद में एक तीसरी संख्या दी गई है। दिए गए विकल्पों में से उस संख्या का चयन करें जिसका तीसरी संख्या के साथ वैसा ही संबंध हो जैसा संबंध संख्याओं के पहले जोड़े के बीच है।*

1. 14 : 20 : : 16 : ?
(*a*) 23   (*b*) 10
(*c*) 48   (*d*) 32

2. 0.16 : 0.0016 : : 1.02 : ?
(*a*) 10.20   (*b*) 0.102
(*c*) 0.0102   (*d*) 1.020

3. 5 : 24 : : 8 : ?
(*a*) 65   (*b*) 63
(*c*) 62   (*d*) 64

4. 65 : 30 : : 44 : ?
(*a*) 79   (*b*) 62
(*c*) 28   (*d*) 16

5. 30 : 42 : : 56 : ?
(*a*) 92   (*b*) 21
(*c*) 38   (*d*) 72

6. 6 : 18 : : 4 : ?
(*a*) 2   (*b*) 6
(*c*) 8   (*d*) 16

7. 162 : 9 : : 310 : ?
(*a*) 33   (*b*) 27
(*c*) 16   (*d*) 4

8. 123 : 149 : : 201 : ?
(*a*) 202   (*b*) 404
(*c*) 401   (*d*) 227

9. 6 : 21 : : 14 : ?
(*a*) 82   (*b*) 75
(*c*) 60   (*d*) 41

उत्तरमाला

1	2	3	4	5
(*a*)	(*c*)	(*b*)	(*d*)	(*d*)
6	**7**	**8**	**9**	
(*c*)	(*d*)	(*c*)	(*a*)	

व्याख्यात्मक उत्तर

1. संख्याओं के बीच संबंध निम्नवत् है:

14 : 20 : : 16 : 23
7×2 $(7\times3)-1$ 8×2 $(8\times3)-1$

4. दूसरी संख्या पहली संख्या के अंकों का गुणनफल है:

$$\frac{60:30}{(6\ \ 5)}::\frac{44:16}{(4\ \ 4)}$$

7. पहली संख्या के अंकों का योगफल दूसरी संख्या के बराबर है:

162 : 9 :: 310 : 4
1 + 6 + 2   3 + 1 + 0

●●●

3

वर्गीकरण या विजातीय छांटना (Classification or Odd One Out)

विजातीय छांटना–शब्दों पर आधारित समस्याएं

इस प्रकार के वर्गीकरण में चार शब्द दिए जाते हैं जिनमें से तीन शब्द तथ्य या अर्थ की दृष्टि से या अन्य किसी न किसी रूप में आपस में संबंधित होते हुए एक समूह बनाते हैं जबकि शेष केवल एक शब्द अन्य तीनों से भिन्न होता है।

अभ्यास

निर्देश : *यहां दिए गए प्रत्येक प्रश्न में तीन शब्द किसी न किसी प्रकार से समान हैं और इस कारण वे एक समूह बनाते हैं जबकि एक शब्द अन्य तीनों से भिन्न है। इस भिन्न या विजातीय शब्द को ज्ञात करें।*

1. (*a*) अस्तबल (*b*) बिल
(*c*) डोंगी (*d*) सूअर-बाड़ा

2. (*a*) खुश (*b*) उदास
(*c*) प्रसन्नचित्त (*d*) प्रसन्न

3. (*a*) सीसा (*b*) पारद
(*c*) तांबा (*d*) लोहा

4. (*a*) अतिवृष्टि (*b*) अनावृष्टि
(*c*) भूस्खलन (*d*) युद्ध

5. (*a*) सिंहशावक (*b*) चूजा
(*c*) सूअर (*d*) पिल्ला

6. (*a*) खरगोश (*b*) मगरमच्छ
(*c*) केंचुआ (*d*) घोंघा

7. (*a*) पेड़ (*b*) पत्ता
(*c*) झाड़ी (*d*) शाकीय पौधे

8. (*a*) अलंकृत करना (*b*) रमणीय
(*c*) सजाना (*d*) सुंदर बनाना

9. (*a*) ट्यूटर (*b*) प्रिंसिपल
(*c*) छात्र (*d*) प्रोफेसर

10. (*a*) निवेदित भाव (*b*) शुल्क
(*c*) कर (*d*) चुंगी

उत्तरमाला

1	2	3	4	5
(*c*)	(*b*)	(*b*)	(*d*)	(*c*)
6	**7**	**8**	**9**	**10**
(*a*)	(*b*)	(*b*)	(*c*)	(*a*)

व्याख्यात्मक उत्तर

1. डोंगी एक छोटी नाव होती है। अन्य सभी पशु-पक्षियों के निवासस्थलों के नाम हैं।

2. अन्य सभी आनन्द की अनुभूति को अभिव्यक्त करते हैं।

3. अन्य सभी ठोस धातुएं हैं।

5. अन्य सभी शब्द विभिन्न जंतुओं के शिशुओं के नाम हैं।

9. अन्य सभी शिक्षा प्रदान करते हैं जबकि छात्र इन सभी से शिक्षा प्राप्त करता है।

10. अन्य सभी विभिन्न प्रकार के कर हैं।

विजातीय छांटना-अक्षरों पर आधारित समस्याएं

इस कोटि के अंतर्गत विकल्प के रूप में चार अक्षर-समूह या अक्षरों की एक शृंखला दी जाती है। परीक्षार्थी को इनमें से ऐसे विकल्प का चयन करना होता है जो अन्यों से भिन्न अर्थात् विजातीय हो।

अभ्यास

निर्देश : *नीचे के प्रत्येक प्रश्न में अक्षर समूहों के रूप में चार विकल्प दिए गए हैं जिनमें से तीन में किसी न किसी प्रकार की समानता है और इस कारण वे एक समूह बनाते हैं। उस अक्षर समूह का चयन करें जो समूह से संबंधित नहीं है।*

1. (*a*) ACE (*b*) LOR
(*c*) GIK (*d*) VXZ

2. (*a*) EFLM (*b*) KJSR
(*c*) XWHG (*d*) EDYX

3. (*a*) JOPK (*b*) BOPC
(*c*) QOPR (*d*) TOPS

4. (*a*) BdfH (*b*) FHJL
(*c*) RTvX (*d*) uVwX

5. (*a*) MKGA (*b*) PNID
(*c*) RPLF (*d*) VTPJ

6. (*a*) ABJNM (*b*) QRTUZ
(*c*) IXYOQ (*d*) WGFPO

7. (*a*) CFIL (*b*) ABCD
(*c*) ACDF (*d*) EFGH

8. (*a*) KNOS (*b*) QTUY
(*c*) DFGJ (*d*) BEFJ

9. (*a*) FKP (*b*) LPU
(*c*) HMR (*d*) DIN

10. (*a*) TBVD (*b*) JOKQ
(*c*) AXCZ (*d*) FRHT

उत्तरमाला

1	2	3	4	5
(*b*)	(*a*)	(*d*)	(*d*)	(*b*)
6	**7**	**8**	**9**	**10**
(*c*)	(*c*)	(*c*)	(*b*)	(*b*)

व्याख्यात्मक उत्तर

1. शेष सभी अक्षर समूहों में अगला अक्षर अपने पूर्ववर्ती अक्षर से वर्णमाला के सीधे क्रम में 2 अक्षर आगे का है जबकि विकल्प (*b*) के अक्षर समूह में +3 अनुक्रम का पालन होता है।

ABCDE (+2 +2) LMNOPQR (+3 +3)
GHIJK (+2 +2) VWXYZ (+2 +2)

6. शेष समूहों में कम से कम दो जोड़े अक्षर वर्णमाला के क्रम में हैं, अर्थात्

ABJNM; QRTUZ; WGFPO

विकल्प (*c*) में केवल एक जोड़ा अक्षर-ही वर्णमाला के क्रम में है।

IXYOQ

9. शेष सभी अक्षर समूहों में +5 पैटर्न का अनुपालन होता है।

F K P ; H M R ; D I N
+5 +5 ; +5 +5 ; +5 +5

विकल्प (*b*) में +4, +5 पैटर्न का अनुपालन होता है।

L P U
+4 +5

10. शेष समूहों में तीसरा अक्षर पहले अक्षर से और चौथा अक्षर दूसरे अक्षर से वर्णमाला के सीधे क्रम में 2 अक्षर आगे का अक्षर है। अर्थात् :

T B V D; A X C Z; F R H T
+2 +2 ; +2 +2 ; +2 +2

विकल्प (*b*) में निम्नवत् पैटर्न दिखाई पड़ता है :

J O K Q
+1 +2

विजातीय छांटना–संख्याओं पर आधारित समस्याएं

इस प्रकार के वर्गीकरण में विकल्पों के रूप में विभिन्न संख्याएं दी जाती हैं। इन संख्याओं में से एक को छोड़कर जो अन्य से भिन्न होती है, शेष किसी न किसी रूप में आपस में संबंधित होती हैं और इस प्रकार एक समूह बनाती हैं।

अभ्यास

निर्देश : *यहां प्रत्येक प्रश्न में चार विकल्प दिए गए हैं जिनमें से तीन किसी न किसी रूप में आपस में संबंधित होते हुए एक समूह बनाते हैं, जबकि शेष एक संख्या अन्य से भिन्न है। उस भिन्न संख्या का चयन करें जो समूह से संबंधित नहीं है।*

1. (*a*) 1948 (*b*) 2401 (*c*) 966 (*d*) 1449

2. (*a*) 182 (*b*) 169 (*c*) 130 (*d*) 158

3. (*a*) 3215 (*b*) 9309 (*c*) 4721 (*d*) 2850

4. (*a*) 1776 (*b*) 2364 (*c*) 1976 (*d*) 3776

5. (*a*) 7658 (*b*) 1234 (*c*) 9876 (*d*) 6543

6. (*a*) 18 (*b*) 12 (*c*) 30 (*d*) 20

7. (*a*) 9875432 (*b*) 98765 (*c*) 98756 (*d*) 9876543

8. (*a*) 5243 (*b*) 9251 (*c*) 4256 (*d*) 3257

9. (*a*) 2553 (*b*) 1224 (*c*) 7992 (*d*) 3885

10. (*a*) 3223 (*b*) 4554 (*c*) 6116 (*d*) 9887

उत्तरमाला

1	2	3	4	5
(*a*)	(*d*)	(*b*)	(*b*)	(*a*)
6	**7**	**8**	**9**	**10**
(*a*)	(*c*)	(*a*)	(*b*)	(*d*)

व्याख्यात्मक उत्तर

1. शेष संख्याएं 7 से विभाज्य हैं।

2. शेष संख्याएं 13 का गुणज हैं।

4. शेष संख्याओं में आखिरी दो अंक एक से हैं।

8. शेष सभी संख्याओं में 25 बीच में है और सिरे के दो अंकों का योग 10 के बराबर है।

10. शेष सभी संख्याओं में अंतिम दो अंक पहले दो अंकों को उलटे क्रम में लिखने पर प्राप्त होते हैं।

विजातीय छांटना–शब्द समूहों से संबंधित समस्याएं

शब्दों, अक्षरों या संख्याओं के समूह का वर्गीकरण एकल शब्द, अक्षर या संख्या के वर्गीकरण से अधिक भिन्न नहीं होता।

अभ्यास

निर्देश : *नीचे के प्रत्येक प्रश्न में शब्दों के उस जोड़े का चयन करें जो शेष तीन जोड़ों से भिन्न हो।*

1. (*a*) कुर्सी-फर्नीचर (*b*) शर्ट-वस्त्र (*c*) कंठहार-आभूषण (*d*) बोगी-इंजन

2. (*a*) चित्रांकनी-कागज (*b*) पेंसिल-लेड (*c*) कलम-स्याही (*d*) बुरुश-रंग

3. (*a*) युद्ध-शांति (*b*) वास्तविक-सहज (*c*) अग्रगण्य-प्रथम (*d*) क्रोध-गुस्सा

4. (*a*) दिन-रात (*b*) चालाक-मूर्ख (*c*) स्पष्ट-धुंधला (*d*) पहुंचना-आना

5. (*a*) भतीजी-भतीजा (*b*) भाई-बहन (*c*) पति-पत्नी (*d*) पिता-माता

6. (*a*) पेट्रोल-कार (*b*) तेल-लैम्प (*c*) डीजल-लकड़ी (*d*) मोम-मोमबत्ती

7. (*a*) गंगा-नर्मदा (*b*) थार-गोबी (*c*) आमाशय-हाथ (*d*) एवरेस्ट-पर्वत

8. (*a*) औषधि-चिकित्सक (*b*) फूल-कलाकार (*c*) जूता-मोची (*d*) त्वचा-त्वचारोग विशेषज्ञ

9. (*a*) प्राधिकार-मंजूरी (*b*) प्रतिकर्षण-आकर्षण (*c*) तुनकमिजाज-दुस्तोषणीय (*d*) श्वास-अस्तित्व

10. (*a*) पोलो-बर्फ का मैदान (रिंक)
(*b*) गोल्फ-लॉन
(*c*) टेनिस-कोर्ट
(*d*) शतरंज-बोर्ड

उत्तरमाला

1	2	3	4	5
(*d*)	(*a*)	(*a*)	(*d*)	(*a*)
6	**7**	**8**	**9**	**10**
(*c*)	(*d*)	(*b*)	(*b*)	(*a*)

व्याख्यात्मक उत्तर

1. बोगी रेलगाड़ी का एक हिस्सा होता है जो परिवहन का एक साधन है। कुर्सी, शर्ट और कंठहार क्रमशः फर्नीचर, वस्त्र और आभूषण हैं।

3. शेष सभी शब्द-युग्म समानार्थक शब्दों के युग्म हैं जबकि विकल्प (*a*) में दिया गया शब्द-युग्म विपरीतार्थक शब्दों का युग्म है।

4. शेष शब्द-युग्म एक दूसरे के विपरीतार्थक हैं।

5. संबंधित शब्द-युग्मों में पहला पुल्लिंग और दूसरा स्त्रीलिंग है। विकल्प (*a*) में पहले स्त्रीलिंग और तत्पश्चात् पुल्लिंग दिया गया है।

8. चिकित्सक का औषधि, मोची का जूता और त्वचारोग विशेषज्ञ का संबंध त्वचारोग से है। फूलों की देख-रेख करने वाले व्यक्ति को माली कहते हैं।

●●●

4 सांकेतिक भाषा परीक्षण (Coding and Decoding)

भाग-I

कूटलेखन या 'कोडिंग' संवाद-संप्रेषण की एक प्रक्रिया है जिसमें एक गुप्त भाषा का प्रयोग वास्तविक तथ्यों शब्दों/मूल्यों की अभिव्यक्ति या प्रस्तुतिकरण को एक ऐसी भाषा में परिवर्तित करने के लिए किया जाता है जिसे संवाद के प्रेषक और प्राप्तकर्ता के अतिरिक्त कोई तीसरा व्यक्ति समझ न सके।

अभ्यास

निर्देश : *निम्नलिखित प्रश्नों में दिए गए शब्दों या अक्षरों के लिए इंगित कूटभाषा के शब्द या अक्षर ज्ञात करें।*

1. यदि किसी कूट भाषा में CHAIR को FKDLU के रूप में लिखा जाए तो उसी कूटभाषा में RAID शब्द को किस प्रकार लिखा जाएगा?
(*a*) ULGD (*b*) ULKG
(*c*) ULDG (*d*) UDLG

2. किसी कूटभाषा में COME को XLNV और ABLE को ZYOV लिखा जाता है। इसी कूटभाषा में MOLLY किस प्रकार लिखा जाएगा?
(*a*) NLOBO (*b*) NLBOO
(*c*) LNOOB (*d*) NLOOB

3. यदि किसी कूटभाषा में ACTION को ZXGRLM लिखा जाता हो तो उसी कूटभाषा में HEALTH को कैसे लिखा जाएगा?
(*a*) SVZOGS (*b*) TVZOGT
(*c*) RUZPGR (*d*) QVGOZQ

4. यदि PHILOSOPHY को HPLISOPOYH लिखा जाता हो तो ORNAMENTAL कैसे लिखा जाएगा?
(*a*) ROANEMNTLA
(*b*) ONRAMNEALT
(*c*) ROANEMTNLA
(*d*) ROANEMNATL

5. यदि किसी कूटभाषा में लिखे गए शब्द OPFGBCST का अर्थवाचन NEAR के रूप में किया जाता हो तो उसी कूटभाषा में कूटबद्ध IJVWHI का अर्थ निम्नलिखित में से क्या होगा?
(*a*) HAG (*b*) HUG
(*c*) HUT (*d*) KEG

6. किसी विशेष कूटलिपि में PUNCTUAL को 16598623 के रूप में कूटबद्ध किया जाता है। इसी कूटलिपि में ACTUPULN निम्नलिखित में से किस प्रकार लिखा जाएगा?
(*a*) 29861653 (*b*) 29861635
(*c*) 28916135 (*d*) 29851536

7. यदि BAD को 7 के रूप में और HIS को 9 के रूप में कूटबद्ध किया जाए तो LOW निम्नलिखित में से किसके द्वारा सूचित किया जाएगा?
(*a*) 50 (*b*) 8
(*c*) 23 (*d*) 5

8. किसी विशेष कूटभाषा में REGISTRY को VAKEWPVU लिखा जाता है। इसी कूटभाषा में ENTRY कैसे लिखा जाएगा?
(*a*) IJXNC (*b*) ARPVW
(*c*) ARPVU (*d*) IJXMC

9. निम्नलिखित शब्दों में अक्षरों के संख्या कोड दिए गए हैं : BRAIN–12345, GRADE–72308, DRAIN–02345, STATE–78388। इन शब्दों में 'D' के लिए किस संख्या कोड का प्रयोग किया गया है?
(*a*) 3 (*b*) 2
(*c*) 0 (*d*) 4

उत्तरमाला

1	2	3	4	5
(*d*)	(*d*)	(*a*)	(*c*)	(*b*)
6	**7**	**8**	**9**	
(*b*)	(*d*)	(*a*)	(*c*)	

व्याख्यात्मक उत्तर

1. शब्द को कूटबद्ध करने के लिए उसके अक्षरों से वर्णमाला के क्रम में +3 चरण आगे के अक्षर लिए गए हैं।

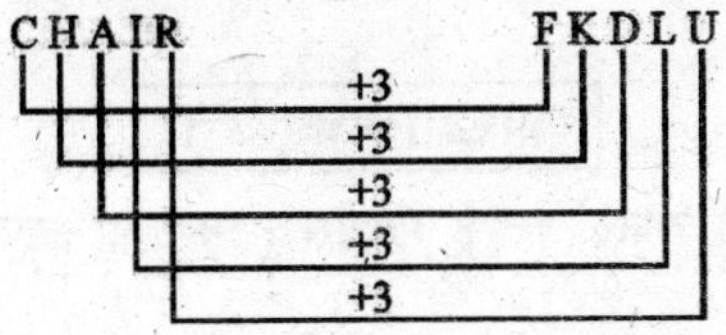

इसी प्रकार,

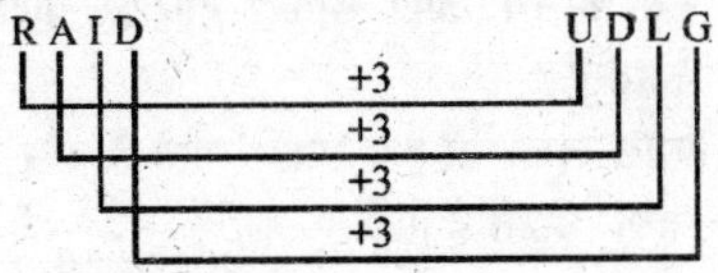

4. शब्द को कूटबद्ध करने के लिए उसके दो क्रमागत अक्षरों को एक दूसरे के स्थान पर लिखा जाता है।

इसी प्रकार,

5. कूटबद्ध शब्द का अर्थ-निर्वचन निम्नलिखित रूप में किया गया है :

↓OP ↓ FG ↓BC ↓ ST → कूट

N E A R → दिया गया शब्द

अत: कूटबद्ध शब्द का अर्थ-निर्वचन करने के लिए वर्णमाला के अनुक्रम में दो क्रमागत अक्षरों से पहले के अक्षर लिए जाते हैं।

इसी प्रकार,

↓ IJ ↓ VW↓ HI→ दिया गया शब्द

H U G → उत्तर शब्द

6. शब्द PUNCTUAL के अक्षरों को यादृच्छिक क्रम में लेकर ACTUPULN शब्द लिखा गया है।

इसी प्रकार संख्या कूट भी लिखा जाएगा

P U N C T U A L→ दिया गया शब्द

1 6 5 9 8 6 2 3 → कूट

इसी प्रकार,

A C T U P U L N → कूटबद्ध किया जाने वाला शब्द

2 9 8 6 1 6 3 5 → उत्तर कोड

9. जिन शब्दों में D का अक्षर निहित है, वे शब्द हैं :

G R A D E और D R A I N → अक्षर

7 2 3 0 8   0 2 3 4 5 → कूट

अत: यह स्पष्ट है कि 'D' का कूट '0' है।

भाग-II

एक अन्य प्रकार के कूट लेखन में किसी शब्द को कूट नाम दिए जाते हैं जिन्हें आगे भी कूटबद्ध किया जाता है। इस पैटर्न पर आधारित प्रश्न अर्थहीन प्रतीत हो सकते हैं किंतु कूट यथार्थता की बुनियादी बातों से हटकर नहीं होने चाहिए।

अभ्यास

निर्देश : *प्रत्येक प्रश्न में दी गई कूटबद्ध सूचना को अच्छी तरह समझें और दिए गए विकल्पों में से सही उत्तर का चयन करें।*

1. यदि किसी कूटभाषा में 'पानी' को 'नीला', 'नीला' को 'लाल', 'लाल' को 'सफेद', 'सफेद' को 'आकाश', 'आकाश' को 'वर्षा', 'वर्षा' को 'हरा', 'हरा' को 'हवा' और 'हवा' को 'मेज' कहा जाए, तो इस कूटभाषा में दूध के रंग को क्या कहेंगे?

(*a*) सफेद (*b*) वर्षा
(*c*) आकाश (*d*) हरा

2. यदि किसी कूटभाषा में 'प्रकाश' को 'अंधकार', 'अंधकार' को 'हरा', 'हरा' को 'नीला', 'नीला' को 'लाल', 'लाल' को 'सफेद' और 'सफेद' को 'पीला' कहा जाता हो तो इस कूटभाषा में रक्त का रंग क्या कहलाएगा?

(*a*) लाल (*b*) अंधकार
(*c*) सफेद (*d*) पीला

3. यदि किसी कूटभाषा में 'आकाश' को 'समुद्र', 'समुद्र' को 'पानी', 'पानी' को 'हवा', 'हवा' को 'बादल' और 'बादल' को 'नदी' कहा जाता हो तो प्यास लगने पर इस कूटभाषा में पीने के लिए किस चीज की मांग करेंगे?

(*a*) आकाश (*b*) हवा
(*c*) पानी (*d*) समुद्र

4. यदि किसी कूटभाषा में 'पीला' का अर्थ 'लाल', 'सफेद' का अर्थ 'हरा', 'लाल' का अर्थ 'नारंगी', 'नीला' का अर्थ 'सफेद' और 'हरा' का अर्थ 'नीला' हो तो उस कूटभाषा में आकाश का रंग क्या है?

(*a*) सफेद (*b*) हरा
(*c*) नीला (*d*) पीला

5. यदि किसी कूटभाषा में 'घर' को 'झोपड़ी', 'झोपड़ी' को 'नहर', 'नहर' को 'स्कूल', 'स्कूल' को 'मैदान', 'मैदान' को 'सुराही' और 'सुराही' को 'तार' कहा जाए तो इस कूटभाषा में छात्रों के पढ़ने की जगह को क्या कहेंगे?

(*a*) मैदान (*b*) सुराही
(*c*) झोपड़ी (*d*) स्कूल

6. यदि किसी कूटभाषा में 'बिल्ली' को 'घोड़ा', 'घोड़ा' को 'चूहा', 'कुत्ता' को 'खरगोश', 'खरगोश' को 'बिल्ली', 'चूहा' को 'कुत्ता' और 'शेर' को 'चींटी' कहा जाए तो इस कूटभाषा मे प्रयुक्त कूटों के आधार पर भौंकने वाले पशु को क्या कहेंगे?

(*a*) कुत्ता (*b*) बिल्ली
(*c*) शेर (*d*) खरगोश

7. यदि 'भूमि' को 'झील', 'झील' को 'पत्थर', 'पत्थर' को 'भारी', 'भारी' को 'स्टेडियम', 'स्टेडियम' को 'महासागर', 'महासागर' को 'वर्षा' और 'वर्षा' को 'आग' कहा जाए तो क्रिकेट के टेस्ट मैच खेले जाने वाले स्थान क्या कहलाते हैं?

(*a*) भारी (*b*) महासागर
(*c*) पत्थर (*d*) भूमि

8. यदि किसी कूटभाषा में 'चिड़िया' को 'राजा', 'राजा' को 'फूल', 'फूल' को 'घन', 'घन' को 'मेज', 'मेज' को 'मनुष्य' और 'मनुष्य' को 'चिड़िया' कहा जाए तो इस कूटभाषा में 'गुलाब' क्या है?
(*a*) मेज (*b*) फूल
(*c*) घन (*d*) मनुष्य

9. यदि किसी कूटभाषा में 'पानी' को 'पत्थर', 'पत्थर' को 'तेल', 'तेल' को 'हवा', 'हवा' को 'लकड़ी', 'लकड़ी' को 'गैस' और 'गैस' को 'द्रव' कहा जाए तो इस कूटभाषा में फर्नीचर किस चीज से बनता है?
(*a*) गैस (*b*) हवा
(*c*) तेल (*d*) द्रव

10. यदि किसी कूटभाषा में 'पिंजड़ा' को 'रॉकेट', 'रॉकेट' को 'फंदा', 'फंदा' को 'ग्रह', 'ग्रह' को 'हवाई जहाज', 'हवाई जहाज' को 'साइकिल' और 'साइकिल' को 'कार' कहा जाए तो इस कूटभाषा में पृथ्वी को क्या कहेंगे?
(*a*) साइकिल (*b*) रॉकेट
(*c*) ग्रह (*d*) हवाई जहाज

उत्तरमाला

1	2	3	4	5
(*c*)	(*c*)	(*b*)	(*a*)	(*a*)
6	**7**	**8**	**9**	**10**
(*d*)	(*b*)	(*c*)	(*a*)	(*d*)

व्याख्यात्मक उत्तर

1. दूध का रंग 'सफेद' होता है और इस कूटभाषा में 'सफेद' को 'आकाश' कहते हैं।
2. रक्त का रंग 'लाल' होता है और इस कूटभाषा में 'लाल' को 'सफेद' कहते हैं।
3. प्यास लगने पर हम 'पानी' पीते हैं और इस कूटभाषा में 'पानी' को 'हवा' कहते हैं।
4. आकाश का रंग 'नीला' होता है और नीला का अर्थ 'सफेद' है।
5. छात्र 'स्कूल' में पढ़ते हैं और 'स्कूल' को इस कूटभाषा में 'मैदान' कहा जाता है।
6. भौंकने वाला पशु 'कुत्ता' है और 'कुत्ता' को इस कूटभाषा में 'खरगोश' कहते हैं।

●●●

5

कथन विश्लेषण (Statement Analysis)

तर्कबुद्धि परीक्षण से संबंधित इस प्रकार के प्रश्नों में कुछ कथन दिए जाते हैं। इन कथनों में कतिपय तथ्यों को अलग-अलग रूपों में तोड़-मरोड़ कर प्रस्तुत किया जाता है। ऐसे प्रश्नों को हल करने के लिए अभ्यर्थियों से यह अपेक्षा की जाती है कि वे दिए गए कथनों का विश्लेषण करें, दिए गए तथ्यों को सुव्यवस्थित और वर्गीकृत करें तथा तत्पश्चात् दिए गए कथनों से संबंधित प्रश्नों के उत्तर दें।

अभ्यास

1. A, B, C, D और E पांच मित्र हैं जिनमें से A का वजन B से अधिक है, C का वजन D से कम है, B का वजन D से कम है किंतु E से अधिक है। इनमें से किसका वजन सबसे अधिक है?
(*a*) B (*b*) C
(*c*) A (*d*) कहा नहीं जा सकता

2. विपुल, हंस से लंबा है। हंस, आनंद से लंबा है। आलोक, अशोक से लंबा है। अशोक, हंस से लंबा है। इन पांचों मित्रों से कौन सबसे अधिक लंबा है?
(*a*) विपुल (*b*) आलोक
(*c*) अशोक (*d*) कहा नहीं जा सकता

3. प्रमोद, गोपाल से लंबा है। गोपाल, मधु से कम लंबा है। यह जानने के लिए कि इनमें सबसे अधिक लंबा कौन है, निम्नलिखित में से कौन-सी अतिरिक्त जानकारी आवश्यक है?
(*a*) मधु, गोपाल से लंबी है
(*b*) मधु, प्रमोद के भाई से कम लंबी है
(*c*) प्रमोद, मधु से लंबा है
(*d*) प्रमोद, मधु के भाई से लंबा है

4. विक्रम की लंबाई राजन से अधिक किंतु ऐनी से कम है। जमाल, ऐनी से अधिक लंबा है। सीता, विक्रम से अधिक लंबी है। राजन, सीता से कम लंबा है। इस समूह में सबसे कम लंबाई किसकी है?
(*a*) सीता (*b*) राजन
(*c*) विक्रम (*d*) कहा नहीं जा सकता

5. प्रमोद आयु में जयेश और सुधीर से बड़ा है। विकास, अनिल से छोटा है। इनमें किसकी आयु सब से अधिक है, यह जानने के लिए निम्नलिखित में से कौन-सी अतिरिक्त जानकारी अपेक्षित है?
(*a*) सुधीर, जयेश से बड़ा है (*b*) अनिल, जयेश से बड़ा है
(*c*) विकास, प्रमोद से बड़ा है (*d*) विकास, प्रमोद से छोटा है

निर्देश (प्र.सं. 6 और 7): *(A) गोपाल की लंबाई अशोक से कम किंतु केशव से अधिक है; (B) नवीन की लंबाई केशव से कम है; (C) जयेश की लंबाई नवीन से अधिक है; (D) अशोक की लंबाई जयेश से अधिक है।*

6. इनमें सबसे अधिक लंबा कौन है?
(*a*) गोपाल (*b*) अशोक
(*c*) जयेश (*d*) नवीन

7. उपर्युक्त प्रश्न का उत्तर देने के लिए निम्नलिखित में से कौन-सी सूचना आवश्यक नहीं है?
(*a*) A (*b*) B
(*c*) C (*d*) D

निर्देश (प्र.सं. 8–10): *नीचे उल्लिखित कथन को ध्यानपूर्वक पढ़ें और पूछे गए प्रश्नों के उत्तर दें:*

एक समूह में A, B, C, D और E पांच व्यक्ति हैं। इनमें से दो पुरुष हैं। केवल तीन व्यक्ति तैरना जानते हैं जिनमें एक पुरुष है। इस समूह में एक विवाहित जोड़ा भी है जिसमें पति को तैरना आता है। A, D की छोटी बहन है और B, E का पति है। C तैराकी का चैम्पियन है।

8. समूह में अविवाहित पुरुष कौन है?
(*a*) C (*b*) B
(*c*) A (*d*) D

9. निम्नलिखित में से कौन-सी दो महिलाएं तैरना जानती हैं?
(*a*) A और C (*b*) C और D
(*c*) D और E (*d*) A और E

10. निम्नलिखित में से किन दो व्यक्तियों को तैरना नहीं आता?
(*a*) B और D
(*b*) D और E
(*c*) A और E
(*d*) A और D

उत्तरमाला

1	2	3	4	5
(*d*)	(*d*)	(*c*)	(*b*)	(*c*)
6	7	8	9	10
(*b*)	(*c*)	(*d*)	(*a*)	(*b*)

व्याख्यात्मक उत्तर

1. वजन के घटते क्रम में इन मित्रों को निम्नवत् श्रेणीबद्ध किया जा सकता है : A/D, B/C, E या A/D, B, C/E अत: इन मित्रों में से A या D का वजन सबसे अधिक है।

2. लंबाई के घटते क्रम में इन व्यक्तियों के नाम हैं: विपुल/आलोक, अशोक, हंस, आनंद। अत: विपुल या आलोक में से कोई एक सबसे अधिक लंबा है।

4. लंबाई के घटते क्रम में इन व्यक्तियों को निम्नवत् विन्यस्त किया जा सकता है :
जमाल/सीमा, ऐनी, विक्रम, राजन *या*
जमाल, सीता/ऐनी, विक्रम, राजन

6. लंबाई के घटते क्रम में इन व्यक्तियों को निम्नवत् विन्यस्त किया जा सकता है :
अशोक, गोपाल/जयेश, केशव, नवीन *या*
अशोक, गोपाल, केशव/जयेश, नवीन

प्रश्न संख्या 8 से 10 तक के प्रश्नों के उत्तर के लिए सूचना चार्ट नीचे दिया गया है :

A. महिला (D की छोटी बहन) : तैराकी जानती है।
B. पुरुष (E का पति) : तैराकी जानता है।
C. महिला : तैराकी की चैम्पियन
D. पुरुष (A का भाई)
E. महिला (B की पत्नी)

विवाहित जोड़े B और E में से पति (B) तैराकी जानता है। C तैराकी की एक चैम्पियन है। तीन व्यक्ति तैरना जानते हैं जिनमें केवल B ही पुरुष है। अत: तैराकी जानने वाली दो महिलाएं C और A (D की छोटी बहन) हैं। पांच व्यक्तियों के इस समूह में दो पुरुष हैं जिनमें एक B है और दूसरा D होगा।

●●●

6

स्थान व्यवस्थीकरण (Place Arrangement)

स्थान व्यवस्थीकरण का सामान्य अर्थ है दी गई सूचनाओं के आधार पर व्यक्तियों या वस्तुओं का स्थान-क्रम निर्धारित करना। इसके लिए आवश्यक है कि स्थान-क्रम को अच्छी तरह समझा जाए और तत्पश्चात् दिए गए प्रश्नों को उपलब्ध कराई गई सूचना के आधार पर हल करने का प्रयास किया जाए।

अभ्यास

निर्देश (प्र.सं. 1–6): *निम्नलिखित प्रश्नों में व्यवस्थीकरण के पैटर्न को समझें और तत्पश्चात् दिए गए विकल्पों में से सही उत्तर का चयन करें:*

1. मिनी, रजनी के दाएं और अनंता के बाएं बैठी है। सत्या, मिनी के दाएं बैठी है किंतु वह जया के बाएं है। यदि सभी लड़कियां उत्तर दिशा की ओर मुंह किए बैठी हों तो इनमें से सबसे बाएं छोर पर कौन बैठी है?
(*a*) जया (*b*) मिनी
(*c*) रजनी (*d*) सत्या

2. A, B, C, D और E एक दूसरे के पीछे दौड़ रहे हैं। C, E के निकट नहीं है और A, D के निकट नहीं है। B, A के पीछे है और E, D के निकट नहीं है। इनके बीच में कौन व्यक्ति है?
(*a*) B (*b*) E
(*c*) A (*d*) कहा नहीं जा सकता

3. O, P, Q, R, S और T एक बेंच पर अपनी लंबाई के घटते क्रम में खड़े हैं। P, O से अधिक लंबा है किंतु S से उसकी लंबाई कम है। केवल S ही T से अधिक लंबा है। R, P से कम लंबा है किंतु वह Q से अधिक लंबा है। इनमें किसकी लंबाई सबसे कम है?

(*a*) O (*b*) Q
(*c*) P (*d*) कहा नहीं जा सकता

4. छह मित्र एक गोल घेरे में बैठकर ताश खेल रहे हैं। केनी, डैनी की बायीं ओर बैठा है। माइकल, बॉब और जॉन के बीच बैठा है। रॉजर, केनी और बॉब के बीच बैठा है। माइकल की दाहिनी ओर कौन बैठा है?
(*a*) डैनी (*b*) जॉन
(*c*) केनी (*d*) बॉब

5. 10 पुस्तकों के एक ढेर में 3 पुस्तकें इतिहास की, 3 हिंदी की, 2 गणित की और 2 अंग्रेजी की पुस्तकें हैं। यदि ऊपर से देखा जाए तो इतिहास और गणित की एक-एक पुस्तकों के बीच अंग्रेजी की एक पुस्तक है, गणित और अंग्रेजी की एक-एक पुस्तकों के बीच इतिहास की एक पुस्तक है, अंग्रेजी और गणित की एक-एक पुस्तकों के बीच एक हिंदी की पुस्तक है, हिंदी की दो पुस्तकों के बीच गणित की एक पुस्तक है तथा गणित और इतिहास की एक-एक पुस्तकों के बीच हिंदी की दो पुस्तकें हैं। इस ढेर में किस विषय की पुस्तक ऊपर से छठे स्थान पर है?
(*a*) अंग्रेजी (*b*) हिंदी
(*c*) इतिहास (*d*) गणित

6. छह मित्र A, B, C, D, E और F एक गोल घेरे में खड़े हैं। B, F और C के बीच में है, A, E और D के बीच में है, F, D की बायीं ओर है। A और F के बीच कौन है?
(*a*) C (*b*) B
(*c*) D (*d*) E

निर्देश (प्र.सं. 7 और 8): *निम्नलिखित कथनों को सावधानी पूर्वक पढ़ें और पूछे गए प्रश्नों के उत्तर दें :*

एक शेल्फ में पांच कमीजें एक ढेर में एक के ऊपर एक रखी हुई हैं। इस ढेर में लाल कमीज नीली कमीज के ऊपर रखी गई है और हरे रंग की कमीज नारंगी रंग की कमीज के नीचे रखी गई है। नीली कमीज नारंगी रंग की कमीज के ऊपर तथा सफेद कमीज हरी कमीज के नीचे रखी गई है।

7. लाल और नारंगी रंग की कमीजों के बीच रखी कमीज किस रंग की है?
(*a*) सफेद रंग की (*b*) हरे रंग की
(*c*) नीले रंग की (*d*) आंकड़े अपर्याप्त हैं

8. सबसे नीचे किस रंग की कमीज है?
(*a*) लाल (*b*) सफेद
(*c*) नारंगी (*d*) कहा नहीं जा सकता

उत्तरमाला

1	2	3	4	5
(*c*)	(*a*)	(*d*)	(*d*)	(*b*)
6	**7**	**8**		
(*c*)	(*c*)	(*b*)		

व्याख्यात्मक उत्तर

2. दौड़ते समय ये व्यक्ति निम्नलिखित क्रम में एक दूसरे के पीछे होंगे :

E E
A A
B या B
C D
D C

4. इन छह मित्रों के बैठने का निम्नलिखित क्रम है :

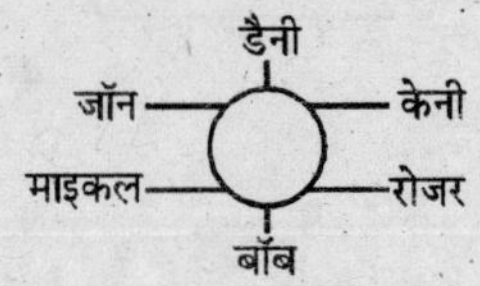

6. ये मित्र निम्नलिखित क्रम में एक दूसरे की बगल में खड़े हैं

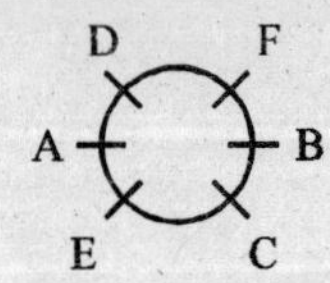

●●●

7

दिशा ज्ञान परीक्षण (Direction Sense)

इस प्रकार के प्रश्न अभ्यर्थियों की सही दिशा-निर्देशों को समझने की योग्यता की जांच करने हेतु पूछे जाते हैं। ऐसे प्रश्न दिशा-चार्ट पर आधारित होते हैं :

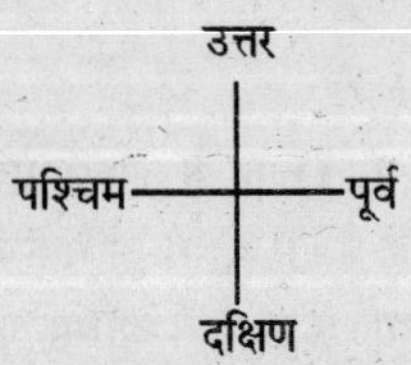

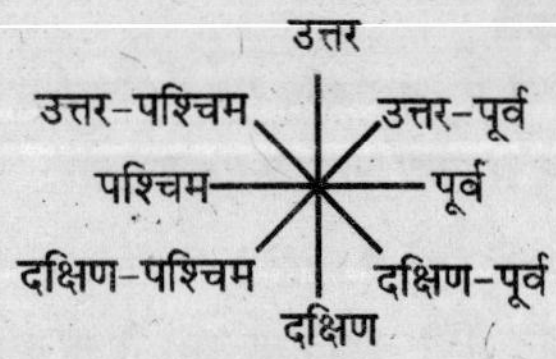

विभिन्न दिशाओं का बोध बाएं या दाएं मोड़ या कोणीय मोड़ों द्वारा निर्देशित होता है।

अभ्यास

निर्देश : *नीचे के प्रत्येक प्रश्न में सही दिशा/ दूरी दर्शाने के लिए दिए गए विकल्पों से सही उत्तर का चयन करें।*

1. एक व्यक्ति पश्चिम दिशा में अपनी गाड़ी चला रहा है। वह दक्षिण दिशा में चले इसके लिए उसे निम्नलिखित में से कौन से मोड़ मुड़ने चाहिए?
(*a*) बायीं ओर, दायीं ओर, दायीं ओर
(*b*) दायीं ओर, दायीं ओर, बायीं ओर
(*c*) बायीं ओर, बायीं ओर, बायीं ओर
(*d*) दायीं ओर, दायीं ओर, दायीं ओर

2. ऋचा अपनी गाड़ी से दक्षिण दिशा में 8 किमी आगे चलकर बायीं ओर मुड़ जाती है और 5 किमी. आगे चलती है। वहां वह एक बार फिर से बायीं ओर मुड़कर 8 किमी. आगे चलती है। अब वह अपने शुरू के स्थान से कितनी दूरी पर है?
(*a*) 3 किमी. (*b*) 5 किमी.
(*c*) 8 किमी. (*d*) 13 किमी.

3. देबू पहले पूर्व की ओर और तब उत्तर की ओर चलता है तथा वहां वह 45° दायें मुड़कर कुछ देर आगे चलता है और अंततः बायीं ओर मुड़ जाता है। अब वह किस दिशा में चल रहा है?
(*a*) उत्तर (*b*) पूर्व
(*c*) दक्षिण-पूर्व (*d*) उत्तर-पश्चिम

4. मैं अपने घर से उत्तर दिशा में चला और तब बायीं ओर मुड़ गया। अब कुछ देर तक आगे चलने के बाद मैं फिर से बायीं ओर मुड़ा और तब दायीं ओर मुड़ गया। बाद में आगे चलते हुए मैं बायीं ओर और एक बार फिर से बायीं ओर मुड़ा। बताइए कि अब मैं किस दिशा में चल रहा हूँ?
(*a*) उत्तर (*b*) दक्षिण
(*c*) पूर्व (*d*) पश्चिम

5. राज पश्चिम दिशा में चल रहा है। वह आगे चलते हुए अपने दाएं, फिर दाएं और तब बाएं, हर बार 45° के कोण पर मुड़ा। बताइए कि अब वह किस दिशा में चल रहा है?
(*a*) उत्तर-पूर्व (*b*) दक्षिण-पूर्व
(*c*) पूर्व (*d*) पश्चिम

6. एक महिला उत्तर दिशा में 12 किमी. चलती है, तब वह दक्षिण दिशा में 6 किमी. चलती है और तत्पश्चात् पूर्व दिशा में 8 किमी चलती है। इस समय वह अपने आरंभिक बिंदु से कितनी दूरी पर है और किस दिशा में चल रही है?
(*a*) 5 किमी., उत्तर-पूर्व (*b*) 5 किमी., पूर्व
(*c*) 10 किमी., उत्तर-पूर्व (*d*) 10 किमी., पश्चिम

7. रवि अपनी गाड़ी से पश्चिम दिशा में 12 किमी. जाता है। वहां वह दक्षिण दिशा में मुड़कर 3 किमी. आगे की यात्रा करता है, जहां वह पूर्व दिशा में मुड़कर 8 किमी. की यात्रा करता है। बताइए कि इस समय वह अपने आरंभिक बिंदु से कितनी दूरी पर है?
(*a*) 3 किमी. (*b*) 5 किमी.
(*c*) 7 किमी. (*d*) 11 किमी.

8. यदि सभी दिशाएं घूम जाएं अर्थात् यदि उत्तर दिशा घूमकर पश्चिम दिशा हो जाए और पूर्व दिशा घूमकर उत्तर दिशा हो जाए तथा इसी प्रकार अन्य दिशाएं भी घूम जाएं तो उत्तर-पश्चिम दिशा बदल कर कौन-सी दिशा हो जाएगी?
(*a*) दक्षिण-पश्चिम (*b*) उत्तर-पूर्व
(*c*) पूर्व-उत्तर (*d*) पूर्व-पश्चिम

9. A और B किसी एक बिंदु से एक साथ चलना आरंभ करते हैं। वे उत्तर दिशा में 10 किमी. जाते हैं। वहां A बायीं ओर मुड़ कर 5 किमी. आगे जाता है जबकि B दायीं ओर मुड़कर 3 किमी. आगे जाता है जहां से A एक बार फिर से बायीं ओर मुड़कर 15 किमी. आगे जाता है और B दायीं ओर मुड़कर 15 किमी. आगे जाता है। बताइए कि अब A और B एक दूसरे से कितनी दूरी पर हैं?
(*a*) 18 किमी. (*b*) 10 किमी.
(*c*) 5 किमी. (*d*) 8 किमी.

10. तरुण पूर्व दिशा में चल रहा है। यदि वह उत्तर दिशा में चलना चाहता है तो उसे निम्नलिखित से में कौन से मोड़ नहीं मुड़ने चाहिए?
(*a*) दायां, दायां, बायां, दायां, दायां
(*b*) दायां, दायां, बायां, बायां, बायां
(*c*) दायां, दायां, दायां
(*d*) दायां, बायां, दायां, बायां

11. सोनी और मोनी किसी एक स्थान से चलना शुरू करती हैं। सोनी पश्चिम दिशा में और मोनी दक्षिण दिशा में चलती है। 20 किमी. आगे जाने के बाद सोनी बायीं ओर मुड़ जाती है और 15 किमी. आगे बढ़ती है। मोनी 10 किमी. आगे जाने के बाद बायीं ओर मुड़ती है और तब 5 किमी. आगे जाती है। इसी समय सोनी अपने स्थान से बायीं ओर मुड़कर 25 किमी. आगे जाती है जबकि मोनी अपने स्थान से दाहिनी ओर मुड़ती है और 5 किमी. आगे जाती है। बताइए कि यहां सोनी और मोनी एक दूसरे से कितनी दूरी पर हैं।
(*a*) 5 किमी.
(*b*) वे अपने आरंभिक बिंदु पर वापस पहुंच गए हैं
(*c*) वे अपनी यात्रा समाप्ति पर एक ही स्थान पर पहुंचती हैं
(*d*) दी गई सूचना अपर्याप्त है

12. सीता के घर का मुख्य दरवाजा दक्षिण दिशा में खुलता है। वह अपने घर से निकलकर सामने की दिशा में 10 मीटर जाती है, वहां से बायीं ओर मुड़कर वह 5 मीटर आगे जाती है और तब फिर से बायें मुड़कर 15 मीटर आगे जाती है और तब एक बार फिर से बायें मुड़कर 10 मीटर आगे जाती है। अंततः वह दायें मुड़ती है और 5 मीटर आगे जाकर अपने मित्र के घर पहुंचती है। सीता के मित्र के घर का मुख्य दरवाजा किस दिशा में खुलता है?
(*a*) उत्तर (*b*) दक्षिण
(*c*) पश्चिम (*d*) पूर्व

उत्तरमाला

1	2	3	4	5	6
(*d*)	(*b*)	(*d*)	(*c*)	(*a*)	(*c*)
7	**8**	**9**	**10**	**11**	**12**
(*b*)	(*a*)	(*d*)	(*d*)	(*c*)	(*b*)

व्याख्यात्मक उत्तर

1. 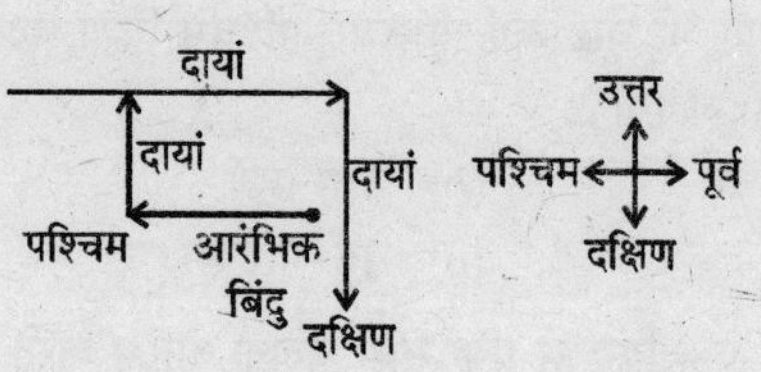

2. 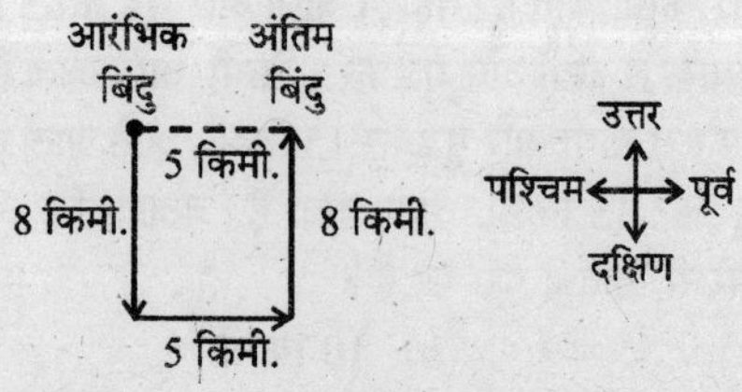

3. 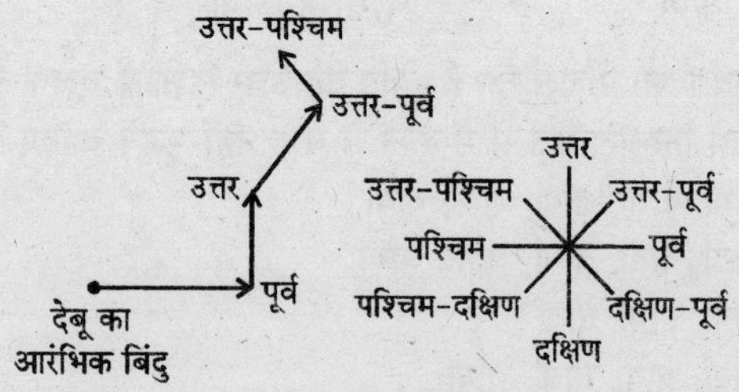

4. 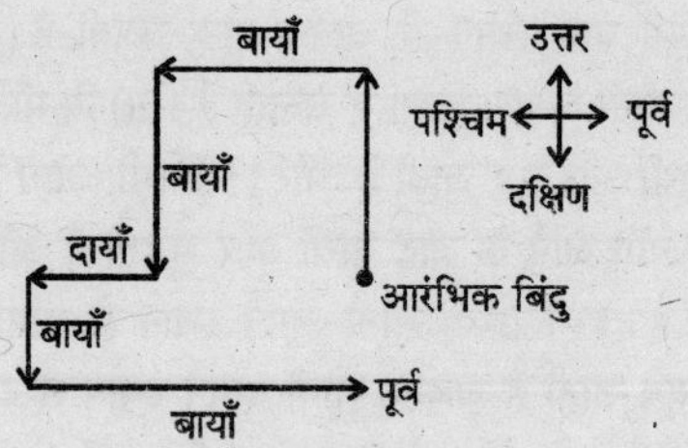

7. $ab = \sqrt{bc^2 + ca^2}$

$$ab = \sqrt{3^2 + 4^2} = \sqrt{9+16} = \sqrt{25} = 5$$

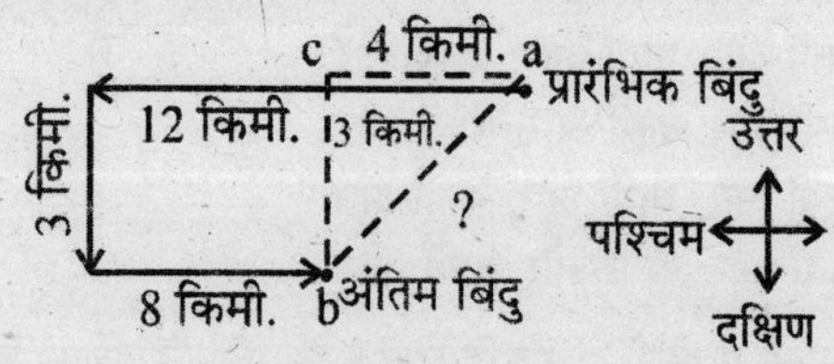

9. 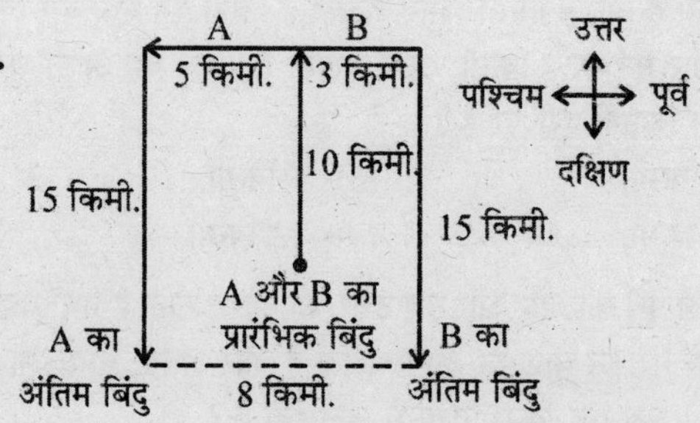

12. 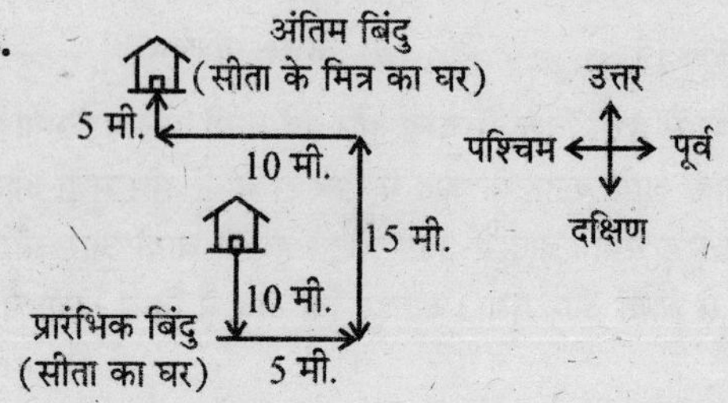

●●●

8

रक्त संबंधी परीक्षण (Blood Relationships)

रक्त संबंधों पर आधारित प्रश्नों को हल करने के लिए यह आवश्यक है कि परीक्षार्थी रिश्तों की जटिलता को तत्काल समझ सकें और किन्हीं दो व्यक्तियों के बीच किस प्रकार के संबंध हो सकते हैं, इस बारे में उन्हें स्पष्ट जानकारी हो। इस प्रकार के प्रश्नों को पूछने का अभिप्राय मुख्यत: यह सुनिश्चित करना है कि परीक्षार्थी कतिपय जटिल भाषा में व्यक्त रिश्तों को कितनी तत्परता से समझ सकते हैं और उत्तर के रूप में सही विकल्प का चयन कर सकते हैं।

अभ्यास

निर्देश: *नीचे के प्रत्येक प्रश्न में व्यक्तियों के बीच उल्लिखित संबंधों को सावधानीपूर्वक समझें और तब दिए गए विकल्पों में से सही उत्तर का चयन करें:*

1. A, B और C का पिता है। B, A का पुत्र है किंतु C, A का पुत्र नहीं है। C का A से क्या संबंध है?

(*a*) पुत्री (*b*) पुत्र
(*c*) भतीजी (*d*) भतीजा

2. एक महिला ने कहा, ''वहां खड़ी लड़की मेरे दादा जी के एकमात्र पुत्र की पुत्री है''। उस महिला का उस लड़की से क्या संबंध है?

(*a*) बहन (*b*) मां
(*c*) चाची (*d*) भतीजा

3. अजय, विजय का भाई है। शुभा, अजय की बहन है। संजय, राहुल का भाई है और मेहुल विजय की पुत्री है। संजय का चाचा कौन है?

(*a*) राहुल (*b*) अजय
(*c*) मेहुल (*d*) दी गई सूचना अपर्याप्त है

4. आदित्य, रवि का भाई है। भरत, जयंत के पिता हैं। ईला, रवि की मां है। आदित्य और जयंत आपस में भाई हैं। ईला का भरत से क्या संबंध है?

(*a*) बहन (*b*) मां
(*c*) पुत्री (*d*) पत्नी

5. वरुण ने अरुण की ओर संकेत करते हुए कहा, ''वह मेरी बहन के एकमात्र भाई का पुत्र है।'' अरुण का वरूण से क्या संबंध है?

(*a*) पुत्र (*b*) भाई
(*c*) भतीजा (*d*) दी गई सूचना अपर्याप्त है

6. एक व्यक्ति की ओर संकेत करते हुए एक महिला ने कहा ''उसके भाई के पिता मेरे दादाजी के एकमात्र पुत्र हैं।'' वह महिला उस व्यक्ति की क्या लगती है?

(*a*) मां (*b*) बहन
(*c*) पुत्री (*d*) चाची

7. विद्या, गोपी की पत्नी है और गोपी, अखिल का भाई है। अखिल, विजय का चाचा है। विजय, विद्या का कौन है?

(*a*) पुत्र (*b*) भतीजा
(*c*) देवर (*d*) भाई

8. यदि अमित के पिता बिल्लू के पिता के एकमात्र पुत्र हैं और बिल्लू का कोई भी भाई नहीं है और न ही उसकी कोई पुत्री है तो अमित और बिल्लू के बीच क्या संबंध है?

(*a*) चाचा-भतीजा (*b*) पिता-पुत्री
(*c*) पिता-पुत्र (*d*) चचेरा भाई

9. A, B की बहन है। B, C का पुत्र है तथा E, D की पुत्री और A की बहन है। D, C का कौन है?

(*a*) भाई (*b*) पति
(*c*) पत्नी (*d*) दी गई सूचना अपर्याप्त है

10. यदि M + N का अर्थ है कि 'M', 'N' का भाई है,
M – N का अर्थ है कि 'M', 'N' की बहन है,
M × N का अर्थ है कि 'M', 'N' की मां है और
M ÷ N का अर्थ है कि 'M', 'N' का पिता है, तो निम्नलिखित में से किसका अर्थ यह होगा कि E, F की बुआ है?

(*a*) $E - G \div F$ (*b*) $E + G \times F$
(*c*) $E \times F - G$ (*d*) $F \times G + E$

उत्तरमाला

1	2	3	4	5
(*a*)	(*a*)	(*d*)	(*d*)	(*a*)
6	**7**	**8**	**9**	**10**
(*b*)	(*b*)	(*c*)	(*d*)	(*a*)

व्याख्यात्मक उत्तर

1.

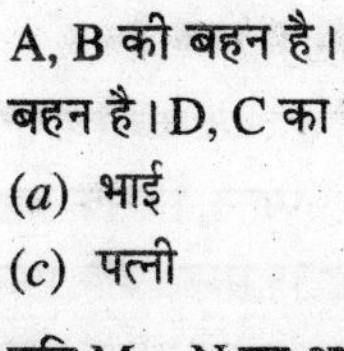

C, A का पुत्र नहीं है किंतु A, C का पिता है। अत: C, A की पुत्री है।

2.

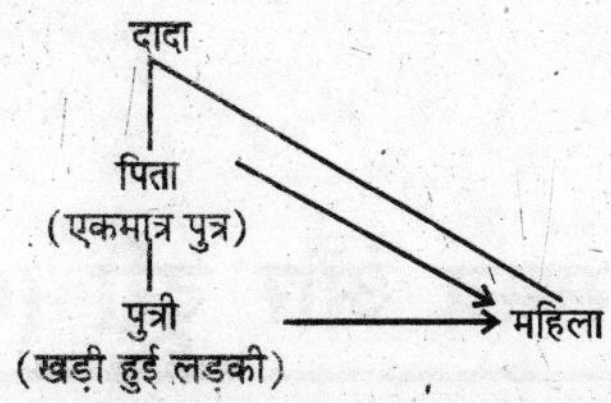

उस महिला के दादा का पुत्र उसके पिता हैं तथा पिता की पुत्री निश्चित ही उस महिला की बहन होगी।

3. 1. शुभा ⟶ अजय ⟶ विजय ↓ मेहुल (पुत्री)

2. संजय ⟶ राहुल (भाई)

यहां दो संबंध-समुच्चयों का उल्लेख किया गया है। दी गई सूचना अपर्याप्त है और इन दो भिन्न संबंध-समुच्चयों के बीच कोई संबंध स्थापित नहीं किया जा सकता।

5.

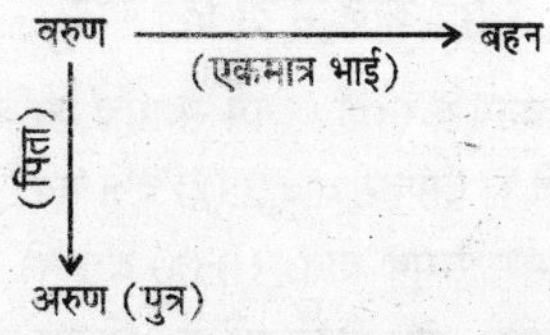

वरुण की बहन का एकमात्र भाई स्वयं वरुण है और उसका पुत्र अरुण है।

8. प्रश्न पर आधारित संबंध-चार्ट है :

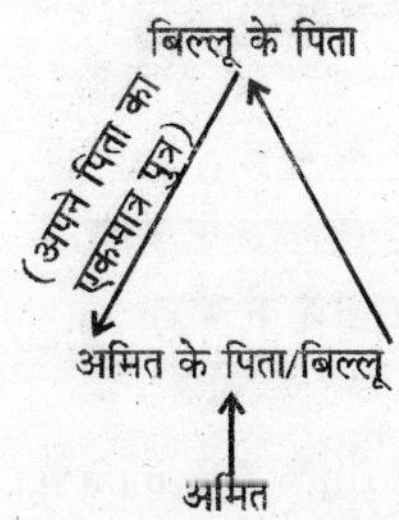

अमित के पिता बिल्लू के पिता के एकमात्र पुत्र हैं, और बिल्लू अपने पिता का एकमात्र पुत्र है (बिल्लू का कोई भाई नहीं है)। इससे यह स्पष्ट होता है कि बिल्लू ही अमित का पिता है। चूंकि बिल्लू की कोई पुत्री नहीं है, अत: अमित ही उसका एकमात्र पुत्र है।

9.

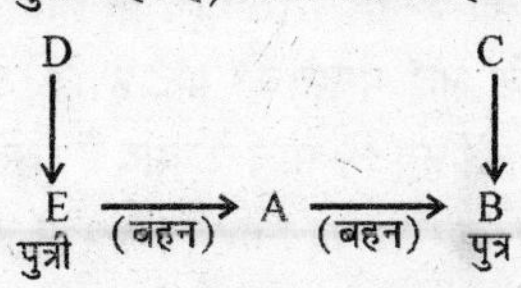

D और C के बीच संबंध नहीं बताया गया है, अत: इनके बीच कोई संबंध नहीं बताया जा सकता है।

10. E – G का अर्थ है 'E, G की बहन है' और G ÷ F का अर्थ है कि 'G, F का पिता है।'

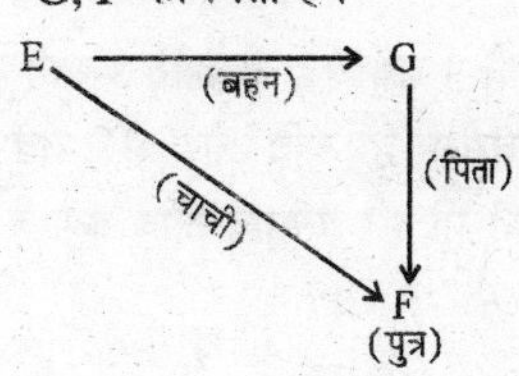

●●●

9

कैलेंडर, घड़ी, समय और दूरी (Calendar, Clock, Time and Distance)

इस प्रकार की गणितीय तर्क बुद्धि परीक्षा घड़ी या कैलेंडर द्वारा समय के परिकलन तथा गतिमान वस्तु की चाल या उसके द्वारा तय की गई दूरी के परिकलन के संबंध में अभ्यर्थियों की योग्यता की जांच करने के लिए आयोजित की जाती है।

अभ्यास

1. यदि परसों बृहस्पतिवार था तो रविवार कब होगा?

(*a*) कल (*b*) परसों

(*c*) आज (*d*) आज से दो दिन बाद

2. किसी कार्यालय में बीस व्यक्ति कार्य करते हैं। इनमें से पांच व्यक्तियों का पहला समूह प्रात: 8:00 बजे से दोपहर बाद 2:00 बजे तक काम करता है। दस व्यक्तियों का दूसरा समूह प्रात: 10:00 बजे से शाम 4:00 बजे तक काम करता है तथा पांच व्यक्तियों का तीसरा समूह दोपहर 12:00 बजे से संध्या 6:00 बजे तक काम करता है। इस कार्यालय में तीन कंप्यूटर हैं जिन्हें सभी कर्मचारी बार-बार प्रयोग में लाते हैं। बताइए कि निम्नलिखित में से किस समय के दौरान कंप्यूटर पर सर्वाधिक काम होगा?

(*a*) दोपहर बाद 1:00 बजे से 3:00 बजे के बीच

(*b*) दोपहर 12:00 बजे से दोपहर बाद 2:00 बजे के बीच

(*c*) दोपहर बाद 2:00 बजे से शाम 4:00 बजे के बीच

(*d*) प्रात: 10:00 बजे से दोपहर 12:00 बजे के बीच

3. यदि किसी माह का सातवां दिन शुक्रवार से तीन दिन पहले का दिन हो तो उस माह का उन्नीसवां दिन सप्ताह का कौन-सा दिन होगा?

(*a*) रविवार (*b*) सोमवार

(*c*) बुधवार (*d*) शुक्रवार

4. राधा को याद है कि उसके पिता का जन्मदिन 16 मार्च के बाद किंतु 21 मार्च से पहले है जबकि उसके भाई मंगेश को याद है कि उनके पिता का जन्मदिन 22 मार्च से पहले किंतु 19 मार्च के बाद है। बताइए कि उनके पिता का जन्मदिन किस तारीख को निश्चित रूप से है?

(*a*) 19 मार्च

(*b*) 20 मार्च

(*c*) 21 मार्च

(*d*) कहा नहीं जा सकता

5. एक व्यक्ति आयु में अपनी पत्नी से 3 वर्ष बड़ा है और उसकी आयु उसके पुत्र की आयु के 4 गुने के बराबर है। यदि आज से 3 वर्ष बाद पुत्र की आयु 15 वर्ष हो तो उसकी मां की वर्तमान आयु क्या है?

(*a*) 60 वर्ष (*b*) 51 वर्ष

(*c*) 48 वर्ष (*d*) 45 वर्ष

6. एक घड़ी इस प्रकार रखी गई है कि दोपहर ठीक 12.00 बजे इसकी मिनट की सूई उत्तर-पूर्व दिशा को सूचित करती है। दोपहर बाद 1.30 बजे इस घड़ी की घंटे की सूई किस दिशा को सूचित करेगी?

(*a*) पूर्व (*b*) पश्चिम

(*c*) उत्तर (*d*) दक्षिण

7. दो भाइयों को एक ही दिन घर वापस लौटना था। रजत पूर्व निर्धारित दिन से 3 दिन पहले घर लौटा जबकि रोहित निर्धारित दिन से चार दिन बाद घर लौटा। यदि रजत वृहस्पतिवार को घर लौटा हो तो उनके घर लौटने का पूर्व-निर्धारित दिन क्या था तथा रोहित किस दिन घर लौटा?

(*a*) बुधवार, रविवार (*b*) बृहस्पतिवार, सोमवार

(*c*) रविवार, बृहस्पतिवार (*d*) सोमवार, शुक्रवार

निर्देश (प्र.सं. 8–10): *निम्नलिखित सूचना को ध्यानपूर्वक पढ़ें और नीचे पूछे गए प्रश्नों के उत्तर दें :*

(*i*) एक सिटी बस कंपनी M, N, O, P, Q, R और S सात बसें चलाती है जिनमें से प्रत्येक बस शहर के दर्शनीय स्थलों के टूर पर प्रतिदिन एक बार 4 घंटे के लिए रवाना होती है।

(*ii*) सोमवार से शुक्रवार तक पहली बस ठीक आठ बजे रवाना होती है जिसके बाद की बसें बारी-बारी से 45 मिनट, जिसके बाद 30 मिनट और फिर 45 मिनट, जिसके बाद 35 मिनट और फिर 45 मिनट और उसके बाद 40 मिनट के अंतराल पर रवाना होती हैं।

(*iii*) शनिवार और रविवार को पहली बस प्रात: 7:30 बजे रवाना होती है और उसके बाद की बसें बारी-बारी से एक-एक घंटे के अंतर पर रवाना होती हैं।

(*iv*) बस 'Q' बस 'M' के ठीक बाद रवाना होती है जिसके ठीक बाद बस 'S' रवाना होती है।

(*v*) बस 'O' अंतिम बस है जिसके बाद और कोई बस नहीं जाती।

(*vi*) बस 'R' बस 'M' से ठीक पहले रवाना होती है किंतु यह बस 'P' के ठीक बाद नहीं जाती।

8. शनिवार को बस 'M' कितने बजे रवाना होती है?

(*a*) प्रात: 10 बजे

(*b*) प्रात: 9:45 बजे

(*c*) प्रात: 10:30 बजे

(*d*) सूचना अपर्याप्त है

9. रविवार को बस 'P' द्वारा अपना टूर पूरा कर लेने के बाद निम्नलिखित में से कौन-सी बस रवाना होती है?

(*a*) Q (*b*) S

(*c*) O (*d*) सूचना अपर्याप्त है

10. यदि शनिवार-रविवार को बस 'M' के रवाना होने के बाद दूसरी बसों के रवाना होने के समय-अंतराल में 30 मिनट की वृद्धि कर दी जाए, तो बस 'O' का टूर कितने बजे पूरा होगा?

(*a*) दोपहर बाद 3:00 बजे (*b*) दोपहर बाद 2:00 बजे
(*c*) शाम 6:00 बजे (*d*) शाम 7:00 बजे

उत्तरमाला

1	2	3	4	5
(*a*)	(*b*)	(*a*)	(*b*)	(*d*)
6	7	8	9	10
(*a*)	(*c*)	(*c*)	(*a*)	(*d*)

व्याख्यात्मक उत्तर

1. बृहस्पतिवार —बीता परसों
शुक्रवार —बीता कल
शनिवार —आज
रविवार — आने वाला कल

4. पिता का जन्मदिन

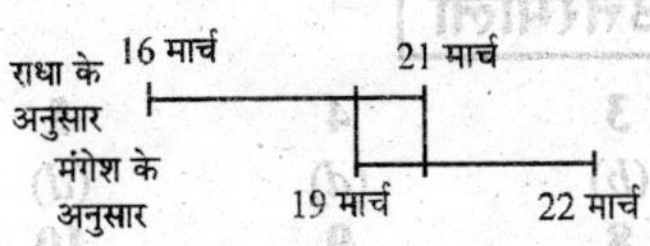

∴ अत: उनके पिता का जन्मदिन 20 मार्च को है।

6.

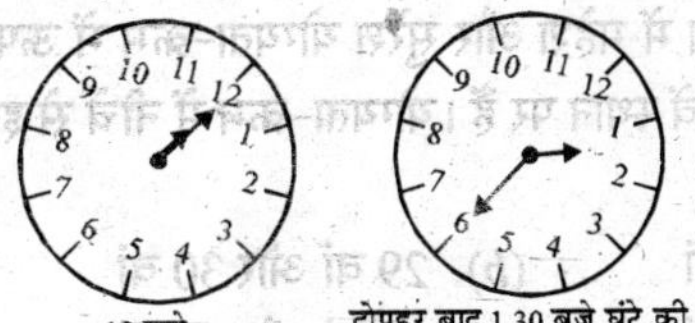

12 बजे दोपहर बाद 1.30 बजे घंटे की सुई पूर्व दिशा की ओर सूचित करेगी

8-10.

बसों के रवाना होने का क्रम	सोमवार से शुक्रवार तक रवानगी का समय	शनिवार और रविवार को रवानगी का समय
P	प्रात: 8:00 बजे	प्रात: 7:30 बजे
N	प्रात: 8:45 बजे	प्रात: 8:30 बजे
R	प्रात: 9:15 बजे	प्रात: 9:30 बजे
M	प्रात: 10 बजे	प्रात: 10:30 बजे
Q	प्रात: 10:35	प्रात: 11:30 बजे
S	प्रात: 11:20 बजे	दोपहर बाद 12:30 बजे
O	दोपहर 12 बजे	दोपहर बाद 1:30 बजे

10. बस M प्रात: 10:30 बजे रवाना होती है। यदि 1 घंटे के समय अंतराल में 30 मिनट की वृद्धि कर दी जाए तो बस Q दोपहर 12:00 बजे रवाना होगी, बस S दोपहर बाद 1:30 बजे और बस O दोपहर बाद 3:00 बजे रवाना होगी। बस O अपना चार घंटे का टूर शाम 7:00 बजे पूरा करेगी।

●●●

10

श्रेणी एवं क्रम (Rows and Ranks)

इस प्रकार के प्रश्न किसी पंक्ति या लाइन में व्यवस्थित वस्तुओं की संख्या या कुछ छात्रों की एक कक्षा में किसी छात्र के क्रम-स्थान (कोटि) या कक्षा में छात्रों की कुल संख्या ज्ञात करने के लिए कतिपय सरल गणितीय परिकलनों पर आधारित होते हैं।

अभ्यास

1. पेड़ों की एक पंक्ति में कोई एक पेड़ पंक्ति के दोनों छोरों से पांचवें स्थान पर है। इस पंक्ति में कुल कितने पेड़ हैं?

(*a*) 11 (*b*) 8
(*c*) 10 (*d*) 9

2. 53 छात्रों की एक कक्षा में जया का योग्यता-क्रम में 5 वां स्थान है। कक्षा में योग्यता-क्रम में नीचे से उसका क्रम-स्थान क्या है?

(*a*) 49 वां (*b*) 48 वां
(*c*) 47 वां (*d*) 50 वां

3. पैंसठ छात्रों की एक कक्षा में योग्यता-क्रम में मोहन का क्रम स्थान इक्कीसवां है। यदि योग्यता-क्रम में सबसे नीचे के छात्र का क्रम-स्थान 1 माना जाए तो योग्यता-क्रम में नीचे से मोहन का क्रम-स्थान क्या होगा?

(*a*) 44 वां (*b*) 45 वां
(*c*) 46 वां (*d*) दी गई सूचना अपर्याप्त है

4. लड़कों की एक पंक्ति में राहुल दाहिने से 12 वें स्थान पर और बाएं से चौथे स्थान पर खड़ा है। इस पंक्ति में और कितने लड़कों को शामिल करने पर पंक्ति में लड़कों की कुल संख्या 28 हो जाएगी?

(*a*) 12 (*b*) 14
(*c*) 20 (*d*) 13

5. लड़कों की एक पंक्ति में राजन दाहिने से दसवें स्थान पर है और सूरज बाएं से दसवें स्थान पर है। यदि राजन और सूरज आपस में अपना स्थान बदल लें तो सूरज बाएं से सताइसवें स्थान पर आ जाएगा। राजन अब पंक्ति में दाहिने से कितने स्थान पर खड़ा है?

(*a*) दसवें (*b*) छब्बीसवें
(*c*) उन्तीसवें (*d*) सताइसवें

6. 41 छात्रों की एक कक्षा में महेश और सुरेश योग्यता-क्रम में ऊपर से क्रमश: 11 वें और 12 वें स्थान पर हैं। योग्यता-क्रम में नीचे से इनका क्रम-स्थान क्या है?

(*a*) 32 वां और 33 वां (*b*) 29 वां और 30 वां
(*c*) 30 वां और 31 वां (*d*) 31 वां और 30 वां

7. किसी कक्षा में उमा योग्यता-क्रम में ऊपर से 8 वें और नीचे से 37 वें स्थान पर है। इस कक्षा में कुल कितने छात्र हैं?

(*a*) 47 (*b*) 46
(*c*) 45 (*d*) 44

8. एक पंक्ति में सादिक सामने से 14 वें स्थान पर और जोसफ अंत से 17 वें स्थान पर खड़ा है जबकि जेन, सादिक और जोसफ के बीच खड़ा है। यदि सादिक, जोसफ से आगे खड़ा है और पंक्ति में कुल 48 व्यक्ति खड़ें हो, तो सादिक और जेन के बीच पंक्ति में कितने व्यक्ति खड़े हैं?

(*a*) 5 (*b*) 6
(*c*) 7 (*d*) 8

9. किसी कक्षा में वार्षिक परीक्षा में उत्तीर्ण हुए छात्रों में योग्यता-क्रम में रोहन नीचे से सताइसवें स्थान पर और ऊपर से ग्यारहवें स्थान पर आया। यदि वार्षिक परीक्षा में इस कक्षा के 12 छात्र अनुत्तीर्ण घोषित किए गए हों तो परीक्षा में इस कक्षा के कितने छात्र शामिल हुए थे?

(*a*) 48 (*b*) 49
(*c*) 50 (*d*) कहा नहीं जा सकता

10. कुछ लड़के एक पंक्ति में बैठे हैं। P पंक्ति में बाएं से चौदहवें स्थान पर और Q दाहिने से सातवें स्थान पर बैठा है। यदि P और Q के बीच चार लड़के बैठे हों, तो इस पंक्ति में कुल कितने लड़के हैं?

(*a*) 19 (*b*) 21
(*c*) 25 (*d*) 23

निर्देश (प्र.सं. 11 से 15): *प्रत्येक दिए गए विकल्पों से उस एक शब्द का चयन करें जिसे प्रश्न में दिए गए शब्द के अक्षरों का प्रयोग करके लिखा नहीं जा सकता।*

11. ROTATION
(*a*) TORN (*b*) NOTE
(*c*) TART (*d*) RAIN

12. INSUFFICIENT
(*a*) ENTICE (*b*) SCENT
(*c*) SUFFICE (*d*) THENCE

13. CATASTROPHE
(*a*) TASTE (*b*) CHEAP
(*c*) POUCH (*d*) STARE

14. MASTERPIECE
(*a*) MINCE (*b*) TRAMP
(*c*) PESTER (*d*) SPRITE

15. PROGNOSTICATION
(*a*) RONTGEN (*b*) SPITOON
(*c*) ROGATION (*d*) START

निर्देश (प्र.सं. 16 से 20): *यहाँ प्रत्येक प्रश्न में दिए गए विकल्पों से उस एक शब्द का चयन करें जिसे प्रश्न के आरंभ में दिए गए शब्द के अक्षरों का प्रयोग करके लिखा जा सकता है।*

16. INVESTIGATE
(*a*) INVERT (*b*) GLIDE
(*c*) STING (*d*) ACTED

17. ADVENTURE
(*a*) AWARE (*b*) EVENT
(*c*) TRUCE (*d*) DRIED

18. THANKSGIVING
(*a*) AVENGE (*b*) HAUNTS
(*c*) GRAINS (*d*) SAVING

19. BLANDISHMENT
(*a*) BOARD (*b*) METAL
(*c*) SHAPE (*d*) CRASH

20. UNDISCHARGED
(*a*) CHANGED (*b*) DISARMED
(*c*) GROUNDED (*d*) SHARPEN

उत्तरमाला

1	2	3	4	5
(*d*)	(*a*)	(*b*)	(*d*)	(*d*)
6	**7**	**8**	**9**	**10**
(*d*)	(*d*)	(*d*)	(*b*)	(*c*)
11	**12**	**13**	**14**	**15**
(*b*)	(*d*)	(*c*)	(*a*)	(*a*)
16	**17**	**18**	**19**	**20**
(*c*)	(*b*)	(*d*)	(*b*)	(*a*)

व्याख्यात्मक उत्तर

1.

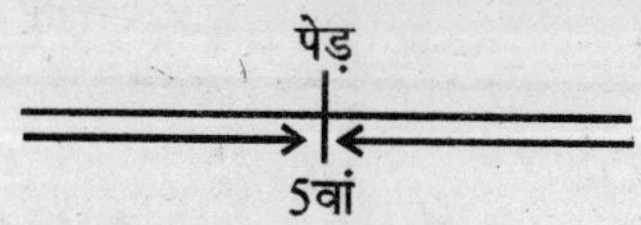

पंक्ति में पेड़ों की कुल संख्या
= (5 + 5) –1 = 9

2.

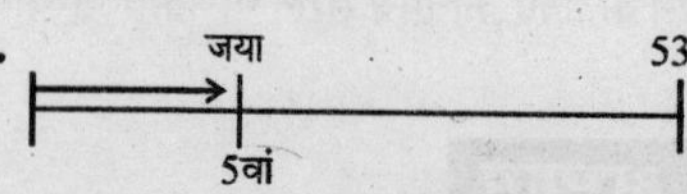

योग्यता-क्रम में नीचे से जया का स्थान
= (53 – 5) +1 = 49 वां

7.

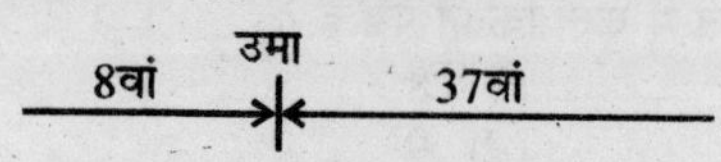

कक्षा में छात्रों की कुल संख्या = (8 + 37) – 1 = 44

10.

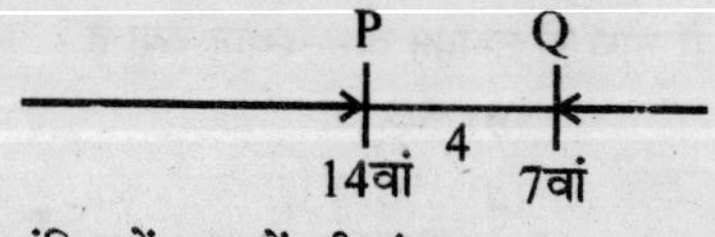

पंक्ति में लड़कों की संख्या = (14 + 4 + 7) = 25

11

प्रतीक (चिह्न) प्रतिस्थापन (Symbol Substitution)

इस प्रकार के प्रश्नों को हल करना अत्यधिक सरल है। ऐसे प्रश्नों को हल करने की एकमात्र अपेक्षा यह है कि उम्मीदवार दिए गए प्रतीकों या चिह्नों को प्रतिस्थापित करने और परिकलन की विद्या में पारंगत हों और अत्यधिक त्वरित गति से दिए गए प्रश्नों का हल ज्ञात कर सके। इस श्रेणी में पूछे गए कुछ सामान्य प्रकार के प्रश्न नीचे हल किए गए हैं।

अभ्यास

1. यदि "+" का अर्थ "–" हो; "–" का अर्थ "×" हो; "×" का अर्थ "÷" हो और "÷" का अर्थ "+" हो, तो
$15 \times 5 \div 10 + 5 - 3 = ?$
(*a*) 9.5 (*b*) 0
(*c*) –2 (*d*) 24

2. यदि "+" का अर्थ "–" हो; "–" का अर्थ "×" हो; "×" का अर्थ "÷" हो; और "÷" का अर्थ "+" हो, तो
$15 \times 3 \div 15 + 5 - 2 = ?$
(*a*) 0 (*b*) 10
(*c*) 20 (*d*) 6

3. यदि "+" का अर्थ "÷" हो; "×" का अर्थ "–" हो; "÷" का अर्थ "+" हो और "–" का अर्थ "×" हो, तो
$16 \div 8 \times 6 - 2 + 12 = ?$
(*a*) 22 (*b*) 24
(*c*) 23 (*d*) 20

4. यदि "+" का अर्थ "×" हो; "–" का अर्थ "÷" हो; "×" का अर्थ "–" हो और "÷" का अर्थ "+" हो, तो
$5 + 8 - 4 \times 2 \div 9 = ?$
(*a*) 15 (*b*) 13
(*c*) 17 (*d*) 11

5. यदि × का आशय जोड़ की संक्रिया से हो, ÷ का आशय घटाव की संक्रिया से हो, + का आशय गुणा की संक्रिया से हो और – का आशय भाग की संक्रिया से हो तो $(20 \times 6 \div 6 \times 4)$ निम्नलिखित में से किसके बराबर है?
(*a*) 5 (*b*) 24
(*c*) 25 (*d*) 80

उत्तरमाला

1	2	3	4	5
(*c*)	(*b*)	(*c*)	(*c*)	(*b*)

व्याख्यात्मक उत्तर

1. $15 \div 5 + 10 - 5 \times 3$
$3 + 10 - 15 = -2$

3. $16 + 8 - 6 \times 2 \div 12$
$16 + 8 - 1 = 23$

4. $5 \times 8 \div 4 - 2 + 9,$
$10 - 2 + 9 = 17$

5. $20 + 6 - 6 + 4 = 24$

●●●

12

कृत्रिम मान और लुप्त संख्याएँ (Artificial Values and Missing Numbers)

इस प्रकार के प्रश्नों को हल करने के लिए संख्या संबंधी प्रश्नों को हल करने में निपुणता और गणितीय कौशल का होना अपेक्षित है। उत्तर प्राप्त करने के लिए अभ्यर्थियों के लिए यह अपेक्षित है कि वे अंकगणितीय चिह्नों या प्रतीकों के सही संयोजन का चयन करें जिसे दिए गए प्रश्नों में प्रश्न चिह्न के स्थान पर प्रतिस्थापित किया जा सके।

अभ्यास

निर्देश : *नीचे दिए गए प्रत्येक प्रश्न में बताएँ कि प्रश्न चिह्न (?) के स्थान पर कौन-सी संख्या रखी जा सकती है?*

1. 

(*a*) 693 (*b*) 939
(*c*) 981 (*d*) 993

2. 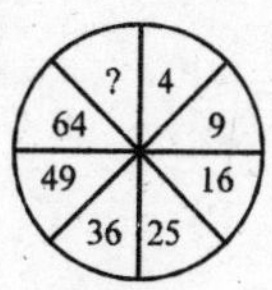

(*a*) 68 (*b*) 100
(*c*) 72 (*d*) 81

3.

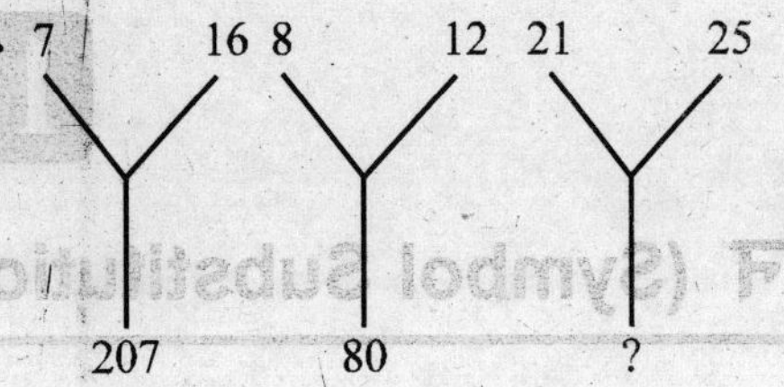

(*a*) 425 (*b*) 184
(*c*) 241 (*d*) 210

4.

(*a*) 35 (*b*) 37
(*c*) 45 (*d*) 48

5.

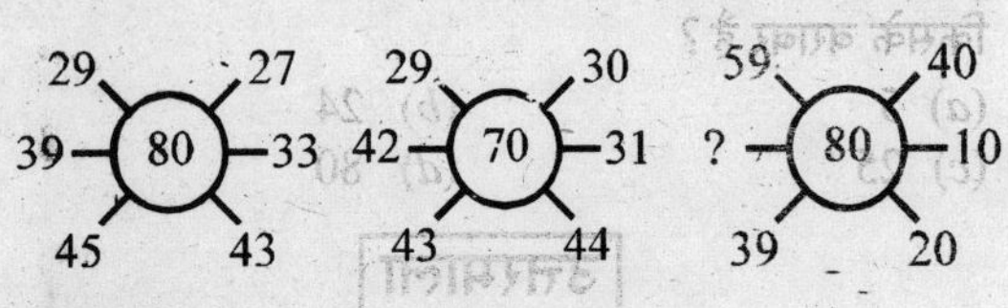

(*a*) 69 (*b*) 49
(*c*) 50 (*d*) 60

6.

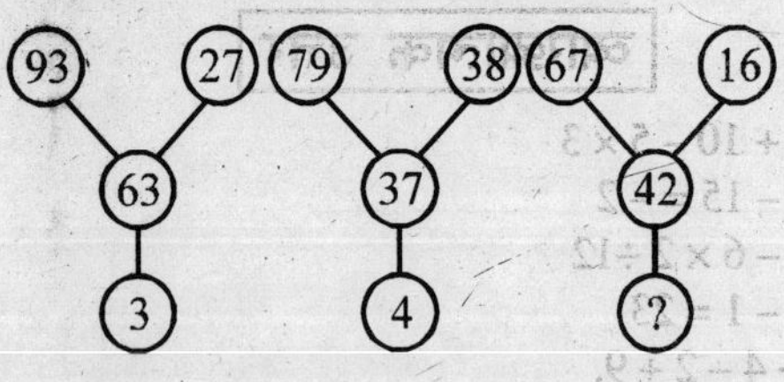

(*a*) 5 (*b*) 6
(*c*) 8 (*d*) 9

7.

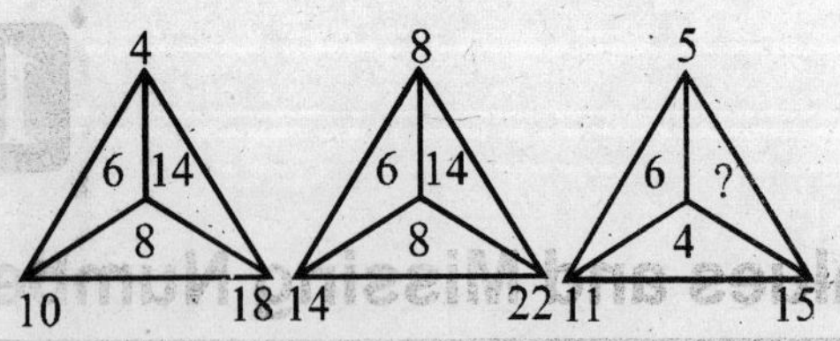

(*a*) 8 (*b*) 14
(*c*) 10 (*d*) 6

8.

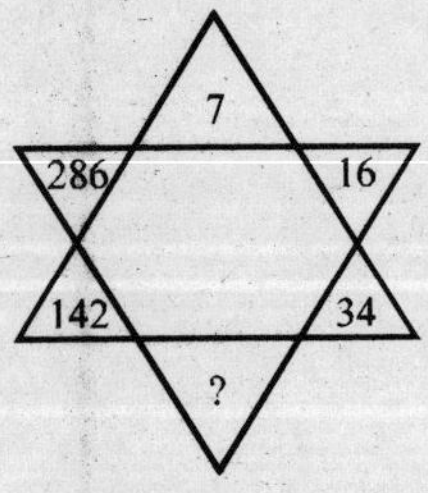

(*a*) 70 (*b*) 68
(*c*) 56 (*d*) 92

9.

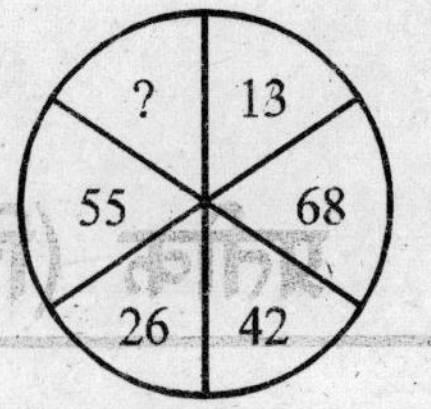

(*a*) 41 (*b*) 37
(*c*) 29 (*d*) 25

10.

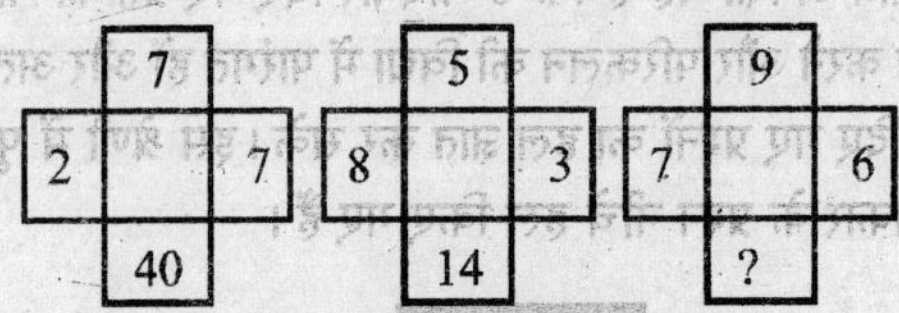

(*a*) 72 (*b*) 68
(*c*) 82 (*d*) 96

उत्तरमाला

1	2	3	4	5
(*c*)	(*d*)	(*b*)	(*b*)	(*a*)
6	**7**	**8**	**9**	**10**
(*d*)	(*c*)	(*a*)	(*c*)	(*b*)

व्याख्यात्मक उत्तर

1. उलटे बने त्रिभुज के ऊपरी भाग के दोनों खानों में दी गई संख्याओं के वर्ग को एक दूसरे की बगल में रखने पर त्रिभुज के निचले शीर्ष की संख्या प्राप्त होती है, अर्थात्

6^2 और $3^2 = 369$, 2^2 और $5^2 = 425$,

इसी प्रकार 3^2 और $9^2 = 981$.

2. 4 से आरंभ करके प्रत्येक अनुवर्ती संख्या क्रमागत प्राकृतिक संख्या का वर्ग है। अर्थात् $2^2 = 4, 3^2 = 9, 4^2 = 16, \ldots 9^2 = 81$

3. नीचे की संख्या ऊपर की दोनों संख्याओं के वर्गों का अंतर है, अर्थात्

$16^2 - 7^2 = 256 - 49 = 207$

$12^2 - 8^2 = 144 - 64 = 80$, इसी प्रकार

$25^2 - 21^2 = 625 - 441 = 184$

4. बीच की संख्या विकर्णतः सम्मुख संख्याओं के गुणनफलों का योग है, अर्थात् $(3 \times 3) + (5 \times 6) = 39$

$(4 \times 4) + (7 \times 5) = 51$,

इसी प्रकार $(3 \times 4) + (5 \times 5) = 37$

5. किसी भी एक आकृति में सरेखीय तीनों संख्याओं का योगफल समान है, अर्थात्

$29 + 80 + 43$ या $39 + 80 + 33$ या $45 + 80 + 27 = 152$

$29 + 70 + 44$ या $42 + 70 + 31$

या $43 + 70 + 30 = 143$, इसी प्रकार

$59 + 80 + 20$ या $39 + 80 + 40 = 159$.

अतः लुप्त संख्या है : $159 - (80 + 10) = 69$

6. प्रत्येक आकृति में दाहिने और बीच के घेरों की संख्याओं के योगफल को बायीं ओर के घेरे की संख्या से घटाने पर आकृति में सबसे नीचे के घेरे की संख्या प्राप्त होती है, अर्थात्

$93 - (27 + 63) = 3$

$79 - (38 + 37) = 4$, इसी प्रकार

$67 - (16 + 42) = 9$

8. दी गई आकृति में 7 की संख्या से आरंभ करके दक्षिणावर्त अगली संख्या पहली संख्या के दोगुने से 2 अधिक है, अर्थात्

$(7 \times 2) + 2 = 16$

$(16 \times 2) + 2 = 34 \ldots$, इसी प्रकार

$(34 \times 2) + 2 = 70$

$(70 \times 2) + 2 = 142$

$(142 \times 2) + 2 = 286$

9. दी गई आकृति में सम्मुख त्रिज्यखंडों में दी गई संख्याओं का अंतर 13 है, अर्थात्

$26 - 13 = 13$

$68 - 55 = 13$,

इसी प्रकार

अत: लुप्त संख्या है : $42 - 13 = 29$

($42 + 13 = 55$ विकल्पों में नहीं दिया गया है)

10. प्रत्येक आकृति में मध्यस्थ ग्रिड रेखा में दी गई संख्याओं के योगफल को ऊपर स्थित संख्या के वर्ग से घटाने पर आकृति में नीचे की संख्या प्राप्त होती है, अर्थात्

$7^2 - (2 + 7) = 40$

$5^2 - (8 + 3) = 14$,

इसी प्रकार $9^2 - (7 + 6) = 68$.

●●●

13

अंग्रेजी वर्णक्रम पर आधारित प्रश्न
(Problems Based on English Alphabet)

अंग्रेजी वर्णमाला पर आधारित प्रश्नों को हल करना अत्यधिक सरल है। इस प्रकार के प्रश्न वर्णमाला के सीधे क्रम में और साथ ही उलटे क्रम में भी दी गई शृंखलाओं पर आधारित होते हैं। शृंखला Z पर पहुँचने के बाद A से पुन: आरंभ होती है और उलटे क्रम में A पर पहुँचने के बाद Z से पुन: आरंभ होती है। इस शृंखला में A E I O U स्वर और शेष अक्षर व्यंजन कहलाते हैं।

अभ्यास

निर्देश: *निम्नलिखित प्रश्न वर्णमाला के सीधे या उलटे क्रम में लिखी गई शृंखला पर तथा दिए गए शब्द में अक्षरों के स्थान परिवर्तन पर आधारित हैं।*

1. वर्णमाला के सीधे क्रम में लिखी गई शृंखला में बाएँ छोर से छठे अक्षर के ठीक पहले कौन-सा अक्षर होता है?

(*a*) U (*b*) E
(*c*) F (*d*) V

2. यदि अंग्रेजी वर्णमाला में प्रथम अर्द्धांश के अक्षरों को उलटे क्रम में लिखा जाए तो दायीं ओर से नौंवें अक्षर की बायीं ओर का नौंवाँ अक्षर कौन-सा होगा?

(*a*) I (*b*) D
(*c*) F (*d*) E

3. यदि अंग्रेजी वर्णमाला को उलटे क्रम में लिखा जाए, तो दायीं ओर से सातवें अक्षर की बायीं ओर का आठवाँ अक्षर कौन-सा होगा?

(*a*) O (*b*) P
(*c*) N (*d*) Q

4. यदि अंग्रेजी वर्णमाला को उलटे क्रम में लिखा जाए तो P के दाएँ से छठा अक्षर कौन-सा होगा?

(*a*) J (*b*) W
(*c*) K (*d*) V

5. यदि अंग्रेजी वर्णमाला को दो बराबर हिस्सों में बाँट दिया जाए जिनमें पहले अर्द्धांश में A से M तक के और दूसरे अर्द्धांश में N से Z तक के अक्षर निहित हों, तो बाद वाले अर्द्धांश का कौन-सा अक्षर पहले वाले अर्द्धांश के J अक्षर के संगत होगा?

(*a*) W (*b*) Q
(*c*) V (*d*) R

उत्तरमाला

1	2	3	4	5
(*b*)	(*d*)	(*a*)	(*a*)	(*a*)

व्याख्यात्मक उत्तर

1. 

बाएँ से छठा अक्षर 'F' है और 'F' से ठीक पहले का अक्षर 'E' है।

2. MLKJIGHFEDCBANOPQRSTUVWXYZ

नौवाँ नौवाँ

5. A B C D E F G H I J K L M
N O P Q R S T U V W X Y Z

●●●

14

वेन आरेख विश्लेषण (Venn Diagram Analysis)

आरेख विश्लेषण

इस प्रकार के परीक्षण में आरेखों द्वारा निरूपित दो या दो से अधिक वस्तुओं या तथ्यों या मदों के बीच संबंध स्थापित करना होता है।

आरेखों द्वारा निरूपित मदें कोई पृथक वस्तु या प्राणी या व्यक्तियों का कोई विशिष्ट दल/वर्ग आदि हो सकती हैं।

अभ्यास

1. निम्नलिखित आरेख में कौन-सी संख्या केवल दो ज्यामितीय आकृतियों में उभयनिष्ठ है?

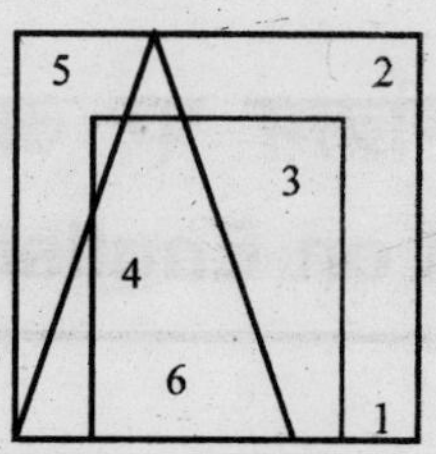

(*a*) 4 (*b*) 3
(*c*) 5 (*d*) 2

निर्देश (प्रश्न 2 और 3) : *नीचे के आरेख में आयत हिंदी के उद्घोषकों को निरूपित करता है, वृत्त अंग्रेजी भाषा के उद्घोषकों को निरूपित करता है, वर्ग फ्रांसीसी भाषा के उद्घोषकों को निरूपित करता है और त्रिभुज जर्मन भाषा के उद्घोषकों को निरूपित करता है।*

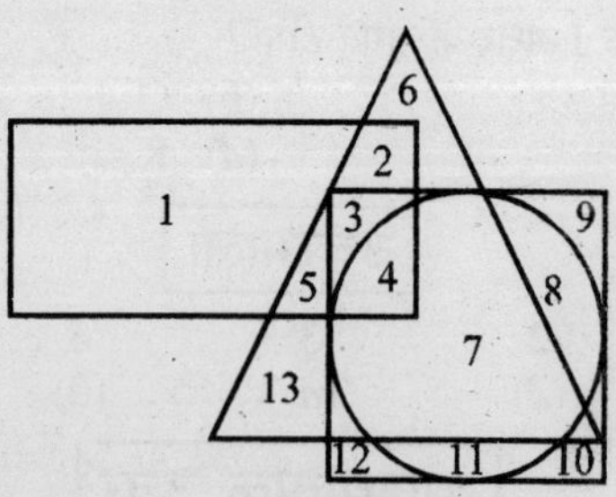

2. कौन-सा क्षेत्र उन उद्घोषकों को निरूपित करता है जो हिंदी, फ्रांसीसी और जर्मन भाषाओं में कार्यक्रम प्रस्तुत कर सकते हैं?
(*a*) 1 (*b*) 2
(*c*) 3 (*d*) 4

3. कौन-सा क्षेत्र उन उद्घोषकों को निरूपित करता है जो केवल फ्रांसीसी और अंग्रेजी भाषा में कार्यक्रम प्रस्तुत कर सकते हैं?
(*a*) 7
(*b*) 9
(*c*) 11
(*d*) 13

निर्देश (प्रश्न 4 और 5) : *नीचे दिए गए आरेख के आधार पर प्रश्न संख्या 4 और 5 के उत्तर दें :*

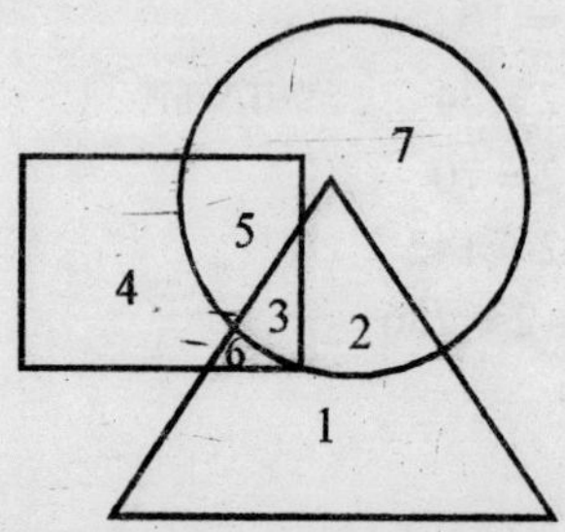

4. कौन-सी संख्या सभी ज्यामितीय आकृतियों में अंतर्निहित है?
(*a*) 5 (*b*) 6
(*c*) 2 (*d*) 3

5. संख्या 6 निम्नलिखित में से किसमें अंतर्निहित है?
(*a*) आयत और त्रिभुज
(*b*) वृत्त और त्रिभुज
(*c*) आयत और वृत्त
(*d*) केवल आयत

उत्तरमाला

1	2	3	4	5
(*b*)	(*c*)	(*c*)	(*d*)	(*a*)

व्याख्यात्मक उत्तर

प्रश्न 2 और 3 के लिए

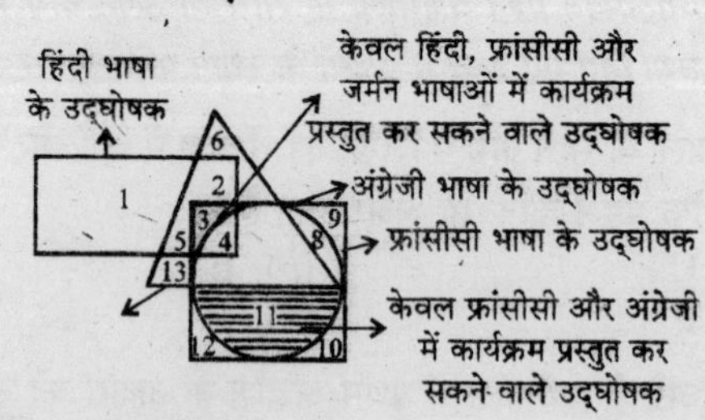

प्रश्न 4 और 5 के लिए

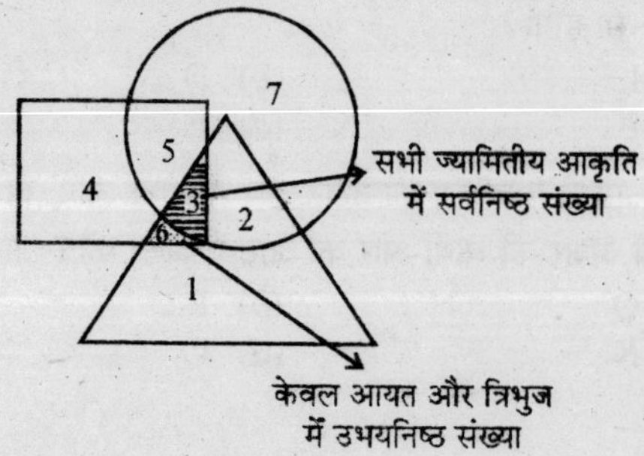

कथन एवं वेन आरेख

इस प्रकार के प्रश्नों में विकल्प के रूप में पाँच भिन्न-भिन्न आकृतियों का समुच्चय दिया जाता है। प्रत्येक आकृति संबंधित शब्दों के कुछ समूहों का एक तार्किक पैटर्न निरूपित करती है जिनमें प्रत्येक शब्द एक वर्ग को निरूपित करता है।

अभ्यास

निर्देश : *नीचे दिए गए पाँच तर्क आरेखों में से उस आरेख (आकृति) का चयन करें जो प्रश्न में दिए गए तीनों वर्गों के बीच संबंध को सर्वाधिक सुस्पष्ट रूप में प्रदर्शित करता है।*

(*a*) 

(*b*) 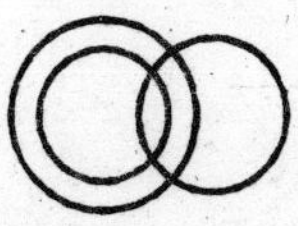

(*c*) 

(*d*) 

(*e*) 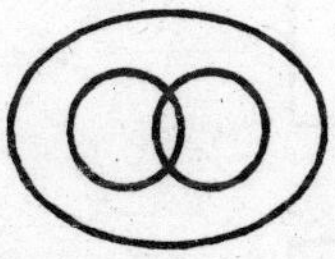

1. पक्षी, फल, आम
2. अपराधी, वकील, डकैत
3. तैराक, कुँआरा, पुरुष
4. स्मार्ट, इंजीनियर, महिला
5. सब्जियाँ, आलू, बैंगन
6. अंगूर, मीठा, फल
7. डॉक्टर, वास्तुकार, मनुष्य
8. विद्वान, व्यक्ति, भारतीय
9. बच्चे, शरारती, अध्ययनशील
10. कलम, पेंसिल, स्टेशनरी

उत्तरमाला

1	2	3	4	5
(*a*)	(*a*)	(*b*)	(*c*)	(*d*)
6	**7**	**8**	**9**	**10**
(*b*)	(*d*)	(*e*)	(*c*)	(*d*)

व्याख्यात्मक उत्तर

1. 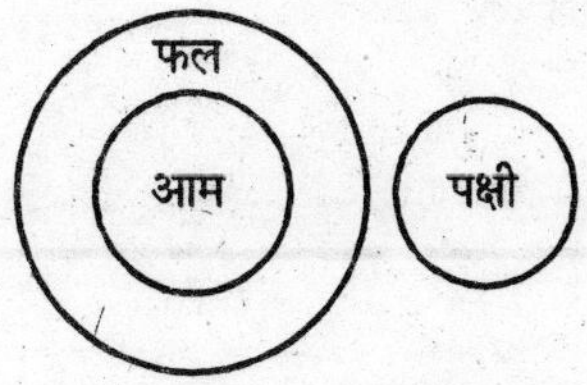

सभी आम फल हैं किंतु फल और आम में से कोई भी पक्षी नहीं है।

2. 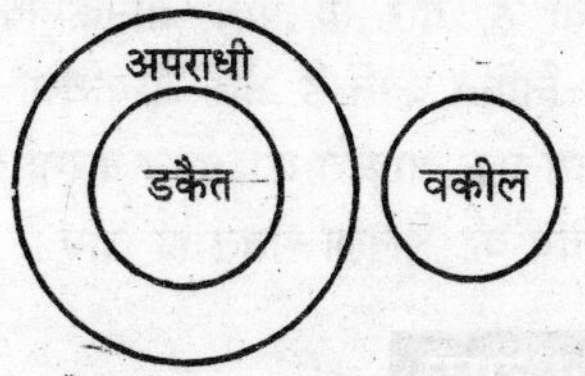

सभी डकैत अपराधी हैं किंतु अपराधी और डकैत में से कोई भी वकील नहीं हो सकता।

3. 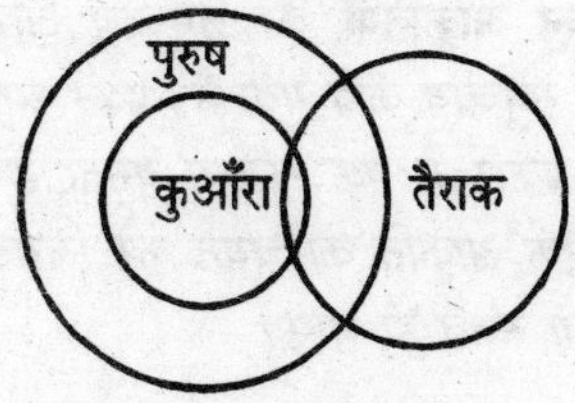

सभी कुँआरे पुरुष होते हैं तथा कुछ पुरुष और कुँआरे तैराक हो सकते हैं।

6. 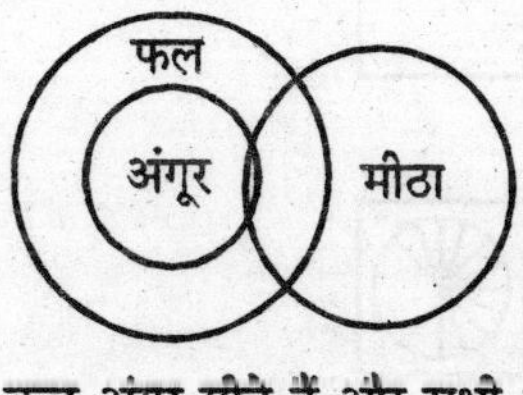

कुछ अंगूर मीठे हैं और सभी अंगूर फल हैं। किंतु सभी मीठी चीजें फल नहीं हैं।

8. 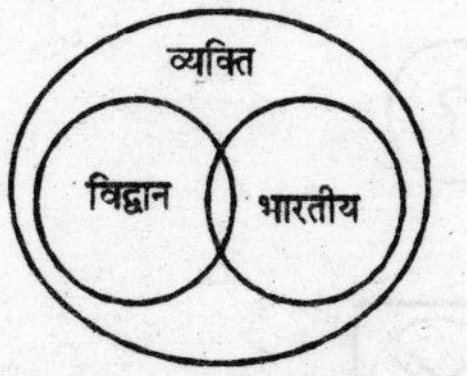

कुछ भारतीय विद्वान हो सकते हैं और कुछ विद्वान भारतीय हो सकते हैं। विद्वान और भारतीय दोनों ही व्यक्ति की श्रेणी में आते हैं।

10. 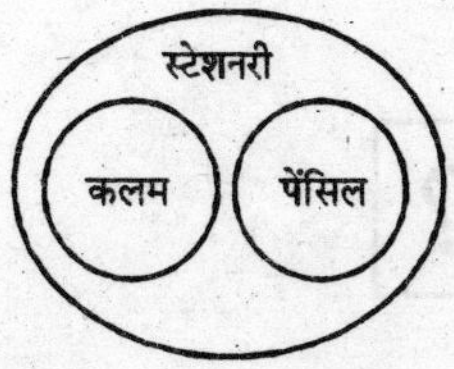

कलम और पेंसिल दोनों स्टेशनरी की मदें हैं। कुछ स्टेशनरी कलम और पेंसिल हैं किंतु कलम और पेंसिल दो अलग-अलग वर्ग हैं।

15 श्रृंखला (Series)

इस प्रकार की अभाषिक श्रृंखला (Non-Verbal Series) में, जो सर्वाधिक सामान्य प्रकार की श्रृंखला होती है, चार या पांच आनुक्रमिक प्रश्न आकृतियां एक निश्चित अनुक्रम निर्मित करते हैं और अभ्यर्थियों को दी गई उत्तर आकृतियों के सेट से उस एक आकृति का चयन करना होता है जिससे प्रश्न आकृतियों के समुच्चय की श्रृंखला सतत् हो जाए।

अभ्यास

निर्देश : *नीचे के प्रत्येक प्रश्न में आकृतियों के दो समुच्चय दिए गए हैं जिनमें से एक समुच्चय को* ***प्रश्न आकृतियों*** *का समुच्चय और दूसरे समुच्चय को* ***उत्तर आकृतियों*** *का समुच्चय कहा गया है। प्रश्न आकृतियों के समुच्चय से किसी न किसी प्रकार से एक श्रृंखला बनती है। उत्तर आकृतियों के समुच्चय से उस एक आकृति का चयन करें जिससे प्रश्न आकृतियों के समुच्चय की श्रृंखला संतत हो जाए।*

1. प्रश्न आकृतियां

उत्तर आकृतियां

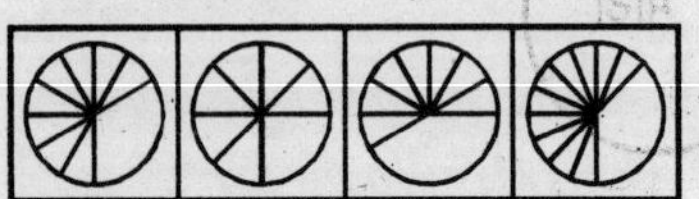

(a) (b) (c) (d)

2. प्रश्न आकृतियां

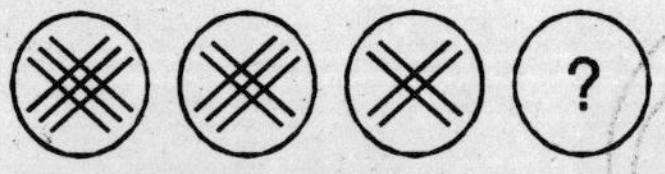

उत्तर आकृतियां

(a) (b) (c) (d)

3. प्रश्न आकृतियां

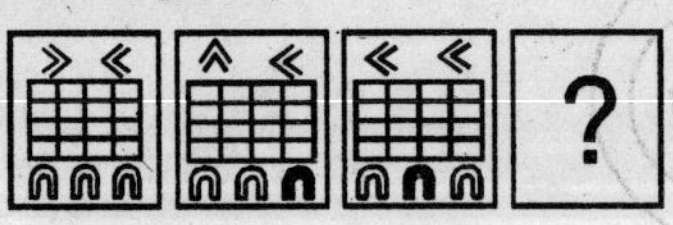

उत्तर आकृतियां

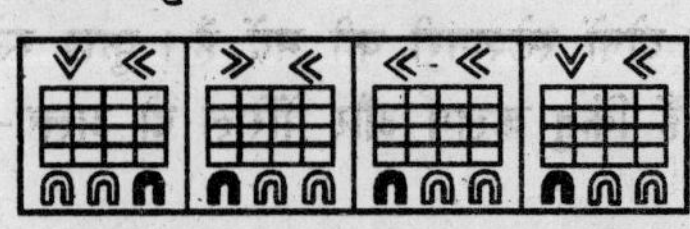

(a) (b) (c) (d)

4. प्रश्न आकृतियां

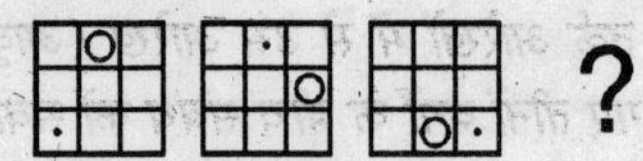

उत्तर आकृतियां

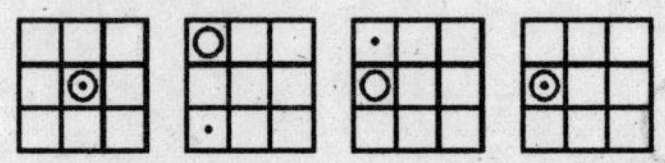

(a) (b) (c) (d)

5. प्रश्न आकृतियां

उत्तर आकृतियां

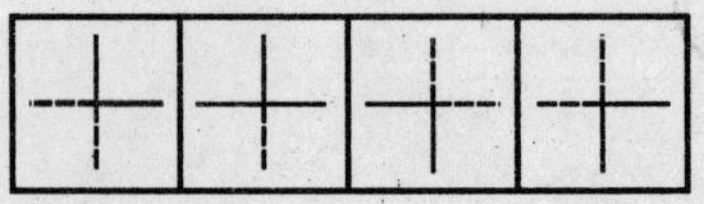

(a) (b) (c) (d)

6. प्रश्न आकृतियां

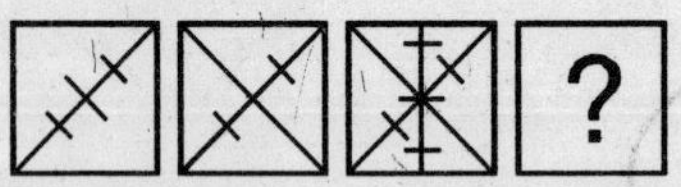

उत्तर आकृतियां

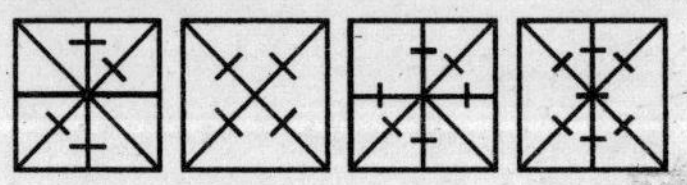

(a) (b) (c) (d)

7. प्रश्न आकृतियां

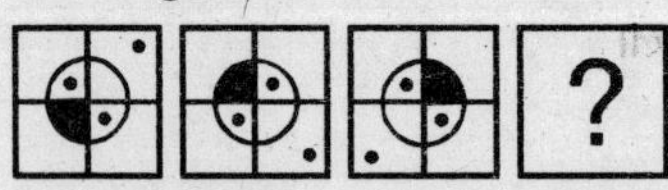

उत्तर आकृतियां

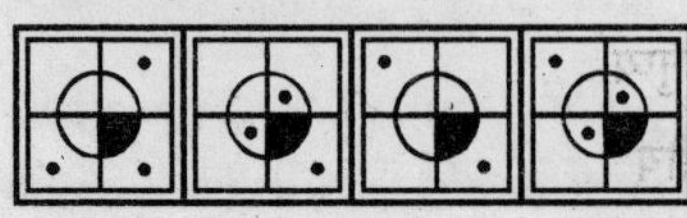

(a) (b) (c) (d)

8. प्रश्न आकृतियां

उत्तर आकृतियां

(a) (b) (c) (d)

9. प्रश्न आकृतियां

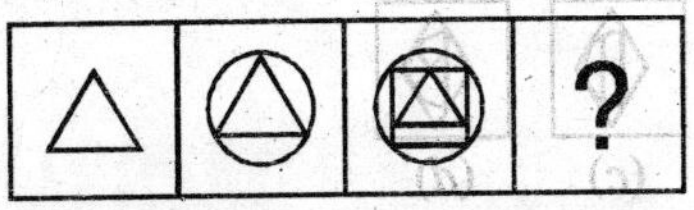

उत्तर आकृतियां

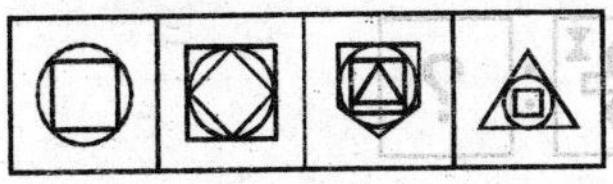

(a) (b) (c) (d)

10. प्रश्न आकृतियां

उत्तर आकृतियां

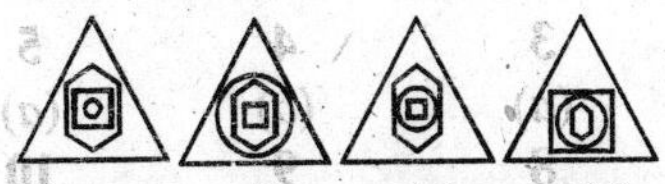

(a) (b) (c) (d)

उत्तरमाला

1	2	3	4	5
(c)	(d)	(d)	(d)	(a)
6	**7**	**8**	**9**	**10**
(a)	(d)	(d)	(c)	(a)

व्याख्यात्मक उत्तर

1. एक आकृति से दूसरी आकृति में वृत्त क्रमशः दक्षिणावर्त 30° के कोण से घूम जाता है और प्रत्येक चरण में वृत्त के भीतर स्थित एक त्रिज्यीय रेखाखण्ड लुप्त होता जाता है।
2. तिरछे या विकर्णी रेखाखण्ड एक-एक करके एक निश्चित क्रम में लुप्त होते जाते हैं।
4. वृत्त (गोल घेरा) और बिंदु अगली आकृति में दक्षिणावर्त क्रमशः दो और तीन खंड आगे खिसक जाते हैं।
5. प्रत्येक चरण में क्रॉस का चिह्न दक्षिणावर्त 90° के कोण से घूम जाता है।
7. प्रत्येक चरण पर संपूर्ण आकृति दक्षिणावर्त 90° के कोण से घूम जाती है।
9. प्रत्येक चरण पर पूर्ववर्ती आकृति-समुच्चय में एक नई आकृति जुड़ती जाती है।
10. पहली आकृति में सबसे बाहरी संरचना अगली आकृति में सबसे भीतर चली जाती है।

●●●

16

सादृश्य या संबंध (Analogies or Relationships)

अभाषिक सादृश्य के प्रश्नों में दो प्रकार की आकृतियां दी जाती हैं जो (i) प्रश्न आकृतियां और (ii) उत्तर आकृतियां कहलाती हैं। प्रश्न आकृतियां दो भागों में विभाजित होती हैं। प्रश्न आकृतियों के नीचे उत्तर आकृतियां दी जाती है।

अभ्यास

निर्देश : *प्रश्न आकृतियों में :: चिह्न के बाएं दी गई दो आकृतियों में से दूसरी आकृति का पहली आकृति के साथ एक विशेष संबंध है। :: चिह्न की दाईं ओर की दो आकृतियों के बीच भी ऐसा ही संबंध है। दिए गए विकल्पों से उस आकृति का चयन करें जिसे प्रश्न आकृतियों में प्रश्न चिह्न के स्थान पर रखा जा सकता है और जिसका :: चिह्न की दाईं ओर की पहली आकृति के साथ ठीक वैसा ही संबंध है जैसा कि :: चिह्न की बाईं ओर की दो आकृतियों के बीच है।*

1. प्रश्न आकृतियां

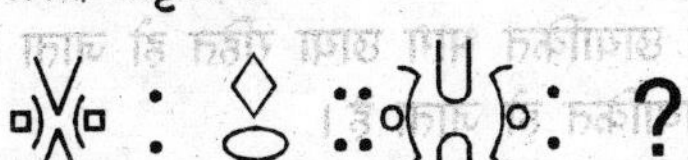

उत्तर आकृतियां

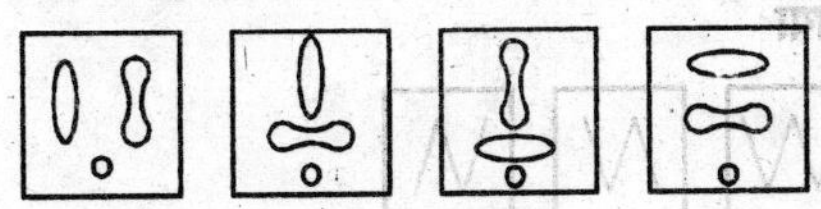

(a) (b) (c) (d)

2. प्रश्न आकृतियां

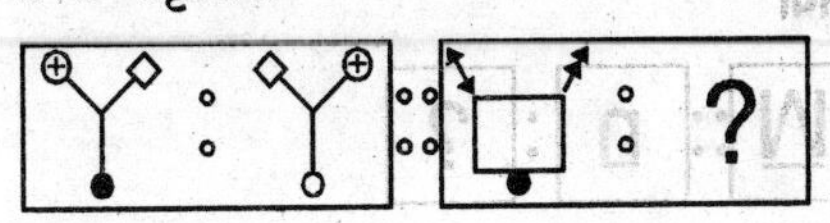

उत्तर आकृतियां

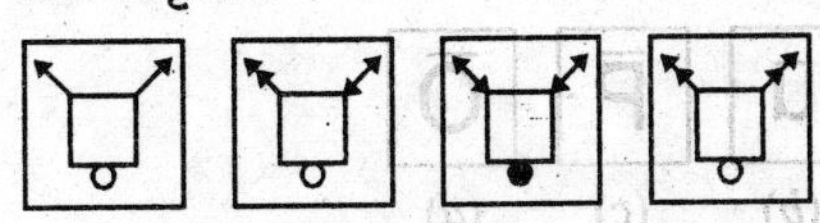

(a) (b) (c) (d)

3. प्रश्न आकृतियां

उत्तर आकृतियां

(a) (b) (c) (d)

4. प्रश्न आकृतियां

उत्तर आकृतियां

(a) (b) (c) (d)

5. प्रश्न आकृतियां

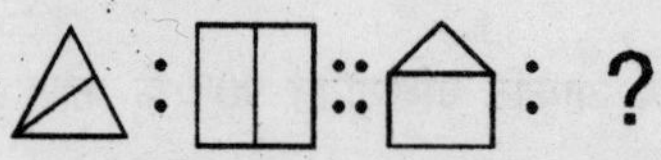

उत्तर आकृतियां

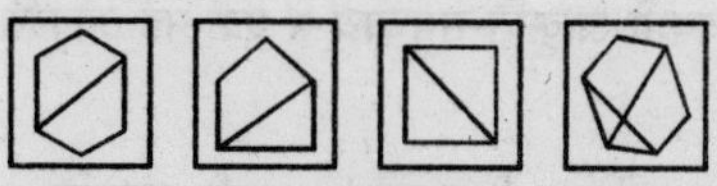

(a) (b) (c) (d)

6. प्रश्न आकृतियां

उत्तर आकृतियां

(a) (b) (c) (d)

7. प्रश्न आकृतियां

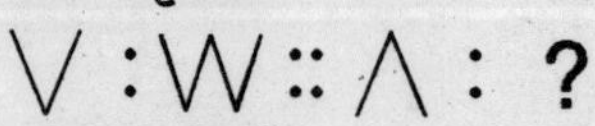

उत्तर आकृतियां

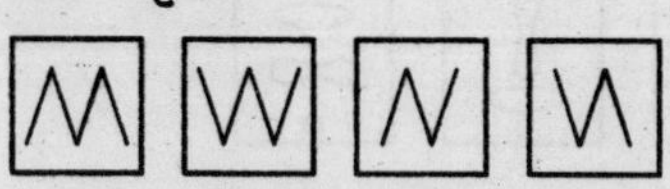

(a) (b) (c) (d)

8. प्रश्न आकृतियां

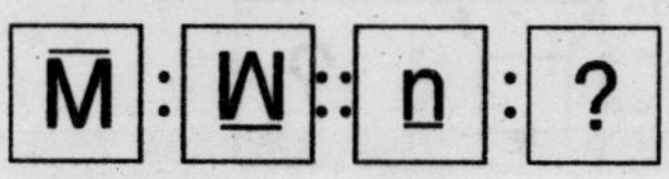

उत्तर आकृतियां

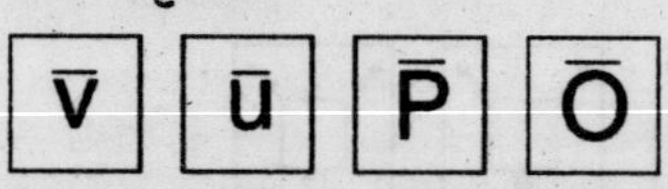

(a) (b) (c) (d)

9. प्रश्न आकृतियां

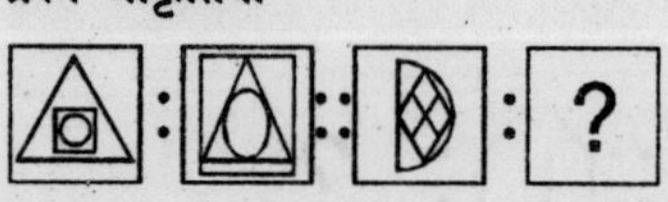

उत्तर आकृतियां

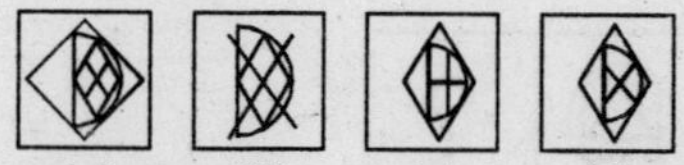

(a) (b) (c) (d)

10. प्रश्न आकृतियां

उत्तर आकृतियां

(a) (b) (c) (d)

उत्तरमाला

1	2	3	4	5
(b)	(b)	(a)	(a)	(a)
6	**7**	**8**	**9**	**10**
(c)	(a)	(b)	(d)	(c)

व्याख्यात्मक उत्तर

2. दूसरी आकृति में ऊपर के दो अवयव अपना स्थान बदल कर एक दूसरे के स्थान पर आ जाते हैं और वृत्त के भीतर का छायांकित भाग छायारहित हो जाता है।

3. पहली आकृति से दूसरी आकृति में एक ऊर्ध्वाधरतः रेखा कम हो जाती है और आकृति को निर्मित करने वाली रेखाओं की संख्या में एक की वृद्धि होती है।

4. पहली आकृति को वामावर्त 90° के कोण से घुमाने पर दूसरी आकृति प्राप्त होती है।

5. पहली आकृति से दूसरी आकृति में आकृति को निर्मित करने वाली रेखाओं की संख्या में एक की वृद्धि होती है।

6. पहली आकृति से दूसरी आकृति में विकर्णी रेखा 90° के कोण से घूम जाती है और रेखाखण्ड क्षैतिजतया सम्मुख खण्ड में चले जाते हैं।

7. पहली आकृति का डिजाइन दूसरी आकृति में दोगुना हो जाता है।

8. पहली आकृति का डिजाइन दूसरी आकृति में ऊर्ध्वाधरतः उलट जाता है।

9. बीच के और सबसे भीतरी अवयव के आकार में वृद्धि होती है और सबसे बाहरी अवयव छोटा होकर दो बढ़े हुए अवयवों के बीच में आ जाता है।

10. पहली आकृति से दूसरी आकृति में ऊपरी बाईं ओर का अवयव 90° के कोण से घूम जाता है और ऊपरी दाईं ओर का अवयव ऊर्ध्वाधरतः उलट जाता है। ऊर्ध्वाधर डिजाइन का ऊपरी भाग ऊर्ध्वाधरतः उलट जाता है और अलग हो जाता है, बीच का हिस्सा छोटा/बड़ा हो जाता है और 90° के कोण से घूम जाता है तथा निचला हिस्सा ऊर्ध्वाधरतः उलट जाता है। उपर्युक्त सभी परिवर्तनों के अतिरिक्त एक आकृति से दूसरी आकृति में छायांकित भाग छाया रहित हो जाता है और छाया रहित भाग छायांकित हो जाता है।

17

विजातीय का चयन (Odd-One Out)

अभाषिक वर्गीकरण संबंधी तर्कबुद्धि परीक्षण विषयक प्रश्नों में आकृतियों का एक समूह दिया जाता है तथा अभ्यर्थियों से यह अपेक्षा की जाती है कि वे दी गई आकृतियों को उनके विशिष्ट गुणों या विशेषताओं के आधार पर अलग-अलग समूहों या वर्गों में वर्गीकृत करें। आकृतियों या मदों को उनकी बनावट, आकार, प्रतिरूप, संरचना, प्रकार, क्रम, रूप-रंग, कोटि, शैली, संघटक अवयवों और अन्य प्रकार की विशेषताओं में समानता के आधार पर समूहों या वर्गों में वर्गीकृत करना होता है और तत्पश्चात् उस समूह से भिन्न अर्थात् विजातीय आकृति की पहचान करनी होती है।

अभ्यास

निर्देश: *नीचे के प्रत्येक प्रश्न में एक आकृति को छोड़कर अन्य सभी आकृतियाँ किसी-न-किसी रूप में आपस में संबंधित हैं और इस कारण वे एक समूह बनाती हैं। प्रत्येक प्रश्न में उस एक भिन्न आकृति का चयन करें जो अन्यों से संबंधित नहीं है अर्थात् जो भिन्न अथवा विजातीय है।*

1.
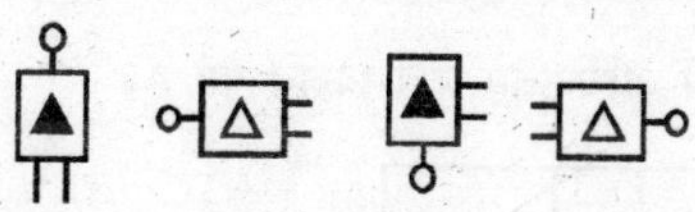
(a) (b) (c) (d)

2.

(a) (b) (c) (d)

3.
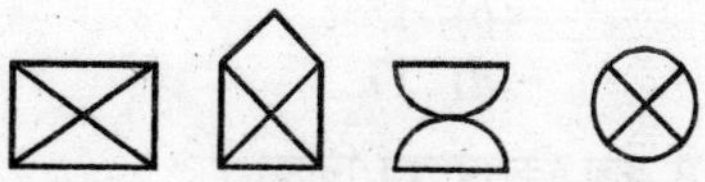
(a) (b) (c) (d)

4.

(a) (b) (c) (d)

5.
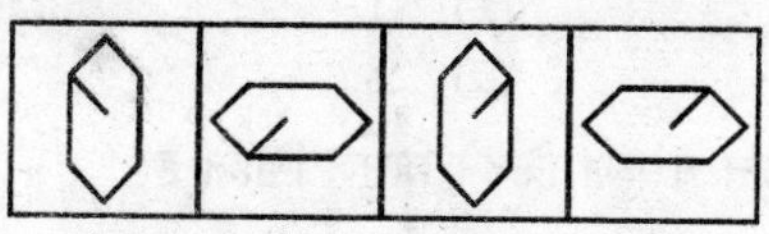
(a) (b) (c) (d)

6.
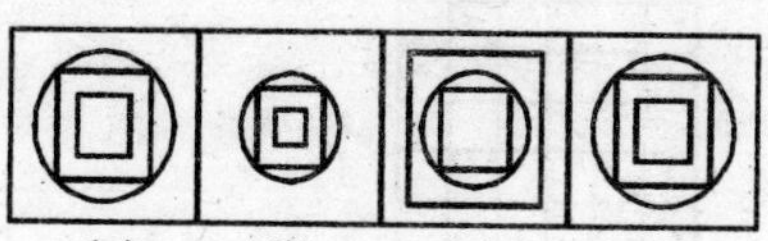
(a) (b) (c) (d)

7.
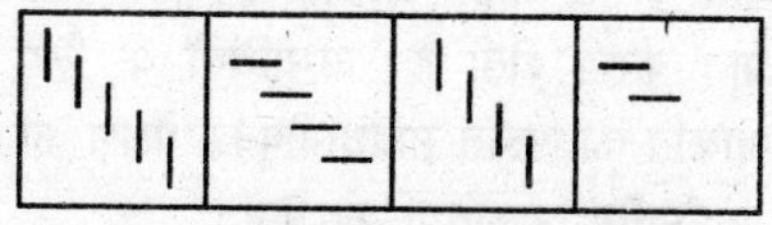
(a) (b) (c) (d)

8.
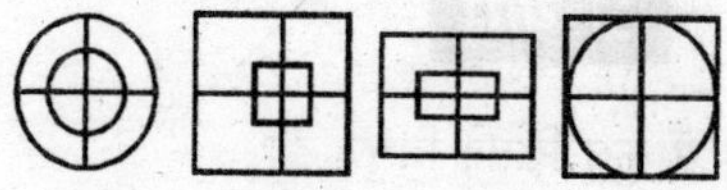
(a) (b) (c) (d)

9.
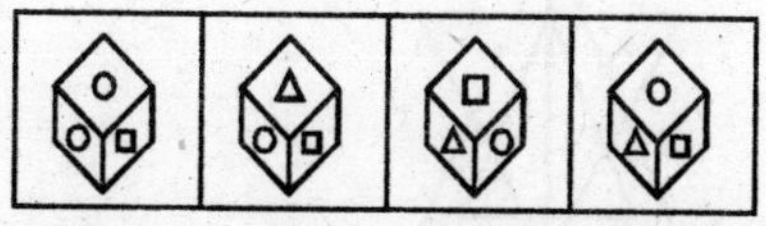
(a) (b) (c) (d)

10.
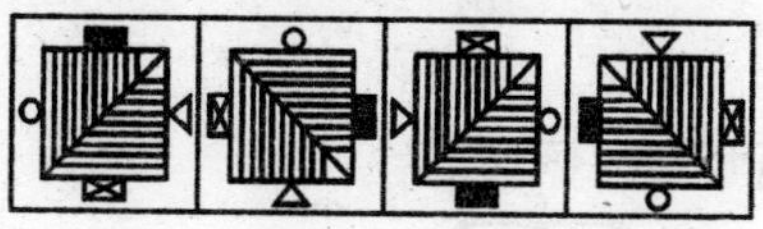
(a) (b) (c) (d)

उत्तरमाला

1	2	3	4	5
(c)	(c)	(c)	(d)	(c)
6	**7**	**8**	**9**	**10**
(c)	(a)	(d)	(a)	(c)

व्याख्यात्मक उत्तर

1. अन्य सभी आकृतियों में वृत्त युक्त रेखा और दो रेखाखंड वर्ग की सम्मुख भुजाओं पर अवस्थित हैं।

3. शेष सभी आकृतियाँ चार भागों में विभक्त हैं।

6. शेष सभी आकृतियों में बीच का और मध्यस्थ अवयव एक से हैं।

7. केवल इसी आकृति में रेखाखंडों की संख्या विषम है।

8. केवल इसी आकृति में दो अलग-अलग आकृतियाँ हैं जो दो समान भागों में विभाजित हैं।

9. केवल इसी आकृति में दो सदृश अवयव (वृत्त) निहित हैं।

10. शेष सभी आकृतियों को घुमाकर एक-दूसरी आकृतियाँ प्राप्त की जा सकती हैं।

●●●

18

आरेखों पर आधारित प्रश्न (Diagrammatic Puzzles)

इस प्रकार के प्रश्नों में किसी दी गई जटिल आकृति में निहित ज्यामितीय आकृतियों की संख्या ज्ञात करनी होती है। अभ्यर्थियों के लिए यह अनिवार्य है कि वे प्रश्न आकृति का अत्यंत सावधानीपूर्वक प्रेक्षण करें और तत्पश्चात् उसमें निहित ज्यामितीय आकृतियों को गिनें।

अभ्यास

1. नीचे दी गई आकृति में कुल कितने त्रिभुज हैं?

(*a*) 24 (*b*) 27
(*c*) 25 (*d*) 26

2. इस आकृति में कुल कितने त्रिभुज हैं?

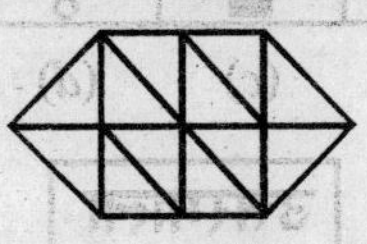

(*a*) 16 (*b*) 17
(*c*) 18 (*d*) 19

3. इस आकृति में कुल कितने वर्ग छिपे हैं?

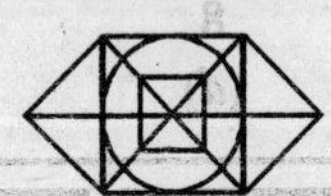

(*a*) 7 (*b*) 8
(*c*) 9 (*d*) 10

4. इस आकृति में निहित त्रिभुजों की संख्या कितनी है?

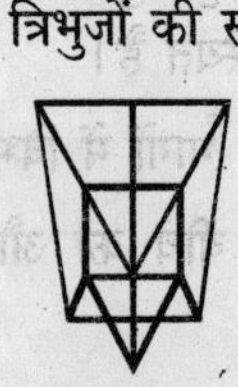

(*a*) 19 (*b*) 16
(*c*) 21 (*d*) 15

5. इस आकृति में वृत्तों की कुल कितनी संख्या है?

(*a*) 6 (*b*) 5
(*c*) 2 (*d*) 3

6. नीचे की आकृति में कुल कितने त्रिभुज निहित हैं?

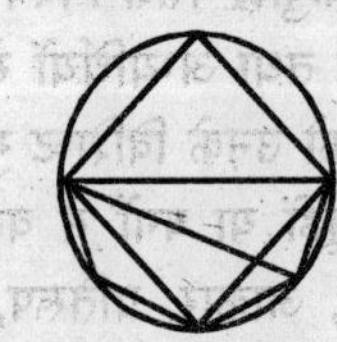

(*a*) 7 (*b*) 8
(*c*) 9 (*d*) 10

7. नीचे की आकृति में कुल कितने वर्ग हैं?

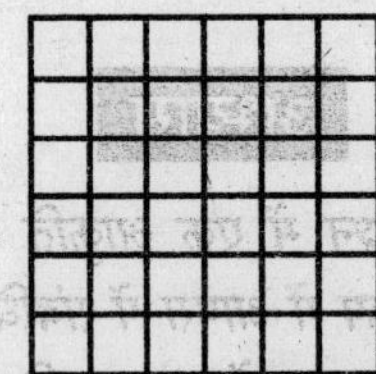

(*a*) 36 (*b*) 60
(*c*) 77 (*d*) 91

8. नीचे दी गई आकृति में अधिकतम कुल कितने वर्ग हैं?

(*a*) 14 (*b*) 15
(*c*) 16 (*d*) 17

9. नीचे दी गई आकृति में कुल कितने वृत निहित हैं?

(*a*) 29 (*b*) 31
(*c*) 30 (*d*) 28

10. नीचे दी गई आकृति में कुल कितने त्रिभुज निहित हैं?

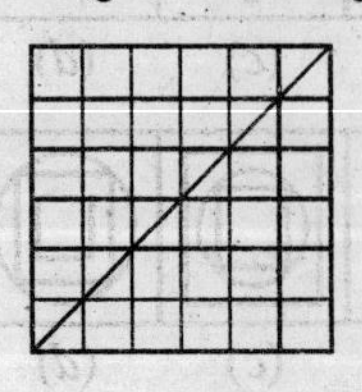

(*a*) 42 (*b*) 41
(*c*) 40 (*d*) 39

11. नीचे दी गई आकृति में कुल कितने त्रिभुज निहित हैं?

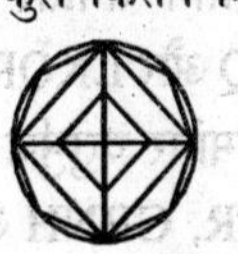

(*a*) 18 (*b*) 16
(*c*) 20 (*d*) 22

12. नीचे दी गई आकृति में निहित कुल आयतों की संख्या बताइए।

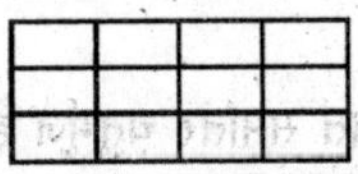

(*a*) 60 (*b*) 56
(*c*) 37 (*d*) 20

13. नीचे दी गई आकृति में निहित समांतर चतुर्भुजों की कुल संख्या ज्ञात करें।

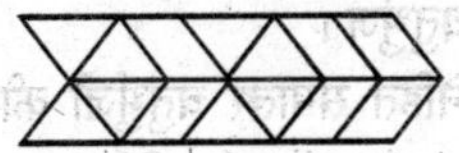

(*a*) 35 (*b*) 36
(*c*) 37 (*d*) 38

14. नीचे दी गई आकृति में निहित त्रिभुजों की कुल संख्या बताइए ?

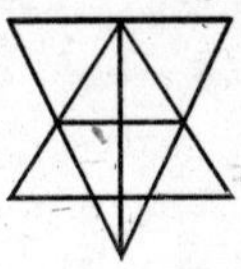

(*a*) 19 (*b*) 21
(*c*) 20 (*d*) 22

15. नीचे दी गई आकृति में कुल कितने षड्भुज निहित हैं ?

(*a*) 13 (*b*) 14
(*c*) 15 (*d*) 16

उत्तरमाला

1	2	3	4	5
(*b*)	(*a*)	(*d*)	(*b*)	(*a*)
6	**7**	**8**	**9**	**10**
(*b*)	(*d*)	(*a*)	(*b*)	(*a*)
11	**12**	**13**	**14**	**15**
(*c*)	(*a*)	(*b*)	(*b*)	(*c*)

व्याख्यात्मक उत्तर

2.

आकृति में सर्वाधिक सरलतापूर्वक दृष्टिगोचर होनेवाले त्रिभुज हैं: ADE, DEI, AEF, ABF, EIJ, EFJ, BFG, BCG, FJK, FGK, CGH और GHK, अर्थात् 12 त्रिभुज।

समद्विभाजित त्रिभुज हैं: ADI और CHK अर्थात् 2 त्रिभुज।

AIK और ACK अन्य त्रिभुज हैं, अर्थात 2 त्रिभुज।

अतः आकृति में निहित त्रिभुजों की कुल संख्या
= 12 + 2 + 2 = 16

3.

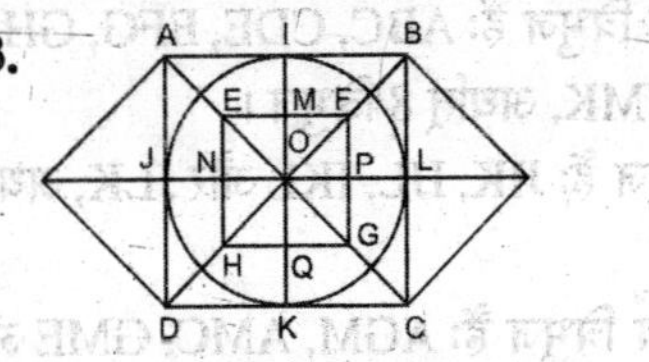

आकृति में निहित मुख्य वर्ग हैं : ABCD और EFGH, अर्थात् 2 वर्ग।

सरलतम बाह्य वर्ग हैं। AIOJ, IBLO, JOKD, और OLCK, अर्थात् 4 वर्ग।

सरलतम आंतरिक वर्ग हैं: EMON, NOQH, MFPO और OPGQ, अर्थात् 4 वर्ग।

आकृति में अन्य कोई वर्ग निहित नहीं हैं।

अतः उपर्युक्त आकृति में निहित वर्गों की कुल संख्या
= 2 + 4 + 4 = 10

5.

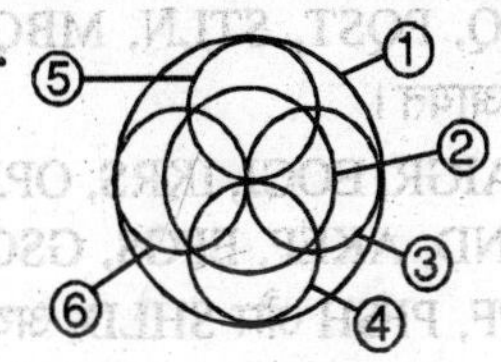

आकृति में दो मुख्य वृत्त हैं और चार छोटे वृत्त हैं और ये सभी एक-दूसरे को प्रतिच्छेदित कर रहे हैं।

∴ आकृति में निहित कुल वृत्त
= 2 + 4 = 6.

6. आकृति में निहित सरलतम त्रिभुज हैं: ABC, BDE, BEG, BGC, CGF और GFE, अर्थात् 6 त्रिभुज

समद्विभाजित त्रिभुज हैं: BCE और CEF, अर्थात् 2 त्रिभुज।

अतः आकृति में निहित त्रिभुजों की कुल संख्या
= 6 + 2 = 8.

9.

आकृति में 3 संकेंद्रिक वृत्त हैं, बीच के वृत्त की परिधि पर 8 छोटे वृत्त हैं, बाहरी वृत्त की परिधि पर 14 छोटे वृत्त हैं तथा सबसे बाहरी संकेंद्रिक वृत्त से बाहर उसकी दोनों ओर तीन-तीन वृत्त अर्थात् कुल 6 वृत्त हैं।

अतः वृत्तों की कुल संख्या
= 3 + 8 + 14 + 6 = 31.

11.

आकृति में निहित सरलतम त्रिभुज हैं: ABC, CDE, EFG, GHA, JIM, IML, MLK और JMK, अर्थात् 8 त्रिभुज।

दो भागों में विभाजित त्रिभुज हैं: JIK, IJL, IKL और JLK, अर्थात् 4 त्रिभुज।

दो भागों में विभाजित अन्य त्रिभुज हैं: AGM, AMC, GME और MCE, अर्थात् 4 त्रिभुज।

आकृति में निहित अन्य त्रिभुज हैं: AGC, AGE, ACE और GCE, अर्थात् 4 त्रिभुज।

अतः त्रिभुजों की कुल संख्या = 8 + 4 + 4 + 4 = 20

12.

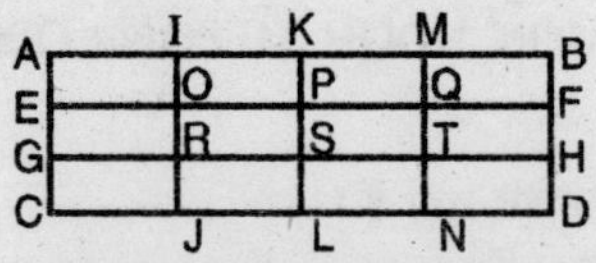

आकृति में निहित मुख्य आयत ABCD है, अर्थात् 1 आयत।

आकृति में निहित सरलतम आयत हैं: AIEO, EOGR, GRCJ, IKOP, OPRS, RSJL, KMPQ, PQST, STLN, MBQF, QFTH और THND, अर्थात् 12 आयत।

दो भागों में विभाजित आयत हैं: AIGR, EOCJ, IKRS, OPJL, KMST, PQLN, MBTH, QFND, AKEP, EPGS, GSCL, IMOQ, OQRT, RTJN, KBPF, PFSH और SHLD, अर्थात् 17 आयत।

तीन भागों में विभाजित आयत हैं: AICJ, IKJL, KMLN, MBND, AMEQ, EQGT, GTCN, IBOF, OFRH और RHJD, अर्थात् 10 आयत।

चार भागों में विभाजित आयत हैं: AKGS, EPCL, IMRT, OQJN, KBSH, PFLD, ABEF, EFGH और GHCD, अर्थात् 9 आयत।

छह भागों में विभाजित आयत हैं: AKCL, IMJN, KBLD AMGT, EQCN, IBRH और OFJD, अर्थात् 7 आयत।

आकृति में निहित अन्य आयत हैं: ABGH, EFCD, AMCN और IBJD, अर्थात् 4 आयत।

अतः इस आकृति में निहित आयतों की कुल संख्या
= 1 + 12 + 17 + 10 + 9 + 7 + 4 = 60

13.

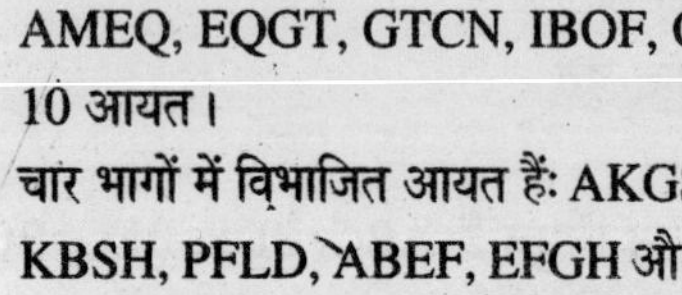

आकृति में निहित मुख्य समांतर चतुर्भुज AFGK और GKMR, है अर्थात् 2 समांतर चतुर्भुज।

आकृति में निहित सरलतम समांतर चतुर्भुज हैं: BCHI, DEJL, EFLK, HINO, JLPQ और LKQR, अर्थात् 6 समांतर चतुर्भुज।

दो भागों में विभाजित समांतर चतुर्भुज हैं: ABGH, CDIJ, DFJK, GHMN, IJOP, JKPR, GBNH और IDPJ, अर्थात् 8 समांतर चतुर्भुज।

तीन भागों में विभाजित समांतर चतुर्भुज हैं: ACGI, BDGI, BDHJ, CEIL, GIMO, GINP, HJNP और ILOQ, अर्थात् 8 समांतर चतुर्भुज।

चार भागों में विभाजित समांतर चतुर्भुज हैं: BEHL, CFIK, HLNQ और IKOR, अर्थात् 4 समांतर चतुर्भुज।

पाँच भागों में विभाजित समांतर चतुर्भुज हैं: ADGI, BFHK, GJMP और HKNR, अर्थात् 4 समांतर चतुर्भुज।

अन्य समांतर चतुर्भुज हैं: AEGL, GLMQ, ACNP और BDMO, अर्थात् 4 समांतर चतुर्भुज।

अतः आकृति में निहित समांतर चतुर्भुजों की कुल संख्या
= 2 + 6 + 8 + 8 + 4 + 4 + 4 = 36

14.

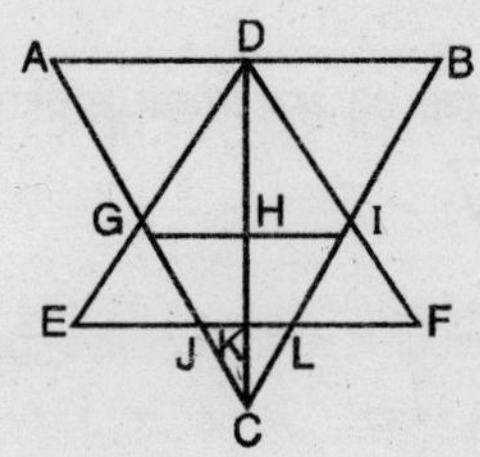

मुख्य त्रिभुज हैं: ABC और DEF, अर्थात् 2 त्रिभुज।

सरलतम त्रिभुज हैं: ADG, DGH, DHI, DBI, GEJ, JKC, KLC और ILF, अर्थात् 8 त्रिभुज।

दो भागों में विभाजित त्रिभुज हैं: DGI और JLC अर्थात् 2 त्रिभुज।

तीन भागों में विभाजित त्रिभुज हैं: DGC, DIC, DEK और DKF, अर्थात् 4 त्रिभुज।

अन्य त्रिभुज हैं: ADC, DBC, GIC, GHC और HIC, अर्थात् 5 त्रिभुज।

अतः आकृति में निहित त्रिभुजों की कुल संख्या
= 2 + 8 + 2 + 4 + 5 = 21

15.

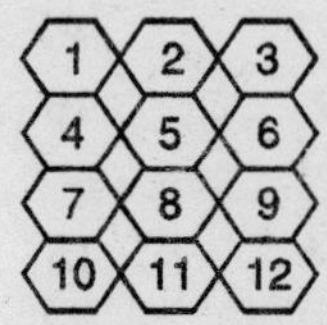

12 षड्भुज एक साथ रखे गये हैं जिनसे 3 और षड्भुज निर्मित होते हैं जिन में से पहला षड्भुज 2 और 5 संख्याकित षड्भुजों के मिलने से, दूसरा षड्भुज 5 और 8 संख्याकित षड्भुजों के मिलने से और तीसरा षड्भुज 8 और 11 संख्याकित षड्भुजों के मिलने से बनता हैं।

∴ आकृति में षड्भुजों की कुल संख्या = 12 + 3 = 15

●●●

संख्यात्मक अभियोग्यता
(Quantitative Aptitude)

1

संख्याएँ (Number)

एक संख्या हमें बताती है कि दी हुई मात्रा में कितनी इकाइयां हैं। अतः यह एक या एक से अधिक इकाइयों को प्रकट करती है। या एक ही प्रकारकी एक या अधिक भिन्न वस्तुओं को प्रकट करती है। जैसे–दो गाय, चार बकरी, आठ भैंस आदि। वे शब्द जो काले दर्शाये गये हैं, संख्याओं को प्रदर्शित करते हैं।

1. **पूर्ण संख्याएं** : संख्याएं 0, 1, 2, 3, 4, 5, 6, 7, 8, 9,.....आदि संख्याओं को **''पूर्ण संख्याएं''** या **''पूर्णांक''** कहते हैं। जैसे 84 एक पूर्णांक है। जबकि $\frac{61}{4}$ पूर्णांक नहीं है।
2. **सम संख्याएं** : वे संख्याएं जो 2 से पूर्णतः विभाजित हो जाती हैं उन्हें **''सम संख्याएं''** कहते हैं। जैसे–2, 4, 32, 64, 108.... आदि ''सम संख्याएं'' हैं।
3. **विषम संख्याएं** : वे संख्याएं जो 2 से पूर्णतः विभाजित नहीं होती हैं उन्हें **''विषम संख्याएं''** कहते हैं। जैसे–1, 3, 5, 7, 11, 17, 21, 23.... आदि ''विषम संख्याएं'' हैं।
4. **अभाज्य संख्याएं** : वे संख्याएं जो स्वयं और 1 के अतिरिक्त किसी अन्य संख्याओं से पूर्णतः विभाजित न हों, उन्हें **''अभाज्य संख्याएं''** कहते हैं। जैसे–2, 3, 7, 11, 13, 17.... आदि ''अभाज्य संख्याएं'' हैं।
5. **भाज्य संख्याएं** : वे संख्याएं जो स्वयं और 1 के अतिरिक्त किसी अन्य संख्याओं से पूर्णतः विभाजित हो जाती हों तो उन्हें **''भाज्य संख्याएं''** कहते हैं। जैसे– 4, 6, 9, 10, 12, 15....आदि ''भाज्य संख्याएं'' हैं।

नोट :

1. संख्या 1 न तो भाज्य है और न ही अभाज्य।

2. वह संख्या जो सम भी हो और अभाज्य भी, केवल 2 है।

- **आरोही क्रम (Ascending Order)** : बाईं ओर से दायीं ओर लिखने पर प्राकृतिक संख्याएं मान के अनुसार बढ़ते हुए क्रम में हों तो इस क्रम को **''आरोही क्रम''** कहते हैं। जैसे–25, 30, 41, 50 आदि संख्याएं आरोही क्रम में होंगी।
- **अवरोही क्रम (Descending Order):** बाईं ओर से दाईं ओर लिखने पर प्राकृतिक संख्याएं मान के अनुसार घटते हुए क्रम में हों, तो इस क्रम को **''अवरोही क्रम''** कहते हैं। जैसे–50, 41, 30, 25 आदि संख्याएं अवरोही क्रम में होंगी।

स्थानीय मान और जातीय (वास्तविक) मान

- **स्थानीय मान** : किसी अंक (Number) का जो मान (Value) उसके स्थान के कारण होता है, उसे उस अंक का **स्थानीय मान** कहते हैं। जैसे–32 में इकाई के स्थान पर 2 तथा दहाई के स्थान पर 3 है। इसमें 3 का स्थानीय मान $= 3 \times 10 = 30$ तथा 2 का स्थानीय मान $= 2 \times 1 = 2$ होगा।
- **जातीय (वास्तविक) मान** : हर अंक का अपना जातीय मान होता है। जैसे– 2 का 2, 5 का 5, 7 का 7, 9 का 9 आदि। जैसा कि हम ऊपर बता चुके हैं कि 32 में 3 का **स्थानीय मान** 30 है। परन्तु 32 में 3 का **जातीय मान** 3 होगा। इस प्रकार 32 में 3 के स्थानीय मान तथा जातीय मान के बीच अन्तर $= 30 - 3 = 27$ होगा। अतः किसी संख्या में किसी अंक का स्थानीय मान प्राप्त करने के लिए सरल तरीका यह है कि पहले उस अंक को लिख लें और उसके बाद उसमें उतने शून्य लगा दें, जितने कि उस अंक के बाद अंक हों।

उदाहरण 1 : 35011 में से 5 का स्थानीय मान क्या होगा?

हल : सबसे पहले 5 लिखें फिर देखें कि संख्या 5 के बाद कितने अंक हैं। अतः उपरोक्त दी हुई संख्या से स्पष्ट है कि 5 के बाद तीन अंक हैं। फिर 5 के बाद तीन शून्य लिख दें। 5000, इस प्रकार 35011 में 5 का **स्थानीय मान** = 5000 हुआ।

नोट : प्रत्येक पूर्ण संख्या को अभाज्य संख्याओं के गुणनफल के रूप में लिखा जा सकता है।

एक संख्या के अभाज्य गुणनखण्ड किस प्रकार लिख सकते हैं:

(*i*) संख्या को 2 से भाग करो, यदि सम्भव हो, और 2 से भाग करते रहो जब तक कि ऐसा गुणनखण्ड न आ जाए जो 2 से विभाजित न हो।

(*ii*) प्राप्त परिणाम (*i*) को 3 से भाग करो, यदि सम्भव हो और 3 से भाग करते रहो जब तक कि ऐसा गुणनखण्ड न आ जाए जो 3 से विभाजित न हो।

(*iii*) प्राप्त परिणाम (*ii*) को 5 से भाग करो, यदि सम्भव हो और 5 से भाग करते रहो जब तक कि ऐसा गुणनखण्ड न आ जाए जो 5 से विभाजित न हो।

(*iv*) प्राप्त परिणामों में इसी प्रकार 7, 11, 13 आदि संख्याओं से भाग करते रहो जब तक कि सारे गुणनखण्ड अभाज्य गुणनखण्ड न हो जाएं।

प्रश्नमाला

1. 1 से 100 के बीच अभाज्य संख्याएं होंगी:

A. 20 B. 30
C. 22 D. 25

2. ऐसी संख्या जो अभाज्य भी है और सम भी:

A. 1 B. 2
C. 98 D. 79

3. निम्न में से कौन-सी संख्या अभाज्य संख्या होगी?

A. 149 B. 159
C. 117 D. 147

4. चार अंकों की छोटी-से-छोटी संख्या होगी?

A. 1002 B. 1001
C. 9999 D. 1000

5. 43014 में 3 का स्थानीय मान क्या होगा?
A. 3 B. 3000
C. 300 D. 30

6. 81752 में 2 के स्थानीय मान और जातीय मान में अन्तर क्या होगा?
A. 2 B. 0
C. 1 D. 20

7. संख्या 3125 में से क्या घटाया जाए ताकि शेष संख्या 13 से पूर्णतः विभाजित हो सके?
A. 5 B. 8
C. 10 D. 12

8. निम्नलिखित में से कौन-सी संख्या 3 से पूर्णतः विभाजित होगी?
A. 491 B. 371
C. 591 D. 571

9. भाग के प्रश्न में भाजक 16, भागफल 9 तथा शेष 1 हो, तो भाज्य कितना होगा?
A. 145 B. 136
C. 144 D. 152

10. 1 से 50 तक पूर्णांकों का योग कितना होगा?
A. 1275 B. 1375
C. 1225 D. 1365

11. संख्या 30, 70, 584 में अंक 7 के स्थानीय मान लिखो।
A. 700 B. 7000
C. 70,000 D. 700,000

12. 3589 में क्या जोड़ें कि यह पांच अंकों की सबसे छोटी संख्या बन जाए?
A. 6413 B. 6412
C. 6411 D. 6311

13. 2756 और तीन अंकों की सबसे बड़ी संख्या का योगफल ज्ञात करो।
A. 3655 B. 3755
C. 3756 D. 3656

14. पांच अंकों की सबसे बड़ी और छः अंकों की सबसे छोटी संख्याओं का अन्तर ज्ञात करो।
A. 1 B. 3
C. 3 D. 4

15. संख्या 36795 में अंक 6 के स्थान पर 9 तथा 9 के स्थान पर 6 बदल देने से इन संख्याओं के मान में कितना अन्तर हो जाएगा।
A. 2970 B. 3071
C. 2971 D. 3071

16. चार अंकों की बड़ी-से-बड़ी व छोटी-से- छोटी संख्याओं का योग ज्ञात करो।
A. 10990 B. 11999
C. 10909 D. 10999

उत्तरमाला

1	2	3	4	5	6	7	8	9	10
D	B	A	D	B	B	A	C	A	A
11	**12**	**13**	**14**	**15**	**16**				
C	C	B	A	A	D				

व्याख्यात्मक उत्तर

1. चूंकि 1 से 100 के बीच अभाज्य संख्याएं क्रमशः 2, 3, 5, 7, 11, 13, 17, 19, 23, 29, 31, 37, 41, 43, 47, 53, 59, 61, 67, 71, 73, 79, 83, 89 तथा 97 होंगी। अतः स्पष्ट है कि 1 से 100 तक के बीच अभाज्य संख्याओं की गिनती = 25 हैं।

2. ऐसी संख्या जो अभाज्य भी है और सम भी, केवल 2 है।

3. दिये गये विकल्प A में 149 एक अभाज्य है, क्योंकि यह किसी अन्य संख्या से पूर्णतः विभाजित नहीं है।

4. चार अंकों की छोटी-से-छोटी संख्या = 1000 होगी। अतः आपका उत्तर विकल्प D है।

5. $\because$ संख्या 43014 में 3 का अंक हजार के स्थान पर है
$\therefore$ संख्या में 3 का स्थानीय मान
$= 3 \times 1000 = 3000$ होगा।

6. $\because$ संख्या 81752 में 2 का अंक इकाई के स्थान पर है।
$\therefore$ संख्या में 2 का स्थानीय मान $= 2 \times 1 = 2$ तथा संख्या में 2 का जातीय मान = 2 होगा। 2 के स्थानीय मान तथा जातीय मान के बीच अन्तर $= 2 - 2 = 0$ होगा।

7. चूंकि संख्या 3125 में 13 से भाग देने पर शेष 5 बचता है।
$\therefore$ संख्या 3125 को 13 से पूर्णतः विभाजित होने के लिए इसमें से 5 घटाया जाये।

8. विकल्प C में दी गई संख्या 591, 3 से पूर्णतः विभाजित होगी, क्योंकि संख्या के अंकों का योग 3 से विभाजित हैं।

9. $\because$ भाज्य = भाजक × भागफल + शेष
$= 16 \times 9 + 1 = 144 + 1 = 145.$

10. 1 से 50 तक के पूर्णांकों का योग
$= \frac{n(n+1)}{2}$ जहां n पदों की संख्या हैं।
$= \frac{50(50+1)}{2} = \frac{50 \times 51}{2} = 1275$

11. संख्या 3070584 में
अंक 7 का स्थानीय मान = 7 दस हजार = 70,000

15. 39765; मान में अंतर 2970

16. चार अंकों की सबसे बड़ी संख्या = 9999
चार अंकों की सबसे छोटी संख्या = 1000
$\therefore$ अभीष्ट योग = 9999 + 1000 = 10999

●●●

2

दशमलव (Decimals)

दशमलव बिन्दु के अंकों के समूह को **दशमलव भिन्न** कहते है। जैसे– 0.513, 0.317, 0.219, 0.6 आदि। प्रत्येक दशमलव एक भिन्न को दर्शाता है।

दशमलव भिन्न को साधारण भिन्न में बदलनाः

(*i*) एक ऐसी भिन्न लो जिसका हर 10 हो तथा अंश दशमलव के बाद दायीं ओर का पहला अंक हो।

(*ii*) एक ऐसी भिन्न लो जिसका हर 100 हो तथा अंश दशमलव के बाद दायीं ओर का दूसरा अंक हो।

(*iii*) इस प्रक्रिया को दोहराइये जब तक दशमलव के बाद के अंक समाप्त नहीं हो जाते। प्रत्येक दशा में हर, पहले हर का दस गुणा होगा।

(*iv*) इस प्रकार प्राप्त भिन्नों का योग जो परिणाम (*i*), (*ii*) और (*iii*) के योग से प्राप्त होता है, दशमलव भिन्न को प्रकट करता है।

जैसे :

$$0.317 = \frac{3}{10} + \frac{1}{100} + \frac{7}{1000}$$

$$= \frac{300}{1000} + \frac{10}{1000} + \frac{7}{1000} = \frac{317}{1000}$$

नोटः शून्यों से बनी कोई संख्या दशमलव के दाईं ओर बिना परिवर्तन किये लिखी जाती है।

प्रश्नमाला

1. कौन-सी भिन्न $\frac{15}{25}$ के समान है?

A. $\frac{150}{25}$ B. $\frac{15}{250}$

C. $\frac{3}{5}$ D. $\frac{60}{75}$

2. कौन-सी भिन्न $\frac{13}{20}$ के समान नहीं है?

A. $\frac{26}{40}$ B. $\frac{130}{200}$

C. $\frac{39}{60}$ D. $\frac{52}{60}$

3. एक घंटे के $\frac{5}{6}$ भाग का मान हैः

A. आधा घण्टा

B. 40 मिनट

C. 50 मिनट

D. 55 मिनट

4. एक वायुयान 1250 कि.मी. यात्रा में 2/5 भाग ईंधन खपत करता है। शेष ईंधन में यात्रा पूरी करेगाः

A. 1875 कि.मी. B. 2125 कि.मी.

C. 250 कि.मी. D. 475 कि.मी.

5. निम्नलिखित में से कौन-सी भिन्न सबसे बड़ी है?

A. $\frac{3}{15}$ B. $\frac{5}{20}$

C. $\frac{8}{64}$ D. $\frac{25}{1000}$

6. निम्नलिखित में से कौन-सी भिन्न सबसे छोटी है?

A. $\frac{1}{10}$ B. $\frac{1}{100}$

C. $\frac{9}{1000}$ D. $\frac{500}{10,000}$

7. $.001 \times 1000 = ?$

A. .1 B. 1

C. .01 D. 10

8. $1.01 \times .1 = ?$

A. 1.01 B. 10.1

C. .101 D. .0101

9. $\frac{20 + 8 \times 0.5}{20 - ?} = 12$

A. 12 B. 4

C. 18 D. 2

10. $.01 \times 100 \div 2.5 = ?$

A. 4 B. .4

C. .04 D. 5

11. दी हुई भिन्नों $\frac{5}{8}, \frac{21}{35}, \frac{9}{16}, \frac{6}{7}$ में सबसे बड़ी और सबसे छोटी भिन्न के बीच अन्तर है?

A. $\frac{33}{112}$ B. $\frac{112}{33}$

C. $\frac{32}{112}$ D. $\frac{112}{32}$

12. यदि किसी संख्या तथा उसके $\frac{1}{5}$ भाग में अन्तर 20 है, तो वह संख्या क्या है?

A. 23 B. 25

C. 24 D. 26

उत्तरमाला

1	2	3	4	5	6	7	8	9	10
C	D	C	A	B	C	B	C	C	B
11	12								
A	B								

व्याख्यात्मक उत्तर

1. $\frac{15}{25} = \frac{3\times5}{5\times5} = \frac{3}{5}$

2. $\frac{26}{40} = \frac{2\times13}{2\times20} = \frac{13}{20},\ \frac{39}{60}$

$= \frac{13\times3}{20\times3} = \frac{13}{20}$

$\frac{130}{200} = \frac{13\times10}{20\times10} = \frac{13}{20},\ \frac{52}{60} = \frac{13\times4}{20\times3} = \frac{13}{20}\times\frac{4}{3}$

अतः $\frac{52}{60} \neq \frac{13}{20}$

3. 1 घण्टे का $\frac{5}{6}$ भाग

$= \frac{5}{6}\times60$ मिनट $= 50$ मिनट।

4. शेष ईंधन $= 1-\frac{2}{5} = \frac{5-2}{5} = \frac{3}{5}$

$\frac{2}{5}$ ईंधन में तय की गई दूरी

$= 1250$ कि.मी.

पूरे ईंधन में तय की गई दूरी

$= \frac{1250}{2/5} = \frac{1250\times5}{2}$ कि.मी.

$\frac{3}{5}$ ईंधन में तय की गई दूरी

$= \frac{1250\times5}{2}\times\frac{3}{5} = 1875$ कि.मी.

5. $\frac{3}{15} = \frac{1}{5},\ \frac{8}{64} = \frac{1}{8}$

$\Rightarrow \frac{5}{20} = \frac{1}{4},\ \frac{25}{1000} = \frac{1}{40}$

$\frac{1}{5},\ \frac{1}{4},\ \frac{1}{8},\ \frac{1}{40}$

$\Rightarrow \frac{8,\ 10,\ 5,\ 1}{40}$

$\therefore$ सबसे बड़ी भिन्न $= \frac{1}{4} = \frac{5}{20}$

6. $\frac{1}{10} = .1,\ \frac{9}{1000} = .009$

$\frac{1}{100} = .01,\ \frac{500}{10,000} = \frac{5}{100} = .05$

$\therefore$ सबसे छोटी भिन्न $= 0.09 = \frac{9}{1000}$

7. $.001\times1000 = 001.000 = 1$

8. $1.01\times.1 = \frac{101\times1}{100\times10} = \frac{101}{1000} = .101$

9. $\because \frac{20+8\times0.5}{20-?} \Rightarrow \frac{20+4}{20-?}$

$12 \Rightarrow \frac{24}{12} = 2$

$\Rightarrow 2 = 20-? \Rightarrow ? = 20-2 = 18$

10. $.01\times100\div2.5 = .01\times\frac{100}{2.5} = .01\times40 = .4$

11. 8, 35, 16 और 7 का लघुत्तम समापवर्तक = 560

$\therefore \quad \frac{5}{8} = \frac{5\times70}{8\times70} = \frac{350}{560}$

$\frac{21}{35} = \frac{21\times16}{35\times16} = \frac{336}{560}$

$\frac{9}{16} = \frac{9\times35}{16\times35} = \frac{315}{560}$

$\frac{6}{7} = \frac{6\times80}{7\times80} = \frac{480}{560}$

$\therefore$ सबसे बड़ी भिन्न $= \frac{6}{7}$

तथा सबसे छोटी भिन्न $= \frac{9}{16}$

$\therefore$ अन्तर $= \frac{6}{7}-\frac{9}{16} = \frac{96-63}{112} = \frac{33}{112}$

12. माना संख्या 1 है।

$\therefore$ 1 का $\frac{1}{5} = \frac{1}{5}$

$\therefore \quad 1-\frac{1}{5} = \frac{4}{5}$

$\therefore$ संख्या $= 20\div\frac{4}{5} = 20\times\frac{5}{4} = 25$

●●●

3

सरलीकरण (Simplification)

साधारण या दशमलव भिन्नों के जटिल व्यंजक को एक साधारण भिन्न या दशमलव भिन्न में बदलने की क्रिया को ''सरलीकरण'' कहते हैं। इस प्रकार के व्यंजक में ''कोष्ठक'', ''का'', (÷), (×), (+) तथा (–) आदि चिह्न अलग-अलग या एक साथ प्रदर्शित होते हैं। अतः ऐसे व्यंजक का ''सरलीकरण'' करने में **"BODMAS"** शब्द का प्रयोग किया जाता है। **"BODMAS"** शब्द का क्रमानुसार आशय निम्नलिखित है।

"BODMAS"

B	ब्रैकेट (कोष्ठक)	$\left[\left\{\left(\right)\right\}\right]$
O	ऑफ (का)	का
D	डिवीजन (भाग)	÷
M	मल्टीप्लिकेशन (गुणा)	×
A	ऐडीशन (जोड़)	+
S	सब्ट्रेक्शन (घटाना)	–

अतः किसी भी जटिल व्यंजक को **"BODMAS"** शब्द के क्रमानुसार सरल किया जाता है। अर्थात् सबसे पहले ''कोष्ठक'' उसके बाद ''का'' फिर ''भाग'' फिर ''गुणा'' उसके बाद ''जोड़'' और अन्त में ''घटाना'' सरल होता है। इस क्रम को याद रखना परम आवश्यक है क्योंकि ऐसा न करने पर सरलीकरण की क्रियाएं गलत हो जाती हैं।

महत्वपूर्ण नोट :

(*i*) कोष्ठक चार प्रकार के होते हैं :

1. रेखा कोष्ठक जिसे बन्धनी रेखा (–) भी कहते हैं।

2. छोटा कोष्ठक(()),

3. मझला कोष्ठक ({}),

4. बड़ा कोष्ठक ([]),

अतः कोष्ठक के प्रश्नों में सबसे पहले रेखा कोष्ठक (–), उसके बाद छोटा कोष्ठक (()), उसके बाद मझला कोष्ठक ({}), और अन्त में बड़े कोष्ठक ([]) को सरल करना चाहिए।

(*ii*) O (का) का सामान्य अर्थ गुणा होता है।

प्रश्नमाला

1. $\frac{7}{4}-\frac{4}{7}=\frac{5}{28}+?$

A. 2 B. $\frac{1}{7}$

C. $\frac{2}{9}$ D. 1

2. $22\times5=22$ का ?%

A. 4500 B. 5000

C. 500 D. 750

3. 200 का $\frac{1}{25}\div8=?$

A. 1 B. 3

C. 8 D. 5

4. $\frac{40\times0.4\times0.04}{4+4\div4}=?$

A. .128 B. .148

C. .15 D. .248

5. $50\div5\div5=?$

A. 2 B. 10

C. 1/5 D. 4

6. $\frac{40\times15+25}{26+4\div4-2}=?$

A. 25 B. 30

C. 31 D. 42

7. $\frac{1.4\times3.6-1.2}{0.4\times1.2}=?$

A. 8 B. 2

C. 4 D. 3

8. $14\times3.2-2\times2.1+0.8=?$

A. 1.08 B. 2.18

C. 1.18 D. 2.08

9. $5\div\frac{3}{4}+\frac{2}{3}\times\frac{3}{4}-\frac{2}{3}$ का $\frac{13}{7}=?$

A. $4\frac{12}{11}$ B. $5\frac{13}{14}$

C. $5\frac{13}{17}$ D. $6\frac{13}{14}$

10. $(9+9+9)\div9\times9=?$

A. 27 B. 24

C. 21 D. 32

11. $2-\left[3-\left\{6-\left(5-\overline{4-3}\right)\right\}\right]$ को सरल करो।

A. 1 B. 2

C. 3 D. इनमें से कोई नहीं

12. सरल करो—

$\frac{3}{11}+\frac{4}{3}\div\frac{10}{11}\times\frac{5}{11}-\frac{28}{33}$ का $1\frac{2}{7}$

A. $\frac{5}{13}$ B. $\frac{-5}{33}$

C. $\frac{5}{33}$ D. $\frac{-5}{13}$

13. $4.51\times\frac{2}{5}+\frac{3}{5}\times4.51+4.51$ को सरल करो।

A. 9.02 B. 90.2

C. 0.902 D. 902

14. $\frac{15.72\times15.72-5.72\times5.72}{15.72+5.72}$ को सरल करो।

A. 9 B. 10

C. 8 D. 11

उत्तरमाला

1	2	3	4	5	6	7	8	9	10
D	C	A	A	A	A	A	A	B	A
11	12	13	14						
A	B	A	B						

व्याख्यात्मक उत्तर

1. $\frac{7}{4}-\frac{4}{7}=\frac{5}{28}+?\Rightarrow\frac{7\times7-4\times4}{4\times7}=\frac{5}{28}+?$

$\Rightarrow\frac{49-16}{28}=\frac{5}{28}+?\Rightarrow\frac{33}{28}=\frac{5}{28}+?$

$\Rightarrow1\frac{5}{28}=\frac{5}{28}+?\quad\Rightarrow1+\frac{5}{28}=\frac{5}{28}+?\quad\therefore ?=1$

2. $\because\ 22\times5=22$ का $?\%$

$\Rightarrow110=22\times\frac{?}{100}\Rightarrow\frac{110\times100}{22}=?\ \therefore\ ?=500$

3. $\because$ 200 का $\frac{1}{25}\div8=?$

$\Rightarrow8\div8=?\Rightarrow\frac{8}{8}=?\Rightarrow1=?$

4. $\because\ \frac{40\times0.4\times0.04}{4+4\div4}=?\Rightarrow\frac{.64}{4+\frac{4}{4}}=?$

$\Rightarrow\frac{.64}{4+1}=?\Rightarrow\frac{.64}{5}=?\Rightarrow.128=?$

5. $\because\ 50\div5\div5=?\Rightarrow\frac{50}{5}\div5=?$

$\Rightarrow10\div5=?\Rightarrow\frac{10}{5}=?\ \Rightarrow2=?$

6. $\because\ \frac{40\times15+25}{26+4\div4-2}=?\ \Rightarrow\frac{600+25}{26+\frac{4}{4}-2}=?$

$\Rightarrow\frac{625}{26+1-2}=?\ \Rightarrow\ \frac{625}{25}=?\Rightarrow25=?$

7. $\frac{1.4\times3.6-1.2}{0.4\times1.2}=\frac{5.04-1.2}{.48}=\frac{3.84}{.48}=8.$

8. "BODMAS" नियम के अनुसार पहले गुणा उसके बाद जोड़ और अन्त में घटाव की क्रिया करें।

$\therefore\ 1.4\times3.2-2\times2.1+0.8=4.48-4.2+0.8=1.08$

9. "BODMAS" नियम के अनुसार सबसे पहले का, फिर भाग, उसके बाद गुणा, फिर जोड़ और अन्त में घटाव की क्रिया करें।

$\therefore\ 5\div\frac{3}{4}+\frac{2}{3}\times\frac{3}{4}-\frac{2}{3}$ का $\frac{13}{7}\ =5\div\frac{3}{4}+\frac{2}{3}\times\frac{3}{4}-\frac{26}{21}$

$=\frac{20}{3}+\frac{2}{3}\times\frac{3}{4}-\frac{26}{21}=\frac{20}{3}+\frac{1}{2}-\frac{26}{21}$

$=\frac{280+21-52}{42}=\frac{249}{42}=5\frac{39}{42}=5\frac{13}{14}$

10. "BODMAS" नियम के अनुसार पहले कोष्ठक के अन्दर की संख्याओं को सरल करें, फिर भाग, उसके बाद गुणा करें।

$\therefore\ (9+9+9)\div9\times9=27\div9\times9\ =\ \frac{27}{9}\times9=27.$

11. $2-\left[3-\left\{6-\left(5-\overline{4-3}\right)\right\}\right]=2-[3-\{6-(5-1)\}]$

$=2-[3-\{6-4\}]=2-[3-2]=2-1=1$

12. दिया गया व्यंजक

$=\frac{3}{11}+\frac{4}{3}\div\frac{10}{11}\times\frac{5}{11}-\frac{28}{33}$ का $1\frac{2}{7}$

$=\frac{3}{11}+\frac{4}{3}\div\frac{10}{11}\times\frac{5}{11}-\frac{28}{33}\times\frac{9}{7}$

$=\frac{3}{11}+\frac{4}{3}\times\frac{11}{10}\times\frac{5}{11}-\frac{28}{33}\times\frac{9}{7}$

$=\frac{3}{11}+\frac{2}{3}-\frac{12}{11}=\frac{9+22-36}{33}=\frac{-5}{33}$

13. व्यंजक $=4.51\times\frac{2}{5}+\frac{3}{5}\times4.51+4.51$

$=4.51\left(\frac{2}{5}+\frac{3}{5}+1\right)=4.51\left(\frac{2+3+5}{5}\right)$

$=4.51\times\frac{10}{5}=4.51\times2=9.02$

14. $\frac{15.72\times15.72-5.72\times5.72}{15.72+5.72}=\frac{(15.72+5.72)\,(15.72-5.72)}{(15.72+5.72)}$

$=15.72-5.72=10$

●●●

4

महत्तम समापवर्तक और लघुत्तम समापवर्त्य (H.C.F. and L.C.M.)

- **महत्तम समापवर्तक :** किन्हीं दो या दो से अधिक दी हुई संख्याओं का महत्तम समापवर्तक (म. स. प.) वह बड़ी-से-बड़ी संख्या है जो प्रत्येक दी हुई संख्याओं को पूरा-पूरा विभाजित करे।
- **लघुत्तम समापवर्त्य :** किन्हीं दो या दो से अधिक दी हुई संख्याओं का लघुत्तम समापवर्त्य (ल. स. व.) वह छोटी-से-छोटी संख्या है जो प्रत्येक दी हुई संख्या से पूरी-पूरी विभाजित हो।

प्रश्नों से संबंधित समस्याओं को हल करने के लिए निम्नलिखित सूत्रों को ध्यान में रखिये :

(*i*) भिन्नों का महत्तम समापवर्तक (म. स. प.) = अंशों का महत्तम lekiorâ / हरों का लघुत्तम समापवर्त्य

(*ii*) भिन्नों का लघुत्तम समापवर्त्य (ल. स. व.) = अंशों का लघुत्तम समापवर्त्य / हरों का महत्तम समापवर्तक

(*iii*) दो संख्याओं का गुणनफल = म. स. प. × ल. स. व.

उदाहरण 1 : 18, 24 तथा 60 का महत्तम समापवर्तक निकालिए।

हल : ∵ $18 = 2 \times 3 \times 3$

$24 = 2 \times 2 \times 2 \times 3$ तथा $60 = 2 \times 2 \times 3 \times 5$

∵ उपरोक्त दी हुई संख्याओं के अभाज्य गुणनखण्डों से स्पष्ट है कि तीनों संख्याओं के अभाज्य गुणनखण्डों में 2×3 उभयनिष्ठ है।

∴ अभीष्ट महत्तम समापवर्तक = 6 होगा।

प्रश्नमाला

1. 12, 24 व 36 का महत्तम समापवर्तक कितना होगा?
A. 16 B. 18
C. 12 D. 36

2. 70, 20 व 14 का लघुत्तम समापवर्त्य क्या है?
A. 120 B. 140
C. 280 D. 70

3. दो संख्याओं का अनुपात 11 : 15 है। यदि उनका म.स.प. 13 हो, तो वे संख्याएं क्रमशः क्या होंगी?
A. 143 व 195 B. 195 व 143
C. 110 व 150 D. 121 व 165

4. वह छोटी-से-छोटी पूर्ण वर्ग संख्या क्या होगी जो 56, 21 तथा 36 से पूर्णतः विभाजित हो सके?
A. 7056 B. 8056
C. 7040 D. 8100

5. वह बड़ी-से-बड़ी संख्या क्या होगी, जिससे यदि 27, 33 तथा 39 को भाग दें तो क्रमशः 2, 3 तथा 4 शेष बचे?
A. 4 B. 5
C. 3 D. 7

6. 5 अंकों की वह छोटी-से-छोटी संख्या क्या होगी जो 12, 15 तथा 18 से पूर्णतः विभाजित हो?
A. 10080 B. 10800
C. 11820 D. 12080

7. दो संख्याओं का गुणनफल 27 है। उनका महत्तम समापवर्तक 3 है, तो उनका लघुत्तम समापवर्त्य क्या होगा?
A. 81 B. 54
C. 9 D. 6

8. चार अंकों की वह बड़ी-से-बड़ी संख्या क्या है जो 2, 3, 4, 5, 6 और 7 से पूरी-पूरी विभाजित हो जाती है?
A. 9729 B. 9760
C. 9579 D. 9660

9. दो संख्याओं का गुणनफल 54 है। उनका महत्तम समापवर्तक 3 है, तो उनका लघुत्तम समापवर्त्य क्या होगा?
A. 18 B. 21
C. 9 D. 24

10. $\frac{10}{21}, \frac{25}{27}$ और $\frac{35}{24}$ का महत्तम समापवर्तक क्या है?
A. $\frac{5}{216}$ B. $\frac{5}{1080}$
C. $\frac{5}{1512}$ D. $\frac{5}{638}$

11. 27, 15, 72 का लघुत्तम ज्ञात करो।
A. 1020 B. 1080
C. 1050 D. 1060

12. 77, 88, 132 का लघुत्तम ज्ञात करो।
A. 1860 B. 1858
C. 1850 D. 1848

13. 135, 120, 90 का लघुत्तम ज्ञात करो।
A. 1050 B. 1020
C. 1080 D. 1060

14. 4, 6, 9, 12 का लघुत्तम ज्ञात करो।
A. 36 B. 38
C. 34 D. 40

उत्तरमाला

1	2	3	4	5	6	7	8	9	10
C	B	A	A	B	A	C	D	A	C
11	**12**	**13**	**14**						
B	D	C	A						

व्याख्यात्मक उत्तर

1. ∵ $12 = 2 \times 2 \times 3$

$24 = 2 \times 2 \times 2 \times 3$

तथा $36 = 2 \times 2 \times 3 \times 3$

∴ अभीष्ट महत्तम समापवर्तक $= 2 \times 2 \times 3 = 12$ होगा।

2. ∵ $70 = 2 \times 5 \times 7$

$20 = 2 \times 2 \times 5$

तथा $14 = 2 \times 7$

∴ अभीष्ट लघुत्तम समापवर्त्य $= 2 \times 2 \times 5 \times 7 = 140$

3. माना कि वे संख्याएं क्रमशः $11x$ व $15x$ हैं।

प्रश्नानुसार, दोनों संख्याओं का म.स.प. = 13 (दिया हुआ है)। अतः स्पष्ट होता है कि x के स्थान पर मान 13 होगा, क्योंकि 11×13 तथा 15×13 का म.स.प. 13 है। अतः वे संख्याएं क्रमशः $11 \times 13 = 143$ तथा $15 \times 13 = 195$ होंगी।

4. सबसे पहले 56, 21 तथा 36 का ल.स.व. ज्ञात करना है।

∵ $56 = 2 \times 2 \times 2 \times 7$

$21 = 3 \times 7$

तथा $36 = 2 \times 2 \times 3 \times 3$

∴ अभीष्ट ल.स.व. $= 2 \times 2 \times 2 \times 3 \times 3 \times 7$

चूंकि यह पूर्ण वर्ग संख्या नहीं है। अतः अभीष्ट ल.स.व. को पूर्ण वर्ग बनाने के लिए इसमें कम-से-कम 2×7 अर्थात् 14 से गुणा करना होगा।

∴ वह छोटी-से-छोटी पूर्ण वर्ग संख्या

$= 2 \times 2 \times 2 \times 3 \times 3 \times 7 \times 2 \times 7 = 7056$ होगी।

5. इस प्रकार के प्रश्नों में पहले शेषफल को संख्याओं में से घटाया जाता है फिर उन संख्याओं का म.स.प. ज्ञात किया जाता है।

∴ $27 - 2 = 25$

$33 - 3 = 30$

तथा $39 - 4 = 35$

अतः 25, 30 तथा 35 का म.स.प. ज्ञात करना है।

∵ $25 = 5 \times 5$

$30 = 2 \times 3 \times 5$

तथा $35 = 5 \times 7$

∴ अभीष्ट म.स.प. = 5

∴ वह-बड़ी-से बड़ी संख्या = 5 होगी।

6. सबसे पहले 12, 15 तथा 18 का ल.स.व. ज्ञात करना है।

∵ $12 = 2 \times 2 \times 3$

$15 = 3 \times 5$

तथा $18 = 2 \times 3 \times 3$

∴ अभीष्ट ल.स.व. $= 2 \times 2 \times 3 \times 3 \times 5 = 180$

तथा 5 अंकों की छोटी-से-छोटी संख्या = 10000

$= 180 \times 55 + 100$

तथा स्पष्ट है कि 5 अंकों की छोटी-से-छोटी संख्या जो 12, 15 तथा 18 से पूर्णतः विभाजित होगी $= 180 \times 56 = 10080$

7. लघुत्तम समापवर्त्य

$$= \frac{\text{दोनों संख्याओं का गुणनफल}}{\text{उनका महत्तम समापवर्तक}} = \frac{27}{3} = 9$$

8. 2, 3, 4, 5, 6 और 7 का लघुत्तम समापवर्त्य

$= 2 \times 2 \times 3 \times 5 \times 7 = 420$

चार अंकों की सबसे बड़ी संख्या = 9999

9999 को 420 से विभाजित करें तो शेष = 339

∴ अभीष्ट संख्या $= 9999 - 339 = 9660$

9. उनका लघुत्तम समापवर्त्य

$$= \frac{\text{दोनों संख्याओं का गुणनफल}}{\text{उनका महत्तम समापवर्तक}} = \frac{54}{3} = 18$$

10. भिन्नों का महत्तम समापवर्तक

$$= \frac{\text{अंशों का महत्तम समापवर्तक}}{\text{हरों का लघुत्तम समापवर्त्य}}$$

$$= \frac{\text{10, 25 और 35 का महत्तम समापवर्तक}}{\text{21, 27 और 24 का लघुत्तम समापवर्त्य}} = \frac{5}{1512}$$

11. ल. स.

2	27, 15, 72
2	27, 15, 36
2	27, 15, 18
3	27, 15, 9
3	9, 5, 3
3	3, 5, 1
5	1, 5, 1
	1, 1, 1

अतः दी गई संख्याओं का लघुत्तम समापवर्त्य

$2 \times 2 \times 2 \times 3 \times 3 \times 3 \times 5 = 1080$

14. ल. स.

2	4, 6, 9, 12
2	2, 3, 9, 6
3	1, 3, 9, 3
3	1, 1, 3, 1
	1, 1, 1, 1

अतः दी गई संख्याओं का लघुत्तम समापवर्त्य $= 2 \times 2 \times 3 \times 3 = 36$.

●●●

5

घातांक (Indices)

हम जानते हैं कि $x \times x = x^2$, $x \times x \times x = x^3$, $x \times x \times x \times x = x^4$ ...., $x \times x \times x \times x \times x \times x \times x$ .... n गुणनखण्डों तक $= x^n$ को "x की घात n" पढ़ा जाता है। इस प्रकार हम कह सकते हैं कि

2 की घात 3 $= 2^3 = 2 \times 2 \times 2 = 8$

3 की घात 3 $= 3^3 = 3 \times 3 \times 3 = 27$

5 की घात 4 $= 5^4 = 5 \times 5 \times 5 \times 5 = 625$

8 की घात 2 $= 8^2 = 8 \times 8 = 64$.

$\left(\frac{x}{y}\right)$ की घात 3 $= \left(\frac{x}{y}\right)^3 = \frac{x \times x \times x}{y \times y \times y} = \frac{x^3}{y^3}$

x^2 की घात 5 $= (x^2)^5 = x^2 \times x^2 \times x^2 \times x^2 \times x^2 = x^{10}$

घातांक से सम्बन्धित आवश्यक नियम

नियम 1. यदि m और n धन पूर्णांक हों तथा x, y कोई भी संख्याएं हैं तो $x^m \times x^n = x^{m+n}$

नियम 2. यदि m और n धन पूर्णांक हों तथा x, y कोई भी संख्याएं हैं तो,

$$x^m \div x^n = \frac{x^m}{x^n} = x^{m-n}$$

जबकि $m > n$ या

$$x^m \div x^n = \frac{x^m}{x^n} = \frac{1}{x^{n-m}} \quad \text{जबकि } n > m$$

नियम 3. यदि m और n धन पूर्णांक हों तथा x, y कोई भी संख्याएं हैं तो $(x^m)^n = x^{mn}$

नियम 4. यदि m और n धन पूर्णांक हों तथा x, y कोई भी संख्याएं हैं तो $(xy)^m = x^m \times y^m$

मूल : यदि कोई संख्या 'x की घात n' है तथा इसका परिणाम a अर्थात् $x^n = a$ है तो इसका अर्थ यह होता है कि a का n वां मूल x है। जिसे प्राय: इस प्रकार लिखा जाता है

$$x^n = a \Rightarrow x = \sqrt[n]{a} = (a)^{1/n}$$

इसी प्रकार यदि भिन्नात्मक घातांक $x^{p/q} = a$ है तो इसका अर्थ यह होगा कि x का q वां मूल बराबर है a का p वां मूल के, अर्थात्

$$x^{p/q} = a \Rightarrow \left(x^{1/q}\right)^p$$

$$a \Rightarrow x^{1/q} = a^{1/p}$$

$$\Rightarrow \sqrt[q]{x} = \sqrt[p]{a}$$

अत: दूसरे मूल को हम वर्गमूल तथा तीसरे मूल को घनमूल भी कहते हैं।

महत्त्वपूर्ण नोट : यदि किसी संख्या या राशि की घात ''शून्य'' है, तो उस संख्या या राशि का मान सदैव 1 के बराबर होगा। अर्थात् $x^0 = y^0 = z^0 = 2^0 = 5^0 = 8^0 = 1$ होगा।

प्रश्नमाला

1. $a^5 \times a^7$ का मान कितना होगा?

A. a^{35} B. a^2
C. a^{12} D. $a^{5/7}$

2. $(x^{2/3})^{-3/4}$ का मान कितना होगा?

A. $\frac{1}{x}$ B. $\frac{1}{\sqrt{x}}$
C. $\frac{1}{x^2}$ D. $\frac{1}{x^{-2}}$

3. 4 की घात 3 निम्न में से किस संख्या के बराबर होगी?

A. 64 B. 81
C. 12 D. 49

4. 2 की घात 3 तथा 3 की घात 2 में कितना अन्तर होगा?

A. 2 B. 5
C. 3 D. 1

5. $\left(-\frac{1}{125}\right)^{-\frac{2}{3}}$ का मान कितना होगा?

A. $\frac{1}{25}$ B. 25
C. 5 D. $\frac{1}{5}$

6. $(8)^{-(2^{-2})}$ का मान कितना होगा?

A. $2^{-1/4}$ B. $2^{-3/4}$
C. $2^{3/4}$ D. $2^{-1/2}$

7. यदि $\sqrt{2^n} = 64$ है, तो n का मान क्या होगा?

A. 8 B. 4
C. 12 D. 16

8. $(100)^0$ का मान कितना होगा?

A. 0 B. 10
C. 1 D. 100

9. यदि $10^{2/5} \times 10^{8/5} = 10^n$ है, तो n का मान क्या होगा?

A. 2 B. 3
C. 6 D. 4

10. $27^3 \times 3^4 \div 3^{10}$ का मान कितना होगा?

A. 9 B. 27

C. 81 D. $\frac{1}{27}$

11. व्यंजक $\frac{(-1)^{132}}{5^{-1}+3^{-1}}$ का मान कितना होगा?

A. $\frac{16}{9}$ B. $-\frac{15}{8}$

C. $\frac{15}{8}$ D. $\frac{17}{8}$

12. $6a^3b^3c^2 \div 2ab^2c$ का मान कितना होगा?

A. $3a^2bc$ B. $3ab^2c$

C. $3a^2b^2c^2$ D. $3a^3b^3c^3$

13. $\sqrt{\frac{1}{\left(\frac{3}{4}\right)^{-2}}} + \sqrt[3]{\frac{27}{64}}$ का मान क्या होगा?

A. $\frac{2}{3}$ B. $\frac{4}{5}$

C. $\frac{13}{12}$ D. $\frac{3}{2}$

उत्तरमाला

1	2	3	4	5	6	7	8	9	10
C	B	A	D	B	B	C	C	A	B
11	12	13							
C	A	D							

व्याख्यात्मक उत्तर

1. $\because a^5 \times a^7 = a^{5+7} = a^{12}$. $[\because x^m \times x^n = x^{m+n}]$

2. $\because \left(x^{\frac{2}{3}}\right)^{-\frac{3}{4}} = x^{\frac{2}{3}\times -\frac{3}{4}} = x^{-\frac{1}{2}} = \frac{1}{x^{\frac{1}{2}}} = \frac{1}{\sqrt{x}}$. $[\because (x^m)^n = x^{mn}]$

3. $\because$ 4 की घात 3 = $4^3 = 4 \times 4 \times 4 = 64$.

4. $\because$ 2 की घात 3 = $2^3 = 2 \times 2 \times 2 = 8$.

तथा 3 की घात 2 = $3^2 = 3 \times 3 = 9$

$\therefore$ अन्तर = $9 - 8 = 1$.

5. $\left(-\frac{1}{125}\right)^{-\frac{2}{3}} = \frac{1}{\left(-\frac{1}{125}\right)^{\frac{2}{3}}} = (-125)^{\frac{2}{3}}$

$= [(-125)^{1/3}]^2 = [(-5 \times -5 \times -5)^{1/3}]^2$

$= (-5^2) = -5 \times -5 = 25$.

6. $\because 8^{-(2^{-2})} = 8^{-\left(\frac{1}{2^2}\right)} = 8^{-\frac{1}{4}} = \frac{1}{8^{\frac{1}{4}}}$

$= \frac{1}{(2\times2\times2)^{\frac{1}{4}}} = \frac{1}{(2)^{\frac{3}{4}}} = 2^{-\frac{3}{4}}$.

7. $\because \sqrt{2^n} = 64 \Rightarrow 2^n = (64)^2$

$\Rightarrow 2^n = (2 \times 2 \times 2 \times 2 \times 2 \times 2)^2 \Rightarrow 2^n = (2^6)^2$

$\Rightarrow 2^n = 2^{6\times2} = 2^{12} \Rightarrow n = 12$ अत: n का मान 12 होगा।

8. यहां विद्यार्थियों को स्मरण रखना चाहिए कि यदि किसी संख्या या राशि की घात ''शून्य'' हो तो उस संख्या या राशि का मान हमेशा 1 के बराबर होगा। अत: स्पष्ट है कि $(100)^0$ का मान = 1 होगा।

9. $\because 10^{2/5} \times 10^{8/5} = 10^n$

$\Rightarrow 10^{2/5+8/5} = 10^n \Rightarrow 10^{10/5} = 10^n$

$\Rightarrow 10^2 = 10^n \Rightarrow n = 2$

अत: n का मान 2 होगा।

10. $\because 27^3 \times 3^4 \div 3^{10} = 27^3 \times \frac{3^4}{3^{10}}$

$\frac{(3\times3\times3)^3 \times 3^4}{3^{10}} = \frac{(3^3)^3 \times 3^4}{3^{10}}$

$= \frac{3^9 \times 3^4}{3^{10}} = \frac{3^{9+4}}{3^{10}} = \frac{3^{13}}{3^{10}} = 3^{13-10} = 3^3 = 3 \times 3 \times 3 = 27$.

11. $\because \frac{(-1)^{132}}{5^{-1}+3^{-1}} = \frac{\left((-1)^2\right)^{66}}{5^{-1}+3^{-1}}$

$= \frac{(1)^{66}}{5^{-1}+3^{-1}} = \frac{1}{\frac{1}{5}+\frac{1}{3}} = \frac{1}{\frac{3+5}{15}} = \frac{1}{\frac{8}{15}} = \frac{15}{8}$.

12. $\because 6a^3b^3c^2 \div 2ab^2c$

$= \frac{6a^3b^3c^2}{2ab^2c} = 3a^{3-1}b^{3-2}c^{2-1} = 3a^2bc$.

13. $\because \sqrt{\frac{1}{\left(\frac{3}{4}\right)^{-2}}} + \sqrt[3]{\frac{27}{64}} = \sqrt{\left(\frac{3}{4}\right)^2} + \sqrt[3]{\frac{3\times3\times3}{4\times4\times4}}$

$= \sqrt{\left(\frac{3}{4}\right)^2} + \sqrt[3]{\left(\frac{3}{4}\right)^3} = \frac{3}{4} + \frac{3}{4} = \frac{6}{4} = \frac{3}{2}$.

●●●

6

करणी (Surds)

प्राय: सभी संख्याओं के वर्गमूल सदैव पूर्ण संख्या नहीं होते, जैसे– $\sqrt{9}=3$ परन्तु $\sqrt{15}=3.873$, जो कि पूर्ण संख्या नहीं है, अर्थात् 15 का वर्गमूल पूर्ण संख्या नहीं है। अत: ऐसी संख्यायें जिनके वर्गमूल पूर्ण संख्या नहीं होते, जैसे– $\sqrt{3},\ \sqrt{7},\ 2+\sqrt{11},\ 4+\sqrt{13}$.... इत्यादि संख्यायें **करणी** कहलाती हैं।

प्रश्नों को हल करने के लिए निम्नलिखित सूत्रों का प्रयोग कीजिए :

1. $\sqrt{a}\times\sqrt{a}=a$
2. $\sqrt{a}\times\sqrt{b}=\sqrt{ab}$
3. $\left(\sqrt{a}+\sqrt{b}\right)^2=a+b+2\sqrt{ab}$
4. $\left(\sqrt{a}-\sqrt{b}\right)^2=a+b-2\sqrt{ab}$
5. $x\sqrt{a}+x\sqrt{b}=x\left(\sqrt{a}+\sqrt{b}\right)$
6. $\frac{1}{\sqrt{a}+\sqrt{b}}=\frac{1}{\sqrt{a}+\sqrt{b}}\times\frac{\sqrt{a}-\sqrt{b}}{\sqrt{a}-\sqrt{b}}$ $=\frac{\sqrt{a}-\sqrt{b}}{a-b}$
7. $\frac{1}{\sqrt{a}-\sqrt{b}}=\frac{1}{\sqrt{a}-\sqrt{b}}\times\frac{\sqrt{a}+\sqrt{b}}{\sqrt{a}+\sqrt{b}}$ $=\frac{\sqrt{a}+\sqrt{b}}{a-b}$
8. $a+\sqrt{b}=c+\sqrt{d}\Rightarrow a=c$ तथा $b=d$
9. $\sqrt{2}=1.41421,\ \sqrt{3}=1.73205,$ $\sqrt{5}=2.23607,\ \sqrt{6}=2.4494,$ $\sqrt{7}=2.64575,\ \sqrt{8}=2.82842,$ $\sqrt{10}=3.16227,\ \sqrt{11}=3.31662$

प्रश्नमाला

1. $\frac{1}{\sqrt{3}}$ का मान दशमलव के तीन स्थानों तक होगा—

A. 0.577 B. 0.477 C. 0.673 D. 0.575

2. यदि $\sqrt{2}=1.4142$ हो, तो $\frac{1}{2}\left(\frac{\sqrt{2}-1}{\sqrt{2}+1}\right)$ का मान कितना होगा?

A. .0768 B. .0658 C. .0858 D. .0458

3. यदि $\sqrt{1936}=44$ हो, तो $\sqrt{19.36}+\sqrt{0.1936}+\sqrt{.001936}$ का मान दशमलव के तीन स्थानों तक होगा—

A. 5.679 B. 4.884 C. 9.884 D. 6.778

4. $\sqrt{\left(5+\frac{4}{9}\right)}$ का मान होगा?

A. $3\frac{1}{3}$ B. $2\frac{1}{6}$ C. $4\frac{1}{3}$ D. $2\frac{1}{3}$

5. $\frac{\sqrt{2}-1}{\sqrt{2}+1}$ का मान दशमलव के तीन स्थानों तक होगा—

A. 0.172 B. 0.158 C. 0.176 D. 0.188

6. $\sqrt[3]{8^4}$ का मान कितना होगा?

A. 15 B. 9 C. 16 D. 25

7. यदि $\sqrt{6}=2.45$, तो $\sqrt{\frac{2}{3}}+3\sqrt{\frac{3}{2}}$ का मान किसके बराबर होगा?

A. 3.942 B. 4.492 C. 4.942 D. 9.345

8. $\sqrt{72}$ का मान किसके बराबर होगा?

A. $3\sqrt{5}$ B. $6\sqrt{2}$ C. $8\sqrt{2}$ D. $7\sqrt{3}$

9. हर के परिमेयीकरण के पश्चात व्यंजक $\frac{\sqrt{2}}{\sqrt{2}+\sqrt{3}-\sqrt{5}}$ का रूप होगा—

A. $\frac{3+\sqrt{6}+\sqrt{15}}{6}$ B. $\frac{3-\sqrt{6}-\sqrt{5}}{6}$ C. $\frac{3+\sqrt{6}+\sqrt{5}}{3}$ D. $\frac{2+\sqrt{6}-\sqrt{15}}{6}$

10. $\left(\sqrt{80}+3\times\sqrt{245}-\sqrt{125}\right)$ का मान कितना होगा?

A. $18\sqrt{5}$ B. $20\sqrt{5}$ C. $22\sqrt{5}$ D. $28\sqrt{2}$

11. $\left(\frac{\sqrt{5}+\sqrt{3}}{\sqrt{5}-\sqrt{3}}\right)$ का मान कितना होगा?

A. $4+\sqrt{15}$ B. $3-\sqrt{15}$

C. $2+\sqrt{15}$ D. $4-\sqrt{15}$

12. $3^{\frac{1}{5}}, 5^{\frac{3}{5}}, 7^{\frac{4}{5}}$ को आरोही क्रम में किस प्रकार से लिखा जा सकता है?

A. $5^{\frac{3}{5}} < 3^{\frac{1}{5}} < 7^{\frac{4}{5}}$ B. $3^{\frac{1}{5}} < 5^{\frac{3}{5}} < 7^{\frac{4}{5}}$

C. $7^{\frac{4}{5}} < 3^{\frac{1}{5}} < 5^{\frac{3}{5}}$ D. $3^{\frac{1}{5}} < 7^{\frac{4}{5}} < 5^{\frac{3}{5}}$

उत्तरमाला

1	2	3	4	5	6	7	8	9	10
A	C	B	D	A	C	B	B	A	B
11	12								
A	B								

व्याख्यात्मक उत्तर

1. $\because \frac{1}{\sqrt{3}} = \frac{1}{\sqrt{3}} \times \frac{\sqrt{3}}{\sqrt{3}} = \frac{\sqrt{3}}{3} = \frac{1.732}{3} = 0.577.$

2. $\because \frac{1}{2}\left(\frac{\sqrt{2}-1}{\sqrt{2}+1}\right) = \frac{1}{2} \times \frac{\sqrt{2}-1}{\sqrt{2}+1} \times \frac{\sqrt{2}-1}{\sqrt{2}-1}$

$= \frac{1}{2} \times \frac{(\sqrt{2}-1)^2}{(\sqrt{2})^2 - 1^2} = \frac{1}{2} \times \frac{2+1-2\sqrt{2}}{2-1}$

$= \frac{1}{2} \times \frac{3-2\sqrt{2}}{1} = \frac{1}{2} \times (3-2\times 1.4142)$

$= \frac{1}{2} \times 0.1716 = 0.0858.$

3. $\because \sqrt{1936} = 44 \Rightarrow \sqrt{19.36} = 4.4 \Rightarrow \sqrt{0.1936} = 0.44$

$\Rightarrow \sqrt{.001936} = .044 \therefore \sqrt{19.36} + \sqrt{0.1936} + \sqrt{.001936}$
$= 4.4 + 0.44 + 0.044 = 4.884.$

4. $\because \sqrt{5+\frac{4}{9}} = \sqrt{\frac{45+4}{9}} = \sqrt{\frac{49}{9}} = \frac{7}{3} = 2\frac{1}{3}.$

5. $\because \frac{\sqrt{2}-1}{\sqrt{2}+1} = \frac{\sqrt{2}-1}{\sqrt{2}+1} \times \frac{\sqrt{2}-1}{\sqrt{2}-1} = \frac{(\sqrt{2}-1)^2}{(\sqrt{2})^2-(1)^2}$

$= \frac{2+1-2\sqrt{2}}{2-1} = \frac{3-2\sqrt{2}}{1} = 3 - 2 \times 1.414 = 0.172.$

6. $\because \sqrt[3]{8^4} = (8)^{\frac{4}{3}} = (2^3)^{\frac{4}{3}} = 2^{3\times\frac{4}{3}} = 2^4 = 16.$

7. $\because \sqrt{\frac{2}{3}} + 3\sqrt{\frac{3}{2}} = \frac{\sqrt{2}}{\sqrt{3}} \times \frac{\sqrt{3}}{\sqrt{3}} + 3 \times \frac{\sqrt{3}}{\sqrt{2}} \times \frac{\sqrt{2}}{\sqrt{2}}$

$= \frac{\sqrt{6}}{3} + \frac{3\sqrt{6}}{2} = \sqrt{6}\left[\frac{1}{3}+\frac{3}{2}\right] = \sqrt{6} \times \frac{11}{6} = \frac{11}{6} \times 2.45$
$= 4.492.$

8. $\because \sqrt{72} = \sqrt{6\times 6\times 2} = \sqrt{6^2 \times 2} = 6\sqrt{2}.$

9. $\frac{\sqrt{2}}{\sqrt{2}+\sqrt{3}-\sqrt{5}} = \frac{\sqrt{2}}{\sqrt{2}+\sqrt{3}-\sqrt{5}} \times \frac{\sqrt{2}+\sqrt{3}+\sqrt{5}}{\sqrt{2}+\sqrt{3}+\sqrt{5}}$

$= \frac{\sqrt{2}(\sqrt{2}+\sqrt{3}+\sqrt{5})}{(\sqrt{2}+\sqrt{3})^2 - (\sqrt{5})^2} = \frac{2+\sqrt{6}+\sqrt{10}}{2\sqrt{6}}$

$= \frac{2+\sqrt{6}+\sqrt{10}}{2\sqrt{6}} \times \frac{\sqrt{6}}{\sqrt{6}} = \frac{2\sqrt{6}+6+\sqrt{60}}{12}$

$= \frac{3+\sqrt{6}+\sqrt{15}}{6}.$

10. $\because \sqrt{80} + 3\times\sqrt{245} - \sqrt{125}$

$= \sqrt{16\times 5} + 3\times\sqrt{49\times 5} - \sqrt{25\times 5}$

$= 4\sqrt{5} + 21\sqrt{5} - 5\sqrt{5} = 20\sqrt{5}.$

11. $\because \frac{\sqrt{5}+\sqrt{3}}{\sqrt{5}-\sqrt{3}} = \frac{\sqrt{5}+\sqrt{3}}{\sqrt{5}-\sqrt{3}} \times \frac{\sqrt{5}+\sqrt{3}}{\sqrt{5}+\sqrt{3}}$

$= \frac{(\sqrt{5}+\sqrt{3})^2}{(\sqrt{5})^2-(\sqrt{3})^2} = \frac{5+3+2\sqrt{15}}{5-3} = \frac{8+2\sqrt{15}}{2}$

$= 4+\sqrt{15}.$

12. $\because 3^{\frac{1}{5}} = (3)^{\frac{1}{5}}$

$5^{\frac{3}{5}} = (5^3)^{\frac{1}{5}} = (125)^{\frac{1}{5}}$

तथा $7^{\frac{4}{5}} = (7^4)^{\frac{1}{5}} = (2401)^{\frac{1}{5}}$

अत: स्पष्ट है कि $(3)^{\frac{1}{5}} < (125)^{\frac{1}{5}} < (2401)^{\frac{1}{5}}$

अत: $3^{\frac{1}{5}} < 5^{\frac{3}{5}} < 7^{\frac{4}{5}}$ आरोही क्रम में होगी।

●●●

7

औसत (Average)

औसत निकालने के लिए पहले उन सब राशियों को जोड़ लें जिनका औसत निकालना हो; उसके बाद उस योगफल में उन राशियों की कुल संख्या से भाग दे दें। उदाहरण के लिए यदि आपको 8, 10, 12, और 14 का औसत निकालना है, तो पहले इन्हें जोड़ दें। 8 + 10 + 12 + 14 = 44 जिनका औसत निकालना है, वे संख्याएं 4 हैं। अतः 44 में 4 से भाग दे दें। 44 ÷ 4 $= \frac{44}{4} = 11$ औसत आया।

इसके लिए सूत्र हैं:

(i) $\frac{\text{राशियों का योगफल}}{\text{राशियों की संख्या}}$ = औसत

(ii) औसत × राशियों की संख्या = राशियों का योगफल

(iii) $\frac{\text{राशियों का जोड़}}{\text{औसत}}$ = राशियों की संख्या

उदाहरण 1 : किसी कक्षा में 5 दिनों की दैनिक उपस्थिति 26, 23, 30, 29 और 17 थी। बताओ दैनिक औसत उपस्थिति क्या थी?

हल : ∵ 5 दिनों की कुल उपस्थिति

= 26 + 23 + 30 + 29 + 17 = 125 थी।

∴ 1 दिन की औसत उपस्थिति

$= \frac{\text{राशियों का योगफल}}{\text{राशियों की संख्या}} = \frac{125}{5} = 25$

प्रश्नमाला

1. 5 विद्यार्थियों की ऊँचाइयां (सेंमी में) 140, 135, 142, 138 व 140 है। उनकी औसत ऊँचाई है:

A. 136 B. 138
C. 139 D. 140

2. 10 विद्यार्थियों द्वारा प्राप्तांक 22, 35, 37, 38, 29, 27, 34, 36, 28 और 34 हैं। उनके औसत अंक हैं:

A. 30 B. 31
C. 32 D. 34

3. एक लड़का जिसकी ऊँचाई 165 सेंमी है, के स्थान पर नया लड़का आ जाने से 34 लड़कों के एक समूह की औसत ऊँचाई 1 सेंमी कम हो जाती है। नये लड़के की ऊँचाई है:

A. 132 सेंमी B. 129 सेंमी
C. 130 सेंमी D. 131 सेंमी

4. 2 से प्रारम्भ करके पांच लगातार सम संख्याओं का औसत है:

A. 4 B. 6
C. 7 D. 5

5. 5 गेंदों का भार (ग्राम में) क्रमशः 50, 54, 53, 56 और 52 है। उनका औसत भार है:

A. 53 B. 54
C. 52 D. 51

6. एक रस्सी के 5 टुकड़ों की लम्बाइयां (सेंमी में) 5, 5.2, 6.3, 7.2 और 6.3 हैं। टुकड़े की औसत लम्बाई है:

A. 5.8
B. 6.0
C. 6.1
D. 6.2

7. 7 के प्रथम पांच गुणजों (Multiples) का औसत क्या होगा?

A. 21 B. 23
C. 24 D. 28

8. चार संख्याओं का औसत 18 है। यदि उनमें से पहली तीन संख्याएं क्रमशः 16, 22 व 28 हों, तो बताइये अन्तिम संख्या क्या होगी?

A. 5 B. 8
C. 6 D. 9

9. 12 संख्याओं का औसत मान 30 है। यदि प्रत्येक संख्या में 3 से गुणा कर दिया जाये, तो बताइये नई संख्याओं का औसत मान कितना होगा?

A. 70 B. 80
C. 90 D. 100

10. एक व्यक्ति 50 रु. प्रति पुस्तक के हिसाब से 4 पुस्तकें, 60 रु. प्रति पुस्तक के हिसाब से 5 पुस्तकें, तथा 70 रु. प्रति पुस्तक के हिसाब से 6 पुस्तकें खरीदता है। बताइये पुस्तक का औसत मूल्य कितना होगा?

A. 62.33 रु. B. 41.50 रु.
C. 61.33 रु. D. 61.75 रु.

11. 25 राशियों का औसत 15 है, उनमें से 15 राशियों का औसत 17 है, तो शेष राशियों का औसत ज्ञात करो।

A. 10 B. 13
C. 11 D. 12

12. एक कक्षा में 23 छात्रों की औसत आयु 16 वर्ष है। यदि अध्यापक की आयु भी सम्मिलित कर ली जाए, तो औसत आयु एक वर्ष बढ़ जाती है। अध्यापक की आयु क्या है?

A. 35 वर्ष B. 40 वर्ष
C. 50 वर्ष D. 30 वर्ष

उत्तरमाला

1	2	3	4	5	6	7	8	9	10
C	C	D	B	A	B	A	C	C	C
11	12								
D	B								

व्याख्यात्मक उत्तर

1. औसत ऊँचाई

$= \frac{140+135+142+138+140}{5} = \frac{695}{5} = 139.$

2. औसत अंक

$= \frac{22+35+37+38+29+27+34+36+28+34}{10}$

$= \frac{320}{10} = 32.$

3. 34 लड़कों की ऊँचाई में औसत कमी = 1 सेंमी

34 लड़कों की ऊँचाई में कुल कमी = 34 सेंमी

$\therefore$ नये लड़के की ऊँचाई = 165 – 34 = 131 सेंमी

4. 2 से प्रारम्भ करके 5 लगातार सम संख्याओं का औसत

$= \frac{2+4+6+8+10}{5} = \frac{30}{5} = 6.$

5. औसत भार $= \frac{50+54+53+56+52}{5} = \frac{265}{5} = 53.$

6. औसत लम्बाई

$= \frac{5+5.2+6.3+7.2+6.3}{5} = \frac{30.0}{5} = 6.0$

7. $\because$ 7 के प्रथम 5 गुणज :

7, 14, 21, 28 व 35

$\therefore$ इनका औसत $= \frac{7+14+21+28+35}{5} = \frac{105}{5} = 21.$

8. $\because$ चार संख्याओं का औसत = 18

$\therefore$ चारों संख्याओं का योग = 18 × 4 = 72

प्रश्नानुसार, उनमें से पहली तीन संख्याएं क्रमशः 16, 22 व 28 हैं।

$\therefore$ अन्तिम संख्या = चारों संख्याओं का योग $-(16+22+28)$

= 72 – 66 = 6.

9. $\because$ 12 संख्याओं का औसत मान = 30

$\therefore$ 12 संख्याओं का कुल योग = 30 × 12 = 360

प्रश्नानुसार, प्रत्येक संख्या में 3 से गुणा करने पर 12 संख्याओं का कुल योग = 360 × 3 = 1080

12 नई संख्याओं का औसत मान $= \frac{1080}{12} = 90.$

10. $\because$ 50 रु. प्रति पुस्तक के हिसाब से 4 पुस्तकों का क्रय मूल्य = 200 रु.

60 रु. प्रति पुस्तक के हिसाब से 5 पुस्तकों का क्रय मूल्य = 300 रु.

तथा 70 रु. प्रति पुस्तक के हिसाब से 6 पुस्तकों का क्रय मूल्य = 420 रु.

$\therefore$ 15 पुस्तकों का कुल क्रय मूल्य = 200 + 300 + 420 = 920 रु.

$\therefore$ औसत मूल्य $= \frac{920}{15} = 61.33$ रु.।

11. $\because$ 25 राशियों का औसत = 15

$\therefore$ 25 राशियों का योग = 25 × 15 = 375

इनमें से 15 राशियों का औसत = 17

$\therefore$ इन 15 राशियों का योग

= 15 × 17 = 255

$\therefore$ शेष 25 –15 = 10 राशियों का योग

= 375 – 255 = 120

$\therefore$ शेष राशियों का औसत

$= \frac{120}{10} = 12$

सूत्र द्वारा—

शेष 10 राशियों का औसत

$= \frac{25\times15-15\times17}{25-15} = \frac{375-255}{10}$

$= \frac{120}{10} = 12.$

12. $\therefore$ 23 छात्रों की आयु का औसत = 16 वर्ष

$\therefore$ 23 छात्रों की आयु का योग

= 23 × 16 = 368 वर्ष

$\therefore$ 23 + 1 = 24 जनों की आयु का औसत

= 16 + 1 = 17 वर्ष

$\therefore$ इनकी आयु का योग

= 24 × 17 = 408 वर्ष

$\therefore$ अध्यापक की आयु

= 408 – 368 = 40 वर्ष।

●●●

8

प्रतिशत (Percentage)

1. प्रतिशत का अर्थ है–प्रत्येक सौ पर 1–इसका चिन्ह् है–%. 5% का अर्थ है–प्रत्येक सौ पर 5.
2. प्रतिशत को भिन्न में बदलने के लिए उसे 100 से भाग देते हैं। जैसे–$20\% = \frac{20}{100} = \frac{1}{5}$
3. साधारण भिन्न को प्रतिशत में बदलने के लिए उसे 100 से गुणा करते हैं। जैसे–$\frac{1}{10} \times 100 = 10\%$

प्रतिशत को दशमलव में बदलने की विधि

प्रतिशत का चिह्न हटाकर बाईं ओर दो अंकों के बाद दशमलव का चिन्ह् लगाते हैं।

उदाहरण : 25% को दशमलव में बदलें।

25% = .25 (बाईं ओर दो अंकों के बाद दशमलव बिन्दु लगा दिया।)

उदाहरण : 1.5% को दशमलव में बदलिये।

1.5% = .015 (बाईं ओर दो अंकों के बाद दशमलव बिन्दु लगा दिया, यहां एक शून्य लगाकर दो अंक पूरे करने पड़े।)

दशमलव को प्रतिशत में बदलने की विधि

दशमलव बिन्दु के दाहिनी ओर दो अंक बढ़ा देते हैं और उसके बाद % का निशान लगाते हैं।

उदाहरण : .24 को प्रतिशत में बदलें।

हल : .24 = 24% (दशमलव बिन्दु के दाहिनी ओर दो अंक आगे बढ़ाने पर 24 बनेगा, अतः दशमलव बिन्दु (.) लगाने की जरूरत नहीं है।)

प्रश्नमाला

1. निम्नलिखित में से 20% का मान किसके बराबर होगा?

A. $\frac{1}{4}$ B. $\frac{1}{2}$
C. $\frac{1}{5}$ D. $\frac{1}{8}$

2. 36% का मान दशमलव भिन्न में होगा–

A. .36 B. .036
C. 3.6 D. .0036

3. $\frac{4}{5}$ को प्रतिशत भिन्न में बदलने पर मान होगा–

A. 80% B. 70%
C. 60% D. 40%

4. 36 का कितने %, 24 के बराबर होगा?

A. $16\frac{2}{3}\%$ B. $66\frac{2}{3}\%$
C. $11\frac{1}{9}\%$ D. $31\frac{1}{9}\%$

5. 3 मीटर का 15%, किसके बराबर होगा?

A. 44 सेंमी B. 45 सेंमी
C. 40 सेंमी D. 38 सेंमी

6. 26 का 18% = ?

A. 4.88 B. 4.65
C. 3.68 D. 4.68

7. 10% का 10% कितने % होगा?

A. 7 B. 6
C. 1 D. 5

8. किसी शहर की जनसंख्या 50,000 से बढ़कर 52,000 हो जाती हो, तो बताइये कितने प्रतिशत की वृद्धि होगी?

A. 3% B. 6%
C. 4% D. 5%

9. एक आदमी अपने वेतन का 75% खर्च करता है और 150 रु. मासिक बचाता है तो उसका मासिक वेतन है:

A. 750 रु. B. 600 रु.
C. 400 रु. D. 300 रु.

10. किसी विद्यालय में 97% विद्यार्थी उपस्थित थे और 18 विद्यार्थी अनुपस्थित थे। विद्यालय में कुल विद्यार्थियों की संख्या है:

A. 400 B. 450
C. 500 D. 600

11. किसी राशि का 7%, 35 रुपये है तो वह राशि ज्ञात कीजिए।

A. 550 रु. B. 700 रु.
C. 600 रु. D. 500 रु.

12. 3 किग्रा. कितने किग्रा. का 5% है:

A. 60 किग्रा. B. 50 किग्रा.
C. 65 किग्रा. D. 70 किग्रा.

13. किसी राशि का 5%, 500 रुपए के 12% के बराबर है तो राशि ज्ञात कीजिए।

A. 1100 रु.
B. 1200 रु.
C. 1150 रु.
D. 1250 रु.

14. अनिल ने अपनी पूंजी का 65% मशीनरी में तथा 20% कच्चा माल खरीदने में खर्च कर दिया। यदि उसके पास अब 1305 रुपये बचे हों, तो उसने कितना खर्च कर दिया?

A. 7395 रु॰ B. 7350 रु॰
C. 7390 रु॰ D. 7380 रु॰

15. किसी पुस्तकालय में 20% पुस्तकें अंग्रेजी भाषा में हैं तथा शेष की 50% पुस्तकें हिन्दी भाषा में हैं। यदि शेष 900 पुस्तकें अन्य क्षेत्रीय भाषा में हैं, तो पुस्तकालय में कुल कितनी पुस्तकें हैं ?

A. 2300 B. 2250
C. 2290 D. 2280

उत्तरमाला

1	2	3	4	5	6	7	8	9	10
C	A	A	B	B	D	C	C	B	D
11	**12**	**13**	**14**	**15**					
D	A	B	A	B					

व्याख्यात्मक उत्तर

1. $\because$ $20\% = \frac{20}{100} = \frac{1}{5}$ $\therefore$ 20% का मान, $\frac{1}{5}$ के बराबर होगा।

2. $\because$ $36\% = \frac{36}{100} = .36$

$\therefore$ 36% का मान दशमलव भिन्न में .36 होगा।

3. चूंकि किसी भी साधारण या दशमलव भिन्न को प्रतिशत भिन्न में बदलने के लिए उसमें 100% से गुणा करना होता है अर्थात् $\frac{4}{5} = \frac{4}{5} \times 100\% = 80\%$

अतः $\frac{4}{5}$ का प्रतिशत भिन्न में मान = 80% होगा।

4. माना कि 36 का $x\% = 24$

$\therefore$ $36 \times \frac{x}{100} = 24 \Rightarrow x = \frac{24 \times 100}{36} = 66\frac{2}{3}$

अतः 36 का $66\frac{2}{3}\%$, 24 के बराबर होगा।

5. $\because$ 3 मीटर का 15% = 300 सेंमी॰ $\times \frac{15}{100}$
= 45 सेंमी॰ [$\because$ 3 मी॰ = 300 सेंमी॰]
अतः 3 मीटर का 15%, 45 सेंमी॰ के बराबर होगा।

6. $\because$ 26 का 18% = $26 \times \frac{18}{100} = 4.68$

$\therefore$ (?) चिन्ह् के स्थान पर 4.68 होना चाहिए।

7. $\because$ 10% का 10% = $\frac{10}{100} \times \frac{10}{100} = \frac{1}{100} = 1\%$

अतः 10% का 10%, 1% के बराबर होगा।

8. प्रश्नानुसार, शहर की प्रारम्भिक जनसंख्या = 50,000
तथा शहर की वर्तमान जनसंख्या = 52,000
$\therefore$ जनसंख्या में वृद्धि = 52,000 – 50,000 = 2,000

$\therefore$ प्रतिशत वृद्धि = $\frac{2000}{50000} \times 100 = 4\%$

अतः शहर की जनसंख्या में 4% वृद्धि होगी।

9. बचत = 100% – 75% = 25% = 150 रु॰

कुल वेतन = $\frac{100}{25} \times 150 = 600$ रु॰।

10. अनुपस्थित विद्यार्थी = 100% – 97% = 3% = 18
माना कि कुल विद्यार्थियों की संख्या = x

तो, $x \times \frac{3}{100} = 18 \therefore x = \frac{1800}{3} = 600.$

11. राशि का 7% = 35 रुपये

राशि = $\frac{35}{7\%} = \frac{35}{\frac{7}{100}} = \frac{35}{7} \times 100 = 500$ रुपये।

12. भार का 5% = 3 किग्रा.

भार = $\frac{3}{5\%} = \frac{3}{\frac{5}{100}} = \frac{3}{5} \times 100 = 60$ किग्रा. होगा।

13. 500 रुपये का 12% = $\frac{12}{100} \times 500$ रु. = 60 रुपये

$\because$ अभीष्ट राशि = 5% = 60 रुपये

$\therefore$ राशि = $\frac{60}{5\%} = \frac{60}{\frac{5}{100}} = \frac{60 \times 100}{5} = 1200$ रुपये।

14. बची राशि की प्रतिशत संख्या = 100 – (65 + 20) = 15
$\because$ 15 रुपये बचते हैं तो खर्च की हुई राशि = 85 रुपये
$\therefore$ 1305 रुपये बचते हैं तो खर्च की हुई राशि

$= \frac{85 \times 1305}{15} = 7395$ रुपये।

15. माना कुल पुस्तकें = 100
अतः अंग्रेजी भाषा की पुस्तकें = 20 पुस्तकें
शेष पुस्तकें = 100 – 20 = 80

हिन्दी भाषा की पुस्तकें = 80 का 50% = $80 \times \frac{50}{100} = 40$

शेष पुस्तकें = 100 – (20 + 40) = 40 पुस्तकें।
$\because$ 40 पुस्तकें अन्य क्षेत्रीय भाषाओं की है तो कुल पुस्तकें = 100
$\therefore$ 900 पुस्तकें अन्य क्षेत्रीय भाषाओं की है तो कुल पुस्तकें
$= \frac{100}{40} \times 900 = 2250$ पुस्तकें।

●●●

9

साधारण ब्याज (Simple Interest)

ब्याज वह राशि है जो हमें दूसरों का धन प्रयोग करने के बदले में देनी पड़ती है। यदि यह वार्षिक देनी पड़े तो दर प्रतिशत वार्षिक कहते हैं। इस प्रकार 6% वार्षिक का अर्थ है कि 100 रु. पर 1 वर्ष में 6 रु. ब्याज है। जो धन उधार लिया जाता है उसे मूलधन कहते हैं। मूलधन और ब्याज के योग को समस्त धन (मिश्रधन) कहते हैं।

साधारण ब्याज के प्रश्नों के सूत्रः

$$\text{साधारण ब्याज} = \frac{\text{मूलधन} \times \text{दर\%} \times \text{समय (वर्षों में)}}{100}$$

समस्त धन = मूलधन + ब्याज

जब समय, दर % और ब्याज दिए गए हों, तो

$$\text{मूलधन} = \frac{\text{ब्याज} \times 100}{\text{दर} \times \text{समय}}$$

जब मूलधन, ब्याज और समय दिया गया हो, तो

$$\text{दर} = \frac{\text{ब्याज} \times 100}{\text{मूलधन} \times \text{समय}}$$

जब मूलधन, ब्याज और दर दी गई हो, तो

$$\text{समय} = \frac{\text{ब्याज} \times 100}{\text{मूलधन} \times \text{दर}}$$

प्रश्नमाला

1. किस धनराशि पर 4% वार्षिक ब्याज की दर से 5 वर्ष का साधारण ब्याज 64 रु. होगा?

A. 220 रु. B. 280 रु.
C. 320 रु. D. 300 रु.

2. 450 रु. पर 6% वार्षिक ब्याज दर से 4 मास का ब्याज कितना होगा?

A. 9 रु. B. 8 रु.
C. 6 रु. D. 5 रु.

3. कितने समय में 3600 रु. पर 6% वार्षिक दर से साधारण ब्याज 432 रु. होगा?

A. 1 वर्ष B. 2 वर्ष
C. $1\frac{1}{2}$ वर्ष D. $2\frac{1}{4}$ वर्ष

4. किस राशि पर 3% वार्षिक ब्याज की दर से 2 वर्ष का ब्याज 36 रु. होगा?

A. 500 रु. B. 575 रु.
C. 590 रु. D. 600 रु.

5. ब्याज की किस दर से कोई राशि 16 वर्षों में दोगुनी हो जाएगी?

A. $5\frac{1}{2}$ % B. $6\frac{1}{4}$ %
C. $4\frac{1}{3}$ % D. $2\frac{1}{2}$ %

6. 5000 रु. की राशि पर 10% वार्षिक दर से 5 वर्ष का साधारण ब्याज कितना होगा?

A. 2200 रु. B. 2500 रु.
C. 2300 रु. D. 2600 रु.

7. किस राशि का 6% वार्षिक ब्याज दर से 10 वर्ष का साधारण ब्याज 3 रु. होगा?

A. 4 रु. B. 8 रु.
C. 5 रु. D. 6 रु.

8. कितने वर्षों में कोई राशि 10% वार्षिक दर से अपने से दोगुनी हो जाएगी?

A. 10 वर्ष B. 8 वर्ष
C. 5 वर्ष D. 12 वर्ष

9. किस राशि का 5% दर से 5 वर्ष का साधारण ब्याज 80 रु. होगा?

A. 330 रु. B. 320 रु.
C. 340 रु. D. 380 रु.

10. यदि 5000 रु. पर 2 वर्ष का साधारण ब्याज 500 रु. हो, तो समस्त धन अर्थात् मिश्रधन कितना होगा?

A. 5600 रु. B. 5800 रु.
C. 5500 रु. D. 6000 रु.

11. 2000 रुपये पर $6\frac{1}{2}$ प्रतिशत वार्षिक ब्याज की दर से 8 महीने का साधारण ब्याज ज्ञात कीजिए।

A. $86\frac{2}{3}$ रु. B. $86\frac{3}{4}$ रु.
C. $86\frac{1}{3}$ रु. D. $86\frac{1}{2}$ रु.

12. कितने समय में 450 रुपये का 8% वार्षिक ब्याज की दर से साधारण ब्याज 90 रुपये हो जाएगा?

A. 2 वर्ष B. $2\frac{3}{4}$ वर्ष
C. $2\frac{1}{2}$ वर्ष D. 3 वर्ष

13. घनश्याम ने 2000 रुपये अपने मित्र से 5% सालाना ब्याज पर लिए और उसने पूरा पैसा 8 माह बाद चुका दिया। बताइये उसने कुल कितना धन चुकाया?

A. 2060.66 रु.　　B. 2066.66 रु.

C. 2066 रु.　　D. 2060 रु.

14. एक आदमी ने 600 रुपये 6 प्रतिशत वार्षिक ब्याज पर उधार लिए। 5 वर्ष बाद उसने 300 रुपये कीमत की एक घड़ी व कुछ धन उसको लौटाया तो बताओ उसने कितना धन लौटाया।

A. 480 रु.　　B. 485 रु.

C. 490 रु.　　D. 500 रु.

उत्तरमाला

1	2	3	4	5	6	7	8	9	10
C	A	B	D	B	B	C	A	B	C
11	**12**	**13**	**14**						
A	C	B	A						

व्याख्यात्मक उत्तर

1. $\because$ साधारण ब्याज = 64 रु., समय = 5 वर्ष तथा दर = 4%

$\therefore$ मूलधन (धनराशि)

$$= \frac{\text{साधारण ब्याज} \times 100}{\text{समय} \times \text{दर}} = \frac{64 \times 100}{5 \times 4} = 320 \text{ रु.}$$

2. $\because$ मूलधन = 450 रु., दर = 6% वार्षिक, समय = 4 मास = $\frac{1}{3}$ वर्ष

$\therefore$ साधारण ब्याज

$$= \frac{\text{मूलधन} \times \text{समय} \times \text{दर}}{100} = \frac{450 \times \frac{1}{3} \times 6}{100} = 9 \text{ रु.}$$

3. $\because$ $\text{समय} = \frac{\text{साधारण ब्याज} \times 100}{\text{मूलधन} \times \text{दर}} = \frac{432 \times 100}{6 \times 3600} = 2 \text{ वर्ष}$

4. $\because$ $\text{मूलधन} = \frac{\text{साधारण ब्याज} \times 100}{\text{समय} \times \text{दर}} = \frac{36 \times 100}{2 \times 3} = 600 \text{ रु.}$

5. $\because$ माना कि वह राशि = 100 रु.

प्रश्नानुसार, 16 वर्षों बाद मिश्रधन = 200 रु.

$\therefore$ साधारण ब्याज

= मिश्रधन – मूलधन (राशि) = 200 – 100 = 100 रु.

$$\therefore \quad \text{दर} = \frac{\text{साधारण ब्याज} \times 100}{\text{मूलधन} \times \text{समय}} = \frac{100 \times 100}{100 \times 16} = 6\frac{1}{4}\%$$

6. $\because$ साधारण ब्याज

$$= \frac{\text{मूलधन} \times \text{समय} \times \text{दर}}{100} = \frac{5000 \times 5 \times 10}{100} = 2500 \text{ रु.}$$

7. $\because$ मूलधन (राशि)

$$= \frac{\text{साधारण ब्याज} \times 100}{\text{समय} \times \text{दर}} = \frac{3 \times 100}{10 \times 6} = 5 \text{ रु.}$$

8. $\because$ माना कि वह राशि = 100 रु. तथा मिश्रधन = 2 × 100 = 200 रु.

$\therefore$ साधारण ब्याज = 200 – 100 = 100 रु.,

दर = 10%

$$\therefore \quad \text{समय} = \frac{\text{साधारण ब्याज} \times 100}{\text{मूलधन (राशि)} \times \text{दर}} = \frac{100 \times 100}{100 \times 10} = 10 \text{ वर्ष}$$

9. $\because$ मूलधन (राशि)

$$= \frac{\text{साधारण ब्याज} \times 100}{\text{समय} \times \text{दर}} = \frac{80 \times 100}{5 \times 5} = 320 \text{ रु.}$$

10. $\because$ समस्त धन अर्थात् मिश्रधन

= मूलधन + साधारण ब्याज = 5000 + 500 = 5500 रु.

11. दर $6\frac{1}{2} = \frac{13}{2}\%$, समय = 8 महीने = $\frac{8}{12}$ वर्ष = $\frac{2}{3}$ वर्ष

साधारण ब्याज

$$= \frac{\text{मूलधन} \times \text{दर} \times \text{समय}}{100} = \frac{2000 \times 13 \times 2}{100 \times 2 \times 3}$$

$$= \frac{260}{3} = 86\frac{2}{3} \text{ रुपये।}$$

12. $\text{समय} = \frac{\text{साधारण ब्याज} \times 100}{\text{मूलधन} \times \text{दर}} = \frac{90 \times 100}{450 \times 8} = \frac{5}{2} = 2\frac{1}{2} \text{वर्ष}$

13. समय = 8 माह = $\frac{8}{12}$ वर्ष = $\frac{2}{3}$ वर्ष

साधारण ब्याज

$$= \frac{\text{मूलधन} \times \text{दर} \times \text{समय}}{100} = \frac{2000 \times 2 \times 5}{3 \times 100} = \frac{200}{3} \text{ रुपये}$$

मिश्रधन = मूलधन + साधारण ब्याज

$$= \frac{2000}{1} + \frac{200}{3} = \frac{6000 + 200}{3} = \frac{6200}{3} \text{ रुपये}$$

= 2066.66 रुपये

14. 600 रुपये का 6% वार्षिक ब्याज से 5 वर्ष का ब्याज

$$= \frac{600 \times 6 \times 5}{100} = 180 \text{ रुपये}$$

मिश्रधन = 600 + 180 = 780 रुपये

अत: उसको 780 रुपये लौटाने चाहिए थे, परन्तु 300 रु. की घड़ी उसने उसे दी तो उसका अतिरिक्त धन

= 780 – 300 = 480 रुपये

●●●

10

चक्रवृद्धि ब्याज (Compound Interest)

ब्याज की वह गणना, जिसमें ब्याज को मूलधन में जोड़कर प्राप्त मिश्रधन पर ब्याज लगाया जाए, **चक्रवृद्धि ब्याज** कहलाती है।

महत्वपूर्ण सूत्र :

1. चक्रवृद्धि मिश्रधन

$$= \text{मूलधन}\left(1+\frac{\text{दर}}{100}\right)^{\text{समय वर्ष में}}$$

2. चक्रवृद्धि ब्याज

= चक्रवृद्धि मिश्रधन – मूलधन

$$= \text{मूलधन}\left[\left(1+\frac{\text{दर}}{100}\right)^{\text{समय}}-1\right]$$

3. यदि चक्रवृद्धि ब्याज की दर प्रत्येक वर्ष में बदल रही हो तो—

मिश्रधन

$$= \text{मूलधन}\left(1+\frac{(\text{दर})\ 1}{100}\right)\left(1+\frac{(\text{दर})\ 2}{100}\right)\left(1+\frac{(\text{दर})\ 3}{100}\right)$$

[∵ समय, प्रत्येक दर के लिए 1 वर्ष है]

4. *(i)* यदि ब्याज की गणना **अर्द्धवार्षिक** है तो दर आधी तथा समय दुगुना कर दिया जाता है।

(ii) यदि ब्याज की गणना त्रैमासिक है तो दर को 4 से भाग तथा समय को 4 से गुणा करते हैं।

नोट : एक वर्ष के लिए साधारण ब्याज तथा चक्रवृद्धि ब्याज बराबर होते हैं, जबकि ब्याज की दर वार्षिक हो।

प्रश्नमाला

1. 400 रु. की राशि पर 5% प्रतिवर्ष की दर से 2 वर्ष का चक्रवृद्धि ब्याज कितना होगा?

A. 40 रु. B. 41 रु.
C. 42 रु. D. 43 रु.

2. किसी राशि पर 6% चक्रवृद्धि ब्याज की दर से पहले वर्ष का ब्याज 60 रु. है, तो दूसरे वर्ष का ब्याज कितना होगा?

A. 120 रु. B. 66.60 रु.
C. 63.60 रु. D. 63 रु.

3. वह धनराशि ज्ञात करो, जिसका 5% ब्याज की दर से 2 वर्ष का चक्रवृद्धि ब्याज तथा साधारण ब्याज का अन्तर 3 रु. हो?

A. 1400 रु. B. 1500 रु.
C. 1350 रु. D. 1200 रु.

4. किस धन का 10% प्रतिवर्ष चक्रवृद्धि ब्याज की दर से 3 वर्ष में मिश्रधन 1331 रु. होगा?

A. 2000 रु. B. 1500 रु.
C. 1000 रु. D. 800 रु.

5. 2500 रु. का 6% ब्याज की दर से 2 वर्ष का चक्रवृद्धि ब्याज कितना होगा?

A. 306 रु. B. 150 रु.
C. 309 रु. D. 300 रु.

6. कोई राशि चक्रवृद्धि ब्याज की दर से 2 वर्ष में चार गुनी हो जाती है, तो कितने वर्ष में वह राशि 8 गुनी हो जायेगी?

A. 4 वर्ष B. $2\frac{1}{2}$ वर्ष
C. 3 वर्ष D. $3\frac{1}{2}$ वर्ष

7. 2400 रुपये पर 5% प्रतिवर्ष ब्याज की दर से 2 वर्ष में साधारण ब्याज तथा चक्रवृद्धि ब्याज का अन्तर होगा?

A. 8 रु. B. 10 रु.
C. 9 रु. D. 6 रु.

8. 8000 रु. की राशि पर 5% प्रतिवर्ष ब्याज की दर से 3 वर्ष का चक्रवृद्धि ब्याज कितना होगा?

A. 1361 रु. B. 1261 रु.
C. 1141 रु. D. 1241 रु.

9. 2000 रु. का 2 वर्ष में किस चक्रवृद्धि ब्याज की दर से मिश्रधन 2205 रु. हो जायेगा?

A. 3% B. 4%
C. 5% D. 6%

10. 3200 रु. का 10% प्रतिवर्ष चक्रवृद्धि ब्याज की दर से कितने समय में चक्रवृद्धि ब्याज 672 रु. हो जायेगा?

A. 2½वर्ष B. 1½वर्ष
C. 2 वर्ष D. 3½वर्ष

उत्तरमाला

1	2	3	4	5	6	7	8	9	10
B	C	D	C	C	C	D	B	C	C

व्याख्यात्मक उत्तर

1. मूलधन = 400 रु., दर = 5%, समय = 2 वर्ष

$\therefore$ चक्रवृद्धि ब्याज = मूलधन $\left[\left(1+\frac{\text{दर}}{100}\right)^{\text{समय}}-1\right]$

$\therefore$ चक्रवृद्धि ब्याज = $400\left[\left(1+\frac{5}{100}\right)^2-1\right]$

$= 400\left[\left(\frac{21}{20}\right)^2-1\right] = 400\left[\frac{21}{20}\times\frac{21}{20}-1\right] = 400\times\frac{41}{400}$

= 41 रु.

2. पहले वर्ष का साधारण ब्याज तथा चक्रवृद्धि ब्याज बराबर होगा

$\therefore$ $60 = \frac{\text{मूलधन}\times 6\times 1}{100}$ $\therefore$ मूलधन = 1000 रु.

$\therefore$ दूसरे वर्ष के लिए मूलधन = 1000 + 60 = 1060 रु.

$\therefore$ ब्याज = $\frac{1060\times 6\times 1}{100}$ = 63.60 रु.

3. माना कि धनराशि x रु. है।

$\therefore$ 5% वार्षिक ब्याज की दर से 2 वर्ष का साधारण ब्याज

$= \frac{x\times 5\times 2}{100} = \frac{x}{10}$ रु.

तथा चक्रवृद्धि ब्याज = $x\left[\left(1+\frac{5}{100}\right)^2-1\right] = x\left[\left(\frac{21}{20}\right)^2-1\right]$

$= x\left[\frac{21}{20}\times\frac{21}{20}-1\right] = \frac{x\times 41}{400}$ रु.

प्रश्नानुसार— $\frac{41x}{400}-\frac{x}{10}=3$ $\therefore$ $41x-40x = 400\times 3$

या x = 1200 रु. अत: वह धनराशि 1200 रु. है।

4. माना वह धनराशि x रु. है

$\therefore$ मिश्रधन = मूलधन $\left(1+\frac{\text{दर}}{100}\right)^{\text{समय}}$ या $1331 = x\left(1+\frac{10}{100}\right)^3$

$\therefore$ $1331 = x\times\frac{11}{10}\times\frac{11}{10}\times\frac{11}{10}$

$\therefore$ $x = \frac{1331\times 10\times 10\times 10}{11\times 11\times 11}$ = 1000 रु.

5. चक्रवृद्धि ब्याज = $2500\left[\left(1+\frac{6}{100}\right)^2-1\right] = 2500\left[\left(\frac{53}{50}\right)^2-1\right]$

$= 2500\left[\frac{53}{50}\times\frac{53}{50}-1\right] = 2500\left[\frac{2809-2500}{2500}\right]$

$= \frac{2500\times 309}{2500}$ = 309 रु.

6. माना वह राशि x रु. है

$\therefore$ मिश्रधन = मूलधन $\left(1+\frac{\text{दर}}{100}\right)^{\text{समय}}$

प्रश्नानुसार—

$\therefore$ $4x = x\left(1+\frac{\text{दर}}{100}\right)^2$ या $4 = \left(1+\frac{\text{दर}}{100}\right)^2$

या $(2)^2 = \left(1+\frac{\text{दर}}{100}\right)^2$ या $2 = \left(1+\frac{\text{दर}}{100}\right)$

$\therefore$ मिश्रधन को 8 गुना करने के लिए

$\therefore$ $(2)^3 = \left(1+\frac{\text{दर}}{100}\right)^3$ $\therefore$ $8 = \left(1+\frac{\text{दर}}{100}\right)^3$

अत : स्पष्ट है कि मिश्रधन को 8 गुना होने में लगा समय = 3 वर्ष

7. साधारण ब्याज = $\frac{2400\times 5\times 2}{100}$ = 240 रु.

चक्रवृद्धि ब्याज = $2400\left[\left(1+\frac{5}{100}\right)^2-1\right]$

$= 2400\left[\frac{21}{20}\times\frac{21}{20}-1\right] = \frac{2400\times 41}{400}$ = 246 रु.

$\therefore$ अन्तर = 246 − 240 = 6 रु.

8. चक्रवृद्धि ब्याज

$= 8000\left[\left(1+\frac{5}{100}\right)^3-1\right] = 8000\left[\frac{21}{20}\times\frac{21}{20}\times\frac{21}{20}-1\right]$

$= 8000\left[\frac{9261-8000}{8000}\right] = \frac{8000\times 1261}{8000}$ = 1261 रु.

9. $2205 = 2000\left(1+\frac{\text{दर}}{100}\right)^2$

या $\frac{2205}{2000} = \left(1+\frac{\text{दर}}{100}\right)^2$ या $\frac{441}{400} = \left(1+\frac{\text{दर}}{100}\right)^2$

या $\left(\frac{21}{20}\right)^2 = \left(1+\frac{\text{दर}}{100}\right)^2$ या $\frac{21}{20} = 1+\frac{\text{दर}}{100}$

$\frac{\text{दर}}{100} = \frac{21}{20}-1 = \frac{1}{20}$ या दर $= \frac{100}{20}$ = 5%

10. मूलधन = 3200 रु., चक्रवृद्धि ब्याज = 672 रु.

$\therefore$ चक्रवृद्धि मिश्रधन = मूलधन + चक्रवृद्धि ब्याज

= 3200 + 672 = 3872 रु.

$\therefore$ चक्रवृद्धि मिश्रधन = मूलधन $\left(1+\frac{\text{दर}}{100}\right)^{\text{समय}}$

$\therefore$ $3872 = 3200\left(1+\frac{10}{100}\right)$ या $\frac{3872}{3200} = \left(\frac{11}{10}\right)$

या $\frac{121}{100} = \left(\frac{11}{10}\right)$ या $\left(\frac{11}{10}\right)^2 = \left(\frac{11}{10}\right)$ $\therefore$ समय = 2 वर्ष

●●●

11

लाभ तथा हानि (Profit and Loss)

लाभ और हानि शब्द साधारणतया व्यापार में इस्तेमाल किए जाते हैं। प्रत्येक व्यापार का उद्देश्य लाभ कमाना होता है। लाभ और हानि से संबंधित सभी तरह के प्रश्नों को हल करने से पहले निम्नलिखित बातों को जानना आवश्यक है।

1. कोई वस्तु जिस मूल्य पर खरीदी जाती है उसे उस वस्तु का **लागत मूल्य या क्रय मूल्य** (Cost Price) कहते हैं। इसे क्रय मूल्य (C.P.) द्वारा भी निर्दिष्ट किया जाता है।
2. कोई वस्तु जिस मूल्य पर बेची जाती है, उसे उस वस्तु का **विक्रय मूल्य** (Sale Price) कहते हैं। इसे विक्रय मूल्य (S.P.) द्वारा भी निर्दिष्ट किया जाता है।
3. यदि वस्तु का क्रय मूल्य (Cost Price), वस्तु के विक्रय मूल्य (Sale Price) से अधिक हो, तो उस वस्तु पर हमेशा **हानि** होगी।
   अर्थात्
   हानि = क्रय मूल्य – विक्रय मूल्य
4. यदि किसी वस्तु का विक्रय मूल्य (Sale Price) वस्तु के क्रय मूल्य (Cost Price) से अधिक हो, तो उस वस्तु पर हमेशा **लाभ** होगा।
   अर्थात्
   लाभ = विक्रय मूल्य – क्रय मूल्य
5. लाभ और हानि दो प्रकार से व्यक्त किए जाते हैं:
   (i) रुपयों में; *(ii)* प्रतिशत में।

उदाहरण : यदि किसी वस्तु का क्रय मूल्य 100 रु. तथा उसका विक्रय मूल्य 95 रु. हो, तो वस्तु पर लाभ या हानि कितनी होगी?

हल : चूंकि वस्तु का क्रय मूल्य और उसके विक्रय मूल्य से अधिक है, इसलिए वस्तु पर हानि होगी। अर्थात् हानि = क्रय मूल्य – विक्रय मूल्य = 100 – 95 = 5 रु. हानि।

उपरोक्त उदाहरण में हमने वस्तु पर लाभ और हानि को रुपयों में समझाया है। अब हम लाभ-हानि को प्रतिशत में व्यक्त करते हैं।

लाभ-हानि को प्रतिशत लाभ और प्रतिशत हानि में बदलने के लिए निम्नलिखित सूत्रों को याद रखें।

1. $\text{लाभ\%} = \dfrac{\text{लाभ} \times 100}{\text{क्रय मूल्य}}$ **2.** $\text{हानि\%} = \dfrac{\text{हानि} \times 100}{\text{क्रय मूल्य}}$

प्रश्नमाला

1. एक आदमी कोई वस्तु 25 रु. में खरीदकर 30 रु. में बेचता है। तो बताइये उसका लाभ क्या होगा?
A. 6 रु. B. 7.50 रु.
C. 5 रु. D. 8.10 रु.

2. यदि 15 रु. वाली कोई वस्तु 12 रु. में बेच दी जाए, तो कितने प्रतिशत हानि होगी?
A. 20% B. 16%
C. 22% D. 25%

3. यदि किसी वस्तु को 21 रु. में बेचने पर 12% का लाभ होता हो, तो बताइये उस वस्तु का क्रय मूल्य कितना होगा?
A. 15.50 रु. B. 20.15 रु.
C. 18.75 रु. D. 17.50 रु.

4. यदि किसी वस्तु को 2040 रु. में बेचने पर 15% की हानि होती हो, तो बताइये उस वस्तु का क्रय मूल्य कितना होगा?
A. 2300 रु. B. 2400 रु.
C. 2475 रु. D. 2800 रु.

5. एक वस्तु का क्रय मूल्य 150 रु. है। यदि इसे 13% लाभ पर बेचा जाए, तो बताइये वस्तु का विक्रय मूल्य कितना होगा?
A. 170.75 रु. B. 169.50 रु.
C. 160.50 रु. D. 174.75 रु.

6. किसी वस्तु को 250 रु. में खरीदकर 300 रु. में बेच दिया गया। बताइये उस पर कितने प्रतिशत लाभ हुआ?
A. 16% B. 20%
C. 18% D. 17%

7. एक वस्तु को 38 रु. में बेचने पर 5% हानि होती है। यदि इसे 42 रु. में बेचा जाए, तो कितने प्रतिशत लाभ या हानि होगी?
A. 6% लाभ B. 5% लाभ
C. 8% हानि D. 4% हानि

8. यदि किसी वस्तु को 5% हानि पर बेचने पर 3990 रु. मिले हों, तो उस वस्तु का क्रय मूल्य कितना होगा?
A. 4100 रु. B. 4200 रु.
C. 3890 रु. D. 4400 रु.

9. यदि 10 पेनों का क्रय मूल्य, 8 पेनों के विक्रय मूल्य के बराबर हो, तो प्रतिशत लाभ कितना होगा?
A. 20% B. 16%
C. 25% D. 30%

10. राम ने एक टी.वी. 2475 रु. में खरीदकर उसे 3090 रु. में बेच दिया हो, तो उसे कितने प्रतिशत लाभ हुआ?
A. 23.8% B. 34.5%
C. 37.6% D. 24.8%

11. एक फल विक्रेता ने 20 दर्जन केले 100 रुपये में खरीदकर 6 रुपये प्रति दर्जन के भाव से बेच दिए। उसका लाभ अथवा हानि ज्ञात करो।

A. 20 रु. B. 30 रु.
C. 25 रु. D. 35 रु.

12. एक ठेकेदार ने 7500 रुपये में एक खाली जमीन खरीदी और उस पर 2,65,000 रुपये खर्च कर मकान तैयार किया। यदि अब उस मकान को 3,25,000 रु. में बेच दिया, तो उसका लाभ अथवा हानि ज्ञात करो।

A. 15550 रु. हानि B. 15550 रु. लाभ
C. 15000 रु. हानि D. 15000 रु. लाभ

उत्तरमाला

1	2	3	4	5	6	7	8	9	10
C	A	C	B	B	B	B	B	C	D
11	12								
A	C								

व्याख्यात्मक उत्तर

1. ∵ वस्तु का विक्रय मूल्य, उसके क्रय मूल्य से अधिक है।

∴ लाभ = विक्रय मूल्य – क्रय मूल्य = 30 – 25 = 5 रु.।

2. ∵ वस्तु का क्रय मूल्य, उसके विक्रय मूल्य से अधिक है।

∴ हानि = क्रय मूल्य – विक्रय मूल्य = 15 – 12 = 3 रु.

$$\therefore \text{प्रतिशत हानि} = \frac{\text{हानि} \times 100}{\text{क्रय मूल्य}} = \frac{3\times100}{15} = 20\%.$$

3. ∵ वस्तु का विक्रय मूल्य = 21 रु. तथा लाभ % = 12%

$$\therefore \text{क्रय मूल्य} = \text{विक्रय मूल्य}\left(\frac{100}{100+\text{लाभ}\%}\right)$$

$$= 21\left(\frac{100}{100+12}\right) = \frac{21\times100}{112} = 18.75 \text{ रु.।}$$

4. ∵ वस्तु का विक्रय मूल्य = 2040 रु.

तथा हानि % = 15%

$$\therefore \text{क्रय मूल्य} = \text{विक्रय मूल्य}\left(\frac{100}{100-\%\text{हानि}}\right)$$

$$= 2040\left(\frac{100}{100-15}\right) = \frac{2040\times100}{85} = 2400 \text{ रु.।}$$

5. ∵ वस्तु का क्रय मूल्य = 150 रु. तथा

लाभ % = 13%

$$\therefore \text{वस्तु का विक्रय मूल्य} = \text{क्रय मूल्य}\left(\frac{100+\text{ लाभ}\%}{100}\right)$$

$$= 150\times\left(\frac{100+13}{100}\right) = \frac{150\times113}{100} = 169.50 \text{ रु.।}$$

6. ∵ वस्तु का क्रय मूल्य = 250 रु.

तथा वस्तु का विक्रय मूल्य = 300 रु.

∴ लाभ = 300 – 250 = 50 रु.

$$\therefore \text{प्रतिशत लाभ} = \frac{\text{लाभ}\times100}{\text{क्रय मूल्य}} = \frac{50\times100}{250} = 20\%.$$

7. पहली स्थिति में, वस्तु का विक्रय मूल्य = 38 रु., हानि % = 5%

$$\therefore \text{वस्तु का क्रय मूल्य} = \text{विक्रय मूल्य}\left(\frac{100}{100-\text{हानि}\%}\right)$$

$$= 38\left(\frac{100}{100-5}\right) = \frac{38\times100}{95} = 40 \text{ रु.}$$

दूसरी स्थिति में, क्रय मूल्य = 40 रु., विक्रय मूल्य = 42 रु.

∴ लाभ = विक्रय मूल्य – क्रय मूल्य = 42 – 40 = 2 रु.

$$\therefore \text{प्रतिशत लाभ} = \frac{\text{लाभ}\times100}{\text{क्रय मूल्य}} = \left(\frac{2\times100}{40}\right) = 5\%.$$

8. ∴ वस्तु का विक्रय मूल्य = 3990 रु., तथा हानि % = 5%

∴ वस्तु का क्रय मूल्य

$$= \text{विक्रय मूल्य}\left(\frac{100}{100-5}\right) = 3990\times\frac{100}{95} = 4200 \text{ रु.।}$$

9. माना कि 10 पेनों का क्रय मूल्य = x रु.

प्रश्नानुसार, 8 पेनों का विक्रय मूल्य = x रु.

$\therefore$ 1 पेन का क्रय मूल्य = $\frac{x}{10}$ रु.

तथा 1 पेन का विक्रय मूल्य = $\frac{x}{8}$ रु.

$$\therefore \text{लाभ} = \text{विक्रय मूल्य} - \text{क्रय मूल्य} = \frac{x}{8}-\frac{x}{10} = \frac{x}{40} \text{ रु.}$$

$$\therefore \text{प्रतिशत लाभ} = \frac{\text{लाभ}\times100}{\text{क्रय मूल्य}} = \frac{\frac{x}{40}\times100}{\frac{x}{10}} = 25\%.$$

10. ∵ टी.वी. का खरीद मूल्य या क्रय मूल्य = 2475 रु.

तथा विक्रय मूल्य = 3090 रु.

लाभ = विक्रय मूल्य – क्रय मूल्य = 3090 – 2475 = 615 रु.

$$\text{प्रतिशत लाभ} = \frac{\text{हानि}\times100}{\text{क्रय मूल्य}} = \frac{615\times100}{2475} = 24.8\%.$$

11. 20 दर्जन केलों का क्रय मूल्य = 100 रुपये

20 दर्जन केलों का विक्रय मूल्य = 6 × 20 = 120 रुपये

लाभ = विक्रय मूल्य – क्रय मूल्य

= 120 – 100 = 20 रुपये लाभ।

12. ठेकेदार का वास्तविक क्रय मूल्य

= 75000 + 2,65,000 = 3,40,000 रुपये

∵ उसका विक्रय मूल्य उसके क्रय मूल्य से कम है अत: हानि होगी।

हानि = क्रय मूल्य – विक्रय मूल्य

= 3,40,000 – 3,25,000 = 15,000 रुपये हानि।

●●●

12

अनुपात एवं समानुपात (Ratio and Proportion)

अनुपात

अनुपात सदैव दो सजातीय राशियों में होता है। एक राशि का, दूसरी सजातीय राशि में भाग देने पर अनुपात ज्ञात होता है या जब हम एक ही प्रकार की दो वस्तुओं की तुलना करते हैं और यह देखते हैं कि एक वस्तु, दूसरी वस्तु का कौन-सा भाग है तो उन दोनों के बीच पारस्परिक सम्बन्ध को अनुपात कहते हैं।

समानुपात

जब दो अनुपात बराबर होते हैं तो उनकी बराबरी को समानुपात कहते हैं। जैसे $a : b = c : d$ हो, तो इसका अर्थ यह है कि $\frac{a}{b}$ समानुपात में है $\frac{c}{d}$ के और इसे हम निम्न प्रकार से लिख सकते हैं।

अतः $a : b : : c : d$ में a, b, c तथा d को क्रमशः प्रथम, द्वितीय, तृतीय और चतुर्थ अनुपाती कहते हैं। इस प्रकार समानुपात में चार पद होते हैं।

नियम : समानुपात $a : b : : c : d$ में सिरे वाले दोनों पदों के गुणनफल, मध्य वाले दोनों पदों के गुणनफल के बराबर होता है।

अर्थात् $a \times d = b \times c$

साझा

साझा दो प्रकार का होता है:

1. **साधारण साझा :** वह साझा जिसमें दो या दो से अधिक व्यापारी अपनी-अपनी पूंजी का इस्तेमाल एक समान अवधि के लिए करते हैं, उसे **साधारण साझा** कहते हैं।
2. **मिश्रित साझा :** वह साझा जिसमें दो या दो से अधिक व्यापारी अपनी-अपनी पूंजी का इस्तेमाल अलग-अलग अवधि के लिए करते हैं उसे **मिश्रित साझा** कहते हैं।

महत्वपूर्ण नोट : 1. साधारण साझे से सम्बन्धित प्रश्नों में व्यापार में हुए लाभ अथवा हानि को उनकी पूंजियों के अनुपात में विभाजित करते हैं। 2. मिश्रित साझे से सम्बन्धित प्रश्नों में व्यापार में हुए लाभ अथवा हानि को उनकी पूंजियों तथा समय के गुणनफलों के अनुपात में बांटा जाता है।

प्रश्नमाला

1. यदि $3 : 8 = 9 : x$, तो x का मान कितना होगा?
A. 20 B. 27
C. 24 D. 25

2. यदि A : B = 3 : 4 तथा B : C = 5 : 6, तो A : B : C में क्या अनुपात होगा?
A 20 : 15 : 24 B. 15 : 20 : 24
C. 15 : 24 : 20 D. 20 : 24 : 15

3. यदि $18 : x = x : 8$ हो, तो x किसके बराबर होगा?
A. 11 B. 10
C. 16 D. 12

4. 8 : 12 : 10 : : ? है, तो प्रश्न चिन्ह् (?) के स्थान पर क्या मान होगा?
A. 14 B. 15
C. 16 D. 18

5. 5 और 125 का मध्य समानुपात कितना है?
A. 20 B. 25
C. 28 D. 27

6. 3, 4 और 15 का चौथा अनुपात होगा?
A. 16 B. 18
C. 20 D. 15

7. 12 और 30 का तृतीय समानुपात कितना होगा?
A. 75 B. 125
C. 60 D. 70

8. दो संख्याओं का अनुपात 3 : 4 है। यदि दोनों संख्याओं का योग 490 हो, तो वे संख्याएं क्रमशः क्या होंगी?
A. 220, 270 B. 210, 280
C. 120, 160 D. 180, 290

9. यदि एक त्रिभुज के कोणों में 1 : 2 : 3 का अनुपात हो, तो उस त्रिभुज के सबसे बडे कोण का मान होगा।
A. 90° B. 70°
C. 105° D. 110°

10. यदि किसी अनुपात का दूसरा पद 15 तथा अनुपात का मान $\frac{3}{5}$ हो, तो उस अनुपात का पहला पद क्या होगा?
A. 8 B. 14
C. 9 D. 12

11. 1100 रुपये को सुधा, कमला और सलमा में इस प्रकार बांटो कि उनके धन में $\frac{1}{3}:\frac{2}{5}:\frac{1}{2}$ का अनुपात हो, तो सुधा को मिलने वाला धन क्या है?
A. 300 रु. B. 350 रु.
C. 250 रु. D. 200 रु.

12. एक मिश्रधातु में तांबा, जस्ता और लोहा 7 : 6 : 9 के अनुपात में हैं। यदि मिश्रण में तांबे की मात्रा 560 ग्राम हो, तो मिश्रधातु का कुल भार ज्ञात करो।
A. 1 किग्रा. 600 ग्रा. B. 2 किग्रा. 760 ग्रा.
C. 1 किग्रा. 760 ग्रा. D. 1 किग्रा. 700 ग्रा.

उत्तरमाला

1	2	3	4	5	6	7	8	9	10
C	B	D	B	B	C	A	B	A	C
11	**12**								
A	C								

व्याख्यात्मक उत्तर

1. $\because 3 : 8 = 9 : x \Rightarrow \frac{3}{8} = \frac{9}{x} \Rightarrow x = \frac{8 \times 9}{3} = 24$

अतः x का मान = 24 होगा।

2. $\because$ दिया हुआ है:

A : B = 3 : 4 तथा B : C = 5 : 6

दोनों अनुपातों में B को बराबर करने के लिए पहले अनुपात में 5 से तथा दूसरे अनुपात में 4 से गुणा करने पर,

$\therefore$ A : B = 3 : 4 = 3 × 5 : 4 × 5 = 15 : 20

तथा B : C = 5 : 6 = 5 × 4 : 6 × 4 = 20 : 24

$\therefore$ A : B : C = 15 : 20 : 24

3. $\because \quad 18 : x = x : 8 \Rightarrow \frac{18}{x} = \frac{x}{8}$

$\Rightarrow \quad x \times x = 18 \times 8 \Rightarrow x^2 = 144 \Rightarrow x = \sqrt{144} = 12$

अतः x, 12 के बराबर होगा।

4. चूंकि समानुपात में दोनों बाहरी संख्याओं का गुणनफल, मध्य की दोनों संख्याओं के गुणनफल के बराबर होता है।

$\because$ 8 : 12 : : 10 : ?

$\therefore \quad 8 \times ? = 12 \times 10 \Rightarrow ? = \frac{12 \times 10}{8} = 15$

अतः प्रश्न चिन्ह् (?) के स्थान पर मान = 15 होगा।

5. माना कि 5 और 125 का मध्य समानुपात = x है

$\therefore 5 : x : : x : 125$

$\therefore \quad x \times x = 5 \times 125$

$\Rightarrow \quad x^2 = 625 \Rightarrow x = \sqrt{625} = 25$

अतः 5 और 125 का मध्य समानुपात = 25 है।

6. माना कि 3, 4 और 15 का चौथा अनुपात = x

$\therefore \quad 3 : 4 = 15 : x$

$\therefore \quad x \times 3 = 4 \times 15$

$\therefore \quad x = \frac{4 \times 15}{3} = 20$

अतः 3, 4 और 15 का चौथा अनुपात = 20 होगा।

7. माना कि 12 और 30 का तृतीय अनुपात = x

$\therefore \quad 12 : 30 = 30 : x$

$\therefore \quad 12 \times x = 30 \times 30$

$\Rightarrow \quad x = \frac{30 \times 30}{12} = 75$

अतः 12 और 30 का तृतीय अनुपात = 75 होगा।

8. माना कि वे संख्याएं क्रमशः $3x$ व $4x$ हैं।

प्रश्नानुसार,

$3x + 4x = 490$

$\Rightarrow \quad 7x = 490$

$\Rightarrow \quad x = \frac{490}{7} = 70$

अतः वे संख्याएं क्रमशः (3 × 70 = 210) व (4 × 70 = 280) होंगी।

9. चूंकि त्रिभुज के कोणों में अनुपात = 1 : 2 : 3

$\therefore$ अनुपात संख्याओं का योग = 1 + 2 + 3 = 6

परन्तु त्रिभुज के तीनों कोणों का योग = 180°

$\therefore$ सबसे बड़े कोण का मान = $\frac{3}{6} \times 180° = 90°$

अतः सबसे बड़े कोण का मान = 90° होगा।

10. माना कि अनुपात का पहला पद = x

प्रश्नानुसार,

$x : 15 = \frac{3}{5} = 3 : 5$ या, $\frac{x}{15} = \frac{3}{5}$

$\therefore \quad x \times 5 = 15 \times 3$

$\Rightarrow \quad x = \frac{15 \times 3}{5} = 9$

अतः अनुपात का पहला पद = 9 होगा।

11. सुधा : कमला : सलमा

$\frac{1}{3} : \frac{2}{5} : \frac{1}{2}$

सरल करने पर, अनुपात = 10 : 12 : 15

अनुपातों का योग = 10 + 12 + 15 = 37

$\therefore$ सुधा का भाग = $\frac{1110}{37} \times 10$ = 300 रुपये

कमला का भाग = $\frac{1110}{37} \times 12$ = 360 रुपये

सलमा का भाग = $\frac{1110}{37} \times 15$ = 450 रुपये।

12. तांबा : जस्ता : लोहा

अनुपातों का योग = 7 + 6 + 9 = 22

मिश्रधातु का कुल भार = $\frac{560}{7} \times 22$

= 1760 ग्राम = 1 किलोग्राम 760 ग्राम।

●●●

13

चाल, समय एवं दूरी (Speed, Time and Distance)

याद रखें :

(i) दूरी निकालने के लिए चाल में समय से गुणा करें,

अर्थात् दूरी = चाल × समय

(ii) चाल निकालने के लिए दूरी में समय से भाग दें,

$$\text{अर्थात् चाल} = \frac{\text{दूरी}}{\text{समय}}$$

(iii) समय निकालने के लिए दूरी में चाल से भाग दें,

$$\text{अर्थात् समय} = \frac{\text{दूरी}}{\text{चाल}}$$

(iv) गाड़ी को खम्भा या वृक्ष पार करने में केवल अपनी लम्बाई पार करनी होती है।

(v) गाड़ी को पुल या प्लेटफार्म पार करने में अपनी लम्बाई और पुल या प्लेटफार्म की लम्बाई दोनों पार करनी होती है।

(vi) जब दो गाड़ियां एक ही दिशा में जा रही हों, तो उनकी आपेक्षिक गति (एक-दूसरे को पार करने की गति) निकालने के लिए दोनों गाड़ियों की गति का अंतर निकाला जाता है।

(vii) जब दो गाड़ियां विपरीत दिशा में जा रही हों, तो उनकी आपेक्षिक गति (एक-दूसरे को पार करने की गति) निकालने के लिए दोनों गाड़ियों की गति को जोड़ दिया जाता है।

प्रश्नमाला

1. एक गतिमान कार की चाल 36 कि.मी. प्रति घंटा है। इसकी चाल मी./से. में है:

A. 10 मी./से. B. 15 मी./से.
C. 20 मी./से. D. 25 मी./से.

2. दो रेलगाड़ियां एक ही समय दो स्टेशनों X तथा Y से, जिनके मध्य 900 कि.मी. की दूरी है, एक-दूसरे की ओर चलना शुरू करती हैं। यदि उनकी औसत चाल क्रमशः 38 तथा 22 कि.मी./घं. हो, तो वे एक-दूसरे को कितने समय बाद मिलेंगी?

A. 12 घण्टे B. 13 घण्टे
C. 14 घण्टे D. 15 घण्टे

3. 100 मी. लम्बी रेलगाड़ी 60 कि.मी. प्रति घंटा की चाल से जा रही है। इसे एक तार चौकी को पार करने में समय लगेगा:

A. 4 सेकेण्ड B. 5 सेकेण्ड
C. 6 सेकेण्ड D. 8 सेकेण्ड

4. 150 मी. लम्बी एक रेलगाड़ी 90 कि.मी. प्रति घंटा की चाल से जा रही है। इसे एक पेड़ को पार करने में समय लगेगा:

A. 3 सेकेण्ड B. 4 सेकेण्ड
C. 6 सेकेण्ड D. 8 सेकेण्ड

5. 100 मी. लम्बी एक रेलगाड़ी 65 कि.मी. प्रति घंटा की चाल से जा रही है। यह एक व्यक्ति को जो 5 कि.मी./घंटा की चाल से रेलगाड़ी की दिशा में जा रहा है, कितने समय में पार करेगी?

A. 8 सेकेण्ड B. 6 सेकेण्ड
C. 4 सेकेण्ड D. 2 सेकेण्ड

6. एक व्यक्ति नदी के बहाव की दिशा में 6 कि.मी. प्रति/घं. तथा विपरीत दिशा में 3 कि.मी. प्रति/घं. की चाल से नाव चलाता है। स्थिर पानी में नाव की चाल है:

A. 9 कि.मी./घं. B. 4.5 कि.मी./घं.
C. 1.5 कि.मी./घं. D. 1.0 कि.मी./घं.

7. प्रश्न 6 में नदी के बहाव की चाल है

A. 1.5 कि.मी./घं. B. 2.5 कि.मी./घं.
C. 4.5 कि.मी./घं. D. 18.0 कि.मी./घं.

8. एक साइकिल सवार 3 मिनट में 1.2 किलोमीटर दूरी तय करता है, तो उसकी गति प्रति घंटा क्या होगी?

A. 24 कि.मी./घंटा B. 24 मी./घंटा
C. 24 मी./से. D. 24 कि.मी./मिनट

9. एक 100 मीटर लम्बी गाड़ी 90 कि.मी./घ. की चाल से चल रही है। गाड़ी को पेड़ को पार करने में कितना समय लगेगा?

A. 4 से. B. 8 से.
C. 11 से. D. 12 से.

10. एक रेलगाड़ी जो 90 कि.मी./घं. की गति से चली जा रही है। एक खम्भे को पार करने में 10 सेकेण्ड का समय लेती है। बताइये उस रेलगाड़ी की लम्बाई (मीटर में) कितनी होगी?

A. 250 B. 240
C. 280 D. 270

11. 18 किमी प्रति घंटा की चाल को मीटर प्रति सेकेण्ड में बदलिए।

A. 7 मी./से. B. 4 मी./से.
C. 6 मी./से. D. 5 मी./से.

12. 3 मीटर प्रति सेकेण्ड की चाल को किमी प्रति घण्टा में बदलिए।

A. 10 किमी./घंटा B. 10.8 किमी./घंटा
C. 8 किमी./घंटा D. 8.10 किमी./घंटा

13. 500 मीटर लम्बी रेलगाड़ी 220 मीटर लम्बे प्लेटफार्म को 36 सेकेण्ड में पार कर लेती है, तो गाड़ी की चाल किमी प्रति घण्टा ज्ञात करो

A. 60 किमी॰/घंटा B. 65 किमी॰/घंटा
C. 72 किमी॰/घंटा D. 70 किमी॰/घंटा

14. एक आदमी 5 किमी प्रति घण्टा की चाल से P से Q स्थान तक जाता है और 3 किमी प्रति घण्टा की चाल से Q से P स्थान पर वापस आ जाता है। उसकी सारी यात्रा में औसत चाल क्या रही?

A. $4\frac{3}{4}$ किमी॰/घंटा B. $3\frac{3}{4}$ किमी॰/घंटा
C. 4 किमी॰/घंटा D. 3 किमी॰/घंटा

उत्तरमाला

1	2	3	4	5	6	7	8	9	10
A	D	C	C	B	B	A	A	A	A
11	12	13	14						
D	B	C	B						

व्याख्यात्मक उत्तर

1. चाल = $\frac{36 \text{ कि॰मी॰}}{\text{घंटा}} = \frac{36000 \text{ मी॰}}{3600 \text{ से॰}}$ = 10 मी॰/से॰

2. दो रेलगाड़ियों द्वारा 1 घंटे में तय की गई दूरी
= 38 + 22 = 60 कि॰मी॰

कुल दूरी = 900 कि॰मी॰, समय = $\frac{900}{60}$ = 15 घंटे।

3. दूरी = 100 मी॰

चाल = $\frac{60 \text{ कि॰मी॰}}{\text{घंटा}} = \frac{60000 \text{ मी॰}}{3600 \text{ से॰}} = \frac{50}{3}$ मी॰/से॰

समय = $\frac{\text{दूरी}}{\text{चाल}} = \frac{100}{50/3} = \frac{100\times 3}{50}$ = 6 से॰

4. चाल = $\frac{90 \text{ कि॰मी॰}}{\text{घंटा}} = \frac{90000 \text{ मी॰}}{3600 \text{ से॰}}$ = 25 मी॰/से॰

दूरी = 150 मी॰, समय = $\frac{\text{दूरी}}{\text{चाल}} = \frac{150}{25}$ = 6 से॰

5. वास्तविक चाल = रेलगाड़ी की चाल – व्यक्ति की चाल
= 65 – 5 = 60 कि॰मी॰/घं॰

चाल = $\frac{60 \text{ कि॰मी॰}}{\text{घंटा}} = \frac{60000 \text{ मी॰}}{3600 \text{ से॰}} = \frac{50}{3}$ मी॰/से॰

समय = $\frac{\text{दूरी}}{\text{चाल}} = \frac{100}{50/3} = \frac{100\times 3}{50}$ = 6 से॰

7. नदी के बहाव की चाल = $\frac{6-3}{2} = \frac{3}{2}$ = 1.5 कि॰मी॰/घंटा

8. गति = $\frac{\text{दूरी}}{\text{समय}}$, दूरी = 1.2 कि॰मी॰, समय = 3 मिनट = $\frac{3}{60}$ घंटा

गति = $\frac{\text{दूरी}}{\text{समय}} = \frac{1.2}{\frac{3}{60}} = \frac{1.2\times 60}{3}$ = 24 कि॰मी॰/घंटा

9. चूंकि रेलगाड़ी सिर्फ पेड़ को पार करती है।
∴ पेड़ को पार करने में लगा समय

= $\frac{100 \text{ मी॰}}{90 \text{ कि॰मी॰/घं॰}} = \frac{100 \text{ मी॰}}{90\times\frac{5 \text{ मी॰}}{18 \text{ से॰}}}$ = 4 सेकेण्ड

10. चूंकि रेलगाड़ी सिर्फ खम्भे को पार करती है।

∴ खम्भे को पार करने में लगा समय = $\frac{\text{रेलगाड़ी की लम्बाई}}{\text{रेलगाड़ी की चाल}}$

∴ 10 = $\frac{\text{रेलगाड़ी की लम्बाई}}{90\times\frac{5}{18} \text{ मी॰/से॰}}$

∴ रेलगाड़ी की लम्बाई = $10\times 90\times\frac{5}{18}$ = 250 मीटर।

11. ∵ 1 किमी = 1000 मीटर और 1 घण्टा = 3600 सेकेण्ड
∴ 18 किमी प्रतिघण्टा = $\frac{18\times 1000}{3600}$ = 5 मीटर/सेकेण्ड।

12. 3 मीटर/सेकेण्ड = $\frac{3\times 3600}{1000}$ = 10.8 किमी/घण्टा।

13. गाड़ी द्वारा प्लेटफार्म को पार करने में तय की गई दूरी = 500 + 220
= 720 मीटर, समय = 36 सेकेण्ड

∴ चाल = $\frac{\text{दूरी}}{\text{समय}}$

∴ गाड़ी की चाल

= $\frac{720}{36}$ मीटर प्रति सेकेण्ड = $\frac{720\times 3600}{36\times 1000}$ = 72 किमी/घण्टा।

14. माना P से Q स्थान की दूरी 15 किमी
(3 और 5 का ल.स.प. 15 है, अत: गणना की सुविधा के लिए 15 किमी दूरी मानी है।)

∴ जाने में लगा समय = $\frac{15}{3}$ = 5 घण्टे

और वापस आने में लगा समय = $\frac{15}{3}$ = 5 घण्टे

कुल दूरी = 15 + 15 = 30 किमी

कुल समय = 3 + 5 = 8 घण्टे

औसत चाल $\frac{30}{8} = \frac{15}{4} = 3\frac{3}{4}$ किमी प्रति घण्टा।

●●●

14

समय एवं कार्य (Time and Work)

ऐकिक नियम के प्रश्नों में पहले इकाई वस्तु का मूल्य ज्ञात करके प्रश्न में दी गई संख्या का मूल्य निकालते हैं। उदाहरण के लिए प्रश्न है–

7 बकरियों की कीमत 630 रु. है, तो 20 बकरियों की कीमत क्या होगी?

ऐकिक नियम विधि से इस प्रश्न को हल करने में पहले एक बकरी की कीमत निकालनी होगी। उसके बाद 20 बकरियों की कीमत निकाली जायेगी।

ऐसे प्रश्नों को हल करते समय जो भाषा लिखी जाती है, उसमें जिस राशि या मद का उत्तर निकालना हो, उसे संबसे बाद में लिखा जाता है।

नोटः

(i) यदि एक आदमी एक काम को 10 दिनों में करता है, तो उसका एक दिन का काम होगा = $\frac{1}{10}$ भाग

(ii) यदि किसी आदमी का एक दिन का काम $\frac{1}{10}$ हो, तो वह पूरा काम 10 दिनों में करेगा।

(iii) ऐसे प्रश्नों में पहले एक दिन का काम निकाला जाता है।

(iv) यदि काम करने वाले आदमी बढ़ जायें, तो काम कम समय (कम दिनों) में पूरा होगा और यदि काम करने वाले आदमी कम हो जायें, तो काम अधिक समय (अधिक दिनों) में पूरा होगा।

प्रश्नमाला

1. A एक काम को 6 दिन में तथा B उसे 10 दिन में कर सकता है। A तथा B मिलकर उसे पूरा करेंगे।

A. 10 दिन से कम तथा 6 दिन से अधिक दिनों में
B. 10 दिन से अधिक दिनों में
C. 6 दिन से कम दिनों में
D. 2 दिन में

2. A एक मेज को 3 दिन में तथा उसका मित्र उसे 6 दिन में बना सकता है। A और उसका मित्र मिलकर उसे पूरा बनाएंगे:

A. 3 दिन में B. 2 दिन में
C. 1 दिन में D. $\frac{1}{2}$ दिन में

3. X और Y मिलकर किसी कार्य को 10 दिन में कर सकते हैं। X अकेला उसे 15 दिन में कर सकता है, तो Y उसे कितने दिन में करेगा?

A. 15 दिन B. 20 दिन
C. 25 दिन D. 30 दिन

4. 24 आदमी एक मशीन को 12 दिन में तैयार करते हैं, तो 36 आदमी उसे कितने दिनों में तैयार करेंगे?

A. 8 दिन B. 12 दिन
C. 16 दिन D. 20 दिन

5. X, Y और Z किसी काम को क्रमशः 8, 10 और 8 दिन में कर सकते हैं। तीनों मिलकर उस कार्य को कितने दिनों में कर सकेंगे?

A. $2\frac{1}{7}$ दिन B. $2\frac{3}{7}$ दिन
C. $2\frac{5}{7}$ दिन D. $2\frac{6}{7}$ दिन

6. A एक काम को 5 दिन में तथा B उसी काम को 10 दिन में पूरा करता है, तो बताइये (A + B) उस काम को कितने दिनों में पूरा करेंगे?

A. $2\frac{3}{4}$ दिन B. $3\frac{3}{4}$ दिन
C. $3\frac{1}{3}$ दिन D. $2\frac{1}{4}$ दिन

7. 3 पेन और 5 पैन्सिलों का मूल्य 14 रु. है। 12 पेन और 20 पेन्सिलों का क्या मूल्य होगा?

A. 42 रु. B. 56 रु.
C. 20 रु. D. 112 रु.

8. *x*, *y* और *z* मिलकर एक कार्य को 8 दिन में पूरा कर सकते हैं। यदि *x* और *z* मिलकर उस कार्य को 12 दिन में पूरा कर सकते हों, तो बताइये *y* अकेला उस कार्य को पूरा कितने दिन में करेगा?

A. 22 दिन B. 24 दिन
C. $17\frac{1}{4}$ दिन D. 23 दिन

9. यदि 75 संतरों की एक पेटी का मूल्य 60 रु. है, तो 50 संतरों का मूल्य होगा:

A. 30 रु. B. 40 रु.
C. 50 रु. D. 60 रु.

10. एक नल एक हौज को 4 घण्टे में तथा दूसरा नल उस हौज को 5 घण्टे में भर सकता है। यदि दोनों नल एक साथ खोल दिए जाएं, तो हौज को भरने में कितने घण्टे लगेंगे?

A. $3\frac{2}{9}$ घण्टे B. $2\frac{2}{9}$ घण्टे
C. $2\frac{1}{9}$ घण्टे D. $3\frac{5}{9}$ घण्टे

11. यदि 210 रुपए में 6 बाल्टियां खरीदी जा सकती हैं, तो 140 रुपए में कितनी बाल्टियां खरीदी जा सकेंगी।

A. 4 B. 3

C. 5 D. 6

12. गणित की 14 पुस्तकों का मूल्य 105 रुपए है, तो बताइए ऐसी ही 24 पुस्तकों के लिए क्या मूल्य देना होगा?

A. 170 रु. B. 175 रु.

C. 180 रु. D. 185 रु.

उत्तरमाला

1	2	3	4	5	6	7	8	9	10
C	B	D	A	D	C	B	B	B	B
11	**12**								
A	C								

व्याख्यात्मक उत्तर

1. A का 1 दिन का काम $= \frac{1}{6}$; B का 1 दिन का काम $= \frac{1}{10}$

(A + B) का 1 दिन का काम $= \frac{1}{6} + \frac{1}{10} = \frac{8}{30}$

$\therefore$ A + B मिलकर उसे $\frac{30}{8}$ दिन में करेंगे

$= 3\frac{6}{8}$ दिन $= 3\frac{3}{4}$ दिन जो 6 दिन से कम है।

2. A तथा उसके मित्र द्वारा 1 दिन में किया गया कार्य $= \frac{1}{3} + \frac{1}{6} = \frac{3}{6}$

$\therefore$ दोनों मिलकर उसे पूरा करेंगे $= \frac{6}{3} = 2$ दिन में।

3. X और Y का दिन का काम $= \frac{1}{10}$

अकेले X का 1 दिन का काम $= \frac{1}{15}$

अकेले Y का 1 दिन का काम $= \frac{1}{10} - \frac{1}{15} = \frac{1}{30}$

$\therefore$ Y अकेला उस काम को 30 दिन में करेगा।

4. $\because$ 24 व्यक्ति एक मशीन को बनाते हैं = 12 दिन में

$\therefore$ 1 व्यक्ति एक मशीन को बनाता है $= 24 \times 12$ दिन में।

$\therefore$ 36 व्यक्ति एक मशीन को बनाते हैं $= \frac{24 \times 12}{36} = 8$ दिन में।

5. X + Y + Z का 1 दिन का काम $= \frac{1}{8} + \frac{1}{10} + \frac{1}{8} = \frac{7}{20}$

$\therefore$ X + Y + Z उसे पूरा करेंगे $= \frac{20}{7}$ दिन $= 2\frac{6}{7}$ दिन में

6. $\because$ A का 1 दिन का काम $= \frac{1}{5}$ तथा B का 1 दिन का काम $= \frac{1}{10}$

$\therefore$ (A + B) का 1 दिन का काम $= \frac{1}{5} + \frac{1}{10} = \frac{2+1}{10} = \frac{3}{10}$

चूंकि $\frac{3}{10}$ काम (A + B) करते हैं = 1 दिन में

$\therefore$ पूरा काम (A + B) करेंगे $= \frac{10}{3} = 3\frac{1}{3}$ दिन में

7. $\because$ 3 पेन तथा 5 पेन्सिलों का मूल्य = 14 रु.

$\therefore$ 1 पेन तथा 1 पेन्सिल का मूल्य $= \frac{14}{\text{3 पेन तथा 5 पेन्सिल}}$

$\therefore$ 4 × (3 पेन तथा 5 पेन्सिलों) का मूल्य

$= \frac{14 \times 4 \times \text{(3 पेन तथा 5 पेंसिल)}}{\text{3 पेन तथा 5 पेंसिल}} = 56$ रुपये।

8. $\because$ $(x + y + z)$ का 1 दिन का काम $= \frac{1}{8}$

तथा $(x + z)$ का 1 दिन का काम $= \frac{1}{12}$

$\therefore$ y का 1 दिन का काम $= \frac{1}{8} - \frac{1}{12} = \frac{3-2}{24} = \frac{1}{24}$

चूंकि $\frac{1}{24}$ काम y करता है = 1 दिन में

$\therefore$ पूरा काम y करेगा 24 दिन में।

9. $\because$ 75 संतरों का मूल्य = 60 रु. $\because$ 1 संतरे का मूल्य $= \frac{60}{75}$

$\therefore$ 50 संतरों का मूल्य $= \frac{60}{75} \times 50 = 40$ रु.

10. पहले नल द्वारा 1 घण्टे में हौज का भरा भाग $= \frac{1}{4}$

तथा दूसरे नल द्वारा 1 घण्टे में हौज का भरा भाग $= \frac{1}{5}$

$\therefore$ (पहले + दूसरे) नल द्वारा 1 घण्टे में हौज का भरा भाग

$= \frac{1}{4} + \frac{1}{5} = \frac{5+4}{20} = \frac{9}{20}$

चूंकि हौज का $\frac{9}{20}$ भाग (पहले + दूसरे) नल भरते हैं = 1 घण्टे में

$\therefore$ पूरा भाग (पहले + दूसरे) नल भरेंगे $\frac{20}{9} = 2\frac{2}{9}$ घण्टे में।

11.

रुपए	बाल्टियां
210	6
140	?

$\because$ 210 रुपए में खरीदी जाने वाली बाल्टियों की संख्या = 6

$\therefore$ 1 रुपए में खरीदी जाने वाली बाल्टियां $= \frac{6}{210}$

$\therefore$ 140 रुपए में खरीदी जाने वाली बाल्टियां

$= \frac{6}{210} \times 140 = 4$ बाल्टियां

अत: 140 रुपए में 4 बाल्टियां खरीदी जा सकेंगी।

●●●

15

समय एवं दूरी (Time and Distance)

समय पर आधारित प्रश्नों के उत्तर देने के लिए निम्न बातें जानना आवश्यक है।

(i) 12 मध्यरात्रि से 12 मध्याह्न के समय पूर्वाह्न तथा 12 मध्याह्न से 12 मध्यरात्रि तक के समय को अपराह्न कहा जाता है।

(ii) 12 मध्यरात्रि को 24:00 बजे या 00:00 बजे लिखा जाता है।

(iii) 12 मध्यरात्रि को 12:00 बजे लिखा जाता है।

(iv) दाईं ओर के दो अंकों से बनने वाली संख्या मिनटों की संख्या दर्शाती है।

जैसे–10 : 15

(v) यदि बाईं ओर के दो अंकों से बनने वाली संख्या 12 से कम हो तो यह (मध्यरात्रि के बाद का समय) पूर्वाह्न कहलाती है। जैसे–

10:30 बजे = 10:30 पूर्वाह्न

11:45 बजे = 11:45 पूर्वाह्न

(vi) यदि बाईं ओर के दो अंकों से बनने वाली संख्या 12 से अधिक हो तो यह (दोपहर के बाद का समय) अपराह्न कहलाती है, जैसे–

18 : 15 बजे = 6 : 15 अपराह्न

20 : 30 बजे = 8 : 30 अपराह्न

उदाहरण 1. एक रेलगाड़ी सायं 5:40 बजे मुम्बई से चलती है और अगले दिन प्रातः 10:55 बजे नई दिल्ली पहुंचती है। रेलगाड़ी द्वारा तय यात्रा में लिया गया समय है।

हलः मुम्बई से प्रस्थान समय = 5:40

नई दिल्ली आगमन समय = 10:55 (अगले दिन)

कुल समय

= 5:40 से 5:40 (अगले दिन) = 12 घंटा

तथा 5:40 से 10:55 तक

= 5 घंटे 15 मिनट = 17 घंटे 15 मिनट

प्रश्नमाला

1. वैशाली सुपर फास्ट गाड़ी दिल्ली से 19:45 बजे रवाना होती है और अगले दिन 15:20 बजे मुज़फ्फरपुर पहुंचती है। बताओ यह मुज़फ्फरपुर पहुंचने में कितना समय लेती है?

A. 19 घंटा 25 मिनट
B. 18 घंटा 35 मिनट
C. 19 घंटा 35 मिनट
D. 18 घंटा 20 मिनट

2. मनु किसी सोमवार को रात में 9:30 पर सोया और अगले दिन 5:50 पर जागा। उसके सोने की अवधि कितनी थी?

A. 8 घंटे 20 मिनट B. 8 घंटे 10 मिनट
C. 7 घंटे 40 मिनट D. 7 घंटे 20 मिनट

3. इन्टरसिटी रेलगाड़ी रक्सौल से सुबह 9:15 पर चलती है तथा उसी दिन 11 बजे पीपरा पहुंचती है। रेलगाड़ी द्वारा यात्रा में लिया गया कुल समय है?

A. 1 घंटा 15 मिनट
B. 10 घंटे 45 मिनट
C. 1 घंटा 45 मिनट
D. 10 घंटे 15 मिनट

4. यदि किसी दिन सूर्य 6:20 पूर्वाह्न पर उदय हो तथा 6:57 अपराह्न पर अस्त हो, तो उस दिन की लम्बाई होगी।

A. 12 घंटे 27 मिनट B. 12 घंटे 17 मिनट
C. 12 घंटे 37 मिनट D. 12 घंटे

5. 9 घंटे 30 मिनट बराबर है।

A. 0.90 बजे B. 9:30 पूर्व॰ के
C. 8 घंटे 90 मिनट के D. 9:30 अप॰ के

6. एक बस शिमला से दिल्ली के लिए 7:20 बजे प्रातः प्रस्थान करती है और दिल्ली पहुंचने में 9 घंटे का समय लेती है। बस कितने बजे दिल्ली पहुंचती है?

A. 4:20 बजे अप॰ B. 3:30 बजे अप॰
C. 6:30 बजे अप॰ D. 7:30 बजे अप॰

7. एक वायुयान मुम्बई से 7:50 बजे उड़ान भरता है। यह चेन्नई 10:30 बजे हवाई हड्डे पर उतरता है। यह चेन्नई पहुंचने में कितना समय लेता है।

A. 2 घंटे 30 मिनट
B. 2 घंटे
C. 3 घंटे लगभग
D. 2 घंटे 40 मिनट

8. एक लड़का रात्रि 8:30 बजे सोने के लिए गया तथा प्रातः 6:15 पर जागा। वह लड़का कितनी देर तक सोया?

A. 9 घंटे 45 मिनट
B. 9 घंटे 15 मिनट
C. 2 घंटे 15 मिनट
D. 4 घंटे 45 मिनट

9. एक छात्र अपने घर से विद्यालय के लिए प्रातः 8:30 बजे साइकिल से चला। वह विद्यालय से पढ़ाई करने के बाद सांय 4:50 बजे घर वापस आया। वह कितने समय तक घर से बाहर रहा।

A. 7 घंटे 20 मिनट B. 8 घंटे 20 मिनट

C. 9 घंटे 20 मिनट D. 7 घंटे 90 मिनट

10. एक स्कूल की वार्षिक परीक्षा 18 मार्च, 2002 को आरम्भ हुई और 23 मार्च, 2002 को समाप्त हुई। परीक्षा कितने दिन तक चली?

A. एक सप्ताह B. 8 दिन

C. 6 दिन D. 1 महीना

उत्तरमाला

1	2	3	4	5	6	7	8	9	10
C	A	C	C	B	A	D	A	B	C

व्याख्यात्मक उत्तर

1. दिल्ली से प्रस्थान का समय = 19:45
मुज़फ्फरपुर में आगमन समय = 15:20
कुल समय = 19:45 से 24:00
= 4 घंटे 15 मिनट
= 00:00 से 15:20
= 15 घंटे 20 मिनट
= 19 घंटे 35 मिनट

2. सोने का समय = 9:30
जागने का समय = 5:50
कुल समय = 9:30 से 12:00 बजे मध्य रात्रि तक
= 2 घंटे 30 मिनट
= 12:00 से 5:50 बजे सुबह तक
= 5 घंटे 50 मिनट
अर्थात् 7 घंटे 80 मिनट = 8 घंटे 20 मिनट

3. रक्सौल से प्रस्थान समय = 9:15
पीपरा में आगमन समय = 11:00
कुल समय = आगमन समय – प्रस्थान समय
= 11:00 – 9:15 = 1 घंटा 45 मिनट

4. सूर्योदय होने का समय = 6:20
अस्त होने का समय = 6:57
कुल समय = प्रातः 6:20 से 6:20 शाम तक
= 12 घंटे
= शेष 37 मिनट
कुल समय = 12 घंटे 37 मिनट

5. दो अंकों से बनने वाली संख्या 12 से कम हो, तो वह पूर्वाह्न कहलाती है।
इस प्रकार 9:30 दर्शाता है 9:30 पूर्वाह्न

6. शिमला से प्रस्थान का समय = 7:20 प्रातः
दिल्ली पहुंचने में लगा समय = 9 घंटे
= 7:20 से 7:20 तक = 12 घंटे
9 घंटे के लिए = 7:20 – 3 = 4 : 20 अप.

7. मुम्बई से उड़ान भरने का समय = 7:50
चेन्नई पहुंचने का समय = 10:30
कुल समय = आगमन का समय – प्रस्थान का समय
= 10:30 – 7:50
= 2 घंटे 40 मिनट

8. सोने का समय = 8:30 शाम
जागने का समय = 6:15 सुबह
कुल समय = 8:30 से 12 बजे रात तक
= 3 घंटे 30 मिनट
= 12 बजे रात से 6:15 सुबह तक
= 6 घंटे 15 मिनट
कुल समय = 9 घंटे 45 मिनट

9. विद्यालय जाने का समय = 8:30 प्रातः
वापस आने का समय = 4:50 शाम
= 8:30 से 12 बजे दिन तक
= 3:30
= 12 बजे दिन से 4:50 बजे शाम तक
= 4:50
अर्थात् 7:80 = 8 घंटे 20 मिनट

10. परीक्षा की शुरुआत = 18 मार्च, 2002
परीक्षा की समाप्ति = 23 मार्च, 2002
कुल समय = 23 मार्च, 2002 से — 18 मार्च, 2002 तक
= 6 दिन

●●●

16

क्षेत्रमिति : रेखीय आकृति एवं वृत्त

(Mensuration : Plane Figures and Circles)

क्षेत्रमिति से सम्बंधित प्रश्नों को हल करने के लिए निम्नलिखित प्रमुख सूत्रों का जानना आवश्यक होता है :

1. आयत:

(*a*) आयत का क्षेत्रफल = लम्बाई × चौड़ाई

(*b*) आयत की परिमिति = 2 (लम्बाई + चौड़ाई)

(*c*) आयत का विकर्ण = $\sqrt{(\text{लं.})^2 + (\text{चौ.})^2}$

2. वर्ग:

(*a*) वर्ग का क्षेत्रफल = $(\text{भुजा})^2$ (*b*) वर्ग का परिमाप = 4 × भुजा

(*c*) वर्ग का विकर्ण = $\sqrt{2}$ × भुजा

3. वृत्त:

(*a*) वृत्त का क्षेत्रफल = $\pi \times (\text{त्रिज्या})^2$

(*b*) वृत्त की परिधि = $2\pi \times$ (त्रिज्या)

(*c*) त्रिज्या = $\frac{\text{व्यास}}{2}$ या व्यास = 2 × त्रिज्या

4. त्रिभुज : (*a*) त्रिभुज का क्षेत्रफल

$$= \sqrt{s(s-a)(s-b)(s-c)} \text{ जहां } s = \frac{a+b+c}{2}$$

(*b*) यदि त्रिभुज समकोण हो, तब

$$\text{क्षेत्रफल} = \frac{1}{2} \times \text{आधार } (b) \times \text{ऊंचाई } (h)$$

(*c*) समबाहु त्रिभुज का क्षेत्रफल = $\frac{\sqrt{3}}{4} \times (\text{भुजा})^2$

5. चतुर्भुज:

(*a*) चतुर्भुज का क्षेत्रफल = $\frac{1}{2}$ × विकर्ण × (शीर्ष लम्बों का योग)

(*b*) समान्तर चतुर्भुज का क्षेत्रफल = आधार × ऊंचाई

(*c*) सम चतुर्भुज का क्षेत्रफल = $\frac{1}{2}$ × विकर्णों का गुणनफल

(*d*) समलम्ब चतर्भुज का क्षेत्रफल

$$= \frac{1}{2} \times \text{ऊंचाई} \times \text{समान्तर भुजाओं का योग}$$

6. चार दीवारों का:

(*a*) चार दीवारों का क्षेत्रफल = 2 × ऊंचाई (लम्बाई + चौड़ाई)

(*b*) ऊंचाई = $\frac{\text{क्षेत्रफल}}{2(\text{लम्बाई}+\text{चौड़ाई})}$

प्रश्नमाला

1. एक आयत की लम्बाई व चौड़ाई क्रमश: 50 सेंमी. व 25 सेंमी. है, तो उसका क्षेत्रफल कितना होगा?

A. 1150 वर्ग सेंमी. B. 1250 वर्ग सेंमी.
C. 1275 वर्ग सेंमी. D. 1280 वर्ग सेंमी.

2. एक वर्गाकार मैदान का परिमाप 580 मी. है, तो बताइये उस मैदान का क्षेत्रफल कितना होगा?

A. 21025 वर्ग मी. B. 20225 वर्ग मी.
C. 30025 वर्ग मी. D. 19975 वर्ग मी.

3. एक वर्ग की प्रत्येक भुजा 20 सेंमी. है, तो इसका क्षेत्रफल कितना होगा?

A. 300 वर्ग सेंमी. B. 380 वर्ग सेंमी.
C. 360 वर्ग सेंमी. D. 400 वर्ग सेंमी.

4. एक वृत्त का क्षेत्रफल 154 वर्ग सेंमी. है। वृत्त की परिधि कितनी होगी?

A. 44 सेंमी. B. 48 सेंमी.
C. 54 सेंमी. D. 68 सेंमी.

5. यदि किसी त्रिभुज का आधार 8 सेमी तथा ऊंचाई 10 सेंमी. हो, तो उस त्रिभुज का क्षेत्रफल कितना होगा?

A. 40 वर्ग सेंमी. B. 20 वर्ग सेंमी.
C. 49 वर्ग सेंमी. D. 64 वर्ग सेंमी.

6. एक समलम्ब चतुर्भज की समान्तर भुजाएं क्रमश: 15 मी. तथा 25 मी. हैं तथा उनके बीच की दूरी 10 मी. है, तो इसका क्षेत्रफल क्या होगा?

A. 150 वर्ग मी. B. 225 वर्ग मी.
C. 200 वर्ग मी. D. 270 वर्ग मी.

7. एक आयताकार खेत का परिमाप 760 मी. है तथा उसकी लम्बाई व चौड़ाई में 11 : 8 का अनुपात है। तो बताइये आयताकार खेत का क्षेत्रफल क्या होगा?

A. 35200 वर्ग मी. B. 34700 वर्ग मी.
C. 35600 वर्ग मी. D. 45200 वर्ग मी.

8. यदि किसी वर्ग की भुजा में 50% की कमी कर दी जाये, तो उसका क्षेत्रफल कितने प्रतिशत घट जायेगा?

A. 50% B. 75%
C. 80% D. 60%

9. उस वर्ग की एक भुजा की लम्बाई क्या होगी जिसका क्षेत्रफल क्रमश: 6.4 मी. लम्बे तथा 2.5 मी. चौड़े आयत के क्षेत्रफल के बराबर हो?

A. 8 मी. B. 5.4 मी.
C. 3.8 मी. D. 4 मी.

10. यदि एक समकोण त्रिभुज का परिमाप उसकी सबसे छोटी भुजा का छ: गुना हो, तो उस त्रिभुज की तीनों भुजाओं के बीच क्या अनुपात होगा?

A. 13 : 5 : 12 B. 13 : 12 : 5
C. 12 : 5 : 13 D. 13 : 5 : 10

उत्तरमाला

1	2	3	4	5	6	7	8	9	10
B	A	D	A	A	C	A	B	D	B

व्याख्यात्मक उत्तर

1. आयत का क्षेत्रफल = लम्बाई × चौड़ाई = 50 × 25 = 1250 वर्ग सेंमी.।

2. ∴ वर्गाकार मैदान का परिमाप = 4 × भुजा

प्रश्नानुसार,

∴ 4 × भुजा = 580 ⇒ भुजा = $\frac{580}{4}$ = 145 सेंमी.

∴ क्षेत्रफल = (भुजा)^2 = $(145)^2$ = 21025 वर्ग सेंमी.।

3. वर्ग का क्षेत्रफल = (भुजा)^2 = $(20)^2$

= 400 वर्ग सेंमी.

4. ∴ वृत्त का क्षेत्रफल= π × (त्रिज्या)^2

∴ π × (त्रिज्या)^2 = 154

⇒ (त्रिज्या)^2 = $\frac{154}{\pi}$ = $\frac{154}{\frac{22}{7}}$ ⇒ (त्रिज्या)^2 = $\frac{154 \times 7}{22}$

= 7 × 7 ⇒ त्रिज्या = 7 सेंमी.

∴ वृत्त की परिधि = 2π × (त्रिज्या) = 2 × $\frac{22}{7}$ × 7 = 44 सेंमी.।

5. त्रिभुज का क्षेत्रफल = $\frac{1}{2}$ × आधार × ऊंचाई

= $\frac{1}{2}$ × 8 × 10 = 40 वर्ग सेंमी.।

6. चूंकि समलम्ब चतुर्भुज का क्षेत्रफल

= $\frac{1}{2}$ × ऊंचाई × समानान्तर भुजाओं का योग

∴ क्षेत्रफल = $\frac{1}{2} \times 10 \times (15 + 25) = \frac{1}{2} \times 10 \times 40$

= 200 वर्ग मी।

7. माना कि आयताकार खेत की लम्बाई व चौड़ाई क्रमशः $11x$ मी. व $8x$ मी. है

∴ खेत का परिमाप = $2(11x + 8x) = 2 \times 19x = 38x$ मी.

प्रश्नानुसार, आयताकार खेत का परिमाप = 760 है

∴ $38x = 760$

⇒ $x = \frac{760}{38} = 20$

∴ खेत की लम्बाई व चौड़ाई क्रमशः (11 × 20 = 220 मी.) व (8 × 20 = 160 मी.) होगी।

∴ आयताकार खेत का क्षेत्रफल

= 220 × 160 = 35200 वर्ग मी.।

8. माना कि वर्ग की भुजा x मी. है

∴ **पहली स्थिति में,** वर्ग का क्षेत्रफल = x^2 वर्ग मी.

दूसरी स्थिति में, वर्ग की भुजा में 50% की कमी के कारण

नए वर्ग की भुजा= $x - x$ का 50% = $\frac{x}{2}$ मी.

∴ नए वर्ग का क्षेत्रफल = $\left(\frac{x}{2}\right)^2 = \frac{x^2}{4}$ वर्ग मी.

∴ वर्ग के क्षेत्रफल में कमी = $x^2 - \frac{x^2}{4} = \frac{3x^2}{4}$ वर्ग मी.

∴ प्रतिशत कमी = $\frac{\frac{3x^2}{4}}{x^2} \times 100 = 75\%$

अत: वर्ग का क्षेत्रफल 75% घट जायेगा।

9. ∴ आयत का क्षेत्रफल = 6.4 × 2.5 = 16.00 वर्ग मी.

प्रश्नानुसार,

वर्ग का क्षेत्रफल = आयत का क्षेत्रफल

∴ वर्ग का क्षेत्रफल = 16 वर्ग मी.

∴ वर्ग की भुजा = $\sqrt{16} = \sqrt{4 \times 4}$ = 4 मी.।

10. माना कि समकोण त्रिभुज की तीन भुजाओं a, b और c में से सबसे बड़ी व सबसे छोटी भुजा क्रमशः a व c हैं

∴ $a^2 = b^2 + c^2$ ... (i)

तथा समकोण त्रिभुज का परिमाप = $a + b + c$

प्रश्नानुसार, $(a + b + c) = c \times 6 \Rightarrow a + b = 5c$ ... (ii)

समीकरण (i) से, $a^2 - b^2 = c^2$

⇒ $(a + b)(a - b) = c^2$

⇒ $5c(a - b) = c^2$

⇒ $a - b = \frac{c}{5}$ ... (iii) [∵ $a + b = 5c$]

समीकरण (ii) व (iii) से,

$a + b = 5c$

$a - b = \frac{c}{5}$

⇒ $2a = 5c + \frac{c}{5} = \frac{26c}{5} \Rightarrow a = \frac{13}{5}c$

⇒ $a : c = 13 : 5$

a का मान समीकरण (ii) में रखने पर,

$b = 5c - \frac{13c}{5} = \frac{12c}{5} \Rightarrow b : c = 12 : 5$

अत: समकोण त्रिभुज की तीनों भुजाओं में क्रमशः 13 : 12 : 5.

●●●

17

क्षेत्रमिति : ठोस आकृतियाँ
(Mensuration : Solid Figures)

ठोस : कोई वस्तु जो स्थान घेरती है, भार रखती है तथा जिसका आकार निश्चित होता है, ठोस कहलाती है। इस प्रकार ठोस में तीन मापें होती हैं— 1. लम्बाई 2. चौड़ाई 3. ऊंचाई (मोटाई)।

आयतन : ठोस के तलों द्वारा घिरी हुई जगह ठोस का आयतन कहलाती है। **घनाभ :** एक ठोस जो 6 आयताकार तलों द्वारा घिरा होता है, घनाभ कहलाता है। **घन :** एक ठोस जो 6 वर्गाकार तलों द्वारा घिरा होता है, घन कहलाता है।

ठोस आकृतियों से संबंधित समस्याओं को हल करने के लिए निम्नलिखित सूत्रों का जानना आवश्यक है :

1. गोला : (*a*) गोले का आयतन = $\frac{4}{3}\pi r^3$ (जहां r गोले की त्रिज्या है)

(*b*) गोले के धरातल का क्षेत्रफल या वक्रपृष्ठ का क्षेत्रफल = $4\pi r^2$

2. घनाभ : (*a*) घनाभ का आयतन = लम्बाई × चौड़ाई × ऊंचाई

(*b*) घनाभ का पृष्ठ = $2(l \times b + b \times h + h \times l)$ जहां l = लं., b = चौ., h = ऊं.

(*c*) किसी घनाभ का सबसे लम्बा विकर्ण = $\sqrt{l^2+b^2+h^2}$

3. घन : (*a*) घन का आयतन = $(\text{भुजा})^3$ ∵ [भुजा = ल. = चौ = ऊं.]

(*b*) घन का पृष्ठ = $6 \times (\text{भुजा})^2$

(*c*) किसी घन का सबसे लम्बा विकर्ण = $\sqrt{3}$ × भुजा

4. लम्ब वृत्तीय बेलन :

(*a*) बेलन का आयतन = आधार (वृत्त) का क्षेत्रफल × ऊँ.

$= \pi r^2 \times h = \pi r^2 h$

(*b*) बेलन का वक्रपृष्ठ = आधार (वृत्त) की परिधि × ऊँचाई

$= 2\pi r \times h = 2\pi rh$

(*c*) बेलन का सम्पूर्ण पृष्ठ = वक्र पृष्ठ + दोनों सिरों का क्षेत्रफल

$= 2\pi rh + 2\pi r^2 = 2\pi r(h + r)$

5. शंकु : (*a*) शंकु का आयतन = $\frac{1}{3}\pi r^2 h$

(*b*) शंकु की तिर्यक ऊंचाई = $\sqrt{r^2+h^2}$

(*c*) शंकु के वक्र पृष्ठ का क्षेत्रफल

$= \pi r \times$ तिर्यक ऊंचाई $= \pi r\sqrt{r^2+h^2}$

प्रश्नमाला

1. एक घनाभ की कोरें क्रमशः 4 सेंमी., 3 सेंमी. तथा 2 सेंमी. हैं, तो उस घनाभ का आयतन कितना होगा?

A. 20 घन सेंमी. B. 22 घन सेंमी.
C. 28 घन सेंमी. D. 24 घन सेंमी.

2. एक टंकी 3 मी. लम्बी, 2 मी. चौड़ी तथा 1 मी. गहरी है। उसकी क्षमता (ली. में) क्या होगी?

A. 8000 ली. B. 10000 ली.
C. 6500 ली. D. 6000 ली.

3. एक घन का पृष्ठ क्षेत्रफल 1014 वर्ग सेंमी. है। इसका आयतन कितना होगा?

A. 2197 घन सेंमी. B. 2297 घन सेंमी.
C. 2179 घन सेंमी. D. 2117 घन सेंमी.

4. यदि दो घनाकृतियों के आयतन में 8 : 1 का अनुपात हो, तो उनकी कोरों में क्या अनुपात होगा?

A. 1 : 2 B. 2 : 1
C. 4 : 1 D. 2 : 3

5. दो गोलों के पृष्ठ क्षेत्रफल में 9 : 16 का अनुपात है, तो बताइये उनके आयतनों में क्या अनुपात होगा?

A. 64 : 27 B. 27 : 64
C. 16 : 27 D. 11 : 27

6. एक कमरे की लं., चौ. व ऊँ. क्रमशः 12 मी., 9 मी. तथा 8 मी. है, तो बताइये उस छड़ की अधिक-से-अधिक लम्बाई क्या होगी जो कमरे में ठीक प्रकार रखी जा सके?

A. 17 मी. B. 18 मी.
C. 25 मी. D. 16 मी.

7. किसी लम्बवृत्तीय शंकु की त्रिज्या तथा ऊंचाई में 3 : 5 का अनुपात है। यदि शंकु का आयतन 120π घन मी. हो, तो उसकी तिरछी ऊँचाई कितनी होगी?

A. $3\sqrt{34}$ मी. B. $2\sqrt{28}$ मी.
C. $2\sqrt{44}$ मी. D. $2\sqrt{34}$ मी.

8. यदि किसी बेलन के आधार की परिधि 88 सेंमी. तथा ऊंचाई 42 सेंमी. हो, तो उस बेलन का आयतन कितना होगा?

A. 25872 घन सेंमी. B. 28572 घन सेंमी.
C. 25870 घन सेंमी. D. 22584 घन सेंमी.

9. 10 सेंमी. भुजा के दो घनों को आपस में सटाकर रखने से प्राप्त घनाभ का पृष्ठ क्या होगा?

A. 1200 वर्ग सेंमी. B. 5000 वर्ग सेंमी.
C. 1000 वर्ग सेंमी. D. 1250 वर्ग सेंमी.

10. एक आयताकार कागज के टुकड़े की लम्बाई व चौड़ाई क्रमशः 30 सेंमी. तथा 20 सेंमी. है। यदि कागज को मोड़कर एक बेलन का वक्रपृष्ठ बनाया जाये, तो बेलन कितने तरीके से बनाया जा सकता है?

A. तीन तरीके से B. दो तरीके से
C. एक तरीके से D. चार तरीके से

उत्तरमाला

1	2	3	4	5	6	7	8	9	10
D	D	A	B	B	A	D	A	C	B

व्याख्यात्मक उत्तर

1. $\because$ घनाभ का आयतन = लं. × चौ. × ऊं. = $4 \times 3 \times 2 = 24$ घन सेंमी.

2. टंकी का आयतन = लं. × चौ. × ऊं. = $3 \times 2 \times 1 = 6$ घन मी.

($\because$ 1 घन मी. = 1000 ली.)

$\therefore$ टंकी की क्षमता = $6 \times 1000 = 6000$ ली.।

3. $\because$ घन का पृष्ठ क्षेत्रफल = $6 \times (\text{भुजा})^2$

$\therefore \quad 6 \times (\text{भुजा})^2 = 1014 \Rightarrow (\text{भुजा})^2 = \dfrac{1014}{6} = 169$

$\therefore$ घन की भुजा = $\sqrt{169} = 13$ सेंमी.

$\therefore$ घन का आयतन = $(\text{भुजा})^3 = (13)^3$ सेंमी. = 2197 घन सेंमी.

4. माना दो घनों की भुजा क्रमशः a_1 व a_2 है।

$\therefore$ दोनों घनों का आयतन क्रमशः a_1^3 व a_2^3 होगा

प्रश्नानुसार,

$a_1^3 : a_2^3 = 8 : 1$

$\therefore \dfrac{a_1^3}{a_2^3} = \dfrac{8}{1} \therefore \left(\dfrac{a_1}{a_2}\right)^3 = \left(\dfrac{2}{1}\right)^3 \Rightarrow a_1 : a_2 = 2 : 1$

अत: उनकी कोरों में 2 : 1 का अनुपात होगा।

5. माना कि दो गोलों की त्रिज्या क्रमशः r_1 व r_2 है

दोनों गोलों का पृष्ठ क्षेत्रफल क्रमशः $4\pi r_1^2$ व $4\pi r_2^2$

प्रश्नानुसार,

$4\pi r_1^2 : 4\pi r_2^2 = 9 : 16 \Rightarrow r_1^2 : r_2^2 = 9 : 16$

$\Rightarrow \dfrac{r_1^2}{r_2^2} = \dfrac{9}{16} \Rightarrow \left(\dfrac{r_1}{r_2}\right)^2 = \left(\dfrac{3}{4}\right)^2 \Rightarrow r_1 : r_2 = 3 : 4$

$\Rightarrow \left(\dfrac{r_1}{r_2}\right)^3 = \left(\dfrac{3}{4}\right)^3 \Rightarrow \dfrac{r_1^3}{r_2^3} = \dfrac{27}{64} \Rightarrow r_1^3 : r_2^3 = 27 : 64$

$\because$ उनके आयतनों का अनुपात = $\dfrac{4}{3}\pi r_1^3 : \dfrac{4}{3}\pi r_2^3$

$\Rightarrow \quad r_1^3 : r_2^3 = 27 : 64$

6. $\because$ अधिक-से-अधिक लम्बाई की छड़

= घनाभ के विकर्ण की लम्बाई

$= \sqrt{(\ \ )^2 + (\ \ )^2 + (\ \ )^2} = \sqrt{(12)^2 + (9)^2 + (8)^2}$

$= \sqrt{144 + 81 + 64} = \sqrt{289} = 17$ मी.

अत: उस छड़ की अधिक-से-अधिक लम्बाई जो ठीक प्रकार से कमरे में रखी जा सके 17 मी. होगी।

7. माना कि लम्बवृत्तीय शंकु की त्रिज्या व ऊंचाई क्रमशः $3x$ मी. व $5x$ मी. है

$\therefore$ शंकु का आयतन = $\dfrac{1}{3}\pi r^2 h = \dfrac{1}{3}\pi \times (3x)^2 \times 5x$ घन मी.

प्रश्नानुसार,

शंकु का आयतन = 120π घन मी. (दिया है)

$\therefore \quad \dfrac{1}{3}\pi \times 9x^2 \times 5x = 120\pi \Rightarrow x^3 = \dfrac{120 \times 3}{9 \times 5}$

$\Rightarrow \quad x^3 = 8 \Rightarrow x^3 = (2)^3 \Rightarrow x = 2$ मी.

$\therefore$ लम्बवृत्तीय शंकु की त्रिज्या व ऊंचाई क्रमशः $3 \times 2 = 6$ मी. तथा $5 \times 2 = 10$ मी. होगी।

$\therefore$ तिर्यक ऊंचाई = $\sqrt{(\text{त्रिज्या})^2 + (\text{ऊँचाई})^2} = \sqrt{(6)^2 + (10)^2}$

$= \sqrt{36 + 100} = \sqrt{136} = 2\sqrt{34}$ मी.।

8. माना कि बेलन के आधार की त्रिज्या = r सेंमी.

$\therefore$ बेलन के आधार की परिधि = $2\pi r$ सेंमी.

प्रश्नानुसार, $2\pi r = 88$

$\Rightarrow \quad r = \dfrac{88}{2\pi} = \dfrac{88}{2 \times \frac{22}{7}} = \dfrac{88 \times 7}{2 \times 22} = 14$ सेंमी.

$\therefore$ बेलन का आयतन = $\pi r^2 h = \dfrac{22}{7} \times (14)^2 \times 42$

$= 22 \times 2 \times 14 \times 42 = 25872$ घन सेंमी.।

9. विद्यार्थियों को इस प्रकार के प्रश्नों में हमेशा ध्यान रखना चाहिए कि दो घनों को आपस में सटाकर रखने पर प्राप्त घनाभ की भुजाओं में केवल लम्बाई में ही वृद्धि होगी। उसकी चौड़ाई तथा ऊंचाई घन की भुजा के ही बराबर होगी।

$\therefore$ घनाभ की लम्बाई = पहले घन की भुजा की लम्बाई + दूसरे घन की भुजा की लम्बाई

अर्थात् घनाभ की लम्बाई = 10 + 10 = 20 सेंमी. होगी।

$\therefore$ घनाभ का पृष्ठ = $2(20 \times 10 + 10 \times 10 + 10 \times 20)$

$= 2(200 + 100 + 200) = 2 \times 500 = 1000$ वर्ग सेंमी.।

10. कागज के टुकड़े को दो तरीके से मोड़कर बेलन बनाया जा सकता है।

1. आयताकार कागज को इस प्रकार मोड़ा जाए ताकि उसकी लम्बाई 30 सेंमी. तथा चौड़ाई 20 सेंमी. बेलन की क्रमशः वृत्तीय आधार की परिधि तथा ऊंचाई हो।
2. पुन: आयताकार कागज को इस प्रकार से मोड़ा जाये ताकि उसकी लम्बाई 30 सेंमी. तथा चौड़ाई 20 सेंमी. बेलन की क्रमशः ऊंचाई व वृत्तीय आधार की परिधि हो।

●●●

हरियाणा
सामान्य ज्ञान एवं सचेतता

वस्तुनिष्ठ प्रश्नोत्तर

1. प्राचीन काल में हरियाणा राज्य अन्य किस नाम से जाना जाता था?
A. ब्रह्मावर्त प्रदेश B. ब्रह्मर्षि प्रदेश
C. ब्रह्मा की उत्तरवेदी D. सभी से

2. किस भरतवंशी शासक ने हरियाणा प्रदेश से अपना विजय अभियान शुरू किया था?
A. सुदास B. अर्जुन
C. भरत D. भीष्म

3. महाभारत का प्रसिद्ध युद्ध प्रदेश में किस स्थान पर लड़ा गया था?
A. पानीपत B. कुरुक्षेत्र
C. झज्जर D. बल्लभगढ़

4. मुगलकाल में इस प्रदेश में जनपदों का स्थान किसने लिया था?
A. गण संघ ने B. गण-व्यवस्था ने
C. खापों ने D. पंचायत ने

5. बौद्धकाल के किन महाजनपदों में आधुनिक हरियाणा के भाग शामिल थे?
A. कुरु और पांचाल B. कौशल और वज्जी
C. सूरसेन और अवन्ती D. अस्सक और वत्स

6. प्रदेश का कौन-सा स्थान, अग्रेयगण की राजधानी था?
A. रिवाड़ी B. सिरसा
C. हांसी D. अग्रोहा

7. महमूद गजनवी ने थानेश्वर पर कब आक्रमण किया था?
A. 1013 ई. में B. 1014 ई. में
C. 1016 ई. में D. 1017 ई. में

8. प्रदेश का थानेश्वर नामक नगर किस प्रसिद्ध राजा की राजधानी था?
A. हर्षवर्धन B. अशोक
C. चन्द्रगुप्त विक्रमादित्य D. कनिष्क

9. बारहवीं शताब्दी में किस चौहान शासक ने हरियाणा प्रदेश पर आक्रमण कर तोमरों को पराजित किया था?
A. विग्रहराज VI B. विग्रहराज II
C. अर्णोराजा D. पृथ्वीराज चौहान

10. गुलाम वंश के शासक बलबन ने हरियाणा के शक्तिशाली मेवों की शक्ति को नष्ट करने का प्रयास कब किया था?
A. 1260 ई. में B. 1265 ई. में
C. 1266 ई. में D. 1267 ई. में

11. तुगलक शासक फिरोज तुगलक ने प्रदेश में कौन-सा नगर बसाया था?
A. टोहाना B. हांसी
C. सिवानी D. फतेहाबाद

12. निम्नलिखित में से प्रदेश के किस नगर पर तैमूर ने आक्रमण किया था?
A. सिरसा B. फतेहाबाद
C. हिसार D. सभी पर

13. 1526 ई. में हरियाणा में किस स्थान पर बाबर और इब्राहीम लोदी के बीच प्रसिद्ध युद्ध हुआ था?
A. पानीपत B. कुरुक्षेत्र
C. तावडू D. जीन्द

14. प्रसिद्ध मुगल शासक अकबर के समय में रिवाड़ी का शासक कौन था?
A. तुलाराम B. कर्णसिंह
C. हेमचन्द्र (हेमू) D. फूलसिंह

15. अकबर और हेमचन्द्र (हेमू) के बीच पानीपत का प्रसिद्ध द्वितीय युद्ध कब लड़ा गया था?
A. 1550 ई. में B. 1552 ई. में
C. 1554 ई. में D. 1556 ई. में

16. मराठों और अहमदशाह अब्दाली के बीच प्रदेश में कौन-सा प्रसिद्ध युद्ध लड़ा गया था?
A. पानीपत का तृतीय युद्ध B. पानीपत का द्वितीय युद्ध
C. पानीपत का प्रथम युद्ध D. कोई नहीं

17. प्रदेश के किस स्थान को जार्ज टॉमस ने अपनी राजधानी बनाया था?
A. रानिया B. टोहाना
C. हांसी का दुर्ग D. बहरामपुर

18. 1802 ई. में जार्ज टॉमस की मृत्यु प्रदेश में किस स्थान पर हुई थी?
A. महेन्द्रगढ़ B. बहरामपुर
C. नारनौल D. बावल

19. सन् 1809-10 में समस्त हरियाणा किसके अधिकार में था?
A. मराठों के B. सतनामियों के
C. मुगलों के D. अंग्रेजों के

20. आधुनिक हरियाणा राज्य का निर्माण कब किया गया था?
A. 1 नवम्बर, 1966 B. 5 जनवरी, 1967
C. 1 नवम्बर, 1958 D. 15 अगस्त, 1947

21. प्राग्हड़प्पा, हड़प्पा, परवर्ती हड़प्पा आदि संस्कृतियों के प्रमाण हरियाणा में किस स्थान से प्राप्त हुए हैं?
A. वणावली B. सोसवाल
C. मिर्जापुर D. सभी से

22. महाभारत-काल से शताब्दियों पूर्व हुए आर्यवंशी कुरुओं ने इस प्रदेश में किस युग का प्रारम्भ किया था?

A. कृषि-युग B. ताम्र-युग
C. लोह-युग D. धातु-युग

23. भगवान श्रीकृष्ण द्वारा विश्व प्रसिद्ध गीता का उपदेश हरियाणा में किस स्थान पर दिया गया था?
A. रेवाड़ी B. पेहवा
C. कुरुक्षेत्र D. पानीपत

24. यौधेय-काल में हरियाणा प्रदेश को निम्नलिखित में से किस नाम की संज्ञा दी गई?
A. यौधेय गणराज्य B. बहुधान्यक-प्रदेश
C. मत्स्य प्रदेश D. गण-प्रदेश

25. प्रसिद्ध चीनी यात्री ह्वेनसांग ने अपनी पुस्तक में हरियाणा के किस नगर के वैभव और समृद्धि का वर्णन किया है?
A. स्थाण्वीश्वर (थानेश्वर) B. पानीपत
C. रोहतक D. अम्बाला

26. तोमर शासकों के शासनकाल में हरियाणा में व्यापार, कला व संस्कृति की उन्नति की जानकारी किस ग्रन्थ से मिलती है?
A. तहकीक-ए-हिन्द B. हर्षचरित
C. कादम्बरी D. यशस्तिलक चम्पू

27. 1526-27 में बाबर के आक्रमण के समय तावडू के परगने का शासक कौन था?
A. हसन खाँ B. मोहन सिंह मंढ़ार
C. फैजल खाँ D. जलाल खाँ

28. निम्नलिखित कथनों पर विचार कीजिए :
(*a*) नडा साहिब गुरुद्वारा अम्बाला में है।
(*b*) नडा साहिब गुरुद्वारा घग्गर नदी के तट पर है।
उपर्युक्त में से कौन-सा/से कथन सही है/हैं?
A. केवल (*b*) B. (*a*) और (*b*) दोनों
C. न तो (*a*) और न ही (*b*) D. केवल (*a*)

29. 1756-57 में हरियाणा निम्नलिखित में से किसके अधिकार क्षेत्र में रहा?
A. मुगलों के B. सिक्खों के
C. मराठों के D. सतनामियों के

30. अहमदशाह अब्दाली ने अपने देश लौटते समय हरियाणा का उत्तरी भाग (अम्बाला, जीन्द, कुरुक्षेत्र, करनाल जिला) किसको सौंप दिया?
A. मुगलों को
B. सिक्खों को
C. सरहिन्द के गवर्नर जैन खाँ को
D. दुर्रानी के गवर्नर गेन खाँ को

31. 1857 के मेरठ-विद्रोह में जिन सैनिकों ने भाग लिया था उनमें से अधिकतर हरियाणा के किस जिले से सम्बन्धित थे?
A. गुरुग्राम B. रोहतक
C. हिसार D. सभी से

32. हरियाणा का कौन वीर सेनानी मेरठ क्रान्ति के समय मेरठ का नायब कोतवाल था?
A. अब्दुस समद खान B. विक्रमसिंह
C. रावकृष्ण गोपाल D. रामेश्वर दयाल

33. नारनौल के समीप नसीबपुर नामक गांव में लड़े गये (स्वाधीनता-संग्राम के) युद्ध में अंग्रेजों ने किन तीन शक्तियों को नष्ट किया था?
A. रिवाड़ी, झज्जर और जोधपुर
B. गुड़गांव, रिवाड़ी और जोधपुर
C. जींद, जगादरी और पेहवा
D. पानीपत, झज्जर और तावडू

34. प्रथम स्वाधीनता संग्राम में बल्लभगढ़ के किस राजा ने दिल्ली में क्रान्तिकारी सेनाओं का नेतृत्व किया था?
A. राजा कर्णसिंह B. राजा नाहन सिंह
C. राजा सूरजभान D. राजा सत्यपाल

35. निम्नलिखित में से प्रदेश की किस रियासत ने 1857 की जन-क्रान्ति में अंग्रेजों को महत्त्वपूर्ण सहयोग दिया था?
A. बहादुरगढ़ B. तावडू
C. झज्जर D. जींद

36. कांग्रेस के दूसरे 1886 के कलकत्ता अधिवेशन में हरियाणा का प्रतिनिधित्व किसने किया था?
A. पं॰ दीनदयाल शर्मा B. लाला मुरलीधर
C. बालमुकन्द गुप्त D. सभी ने

37. लाला लाजपत राय ने हरियाणा के किस स्थान को अपना राजनीतिक और सामाजिक, कार्य-क्षेत्र बनाया था?
A. हिसार B. सोनीपत
C. गुरुग्राम D. नूह

38. सन् 1888 में इलाहाबाद में आयोजित हुए कांग्रेस के चौथे अधिवेशन में किस महत्त्वपूर्ण राष्ट्र नेता ने जिला हिसार के प्रतिनिधि के रूप में भाग लिया था?
A. लाला सुल्तान सिंह B. बलदेव सिंह
C. लाला लाजपत राय D. बैनी सिंह

39. 8 अप्रैल, 1919 के दिन गांधी जी हरियाणा में कहां से गिरफ्तार हुए थे?
A. कैथल B. पलवल
C. गुहला D. अम्बाला

40. रोहतक में पं॰ रामभजदत्त की अध्यक्षता में सम्मेलन का आयोजन कब हुआ था, जिसमें गांधीजी के असहयोग आन्दोलन को कार्यरूप देने का निर्णय लिया गया था?
A. जनवरी, 1919 में B. नवम्बर, 1919 में
C. नवम्बर, 1920 में D. सितम्बर, 1921 में

41. कांग्रेस के नागपुर में हुए वार्षिक अधिवेशन में हरियाणा प्रान्त का प्रतिनिधित्व किसने किया था?
A. सरदार बूटा सिंह B. लाला उग्रसेन
C. बाबू श्याम लाल D. पं॰ नेकीराम शर्मा

42. पंजाब प्रदेश-कांग्रेस के आदेश पर पूरे हरियाणा में स्वतंत्रता दिवस कब मनाया गया?
A. 12 जनवरी, 1932 B. 10 दिसम्बर, 1932
C. 15 अगस्त, 1935 D. 26 जनवरी, 1932

43. हरियाणा में कांग्रेस की स्वर्ण-जयन्ती कब मनाई गई थी?
A. 18 अगस्त, 1930 को B. 30 जनवरी, 1935 को
C. 28 दिसम्बर, 1935 को D. 10 दिसम्बर, 1936 को

44. आजाद हिन्द फौज से सम्बन्धित हरियाणा का वह शूरवीर कौन था, जिसने मणिपुर की भूमि पर सबसे पहले तिरंगा फहराया था?
A. मेजर प्रतापसिंह B. मेजर सूरजमल
C. दरबारा सिंह D. भजनलाल

45. हरियाणवी क्षेत्रों में यूनियनिस्ट पार्टी को लोकप्रिय बनाने के लिए चौधरी छोटूराम ने जोरदार अभियान चलाया। प्रदेश में इसे किस नाम से पुकारा जाता था?
A. 'जमींदारी लीग' B. जमींदारी प्रथा
C. हिन्दू-मुस्लिम D. कोई नहीं

46. सन् 1916 में चौधरी छोटूराम ने रोहतक में किस साप्ताहिक का संपादन शुरू किया था?
A. हिन्दू गजट B. सिख गजट
C. जाट गजट D. कोई नहीं

47. श्री फजली हुसैन के साथ मिलकर चौधरी छोटूराम ने पंजाब में यूनियनिस्ट पार्टी की स्थापना कब की थी?
A. 1919 में B. 1921 में
C. 1922 में D. 1923 में

48. पटियाला, जींद और नाभा रियासतों में राजनैतिक गतिविधियों पर अंकुश रखने के लिए संवत् 1988 विक्रमी में एक कानून लागू किया गया था, उसका नाम क्या रखा गया था?
A. हिदायत संवत B. हिजरी संवत
C. विक्रम संवत D. शक संवत

49. सन् 1938 में जींद प्रजामण्डल की नींव जींद की राजधानी संगरूर में किस प्रसिद्ध देशभक्त ने डाली थी?
A. राजेन्द्र कुमार जैन ने B. साधूराम ने
C. हंसराज रहबर ने D. नन्दकिशोर ने

50. गांधी जी पलवल में कब गिरफ्तार हुए थे?
A. 5 जनवरी, 1919 में B. 8 मई, 1920 में
C. 8 अप्रैल, 1919 में D. 17 अप्रैल, 1921 में

51. सनातन धर्म को पूरे उत्तर भारत में लोकप्रिय बनाने में महत्त्वपूर्ण योगदान देने वाले पं. दीनदयाल शर्मा हरियाणा में कहाँ के रहने वाले थे?
A. झज्जर B. कैथल
C. हिसार D. जीन्द

52. सन् 1892 के लाहौर अधिवेशन में हिसार का प्रतिनिधित्व किस प्रसिद्ध जन नेता ने किया था?
A. बालमुकुन्द गुप्त B. लाला मुरलीधर
C. लाला लाजपत राय D. पं. दीनदयाल शर्मा

53. लाला लाजपतराय और सरदार अजीतसिंह को ब्रिटिश सरकार द्वारा गिरफ्तार करके मांडले जेल में कब भेजा गया था?
A. सन् 1907 में B. सन् 1895 में
C. सन् 1902 में D. सन् 1896 में

54. महात्मा गांधी, मुहम्मद अली तथा शौकत अली के साथ रोहतक कब आये थे?
A. 10 जनवरी, 1919 को B. 8 अक्टूबर, 1920 को
C. 1 अक्टूबर, 1920 को D. 18 मार्च, 1920 को

55. अम्बाला मण्डल की डिवीजनल पोलिटिकल कान्फ्रेंस, जिसमें महात्मा गांधी अली भाइयों के साथ आये थे, भिवानी में कब हुई थी?
A. मार्च 1918 में B. जून 1920 में
C. अक्टूबर 1919 में D. अक्टूबर 1920 में

56. 1947 में भारत के स्वतन्त्र होने के पश्चात तक हरियाणा किस प्रान्त का भाग था?
A. दिल्ली B. पंजाब
C. उत्तर प्रदेश D. राजस्थान

57. 1955 में भारत सरकार द्वारा गठित राज्य पुनर्गठन आयोग ने किन दो स्थानों को हरियाणा क्षेत्र में शामिल करने की सिफारिश की थी?
A. महेन्द्रगढ़ व जीन्द B. पटियाला व हिसार
C. पानीपत व कैथल D. रोहतक व गुडगांव

58. हरियाणा राज्य की स्थापना कब हुई?
A. 10 नवम्बर, 1966 में B. 26 जनवरी, 1966 में
C. 1 नवम्बर, 1966 में D. 5 जून, 1966 में

59. हरियाणा के प्रथम राज्यपाल कौन बनाये गये?
A. श्री सत्यपाल B. श्री धर्मवीर
C. श्री देवीलाल D. श्री बंसीलाल

60. 24 मार्च, 1967 को बने हरियाणा के प्रथम गैर-कांग्रेसी मुख्यमंत्री का नाम बताइये।
A. चौधरी भजनलाल B. देवीलाल
C. बंसीलाल D. राव वीरेन्द्र सिंह

61. प्रदेश के किस प्रसिद्ध प्राचीन नगर की विस्तार से जानकारी चीनी यात्री ह्यूनसांग के वृत्तान्त से मिलती है?
A. रोहतक B. अम्बाला
C. थानेश्वर D. भिवानी

62. प्रवेश के थानेश्वर नगर की प्रसिद्धि निम्नलिखित में से किस काल में सर्वाधिक थी?
A. वर्धनकाल में B. गुप्तकाल में
C. शुंगकाल में D. मौर्यकाल में

63. 1526 ई. में बाबर और इब्राहिम लोदी के बीच युद्ध हरियाणा में किस स्थान पर लड़ा गया था?
A. झज्जर B. कुरुक्षेत्र
C. रोहतक D. पानीपत

64. पानीपत नगर को जिले का दर्जा कब मिला था?
A. 1 जनवरी, 1988 को B. 1 नवम्बर, 1989 को
C. 1 दिसम्बर, 1990 को D. 1 अगस्त, 1991 को

65. रेवाड़ी जिला कब बना था?
A. 10 जून, 1977 को B. 5 फरवरी, 1979 को
C. 1 नवम्बर, 1989 को D. 17 जून, 1980 को

66. हिसार नगर निम्नलिखित में से किस प्रसिद्ध शासक की जन्मभूमि है?
A. शेरशाह सूरी B. अकबर
C. मुहम्मद तुगलक D. फिरोज तुगलक

67. वर्तमान समय में किस नगर में प्रदेश का सबसे बड़ा पशुधन फार्म स्थित है?

A. नारनौल　B. हिसार
C. पानीपत　D. करनाल

68. सन् 1354 में किस प्रसिद्ध मध्यकालीन शासक ने हिसार की एक दुर्ग के रूप में स्थापना की थी?

A. मुहम्मद तुगलक　B. बलबन
C. फिरोज तुगलक　D. अलाउद्दीन खिलजी

69. प्रदेश का महेन्द्रगढ़ नामक नगर प्राचीन काल में निम्नलिखित में से किस नाम से जाना जाता था?

A. जानोवा　B. कर्णपुर
C. महिपगढ़　D. कानौड

70. बल्लभगढ़ के अन्तिम राजा का नाम बताइये जो कि सन् 1857 के स्वतंत्रता संग्राम में शहीद हुआ था?

A. नाहर सिंह　B. विजय सिंह
C. प्रताप सिंह　D. महर सिंह

71. बल्लभगढ़ नामक नगर प्रदेश के किस जिले के अंतर्गत आता है?

A. रोहतक　B. फरीदाबाद
C. गुरुग्राम　D. करनाल

72. पलवल किस जिले से अलग होकर नया जिला बना है?

A. जींद　B. हिसार
C. फरीदाबाद　D. करनाल

73. प्रसिद्ध गुलाम शासिका रज़िया सुल्ताना की कब्र प्रदेश के किस जिले में स्थित है?

A. कैथल　B. गुरुग्राम
C. अम्बाला　D. फरीदाबाद

74. प्रदेश का कौन-सा नगर विश्व के मानचित्र में "धान का कटोरा" तथा "हरियाणा का पैरिस" जैसे उपमानों से जाना जाता है?

A. रोहतक　B. सोनीपत
C. फरीदाबाद　D. करनाल

75. 1607 ई. में फरीदाबाद नगर की स्थापना किसके द्वारा की गई थी?

A. फिरोजशाह　B. मुबारकशाह
C. बाबा फरीद　D. मनसूब अली

76. महाभारत काल में सिरसा किस नाम से जाना जाता था?

A. शिषिरा　B. शैरीषकम
C. सोरीश　D. सिरसा

77. गोहाना नगर प्राचीनकाल में किस नाम से जाना जाता था?

A. गवभ भवाना　B. गढ़ना
C. गपत जमाना　D. इनमें से कोई नहीं

78. प्राचीनकाल में बहादुरगढ़ नामक नगर किस नाम से जाना जाता था?

A. बहावलगढ़　B. शफीराबाद
C. शरफाबाद　D. बलरामगढ़

79. अंग्रेजों ने बहादुरगढ़ को सिन्धिया राजा से छीन कर झज्जर के नवाब के भाई को कब जागीर के रूप में दिया था?

A. 1800 ई. में　B. 1801 ई. में
C. 1805 ई. में　D. 1803 ई. में

80. प्रदेश के किस नगर की स्थापना 14वीं शताब्दी में अम्बा नामक राजपूत द्वारा की गई थी?

A. झज्जर　B. रोहतक
C. अम्बाला　D. भिवानी

81. अब्दुररहमान खाँ, जिसने अंग्रेजों से टक्कर लेते हुए देश प्रेम के लिए अपना बलिदान दिया था, हरियाणा में किस नगर का नवाब था?

A. कुरुक्षेत्र　B. झज्जर
C. फर्रुखनगर　D. रेवाड़ी

82. फर्रुखनगर की स्थापना किस बिलोच शासक द्वारा की गई थी?

A. दलेल खाँ (फौजदार खाँ)　B. शफूद्दीन खाँ
C. बदरखाँ　D. जमालुद्दीन खाँ

83. बिलोच शासक दलेल खां (फौजदार खां) ने किस बादशाह के नाम पर फर्रुखनगर नगर बसाया था?

A. फखरुद्दीन अहमद　B. फारूख अली
C. फिरोजशाह तुगलक　D. फर्रुखसीयर

84. महर्षि वेदव्यास द्वारा अमर काव्य "महाभारत" की रचना हरियाणा के किस नगर में की गई थी?

A. पानीपत　B. रेवाड़ी
C. कुरुक्षेत्र　D. हिसार

85. शक्तिशाली वर्धन वंश का उदय हरियाणा में कहां पर हुआ था?

A. थानेसर (स्थाण्वीश्वर)　B. रोहतक
C. पानीपत　D. कुरुक्षेत्र

86. 1556 ई. में अकबर और रेवाड़ी के हेमचन्द्र (हेमू) के मध्य हरियाणा में किस स्थान पर प्रसिद्ध युद्ध हुआ था?

A. रेवाड़ी　B. जीन्द
C. कुरुक्षेत्र　D. पानीपत

87. 1761 ई. में पानीपत का तीसरा युद्ध किनके मध्य हुआ था?

A. बाबर और इब्राहिम लोदी के मध्य
B. अकबर और हेमचन्द्र (हेमू) के मध्य
C. अहमद शाह अब्दाली और मराठों के मध्य
D. अंग्रेजों और सिक्खों के मध्य

88. पानीपत नगर 31 अक्टूबर, 1989 तक हरियाणा के किस जिले के अन्तर्गत था?

A. रेवाड़ी　B. अम्बाला
C. करनाल　D. हिसार

89. निम्नलिखित में से प्रदेश का कौन-सा जिला 1989 से पूर्व गुरुग्राम और महेन्द्रगढ़ जिलों के अन्तर्गत था?

A. महेन्द्रगढ़　B. फरीदाबाद
C. जीन्द　D. रेवाड़ी

90. जीन्द को जिले का दर्जा कब मिला?

A. 1966 में　B. 1972 में
C. 1968 में　D. 1975 में

91. हरियाणा का ऐसा कौन-सा जिला है जिसका जिला मुख्यालय नारनौल नगर में स्थित है?

A. हिसार　B. फरीदाबाद
C. महेन्द्रगढ़　D. करनाल

92. सन् 1818 में राजा अनुरूप सिंह की विधवा ने अपने पति की स्मृति में कहाँ पर एक छतरी व पक्के तालाब का निर्माण करवाया था?
A. करनाल B. बल्लभगढ़
C. सोनीपत D. कैथल

93. पलवल को जिले का दर्जा किस वर्ष मिला?
A. 2006 में B. 2005 में
C. 2008 में D. 2007 में

94. महाभारत काल में राजा युधिष्ठिर द्वारा निम्नलिखित में से कौन-सा स्थान अपने धर्मगुरु द्रोणाचार्य को उपहार स्वरूप दिया गया था?
A. गुरुग्राम गांव B. कैथल
C. होडल D. सिरसा

95. 1857 के स्वतंत्रता संग्राम के समय गुरुग्राम के कलेक्टर का नाम क्या था?
A. हेनरी B. सर हेली
C. जान मार्शल D. श्री फोर्ड

96. 1858 ई॰ में हरियाणा का कौन-सा जिला पंजाब प्रान्त में सम्मिलित कर दिया गया था?
A. फरीदाबाद B. गुरुग्राम
C. हिसार D. महेन्द्रगढ़

97. फरीदाबाद हरियाणा के 12वें जिले के रूप में कब अस्तित्व में आया?
A. 15 अगस्त, 1970 को B. 15 अगस्त, 1979 को
C. 26 जनवरी, 1979 को D. 8 मार्च, 1982 को

98. बहादुरगढ़ नगर हरियाणा के किस जिले के अन्तर्गत आता है?
A. झज्जर B. करनाल
C. यमुनानगर D. फरीदाबाद

99. गोहाना नामक ऐतिहासिक कस्बा हरियाणा के किस जिले में स्थित है?
A. पानीपत B. सिरसा
C. सोनीपत D. रेवाड़ी

100. हरियाणा का 22वाँ जिला कौन-सा है?
A. लोहारू B. चरखी दादरी
C. तोशाम D. बादड़ा

101. चरखी दादरी का नाम सन् 1939 में डालमिया दादरी रखा गया, इस कस्बे का नाम पुनः चरखी दादरी कब पड़ा?
A. सन् 1940 में B. सन् 1946 में
C. सन् 1958 में D. सन् 1968 में

102. जिला भिवानी में स्थित तोशाम नामक कस्बे को उपमण्डल का दर्जा कब मिला?
A. 27 अप्रैल, 1993 को B. 10 जून, 1995 को
C. 5 मार्च, 1997 को D. 27 अप्रैल, 1998 को

103. पूर्वी हरियाणा और उत्तर प्रदेश की सीमा पर निम्न में से कौन-सी नदी बहती है?
A. गंगा नदी B. सरस्वती नदी
C. घग्घर नदी D. यमुना नदी

104. हरियाणा प्रदेश भारत के उत्तर-पश्चिम में 27° 39' से 30° 55' उत्तर अक्षांश पर स्थित है। बताइये कि वह कितने पूर्व रेखांश के बीच स्थित है?
A. 74° 28' से 77° 36' B. 65° 33' से 77° 28'
C. 50° 28' से 64° 36' D. 84° 42' से 89° 41'

105. हरियाणा के उत्तर में निम्नलिखित में से कौन-सा प्रदेश स्थित है?
A. उत्तर प्रदेश B. पंजाब
C. हिमाचल प्रदेश D. राजस्थान

106. हरियाणा के पश्चिम में निम्नलिखित में से कौन-सा प्रदेश स्थित है?
A. पंजाब B. राजस्थान
C. उत्तर प्रदेश D. हिमाचल प्रदेश

107. हरियाणा में 1 नवम्बर किस रूप में मनाया जाता है?
A. गरीबी उन्मूलन दिवस B. हरियाणा दिवस
C. हरियाणा स्वतंत्रता दिवस D. हरियाणा पर्यावरण दिवस

108. निम्नलिखित प्रदेशों में से कौन-सा प्रदेश क्षेत्रफल की दृष्टि से हरियाणा से बड़ा नहीं है?
A. मेघालय B. बिहार
C. हिमाचल प्रदेश D. पंजाब

109. हरियाणा की आबादी निम्नलिखित में से किस प्रदेश से अधिक है?
A. अरुणाचल प्रदेश B. सिक्किम
C. नगालैंड D. सभी से

110. हरियाणा का मैदानी भाग समुद्रतल से कितनी ऊँचाई पर स्थित है?
A. 700 से 900 फीट B. 750 से 880 फीट
C. 800 से 1000 फीट D. 900 से 1100 फीट

111. हरियाणा के किस भाग में शिवालिक पर्वत श्रेणियां स्थित हैं?
A. उत्तर-पश्चिमी B. उत्तरी-पूर्वी
C. दक्षिणी-पश्चिमी D. दक्षिणी-पूर्वी

112. शिवालिक की पहाड़ियों से हरियाणा प्रदेश की कौन-सी नदी निकलती है?
A. घग्घर B. मारकण्डा
C. टांगरी D. सभी

113. हरियाणा का निम्नलिखित में से कौन-सा प्राकृतिक भाग सबसे बड़ा है?
A. शिवालिक का पहाड़ी भाग
B. रेतीला भाग
C. मैदानी भाग
D. अरावली की पहाड़ियों का शुष्क मैदानी भाग

114. प्रसिद्ध वीवीपुर व नजफगढ़ नामक झीलें हरियाणा के किस प्राकृतिक क्षेत्र में स्थित हैं?
A. मैदानी क्षेत्र
B. रेतीला क्षेत्र
C. शिवालिक का पहाड़ी क्षेत्र
D. अरावली की पहाड़ियों का शुष्क मैदानी क्षेत्र

115. हरियाणा की जलवायु है :
A. महाद्वीपीय प्रकार
B. अल्पार्द्र शीतोष्णीय प्रकार
C. उपोष्णीय शुष्क महाद्वीपीय प्रकार
D. अल्पार्द्र उपोष्णीय प्रकार

116. हरियाणा के किस भाग में वर्षा अधिक होती है?
A. दक्षिण-पश्चिमी भाग
B. उत्तरी-पूर्वी भाग
C. उत्तरी-पश्चिमी भाग
D. दक्षिणी-पूर्वी भाग

117. प्रदेश के किस भाग में वर्षा कम होती है?
A. उत्तरी-पूर्वी भाग
B. दक्षिणी-पूर्वी भाग
C. उत्तरी-पश्चिमी भाग
D. दक्षिणी-पश्चिमी भाग

118. प्रदेश में मोरनी की पहाड़ियों पर किस प्रकार की मिट्टी पाई जाती है?
A. रेतीली मिट्टी
B. भूरे रंग की मिट्टी
C. पथरीली मिट्टी
D. बलुई दोमट मिट्टी

119. हरियाणा के मैदानी भाग में अधिकांशतः किस प्रकार की मिट्टी पाई जाती है?
A. पीले भूरे रंग की उपजाऊ मिट्टी
B. पथरीली मिट्टी
C. रेतीली मिट्टी
D. बलुई दोमट मिट्टी

120. हरियाणा के निम्नलिखित में से किस जिले में लाल चैसटनट मिट्टी पाई जाती है?
A. रोहतक जिले में
B. सिरसा जिले में
C. यमुनानगर जिले में
D. भिवानी जिले में

121. प्रदेश की कौन-सी नदी मुलाना के समीप मारकण्डा नदी में मिलती है?
A. साहिबी नदी
B. टांगरी नदी
C. कृष्णावती नदी
D. दोहन नदी

122. हरियाणा की सबसे प्राचीन व प्रमुख नहर कौन-सी है?
A. गुड़गांव नहर
B. भिवानी नहर
C. भाखड़ा नहर
D. पश्चिमी यमुना नहर

123. प्रदेश की कौन-सी नहर जगाधरी-पोंटा सड़क पर स्थित ताजेवाला नामक स्थान से यमुना नदी से निकलती है?
A. भाखड़ा नहर
B. पश्चिमी व पूर्वी यमुना नहर
C. जवाहर लाल नेहरू नहर
D. कोई नहीं

124. हरियाणा की जवाहर लाल नेहरू नहर किस नहर से निकाली गई है?
A. भाखड़ा नहर से
B. भिवानी नहर से
C. गुड़गांव नहर से
D. यमुना नहर से

125. निम्नलिखित में से कौन-सी झील हरियाणा में स्थित है?
A. दमदमा झील
B. कोटला झील
C. खलीलपुर झील
D. सभी

126. प्रदेश के फरुखनगर खण्ड में निम्नलिखित में से कौन-सी झील स्थित है?
A. सुल्तानपुर झील
B. दमदमा झील
C. खलीलपुर झील
D. कोटला झील

127. प्रसिद्ध बड़खल झील हरियाणा के किस जिले में स्थित है?
A. गुरुग्राम
B. भिवानी
C. फरीदाबाद
D. रोहतक

128. हरियाणा की कौन-सी नहर दिल्ली में ओखला नामक स्थान से यमुना नदी से निकाली गई है?
A. भाखड़ा नहर
B. गुड़गांव नहर
C. पूर्वी यमुना नहर
D. कोई नहीं

129. भाखड़ा नहर द्वारा प्रदेश के किस जिले में सिंचाई कार्य किया जाता है?
A. सिरसा
B. हिसार
C. रोहतक
D. सभी में

130. 'ओटू' बांध हरियाणा में किस नदी पर है?
A. साहिबा
B. टांगरी
C. घग्गर
D. यमुना

131. प्रदेश में भिवानी नहर किस नहर से निकाली गई है?
A. भाखड़ा नहर से
B. गुड़गांव नहर से
C. पश्चिमी यमुना नहर से
D. पूर्वी यमुना नहर से

132. हरियाणा की प्रसिद्ध बड़खल झील का निर्माण कब किया गया था?
A. वर्ष 1940 में
B. वर्ष 1950 में
C. वर्ष 1974 में
D. वर्ष 1947 में

133. हरियाणा का कुल क्षेत्रफल कितने वर्ग कि॰मी॰ है?
A. 38,150 वर्ग कि॰मी॰
B. 44,212 वर्ग कि॰मी॰
C. 50,210 वर्ग कि॰मी॰
D. 52,300 वर्ग कि॰मी॰

134. हरियाणा में जनवरी 2025 तक कुल कितने मण्डल हैं?
A. 6
B. 5
C. 4
D. 8

135. हरियाणा प्रदेश में जनवरी 2025 तक में कुल उप-मण्डल कितने हैं?
A. 60
B. 65
C. 68
D. 80

136. हरियाणा में जनवरी 2025 तक कुल कितनी तहसीलें हैं?
A. 94
B. 68
C. 70
D. 85

137. हरियाणा प्रदेश में जनवरी 2025 तक उप-तहसीलों की कुल संख्या कितनी है?
A. 30
B. 31
C. 49
D. 40

138. हरियाणा प्रदेश में जनवरी 2025 तक कुल कितने खण्ड हैं?
A. 95
B. 143
C. 115
D. 119

139. सम्पूर्ण हरियाणा में गाँव (2011 जनगणना) कितने हैं?
A. 4,390
B. 4,950
C. 5,845
D. 6,841

140. 2011 की जनगणना के अनुसार हरियाणा की कुल जनसंख्या कितनी है?
A. 2,53,51,462
B. 2,40,55,400
C. 2,25,83,912
D. 2,20,45,657

141. हरियाणा साहित्य अकादमी की पत्रिका है :
A. हरियाणा संवाद B. हरियाणा संदेश
C. हरिगंधा D. पाञ्चजन्य

142. हरियाणा के किस जिले में तेल शोधक कारखाना स्थित है?
A. रोहतक B. पानीपत
C. रेवाड़ी D. अम्बाला

143. जिला महेन्द्रगढ़ में निम्नलिखित में से कौन-सा खनिज पदार्थ अधिक मात्रा में मिलता है?
A. चूने का पत्थर B. चीनी मिट्टी
C. तांबा D. उपरोक्त सभी

144. जिला रेवाड़ी में किस स्थान पर स्लेट-पत्थर बहुत मात्रा में मिलता है?
A. कुण्ड नामक स्थान पर B. बावल नामक स्थान पर
C. कुसल नामक स्थान पर D. खोल नामक स्थान पर

145. वह कौन-सा खनिज पदार्थ है जो भारत में सिर्फ हरियाणा के गांव कलियाणा में उपलब्ध होता है?
A. स्लेट का पत्थर B. रेत
C. हिलना पत्थर D. क्वार्ट्ज

146. जिला भिवानी में किस स्थान पर 'ग्रेनाइट' नामक पत्थर मिलता है?
A. गांव निगाणाकलां B. देल्हेड़ी
C. रिवासा D. उपरोक्त सभी में

147. हरियाणा में राष्ट्रीय मधुमक्खी पालन एवं शहद मिशन (NBHM) योजना की शुरुआत किस वर्ष में हुई?
A. 2020 B. 2018
C. 2019 D. 2017

148. हरियाणा के कितने प्रतिशत भू-भाग में वन क्षेत्र हैं?
A. 2.54 प्रतिशत B. 3.65 प्रतिशत
C. 5 प्रतिशत D. 6.58 प्रतिशत

149. किस वर्ष मॉडल के रूप में हरियाणा प्रदेश में ''ग्रीनिंग ऑफ हरियाणा'' नाम से वृक्षारोपण की व्यापक योजना शुरू की गई थी?
A. वर्ष 1982-83 में B. वर्ष 1985-86 में
C. वर्ष 1989-90 में D. वर्ष 1994-95 में

150. हरियाणा प्रदेश के किस ज़िले में सबसे ज्यादा वन हैं?
A. पंचकुला B. हिसार
C. रोहतक D. जीन्द

151. प्रदेश के किस जिले में 'चौधरी देवीलाल प्राकृतिक पार्क' विकसित किया गया है?
A. भिवानी B. रोहतक
C. पानीपत D. यमुनानगर

152. रणदीप हुड्डा की ख्याति किस विधा के कारण है?
A. अभिनय B. सांग परम्परा
C. खेलकूद D. समाज सेवा

153. निम्नलिखित में से कौन-सा वृक्ष हरियाणा का राज्य वृक्ष है?
A. पवित्र अंजीर B. आम का वृक्ष
C. साल का वृक्ष D. बरगद का वृक्ष

154. हरियाणा में राष्ट्रीय खाद्य सुरक्षा योजना के तहत 'दाल-रोटी' योजना की शुरुआत किस वर्ष की गई?
A. वर्ष 2011 में B. वर्ष 2013 में
C. वर्ष 2010 में D. वर्ष 2012 में

155. जिला हिसार व करनाल में निम्नलिखित में से कौन-सा खनिज पदार्थ उपलब्ध होता है?
A. कच्चा लोहा B. अभ्रक
C. शोरा D. संगमरमर

156. जिला रोहतक में निम्नलिखित में से कौन-सा खनिज पदार्थ पाया जाता है?
A. चूना B. तांबा
C. मैंगनीज़ D. अभ्रक

157. हरियाणा के जीन्द जिले में निम्नलिखित में से कौन-से वृक्ष अधिक मात्रा में पाये जाते हैं?
A. शीशम B. कीकर
C. सफेदा D. उपरोक्त सभी

158. हरियाणा प्रदेश के कृषि विश्वविद्यालय हिसार में 'धान' पर शोधकार्य कब शुरू किया गया?
A. 1966 में B. 1970 में
C. 1974 में D. 1989 में

159. हरियाणा में सरस्वती वन्यजीव अभ्यारण्य किस जिले में स्थित है?
A. गुरुग्राम B. रेवाड़ी
C. जीन्द D. कैथल

160. हरियाणा का कौन-सा जिला खुम्बी की फसल के उत्पादन में भारत में अग्रणी है?
A. अम्बाला B. सिरसा
C. सोनीपत D. यमुनानगर

161. जिला रोहतक में निम्न में से किस चीज की खेती की जाती है?
A. गेहूँ B. ज्वार
C. गन्ना D. उपरोक्त सभी की

162. कुरुक्षेत्र में किस स्थान पर गन्ना मिल है?
A. पेहवा B. शाहबाद मारकण्डा
C. लाडवा D. बबैन

163. हरियाणा के किस जिले को बासमती चावल के उत्पादन में विश्व प्रसिद्ध होने के कारण ''धान का कटोरा'' नाम से जाना जाता है?
A. हिसार B. कुरुक्षेत्र
C. करनाल D. जीन्द

164. निम्नलिखित में से कौन हरियाणा के प्रमुख कपास उत्पादक जिलों में से एक नहीं है?
A. सोनीपत B. अम्बाला
C. रेवाड़ी D. सिरसा

165. हरियाणा का निम्नलिखित में से कौन-सा जिला अपनी सीमा किसी अन्य राज्य के साथ साझा नहीं करता?
A. चरखी दादरी B. गुरुग्राम
C. पलवल D. जींद

166. हरियाणा में किस फसल का उत्पादन सबसे ज्यादा होता है?

A. चावल B. गेहूँ

C. चना D. सरसों

167. हरियाणा की सबसे ऊँची पहाड़ी शृंखला मोरनी हिल्स अवस्थित है :

A. अम्बाला में B. जींद में

C. यमुनानगर में D. पंचकुला में

168. निम्नलिखित कथनों पर विचार कीजिए :

(*a*) सोनीपत और झज्जर की सीमा दिल्ली के साथ लगती है।

(*b*) रोहतक की सीमा दिल्ली से नहीं लगती है।

उपर्युक्त में से कौन-सा/से कथन सही है/हैं?

A. केवल (*b*) B. (*a*) और (*b*) दोनों

C. न तो (*a*) और न ही (*b*) D. केवल (*a*)

169. प्रदेश में जिला अम्बाला में नहरी सिंचाई सुविधा किस सिंचाई परियोजना के बनने से उपलब्ध हुई है?

A. नंगल उठान सिंचाई परियोजना

B. हथनी कुण्ड बैराज परियोजना

C. जवाहरलाल नेहरू सिंचाई परियोजना

D. सेवानी लिफ्ट सिंचाई परियोजना

170. हरियाणा के रेतीले भाग में सिंचाई का साधन क्या है?

A. नहरों द्वारा

B. कुओं द्वारा

C. नलकूप की सहायता से फव्वारों द्वारा

D. वर्षा द्वारा

171. पश्चिमी यमुना नहर द्वारा हरियाणा के निम्नलिखित में से किस जिले में सिंचाई की जाती है?

A. करनाल B. सोनीपत

C. रोहतक D. उपरोक्त सभी जिलों में

172. गुरुग्राम के अतिरिक्त किस जिले में "गुड़गांव नहर" द्वारा सिंचाई की जाती है?

A. पानीपत B. फरीदाबाद

C. सोनीपत D. कैथल

173. हथनी कुण्ड बैराज परियोजना हरियाणा के किस जिले से सम्बन्धित है?

A. यमुनानगर B. गुरुग्राम

C. रोहतक D. फरीदाबाद

174. महेन्द्रगढ़ जिले में कृषि की उन्नति के लिए कौन-सी सिंचाई परियोजना चलाई गई?

A. लोहारू लिफ्ट सिंचाई परियोजना

B. पश्चिमी यमुना नहर योजना

C. जे॰एल॰एन॰उठान सिंचाई परियोजना

D. हथनी कुण्ड बैराज परियोजना

175. हरियाणा की कौन-सी नहर दिल्ली में ओखला नामक स्थान से यमुना नदी से निकाली गई है?

A. गुड़गाँव नहर B. भाखड़ा नहर

C. पूर्वी यमुना नहर D. इनमें से कोई नहीं

176. हरियाणा की किस सिंचाई योजना द्वारा स्वरूप कलौदा, खुर्ल कलां, भीखेवाला, खरडवाला नेहरा, फुलिया कलां आदि गांवों को सिंचाई सुविधा प्राप्त हुई थी?

A. झज्जर उत्थान सिंचाई योजना

B. नखाना की सिंचाई परियोजना

C. नंगल उठान सिंचाई परियोजना

D. जवाहरलाल नेहरू सिंचाई योजना

177. हरियाणा के अहरिवाल क्षेत्र में सिंचाई सुविधा के अन्तर्गत निम्न में कौन-सी सिंचाई स्कीम प्रारम्भ की गई है?

A. रेवाड़ी लिफ्ट सिंचाई स्कीम

B. हथनी-कुण्ड बैराज सिंचाई स्कीम

C. मेवात उठान सिंचाई स्कीम

D. भाखड़ा नहर सिंचाई स्कीम

178. शिवालिक विकास एजेन्सी का मुख्यालय निम्न में कहाँ पर स्थित है?

A. रोहतक में B. अम्बाला में

C. पंचकुला में D. जीन्द में

179. हरियाणा की किस नस्ल की भैंसे सारे भारत में प्रसिद्ध हैं?

A. मुर्रा B. तुरा

C. पुस्प D. चस्सा

180. हरियाणा में निम्नलिखित में से किस स्थान पर सहकारी दूध संयन्त्र खुले हुए हैं?

A. अम्बाला B. भिवानी

C. जीन्द D. उपरोक्त सभी स्थानों पर

181. निम्नलिखित कथनों पर विचार कीजिए :

(*a*) रोहतक में पुलिस आयुक्तालय स्थित है।

(*b*) सोनीपत में पुलिस आयुक्तालय स्थित है।

उपर्युक्त में से कौन-सा/से कथन सही है/हैं?

A. केवल (*b*) B. (*a*) और (*b*) दोनों

C. न तो (*a*) और न ही (*b*) D. केवल (*a*)

182. हरियाणा में नीलोखेड़ी के अतिरिक्त निम्नलिखित में से किस स्थान पर पोल्ट्री का प्रशिक्षण दिया जाता है?

A. अम्बाला B. करनाल

C. हिसार D. कैथल

183. जिला फतेहाबाद में कहाँ पर अश्व स्टेलियन केन्द्र कार्यरत है?

A. टोहाना B. रतिया

C. भूना D. कूलां

184. जिला भिवानी में सघन पशु विकास परियोजना कब आरम्भ की गई थी?

A. वर्ष 1966 में B. वर्ष 1970 में

C. वर्ष 1972 में D. वर्ष 1978 में

185. हरियाणा में सर्वाधिक जनसंख्या वाला जिला कौन-सा है?

A. महेन्द्रगढ़ B. फरीदाबाद

C. हिसार D. रोहतक

186. जिला भिवानी में पशु रोगों के निदान हेतु, जिला ग्रामीण विकास निकाय द्वारा, "पशु रोग निदान प्रयोगशाला' की स्थापना कब की गई?

A. 1978 में B. 1980 में

C. 1984 में D. 1990 में

187. निम्न में कौन हरियाणा के मुख्यमंत्री नहीं रहे?

A. बंसीलाल B. देवीलाल

C. भजनलाल D. श्रीचन्द

188. कालका तहसील किस जिले में स्थित है?

A. पंचकुला B. अम्बाला

C. कैथल D. करनाल

189. हरियाणा में पहली स्थायी लोक अदालत की स्थापना कब हुई?

A. 17 जनवरी, 1955 B. 10 मई, 2005

C. 1 नवम्बर, 1966 D. 7 अगस्त, 1998

190. 2010 में किस भाषा को हरियाणा की दूसरी राजभाषा का दर्जा दिया गया?

A. अंग्रेजी B. उर्दू

C. हरियाणवी D. पंजाबी

191. सरस्वती शुगर मिल, हरियाणा के किस जिले में स्थित है?

A. रोहतक B. पानीपत

C. यमुनानगर D. फरीदाबाद

192. यमुनानगर में यमुना गैसेस लि॰ की स्थापना कब की गई?

A. 1973 में B. 1975 में

C. 1980 में D. 1981 में

193. यमुनानगर में यमुना गैसेस लि॰ कम्पनी को गैसों के उत्पादन में अग्रणी स्थान प्राप्त करने का गौरव कब मिला?

A. वर्ष 1969 में B. वर्ष 1973 में

C. वर्ष 1972 में D. वर्ष 1975 में

194. भारत स्टॉर्च कैमिकल लि॰ की स्थापना यमुनानगर में कब हुई थी?

A. 1929 में B. 1932 में

C. 1938 में D. 1948 में

195. यमुनानगर की टिम्बर गार्किट (गण्टी) वर्ष 1947 से पूर्व किस नाम से प्रसिद्ध थी?

A. अब्दुल्लापुर मण्डी B. सादापुर मण्डी

C. यमुनानगर मण्डी D. यमुनापुर मण्डी

196. जिला सोनीपत का एटलस साइकिल उद्योग विश्व के कितने प्रमुख साइकिल निर्माण प्रतिष्ठानों में से एक है?

A. तीन B. पाँच

C. सात D. नौ

197. हरियाणा में ''भिवानी टैक्सटाइल मिल'' की स्थापना कब हुई थी?

A. 1930 में B. 1937 में

C. 1942 में D. 1950 में

198. गिद्ध संरक्षण एवं प्रजनन केन्द्र कहाँ पर स्थित है?

A. पिन्जौर में B. कैरू में

C. मोरनी में D. झाबुआ में

199. गुरुग्राम महानगरीय विकास प्राधिकरण की स्थापना कब की गई थी?

A. वर्ष 2014 में B. वर्ष 2015 में

C. वर्ष 2016 में D. वर्ष 2017 में

200. हरियाणा की चरखी दादरी स्थित सीमेंट फैक्टरी का निर्माण सन् 1939 में जर्मन-इंजीनियरों के सहयोग से किसके द्वारा किया गया था?

A. सेठ सिंघानिया

B. सेठ करोड़ीमल

C. सेठ रामकृष्ण डालमिया

D. सेठ रामकुमार बिड़ला

201. हरियाणा के चरखी दादरी स्थित, सीमेंट फैक्टरी के भारत सरकार के उपक्रम भारतीय सीमेंट निगम ने अपने अधिकार में कब लिया था?

A. 5 अप्रैल, 1980 को B. 23 जून, 1981 को

C. 10 जून, 1984 को D. 23 जून, 1988 को

202. निम्नलिखित में से कौन-सी फसल 'भावान्तर भरपायी योजना' के अन्तर्गत सम्मिलित नहीं है?

A. आलू B. प्याज

C. टमाटर D. गन्ना

203. हरियाणा के निम्नलिखित में से किस जिले में कैप्टिव विद्युत संयंत्र की स्थापना की गई है?

A. पानीपत में B. हिसार में

C. रोहतक में D. करनाल में

204. जिला पानीपत के बाहौली क्षेत्र में कौन-सा कारखाना स्थापित किया गया है?

A. कपड़े बनाने का कारखाना

B. कृषि यन्त्र बनाने का कारखाना

C. तेल शोधक कारखाना

D. हवाई चप्पल बनाने का कारखाना

205. हरियाणा के निम्नलिखित में से किस जिले में ''अमोनिया प्लांट'' स्थापित है?

A. पानीपत B. कैथल

C. गुरुग्राम D. करनाल

206. जिला महेन्द्रगढ़ का किस चीज के उत्पादन में हरियाणा राज्य में प्रथम स्थान है?

A. चावल के उत्पादन में B. बर्तनों के उत्पादन में

C. सरसों के उत्पादन में D. साइकिलों के उत्पादन में

207. हरियाणा के किस जिले की सीमा अन्य राज्यों से नहीं लगती?

A. रेवाड़ी B. रोहतक

C. अम्बाला D. फरीदाबाद

208. रेवाड़ी जिले का निम्नलिखित में से कौन-सा उद्योग भारत भर में प्रसिद्ध है?

A. तिल्ला जूती उद्योग

B. पीतल बर्तन उद्योग

C. हीरो होण्डा मोटर साइकिल फैक्टरी

D. उपरोक्त सभी

209. 'टिक्कर झील' हरियाणा के किस जिले में स्थित है?

A. रोहतक B. करनाल

C. पंचकुला D. कैथल

210. हरियाणा शब्द किस कृति में प्राप्त हुआ है?
A. पासणा हचरिउ B. महापुराण
C. A और B D. इनमें से कोई नहीं

211. लकड़ी का विकल्प तैयार करने वाला, ''न्यूवुड लकड़ी उद्योग'' कहाँ पर स्थापित है?
A. बरवाला उपमण्डल में B. टोहाना उपमण्डल में
C. हांसी उपमण्डल में D. सिवानी उपमण्डल में

212. निम्न में से किस स्थान पर हरियाणा सरकार द्वारा फूड पार्क स्थापित किए गए हैं?
A. नरवाना B. साहा
C. राई D. उपरोक्त सभी में

213. जिला कुरुक्षेत्र की शाहबाद सहकारी चीनी मिल की स्थापना कब की गई थी?
A. 1976-77 में B. 1984-85 में
C. 1991-92 में D. 1994-95 में

214. जिला फरीदाबाद में निम्नलिखित में से किस चीज का कारखाना स्थापित है?
A. ट्रैक्टर B. रेफ्रीजरेटर
C. रबड़ टायर D. उपरोक्त सभी

215. किस शहर को 'हरियाणा का दिल' कहा जाता है?
A. जींद B. पानीपत
C. रोहतक D. करनाल

216. मारुति कारों का निर्माण कार्य हरियाणा में कहां पर होता है?
A. गुरुग्राम B. अम्बाला
C. फरीदाबाद D. हिसार

217. दिव्यावदान में किन नगरों का उल्लेख हुआ है?
A. रोहतक B. अग्रोहा
C. A और B D. सोनीपत

218. हरियाणा सरकार द्वारा स्वतंत्रता सेनानियों को सम्मानित करने का निर्णय किस वर्ष लिया गया था?
A. वर्ष 1980 में B. वर्ष 1981 में
C. वर्ष 1985 में D. वर्ष 1997 में

219. 'खोड़िया नृत्य' हरियाणा में किस अवसर पर किया जाता है?
A. शादी के अवसर पर
B. होली के अवसर पर
C. तीज के अवसर पर
D. गोगा नवमी के अवसर पर

220. प्रदेश में परमवीर चक्र प्राप्त सैनिकों को कितनी धनराशि एकमुश्त प्रदान की जाती है?
A. 1 करोड़ रुपये B. 3 करोड़ रुपये
C. 2 करोड़ रुपये D. 5 करोड़ रुपये

221. युद्ध सेवा मैडल प्राप्त करने वाले सैनिकों को नकद राशि, वार्षिकी और भूमि के बदले नकद राशि देने की स्कीम 1988 में बंद कर दी गई थी, उसे बंसी लाल की सरकार द्वारा पुनः कब चालू किया गया?
A. अप्रैल, 1995 में B. अप्रैल 1997 में
C. अप्रैल, 1996 में D. अप्रैल, 1998 में

222. किस वेद में हरियाणा की दो प्राचीन नदियों का उल्लेख है जो आज लुप्त हैं?
A. सामवेद B. यजुर्वेद
C. अथर्ववेद D. ऋग्वेद

223. अशोक का तोपरा स्तम्भ किस जिले में प्राप्त हुआ है?
A. अम्बाला B. रोहतक
C. सोनीपत D. हिसार

224. हरियाणा में दिसम्बर, 2024 तक कितने वृद्ध नागरिकों को वृद्धावस्था सम्मान भत्ता दिया जा रहा है?
A. 12,60,090 B. 13,08,045
C. 20,85,967 D. 25,18,145

225. हरियाणा की नई खेल नीति के अनुसार ओलंपिक में स्वर्ण पदक विजेता को कितनी राशि प्रदान की जाती है?
A. ₹ 6 करोड़ B. ₹ 4 करोड़
C. ₹ 3 करोड़ D. ₹ 2 करोड़

226. प्रदेश में अस्वच्छ व्यवसाय में लगे अनुसूचित जाति के बच्चों के लिए किस स्थान पर छात्रावास है?
A. करनाल B. फरीदाबाद
C. अम्बाला D. सभी में

227. विमुक्त जाति के बच्चों के लिए प्रदेश में किस स्थान पर छात्रावास खोला गया है?
A. रोहतक B. जीन्द
C. फरीदाबाद D. गुरुग्राम

228. हरियाणा में शराबबन्दी कानून कब लागू किया गया था?
A. 1 दिसम्बर, 1991 में B. 1 जून, 1993 में
C. 1 जुलाई, 1996 में D. 1 मई, 1997 में

229. प्रदेश सरकार द्वारा शराबबन्दी कानून कब समाप्त किया गया?
A. 1 मार्च, 1996 में B. 1 मई, 1997 में
C. 1 फरवरी, 1996 में D. 1 अप्रैल, 1998 में

230. निम्नलिखित में से कौन-सी बाल विकास परियोजना हरियाणा राज्य से सम्बन्धित है?
A. समेकित बाल विकास परियोजना
B. बाल स्वास्थ्य परियोजना
C. शिशु पोषण परियोजना
D. असहाय बाल विकास परियोजना

231. हरियाणा में गरीब लड़कियों के कल्याण हेतु निम्नलिखित में से कौन-सी परियोजना चलाई जा रही है?
A. पराया धन पराई बेटी B. अपनी बेटी पराया धन
C. अपनी बेटी अपना धन D. कोई नहीं

232. हरियाणा में रैपिड मेट्रो की शुरुआत सर्वप्रथम किस शहर में हुई?
A. फरीदाबाद B. गुरुग्राम
C. पानीपत D. सोनीपत

233. हरियाणा राज्य में प्रत्येक गांव में बिजली पहुँचाने का कार्य कब पूर्ण किया गया?
A. 10 जून, 1966 को B. 25 मार्च, 1971 को
C. 15 अप्रैल, 1968 को D. 29 नवम्बर, 1970 को

234. हरियाणा में विद्युत उपभोक्ताओं की कुल संख्या दिसम्बर, 2024 तक कितनी थी?
A. 81.34 लाख B. 85 लाख
C. 90 लाख D. 95 लाख

235. अशोक के स्तम्भ लेख की लिपि कौन-सी थी?
A. फारसी B. देवनागरी
C. ब्राह्मी D. इनमें से कोई नहीं

236. इंदिरा गांधी अति ऊष्मीय शक्ति परियोजना हरियाणा के किस जिले में है?
A. सिरसा B. हिसार
C. जिंद D. झज्जर

237. हरियाणा में निम्नलिखित में से किस तरल स्थान पर आधारित 25-25 मैगावाट के बिजली संयन्त्र की स्थापना की गई है।
A. गुरुग्राम में B. फरीदाबाद में
C. करनाल में D. रोहतक में

238. हरियाणा में अपने बिजली उत्पादन संयन्त्रों से बिजली का उत्पादन वर्तमान समय में लगभग कितने मेगावाट है?
A. 1500 मेगावाट B. 1800 मेगावाट
C. 2,582.4 मेगावाट D. 3000 मेगावाट

239. किसानों की मांग पर नलकूपों की गहराई के आधार पर बिजली की कौन-सी प्रणाली पूरे प्रदेश में लागू की गई है?
A. स्टैव प्रणाली B. विद्युत नापन प्रणाली
C. टैस्ट प्रणाली D. इनमें से कोई नहीं

240. हरियाणा में निम्नलिखित में से किस स्थान पर ताप बिजलीघर स्थित है?
A. हिसार B. कैथल
C. जीन्द D. फरीदाबाद

241. प्रदेश में एन.टी.पी.सी. द्वारा गैस पर आधारित 432 मैगावाट का पावर प्लान्ट कहाँ पर लगाया गया?
A. गुरुग्राम B. फरीदाबाद
C. पानीपत D. करनाल

242. हरियाणा में नवम्बर, 2024 तक सड़कों की कुल लम्बाई किलोमीटर में कितनी है?
A. 33,543 कि.मी. B. 24,065 कि.मी.
C. 25,074 कि.मी. D. 35,560 कि.मी.

243. प्रदेश में बड़े परिवहन बस डिपो की संख्या कितनी है?
A. 12 B. 13
C. 24 D. 30

244. हरियाणा का निम्नलिखित में से कौन-सा शहर राष्ट्रीय राजधानी क्षेत्र का हिस्सा नहीं है?
A. सोनीपत B. फरीदाबाद
C. हिसार D. गुरुग्राम

245. हरियाणा सरकार द्वारा यात्री-परिवहन का सम्पूर्ण राष्ट्रीयकरण कब किया गया?
A. सन् 1972 में B. सन् 1976 में
C. सन् 1980 में D. सन् 1985 में

246. हरियाणा को किस साल खुले में शौच मुक्त घोषित किया गया?
A. 2014 B. 2015
C. 2016 D. 2017

247. किस वर्ष हरियाणा विधानसभा की अधिकतम कुल संख्या 90 की गई?
A. 1977 B. 1967
C. 1971 D. 1985

248. दिल्ली से फिरोजपुर राष्ट्रीय मार्ग पर यात्रा करने पर हरियाणा का कौन-सा प्रमुख नगर पड़ता है?
A. रोहतक B. सिरसा
C. हिसार D. उपरोक्त सभी

249. हरियाणा में नवम्बर, 2024 तक राष्ट्रीय राजमार्गों की कुल लम्बाई कितने किमी है?
A. 1900 किमी B. 1200 किमी
C. 1600 किमी D. 3391 किमी

250. निम्नलिखित में से किस स्थान पर हरियाणा सिविल विमानन संस्थान का फ्लाइंग-प्रशिक्षण केन्द्र स्थित है?
A. करनाल B. पिंजौर
C. A और B दोनों जगह D. इनमें से कोई नहीं

251. हरियाणा में निम्नलिखित में से कहाँ सिविल हवाई पट्टी स्थित है?
A. करनाल B. पिंजौर
C. हिसार D. उपरोक्त सभी जगह

252. कलेसर राष्ट्रीय उद्यान अवस्थित है :
A. यमुनानगर जिले में B. कुरुक्षेत्र जिले में
C. अंबाला जिले में D. पंचकुला जिले में

253. हरियाणा में भारी वाहन चालक प्रशिक्षण संस्थान निम्नलिखित में से किस स्थान पर स्थित है?
A. मुरथल B. चरखी दादरी
C. अम्बाला D. तावडू

254. हरियाणा की शिवालिक पहाड़ियों में पिंजौर-कालका के निकट किस काल के उपकरण प्राप्त हुए हैं?
A. पाषाण काल B. उत्तरवैदिक काल
C. हड़प्पा काल D. पूर्ववैदिक काल

255. मानव-जाति के जनक माने जाने वाले वैवस्त मनु को "अवन्ति सुन्दरी कथा" नामक ग्रन्थ में, किस स्थान का निवासी माना गया है?
A. पानीपत B. रोहतक
C. स्थाण्वीश्वर D. पंचकुला

256. हरियाणा के वणावली, सीसवाल, कुणाल, मिर्जापुर, दौलतपुर और भगवानपुरा नामक स्थानों के उत्खननों से किस काल की संस्कृतियों के प्रमाण मिले हैं?
A. आद्यैतिहासकालीन-प्राग्हड़प्पा
B. हड़प्पा
C. परवर्ती हड़प्पा
D. उपरोक्त सभी कालों के

257. हरियाणा में पुरातात्विक अन्वेषण, सर्वप्रथम किसने आरम्भ किया था?
A. जॉनसर B. एलेक्जेण्डर कनिंघम
C. लार्ड मुनरो D. जॉन मार्शल

258. हरियाणा में पुरातात्विक अन्वेषण का आरम्भ कब हुआ?
A. 1862 ई. में B. 1892 ई. में
C. 1900 ई. में D. 1905 ई. में

259. डॉ सूरजभान के निर्देशन में हरियाणा में किस स्थान की खुदाई से महत्त्वपूर्ण ऐतिहासिक सामग्री प्राप्त हुई है?
A. मिथाथल B. दादरी
C. ऐलनाबाद D. सफीदों

260. हरियाणा में हड़प्पा परवर्ती संस्कृति व चित्रित स्लेटी पात्र सभयताओं के लोगों के साथ-साथ रहने का सर्वप्रथम प्रमाण कहाँ मिला है?
A. नारनौल B. भगवानपुरा
C. सिरसा D. महेन्द्रगढ़

261. हरियाणा में हड़प्पा संस्कृति का एक विराट टीला जीन्द के समीप किस स्थान पर है?
A. सफीदों B. उचाना
C. नरवाना D. राखीगढ़ी

262. जगाधरी से तीन कि.मी. पूर्व की ओर चनेती में एक स्तूप के अवशेष मिले हैं, इस स्तूप की ऊँचाई 8 मीटर है। बताइये इसकी परिधि कितने मीटर है?
A. 20 मीटर B. 30 मीटर
C. 45 मीटर D. 50 मीटर

263. आमीन जिला कुरुक्षेत्र से प्राप्त दो स्तम्भ किस काल की कला को दर्शाते हैं?
A. मौर्यकाल B. वर्धनकाल
C. गुप्तकाल D. शुंगकाल

264. समुद्रगुप्त का एक परशु प्रकार का सोने का सिक्का हरियाणा में कहाँ पर मिला है?
A. कोसली B. रोहाना
C. मिथाथल D. रानिया

265. हरियाणा के किस इलाके में तीसरी शताब्दी में यौधेयों का बोलबाला था?
A. पानीपत के इलाके में B. रोहतक के इलाके में
C. हिसार के इलाके में D. अम्बाला के इलाके में

266. जगाधरी से किस शासक की सोने की मुद्रा प्राप्त हुई है?
A. कनिष्क B. कुमारगुप्त
C. पुष्पमित्रशुंग D. समुद्रगुप्त

267. हरियाणा के किस स्थान से हर्षवर्धन की तांबे की मुद्रा मिली है जिसमें थानेश्वर के पुष्पमूर्ति वंशावली का वृत्तान्त मिलता है?
A. सोनीपत B. सिरसा
C. गुरुग्राम D. कैथल

268. भारतीय पुरातत्व सर्वेक्षण के एच.एल. श्रीवास्तव द्वारा हिसार में किस स्थान पर खुदाई कार्य करवाया गया था?
A. उकलाना B. बरवाला
C. अग्रोहा D. आदमपुर

269. हरियाणा प्रदेश में वर्ष 2023-24 तक मान्यता प्राप्त प्राथमिक/पूर्व प्राथमिक स्कूलों की संख्या कितनी है?
A. 9,872 B. 10,605
C. 11,582 D. 8,780

270. प्रदेश में 2023-24 तक मान्यता प्राप्त माध्यमिक स्कूलों की संख्या कितनी है?
A. 1,215 B. 2,312
C. 5,640 D. 3,850

271. हरियाणा में 2023-24 तक उच्च/वरिष्ठ माध्यमिक विद्यालयों की संख्या कितनी है?
A. 6,460 B. 9,354
C. 5,870 D. 4,960

272. हरियाणा के किस जिले की साक्षरता दर सबसे ज्यादा है?
A. गुरुग्राम B. झज्जर
C. रोहतक D. पलवल

273. प्रदेश के किस जिले की साक्षरता दर सबसे कम है?
A. करनाल B. कैथल
C. पानीपत D. नूंह

274. हरियाणा प्रदेश में 2022-23 तक कितने अध्यापक प्रशिक्षण महाविद्यालय हैं?
A. 489 B. 400
C. 300 D. 350

275. प्रदेश में कुल साक्षर जनसंख्या कितनी है?
A. 1,66,25,728 B. 1,65,98,988
C. 78,10,882 D. 1,32,58,652

276. प्रदेश में वर्ष 2023-24 तक कितने मान्यता प्राप्त विश्वविद्यालय हैं?
A. 58 B. 40
C. 35 D. 38

277. प्रदेश में निम्नलिखित में से किस स्थान पर नवोदय विद्यालय स्थित है?
A. तितरम B. ओढ़ा
C. देवराला D. उपरोक्त सभी में

278. हरियाणा सरकार द्वारा किस वर्ष 10+2+3 शिक्षा प्रणाली लागू की गई?
A. 1980-81 में B. 1976-77 में
C. 1988-89 में D. 1985-86 में

279. "महर्षि दयानन्द विश्वविद्यालय" हरियाणा के किस नगर में स्थित है?
A. रोहतक B. हिसार
C. फरीदाबाद D. रेवाड़ी

280. "चौधरी चरणसिंह कृषि विश्वविद्यालय" प्रदेश के किस नगर में स्थित है?
A. जीन्द B. गुरुग्राम
C. हिसार D. कुरुक्षेत्र

281. हरियाणा में पंजाबी भाषा को बढ़ावा देने के उद्देश्य से पंजाबी भाषा को किस स्थान पर रखा गया है?
A. प्रथम B. द्वितीय
C. तृतीय D. चतुर्थ

282. हरियाणा में चौधरी देवीलाल विश्वविद्यालय निम्नलिखित में से किस स्थान पर स्थित है?

A. कुरुक्षेत्र B. हिसार
C. रोहतक D. सिरसा

283. हरियाणा में खेलों को बढ़ावा देने के उद्देश्य से प्रदेश सरकार द्वारा कौन-सी महत्त्वपूर्ण योजना चलाई जा रही है?

A. खेल संस्थाओं को अनुदान B. प्रशिक्षण योजना
C. खेल स्टेडियम D. उपरोक्त सभी

284. खिलाड़ियों को आधुनिक और वैज्ञानिक ढंग से प्रशिक्षण देने के लिए हरियाणा में किस स्थान पर खेल छात्रावास की स्थापना की गई है?

A. गुरुग्राम में B. रोहतक में
C. फरीदाबाद में D. पानीपत में

285. हरियाणा के सोनीपत जिले के राई नामक स्थान पर एक खेलकूद स्कूल है, उसका नाम बताइये?

A. जवाहरलाल नेहरू खेलकूद स्कूल
B. इन्दिरा गांधी खेलकूद स्कूल
C. मोतीलाल नेहरू खेलकूद स्कूल
D. राजीव गांधी खेलकूद स्कूल

286. सोनीपत जिले के राई नामक स्थान पर स्थित मोतीलाल नेहरू खेलकूद स्कूल में स्थित कमला नेहरू नामक स्कूल की स्थापना कब की गई थी?

A. वर्ष 1970 में B. वर्ष 1974 में
C. वर्ष 1982 में D. वर्ष 1986 में

287. सुश्री सोनिया लाठेर किस खेल से संबंधित हैं?

A. कुश्ती B. कबड्डी
C. एथलेटिक्स D. मुक्केबाजी

288. टोक्यो ओलंपिक 2020 में हरियाणा के किस पहलवान ने रजत पदक प्राप्त किया था?

A. बजरंग पुनिया B. विनेश फोगाट
C. रवि कुमार दहिया D. बबिता कुमारी

289. जुलाई-अगस्त 2022 में बर्मिंघम में हुए 22वें राष्ट्रमंडल खेलों में हरियाणा के खिलाड़ियों ने कितने पदक प्राप्त किए थे?

A. 24 B. 12
C. 15 D. 20

290. हरियाणा के प्रसिद्ध खिलाड़ी नीरज चोपड़ा किस खेल से संबंधित हैं?

A. जिमनास्टिक B. भाला फेंक
C. बैडमिंटन D. टेनिस

291. पेरिस ओलंपिक 2024 में कांस्य पदक जीतने वाली मनु भाकर का सम्बन्ध किस खेल से है?

A. निशानेबाजी B. कबड्डी
C. जूडो D. हैंडबाल

292. हिन्दी के प्रसिद्ध कहानीकार श्री विशम्भरनाथ कौशिक का जन्म हरियाणा में कहां पर हुआ था?

A. अम्बाला छावनी में B. सिरसा में
C. पंचकूला में D. रोहतक में

293. हरियाणा के प्रसिद्ध लेखक पं॰ नेकीराम शर्मा ने भिवानी से कौन-सा पत्र हिन्दी में प्रकाशित किया था?

A. संवाहक B. सन्देश
C. निवारण D. वाणी

294. निम्नलिखित में से भारतीय क्रिकेट का कौन-सा पूर्व खिलाड़ी हरियाणा से सम्बन्धित है?

A. कपिल देव B. सुनील गावस्कर
C. अजय जडेजा D. अजहरुद्दीन

295. सूरजकुंड क्राफ्ट मेला प्रथम बार किस वर्ष आरम्भ हुआ था?

A. 1991 B. 1961
C. 1987 D. 2001

296. पेरिस ओलंपिक 2024 में निम्न में से हरियाणा के किस खिलाड़ी ने शूटिंग में कांस्य पदक जीता?

A. रमेश अवाना B. सरबजोत सिंह
C. राजेश कुमार D. मनदीप सिंह

297. टोक्यो ओलंपिक 2020 में हरियाणा के किस खिलाड़ी ने स्वर्ण पदक जीता था?

A. बजरंग पुनिया B. बबिता कुमारी
C. जितेन्द्र कुमार D. नीरज चोपड़ा

298. निम्नलिखित में से किस प्रमुख आदिकवि को हरियाणा का माना जाता है?

A. गोस्वामी तुलसीदास B. कबीरदास
C. कवि चन्दबरदाई D. रहीम दास

299. निम्नलिखित में से हरियाणा के किस मुस्लिम संत ने हिन्दी साहित्य के विकास में महत्त्वपूर्ण योगदान दिया?

A. शेख-यू-अलीशाह कलन्दर B. सन्त सादुल्ला
C. शेख बहाउद्दीन चिश्ती D. उपरोक्त सभी ने

300. निम्नलिखित में से कौन-सा प्राचीन कवि हरियाणा से सम्बन्धित नहीं है?

A. वीरभान B. महात्मा हरिदास
C. बनारसीदास D. नरोत्तम दास

301. हरियाणा राज्य को पूर्ण राज्य का दर्जा कब मिला?

A. 1 नवम्बर, 1964 को B. 10 दिसम्बर, 1965 को
C. 1 नवम्बर, 1966 को D. 15 जून, 1968 को

302. हरियाणा की राजधानी कौन-सा नगर है?

A. चण्डीगढ़ B. रोहतक
C. करनाल D. यमुनानगर

303. राज्यपाल जिलाधीश की नियुक्ति करता है-

A. केन्द्रीय सरकार की सलाह पर
B. राज्य की मंत्रिपरिषद की सलाह पर
C. राष्ट्रपति की सलाह पर
D. प्रधानमंत्री की सलाह पर

304. वर्तमान समय में हरियाणा में कितने जिले हैं?
A. 16 B. 17
C. 18 D. 22

305. प्रसिद्ध भोंडसी आश्रम हरियाणा के किस जिले में स्थित है?
A. पानीपत B. फतेहाबाद
C. गुरुग्राम D. कैथल

306. 'नरवाना' विधान सभा क्षेत्र किस जिले में स्थित है?
A. जींद B. फरीदाबाद
C. नूंह D. गुरुग्राम

307. 'किलोई' विधान सभा क्षेत्र किस जिले में स्थित है?
A. सोनीपत B. पानीपत
C. रोहतक D. करनाल

308. हरियाणा का 22वाँ जिला कौन सा है?
A. डबवाली B. चरखी दादरी
C. होडल D. नरवाना

309. निम्न में से कौन लोकसभा क्षेत्र अनुसूचित जाति के लिए आरक्षित है?
A. अम्बाला B. भिवानी
C. फरीदाबाद D. हिसार

310. निम्न में से कौन लोकसभा क्षेत्र अनुसूचित जाति के लिए आरक्षित है?
A. सोनीपत B. महेन्द्रगढ़
C. रोहतक D. सिरसा

311. हरियाणा प्रदेश में पुरुषों द्वारा पहनी जाने वाली पगड़ी क्या कहलाती है?
A. खंडवा B. पग्गड़
C. तोडा D. पगड़ी

312. प्रदेश में राजपूती ढंग की बड़ी पगड़ी को क्या कहते हैं?
A. साफा B. टोपी
C. पाग D. दोहरा

313. हरियाणा में चार नीले तथा चार लाल धागों की बुनाई वाले खद्दर से बना बिना कली का घाघरा क्या कहलाता है?
A. धारणा B. खारा
C. थारा D. कचारा

314. हरियाणा में महिलाओं द्वारा बुजली गहना शरीर के किस भाग में पहना जाता है?
A. माथा B. पैर
C. नाक D. कान

315. प्रदेश में निम्नलिखित में से कौन-सा आभूषण मुंह और सिर पर पहना जाता है?
A. सिंगार पट्टी B. तग्गा
C. बेस्सर D. उपरोक्त सभी

316. प्रदेश में प्रचलित आभूषणों में निम्नलिखित में से कौन-सा आभूषण नाक में नहीं पहना जाता है?
A. नांथ B. पुरली
C. ढेडे D. कोक्का

317. प्रदेश में प्रचलित निम्नलिखित में से कौन-सा आभूषण हाथों में नहीं पहना जाता है?
A. पौहची B. कडूल्ला
C. पछेल्ली D. बांकड़ी

318. प्रदेश में प्रचलित शकुन-अपशकुनों में निम्नलिखित में से किसे शकुन माना जाता है?
A. पानी भरा घड़ा B. हिरण दर्शन
C. मेहतर (झाडू लिए हुए) D. उपरोक्त सभी

319. प्रदेश में प्रचलित शकुन-अपशकुनों में निम्नलिखित में से किसे अपशकुन माना जाता है?
A. खाली घड़ा B. दूब का दर्शन
C. पैर का खुजाना D. भिस्ती का जल लिए मिलना

320. प्रदेश में पारम्परिक आभूषणों में निम्नलिखित में से कौन-सा आभूषण पुरुषों द्वारा पहना जाता है?
A. गोफ B. तागड़ी
C. नाड़ा D. कड़ी

321. हरियाणा में निम्नलिखित में से किस धार्मिक स्थान पर, सूर्य ग्रहण के अवसर पर भारत भर से लाखों यात्री स्नान व धर्मानुष्ठान के लिए आते हैं?
A. गुरुग्राम B. कुरुक्षेत्र
C. जगाधरी D. इनमें से कोई नहीं

322. गुरुग्राम जिले में इस्लामपुर नामक स्थान पर भादों मास के नौवें दिन कौन-सा मेला लगता है?
A. गूगा नौमी B. नागपूजा
C. यमुना स्नान D. शिव मेला

323. गुरुग्राम में चैत्र व आषाढ़ मास में प्रत्येक सोमवार व मंगलवार को निम्नलिखित में से कौन सा प्रसिद्ध मेला लगता है?
A. बुढ्ढो माता का मेला B. शिवजी का मेला
C. शीतला माता का मेला D. मेला बाबा बूढ़ा

324. हरियाणा के किस जिले में रामसराय और भूतेश्वर के प्रसिद्ध मेले लगते हैं?
A. फरीदाबाद जिले में B. जीन्द जिले में
C. रोहतक जिले में D. झज्जर जिले में

325. रोहतक के अस्थल बोहर में मठ में फरवरी-मार्च के महीने में कौन-सा मेला लगता है?
A. बाबा मस्तनाथ का मेला B. कपाल मोचन का मेला
C. देवी मेला D. पाथरी माता का मेला

326. जगाधरी के समीप बिलासपुर नामक स्थान पर कार्तिक पूर्णिमा के दिन कौन-सा मेला लगता है?
A. आदि बद्री मेला B. मेला काली माई
C. कपाल मोचन का मेला D. पंचमुखी मेला

327. रोहतक जिले में लाखन माजरा नामक स्थान पर "मंजी साहब का गुरुद्वारा" स्थित है यहां पर निम्नलिखित में से कौन-सा त्यौहार मनाया जाता है?
A. मेला सत्वा तीज B. मोहोला हल्ला का त्योहार
C. बावन द्वादशी D. माणु मेला

328. जिला पानीपत के पाथरी नामक स्थान पर चैत्र व आषाढ़ मास के हर बुधवार को कौन-सा मेला लगता है?

A. माता का मेला B. शिव मेला
C. मेला देहाती D. पाथरी माता का मेला

329. जीन्द जिले के खरक रामजी नामक स्थान पर होली के दिन कौन-सा मेला लगता है?

A. माता का मेला B. नागदेवता का मेला
C. बाबा भालूनाथ का मेला D. मेला सच्चा सौदा

330. रोहतक जिले के दुबलधन माजरा नामक स्थान पर फाल्गुन सुदी द्वादशी (फरवरी- मार्च) को कौन-सा मेला लगता है?

A. मेला माता B. मेला देवी
C. मेला श्यामजी D. मेला बाबा बूढ़ा

331. जिला गुरुग्राम के खोरी नामक स्थान पर अप्रैल, मई में कौन-सा मेला लगता है?

A. शाहचोखा खोरी मेला B. शिव का मेला
C. नागपूजा मेला D. बाबा मस्तनाथ का मेला

332. जिला सोनीपत में किस स्थान पर फाल्गुन सुदी-9 (फरवरी, मार्च) में डेरा नग्न बालकनाथ का मेला लगता है?

A. बेगा (तहसील सोनीपत) B. मेहरीपुर (तहसील सोनीपत)
C. रभड़ा (तहसील गोहाना) D. चुलकाना (तहसील सोनीपत)

333. जिला सोनीपत के खुबडु नामक स्थान पर फाल्गुन की पूर्णमासी (फरवरी, मार्च) को कौन-सा मेला लगता है?

A. सतकुम्भा मेला B. मेला बाबा शमकशाह
C. मेला सांझी D. देवी मेला

334. फरीदाबाद जिले के अलावलपुर नामक स्थान पर स्थित बाबा उदासनाथ की समाधि पर मेला कब लगता है?

A. भादों सुदी नवमी को B. चैत्र बदी दूज को
C. लगते फाल्गुन बदी चौदस को D. फाल्गुन बदी अमावस्या को

335. जिला भिवानी में किस स्थान पर रक्षा बंधन के दिन बाबा खेडेवाला का मेला लगता है?

A. नौरंगाबाद B. खरक कलां
C. रिवासा D. तोशाम

336. हरियाणा प्रदेश में मंगलमय "पीलिया" लोकगीत किस अवसर पर गाया जाता है?

A. सावन के महीने पर B. पुत्र-जन्म के अवसर पर
C. विवाह के अवसर पर D. फागुन के महीने में

337. हरियाणा प्रदेश में निम्नलिखित में से किस अवसर पर लोकगीत गाये जाते हैं?

A. पुत्र जन्म के समय B. सावन के महीने में
C. पर्व-त्यौहार के अवसर पर D. उपरोक्त सभी अवसरों पर

338. प्रदेश में पुरुषों द्वारा बीनों, खंजरी, तुम्बे, बांसुरी, खड़ताल पर, चांदनी रात में खुले मैदान में निम्नलिखित में से कौन-सा नृत्य किया जाता है?

A. धमाल नृत्य B. मंजीरा नृत्य
C. लूर नृत्य D. डमरु नृत्य

339. हरियाणा के मेवात क्षेत्र में बड़े-बड़े नक्कारों, डफ और मंजीरों के साथ निम्नलिखित में से कौन-सा नृत्य प्रचलित है?

A. घोड़ा नृत्य B. धमाल नृत्य
C. मंजीरा नृत्य D. छठी नृत्य

340. हरियाणा के बागर क्षेत्र में होली के मौसम में निम्नलिखित में से कौन-सा नृत्य किया जाता है?

A. डमरु नृत्य B. मंजीरा नृत्य
C. घोड़ा नृत्य D. लूर नृत्य

341. हरियाणा में प्रचलित घोड़ा लोकनृत्य का आयोजन प्रमुख रुप से किस अवसर पर किया जाता है?

A. विवाह के अवसर पर B. फागुन माह में
C. पुत्र-जन्म के अवसर पर D. सावन माह में

342. प्रदेश में भादों के महीने की नौमी के दिन गुग्गापीर की पूजा के बाद निम्नलिखित में से कौन-सा नृत्य किया जाता है?

A. धमाल नृत्य B. छड़ी नृत्य
C. लूर नृत्य D. डमरु नृत्य

343. प्रदेश में प्रचलित लोकनृत्यों में से कौन-सा नृत्य स्त्रियों द्वारा किया जाता है?

A. तीज नृत्य B. धमाल नृत्य
C. डमरु नृत्य D. मंजीरा नृत्य

344. प्रदेश में प्रचलित लोक नृत्यों में से कौन-सा नृत्य पुरुषों द्वारा किया जाता है?

A. छठी नृत्य B. तीज का नृत्य
C. डमरु नृत्य D. खोडिया नृत्य

345. हरियाणा में प्रचलित लोकनृत्यों में से कौन-सा नृत्य स्त्री-पुरुष दोनों के द्वारा किया जाता है?

A. तीज नृत्य B. लूर नृत्य
C. खोडिया नृत्य D. फाग नृत्य

346. हरियाणा के कैथल नगर में प्रताप गेट के निकट निम्नलिखित में से कौन-सा गुरुद्वारा स्थित है?

A. गुरुद्वारा नीम साहिब B. गुरुद्वारा नौवीं पातशाही
C. रागधार गुरुद्वारा D. गुरुद्वारा छठी पातशाही

347. गुरुद्वारा मंजी साहिब हरियाणा के किस नगर में स्थित है?

A. करनाल B. पानीपत
C. कैथल D. अम्बाला

348. हरियाणा में किस स्थान को, "नवग्रह कुण्डों" के स्थित होने के कारण "छोटी काशी" भी कहा जाता है?

A. नारनौल को B. कैथल को
C. गुरुग्राम को D. कुरुक्षेत्र को

349. हरियाणा में कैथल से कुछ दूरी पर किस महापुरुष की समाधि स्थित है, जिस पर प्रत्येक वर्ष दशहरे से अगले दिन भारी मेला लगता है?

A. बाबा काली कमली वाले की B. बाबा हरिदास की
C. बाबा लदाना की D. बाबा रामदास की

350. कुरुक्षेत्र में थानेसर सिटी स्टेशन के समीप निम्नलिखित में से कौन-सा प्रसिद्ध तीर्थ स्थल है?

A. ब्रह्म सरोवर B. हटकेश्वर
C. ढोसी तीर्थ स्थल D. पूण्डरीक सरोवर

351. कुरुक्षेत्र रेलवे स्टेशन के समीप कुरुक्षेत्र-पेहवा रोड पर निम्नलिखित में से कौन-सा तीर्थ स्थल स्थित है, जिसे भगवान विष्णु का स्थाई निवास स्थल माना जाता है?

A. ब्रह्म सरोवर B. कालेश्वर तीर्थ
C. सन्निहित तीर्थ D. मारकाण्डेय तीर्थ

352. जिला कुरुक्षेत्र में किस तीर्थ स्थान पर श्रीकृष्ण ने अर्जुन को गीता का उपदेश दिया था?

A. ब्रह्म सरोवर B. कमल नाभ तीर्थ
C. प्राचीतीर्थ D. ज्योतिसर सरोवर

353. जिला कुरुक्षेत्र में स्थित ज्योतिसर सरोवर के समीप स्थित अक्षयवट के चारों ओर पक्के चबूतरे का निर्माण महाराज दरभंगा द्वारा कब करवाया गया था?

A. सन् 1924 में B. सन् 1930 में
C. सन् 1932 में D. सन् 1949 में

354. जिला कुरुक्षेत्र में स्थित ज्योतिसर सरोवर के निकट एक कृष्ण-अर्जुन रथ तथा शंकराचार्य के मन्दिर का निर्माण किसने करवाया था?

A. महाराज दरभंगा ने
B. कामकोटि पीठ के शंकराचार्य ने
C. कश्मीर के राजा ने
D. स्वामी विशुद्धानन्द महाराज ने

355. जिला कुरुक्षेत्र में स्थित प्रसिद्ध तीर्थ ज्योतिसर सरोवर की लम्बाई कितनी है?

A. 1000 फुट B. 1500 फुट
C. 2000 फुट D. 2500 फुट

356. जिला कुरुक्षेत्र में स्थित "बाबा काली कमली वाले का डेरा' नामक धार्मिक स्थल के संस्थापक कौन थे?

A. स्वामी रामतीर्थ
B. श्री स्वामी विशुद्धानन्द महाराज
C. कामकोटि पीठ के शंकराचार्य
D. स्वामी परमानन्द महाराज

357. भक्तिकाल से सम्बन्धित गौड़ीय मठ नामक धार्मिक स्थल हरियाणा के किस ज़िले में स्थित है?

A. अम्बाला जिले में B. जीन्द जिले में
C. कुरुक्षेत्र जिले में D. महेन्द्रगढ़ जिले में

358. कुरुक्षेत्र जिले में वह कौन-सा धार्मिक स्थल है जहां पर बाबा लक्ष्मण गिरि महाराज द्वारा जीवित समाधि ली गई थी?

A. बाण गंगा B. प्राची तीर्थ
C. गौड़ीय मठ D. बाल्मिकि आश्रम

359. राजघाट गुरुद्वारा हरियाणा में कहाँ पर स्थित है?

A. कुरुक्षेत्र में B. यमुनानगर में
C. कैथल में D. भिवानी में

360. निम्नलिखित में से कौन-सा तीर्थस्थल हरियाणा के जिला कुरुक्षेत्र में स्थित नहीं है?

A. कालेश्वर तीर्थ B. प्राची तीर्थ
C. ढोसी तीर्थ D. कुबेर तीर्थ

361. जिला कुरुक्षेत्र के कुरुक्षेत्र विश्वविद्यालय के उत्तर-पश्चिम में एक कि॰मी॰ की दूरी पर से कौन-सा प्राचीन तीर्थ स्थल स्थित है?

A. मारकाण्डेय तीर्थ B. नरकातारी (अनरक तीर्थ)
C. प्राची तीर्थ D. कुबेर तीर्थ

362. हरियाणा में थानेसर से 25 कि॰मी॰ पश्चिम में कौन-सा महत्त्वपूर्ण तीर्थ स्थल स्थित है जिसको हरियाणा और उसके समीपवर्ती क्षेत्रों में वही स्थान प्राप्त है जो पूर्व में गया तीर्थ को है?

A. पेहोवा B. पंचवटी
C. सफीदों D. पाण्डू-पिण्डारा

363. जिला पलवल के होडल क्षेत्र में निम्नलिखित में से कौन-सा धार्मिक स्थल स्थित है?

A. पंचवटी B. रामराय
C. सती का स्थान D. कालेश्वर महादेव मठ

364. 'पंचवटी' नामक तीर्थस्थल किस जिले में स्थित है?

A. अम्बाला B. पंचकुला
C. कुरुक्षेत्र D. पलवल में

365. जिला जीन्द के समीप जीन्द-गोहाना मार्ग पर कौन-सा प्राचीन धर्म-स्थल है जहां पर प्रत्येक वर्ष सोमवती अमावस्या के दिन मेला लगता है?

A. पाण्डू-पिण्डारा B. सफीदों
C. हंसडैहर D. उपरोक्त में से कोई नहीं

366. थानेसर नगर से कुछ दूर स्थित स्थानेश्वर महादेव मन्दिर का निर्माण सम्राट हर्षवर्धन के किस पूर्वज राजा द्वारा करवाया गया था?

A. पुष्यभूति B. आधित्यवर्धन
C. नरवर्धन D. प्रभाकरवर्धन

367. महमूद गजनवी अपने भारत आक्रमण के दौरान हरियाणा के निम्नलिखित में से किस प्राचीन मन्दिर की मूर्ति को अपने साथ गजनी ले गया था?

A. दुखभंजनेश्वर मन्दिर (कुरुक्षेत्र)
B. भगवान शिव मन्दिर (नारनौल)
C. सर्वेश्वर महादेव मन्दिर (कुरुक्षेत्र)
D. स्थानेश्वर महादेव मन्दिर (थानेसर)

368. हरियाणा के स्थानेश्वर मन्दिर का पुनर्निर्माण निम्नलिखित में से किसके द्वारा करवाया गया था?

A. मराठा सदाशिव राव द्वारा B. चन्द्रगुप्त विक्रमादित्य द्वारा
C. हर्षवर्धन द्वारा D. नरवर्धन द्वारा

369. देवीकूप (भद्रकाली मन्दिर) भारत के 51 शक्तिपीठों में से एक है यह मन्दिर प्रदेश में कहाँ पर स्थित है?

A. रोहतक B. कुरुक्षेत्र
C. पानीपत D. थानेसर

370. कुरुक्षेत्र में सन्निहित सरोवर के समीप निम्नलिखित में से कौन-सा मन्दिर स्थित नहीं है?
A. नारायण मन्दिर B. लक्ष्मी नारायण मन्दिर
C. दुखभंजनेश्वर मन्दिर D. बिरला मन्दिर

371. कुरुक्षेत्र का निम्नलिखित में से कौन-सा मन्दिर गिरि सम्प्रदाय के सिद्ध फकीर बाबा शिव गिरि महाराज द्वारा बनवाया गया था?
A. सर्वेश्वर महादेव मन्दिर B. नारायण मन्दिर
C. लक्ष्मी नारायण मन्दिर D. दुखभंजनेश्वर मन्दिर

372. कुरुक्षेत्र के प्रसिद्ध 'सर्वेश्वर महादेव मन्दिर' को किसने बनवाया था?
A. बाबा श्रवण नाथ ने B. बाबा शिवगिरि ने
C. बाबा तारकनाथ ने D. श्री जुगल किशोर बिरला ने

373. कुरुक्षेत्र-पेहोवा मार्ग पर स्थित बिरला मन्दिर को श्री जुगल किशोर बिरला द्वारा कब बनवाया गया था?
A. 1950 में B. 1955 में
C. 1965 में D. 1978 में

374. ग्यारह रुद्री शिव मन्दिर हरियाणा के किस नगर में स्थित है?
A. जीन्द B. पानीपत
C. हिसार D. कैथल

375. मराठा सरदार मंगल रघुनाथ जी ने पानीपत की तीसरी लड़ाई के बाद पानीपत में निम्नलिखित में से कौन-सा मन्दिर बनवाया था?
A. देवी तालाब का शिव मन्दिर B. हनुमान मन्दिर
C. देवी मन्दिर D. रुद्र मन्दिर

376. अमीन नामक गांव में निम्नलिखित में से कौन-सा प्राचीन मन्दिर स्थित है?
A. पंचवटी मन्दिर B. शिव मन्दिर
C. अदिति का मन्दिर D. दाऊ जी का मन्दिर

377. फरीदाबाद से लगभग 55 कि॰मी॰ की दूरी पर स्थित वंचारी गांव में निम्नलिखित में से कौन-सा प्राचीन मन्दिर स्थित है?
A. दाऊजी का मन्दिर B. अदिति का मन्दिर
C. पंचवटी मन्दिर D. चामुण्डा देवी का मन्दिर

378. माता शीतला देवी का प्रसिद्ध और प्राचीन मन्दिर हरियाणा में कहां पर स्थित है?
A. रेवाड़ी में B. गुरुग्राम में
C. नारनौल में D. जीन्द में

379. गुरुग्राम गांव में स्थित माता शीतला देवी का मन्दिर महाराज भरतपुर द्वारा कब बनवाया गया था?
A. सन् 1620 में B. सन् 1645 में
C. सन् 1648 में D. सन् 1650 में

380. प्राचीन शिव मन्दिर जहां पर बाबा ठण्डीपुरी की समाधि भी है प्रदेश में कहां स्थित है?
A. पूण्डरीक तीर्थ B. गुरुग्राम
C. हिसार D. रोहतक

381. पिंजोर की प्राचीन विरासत को बढ़ावा देने के लिए प्रतिवर्ष दो महोत्सव मनाए जाते हैं, एक त्योहार तो पिंजोर विरासत महोत्सव है; दूसरा महोत्सव कौन-सा है?
A. खजूर महोत्सव B. आम महोत्सव
C. नींबू महोत्सव D. संतरा महोत्सव

382. झज्जर जिले में स्थित बेरी गांव के रूढ़मल मन्दिर में स्थित शिवालय की ऊँचाई कितनी है?
A. 116 फुट B. 122 फुट
C. 132 फुट D. 140 फुट

383. झज्जर जिले के बेरी गांव के रूढ़मल मन्दिर में स्थित शिवालय का निर्माण कब करवाया गया था?
A. सन् 1842 में B. सन् 1850 में
C. सन् 1892 में D. सन् 1899 में

384. झज्जर जिले में स्थित बेरी गांव के रूढ़ीमल मन्दिर के शिवालय का पहली बार जीर्णोद्धार कब करवाया गया था?
A. सन् 1943 में B. सन् 1945 में
C. सन् 1950 में D. सन् 1953 में

385. नारनौल नगर में स्थित चामुण्डा देवी के मन्दिर का निर्माण व जीर्णोद्धार किसके द्वारा करवाया गया था?
A. राजा परीक्षत द्वारा B. राजा दिलीप द्वारा
C. राजा नूरकरण द्वारा D. पांडवों द्वारा

386. हरियाणा में चिश्ती सम्प्रदाय की स्थापना किसके द्वारा की गई थी?
A. बू अलीशाह कलंदर
B. शेख फरीद (फरीदुद्दीन शकरगंज)
C. अल्ताफ हुसैन
D. इब्राहिम अबीदुल्ला

387. चिश्ती सम्प्रदाय के प्रमुख सूफी संत बू अलीशाह कलंदर ने प्रदेश में किस स्थान को अपनी साधना का प्रमुख केन्द्र बनाया था?
A. पानीपत B. रोहतक
C. सोनीपत D. गुरुग्राम

388. सूफी संत अल्ताफ हुसैन हाली की दरगाह हरियाणा में कहां पर स्थित है?
A. झज्जर B. रेवाड़ी
C. पानीपत D. रोहतक

389. पानीपत की किस दरगाह पर श्रद्धालुओं द्वारा माथा टेकने पर ही अजमेर के ख्वाजा का उर्स पूरा होता है? ऐसी धारणा है-
A. ख्वाजा शम्सुद्दीन मख्दूम जलालुद्दीन की दरगाह
B. शेख उसमान जिंदापीर की दरगाह
C. गौस अलीशाह की दरगाह
D. बू अलीशाह कलंदर की दरगाह

390. नारनौल से करीब दस कि॰मी॰ दूर गांव धरसूं में किस प्रसिद्ध संत की दरगाह स्थित है?
A. हजरत शाह कलमुद्दीन हमज़ापीर हुसैन
B. मीर शाह (बाबा शाहखान)
C. शेख निजामुद्दीन
D. शेख जुनैद

391. फतेहाबाद में स्थित किस सूफी संत की मज़ार के प्रांगण में एक पत्थर पर बादशाह हुमायूं का अभिलेख उत्कीर्ण है?
A. मीरतकी खान B. मीर जुनैदी
C. शेख निज़ामुद्दीन D. मीरशाह (बाबा शाहखान)

392. हरियाणा के किस मकबरे को पुरातत्वीय स्थल और अवशेष अधिनियम, 1958 के अधीन राष्ट्रीय महत्त्व का स्मारक घोषित किया गया है?
A. शेख चेहली
B. बू अलीशाह कलंदर
C. शेख फरीद (फरीदुद्दीन शकरगंज)
D. पीर जमाल

393. बाबा शाह कमाल की मज़ार प्रदेश में कहां पर स्थित है?
A. गोहाना में B. फतेहाबाद में
C. कैथल में D. रोहतक में

394. प्रदेश में किस स्थान पर निम्नलिखित चार सूफी संतों (कुतुबशेख जमालुद्दीन अहमद, कुतुब मौलाना, बसोहद्दीन सूफी कुतुबद्दीन मन्नवर, कुतुब नुरुद्दीन) की मज़ार एक स्थान पर स्थित है?
A. करनाल में B. हिसार में
C. पलवल में D. हांसी में

395. शाहाबाद और अम्बाला के बीच किसकी मज़ार है, जिस पर मनोकामना पूरी होने पर घड़ी चढ़ाई जाती है?
A. पीर नागौजी B. हमज़ा पीर
C. पीर नौगज़ा D. इब्राहिम अबीदुल्ला

396. रोहतक में स्थित किस मस्जिद को, जो पहले मन्दिर था, औरंगजेब के शासनकाल में मस्जिद का रूप दिया गया था?
A. काज़ी की मस्जिद B. दीनी मस्जिद
C. लाल मस्जिद D. इनमें कोई नहीं

397. रोहतक में स्थित लाल मस्जिद को प्रसिद्ध व्यापारी हाजी आशिक अली द्वारा कब बनवाया गया था?
A. सन् 1930 में B. सन् 1931 में
C. सन् 1935 में D. सन् 1939 में

398. गुरुग्राम जिले में स्थित सराय अलावरदी गांव की मस्जिद किस शासक के काल में बनवायी गई थी?
A. बाबर B. जहाँगीर
C. शाहजहाँ D. अलाउद्दीन खिलजी

399. झज्जर जिले के गांव दुजाना में कौन-सी प्राचीन, ऐतिहासिक मस्जिद स्थित है?
A. लाल मस्जिद B. काजी की मस्जिद
C. करीम जी की मस्जिद D. जामा मस्जिद

400. रेवाड़ी की प्रसिद्ध ऐतिहासिक लाल मस्जिद किस मुगल शासक के काल में बनवाई गई थी?
A. बाबर B. हुमायूं
C. अकबर D. जहाँगीर

401. नारनौल, पानीपत, अम्बाला के अतिरिक्त सूफी संतों ने हरियाणा के किस नगर को सूफी विचारधारा का इस्लाम प्रचार केन्द्र बनाया?
A. कैथल B. थानेसर
C. करनाल D. सोनीपत

402. हरियाणा में रहकर सूफी मत का प्रचार करने वाले अधिकांश सूफी संत निम्नलिखित में से किस सम्प्रदाय के थे?
A. चिश्ती B. नक्शबंदी
C. कादरी D. उपरोक्त सभी

403. हरियाणा का ताजमहल कहा जाने वाला, प्रसिद्ध सूफी संत शेख चेहली का मकबरा किस नगर में स्थित है?
A. हिसार B. फतेहाबाद
C. थानेसर D. पानीपत

404. चरखी दादरी जिले के कलियाणा गांव में किस संत की दरगाह स्थित है, जिस पर प्रत्येक बुधवार को मेला लगता है?
A. पीर मुबारकशाह B. शेख उसमान जिंदापीर
C. शेख निज़ामुद्दीन D. मुहम्मद अफज़ल

405. मीरां साहब का मकबरा हरियाणा के किस नगर में स्थित है?
A. अम्बाला B. पानीपत
C. करनाल D. कैथल

406. भगवान कृष्ण ने अर्जुन को गीता का प्रेरणादायक संदेश हरियाणा में किस स्थान पर दिया था?
A. पानीपत B. कुरुक्षेत्र
C. होडल D. थानेश्वर

407. प्रदेश का निम्नलिखित में से कौन-सा नगर प्राचीन काल में श्रीकंठ जनपद की राजधानी था?
A. थानेश्वर B. चण्डीगढ़
C. रोहतक D. गुड़गाँव

408. यमुनानगर जिले में स्थित 'सढौरा' नामक ऐतिहासिक कस्बे में निम्नलिखित में से कौन- सा प्रसिद्ध मन्दिर है?
A. मनोकामना B. गागरवाला
C. तोरांवाला D. उपरोक्त तीनों

409. जिला यमुनानगर के किस ऐतिहासिक कस्बे में 'पीर बुद्धुशाह' का गुरुद्वारा है, जिन्होंने भागनी युद्ध में गुरु गोविन्द सिंह की सहायता की थी?
A. सढौरा B. रादौर
C. बिलासपुर D. छछरौली

410. हरियाणा के बहादुरगढ़ नामक ऐतिहासिक कस्बे का प्राचीन नाम क्या था?
A. चरखाबाद B. हसीनपुर
C. शरफाबाद D. बेतवाबाद

411. महम नामक ऐतिहासिक कस्बा प्रदेश के किस जिले में स्थित है?
A. भिवानी जिले में B. रोहतक जिले में
C. यमुनानगर जिले में D. झज्जर जिले में

412. जिला रोहतक में स्थित महम नामक कस्बे का पुनः निर्माण बनिया जाति के पेशोरा नामक व्यक्ति द्वारा कब करवाया गया था?
A. सन् 1266 में B. सन् 1295 में
C. सन् 1298 में D. सन् 1299 में

413. जिला सिरसा में स्थित ऐलनाबाद नामक कस्बा पहले किस नाम से जाना जाता था?
A. एलिसाबाद B. चाविपुर
C. कलिसाबाद D. खड़ियल

414. सिरसा जिले में स्थित 'रानियां' नामक ऐतिहासिक कस्बे का प्राचीन नाम क्या था?
A. राजबपुर B. साजूपुर
C. रजिपुर D. रतिपुर

415. जिला अम्बाला में स्थित किस कस्बे को सिरमौर (हिमाचल प्रदेश) के राजा लक्ष्मी नारायण ने बसाया था?

A. बराड़ा B. मुलाना
C. नारायणगढ़ D. रायपुर रानी

416. सोनीपत जिले में स्थित किस प्राचीन ऐतिहासिक कस्बे में की गई खुदाई से महाभारत कालीन मिट्टी के बर्तन प्राप्त हुए हैं?

A. राई B. खेड़ी गुज्जर
C. गन्कौर D. गोहाना

417. आदि बद्री नामक पौराणिक गांव किस जिले में स्थित है?

A. यमुनानगर B. भिवानी
C. सिरसा D. रेवाड़ी

418. जिला यमुनानगर में स्थित किस ऐतिहासिक गांव का सम्बन्ध महाभारत कालीन राजा शान्तनु से माना जाता है?

A. छछरौली B. आदिबद्री
C. बसन्तर D. किसी का नहीं

419. 'जननायक देवीलाल पुरस्कार' का संबंध है-

A. पशुधन विकास B. कृषि पैदावार
C. उद्योग D. शिक्षा

420. जिला करनाल के अन्तर्गत आने वाले किस स्थान को पानीपत के तीसरे युद्ध से पूर्व अहमदशाह अब्दाली ने अपने सरदारों के लिए एक शक्तिशाली केन्द्र बनाया था?

A. घरौडा B. नील्पेखेड़ी
C. असन्ध D. कुन्जपुरा

उत्तरमाला

1 D	2 A	3 B	4 C	5 A	6 D	7 B	8 A	9 C	10 B
11 D	12 D	13 A	14 C	15 D	16 A	17 C	18 B	19 D	20 A
21 D	22 A	23 C	24 B	25 A	26 D	27 D	28 A	29 C	30 C
31 D	32 C	33 A	34 B	35 D	36 D	37 A	38 C	39 B	40 C
41 D	42 A	43 C	44 B	45 A	46 C	47 D	48 A	49 C	50 C
51 A	52 C	53 A	54 B	55 D	56 B	57 A	58 C	59 B	60 D
61 C	62 A	63 D	64 B	65 C	66 A	67 B	68 C	69 D	70 A
71 B	72 C	73 A	74 D	75 C	76 B	77 A	78 C	79 D	80 C
81 B	82 A	83 D	84 C	85 A	86 D	87 C	88 C	89 D	90 A
91 C	92 B	93 C	94 A	95 D	96 B	97 B	98 A	99 C	100 B
101 C	102 A	103 D	104 A	105 C	106 A	107 B	108 A	109 D	110 A
111 B	112 D	113 C	114 A	115 C	116 B	117 D	118 C	119 A	120 C
121 B	122 D	123 B	124 A	125 D	126 A	127 C	128 B	129 D	130 C
131 A	132 D	133 B	134 A	135 D	136 A	137 C	138 B	139 D	140 A
141 C	142 B	143 D	144 A	145 C	146 D	147 A	148 B	149 C	150 A
151 D	152 A	153 A	154 B	155 C	156 A	157 D	158 B	159 D	160 C
161 D	162 B	163 C	164 B	165 A	166 B	167 D	168 B	169 A	170 C

171	172	173	174	175	176	177	178	179	180
D	B	A	C	A	B	A	B	A	D
181	182	183	184	185	186	187	188	189	190
A	B	A	C	B	A	D	A	D	D
191	192	193	194	195	196	197	198	199	200
C	A	D	C	A	A	B	A	D	C
201	202	203	204	205	206	207	208	209	210
B	D	A	C	A	C	B	D	C	A
211	212	213	214	215	216	217	218	219	220
B	D	B	D	A	A	C	B	A	C
221	222	223	224	225	226	227	228	229	230
B	D	A	C	A	D	B	C	D	A
231	232	233	234	235	236	237	238	239	240
C	B	D	A	C	D	A	C	A	D
241	242	243	244	245	246	247	248	249	250
B	A	C	C	A	D	A	D	D	C
251	252	253	254	255	256	257	258	259	260
D	A	A	A	C	D	B	A	A	B
261	262	263	264	265	266	267	268	269	270
D	A	D	C	B	D	A	C	A	C
271	272	273	274	275	276	277	278	279	280
B	A	D	A	B	A	D	D	A	C
281	282	283	284	285	286	287	288	289	290
B	D	D	A	C	B	D	C	A	B
291	292	293	294	295	296	297	298	299	300
A	A	B	A	C	B	D	C	D	D
301	302	303	304	305	306	307	308	309	310
C	A	B	D	C	A	C	B	A	D
311	312	313	314	315	316	317	318	319	320
A	C	B	D	D	C	D	D	A	A
321	322	323	324	325	326	327	328	329	330
B	A	C	B	A	C	B	D	C	C
331	332	333	334	335	336	337	338	339	340
A	C	B	D	A	B	D	A	C	D
341	342	343	344	345	346	347	348	349	350
A	B	A	C	D	A	C	B	C	A
351	352	353	354	355	356	357	358	359	360
C	D	A	B	A	B	C	D	A	C
361	362	363	364	365	366	367	368	369	370
B	A	C	D	A	A	D	A	B	D
371	372	373	374	375	376	377	378	379	380
C	A	B	D	A	C	A	B	D	A
381	382	383	384	385	386	387	388	389	390
B	A	C	D	C	B	A	C	D	A
391	392	393	394	395	396	397	398	399	400
D	A	C	D	C	B	D	D	B	C
401	402	403	404	405	406	407	408	409	410
B	D	C	A	C	B	A	D	A	C
411	412	413	414	415	416	417	418	419	420
B	A	D	A	C	B	A	C	B	D

❑ ❑ ❑